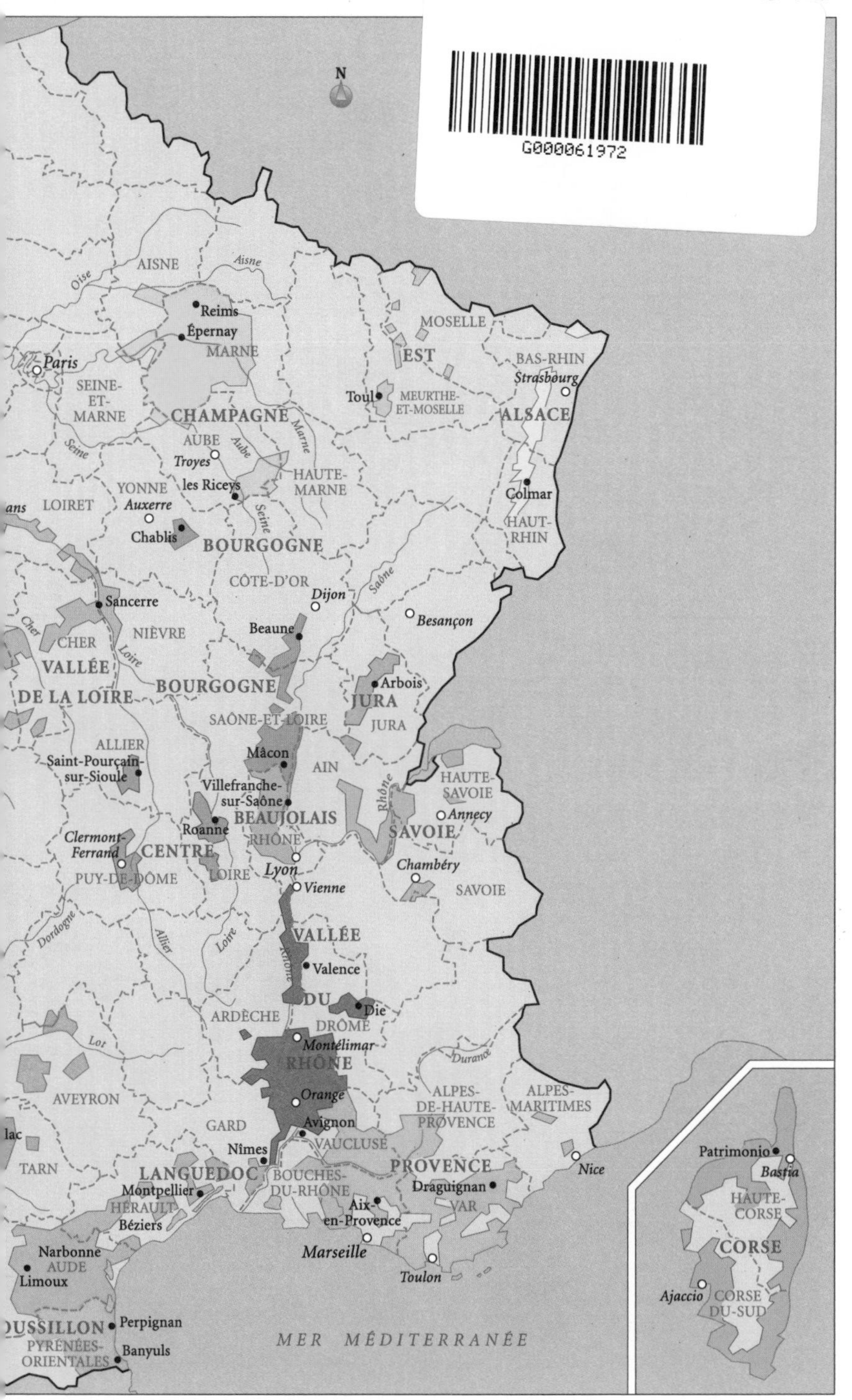
N
AISNE
Aisne
Oise
Reims
Épernay
MARNE
Paris
SEINE-ET-MARNE
CHAMPAGNE
AUBE
Aube
Marne
Seine
Troyes
les Riceys
HAUTE-MARNE
YONNE
LOIRET
Auxerre
Chablis
BOURGOGNE
CÔTE-D'OR
Dijon
Saône
Besançon
MOSELLE
EST
Toul
MEURTHE-ET-MOSELLE
BAS-RHIN
Strasbourg
ALSACE
Colmar
HAUT-RHIN
Sancerre
Cher
CHER
NIÈVRE
Loire
VALLÉE DE LA LOIRE
Beaune
BOURGOGNE
Arbois
JURA
JURA
SAÔNE-ET-LOIRE
ALLIER
Saint-Pourçain-sur-Sioule
Mâcon
AIN
Villefranche-sur-Saône
BEAUJOLAIS
RHÔNE
Rhône
HAUTE-SAVOIE
Annecy
SAVOIE
Chambéry
SAVOIE
Roanne
Clermont-Ferrand
CENTRE
PUY-DE-DÔME
LOIRE
Lyon
Vienne
Dordogne
Allier
Loire
VALLÉE
Valence
DU
Die
ARDÈCHE
DRÔME
Montélimar
RHÔNE
Durance
Lot
AVEYRON
Orange
Avignon
ALPES-DE-HAUTE-PROVENCE
ALPES-MARITIMES
GARD
VAUCLUSE
Nîmes
TARN
LANGUEDOC
BOUCHES-DU-RHÔNE
PROVENCE
Nice
Draguignan
Montpellier
HÉRAULT
Aix-en-Provence
VAR
Béziers
Narbonne
AUDE
Limoux
Marseille
Toulon
Perpignan
PYRÉNÉES-ORIENTALES
Banyuls
MER MÉDITERRANÉE
Patrimonio
Bastia
HAUTE-CORSE
CORSE
Ajaccio
CORSE-DU-SUD

# LE GUIDE HACHETTE DES VINS 2006

# GUIDE HACHETTE DES VINS

**Direction de l'ouvrage :** Catherine Montalbetti.

**Ont collaboré :** Christian Asselin, INRA, *Unité de recherche vigne et vin ;* Jean-François Bazin ; Claude Bérenguer ; Richard Bertin *œnologue ;* Pierre Bidan, *professeur à l'ENSA de Montpellier ;* Jean Bisson, *ancien directeur de station viticole de l'INRA ;* Jean-Jacques Cabassy, *œnologue ;* Pierre Casamayor ; Béatrice de Chabert, *œnologue ;* Robert Cordonnier, *directeur de recherche à l'INRA ;* Jean-Pierre Deroudille ; Michel Dovaz ; Régis d'Espinay ; Michel Feuillat, *professeur à la Faculté des Sciences de Dijon ;* Bernard Hébrard, *œnologue ;* Pierre Huglin, *directeur de recherche à l'INRA ;* Robert Lala, *œnologue ;* Antoine Lebègue ; Jean-Pierre Martinez, *chambre d'Agriculture du Loir-et-Cher ;* Marc Médevielle ; Pierre Pérez ; Mariska Pezzutto, *œnologue ;* Pascal Ribéreau-Gayon, *ancien doyen de la faculté d'œnologie de l'université de Bordeaux II ;* André Roth, *ingénieur des travaux agricoles ;* Alex Schaeffer, *œnologue ;* Anne Seguin ; Bernard Thévenet, *ingénieur des travaux agricoles ;* Yves Zier.

**Editeurs assistants :** Christine Cuperly, Anne Le Meur.

**Avec :** Patricia Abbou ; Nicole Chatelier ; Isabelle Chotel ; Bénédicte Gaillard ; Sylvie Hano ; Corinne Julien ; Micheline Martel ; François Merveilleau.

**Informatique éditoriale :** Marie-Line Gros-Desormeaux ; Luc Audrain ; Martine Lavergne ; Sylvie Clochez ; Michèle Boucher.

**Nous exprimons nos très vifs remerciements** aux 900 membres des commissions de dégustation réunies spécialement pour l'élaboration de ce guide, et qui, selon l'usage, demeurent anonymes, ainsi qu'aux organismes qui ont bien voulu apporter leur appui à l'ouvrage ou participer à sa documentation générale : l'Institut National des Appellations d'Origine, INAO ; l'Institut National de la Recherche Agronomique, INRA ; la Direction de la Concurrence de la Consommation et de la Répression des Fraudes ; l'Office National interprofessionnel des Vins et ses délégations régionales, Onivins ; Ubi France ; la DGDDI ; les Comités, Conseils, Fédérations et Unions interprofessionnels ; l'Institut des Produits de la Vigne de Montpellier et l'ENSAM ; l'Université Paul Sabatier de Toulouse ; les Syndicats viticoles et associations de viticulteurs ; les Unions et Fédérations de Grands Crus ; les Syndicats des Maisons de négoce ; les Chambres d'agriculture ; les laboratoires départementaux d'analyse ; Les lycées agricoles d'Amboise, d'Avize, de Blanquefort, de Bommes, de Montagne-Saint-Emilion, de Montreuil-Bellay, de Nîmes-Rodilhan, d'Orange ; les lycées hôteliers de Bastia (Fred Scamaroni) et de Tain-l'Hermitage ; le CFPPA d'Hyères ; l'Institut Rhodanien ; l'Union française des œnologues et les Fédérations régionales d'œnologues ; les Syndicats des Courtiers de vins ; l'Union de la Sommellerie française ; pour la Suisse, l'Office fédéral de l'agriculture, la Commission fédérale du Contrôle du commerce des vins, les responsables des Services de la viticulture cantonaux, l'OVV, l'OPAV, l'OPAGE ; pour le Grand-Duché de Luxembourg, l'institut viti-vinicole luxembourgeois ; la Marque nationale du vin luxembourgeois ; le Fonds de solidarité.

**Couverture :** Laure Menanteau.

**Maquette :** François Huertas.

**Cartographie :** Frédéric Clémençon. **Illustrations :** Véronique Chappée.

**Production :** Charles De Roy, Patricia Coulaud, Nathalie Lautout et Cyril Sauvet.

**Composition et photogravure :** Maury.

**Impression :** STIGE. **Façonnage :** BRUN, 45331 Malesherbes. **Papier :** Alpalux mat, Myllykoski.

**Crédits iconographiques :** Charlus (p. 37, 50) ; CIVR J.-M. Goyhenex (p. 20, 712) ; Scope/J.-L. Barde (p. 12, 16, 40, 42, 44, 53, 138, 801, 853, 1204) ; Scope/J. Guillard (p. 9, 23, 29, 31, 32, 38, 61, 71, 615, 681, 1070, 1151, 1198, 1231) ; Scope/M. Guillard (p. 71, 187) ; Scope/VMF/Galeron (p. 10) ; Scope/N. Hautemanière (p. 73) ; Scope/F. Jalain (p. 26, 413, 793) ; SRVS (p. 19) ; Scope/M. Plassart (p. 917).



---

Imprimé en Italie. – Dépôt légal n° 61569/Septembre 2005
Édition n° 01 – 23.6851.2 – ISBN 2.01.236851.4

# LE GUIDE HACHETTE DES VINS 2006

## SOMMAIRE



## TABLE DES CARTES

# SOMMAIRE

## 10 000 vins à découvrir

# SYMBOLES

SYMBOLES UTILISÉS DANS LE GUIDE

**La reproduction d'une étiquette signale un « coup de cœur » décerné à l'aveugle par les jurys.**

*** vin exceptionnel
** vin remarquable
* vin très réussi
vin cité (sans étoile)
2000 millésime ou année du vin dégusté

| | |
|---|---|
| ■ vin tranquille blanc | ● vin effervescent blanc |
| ■ vin tranquille rosé | ● vin effervescent rosé |
| ■ vin tranquille rouge | ● vin effervescent rouge |

50 000, 12 500... nombre moyen de bouteilles du vin présenté
4 ha superficie de production du vin présenté

| | | |
|---|---|---|
| élevage en cuve | thermorégulation | élevage en fût |
| vente à la propriété | | gîte rural |
| dégustation | | chambre d'hôte |

visite
(r.-v. = sur rendez-vous)
adresse, téléphone, fax, e-mail
nom du propriétaire, si différent de celui figurant dans l'adresse
n.c. information non communiquée.

LES PRIX

Les prix (prix moyen de la bouteille en France par carton de 12) sont donnés sous toutes réserves.

| | | | | |
|---|---|---|---|---|
| – 3 € | 3 à 5 € | 5 à 8 € | 8 à 11 € | 11 à 15 € |
| 15 à 23 € | 23 à 30 € | 30 à 38 € | 38 à 46 € | 46 à 76 € |
| + 76 € | | | | |

L'indication de la fourchette de prix en rouge signale un bon rapport qualité/prix **11 à 15 €**.

LES MILLÉSIMES (82) **83** 85 |**86**| **89** |90| 91 |92| 93 **95** **96** |97| **98**

| | |
|---|---|
| 83 01 | les millésimes en rouge sont à boire (01 = millésime 2001) |
| **95** 00 | les millésimes en noir sont à garder (00 = millésime 2000) |
| \|**86**\| \|92\| | les millésimes en noir entre deux traits verticaux sont à boire pouvant attendre |
| 83 **95** | les meilleurs millésimes sont en gras |
| (90) | le millésime exceptionnel est dans un cercle |

Les millésimes indiqués n'impliquent pas une disponibilité à la vente chez le producteur. On pourra les trouver chez les cavistes ou les restaurateurs.

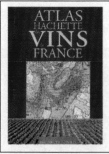

# AVERTISSEMENT

## Comment le *Guide Hachette des Vins* est-il élaboré ?

Ce guide présente les 10 000 meilleurs vins de France, du Luxembourg et de Suisse, tous dégustés en 2005. Il s'agit d'une **sélection entièrement nouvelle**, portant sur le dernier millésime mis en bouteilles. Ces vins ont été élus pour vous par **900 experts au cours des commissions de dégustation à l'aveugle** du *Guide Hachette des Vins*, parmi plus de 33 000 vins de toutes les appellations.

## Un guide objectif

L'absence de toute participation publicitaire et financière des producteurs, coopératives ou négociants retenus assure **l'impartialité de l'ouvrage**, dont l'unique ambition est d'être un guide d'achat au service des consommateurs.
Les notes de dégustation doivent être comparées au sein d'une même appellation : il est en effet impossible de juger des appellations différentes avec le même barème.

## Un classement par étoiles

Les bouteilles portent seulement un numéro afin de préserver l'**anonymat**. Chaque vin est examiné par un jury qui décrit sa couleur, ses qualités olfactives et gustatives et lui attribue une note de 0 à 5.

- 0 vin à défaut, il est éliminé ;
- 1 petit vin ou vin moyen, il est éliminé ;
- 2 vin réussi, il est cité sans étoile ;
- 3 vin très réussi, une étoile ;
- 4 vin remarquable par sa structure, deux étoiles ;
- 5 vin exceptionnel, modèle de l'appellation, trois étoiles.

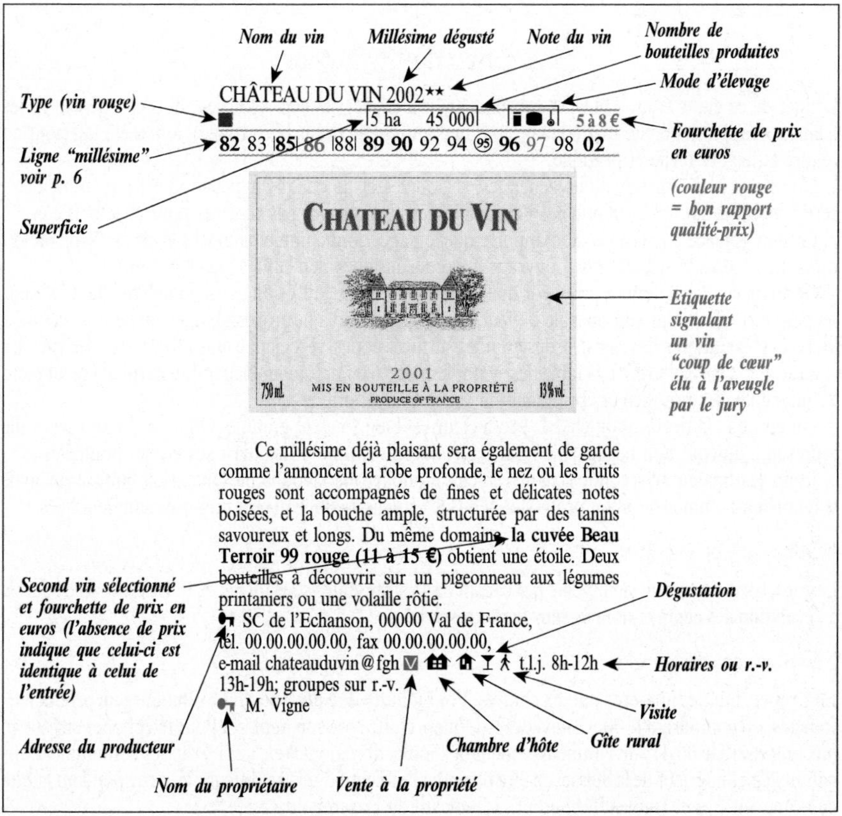

*Nom du vin* — *Millésime dégusté* — *Note du vin* — *Nombre de bouteilles produites* — *Mode d'élevage*

*Type (vin rouge)*

CHÂTEAU DU VIN 2002★★
■ 5 ha 45 000 5 à 8 €

*Fourchette de prix en euros*

*(couleur rouge = bon rapport qualité-prix)*

*Ligne "millésime"* *voir p. 6*

82 83 |85| 86 |88| 89 90 92 94 (95) 96 97 98 02

*Superficie*

CHATEAU DU VIN
2001
750 ml MIS EN BOUTEILLE À LA PROPRIÉTÉ 13 % vol.
PRODUCE OF FRANCE

*Etiquette signalant un vin "coup de cœur" élu à l'aveugle par le jury*

Ce millésime déjà plaisant sera également de garde comme l'annoncent la robe profonde, le nez où les fruits rouges sont accompagnés de fines et délicates notes boisées, et la bouche ample, structurée par des tanins savoureux et longs. Du même domaine, **la cuvée Beau Terroir 99 rouge (11 à 15 €)** obtient une étoile. Deux bouteilles à découvrir sur un pigeonneau aux légumes printaniers ou une volaille rôtie.

*Second vin sélectionné et fourchette de prix en euros (l'absence de prix indique que celui-ci est identique à celui de l'entrée)*

SC de l'Echanson, 00000 Val de France,
tél. 00.00.00.00.00, fax 00.00.00.00.00,
e-mail chateauduvin@fgh t.l.j. 8h-12h 13h-19h; groupes sur r.-v.
M. Vigne

*Dégustation* — *Horaires ou r.-v.* — *Visite* — *Gîte rural* — *Chambre d'hôte* — *Vente à la propriété* — *Nom du propriétaire* — *Adresse du producteur*

### Les étiquettes coups de cœur

Les vins dont l'étiquette est reproduite constituent les « coups de cœur », librement élus, eux aussi à l'aveugle, par les dégustateurs du Guide.

### Une lecture claire

Les vins sélectionnés sont répertoriés :
- par régions, classées alphabétiquement ;
- par appellations ;
- par ordre alphabétique à l'intérieur de chaque appellation.

Quelque 2 000 vins sélectionnés, sans faire l'objet d'une entrée, sont mentionnés en **caractères gras** dans la notice consacrée au vin le mieux noté du producteur. L'absence de prix signale que celui-ci se situe dans la même fourchette que l'entrée vedette.
– Quatre index en fin d'ouvrage permettent de retrouver les appellations, les communes, les producteurs et les vins.
– Les temps de garde : ils sont indiqués par les dégustateurs sous réserve de bonnes conditions de garde. On les prendra en compte à partir de l'année d'édition et non du millésime.

### Les raisons de certaines absences

Des vins connus, parfois même réputés, peuvent être absents de cette édition : soit parce que les producteurs ne les ont pas présentés ; soit parce qu'ils ont été éliminés lors des dégustations.

## Le guide de l'acheteur

L'objet de ce guide étant d'**aider le consommateur à choisir ses vins** selon ses goûts et à découvrir les meilleurs rapports qualité/prix (signalés par une fourchette des prix en rouge), tout a été fait pour en rendre la lecture facile et pratique.
– Une lecture des introductions générales, régionales et de chaque appellation est recommandée : certaines informations communes à l'ensemble des vins ne sont pas répétées pour chacun d'eux.
– Le signet, placé en vis-à-vis de n'importe quelle page, donne immédiatement la **clé des symboles** et rappelle, au dos, la structure de l'ouvrage ; on consultera également les pages 4, 5 et 6.
– Certains vins sélectionnés pour leur qualité ont parfois une diffusion quasi confidentielle. L'éditeur ne peut être tenu pour responsable de leur non-disponibilité à la propriété, mais invite les lecteurs à les rechercher auprès des cavistes, des grandes surfaces et des négociants, ou sur les cartes des vins des restaurants. On se réfèrera à la table des symboles page 6 en prêtant une attention particulière au picto ☑ qui signale les producteurs pratiquant la vente à la propriété.
– Un conseil : la dégustation chez le producteur est bien souvent gratuite. On n'en abusera pas : elle représente un coût non négligeable pour le producteur qui ne peut ouvrir ses vieilles bouteilles.
– Enfin, les amateurs qui conduisent un véhicule n'oublieront pas qu'ils ne doivent pas boire le vin, mais le recracher comme le font les professionnels. Des crachoirs doivent être proposés dans les caves.

### Important : le prix des vins

Les prix (prix moyen de la bouteille par carton de 12), présentés sous forme de fourchette, sont soumis à l'**évolution des cours** et donnés **sous toutes réserves**.

### Numérotation téléphonique

En France, tous les numéros ont dix chiffres. Pour joindre de Suisse ou du Luxembourg un producteur français, on composera le 00.33 suivi des 9 derniers chiffres de son numéro. Pour téléphoner en Suisse, on composera le 00.41 suivi immédiatement de l'indicatif régional (ex. : 27). Pour les communications nationales à l'intérieur de la Suisse, on fera précéder l'indicatif d'un zéro lorsque le correspondant habite dans une autre zone (indicatif différent). L'indicatif du Luxembourg est le 352.

Par rapport au millésime de la canicule, 2004 reste dans la norme et a fourni des volumes assez importants. Peu de vendanges tardives, mais d'excellents rieslings et pinots blancs. Le marché est sauvé par la progression constante et en flèche du crémant.

L'hiver 2004 ? Sans histoires, avec un léger redoux fin janvier. Peu de pluie. Un début de printemps variable et couvert. Un débourrement à la mi-avril, tandis que la sécheresse laissait redouter le retour de la canicule. À la mi-juin des pluies régulières en fin de la floraison. L'oïdium, très présent, a nécessité une grande vigilance. La vendange en vert, assez fréquente, a limité l'exubérance de la végétation. Août s'est montré pluvieux, septembre ensoleillé et sec, octobre détestable.

**Retour à la normale**

Les vendanges ont commencé le 20 septembre en crémant-d'alsace et se sont déroulées du 30 septembre au 11 octobre pour les autres appellations. L'état sanitaire des raisins était satisfaisant, l'acidité (après les déséquilibres du millésime précédent) correcte – parfois excessive –, la maturité convenable. Sans doute les précipitations abondantes de la seconde quinzaine d'octobre ont-elles nui aux vendanges les plus tardives, mais la récolte est restée dans les normes.

Le pinot blanc et surtout le riesling apparaissent en 2004 comme des cépages privilégiés, suivis des sylvaner et muscat. Les arômes sont en fête, l'équilibre est parfait chez les producteurs sachant maîtriser leurs rendements. En pinot noir la robe est souvent légère, le corps moyennement intense. En gewurztraminer et plus encore en pinot gris, la fin de récolte a souffert de l'humidité (200 mm d'eau en octobre, un record historique). Dès lors, les vins montrent rarement une constitution robuste, mais offrent en revanche un beau fruit.

**Volumes élevés**

Le caractère atypique du millésime 2003 ne permet pas les comparaisons d'une année sur l'autre en volume. Cependant, par rapport à la moyenne des cinq dernières années, la récolte 2004 (1 263 564 hl) est en hausse de 7,4 %. L'alsace représente à lui seul 1 003 183 hl, (+3 %) ; l'alsace grand cru, 45 435 hl (+2,1 %). Comme dans d'autres régions, le crémant s'envole avec 214 946 hl (+35,6 %). Peu de vendanges tardives (11 059 hl) et de sélections de grains nobles (1 465 hl) en raison des pluies de l'arrière-saison.

Comparé à la moyenne des cinq dernières années, le pinot gris a le vent en poupe (+26,8 %), devant le gewurztraminer (+13,5 %). Progression moindre du muscat d'alsace, du riesling et du pinot blanc. Situation inchangée pour le pinot noir. Diminution importante du sylvaner (-14,6 %).

**Vins tranquilles en retrait...**

Les ventes de vins d'Alsace, toutes AOC confondues, se sont élevées en 2004 à 1 074 000 hl (143 millions de cols), en léger retrait de 3,6 % sur un an pour un chiffre d'affaires d'environ 470 millions d'euros. Sur le marché français, on observe un recul de 3 %, avec 809 000 hl. Quant aux exportations, elles diminuent de 5,2 % avec 265 000 hl. Il s'agit du volume de ventes le moins élevé depuis 1993 à l'export (hors crémant). Les vins tranquilles reculent encore davantage : en France, ils sont en retrait de 4,5 %, avec 660 000 hl. À l'export, ils perdent 6,8 % en volume.

L'Union économique belgo-luxembourgeoise (UEBL), avec 24,4 % de part de marché en volume et 21,1 % en valeur, reste le premier marché des vins d'Alsace tranquilles à l'export. Toutefois, ce marché a baissé de 6,3 % en volume et de 5,8 % en valeur par rapport à 2003. Les Pays-Bas se maintiennent à la deuxième place avec 20,2 % de part de marché en volume et 16,5 % en valeur. Ici encore, on constate un recul de 12,1 % en volume et de 9,9 % en valeur. Il en va de même du marché allemand, à la troisième place, qui a poursuivi sa régression. Avec 13,4 % de part de marché, il est en recul de 7,3 % en volume et de 3,5 % en valeur. Même tendance avec les autres pays clients d'Europe du Nord et d'Amérique : par ordre d'importance en volume, le Danemark, les États-Unis – qui restent le troisième client en valeur –, le Royaume-Uni, la Suède, le Canada et la Suisse. Une progression tout de même : l'Italie (+52,9 % en volume et + 45,2 % en valeur).

### ... et bulles en fête

Le crémant-d'alsace renforce ses ventes en un an avec 174 700 hl (+5,4 %). En progression de 4,3 % en métropole (149 000 hl), cette appellation reste leader sur le marché français des appellations effervescentes hors champagne. La croissance est encore plus notable à l'export : +12,3 % en un an et +35,8 % en deux ans. Les principaux clients sont l'Allemagne et l'UEBL : 76,3 % de part de marché en volume, dont 39,4 % pour l'Allemagne (+11,2 %) et 36,9 % pour l'UEBL (+23,7 %). Viennent ensuite et dans l'ordre le Danemark, la Suède, les États-Unis et la Suisse.

### Du sylvaner en grand cru

Le décret régissant l'AOC alsace grand cru avait été modifié en 2001. Le nouveau texte donne plus d'autonomie aux syndicats viticoles en termes de gestion de leur terroir et de leurs cépages. Cela a conduit deux grands crus à revendiquer cette AOC pour des cépages autres que les quatre répertoriés historiquement dans l'AOC (muscat, riesling, pinot gris et gewurztraminer). Trois ans après leur demande adressée à l'INAO, ils viennent d'obtenir en 2005 un aménagement en ce sens. L'Altenberg de Bergheim se voit ainsi reconnaître la possibilité de produire des vins d'assemblage et le Zotzenberg pourra produire du vin issu du sylvaner, en remplacement du muscat.

### Brèves du vignoble

L'Alsace, par la voie du Conseil interprofessionnel, s'est opposée à la création de vins de pays dans le vignoble, proposée par Hervé Gaymard, alors ministre de l'Agriculture (juillet 2004). Le cépage porte une identité culturelle en Alsace. Historiquement, le vignoble a toujours recherché une adéquation entre ses cépages traditionnels et la grande multiplicité de ses terroirs, due à la complexité géologique et climatique des collines sous-vosgiennes où il est implanté. Les vins d'Alsace se caractérisent donc autant par leurs cépages que par leurs terroirs.
On a produit un peu de vin de glace, vendangeant à - 9 °C le 22 décembre 2004 et pressant des raisins de gewurztraminer. La Cave de Ribeauvillé a fêté en juin 2005 son cent-dixième anniversaire.

## QUOI DE NEUF EN BEAUJOLAIS ?

Conscient de ses difficultés et désireux de les surmonter, le Beaujolais prend un virage serré. Une révolution culturale et culturelle : rares sont les exemples français d'une vraie remise en question, bien au-delà des campagnes de communication.

Avec plus d'un mois de « retard » par rapport à 2003, les vendanges ont commencé le 11 septembre 2004, marquant le retour à un calendrier traditionnel. Climatiquement, 2004 a été une année correcte, sans le gel ni la canicule du millésime précédent, malgré les fortes pluies d'août. Les volumes, eux aussi, reviennent à la normale après la chute de 40 % par rapport à la moyenne récente observée l'an passé.

### Combattre la banalisation

Le Beaujolais rencontre des difficultés chroniques. Une récolte moyenne (1,3 million d'hectolitres) représente quelque 175 millions de bouteilles. Or, le déficit annuel invendu est de l'ordre de 110 000 hl. Comme la récolte 2003 était peu abondante, ce déficit est retombé à 45 000 hl environ, mais près de 10 % des beaujolais ne trouvent pas preneur. La distillation ? Une solution à court terme.
À la morosité des affaires vitivinicoles observée un peu partout s'ajoute un problème d'image. Dans l'esprit de la plupart des consommateurs, en France comme à l'étranger, le beaujolais est assimilé à un « vin nouveau » apprécié pendant quelques jours à peine. Sur les 420 000 hl de vins primeurs vendus en 2004 (un tiers de la production du vignoble), 215 000 hl ont été

exportés. L'événementiel naguère miraculeux, permettant de vendre en quinze jours la moitié d'une récolte non élevée, est devenu un contre-atout en banalisant des vins aux vertus plus durables et notamment les crus.

### À la conquête du Japon

En grande distribution, les beaujolais sont en recul de 7,9 % en volume, mais augmentent en valeur (+6 %). Situation identique à l'export, où une baisse de 13,5 % en volume est compensée par une hausse des prix de 10 %. Vif essor au Japon (+50 %, soit 114 525 hl en 2004, dont 93 933 hl en beaujolais nouveau, mais également une progression très sensible des autres appellations). Le fruit d'une campagne de promotion au Japon pour 816 000 euros par an, financée à 50 % par l'Union européenne et conjointe avec les vins allemands de Mosel-Saar-Ruwer. Situation positive aux États-Unis (+18 %), mais la déprime en Europe est sensible (-29,5 % en volume, -22,3 % en valeur), surtout en Allemagne, aux Pays-Bas et au Royaume-Uni.
Avec les faibles volumes de la canicule, les cours du « nouveau » avaient grimpé aux alentours de 200/205 € l'hectolitre. L'année 2004, avec des cours entre 170 et 175 €, marque un retour au niveau des 2001.

### Mécanisation en marche

Trois décrets ont modifié les conditions de production de toutes les appellations (fin 2004). La densité de plantation est fixée à 6 000 pieds/ha, contre 7 000 à 13 000 pieds auparavant. Pour les blancs : 7 000 pieds/ha. Le titre alcoométrique naturel minimum est élevé d'un demi-degré. La taille courte devient la règle. Les rendements progressent quelque peu et l'on met le doigt dans la machine à vendanger. Interdite en primeur, la machine pourra néanmoins être utilisée pour « le reliquat » (deuxième vendange, hors primeur). Pour les beaujolais et beaujolais supérieur, il faudra solliciter une autorisation. Autant dire que, sauf pour les primeurs et les crus, la vendange mécanique est maintenant admise dans son principe.

### Arracher un rang sur deux ?

C'est le défi majeur à l'horizon 2034. L'accord s'est dans l'ensemble réalisé. Pour les villages et les crus notamment, tout type de taille courte sera accepté : gobelet classique, cordon de Royat, etc. La question est de savoir si la révision des décrets du beaujolais est vraiment un « plus » qualitatif ou un moyen de réduire les coûts de production. Réponse à la dégustation... future. Par ailleurs, les bouchons agglomérés ont été interdits au 1er octobre 2004. Il en sera de même pour les bouchons composites.
Une nouveauté en 2004 : pour la première fois, dix-huit cépages métis (pinot/gamay) ont été vendangés. Certains font appel au cabernet ou à des cépages allemands (INRA Colmar et

SICAREX du Beaujolais). En ligne de mire, un vin de pays : on en parle, mais tout reste à définir.

**Brèves du vignoble**

Le 41e Prix Victor-Peyret couronne à Juliénas l'universitaire et romancière Noëlle Châtelet. 2006 verra sans doute la naissance du Conservatoire national du gamay, après une prospection nationale (et peut-être en Suisse et en Italie) des clones de ce cépage. Il devrait être implanté en coteaux du Lyonnais.
Une nouvelle jeunesse pour la vente des vins des Hospices de Beaujeu. Le groupe Jean-Claude Boisset a pris les choses en main. Jusqu'alors, une grosse partie de la vente s'effectuait en vrac. Désormais organisée par petits lots de 36 à 72 bouteilles, la vente a intéressé en 2005 des acheteurs japonais et britanniques aux côtés de la restauration et des institutionnels. Elle a produit 20 068 € pour 2 412 bouteilles : le prix moyen de la bouteille varie de 7,92 € pour le régnié 2004 à 13,61 € pour le morgon 2003 (l'an dernier : 25 564 euros pour 3 600 bouteilles). Comme à Beaune et à Nuits, un lot caritatif est proposé.

## QUOI DE NEUF EN BORDELAIS ?

Avec des conditions climatiques dans la moyenne de la dernière décennie, la production a été l'une des plus abondantes de l'histoire du vin de Bordeaux. Et pourtant, 2004 s'annonce comme un bon millésime, alors que la crise s'est étendue à l'ensemble du marché.

Pour les viticulteurs bordelais, le millésime 2004 restera un classique, alors qu'ils avaient eu l'impression en 2003 d'avoir été projetés dans un pays du Nouveau Monde au climat excessif et brutal, produisant des raisins surmûris, qu'il avait fallu traiter avec beaucoup de précautions. C'était sans doute une préfiguration de ce qui attend le vignoble français avec le réchauffement de la planète.

**Réchauffement climatique**

De toutes façons, 2004, même si l'été a paru plutôt frais et bien arrosé au mois d'août, allongeant du même coup la période de maturation des raisins, a été loin d'être en retard et s'est même révélé précoce par rapport à la normale des trente dernières années. Il était en fait dans la moyenne des dix dernières années.
La demi-véraison a pu paraître un peu tardive, avec dix jours de retard par rapport à 2003, mais en fait, observée autour du 10 août par la Faculté d'œnologie de Bordeaux, elle était en avance d'une dizaine de jours sur la moyenne des cinquante dernières années, en avance de deux jours sur celle de 2002 et seulement en retard de deux à trois jours par rapport à la décennie 1993-2002. Les problèmes créés par des vendanges trop tardives ou des raisins pas assez mûrs au début de la mauvaise saison se poseront de plus en plus rarement. En revanche, la viticulture bordelaise aura de plus en plus à faire face à des orages liés à un climat instable et à des sécheresses estivales, ces dernières donnant du raisin très sucré et de moindre acidité. Le degré moyen des vins mis en bouteilles augmente, et cela n'est plus lié à des excès de chaptalisation.
Modes de culture, méthodes de vinification s'adaptent doucement à cette évolution climatique qui n'est pas mal venue pour l'instant puisqu'elle va plutôt au-devant des demandes du marché en faveur de vins plus souples et plus ronds.

**Magnifique floraison**

L'hiver 2003-2004 a été plutôt froid, ce qui n'est pas un handicap. En revanche, il a été trop sec, phénomène plus sensible encore en 2004-2005. Le mois d'avril, malgré un débourrement normal, a été frais et pluvieux, ce qui a bloqué la végétation. Il a fallu attendre le mois de mai pour retrouver de la douceur et des températures supérieures à la moyenne des trente dernières années. Ce mois a été également arrosé et largement ensoleillé, entraînant un début de floraison dès la seconde quinzaine, ensuite entravé par la pluie. Sec, chaud et ensoleillé, le mois de juin a offert ensuite des conditions idéales pour une magnifique floraison qui s'est déroulée du 4 au 10 juin pour les merlots, suivis des sauvignons et, à la fin du mois, des cabernets.
Par rapport à la décennie précédente, la demi-floraison était en retard de cinq à dix jours, un léger décalage qui a été pratiquement rattrapé au moment de la véraison.

**Douce arrière-saison**

Si l'été n'est pas apparu très chaud par rapport à la moyenne quinquennale, il a toujours présenté des moyennes supérieures à la normale des trente dernières années. La moyenne des températures de juillet a été égale à celle de 2001, supérieure à 2000 et 2002, celle d'août est restée supérieure à celle de 2002, inférieure à 2001 et

2000, celle de septembre supérieure à 2001 et 2002, pratiquement égale à 2000. Sur une moyenne de trois mois, l'été n'a donc pas été aussi maussade qu'on le pense, et l'automne a même été plutôt plus chaud que la moyenne avec un mois d'octobre exceptionnellement doux où la moyenne mensuelle a fait jeu égal avec juillet et août.

Selon la Faculté d'œnologie, ce sont les caractéristiques des mois de septembre et d'octobre qui « ont permis d'obtenir des raisins présentant un équilibre correct pour faire un grand vin ». Les raisins de cabernet-sauvignon n'étaient pas suffisamment mûrs début octobre, mais les bons viticulteurs ont su attendre quinze à vingt jours de plus par un temps idéal. Dans l'ensemble, le poids des grappes était élevé et le volume de jus important.

### Des tanins, du fruit... et des volumes

La richesse en tanins (polyphénols) était plus élevée en 2004 qu'en 2003, ce qui est la signature de vins de garde, typiques du Bordelais. Un millésime apparemment réussi et surtout beaucoup plus facile à vinifier que le précédent.

Seul écueil, mais de taille, la production a été très importante. Les viticulteurs qui n'ont pas vendangé en vert ou taillé court ont dû faire face à d'énormes quantités de vins plutôt dilués, car la vigne a été arrosée pendant tout l'été.

La Faculté d'œnologie remarque que « la fermentation alcoolique s'est déroulée rapidement » et que « la macération post-fermentaire à chaud a permis d'extraire du charnu et une bonne structure tannique ». Pour ne rien gâter, les vins ont de la couleur, tout en conservant de la fraîcheur. Au total, des tanins bien enrobés pour assurer une bonne garde et, surtout, d'excellents arômes de fruits et une bonne acidité. Des vins complexes, typiques des grands bordeaux. Une aubaine pour le consommateur, puisque la mévente garantit de surcroît des prix enfin à nouveau intéressants : ils sont en baisse d'environ 20 % pour les grandes étiquettes que l'on est sûr de retrouver en grande distribution dès 2006 et pas seulement en second vin.

Du côté des vins blancs secs, le millésime n'a pas présenté de problèmes : floraux et fruités, élégants et frais, ils sont « longs en bouche » assure la Faculté. Comme en 2004, il n'y en aura sans doute pas assez. Pour les vins liquoreux, le résultat est moins homogène, en raison de fortes précipitations en octobre. Les meilleurs sont ceux qui ont été récoltés assez tôt.

À Bordeaux, ce bon millésime, dont les prix ont reçu une sévère correction – qui était sans doute nécessaire –, prouve qu'il reste des raisons d'espérer.

### Vinexpo d'espoir

Le salon Vinexpo, qui s'est achevé le 23 juin, en est une autre. Alors que des oiseaux de mauvais augure annonçaient une viticulture mondiale croulant sous le poids d'une surproduction généralisée, des visiteurs optimistes, originaires du monde entier se sont rués à Bordeaux pour goûter et acheter tous les vins possibles. En cinq jours, 49 000 visiteurs ont afflué dans les allées du salon et de nouvelles catégories d'acheteurs sont apparues. Les Russes, par exemple, dont le pays se remet peu à peu de la grave crise financière de la fin des années 1990, reviennent aux achats ; les pays d'Europe centrale et orientale, qui viennent d'adhérer à l'Union européenne ; et il ne faut surtout pas oublier le continent dont les taux de croissance pourraient faire rêver : l'Asie. Si Vinexpo est l'observatoire du marché des vins du monde, on peut affirmer que le monde n'est pas en crise, pas davantage que le marché mondial du vin. En effet, Chinois du continent et de Taïwan, Coréens venus en force, Japonais dont l'économie se réveille à nouveau sont venus donner une leçon d'optimisme et de dynamisme aux viticulteurs français. Ce ne sont pas des acheteurs que l'on attire avec des méthodes traditionnelles, et l'on a vu en quelques jours que les producteurs français entreprenants l'avaient parfaitement compris.

### Crise et chute des cours

Malheureusement, la crise est trop enracinée en Bordelais et l'ambiance reste plus que morose face aux très mauvais chiffres de commercialisation enregistrés en 2004. On a vu par exemple les exportations de vins de Bordeaux s'effondrer de 22,3 % en volume et de 12 % en valeur, contre « seulement » 9,2 % pour la moyenne des vins tranquilles. Seule la Champagne progresse toujours, prouvant au passage que ce n'est pas la nationalité du produit qui est en cause.

Le marché des grands vins en primeur a connu une baisse de 25 à 30 %. Quant au cours du bordeaux en vrac, il est resté à son plancher d'environ 100 € l'hectolitre pendant toute la campagne, face à ce qui apparaît comme un excédent devenu structurel. En revanche, le cours du vin blanc sec, devenu rare, l'a légèrement dépassé, montrant qu'il y a tout de même une certaine corrélation entre le niveau du marché et le rapport entre l'offre et la demande.

### Plan bordeaux

Des manifestations de viticulteurs, comme on n'en avait plus vues à Bordeaux depuis des lustres, ont animé le centre-ville durant l'hiver 2004-2005. Le gouvernement, et tout particulièrement le Charentais Dominique Bussereau, ministre de l'Agriculture, s'est penché sur le problème. Avec son soutien, le Conseil interprofessionnel du vin de Bordeaux (CIVB) est ainsi parvenu à mettre en place un plan d'arrachage prévu dans un premier temps pour 10 000 ha, soit le volume des plantations de la décennie 1990. Le CIVB le financera avec l'aide d'un prêt européen, à hauteur de 15 000 € l'hectare et le remboursera avec les cotisations interprofessionnelles qu'il recueille, ainsi que des aides des collectivités locales (Région Aquitaine et Département de la Gironde) et de l'État.

Bien sûr, on devrait en venir à ce qui aurait dû être la première action depuis longtemps, c'est-à-dire la réduction des rendements à 50 hl/ha. Ce plan rejoint des demandes formulées par le président de l'INAO, René Renou, qui suggérait depuis plus d'un an qu'on applique plus de rigueur à la gestion des AOC. Il demandait par exemple que chaque syndicat viticole réécrive les décrets de contrôle parfois laxistes sur certains points essentiels, ou bien vétilleux sur des détails. Pour l'instant, les demandes d'arrachage venant de la production sont très loin d'atteindre le chiffre souhaité.

Pour permettre aux producteurs qui ne se sentiraient plus à l'aise au sein d'appellations devenues rigoureuses dans la définition de leur produit, le « plan bordeaux » pourrait envisager la création d'un vin de pays d'Aquitaine. Celui-ci permettrait la mise sur le marché de grandes quantités de vin de cépages homogènes, vinifiés sans le souci de la typicité, mais avec la préoccupation d'aller à la rencontre du goût des nouveaux consommateurs, avec l'appui d'une puissante force de marketing. L'équilibre des vins de Bordeaux pourrait sans doute être facilement retrouvé à ce double prix. À condition bien sûr que, désormais, tous les vins vendus avec l'appellation soient vraiment irréprochables, ce qui nécessite un retour aux sources : l'appellation est une marque dont tous ceux qui l'utilisent sont collectivement responsables face aux consommateurs.

## QUOI DE NEUF EN BOURGOGNE ?

« Août fait le moût », assure le dicton bourguignon. Le millésime 2004 fait exception à cette règle. Le mois de septembre a permis de rattraper en partie un retard de maturité. Après 2003, dont certaines bouteilles seront fabuleuses au sein d'une nébuleuse atypique, 2004 offre un vin honorable.

### Éclairs et tonnerre

L'instabilité climatique ne favorise pas une évolution rapide de la maturité. En zones précoces, la floraison a débuté à la mi-mai sous des températures estivales. En zones tardives, elle a été un peu perturbée par l'arrivée du froid et de l'humidité, et s'est poursuivie parfois jusqu'au 20 juin. L'été a connu un record d'orages : durant la nuit du 16 au 17 juillet en Vézelien (Chaumont surtout) ; le 20 juillet en Mâconnais (Vergisson, La Roche Vineuse, Serrières, Verzé....) ; les 17 juillet, 3, 4, 5, 16 et 18 août sur la Côte ; une grêle très sévère les 23 et 24 août sur le Clos de Vougeot, à Ladoix, Chorey-lès-Beaune, Monthélie, Pommard, Volnay, Meursault et en Hautes-Côtes de Beaune.

Septembre ensoleillé et sec a sauvé la mise. Bans des vendanges : le 13 septembre en Mâconnais, en Côte chalonnaise et dans le Couchois, et par étapes jusqu'au 1er octobre en Hautes-Côtes de Nuits. La récolte s'est achevée dans le Chablisien autour du 15 octobre. Il a donc fallu patienter pour obtenir un raisin bien mûr et trier, tant à la vigne qu'à la cuverie.

### Le crémant en forme

La récolte bourguignonne marque en volume un retour à la normale : 1 569 000 hl en 2004, contre 1,1 million en 2003 et +3 % par rapport à 2002. Si l'on compare à la moyenne quinquennale 1998-2002, on constate un volume supérieur de 50 000 hl, soit l'équivalent de la croissance de production du crémant-de-bourgogne passé de 60 000 à 121 000 hl. Ce phénomène a contribué à limiter la production de vins rouges (516 000 hl contre 586 000 hl en moyenne entre 1998 et 2002) ; les régionales, notamment, sont en baisse de 15 % par rapport à cette même période. La production de vins blancs (hors crémant), en hausse de 70 000 hl, atteint 931 000 hl, avec une progression notable des chablis (+10 %), des communales du Mâconnais (+16 %) et des régionales de Bourgogne (+12 %). Les bourgognes blancs (crémant compris) représentent aujourd'hui les deux tiers de la production bourguignonne (en y incluant le crémant). La Bourgogne sauvée par son crémant ? Pour une production stabilisée à 8 millions de cols (19 % à l'export), la récolte annuelle destinée à cette appellation représente 10 % des AOC régionales (80 000 hl).

Depuis 1996 : +68 % en commercialisation et +101 % à l'export.

**Optimisme mesuré à l'export**

La Bourgogne finit l'année 2004 avec une progression du chiffre d'affaires de 6 % sur un an, à plus de 530 millions d'euros pour un volume de 82 millions de bouteilles, en légère baisse (-5,5 %) compte tenu d'une conjoncture mondiale très morose. Cette revalorisation globale s'explique en partie par une présence plus importante des appellations *villages* dans l'offre bourguignonne. En 2003, les AOC régionales s'étaient davantage exportées en raison des difficultés financières des acheteurs et pour faire face au problème croissant des taux de change. Les vins rouges de Bourgogne ont notamment progressé de 5 % en volume et de 13,5 % en valeur. Cela confirme un redressement depuis le début 2004, malgré une concurrence internationale plus dure sur cette couleur et qui pénalise l'ensemble des vins rouges français. Les vins blancs sont en repli de 5,5 % en volume, en hausse de 2 % en valeur.

Le bilan de l'activité commerciale internationale de la Bourgogne en 2004 laisse apparaître, après une année 2003 en recul, une certaine reprise des exportations de vins. Les ventes à l'étranger ont progressé de 5,89 % en valeur, pour atteindre 525 millions d'euros. Les volumes, eux, ont diminué à nouveau : 6,37 %, soit 598 431 hl, en raison d'un net fléchissement des ventes de blancs (-10,1 %). Celles-ci continuent de représenter près des deux tiers des exportations de bourgognes, mais leur poids relatif diminue d'année en année. Excellente performance des crémants à l'export : +38,6 % en valeur, +27,9 % en volume par rapport à 2003. La Bourgogne est la seule région française à voir son CA progresser à l'export en 2004.

Si le haut de gamme s'en tire assez bien, les difficultés sont cependant importantes sur le front des régionales et de certains *villages*.

**Morosité aux Hospices**

Aux Hospices de Beaune (novembre 2004) deux nouvelles cuvées : Pierre Floquet (0,55 ha) en beaune 1er cru Les Grèves et, pour la même superficie, du corton-charlemagne né de l'arrachage d'une vigne en pinot noir et replantée en chardonnay. Les bougies n'ont guère flambé. Si la vente du millésime 2004 rapporte 3 036 000 €, la baisse par rapport à 2003 est de 29,18 % pour 699 pièces. Le prix moyen de la pièce est de 3 833 € pour les rouges (-33,35 %) et de 6 257 € pour les blancs (-20,87 %). La « pièce de charité » part à 51 000 € (résultat modeste). Les records : 19 000 € la pièce en mazis-chambertin, 19 200 € en clos-de-la-roche, distançant largement le corton-charlemagne (11 200 €), mais pliant le genou devant le bâtard-montrachet (34 000 €, soit 133 € la bouteille avant tous les frais annexes). « Normal » disent les négociants qui n'ont pas beaucoup levé la main. Ils le font en général

s'ils sont assurés d'un partenaire à l'étranger. Celui-ci a manqué ce jour-là, à l'évidence.
Aux Hospices de Nuits-Saint-Georges (mars 2005), même climat morose. La baisse est de 23,82 % sur les rouges, de 11,90 % sur les blancs (4 pièces). Si la « pièce de charité » atteint 32 300 €, le prix moyen de la pièce est de 2 990 € en rouge et de 3 700 € en blanc. Malheureux saint Bernard de Cîteaux ! La cuvée portant son nom a dû être retirée faute d'acquéreur...

**Turbulences**
Un avenir viticole sur fond de vins de pays ? En Bourgogne aussi, les propositions d'Hervé Gaymard, alors ministre de l'Agriculture, de faire une part à cette catégorie de vins dans la production régionale se heurte à un refus catégorique.
Par ailleurs, l'INAO a nommé des commissions d'enquête sur givry, bouzeron (l'AOC ne se traduit pas par l'effet positif escompté) ; sur la suppression des blancs en bourgogne-Épineuil. Une expérience en Chablisien : une réserve individuelle permettrait d'accroître les rendements en année de qualité, en mettant cette marge de côté pour affronter une année moins favorable. En Chablisien encore, les règles s'assouplissent sensiblement : les jeunes vignes peuvent bénéficier de l'appellation à la deuxième année suivant une plantation faite avant le 31 juillet (troisième année, auparavant). De nouveaux décrets en mâcon et mâcon-villages auront cours l'an prochain : le gamay seul (et non le pinot) sera utilisé.

**Brèves du vignoble**
La maison J. Drouhin achète un vignoble de 3 ha à Rully, portant à 72 ha l'étendue de son domaine. Le Château de Pommard (Maurice Giraud) achète 2 ouvrées en Montrachet. La maison Béjot reprend Chartron & Trébuchet en dépôt de bilan. Le Domaine Chartron demeure indépendant de cette cession. Veuve Ambal (crémant-de-bourgogne) s'établit à Montagny-lès-Beaune avec une prestigieuse vitrine : l'autoroute A6. Joseph Henriot (Champenois et Bourguignon : Bouchard Père et Fils, William Fèvre) acquiert le liquoriste dijonnais Lejay-Lagoute, détenteur de la marque Un Kir. Les maisons du groupe Boisset fusionnent et deviennent la Famille des Grands Vins et Spiritueux. Boisset reprend Pastis Duval après avoir acquis Casanis et développe sa présence aux États-Unis en liaison avec Marie Brizard.
Michèle Guilloux-Bénatier est élue directrice de l'Institut universitaire de la vigne et du vin Jules Guyot. Les trois syndicats vitivinicoles de Côte-d'Or fusionnent. Il n'y a donc plus qu'un seul président, parlant d'une seule voix : Claude Chevalier, viticulteur à Ladoix-Serrigny.
Alain Geoffroy crée à Beine, près de Chablis, un musée du Tire-bouchon. La Saint-Vincent tournante 2006 aura lieu dans 16 villages des Hautes-Côtes les 28 et 29 janvier (70 caveaux à visiter : prévoyez un chauffeur abstème...)

## QUOI DE NEUF EN CHAMPAGNE ?

Février 2005 : le champagne a atteint pour la deuxième fois de son histoire le cap historique des 300 millions de cols vendus en un an, après l'année 1999 qui avait bénéficié de l'effet an 2000. Le millésime 2004 ? À la fois abondant et très satisfaisant. Exception française, le vignoble affiche une forme insolente.

**Raisins de Canaan**
Quelles émotions avant les premiers coups de sécateur, le 18 septembre au plus tôt, le 2 octobre au plus tard, du 27 au 30 septembre dans la plupart des villages ! Le temps était maussade, pas trop pluvieux heureusement, avec de fréquents brouillards matinaux.
Bien que l'année ait commencé sous la neige et dans le froid, la douceur s'est installée dès le 5 janvier. Ponctué de quelques épisodes très froids en février et en mars, ce temps doux et sec s'est imposé jusqu'au printemps. Le débourrement est intervenu entre le 15 et le 22 avril. Quelques jours froids à la fin du mois n'ont pas stoppé le développement de la vigne et, bien que frais, le temps sec et ensoleillé de mai a été propice à une bonne évolution de la végétation. La météorologie chaotique de juin, marquée par des écarts sensibles de température, des coups de vent et des orages de grêle (le 10 dans le secteur de Vertus et de Vaudemange) n'a pas compromis la floraison, observée vers le 12 juin. La pleine fleur est enregistrée le 15 juin pour le chardonnay, le 16 pour le pinot noir et le 19 pour le meunier. Avec 25 grappes par pied souvent, la floraison laissait espérer des rendements pléthoriques. Des foyers d'oïdium détectés dès la fin mai dans des parcelles traditionnellement sensibles (Côte des Blancs notamment) ont été enrayés courant juin et juillet grâce à un plan d'action rapide.

Aucune coulure. Le temps très pluvieux (+50 % de précipitations par rapport à la moyenne) et peu ensoleillé d'août a fait craindre des accidents de maturation, laquelle a démarré très lentement. Les trois premières semaines de septembre, chaudes et ensoleillées, ont favorisé un grossissement spectaculaire des grappes et leur état sanitaire était excellent à l'heure de la vendange. Le poids moyen des grappes (170 g au lieu des 120 habituels) a abouti à une récolte de 1 371 546 pièces de 205 litres : 2 810 000 hl). Compte tenu d'une qualité reconnue, un degré potentiel moyen proche des 10 % vol. et d'une acidité totale convenable, l'INAO a accordé les 14 000 kg/ha (11 000 kg/ha en année normale). On pense aux années 1970, 1982 et 1983, 1999. Grâce à la « décade prodigieuse » de septembre ! Le chardonnay est en état de grâce : les forts rendements ne lui font pas peur. Le pinot meunier joue les outsiders. Le pinot noir a moins bien supporté les aléas climatiques. On va vers un millésime honorable en blanc de blancs. La plupart des maisons millésimeront en 2004 (Krug, Ruinart, Roederer, Taittinger, Veuve Clicquot-Ponsardin, etc.), au moins leurs cuvées prestige.

**Un marché en pleine forme**

Avec un stock de l'ordre de 1 million de bouteilles (réserve qualitative incluse), la Champagne a expédié un peu plus de 300 millions de cols en 2004, dont 67,4 % par les maisons, 32,6 % par les récoltants et les coopératives. La France représente alors 59,1 % de ce marché, l'export 40,9 % (à 87,5 % par les maisons). Les clients ? Par ordre décroissant le Royaume-Uni (35 millions de cols), les États-Unis (20 millions), l'Allemagne, la Belgique, l'Italie, le Japon (6 millions) et la Suisse. Le chiffre d'affaires s'élève en 2004 à 3,6 milliards d'euros (2,8 en 2001, 3,3 en 2002 et 3,4 en 2003). Un exemple de cette prospérité insolente ? Le groupe Laurent-Perrier, dont le chiffre d'affaires, en 2004, est en progression de 28,5 % par rapport à l'année précédente, avec des ventes en hausse de 13,8 %.

**Brèves du vignoble**

Le holding familial Jacques Bollinger-SJB est parvenu à un accord avec la compagnie financière Frey pour le contrôle d'Ayala. Cette dernière prend 45 % du capital de Billecart-Salmon. Pernod-Ricard a racheté Allied Domecq (Mumm et Perrier-Jouët). Paul-François Vranken (Pommery, Charles Laffitte, Heidsieck & Co, Vranken, etc.) a acquis le Méditerranéen Listel auprès du Val d'Orbieu. Au moment où nous mettons sous presse, le conglomérat familial Taittinger, en bourse depuis janvier, cède son groupe au fonds d'investissement américain Starwood Capital. Ce dernier céderait la marque de champagne au Crédit Agricole.

## QUOI DE NEUF DANS LE JURA ?

Sauvé par l'anticyclone de septembre et la vendange verte, le millésime 2004 renoue avec un volume supérieur à 100 000 hl pour la première fois depuis 1999. Un millésime plus qu'honorable.

Les conditions climatiques sont longtemps restées défavorables : une véraison tardive, un été très maussade, souvent pluvieux et assez frais. De l'oïdium et du mildiou dans la partie nord du vignoble. Sans doute le Jura a-t-il été épargné par la gelée et par la grêle, fréquente dans la Côte-d'Or voisine. Mais le retard s'est accumulé dans une végétation pourtant très fournie. Puis un anticyclone salvateur s'est installé début septembre avec des jours ensoleillés. Le botrytis s'est calmé et la maturation a progressé.

Les vendanges ont débuté à partir du 20 septembre pour les crémants, du 27 pour les vins tranquilles et du 3 octobre pour les château-chalon. Comme la récolte est abondante (112 685 hl revendiqués, 110 150 en 1999 et sensiblement moins ensuite), la vendange verte s'est avérée ici particulièrement positive, surtout en rouges. En effet, les pieds porteurs de peu de raisins ont bien mûri, les autres donnant des vins parfois dilués. L'acidité est en général correcte. Sans prétendre atteindre les hauteurs du Poupet, le millésime généreux est tout à l'honneur du savagnin, du chardonnay et du trousseau. L'appellation château-chalon s'en tire bien (1 455 hl, pratiquement autant qu'en 2003, soit la production moyenne). Si le macvin est en baisse, le crémant explose, avec 31 315 hl, contre 14 500 hl en 2004.

Les marchés se tiennent aussi bien que possible. Sorties sur 12 mois : 82 455 hl. Légère diminution de la bouteille au profit du vrac. Les rouges sont stables.

**Brèves du vignoble**

Alors que les prix de vente du vin jaune suscitaient début 2005 un climat assez tendu entre producteurs indépendants et négociants, le groupe Henri Maire (déjà leader jurassien du vin jaune) a accru cette position en faisant l'acquisition de Michel Tissot & Fils à Névy-sur-Seille. Cette entreprise familiale commercialise une part importante du château-chalon. Le groupe a repris la gestion de *la Finette*, célèbre restaurant d'Arbois créé en 1961 par Henri Maire et qui fut sa dernière activité professionnelle, tandis que sa bibliothèque œnologique (l'une des plus considérables de France) s'est dispersée sous le marteau d'ivoire...

La prochaine Percée du vin jaune aura lieu les 4 et 5 février 2006 dans le centre historique de Lons-le-Saunier, chef-lieu du Jura.

## QUOI DE NEUF EN SAVOIE ?

Un volume assez important, un marché qui s'essouffle, la Savoie vit en 2004 des moments difficiles. Cépage rouge typique et à découvrir, la mondeuse est cependant porteuse dans le nouveau millésime.

Un hiver assez sec, sauf en janvier, peu rigoureux jusqu'en mars où l'on s'est enfoncé alors vraiment dans la saison. Un printemps relativement sec et plutôt frais. Juillet, très sec, a vu grimper le mercure dans le thermomètre. Août a été pluvieux, orageux, surtout durant la seconde quinzaine où d'importants dégâts ont été causés par la grêle.

Si l'année climatique est dans la moyenne, avec des pluies cependant inférieures à la normale, les précipitations tardives ont fait gonfler les raisins. Le retour du beau temps en septembre a rétabli un peu l'optimisme malgré une forte pression de l'oïdium et une certaine présence de mildiou. Apparue parfois dès juillet, la pourriture grise a eu tendance à sécher avant de repartir de plus belle quand les pieds étaient très chargés. La flavescence dorée semble toutefois moins active.

Les vendanges ont eu lieu à la période habituelle, en septembre-octobre, mais se sont échelonnées dans le temps en raison des pluies et des écarts de maturité. La récolte totale atteint 145 000 hl, contre 122 000 hl en 2003 (année atypique) et 140 000 hl en 2001 et 2002.

Les producteurs savoyards souhaitent que leurs vins se libèrent de leur image liée au tourisme et aux sports d'hiver. Toutefois, ont-ils raison ?

La chute de la consommation inquiète la profession : le marché a diminué de 5 à 10 % selon les appellations d'origine controlée en 2003 et s'il est resté stable en 2004, il n'a pas rattrapé le retard.

La mondeuse se comporte généralement bien en 2004, car l'acidité et l'alcool trouvent ici un bon terrain d'entente. Quelques espoirs durables sur les blancs. Mais comme partout ailleurs, le rendement fait le tri.

## QUOI DE NEUF EN LANGUEDOC-ROUSSILLON ?

Le millésime, aussi frais que le précédent avait été chaud, a permis à la région de fournir des vins de grande qualité. Malgré les bonnes performances des rosés et des vins de cépages, les excédents provoquent incertitudes et colère. Un défi : le maintien de l'activité et des paysages viticoles dans ce pays au service du vin depuis deux millénaires.

### Une fraîcheur bienvenue

Après la canicule de 2003, l'eau et la fraîcheur caractérisent le millésime 2004. Particulièrement humides, l'automne et l'hiver ont permis de reconstituer les réserves en eau, gravement mises à mal par la sécheresse de l'année précédente. La fin de l'hiver et le début de printemps, plutôt humides, ont également été plus froids que la moyenne, entraînant un retard de végétation qui s'est maintenu durant l'été.

Dans certains secteurs, les orages d'août ont parfois obligé à vendanger précocement, notamment les cépages blancs. Puis le vent du nord s'est installé à la mi-septembre, contribuant à l'assainissement des raisins et à la concentration des baies. Chez les vignerons qui ont veillé à l'état sanitaire des vignes et qui ont eu la patience d'attendre le bon niveau de maturité, les vins surprennent par leur fraîcheur, affichant des niveaux d'acidité rarement atteints dans le Midi ; ils offrent une grande finesse de tanins et d'arômes. On trouve de très grandes bouteilles en 2004.

En volumes, la récolte 2004 a atteint 17,8 millions d'hectolitres en Languedoc-Roussillon, dont 3 millions en AOC et 11 en vins de pays (dont 4,4 Mhl de vins de pays d'Oc).

### Des ventes en baisse

En 2005, minervois, coteaux-du-languedoc et corbières (dont le nouveau président du cru, Vincent de Beaulieu, a annoncé la mise en vente du château de Boutenac, siège du syndicat, début juillet) auraient sans doute préféré célé-

brer dans un contexte plus tonique le vingtième anniversaire de leur reconnaissance en AOC. La production de vins AOC est en baisse dans tous les départements, les producteurs préférant se réorienter vers les vins de cépages.
Pas un seul créneau de vente qui ne soit en recul. Les AOC tranquilles du Languedoc-Roussillon ont perdu 8 % en volume à l'exportation, soit à peine un peu moins que la moyenne des AOC françaises. L'Allemagne est redevenue le premier pays importateur (154 000 hl sur un total de 690 000 hl), devant les Pays-Bas et le Royaume-Uni où, c'est à signaler, le Languedoc-Roussillon conforte ses positions alors que les vins français en général y sont de plus en plus malmenés par la concurrence.
Dans l'Hexagone, en l'espace de cinq ans, les AOC rouges du Languedoc ont perdu plus de cent mille hectolitres (-25 %) dans la grande distribution ; une chute que n'arrive pas à compenser, dans le même temps, la progression spectaculaire des rosés (+70 %). La chute est encore plus brutale en restauration : -29 % en quatre ans pour les AOC du Languedoc-Roussillon.
Côté vins doux naturels, même situation critique. En grande distribution française, le muscat a encore reculé de 6 % en 2004. Et la progression sensible du muscat de Samos ne rend que plus critique la position des AOC méridionales, muscats-de-rivesaltes et de frontignan notamment. Il ne faut donc pas s'étonner que, pour le millésime 2004, les déclarations de récolte aient chuté de 14 % en vins doux naturels.
Enfin, sur un marché des vins effervescents pourtant stable, blanquette et crémant-de-limoux ont respectivement perdu 10 et 33 % en volume dans la grande distribution, une chute heureusement compensée par la progression du limoux blanc.

### Les vins de cépages épargnés

Avec 4,4 millions d'hectolitres agréés pour la récolte 2004, les vins de pays d'Oc continuent de monter en puissance, au moins côté volumes, malgré un tassement à l'export. La satisfaction vient de la progression des vins de cépages dans la grande distribution française. En deux ans, dans un marché des vins de pays en régression, les vins de pays d'Oc ont gagné près de 19 millions de litres et représentent désormais 30 % des vins de pays commercialisés sur ce circuit (pour les trois quarts des vins de cépages).
Trio majeur : le merlot en rouge, le sauvignon en blanc et le cinsault en rosé. Les bag-in-box, c'est à souligner, représentent 38 % des ventes en grandes surfaces. Il n'empêche, les producteurs ont dû concéder cette année des réductions sensibles du prix des vins en vrac.

### Un marché foncier morose

Si le prix moyen des maisons à la campagne ne cesse de grimper en Languedoc-Roussillon, où il a été multiplié au moins par deux en neuf ans, il n'en va pas de même du prix des vignes AOC qui connaît un sérieux coup de frein depuis deux ans. Les prix sont généralement stables dans l'Hérault et l'Aude (à l'exception notable du muscat-de-lunel et des corbières – où le prix moyen d'un hectare est repassé sous la barre des 10 000 €, soit une baisse de l'ordre de 30 % en 2004) ; dans les Pyrénées-Orientales et le Gard en revanche, ils sont sérieusement affectés dans la quasi-totalité des vignobles d'appellation et des vins de pays, avec des baisses de 6 à 24 %. Si l'on excepte les Côtes du Rhône gardoises (en repli de 20 % à 30 000 € /ha pour les régionales), les transactions réalisées en 2004 dans les AOC du Languedoc se situent généralement autour de 15 000 €/ha.

### Acquisitions bordelaises

Les experts signalent une offre importante de biens de villages, qu'explique la trésorerie défaillante de nombreuses coopératives. Dans le même sens, plusieurs domaines acquis récemment – et dont les nouveaux propriétaires avaient consenti de gros investissements – se retrouvent sur le marché mais, si les repreneurs potentiels sont toujours là, ils ne sont pas prêts à payer le prix fort.
Dans ce contexte morose, Bernard Magrez poursuit sa marche en avant. Le Bordelais a encore acquis 5 ha à Jonquières dans l'Hérault, une vingtaine à Ventenac-Cabardès dans l'Aude, une vingtaine dans le Saint-Chinianais et renforcé son vignoble de Montner en Roussillon (35 ha). À Montner, il s'apprête à construire un chai qui accueillera également les vendanges des 2,5 ha achetés dans la commune avec Gérard Depardieu. Le comédien, son associé au sein du Secret des Templiers, a présenté au printemps la première cuvée de son domaine d'Aniane, baptisée Le Bien Décidé.

### Restructurations

Touchées par la crise, les grandes entreprises se restructurent. Le groupe Val d'Orbieu a décidé ainsi de se désengager de Listel. Sans entrer au capital, détenu en majorité par le Crédit Agricole, le groupe champenois Vranken-Pommery a ainsi pu récupérer la distribution d'une marque convoitée – au grand dam du groupe de négoce héraultais Jeanjean qui, après avoir acquis la marque Cazes en Roussillon, avait pourtant proposé d'acquérir immédiatement la majorité du capital de Listel afin de récupérer la marque forte qui lui fait toujours défaut en Languedoc. Vranken-Pommery a annoncé son intention de « créer un vin du monde français avec une marque forte, distribuée dans le monde entier ».

**Concentrations**

Les grandes manœuvres vont bon train en Roussillon où le groupe Vignerons Catalans, associé aux coopératives de Rivesaltes-Salses et de Baixas, est devenu en mars 2005 Vicaro (Vignerons catalans et Roussillon) ; il a aussitôt entrepris de segmenter l'offre en créant notamment la marque Le Fruité catalan lancée à Vinexpo. Dans la foulée, la Sivir, spécialisée dans les vins doux naturels, s'est renforcée par l'entrée à son capital, au côté du GICB (Banyuls), de Vicaro et de la cave de Maury. Vicaro et la Sivir, animés par la même direction générale située à Perpignan, contrôlent désormais la moitié de la production du Roussillon.

**Un printemps 2005 « chaud »**

Déçus par le plan d'urgence présenté fin janvier par le ministre de l'Agriculture, les viticulteurs méridionaux ont entamé un cycle de manifestations comme n'avait plus connu la région depuis plusieurs années. Le doublement des aides décidé mi-avril par le gouvernement n'a guère changé la donne.

Rassemblements, suivis d'exactions et parfois d'attentats à l'explosif ont agité la région, en particulier à la suite de la manifestation de Nîmes au mois de mai. Supermarchés, entrepôts de négociants, poids lourds, administrations, péages autoroutiers et voies ferrées auront tour à tour été pris pour cibles au cours du printemps. Cette radicalisation de la colère vigneronne, incontrôlée et mal perçue par l'opinion publique, a également mis à mal la coordination syndicale.

La situation, il est vrai, est grave. Au début de l'été, on estimait à la moitié de la récolte 2004 les volumes de vins invendus encore en cave. Un tiers des exploitations serait en difficulté, un autre tiers parviendrait péniblement à équilibrer ses comptes. Pour tenter d'éviter le pire, une distillation de 2,5 millions d'hectolitres de vins de pays (au même prix que celle déjà prévue pour les AOC) a été demandée à Bruxelles fin juin.

Plutôt favorables dans l'ensemble à la mise en place d'une gestion par bassin de production, les leaders professionnels ont paru peiner à accorder leurs revendications. Sous la pression de la base, et comme en désespoir de cause, ils ont fini le plus souvent – à l'exception des représentants des jeunes agriculteurs – par se rallier à une demande de primes à l'arrachage définitif qui pourrait concerner des milliers d'hectares.

**Nouvelle AOC en Roussillon**

Reconnue par l'INAO en 2004, l'AOC côtes-du-roussillon–Les Aspres couvre 37 communes formant un croissant au sud-est de Perpignan. Avec un cahier des charges exigeant, sanctionné par un agrément à double détente – l'appellation n'étant définitivement accordée qu'après douze mois d'élevage –, la nouvelle AOC a connu un démarrage prudent. Lors du premier millésime (2003), 11 caves ont produit 200 000 bouteilles mises en vente début 2005.

## QUOI DE NEUF EN PROVENCE ?

Retour de flamme de la canicule de l'été 2003, la Provence a connu une moindre affluence touristique durant la saison 2004. En revanche, les raisins ont profité de meilleures conditions climatiques ; la récolte, en légère baisse, a donné des vins équilibrés et de grands vins rouges de garde. La sécheresse reste préoccupante.

**La Provence sèche...**

Marquée par un déficit hydrique persistant sur plusieurs campagnes, la récolte est légèrement déficitaire par rapport aux années précédentes (de -5 à -8 % par rapport à 2003, avec d'importantes variations liées aux situations ou à l'encépagement).

Des gels localisés et des accidents climatiques (grêle notamment) ont affecté la production de certaines exploitations sans s'étendre aux appellations dans leur ensemble. En revanche, les vignes souffrent grandement de cette sécheresse cumulée, en particulier le grenache dont certains pieds ne s'en remettent pas. Les zones littorales et les sols particulièrement drainants sont fort affectés. De nombreux ceps ont subi une défoliation importante, ce qui a souvent entraîné des difficultés de maturité phénolique alors que les

richesses en sucres étaient particulièrement élevées. Heureusement, des précipitations salutaires sont intervenues en phase finale de maturité.
Les vendanges, précoces, se sont distinguées par une importante teneur en sucres et par un retour à des teneurs en acidité plus normales qu'en 2003. Les vins présentent un bon équilibre, l'acidité compensant des richesses alcooliques parfois élevées. Puissants et structurés, les vins rouges sont souvent aptes à la garde, 2004 s'annonce comme un grand millésime dans cette couleur. Les rosés sont francs, pleins avec une expression aromatique qui a tardé à s'exprimer mais qui donne toute sa puissance actuellement.

**La vague des rosés touche le rivage**

La déferlante des rosés qui avait permis à la Provence de ne pas ressentir durement les effets de la crise du marché viticole a fini par atteindre le rivage. Ceux qui n'ont pas surfé sur cette vague rose se retrouvent échoués et porteurs de vins en stocks. À des degrés divers, l'ensemble des appellations est touché par la morosité, tant en volume qu'en valeur, sans atteindre la situation de certaines régions (-2,21 % en volume et -2,78 % en valeur à l'export en 2004). Les professionnels ont vu la crise arriver chez leurs voisins et envisagé des remèdes pour y faire face. Sensible à la baisse de fréquentation touristique, le marché a été tendu durant l'hiver pour ne redémarrer qu'en mai. La profession surveille attentivement l'évolution des volumes en stocks.

**Réécriture des décrets**

Dans ce contexte devenu délicat, les professionnels continuent leurs réflexions sur l'organisation et les règles de production des différentes appellations. Outre les travaux liés aux demandes nationales, notamment de réécriture des décrets – chaque appellation du Comité régional Provence-Corse avait envoyé ses propositions dès février 2005 –, ils poursuivent les travaux de hiérarchisation au sein de l'AOC côtes-de-provence : les derniers décrets, début 2005, permettent de nouvelles dénominations : Sainte-Victoire et Fréjus avant, peut-être, la Londe (cette dernière toujours à l'étude) ; le décret de l'AOC bandol précisant les règles d'encépagement et de conduite du vignoble est également sorti ; l'AOC coteaux-varois devient coteaux-varois-en-provence et l'Institut instruit une demande de reconnaissance des vins blancs en appellation baux-de-provence.

## QUOI DE NEUF EN CORSE ?

Le millésime 2004 ? Abondance et vins fruités. Après un 2003 souvent récolté dans l'urgence, il a fallu tout au contraire, cette année, faire preuve de patience car si la vigne a été généreuse en raisins, elle eu plus de mal à les faire mûrir. Pourtant, surprise, la qualité est là.

**Des volumes...**

À la mi-août 2003, quel vigneron ne s'est retrouvé dans ses vignes sous un énorme soleil, un peu hagard de constater à quelle vitesse mûrissaient ses raisins ? Il a juré qu'on ne l'y reprendrait plus et, cette année, au lendemain de l'Assomption, il arpentait son vignoble, sécateur en main prêt à récolter. Las ! Des raisins verts par ci, acidulés par là ; ils étaient encore loin, les premiers effluves de fermentation. 2004 fut une campagne curieuse. La vigne, peut-être en réaction à ses souffrances de 2003, peut-être dopée par d'abondantes pluies chargées de limons durant l'hiver, a tout donné en 2004. Feuillage exubérant, floraison parfaite, sortie de grappes exceptionnelle ; seuls les vignerons pratiquant la taille en vert ont pu démarrer leur vendange aux dates habituelles en Corse, vers le 25 août. Pour les autres, il y a eu quelques inquiétudes sur les maturités, puis sur la capacité de cuverie des

chais pour recevoir ce cadeau du ciel. Les rendements à l'hectare sont tout de même demeurés raisonnables, mais depuis 2000 on avait quelque peu oublié les belles récoltes quantitatives.

**... et du potentiel**

On a craint ensuite le « petit » millésime, vu la générosité de l'année. Surprise! La vigne a également donné le meilleur en qualité. On découvre des rosés légers et fins, des blancs aromatiques et des rouges souvent tournés vers le fruit, mais avec des structures tanniques plus qu'honorables qui promettent certains à la garde. Ajoutez à cela une météo clémente, et les vendanges se sont terminées dans l'euphorie... Quelque peu gâchée par une saison touristique atone et la crise des vins perçue en Corse aux premiers frimas.

Mais les producteurs corses veulent rester optimistes. Les vins du Nouveau Monde, les vins exotiques sont à la mode. Or, la Corse, par ses paysages et sa personnalité, n'a t elle pas un côté exotique ? Les vins corses sont finalement tout à fait dans la tendance!

## QUOI DE NEUF DANS LE SUD-OUEST ?

Après l'année de la canicule, les viticulteurs du Sud-Ouest ont dû se garder des excès de production en 2004. Pour ceux qui ont su maîtriser les rendements, le millésime s'annonce comme un grand classique. Les blancs montrent une belle fraîcheur, les liquoreux sont superbes.

La vigne n'ayant souffert d'aucun déficit hydrique durant tout l'été 2004, il a fallu tout faire pour limiter une vigne plutôt prodigue. L'automne ensoleillé et doux a permis de conduire les vins blancs secs, les merlots et les cabernets francs à maturité de façon plus que satisfaisante. Pour les cabernets-sauvignons, c'est selon. On a noté aussi de bonnes réussites dans les liquoreux, notamment en Béarn, où l'on retrouve l'acidité typique du gros manseng, et en Gascogne. Dans l'ensemble, les vins ont beaucoup plus de fruit et de fraîcheur que les 2003.

Dans l'ensemble du Bassin aquitain, qui réunit les régions Aquitaine et Midi-Pyrénées, l'été 2004 a été marqué comme en Bordelais par des températures estivales très moyennes ainsi que par de fortes précipitations, surtout au mois d'août. Heureusement, le mois de septembre a vu le thermomètre remonter à des niveaux normaux, avec des précipitations inférieures à la normale. Le mois d'octobre a même été anormalement chaud, ce qui a donné pour certaines appellations des résultats inespérés.

**Récolte pléthorique**

Ce qui frappe, c'est tout de même l'énorme quantité de vins récoltés. À Bergerac, par exemple, on a récolté 407 621 hl d'AOC de rouges et rosés, soit exactement un tiers de plus qu'en 2003, le rendement moyen passant de 42 à 55 hl/ha. Pour l'ensemble des blancs AOC, la récolte est passée de 209 995 hl en 2003 à 238 978 hl en 2004 (+14 %), avec un rendement moyen de 45 contre 39 hl/ha l'année précédente.

Paradoxalement, le marché a très peu bronché. En onze mois de campagne 2004-2005, les quantités d'AOC rouges sorties de chais ont tout juste augmenté de 6,5 % (351 000 hl en onze mois de campagne) et les prix du rouge vendu en vrac ont baissé de 5,5 %. Au CIVRB (Conseil interprofessionnel des vins de la région de Bergerac), on n'en tire aucune fierté, on fait seulement remarquer que le bergerac rouge se vend en moyenne 25 % moins cher que le bordeaux et que cela fait déjà plusieurs années qu'il est collé au plancher, menaçant la rentabilité des exploitations viticoles. En un mot, le bon bergerac est vraiment une affaire, sans doute parce qu'il n'a toujours pas réussi à se créer chez les consommateurs une identité véritablement démarquée de celle de son grand voisin. Quand tout va bien, ce n'est pas grave, mais en période de crise, comme on le constate depuis déjà plusieurs années, c'est plus préoccupant.

Plus étrange encore, mais c'est aussi la contagion du bordeaux voisin, le bergerac blanc sec se vend en vrac 15 % plus cher que le rouge . La reconversion vers les rouges est sans doute allée trop loin. Les producteurs qui ont conservé leur orientation vers le bergerac blanc ne le regrettent pas, puisqu'ils arrivent à vendre pratiquement tout ce qu'ils produisent dans l'année, même quand celle-ci est abondante comme en 2004 où les prix enregistrés en vrac ont tout de même baissé de 6 %. Les consommateurs non plus, puisque les blancs secs se sont distingués par leur fraîcheur et la profondeur de leurs arômes.

**Baisse des cours**

Le vignoble de Cahors avait été sinistré en 2003 avec une récolte en baisse de 36,4 %. Il a recommencé à faire des montagnes russes en

2004, avec une production de 243 000 hl. Cela n'a pas été une affaire pour les viticulteurs, qui ont vu les cours baisser encore de près de 10 % durant la campagne qui s'achève pour passer au dessous de 100 € l'hectolitre et se retrouver ainsi pratiquement au niveau de ceux du gaillac rouge, le grand concurrent. Cette appellation qui s'écoulait facilement jusqu'alors sur des marchés de niche connaît maintenant des difficultés. Avec 101 000 hl, les côtes-du-frontonnais ont également connu l'abondance. Réduite de 88 000 à 71 500 hl de 2002 à 2003, la production a connu un pic record qui a pesé sur les cours, sans réussir à les faire fléchir en début de campagne.

Dans la vallée de la Garonne, il faut remarquer une difficulté particulière pour le buzet. Cette appellation, qui ne connaissait naguère que des succès, subit aujourd'hui de plein fouet la crise que connaissent les vins de l'Aquitaine. Les ventes ont baissé de plus de 6 % en 2004, au moment où la production était à la hausse, comme dans toute la région. Les excès du climat en 2005 auront sans doute des effets à court terme sur le marché, puisque ce sont près de 400 ha de vignobles de Buzet qui ont été très endommagés par la grêle lors du très violent orage qui s'est abattu sur la vallée de la Garonne le 16 juin dernier.

**Heureux gaillac blancs**

Le gaillac, avec 140 000 hl de rouge et de rosé AOC en 2004, a largement dépassé sa production de 2002 (132 039 hl) et pulvérisé le chiffre de 2003 qui était tombé à 106 000 hl. À mi-campagne, les cours n'avaient baissé que de 3 %, alors que les sorties des chais avaient augmenté de 16 %. C'est plutôt un bon point pour l'appellation tarnaise qui a produit un vin beaucoup moins marqué par le soleil, plus fruité et plus frais que le 2003, donc plus facile à boire rapidement. Le blanc sec d'AOC gaillac a vu aussi sa production progresser, de 41 000 à 64 000 hl, soit 50 % ! Les 2004 ressemblent davantage à ce que l'on attend de ce type de vins, plus vifs et plus aromatiques que souples et gras. Les volumes de ventes ont donc bien suivi celui des disponibilités et les prix ont même légèrement progressé, en nette avance sur la campagne précédente à la fin janvier.

**Un piémont pyrénéen préservé**

Plus au Sud, dans le vignoble de Madiran, la nature reste beaucoup plus mesurée. La production a certes augmenté en 2004, mais dans des proportions très raisonnables, puisqu'elle est passée de 64 000 hl en 2003 à 72 000 l'année suivante, soit 12 % de plus. Le prix du vin en vrac n'a pas bougé d'un centime d'euro et celui du vin en bouteilles a même légèrement progressé. La coopérative de Crouseilles (Pyrénées-Atlantiques), principal metteur en marché, pouvait ainsi se vanter d'avoir augmenté de 7 % le volume de ses ventes de madiran. L'année a donc été plutôt bonne pour une appellation dont la production reste à la mesure d'un marché local. Par ailleurs, l'Union Plaimont, dans le Gers, met son savoir-faire commercial et ses capacités d'innovation au service des AOC du Sud-Ouest. C'est elle par exemple qui est à la base du renouveau de l'appellation pacherenc-du-vic-bilh qui a donné toute sa mesure dans le millésime 2004.

Il faut bien sûr citer aussi le jurançon. Le petit manseng a atteint des degrés exceptionnels, tandis que le gros manseng conservait fruité et acidité. Après des vins très doux, très alcoolisés, très liquoreux en 2003, on a retrouvé en 2004 l'essence même du jurançon, s'accordaient les spécialistes. C'est-à-dire, cette vivacité aromatique et cette acidité que recherchent les amateurs.

## QUOI DE NEUF EN VAL DE LOIRE ?

Après une fin d'été maussade, les vendanges se sont dans l'ensemble déroulées dans la douceur et sous le soleil. Les blancs ont toutes les qualités de vivacité souhaitées, les rouges sont colorés, les rosés bien venus, les effervescents ne manqueront pas. Seuls les amateurs de vins moelleux regretteront le millésime précédent. Le marché ? Contrasté et morose. Souvent atone pour les vins tranquilles, tandis que les bulles sont à la fête.

### Dans la Région Nantaise

Dans le vignoble nantais, le climat fut particulièrement contrasté, avec des périodes conformes aux normes saisonnières (mars, avril, juillet) et d'autres marquées par un fort déficit des précipitations (février, mai, juin). Les températures ont été plus douces que la moyenne durant la période végétative de la vigne, à l'exception de mars. L'insolation a été normale, voire supérieure à la moyenne entre février et mai 2004, mais déficitaire entre juin et août.

Aux premiers jours d'avril, le débourrement assez irrégulier d'une parcelle à l'autre laissait apparaître de nombreuses et belles ébauches florales. Début mai, de la fraîcheur et des giboulées mêlées de grêle, avec des dégâts localisés sur les jeunes pousses. Malgré ces conditions et un stress hydrique, le développement de la végétation a été régulier. La floraison s'est déroulée assez rapidement autour du 8 juin, avec neuf jours de retard par rapport à 2003.

Les superficies revendiquées en muscadet sont en légère baisse (12 750 ha environ) pour une production de l'ordre de 778 000 hl. Le gros-plant a connu une chute vertigineuse de sa surface revendiquée en raison d'arrachages et de déclarations conjoncturelles en vins de table : 2 081 ha revendiqués pour la récolte 2002 contre 1 594 ha pour 2004.

**Commercialisation**

L'année 2004 a été marquée par un recul des ventes plus marqué (-5,5%) pour la région nantaise que pour les autres vins blancs AOC du Val de Loire. L'écart en termes de valeur est plus faible. L'appellation muscadet assure à l'exportation 23 % des flux commerciaux en VQPRD des vins blancs du Val de Loire. Le bilan est cependant mitigé et l'équilibre précaire. Les transactions commerciales à l'exportation pour le vignoble nantais représentent 14 % des sorties de chais en 2004. Le Royaume-Uni demeure la destination première avec près de 50 % des flux. On déplore une baisse très significative en valeur (-15,40 %).

**Redélimitation des terroirs**

L'arrachage est d'actualité, mais les professionnels souhaitent qu'il s'applique aux terroirs de moins bonne qualité et qu'il s'acccompagne d'une redélimitation pour recentrer le vignoble sur les meilleurs terroirs. Ils entendent conserver ces derniers, même non plantés. Les décrets sont mis à plat. Afin d'assurer une lisibilité de l'offre, la segmentation des appellations muscadet a été confirmée. Deux axes principaux : le premier vise à renforcer l'organisation pyramidale des appellations existantes ; elles seraient définies par des conditions de production de plus en plus restrictives en matière de délimitation des terroirs, de conduite du vignoble (rendements), de qualité de la matière première (maturité, état sanitaire) et de règles de vinification (durées minimales d'élevage sur lies) ; le second axe s'appuie sur la diversité des terroirs dans le cadre des appellations sous-régionales et des futures appellations de niveau communal.

La hiérarchie se traduirait par trois types de vins : à la base, un muscadet fruité, frais et souple, aux arômes fermentaires, puis des appellations sous-régionales de muscadet sur lie et, au sommet, des appellations communales, à l'étude depuis 2000. Les nouveaux décrets d'appellation devraient s'appliquer à la récolte 2006.

**Brève du vignoble**
La Société Vinival (Mouzillon), importante maison de négoce du Val de Loire, a été rachetée par les Grands Chais de France.

## En Anjou-Saumur et en Touraine

L'hiver s'est maintenu jusque dans les premiers jours de mars. Le débourrement est intervenu en Anjou avec quelques jours d'avance par rapport à la moyenne (entre le 8 et le 12 avril 2004), à une période normale en Touraine (entre le 7 et le 20 avril).
De la fin mai à la mi-juin, les températures ont atteint des sommets rarement enregistrés à cette époque (30 °C). En Anjou, le mois de juin a été le plus sec des quinze dernières années : 8 mm de pluies en quatre épisodes au lieu de 36 mm en huit arrosages pour la moyenne. Ces conditions ont favorisé la floraison et assuré une sortie de grappes exceptionnelle, supérieure à la moyenne sur les cépages grolleau, cabernets et chenin. Les vendanges en vert ont permis de mener tous les raisins à maturité. En Anjou, le stress hydrique s'est manifesté dès juin sur certaines parcelles ; il s'est accentué en juillet avec des précipitations atteignant à peine la moitié des valeurs normales et s'est maintenu en août malgré une pluviométrie élevée.
Septembre et début octobre ont été secs et doux. Début septembre, un soleil radieux présidait aux premières vendanges. La maturation des raisins fut bonne pour les cépages précoces, plus difficile pour les cabernets. En Anjou, des vinifications en rosés ont parfois été nécessaires dans des parcelles conduites initialement pour produire des vins rouges.
Malgré la (relative) sécheresse d'octobre 2004 (26 mm contre 67 en moyenne en Anjou), les conditions climatiques furent peu favorables au chenin car ces faibles précipitations s'étalèrent sur une vingtaine de jours. Cette humidité constante associée à des périodes relativement fraîches a parfois entraîné la prolifération de parasites, même si une courte période favorable, du 21 au 26 octobre, a permis de belles réussites.

### La qualité au rendez-vous
Primeurs ou de semi-garde, les gamays sont exceptionnels. La peau épaisse, saine, chargée d'arômes et de matière colorante, y est pour beaucoup. Dans les chinon et bourgueil, l'abondance de matière surprend. Le raisin est allé jusqu'au maximum de sa maturité. Les vins sont puissants et de garde. Une belle année qui s'apparenterait pour certains à 2002, de grande réputation. Les sauvignons sont bien venus, mais moins réguliers qu'on ne le pensait.
Vouvray et montlouis ont produit des vins de base pour les bulles. Pour les demi-secs et moelleux, on puisera dans le superbe millésime précédent.

### Abondance de vins
La récolte 2004 se situe à l'un des plus hauts niveaux jamais atteint en Touraine : 780 000 hl tous vins confondus. Une progression de près de 13 % par rapport à 2003. En Anjou-Saumur, la production atteint 1 009 336 hl, dont une bonne part de rosés (485 618 hl).
Ce sont les rouges qui prédominent (+30 %) avec le touraine en chef de file (45 %), suivi par le chinon (30 %) et le bourgueil (24 %). En blanc, la progression est modeste (+4,5 %), sauf pour le touraine (+ 24 %, en majorité sauvignon). Les effervescents s'envolent (+125 %) après une année 2003 déficitaire. Mais le fait marquant de cette récolte 2004 est l'abondance des rosés de toutes les appellations : noble-joué et les coteaux-du-vendômois gris, excellents en la matière.
À noter encore, le bond des appellations périphériques ; jasnières et coteaux-du-loir atteignant 6 400 hl, ce qui ne s'était jamais vu à ce jour. Les coteaux-du-vendômois, fraîchement classés en AOC, passent de 3 700 à 8 700 hl. Idem pour valençay qui triple sa récolte, atteignant plus de 7 000 hl, et pour le cheverny qui double la sienne (31 000 hl).

### Le marché
Les prix au négoce sont à l'image de l'écoulement : régression ou stabilité. En touraine blanc, baisse de près de 20 % (115,14 €/hl) ; en vouvray, quasi-stabilité (186,13 € /hl). Légère augmentation en chinon et bourgueil (respectivement 179 et 133 €/hl. À ce propos les vignerons de Bourgueil crient à l'injustice devant l'écart de prix entre ces deux vins, qu'aucune différence de qualité ne justifie. Un gros travail de communication s'impose. Saint-nicolas est toujours sur un petit nuage (226,72 €/hl). Le touraine rouge gagne 7 % (82,41 €/hl).
Les vins du Val de Loire, avec 24 %, tiennent la première place en France pour approvisionner les restaurants. Le saint-nicolas-de-bourgueil se distingue, ce qui explique son prix à la production. Le chinon et le touraine rouge sont également bien placés. En blanc, c'est le touraine qui est en vedette. En revanche, les ventes en grande distribution sont à la baisse : -5 % (-2 % pour les autres vins français). Seuls les vouvray améliorent leur position de 5 % grâce aux effervescents.

**Bulles à l'export**
Les exportations subissent les mêmes baisses que dans les autres vignobles, mais avec des disparités : si le vouvray tranquille est en recul (-11%), il progresse de 23 % dans sa version effervescente. Les rouges sont en mauvaise posture tandis que le touraine blanc progresse de 3 %.

### DANS LE CENTRE

Le cycle végétatif a été plutôt tardif. Les huit jours de retard observés au débourrement ont été rattrapés à la floraison en raison du beau temps sec qui s'est prolongé jusqu'au 7 juillet. Puis une atmosphère humide et fraîche qui s'est installée jusqu'à la fin du mois d'août a ralenti l'évolution des raisins et fait craindre des attaques de mildiou et d'oïdium. La véraison a eu lieu avec un décalage de quatre jours par rapport à la moyenne. Septembre fut chaud et sec, notamment dans la première quinzaine exceptionnelle. Avec le retour de températures plus basses fin septembre–début octobre, la maturation a repris un rythme plus lent et s'est prolongée jusqu'à la mi-octobre pour les dernières parcelles.

**Des vendanges étalées**
Les vignerons ont eu la sagesse d'attendre la pleine maturité, prenant le risque de perdre une partie de la récolte. La cueillette a donc commencé vers le 20 septembre à Reuilly et à Quincy, puis entre le 4 et le 11 octobre pour les autres vignobles (Sancerre, Pouilly-sur-Loire, Menetou-Salon, Coteaux du Giennois et Châteaumeillant). Elle s'est étalée sur tout le mois d'octobre avec, dans la plupart des exploitations, des interruptions de quelques jours pour atteindre la meilleure maturité sur chaque parcelle. La grande majorité des grappes a donc été rentrée dans de bonnes conditions, les acidités plus basses de fin de campagne compensant les valeurs parfois élevées du début.

Un facteur essentiel pour la qualité en 2004 : la suppression des grappes excédentaires en cours d'année, notamment en rouge, puis le tri à la récolte et les pressurages sélectifs en blanc. Un millésime qui aura donc nécessité une grande attention toute l'année dans les vignes et à la cave.

**Retour au classicisme**
Les vins blancs sont expressifs et d'une bonne finesse. Minéralité, fruité et côté floral sont bien présents ; les notes végétales (asperge, buis) ne sont pas toujours perceptibles, mais peuvent parfois apparaître en dominante. La bouche révèle une vivacité plaisante. Selon les terroirs et la date de vendange, les blancs manifestent plus ou moins de rondeur en attaque ou de nervosité en finale, mais dans l'ensemble, ils retrouvent leur style classique. On profitera de toutes ces qualités en les consommant d'ici à l'été 2006. Certaines cuvées plus élaborées pourront être attendues pendant cinq ans, voire davantage.
Les rouges ont généralement une belle couleur. Les arômes évoquent les fruits rouges (framboise, cassis), souvent mêlés de notes de graphite. Les tanins, toujours marqués par la fraîcheur, sont tendres, permettant une consommation à partir de douze à dix-huit mois. Les cuvées haut de gamme, plus structurées, devront être attendues de trois à cinq ans.
Les volumes ? Avec 324 401 hl pour l'ensemble des appellations (dont 260 570 hl de blancs), ils sont bien supérieurs à 2003, bien sûr, mais aussi aux deux années précédentes.

**Brève du vignoble**
Inauguration de la Maison des sancerre, le 9 juin 2005. Une magnifique demeure bourgeoise du XIVe s. restaurée par les viticulteurs du Sancerrois, avec vue panoramique sur le vignoble. Les visiteurs y trouveront de nombreuses informations sur l'appellation et ses terroirs. Un jardin d'essences aromatiques sera aménagé au printemps 2006.

## QUOI DE NEUF EN VALLÉE DU RHÔNE ?

Un mistral favorable a soufflé sur la vendange 2004. Soleil et fraîcheur nocturne, tout était réuni pour que les récoltes et les vinifications se déroulent dans d'excellentes conditions. Les vins du Rhône ne manqueront ni de fraîcheur, ni d'arômes, ni de structure. Si seulement les vents de l'économie étaient plus propices... Le vignoble s'attache à gagner un nouveau public.

**Une vendange de qualité**
L'automne 2003 a été fortement pluvieux et assez doux : à Orange, près de 200 % de précipitations en novembre et plus de 400 % en décembre par rapport aux cinquante dernières années ! Des pluies tombées lentement, qui ont permis ainsi une mise en réserve efficace. En revanche, le bilan pluviométrique hivernal

est déficitaire (40 % d'une année normale de janvier à mars).
Février et mars ayant été assez froids, le débourrement a été légèrement plus tardif que d'habitude (une semaine par rapport à 2003). Après des pluies en avril de 10 % supérieures à la normale, le temps est redevenu sec et les températures ont été conformes à la saison. Un fort mistral a perturbé la floraison qui s'est étalée dans le temps.
Un été typiquement méditerranéen a suivi, seulement perturbé par un orage dans la nuit du 17 au 18 août, durant laquelle il est tombé jusqu'a 200 mm. Une pluie bénéfique à la maturation et qui n'a pas compromis l'état sanitaire du raisin, grâce au mistral qui s'est levé à la fin du mois d'août, accompagné d'un fort ensoleillement jusqu'au mois d'octobre : d'excellentes conditions pour les vendanges qui ont débuté sereinement vers le 6 septembre dans les secteurs précoces et se sont terminées dans la première quinzaine d'octobre dans les secteurs les plus tardifs.

**Des rouges colorés et soyeux**

Les températures de récolte étaient plus fraîches qu'en 2003 grâce à des températures nocturnes plus basses. On sait que ces dernières ont une influence favorable sur la synthèse des pigments colorants ; elles ont permis aux raisins d'avoir des teneurs en anthocyanes très intéressantes. Les fermentations alcooliques se sont déroulées rapidement et les fermentations malolactiques dans de bonnes conditions ; les vins contiennent un taux de sucres résiduels très faible (en dessous de 1 g/l). Rouges, ils ont des tanins plus fins et soyeux que dans le millésime précédent. Les rosés sont aromatiques, très marqués par les fruits rouges, mais il aura fallu une bonne maîtrise technique pour obtenir la couleur souhaitée. Quant aux blancs, ils montrent une bonne vivacité. Plus équilibrés et plus frais que les 2003, ils présentent des nuances florales fines et, pour ceux de viognier et de roussanne, des notes de fruits exotiques.

**Parer à la crise**

Le vignoble rhodanien n'est pas épargné par la crise : en côtes-du-rhône les cours, partis en début de campagne à 100 €/hl, ont vite chuté pour se retrouver en fin de campagne autour de 60 €/hl. Quant aux exportations, elles ont baissé en 2004, tant en volume (-9,32 %) qu'en valeur (-14,38 %). Le premier trimestre 2005, à l'export, marque un ralentissement des volumes. Une reprise des ventes en grande distribution est surtout liée à des ventes promotionnelles. Dans le cadre de la distillation de crise pour les vins d'appellation que la France a obtenue, les producteurs de côtes-du-rhône souhaitent distiller 270 000 hl au prix de 3,35 € le degré hecto. Ils ont en outre demandé au ministère une aide à l'arrachage pour 2 000 ha.

**Partenariat franco-américain**

Après Red bicyclette, le groupe américain Gallo lance une seconde marque de vins français sur le marché américain : Pont d'Avignon. Un côtes-du-rhône rouge à forte dominante de syrah, élaboré en collaboration avec les œnologues de Gallo et produit par la Compagnie rhodanienne. Les deux partenaires ont travaillé sur ce projet pendant deux ans environ et ont signé un contrat d'association de plusieurs années comprenant une phase de test. Le vin sera distribué dans les circuits des cavistes, hôtels, restaurants et détaillants spécialisés.

Après quarante ans passés à la tête du Cellier des Dauphins, Francois Boschi a passé le relais. La marque du groupement de producteurs est devenue la première en vins rouges français d'AOC. Reste à conquérir des parts de marché à l'export.

**Beaumes-de-venise en rouge !**

De nouveaux côtes-du-rhône-villages suivis d'un nom géographique (Massif d'Uchaux, Plan de Dieu, Puyméras, Signargues) devraient prochainement être reconnus. Après le vote positif de l'INAO à l'automne 2004, on n'attend que la signature des décrets.

Une nouvelle AOC communale en rouge : en 2005, l'INAO a reconnu, avec une nouvelle délimitation, l'AOC beaumes-de-venise pour des vins tranquilles rouges. L'aire géographique s'étend sur quatre communes (Beaumes-de-Venise, Lafare, La Roque-Alric, Suzette). Cette appellation recouvre la cave coopérative et les 14 caves particulières. Le décret qui devrait être signé prochainement prévoit que la proportion de grenache doit être supérieure à 50 % et celle de syrah supérieure à 25 %. Les cépages accessoires (en proportion inférieure à 20 %) sont toutes les autres variétés ouvrant droit à l'appellation côtes-du-rhône, y compris les cépages blancs, limités à 5 % de l'assemblage. Jusqu'à la récolte 2015, les conditions de l'encépagement de l'AOC côtes-du-rhône-villages continueront à s'appliquer. Cela s'explique par l'impact de la délimitation sur l'encépagement des exploitations. Le rendement de base est fixé à 38 hl/ha.

**Préparer l'avenir**

À Châteauneuf du Pape, la fête de la Saint-Marc, a été placée cette année sous le parrainage de l'INAO, qui célèbre les soixante-dix ans de l'appellation. La Fédération des vins de Châteauneuf-du-Pape a mis en place pendant une semaine, en avril 2005, une communication destinée aux futurs consommateurs en allant présenter la notion d'AOC dans les établissements scolaires autour de Châteauneuf-du-Pape, avec le concours de l'INAO, associant au vin le comté et l'huile d'olive de la vallée des Baux de Provence. Un beau travail de synergie et peut-être une réflexion à mener pour développer la connaissance des produits de qualité liés à l'origine.

Le vin n'est pas une simple boisson, mais un produit gastronomique, d'une grande variété gustative tant ses producteurs sont nombreux. Le choisir exige quelques connaissances préalables : comprendre l'étiquette, savoir où l'acheter, tenir compte des conditions de sa conservation en cave.

## COMMENT IDENTIFIER UN VIN ?

Les rayons des cavistes et des grandes surfaces offrent une large palette de vins français et étrangers. Chance pour l'amateur, cette variété rend aussi le choix fort difficile : la France produit à elle seule plusieurs dizaines de milliers de vins qui ont tous des caractères propres. Leur carte d'identité ? L'étiquette, que les pouvoirs publics et les instances professionnelles se sont attachés à réglementer. L'acheteur a donc tout intérêt à en percer les arcanes.

### Les catégories de vin

Le premier devoir de l'étiquette est d'indiquer l'appartenance du vin à l'une des quatre catégories réglementées en Europe : *vin de table, vin de pays, appellation d'origine vin délimité de qualité supérieure* (AOVDQS) ou *appellation d'origine contrôlée* (AOC), ces deux dernières étant assimilées dans la terminologie européenne au *vin de qualité produit dans des régions déterminées* (VQPRD).

**• L'appellation d'origine contrôlée**

C'est la classe reine, celle de tous les grands vins. L'étiquette porte obligatoirement la mention « X appellation contrôlée » ou « appellation X contrôlée ». L'appellation désigne expressément une région, un ensemble de communes, une commune, parfois un lieu-dit (*climat* en Bourgogne) dans lequel le vignoble est implanté. Pour avoir droit à l'appellation d'origine contrôlée, un vin doit avoir été élaboré suivant « les usages locaux, loyaux et constants », c'est-à-dire à partir de cépages nobles homologués, plantés dans des sols choisis, et vinifiés selon les traditions régionales. Rendement à l'hectare et titre alcoométrique (minimal et parfois maximal) sont fixés par la loi. Les producteurs choisissent librement de revendiquer l'AOC pour leur production : chaque année, ils soumettent leurs vins à une commission de dégustation qui délivre l'agrément.

Ces règles nationales sont complétées par des usages locaux. Ainsi, en Alsace, l'appellation régionale est-elle pratiquement toujours doublée de la mention du cépage. En Bourgogne, seuls les premiers crus peuvent être mentionnés en caractères d'imprimerie de dimension égale à ceux employés pour l'appellation communale, les *climats* non classés ne pouvant figurer qu'en petits caractères dont la dimension ne peut être supérieure à la moitié de celle employée pour désigner l'appellation. Le nom de la commune ne figure pas sur l'étiquette des grands crus, ceux-ci bénéficiant d'une appellation propre.

## COMMENT LIRE UNE ÉTIQUETTE ?

Chaque dénomination catégorielle est astreinte à des règles d'étiquetage spécifiques.

VIN DE TABLE : les mentions du degré alcoolique, du volume, du nom et de l'adresse de l'embouteilleur sont obligatoires ; celle du millésime est interdit.

VIN DE PAYS : catégorie de vin de table ayant une origine géographique. Un vin de pays ne peut porter sur son étiquette les noms « château », « cru » ou « clos », lesquels sont réservés aux AOC.

APPELLATION D'ORIGINE VIN DÉLIMITÉ DE QUALITÉ SUPÉRIEURE (AOVDQS).

APPELLATION D'ORIGINE CONTRÔLÉE (AOC).

### AOC Alsace

timbre fiscal (capsule) vert

❶ dénomination catégorielle (obligatoire)

❷ indication du cépage (autorisée seulement en cas de cépage pur)

❸ volume (obligatoire)

❹ toutes mentions obligatoires

❺ exigé pour l'exportation vers certains pays

❻ degré (obligatoire)

❼ numéro de lot (obligatoire)

### AOC Bordelais

timbre fiscal vert

❶ assimilé à une marque (facultatif)

❷ millésime (facultatif)

❸ classement (facultatif)

❹ dénomination catégorielle (obligatoire)

❺ nom et adresse de l'embouteilleur (obligatoire) le mot « propriétaire » (facultatif) fixe le statut de l'exploitation

❻ facultatif

❼ volume (obligatoire)

❽ exigé pour l'exportation vers certains pays

❾ degré (obligatoire)

❿ numéro de lot (obligatoire)

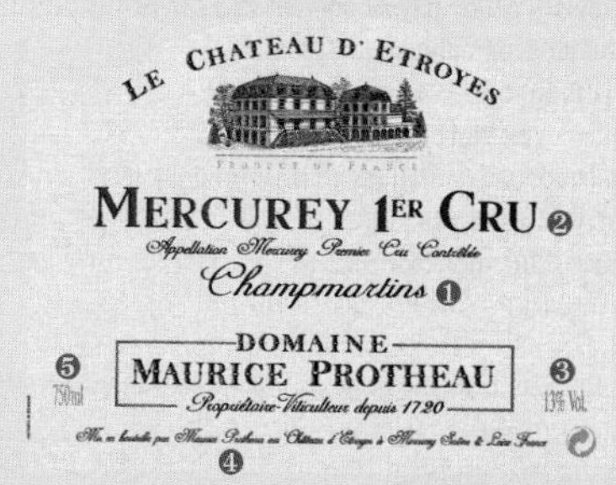


### AOC Bourgogne

timbre fiscal vert

souvent sur une collerette, le millésime est facultatif

❶ nom du cru (facultatif) ; la même dimension de caractères que l'appellation indique qu'il s'agit d'un 1er cru

❷ dénomination catégorielle (obligatoire)

❸ degré (obligatoire)

❹ nom et adresse de l'embouteilleur (obligatoire) ; indique en outre la mise en bouteilles à la propriété, et qu'il ne s'agit pas d'un vin de négoce

❺ volume (obligatoire)

## AOC Champagne

timbre fiscal vert

❶ obligatoire
tout champagne est AOC : la mention ne figure pas ;
c'est la seule exception à la règle
exigeant la mention de la dénomination catégorielle

❷ marque et adresse
(obligatoire ; sous-entendu « mis en bouteille par… »)

❸ volume (obligatoire)

❹ statut de l'exploitation
et n° du registre professionnel (facultatif)

❺ type de vin, dosage (obligatoire)

## AOVDQS

timbre fiscal vert

❶ millésime (facultatif)

❷ cépage
(facultatif ; autorisé uniquement en cas de cépage pur)

❸ nom de l'appellation (obligatoire)

❹ dénomination catégorielle (obligatoire)

❺ degré (obligatoire)

❻ nom et adresse de l'embouteilleur (obligatoire)

❼ mention « à la propriété » (facultatif)

❽ vignette (obligatoire)

❾ volume (obligatoire)

❿ n° de contrôle (obligatoire en France)

## Vins de pays

timbre fiscal bleu

vins de table, ils sont astreints aux mêmes obligations.
Les mots « vin de pays » doivent être suivis
de l'unité géographique (obligatoire)

❶ « à la propriété » : mention facultative

❷ unité géographique (obligatoire)

❸ nom et adresse de l'embouteilleur (obligatoire)

❹ degré (obligatoire)

❺ volume (obligatoire)

**• L'appellation d'origine vin délimité de qualité supérieure**

Antichambre de l'appellation d'origine contrôlée, cette catégorie est soumise sensiblement aux mêmes règles et les vins sont labellisés après dégustation. L'étiquette porte obligatoirement une vignette AOVDQS. Si ces bouteilles ne sont généralement pas de garde, quelques-unes gagnent pourtant à vieillir.

**• Les vins de pays**

L'étiquette des vins de pays précise la provenance géographique du vin. On lira donc *Vin de pays de...* suivi d'une mention régionale, départementale ou de zone. Ces vins sont issus de cépages dont la liste est légalement définie et qui sont plantés dans une aire assez vaste certes, mais définie. En outre, leur titre alcoométrique, leur acidité, leur acidité volatile font l'objet de contrôles. D'autres informations, facultatives mais soumises à la réglementation, peuvent compléter les étiquettes.

## Le responsable légal du vin

L'étiquette doit permettre d'identifier le vin et son responsable légal en cas de contestation. Le dernier intervenant dans l'élaboration du vin est celui qui le met en bouteilles ; c'est obligatoirement son nom et son adresse qui figure sur l'étiquette. Il peut s'agir d'un négociant, d'une coopérative ou d'un propriétaire-récoltant. Dans certains cas, ces renseignements sont confirmés par les mentions portées au sommet de la capsule de surbouchage.

## La mise en bouteilles

L'amateur exigeant ne tolérera que les mises en bouteilles au (ou du) domaine, à (ou de) la propriété, au (ou du) château. Les formules « Mis en bouteilles dans la région de production, mis en bouteilles par nos soins, mis en bouteilles dans nos chais, mis en bouteilles par X (X étant un intermédiaire) », pour exactes qu'elles soient, n'apportent pas la garantie d'origine que procure la mise à la propriété où le vin a été vinifié. Le souci des pouvoirs publics et des comités interprofessionnels a toujours été double : d'abord inciter les producteurs à améliorer la qualité et à soumettre leur vin à une dégustation d'agrément ; ensuite faire en sorte que la bouteille revendiquant l'appellation sur l'étiquette contienne bien le vin agréé, sans mélange, sans coupage, sans substitution. En dépit de toutes les précautions possibles, y compris le contrôle du cheminement des vins, la meilleure garantie d'authenticité du produit demeure la mise en bouteilles à la propriété ; car un propriétaire-récoltant ne doit posséder dans son chai que le vin qu'il produit lui-même ; il n'a pas le droit d'acheter du vin pour l'entreposer. À noter que les mises en bouteilles effectuées à la cave coopérative au bénéfice du coopérateur peuvent être qualifiées de « mise en bouteilles à la propriété ».

## Le millésime

La mention du millésime, année de naissance du vin, c'est-à-dire de la vendange, n'est pas obligatoire. Elle est portée soit sur l'étiquette – ce qui est préférable –, soit sur une collerette collée au niveau de l'épaule de la bouteille. Les vins issus d'assemblage de différentes années ne sont pas millésimés, tels certains champagnes et crémants, ou encore certains vins de liqueur et vins doux naturels. Les vins de table ne sont pas autorisés à porter de millésime.

## La capsule

La plupart des bouteilles sont coiffées d'une capsule de surbouchage qui porte généralement une vignette fiscale, preuve que les droits de circulation auxquels toute boisson alcoolisée est soumise ont été acquittés. Cette vignette permet aussi de déterminer le statut du producteur (propriétaire ou négociant) et la région de production. À défaut de capsule fiscalisée, les bouteilles doivent être accompagnées d'un document délivré par le producteur (voir ci-après *Le transport du vin*).

## L'étampage des bouchons

Les producteurs de vins de qualité ont éprouvé le besoin de marquer leurs bouchons, car si une étiquette peut être décollée et remplacée frauduleusement, le bouchon demeure ; l'origine du vin et le millésime y sont ainsi étampés. Pour les vins effervescents, l'indication de l'AOC sur le bouchon est obligatoire.

## COMMENT ACHETER, À QUI ACHETER ?

En grande surface, chez le caviste et chez le producteur... Les circuits de distribution du vin sont multiples, chacun présentant des avantages et des inconvénients. De même, les modes de commercialisation prennent des formes différentes : vente en vrac, en *bag in box* ou en bouteilles, ventes en primeur. A chacun de trouver la formule qui lui convient : bénéficier d'une vaste palette de vins en un seul point de vente, solliciter l'avis d'un expert pour les accords gourmands, aller à la rencontre des hommes qui font le vin. Sur les routes viticoles, l'amateur se souviendra du slogan : « Celui qui conduit est celui qui ne boit pas ». Les producteurs ont prévu des crachoirs pour goûter sans risques.

### Vins à boire, vins à encaver

La démarche de l'amateur sera différente selon qu'il souhaite consommer ses vins sur une courte période ou les encaver pour suivre leur évolution dans le temps. S'il recherche une bouteille prête à boire, il lui sera difficile (voire impossible) de trouver sur le marché de grands vins parvenus à leur apogée. Il se tournera plutôt vers des vins de primeur (de type beaujolais nouveau, côtes-du-rhône, touraine ou gaillac primeur), vers des vins de pays ou d'appellation de petite et moyenne origine, vers des millésimes faciles, à évolution rapide.

Les vins de garde méritent d'être achetés jeunes dans le dessein de les faire vieillir en cave. Ils doivent non seulement résister à l'usure du temps, mais aussi se bonifier avec les années. Il est judicieux de privilégier les meilleurs producteurs et les meilleurs millésimes.

### L'achat en vrac

Le vin non logé en bouteilles est dit en vrac. L'expression achat en cercle est réservée à l'achat en tonneaux, alors que le vrac peut être transporté en citernes de toute nature, du wagon de 220 hl en acier au cubitainer de plastique d'une contenance de 5 l, en passant par la bonbonne de verre. La vente en vrac est pratiquée par les coopératives, par des propriétaires, par quelques négociants et même par des détaillants qui commercialisent certains vins « à la tireuse ». Il s'agit de vins ordinaires et de qualité moyenne. Dans certaines régions, notamment dans les crus classés du Bordelais, ce type de commercialisation est interdit. Il faut garder en mémoire qu'un vin vendu en vrac par un vigneron n'est jamais tout à fait identique à celui qu'il vend en bouteilles : le producteur sélectionne toujours les meilleures cuves pour ses mises en bouteilles.

L'achat du vin en vrac permet une économie de l'ordre de 25 %, puisqu'il est d'usage de payer au maximum pour un litre de vin le prix facturé pour une bouteille de 0,75 l. L'acheteur réalise également une économie sur les frais de transport. Il lui faut cependant compter les frais (peu élevés) de retour du fût si la transaction s'est faite en cercle.

Les capacités de fûts les plus usitées sont :

| | |
|---|---|
| Barrique bordelaise | 225 l |
| Pièce bourguignonne | 228 l |
| Pièce mâconnaise | 216 l |
| Pièce de Chablis | 132 l |
| Pièce champenoise | 205 l |

### Le bib

Le *bag-in-box*, ou bib, est une solution intermédiaire entre le vrac et la bouteille. Cette poche en plastique rétractable, enveloppée dans un carton et munie d'un robinet préserve le vin de l'air et permet ainsi de le conserver en bon état après ouverture sur une longue période. Sa capacité varie généralement entre 3 à 5 l.

### L'achat en bouteilles

Il est possible d'acheter du vin en bouteilles chez une vigneron, dans une coopérative, chez un négociant et par les circuits de distribution habituels. Où l'amateur doit-il acheter pour réaliser la meilleure affaire ? Il faut savoir que les producteurs et les négociants sont tenus de ne pas concurrencer déloyalement leurs diffuseurs, donc de ne pas commercialiser des bouteilles moins chères qu'eux. Ainsi nombre de châteaux bordelais, peu portés sur la vente au détail, proposent-ils leurs crus à des prix supérieurs à ceux pratiqués par les détaillants, afin de dissuader les acheteurs qui s'obstinent malgré tout, par ignorance ou pour d'inexplicables raisons... D'autant que les revendeurs obtiennent, grâce à des commandes massives, des prix infiniment plus intéressants que le particulier qui n'achète qu'une caisse.

Dans ces conditions, on peut émettre un principe général : les vins de producteurs dont la diffusion est limitée (et ils sont légion...) seront achetés sur place, tandis que les vins de domaines ou de châteaux notoires, largement diffusés, seront acquis auprès des diffuseurs, sauf s'il s'agit de millésimes rares ou de cuvées spéciales.

**L'achat en primeur**

La vente par souscription, dite en primeur, a connu un grand succès au cours des années 1980. Le principe est simple : acquérir un vin avant qu'il ne soit élevé et mis en bouteilles à un prix supposé très inférieur à celui qu'il atteindra à sa sortie de la propriété. Les souscriptions sont ouvertes pour un volume contingenté et pour un temps limité, généralement au printemps et au début de l'été qui suit les vendanges. Elles sont organisées directement par les propriétaires ou par des sociétés de négoce et des clubs de vente de vin. L'acheteur s'acquitte de la moitié du prix convenu à la commande et s'engage à verser le solde à la livraison des bouteilles, c'est-à-dire de douze à quinze mois plus tard. Ainsi, le producteur s'assure des rentrées d'argent rapides et l'acheteur réalise une bonne opération lorsque le cours des vins augmente. Ce fut le cas de 1974 à la fin des années 1980. Ce type de transaction s'apparente à ce que l'on nomme, à la Bourse, le marché à terme.

Que se passe-t-il si les cours s'effondrent – en cas de surproduction ou de crise – entre le moment de la souscription et celui de la livraison ? Les souscripteurs paient leurs bouteilles plus cher que ceux qui n'ont pas souscrit. Cela s'est déjà vu, cela se revoit. A ce jeu spéculatif et dans le but d'assurer leur approvisionnement, de grands négociants se sont ruinés ; leur contrat était d'autant plus risqué qu'il portait sur plusieurs années. En revanche, lorsque tout va bien, la vente en primeur est sans doute la seule façon de payer un vin en dessous de son cours (de 20 à 40 % environ).

**Chez le producteur**

La visite rendue au producteur, indispen-sable si son vin n'est pas ou peu diffusé, apporte à l'amateur bien d'autres satisfactions que celle d'un simple bon achat. Au contact du vigneron, père de son vin, l'œnophile découvre un terroir, un mode de vinification, l'art de tirer la quintessence d'un cépage, comprend les relations étroites qui existent entre un homme et son vin. Le savoir-boire, le mieux boire, passe par cette irremplaçable rencontre.

**En cave coopérative**

La qualité des vins élaborés par les coopératives progresse constamment. Ces caves commercialisent des vins en vrac et en bouteilles, à des prix généralement légèrement inférieurs à ceux pratiqués par les autres circuits de vente à qualité égale.

Comment fonctionne une coopérative vinicole ? Les adhérents apportent leur raisin et les responsables techniques, dont un œnologue, se chargent du pressurage, de la vinification, de l'élevage et de la commercialisation. Des systèmes de primes accordées aux raisins nobles et aux raisins les plus mûrs, l'instauration de chartes de qualité avec les vignerons, la possibilité d'élaborer des cuvées selon la qualité spécifique de chaque livraison de raisin ou selon une sélection de terroirs ouvrent aux meilleures coopératives le secteur des vins de qualité, voire de garde.

**Chez le négociant**

Le négociant, par définition, achète des vins pour les revendre, mais il est souvent lui-même propriétaire de vignobles : il peut donc agir en producteur et commercialiser sa production, ou bien vendre le vin de producteurs indépendants sans autre intervention que le transfert (cas des négociants bordelais qui ont à leur catalogue des vins mis en bouteilles au château), ou encore signer un contrat de monopole de vente avec une unité de production. Le négociant-éleveur assemble des vins de même appellation fournis par divers producteurs et les élève dans ses chais. Il est ainsi le créateur du produit à double titre : par le choix de ses achats et par l'assemblage qu'il exécute.

Les maisons de négoce sont installées dans les grandes zones viticoles, mais rien n'empêche un négociant bourguignon de commercialiser du vin de Bordeaux et inversement. Le propre d'un négociant est de diffuser, donc d'alimenter les réseaux de vente qu'il ne doit pas concurrencer en vendant chez lui ses vins à des prix très inférieurs.

**Chez le caviste**
C'est le mode d'achat le plus facile et le plus rapide, le plus sûr également lorsque le caviste est qualifié. Il existe nombre de boutiques spécialisées dans la vente de vins de qualité. Mais qu'est-ce qu'un bon caviste ? Celui qui est équipé pour entreposer les vins dans de bonnes conditions, celui qui sait choisir des vins originaux de producteurs amoureux de leur métier. En outre, le bon détaillant saura conseiller l'acheteur, lui faire découvrir des vins que celui-ci ignore et l'inciter à marier mets et vins pour valoriser les uns et les autres.

**En grande surface**
Si quelques déficiences sont à regretter dans la présentation des vins en grandes surfaces (chaleur, lumière crue des néons, bouteilles rangées à la verticale), elles deviennent de plus en plus rares. Aujourd'hui, nombre d'établissements possèdent un rayon spécialisé bien équipé, où les bouteilles sont couchées et classées par région et appellation. L'amateur trouve dans les grandes surfaces non seulement des vins courants, mais aussi des crus prestigieux. Seuls les appellations confidentielles et les vins de petites propriétés sont moins représentés. Contrairement à une idée assez répandue, il peut être très avantageux d'acheter une grande bouteille en grande surface.

**Dans les clubs**
Quantité de bouteilles, livrées en cartons ou en caisses, arrivent directement chez l'amateur grâce aux clubs qui offrent à leurs adhérents un certain nombre d'avantages. Le choix est assez vaste et comporte parfois des vins peu courants. Il faut toutefois noter que beaucoup de clubs sont des négociants.

**Les ventes aux enchères**
De plus en plus fréquentées, ces ventes sont organisées par des commissaires-priseurs assistés d'un expert. Il est de la première importance de connaître l'origine des bouteilles. Si elles proviennent d'un grand restaurant ou de la riche cave d'un amateur qui s'en dessaisit (renouvellement d'une cave, succession, par exemple), leur conservation est probablement parfaite. Si elles constituent un regroupement de petits lots divers, rien ne prouve que leur garde ait été satisfaisante. Seule la couleur du vin et son niveau dans la bouteille peut renseigner l'acheteur. L'amateur averti ne surenchérira jamais lorsque se présentent des bouteilles dont le niveau n'atteint que le bas de l'épaule, ni lorsque la teinte des vins blancs vire au bronze plus ou moins foncé ou que la robe des vins rouges est visiblement usée. Il est rare de pouvoir réaliser de bonnes affaires dans les grandes appellations qui intéressent des restaurateurs pour enrichir leur carte. En revanche, les appellations marginales, moins recherchées par les professionnels, sont parfois très abordables.
Lors des ventes à but caritatif, telles celles des Hospices de Beaune ou de Beaujeu, les vins vendus sont logés en pièces (fûts) et doivent encore être élevés durant douze à quatorze mois. Ils sont de ce fait réservés aux professionnels.

**Le transport du vin**
Une fois résolu le problème du choix des vins et sachant que l'on pourra les accueillir et les conserver dans de bonnes conditions, il faut les transporter. Le transport des vins de qualité impose quelques précautions et obéit à une réglementation stricte.
Qu'on le transporte soi-même en voiture ou qu'on use des services d'un transporteur, le gros de l'été et le cœur de l'hiver ne sont pas favorables au voyage du vin. Il faut préserver le vin des températures extrêmes, surtout des températures élevées qui l'affectent définitivement, quelle que soit la période de repos (même des années) qu'on lui accorde ultérieurement, quels que soient sa couleur, son type et son origine.
Arrivé à domicile, on déposera tout de suite les bouteilles à la cave. Si l'on a acquis du vin en vrac, on entreposera les récipients directement au lieu de la mise en bouteilles, à la cave si la place le permet, afin de n'avoir plus à les déplacer. Les cubitainers seront déposés à 80 cm du sol (la hauteur d'une table), les fûts à 30 cm, pour permettre de tirer le vin jusqu'à la dernière goutte sans modifier sa position.
Le transport des boissons alcoolisées est soumis à un régime particulier et fait l'objet de taxes fiscales matérialisées soit par une capsule représentative des droits apposée au sommet de chaque bouteille, soit par un document d'accompagnement commercial délivré par le vigneron. Le vin en vrac doit toujours être accompagné du document le concernant.
Sur ce document figurent notamment le nom du vendeur et le cru, le volume et le nombre de récipients, le destinataire. Transporter du vin sans capsule ou document d'accompagnement est assimilé à une fraude fiscale et puni comme telle.

**L'exportation du vin**
Il est prudent de se renseigner sur les conditions d'importation des vins et alcools dans le pays d'accueil, chacun ayant sa propre réglementation qui s'étend de la taxation douanière au contingentement, voire à l'interdiction pure et simple.
Au sein de l'Union européenne, un particulier peut acheter un volume non limité de vin pour sa consommation personnelle. Le document d'accompagnement lui permettra de justifier auprès de son administration de la régularité de ses achats et du transport.
Hors de l'Union européenne, comme pour tout ce qui est produit ou manufacturé en France, puis exporté, il est possible d'obtenir l'exemption ou le remboursement de la TVA et des accises. Lorsqu'un voyageur veut bénéficier de la détaxe à l'exportation, le vin qu'il achète à la propriété et qu'il transporte par ses propres moyens doit être accompagné de son titre de mouvement ; ce document est visé par le bureau de douane qui constate la sortie de la marchandise du territoire communautaire. Si les bouteilles sont tributaires de capsules, leur détaxation est impossible ; il convient donc, au moment de l'achat, de préciser au vendeur que l'on entend exporter son acquisition et bénéficier de détaxation.

## CONSERVER SON VIN

Constituer une cave demande de l'organisation. Avant tout, il est nécessaire d'évaluer le budget dont on dispose et la capacité de sa cave. Ensuite, il convient d'acquérir des vins dont l'évolution n'est pas semblable, afin qu'ils n'atteignent pas tous en même temps leur apogée. Et pour ne pas boire toujours les mêmes vins, fussent-ils les meilleurs, il est judicieux d'élargir sa sélection afin de disposer de bouteilles adaptées à différentes occasions et préparations culinaires.

**Aménager sa cave**
Une bonne cave est un lieu clos, sombre, à l'abri des trépidations et du bruit, exempte de toutes odeurs, protégée des courants d'air, mais bien ventilée, ni trop sèche ni trop humide, d'un degré hygrométrique de 75 %, et surtout d'une température stable, la plus proche possible de 11 °C.
Les caves citadines présentent rarement de telles caractéristiques. Il faut donc, avant d'encaver du vin, améliorer le local : établir une légère aération ou au contraire obstruer un soupirail trop ouvert ; humidifier l'atmosphère en déposant une bassine d'eau contenant un peu de charbon de bois ou l'assécher par du gravier et en augmentant la ventilation ; tenter de stabiliser la température par des panneaux isolants ; éventuellement, monter les casiers sur des blocs caoutchouc pour neutraliser les vibrations. Mais si une chaudière se trouve à proximité, si des odeurs de mazout se répandent, il n'y a pas grand-chose à espérer.
Si l'on ne dispose pas de cave ou que celle-ci est inutilisable, deux solutions sont possibles :

acheter une armoire à vin, unité d'une capacité de 50 à 500 bouteilles, dont la température et l'hygrométrie sont automatiquement maintenues ; construire de toutes pièces, en retrait dans son appartement, un lieu de stockage dont la température varie sans à-coups et ne dépasse pas 16 °C. Plus la température est élevée, plus le vin évolue rapidement. Or, un vin qui atteint rapidement son apogée dans de mauvaises conditions de garde ne sera jamais aussi bon que s'il avait vieilli lentement dans une cave fraîche. Il appartient à l'amateur de moduler ses achats et le plan d'encavement en fonction des conditions particulières imposées par ses locaux.

### Choisir ses casiers

L'expérience prouve qu'une cave est toujours trop petite. Le rangement des bouteilles doit donc être rationnel. Le casier à bouteilles, à un ou deux rangs, offre bien des avantages : il est peu coûteux, s'il est installé immédiatement, et donne accès aisément à l'ensemble des flacons encavés. Malheureusement, il est volumineux au regard du nombre de bouteilles logées. Pour gagner de la place, une seule méthode : l'empilement des bouteilles. Afin de séparer les piles pour avoir accès aux différents vins, il faut construire ou faire construire – ce n'est pas compliqué – des casiers en parpaings pouvant contenir 24, 36 ou 48 bouteilles en pile, sur deux rangs. Si la cave le permet, si le bois ne pourrit pas, il est possible d'élever des casiers en planches. Il faudra alors les surveiller car des insectes peuvent s'y installer, qui attaquent les bouchons et rendent les bouteilles couleuses.
Deux instruments complètent l'aménagement de la cave : un thermomètre à maxima et minima, et un hygromètre. Des dégustations régulières permettent de corriger les défauts détectés et d'estimer l'évolution du vin cave.

### Ranger ses bouteilles

Dans la mesure du possible, les principes suivants doivent être respectés : les vins blancs sont entreposés près du sol, les vins rouges au-dessus ; les vins de garde dans les rangées (ou casiers) du fond, les moins accessibles ; les bouteilles à boire, en situation frontale. Si les bouteilles achetées en carton ne doivent pas y demeurer, celles livrées en caisse de bois peuvent y être conservées, notamment si l'on envisage de revendre le vin. Néanmoins, les caisses prennent beaucoup de place et sont une proie aisée des pilleurs de cave. Il convient de repérer casiers et bouteilles par un système de notation (algébrique, par exemple), à reporter dans le livre de cave, indispensable outil pour gérer ses achats, dans lequel sont notés également la date d'entrée des vins, le nombre de bouteilles de chaque cru, leur identification précise, leur prix, leur apogée présumée, les accords gourmands et un commentaire de dégustation.

## METTRE SON VIN EN BOUTEILLES

La mise en bouteilles, opération plaisante si on la réalise à plusieurs, ne pose pas de réels problèmes pourvu que l'on se conforme aux règles d'hygiène élémentaires. Si le vin a été transporté en cubitainer, il doit être embouteillé très rapidement ; s'il a voyagé dans un tonneau, il faut impérativement le laisser reposer une quinzaine de jours au préalable. Il convient de mettre le vin en bouteilles par un temps clément, un jour de haute pression, un jour sans pluie ni orage.

### Les bonnes bouteilles

Les bouteilles méritent d'être adaptées au vin, sans tomber dans le purisme : bouteilles bordelaises pour les vins du Sud-Ouest et même du Midi, bourguignonne pour ceux du Sud-Est, du Beaujolais et de la Bourgogne, sachant qu'il existe d'autres bouteilles régionales réservées à certaines appellations. Chaque type de bouteille admet des modèles plus ou moins lourds, à fond plat ou presque plat, de hauteur et de diamètre différents.
Si toutes conservent favorablement le vin, les bouteilles les plus légères sont moins aptes au stockage en pile sur une longue durée. Lorsqu'elles sont trop remplies et que l'on enfonce énergiquement le bouchon, elles peuvent en outre éclater. D'une façon générale, mieux vaut utiliser des bouteilles lourdes. Il est incongru d'embouteiller un grand vin dans du verre léger, de même qu'un vin rouge dans des bouteilles blanches, incolores.
Bien que certains vins blancs, dont on souhaite mettre en valeur la robe, soient logés dans des bouteilles transparentes, cet usage n'est pas recommandé car ceux-ci sont sensibles à la lumière. Les maisons de champagne qui commercialisent ainsi leur production protègent toujours les bouteilles par un papier opaque.
Avant la mise, il convient de vérifier que l'on dispose d'un nombre suffisant de bouteilles et de bouchons, car une fois l'opération commencée, elle doit être achevée rapidement. On ne peut laisser le fût ou le cubitainer en vidange au risque que le vin restant ne s'oxyde ou ne devienne acescent et impropre à la consommation.

Les bouteilles doivent être parfaitement propres, rincées et séchées.

**Les bons bouchons**

En dépit de nombreuses recherches et du développement récent des capsules à vis pour résoudre le problème du « goût de bouchon », le liège demeure le matériau privilégié pour obturer les bouteilles. Les bouchons de liège ne sont pas tous identiques ; ils diffèrent en diamètre, en longueur et en qualité. Dans tous les cas, le diamètre du bouchon sera supérieur de 6 mm à celui du goulot. Meilleur est le vin, plus long sera le bouchon : taille nécessaire à une longue garde et hommage rendu au vin comme à ceux qui le boivent.

La qualité du liège est difficile à évaluer. Un liège d'une dizaine d'années a toute la souplesse désirée. Les beaux bouchons ne présentent pas ou peu de ces petites fissures que l'on obstrue parfois avec de la poudre de liège (bouchons améliorés). Des bouchons prêts à l'emploi, stérilisés à l'ozone et conditionnés en emballages stériles sont proposés à la vente. Il n'est plus nécessaire de les humidifier : on bouche à sec, ce qui présente un avantage certain. Il est possible d'acheter des bouchons étampés (ou de les faire étamper), portant le millésime du vin à embouteiller.

**Les bons gestes**

La tireuse est l'appareil idéal pour remplir la bouteille. Des tireuses à amorçage et à vanne commandées par contact avec la bouteille se vendent dans les grandes surfaces à un prix modique. On veillera à faire couler le vin le long de la paroi de la bouteille, maintenue légèrement oblique, afin de limiter le brassage et l'oxydation. Cette précaution est encore plus nécessaire pour les vins blancs. En aucun cas une écume ne doit apparaître à la surface du liquide. Les bouteilles seront remplies le plus haut possible afin que le bouchon soit en contact avec le vin (bouteille verticale). Le bouchon sera introduit dans la bouteille à l'aide d'une boucheuse, qui le comprimera latéralement avant l'introduction. Il existe une vaste gamme d'appareils, à tous les prix, destinés à cet usage.

**L'étiquette**

On préparera de la colle de tapissier ou un mélange d'eau et de farine, ou, plus simplement, on humectera les étiquettes avec du lait pour les coller sur le bas de la bouteille, à 3 cm de son pied. Les perfectionnistes habillent le goulot de capsules préformées posées grâce à un petit appareil manuel.

## TROIS PROPOSITIONS DE CAVES

Chacun garnit sa cave selon ses goûts et dans le souci de la diversité. Nos propositions de caves n'incluent ni de vins de primeur, ni de vins à boire jeunes. Plus le nombre de bouteilles est restreint, plus l'amateur devra veiller à les renouveler. Les valeurs indiquées ne sont bien sûr que des ordres de grandeur.

CAVE DE 50 BOUTEILLES (environ 880 EUROS)

| | |
|---|---|
| 25 Bordeaux | 17 rouges (graves, saint-émilion, médoc, pomerol, fronsac)<br>8 blancs : 5 secs (graves)<br>3 liquoreux (sauternes-barsac) |
| 20 Bourgogne | 12 rouges (crus de la Côte de Nuits, crus de la Côte de Beaune)<br>8 blancs (chablis, meursault, puligny) |
| 10 vallée du Rhône | 7 rouges (côte-rôtie, hermitage, châteauneuf-du-pape)<br>3 blancs (hermitage, condrieu) |

CAVE DE 150 BOUTEILLES (environ 2 700 EUROS)

| Région | | Rouge | Blanc |
|---|---|---|---|
| 40 Bordeaux | 30 rouges<br>10 blancs | fronsac, pomerol,<br>saint-émilion, graves, médoc<br>(crus classés, crus bourgeois) | 5 grands secs<br>5 { sainte-croix-du-mont<br>sauternes-barsac |
| 30 Bourgogne | 15 rouges<br>15 blancs | crus de la Côte de Nuits,<br>crus de la Côte de Beaune,<br>vins de la Côte chalonnaise | chablis<br>meursault<br>puligny-montrachet |
| 25 vallée du Rhône | 19 rouges<br>6 blancs | côte-rôtie, hermitage rouge,<br>cornas, saint-joseph,<br>châteauneuf-du-pape, gigondas,<br>côtes-du-rhône-villages | condrieu<br>hermitage blanc<br>châteauneuf-du-pape blanc |
| 15 vallée de la Loire | 8 rouges<br>7 blancs | bourgueil, chinon,<br>saumur-champigny | pouilly-fumé, vouvray<br>coteaux-du-layon |
| 10 Sud-Ouest | 7 rouges<br>3 blancs | madiran,<br>cahors | jurançon<br>(secs et doux) |
| 8 Sud-Est | 6 rouges<br>2 blancs | bandol,<br>palette rouge | cassis<br>palette blanc |
| 7 Alsace | (blancs) | | gewurztraminer<br>riesling, tokay |
| 5 Jura | (blancs) | | vins jaunes<br>côtes-du-jura, arbois |
| 10 champagnes et autres vins effervescents<br>(pour en avoir à disposition :<br>ces vins ne se bonifiant pas en vieillissant). | | | Crémant de { Loire<br>Bourgogne<br>Alsace<br>Divers types de champagnes |

CAVE DE 300 BOUTEILLES

La création d'une telle cave suppose un investissement d'environ 6 500 euros. On doublera les chiffres de la cave de 150 bouteilles, en se souvenant que plus le nombre de flacons augmente, plus la longévité des vins doit être grande. Ce qui se traduit malheureusement (en général) par l'obligation d'acquérir des vins de prix élevé…

# L'ART DE BOIRE

Si boire est une nécessité physiologique, boire du vin est un plaisir. A condition que le vin soit de qualité et que la dégustation se déroule dans de bonnes conditions. Savoir déguster, c'est découvrir toutes les facettes du vin et créer un moment de partage.

## LA DÉGUSTATION

Il existe plusieurs types de dégustation aux finalités distinctes : dégustations technique, analytique, comparative, triangulaire en usage chez les professionnels. L'œnophile, lui, pratique une dégustation hédoniste, celle qui lui permet de tirer la quintessence d'un vin, de pouvoir en parler tout en développant l'acuité de son nez et de son palais.

### Les conditions de la dégustation

La dégustation ne saurait se faire n'importe où et n'importe comment. Les locaux doivent être agréables, bien éclairés (lumière naturelle ou éclairage ne modifiant pas les couleurs, dit lumière du jour), de couleur claire de préférence, exempts de toutes odeurs parasites telles que parfum, fumée (tabac ou cheminée), odeurs de cuisine ou de bouquets de fleurs. La température ne doit pas dépasser 18-20 °C.
Le choix d'un verre adéquat est extrêmement important. Il doit être incolore afin que la robe du vin soit bien visible, et si possible fin ; sa forme sera celle d'une fleur de tulipe, c'est-à-dire non pas évasée mais légèrement refermée. Le corps du verre doit être séparé du pied par une tige de manière à ce que le vin ne se réchauffe pas lorsqu'on tient le verre par son pied et à ce qu'il puisse être tourné pour s'oxygéner et révéler son bouquet.
La forme du verre a une telle influence sur l'appréciation olfactive et gustative du vin que l'Association française de normalisation (Afnor) et les instances internationales de normalisation (Iso) ont adopté, après étude, un verre qui offre toutes les garanties d'efficacité au dégustateur et au consommateur ; ce type de verre, appelé communément verre INAO, n'est pas réservé qu'aux professionnels. Il est en vente dans les maisons spécialisées. Les verriers français, allemands et autrichiens proposent un vaste choix de verres.

### Les étapes de la dégustation

La dégustation fait appel à la vue, à l'odorat, au goût et au sens tactile, non par l'intermédiaire des doigts bien sûr, mais par l'entremise de la bouche, sensible aux effets mécaniques du vin : température, consistance, gaz dissous, etc.

**• L'œil**

Par l'œil, le consommateur prend un premier contact avec le vin. L'examen de la robe (ensemble des caractères visuels), marquée par le cépage d'origine et le mode d'élaboration, est riche d'enseignements. C'est un premier test.

Quelle que soit sa couleur, le vin doit être limpide, sans trouble. Des traînées ou des brouillards sont signes de maladies : le vin doit être rejeté. Seuls sont admissibles de petits cristaux de bitartrates (insolubles), la gravelle, précipitation que connaissent les vins victimes d'un coup de froid ; leur qualité n'en est pas altérée. L'examen de la *limpidité* se pratique en interposant le verre entre l'œil et une source lumineuse placée si possible à même hauteur. La *transparence* (vin rouge) est déterminée en examinant le vin sur un fond blanc, nappe ou feuille de papier ; cet examen implique que l'on incline son verre. Le disque (la surface) devient elliptique et son observation informe sur l'âge du vin et sur son état de conservation ; on examine alors la nuance de la robe. Tous les vins jeunes doivent être transparents, ce qui n'est pas toujours le cas des vins vieux de qualité.

| Vin | Nuance de la robe | Déduction |
|---|---|---|
| Blanc | Presque incolore | Très jeune, très protégé de l'oxydation. Vinification moderne en cuve. |
| | Jaune très clair à reflets verts | Jeune à très jeune. Vinifié et élevé en cuve. |
| | Jaune paille, jaune or | La maturité. Peut-être élevé dans le bois. |
| | Or cuivre, or bronze | Déjà vieux. |
| | Ambré à noir | Oxydé, trop vieux. |
| | Blanc taché, œil-de-perdrix à reflets rosés | Rosé de pressurage et vin gris jeune. |
| Rosé | Rose saumon à rouge très clair franc | Rosé jeune et fruité à boire. |
| | Rose avec nuance jaune à pelure d'oignon | Commence à être vieux pour son type. |
| Rouge | Violacé | Très jeune. Bonne teinte de gamay de primeur et des beaujolais nouveaux (6 à 18 mois). |
| | Rouge pur (cerise) | Ni jeune ni évolué. L'apogée pour les vins qui ne sont ni primeurs ni de garde (2-3 ans). |
| | Rouge à franges orangées | Maturité de vin de petite garde. Début de vieillissement (3-7 ans). |
| | Rouge brun à brun | Seuls les grands vins atteignent leur apogée vêtus de cette robe. Pour les autres, il est trop tard. |

L'examen visuel s'intéresse encore à l'*éclat*, ou *brillance*, du vin. Un vin qui a de l'éclat est gai, vif ; un vin terne est probablement triste... Cette inspection visuelle de la robe s'achève par l'intensité de la couleur, qu'on se gardera de confondre avec la nuance (le ton) de celle-ci.

| Nuance de la robe | Vin | Déduction |
|---|---|---|
| Robe trop claire | Manque d'extraction | Vins légers et de faible garde |
| | Année pluvieuse | Vins de petits millésimes |
| | Rendement excessif | |
| | Vignes jeunes | |
| | Raisins insuffisamment mûrs | |
| | Raisins pourris | |
| | Cuvaison trop courte | |
| | Fermentation à basse température | |
| Robe foncée | Bonne extraction | Bons ou grands vins |
| | Rendement faible | Bel avenir |
| | Vieilles vignes, | |
| | Vinification réussie | |

C'est encore l'œil qui découvre les *jambes*, ou larmes, écoulements que le vin forme sur la paroi du verre quand on l'anime d'un mouvement rotatif pour humer les arômes du vin (voir ci-après). Celles-ci rendent compte du degré alcoolique : le cognac et les vins liquoreux en produisent toujours.

Exemple de vocabulaire se rapportant à l'examen visuel

*Nuances :* pourpre, grenat, rubis, violet, cerise, pivoine.
*Intensité :* légère, soutenue, foncée, profonde, intense.
*Éclat :* mat, terne, triste, éclatant, brillant.
*Limpidité et transparence :* opaque, louche, voilée, cristalline.

**• Le nez**

L'examen olfactif est la deuxième épreuve que le vin doit subir. Certaines odeurs sont éliminatoires, telles l'acidité volatile (acescence, vinaigre), l'odeur du liège moisi (goût de bouchon) ; mais dans la plupart des cas, le bouquet du vin – l'ensemble des odeurs se dégageant du verre – procure des découvertes toujours renouvelées.

Les composants aromatiques s'expriment selon leur volatilité. C'est en quelque sorte une évaporation du vin, ce qui explique que la température de service soit si importante : trop froide, les arômes ne s'expriment pas ; trop chaude, ils s'évaporent trop rapidement, s'oxydent, les parfums très volatils disparaissent, tandis que ressortent des éléments aromatiques lourds, anormaux.

Le nez du vin rassemble un faisceau de parfums en mouvance permanente, qui se présentent successivement selon la température et l'oxydation. Le maniement du verre est donc important. On commencera par humer ce qui se dégage du verre immobile, puis on imprimera au vin un mouvement de rotation : l'air fait alors son effet et d'autres parfums apparaissent.

La qualité d'un vin est fonction de l'intensité et de la complexité du bouquet. Les petits vins n'offrent que peu ou pas de bouquet : ils sont simplistes, monocordes. Au contraire, les grands vins se caractérisent par des bouquets amples, profonds et complexes. Le vocabulaire relatif aux arômes est infini, car il procède par analogie. Divers systèmes de classification des arômes ont été proposés ; pour simplifier, retenons les familles florale, fruitée, végétale (ou herbacée), épicée, balsamique, animale, boisée, empyreumatique (en référence au feu), chimique.

Exemple de vocabulaire se rapportant à l'examen olfactif

*Fleurs :* violette, tilleul, jasmin, sureau, acacia, iris, pivoine.
*Fruits :* framboise, cassis, cerise, griotte, groseille, abricot, pomme, banane, pruneau.
*Végétal :* herbacé, fougère, mousse, sous-bois, terre humide, crayeux, champignons divers.
*Épicé :* toutes les épices, du poivre au gingembre en passant par le clou de girofle et la muscade.
*Balsamique :* résine, pin, térébenthine.
*Animal :* viande, viande faisandée, gibier, fauve, musc, fourrure.
*Empyreumatique :* brûlé, grillé, pain grillé, tabac, foin séché, tous les arômes de torréfaction (café, par exemple).

**• La bouche**

Après avoir triomphé des épreuves de l'œil et du nez, le vin subit un dernier examen. Une faible quantité de vin est mise en bouche. Un filet d'air est aspiré afin de permettre sa diffusion dans l'ensemble de la cavité buccale. A défaut, il est simplement mâché. Dans la bouche, le vin s'échauffe, il diffuse de nouveaux éléments aromatiques recueillis par voie rétronasale, étant entendu que les papilles de la langue ne sont sensibles qu'aux quatre saveurs élémentaires : amer, acide, sucré et salé ; voilà pourquoi une personne enrhumée ne peut goûter un vin (ou un aliment), la voie rétronasale étant alors inopérante.

Outre les quatre saveurs élémentaires, la bouche est sensible à la température du vin, à sa viscosité, à la présence ou à l'absence de gaz carbonique et à l'astringence (effet tactile : absence de lubrification par la salive et contraction des muqueuses sous l'action des tanins). C'est en bouche que se révèlent l'équilibre, l'harmonie ou, au contraire, le caractère de vins mal bâtis qui ne doivent pas être achetés.

Les vins blancs, gris et rosés se caractérisent par un bon équilibre entre acidité et moelleux.

*Trop d'acidité :* le vin est agressif ;
*pas assez*, il est plat.
*Trop de moelleux :* le vin est lourd, épais ;
*pas assez*, il est mince, terne.

Pour les vins rouges, l'équilibre tient compte de l'acidité, du moelleux et des tanins.

| | |
|---|---|
| *Excès d'acidité :* | vin trop nerveux, souvent maigre. |
| *Excès de tanins :* | vin dur, astringent. |
| *Excès de moelleux (rare) :* | vin lourd. |
| *Carence en acidité :* | vin mou. |
| *Carence en tanins :* | vin sans charpente, informe. |
| *Carence en moelleux :* | vin qui sèche. |

Un bon vin se situe au point d'équilibre des trois composantes ci-dessus. Ces éléments supportent sa richesse aromatique ; un grand vin se distingue d'un bon vin par sa construction rigoureuse et puissante, quoique fondue, par son ampleur et sa complexité aromatique.

Exemple de vocabulaire relatif au vin en bouche

*Critique :* informe, mou, plat, mince, aqueux, limité, transparent, pauvre, lourd, massif, grossier, épais, déséquilibré.
*Laudatif :* structuré, construit, charpenté, équilibré, corpulent, complet, élégant, fin, qui a du grain, riche.

Après cette analyse en bouche, le vin est avalé. L'œnophile se concentre alors pour mesurer sa persistance aromatique, appelée aussi longueur en bouche. Cette longueur s'exprime en caudalies, unité savante valant tout simplement une seconde. Plus un vin est long, plus il est estimable. La persistance permet de hiérarchiser les vins, du plus petit au plus grand. Cette mesure en secondes est à la fois simple et compliquée ; elle ne porte que sur la longueur aromatique, à l'exclusion des éléments de structure du vin (acidité, amertume, sucre et alcool).

### La reconnaissance d'un vin

La dégustation consiste à goûter pleinement un vin et à déterminer s'il est grand, moyen ou petit. Souvent, il est question de savoir s'il est conforme à son type ; mais encore faut-il que son origine soit précisée.

La dégustation d'identification, c'est-à-dire de reconnaissance, est un jeu de société ; mais c'est un jeu injouable sans un minimum d'informations. On peut reconnaître un cépage, par exemple un cabernet-sauvignon. Mais est-ce un cabernet-sauvignon d'Italie, du Languedoc, de Californie, du Chili, d'Argentine, d'Australie ou d'Afrique du Sud ? Lorsqu'on se limite à la France, l'identification des grandes régions est possible, mais il est bien difficile d'être plus précis : si l'on propose six verres de vin en précisant qu'ils représentent les six appellations du Médoc (listrac, moulis, margaux, saint-julien, pauillac, saint-estèphe), combien y aura-t-il de sans fautes ?

Une expérience classique que chacun peut renouveler prouve la difficulté de la dégustation : le dégustateur, les yeux bandés, goûte en ordre dispersé des vins rouges peu tanniques et des vins blancs non aromatiques, de préférence élevés dans le bois. Il doit simplement distinguer le blanc du rouge : il est très rare qu'il ne se trompe pas ! Paradoxalement, il est beaucoup plus facile de reconnaître un vin très typé dont on a encore en tête et en bouche le souvenir ; mais combien a-t-on de chances que le vin proposé soit justement celui-là ?

| Régions | Cépages | Caractères |
|---|---|---|
| Toutes les AOC de bourgogne rouge | pinot | vins fins de garde |
| Toutes les AOC de bourgogne blanc | chardonnay | vins fins de garde |
| Beaujolais | gamay | vins de primeur ou de consommation rapide |
| Rhône Nord rouge | syrah | vins fins de garde |
| Rhône Nord blanc | marsanne, roussanne | garde variable |
| Rhône Nord blanc | viognier | vins fins de garde |
| Rhône Sud, Languedoc, Côtes de Provence | grenache, cinsault, mourvèdre, syrah | vins plantureux de moyenne ou petite garde |
| Alsace (chaque cépage,vinifié seul, donne son nom au vin) | riesling, pinot gris, gewurztraminer, sylvaner, muscat... | vins aromatiques à boire rapidement sauf les grands crus, vendanges tardives ou sélections de grains nobles |
| Champagne | pinot, chardonnay | à boire dès l'achat |
| Loire blanc | sauvignon | vins aromatiques à boire rapidement |
| Loire blanc | muscadet | à boire rapidement |
| Loire blanc | chenin | de longue garde |
| Loire rouge | cabernet franc (breton) | petite à grande garde |
| Toutes les AOC de Bordeaux rouges, bergerac et Sud-Ouest | cabernet-sauvignon, cabernet franc et merlot | vins fins de garde |
| Madiran | tannat, cabernets | vins fins de garde |
| Bordeaux blanc, bergerac, montravel, monbazillac, duras... | sémillon, sauvignon, muscadelle | secs : de petite à longue garde ; liquoreux : longue garde |
| Jurançon | petit manseng, gros manseng | secs : petite garde ; moelleux : longue garde |

## Déguster pour acheter

Lorsque l'on se rend dans le vignoble dans l'intention d'acheter du vin, il convient de déguster les échantillons proposés. Il s'agit alors de pratiquer des dégustations appréciatives et comparatives. Il est fort difficile de présumer de l'évolution d'un vin, d'évaluer leur période d'apogée. Les vignerons eux-mêmes se trompent parfois lorsqu'ils tentent d'imaginer l'avenir de leur vin. Quelques indices peuvent néanmoins fournir des éléments d'appréciation.

Pour se bonifier, les vins doivent être solidement construits. Ils doivent avoir un titre alcoométrique suffisant, et l'ont en fait toujours : la chaptalisation (ajout de sucre réglementé par la loi) y contribue si nécessaire ; il faut donc porter son attention ailleurs, sur l'acidité et les tanins. Un vin trop souple, qui peut être cependant très agréable, dont l'acidité est faible, voire trop faible, sera fragile, et sa longévité ne sera pas assurée. Un vin faible en tanins n'aura guère plus d'avenir. Dans le premier cas, le raisin aura souffert d'un excès de soleil et de chaleur, dans le second, d'un manque de maturité, d'attaques de pourriture ou encore d'une vinification inadaptée.

Ces deux constituants du vin, acidité et tanins, se mesurent : l'acidité s'évalue en équivalence d'acide sulfurique, en grammes par litre, à moins que l'on ne préfère le pH ; les tanins, selon l'indice de Folain, mais il s'agit là d'un travail de laboratoire. L'avenir d'un vin qui comporte moins de 3 g/l d'acidité n'est pas assuré. Quant à l'estimation du seuil de tanins en dessous duquel une longue garde est problématique, elle n'est pas rigoureuse. Cependant, la connaissance de cet indice est utile, car des tanins mûrs, doux, enrobés sont parfois sous-évalués ou ne se révèlent pas toujours à la dégustation.

Dans tous les cas, on dégustera le vin dans de bonnes conditions, sans se laisser influencer par l'atmosphère de la cave du vigneron. On évitera de le goûter au sortir d'un repas, après l'absorption d'eau-de-vie, de café, de chocolat ou de bonbons à la menthe, ou encore après avoir fumé. Si le vigneron propose des noix, méfiance, car elles améliorent tous les vins. Méfiance également à l'égard du fromage qui modifie la sensibilité du palais. Tout au plus mangera-t-on un morceau de pain, nature.

## S'exercer à la dégustation

La dégustation s'apprend. On peut la pratiquer chez soi en suivant les principes énoncés ci-avant. On peut aussi, si l'on est passionné, suivre des stages, de plus en plus nombreux. On peut encore s'inscrire à des cycles d'initiation proposés par divers organismes privés : étude de la dégustation, étude de l'accord des mets et des vins, exploration par la dégustation des grandes régions de production françaises ou étrangères, analyse de l'influence des cépages, des millésimes, des sols, incidence des techniques de vinification, dégustations commentées en présence du propriétaire, etc.

# LE SERVICE DES VINS

Si au restaurant, le service du vin est l'apanage du sommelier, cette lourde responsabilité revient au maître ou à la maîtresse de maison dans le cadre familial. Il faut choisir les bouteilles les mieux adaptées aux plats composant le repas et qui ont atteint leur apogée. Le goût de chacun intervient bien sûr dans le mariage des mets et des vins, mais des siècles d'expérience ont permis de dégager des principes généraux, des alliances idéales et des incompatibilités majeures.

## Quand faut-il boire le vin ?

Un vin de garde connaît trois phases au cours de sa vie en bouteille et de sa conservation en cave : d'abord, une phase d'ascension qui traduit la maturation et l'amélioration du vin, puis une phase de plafonnement correspondant à la meilleure période de la vie du vin, à son point d'épanouissement optimal, c'est-à-dire à l'apogée, enfin une phase de récession révélatrice du déclin du vin.

Les vins évoluent de manière très différente. Selon leur appellation – et donc selon le cépage, le terroir et la vinification –, ils peuvent atteindre leur apogée après une garde plus ou moins longue : de un à vingt ans. La qualité du millésime influe aussi sur leur longévité : un vin de petit millésime peut évoluer deux ou trois fois plus rapidement. Néanmoins, il est possible d'évaluer le potentiel de garde des vins selon leur origine géographique. A chacun, ensuite, de la moduler en fonction des conditions de conservation dans sa cave et de sa connaissance des millésimes.

**L'apogée (en années)**

| B = blanc ; R = rouge | |
|---|---|
| Alsace (B) : dans l'année | Vallée du Rhône Sud (B) : 2 ; (R) : 4-8 |
| Alsace grand cru (B) : 1-4 | Loire (B) : 1-5 ; (R) : 3-10 |
| Alsace vendanges tardives (B) : 8-12 | Loire moelleux, liquoreux (B) : 10-15 |
| Jura (B) : 4 ; (R) : 8 | Vins du Périgord (B) : 2-3 ; (R) : 3-4 |
| Jura rosé : 6 | Vins du Périgord liquoreux (B) : 6-8 |
| Vin jaune (B) : 20 | Bordeaux (B) : 2-3 ; (R) : 6-8 |
| Savoie (B) : 1-2 ; (R) : 2-4 | Grands bordeaux (B) : 4-10 ; (R) : 10-15 |
| Bourgogne (B) : 5 ; (R) : 7 | Bordeaux liquoreux (B) : 10-15 |
| Grands bourgognes (B) : 8-10 ; (R) : 10-15 | Jurançon sec (B) : 2-4 |
| Mâcon (B) : 2-3 ; (R) : 1-2 | Jurançon moelleux, liquoreux (B) : 6-10 |
| Beaujolais (R) : dans l'année | Madiran (R) : 5-12 |
| Crus du Beaujolais (R) : 1-4 | Cahors (R) : 3-10 |
| Vallée du Rhône Nord (B) : 2-3 ; (R) : 4-5 | Gaillac (B) : 1-3 ; (R) : 2-4 |
| Côte-rôtie, hermitage, etc. (B) : 8 ; (R) : 8-15 | Languedoc (B) : 1-2 ; (R) : 2-4 |
| | Côtes-de-provence (B) : 1-2 ; (R) : 2-4 |
| | Corse (B) : 1-2 ; (R) : 2-4 |

Remarque :
– Ne pas confondre l'apogée avec la longévité maximale.
– Une cave chaude ou à température variable accélère l'évolution.

### Le règles du service

Rien ne doit être négligé depuis l'enlèvement de la bouteille en cave jusqu'au moment du service dans le verre. Plus un vin est âgé, plus il exige de soins. La bouteille sera prise sur pile et redressée lentement pour être amenée à table, à moins qu'on ne la dépose directement dans un panier verseur. Les vins de peu d'ambition seront servis de la façon la plus simple, tandis que les vins de grand âge, très fragiles, seront versés de la bouteille soigneusement déposée dans le panier, dans l'exacte position qu'elle occupait sur pile. Les vins jeunes comme les vins robustes seront décantés, soit pour les aérer parce qu'ils contiennent encore quelques traces de gaz, souvenir de leur fermentation, soit pour amorcer une oxydation bénéfique pour la dégustation, ou encore pour isoler le vin clair des sédiments déposés au fond de la bouteille. Dans ce cas, le vin sera transvasé avec soin et on le versera devant une source lumineuse, traditionnellement une bougie (habitude qui date d'avant l'éclairage électrique et qui n'apporte aucun avantage) pour laisser dans la bouteille le vin trouble et les matières solides.

### Quand déboucher, quand servir ?

Selon le professeur Émile Peynaud, il est inutile d'ôter le bouchon longtemps avant de consommer le vin, la surface en contact avec l'air (le goulot et la bouteille) étant trop petite. Cependant, le tableau ci-dessous résume des usages qui, s'ils n'améliorent pas systématiquement le vin, ne l'abîment jamais.

|  |  |
|---|---|
| Vins blancs aromatiques<br>Vins de primeur rouges et blancs<br>Vins courants rouges et blancs<br>Vins rosés | Déboucher, boire sans délai.<br>Bouteille verticale. |
| Vins blancs de la Loire<br>Vins blancs liquoreux | Déboucher, attendre une heure.<br>Bouteille verticale. |
| Vins rouges jeunes<br>Vins rouges à leur apogée | Décanter une demi-heure à deux heures avant consommation. |
| Vins rouges anciens fragiles | Déboucher en panier verseur et servir sans délai ; éventuellement décanter et consommer tout de suite. |

**Déboucher**

La capsule doit être coupée en dessous de la bague ou au milieu. Le vin ne doit pas entrer en contact avec le métal de la capsule. Dans le cas où le goulot est ciré, donner de petits coups afin d'écailler la cire ou, mieux, enlever la cire avec un couteau sur la partie supérieure du col, cette méthode ayant l'avantage de ne pas ébranler la bouteille et le vin.

Pour extraire le bouchon, seul le tire-bouchon à vis en queue de cochon donne satisfaction (avec le tire-bouchon à lames, d'un maniement délicat). Théoriquement, le bouchon ne doit pas être transpercé. Une fois extrait, le humer : il ne doit présenter aucune odeur parasite et ne pas sentir le liège (goût de bouchon). Ensuite, goûter le vin pour une ultime vérification avant de le servir aux convives.

**À quelle température ?**

On peut tuer un vin en le servant à une température inadéquate ou, au contraire, l'exalter en le servant à la température appropriée. On vérifie la température de service à l'aide d'un thermomètre à vin, de poche si l'on va au restaurant ou à plonger dans la bouteille lorsque l'on opère chez soi. Celle-ci dépend du type de vin, de son âge et, dans une moindre mesure, de la température ambiante. On n'oubliera pas que le vin se réchauffe dans le verre.

| | |
|---|---|
| Grands vins rouges de Bordeaux à leur apogée | 16-17 °C |
| Grands vins rouges de Bourgogne à leur apogée | 15-16 °C |
| Vins rouges de qualité, grands vins rouges avant leur apogée | 14-16 °C |
| Grands vins blancs secs | 14-16 °C |
| Vins rouges légers, fruités, jeunes | 11-12 °C |
| Vins rosés, vins de primeur | 10-12 °C |
| Vins blancs secs vifs et légers | 10-12 °C |
| Champagne, vins effervescents | 7-8 °C |
| Vins liquoreux | 6 °C |

Ces températures doivent être augmentées d'un ou deux degrés lorsque le vin est vieux.

On a tendance à servir légèrement plus frais les vins destinés à l'apéritif et à boire les vins de repas légèrement chambrés. On tiendra compte du climat de la région ou de la température qui règne dans la pièce : sous un climat torride, un vin bu à 11 °C paraîtra glacé, il conviendra donc de le porter à 13 ou 14 °C. Néanmoins, on se gardera de dépasser 20 °C car, au-delà, des phénomènes physico-chimiques altèrent les qualités du vin et le plaisir qu'on peut en attendre.

**Les verres**

À chaque région correspond un type de verre. Dans la pratique, à moins de tomber dans un purisme excessif, on se contentera soit d'un verre universel (de style verre à dégustation), soit des deux types les plus usités, le verre à bordeaux et le verre à bourgogne. Quel que soit le verre choisi, il sera rempli modérément, plus près du tiers que de la moitié. Lavé à l'eau claire ou légèrement savonneuse, il sera bien rincé et séché à l'air libre, tête en bas.

Bourgogne — Alsace — Bordeaux — INAO — Champagne

**Au restaurant**
Le sommelier s'occupe de la bouteille, hume le bouchon, puis fait goûter le vin à celui qui l'a commandé. Auparavant il aura suggéré des vins en fonction des mets. La lecture de la carte des vins est instructive : elle dévoile non seulement les secrets de la cave, mais aussi éclaire sur les compétences du sommelier, du caviste ou du restaurateur. Une carte correcte doit impérativement comporter, pour chaque vin, les informations suivantes : appellation, millésime, lieu de la mise en bouteille, nom du négociant ou du propriétaire, auteur et responsable du vin. Ce dernier point est malheureusement très souvent omis.
Une belle carte doit présenter un large éventail d'appellations et de millésimes (nombre de restaurateurs ont la fâcheuse habitude de toujours proposer les petites années). Intelligente, elle sera adaptée à la gastronomie de l'établissement ou fera la part belle aux vins régionaux. Il est parfois proposé une cuvée du patron : vin agréable, généralement sans appellation d'origine.

**Dans les bistrots à vin**
Apparus dans les années 1970, les bistrots à vin ou bars à vin vendent au verre des vins de qualité, bien souvent de propriétaires, sélectionnés par le patron lui-même au cours de ses visites dans les vignobles. La mise au point d'un appareil protégeant le vin dans les bouteilles ouvertes par une couche d'azote – le *cruover* – leur a permis de proposer de grands vins de millésimes prestigieux. Des assiettes de charcuteries et de fromages sont souvent proposées aux clients en accompagnement, mais une restauration moins rudimentaire a complété leurs cartes.

## LES MILLÉSIMES

Tous les vins de qualité sont millésimés à l'exception des vins de liqueur, de certains champagnes et vins doux naturels élaborés par assemblage de plusieurs années. Dans ce cas, la qualité du produit dépend du talent de l'assembleur ; généralement le vin assemblé est supérieur à chacun de ses composants, mais il est déconseillé de faire vieillir ces bouteilles.

**Qu'est-ce qu'un grand millésime ?**
Un vin né d'un grand millésime se révèle concentré et équilibré. Il est généralement issu, mais pas obligatoirement, de faibles rendements et de vendanges précoces. Dans tous les cas, il a été élaboré à partir de raisins parfaitement sains, exempts de pourriture.
Peu importe les conditions météorologiques qui ont marqué le début du cycle végétatif : on peut même soutenir que quelques mésaventures, telles que gel ou coulure (chute de jeunes baies avant maturation) sont favorables puisqu'elles diminuent le nombre de grappes par pied. En revanche, la période qui s'étend du 15 août aux vendanges de la fin septembre est capitale : un maximum de chaleur et de soleil est alors nécessaire. 1961 demeure la grande année du XXe siècle. *A contrario*, les années 1963, 1965 et 1968 furent désastreuses, parce qu'elles cumulèrent froid et pluie, d'où l'absence de maturité et un fort rendement de raisins gorgés d'eau. Pluie et chaleur ne valent guère mieux, car l'eau tiédie favorise la pourriture ; 1976, le grand millésime potentiel du Sud-Ouest, en a pâti. Quant à la canicule de 2003, elle a parfois grillé le raisin et produit des vins lourds.
Les traitements phytosanitaires et fongicides (notamment contre le ver de la grappe et le développement de la pourriture) permettent d'attendre une pleine maturité pour vendanger et de récolter des raisins de qualité malgré des conditions climatiques difficiles. Dès 1978, on a pu enregistrer d'excellents millésimes vendangés tardivement.
Il est d'usage de résumer la qualité des millésimes dans des tableaux de cotation. Ces notes ne représentent que des moyennes : elles ne prennent pas en compte les microclimats, pas plus que les efforts héroïques de tris de raisins à la vendange ou les sélections forcenées des vins en cuve. Le vin de Graves, Domaine de Chevalier 1965 – millésime par ailleurs épouvantable – démontre que l'on peut élaborer un grand vin dans une année cotée zéro.

## Propositions de cotation (de 0 à 20)

| | Alsace | Beaujolais | Bordeaux rouge | Bordeaux liquoreux | Bordeaux sec | Bourgogne rouge | Bourgogne blanc | Champagne | Jura (vin jaune) | Languedoc-Roussillon | Provence rouge | Sud-Ouest rouge | Sud-Ouest blanc liquoreux | Loire rouge | Loire blanc liquoreux | Rhône (nord) | Rhône (sud) |
|---|---|---|---|---|---|---|---|---|---|---|---|---|---|---|---|---|---|
| 1945 | 20 | | 20 | 20 | 18 | 20 | 18 | 20 | | | | | 19 | | | | |
| 1946 | 9 | | 14 | 9 | 10 | 10 | 13 | 10 | | | | | 12 | | | | |
| 1947 | 17 | | 18 | 20 | 18 | 18 | 18 | 18 | | | | | 20 | | | | |
| 1948 | 15 | | 16 | 16 | 16 | 10 | 14 | 11 | | | | | 12 | | | | |
| 1949 | 19 | | 19 | 20 | 18 | 20 | 18 | 17 | | | | | 16 | | | | |
| 1950 | 14 | | 13 | 18 | 16 | 11 | 19 | 16 | | | | | 14 | | | | |
| 1951 | 8 | | 8 | 6 | 6 | 7 | 6 | 7 | | | | | 7 | | | | |
| 1952 | 14 | | 16 | 16 | 16 | 16 | 18 | 16 | | | | | 15 | | | | |
| 1953 | 18 | | 19 | 17 | 16 | 18 | 17 | 17 | | | | | 18 | | | | |
| 1954 | 9 | 9 | 10 | | | 14 | 11 | 15 | | | | | 9 | | | | |
| 1955 | 17 | 13 | 16 | 19 | 18 | 15 | 18 | 19 | | | | | 16 | | | | |
| 1956 | 9 | 6 | 5 | | | | | | | | | | 9 | | | | |
| 1957 | 13 | 11 | 10 | 15 | | 14 | 15 | | | | | | 13 | | | | |
| 1958 | 12 | 7 | 11 | 14 | | 10 | 9 | | | | | | 12 | | | | |
| 1959 | 20 | 13 | 19 | 20 | 18 | 19 | 17 | 17 | | | | | 19 | | | | |
| 1960 | 12 | 5 | 11 | 10 | 10 | 10 | 7 | 14 | | | | | 9 | | | | |
| 1961 | 19 | 16 | 20 | 15 | 16 | 18 | 17 | 16 | | | | | 16 | | | | |
| 1962 | 14 | 13 | 16 | 16 | 16 | 17 | 19 | 17 | | | | | 15 | | | | |
| 1963 | | 6 | | | | | 10 | | | | | | | | | | |
| 1964 | 18 | 8 | 16 | 9 | 13 | 16 | 17 | 18 | | | | | 16 | | | | |
| 1965 | | | | | 12 | | | | | | | | 8 | | | | |
| 1966 | 12 | 11 | 17 | 15 | 16 | 18 | 18 | 17 | | | | | 15 | | | | |
| 1967 | 14 | 13 | 14 | 18 | 16 | 15 | 16 | | | | | | 13 | | | | |
| 1968 | | | | | | | | | | | | | | | | | |
| 1969 | 16 | 14 | 10 | 13 | 12 | 19 | 18 | 16 | | | | | 15 | | | | |
| 1970 | 14 | 13 | 17 | 17 | 18 | 15 | 15 | 17 | | | | | 15 | | | | |
| 1971 | 18 | 15 | 16 | 17 | 19 | 18 | 20 | 16 | | | | | 17 | | | | |
| 1972 | 9 | 6 | 10 | | 9 | 11 | 13 | | | | | | 9 | | | | |
| 1973 | 16 | 7 | 13 | 12 | | 12 | 16 | 16 | | | | | 16 | | | | |
| 1974 | 13 | 8 | 11 | 14 | | 12 | 13 | 8 | | | | | 11 | | | | |
| 1975 | 15 | 7 | 18 | 17 | 18 | | 11 | 18 | | | | | 15 | | | | |
| 1976 | 19 | 16 | 15 | 19 | 16 | 18 | 15 | 15 | | | | | 18 | | | | |
| 1977 | 12 | 9 | 12 | 7 | 14 | 11 | 12 | 9 | | | | | 11 | | | | |
| 1978 | 15 | 12 | 17 | 14 | 17 | 19 | 17 | 16 | | | | | 17 | | | | |
| 1979 | 16 | 13 | 16 | 18 | 18 | 15 | 16 | 15 | | | | | 14 | | | | |
| 1980 | 10 | 10 | 13 | 17 | 18 | 12 | 12 | 14 | | | | | 13 | | | 15 | |
| 1981 | 17 | 14 | 16 | 16 | 17 | 14 | 15 | 15 | | | | | 15 | | | | |
| 1982 | 15 | 12 | 18 | 14 | 16 | 14 | 16 | 16 | | | 17 | 17 | 15 | 14 | | 14 | 15 |
| 1983 | 20 | 17 | 17 | 17 | 16 | 15 | 16 | 15 | 16 | | | 16 | 18 | 12 | | 16 | 16 |
| 1984 | 15 | 11 | 13 | 13 | 12 | 13 | 14 | 5 | | 7 | | 10 | | 10 | | 13 | 15 |
| 1985 | 19 | 16 | 18 | 15 | 14 | 17 | 17 | 17 | 17 | 18 | 17 | 17 | 17 | 16 | 16 | 17 | 16 |
| 1986 | 10 | 15 | 17 | 17 | 12 | 12 | 15 | 9 | 17 | 15 | 16 | 16 | 16 | 13 | 14 | 15 | 13 |
| 1987 | 13 | 14 | 13 | 11 | 16 | 12 | 11 | 10 | 16 | 14 | 14 | 14 | | 13 | | 16 | 12 |
| 1988 | 17 | 15 | 16 | 19 | 18 | 16 | 14 | 18 | 16 | 17 | 17 | 18 | 18 | 16 | 18 | 17 | 15 |
| 1989 | 16 | 16 | 18 | 19 | 18 | 16 | 18 | 16 | 17 | 16 | 16 | 17 | 17 | 20 | 19 | 18 | 16 |
| 1990 | 18 | 14 | 18 | 20 | 17 | 18 | 16 | 18 | 18 | 17 | 16 | 16 | 18 | 17 | 20 | 19 | 19 |
| 1991 | 13 | 15 | 13 | 14 | 13 | 14 | 15 | 11 | | 14 | 13 | 14 | | 12 | 9 | 15 | 13 |

| | Alsace | Beaujolais | Bordeaux rouge | Bordeaux liquoreux | Bordeaux sec | Bourgogne rouge | Bourgogne blanc | Champagne | Jura (vin jaune) | Languedoc-Roussillon | Provence rouge | Sud-Ouest rouge | Sud-Ouest blanc liquoreux | Loire rouge | Loire blanc liquoreux | Rhône (nord) | Rhône (sud) |
|---|---|---|---|---|---|---|---|---|---|---|---|---|---|---|---|---|---|
| 1992 | 12 | 9 | 12 | 10 | 14 | 15 | 17 | 12 | | 13 | 9 | 9 | | 14 | | 12 | 11 |
| 1993 | 13 | 11 | 13 | 8 | 15 | 14 | 13 | 12 | | 14 | 11 | 14 | 14 | 13 | 12 | 11 | 14 |
| 1994 | 12 | 14 | 14 | 14 | 17 | 14 | 16 | 12 | | 12 | 10 | 14 | 15 | 14 | 12 | 14 | 11 |
| 1995 | 12 | 16 | 16 | 18 | 17 | 14 | 16 | 16 | 17 | 15 | 15 | 15 | 16 | 17 | 17 | 15 | 16 |
| 1996 | 12 | 14 | 15 | 18 | 16 | 17 | 18 | 19 | 18 | 13 | 14 | 14 | 13 | 17 | 17 | 15 | 13 |
| 1997 | 13 | 13 | 14 | 18 | 14 | 14 | 17 | 15 | 16 | 13 | 13 | 13 | 16 | 16 | 16 | 14 | 13 |
| 1998 | 13 | 13 | 15 | 16 | 14 | 15 | 15 | 13 | 14 | 17 | 16 | 16 | 13 | 14 | | 18 | 15 |
| 1999 | 10 | 11 | 14 | 17 | 13 | 13 | 12 | 15 | 17 | 15 | 16 | 14 | 10 | 12 | 10 | 16 | 14 |
| 2000 | 12 | 12 | 18 | 10 | 16 | 11 | 15 | 15 | 16 | 16 | 14 | 14 | 13 | 16 | 13 | 17 | 15 |
| 2001 | 13 | 11 | 15 | 17 | 16 | 13 | 16 | 9 | | 16 | 14 | 16 | 18 | 13 | 16 | 17 | 11 |
| 2002 | 10 | 10 | 14 | 18 | 16 | 17 | 17 | 17 | 14 | 12 | 11 | 15 | 14 | 14 | 10 | 8 | 9 |
| 2003 | 12 | 15 | 15 | 18 | 13 | 17 | 18 | 14 | 17 | 15 | 13 | 14 | 17 | 15 | 17 | 16 | 14 |
| 2004 | 13 | 12 | 14 | 10 | 17 | 13 | 15 | 16 | 13 | 15 | 15 | 13 | 15 | 14 | 10 | 12 | 16 |

Les zones cernées d'un trait épais indiquent les vins d'AOC communales à mettre en cave.

**Quels millésimes boire maintenant ?**
Les vins évoluent différemment selon qu'ils sont nés d'une année maussade ou ensoleillée, mais aussi selon leur appellation, leur hiérarchie au sein de cette appellation, leur vinification, leur élevage ; la qualité et la durée de leur vieillissement dépend également de la cave où ils sont entreposés. Le tableau de cotation des millésimes concerne des vins de bonne facture, à leur apogée ; il n'intègre pas l'évolution actuelle des millésimes anciens. Il ne prend en compte ni les vins ni les cuvées exceptionnels.

## LA CUISINE AU VIN

La cuisine au vin ne date pas d'aujourd'hui. Au Ier s. av. J.-C., Apicius donne la recette du porcelet à la sauce au vin (il s'agissait de vin de paille). Pourquoi user du vin en cuisine ? Pour les saveurs qu'il apporte et pour les vertus digestives qu'il ajoute aux plats grâce à la glycérine et aux tanins. En outre, l'alcool disparaît presque totalement à la cuisson.
On pourrait retracer une histoire de la cuisine à travers le vin. Les marinades ont été inventées

pour conserver des pièces de viande ; aujourd'hui on les perpétue pour l'apport d'éléments sapides. La cuisson, donc la réduction des marinades, est à l'origine des sauces. En cuisant la viande avec la marinade, on a inventé les civets et les daubes.

**Quelques conseils**

- Inutile de gaspiller de vieux millésimes pour la cuisine.
- Ne jamais user en cuisine de vins ordinaires ou de vins trop légers.
- Boire avec le plat le vin de cuisson ou de la même origine.

## LE VINAIGRE DE VIN

Vins et vinaigres jouent chacun leur partie dans l'orchestre des saveurs dont l'homme se régale. Jeter des fonds de bouteilles de qualité serait regrettable. Le vinaigrier est là pour les accueillir. Il s'agit d'un récipient de 3 à 5 l en bois ou, mieux, en terre vernissée, généralement muni d'un robinet. L'acidité du vinaigre est un révélateur. Pour contenir ses ardeurs, le gourmet a inventé le vinaigre aromatisé : ail, échalote, petits oignons, estragon, graines de moutarde, grains de poivre, clous de girofle, fleurs de sureau, de capucine, pétales de roses, laurier, thym, etc.

**Quelques conseils**

- Ne jamais déposer un vinaigrier dans une cave, au risque de gâter les bouteilles de vin.
- Placer le vinaigrier dans un lieu tempéré (20 °C).
- Éliminer du vinaigrier la mère du vinaigre (masse visqueuse).
- Ne jamais le boucher hermétiquement car l'air contribue à la vie des bactéries acétiques qui transforment l'alcool du vin en acide acétique.
- Le vinaigrier doit vivre. Chaque fois que l'on retire du vinaigre, ajouter un volume équivalent de vin. Un vinaigre laissé en souffrance dans un vinaigrier plus de deux ou trois mois (maximum) n'est plus qu'acétique. Il perd son goût de vin, il n'a plus d'intérêt.
- Ne jamais introduire dans le vinaigrier de vin sans origine.
- Ne jamais placer les aromates dans le vinaigrier. Il faut extraire le vinaigre du vinaigrier et conserver le vinaigre aromatisé dans un autre récipient, de préférence hermétique.

## PAIN ET VIN : LES BONS COMPAGNONS

Le sait-on ? Ce sont les mêmes procédés de fermentation qui transforment le raisin en vin et le blé ou le seigle en pain. Lien naturel, lien culturel aussi. Car si la culture des céréales a précédé celle de la vigne en Mésopotamie, 8 000 ans avant notre ère, une longue histoire unit, depuis la préhistoire, le pain et le vin, à la fois aliments de base, offrandes et symboles sacrés. Les Égyptiens, puis les Grecs ont parfait la fabrication du pain au levain comme l'art de la vinification. Dans les banquets, pain et vin font honneur aux hôtes, et l'auteur Athénée, au IIIe s. apr. J.-C., conseille de ne jamais boire sans pain afin de garder tous ses sens.

Dans le monde et tout particulièrement en France, la diversité des pains n'a d'égale que celle des vins. Une richesse régionale que certains boulangers ont remis à l'honneur à partir des années 1970. Lassés du pain noir des temps de guerre, puis d'un pain blanc sans saveur, les consommateurs ont redécouvert le goût du pain d'antan grâce au travail et au savoir-faire de quelques artisans passionnés. Créée à Paris en 1932, la maison Poilâne n'a ainsi jamais renoncé à la fabrication traditionnelle de son pain au levain, référence d'un pain de qualité. Lorsque l'on déguste un vin, quel meilleur compagnon qu'un morceau de bon pain qui laisse les papilles en éveil ?

# LES METS ET LES VINS

Rien n'est plus difficile que de trouver « le » vin idéal pour accompagner un plat. D'ailleurs, peut-il y avoir un vin idéal ? Au chapitre du mariage des mets et des vins, la monogamie n'a pas de place ; il faut profiter de l'extrême variété des vins français et faire des expériences : une bonne cave permet par approximations successives d'approcher de la vérité…

## *HORS-D'ŒUVRE, ENTRÉES*

*Anchoïade*
- côtes du roussillon rosé
- coteaux d'aix-en-provence rosé
- alsace sylvaner

*Artichauts barigoule*
- coteaux d'aix-en-provence rosé
- rosé de loire
- bordeaux rosé

*Asperges sauce mousseline*
- alsace muscat

*Avocat*
- champagne
- bugey blanc
- bordeaux sec

*Cuisses de grenouille*
- corbières blanc
- touraine sauvignon
- entre-deux-mers

*Escargots à la bourguignonne*
- bourgogne aligoté
- alsace riesling
- touraine sauvignon

*Foie gras au naturel*
- barsac
- corton-charlemagne
- listrac
- banyuls rimage

*Foie gras en brioche*
- alsace tokay grains nobles
- montrachet
- pécharmant

*Foie gras grillé*
- jurançon
- graves rouge

*Poivrons rouges grillés vinaigrette*
- clairette de bellegarde
- muscadet
- mâcon Lugny blanc

*Salade niçoise*
- coteaux d'aix-en-provence rosé

*Salade de soja*
- alsace tokay
- clairette du languedoc
- muscadet

## *CHARCUTERIE*

*Jambon braisé*
- alsace tokay
- côtes du rhône rouge
- côtes du roussillon rosé

*Jambon persillé*
- chassagne-montrachet blanc
- coteaux du tricastin rouge
- beaujolais rouge

*Jambon de Bayonne*
- côtes du rhône-villages
- bordeaux clairet
- corbières rosé

*Jambon de sanglier fumé*
- côtes de saint-mont rouge
- bandol rouge
- sancerre blanc

*Pâté de lièvre*
- côtes de duras rouge
- saumur-champigny
- moulin à vent

*Rillettes*
- bourgogne rouge
- alsace pinot noir
- touraine gamay

*Rillons*
- touraine cabernet
- beaujolais-villages
- rosé de loire

*Saucisson*
- côtes du rhône-villages
- beaujolais
- côtes du roussillon rosé

*Terrine de foie blond*
- meursault-charmes
- saint-nicolas de bourgueil
- morgon

## *COQUILLAGE ET CRUSTACES*

*Bouquet mayonnaise*
- bourgogne blanc
- alsace riesling
- haut-poitou sauvignon

*Brochettes de Saint-Jacques*
- graves blanc
- alsace sylvaner
- beaujolais-villages rouge

*Calmars farcis*
- mâcon-villages
- premières côtes de bordeaux
- gaillac rosé

*Cassolette de moules aux épinards*
- muscadet
- bourgogne aligoté bouzeron
- coteaux champenois blanc

*Clovisses au gratin*
- pacherenc du vic-bilh
- rully blanc
- beaujolais blanc

*Cocktail de crabe*
- jurançon sec
- fiefs vendéens blanc
- bordeaux sec sauvignon

*Écrevisses à la nage*
- sancerre blanc
- côtes du rhône blanc
- gaillac blanc

*Homard à l'américaine*
- arbois jaune
- juliénas

*Homard grillé*
- hermitage blanc
- pouilly-fuissé
- savennières

*Huîtres de Marennes*
- muscadet
- bourgogne aligoté
- alsace sylvaner
- chablis
- beaujolais primeur rouge

*Huîtres au champagne*
- bourgogne hautes-côtes de nuits blanc
- coteaux champenois blanc
- rousette de savoie

*Langouste mayonnaise*
- patrimonio blanc
- alsace riesling
- vin de savoie Apremont

*Langoustines au cognac*
- chablis premier cru
- graves blanc
- muscadet sèvre-et-maine

*Mouclade des Charentes*
- saint-véran
- bergerac sec
- haut-poitou chardonnay

*Moules (crues) de Bouzigues*
- coteaux du languedoc blanc
- muscadet sèvre-et-maine
- coteaux d'aix-en-provence blanc

*Moules marinières*
- bourgogne blanc
- alsace pinot
- bordeaux sec sauvignon

*Palourdes farcies*
- graves blanc
- montagny
- anjou blanc

*Plateau de fruits de mer*
- chablis
- muscadet
- alsace sylvaner

*Salade de coquillages au concombre*
- graves blanc
- muscadet
- alsace klevner

## POISSONS

*Anguille poêlée persillade*
- corbières rosé
- gros plant du pays nantais
- blaye blanc

*Alose à l'oseille*
- anjou blanc
- rosé de loire
- haut-poitou chardonnay

*Bar (loup) grillé*
- auxey-duresses blanc
- bellet blanc
- bergerac sec

*Barbue à la dieppoise*
- graves blanc
- puligny-montrachet
- coteaux du languedoc blanc

*Barquettes girondines*
- bâtard-montrachet
- graves supérieurs
- quincy

*Baudroie en gigot de mer*
- mâcon-villages
- châteauneuf-du-pape blanc
- bandol rosé

*Bouillabaisse*
- côtes du roussillon blanc
- côteaux d'aix-en-provence blanc
- muscadet des coteaux de la loire

*Bourride*
- coteaux d'aix-en-provence rosé
- rosé de loire
- bordeaux rosé

*Brandade*
- haut-poitou rosé
- bandol rosé
- corbières rosé

*Carpe farcie*
- montagny
- touraine azay-le-rideau blanc
- alsace pinot

*Colin froid mayonnaise*
- pouilly-fuissé
- vin de savoie Chignin bergeron
- alsace klevner

*Coquilles de poissons*
- saint-aubin blanc
- saumur sec blanc
- crozes-hermitage blanc

*Darnes de saumon grillées*
- chassagne-montrachet blanc
- cahors
- côtes du rhône rosé

*Filets de sole bonne femme*
- graves blanc
- chablis grand cru
- sancerre blanc

*Feuilleté de blanc de turbot*
- chevalier-montrachet
- crozes-hermitage blanc

*Gravettes d'Arcachon à la bordelaise*
- graves blanc
- bordeaux sec
- jurançon sec

*Koulibiak de saumon*
- pouilly-vinzelles
- graves blanc
- rosé de loire

*Lamproie à la bordelaise*
- graves rouges
- bergerac rouge
- bordeaux rosé

*Lisettes au vin blanc*
- alsace sylvaner
- haut-poitou sauvignon
- quincy

*Matelote de l'Ill*
- chablis premier cru
- arbois blanc
- alsace riesling

*Merlan en colère*
- alsace gutedel
- entre-deux-mers
- seyssel

*Morue à l'aïoli*
- coteaux d'aix-en-provence rosé
- bordeaux rosé
- haut-poitou rosé

*Morue grillée*
- gros plant du pays nantais
- rosé de loire
- coteaux d'aix-en-provence rosé

*Œufs de saumon*
- haut-poitou rosé
- graves rouge
- côtes du rhône rouge

*Petite friture*
- beaujolais blanc
- béarn blanc
- fiefs vendéens blanc

*Petits rougets grillés*
- chassagne-montrachet blanc
- hermitage blanc
- bergerac

*Pochouse*
- meursault
- l'étoile
- mâcon-villages

*Quenelle de brochet lyonnaise*
- montrachet
- pouilly-vinzelles
- beaujolais-villages rouge

*Rouille sétoise*
- clairette du languedoc
- côtes du roussillon rosé
- rosé de loire

*Sandre au beurre blanc*
- muscadet
- saumur blanc
- saint-joseph blanc

*Sardines grillées*
- clairette de bellegarde
- jurançon sec
- bourgogne aligoté

*Saumon fumé*
- puligny-montrachet premier cru
- pouilly-fumé
- bordeaux sec sauvignon

*Sole meunière*
- meursault blanc
- alsace riesling
- entre-deux-mers

*Soufflé Nantua*
- bâtard-montrachet
- crozes-hermitage blanc
- bergerac sec

*Thon rouge aux oignons*
- coteaux d'aix blanc
- coteaux du languedoc blanc
- côtes de duras sauvignon

*Thon (germon) basquaise*
- graves blanc
- pacherenc de vic-bilh
- gaillac blanc

*Tourteau farci*
- premières côtes de bordeaux blanc
- bourgogne blanc
- muscadet

*Truite aux amandes*
- chassagne-montrachet blanc
- alsace klevner
- côtes du roussillon

*Turbot sauce hollandaise*
- graves blanc
- saumur blanc
- hermitage blanc

## VIANDES ROUGES ET BLANCHES

### Agneau

*Baron d'agneau au four*
- haut-médoc
- vin de savoie-mondeuse
- minervois

*Carré d'agneau Marly*
- saint-julien
- ajaccio
- coteaux du lyonnais

*Épaule d'agneau boulangère*
- hermitage rouge
- côtes de bourg rouge
- moulin à vent

*Filet d'agneau en croûte*
- pomerol
- mercurey
- coteaux du tricastin

*Ragoût d'agneau au thym*
- châteauneuf-du-pape rouge
- saint-chinian
- fleurie

*Sauté d'agneau provençal*
- gigondas
- côtes de provence rouge
- bourgogne passetoutgrain rouge

*Selle d'agneau aux herbes*
- vin de corse rouge
- côtes du rhône rouge
- coteaux du giennois rouge

### Mouton

*Curry de mouton*
- montagne saint-émilion
- alsace tokay
- côtes du rhône

*Daube de mouton*
- patrimonio rouge
- côtes du rhône-villages rouge
- morgon

*Gigot à la ficelle*
- morey-saint-denis
- saint-émilion
- côte de provence rouge

*Gigot froid mayonnaise*
- saint-aubin blanc
- bordeaux rouge
- entre-deux-mers

*Mouton en carbonade*
- graves de vayres rouge
- fitou
- crozes-hermitage rouge

*Navarin*
- anjou rouge
- bordeaux côtes-de-francs rouge
- bourgogne marsannay rouge

*Poitrine de mouton farcie*
- côtes du jura rouge
- graves rouge
- haut-poitou gamay

### Bœuf

*Bœuf bourguignon*
- rully rouge
- saumur rouge
- côte du marmandais rouge

*Chateaubriand*
- margaux
- alsace pinot
- coteaux du tricastin

*Daube*
- buzet rouge
- côtes du vivarais rouge
- arbois rouge

*Entrecôte bordelaise*
- saint-julien
- saint-joseph rouge
- côtes du roussillon-villages

*Filet de bœuf duchesse*
- côte rôtie
- gigondas
- graves rouge

*Fondue bourguignonne*
- bordeaux rouge
- côtes du ventoux rouge
- bourgogne rosé

*Gardiane*
- lirac rouge
- côtes du luberon rouge
- costières de nîmes rouge

*Pot-au-feu*
- anjou rouge
- bordeaux rouge
- beaujolais rouge

*Rosbif chaud*
- moulis
- aloxe-corton
- côtes du rhône rouge

*Rosbif froid*
- madiran
- beaune rouge
- cahors

*Steack maître d'hôtel*
- bergerac rouge
- arbois rosé
- chénas

*Tournedos béarnaise*
- listrac
- saint-aubin rouge
- touraine amboise rouge

### Porc

*Andouillette à la crème*
- touraine blanc
- bourgogne blanc
- saint-joseph blanc

*Andouillette grillée*
- coteaux champenois blanc
- petit chablis
- beaujolais rouge

*Baeckeoffe*
- alsace riesling
- alsace sylvaner

*Cassoulet*
- côtes du frontonnais rouge
- minervois rouge
- bergerac rouge

*Chou farci*
- côtes du rhône rouge
- touraine gamay
- bordeaux sec sauvignon

*Choucroute*
- alsace riesling
- alsace sylvaner

*Cochon de lait en gelée*
- graves de vayres blanc
- costières du gard rosé
- beaujolais-villages rouge

*Confit*
- tursan rouge
- corbières rouge
- cahors

*Côte de porc charcutiere*
- bourgogne blanc
- côtes d'auvergne rouge
- bordeaux clairet

*Palette au sauvignon*
- bergerac sec
- menetou-salon
- bordeaux rosé

*Potée*
- côtes du luberon
- côte de brouilly
- bourgogne aligoté

*Rôti de porc a la sauge*
- rully blanc
- côtes du rhône rouge
- minervois rosé

*Rôti de porc froid*
- bourgogne blanc
- lirac rouge
- bordeaux sec

*Saucisse de Toulouse grillée*
- saint-joseph ou bergerac rouges
- côtes du frontonnais rosé

## Veau

*Brochettes de rognons*
- cornas
- beaujolais-villages
- coteaux du languedoc rosé

*Blanquette de veau à l'ancienne*
- arbois blanc
- alsace grand cru riesling
- côtes de provence rosé

*Côte de veau grillée*
- côtes du rhône rouge
- anjou blanc
- bourgogne rosé

*Escalope panée*
- côtes du jura blanc
- corbières blanc
- côtes du ventoux rouge

*Foie de veau à l'anglaise*
- médoc
- coteaux d'aix-en-provence rouge
- haut-poitou rosé

*Noix de veau braisée*
- mâcon-villages blanc
- côtes de duras rouge
- brouilly

*Paupiettes de veau*
- anjou gamay
- minervois rosé
- costières de nîmes blanc

*Ris de veau aux langoustines*
- graves blanc
- alsace tokay
- bordeaux rosé

*Rognons sautés au vin jaune*
- arbois blanc
- gaillac vin de voile
- bourgogne aligoté

*Rognons de veau a la moëlle*
- saint-émilion
- saumur-champigny
- coteaux d'aix-en-provence rosé

*Veau Marengo*
- côtes de duras merlot
- alsace klevner
- coteaux du tricastin rosé

*Veau Orloff*
- chassagne-montrachet blanc
- chiroubles
- lirac rosé

## VOLAILLES ET LAPIN

*Barbarie aux olives*
- vin de savoie-mondeuse
- canon-fronsac
- anjou cabernet rouge

*Brochettes de cœurs de canard*
- saint-georges-saint-émilion
- chinon
- côtes du rhône-villages

*Canard à l'orange*
- côtes du jura jaune
- cahors
- graves rouge

*Canard farci*
- saint-émilion grand cru
- bandol rouge
- buzet rouge

*Canard aux navets*
- puisseguin saint-émilion
- saumur-champigny
- coteaux d'aix-en-provence rouge

*Canette aux pêches*
- banyuls
- chinon rouge
- graves rouge

*Chapon rôti*
- bourgogne blanc
- touraine-mesland
- côtes du rhône rosé

*Coq au vin rouge*
- ladoix
- côte de beaune
- châteauneuf-du-pape rouge
- touraine cabernet

*Curry de poulet*
- montagne saint-émilion
- alsace tokay
- côtes du rhône

*Dinde aux marrons*
- saint-joseph rouge
- sancerre rouge
- meursault blanc

*Dindonneau à la broche*
- monthélie
- graves blanc
- châteaumeillant rosé

*Escalopes de dinde au roquefort*
- côtes du jura blanc
- bourgogne aligoté
- coteaux d'aix-en-provence rosé

*Fricassée de lapin*
- touraine rosé
- côtes de blaye blanc
- beaujolais-villages rouge

*Lapin rôti a la moutarde*
- sancerre rouge
- tavel
- côtes de provence blanc

*Magret au poivre vert*
- saint-joseph rouge
- bourgueil rouge
- bergerac rouge

*Oie farcie*
- anjou cabernet rouge
- côtes du marmandais rouge
- beaujolais-villages

*Pigeonneaux à la printaniere*
- crozes-hermitage rouge
- bordeaux rouge
- touraine gamay

*Pintadeau à l'armagnac*
- saint-estèphe
- chassagne-montrachet rouge
- fleurie

*Poularde demi-deuil*
- chevalier-montrachet
- arbois blanc
- juliénas

*Poularde en croûte de sel*
- listrac
- mâcon-villages blanc
- côtes du rhône rouge

*Poulet au riesling*
- alsace grand cru riesling
- touraine sauvignon
- côtes du rhône rosé

*Poulet basquaise*
- côtes de duras sauvignon
- bordeaux sec
- coteaux du languedoc rosé

*Poulet sauté aux morilles*
- savigny-lès-beaune rouge
- arbois blanc
- sancerre blanc

*Poussin de la Wantzenau*
- côtes de toul gris
- alsace gutedel
- beaujolais

## GIBIER

*Bécasse flambée*
- pauillac
- musigny
- hermitage

*Brochette de mauviettes*
- pernand-vergelesses rouge
- pomerol
- côtes du ventoux rouge

*Civet de lièvre*
- canon-fronsac
- bonnes-mares
- minervois rouge

*Côtelettes de chevreuil Conti*
- lalande de pomerol
- côtes de beaune rouge
- crozes-hermitage rouge

*Cuissot de sanglier sauce venaison*
- chambertin
- montagne saint-émilion
- corbières rouge

*Faisan en chartreuse*
- moulis
- pommard
- saint-nicolas de bourgueil

*Filet de sanglier bordelaise*
- pomerol
- bandol
- gigondas

*Gigue de chevreuil grand veneur*
- hermitage rouge
- corton rouge
- côtes du roussillon rouge

*Grives au genièvre*
- échézeaux
- coteaux du tricastin rouge
- chénas

*Halbran rôti*
- saint-émilion grand cru
- côte rotie
- faugères

*Jambon de sanglier braisé*
- fronsac
- châteauneuf-du-pape rouge
- moulin à vent

*Lapereau rôti*
- auxey-duresses rouge
- puisseguin saint-émilion
- crozes-hermitage rouge

*Lièvre à la royale*
- saint-joseph rouge
- volnay
- pécharmant

*Merles à la façon corse*
- ajaccio rouge
- côtes de provence rouge
- coteaux du languedoc rouge

*Perdreau rôti*
- haut-médoc
- vosne-romanée
- bourgueil

*Perdrix aux choux*
- bourgogne irancy
- arbois rosé
- cornas

*Perdrix à la catalane*
- maury
- côtes du roussillon rouge
- beaujolais-villages

*Râble de lièvre au genièvre*
- chambolle musigny
- savoie-mondeuse
- saint-chinian

*Salmis de colvert*
- côte rôtie
- chinon rouge
- bordeaux supérieur

*Salmis de palombe*
- saint-julien
- côte de nuits-villages
- patrimonio

## *LÉGUMES*

*Beignets d'aubergines*
- bourgogne rouge
- beaujolais rouge
- bordeaux sec

*Céleri braise*
- côtes du ventoux rouge
- alsace pinot noir
- touraine sauvignon

*Champignons*
- beaune blanc
- alsace tokay
- coteaux de giennois rouge

*Gratin dauphinois*
- bordeaux côtes de castillon
- châteauneuf-du-pape blanc
- alsace riesling

*Grisets sautés persillade*
- beaune blanc
- alsace tokay
- coteaux du giennois rouge

*Haricots verts*
- côte de beaune blanc
- sancerre blanc
- entre-deux-mers

*Pâtes*
- côtes du rhône rouge
- coteaux d'aix rosé

*Petits pois*
- saint-romain blanc
- côtes du jura blanc
- touraine sauvignon

*Pois gourmands*
- graves blanc
- côtes du rhône rouge
- alsace riesling

*Poivrons farcis*
- mâcon-villages
- côtes du rhône rosé
- alsace tokay

## *FROMAGES*

### Au lait de vache

*Beaufort*
- arbois jaune
- meursault
- vin de savoie Chignin bergeron

*Bleu d'Auvergne*
- côtes de bergerac moelleux
- beaujolais
- touraine sauvignon

*Bleu de Bresse*
- côtes du jura blanc
- mâcon rouge
- côtes de bergerac blanc

*Brie*
- beaune rouge
- alsace pinot noir
- coteaux du languedoc rouge

*Camembert*
- bandol rouge
- côtes du roussillon-villages
- beaujolais-villages

*Cantal*
- coteaux du vivarais rouge
- côtes de provence rosé
- lirac blanc

*Carré de l'Est*
- saint-joseph rouge
- coteaux d'aix-en-provence rouge
- brouilly

*Carré frais*
- cahors
- côtes du roussillon rosé
- côtes du rhône blanc

*Chaource*
- montagne saint-émilion
- cadillac
- chénas

*Cîteaux*
- aloxe-corton
- coteaux champenois rouge
- fleurie

*Comté*
- château-chalon, graves blanc
- côtes du luberon blanc

*Édam demi-etuvé*
- pauillac
- fixin
- costières de nîmes rouge

*Époisses*
- savigny
- côtes du jura rouge
- côte de brouilly

*Fourme d'Ambert*
- l'étoile vin jaune
- cérons
- banyuls rimage

*GOUDA DEMI-ÉTUVÉ*
- saint-estèphe
- chinon
- coteaux du tricastin

*LIVAROT*
- bonnezeaux
- sainte-croix-du-mont
- alsace gewurztraminer

*MAROILLES*
- jurançon
- alsace gewurztraminer vendanges tardives

*MIMOLETTE DEMI-ÉTUVÉE*
- graves rouge
- santenay
- côtes du rhône rouge

*MORBIER*
- gevrey-chambertin
- madiran
- côtes du ventoux rouge

*MUNSTER*
- coteaux du layon-villages
- loupiac
- alsace gewurztraminer

*PÂTE FONDUE (FROMAGES À)*
- alsace riesling
- haut-poitou sauvignon
- côtes du rhône-villages

*PONT-L'ÉVÊQUE*
- côtes de saint-mont
- bourgueil
- nuits-saint-georges

*RACLETTE*
- vin de savoie Apremont
- côtes de duras sauvignon
- juliénas

*REBLOCHON*
- mercurey
- lirac rouge
- touraine gamay

*RIGOTTE*
- bourgogne hautes-côtes de nuits rouge
- côtes du forez
- saint-amour

*SAINT-MARCELLIN*
- faugères
- tursan rouge
- chiroubles

*SAINT-NECTAIRE*
- fronsac
- bourgogne rouge
- mâcon-villages blanc

*VACHERIN*
- corton
- premières côtes de bordeaux
- barsac

**Au lait de chèvre**

*CABÉCOU*
- bourgogne blanc
- tavel
- gaillac blanc

*CROTTIN DE CHAVIGNOL*
- sancerre blanc
- bordeaux sec
- côte roannaise

*CHÈVRE FRAIS*
- champagne
- montlouis demi-sec
- crémant d'alsace

*CORSE (FROMAGE DE CHEVRE DE)*
- patrimonio blanc
- cassis blanc
- costières de nîmes blanc

*PÉLARDON*
- condrieu
- roussette de savoie
- coteaux du lyonnais rouge

*SAINTE-MAURE*
- rivesaltes blanc
- alsace tokay
- cheverny gamay

*SELLES-SUR-CHER*
- coteaux de l'aubance
- cheverny
- romorantin
- sancerre rosé

*VALENÇAY*
- vouvray moelleux
- haut-poitou rosé
- valençay gamay

**Au lait de brebis**

*CORSE (FROMAGE DE BREBIS DE)*
- bourgogne irancy
- ajaccio
- côtes du roussillon rouge

*EISBARECH*
- lalande-de-pomerol
- cornas
- marcillac

*LARUNS*
- bordeaux côtes de castillon
- gaillac rouge
- côtes de provence rouge

*ROQUEFORT*
- côtes du jura vin jaune
- sauternes
- muscat de rivesaltes

## *DESSERTS*

*BRIOCHE*
- rivesaltes rouge
- muscat de beaumes-de-venise
- alsace vendanges tardives

*BÛCHE DE NOEL*
- champagne demi-sec
- clairette de die tradition

*CRÈME RENVERSÉE*
- coteaux du layon-villages
- sauternes
- muscat de saint-jean-de-minervois

*FAR BRETON*
- pineau des charentes
- anjou coteaux de la loire
- cadillac

*FRAISIER*
- muscat de rivesaltes
- maury

*GÂTEAU AU CHOCOLAT*
- banyuls grand cru
- pineau des charentes rosé

*GLACE À LA VANILLE AU COULIS DE FRAMBOISE*
- loupiac
- coteaux du layon

*ÎLE FLOTTANTE*
- loupiac
- rivesaltes blanc
- muscat de rivesaltes

*KOUGLOF*
- quarts de chaume
- alsace vendanges tardives
- muscat de mireval

*PITHIVIERS*
- maury
- bonnezeaux
- muscat de lunel

*SALADE D'ORANGES*
- sainte-croix-du-mont
- rivesaltes blanc
- muscat de rivesaltes

*TARTE AU CITRON*
- alsace sélection de grains nobles
- cérons
- rivesaltes blanc

*TARTE TATIN*
- pineau des charentes
- arbois vin de paille
- jurançon

# DE LA VIGNE AU VIN

À l'origine du vin se trouve une plante domestiquée par l'homme depuis des millénaires, la vigne. Alliée au terroir, elle lègue au vin un caractère incomparable, différent selon sa variété. Au vigneron ensuite de le mettre en valeur. Loin de jouer le simple rôle de faire-valoir, l'homme entretient un lien privilégié avec son vin : il sélectionne les terroirs et les cépages les mieux adaptés aux sols et aux microclimats, étudie les vinifications en fonction de sa matière première, choisit le mode d'élevage. L'élaboration du vin est un art exigeant.

## LA VIGNE, UNE CULTURE MONDIALE

C'est en Transcaucasie, région qui correspond à la Géorgie et à l'Arménie actuelles, que la culture de la vigne se serait développée dès les temps préhistoriques. Elle se diffusa ensuite en Asie Mineure, puis sur tout le pourtour méditerranéen, suivant ainsi les peuples dans leurs migrations : Égyptiens, Perses, Grecs, Romains et tant d'autres. L'histoire ne fit que se répéter lorsque, à la fin du XVe siècle, les cépages européens voyagèrent jusqu'en Amérique avec les conquistadores espagnols. Aux Hollandais ensuite de les implanter en Afrique du Sud, puis aux Anglais de les porter jusqu'aux Antipodes.

### Vitis vinifera

La vigne appartient au genre *Vitis* dont il existe de nombreuses espèces. Ainsi, *Vitis vinifera*, originaire du continent européen, est l'espèce la mieux adaptée à la production vinicole. La quasi-totalité des vins, dans le monde entier, est issue de différentes variétés de *Vitis vinifera* importées d'Europe. D'autres espèces sont originaires d'Amérique, mais certaines sont infertiles et d'autres donnent des produits au caractère organoleptique très particulier, qualifié de foxé (fourrure de renard) et peu apprécié. Cependant, ces espèces présentent une résistance aux maladies supérieure à celle de *Vitis vinifera*. Dans les années 1930, on a donc cherché à créer, par hybridation, de nouvelles variétés moins vulnérables, comme les espèces américaines, mais produisant des vins de même qualité que ceux de *Vitis vinifera* : ce fut un échec qualitatif. Heureusement, l'analyse chimique de la matière colorante a permis de différencier les vins de *Vitis vinifera* de ceux des vignes hybrides qui ont ainsi pu être éliminées du territoire des appellations d'origine contrôlée.

### Le phylloxéra : révolution dans le vignoble

À la fin du XIXe s., un puceron, le phylloxéra, fut introduit en France par importation de plants de vignes américaines infestés, mais qui n'avaient pas manifesté la maladie en raison de leur résistance. Il fut responsable de dévastations incommensurables en Europe, en s'attaquant aux racines de *Vitis vinifera*. Les nombreuses tentatives de protection par des méthodes chimiques se soldèrent par un échec ; le fléau ne put être combattu sans une révolution des modes de culture. Toutes les vignes durent être greffées sur un porte-greffe de vigne américaine résistant au phylloxéra : contrairement à l'hybridation qui crée de nouvelles variétés partageant les caractères des deux parents, le cep garde dans ce cas les propriétés de l'espèce *vinifera*, mais ses racines ne sont pas infectées par l'insecte. *Vitis vinifera* est aussi sensible à d'autres parasites : un champignon, le mildiou, et la cicadelle, sorte de petite cigale originaire d'Amérique qui inocule la flavescence, maladie qui détruit la vigne.

### À chaque région ses cépages

L'espèce *Vitis vinifera* comprend de nombreuses variétés, appelées cépages. Alors que dans certains vignobles les vins proviennent d'un seul cépage

(riesling, gewurztraminer, pinot gris, sylvaner, muscat en Alsace ou encore pinot et chardonnay en Bourgogne), dans d'autres régions ils peuvent résulter de l'association de plusieurs cépages complémentaires. Chaque aire viticole a sélectionné les plants les mieux adaptés, mais l'encépagement évolue au gré de l'évolution du goût des consommateurs et donc des marchés. Sachant qu'il faut attendre quatre ans après sa plantation pour qu'un cep produise du vin, les vignerons ont de plus en plus recours au surgreffage : les greffons d'un nouveau cépage sont greffés sur les anciens pieds de vigne dont les vins ne correspondaient plus à la demande des consommateurs.

**Des progrès constants**

Chaque cépage admet différents clones, c'est-à-dire des individus qui se distinguent par certaines caractéristiques : plus grande productivité, maturité plus précoce, plus grande résistance aux maladies. Pour les hommes du vin, il s'est toujours agi de sélectionner les meilleures souches tout en veillant à respecter une certaine diversité des clones plantés qui doit se retrouver dans les caractères du vin. Des recherches sont actuellement en cours pour améliorer la résistance des vignes grâce à des modifications génétiques.

## LES TERROIRS VITICOLES

Prise dans son sens le plus large, la notion de terroir viticole regroupe de nombreuses données d'ordre biologique (choix du cépage), géographique, climatique, géologique et pédologique. Il faut ajouter aussi des facteurs humains, historiques et commerciaux.

**L'adaptation au climat**

La vigne est cultivée dans l'hémisphère Nord entre le 35e et le 50e parallèle ; elle est donc adaptée à des climats très différents. Cependant, les vignobles septentrionaux, les plus froids, permettent essentiellement la culture des cépages blancs, que l'on choisit précoces et dont les fruits peuvent mûrir avant les froids de l'automne ; sous des climats chauds sont cultivés les cépages tardifs. Pour faire du bon vin, il faut un raisin bien mûr, mais la maturation ne doit être ni trop rapide ni trop complète au risque de perdre des éléments aromatiques. Les grands vignobles des zones climatiques marginales sont confrontés à l'irrégularité des conditions climatiques pendant la période de maturation d'une année à l'autre.

**Un sol pauvre et bien drainé**

La vigne est une plante particulièrement peu exigeante qui pousse sur des sols pauvres, mais équilibrés. Cette pauvreté est d'ailleurs un élément de la qualité des vins, car elle favorise des rendements limités qui évitent la dilution des pigments colorants, des arômes et des constituants sapides.

En climat chaud et sec, la régulation de l'alimentation en eau se fait par le contrôle de l'irrigation. En climat tempéré et océanique, avec les précipitations variables d'une année à l'autre et quelquefois importantes, le sol du vignoble joue un rôle essentiel pour régulariser l'alimentation en eau de la plante par ses propriétés physico-chimiques : il apporte de l'eau au printemps, lors de la croissance, et élimine les excès éventuels de pluie pendant la maturation. Un drainage artificiel peut éventuellement pallier les déficiences du sol.

Certes, les sols graveleux et calcaires assurent particulièrement bien ces régulations, mais il existe aussi des crus réputés sur des sols sableux et même argileux. De fait, d'excellents vins peuvent être produits sur des terroirs en apparence très différents. *A contrario*, des vignobles implantés sur des sols apparemment voisins présentent parfois de grandes disparités de qualité parce que l'aptitude de leur sol à la régularisation de l'eau n'est pas la même.

**Tous les goûts sont dans la nature du sol**

La couleur ou les caractères aromatiques et gustatifs des vins issus d'un même cépage et produits sous un même climat varient selon la nature du sol et du sous-sol : calcaires, molasses argilo-calcaires, sédiments argileux, sableux ou gravelo-sableux. Par exemple, l'augmentation de la proportion d'argile dans les graves donne des vins plus acides, plus tanniques et corsés, au détriment de la finesse ; le sauvignon blanc prend des arômes plus ou moins puissants sur calcaires, sur graves ou sur marnes.

## LE CYCLE DES TRAVAUX DE LA VIGNE

La vigne est une plante bisannuelle, à feuilles caduques, qui se développe selon un cycle régulier au fil des saisons. Tout commence au printemps par la sortie des bourgeons : le débourrement. Puis apparaissent les fleurs au mois de mai, suivies des fruits (la nouaison). En juillet-août, les grains changent progressivement de couleur et les rameaux se couvrent d'une écorce ligneuse : c'est la véraison, puis l'aoûtement. Seule la maturation du raisin décidera du moment optimal pour vendanger. À l'automne, la vigne perd ses feuilles et entre dans sa période de repos, appelée dormance.

**Tailler**

Destinée à équilibrer la production des fruits, en évitant le développement exagéré du bois, la taille annuelle s'effectue normalement entre décembre et mars. La longueur des sarments, choisie en fonction de la vigueur de la plante, commande directement l'importance de la récolte. Les labours de printemps déchaussent la plante, en ramenant la terre vers le milieu du rang, et créent une couche meuble qui restera aussi sèche que possible. Le décavaillonnage consiste à enlever la terre qui reste, sous le rang, entre les ceps.

CYCLE ANNUEL DE LA VIGNE

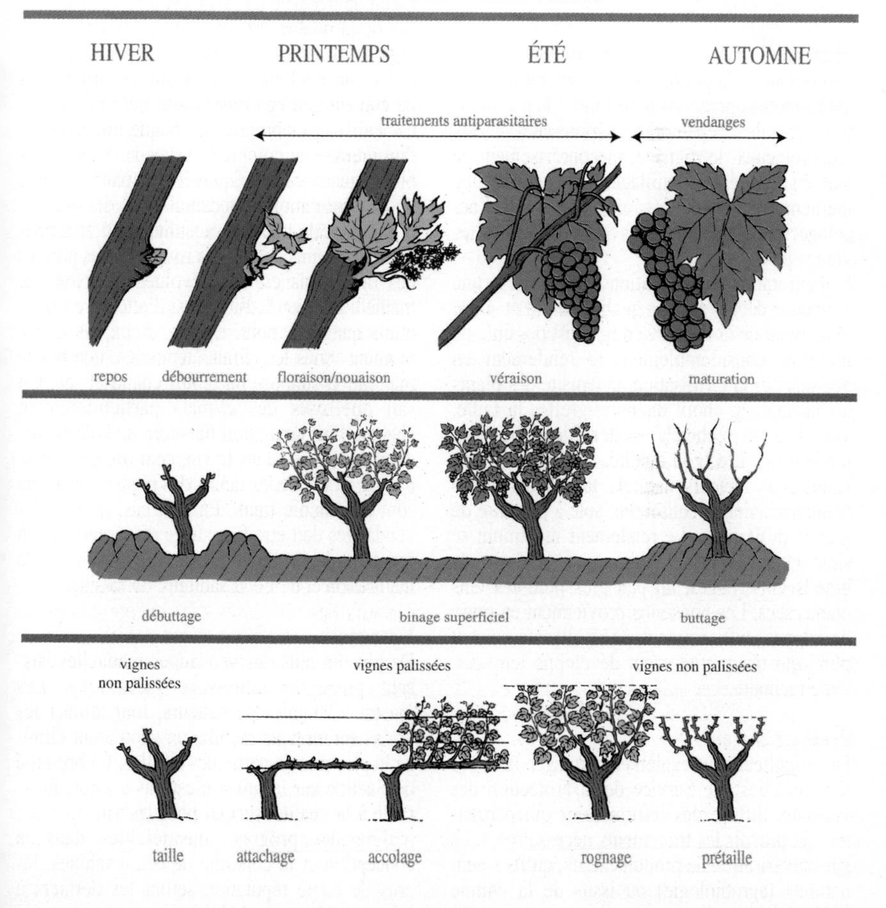

### Travailler le sol

Au début de l'hiver, le vigneron laboure son vignoble : il ramène la terre vers les ceps afin de les protéger des gelées ; la formation d'une rigole au centre des rangs permet d'évacuer les eaux de ruissellement. Le labour peut être utilisé pour enfouir des engrais.
En fonction des besoins, les travaux du sol sont poursuivis pendant toute la durée du cycle végétatif ; ils détruisent la végétation adventice, maintiennent le sol meuble et évitent les pertes d'eau par évaporation. Le désherbage peut être effectué chimiquement ; s'il est total, il est effectué à la fin de l'hiver et les travaux aratoires sont complètement supprimés ; on parle alors de non-culture, qui constitue une économie substantielle. Cependant, certains producteurs soucieux de l'environnement préfèrent les vignes enherbées qui permettent de limiter la vigueur de la plante.

### Maîtriser la vigne et ses rendements

Pendant toute la période végétative, on procède à différentes opérations pour limiter la prolifération végétale : l'épamprage, suppression de certains rameaux; le rognage, raccourcissement de leur extrémité; l'effeuillage, qui permet une meilleure exposition des raisins au soleil, l'accolage, pour maintenir les sarments dans les vignes palissées.
L'amélioration des conditions de culture a une incidence décisive sur la qualité du vin et sur le rendement de la vigne. Certes, il est possible de modifier considérablement le rendement en agissant sur la fertilisation, la densité des plants à l'hectare, le choix du porte-greffe, la taille. Toutefois, la recherche systématique de forts rendements affecte la qualité. L'abondance doit résulter de facteurs naturels favorables à une vendange saine et équilibrée, apte à produire de grands millésimes. Le rendement maximum se situe entre 45 et 60 hl/ha pour produire de grands vins rouges, un peu plus pour les vins blancs secs. Les bons vins proviennent en outre de vignes suffisamment âgées (trente ans et plus) qui ont parfaitement développé leur système racinaire.

### Protéger et traiter

Le viticulteur doit également protéger la vigne des maladies : le Service de la protection des végétaux diffuse des informations qui permettent de prévoir les traitements nécessaires, faits par pulvérisation de produits actifs, qu'ils soient naturels (agrobiologie) ou issus de la chimie industrielle.

### La lutte raisonnée

La vigne est une plante sensible à de nombreuses maladies – mildiou, oïdium, blackrot, pourriture – qui compromettent la récolte et communiquent aux raisins de mauvais goûts susceptibles de se retrouver dans le vin. Les viticulteurs disposent de moyens de traitement efficaces, facteurs certains de l'amélioration générale de la qualité. Si, par souci de sécurité, les viticulteurs ont autrefois abusé de l'emploi des pesticides chimiques, ils se sentent aujourd'hui impliqués dans la recherche d'une culture raisonnée qui limite les traitements au strict nécessaire. D'autre part, l'agrobiologie, s'appuyant sur une biodynamique du sol, cherche à créer des conditions naturelles rendant la vigne moins sensible aux maladies.

### Évaluer la maturité du raisin

L'état de maturité du raisin est un facteur essentiel de la qualité du vin. Mais dans une même région, les conditions climatiques sont variables d'une année à l'autre, entraînant des différences de constitution des raisins, qui déterminent les caractéristiques propres de chaque millésime. Il faut prendre en compte l'existence de plusieurs phénomènes biochimiques intervenant au cours de la maturation : accumulation des sucres, diminution de l'acidité, accumulation et affinement des tanins des raisins rouges et des arômes des raisins blancs. Ils n'évoluent pas tous de manière identique ; l'idéal est d'atteindre l'optimum qualitatif pour chacun d'eux au même moment. Sous les climats tempérés, une bonne maturation suppose un temps chaud et sec. On sait que sous des climats particulièrement chauds, l'accumulation de sucre dans le raisin, donc de l'alcool dans le vin, peut obliger à vendanger alors que les tanins des raisins rouges ne sont pas encore mûrs. En tout cas, la date des vendanges doit être fixée avec discernement, en fonction de la situation, de l'évolution de la maturation et de l'état sanitaire du raisin.

### Vendanger

De plus en plus, les vendanges manuelles laissent place au ramassage mécanique. Les machines, munies de batteurs, font tomber les grains sur un tapis mobile; un ventilateur élimine la plus grande partie des feuilles. La brutalité de l'action sur le raisin n'est pas a priori favorable à la qualité, surtout pour les vins blancs : malgré des progrès considérables dans la conception et la conduite de ces machines, les crus de haute réputation seront les derniers à faire appel à ce procédé de ramassage, parce que

## CALENDRIER DU VIGNERON

### JANVIER

Si la taille s'effectue
de décembre à mars,
c'est bien « à la Saint-Vincent
que l'hiver s'en va ou se reprend ».

### JUILLET

Les traitements contre
les parasites continuent
ainsi que la surveillance du vin
sous les fortes variations
de température !

### FEVRIER

Le vin se contracte avec l'abaissement
de la température. Surveiller les tonneaux
pour l'ouillage qui se fait
périodiquement toute l'année.
Les fermentations malolactiques
doivent être alors terminées.

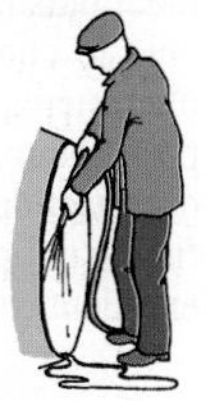

### AOUT

Travailler le sol serait nuisible
à la vigne, mais il faut être vigilant
devant les invasions possibles
de certains parasites.
On prépare la cuverie
dans les régions précoces.

### MARS

On « débutte ». On finit la taille
(« taille tôt, taille tard,
rien ne vaut la taille de mars »).
On met en bouteilles les vins
qui se boivent jeunes.

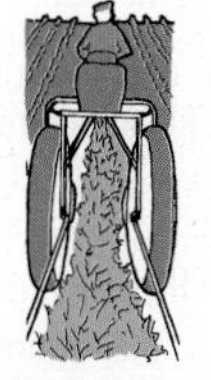

### SEPTEMBRE

Étude de la maturation
par prélèvement régulier
des raisins pour fixer la date
des vendanges qui commencent
en région méditerranéenne.

### AVRIL

Avant le phylloxéra,
on plantait les paisseaux.
Maintenant on palisse
sur fil de fer, sauf à l'Hermitage,
Côte Rôtie et Condrieu.

### OCTOBRE

Les vendanges ont lieu
dans la plupart des vignobles
et la vinification commence.
Les vins de garde vont être
mis en fût pour y être élevés.

### MAI

On surveille la vigne
et on la protège
contre les gelées
de printemps. Binage.

### NOVEMBRE

Les vins primeurs
sont mis en bouteilles.
On surveille l'évolution
des vins nouveaux.
La prétaille commence.

### JUIN

On « accole » les vignes palissées
et on commence à rogner les sarments.
La « nouaison » (= donner des baies)
ou la « coulure » vont commander
le volume de la récolte.

### DECEMBRE

La température des caves
doit être maintenue pour
assurer l'achèvement des
fermentations alcooliques
et malolactiques.

leurs moyens financiers leur permettent d'effectuer un travail très soigné (de sélection et de trie des raisins), certainement favorable à la qualité, mais relativement onéreux.

### Corriger la vendange

Dans le cas d'une maturité excessive de la vendange, l'acidité trop basse peut être compensée par l'addition d'acide tartrique. Si la maturité est insuffisante, on peut au contraire diminuer l'acidité par ajout de carbonate de calcium. Un raisin insuffisamment sucré pourrait donner un vin d'un degré alcoolique insuffisant ; dans ce cas, on procède parfois à une concentration du moût, en éliminant une partie de l'eau du raisin par divers procédés (osmose inverse, évaporation sous vide, cryo-extraction). Enfin, dans des conditions bien précises, la législation permet d'augmenter la richesse saccharine du moût par addition de sucre : c'est la chaptalisation. Sept zones climatiques, du nord au sud (et donc des plus fraîches aux plus chaudes) ont été légalement définies dans le vignoble européen ; les aires les plus septentrionales ont droit de chaptaliser leur moût dans des proportions strictement définies. C'est le cas, par exemple, de l'Allemagne, de l'Alsace ou de la Champagne. Dans tous les cas, un vigneron ne peut jamais acidifier son moût puis le chaptaliser, ou bien le chaptaliser puis le concentrer. Bien que le procédé soit plus onéreux que la chaptalisation, il a été proposé, pour l'enrichissement de la vendange, d'utiliser du moût de raisin concentré et rectifié, ce qui permet de supprimer une partie des excédents de production.

## LA NAISSANCE DU VIN

Depuis quand élabore-t-on du vin ? Depuis que l'homme découvrit que des raisins conservés trop longtemps dans une jarre fermentaient et changeaient de goût, soit entre 6 000 et 8 000 ans avant notre ère. Aujourd'hui, le sens que nous donnons au mot vin n'a guère changé, la réglementation européenne le définissant comme « le produit obtenu exclusivement par la fermentation alcoolique, totale ou partielle, de raisins frais, foulés ou non, ou de moûts de raisins ».

### La fermentation alcoolique

Le vin naît d'un phénomène microbiologique : des levures de l'espèce *Saccharomyces cerevisae* se développent à l'abri de l'air et décomposent le sucre du raisin en alcool et en gaz carbonique. C'est la fermentation alcoolique. Au cours de ce processus, de nombreux produits secondaires apparaissent (glycérol, acide succinique, esters, etc.), qui participent aux arômes et au goût du vin. Dans la majorité des cas, les levures trouvent dans le moût du raisin tous les constituants chimiques (carbone, azote, éléments minéraux, vitamines, etc.) nécessaires à leur vie ; un apport complémentaire peut être souhaitable (composés azotés) dans certaines situations.

D'où viennent ces levures ? De la nature elle-même : elles ont été déposées sur la peau du raisin ou se sont développées dans la cave à l'occasion des manipulations de la vendange. Elles peuvent aussi provenir de cultures en laboratoire : ces levures sélectionnées, déshydratées, sont ajoutées dans la cuve. Elles favorisent un bon déroulement de la fermentation et évitent certains défauts (odeurs de réduction). Dans certains cas, une souche adaptée permet de révéler les arômes spécifiques d'un cépage, tel le sauvignon, présents à l'état de molécules inodores (les précurseurs d'arômes) dans le raisin. En tout état de cause, la qualité et la typicité du vin reposent essentiellement sur la qualité du raisin, donc sur des facteurs naturels (cépages, crus et terroirs).

**Le degré alcoolique du vin**

Légalement, le vin a une teneur en alcool minimale de 8,5 % vol. ou de 9,5 % vol. selon les zones viticoles. Ce degré alcoolique est exprimé en pourcentage du volume du vin constitué par de l'alcool pur. Il faut environ 17 g de sucre par litre de moût (jus qui s'écoule lors du pressurage des raisins frais) pour produire 1 % vol. d'alcool par la fermentation.

### La température, clé du succès

La fermentation dégage des calories qui provoquent l'échauffement de la cuve. Or, au-delà de 35 °C, le processus risque de s'interrompre brutalement avant que la totalité du sucre ait été transformée en alcool. Les levures meurent et laissent alors le champ libre aux bactéries qui décomposent le sucre restant et produisent de l'acide acétique (acidité volatile) ; il s'agit d'un accident grave, connu sous le nom de piqûre. Le vigneron s'attache donc à maîtriser la température à l'aide de divers mécanismes de thermorégulation : serpentins, échangeurs thermiques, cuves Inox informatisées. Les vins rouges fermentent à 28-32 °C afin d'extraire au mieux les constituants de la pellicule du raisin (couleur, tanins), les vins blancs à 18-20 °C pour protéger les arômes. L'introduction d'oxygène par aération du moût en début de fermentation est nécessaire pour les levures ; c'est une autre condition essentielle pour éviter les arrêts prématurés de la fermentation.

**La fermentation malolactique**

Dans certains cas, une seconde fermentation intervient après la fermentation alcoolique : c'est la fermentation malolactique. Sous l'influence de bactéries, l'acide malique du raisin est décomposé en acide lactique et en gaz carbonique. La conséquence est une baisse d'acidité et un assouplissement du vin, avec affinement des arômes. Simultanément, le vin acquiert une meilleure stabilité pour sa conservation. Si les vins rouges s'en trouvent toujours améliorés, l'avantage est moins systématique pour les vins blancs.

**Comment limiter les risques bactériens ?**

Au cours de la conservation, il reste toujours des populations bactériennes résiduelles dans le vin qui peuvent provoquer des accidents graves : décomposition de certains constituants du vin ; oxydation et formation d'acide acétique (processus de fabrication du vinaigre). Les soins apportés aujourd'hui à la vinification permettent d'éviter ces risques. La première condition est une parfaite propreté qui évite les contaminations microbiennes excessives ; elle peut être complétée par des procédés d'élimination des microbes présents dans le vin (soutirage, collage, filtration). Enfin, le dioxyde de soufre ($SO_2$) est un antiseptique très puissant ; bien utilisé, à faible dose, il ne compromet pas la qualité des vins, tout au contraire.

## LES TYPES ET STYLES DE VINS

Au-delà de leur couleur rouge, blanc ou rosé, les vins se distinguent selon leur type : tranquille ou effervescent. Dans un cas, la surpression du $CO_2$ dans la bouteille est inférieure à 0,5 kg, dans l'autre elle dépasse 3 kg (à 20 °C) et un dégagement de gaz carbonique se produit au débouchage. Les vins ont aussi un style : sec ou doux, avec toutes les nuances imaginables entre les deux saveurs. Un large éventail de sensations gustatives s'offre ainsi au dégustateur.

**Les vins secs**

Les vins secs contiennent moins de 4 g/l de sucres résiduels ; le goût sucré n'est donc pas perceptible à la dégustation. Ils sont rouges, blancs ou rosés, tranquilles ou effervescents et présentent une grande variété de caractères selon les cépages, les terroirs et les modes de vinification. ➥ p. 57, L'Art de boire.

**Les vins doux**

***Demi-secs, moelleux ou liquoreux***

Les vins doux sont caractérisés par un taux de sucre variable, mais toujours supérieur à 4 g/l : ils peuvent être *demi-secs, moelleux* (entre 12 et 45 g/l de sucres) ou *liquoreux* (plus de 50 g/l). Leur production suppose des raisins très mûrs, riches en sucre, dont une partie seulement est transformée en alcool par la fermentation.

Les vins liquoreux, comme le sauternes, proviennent de raisins surmûris dont l'extrême concentration est due soit à un passerillage sur souche ou sur un lit de paille après la récolte, soit à l'action d'un champignon, le *Botrytis cinerea*, provoquant dans des conditions particulières une forme de pourriture, qualifiée de « noble » : les baies sont alors vendangées à mesure du développement du *Botrytis*, par tries successives. Le titre alcoométrique de ces vins atteint entre 13 et 16 % vol.

***Vins de liqueur et vins doux naturels***

Un vin de liqueur – à ne pas confondre avec un vin liquoreux – est obtenu par addition, avant, pendant ou après la fermentation, d'alcool neutre, d'eau-de-vie de vin, de moût de raisin concentré ou d'un mélange de ces produits. L'objectif est d'interrompre la fermentation afin de garder une grande quantité de sucres résiduels : cette opération est appelée mutage. Le pineau-des-charentes, le floc-de-gascogne et le macvin-du-jura en France, de même que le porto produit dans la vallée du Douro, au Portugal, sont des vins de liqueur. Certains vins mutés français, héritiers d'une longue tradition, portent le nom de vins doux naturels. Produits par les cépages muscat, grenache, maccabéo et malvoisie, ils sont originaires du Languedoc-Roussillon, de la vallée du Rhône et de la Corse. (Voir les chapitres correspondants dans la sélection).

**Les vins effervescents**

Les vins effervescents, ou *mousseux*, doivent leur forte teneur en gaz carbonique (pression de l'ordre de 6 à 8 bars) à une seconde fermentation – la prise de mousse – qui peut s'effectuer en bouteille (selon la *méthode traditionnelle*, autrefois dite champenoise) ou en cuve (*méthode en cuve close*). Il existe aussi des vins mousseux gazéifiés, obtenus par addition de gaz, procédé interdit pour les vins de qualité d'appellation.

Les *vins pétillants* possèdent une pression de gaz carbonique comprise entre 1 et 2,5 bars. Leur degré alcoolique est supérieur à 7 % vol. À ne pas confondre avec le pétillant de raisin, obtenu par fermentation partielle du moût de raisin et dont le titre alcoométrique peut être inférieur à 7 % vol. (mais supérieur à 1 % vol.).

## LA VINIFICATION

Selon le type de vin souhaité, la couleur et la qualité du raisin vendangé, le vigneron doit choisir un mode de vinification adapté. Un travail patient et méthodique lui permettra d'élaborer un vin équilibré et stable, susceptible de satisfaire le consommateur.

### Les vins rouges

#### *La macération et la fermentation*

Dans la majorité des cas, le raisin est d'abord égrappé ; les grains sont ensuite foulés et le mélange de pulpe, de pépins et de pellicules est envoyé dans la cuve de fermentation, après légère addition d'anhydride sulfureux pour assurer une protection contre les oxydations et les contaminations microbiennes. Dès le début de la fermentation, le gaz carbonique soulève toutes les particules solides qui forment, à la partie supérieure de la cuve, une masse compacte appelée chapeau ou marc.

Dans la cuve, la fermentation alcoolique se déroule en même temps que la macération des pellicules et des pépins dans le jus. Elle dure en général de cinq à quinze jours. La macération apporte essentiellement au vin rouge sa couleur et sa structure tannique. Les vins destinés à un long vieillissement doivent être riches en tanin et subissent donc une longue macération (de deux à trois semaines) à une température de 25 à 30 °C ; ils supposent des raisins de grande qualité possédant des tanins fondus et souples. En revanche, les vins rouges à consommer jeunes, de type primeurs, doivent être fruités et peu tanniques : leur macération est réduite à quelques jours.

#### *Le pressurage*

Après la fermentation, le vinificateur sépare la partie liquide, appelée vin de goutte ou grand vin, des parties solides, le marc : c'est l'écoulage. Il presse le marc de façon à obtenir un vin de presse, plus chargé en extraits, qu'il assemblera éventuellement au vin de goutte, selon les caractères gustatifs souhaités.

Vins de goutte et vins de presse sont remis en cuve séparément pour subir les fermentations d'achèvement : disparition des sucres résiduels et fermentation malolactique. Pour les grands vins, l'écoulage peut être fait directement dans des fûts de chêne, dans lesquels s'effectue la fermentation malolactique. Les vins rouges acquièrent ainsi un caractère boisé plus harmonieux.

#### *La macération carbonique*

La technique précédemment décrite est la méthode de base, mais il existe, ou il a existé, d'autres procédés de vinification qui présentent un intérêt particulier dans certains cas (thermovinification, vinification continue, macération carbonique). Seule la macération carbonique a connu un développement certain. Son succès repose sur le fait que la baie de raisin entière, maintenue à l'abri de l'air, subit une fermentation intracellulaire qui apporte, après fermentation alcoolique, des arômes caractéristiques appréciés.

### Les vins rosés

Les vins clairets, rosés ou gris sont obtenus par macération d'importance variable de raisins noirs.

#### *Les rosés de pressurage direct*

Les raisins noirs sont vinifiés comme pour élaborer un vin blanc, après un léger pressurage afin d'obtenir un moût peu coloré. De couleur assez pâle, les rosés de pressurage direct doivent être consommés jeunes afin de profiter de leur fraîcheur et de leur fruité.

#### *Les rosés de saignée*

La cuve est remplie de raisins comme pour une vinification en rouge classique. Au bout de quelques heures, une certaine proportion de jus est tirée et fermente séparément pour donner un rosé. Le reste de la cuve, complété de raisin, poursuit sa fermentation. Cette technique est souvent utilisée pour obtenir, dans la cuve ainsi saignée, un vin rouge de meilleure qualité, car plus concentré en tanins et en couleur du fait de la diminution du volume de jus par rapport au marc. Les vins rosés de saignée ont une couleur

## VINIFICATION DES VINS ROUGES

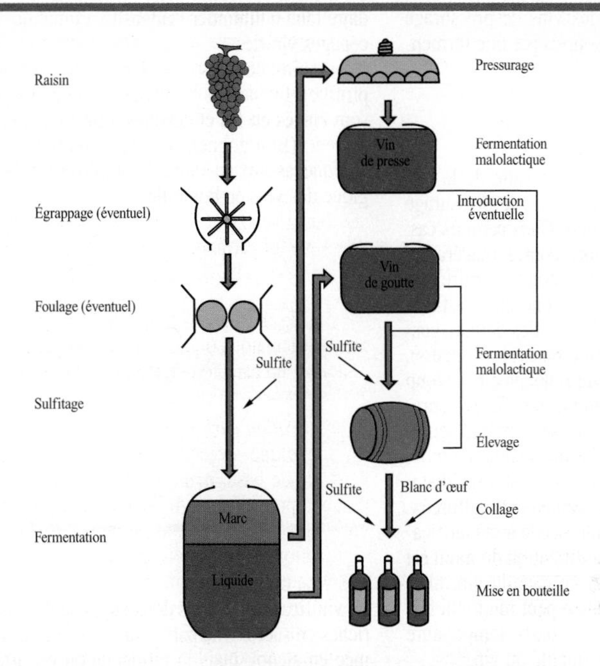

Raisin
Pressurage
Vin de presse
Fermentation malolactique
Introduction éventuelle
Égrappage (éventuel)
Vin de goutte
Foulage (éventuel)
Sulfite
Sulfite
Fermentation malolactique
Sulfitage
Élevage
Sulfite
Blanc d'œuf
Collage
Marc
Fermentation
Liquide
Mise en bouteille

## VINIFICATION DES VINS BLANCS

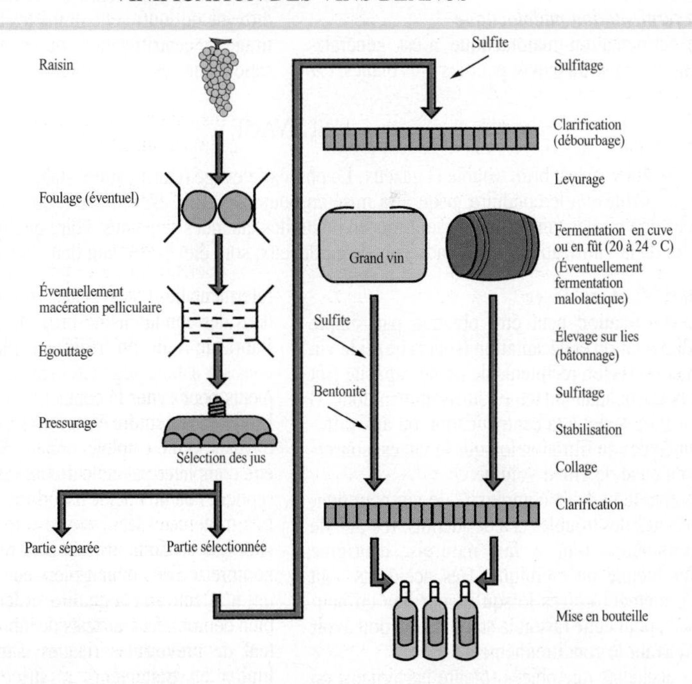

Sulfite
Raisin
Sulfitage
Clarification (débourbage)
Levurage
Foulage (éventuel)
Fermentation en cuve ou en fût (20 à 24 ° C)
Grand vin
(Éventuellement fermentation malolactique)
Éventuellement macération pelliculaire
Sulfite
Élevage sur lies (bâtonnage)
Égouttage
Bentonite
Sulfitage
Pressurage
Stabilisation
Sélection des jus
Collage
Clarification
Partie séparée
Partie sélectionnée
Mise en bouteille

plus soutenue, mais d'intensité variable, allant du rose classique au rouge léger des vins clairets. Plus tanniques que les vins de pressurage direct, ils doivent être assouplis par une fermentation malolactique.

### Les vins blancs secs

#### *La fermentation alcoolique*

Le plus souvent, le vin blanc résulte de la fermentation d'un pur jus de raisin : le pressurage précède donc la fermentation. Dans certains cas, cependant, on effectue une courte macération pelliculaire préfermentaire pour extraire les arômes ; les raisins doivent donc être parfaitement sains et mûrs afin d'éviter des défauts gustatifs (amertume) et olfactifs (mauvaises odeurs). L'extraction du jus doit être faite avec beaucoup de soin, par foulage, égouttage et enfin pressurage. Les derniers jus de presse sont fermentés séparément, car de moins bonne qualité. Le moût blanc, très sensible à l'oxydation, est immédiatement protégé par addition d'anhydride sulfureux. Dès l'extraction du jus, on procède à sa clarification par débourbage. La clarification du moût est nécessaire à la qualité des arômes du vin, mais une clarification trop poussée peut rendre la fermentation difficile, surtout à basse température (18-20 °C) nécessaire à la qualité du vin.

#### *La fermentation malolactique*

La fermentation malolactique n'est généralement pas mise en œuvre pour les vins blancs, car ceux-ci méritent de conserver leur fraîcheur due à l'acidité. En outre, cette fermentation secondaire tend à diminuer l'intensité aromatique des cépages vinifiés.
Néanmoins, certains vins blancs peuvent en tirer profit en gagnant du gras et du volume lorsqu'ils sont élevés en fût et destinés à un long vieillissement (Bourgogne). La fermentation malolactique assure en outre la stabilisation biologique des vins en bouteille.

**La vinification en barrique**

Les grands vins blancs sont vinifiés en barrique ; ils acquièrent ainsi un caractère boisé et fondu. Ils sont ensuite élevés sous bois, sur leurs lies fines (levures) que le maître de chai remet régulièrement en suspension par bâtonnage. Cette pratique permet d'accentuer le caractère gras et moelleux du vin. Les vins blancs ne doivent pas être tirés en barriques, surtout si celles-ci sont neuves, après une fermentation en cuve, comme on le fait pour les vins rouges.

### Les vins blancs doux

La vinification des vins doux suppose des raisins riches en sucre. Une partie du sucre est transformée en alcool, mais la fermentation est arrêtée avant son achèvement : le vinificateur ajoute du dioxyde de soufre et élimine les levures par soutirage ou centrifugation (ou encore par pasteurisation dans les vins ordinaires seulement).

## L'ÉLEVAGE

Le vin nouveau est brut, trouble et gazeux. La phase d'élevage (clarification, stabilisation, affinement de la qualité) va le conduire jusqu'à la mise en bouteilles. Elle est plus ou moins longue selon les types de vin : les vins primeurs sont mis en bouteilles quelques semaines, voire quelques jours après la fin de la vinification ; les grands vins de garde, eux, sont élevés pendant deux ans et plus.

### Clarifier et stabiliser

La clarification peut être obtenue par simple sédimentation et décantation (soutirage) si le vin est conservé en récipients de petite capacité (fût de bois), pendant un temps suffisamment long. Il faut faire appel à la centrifugation ou aux différents types de filtration lorsque le vin est conservé en cuve de grand volume.
Compte tenu de sa complexité, le vin peut donner lieu à des troubles et à des dépôts. Il s'agit de phénomènes tout à fait naturels, d'origine microbienne ou chimique. Ces accidents sont extrêmement graves lorsqu'ils ont lieu en bouteille ; pour cette raison la stabilisation doit avoir lieu avant le conditionnement.
Les accidents microbiens (piqûre bactérienne ou refermentation) sont évités en conservant le vin dans des conditions de propreté satisfaisantes, à l'abri de l'air en récipient plein. L'ouillage consiste à faire régulièrement le plein des récipients pour éviter le contact avec l'air. En outre, le dioxyde de soufre est un antiseptique et un antioxydant d'un emploi courant. Son action peut être complétée par celle de l'acide sorbique (antiseptique) ou de l'acide ascorbique (antioxydant).
Les traitements des vins résultent d'une nécessité. Les produits utilisés sont relativement peu nombreux : on connaît bien leur mode d'action, qui n'affecte pas la qualité, et leur innocuité est bien démontrée. Des tests de laboratoire permettent de prévoir les risques d'instabilité et de limiter les traitements au strict nécessaire. La

tendance moderne consiste à agir dès la vinification de façon à limiter autant que possible les traitements ultérieurs des vins et les manipulations qu'ils nécessitent.
Le dépôt de tartre est évité par le froid, avant la mise en bouteilles ; inhibiteur de cristallisation, l'acide métatartrique a un effet immédiat, mais sa protection n'est pas indéfinie. Le collage consiste à ajouter au vin une matière protéique (albumine d'œuf, gélatine) qui flocule dans le vin en éliminant les particules en suspension ainsi que des constituants susceptibles de le troubler. Le collage des vins rouges (au blanc d'œuf) est une pratique ancienne, indispensable pour éliminer l'excès de matière colorante qui floculerait en tapissant l'intérieur de la bouteille. La gomme arabique a un effet similaire ; elle n'est utilisée que pour les vins de table consommés rapidement après la mise en bouteilles. La coagulation des protéines naturelles dans les vins blancs (casse protéique) est évitée en les éliminant par fixation sur une argile colloïdale, la bentonite. L'excès de certains métaux (fer et cuivre) donne également lieu à des troubles ; leur élimination peut être effectuée par le ferrocyanure de potassium. Ces accidents ont été très graves dans les années 1930, au moment de la généralisation de l'emploi dans les chais de matériel en métal (fer, cuivre). Aujourd'hui, l'utilisation systématique de l'acier inoxydable a fait pratiquement disparaître ces différents accidents.

### Affiner

L'élevage comprend aussi une phase d'affinage. Il s'agit d'abord d'éliminer le gaz carbonique en excès provenant de la fermentation et dont le taux final dépend du style de vin recherché. Si le gaz carbonique donne de la fraîcheur aux vins blancs secs et aux vins jeunes, il durcit en revanche les vins de garde, particulièrement les grands vins rouges.
L'introduction ménagée d'oxygène assure également une transformation nécessaire des tanins des vins rouges jeunes. Elle est indispensable à leur vieillissement ultérieur en bouteille. L'oxydation ménagée se produit spontanément en fût de chêne ; les techniques dites de microbullage permettent d'introduire, de façon régulière, les quantités d'oxygène juste nécessaires, surtout pour les vins conservés en cuve.

### L'influence du chêne

Le chêne a toujours été le meilleur allié du vin. Celui de l'Allier (forêt de Tronçais) est particulièrement réputé dans le monde entier. À la différence du chêne américain, le bois des chênes sessiles et pédonculés européens doit être fendu (et non scié) puis séché à l'air pendant trois ans avant que le tonnelier n'utilise le merrain pour la fabrication de douelles. Le chêne américain (*Quercus alba*) permet d'obtenir rapidement une note boisée, mais qui n'a pas la complexité et la finesse du caractère boisé donné au vin par un élevage de plusieurs mois en chêne de l'Allier.
L'élevage sous bois fait partie de la tradition des grands vins, mais il est onéreux (prix d'achat des fûts, travail manuel, perte par évaporation) et exige une grande rigueur : les fûts devenus vieux peuvent être source de contamination microbienne et apporter au vin plus de défauts que de qualités.
Le bois de chêne apporte aux vins des arômes complexes de vanille, d'épices, de grillé, etc., qui doivent s'harmoniser parfaitement avec ceux du fruit, surtout lorsque le bois est neuf. Il doit donc être réservé à des vins naturellement riches et structurés, capables d'intégrer son caractère sans perdre leur typicité ni s'assécher en vieillissant. Pour nuancer son empreinte, le maître de chai joue sur la durée de l'élevage, sur la proportion de barriques neuves et même sur le degré de chauffe des douelles susceptible de transmettre des arômes plus ou moins torréfiés. Un caractère boisé peut être apporté à moindre frais en laissant macérer dans le vin des copeaux de chêne, mais cette pratique est interdite pour les vins d'appellation d'origine contrôlée.

## L'ÉVOLUTION DU VIN EN BOUTEILLE

L'expression « vieillissement » est spécifiquement réservée aux transformations lentes du vin conservé en bouteille, à l'abri complet de l'oxygène de l'air. Le vin quitte alors le chai et l'œil bienveillant du vigneron pour rejoindre la cave de l'amateur. Au consommateur, dès lors, de juger de sa qualité.

**La mise en bouteille**
L'embouteillage demande beaucoup de soin et de propreté : il faut éviter que le vin, parfaitement clarifié, soit contaminé par cette opération. Des précautions doivent également être prises pour respecter le volume indiqué. Aujourd'hui, des chaînes d'embouteillage automatisées assurent les meilleures conditions de mise en bouteille.

**Le bouchon de liège**
Le liège reste le matériau de choix pour l'obturation des bouteilles. Grâce à son élasticité, il assure une bonne herméticité. Cependant, parce que ce matériau est dégradable, il est recommandé de changer les bouchons tous les vingt-cinq ans de façon à éviter le risque des bouteilles couleuses. Le goût de bouchon est dû à la présence dans le liège d'une molécule odorante, le TCA (trichloro-anisole), formée par un micro-organisme à différentes étapes de la transformation du liège en bouchon. Compte tenu de l'importance de ces défauts, on a cherché des solutions de remplacement : bouchon synthétique ou, mieux, bouchage par capsule à vis dont les qualités s'imposent de plus en plus.

**Les transformations du vin**
Les transformations du vin en bouteille sont multiples et complexes, mais elles sont lentes, donc difficiles à décrire. Il intervient d'abord une modification de la couleur, parfaitement mise en évidence dans le cas des vins rouges : rouge vif dans les vins jeunes, la teinte évolue vers des tons plus jaunes, tuilés ou brique. Dans les vins très vieux, la nuance rouge a complètement disparu au profit du jaune et du marron et l'on observe un dépôt de matière colorante sur les parois de la bouteille. Les vins rouges connaissent aussi une évolution structurelle : leurs tanins s'arrondissent et laissent une impression de souplesse.
Au cours de la garde en bouteille, les arômes du vin se développent et gagnent en complexité : un bouquet spécifique des vins vieux apparaît.

## QU'EST-CE QU'UN VIN DE QUALITÉ

S'il existe une hiérarchie réglementaire bien établie qui classe la production vinicole depuis les vins de table jusqu'aux grands crus, en passant par tous les intermédiaires, la qualité naît avant tout de facteurs naturels et humains. Le savoir-faire de l'homme est indispensable pour valoriser les facteurs de qualité et élaborer un bon vin, mais la création d'un grand vin exige avant tout un environnement spécifique : un sol, un climat, des cépages adaptés.

**Déguster pour évaluer**
Si l'analyse chimique permet de déceler des anomalies et de mettre en évidence certains défauts du vin, ses limites pour définir la qualité sont bien connues. En dernier ressort, la dégustation est le critère essentiel d'appréciation de la qualité. Des progrès considérables ont été accomplis depuis une vingtaine d'années dans les techniques d'analyse sensorielle permettant de mieux en mieux de s'affranchir des aspects subjectifs ; ils s'appuient sur le développement des connaissances en matière de physiologie de l'odorat et du goût, et des conditions pratiques de la dégustation.

**Les contrôles réglementaires**
L'expertise gustative intervient de plus en plus dans le contrôle de la qualité pour l'agrément des vins d'appellation d'origine contrôlée ou dans le cadre d'expertises judiciaires. Le contrôle réglementaire de la qualité du vin s'est en effet imposé depuis longtemps. La loi du 1er août 1905 sur la loyauté des transactions commerciales constitue le premier texte officiel, mais la réglementation a été progressivement affinée à mesure que progressaient les connaissances de la constitution du vin et de ses transformations. En s'appuyant sur l'analyse chimique, la réglementation définit une sorte de qualité minimale en évitant les principaux défauts. Elle incite en outre la technique à améliorer ce niveau minimum.
La Direction générale de la concurrence, de la consommation et de la répression des fraudes est responsable de la vérification des normes analytiques ainsi établies et, d'une façon générale, de la conformité du produit à son origine. Cette action est complétée par celle de l'Institut national des appellations d'origine (INAO, composé des organisations professionnelles), chargé, après consultation des syndicats intéressés, de déterminer les conditions de production et d'en assurer le contrôle : aire de production, nature des cépages, mode de plantation et de taille, pratiques culturales, techniques de vinification, constitution des moûts et du vin, rendement. Cet organisme assure également la défense des vins d'appellation d'origine en France et à l'étranger.

Pascal Ribéreau-Gayon.

10 000 VINS
À DÉCOUVRIR

## L'Alsace

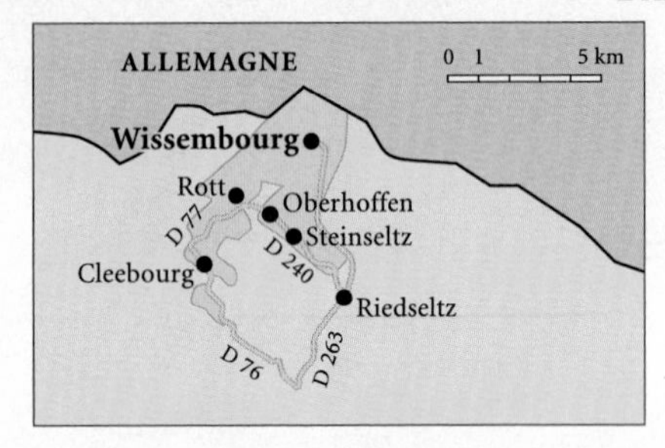

ALLEMAGNE
0 1 5 km
Wissembourg
Rott
Oberhoffen
Steinseltz
D 77
D 240
Cleebourg
Riedseltz
D 76
D 263


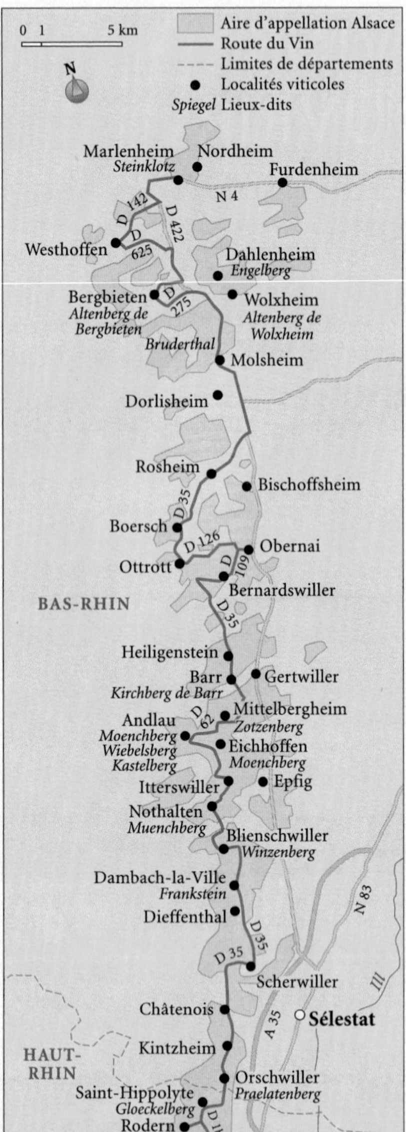

0 1 5 km
Aire d'appellation Alsace
Route du Vin
Limites de départements
Localités viticoles
Spiegel Lieux-dits
N
Marlenheim
Steinklotz
Nordheim
Furdenheim
N 4
D 142
D 422
Westhoffen
D 625
Dahlenheim
Engelberg
Bergbieten
Altenberg de Bergbieten
D 275
Wolxheim
Altenberg de Wolxheim
Bruderthal
Molsheim
Dorlisheim
Rosheim
Bischoffsheim
D 35
Boersch
D 126
Obernai
Ottrott
D 109
Bernardswiller
BAS-RHIN
D 35
Heiligenstein
Barr
Gertwiller
Kirchberg de Barr
Mittelbergheim
Zotzenberg
D 62
Andlau
Moenchberg
Wiebelsberg
Kastelberg
Eichhoffen
Moenchberg
Itterswiller
Epfig
Nothalten
Muenchberg
Blienschwiller
Winzenberg
Dambach-la-Ville
Frankstein
Dieffenthal
N 83
D 35
D 35
Scherwiller
Ill
Châtenois
A 35
Sélestat
Kintzheim
HAUT-RHIN
Orschwiller
Praelatenberg
Saint-Hippolyte
Gloeckelberg
Rodern
D 1b


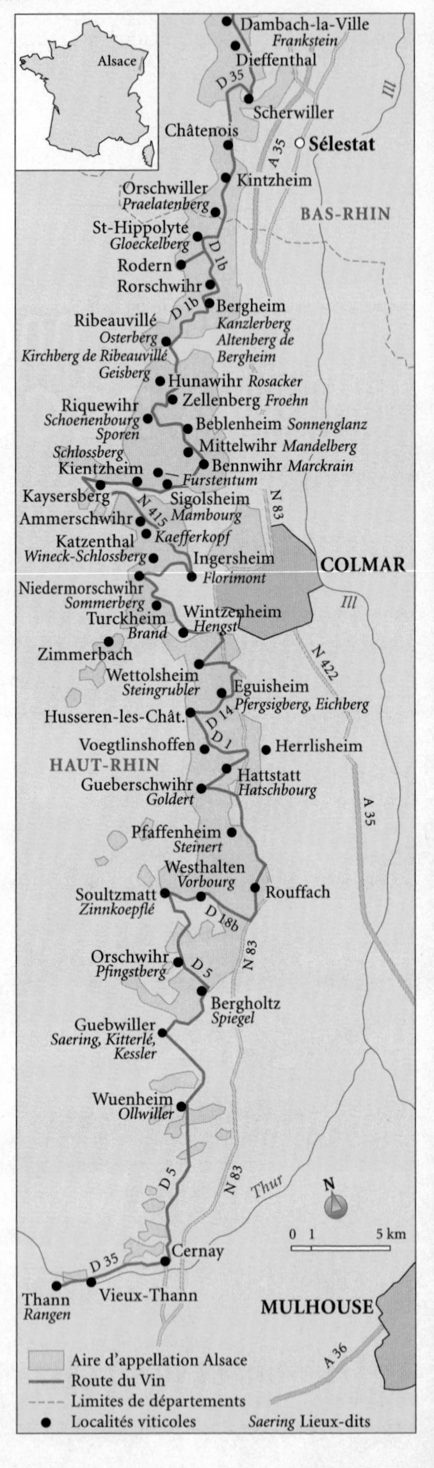

Alsace
Dambach-la-Ville
Frankstein
Dieffenthal
D 35
Ill
Scherwiller
Châtenois
A 35
Sélestat
Kintzheim
Orschwiller
Praelatenberg
BAS-RHIN
St-Hippolyte
Gloeckelberg
D 1b
Rodern
Rorschwihr
D 1b
Bergheim
Kanzlerberg
Altenberg de Bergheim
Ribeauvillé
Osterberg
Kirchberg de Ribeauvillé
Geisberg
Hunawihr Rosacker
Zellenberg Froehn
Riquewihr
Schoenenbourg
Sporen
Beblenheim Sonnenglanz
Schlossberg
Mittelwihr Mandelberg
Kientzheim
Bennwihr Marckrain
Furstentum
Kaysersberg
Sigolsheim
N 415
Mambourg
N 83
Ammerschwihr
Kaefferkopf
Katzenthal
Wineck-Schlossberg
Ingersheim
COLMAR
Florimont
Niedermorschwihr
Ill
Sommerberg
Wintzenheim
Turckheim
Hengst
Brand
Zimmerbach
N 422
Wettolsheim
Steingrubler
Eguisheim
Pfergsigberg, Eichberg
Husseren-les-Chât.
D 14
D 1
Voegtlinshoffen
Herrlisheim
HAUT-RHIN
Hattstatt
Hatschbourg
Gueberschwihr
Goldert
A 35
Pfaffenheim
Steinert
Westhalten
Vorbourg
Soultzmatt
Zinnkoepflé
Rouffach
D 18b
N 83
Orschwihr
Pfingstberg
D 5
Bergholtz
Spiegel
Guebwiller
Saering, Kitterlé, Kessler
Wuenheim
Ollwiller
D 5
N 83
Thur
N
0 1 5 km
Cernay
D 35
Thann
Rangen
Vieux-Thann
MULHOUSE
A 36
Aire d'appellation Alsace
Route du Vin
Limites de départements
Localités viticoles
Saering Lieux-dits

# L'ALSACE ET LA LORRAINE

## L'Alsace

La plus grande partie du vignoble d'Alsace est implantée sur les collines qui bordent le massif vosgien et qui prennent pied dans la plaine rhénane. Les Vosges, qui se dressent entre l'Alsace et le reste du pays, donnent à la région son climat spécifique, car elles captent la grande masse des précipitations venant de l'Océan. C'est ainsi que la pluviométrie moyenne annuelle de la région de Colmar, avec moins de 500 mm, est la plus faible de France ! En été, cette chaîne fait obstacle à l'influence rafraîchissante des vents atlantiques, mais ce sont surtout les différents microclimats, nés des nombreuses sinuosités du relief, qui jouent un rôle prépondérant dans la répartition et la qualité des vignobles.

Une autre caractéristique de ce vignoble est la grande diversité de ses sols. Alors que dans un passé considéré comme récent par les géologues, même s'il remonte à quelque cinquante millions d'années, Vosges et Forêt-Noire formaient un seul ensemble, issu d'une succession de phénomènes tectoniques (immersions, érosions, plissements...), à partir de l'ère tertiaire, la partie médiane de ce massif a commencé à s'affaisser pour donner naissance, bien plus tard, à une plaine. Par suite de ce tassement, presque toutes les couches de terrain qui s'étaient accumulées au cours des différentes périodes géologiques ont été remises à nu sur la zone de rupture. Or, c'est surtout là que sont localisés les vignobles. C'est ainsi que la plupart des communes viticoles sont caractérisées par au moins quatre ou cinq formations de terrains différents.

L'histoire du vignoble alsacien se perd dans la nuit des temps, et les populations préhistoriques ont sans doute déjà dû tirer parti de la vigne, dont la culture proprement dite ne semble cependant dater que de la conquête romaine. L'invasion des Germains, au Ves., entraîna un déclin passager de la viticulture, mais des documents écrits nous révèlent que les vignobles ont assez rapidement repris de l'importance, sous l'influence déterminante des évêchés, des abbayes et des couvents. Des documents antérieurs à l'an 900 mentionnent déjà plus de cent soixante localités où la vigne était cultivée.

Cette expansion se poursuivit sans interruption jusqu'au XVIes., qui marqua l'apogée de la viticulture en Alsace. Les magnifiques maisons de style Renaissance que l'on rencontre encore dans maintes communes viticoles témoignent indiscutablement de la prospérité de ce temps, où de grandes quantités de vins d'Alsace étaient déjà exportées dans toute l'Europe. Mais la guerre de Trente Ans, période de dévastation par les armes, le pillage, la faim et la peste, eut des conséquences catastrophiques pour la viticulture, comme pour les autres activités économiques de la région.

La paix revenue, la culture de la vigne reprit peu à peu son essor, mais l'extension des vignobles se fit principalement à partir de cépages communs. Un édit royal de 1731 tenta bien de mettre fin à cette situation, mais sans grand succès. Cette tendance s'accentua encore après la Révolution, et la superficie du vignoble passa de 23 000 ha en 1808 à 30 000 ha en 1828. Mais l'avènement du chemin de fer et de la concurrence des vins du Midi, ainsi que l'apparition du phylloxera et de diverses maladies de la vigne entraînèrent un long processus de déclin. Il s'ensuivit, à partir de 1902, une diminution de la superficie du vignoble qui continua jusque vers 1948, année qui le vit tomber à 9 500 ha, dont 7 500 en appellation alsace.

L'essor économique de l'après-guerre et les efforts de la profession influèrent favorablement sur le développement du vignoble alsacien, qui possède actuellement, sur une superficie de quelque 15 230 ha, un potentiel de production de l'ordre de 1,2 million d'hectolitres – dont 45 000 hl en grands crus et 200 000 hl en crémant-d'alsace, les exportations atteignant plus du quart des ventes totales. Ce développement a été l'œuvre de l'ensemble des trois branches professionnelles qui se répartissent harmonieusement le marché. Il s'agit des vignerons indépendants, des coopératives et des négociants (souvent eux-mêmes producteurs), qui achètent des quantités importantes à des viticulteurs ne vinifiant pas eux-mêmes leur récolte.

Tout au long de l'année, de nombreuses manifestations vinicoles se déroulent dans les diverses localités qui bordent la route du Vin. Celle-ci est un des attraits touristiques et culturels majeurs de la province. Le point culminant de ces manifestations est sans doute la Foire annuelle du vin d'Alsace qui a lieu en août à Colmar, précédée par celles de Guebwiller, d'Ammerschwihr, de Ribeauvillé, de Barr et de Molsheim. Mais il convient également de citer l'activité, particulièrement prestigieuse, de la confrérie Saint-Etienne, née au XIVᵉs. et restaurée en 1947.

Le principal atout des vins d'Alsace réside dans le développement optimal des constituants aromatiques des raisins, qui s'effectue souvent mieux dans des régions à climat tempéré frais, où la maturation est lente et prolongée. Leur spécificité dépend naturellement de la variété, et l'une des particularités de la région est la dénomination des vins d'après la variété qui les a produits, alors qu'en règle générale les autres vins français d'appellation d'origine contrôlée portent le nom de la région ou d'un site géographique plus restreint qui leur a donné naissance.

Les raisins, récoltés courant octobre, sont transportés le plus rapidement possible au chai pour y subir un foulage, parfois un égrappage, puis le pressurage. Le moût qui s'écoule du pressoir est chargé de « bourbes » qu'il importe d'éliminer le plus vite possible par sédimentation ou par centrifugation. Le moût clarifié entre ensuite en fermentation, phase au cours de laquelle on veille tout particulièrement à éviter un excès de température. Par la suite, le vin jeune et trouble demande de la part du viticulteur toute une série de soins : soutirage, ouillage, sulfitage raisonné, clarification. La conservation en cuve ou en fût se poursuit ensuite jusque vers le mois de mai, époque à laquelle le vin subit son conditionnement final en bouteilles. Cette façon de procéder concerne la vendange destinée à l'obtention des vins blancs secs, c'est-à-dire plus de 90 % de la production alsacienne.

Les alsaces « vendanges tardives » et « sélections de grains nobles » sont des productions issues de vendanges surmûries et ne constituent des mentions officielles que depuis 1984. Ils sont soumis à des conditions de production extrêmement rigoureuses, les plus exigeantes de toutes pour ce qui concerne le taux de sucre des raisins. Il s'agit évidemment de vins de classe exceptionnelle, qui ne peuvent être obtenus tous les ans et dont le prix de revient est très élevé. Seuls le gewurztraminer, le pinot gris, le riesling et plus rarement le muscat peuvent bénéficier de ces mentions spécifiques.

Dans l'esprit des consommateurs, le vin d'Alsace doit se boire jeune, ce qui est en grande partie vrai pour le sylvaner, le chasselas, le pinot blanc et l'edelzwicker ; mais cette jeunesse est loin d'être éphémère, et riesling, gewurztraminer, pinot gris ont souvent intérêt à n'être consommés qu'après deux ans d'âge. Il n'existe en réalité aucune règle fixe à cet égard, et certains vins, nés au cours des années de grande maturité des raisins, se conservent beaucoup plus longtemps, des dizaines d'années parfois, en particulier ceux de l'AOC alsace grand cru, qui ajoutent à la typicité du cépage l'empreinte de leur terroir d'origine.

L'appellation alsace, applicable dans l'ensemble des cent vingt aires de production communales, est subordonnée à l'utilisation de douze cépages : gewurztraminer, riesling rhénan, pinot gris, muscats blanc et rose à petits grains, muscat ottonel, pinot blanc vrai, auxerrois blanc, pinot noir, sylvaner blanc, chasselas blanc et rose.

L'AOC crémant-d'alsace, reconnue en 1976, et réservée aux vins effervescents de la région, connaît depuis l'origine un développement spectaculaire.

Cette édition analyse les millésimes 2002 et 2003. Ce dernier, né de la canicule exceptionnelle, est fortement atypique mais riche et aromatique ; il ravira les amateurs de fragrances exotiques.

# Alsace klevener-de-heiligenstein

Le klevener-de-heiligenstein n'est autre que le vieux traminer (ou savagnin rose) connu depuis des siècles en Alsace.

Il a fait place progressivement à sa variante épicée ou « gewurztraminer » dans l'ensemble de la région, mais est resté vivace à Heiligenstein et dans cinq communes voisines.

Il constitue une originalité par sa rareté et son élégance. Ses vins sont à la fois très bien charpentés et discrètement aromatiques.

### CAVE VINICOLE D'ANDLAU-BARR 2003

n.c. 33 000 8 à 11 €

Une part importante du rare klevener-de-heiligenstein est élaborée et commercialisée par cette cave. Fin et élégant au nez sur des notes exotiques, ce 2003 est franc, souple et assez long en bouche. Fraîcheur et fruité lui donnent une bonne harmonie.

Cave vinicole d'Andlau et environs,
15, av. des Vosges, 67140 Barr,
tél. 03.88.08.90.53, fax 03.88.47.60.22 r.-v.

### PAUL DOCK Cuvée Prestige 2003

0,7 ha 3 000 8 à 11 €

Fidèle au rendez-vous du Guide, Paul Dock a présenté un nouveau millésime de sa cuvée Prestige. Les reflets dorés de son 2003 annoncent le beau nez agrémenté de notes fumées et épicées. Gras et ample, d'une grande richesse, relevé en finale d'une pointe épicée, ce vin trouvera sa pleine expression dans deux à trois ans.

GAEC Paul Dock et Fils, 55, rue Principale,
67140 Heiligenstein,
tél. 03.88.08.02.49, fax 03.88.08.25.65
t.l.j. sauf dim. 10h-12h 13h30-19h

# Alsace sylvaner

Les origines du sylvaner sont très incertaines, mais son aire de prédilection a toujours été limitée au vignoble allemand et à celui du Bas-Rhin en France. En Alsace même, où il couvre environ 1 680 ha, c'est un cépage extrêmement intéressant grâce à son rendement et à sa régularité de production.

Son vin est d'une remarquable fraîcheur, assez acide, doté d'un fruité discret. On trouve en réalité deux types de sylvaner sur le marché. Le premier, de loin supérieur, provient de terroirs bien exposés et peu enclins à la surproduction. Le second est apprécié par ceux qui aiment un type de vin sans prétention, agréable et désaltérant. Le sylvaner accompagne volontiers choucroute, hors-d'œuvre et entrées, de même que les fruits de mer, tout spécialement les huîtres.

### A L'ANCIENNE FORGE
Sylvaner de Mittelbergheim Vieilles Vignes 2003 ★

0,1 ha 1 200 3 à 5 €

Ce domaine est installé dans l'ancienne forge de Mittelbergheim qui a été aménagée en salle de dégustation. Vous pourrez y découvrir un sylvaner friand et harmonieux, jaune pâle à reflets d'argent. Des senteurs d'agrumes confèrent à ce vin une fraîcheur presque aérienne. Cette impression de vivacité se prolonge en bouche où des notes citronnées soulignent sa persistance.

Jérôme Brandner, 51, rue Principale,
67140 Mittelbergheim, tél. 03.88.08.01.89,
fax 03.88.08.94.92 t.l.j. 10h-12h 14h-19h

### CAVE VINICOLE D'ANDLAU-BARR 2003

n.c. 18 000 5 à 8 €

Histoire et vigne sont intimement mêlées à Barr comme à Andlau. La vigne ne symbolise-t-elle pas l'arbre de vie sur le portail roman de l'abbatiale d'Andlau ? Quant à la petite ville de Barr, elle anime tout ce secteur viticole bas-rhinois, grâce notamment à cette coopérative. Son sylvaner du Weinberg libère des arômes de fleurs blanches et de fruits frais. Il attaque en souplesse puis révèle davantage de fraîcheur en finale. Un vin bien typé.

Cave vinicole d'Andlau et environs,
15, av. des Vosges, 67140 Barr,
tél. 03.88.08.90.53, fax 03.88.47.60.22 r.-v.

### PAUL KUBLER Z 2003 ★★

0,2 ha 1 200 8 à 11 €

Cette famille vigneronne est établie à Soultzmatt, à 20 km au sud de Colmar. Ce village possède une partie du haut coteau pentu et ensoleillé du Zinnkoepflé qui, planté de cépages « nobles » (riesling, gewurztraminer, pinot gris et muscat), produit des grands crus. Ce secteur calcaro-gréseux réussit aussi aux variétés « plébéiennes » comme le sylvaner, à en juger par ce 2003. Le cépage y a pris le soleil, et des notes surprenantes de surmaturation ; autre curiosité, des nuances boisées léguées par dix mois de fût. Cela donne une grande richesse d'arômes : fleurs, fruits confits, miel, touches vanillées. La bouche est soyeuse, équilibrée entre fraîcheur et rondeur. Ce vin aura gagné en harmonie en 2006.

EARL Paul Kubler, 103, rue de la Vallée,
68570 Soultzmatt, tél. 03.89.47.00.75,
fax 03.89.47.65.45, e-mail kubler@lesvins.com
t.l.j. sf dim. 9h-12h 14h-19h

### DOM. KUMPF ET MEYER Vieilles Vignes 2003 ★

0,6 ha 5 000 3 à 5 €

Situé près de Rosheim, pittoresque bourgade au sud-ouest de Strasbourg, ce domaine est géré par un couple de vignerons qui ont regroupé leurs propriétés respectives. Il dispose de chais modernes récemment rénovés. Sa cuvée Vieilles Vignes naît de ceps de soixante ans. Des notes de fleurs et d'agrumes verts composent sa palette aromatique.

Souple à l'attaque, gras et bien structuré, frais et long en finale, c'est un vin harmonieux. Le 98 avait obtenu un coup de cœur.
Dom. Kumpf et Meyer, 34, rte de Rosenwiller, 67560 Rosheim, tél. 03.88.50.20.07, fax 03.88.50.26.75, e-mail kumpfetmeyer@free.fr
t.l.j. sf dim. 8h30-12h 14h-19h

### JULES MULLER Réserve 2003 *

3,2 ha 35 000 5 à 8 €

Ce domaine à la tête de quelque 32 ha de vignes fait partie de la maison Lorentz qui a pignon sur rue à Bergheim. On retrouve sa Réserve de sylvaner. Avec ses arômes fruités, son attaque souple, son beau développement au palais et sa longue finale ample et fraîche, il donne toute satisfaction.
Jules Muller, 91, rue des Vignerons, 68750 Bergheim, tél. 03.89.73.22.22, fax 03.89.73.30.49
t.l.j. sf dim. 10h-12h 14h-18h30
Ch. Lorentz

### PIERRE ET JEAN-PIERRE RIETSCH Zotz 2003

0,26 ha 1 600 5 à 8 €

Pierre et Jean-Pierre Rietsch disposent d'une belle maison Renaissance à Mittelbergheim et d'un coquet vignoble de 11,5 ha. Leur Zotz évoque le lieu-dit le plus renommé du village. Il libère de discrets effluves exotiques et se montre riche, équilibré, assez rond et de bonne persistance.
EARL Pierre et Jean-Pierre Rietsch, 32, rue Principale, 67140 Mittelbergheim, tél. 03.88.08.00.64, fax 03.88.08.40.91, e-mail rietsch@wanadoo.fr r.-v.

### DOM. SAINTE-MARGUERITE 2003

2,69 ha n.c. 3 à 5 €

Ce domaine tire son nom de la chapelle romane Sainte-Marguerite, édifice le plus célèbre d'Epfig, qui se dresse à quelques pas de la propriété. La palette de son sylvaner mêle aux senteurs classiques du cépage, florales et végétales, des notes de fruits frais, voire une touche de surmaturation. Franc à l'attaque, ce vin révèle en bouche des arômes d'agrumes qui lui donnent un côté friand. Selon l'expression consacrée, un « vin de soif » qui correspond à ce que l'on attend d'un sylvaner.
EARL Dom. Sainte-Marguerite, 23, rue Sainte-Marguerite, 67680 Epfig, tél. 03.88.59.28.60, fax 03.88.87.67.58

### SCHEIDECKER 2003

0,5 ha 2 000 5 à 8 €

Etabli à Mittelwihr, au cœur de l'Alsace viticole, Philippe Scheidecker exploite 7 ha de vignes. Ce village bénéficie d'un microclimat précoce qui permet la croissance des amandiers. Intensément floral au nez, le sylvaner du domaine fait preuve au palais d'une belle fraîcheur soulignée par des notes citronnées. Il est équilibré, gouleyant et persistant.
Philippe Scheidecker, 13, rue des Merles, 68630 Mittelwihr, tél. 03.89.49.01.29, fax 03.89.49.06.63
r.-v.

### DOM. ALFRED WANTZ Cuvée Zo 2003 *

2 ha 8 000 3 à 5 €

Plein de cachet avec ses maisons vigneronnes, Mittelbergheim fait partie de l'Association des plus beaux villages de France. Ses terroirs valent le détour. Même des cépages roturiers comme le sylvaner y donnent des produits réputés, quand ils poussent sur des lieux-dits de qualité. Ce vin, élevé dans une cave du XVII[e]s., a valu au vigneron deux coups de cœur et plusieurs étoiles. Le 2003 se distingue par des notes de surmaturation (coing). Franc et frais à l'attaque, ample, il présente un équilibre plaisant.
Dom. Alfred Wantz, 3, rue des Vosges, 67140 Mittelbergheim, tél. 03.88.08.91.43, fax 03.88.08.58.74, e-mail stephane.wantz@wanadoo.fr
t.l.j. sf dim. 10h-12h 13h30-18h, sam. 17h

## Alsace pinot ou klevner

Sous ces deux dénominations (la seconde étant un vieux nom alsacien), le vin de cette appellation peut provenir de deux cépages : le pinot blanc vrai et l'auxerrois blanc. Ce sont deux variétés assez peu exigeantes, capables de donner des résultats remarquables dans des situations moyennes, car leurs vins allient agréablement fraîcheur, corps et souplesse. Cette dénomination couvre 3 184 ha.

Dans la gamme des vins d'Alsace, le pinot blanc représente le juste milieu, et il n'est pas rare qu'il surclasse certains rieslings. Du point de vue gastronomique, il s'accorde avec de nombreux plats, à l'exception des fromages et des desserts.

### ANSTOTZ ET FILS Klevner 2003

0,35 ha 1 000 8 à 11 €

Marc Anstotz exploite un peu plus de 13 ha dans le vignoble proche de Strasbourg, dit « de la Couronne d'or ». Sa cave recèle des foudres en bois sculpté d'un grand intérêt. Elevés dans la tradition, ses vins ne sont pas non plus à négliger. Celui-ci sort de l'ordinaire par ses arômes de fruits frais mais aussi confits et par sa structure ronde et riche, avec ce qu'il faut de fraîcheur en finale. Il est atypique certainement, mais bien plaisant.
Anstotz et Fils, 51, rue Balbach, 67310 Balbronn, tél. 03.88.50.30.55, fax 03.88.50.58.06
t.l.j. 9h-12h 14h-19h, dim. sur r.-v.

### LEON BAUR 2003 **

1,6 ha 12 000 5 à 8 €

Les touristes se pressent dans les ruelles fleuries d'Eguisheim, une des étapes incontournables de la route des Vins. Ils trouveront dans le centre historique le siège de ce domaine dont les origines remontent à 1738. La cave s'adosse à l'ancien rempart de la cité. Un nouveau local de dégustation accueille les visiteurs. Ceux-ci pourront miser sur le pinot blanc : ce 2003 est aussi remarquable que le millésime précédent. Son fruité fin et frais se confirme au palais. De bonne attaque, ce vin séduit particulièrement par sa charpente. Sa finale persistante est très agréable.

🔑 EARL Jean-Louis Baur,
22 et 71, rue du Rempart-Nord, 68420 Eguisheim,
tél. 03.89.41.79.13, fax 03.89.41.93.72,
e-mail jean-louis-baur@terre-net.fr
☑ 🏠 🍷 🚶 t.l.j. 9h-12h 13h30-18h30;
dim. 9h-12h 14h30-17h30; groupes sur r.-v.

### DOM. CLAUDE BLEGER 2003 ★

■ 0,7 ha 6 700 🛢 5 à 8 €

Etablie à Orschwiller depuis 1630, cette famille exploite 7,5 ha à quelques kilomètres du château du Haut-Kœnigsbourg. Par son fruité, son auxerrois laisse deviner la surmaturation. Après une attaque légèrement moelleuse, il montre ensuite la bonne étoffe d'un raisin récolté bien mûr.

🔑 Dom. Claude Bléger, 23, Grand-Rue,
67600 Orschwiller, tél. 03.88.92.32.56,
fax 03.88.82.59.95, e-mail vins.c.bleger@wanadoo.fr
☑ 🏨 🏠 🍷 🚶 t.l.j. 9h-12h15 13h15-19h30

### DOM. EINHART Westerberg 2003 ★

■ 2,4 ha 10 000 🛢 3 à 5 €

Nicolas Einhart conduit depuis quinze ans ses 11 ha de vignes. De nombreuses sélections dans le Guide confirment son talent. Quant à ses étiquettes, originales et gaies, elles invitent par leurs couleurs à découvrir les vins. Celui-ci séduit par un nez floral, un peu fumé, et par son attaque sur des fraîches nuances fruitées agrémentées de notes grillées. La vivacité du palais, alliée à une structure charpentée, rend ce vin très agréable jusqu'à la finale.

🔑 Nicolas Einhart,
15, rue Principale, 67560 Rosenwiller,
tél. 03.88.50.41.90, fax 03.88.50.29.27,
e-mail nicolas.einhart@wanadoo.fr ☑ 🍷 🚶 r.-v.

### HERTZOG 2003

■ 0,32 ha 1 900 🛢 3 à 5 €

Un élevage sous bois a laissé son empreinte dans la palette aromatique de ce pinot blanc, avec des parfums intenses d'épices et de fumé, ainsi qu'une note vanillée au palais. Une touche d'originalité pour cet ensemble équilibré, rond et riche.

🔑 EARL Sylvain Hertzog,
18, rte du Vin, 68420 Obermorschwihr,
tél. 03.89.49.31.93, fax 03.89.49.28.85,
e-mail hertzog@wanadoo.fr ☑ 🍷 🚶 t.l.j. sf dim. 9h-19h

### CHARLES MULLER ET FILS
Auxerrois de Traenheim Vieilles Vignes 2003

■ 1,2 ha 5 000 5 à 8 €

Traenheim est un village viticole du nord de la route des Vins. Tonneliers puis vignerons, les Muller y sont installés depuis plus de quatre siècles. Les propriétaires actuels conduisent leurs 10,5 ha de vignes dans le respect de l'environnement. Leur auxerrois Vieilles Vignes 2003 se pare d'une robe dorée. Il s'affirme par des arômes fruités intenses, un bon équilibre et une certaine persistance.

🔑 Charles Muller et Fils,
89c, rte du Vin, 67310 Traenheim,
tél. 03.88.50.38.04, fax 03.88.50.58.54 ☑ 🏠 🍷 🚶 r.-v.

### HUBERT REYSER Sonnenberg 2003 ★

■ 0,7 ha 7 400 ▮ 3 à 5 €

Situé à l'extrémité septentrionale de la route des Vins, Nordheim offre des points de vue remarquables sur la plaine d'Alsace. Hubert Reyser y exploite 11 ha de vignes. Son klevner Sonnenberg présente des arômes francs et typés, une structure assez concentrée, des notes épicées. Sa persistance est soulignée par une touche de vivacité en finale. Le 2000 avait obtenu un coup de cœur.

🔑 Hubert Reyser, 26, rue de la Chapelle,
67520 Nordheim, tél. 03.88.87.76.38,
fax 03.88.87.59.67, e-mail reyser@reperes.com
☑ 🍷 🚶 t.l.j. sf dim. 8h30-12h 13h30-18h

### LUCAS ET ANDRE RIEFFEL
Vieilles Vignes 2003 ★

■ 0,4 ha 3 000 🛢 5 à 8 €

Fondé par les Francs, Mittelbergheim dépendit ensuite des différentes abbayes de la région et de l'évêché de Strasbourg. La qualité de ses coteaux viticoles avait été rapidement exploitée. Né de ceps vieux d'un bon demi-siècle, ce pinot blanc présente déjà un nez assez complexe où se mêlent des nuances de fruits et de grillé. Son bel équilibre repose sur une bonne matière, une fraîcheur soutenue, une structure plutôt puissante. La finale est bien agréable.

🔑 Lucas et André Rieffel,
11, rue Principale, 67140 Mittelbergheim,
tél. 03.88.08.95.48, fax 03.88.08.28.94 ☑ 🍷 🚶 r.-v.

### ROLLY GASSMANN
Moenchreben de Rorschwihr Auxerrois 2003

■ 1,27 ha 10 000 🛢 15 à 23 €

Très anciennement établie à Rorschwihr (son arbre généalogique remonte à 1676), cette famille de vignerons exploite aujourd'hui un train de culture de 35 ha. Elle jouit d'une renommée internationale et fait partie de l'élite des vins d'Alsace. Elle propose un auxerrois d'un magnifique jaune d'or ; le nez exquis livre des senteurs intenses de miel d'acacia et de vanille. L'attaque est particulièrement douce au palais. On y retrouve les épices, le miel et quelques flaveurs florales qui se prolongent agréablement.

🔑 Rolly Gassmann, 2, rue de l'Eglise,
68590 Rorschwihr, tél. 03.89.73.63.28,
fax 03.89.73.33.06, e-mail rollygassmann@wanadoo.fr
☑ 🍷 🚶 r.-v.

### ANTOINE STOFFEL Auxerrois 2003

■ 1,43 ha 14 000 🛢 3 à 5 €

On ne s'étonnera pas qu'Eguisheim soit entré dans l'Association des plus beaux villages de France, tant la petite cité est pleine de charme avec ses vieilles pierres, ses ruelles et ses demeures fleuries à profusion. Un arrêt dans la cave d'Antoine Stoffel vous permettra de découvrir cet auxerrois au fruité puissant, ample et bien équilibré.

🔑 Antoine Stoffel, 21, rue de Colmar,
68420 Eguisheim, tél. 03.89.41.32.03,
fax 03.89.24.92.07, e-mail domaine@antoinestoffel.com
☑ 🏠 🍷 🚶 t.l.j. sf dim. 8h-12h 14h-18h

# Alsace edelzwicker

Parmi les appellations alsaciennes, une place particulière est occupée par l'edelzwicker. Cette dénomination extrêmement ancienne désigne les vins issus d'un assemblage de cépages. N'oublions pas qu'il y a un siècle les parcelles du vignoble alsacien complantées avec une seule variété étaient rares. Les cépages qui entrent dans la composition de l'edelzwicker sont essentiellement les pinot blanc, auxerrois, sylvaner et chasselas. Cette production est particulièrement appréciée par les Alsaciens, et la plupart des restaurants et des cafés mettent un point d'honneur à en servir de très agréables en carafe. Il s'agit d'une appellation qui mériterait davantage de considération. Elle pourrait répondre à l'une des revendications actuelles de certains vignerons pour qui les vertus de l'assemblage semblent évidentes.

### COMTE D'ANDLAU-HOMBOURG
Château d'Ittenwiller Grande Réserve 2003

0,6 ha 2 500 5 à 8 €

Reflets des mutations de l'histoire, ce domaine fut d'abord monastique, puis épiscopal. Sécularisé à la Révolution, il fut acquis par un ancêtre du propriétaire actuel, général d'Empire, qui le transforma en château. Une constante dès les origines : la vigne. Assemblage d'auxerrois, de pinot gris et de gewurztraminer, cet edelzwicker révèle un beau fruité d'agrumes accompagné de notes végétales. L'attaque franche est suivie d'une bouche équilibrée avec une pointe de fraîcheur en finale.

SC Dom. d'Ittenwiller, 67140 Saint-Pierre, tél. et fax 03.88.08.13.30 r.-v.

Comte d'Andlau

# Alsace riesling

Le riesling est le cépage rhénan par excellence, et la vallée du Rhin est son berceau. Il s'agit d'une variété tardive pour la région, dont la production est régulière et bonne. Elle occupe environ 3 355 ha.

Le riesling alsacien est un vin sec, ce qui le différencie de façon générale de son homologue allemand. Ses atouts résident dans l'harmonie entre son bouquet et son fruité délicats, son corps et son acidité assez prononcée mais extrêmement fine. Mais pour atteindre cet apogée, il doit provenir d'une bonne situation.

Le riesling a essaimé dans de nombreux autres pays viticoles, où la dénomination riesling, sauf si l'on précise « riesling rhénan », n'est pas totalement fiable : une dizaine d'autres cépages ont, de par le monde, été baptisés de ce nom ! Du point de vue gastronomique, le riesling convient tout particulièrement aux poissons, aux fruits de mer, aux fromages de chèvre et, bien entendu, à la choucroute garnie à l'alsacienne ou au coq au riesling chaque fois qu'il ne contient pas de sucres résiduels ; les sélections de grains nobles et vendanges tardives se prêtent aux accords des vins liquoreux.

### DOM. YVES AMBERG Fronholz 2003 *

0,15 ha 600 15 à 23 €

Yves Amberg conduit son domaine en agrobiologie. Le Fronholz est une colline isolée vers la plaine, avant-poste des collines sous-vosgiennes. Dans sa partie supérieure, le sol sableux avec quartz et silice est favorable au riesling. Celui-ci présente un nez complexe où se mêlent le tilleul, la mirabelle confite et l'abricot sec. Ces arômes mûrs se retrouvent dans un palais riche et gras, d'une grande structure. Un vin que l'on peut déguster pour lui-même. (Sucres résiduels : 40 g/l.)

Yves Amberg, 19, rue Fronholz, 67680 Epfig, tél. 03.88.85.51.28, fax 03.88.85.52.71 r.-v.

### DOM. BARMES BUECHER
Leimenthal de Wettolsheim 2003 *

0,24 ha 1 744 15 à 23 €

A la tête du domaine familial depuis 1985, Geneviève et François Barmès ont opté avec conviction pour la viticulture biodynamique. D'un jaune soutenu, leur riesling du Leimenthal libère de riches notes de surmaturation. Ces arômes de fruits confits se prolongent au palais. Un vin riche, puissant et de belle longueur. (Sucres résiduels : 6 g/l.)

Dom. Barmès Buecher, 30, rue Sainte-Gertrude, 68920 Wettolsheim, tél. 03.89.80.62.92, fax 03.89.79.30.80, e-mail barmesbuecher@terre-net.fr r.-v.

### FRANCIS BECK Hertenstein 2003 *

0,52 ha 3 000 5 à 8 €

Après sa formation d'œnologie, le fils de Francis Beck, Julien, vient de rejoindre l'exploitation familiale qui compte un peu plus de 7 ha de vignes. Son riesling de Hertenstein, issu d'un sol sablo-argileux, s'ouvre sur des notes d'agrumes puis des nuances fumées. Equilibré et riche, il remplit bien la bouche. Une belle fraîcheur souligne la longue finale. (Sucres résiduels : 11,5 g/l.)

Francis Beck, 79, rue Sainte-Marguerite, 67680 Epfig, tél. 03.88.85.54.84, fax 03.88.57.83.81, e-mail vins@francisbeck.com t.l.j. 9h-12h 14h-19h; dim. sur r.-v.

### DOM. BERNHARD-REIBEL
Cuvée Vieilles Vignes 2003 *

0,6 ha 3 700 8 à 11 €

Cette exploitation familiale s'est attachée à mettre en valeur une partie des coteaux du Hahnenberg. Avec l'arrivée de la jeune génération, de nouveaux chais ont été aménagés et un tournant a été amorcé dans la conduite du domaine. Né de ceps de quarante-cinq ans, ce riesling se montre agréable par ses notes florales accompagnées d'une touche minérale. Bien équilibré et typé, c'est un vin de caractère qui trouvera facilement sa place à table. (Sucres résiduels : 4 g/l.)

Dom. Bernhard-Reibel, 20, rue de Lorraine, 67730 Châtenois, tél. 03.88.82.04.21, fax 03.88.82.59.65, e-mail bernhard-reibel@wanadoo.fr
t.l.j. 8h30-12h 14h-18h; sam. dim. sur r.-v.

EMILE BEYER Cuvée de l'Hostellerie 2002 *

| | 0,85 ha | 7 800 | | 8 à 11 € |
|---|---|---|---|---|

Le siège de cette propriété familiale est situé au cœur d'Eguisheim, dans l'ancienne hostellerie où logea Turenne en 1674, la veille de la bataille de Turckheim. À la cave, les traditionnels foudres en chêne, en harmonie avec la maison du XVIe s., permettent une bonne maturation des vins. Très expressif sur les arômes fruités, celui-ci est franc, droit, assez vif et puissant. Il est judicieux de l'attendre jusqu'en 2006 ou 2007. (Sucres résiduels : 5 g/l.)
Emile Beyer, 7, pl. du Château, 68420 Eguisheim, tél. 03.89.41.40.45, fax 03.89.41.64.21, e-mail info@emile-beyer.fr
t.l.j. 9h-12h 14h-18h
Luc et Christian Beyer

FRANCOIS BLEGER
Le Bouquet de Clémence 2003

| | 0,55 ha | 3 700 | | 5 à 8 € |
|---|---|---|---|---|

A la tête de ce domaine de 6 ha depuis 1996, François Bléger a débuté la mise en bouteilles la même année. Produite sur un terroir granitique, cette cuvée porte bien son nom : ses arômes de fruits mûrs et surmûris s'associent en un bouquet subtil. Franc à l'attaque, frais, d'une bonne étoffe et un peu corsé, c'est un vin de repas. (Sucres résiduels : 5 g/l.)
François Bléger, 63, rte du Vin, 68590 Saint-Hippolyte, tél. et fax 03.89.73.06.07, e-mail bleger.francois@libertysurf.fr r.-v.

BOECKEL Stein Clos Eugénie 2000 **

| | 0,3 ha | 1 850 | | 11 à 15 € |
|---|---|---|---|---|

Un bel ancrage régional pour cette famille dont les ancêtres cultivaient déjà la vigne au XVIe s. Frédéric Boeckel a fondé cette affaire en 1853. Aujourd'hui, la maison exploite en propre quelque 20 ha de vignes et exporte 76 % de ses vins. Marqué par la surmaturation, celui-ci exprime des arômes de citron confit, de miel d'acacia et une note minérale. Cette complexité se retrouve au palais. Ample, bien équilibré et long, ce riesling laisse le souvenir d'une finale idéale. (Sucres résiduels : 5 g/l.)
Emile Boeckel, 2, rue de la Montagne, 67140 Mittelbergheim, tél. 03.88.08.91.02, fax 03.88.08.91.88, e-mail boeckel@boeckel-alsace. com
r.-v.

MARIE-CLAIRE ET PIERRE BORES
Schieferberg Rêve de pierres 2003 *

| | 0,32 ha | 1 600 | | 8 à 11 € |
|---|---|---|---|---|

Un peu à l'écart de la route des Vins, ce village est caché dans un vallon au pied de l'Ungersberg. Les Borès y exploitent quelque 9 ha de vigne. Leur Rêve de pierres ne nie pas ses origines particulières : un terroir de schiste. Des notes florales lui confèrent une belle finesse au nez. Souple en bouche, il reste fin et élégant. Sa petite rondeur s'estompera d'ici deux à trois ans. (Sucres résiduels : 31 g/l.)
Marie-Claire et Pierre Borès, 15, lieu-dit Leh, 67140 Reichsfeld, tél. 03.88.85.58.87, fax 03.88.85.56.07
r.-v.

BURGHART-SPETTEL 2003 *

| | 0,65 ha | 5 300 | | 5 à 8 € |
|---|---|---|---|---|

Créée en 1940, cette exploitation familiale regroupe aujourd'hui plus de 8 ha de vignes et dispose de parcelles dans plusieurs lieux-dits intéressants. Elle signe un riesling en robe d'or pâle, et au nez frais et minéral. Franc et plutôt vif à l'attaque, il exprime des notes d'agrumes et finit sur une touche épicée. (Sucres résiduels : 2,5 g/l.)
Burghart-Spettel, 9, rte du Vin, 68630 Mittelwihr, tél. 03.89.47.93.19, fax 03.89.49.07.62, e-mail burghart-spettel@wanadoo.fr r.-v.

CLOS SAINTE-ODILE 2003 *

| | n.c. | 13 900 | | 5 à 8 € |
|---|---|---|---|---|

Ce clos aux terrasses bien ordonnées, exposé plein sud, domine la vieille cité pittoresque d'Obernai, ville natale de la sainte patronne de l'Alsace. La société Sainte-Odile est une filiale de la Cave vinicole d'Obernai dirigée par M. Gross. Ce 2003 offre des arômes de fruits frais et mûrs (pêche, mirabelle) qui accompagnent la dégustation jusqu'en finale. Assez ample, avec une fine fraîcheur, il est très agréable. (Sucres résiduels : 1,7 g/l.)
Sté vinicole Sainte-Odile, 30, rue du Gal-Leclerc, 67210 Obernai, tél. 03.88.47.60.29, fax 03.88.47.60.22
r.-v.

GERARD DOLDER 2003 *

| | 0,33 ha | 2 800 | | 5 à 8 € |
|---|---|---|---|---|

Perché à flanc de coteau, le village de Mittelbergheim est une ancienne dépendance de l'abbaye d'Andlau toute proche. Gérard Dolder y exploite 7 ha de vignes. Dans ce vin, l'empreinte du cépage est dominante : arômes fruités et nuance minérale, structure assez charnue, équilibrée et bonne persistance. Un classique. (Sucres résiduels : 4,1 g/l.)
Gérard Dolder, 29, rue de la Montagne, 67140 Mittelbergheim, tél. 03.88.08.02.94, fax 03.88.08.55.86 r.-v.

ANDRE DUSSOURT
Riesling de Scherwiller Réserve Prestige 2003 ***

| | 0,42 ha | 3 300 | | 8 à 11 € |
|---|---|---|---|---|

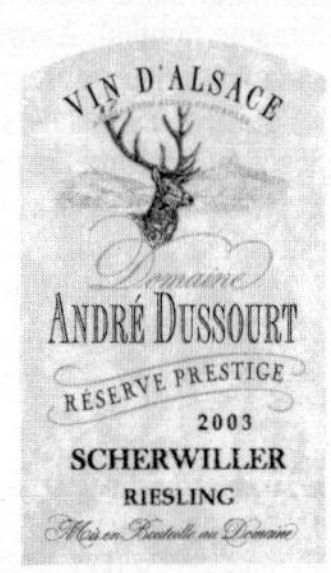


Scherwiller, village situé au pied du château de l'Ortenburg (XIIIe s.), invite à flâner le long des berges de l'Aubach et à découvrir ses maisons à colombage vieilles de trois à quatre siècles. Dans cette commune, le riesling est célébré par une confrérie motivée et de nombreux vignerons passionnés. Déjà très réussie dans le millésime précédent, cette Réserve Prestige est plébiscitée cette année. D'un or pâle cristallin, elle offre un panier de fruits (agrumes et pêche) et des senteurs de fleurs blanches. Au palais, la fête continue : les arômes s'accordent à la structure fraîche, puissante et racée. Au repas, sur un poisson noble, l'harmonie sera parfaite. (Sucres résiduels : 3,9 g/l.)

Dom. André Dussourt, 2, rue de Dambach, 67750 Scherwiller, tél. 03.88.92.10.27, fax 03.88.92.18.44, e-mail info@domainedussourt.com
t.l.j. sf dim. 8h-12h 13h30-18h
Paul Dussourt

## JEAN-PAUL ECKLE Lieu-dit Hinterbourg 2003 ★★

0,45 ha 5 000 5 à 8 €

Deux étoiles pour le millésime 2002 et un coup de cœur cette année pour ce riesling du lieu-dit Hinterbourg. Cette distinction n'est pas le fruit du hasard, mais de la passion et du savoir-faire de Jean-Paul et Emmanuel Ecklé. Des notes de fleurs, de fruits surmûris et exotiques, des nuances de miel annoncent une complexité qui se confirme au palais. Equilibré et de belle longueur, un vin très élégant. (Sucres résiduels : 5 g/l.)

Jean-Paul Ecklé et Fils, 29, Grand-Rue, 68230 Katzenthal, tél. 03.89.27.09.41, fax 03.89.80.86.18
t.l.j. sf dim. 9h-12h 13h30-18h30

## ANDRE FALLER Cuvée Julien 2003

0,25 ha 1 300 **8 à 11 €**

Village très fleuri, Itterswiller est aussi un des fleurons du tourisme gastronomique sur la route des Vins. Depuis 1995 à la tête du domaine familial, André Faller exploite 8,5 ha de vignes. Sa cuvée Julien présente un nez fin, au fruité d'agrumes, et s'ouvre au palais sur des nuances minérales. Encore légèrement dominée par le sucre, mais suffisamment vive et typée, elle gagnera en harmonie d'ici début 2006. (Sucres résiduels : 8 g/l.)

André Faller, 2, rte du Vin, 67140 Itterswiller, tél. 03.88.85.53.55, fax 03.88.85.51.13, e-mail andre.faller@wanadoo.fr r.-v.

## JOSEPH FREUDENREICH &FILS
Vieilles Vignes 2003

1,1 ha 8 000 **5 à 8 €**

Cette ancienne famille d'Eguisheim fait remonter le début de son activité viticole au XVIe s. Le siège et la cave de l'exploitation sont situés à l'intérieur de l'enceinte médiévale, dans une ancienne cour dîmière où le visiteur peut déguster une grande gamme de cépages et de cuvées. Celle-ci présente un nez fin, aux arômes caractéristiques du cépage. Bien équilibré, d'une fraîcheur assez marquée, de bonne longueur, c'est un classique. (Sucres résiduels : 8 g/l.)

Joseph Freudenreich et Fils, 3, cour Unterlinden, 68420 Eguisheim, tél. 03.89.41.36.87, fax 03.89.41.67.12, e-mail info@joseph-freudenreich.fr
t.l.j. 8h-12h 13h30-19h; groupes sur r.-v.

## CHARLES ET DOMINIQUE FREY
Vieilles Vignes 2003

3 ha 10 000 **8 à 11 €**

Conduit en biodynamie depuis quelques années par Charles et Dominique Frey, ce domaine compte une dizaine d'hectares de vignes. Née sur un terroir sablo-granitique, sa cuvée Vieilles Vignes séduit par son nez intense aux notes de surmaturation. Souple en bouche, de structure moyenne, elle est encore marquée par les sucres. (Sucres résiduels : 5 g/l.)

EARL Charles et Dominique Frey, 4, rue des Ours, 67650 Dambach-la-Ville, tél. 03.88.92.41.04, fax 03.88.92.62.23, e-mail frey.dom.bio@wanadoo.fr
t.l.j. sf dim. 9h-12h 13h30-18h

## LOUIS FREYBURGER ET FILS
Vendanges tardives 2002 ★

0,5 ha 3 600 **15 à 23 €**

Cette maison est établie dans la petite bourgade médiévale de Bergheim, remarquable par son mur d'enceinte assez bien conservé et par son chêne bicentenaire à l'entrée ouest du village. Elle signe un riesling aux nuances jaune d'or, au nez discret de fruits (poire et mûre), assorti d'une pointe végétale. Très douce à l'attaque, la bouche apparaît bien dessinée : structurée et charpentée, elle est soutenue par une fine acidité. La finale se développe longuement sur un fruité citronné. (Sucres résiduels : 65 g/l.)

SARL Louis Freyburger et Fils, 10, rte de Colmar, 68750 Bergheim, tél. 03.89.73.63.82, fax 03.89.73.37.72, e-mail contact@vins-freyburger.com r.-v.

## PIERRE HENRI GINGLINGER 2003 ★★

1,93 ha 6 930 3 à 5 €

Mathieu Ginglinger a pris la suite d'une lignée de vignerons remontant au début du XVIIe s. Il exploite les 9 ha du domaine en agriculture biologique. Son riesling 2003 s'annonce par un fruité puissant qui marque aussi l'attaque franche. Riche, assez vif, élégant et typé, floral en finale, un très beau vin, à déguster sur des fruits de mer. Il a manqué de peu le coup de cœur. (Sucres résiduels : 8 g/l.)

Pierre Henri Ginglinger, 33, Grand-Rue, 68420 Eguisheim, tél. 03.89.41.32.55, fax 03.89.24.58.91, e-mail gingling@terre-net.fr
t.l.j. 9h-12h 13h-18h30

## W. GISSELBRECHT Réserve 2003 ★

2 ha 22 000 5 à 8 €

Installée dans le vignoble alsacien depuis le XVIIe s., la famille Gisselbrecht dispose d'un important vignoble : 17 ha. La jeune génération – Christine, Philippe et Claude – gère le domaine et la cave où des foudres centenaires côtoient des cuves Inox thermorégulées. Ce 2003 associe au nez un fruité bien mûr, compoté, à une note citronnée. Son équilibre, sa fraîcheur, son caractère racé et sa finale expressive le rendent fort plaisant. (Sucres résiduels : 6 g/l.)

Willy Gisselbrecht et Fils, 5, rte du Vin, 67650 Dambach-la-Ville, tél. 03.88.92.41.02, fax 03.88.92.45.50, e-mail info@vins-gisselbrecht.com
r.-v.

GOETZ
Riesling de Wolxheim Sélection particulière 2003
0,6 ha 4 000 **3 à 5 €**

Servi à Napoléon Ier, à Napoléon III et à Guillaume II, le vin de Wolxheim fut le vin des Empereurs. Le riesling y tient la vedette. Né sur un terroir marno-calcaire, celui-ci présente un nez assez discret mêlant des nuances grillées et minérales. Franche et équilibrée, la bouche est marquée par une légère rondeur de bon aloi. (Sucres résiduels : 7 g/l.)

Mathieu Goetz, 2, rue Jeanne-d'Arc,
67120 Wolxheim, tél. 03.88.38.10.47,
fax 03.88.38.67.61, e-mail mathieu.goetz@wanadoo.fr
r.-v.

JOSEPH GSELL 2003 ★
1,2 ha 7 000 5 à 8 €

Secondé par son fils, Joseph Gsell exploite le domaine familial depuis 1978. Il propose un 2003 né sur un terroir argilo-calcaire. Ce vin s'ouvre progressivement sur un fruité d'agrumes (citron, pamplemousse). Cette vive palette aromatique contribue à sa fraîcheur en bouche. Une bouteille riche et ample, d'une belle persistance. (Sucres résiduels : 9 g/l.)

Joseph Gsell, 26, Grand-Rue, 68500 Orschwihr,
tél. 03.89.76.95.11, fax 03.89.76.20.54,
e-mail joseph.gsell@wanadoo.fr r.-v.

AIME GUTHMANN 2003
7,5 ha 50 000 **5 à 8 €**

Marque appartenant à la maison Lorentz, société de négoce qui exploite en propre 32 ha de vignes à Bergheim et aux environs. Ce riesling est typé au nez avec des senteurs de citronnelle complétées par une note de fruits confits. Il est riche, assez complexe et un peu nerveux. Un léger perlant souligne sa fraîcheur. Un fruité d'agrumes marque la finale. (Sucres résiduels : 3 g/l.)

Aimé Guthmann, 91, rue des Vignerons,
68750 Bergheim, tél. 03.89.73.22.22, fax 03.89.73.30.49
t.l.j. sf dim. 10h-12h 14h-18h30
Ch. Lorentz

ANDRE HARTMANN Armoirie Hartmann 2003
0,7 ha 4 900 **5 à 8 €**

Par son altitude, le village de Vœgtlinshoffen offre un panorama exceptionnel sur le vignoble et la plaine de Haute-Alsace. C'est là que la famille Hartmann est établie depuis le XVIIes. On retrouve sa cuvée Armoirie, très souvent mentionnée dans le Guide. Le 2003 présente des arômes frais, assortis d'une touche minérale. Sa bonne vivacité au palais, sa puissance et son fruité lui donnent une tournure agréable. (Sucres résiduels : 9 g/l.)

André Hartmann, 11, rue Roger-Frémeaux,
68420 Vœgtlinshoffen, tél. 03.89.49.38.34,
fax 03.89.49.26.18 t.l.j.
sf dim. 9h-12h 14h-18h; sur r.-v. pdt les vendanges

JEAN-PAUL ET FRANK HARTWEG
Vendanges tardives 2002 ★
0,1 ha 1 018 **30 à 38 €**

Situé à Beblenheim, près de Riquewihr, ce vignoble familial dispose aujourd'hui de 8 ha de vignes. Son riesling Vendanges tardives est très concentré en sucres résiduels ce qui est le signe d'une maturation extrême sur pied. D'un jaune d'or intense, il mêle au nez des arômes de fruits en surmaturation (coing) et de miel d'acacia. Très souple à l'attaque, le palais est encore dominé par le sucre. Bien structuré et charpenté, ce vin possède un réel potentiel, mais il faut l'attendre deux ou trois ans. Un ensemble original. (Sucres résiduels : 95,8 g/l.)

Jean-Paul et Frank Hartweg, 39, rue Jean-Macé,
68980 Beblenheim, tél. 03.89.47.94.79,
fax 03.89.49.00.83, e-mail frank.hartweg@free.fr
t.l.j. sf dim. 8h-11h30 13h30-18h

J. HAULLER ET FILS 2003
5,15 ha 61 133 **3 à 5 €**

Ce négociant exploite en propre 15 ha de vignes. Il présente un riesling, issu d'un terroir granitique, encore discret au premier nez. De belle attaque, ce 2003 révèle un fruité agréable et une légère rondeur au palais. (Sucres résiduels : 9,8 g/l.)

J. Hauller et Fils,
3, rue de la Gare, 67650 Dambach-la-Ville,
tél. 03.88.92.40.21, fax 03.88.92.45.41 r.-v.

CAVE DE HOEN Graffenreben 2003 ★★
2 ha 21 500 5 à 8 €

Cette société est liée à la coopérative de Beblenheim qui traite et commercialise la récolte de 232 ha. Elle propose une cuvée issue d'un terroir argilo-calcaire caillouteux. Le nez séduit par ses arômes typés, accompagnés d'une touche de surmaturation. Equilibré et ample, le palais est agrémenté de notes d'agrumes et de raisins confits. Un ensemble harmonieux et élégant. (Sucres résiduels : 8 g/l.)

SICA Baron de Hoen,
20, rue de Hoen, 68980 Beblenheim,
tél. 03.89.47.90.02, fax 03.89.47.86.85
t.l.j. 8h-12h 14h-18h; f. jan.-fév.

HUBER ET BLEGER Schlossreben 2003 ★
1,11 ha 8 000 5 à 8 €

Encore largement entouré de remparts médiévaux, dont subsiste la tour des Cigognes, Saint-Hippolyte fut fondé au VIIIes. par Fulrad, chapelain de Charlemagne. Conduit en production intégrée, le domaine Huber et Bléger ne compte pas moins de 21 ha de vignes. Produite sur granite plus ou moins décomposé, sa cuvée du Schlossreben s'ouvre sur des notes végétales : tilleul, menthe, serpolet. Franche et droite, elle est bien équilibrée et fait preuve d'une belle présence. (Sucres résiduels : 8 g/l.)

Dom. Huber et Bléger, 6, rte du Vin,
68590 Saint-Hippolyte, tél. 03.89.73.01.12,
fax 03.89.73.00.81, e-mail domaine@huber-bleger.fr
t.l.j. sf dim. 9h-12h 14h-17h30;
f. sam. 1er jan. à Pâques

JEAN HUTTARD 2003 ★
0,6 ha 3 400 **8 à 11 €**

Perché au sommet d'une butte calcaire qui semble détachée du piémont vosgien, le village de Zellenberg fut fortifié au XIIIes. et devint un baillage dépendant de l'évêque de Strasbourg. Le vignoble multiséculaire est mis en valeur par des vignerons tels que les Huttard. Fin et fruité, leur riesling allie des arômes d'agrumes et de pêche. Droit et franc, il présente une belle acidité, la cohérence avec son fruité, et persiste assez longuement. (Sucres résiduels : moins de 5 g/l.)

Jean Huttard, 10, rte du Vin, 68340 Zellenberg, tél. 03.89.47.90.49, fax 03.89.47.90.32
t.l.j. sauf lun. 9h-12h 14h-18h
J.-Cl. Huttard

### JOGGERST ET FILS Lieu-dit Haguenau 2003 ★★

0,5 ha 4 000 8 à 11 €

Avant 1975, cette exploitation vendait sa production au négoce. Elle livre aujourd'hui directement au public des vins fort remarqués par les commissions Hachette ces derniers temps. Après un coup de cœur l'an dernier, voici un autre excellent riesling issu d'un lieu-dit argilo-calcaire. Un 2003 très typé du cépage par son nez au fruité intense et son palais bien croquant, frais et d'une belle persistance. (Sucres résiduels : 6 g/l.)

Joggerst et Fils, 19, Grand-Rue, 68150 Ribeauvillé, tél. 03.89.73.66.32, fax 03.89.73.65.45, e-mail vins.joggerst@ifrance.com
t.l.j. sf dim. 9h-12h 14h-18h; f. jan. à mars
Martin Joggerst

### JOSMEYER Les Pierrets 2001 ★★

1,05 ha 7 540 15 à 23 €

Etabli à Wintzenheim près de Colmar, ce domaine dispose d'un important vignoble : plus de 27 ha. Il a proposé un 2001 en robe dorée, au nez complexe évoquant un panier de fruits bien mûrs : coing, abricot, pêche blanche et notes confites. Ces notes de surmaturation se prolongent au palais, où l'équilibre et la structure confirment sa belle matière. « La classe », conclut un dégustateur. (Sucres résiduels : 8,2 g/l.)

Dom. Josmeyer, 76, rue Clemenceau, 68920 Wintzenheim, tél. 03.89.27.91.90, fax 03.89.27.91.99, e-mail josmeyer@wanadoo.fr r.-v.

### CLEMENT KLUR Grain d'or 2003 ★★

0,6 ha 4 000 5 à 8 €

A la tête de l'exploitation familiale depuis 1999, Clément Klur conduit en biodynamie son vignoble très pentu. Il exporte 50 % de ses vins. A l'image de son terroir granitique et de l'été 2003, ce Grain d'or associe des notes d'agrumes et d'épices. Franc et racé, puissant, gras et équilibré, il termine en beauté sur une belle vivacité. (Sucres résiduels : 4 g/l.)

Clément Klur, 105, rue des Trois-Epis, 68230 Katzenthal, tél. 03.89.80.94.29, fax 03.89.27.30.17, e-mail info@klur.net
r.-v.

### KROSSFELDER Sélection 2003 ★

n.c. 10 000 3 à 5 €

Présidée par J.-Ph. Haag, la cave vinicole de Dambach-la-Ville fait partie du groupe Wolfberger. Cette Sélection offre un nez fin, à la fois floral et minéral. Sa belle matière s'exprime dans une bouche fraîche, croquante et persistante. Un classique. (Sucres résiduels : 7 g/l.)

Cave vinicole Krossfelder, 39, rue de la Gare, 67650 Dambach-la-Ville, tél. 03.88.92.40.03, fax 03.88.92.42.89 r.-v.

### DOM. LOEW Bruderbach Clos des Frères 2003 ★

1 ha 6 000 8 à 11 €

Après des études d'œnologie suivies à Dijon, Etienne Loew a repris en 1996 le domaine familial jusqu'alors vinifié par la coopérative. Il a voulu mettre en valeur les terroirs du vignoble tout en respectant l'environnement grâce à une démarche rigoureuse de production intégrée. Ce 2003 provient de grès magnésien. Fin et vif au nez, avec une note fumée, il se montre ample, puissant et riche au palais, soutenu par un brin de fraîcheur. Des notes fruitées et poivrées agrémentent la finale. (Sucres résiduels : 15 g/l.)

Dom. Etienne Loew, 28, rue Birris, 67310 Westhoffen, tél. et fax 03.88.50.59.19, e-mail etienne.loew@wanadoo.fr r.-v.

### JEROME LORENTZ FILS
Cuvée des Templiers 2003

3,5 ha 35 000 5 à 8 €

Cette maison de négoce de Bergheim exploite en propre 32 ha de vignes. Sa cuvée des Templiers s'inscrit dans la gamme des classiques avec ses senteurs florales bien fraîches et accompagnées de nuances minérales. En bouche, des notes exotiques ajoutent à sa complexité. Bien équilibré, structuré et persistant, un vin prometteur. (Sucres résiduels : 4,5 g/l.)

Jérôme Lorentz, 1-3, rue des Vignerons, 68750 Bergheim, tél. 03.89.73.22.22, fax 03.89.73.30.49
t.l.j. sf dim. 10h-12h 14h-18h30
Ch. Lorentz

### JEAN-LOUIS ET FABIENNE MANN
Ortel Cuvée Fabienne et Jean-Louis 2003 ★★★

0,16 ha 850 11 à 15 €

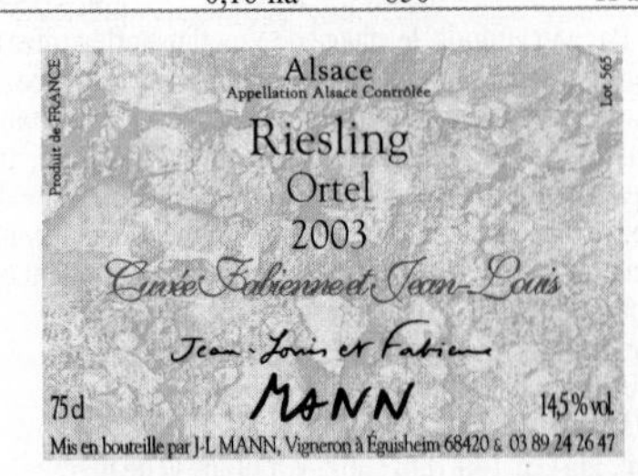

Alsace
Appellation Alsace Contrôlée
Riesling
Ortel
2003
Cuvée Fabienne et Jean-Louis
Jean-Louis et Fabienne
MANN
75cl
14,5% vol
Mis en bouteille par J-L MANN, Vigneron à Eguisheim 68420 ☏ 03 89 24 26 47
Produit de FRANCE


La famille Mann s'est installée à Eguisheim dans les années 1950. Le siège de l'exploitation qui regroupe plus de 8 ha de vignes est situé à quelques pas de l'enceinte du vieux village. Jean-Louis et Fabienne signent une cuvée qui n'a qu'un défaut : son caractère confidentiel. Le nez offre des fragrances intenses et complexes : les arômes caractéristiques du cépage sont complétés par des notes poivrées et réglissées. Cette complexité se retrouve au palais où l'équilibre racé et la grande persistance révèlent la qualité exceptionnelle de cette cuvée. (Sucres résiduels : 4 g/l.)

EARL Jean-Louis Mann,
11, rue du Traminer, 68420 Eguisheim,
tél. 03.89.24.26.47, fax 03.89.24.09.41,
e-mail mann.jean.louis@wanadoo.fr r.-v.

### ALFRED MEYER Kaefferkopf 2003 *

0,3 ha 2 500 5 à 8 €

Daniel Meyer a travaillé dans la restauration avant de reprendre l'exploitation familiale (7 ha de vigne) en 2003. Son premier millésime n'est pas des plus complexes mais il se montre assez aromatique et typé. Intéressant par sa structure, il offre une finale fraîche qui en fait un vin facile à boire. (Sucres résiduels : 5 g/l.)

Alfred Meyer et Fils, 98, rue des Trois-Epis,
68230 Katzenthal, tél. 03.89.27.24.50,
fax 03.89.27.55.40 t.l.j. 9h-18h30; dim. sur r.-v.
Daniel Meyer

### RENE MEYER
Croix du Pfoeller Vendanges tardives 2002 *

0,56 ha 2 500 11 à 15 €

René Meyer exploite ses 9 ha de vignes à Katzenthal, petit bourg viticole situé au fond d'un vallon à quelques kilomètres à l'ouest de Colmar. Il propose des Vendanges tardives d'un jaune d'or brillant, au nez très complexe, associant fruits secs, notes légèrement beurrées et rose fanée. Une belle attaque fraîche introduit une bouche ample et bien structurée. Un vin puissant, harmonieux, à la longue finale fruitée. (Sucres résiduels : 24 g/l.)

EARL René Meyer et Fils,
14, Grand-Rue, 68230 Katzenthal,
tél. 03.89.27.04.67, fax 03.89.27.50.59
t.l.j. sf dim. 8h30-12h 14h-18h
Jean-Paul Meyer

### MEYER-FONNE Pfoeller 2002

0,5 ha 2 500 **11 à 15 €**

Chez les Meyer, l'amateur est accueilli dans les caves traditionnelles qui datent du XVII^e^s. Les vins sont élevés dans des foudres en chêne et bénéficient de toutes les attentions du fils, Félix. Ce riesling né d'un terroir calcaire affiche une robe jaune doré intense. Il se montre aussi intense au nez, avec des notes d'agrumes confits. Riche et gras, il reste bien nerveux. La finale est agrémentée d'une fine touche botrytisée. (Sucres résiduels : 3 g/l.)

Dom. Meyer-Fonné,
24, Grand-Rue, 68230 Katzenthal,
tél. 03.89.27.16.50, fax 03.89.27.34.17 r.-v.
François et Félix Meyer

### CHARLES MULLER ET FILS
Steinacker de Traenheim 2003

0,4 ha 3 500 **5 à 8 €**

Dans le village de Traenheim, au nord de la route des Vins, on cultive la vigne depuis le VIII^e^s. Aujourd'hui, les vignerons y développent des techniques respectueuses de l'environnement et mettent en valeur des lieux-dits comme ce Steinacker aux sols marno-calcaires. Ce terroir a engendré un riesling au nez intense de fleurs blanches puis de citron. Un peu souple à l'attaque, il s'exprime au palais par un « croquant » bien typé. (Sucres résiduels : 6 g/l.)

Charles Muller et Fils,
89c, rte du Vin, 67310 Traenheim,
tél. 03.88.50.38.04, fax 03.88.50.58.54 r.-v.

### FRANCIS MURE 2003

n.c. 2 000 **5 à 8 €**

Un vigneron en vue du sud de la route des Vins. Son riesling 2001 avait eu un coup de cœur, mais 2003 est un millésime hors normes. Ce vin n'en est pas moins classique par ses reflets verts et s'ouvre sur le beau fruit frais caractéristique. On retrouve ce fruité typé dans un palais riche, puissant et corsé. (Sucres résiduels : 3 g/l.)

Francis Muré, 30, rue de Rouffach,
68250 Westhalten, tél. 03.89.47.64.20,
fax 03.89.47.09.39, e-mail mure-francis@club-internet.fr
r.-v.

### CAVE D'ORSCHWILLER-KINTZHEIM
Les Faîtières 2003

3,6 ha 33 000 **5 à 8 €**

Créée en 1957, cette coopérative regroupe des vignerons des trois villages d'Orschwiller, de Kintzheim et de Saint-Hippolyte et vinifie 130 ha de vignoble. Elle est dirigée par l'œnologue André Maldonado qui assure depuis près de quinze ans son développement. Ce riesling possède un nez d'agrumes et de fruits exotiques bien engageant. On retrouve ce fruité dans un palais un peu fugace, riche et souple. Un ensemble plaisant. (Sucres résiduels : 4 g/l.)

Cave Les Faîtières, 4A, rte du Vin,
67600 Orschwiller, tél. 03.88.92.09.87,
fax 03.88.82.30.92, e-mail cave@cave-orschwiller.fr
t.l.j. 10h-12h 14h-17h

### ERNEST PREISS Cuvée particulière 2003 *

n.c. 80 000 **8 à 11 €**

Marque développée par Dopff & Irion, viticulteur négociant établi à Riquewihr. Cette Cuvée particulière fait preuve d'une belle régularité. Le millésime 2003 se caractérise par un nez assez discret mais net, floral et fruité. Fin, équilibré, c'est un vin assez rond. (Sucres résiduels : 5,8 g/l.)

Ernest Preiss, BP 3, 68340 Riquewihr,
tél. 03.89.47.91.21, fax 03.89.47.98.90 r.-v.

### DOM. DU CH. DE RIQUEWIHR
Les Murailles 2003 *

8 ha 40 000 **8 à 11 €**

A proximité des remparts de Riquewihr, le château est l'ancienne propriété des ducs de Wurtemberg ; sa cave date de 1549. Ce riesling des Murailles présente des parfums subtils aux nuances fruitées. En bouche, il révèle des notes d'agrumes caractéristiques du cépage ; il est souple et élégant, avec une pointe de fraîcheur qui ravive ses arômes (Sucres résiduels : 5,7 g/l.)

Dopff et Irion, Dom. du Château de Riquewihr,
68340 Riquewihr, tél. 03.89.47.92.51,
fax 03.89.47.98.90, e-mail post@dopff-irion.com
r.-v.

### RUHLMANN Vieilles Vignes 2003 *

1,3 ha 7 100 5 à 8 €

Fondée au XVII^e^s., cette maison s'est fortement développée au cours des vingt dernières années : agrandissement du vignoble (25 ha en propre), achat de raisins et progrès à l'exportation qui concerne 45 % du vin. D'un abord discret, celui-ci s'ouvre sur des nuances minérales et du citron confit. Au palais, il est typé, expressif et bien équilibré. Un riesling classique et élégant. (Sucres résiduels : 7,2 g/l.)

Ruhlmann, 34, rue du Mal-Foch, 67650 Dambach-la-Ville, tél. 03.88.92.41.86, fax 03.88.92.61.81 t.l.j. 8h-12h 14h-18h

DOM. JOSEPH SCHARSCH
Riesling de Wolxheim 2003 **

| | 0,7 ha | 6 900 | | 5 à 8 € |
|---|---|---|---|---|

Les Scharsch père et fils exploitent ensemble les 10 ha du domaine familial selon les principes de la lutte intégrée. Ils sont installés à l'ouest de Strasbourg, dans l'un des villages de la « Couronne d'or » : Wolxheim est réputé pour ses rieslings, et ce n'est pas la première fois que la propriété tire de ses terroirs un vin remarquable. Ce 2003 séduit d'entrée par ses arômes intenses et complexes associant fruits confits, fruits secs et une pointe minérale. Cette palette se prolonge dans une bouche puissante et riche, où triomphe un fruité surmûri qui persiste longuement. (Sucres résiduels : 9 g/l.)

Dom. Joseph Scharsch, 12, rue de l'Eglise, 67120 Wolxheim, tél. 03.88.38.30.61, fax 03.88.38.01.13, e-mail domaine.scharsch@wanadoo.fr r.-v.

MICHEL SCHOEPFER Vieilles Vignes 2003 *

| | 0,8 ha | 6 000 | | 3 à 5 € |
|---|---|---|---|---|

Située dans l'enceinte fortifiée du célèbre village d'Eguisheim, cette propriété a son siège dans l'ancienne cave dîmière du couvent des Augustins. Elle regroupe plus de 7 ha de vignoble et exporte 30 % de sa production. Son riesling Vieilles Vignes offre un nez très expressif, citronné et minéral (silex). Très bien équilibré entre souplesse et fraîcheur, riche et élégant, il persiste longuement sur des notes d'agrumes assez vives. (Sucres résiduels : 6 g/l.)

Michel Schoepfer et Fils, 43, Grand-Rue, 68420 Eguisheim, tél. 03.89.41.09.06, fax 03.89.23.08.50, e-mail michel.schoepfer@tele2.fr t.l.j. 8h-12h 13h-19h

SEILLY Schenkenberg Vieilles Vignes 2003 *

| | 2,3 ha | 16 000 | | 8 à 11 € |
|---|---|---|---|---|

Etabli à l'entrée de la pittoresque ville d'Obernai, cette exploitation familiale dispose d'une cave voûtée où les vins sont élevés dans les foudres en chêne sous le regard attentif de Marc Seilly, technicien-œnologue. Légèrement fermé au premier nez, celui-ci révèle ensuite des notes complexes et un peu de minéralité. Ample, franc, frais, structuré et assez long, c'est un riesling classique que l'on pourra marier à du poisson en papillote. (Sucres résiduels : 2 g/l.)

Dom. Seilly, 18, rue du Gal-Gouraud, 67210 Obernai, tél. 03.88.95.55.80, fax 03.88.95.54.00, e-mail info@seilly.fr r.-v.

SIMMLER Schlossreben 2003 *

| | 0,4 ha | 2 000 | | 8 à 11 € |
|---|---|---|---|---|

Depuis 1990, Nicolas Simmler exploite les 5 ha du domaine situé au pied du Haut-Kœnigsbourg. Le lieu-dit Schlossreben, « vignoble du château », est un terroir granitique qui favorise la bonne maturation, voire la surmaturation. Ce riesling au nez intense de fruits confits en témoigne. De belle finesse, ce vin est complexe au palais et persiste longuement sur des notes citronnées. (Sucres résiduels : 10 g/l.)

Nicolas Simmler, 1, pl. de l'Hôtel-de-Ville, 68590 Saint-Hippolyte, tél. 03.89.73.00.31, fax 03.89.73.03.28 r.-v.

PIERRE SPARR Altenbourg 2003

| | 1,97 ha | 14 666 | | 11 à 15 € |
|---|---|---|---|---|

Fondée en 1892, cette maison est établie à Sigolsheim, près de Colmar. Elle vient de terminer sa nouvelle installation de conditionnement des vins ; la mise en bouteilles s'effectue sous contrôle microbiologique afin de garantir une excellente stabilité du vin. Cela n'enlève rien à la qualité aromatique, témoin ce 2003 marqué par une légère surmaturation et des notes exotiques. Au palais, ce riesling développe une structure ample, une bonne fraîcheur et une belle finale où paraissent des notes minérales. Une forte personnalité et une certaine originalité. (Sucres résiduels : 7 g/l.)

SA Pierre Sparr et ses Fils, 2, rue de la 1re Armée-Française, 68240 Sigolsheim, tél. 03.89.78.24.22, fax 03.89.47.32.62, e-mail vins-sparr@alsace-wines.com r.-v.

DOM. STOEFFLER
Lieu-dit Muhlforst Vendanges tardives 2002

| | 0,4 ha | 1 500 | | 11 à 15 € |
|---|---|---|---|---|

Vincent Stoeffler tire parti de ses compétences d'œnologue pour conduire son domaine de 13 ha. Il y produit 35 cuvées différentes. Celle-ci est issue d'un terroir argilo-calcaire qui donne des vins assez longs à s'exprimer. La robe intense, couleur or, annonce une grande concentration ; le nez, encore fermé, consent à peine à livrer quelques effluves de fruits secs. Après une bonne attaque, la bouche se révèle fraîche, bien constituée. La palette aromatique est dominée par les agrumes qui marquent la finale. (Sucres résiduels : 40 g/l.)

Dom. Vincent Stoeffler, 1, rue des Lièvres, 67140 Barr, tél. 03.88.08.52.50, fax 03.88.08.17.09, e-mail info@vins-stoeffler.com t.l.j. sf dim. 10h-12h 13h30-18h30

DOM. WEINBACH
Clos des Capucins Cuvée Sainte-Catherine 2003 *

| | 1 ha | 3 800 | | 23 à 30 € |
|---|---|---|---|---|

Une ancienne et vaste propriété d'origine monastique, cultivée dès le Moyen Age et donnée aux capucins en 1612. Après maints incendies et péripéties, elle fut acquise par les ascendants de Théo Faller. Elle est maintenant conduite par Colette Faller et ses filles. Né d'un sol sablo-granitique, ce 2003, expressif et complexe, mêle au nez des notes d'agrumes et des nuances toastées. Assez vif, racé, il est équilibré et persistant. Un vin prometteur à attendre un an ou deux. (Sucres résiduels : 4,5 g/l.)

Dom. Weinbach-Colette Faller et ses Filles, Clos des Capucins, 68240 Kaysersberg, tél. 03.89.47.13.21, fax 03.89.47.38.18, e-mail contact@domaineweinbach.com r.-v.

### WOLFBERGER 2003 *

n.c. 15 000 5 à 8 €

Autant que le riesling, la cave Wolfberger, par son importance, est incontournable dans le vignoble alsacien. Ce 2003 s'inscrit dans le registre des bons classiques avec son nez fin associant des effluves citronnés et des nuances minérales caractéristiques du cépage que l'on retrouve en bouche. Fraîcheur et longueur contribuent à son harmonie. (Sucres résiduels : 7 g/l.)

Wolfberger, 6, Grand-Rue, 68420 Eguisheim, tél. 03.89.22.20.20, fax 03.89.23.47.09 r.-v.

### DOM. XAVIER WYMANN 2003 **

n.c. 4 026 5 à 8 €

Cette exploitation familiale qui compte un peu plus de 5 ha a été reprise par Jean-Luc Schaerlinger en 1996. Elle a son siège à Ribeauvillé, dans la rue de la Fraternité, un nom qui engage à la convivialité. Son riesling 2003 scintille de reflets dorés et révèle des arômes flatteurs d'agrumes, de pêche, avec des notes de surmaturation. Assez gras, ample, corsé et long, c'est un beau vin de repas pour une viande blanche ou un poisson en sauce. (Sucres résiduels : 4,5 g/l.)

Jean-Luc Schaerlinger, 41, rue de la Fraternité, 68150 Ribeauvillé, tél. et fax 03.89.73.66.83 r.-v.

### MAISON ZIMMER Weissengrund 2003

0,43 ha 4 100 8 à 11 €

En 2001, Régine Zimmer a repris la gestion du domaine qui regroupe 9 ha de vignes. Située au cœur du village de Riquewihr, la maison date de 1631, et le caveau de dégustation est encore plus ancien (1572). Vous pourrez y découvrir ce riesling produit sur son terroir argilo-marneux. Encore discret au nez, ce vin, d'une persistance correcte, est agréable par son équilibre et par sa fraîcheur. (Sucres résiduels : 10 g/l.)

Maison Zimmer, 42, rue du Gal-de-Gaulle, 68340 Riquewihr, tél. et fax 03.89.47.85.01, e-mail zimmer.regine@wanadoo.fr r.-v.

Régine Zimmer

## Alsace muscat

Deux variétés de muscat servent à élaborer ce vin sec et aromatique qui donne l'impression que l'on croque du raisin frais. Le premier, dénommé de tout temps muscat d'Alsace, n'est rien d'autre que celui que l'on connaît mieux sous le nom de muscat de Frontignan. Comme il est tardif, on le réserve aux meilleures expositions. Le second, plus précoce et de ce fait plus répandu, est le muscat ottonel. Ces deux cépages occupent 354 ha en 2004. Le muscat d'Alsace doit être considéré comme une spécialité aimable et étonnante, à boire en apéritif et lors de réceptions avec, par exemple, du kugelhopf ou des bretzels. Il s'accorde aussi à merveille avec les asperges.

### JEAN BOESCH ET PETIT FILS

Réserve Breitenberg 2003

0,15 ha 600 5 à 8 €

Muscat d'Alsace et muscat ottonel à parts égales composent cette réserve Breitenberg jaune pâle à reflets verts. Le nez, discret mais tout en finesse, tire plutôt sur les fleurs blanches. Au palais, le vin s'exprime avec ampleur et rondeur sur des arômes de muscat nuancés d'épices. La bouche est croquante, de bonne persistance. Une bouteille prête. (Sucres résiduels : 14 g/l.)

EARL Jean Boesch et Petit-Fils, 1, rue Wagenbourg, 68570 Soultzmatt, tél. 03.89.47.00.87, fax 03.89.47.08.19 t.l.j. 8h-12h 14h-19h; groupes sur r.-v.

### BOHN 2003

0,37 ha 2 500 5 à 8 €

Ce muscat est issu de terroirs granitiques, sols légers se ressuyant bien et se réchauffant rapidement à la belle saison. D'une couleur jaune pâle, il révèle à l'olfaction de la finesse et une belle expression fruitée avec des nuances de fruits confits. La bouche, vive et fraîche, est équilibrée et présente une réelle intensité aromatique malgré une finale un peu fugace. (Sucres résiduels : 2 g/l.)

René Bohn Fils, 67, rte des Vins, 67650 Blienschwiller, tél. et fax 03.88.92.41.33, e-mail rene.bohn@wanadoo.fr r.-v.

### CAMILLE BRAUN Bollenberg 2003

0,53 ha 1 800 8 à 11 €

Au sud de la route des Vins, Orschwihr est un coquet village viticole qui ne compte plus ses vignerons metteurs en marché... Son muscat est issu du Bollenberg : une colline bien sèche et un millésime bien sec. Le résultat ? La robe est jaune brillant. L'olfaction révèle une touche de grillé mais surtout une typicité bien affirmée. L'importante quantité de sucres résiduels n'empêche pas le palais d'être croquant. Ce vin issu d'une matière très mûre est doux mais bien équilibré et révèle une intéressante puissance aromatique. À servir à l'apéritif. (Sucres résiduels : 32 g/l.)

Camille Braun, 16, Grand-Rue, 68500 Orschwihr, tél. 03.89.76.95.20, fax 03.89.74.35.03, e-mail cbraun@terre-net.fr t.l.j. sf dim. 8h-12h 13h-18h30

### CLOS SAINTE-APOLLINE

Bollenberg Cuvée sélectionnée 2003 *

1,8 ha 7 000 8 à 11 €

L'exploitation est située au sommet du Bollenberg, hauteur connue pour son microclimat ainsi que pour sa faune et sa flore qui rappellent la garrigue... Ce muscat se présente dans une robe d'un jaune assez soutenu. Son expression aromatique est bien développée avec de puissantes senteurs de fruits mûrs et de fruits confits. La bouche est ronde, ample et structurée, d'une agréable harmonie. Elle finit sur une élégante note de muscat, tout en finesse. (Sucres résiduels : 3 g/l.)

Clos Sainte-Apolline, SARL Dom. du Bollenberg, Bollenberg, 68250 Westhalten, tél. 03.89.49.67.10, fax 03.89.49.76.16, e-mail info@bollenberg.com t.l.j. sf lun. 8h-19h

### MATERNE HAEGELIN ET SES FILLES 2003

0,57 ha 7 200 5 à 8 €

Le domaine développé par Materne Haegelin, aujourd'hui rejoint par ses filles, compte 18 ha de terroirs

variés, ce qui en fait une propriété importante pour la région. Ce muscat 2003 est composé à 60 % de muscat d'Alsace et à 40 % de muscat ottonel. C'est un vin jaune clair à l'expression caractéristique de son cépage, chaleureux et rond. La finale, de bonne longueur, est marquée par les fleurs blanches. (Sucres résiduels : 7 g/l.)
Materne Haegelin et ses Filles, 45-47, Grand-Rue, 68500 Orschwihr, tél. 03.89.76.95.17, fax 03.89.74.88.87, e-mail filles@haegelin-materne.fr
t.l.j. 8h15-18h30; dim. sur r.-v.
Régine Garnier

DOM. HAEGI Vendanges tardives 2002 *

0,25 ha 950 11 à 15 €

Ce domaine a réussi à élaborer dans ce millésime atypique une toute petite cuvée de muscat en vendanges tardives. Il s'est bien tiré de l'exercice puisque, pour son millésime 2002, il obtient une étoile avec ce vin jaune paille à reflets brillants. Un nez ouvert sur des notes musquées et des nuances de fruits mûrs précède une bouche ample, souple et équilibrée, d'une grande élégance. Ces arômes de muscat très mûr se prolongent jusque dans la longue finale. (Sucres résiduels : 55 g/l. Bouteilles de 50 cl.)
Bernard et Daniel Haegi, 33, rue de la Montagne, 67140 Mittelbergheim, tél. 03.88.08.95.80, fax 03.88.08.91.20, e-mail domaine.haegi@mittelbergheim.fr
t.l.j. sf dim. 8h-11h45 13h30-18h

DOM. LEON HEITZMANN Vieilles Vignes 2003

0,46 ha 4 500 5 à 8 €

Implanté depuis six générations à Ammerschwihr, ce domaine propose un muscat produit à partir de vignes de trente-cinq ans d'âge des cépages muscat d'Alsace (muscat à petits grains), à 70 %, et muscat Ottonel, à 30 %. Jaune très clair, ce vin se distingue par la finesse de son nez. Après une attaque ronde, la dégustation révèle une belle fraîcheur soulignée par des nuances mentholées jusqu'à la finale. (Sucres résiduels : 4 g/l.)
Léon Heitzmann, 2, Grand-Rue, 68770 Ammerschwihr, tél. 03.89.47.10.64, fax 03.89.78.27.76, e-mail leon.heitzmann@wanadoo.fr
t.l.j. sf dim. 8h-12h 13h30-18h

ROGER HEYBERGER
Vieilles Vignes Bildstoecklé 2003 *

0,5 ha 2 300 5 à 8 €

Par leur bonne rétention d'eau, les terroirs calcaires conviennent particulièrement bien au muscat comme le montre ce millésime 2003 très réussi. Ce vin est issu de vieilles vignes qui affinent encore le caractère du muscat. Une robe jaune d'or à reflets verts, un nez de fleurs (fleurs blanches et de tilleul) caractérisent cette bouteille élégante, très agréable au palais, structurée avec beaucoup de mâche. La longue finale se montre légèrement épicée. « Pour un apéritif en tête-à-tête », note un dégustateur. (Sucres résiduels : 9 g/l.)
Roger Heyberger et Fils, 5, rue Principale, 68420 Obermorschwihr, tél. 03.89.49.30.01, fax 03.89.49.22.28, e-mail vins.heyberger@wanadoo.fr
t.l.j. sf dim. 8h-11h45 14h-18h30

ROBERT KARCHER Harth 2003

0,6 ha 3 850 5 à 8 €

Robert Karcher est l'un des derniers vignerons établis dans le vieux Colmar. Son vignoble est situé sur la Hardt de Colmar, le cône de déjection de la Fecht, affluent de l'Ill ; le sol y est sablonneux-caillouteux. Ce terroir très perméable a donné naissance à un muscat jaune soutenu aux reflets ambrés. Des notes d'agrumes, de pamplemousse notamment, composent un nez flatteur. La bouche ronde, souple et bien équilibrée s'achève sur une touche légèrement mentholée qui donne à ce vin un certain charme. (Sucres résiduels : 5,3 g/l.)
Dom. Robert Karcher et Fils, 11, rue de l'Ours, 68000 Colmar, tél. 03.89.41.14.42, fax 03.89.24.45.33, e-mail info@vins-karcher.com
t.l.j. 8h-12h 14h-19h; dim. sur r.-v.
Georges Karcher

CHARLES SCHLERET 2003

0,45 ha 4 000 5 à 8 €

Ce muscat est originaire d'un terroir alluvial très caillouteux. Derrière une robe jaune d'or, le nez laisse apparaître, à côté du fruité caractéristique du cépage, une petite note d'évolution et une pointe épicée et grillée. La bouche, ronde, fait la part belle aux arômes de pâte de fruits. On retrouve en finale des nuances de fruits confits et de grillé. « Un muscat atypique », selon certains dégustateurs. Le millésime l'est aussi. (Sucres résiduels : 6 g/l.)
Charles Schleret, 1-3, rte d'Ingersheim, 68230 Turckheim, tél. et fax 03.89.27.06.09
t.l.j. 9h-19h; dim. 10h-13h

PAUL SPANNAGEL Tradition 2003

0,18 ha 1 800 5 à 8 €

La famille Spannagel est installée depuis 1598 à Katzenthal, village viticole aux terroirs variés allant du granitique au sol brun calcique. C'est dans ce dernier type de sols qu'est née cette cuvée Tradition jaune pâle à reflets verts brillants. Son nez est discret mais tout en finesse. Après une attaque ronde, la bouche se révèle ample, avec une intéressante expression variétale. (Sucres résiduels : 2 g/l.)
Paul Spannagel et Fils, 1, Grand-Rue, 68230 Katzenthal, tél. 03.89.27.01.70, fax 03.89.27.45.93 t.l.j. sf dim. 8h-12h 14h-19h ; dim. et groupes sur r.-v.

# Alsace gewurztraminer

Le cépage qui est à l'origine de ce vin est une forme particulièrement aromatique de la famille des traminer. Un traité publié en 1551 le désigne déjà comme une variété typiquement alsacienne. Cette authenticité, qui s'est de plus en plus affirmée à travers les siècles, est sans doute due au fait qu'il atteint dans ce vignoble un optimum de qualité. Ce qui lui a conféré une réputation unique dans la viticulture mondiale.

Son vin est corsé, bien charpenté, en général sec mais parfois moelleux, et caractérisé par un bouquet merveilleux, plus ou moins puissant selon les situations et les millésimes. Le gewurztraminer, qui a une production relativement faible et irrégulière, est un cépage précoce aux raisins très sucrés. Il occupe environ 2 786 ha. Souvent servi en apéritif, lors de réceptions ou sur des desserts, il accompagne aussi, surtout lorsqu'il est puissant, les fromages à goût relevé comme le roquefort et le munster, ou la cuisine épicée.

DOM. PIERRE ADAM Kaefferkopf 2003

1 ha 7 000 11 à 15 €

Plantée au milieu des vignes à l'entrée nord-ouest d'Ammerschwihr, en direction de Kaysersberg, la maison à colombage de la famille Adam s'aperçoit de loin. Une bonne partie des parcelles de l'exploitation est située dans le célèbre cru du Kaefferkopf. C'est de ce terroir que provient ce 2003 jaune d'or, au nez de surmaturation nuancé de rose et d'ananas. Le fruit exotique se prolonge dans une bouche qui n'est pas des plus puissantes, mais qui reste agréable par son ampleur et une certaine persistance. A attendre un peu. (Sucres résiduels : 20 g/l.)

Dom. Pierre Adam, 8, rue du Lt-Louis-Mourier, 68770 Ammerschwihr, tél. 03.89.78.23.07, fax 03.89.47.39.68, e-mail info@domaine-adam.com
r.-v.
Rémy Adam

DOM. ALLIMANT-LAUGNER
Vendanges tardives 2002

0,7 ha 5 000 11 à 15 €

Orschwiller est situé en contrebas du château du Haut-Kœnigsbourg, au milieu des vignes cultivées par les nombreux exploitants de la commune. Avec ses 12 ha, cette propriété est de celles qui comptent dans le village. Elle signe une vendange tardive de couleur paille dorée, voire ambrée, au nez floral intense nuancé de figue. Rond et ample, assez charpenté et bien structuré autour d'une acidité agréable servant de support à des arômes de fruits confits, ce vin finit sur une note épicée. (Sucres résiduels : 75 g/l. Bouteilles de 50 cl.)

Allimant-Laugner, 10, Grand-Rue, 67600 Orschwiller, tél. 03.88.92.06.52, fax 03.88.82.76.38, e-mail alaugner@terre-net.fr
t.l.j. sf dim. 9h-12h 14h-18h

DOM. YVES AMBERG Vieilles Vignes 2003 ★★

n.c. 2 500 15 à 23 €

Situé à une dizaine de kilomètres au sud de Barr, Epfig possède un important vignoble. Yves Amberg y exploite son domaine en agriculture biologique. Issu de ceps de quarante ans plantés sur des colluvions du piémont, ce gewurztraminer jaune soutenu délivre des parfums élégants, intensément floraux avec des nuances épicées. Des arômes de surmaturation évoquant les fruits confits et la confiture de coings s'affirment dans un palais franc à l'attaque, de bonne longueur, marqué par la douceur en finale. A attendre. (Sucres résiduels : 70 g/l.)

Yves Amberg, 19, rue Fronholz, 67680 Epfig, tél. 03.88.85.51.28, fax 03.88.85.52.71 r.-v.

VIGNOBLE FREDERIC ARBOGAST
Geierstein 2003 ★★

1 ha 4 500 5 à 8 €

Etablie dans l'enceinte d'un ancien château médiéval dont ne subsiste guère qu'une porte (celle de la cave), cette exploitation familiale s'est illustrée l'an dernier avec un riesling 2002, jugé digne d'un coup de cœur. Dans le millésime suivant, un gewurztraminer recueille les mêmes éloges. Jaune d'or à reflets brillants, ce 2003 s'annonce par des nuances épicées, puis délivre avec élégance des fragrances de rose et de mangue. Très typé, particulièrement expressif, concentré, il attaque sur le litchi accompagné de notes de banane séchée et de pêche, et finit sur des notes épicées et poivrées d'une grande finesse. Déjà plaisant et apte à la garde, un ensemble aromatique, puissant, ample et long. (Sucres résiduels : 19 g/l.)

Frédéric Arbogast, 3, pl. de l'Eglise, 67310 Westhoffen, tél. 03.88.50.30.51, fax 03.88.50.36.40, e-mail fredarbogast@wanadoo.fr
r.-v.

BAUMANN-ZIRGEL Vieilles Vignes 2003 ★

0,5 ha 4 000 8 à 11 €

Fondée après guerre, c'est l'exploitation familiale type, où le fils, Benjamin, et la fille, Valérie, se sont associés depuis peu à leurs parents pour conduire le vignoble et mener les travaux de vinification. Ils proposent un gewurztraminer de belle présentation avec sa robe jaune paille et son nez complexe associant rose, pêche, ananas et litchi. Frais à l'attaque, ce vin se développe agréablement au palais, souple, ample, équilibré et persistant. On peut l'attendre au moins deux ans. (Sucres résiduels : 22 g/l.)

Baumann-Zirgel, 5, rue du Vignoble, 68630 Mittelwihr, tél. 03.89.47.90.40, fax 03.89.49.04.89, e-mail baumann-zirgel@wanadoo.fr
r.-v.

FRANCIS BECK Prestige 2003 ★

0,4 ha 3 000 8 à 11 €

La propriété familiale de la famille Beck est située en face de la chapelle Sainte-Marguerite (XI-XIII$^{e}$s.), curiosité la plus notable d'Epfig, importante commune viticole d'Alsace. Jaune clair à reflets dorés, sa cuvée Prestige 2003 a fait bonne impression avec ses parfums de litchi typiques et tout en finesse, son palais intense et long. On l'oubliera quelque temps en cave pour permettre au sucre de se fondre. (Sucres résiduels : 43 g/l.)

Francis Beck, 79, rue Sainte-Marguerite, 67680 Epfig, tél. 03.88.85.54.84, fax 03.88.57.83.81, e-mail vins@francisbeck.com
t.l.j. 9h-12h 14h-19h; dim. sur r.-v.

BECK-DOMAINE DU REMPART
Vendanges tardives Cuvée Guillaume 2002

| 0,32 ha | 2 300 | 15 à 23 € |
|---|---|---|

Les caves du domaine, aujourd'hui conduit par Gilbert Beck, sont en partie aménagées dans les remparts (XIVe s.) qui donnent tout son cachet à Dambach-la-Ville. Jaune d'or dans le verre, cette cuvée ne révèle que timidement ses parfums de rose nuancés d'épices. Riche et ample, marquée par une douceur importante, elle est suffisamment fraîche pour offrir un équilibre flatteur. Sa finale assez longue est dominée par des notes épicées. (Sucres résiduels : 86 g/l.)

Gilbert Beck, Dom. du Rempart,
5, rue des Remparts, 67650 Dambach-la-Ville,
tél. 03.88.92.42.43, fax 03.88.92.49.40,
e-mail beck.domaine@wanadoo.fr r.-v.

JOSEPH ET CHRISTIAN BINNER
Kaefferkopf Cuvée Béatrice 2001

| 0,55 ha | 3 350 | 23 à 30 € |
|---|---|---|

Ces vignerons d'Ammerschwihr conduisent leur exploitation en biodynamie et mènent des vinifications originales, avec fermentation en foudre sans levurage et élevage des vins deux ans sur leurs lies. C'est donc un 2001 qu'ils ont présenté au jury. D'une jaune d'or soutenu, ce vin offre un nez abricoté, nuancé d'amande. Frais à l'attaque, souple et ample, il finit sur des notes confiturées. Un ensemble équilibré et prêt. (Sucres résiduels : 30 g/l.)

Audrey et Christian Binner, 2, rue des Romains,
68770 Ammerschwihr, tél. 03.89.78.23.20,
fax 03.89.78.14.17, e-mail vinsbinner@aol.com
t.l.j. sf dim. 9h-11h30 14h-18h30

JEAN BOESCH Vallée Noble 2003 *

| 0,2 ha | 860 | 5 à 8 € |
|---|---|---|

Cette exploitation familiale est implantée à Soultzmatt, village situé à l'entrée de la Vallée Noble et dominé par les coteaux abrupts du grand cru Zinnkoepflé. Jaune pâle à reflets dorés, son gewurztraminer est marqué au nez par le miel et la cire d'abeille. Dominé au palais par les fruits confits, onctueux et persistant, ce vin finit sur d'élégantes notes épicées. Un bon 2003 qui pourrait s'accorder avec du confit d'oie ou de canard. (Sucres résiduels : 25 g/l.)

EARL Jean Boesch,
1, rue Wagenbourg, 68570 Soultzmatt,
tél. 03.89.47.00.87, fax 03.89.47.08.19
t.l.j. 8h-12h 14h-19h; groupes sur r.-v.

FRANCOIS BRAUN ET SES FILS
Cuvée Sainte-Cécile 2003 *

| 2,8 ha | 7 000 | 8 à 11 € |
|---|---|---|

Etablie dans le tronçon méridional de la route des Vins, cette exploitation dispose de 21 ha, ce qui en fait une propriété importante pour la région. Deux cuvées de gewurztraminer ont été retenues avec une étoile : cette cuvée Sainte-Cécile, d'un or limpide, intensément exotique au nez comme en bouche (ananas et litchi), d'une puissance modérée mais agréable, délicate en finale et assez fraîche pour paraître à table, sur un porc à l'ananas, par exemple (sucres résiduels : 19,7 g/l.) ; et les **vendanges tardives 2002 (15 à 23 €)** jaune d'or soutenu, aux discrets parfums de mangue ; un vin complexe, riche, souple et très équilibré. (Sucres résiduels : 53,8 g/l.)

François Braun et ses Fils, 19, Grand-Rue,
68500 Orschwihr, tél. 03.89.76.95.13, fax 03.89.76.10.97
t.l.j. sf dim. 8h-12h 13h30-18h

BROBECKER Cuvée spéciale 2003 *

| 0,8 ha | 4 000 | 5 à 8 € |
|---|---|---|

Sa physionomie d'ensemble, ses monuments, ses ruelles bordées de pittoresques maisons font d'Eguisheim une commune en vue de la route des Vins. Les visiteurs y trouvent de nombreuses exploitations viticoles comme celle-ci, à laquelle on doit ce gewurztraminer jaune pâle à reflets dorés. Encore discret au nez, ce vin laisse percevoir quelques effluves de miel et d'orange confite qui se prolongent en bouche. Frais à l'attaque, dominé au palais par des arômes de coing, gras, ample, et légèrement épicé, il donne une impression de puissance. (Sucres résiduels : 24 g/l.)

SCEA Vins Brobecker, 3, pl. de l'Eglise,
68420 Eguisheim, tél. 06.87.52.80.72,
fax 03.89.41.55.93, e-mail pascal.joblot@free.fr
r.-v.
Pascal Joblot

CAVE DE CLEEBOURG 2003 *

| 20,73 ha | 68 000 | 5 à 8 € |
|---|---|---|

Proche de Wissembourg, Cleebourg est la localité viticole la plus septentrionale d'Alsace. Son important vignoble s'est développé autour de la coopérative qui vinifie près de 190 ha et propose des vins typiques comme ce gewurztraminer. Jaune d'or à reflets brillants, ce 2003 développe un nez intense et profond de litchi relevé par une pointe épicée. Ces arômes exotiques se prolongent dans un palais ample, gras, mûr et long. Un ensemble élégant et prêt à boire. (Sucres résiduels : 8,4 g/l.)

Cave vinicole de Cleebourg, rte du Vin,
67160 Cleebourg, tél. 03.88.94.50.33,
fax 03.88.94.57.08, e-mail info@cave.cleebourg.fr
t.l.j. 8h-12h 14h-18h; dim. à partir de 10h

FAHRER-ACKERMANN
Lieu-dit du Silbergrub 2003

| 0,4 ha | 2 500 | 8 à 11 € |
|---|---|---|

Située dans un des villages s'étendant en contrebas du Haut-Kœnigsbourg, cette exploitation a été reprise voilà six ans par un de ses anciens salariés. Elle propose un gewurztraminer dont la robe jaune paille limpide montre des reflets verts brillants. Encore timide, le nez laisse percer quelques notes poivrées. Après une bonne attaque, on découvre de la vivacité mais aussi beaucoup de douceur. Ce 2003 devrait gagner en harmonie avec le temps. (Sucres résiduels : 66 g/l.)

Dom. Fahrer-Ackermann, 10, rte du Vin,
68590 Rorschwihr, tél. 06.07.19.28.68,
fax 03.88.92.90.23 r.-v.

ROBERT ET CHRISTOPHE FREUDENREICH
Bergweingarten Cuvée Exception 2003 *

| 0,4 ha | 2 400 | 11 à 15 € |
|---|---|---|

A la tête de 7,5 ha de vignes, Robert et Christophe Freudenreich sont installés au centre de Pfaffenheim, dans une maison traditionnelle. Ils signent une cuvée jaune soutenu aux brillants reflets dorés et au nez subtilement exotique. Ces arômes de fruits exotiques s'affirment et se prolongent dans un palais élégant, persistant et onctueux à souhait. Une rondeur qui séduit. (Sucres résiduels : 36 g/l.)

Robert Freudenreich et Fils,
31, rue de l'Eglise, 68250 Pfaffenheim,
tél. 03.89.49.60.88, fax 03.89.49.69.36,
e-mail robert.freudenreich@wanadoo.fr r.-v.

## MARCEL FREYBURGER
Kaefferkopf Sélection de grains nobles 2002 *

0,21 ha 500 15 à 23 €

Très éprouvé par la guerre, Ammerschwihr a fait renaître la confrérie Saint-Etienne. Figurant au nombre des principales communes viticoles d'Alsace, la cité organise tous les ans en avril une foire aux vins où se confrontent les vins de la région. Après un superbe 2001, cette exploitation livre une autre sélection de grains nobles de qualité. Jaune paille soutenu, ce 2002 attire l'attention par un nez complexe qui évolue des fruits exotiques (mangue, litchi) aux agrumes et aux fleurs en passant par les fruits confits. Floral en bouche, riche et soutenu par une bonne acidité, il finit sur des notes persistantes d'orange confite et d'écorce d'orange qui laissent augurer une bonne évolution. (Sucres résiduels : 90 g/l.)

Marcel Freyburger,
13, Grand-Rue, 68770 Ammerschwihr,
tél. 03.89.78.25.72, fax 03.89.78.15.50,
e-mail marcel.freyburger@libertysurf.fr
t.l.j. 9h-12h 14h-18h; dim. sur r.-v.

## JEAN-CLAUDE GUETH
Cuvée du Veilleur de nuit 2003 **

0,3 ha 1 500 11 à 15 €

Si mère et fille tiennent le bureau de vente, on les voit aussi tailler la vigne, conduire le tracteur et vinifier. Quant au père, Jean-Claude, il endosse à l'occasion le rôle de veilleur de nuit lors de la fête médiévale du village, et cette cuvée rappelle ses prouesses théâtrales. Le vin ? Jaune d'or à l'œil, expansif au nez, il ne se fait pas prier pour exprimer des notes florales et épicées. Sa matière captive, ample, grasse, puissante, élégante et persistante, avec des arômes de fruits confits, épicés et poivrés, en finale. Une belle composition. (Sucres résiduels : 30 g/l.)

GAEC Jean-Claude Gueth,
3, rue de la Source, 68420 Gueberschwihr,
tél. 03.89.49.33.61, fax 03.89.49.24.82,
e-mail vins.jeanclaude.gueth@wanadoo.fr
t.l.j. 14h-19h

## DOM. HAEGI Vendanges tardives 2002 *

0,4 ha 1 800 15 à 23 €

Avec ses grandes maisons de vignerons à cour intérieure imposante, Mittelbergheim mérite le détour. Le village produit des vins de caractère en provenance de terroirs variés. Celui-ci est le fruit d'un sol gréseux à colluvions. D'un jaune d'or intense, il est tout aussi intense au nez où des notes de fruits confits se nuancent d'épices. C'est cette même palette que l'on retrouve en bouche, avec des notes de fruits confiturés et une finale poivrée élégante. L'ensemble séduit par sa richesse, son ampleur et son équilibre entre douceur et acidité. (Sucres résiduels : 56 g/l.)

Bernard et Daniel Haegi,
33, rue de la Montagne, 67140 Mittelbergheim,
tél. 03.88.08.95.80, fax 03.88.08.91.20,
e-mail domaine.haegi@mittelbergheim.fr
t.l.j. sf dim. 8h-11h45 13h30-18h

## GERARD ET SERGE HARTMANN
Vieille Vigne Antoine 2003 *

0,65 ha 6 500 11 à 15 €

La famille Hartmann est profondément enracinée à Vœgtlinshoffen, tout comme les vieux ceps d'un demi-siècle à l'origine de cette cuvée. Or assez clair, ce 2003 mêle au nez les fruits en compote et la fleur blanche. Elégant à l'attaque, gras, ample et long, il séduit aussi par son expression aromatique marquée en finale par le fruit confit. (Sucres résiduels : 32 g/l.)

Gérard et Serge Hartmann,
13, rue Frémeaux, 68420 Vœgtlinshoffen,
tél. 03.89.49.30.27, fax 03.89.49.29.78 r.-v.

## HUBERT ET HEIDI HAUSHERR
Altengarten Sélection de grains nobles 2002 *

0,18 ha 680 38 à 46 €

Des nouveaux venus dans le Guide, et pour cause : jusqu'au millésime 2000, Hubert et Heidi Hausherr faisaient vinifier leur récolte par la coopérative. Ils répugnent à la mécanisation et exploitent sans tracteur leurs 4,6 ha de vignes. Jaune paille à reflets dorés, cette sélection de grains nobles présente un nez de fruits confits caractéristique. Puissante à l'attaque, riche, ample, agrémentée d'arômes de fruits exotiques (ananas, mangue), de bonne longueur, elle finit sur une note fraîche d'agrumes et une pointe d'amertume bienvenues. (Sucres résiduels : 110 g/l.)

Hubert et Heidi Hausherr, 6B, rue Pasteur,
68420 Eguisheim, tél. et fax 03.89.23.40.67,
e-mail hubert-et-heidi.hausherr@wanadoo.fr
r.-v.

## HERTZOG Cuvée Sainte-Cécile 2003 *

1,06 ha 5 700 5 à 8 €

A une dizaine de kilomètres au sud de Colmar, Obermorschwihr étend ses vignobles sur les pentes ensoleillées de ses coteaux, parmi lesquels le grand cru Hatschbourg. Sur ses terroirs plutôt marno-calcaires, le gewurztraminer est bien implanté. Il a donné ici un vin jaune d'or, mêlant au nez des nuances particulièrement épicées et un fruité concentré. Très souple et rond, le palais fait preuve d'une petite nervosité soulignée par un léger perlant. La longue finale est marquée par le fruit exotique (mangue). Un vin d'apéritif et de foie gras. (Sucres résiduels : 35 g/l.)

EARL Sylvain Hertzog, 18, rte du Vin,
68420 Obermorschwihr, tél. 03.89.49.31.93,
fax 03.89.49.28.85, e-mail hertzog@wanadoo.fr
t.l.j. sf dim. 9h-19h

## HUBER ET BLEGER 2003

0,98 ha 9 800 15 à 23 €

Cette importante exploitation (12 ha) a son siège à Saint-Hippolyte, pittoresque village situé au pied du Haut-Kœnigsbourg. Elle signe un gewurztraminer jaune d'or, au nez très fruits exotiques (mangue, fruit de la Passion, ananas). On retrouve l'ananas, assorti de litchi, dans une bouche chaleureuse, ample et persistante, qui devrait gagner en harmonie d'ici un an ou deux. (Sucres résiduels : 20 g/l.)

Dom. Huber et Bléger, 6, rte des Vins,
68590 Saint-Hippolyte, tél. 03.89.73.01.12,
fax 03.89.73.00.81, e-mail domaine@huber-bleger.fr
t.l.j. sf dim. 9h-12h 14h-17h30; sam. sur r.-v.

HUEBER Kaefferkopf 2003 *

0,22 ha 1 500 8 à 11 €

Etablie à l'entrée du bourg le plus célèbre de la route des Vins, cette maison de négoce exploite en propre plus de 10 ha de vignes répartis sur sept communes. Ce 2003 issu du Kaefferkopf s'habille élégamment d'une robe jaune à reflets or rose. Agréable et concentré au nez, il décline des nuances complexes de cire d'abeille, de litchi et de fruits surmûris. Moelleux, épicé et poivré à l'attaque, il évolue en bouche sur des notes de litchi qui agrémentent une finale ample et longue. (Sucres résiduels : 25 g/l.)

SARL Hueber et Fils,
6, rte du Vin, 68340 Riquewihr,
tél. 03.89.47.92.30, fax 03.89.49.04.53,
maisonhueber.com t.l.j. 9h-12h 13h-18h

HUNOLD Vendanges tardives 2002 *

0,77 ha 4 000 15 à 23 €

Située à une quinzaine de kilomètres au sud de Colmar, la ville de Rouffach présente quelques monuments intéressants, tel le bailliage, la tour des Sorcières et l'église Notre-Dame, de style à la fois roman et gothique. La commune est aussi, grâce à son lycée, le centre de formation de la viticulture alsacienne. A la tête de 13 ha, Bruno Hunold a élaboré des vendanges tardives de très bonne tenue. Jaune d'or dans le verre, expressif au nez, ce 2002 associe une nuance d'agrumes à des notes de fruits confits qui marquent aussi la finale, accompagnées d'une pointe épicée. Introduite par une belle attaque, bien soutenue par une arête acide, la bouche se montre puissante, grasse, chaleureuse, harmonieuse et longue. (Sucres résiduels : 45 g/l.)

EARL Bruno Hunold, 29, rue Aux-Quatre-Vents, 68250 Rouffach, tél. 03.89.49.60.57, fax 03.89.49.67.66, e-mail info@bruno-hunold.com
t.l.j. sf dim. 9h-12h 13h-18h

JEAN GEILER Vendanges tardives 2002 **

3,4 ha 7 900 11 à 15 €

La commune d'Ingersheim est située à 4 km à l'ouest de Colmar. Au centre de la petite ville, vous trouverez sa cave vinicole qui se flatte de posséder le plus grand foudre de chêne de la vallée du Rhin. Sous la marque Jean Geiler, la coopérative propose un vin jaune d'or brillant, au nez fin et complexe, dont le fruité exotique rappelle le litchi. Riche, gras, soutenu par une belle acidité qui apporte de la fraîcheur, ce 2002 finit longuement sur des notes poivrées. Tout ce qu'on attend des vendanges tardives. (Sucres résiduels : 85 g/l.)

Cave vinicole Jean Geiler, 45, rue de la République, 68040 Ingersheim, tél. 03.89.27.90.27,
fax 03.89.27.90.30, e-mail vin@geiler.fr r.-v.

MAISON JULG 2003 *

0,52 ha 2 400 5 à 8 €

Proche de Cleebourg et de Wissembourg, Seebach est l'un de ces villages de l'extrémité septentrionale du vignoble alsacien. Son bel ensemble de fermes à colombage mérite le détour. Peter Jülg est installé dans l'une d'entre elles, datant du XVIII[e]s. Jaune d'or dans le verre, son gewurztraminer révèle un nez profond, élégant et complexe où se mêlent les fruits confits et des fruits exotiques nuancés d'épices (poivre). Litchi et pamplemousse dominent un palais ample et chaleureux, équilibré et long. (Sucres résiduels : 8,9 g/l.)

Peter Jülg, 116, rue des Eglises, 67160 Seebach,
tél. 03.88.94.79.98, fax 03.88.53.16.34 r.-v.

L. KIRMANN 2003

2 ha 3 000 5 à 8 €

Il se proclame le « fou d'Epfig » et fait profession de vigneron-restaurant-librairie. Vous pourrez donc vous attabler chez Olivier Kirmann pour découvrir ses vins. Jaune clair à reflets verts, celui-ci présente un nez subtil, franc et élégant, où des notes épicées et poivrées relèvent des fragrances florales. Des arômes que l'on retrouve jusqu'en finale dans un palais net à l'attaque, gras et frais, révélant une belle matière. Un plaisir immédiat et une certaine aptitude à la garde. (Sucres résiduels : 8 g/l.)

Dom. Kirmann, 6, rue des Alliés, 67680 Epfig,
tél. 03.88.85.59.07, fax 03.88.85.56.41,
e-mail contact@kirmann.com r.-v.

CLEMENT KLUR Vieilles Vignes 2002 **

0,35 ha 2 500 8 à 11 €

Clément Klur exploite des coteaux pentus autour de Katzenthal, à quelque 6 km de Colmar. Avec d'autres, il a su porter loin la renommée de ce petit village niché dans un vallon, puisqu'il exporte sa production jusqu'en Nouvelle-Zélande, en Roumanie et même à Dubaï. Des vignes de quarante-cinq ans ont donné naissance à ce gewurztraminer jaune soutenu et limpide, au nez intense et complexe fait de fleurs, d'épices et d'une touche minérale. Ample, riche, très doux, ce vin n'en révèle pas moins une fraîcheur étonnante qui soutient la longue finale et lui permettra de parfaire encore son harmonie avec le temps. Une belle présence. (Sucres résiduels : 48 g/l.)

Clément Klur, 105, rue des Trois-Epis,
68230 Katzenthal, tél. 03.89.80.94.29,
fax 03.89.27.30.17, e-mail info@klur.net
r.-v.

RENE KOCH ET FILS Vendanges tardives 2002 *

0,25 ha 2 000 15 à 23 €

Installé à 50 m de la place du Marché et de sa belle fontaine Renaissance, René Koch et son fils Michel exploitent 10 ha de vignes autour de Nothalten, petit village qui s'étire le long de la route des Vins. D'un terroir limono-argileux, ils ont tiré des vendanges tardives jaune d'or, au nez complexe déclinant les agrumes, les fruits exotiques, la rose, des notes confites et une touche de bergamote. Riche, ample, chaleureux, équilibré et persistant, ce 2002 finit sur une élégante note de miel. (Sucres résiduels : 46 g/l.)

GAEC René et Michel Koch, 5, rue de la Fontaine, 67680 Nothalten, tél. 03.88.92.41.03, fax 03.88.92.63.99, e-mail vin-koch@wanadoo.fr r.-v.

FREDERIC KUHLMANN 2003 **

0,6 ha 5 000 5 à 8 €

Maintes fois dessinée par Hansi, l'église fortifiée de Hunawihr, juchée sur un promontoire en dehors du village, est l'une des plus célèbres de la route des Vins. Sur l'étiquette de ce domaine, elle semble perchée sur un pic. Quant à ce 2003 jaune d'or, il ne manque pas de hauteur. Le nez attire, d'abord subtil, sur l'abricot, puis plus intense, sur le coing, le tout mêlé d'épices. Ample, étoffé, le palais n'en présente pas moins un côté aérien et frais qui séduit. Sa longue finale où l'on retrouve le coing est particulièrement élégante. Un vin qui se suffit à lui-même et que l'on pourra apprécier dès maintenant et pendant plusieurs années. (Sucres résiduels : 28 g/l.)

SCEA Frédéric Kuhlmann, 8, rue de la Fontaine, 68150 Hunawihr, tél. 03.89.73.60.33, fax 03.89.47.81.92, e-mail info@fkuhlmann.com
t.l.j. sf dim. 8h-12h 14h-19h
Willy Kuhlmann

**LIPP** Vendanges tardives 2001 ★

0,36 ha 800 15 à 23 €

Ce domaine fournit la célèbre brasserie parisienne du même nom. Un terroir argilo-limoneux a su pourvoir en continu à l'alimentation de la vigne et a donné une vendange de qualité, dont François Lipp et son fils ont tiré un vin des plus réussis. D'un jaune d'or caractéristique, ces vendanges tardives libèrent au nez d'intenses parfums de fruits exotiques (mangue) et d'abricot bien mûr. Ces arômes se poursuivent dans un palais harmonieux, puissant et long. Une richesse imposante. (Sucres résiduels : 53 g/l.)

EARL François Lipp et Fils, 6, rte du Vin, 68420 Husseren-les-Châteaux, tél. 03.89.49.30.37, fax 03.89.49.32.23 r.-v.

**MARZOLF** 2003 ★

0,66 ha 2 480 5 à 8 €

L'étiquette du domaine montre le clocher roman aux trois étages de fenêtres qui fait la fierté de Gueberschwihr, village viticole situé au sud de Colmar. La famille Marzolf, installée dans la commune depuis des générations, a aménagé une cave moderne dans le vignoble. Jaune d'or à légers reflets verts, son gewurztraminer 2003 s'exprime avec intensité et finesse au nez, marqué par des parfums de litchi que l'on retrouve en bouche, relevés de nuances de citronnelle. Frais à l'attaque, ample, élégant et long, un ensemble de bonne tenue. (Sucres résiduels : 17 g/l.)

GAEC Marzolf, 9, rte de Rouffach, 68420 Gueberschwihr, tél. 03.89.49.31.02, fax 03.89.49.20.84, e-mail vins@marzolf.fr
t.l.j. sf dim. 9h-12h 13h30h-19h

**MEISTERMANN** 2003 ★

0,4 ha 4 000 5 à 8 €

Ce domaine situé à quelque 10 km au sud de Colmar est exploité par la troisième génération. Il propose un gewurztraminer discret, tant dans sa robe jaune pâle limpide qu'au nez, qui laisse cependant deviner les arômes caractéristiques du cépage. De bonne attaque, équilibré et fin, c'est un vin prometteur qui devrait s'ouvrir avec le temps. (Sucres résiduels : 15 g/l.)

Michel Meistermann, 37, rue de l'Eglise, 68250 Pfaffenheim, tél. 03.89.49.60.61, fax 03.89.49.79.30 r.-v.

**DOM. DU MITTELBURG** Cuvée Bacchus 2003

0,25 ha 2 500 5 à 8 €

Enracinés à Pfaffenheim où leurs ancêtres cultivaient déjà la vigne au XVIII^e s., les Martischang sont fidèles aux méthodes d'élevage traditionnelles, dans le bois. D'un terroir argilo-calcaire, ils ont tiré un vin d'approche discrète, avec une robe jaune clair animée de brillants reflets dorés. Le nez n'en est pas moins ouvert, libérant des notes florales (fleurs blanches et rose) puis fruitées (pêche). Le palais est souple et rond. Une élégance légère. (Sucres résiduels : 30 g/l.)

EARL Henri Martischang, 15, rue du Fossé, 68250 Pfaffenheim, tél. 03.89.49.60.83, fax 03.89.49.76.61, e-mail vin.h.martischang@free.fr
r.-v.

**JULES MULLER** Réserve 2003 ★★

5 ha 40 000 8 à 11 €

Cette maison de négoce est rattachée à la société Charles Lorentz qui a pignon sur rue à Bergheim depuis longtemps. Elle signe un remarquable gewurztraminer issu d'un terroir argilo-calcaire. De couleur jaune d'or, ce 2003 développe des parfums intenses, fruités (litchi) et miellés, qui s'accompagnent en bouche de notes poivrées fort agréables. Un vin puissant, moelleux, bien fondu, harmonieux et long. « Il offre tout ce que l'on recherche dans un gewurztraminer », conclut un dégustateur. (Sucres résiduels : 10 g/l.)

Jules Muller, 91, rue des Vignerons, 68750 Bergheim, tél. 03.89.73.22.22, fax 03.89.73.30.49
t.l.j. sf dim. 10h-12h 14h-18h30
Ch. Lorentz

**CHARLES NOLL** 2003 ★★

0,4 ha 1 700 8 à 11 €

Situé à 3 km de Riquewihr, Mittelwihr s'étire le long de la route des Vins, au pied de son célèbre grand cru, la côte des Amandiers (Mandelberg). Ce domaine familial y exploite 6,5 ha de vignes. Son gewurztraminer 2003 sait se présenter, avec une robe jaune d'or intense et un nez puissant dominé par la pêche. Souple à l'attaque, d'une belle fraîcheur, il associe les arômes variétaux qui en font un modèle du genre : rose, fruits confits, et des notes épicées qui marquent la longue finale. De la matière et du fruité. (Sucres résiduels : 29 g/l.)

EARL Charles Noll, 2, rue de l'Ecole, 68630 Mittelwihr, tél. 03.89.47.93.21, fax 03.89.47.86.23
t.l.j. 9h-12h 13h30-20h

**CH. D'ORSCHWIHR**
Sélection de grains nobles 1994 ★

0,6 ha 1 500 46 à 76 €

Hubert Hartmann est le propriétaire d'un domaine chargé d'histoire, situé au sud de la route des Vins : ces terres appartinrent aux Habsbourg entre 1273 et 1513. Il a présenté là une sélection de grains nobles d'un vieux millésime qui permet de voir comment évoluent ces vins rares avec les ans. La robe vieil or s'est parée de reflets orangés brillants, le nez puissant, botrytisé, décline au palais un vin fin, gras, riche, chaleureux et long, de nouveau marqué en finale par la note concentrée d'agrumes confits. (Sucres résiduels : 80 g/l.)

Ch. d'Orschwihr, 68500 Orschwihr,
tél. 03.89.74.25.00, fax 03.89.76.56.91,
e-mail hh@chateau-or.com r.-v.
Hartmann

PREISS ZIMMER Vendanges tardives 2002 ★★★

| | 2 ha | 19 000 | | 15 à 23 € |
|---|---|---|---|---|

VIN D'ALSACE
APPELLATION ALSACE CONTRÔLÉE
GEWURZTRAMINER
2002
VENDANGES TARDIVES
MIS EN BOUTEILLE PAR CVT F 68230 POUR
PREISS ZIMMER À RIQUEWIHR - ALSACE - FRANCE
PRODUCT OF FRANCE
500 ml
13% Vol.

La maison Preiss Zimmer est affiliée à la cave vinicole de Turckheim. Elle présente ici des vendanges tardives qui sortent du lot. La robe or aux brillants reflets cuivrés annonce la richesse de ce 2002. D'une rare complexité, la palette aromatique associe la mangue, des notes confites, la mirabelle ainsi qu'une subtile minéralité. En bouche, on découvre une matière imposante, concentrée et une superbe harmonie. Les arômes de fruits confits prédominent jusqu'à la longue finale où l'on retrouve la délicate pointe minérale perçue au nez. Un vin d'anthologie promis à une belle garde. (Sucres résiduels : 53 g/l. Bouteilles de 50 cl.). Un autre vin de gewurztraminer **Vieilles Vignes 2003 (8 à 11 €)** et 16 g/l de sucres résiduels, obtient deux étoiles pour sa trame parfaite et ses notes exotiques.
SARL Preiss Zimmer, BP 20, 68340 Riquewihr,
tél. 03.89.47.86.91, fax 03.89.27.35.33,
e-mail preiss-zimmer@calixo.net

ANDRE REGIN Sélection 2003 ★

| | 0,5 ha | 4 500 | | 5 à 8 € |
|---|---|---|---|---|

A la tête de près de 8 ha de vignes, André Regin est l'un des producteurs du vignoble de la Couronne d'or de Strasbourg, situé à une dizaine de kilomètres au sud-ouest de la capitale régionale. D'un jaune d'or soutenu, sa Sélection laisse des larmes sur les parois du verre. D'abord discret, le nez libère des notes variétales de rose avant de révéler des parfums plus concentrés, surmûris et confits. Une attaque plaisante introduit un palais chaleureux, frais et équilibré, finissant sur une note légèrement amère de zeste d'agrumes. (Sucres résiduels : 29,5 g/l.)
André Regin, 2, rue Principale, 67120 Wolxheim,
tél. et fax 03.88.38.17.02, e-mail regin.andre@free.fr
r.-v.

EDMOND RENTZ
Vendanges tardives Réserve personnelle 2003

| | 1 ha | 5 500 | | 15 à 23 € |
|---|---|---|---|---|

La famille Rentz est à la tête d'un coquet domaine de 20 ha situé autour de Zellenberg, pittoresque village perché au sommet d'un éperon, face à Riquewihr. Elle propose un gewurztraminer jaune brillant, au nez assez intense de sous-bois et d'épices. Les arômes floraux dominent au palais. Franc à l'attaque, ample, ce vin est pour l'heure un peu alourdi par des sucres résiduels qui devront se fondre. Il gagnera à attendre. (Sucres résiduels : 75 g/l.)
Edmond Rentz, 7, rte du Vin, 68340 Zellenberg,
tél. 03.89.47.90.17, fax 03.89.47.97.27,
e-mail info@edmondrentz.com
t.l.j. sf dim. 8h-12h 14h-18h

SCHAEFFER-WOERLY Vendanges tardives 2002

| | 0,29 ha | 1 617 | | 15 à 23 € |
|---|---|---|---|---|

En plein centre de la petite cité fortifiée de Dambach, ces vignerons accueillent les visiteurs dans une maison ancienne (XVI[e]s.) et typique, avec ses arcades, son pignon à colombage et sa cave garnie d'anciens tonneaux de chêne. Leurs vendanges tardives 2002 s'habillent d'une robe jaune clair brillant à reflets verts. Même discrétion au nez, avec des effluves de rose qui dominent également au palais. Rond et riche, ce vin révèle une certaine fraîcheur garante de son évolution. Un ensemble équilibré et flatteur. (Sucres résiduels : 78 g/l.)
Schaeffer-Woerly, 3, pl. du Marché,
67650 Dambach-la-Ville, tél. 03.88.92.40.81,
fax 03.88.92.49.87, e-mail schaeffer-woerly@wanadoo.fr
t.l.j. 9h-12h 14h-18h; dim. sur r.-v.
Vincent Woerly

MARTIN SCHAETZEL
Kaefferkopf Vendanges tardives 2002 ★

| | 0,67 ha | 1 800 | | 15 à 23 € |
|---|---|---|---|---|

Conduit en biodynamie, ce domaine exporte 40 % de sa production. Il signe ici des vendanges tardives issues d'un terroir aux sols lourds, marno-calcaires. Jaune d'or brillant, ce vin encore fermé laisse cependant percevoir son potentiel aromatique en livrant quelques notes de litchi et de fruits confits. Plus expressif en bouche, il offre un fruité rappelant l'abricot et finit élégamment sur des notes épicées. Souple, riche, harmonieux et long, le palais est soutenu par une bonne acidité, gage de longévité. Une belle jeunesse. (Sucres résiduels : 58 g/l.)
Martin Schaetzel,
3, rue de la 5e-D.-B., 68770 Ammerschwihr,
tél. 03.89.47.11.39, fax 03.89.78.29.77 r.-v.
Béa et Jean Schaetzel

ANDRE SCHERER Holzweg 2003 ★

| | 0,5 ha | 1 800 | | 11 à 15 € |
|---|---|---|---|---|

Ce domaine familial est établi depuis 1750 à Husseren-les-Châteaux, village pittoresque dominant le vignoble au sud-ouest de Colmar. Il signe un gewurztraminer à la robe jaune d'or intense, à laquelle répond un nez riche, associant les fruits en surmaturation, les épices et un léger grillé. On retrouve ces arômes en bouche. Ample, gras et long, soutenu par une grande fraîcheur, un vin de garde. Le 2001 fut coup de cœur. (Sucres résiduels : 14 g/l.)
André Scherer, 12, rte du Vin, BP 4,
68420 Husseren-les-Châteaux, tél. 03.89.49.30.33,
fax 03.89.49.27.48, e-mail contact@andre-scherer.com
t.l.j. sf dim. 8h-12h 13h-18h

DOM. PIERRE SCHILLE Vogelgarten 2003 ★★

| | 0,37 ha | 1 050 | | 8 à 11 € |
|---|---|---|---|---|

Installés à Sigolsheim, à l'entrée de la vallée de Kaysersberg, les Schillé exploitent un vignoble réparti sur plusieurs communes. Les deux gewurztraminer retenus par le jury sont issus du même lieu-dit, caractérisé par un sol rocailleux, argilo-calcaire. Jaune clair à reflets dorés, ce 2003 associe harmonieusement au nez le litchi et des notes poivrées. On croque aussi le litchi en bouche. Un vin d'une grande délicatesse, ample, rond et gras. Du fruité, de la

douceur, du plaisir. (Sucres résiduels : 38 g/l.) Citée par le jury, une **sélection de grains nobles Vogelgarten 2002 (38 à 46 €)** offre un nez confit, un peu minéral, et un palais gras et riche, aux arômes de coing et de mirabelle. Elle gagnera à attendre. (Sucres résiduels : 88 g/l.)
Pierre Schillé et Fils, 14, rue du Stade,
68240 Sigolsheim, tél. 03.89.47.10.67,
fax 03.89.47.39.12, e-mail christophe.schille@neuf.fr
t.l.j. sf dim. 9h-12h 14h-19h

## FRANCOIS SCHWACH ET FILS
Kaefferkopf 2003 ★★

0,45 ha 3 000 **11 à 15 €**

Vingt et un hectares de vignes, ce n'est pas rien, surtout en Alsace. Etablie à Hunawihr, cette exploitation dispose de terroirs variés, notamment plus au sud, dans le Kaefferkopf. C'est de ce lieu-dit renommé depuis longtemps que provient ce gewurztraminer jaune d'or soutenu. Le nez délicat de rose et de pêche blanche évolue vers des notes plus confites qui s'affirment en bouche. Souple à l'attaque, ample, gras et très bien équilibré, le palais finit sur des notes persistantes de zeste d'agrumes un rien poivré. Une belle harmonie qui fait l'unanimité. (Sucres résiduels : 30 g/l.)
Dom. François Schwach et Fils,
28, rte de Ribeauvillé, 68150 Hunawihr,
tél. 03.89.73.62.15, fax 03.89.73.37.84,
e-mail info@schwach.com r.-v.

## DOM. J.-L. SCHWARTZ Kritt 2002 ★

0,4 ha 3 000 5 à 8 €

A quelques kilomètres au sud de Barr, le petit village d'Itterswiller regarde la plaine d'Alsace. Cette exploitation familiale est implantée sur le haut du coteau et domine une grande partie du vignoble. Elle propose un 2002 jaune à reflets dorés, mêlant au nez la rose, la cire d'abeille et des notes de fruits surmûris qui se prolongent en bouche. Léger à l'attaque, ce vin se montre ensuite ample, structuré et persistant. (Sucres résiduels : 25,3 g/l.)
Dom. J.-L. Schwartz,
70, rte des Vins, 67140 Itterswiller,
tél. 03.88.85.51.59, fax 03.88.85.59.16
t.l.j. 9h-19h30, dim. 9h-13h

## ALINE ET REMY SIMON Silbergrub 2003

0,44 ha 4 000 **5 à 8 €**

Aline et Rémy Simon ont repris en 1996 un petit vignoble familial à Saint-Hippolyte, au pied du Haut-Kœnigsbourg. Leur vigne est située sur d'anciennes mines d'argent (d'où le nom du lieu-dit), mais leur gewurztraminer se pare de l'or attendu – un or pâle à brillants reflets. Le nez floral évoque plutôt l'églantine et la fleur blanche que la rose. Assez puissant, dominé par des impressions de rondeur et de souplesse, un peu lourd en finale, ce vin devrait gagner en finesse avec le temps. On l'attendra un peu. (Sucres résiduels : 33 g/l.)
Dom. Aline et Rémy Simon, 12, rue Saint-Fulrade,
68590 Saint-Hippolyte, tél. et fax 03.89.73.04.92,
e-mail alineremy.simon@wanadoo.fr
r.-v.

## RENE SIMONIS Cuvée réservée 2003

0,5 ha 2 000 **5 à 8 €**

Etienne Simonis a repris le domaine de son père René en 1996. Une partie de son vignoble est situé sur terroir graveleux. C'est de ce type de sols que provient ce gewurztraminer jaune d'or à reflets brillants, au nez puissant de mirabelle et de citronnelle. Franc à l'attaque, épicé, ample et long, ce vin donne une impression de rondeur et de puissance chaleureuse. Il s'affinera avec le temps. (Sucres résiduels : 30 g/l.)
René et Etienne Simonis,
2, rue des Moulins, 68770 Ammerschwihr,
tél. 03.89.47.30.79, fax 03.89.78.24.10 r.-v.

## SPITZ & FILS Prestige d'automne 2003 ★

0,4 ha 3 500 **11 à 15 €**

Cette exploitation est implantée à Blienschwiller, village situé à une dizaine de kilomètres au sud de Barr. La commune, qui vit de la viticulture, organise tous les ans au mois de juillet une foire aux vins. D'un jaune limpide et brillant, ce 2003 est bien engageant. Il mêle au nez de subtils parfums de pêche et de poire. Un peu alourdi par les sucres, il n'en reste pas moins harmonieux. La longue finale est à la fois douce et poivrée. Un ensemble très agréable. (Sucres résiduels : 59 g/l.)
Spitz et Fils, 2-4, rte du Vin, 67650 Blienschwiller,
tél. 03.88.92.61.20, fax 03.88.92.61.26
t.l.j. 8h30-12h 13h30-19h
Dominique et Marie-Claude Spitz

## ACHILLE THIRION
Cuvée lieu-dit Schlossreben 2003 ★

0,68 ha 6 000 5 à 8 €

Cette exploitation familiale remontant à 1760 conduit son train de culture sur les coteaux situés au pied du Haut-Kœnigsbourg, d'où le nom du lieu-dit (Schlossreben ou « vignes du château »). Des ceps de quarante ans sont à l'origine de ce vin jaune à reflets d'or, au nez bien ouvert, complexe et profond, fait de notes fruitées, de rose et d'épices. Fruitée elle aussi, dominée par l'abricot avec quelques nuances épicées, l'attaque introduit un palais équilibré, tout en finesse. La longue finale sur l'orange confite suggère de servir ce gewurztraminer avec un magret de canard à l'orange et aux épices. (Sucres résiduels : 22 g/l.)
Dom. Achille Thirion,
69, rte du Vin, 68590 Saint-Hippolyte,
tél. 03.89.73.00.23, fax 03.89.73.06.46 r.-v.

## ANDRE THOMAS ET FILS Vieilles Vignes 2003 ★

0,3 ha 2 000 **11 à 15 €**

Ce gewurztraminer est issu d'une vigne âgée de quarante-cinq ans, implantée sur un terroir argilo-calcaire qui donne au cépage une expression caractéristique. Si la robe est jaune pâle, le nez est bien expressif, livrant des notes de surmaturation qui se prolongent dans un palais aromatique, marqué par les fruits confits. L'ensemble est encore dominé par les sucres qui ne demandent qu'à se fondre. Un vin prometteur, à attendre un peu. (Sucres résiduels : 15 g/l.)
André Thomas et Fils,
3, rue des Seigneurs, 68770 Ammerschwihr,
tél. 03.89.47.16.60, fax 03.89.47.37.22 r.-v.

## DOM. XAVIER WYMANN Vieilles Vignes 2003

0,61 ha 4 150 **8 à 11 €**

Situé à une vingtaine de kilomètres au nord de Colmar, Ribeauvillé a une triple vocation, administrative, industrielle et viticole. Cette dernière activité garde toute son importance dans une cité dotée de trois grands crus. Une parcelle de vignes de quarante ans est à l'origine de ce 2003 jaune clair à reflets dorés. Discret au nez, ce vin n'en révèle pas moins les typiques parfums de litchi que l'on retrouve en bouche. Le palais est plaisant, un peu alourdi par des sucres résiduels qui demandent à se fondre. (Sucres résiduels : 45 g/l.)

Dom. Jean-Luc Schaerlinger, 41, rue de la Fraternité, 68150 Ribeauvillé, tél. 03.89.73.66.83, r.-v.

## ZIEGLER-MAULER

Vieilles Vignes Cuvée Philippe 2003 *

0,35 ha 2 000 **8 à 11 €**

Au cœur de la route des Vins, Mittelwihr abrite de nombreux vignerons, dont Philippe Ziegler qui a succédé à son père en 1996 et qui signe ici une cuvée des plus réussies. La robe jaune d'or de ce 2003 incite à humer le verre. Le nez, dominé par la rose et les fruits très mûrs, révèle quelques notes grillées rappelant le café. Ample, souple, équilibré, le palais persiste sur des arômes exotiques. Un vin de classe qui devrait bien évoluer avec le temps. (Sucres résiduels : 17 g/l.)

Dom. Ziegler-Mauler et Fils, 2, rue des Merles, 68630 Mittelwihr, tél. 03.89.47.90.37, fax 03.89.47.98.27 r.-v.

Ph. Ziegler

# Alsace tokay-pinot gris

La dénomination locale tokay donnée au pinot gris depuis quatre siècles est un fait étonnant, puisque cette variété n'a jamais été utilisée en Hongrie orientale... La légende dit cependant que le tokay aurait été rapporté de ce pays par le général L. de Schwendi, grand propriétaire de vignobles en Alsace. Son aire d'origine semble être, comme celle de tous les pinots, le territoire de l'ancien duché de Bourgogne.

Le pinot gris, en forte progression, occupe 2 061 ha. Il peut produire un vin capiteux, très corsé, plein de noblesse, susceptible de remplacer un vin rouge sur les plats de viande. Lorsqu'il est somptueux comme en 1989, 1990 ou 2000, années exceptionnelles, c'est l'un des meilleurs accompagnements du foie gras.

## J.-B. ADAM Letzenberg Cuvée Jean-Baptiste 2002 *

1,1 ha 4 600 **11 à 15 €**

Cette maison, remontant au début du XVII^e^s., exploite son domaine en biodynamie depuis 2004. Sa cuvée Jean-Baptiste s'annonce par une robe jaune aux brillants reflets verts et par un nez bien ouvert sur le pain grillé, les épices et les fleurs blanches. Les notes torréfiées prennent des nuances de noisette au palais et de poivre en finale. L'attaque est excellente et, malgré la présence importante de sucres résiduels, ce 2002 fait preuve d'un bel équilibre grâce à une fine acidité. Ce vin puissant et agréable s'accordera avec une tourte vosgienne ou un poisson en sauce. (Sucres résiduels : 34 g/l.)

Jean-Baptiste Adam, 5, rue de l'Aigle, 68770 Ammerschwihr, tél. 03.89.78.23.21, fax 03.89.47.35.91, e-mail adam@jb-adam.com t.l.j. 8h-12h 14h-18h

## DOM. PIERRE ADAM

Katzenstegel Cuvée Théo 2003 *

1 ha 5 000 **11 à 15 €**

Le domaine dispose de 13,5 ha de vignes réparties sur des terroirs diversifiés. Ce 2003 est issu d'un sol argilo-siliceux qui semble bien convenir au pinot gris, à en juger par ce vin jaune d'or. Très floral au nez (primevère) avec un délicat fruité surmûri, bien équilibré, il séduit par sa richesse, son gras, son ampleur et son moelleux. Sa longueur est gage d'une bonne évolution, mais on peut l'apprécier dès maintenant sur un plat de viande, gigot d'agneau ou jambon braisé par exemple. (Sucres résiduels : 20 g/l.)

Dom. Pierre Adam, 8, rue du Lt-Louis-Mourier, 68770 Ammerschwihr, tél. 03.89.78.23.07, fax 03.89.47.39.68, e-mail info@domaine-adam.com r.-v.

Rémy Adam

## DOM. BARMES BUECHER

Pfleck de Wettolsheim 2003

0,51 ha 2 697 **11 à 15 €**

Cette importante propriété qui travaille ses vignes en biodynamie est issue de l'alliance de deux vieilles familles de Wettolsheim, bourg viticole situé à quelques kilomètres au sud-ouest de Colmar. Son pinot gris du Pfleck s'habille d'une livrée jaune aux légers reflets orangés. Assez discret au nez avec une pointe boisée et un soupçon de noix, il fait bonne impression en bouche. Equilibré, délicatement onctueux et assez long, il finit sur une note de surmaturation évoquant les agrumes confits. Un vin prometteur à attendre un an ou deux. (Sucres résiduels : 35 g/l.)

Dom. Barmès Buecher, 30, rue Sainte-Gertrude, 68920 Wettolsheim, tél. 03.89.80.62.92, fax 03.89.79.30.80, e-mail barmesbuecher@terre-net.fr r.-v.

## BARON DE HOEN 2003 *

n.c. 12 500 5 à 8 €

Proche de Riquewihr, la commune de Beblenheim est située au cœur de la route des Vins. Les caves de Hoen sont implantées au centre ville. Elles proposent un pinot gris jaune pâle à reflets dorés, au nez bien typé avec ses notes de pain grillé, de sous-bois et d'agrumes que l'on retrouve au palais. Frais, équilibré, suffisamment sec, c'est un vin de gastronomie. (Sucres résiduels : 8 g/l.)

SICA Baron de Hoen, 20, rue de Hoen, 68980 Beblenheim, tél. 03.89.47.90.02, fax 03.89.47.86.85 t.l.j. 8h-12h 14h-18h; f. jan.-fév.

## EMILE BEYER Cuvée de l'Hostellerie 2002 **

0,79 ha 6 700 8 à 11 €

Avec son plan circulaire, Eguisheim est une des plus remarquables communes de la route des Vins. La famille Beyer y est installée depuis douze générations. Vous la trouverez « Au Cheval blanc », une ancienne auberge dotée d'une cave du XVI^e^s. où dorment des foudres centenaires. On rêverait d'être traité avec cette Cuvée de l'Hostellerie : un vin jaune doré au nez expansif et fruité. On y respire la pêche et l'abricot, nuances que l'on retrouve

dans une attaque tout en douceur. Ample, frais, typé et long, un excellent pinot gris qui se prêtera à de nombreux accords gourmands : canard à l'orange et autres plats sucrés-salés, desserts fruités... (Sucres résiduels : 9 g/l.)
Emile Beyer, 7, pl. du Château, 68420 Eguisheim, tél. 03.89.41.40.45, fax 03.89.41.64.21, e-mail info@emile-beyer.fr
t.l.j. 9h-12h 14h-18h
Luc et Christian Beyer

JEAN BOESCH Vallée Noble 2003

0,15 ha 1 160 5 à 8 €

L'eau et le vin se rencontrent à Soultzmatt ; la première provient d'une source alcaline qui a donné son nom au village, exploitée sous la marque Lisbeth, le second des coteaux environnants. D'un jaune clair brillant, ce pinot gris révèle un élégant nez grillé. Souple, chaleureux, assez long, il est dominé par des impressions de rondeur mais reste équilibré. Un séjour d'un an ou deux en cave lui permettra de parfaire son harmonie ; mais il peut déjà accompagner une volaille, par exemple. (Sucres résiduels : 19 g/l.)
EARL Jean Boesch, 1, rue Wagenbourg, 68570 Soultzmatt, tél. 03.89.47.00.87, fax 03.89.47.08.19
t.l.j. 8h-12h 14h-19h; groupes sur r.-v.

JUSTIN BOXLER Côtes de Niedermorschwihr 2003 *

0,64 ha 3 400 5 à 8 €

Originaires de Suisse, les ancêtres de Justin Boxler se sont installés en 1672 à Niedermorschwihr, au sud de Colmar. Depuis, la famille travaille la vigne de père en fils. Vous la trouverez dans une maison à oriel datant de 1548. Peut-être aurez-vous l'occasion de goûter ce 2003 jaune d'or au nez expressif mêlant les fruits confits à des nuances beurrées et grillées du plus bel effet. Le miel et la noix s'ajoutent au grillé dans un palais puissant et long. On peut déboucher cette bouteille dès maintenant et la servir avec du foie gras. (Sucres résiduels : 45 g/l.)
GAEC Justin Boxler, 15, rue des Trois-Epis, 68230 Niedermorschwihr, tél. 03.89.27.11.07, fax 03.89.27.01.44, e-mail justin.boxler@online.fr
t.l.j. 8h-12h 14h-19h

CLOS DES CHARTREUX 2003

1,15 ha 6 000 8 à 11 €

Robert Klingenfus est installé à Molsheim, chef-lieu d'arrondissement situé à une quinzaine de kilomètres au sud-ouest de Strasbourg où la viticulture reste bien présente. Le nom de sa cuvée évoque les moines chartreux qui ont légué à Molsheim de beaux bâtiments abritant un musée historique. D'un jaune soutenu, ce vin évoque au nez le sous-bois et le fumé. Très souple, puissant et gras, il finit sur une note d'agrumes. (Sucres résiduels : 27 g/l.)
Robert Klingenfus, 60, rue de Saverne, 67120 Molsheim, tél. 03.88.38.07.06, fax 03.88.49.32.47
r.-v.

CLAUDE DIETRICH Patergarten 2002

0,2 ha 1 500 8 à 11 €

A l'entrée de la vallée de Kaysersberg, Kientzheim est une agréable cité viticole. Elle abrite le siège de la confrérie Saint-Etienne qui promeut le vin d'Alsace. Jaune d'or, celui-ci associe au nez des senteurs de sous-bois et de champignon. On retrouve ces impressions aromatiques, relayées par des notes fraîches d'agrumes, dans un palais frais à l'attaque mais assez marqué par le sucre résiduel. (Sucres résiduels : 30 g/l.)
Claude Dietrich, 13, rte du Vin, 68240 Kientzheim, tél. 03.89.47.19.42, fax 03.89.47.36.67 r.-v.

EBLIN-FUCHS Vieilles Vignes 2003 *

0,6 ha 4 000 8 à 11 €

Situé à quelques kilomètres de Ribeauvillé, à l'entrée du vallon de Riquewihr, Zellenberg est un charmant village perché sur une crête aux pentes couvertes de ceps. Etablie dans le vignoble, cette exploitation a tiré du pinot gris un vin jaune d'or aux reflets brillants, au nez délicat évoquant les fruits très mûrs (fruits blancs). Après une attaque ronde et ample, on découvre une belle matière, riche et dense, aux accents de fruits confits, un peu alourdie par le sucre en finale. Un petit séjour à la cave lui permettra de s'affiner. Les impatients pourront déjà déguster cette bouteille avec un foie gras poêlé aux pommes. (Sucres résiduels : 20 g/l.)
Christian et Joseph Eblin, 19, rte des Vins, 68340 Zellenberg, tél. 03.89.47.91.14, fax 03.89.49.05.12, e-mail eblin-fuchs@tiscali.fr
r.-v.

DOM. ANDRE EHRHART Herrenweg 2003

0,3 ha 2 500 5 à 8 €

Voisine de Colmar, la commune de Wettolsheim possède, notamment rue Herzog, de belles maisons à colombage. La famille Ehrhart est établie dans une de ces demeures typiques ; elle exploite un coquet domaine de 10 ha. On retrouve son pinot gris du Herrenweg. Jaune d'or avec des nuances cuivrées, le 2003 apparaît encore fermé au nez ; tout au plus consent-il à libérer quelques effluves de sous-bois et de fumé. La dégustation est dominée par des impressions de gras, de puissance et de douceur, avec des sucres résiduels qui demandent à se fondre. (Sucres résiduels : 20 g/l.)
Dom. André et Fils Ehrhart, 68, rue Herzog, 68920 Wettolsheim, tél. 03.89.80.66.16, fax 03.89.79.44.20
t.l.j. sf dim. 8h-11h30 13h30-18h
Antoine Ehrhart

DANIEL FRITZ ET FILS Vendanges tardives 2002 *

0,08 ha 580 15 à 23 €

Installé il y a une dizaine d'années à Sigolsheim, près de Colmar, Thierry Fritz a tiré d'un terroir léger, sablonneux, et de raisins en surmaturation des vendanges tardives caractéristiques. D'un jaune soutenu et brillant, ce 2002 libère des notes de pourriture noble nuancées de thym. L'attaque franche introduit une bouche très souple, puissante et chaleureuse. La longue finale est marquée par des notes de miel et de fruits confits. Ce vin tiendra tête à des mets épicés et relevés. (Sucres résiduels : 54 g/l.)
Dom. Fritz, 3, rue du Vieux-Moulin, 68240 Sigolsheim, tél. 03.89.47.11.15, fax 03.89.78.17.07 r.-v.

GEIGER-KOENING Spitzheck 2003

0,27 ha 2 600 3 à 5 €

Situé entre Barr et Sélestat, au fond d'un vallon, Bernardvillé est entouré d'un vignoble couvrant des pentes ensoleillées. Ce domaine dispose d'une dizaine d'hectares aux alentours. Il propose un pinot gris jaune pâle, encore très discret au nez : un rien de sous-bois, un fruité ténu.

Rond en bouche, de structure légère, ce vin a séduit par son élégante finale. On peut lui faire confiance. (Sucres résiduels : 16 g/l.)
Simone et Richard Geiger-Koenig, Le Felsberg, 21, rue Principale, 67140 Bernardvillé, tél. 03.88.85.56.84,
t.l.j. 8h-12h 13h-19h; groupes sur r.-v.

JOSEPH GSELL 2003 *

0,8 ha 5 000 5 à 8 €

Au sud de la route des Vins, Orschwihr est une petite bourgade viticole où sont installés de nombreux vignerons metteurs en marché. Parmi eux, Joseph Gsell est à la tête de 8 ha. Son pinot gris se présente agréablement dans sa robe jaune doré. Déjà bien ouvert, le nez laisse percevoir des senteurs de champignon et de café torréfié. Une attaque souple, de la fraîcheur, de la puissance et du moelleux composent un ensemble bien équilibré. Le grillé s'associe aux agrumes dans une longue finale. Une belle harmonie. (Sucres résiduels : 25 g/l.)
Joseph Gsell, 26, Grand-Rue, 68500 Orschwihr, tél. 03.89.76.95.11, fax 03.89.76.20.54, e-mail joseph.gsell@wanadoo.fr r.-v.

ROGER HEYBERGER
Bildstoecklé Vieilles Vignes 2003 *

0,65 ha 3 400 5 à 8 €

Le pinot gris apprécie les terroirs argilo-calcaires qui lui fournissent les réserves nécessaires à son bon développement. Ce vin en témoigne une fois de plus. D'un jaune doré brillant, il livre des senteurs de fruits très mûrs (pêche, mirabelle) accompagnées d'une touche fumée. Les fruits mûrs dominent encore le palais ample et riche, chaleureux en finale. Un beau représentant de l'appellation. (Sucres résiduels : 14,7 g/l.)
Roger Heyberger et Fils, 5, rue Principale, 68420 Obermorschwihr, tél. 03.89.49.30.01, fax 03.89.49.22.28, e-mail vins.heyberger@wanadoo.fr
t.l.j. sf dim. 8h-11h45 14h-18h30

HUMBRECHT Vieilles Vignes 2003 *

0,35 ha 2 400 5 à 8 €

Avec son architecture vigneronne très riche et son église de grès rose au beau clocher roman, Gueberschwihr mérite une visite. Les Humbrecht y exploitent quelque 7 ha de vignes. Ils proposent un 2003 jaune clair brillant, au nez plutôt floral, un rien grillé. Riche, moelleux, d'une grande souplesse, ce vin est soutenu par une fraîcheur très agréable. Une longue finale légèrement épicée signe un ensemble équilibré et prometteur, qui trouvera facilement sa place à table. (Sucres résiduels : 16,15 g/l.)
Claude et Georges Humbrecht, 33, rue de Pfaffenheim, 68420 Gueberschwihr, tél. 03.89.49.31.51, r.-v.

LOUIS IRION 2003 *

n.c. 30 000 8 à 11 €

Les Alsaciennes en costume qui décorent l'étiquette évoquent l'univers de Hansi, qui a son musée à Riquewihr. C'est dans la célébrissime cité viticole qu'est établie cette maison. Son pinot gris 2003 s'habille d'une livrée jaune à reflets orangés et offre de subtiles senteurs d'abricot et d'orange. Charpenté, ample, rond, équilibré, fondu et long, il « a sa place dans le Guide », pour reprendre la conclusion d'un dégustateur. (Sucres résiduels : 11,5 g/l.)
Louis Irion, BP 3, 68340 Riquewihr, tél. 03.89.47.92.51, fax 03.89.47.98.90

KIRSCHNER Vieilles Vignes 2003 *

0,3 ha 2 200 5 à 8 €

Dambach-la-Ville est un bourg viticole important qui groupe ses maisons à l'intérieur de fortifications médiévales. Il possède le plus vaste vignoble d'Alsace. Installés dans une maison à colombage du XVIII^es., les Kirschner exploitent 9,5 ha de vignes. D'un jaune d'or très brillant, leur pinot gris Vieilles Vignes attire l'attention par son nez fumé nuancé de fruits confits. Au palais, on découvre une matière riche, puissante et longue ; le moelleux est équilibré par une finale fraîche qui ouvre de belles perspectives d'évolution. (Sucres résiduels : 21 g/l.)
Pierre Kirschner, 26, rue Théophile-Bader, 67650 Dambach-la-Ville, tél. 03.88.92.40.55, fax 03.88.92.62.54, e-mail info@kirschner-viticole.fr
t.l.j. sf dim. 8h-12h 13h-19h

KUENTZ-BAS
Sélection de grains nobles Réserve personnelle 1989 **

0,4 ha 900 46 à 76 €

De renommée internationale, cette maison exporte 65 % de sa production. Elle possède plus de 10 ha en propre qu'elle exploite en biodynamie depuis 2004. Sa sélection de grains nobles d'un vieux millésime montre l'évolution dans le temps de ces vins d'exception. La robe est jaune d'or très brillant ; le nez complexe associe le pamplemousse et les fruits confits à des nuances de violette et de grillé. Les saveurs se sont fondues et harmonisées dans un palais puissant, gras et chaleureux, dominé par le fruit confit et finissant sur une délicate pointe d'agrumes. Un grand vin proche de son apogée. (Sucres résiduels : 13,1 g/l.)
Kuentz-Bas, 14, rte du Vin, 68420 Husseren-les-Châteaux, tél. 03.89.49.30.24, fax 03.89.49.23.39, e-mail info@kuentz-bas.fr
r.-v.
J.-B. Adam

FREDERIC KUHLMANN 2003 *

0,3 ha 1 800 5 à 8 €

Hunawihr est un charmant village situé à flanc de coteau. Son église fortifiée, rare exemple d'église refuge dans la région, offre un joli point de vue sur le vignoble. Le domaine Kuhlmann exploite 3 ha aux alentours. Jaune à reflets dorés, son pinot gris délivre des parfums floraux intenses et complexes nuancés d'une touche d'amande grillée. L'attaque est franche, un rien confite avec une note de pamplemousse qui lui communique une certaine fraîcheur. Riche, corsé et long, ce vin termine sur une légère pointe d'amertume. (Sucres résiduels : 18 g/l.)
SCEA Frédéric Kuhlmann, 8, rue de la Fontaine, 68150 Hunawihr, tél. 03.89.73.60.33, fax 03.89.47.81.92, e-mail info@fkuhlmann.com
t.l.j. sf dim. 8h-12h 14h-19h
Willy Kuhlmann

MADER Cuvée Théophile 2003 *

0,3 ha 1 400 8 à 11 €

Avec son église fortifiée, ses maisons vigneronnes blotties à flanc de coteau et son parc à cigognes, Hunawihr semble un résumé de l'Alsace viticole. Jean-Luc Mader y conduit son domaine et vinifie ses vins depuis 1981. Jaune soutenu à reflets verts, sa cuvée Théophile libère des senteurs de fruits frais dominés par les agrumes. Souple et moelleux, le palais est supporté par une fraîcheur bienvenue. On retrouve les agrumes, accompagnés de notes de fleurs blanches, dans une longue finale. Un bel équilibre. (Sucres résiduels : 29 g/l.)

Jean-Luc Mader, 13, Grand-Rue, 68150 Hunawihr, tél. 03.89.73.80.32, fax 03.89.73.31.22, e-mail vins.mader@laposte.net
t.l.j. sf dim. 10h-12h 14h-18h

### JACQUES MAETZ T01 2001

0,15 ha 1 200 11 à 15 €

Située sur la route des Vins à une vingtaine de kilomètres au sud de Strasbourg, Rosheim mérite une visite. Entre ses deux portes médiévales s'étire la rue principale, jalonnée de monuments intéressants. On y voit l'unique maison romane d'Alsace et la belle église Saint-Pierre-et-Saint-Paul, du XIIe s. Installé depuis dix ans sur le domaine familial, Jacques Maetz a présenté un vin d'un jaune brillant au joli nez de fruits confits nuancés d'une touche minérale. S'il n'est pas des plus longs, ce vin corsé, légèrement moelleux, offre un équilibre satisfaisant. (Sucres résiduels : 15 g/l.)

Jacques Maetz, 49, av. de la Gare, 67560 Rosheim, tél. 03.88.50.43.29, fax 03.88.49.20.57, e-mail hubert.maetz@wanadoo.fr r.-v.

### MALLO Réserve particulière 2003

0,5 ha 3 500 5 à 8 €

Pittoresque village, riche de son emblématique église fortifiée, Hunawihr a contribué, grâce à son parc d'élevage que l'on peut visiter, au retour des cigognes en Alsace. Les Mallo y exploitent 7 ha de vignes. Ils proposent un 2003 agréable, tant à l'œil qu'au nez, avec ses notes florales et fruitées accompagnées d'une pointe de noix. Souple à l'attaque, discrètement fruité, puissant et de longueur moyenne, ce vin devrait bénéficier d'une petite garde. (Sucres résiduels : 35 g/l.)

EARL Frédéric Mallo et Fils, 2, rue Saint-Jacques, 68150 Hunawihr, tél. 03.89.73.61.41, fax 03.89.73.68.46, e-mail dominique.mallo@libertysurf.fr
t.l.j. sf dim. 8h-12h 13h30-18h

### GILBERT MEYER Cuvée Prestige 2003 *

0,38 ha 3 200 5 à 8 €

Le pinot gris se plaît particulièrement sur les terroirs marno-calcaires, témoin ce 2003 jaune à reflets dorés, mêlant des senteurs de fruits confits à des nuances fumées. La bouche au fruité surmûri laisse une impression de richesse et de puissance. Elle se distingue par sa persistance. (Sucres résiduels : 12 g/l.)

SCEA Gilbert Meyer, 5, rue du Schauenberg, 68420 Vœgtlinshoffen, tél. 03.89.49.36.65, fax 03.89.86.42.45, e-mail contact@vins-meyer.com
r.-v.

### LUCIEN MEYER ET FILS Sélection de grains nobles 2002 *

0,11 ha 800 23 à 30 €

Situé au sud de Colmar, le village de Hattstatt est entouré de son vignoble dont le fleuron est le grand cru Hatschbourg, exposé au sud. Les Meyer y sont établis depuis 1890. Ce domaine familial a déjà proposé de très beaux vins liquoreux. D'un jaune d'or soutenu, celui-ci présente un nez intense déclinant les agrumes, le miel et les fruits confits. En bouche, on découvre une riche matière, chaleureuse, volumineuse et longue, soutenue par une bonne acidité. Encore perceptible, le sucre devrait se fondre assez rapidement. (Sucres résiduels : 93,5 g/l.)

EARL Lucien Meyer et Fils, 57, rue du Mal-Leclerc, 68420 Hattstatt, tél. 03.89.49.31.74, fax 03.89.49.24.81 r.-v.

### DOM. DE L'ORIEL 2003

0,5 ha 3 000 5 à 8 €

La famille Weinzorn est établie à l'entrée est du village de Niedermorschwihr, dans une maison datant de 1619, classée Monument historique. La demeure possède un oriel de grès sculpté – fenêtre à encorbellement caractéristique des maisons alsaciennes Renaissance – qui est représenté sur l'étiquette de ce 2003. Jaune paille dans le verre, ce vin révèle un nez fin, floral et fumé. On retrouve le côté fumé, avec une nuance minérale, dans un palais ample, élégant, bien structuré, encore dominé par les sucres restant en finale. (Sucres résiduels : 7 g/l.)

Gérard Weinzorn et Fils, 133, rue des Trois-Epis, 68230 Niedermorschwihr, tél. 03.89.27.40.55, fax 03.89.27.04.23, e-mail contact@weinzorn.fr
t.l.j. sf dim. 8h-12h 14h-18h
Claude Weinzorn

### OTTER Lieu-dit Kastelweg Cuvée Arthur 2003 *

0,4 ha 2 000 15 à 23 €

Situé à Hattstatt au pied du grand cru Hatschbourg, ce domaine a figuré ces dernières années en bonne place dans le Guide. Il vient de se convertir à la viticulture biologique. Son pinot gris du Kastelweg a été élevé quinze mois dans le bois. Jaune à reflets dorés, il présente un nez intense mêlant les agrumes et des notes fumées. L'attaque souple et douce introduit une bouche équilibrée marquée par des impressions boisées et empyreumatiques (grillé) nuancées d'eucalyptus. La finale s'arrondira avec une petite garde. (Sucres résiduels : 31,4 g/l.)

Dom. François Otter et Fils, 4, rue du Muscat, 68420 Hattstatt, tél. 03.89.49.33.00, fax 03.89.49.38.69, e-mail jf.otter@wanadoo.fr r.-v.

### RUHLMANN-DIRRINGER 2003 **

1 ha 7 500 5 à 8 €

Ce domaine familial est installé au bas des remparts qui donnent à Dambach-la-Ville une grande partie de son cachet. Ses caves voûtées recèlent des vins très intéressants, à l'image de ce 2003. D'un jaune soutenu animé de reflets dorés, ce pinot gris possède un nez fruité accompagné de nuances de torréfaction fort agréables. Cette palette fruitée puis grillée se retrouve dans une attaque tout en douceur ; le palais révèle une belle matière, soutenue par une bonne fraîcheur. Harmonieux, fin et sans la moindre lourdeur, ce vin pourra ouvrir le repas puis accompagner les mets les plus raffinés. (Sucres résiduels : 10 g/l.)

Ruhlmann-Dirringer, 3, rue Mullenheim, 67650 Dambach-la-Ville, tél. 03.88.92.40.28, fax 03.88.92.48.05
t.l.j. sf dim. 9h30-11h45 13h30-18h30

### SALZMANN Cuvée de la Chapelle 2003

1 ha 3 400 5 à 8 €

Etablie à Kaysersberg, près du célèbre pont fortifié et à l'ombre de la forteresse médiévale, cette vieille famille vigneronne est installée dans l'ancienne cave dîmière de l'abbaye de Pairis (XIVe s.). D'un jaune clair brillant montrant quelques reflets ambrés, sa Cuvée de la Chapelle livre au nez des notes fumées. Le palais reste marqué par une forte présence des sucres résiduels, mais il séduit par sa finale longue et délicate. (Sucres résiduels : 20 g/l.)

🔑 Salzmann-Thomann, Dom. de l'Oberhof, 3, rue de l'Oberhof, 68240 Kaysersberg, tél. 03.89.47.10.26, fax 03.89.78.13.08 ▼ ✝ t.l.j. sf dim. 9h-12h 14h-18h30

**THIERRY SCHERRER** Réserve particulière 2003

0,15 ha 1 300 ■ **5 à 8 €**

Après avoir travaillé chez des producteurs réputés en Alsace et outre-Rhin, Thierry Scherrer, œnologue, a repris l'exploitation familiale en 1993. Il vinifie les vendanges auparavant apportées à la coopérative, avec un talent attesté par des mentions régulières dans le Guide. Il propose un pinot gris d'un jaune doré intense, au nez fortement fumé et grillé. Souple à l'attaque, ce vin puissant reste équilibré, malgré un fond de douceur marqué. (Sucres résiduels : 30 g/l.)

🔑 Thierry Scherrer, 1, rue de la Gare, 68770 Ammerschwihr, tél. et fax 03.89.47.15.86, e-mail thierry.scherrer@wanadoo.fr ▼ ✝ r.-v.

**MICHEL SCHOEPFER** Vieilles Vignes 2003 ★

0,4 ha 2 000 **5 à 8 €**

Il faut voir Eguisheim et déambuler dans les ruelles s'enroulant autour de son château et de son église. Au centre de la petite cité, Michel Schoepfer est installé dans l'ancienne cave dîmière des Augustins de Marbach. Jaune paille à reflets dorés, son pinot gris Vieilles Vignes apparaît très discret mais subtil au nez. Dominé par la douceur mais équilibré et agréable, le palais séduit par ses arômes de fruits mûrs. (Sucres résiduels : 12 g/l.)

🔑 Michel Schoepfer et Fils, 43, Grand-Rue, 68420 Eguisheim, tél. 03.89.41.09.06, fax 03.89.23.08.50, e-mail michel.schoepfer@tele2.fr ▼ ✝ t.l.j. 8h-12h 13h-19h

**ALINE ET REMY SIMON** Vieilles Vignes 2003

0,2 ha 2 000 **8 à 11 €**

Aline et Rémy Simon ont repris il y a neuf ans un vignoble familial et ont été mentionnés plus d'une fois dans le Guide grâce à des sélections de pinot gris. Issu de vignes de plus de quarante ans, celle-ci est d'un jaune assez clair, mais fait preuve d'intensité au nez, avec des senteurs caractéristiques où se mêlent fleurs, sous-bois d'automne, champignon. En bouche, on trouve de la puissance, de la souplesse, et en finale beaucoup de douceur et une pointe de chaleur. Une petite garde devrait parfaire son harmonie. (Sucres résiduels : 21 g/l.)

🔑 Dom. Aline et Rémy Simon, 12, rue Saint-Fulrade, 68590 Saint-Hippolyte, tél. et fax 03.89.73.04.92, e-mail alineremy.simon@wanadoo.fr ▼ ✝ r.-v.

**JEAN SIPP** Clos Ribeaupierre 2000 ★

1 ha 2 500 **23 à 30 €**

Le Clos Ribeaupierre est l'un des fleurons du domaine : propriété jusqu'au XVIIe s. des comtes de Ribeaupierre, anciens seigneurs de Ribeauvillé, ce vignoble orienté au sud est aménagé en terrasses sur des pentes pouvant atteindre près de 40 % de déclivité. Il a donné un vin jaune paille intense, s'ouvrant sur des notes de surmaturation – fruits confits et miel. Une attaque franche introduit un palais d'une plaisante rondeur, aux sucres bien intégrés. Miel, épices et fruits secs agrémentent une assez longue finale. Une bouteille à ouvrir sur un foie gras ou un poulet au curry. (Sucres résiduels : 50 g/l.)

🔑 Jean Sipp, 60, rue de la Fraternité, 68150 Ribeauvillé, tél. 03.89.73.60.02, fax 03.89.73.82.38, e-mail domaine@jean-sipp.com ▼ ✝ r.-v.

🔑 Jean-Jacques Sipp

**BRUNO SORG** Vieilles Vignes 2003 ★

0,45 ha 3 600 **5 à 8 €**

La cité médiévale d'Eguisheim abrite à l'intérieur de ses murs de nombreux vignerons. Vous trouverez ce domaine en plein centre, face à l'église. Vieille ville et vieilles vignes (quarante ans) pour ce vin d'un jaune pâle brillant aux reflets verts, encore fort réservé au nez. Sa finesse, son ampleur, son moelleux et son gras laissent présager une belle évolution. Des arômes de fruits très mûrs agrémentent une finale fraîche. (Sucres résiduels : 13 g/l.)

🔑 Dom. Bruno Sorg, 8, rue Mgr-Stumpf, 68420 Eguisheim, tél. 03.89.41.80.85, fax 03.89.41.22.64, e-mail vins@domaine-bruno-sorg.com ▼ ✝ r.-v.

**STENTZ-BUECHER** Marken 2003 ★

0,62 ha 2 300 ■ **11 à 15 €**

Wettolsheim est un important bourg viticole situé à quelques kilomètres au sud-ouest de Colmar. Ce domaine y dispose de quelque 11 ha de vignes. Il a présenté un 2003 jaune aux nuances orangées et roses. Le nez expressif évoque l'orange amère confite. Agrémentée d'arômes de surmaturation et surtout de fruits très concentrés et de notes grillées, la bouche est riche et équilibrée. La longue finale laisse un sillage poivré et épicé. (Sucres résiduels : 16 g/l.)

🔑 Stentz-Buecher, 21, rue Kleb, 68920 Wettolsheim, tél. 03.89.80.68.09, fax 03.89.79.60.53, e-mail stentz-buecher@wanadoo.fr ▼ ✝ t.l.j. 9h-12h 14h-18h

**J. P. WASSLER** Vendanges tardives 2002 ★★

0,3 ha 1 600 ■ **11 à 15 €**

Les nombreux vignerons indépendants installés à Blienschwiller organisent une fête du Vin tous les ans, au mois de juillet. Parmi eux, Jean-Paul et Marc Wassler ont présenté ces remarquables vendanges tardives. Jaune d'or à reflets fauves, ce 2002 s'annonce par des arômes complexes et flatteurs de mangue et de coing. Chaleureuse, soyeuse, équilibrée, charmeuse, riche d'arômes de fruits confits, la bouche finit longuement sur des notes grillées. Très agréable dès maintenant et apte à la garde, ce pinot gris trouvera sa place de l'apéritif au dessert. (Sucres résiduels : 60 g/l. Bouteilles de 50 cl.)

🔑 EARL Jean-Paul Wassler Fils, 1, rte d'Epfig, 67650 Blienschwiller, tél. 03.88.92.41.53, fax 03.88.92.63.11, e-mail marc.wassler@wanadoo.fr ▼ ✝ t.l.j. sf dim. 8h-12h 13h-18h

🔑 Marc Wassler

**ODILE ET DANIELLE WEBER**
Cuvée Prestige 2001

0,5 ha 900 **11 à 15 €**

Odile et Danielle Weber exploitent 4 ha en agrobiologie autour d'Eguisheim, l'une des cités viticoles les plus connues d'Alsace grâce à son plan circulaire original et à sa richesse monumentale. Elles ont élaboré une cuvée jaune doré, au nez discret mais fin mêlant le miel et les fleurs blanches. Au palais, la douceur est équilibrée par une belle fraîcheur. Un vin de gastronomie. (Sucres résiduels : 27 g/l.)

Odile et Danielle Weber, 14, rue de Colmar, 68420 Eguisheim, tél. et fax 03.89.41.35.56 r.-v.

### DOM. XAVIER WYMANN
Haguenau de Bergheim Cuvée Sison 2003 *

0,35 ha 2 300 **8 à 11 €**

Créée en 1930, cette exploitation est conduite depuis 1996 par la troisième génération. Etre installé rue de la Fraternité est de bon augure pour ce vigneron qui propose une cuvée jaune pâle à reflets dorés, au nez encore fort discret, agrémenté d'une fine touche miellée. Riche, gras, onctueux, montrant beaucoup de matière, le palais finit sur de belles notes fruitées. (Sucres résiduels : 50 g/l.)

Jean-Luc Schaerlinger, 41, rue de la Fraternité, 68150 Ribeauvillé, tél. et fax 03.89.73.66.83 r.-v.

### ALBERT ZIEGLER Bollenberg 2003 **

0,3 ha 2 600 11 à 15 €

En 1988, Michel et Christine Ziegler-Voelklin se sont installés sur le domaine familial dont ils ont pris les rênes dix ans plus tard. La propriété a son siège à Orschwihr, dans la partie méridionale de la route des Vins et s'étend sur 13 ha. Ce pinot gris du Bollenberg a fait l'unanimité. Son approche est déjà pleine de séduction, avec une robe jaune d'or animée de brillants reflets verts et un nez à la fois puissant, complexe et fin où se marient le grillé, le pain beurré et la noix fraîche. La suite confirme ces premières impressions : une attaque franche, une explosion aromatique, avec toujours ces notes de pain grillé beurré nuancées de fruits confits, un corps fondu, onctueux, chaleureux et vif, et une longue finale marquée par une pointe fraîche d'agrumes. Digne d'une volaille de Bresse. (Sucres résiduels : 32 g/l.)

Albert Ziegler, 10, rue de l'Eglise, 68500 Orschwihr, tél. 03.89.76.01.12, fax 03.89.74.91.32
t.l.j. 8h-12h 13h-19h

### ZIEGLER-MAULER
Vieilles Vignes Cuvée Philippe 2003

0,2 ha 1 450 **8 à 11 €**

Philippe Ziegler a repris en 1996 le domaine familial. Dans ses vignes, il alterne labour et enherbement de manière à mieux équilibrer l'alimentation de la plante. D'un jaune d'or intense, sa cuvée Vieilles Vignes présente un nez franc où se mêlent des senteurs fumées, quelques nuances grillées et des notes de foin récemment fauché. Puissance, moelleux et gras s'équilibrent dans ce vin qui finit sur des impressions d'agrumes et de fruits confits. (Sucres résiduels : 21 g/l.)

Dom. Ziegler-Mauler et Fils, 2, rue des Merles, 68630 Mittelwihr, tél. 03.89.47.90.37, fax 03.89.47.98.27
r.-v.
Philippe Ziegler

### PAUL ZINCK Prestige 2003

2 ha 20 000 **8 à 11 €**

Créée par Paul Zinck et développée par son fils Philippe, cette exploitation a pignon sur rue à Eguisheim, charmant vignoble à l'histoire très riche : ne dit-on pas que ce serait le berceau du vignoble alsacien ? Jaune clair à reflets verts, un pinot gris au nez discret, mêlant des notes fumées à des nuances de pêche très mûre. Sa douceur sensible est équilibrée par une fraîcheur de bon aloi. Un ensemble harmonieux, à attendre un peu. (Sucres résiduels : 20 g/l.)

Paul Zinck, 18, rue des Trois-Châteaux, 68420 Eguisheim, tél. 03.89.41.19.11, fax 03.89.24.12.85, e-mail info@zinck.fr
t.l.j. sf dim. 8h-12h 14h-18h

# Alsace pinot noir

L'Alsace est surtout réputée pour ses vins blancs ; mais sait-on qu'au Moyen Age les rouges y occupaient une place considérable ? Après avoir presque disparu, le pinot noir (le meilleur cépage rouge des régions septentrionales) occupe aujourd'hui 1 441 ha et a produit 83 509 hl d'AOC alsace en 2004.

On connaît surtout le type rosé ou rouge léger, vin agréable, sec et fruité, susceptible comme d'autres rosés d'accompagner une foule de mets. On remarque cependant une tendance à élaborer un véritable vin rouge de garde à partir de ce cépage. Cette tendance, en plein essor, se révèle très prometteuse.

### DOM. ALLIMANT-LAUGNER
Elevé en barrique 2003 *

0,5 ha 3 000 5 à 8 €

Petite cité viticole accrochée à la colline et dominée par la motte imposante du Haut-Kœnigsbourg, Orschwiller abrite de nombreux domaines renommés comme celui-ci qui présente un pinot noir issu d'un terroir granitique. Très coloré, déjà fort expressif au nez, élégant et soyeux au palais, c'est un vin puissant qui s'épanouira encore avec le temps.

Allimant-Laugner, 10, Grand-Rue, 67600 Orschwiller, tél. 03.88.92.06.52, fax 03.88.82.76.38, e-mail alaugner@terre-net.fr
t.l.j. sf dim. 9h-12h 14h-18h

## VIGNOBLE FREDERIC ARBOGAST
Rouge de Geierstein Barrique 2003 *

■ 0,6 ha 3 000 8 à 11 €

Etablis à Westhoffen, dans la partie nord de la route des Vins, les Arbogast ont élu domicile dans l'enceinte de l'ancien château médiéval du village et exploitent aujourd'hui 15 ha de vignes. Issu d'un terroir argilo-calcaire, leur pinot noir du Geierstein est d'un grenat très élégant à l'œil ; il associe au nez des nuances vanillées et boisées à des arômes de fruits rouges. Franc à l'attaque, ample et puissant, il révèle des tanins déjà bien fondus mais assez présents pour assurer une longue garde.

Frédéric Arbogast, 3, pl. de l'Eglise, 67310 Westhoffen, tél. 03.88.50.30.51, fax 03.88.50.36.40, e-mail fredarbogast@wanadoo.fr r.-v.

## PIERRE ARNOLD Rouge d'Alsace 2003

■ 0,62 ha 3 000 5 à 8 €

Merveilleuse cité médiévale proche du Haut-Kœnigsbourg, Dambach-la-Ville doit tout au vignoble. Pierre Arnold y exploite depuis 1986 la propriété familiale de 7,5 ha dont l'origine remonte à 1711. Marqué par son origine granitique, son pinot noir est séduisant à l'œil mais encore assez discret au nez. Plutôt léger, souple, il termine sur une note de fruits rouges.

Pierre Arnold, 16, rue de la Paix, 67650 Dambach-la-Ville, tél. 03.88.92.41.70, fax 03.88.92.62.95, e-mail arnoldpi@wanadoo.fr t.l.j. 9h-19h; dim. 9h-12h

## BARON KIRMANN
Elevé en fût de chêne 2003 ***

■ 0,32 ha 1 500 11 à 15 €

Une des propriétés où vous pouvez faire halte si vous passez par la belle ville de Rosheim, célèbre par son église romane. Vignerons de père en fils depuis 1680, les Kirmann ont aussi donné à l'Empire un de ses grands serviteurs : le baron Kirmann (1768-1850). Le domaine compte aujourd'hui 10 ha de vignes ; il est commandé par un corps de ferme en grès des Vosges. Ce pinot noir d'origine calcaire présente le caractère nécessaire pour être dédié au fameux baron : élégant à l'œil avec sa robe rubis, il est dominé au nez par des notes de vanille et de cacao, et prend toute sa puissance au palais. Un vin de garde ample et harmonieux. Quant au **pinot noir Philippe Kirmann 2003 (5 à 8 €)**, il obtient une étoile. Un vin qui n'a pas connu le bois, frais, avec des tanins déjà bien fondus.

Philippe Kirmann, 2, rue du Gal-de-Gaulle, 67560 Rosheim, tél. 03.88.50.43.01, fax 03.88.50.22.72, e-mail info@baronkirmann.com r.-v.

## BERNARD BECHT Kalkgrube 2003

■ n.c. 4 200 5 à 8 €

Voisine de la petite ville de Molsheim, Dorlisheim abrite le caveau de la famille Bugatti qui donna à l'agglomération sa notoriété industrielle. La viticulture est une activité beaucoup plus ancienne et perdure grâce à des exploitants comme Bernard Becht, aujourd'hui à la tête de 14 ha de vignes. Originaire d'un terroir de calcaire coquillier, son pinot noir présente une robe très soutenue. Marqué au nez par des arômes de fruits rouges et de vanille, il est assez souple au palais et prêt à boire.

EARL Bernard Becht, 84, Grand-Rue, 67120 Dorlisheim, tél. 03.88.38.20.37, fax 03.88.38.88.00, e-mail becht.bernard@wanadoo.fr t.l.j. sf dim. 8h-12h 14h-19h

## JEAN-PHILIPPE ET FRANCOIS BECKER
F 2003 **

■ 0,6 ha 3 174 11 à 15 €

Jean Philippe et François Becker se sont associés en 1978 pour exploiter les 10 ha de vignes du domaine familial. Ardents défenseurs de l'environnement, ils se sont lancés dans la viticulture biologique en 1999. Ils proposent un pinot noir originaire d'un terroir argilo-calcaire. Ce 2003 aux reflets rubis affiche au nez une belle concentration de notes boisées et d'arômes de fruits rouges. Encore jeune en bouche, il se caractérise par une structure tannique qui en fait un excellent vin de garde.

GAEC Jean-Philippe et François Becker, 2, rte d'Ostheim, 68340 Zellenberg, tél. 03.89.47.87.56, fax 03.89.47.99.57, e-mail vinsbecker@aol.com r.-v.

## YVETTE ET MICHEL BECK-HARTWEG
Cuvée du Soleil 2003 *

■ 0,35 ha 2 700 8 à 11 €

Voilà plus de quatre siècles que cette famille cultive la vigne à Dambach-la-Ville. Elle est établie à l'intérieur de l'enceinte médiévale, toujours debout elle aussi. Yvette et Michel Hartweg sont à la tête du domaine depuis 1982 et conduisent leurs 5 ha selon les principes de la lutte intégrée. Avec sa robe rubis et son nez très fruité tirant sur la groseille, leur Cuvée du Soleil laisse deviner une origine granitique. D'une belle attaque en bouche, c'est un vin équilibré et persistant.

Yvette et Michel Beck-Hartweg, 5, rue Clemenceau, 67650 Dambach-la-Ville, tél. 03.88.92.40.20, fax 03.88.92.63.44, e-mail beckhartweg@tiscali.fr r.-v.

## DOM. CLAUDE BLEGER
Coteaux du Haut-Kœnigsbourg 2003 *

■ 0,7 ha 5 400 5 à 8 €

Descendant d'une lignée de vignerons dont l'origine remonte à 1630, Claude Bléger, rejoint depuis peu par son fils, exploite un domaine de 8 ha situé sur les coteaux du Haut-Kœnigsbourg. Issu d'un terroir granitique, très coloré, ce pinot noir libère au nez des notes de cerise et cassis. Frais à l'attaque, plutôt souple, il révèle des tanins déjà bien fondus.

Dom. Claude Bléger, 23, Grand-Rue, 67600 Orschwiller, tél. 03.88.92.32.56, fax 03.88.82.59.95, e-mail vins.c.bleger@wanadoo.fr t.l.j. 9h-12h15 13h15-19h30

## DOM. LEON BOESCH Luss Vallée Noble 2003 **

■ 0,5 ha 1 800 15 à 23 €

Conduit en biodynamie par Gérard Boesch et par son fils Matthieu, le domaine réunit aujourd'hui 13 ha de vignes. A voir, la porte de cave en paille tressée, qui date du XVIII^e s. Issu d'un terroir calcaire, ce pinot noir séduit à l'œil par sa robe très intense. Marqué au nez par des arômes de fruits et de vanille, il présente une belle attaque au palais. Puissant et charnu, il est armé pour une longue garde.

Dom. Léon Boesch,
6, rue Saint-Blaise, 68250 Westhalten,
tél. 03.89.47.01.83, fax 03.89.47.64.95,
e-mail domaine-boesch@wanadoo.fr r.-v.
Gérard et Matthieu Boesch

### ALBERT BOHN 2003

0,32 ha 1 860 5 à 8 €

Installé à Ammerschwihr, l'une des plus célèbres bourgades du vignoble alsacien, Albert Bohn a été rejoint par son fils en 1996. Ils exploitent ensemble près de 7 ha de vignes. Une belle robe rubis habille leur pinot noir, d'origine limoneuse. Le nez est marqué de parfums floraux et vanillés. Vif, de persistance moyenne, c'est un vin bien équilibré.

EARL Albert Bohn et Fils, 4, rue du Cerf,
68770 Ammerschwihr, tél. 03.89.78.25.77,
fax 03.89.78.16.34, e-mail vinsbohn@wanadoo.fr
r.-v.
Vincent Bohn

### BERNARD ET SOPHIE BOHN
Rouge d'Alsace Elevé en fût de chêne 2003

0,7 ha 4 200 5 à 8 €

Reichsfeld est situé au fond d'un vallon, au sud de Barr. Les Bohn y sont vignerons depuis trois siècles. Ils exploitent un vignoble de 7 ha qui appartint jadis aux cisterciens de la proche abbaye de Baumgarten. D'un terroir schisteux et gréseux, ils ont tiré ce pinot noir aux reflets grenat, dominé par des parfums de fruits rouges. Ample et chaleureux au palais, ce 2003 affiche déjà une belle évolution.

EARL Bernard Bohn, 1, chem. du Leh,
67140 Reichsfeld, tél. 03.88.85.58.78,
fax 03.88.57.84.88, e-mail bohn-bernard@reichsfeld.fr
r.-v.

### FRANCOIS BOHN 2003

0,2 ha 1 500 5 à 8 €

A la tête d'une exploitation de 7 ha sur la commune d'Ingersheim, toute proche de Colmar, François Bohn s'est lancé dans la vente en bouteilles en 1998, avec une cave et un équipement dernier cri. Son pinot noir s'habille d'une robe dense et bien soutenue ; il développe au nez des notes de fruits rouges intenses. D'une belle vivacité à l'attaque, il se montre frais et équilibré.

François Bohn, 35, rue des Trois-Épis,
68040 Ingersheim, tél. et fax 03.89.27.31.27 r.-v.

### PAUL BUECHER
Les Terrasses Elevé en barrique 2003

1,05 ha 4 800 15 à 23 €

Etabli dans le charmant village de Wettelsheim dont les ruines du château de Hagueneck dominent le bourg, tout proche de Colmar, ce domaine, avec près de 30 ha de vignes, occupe une place importante dans la région. Son pinot noir Les Terrasses est issu d'un sol brun calcaire. Il affiche déjà une certaine évolution à l'œil à en juger par sa robe rubis légèrement orangée. Au nez, il mêle des notes de fruits secs légèrement boisées, et il se montre ample et puissant au palais.

Paul Buecher et Fils, 15, rue Sainte-Gertrude,
68920 Wettolsheim, tél. 03.89.80.64.73,
fax 03.89.80.58.62, e-mail vins@paul-buecher.com
t.l.j. sf dim. 8h-12h 13h-18h

### BUECHER-FIX Côte Saint-Nicolas 2003

n.c. n.c. 11 à 15 €

Les familles Buecher de Wettolsheim et Fix de Vœgtlinshoffen ont uni leurs destinées en 1987 et fondé ce domaine, ainsi élargi, aux portes de Colmar. Issu d'un terroir marno-calcaire, ce pinot noir présente une robe grenat très soutenue. Marqué au nez par des notes de fleurs, il se révèle bien structuré et charnu au palais.

Buecher-Fix, 21, rue Sainte-Gertrude,
68920 Wettolsheim, tél. 03.89.30.12.80,
fax 03.89.30.12.81, e-mail buecher@terre-net.fr
r.-v.

### JOSEPH CATTIN 2003 **

4 ha 30 000 5 à 8 €

Vœgtlinshoffen est un charmant petit village perché qui domine la plaine d'Alsace proche de Colmar. Dans la viticulture depuis 1850, la famille Cattin jouit d'une excellente réputation que ne démentira pas ce 2003. De couleur bien soutenue, ce pinot noir d'origine argilo-calcaire offre un nez très complexe qui mêle fruits rouges, épices et cacao. Puissant et structuré au palais, c'est un vin long et d'une grande harmonie.

Joseph Cattin, 18, rue Roger-Frémeaux,
68420 Vœgtlinshoffen, tél. 03.89.49.30.21,
fax 03.89.49.26.02, e-mail gcattin@terre-net.fr
t.l.j. sf dim. 8h-12h 14h-18h

### CLAUDE DIETRICH Elevé en fût de chêne 2003 **

0,35 ha 2 500 8 à 11 €

Claude Dietrich s'est lancé dans l'aventure en 1987 en défrichant 2 ha sur les hauteurs escarpées du Schlossberg. Aujourd'hui à la tête d'un domaine de 7 ha, il montre tout son savoir-faire avec ce pinot noir d'origine argilo-calcaire. D'une couleur très soutenue, ce 2003 développe au nez d'intenses arômes fruités. Le palais est bien charpenté et long, tout en finesse. Une grande matière qui fera merveille sur le gibier.

Claude Dietrich, 13, rte du Vin, 68240 Kientzheim,
tél. 03.89.47.19.42, fax 03.89.47.36.67 r.-v.

### JEAN DIETRICH Côtes de Kaysersberg 2003

0,51 ha 3 000 5 à 8 €

Pittoresque bourgade nichée au fond de la vallée de la Weiss, Kaysersberg est la ville natale du docteur Schweitzer ; la commune a acquis un rayonnement considérable par son marché de Noël qui ne doit pas faire oublier ses domaines viticoles, comme celui de Jean Dietrich. D'un pourpre très limpide, ce pinot noir floral et épicé au nez se caractérise par une belle attaque au palais et une bonne persistance.

Jean Dietrich,
4, rue de l'Oberhof, 68240 Kaysersberg,
tél. 03.89.78.25.24, fax 03.89.47.30.72,
e-mail dietrich.jean-et-fils@wanadoo.fr
t.l.j. 10h-12h 14h-18h

### ANDRE DUSSOURT
Rouge de Blienschwiller 2003 *

0,45 ha 4 080 8 à 11 €

Vignerons de père en fils depuis 1680 à Blienschwiller, les Dussourt se sont installés en 1964 à Scherwiller. Exploitant actuellement plus de 9 ha de vignes, ils sont restés attachés à leur terroir d'origine comme le prouve ce pinot noir. Conforme à son origine granitique, ce 2003 affiche déjà un nez complexe avec ses arômes de

griotte assortis de touches de grillé. D'une belle attaque, le palais révèle des tanins fermes mais élégants. C'est le produit d'une grande matière, possédant un intéressant potentiel de garde.
⊶ Dom. André Dussourt, 2, rue de Dambach, 67750 Scherwiller, tél. 03.88.92.10.27, fax 03.88.92.18.44, e-mail info@domainedussourt.com
☑ I ⁂ t.l.j. sf dim. 8h-12h 13h30-18h
⊶ Paul Dussourt

CHARLES FAHRER
Coteau du Haut-Kœnigsbourg 2003 *

| ■ | 0,3 ha | 3 000 | | 5 à 8 € |
|---|---|---|---|---|

Situé au pied du château du Haut-Kœnigsbourg, le village de Saint-Hippolyte abrite de nombreux vignerons metteurs en bouteilles comme Charles Fahrer, qui y a pignon sur rue depuis 1965. Affichant une robe sombre et intense, son 2003 délivre des arômes complexes, fruités, un rien grillés. Un ensemble harmonieux, long et très expressif.
⊶ EARL Charles Fahrer et Fils, 5-7, Grand-Rue, 67600 Orschwiller, tél. 03.88.92.08.25, fax 03.88.82.56.14, e-mail charles.fahrer@evc.net
☑ I ⁂ t.l.j. 8h-19h

PAUL FAHRER Vinifié en barrique neuve 2003 **

| ■ | n.c. | 2 100 | | 5 à 8 € |
|---|---|---|---|---|

Vignerons de père en fils depuis quatre générations, les Fahrer sont installés à Orschwiller, l'un des villages situés au pied du Haut-Kœnigsbourg, où ils exploitent près de 6 ha de vignes. Ils ont élevé dans le bois ce pinot noir d'origine sablo-limoneuse. De couleur soutenue, ce 2003 est déjà très ouvert au nez avec ses notes de fruits rouges. Si les tanins sont bien présents au palais, ils sont fort soyeux. Un vin puissant et harmonieux.
⊶ EARL Paul Fahrer, 3, pl. de la Mairie, 67600 Orschwiller, tél. 03.88.92.86.57, fax 03.88.92.20.41 ☑ I ⁂ r.-v.

MARCEL FREYBURGER
Elevé en fût de chêne 2003 *

| ■ | 0,4 ha | 1 600 | | 5 à 8 € |
|---|---|---|---|---|

Village viticole célèbre et pittoresque, Ammerschwihr n'a pas été épargné par les combats de la poche de Colmar en 1945. Sébastien Freyburger a dû alors reconstruire la maison. Son fils Marcel a pris sa suite, rejoint en 1994 par Christophe, le petit-fils. Séduisant à l'œil par sa robe grenat très brillante, ce pinot noir est dominé au nez par des fruits rouges. Assez vif à l'attaque, il est structuré et puissant.
⊶ Marcel Freyburger, 13, Grand-Rue, 68770 Ammerschwihr, tél. 03.89.78.25.72, fax 03.89.78.15.50, e-mail marcel.freyburger@libertysurf.fr
☑ I ⁂ t.l.j. 9h-12h 14h-18h; dim. sur r.-v.

FRITZ-SCHMITT Rouge d'Ottrott 2003 **

| ■ | 1,2 ha | 10 000 | | 8 à 11 € |
|---|---|---|---|---|

Charmant village du piémont vosgien, niché dans une vallée toute proche du mont Sainte-Odile, Ottrott s'est fait une solide réputation dans la production de vin rouge. Les Fritz-Schmitt y exploitent plus de 12 ha de vignes. Fort engageant dans sa robe sombre, couleur cerise noire à reflets violets, leur pinot noir issu d'un terroir sablonneux est déjà très épanoui. Intense et élégant au nez avec ses arômes de fruits noirs (cerise) mêlés d'épices et de réglisse, c'est un vin bien construit, puissant et structuré, et d'une longueur exceptionnelle. Tout aussi remarquable (deux étoiles) le **Rouge d'Ottrott Vieilles Vignes, élevé en fût de chêne 2003 (11 à 15 €)** a bien assimilé le bois de l'élevage. Mêlant au nez les fruits rouges, le café et le pruneau, il est ample, structuré et apte à la garde.
⊶ EARL Fritz-Schmitt, 1, rue des Châteaux, 67530 Ottrott, tél. 03.88.95.98.06, fax 03.88.95.99.03
☑ I ⁂ r.-v.
⊶ Bernard Schmitt

PAUL GINGLINGER
Les Rocailles Elevé en fût de chêne 2003 ***

| ■ | 1 ha | 4 000 | | 11 à 15 € |
|---|---|---|---|---|

Eguisheim se flatte d'être le berceau du vignoble alsacien. De fait, la pittoresque cité abrite à l'intérieur comme à l'extérieur de ses murs des propriétés multiséculaires comme celle-ci, qui remonte à 1636. Michel Ginglinger représente la treizième génération. Œnologue en formation, il a repris cette exploitation de 12 ha en 2002 et n'a pas perdu de temps : voyez ce 2003 ! Vêtu d'une robe intense et élégante, ce pinot noir d'origine calcaire associe avec bonheur notes fruitées, boisées et vanillées. D'une grande concentration au palais, c'est un vin d'une puissance extraordinaire, armé pour affronter les années. Une bouteille à déboucher sur viandes rouges et gibier.
⊶ Paul Ginglinger, 8, pl. Charles-de-Gaulle, 68420 Eguisheim, tél. 03.89.41.44.25, fax 03.89.24.94.88, e-mail info@paul-ginglinger.fr
☑ I ⁂ t.l.j. sf dim. 8h-12h 14h-18h
⊶ Michel Ginglinger

GINGLINGER-FIX 2003 *

| ■ | 1,1 ha | 11 000 | | 5 à 8 € |
|---|---|---|---|---|

Ses ancêtres étaient déjà au service du vin en 1610. André Ginglinger est à la tête d'une exploitation de 7,5 ha attachée au pinot noir. Sa fille Eliane, œnologue, a rejoint récemment le domaine. D'origine argilo-calcaire, leur 2003 s'annonce par une séduisante robe rubis. Encore discret, le nez laisse percevoir des nuances de fruits accompagnées de notes de sous-bois. Assez souple à l'attaque, c'est un vin long et bien typé.
⊶ Ginglinger-Fix, 38, rue Roger-Frémeaux, 68420 Vœgtlinshoffen, tél. 03.89.49.30.75, fax 03.89.49.29.98, e-mail ginglinger-fix@wanadoo.fr
☑ I ⁂ t.l.j. sf dim. 8h30-12h 13h30-19h
⊶ André Ginglinger

HENRI GROSS Elevé en fût de chêne 2003 **

| ■ | 0,3 ha | 1 700 | | 8 à 11 € |
|---|---|---|---|---|

Dominée par son clocher roman, Gueberschwihr est une bourgade pittoresque dédiée tout entière à la viticulture. Le domaine Gross y a pignon sur rue. Issu d'un terroir calcaire, ce pinot noir très soutenu à l'œil avait la constitution idéale pour un élevage en fût de chêne. Si le côté boisé reste dominant au nez, la bouche emporte l'adhésion : d'une rare concentration, elle révèle une trame tannique serrée, mais soyeuse qui confère à ce vin une grande complexité et une harmonie remarquable.

🔑 EARL Henri Gross et Fils, 11, rue du Nord,
68420 Gueberschwihr, tél. 03.89.49.24.49,
fax 03.89.49.33.58, e-mail vins.gross@wanadoo.fr
☑ Y ★ r.-v.
🔑 Rémy Gross

## CHRISTIAN ET VERONIQUE HEBINGER
2003 ★★★

■ 1,16 ha 4 800 ⬤ 8 à 11 €

Village historique qui vit naître le pape Léon IX, Eguisheim vaut le détour, tant par son patrimoine architectural que par les nombreux vignerons talentueux qu'il abrite. Christian et Véronique Hébinger y exploitent avec passion 10 ha de vignes. Et la réussite est au rendez-vous ! Pour preuve ce pinot noir à la robe soutenue. D'une grande complexité au nez, il mêle des notes boisées et des nuances de mûre et de framboise. Après une attaque soyeuse, le palais révèle très vite son opulence. Un vin puissant et charnu, d'une persistance exceptionnelle. De garde, assurément.

🔑 Christian et Véronique Hébinger, 14, Grand-Rue,
68420 Eguisheim, tél. 03.89.41.19.90, fax 03.89.41.15.61
☑ Y ★ t.l.j. sf dim. 8h-12h 14h-18h

## DOM. LEON HEITZMANN
Elevé en barrique 2003 ★★

■ 0,65 ha 4 000 ⬤ 8 à 11 €

Représentant la sixième génération, Léon Heitzmann a repris le domaine familial (11 ha) en 1987. Originaire d'un terroir argilo-calcaire, son pinot noir promet déjà beaucoup à l'œil avec sa robe soutenue. Et il tient ses promesses. Très fruité au nez, il tire sur le cassis et la violette. Le palais aux tanins bien fondus semble avoir déjà intégré le bois. C'est le produit d'une grande matière.

🔑 Léon Heitzmann, 2, Grand-Rue,
68770 Ammerschwihr, tél. 03.89.47.10.64,
fax 03.89.78.27.76, e-mail leon.heitzmann@wanadoo.fr
☑ Y ★ t.l.j. sf dim. 8h-12h 13h30-18h

## E. HERING FILS SUCC.
Cuvée du Chat noir Elevé en barrique 2003

■ 0,4 ha 2 400 ⬤ 8 à 11 €

Propriétaires d'une cave bâtie en 1652, au cœur de la cité historique de Barr, les Hering sont vignerons de père en fils depuis cinq générations et exploitent aujourd'hui 10 ha de vignes. Originaire d'un terroir marno-calcaire, leur cuvée du Chat noir séduit l'œil par sa robe grenat très soutenue. Boisée et fruitée au nez, elle se révèle ample et chaleureuse au palais.

🔑 Dom. Hering, 6, rue Sultzer, 67140 Barr,
tél. 03.88.08.90.07, fax 03.88.08.08.54,
e-mail jdhering@wanadoo.fr ☑ Y ★ r.-v.

## JEAN HIRTZ ET FILS
Rouge de Mittelbergheim 2003 ★

■ 0,43 ha 1 800 🍾 5 à 8 €

Avec ses maisons Renaissance, Mittelbergheim appartient au cercle envié des plus beaux villages de France. Un riche patrimoine qu'il doit à sa longue histoire viticole. Jean et Edy Hirtz y exploitent aujourd'hui 8 ha de vignes. Séduisant à l'œil par sa robe foncée, leur 2003 est marqué par son origine argilo-gréseuse : déjà très expressif au nez avec ses notes de fruits rouges, il se révèle délicat au palais. Mais cela n'exclut pas une belle ampleur qui le fera apprécier sur une pièce de bœuf, par exemple.

🔑 EARL Jean Hirtz et Fils, 13, rue Rotland,
67140 Mittelbergheim, tél. et fax 03.88.08.47.90
☑ Y ★ r.-v.
🔑 Edy Hirtz

## CLAUDE ET GEORGES HUMBRECHT
Vieilli en fût de chêne 2003 ★

■ 0,56 ha 1 800 ⬤ 8 à 11 €

Magnifique village tout droit sorti de la Renaissance, Gueberschwihr abrite de nombreuses exploitations. Georges Humbrecht a fondé la sienne en 1965. Son fils l'a rejoint en 1992 et a pris en 1997 les rênes du vignoble (7 ha). Issu d'un terroir marno-calcaire, son pinot noir élevé sous bois se caractérise par une robe soutenue. Fruité et boisé au nez, il se révèle très tannique au palais, c'est-à-dire parfaitement armé pour la garde.

🔑 Claude et Georges Humbrecht, 33, rue de
Pfaffenheim, 68420 Gueberschwihr, tél. 03.89.49.31.51,
☑ ⛫ ⌂ Y ★ r.-v.

## JACQUES ILTIS
Rouge de St-Hippolyte Burgreben Vieilles Vignes 2003

■ 0,42 ha 2 000 ⬤ 8 à 11 €

Jacques Iltis a passé le relais en 2000 à ses fils Christophe et Benoît qui conduisent les 10 ha de vignes de l'exploitation. Le pinot noir en est une spécialité. Derrière une robe grenat, brillante, celui-ci est déjà très flatteur au nez avec ses notes de framboise et de groseille. Relativement souple, le palais est équilibré et persistant.

🔑 Jacques Iltis et Fils, 1, rue Schlossreben,
68590 Saint-Hippolyte, tél. 03.89.73.00.67,
fax 03.89.73.01.82, e-mail jacques.iltis@calixo.net
☑ Y ★ t.l.j. 8h-12h 14h-18h; dim. sur r.-v.

## CH. ISENBOURG Le Clos 2003 ★

■ 0,32 ha 3 000 🍾🌡 11 à 15 €

Longtemps propriété des évêques de Strasbourg, le clos du château d'Isenbourg, fort de ses 5 ha de vignes d'un seul tenant qui dominent Rouffach, appartient désormais à la société Châteaux et Terroirs. Séduisant par ses reflets grenat, ce pinot noir s'ouvre sur la cerise au nez. D'une belle attaque, c'est un vin puissant et chaleureux. La finale est marquée par une note de fruits confits.

🔑 Châteaux et Terroirs, 1, cour du Château,
68340 Riquewihr, tél. 03.89.47.92.22, fax 03.89.47.98.90
☑ Y ★ r.-v.

**DOM. JUX** Réserve 2003

■ n.c. 5 000 **5 à 8 €**

Le domaine Jux, qui dépend aujourd'hui de la Cave vinicole d'Eguisheim, appartient avec ses 100 ha de vignes au peloton de tête des exploitations régionales. D'une couleur soutenue, sa cuvée Réserve apparaît déjà très ouverte au nez qui développe des arômes de cerise et de fleurs élégants. D'une belle attaque au palais, c'est un vin assez souple. Il pourra accompagner les repas légers et les grillades.

Dom. Jux, 5, chem. de la Fecht, 68000 Colmar, tél. 03.89.79.13.76, fax 03.89.79.62.93 r.-v.

**ROBERT KARCHER**
Harth Cuvée du Commandeur 2003 *

■ 0,76 ha 4 050 **5 à 8 €**

Cette exploitation familiale compte aujourd'hui près de 10 ha. Ce qui est surprenant, c'est qu'elle trouve son siège dans une ferme bâtie en 1602, située au cœur du vieux Colmar, tout près de la zone piétonne. Paré d'une robe aux reflets rubis, ce pinot noir, issu d'un terroir de graves, est déjà très ouvert au nez marqué par les fruits rouges, cerise et framboise notamment. Les tanins sont bien fondus et il ne manque pas de fraîcheur.

Dom. Robert Karcher et Fils, 11, rue de l'Ours, 68000 Colmar, tél. 03.89.41.14.42, fax 03.89.24.45.33, e-mail info@vins-karcher.com
t.l.j. 8h-12h 14h-19h; dim. sur r.-v.
Georges Karcher

**DOM. KIEFFER** 2003

■ 0,5 ha 3 000 **5 à 8 €**

Etabli à Itterswiller, petit village toujours fleuri, le domaine Kieffer compte aujourd'hui 7 ha de vignes. D'une couleur très profonde et marqué au nez par des arômes de cerise et de vanille qui trahissent une part d'élevage en fût, son pinot noir présente des tanins déjà bien fondus. Il est prêt à accompagner une grillade.

Vincent Kieffer, 76, rte des Vins, 67140 Itterswiller, tél. 03.88.85.50.22, fax 03.88.57.80.91, e-mail vin.kieffer@wanadoo.fr
t.l.j. 8h-12h 13h-19h

**KIRSCHNER**
Rouge de Dambach-la-Ville Saveur boisée 2003 *

■ 0,4 ha 2 500 **8 à 11 €**

Entourée de murs du XIVᵉs. bordés de larges fossés, Dambach-la-Ville est restée avant tout une commune viticole. Ce domaine y exploite près de 10 ha de vignes. Il propose un pinot noir élevé sous bois. Intense à l'œil, ce 2003 issu d'une arène granitique développe au nez des arômes fruités et vanillés très harmonieux. D'une belle attaque au palais, c'est un vin puissant et complexe, et surtout bien armé pour un long vieillissement.

Pierre Kirschner, 26, rue Théophile-Bader, 67650 Dambach-la-Ville, tél. 03.88.92.40.55, fax 03.88.92.62.54, e-mail info@kirschner-viticole.fr
t.l.j. sf dim. 8h-12h 13h-19h

**HENRI KLEE** Elevé en fût de chêne 2003

■ 0,5 ha 4 200 **8 à 11 €**

Vignerons depuis neuf générations à Katzenthal, les Klée sont des perfectionnistes. Ce pinot noir par exemple est constitué d'un assemblage savant avec des barriques de un à trois ans. Conforme à son origine argilo-calcaire, ce 2003 à la robe bien soutenue demande encore à s'ouvrir au nez. Equilibré et soyeux au palais, c'est un vin chaleureux.

EARL Henri Klée et Fils, 11, Grand-Rue, 68230 Katzenthal, tél. 03.89.27.03.81, fax 03.89.27.28.17, e-mail contact@vins-klee-henri.com
t.l.j. sf dim. 8h-12h 13h30-19h

**KLEE FRERES** Rouge d'Alsace 2003 *

■ 0,2 ha 1 500 **5 à 8 €**

Gérard est infirmier, Francis œnologue et Laurent informaticien. Depuis plus de dix ans, les trois fils Klée allient leurs compétences pour gérer la petite exploitation de leur père (1,8 ha) parallèlement à leur propre métier. Ils conduisent le vignoble dans le sens d'une viticulture raisonnée. Vêtu d'une robe aux reflets rubis, leur pinot noir d'origine granitique est marqué au nez par d'élégants arômes de fruits rouges et noirs également présents en bouche. La maturité se retrouve au palais qui fait preuve d'une belle ampleur. Un ensemble plaisant.

Klée Frères, 18, Grand-Rue, 68230 Katzenthal, tél. 03.89.47.17.90, e-mail info@klee-freres.com
r.-v.

**GEORGES KLEIN** Rouge de Saint Hippolyte 2003

■ 1 ha 7 000 **5 à 8 €**

Le domaine dispose de 10 ha autour de Saint-Hippolyte, village pittoresque dominé par le château du Haut-Kœnigsbourg. Il propose un pinot noir issu d'un terroir granitique. Ce 2003 à la robe sombre exhale des arômes de fruits rouges très intenses. Ample et bien équilibré au palais, il est prêt à accompagner entrées et grillades.

EARL Georges Klein, 10, rte du Vin, 68590 Saint-Hippolyte, tél. 03.89.73.00.28, fax 03.89.73.06.28 r.-v.
Auguste Klein

**DOM. KLEIN AUX VIEUX REMPARTS**
Rouge de Saint-Hippolyte 1998

■ 0,5 ha 1 850 **15 à 23 €**

Françoise et Jean-Marie Klein, tous deux œnologues, vinifient dans leur cave datant de 1766, construite contre les remparts de la cité. Elevé trente mois en barrique, ce vieux millésime conserve une robe rubis clair brillant. Le nez laisse apparaître des odeurs de sous-bois, de vanille, nuancées de grillé. L'attaque est franche : les petits fruits à noyau sont perçus en premier. Vient ensuite la vanille d'un boisé très fondu qui communique à ce vin toute l'élégance voulue. Ce rouge de Saint-Hippolyte peut être apprécié dès maintenant.

Françoise et Jean-Marie Klein - Aux Vieux Remparts, rte du Haut-Kœnigsbourg, 68590 Saint-Hippolyte, tél. 03.89.73.00.41, fax 03.89.73.04.94
t.l.j. sf dim. 8h-12h 14h-19h; groupes sur r.-v.

**ROBERT KLINGENFUS**
Cuvée Elodie Elevé en barrique 2003 *

■ 1 ha 5 500 **8 à 11 €**

Molsheim a été rendue célèbre naguère par les usines Bugatti. Elle n'a pour autant rien renié de son histoire viticole qui se poursuit aujourd'hui grâce à de belles exploitations comme le domaine Klingenfus. D'origine marno-calcaire, ce pinot noir aux jolis reflets rubis a fort bien intégré son élevage en barrique. A la fois fruité et vanillé au nez, il est structuré au palais. Une grande matière.

🔑 Robert Klingenfus, 60, rue de Saverne,
67120 Molsheim, tél. 03.88.38.07.06, fax 03.88.49.32.47
r.-v.

## PIERRE KOCH ET FILS 2003 ★

■ 0,8 ha 2 800 5 à 8 €

Le domaine Koch a été fondé à Nothalten en 1965 et a fait son chemin, puisqu'il compte aujourd'hui 13 ha de vignes. François Koch élabore les vins depuis 1990. Il présente un pinot noir d'origine granitique, éclatant dans le verre et dominé par des parfums de fruits rouges. Plutôt souple, de persistance moyenne, un ensemble flatteur. Le **Rouge de Nothalten 2003 (8 à 11 €)** présente une belle structure tannique. Vin de garde très prometteur, il obtient également une étoile.

🔑 Pierre et François Koch, 2, rte du Vin,
67680 Nothalten, tél. 03.88.92.42.30, fax 03.88.92.62.91
t.l.j. sf dim. 9h-12h 13h-19h

## KOEBERLE-KREYER Elevé en barrique 2003

■ 0,42 ha 3 500 8 à 11 €

Charmant petit village niché au fond d'une vallée toute proche du Haut-Kœnigsbourg, Rodern s'est fait une spécialité du pinot noir. D'une couleur profonde, celui-ci est marqué par son origine granitique. Très ouvert au nez où se mêlent notes de raisins et touches grillées, c'est un vin déjà épanoui au palais, assez souple et harmonieux.

🔑 Koeberlé Kreyer, 28, rue du Pinot-Noir,
68590 Rodern, tél. et fax 03.89.73.00.55,
e-mail fkoeberle@free.fr r.-v.

## KOEHLY
Lieu-dit Hahnenberg Elevé en fût de chêne 2003 ★

■ 1,2 ha 8 000 5 à 8 €

Etabli à Kintzheim, sur la route du Haut-Kœnigsbourg, Jean-Marie Koehly commercialise en vente directe la quasi-totalité de la production de ses 16 ha dans un caveau typique construit par les compagnons du Devoir. On retrouve son pinot noir du Hahnenberg qui s'est plus d'une fois hissé sur le podium. Il naît d'un terroir granitique. D'une couleur très soutenue, le 2003 affiche déjà une belle évolution, les arômes de fruits rouges se mêlant à quelques notes animales. Il est puissant au palais, avec des tanins bien présents mais soyeux. Une belle harmonie.

🔑 Jean-Marie Koehly, 64, rue du Gal-de-Gaulle,
67600 Kintzheim, tél. 03.88.82.09.77, fax 03.88.82.70.49
t.l.j. 8h-12h 13h-18h

## KROSSFELDER Cuvée des Guillemettes 2003

■ n.c. 10 000 5 à 8 €

La cave vinicole de Dambach-la-Ville, dépositaire de la marque Krossfelder, avait depuis longtemps uni sa destinée à celle d'Eguisheim. Les deux coopératives viennent de faire le dernier pas en décidant de fusionner. Rouge à reflets violets, ce pinot noir est encore jeune. L'impression se confirme au nez, très floral, et au palais, dominé par des tanins encore austères.

🔑 Cave vinicole Krossfelder, 39, rue de la Gare,
67650 Dambach-la-Ville, tél. 03.88.92.40.03,
fax 03.88.92.42.89 r.-v.

## ALBERT MANN Clos de la Faille 2003 ★★★

■ 0,22 ha n.c. 23 à 30 €

Wettolsheim est un charmant village viticole qui jouxte Colmar. Le domaine Albert Mann, qui compte 19 ha, est désormais conduit par les frères Barthelmé dont la production est régulièrement distinguée dans le Guide. Ils présentent aujourd'hui un pinot noir d'origine gréso-calcaire d'une couleur soutenue. Le nez associe fruits rouges, café et vanille. C'est un vin soyeux, d'une persistance exceptionnelle et d'une grande complexité.

🔑 Dom. Albert Mann, 13, rue du Château,
68920 Wettolsheim, tél. 03.89.80.62.00,
fax 03.89.80.34.23, e-mail albert.mann@wanadoo.fr
r.-v.
🔑 Barthelmé

## MARTIN ZAHN Pinot noir de Rodern 2003 ★

■ n.c. 12 000 8 à 11 €

La cave vinicole de Ribeauvillé peut se vanter d'être la plus ancienne coopérative de France puisqu'elle a été fondée voilà plus de cent ans. Depuis, elle n'a cessé de se développer et vinifie aujourd'hui 260 ha de vignes. Issue d'une sélection de terroirs sablonneux, cette cuvée Martin Zahn, d'une couleur sombre, possède un nez déjà très ouvert fait de fruits rouges, d'épices et de cuir. Puissante et chaleureuse, bien charpentée, cette bouteille continuera à se bonifier avec le temps.

🔑 Cave vinicole de Ribeauvillé, 2, rte de Colmar,
68150 Ribeauvillé, tél. 03.89.73.61.80,
fax 03.89.73.31.21 t.l.j. 8h-12h 14h-18h

## HUBERT METZ Vieilles Vignes 2003

■ 0,45 ha 3 100 5 à 8 €

Le domaine, avec ses 10 ha de vignes, a son siège dans l'ancienne cave de la Dîme, bâtie en 1728 et remarquable par son architecture ainsi que par la collection de foudres de chêne qu'elle abrite. Ce 2003 grenat, déjà très ouvert au nez, se caractérise par une belle attaque et une structure tannique bien soutenue qui traduit un certain potentiel de garde. A attendre.

🔑 Hubert Metz, 3, rue du Winzenberg,
67650 Blienschwiller, tél. 03.88.92.43.06,
fax 03.88.92.62.08, e-mail hubertmetz@aol.com
r.-v.

## DOM. XAVIER MULLER Elevé en barrique 2003 ★

■ 0,2 ha 1 500 8 à 11 €

L'exploitation viticole date de 1961, mais Xavier Muller a attendu 2002 et l'arrivée de son fils sur le domaine pour se lancer dans la vinification. Et déjà, il obtient une étoile avec ce 2003 issu d'un terroir argilo-calcaire. Sédui-

sant à l'œil, ce pinot noir a parfaitement intégré son élevage en fût de chêne. Il est dominé au nez par des arômes de fruits rouges, et la bouche est équilibrée. Un vin bien typé.
Xavier Muller, 1, rue du Moulin, 67520 Marlenheim, tél. et fax 03.88.59.57.90, e-mail xavier.muller3@wanadoo.fr
t.l.j. 10h-12h 14h-18h

### CHARLES MULLER ET FILS Fût de chêne 2003 *

| | 1 ha | 6 000 | | 5 à 8 € |
|---|---|---|---|---|

Les Muller, vignerons depuis 1580, ont eu, au XVIIIe s., un ancêtre tonnelier à qui l'on doit notamment un magnifique tonneau sculpté, aujourd'hui exposé au musée Unterlinden de Colmar. L'exploitation – plus de 10 ha – conduite en agriculture biologique depuis 1998 propose un pinot noir à l'élégante robe pourpre et aux arômes fruités et torréfiés. Ce vin a parfaitement intégré son élevage en fût de chêne. Les tanins, fondus et soyeux, lui confèrent une belle harmonie. Il est à boire.
Charles Muller et Fils, 89c, rte du Vin, 67310 Traenheim, tél. 03.88.50.38.04, fax 03.88.50.58.54 r.-v.

### CAVE D'OBERNAI Elevé en fût de chêne 2003

| | n.c. | 16 500 | | 8 à 11 € |
|---|---|---|---|---|

La cave d'Obernai, ville pittoresque située à proximité du mont Sainte-Odile, présente un pinot noir aux reflets intenses, élevé en fut de chêne. Le nez, déjà expressif, associe des notes de fruits rouges et de torréfaction. Légèrement tannique à l'attaque, cette bouteille est bien structurée.
Cave vinicole d'Obernai, 30, rue du Gal-Leclerc, 67210 Obernai, tél. 03.88.47.60.20, fax 03.88.47.60.22, e-mail cave-obernai@cave-obernai.com r.-v.

### CH. OLLWILLER 2003 *

| | 6 ha | 10 000 | | 8 à 11 € |
|---|---|---|---|---|

Propriété de la famille Gros, le vignoble du château d'Ollwiller est vinifié séparément par la cave vinicole du Vieil-Armand. Originaire d'un terroir sablo-argileux, ce pinot noir à la robe soutenue développe au nez des arômes intenses de fruits rouges, d'épices et de vanille. Marqué par le vieillissement en barrique, c'est un vin puissant et chaleureux, dont les tanins bien fondus soulignent l'harmonie.
Cave du Vieil-Armand, 1, rte de Cernay, 68360 Soultz-Wuenheim, tél. 03.89.76.73.75, fax 03.89.76.70.75 t.l.j. 8h-12h 14h-18h

### PIERRE ET JEAN-PIERRE RIETSCH
L'Age de pierre 2003 **

| | 0,98 ha | 2 900 | | 8 à 11 € |
|---|---|---|---|---|

Mittelbergheim est réputé tant pour son charme – il est classé «plus beau village de France» – que pour ses nombreux producteurs. Vous pourrez goûter les vins de la famille Rietsch dans une ancienne maison vigneronne datant de 1576. Surtout ne manquez pas leur remarquable pinot noir 2003 d'origine argilo-calcaire. Sa couleur est très soutenue. L'olfaction révèle un savant mariage entre des notes fruitées, vanillées, un rien briochées. Un vin ample et puissant aux tanins bien fondus et d'une belle persistance.
EARL Pierre et Jean-Pierre Rietsch, 32, rue Principale, 67140 Mittelbergheim, tél. 03.88.08.00.64, fax 03.88.08.40.91, e-mail rietsch@wanadoo.fr r.-v.

### RUHLMANN-DIRRINGER
A fleur de roche 2003 *

| | 0,5 ha | 3 000 | | 5 à 8 € |
|---|---|---|---|---|

Le domaine s'étale au bas des remparts de Dambach-la-Ville. L'ancienne demeure de 1578, qui abrite le siège de l'exploitation, a gardé intactes les caves de cette époque. Une robe séduisante habille ce pinot noir. Conforme à son origine granitique, il présente un nez de fruits rouges déjà très épanoui. La bouche est agréable ; les tanins bien fondus sont en phase avec la maturité exceptionnelle du millésime 2003.
Ruhlmann-Dirringer, 3, rue Mullenheim, 67650 Dambach-la-Ville, tél. 03.88.92.40.28, fax 03.88.92.48.05
t.l.j. sf dim. 9h30-11h45 13h30-18h30

### GILBERT RUHLMANN FILS 2003

| | 0,8 ha | 6 000 | | 5 à 8 € |
|---|---|---|---|---|

Gilbert Ruhlmann a fondé cette exploitation à Scherwiller en 1972. Il a été rejoint par son fils en 1997 et, depuis, ils produisent ensemble une gamme très complète de vins sur leurs 11 ha de vignes. Issu d'un terroir limono-sableux, leur pinot noir a subi quatre jours de macération qui lui ont donné sa couleur soutenue. Epanoui au nez, il offre des notes de fruits rouges. Ses tanins bien fondus en font un vin souple.
Gilbert Ruhlmann Fils, 31, rue de l'Ortenbourg, 67750 Scherwiller, tél. 03.88.92.03.21, fax 03.88.82.30.19, e-mail vin.ruhlmann@terre-net.fr
t.l.j. 9h-12h 13h30-18h30; dim. sur r.-v.

### SCHEIDECKER Rouge d'Alsace 2003 *

| | 0,26 ha | 2 500 | | 8 à 11 € |
|---|---|---|---|---|

Vigneron de la troisième génération, Philippe Scheidecker exploite une propriété de 7 ha de vignes à Mittelwihr, situé au cœur de la route des Vins. Ce village bénéficie d'un microclimat privilégié puisqu'il abrite la célèbre côte des Amandiers. Originaire d'un terroir argilo-calcaire, ce pinot noir présente une robe soutenue et d'intenses arômes marqués par le sous-bois et les fruits mûrs. D'une belle attaque, c'est un vin long et chaleureux.
Philippe Scheidecker, 13, rue des Merles, 68630 Mittelwihr, tél. 03.89.49.01.29, fax 03.89.49.06.63
r.-v.

### THIERRY SCHERRER
Elevé en fût de chêne 2003 **

| | 0,38 ha | 2 500 | | 5 à 8 € |
|---|---|---|---|---|

De 1954 à 1992, l'exploitation était affiliée à une cave coopérative, jusqu'à ce que, en 1993, Thierry Scherrer décide de prendre en main la vinification. Un terroir argilo-calcaire a donné naissance à ce pinot noir à la robe sombre prometteuse. Elevé en fût de chêne, il reste pourtant dominé à l'olfaction par les fruits rouges, arômes que l'on retrouve en bouche. Un vin charpenté et harmonieux.
Thierry Scherrer, 1, rue de la Gare, 68770 Ammerschwihr, tél. et fax 03.89.47.15.86, e-mail thierry.scherrer@wanadoo.fr r.-v.

### FRANCOIS SCHMITT Cœur de Bollenberg 2003 *

| | 0,49 ha | 2 000 | | 15 à 23 € |
|---|---|---|---|---|

François et Marie-France Schmitt se sont lancés dans la vente directe il y a trente ans avec seulement 3 ha de vignes. Aujourd'hui, aidés de leurs deux fils, ils exploitent un domaine de 10 ha. Leur cuvée Cœur de Bollenberg,

d'origine argilo-calcaire, porte une robe d'un rouge intense. Elle se caractérise au nez par des arômes boisés et épicés. La bouche, concentrée, évolue vers des notes de torréfaction. Une grande matière prête à affronter les années.
Cave François Schmitt,
19, rte de Soultzmatt, 68500 Orschwihr,
tél. 03.89.76.08.45, fax 03.89.76.44.02,
e-mail cavefrancoisschmitt@wanadoo.fr r.-v.

PAUL SCHWACH
Cuvée exceptionnelle Elevé en foudre de chêne 2003
0,65 ha 4 000 **5 à 8 €**

Un domaine de 10 ha créé en 1945 par Paul Schwach et repris en 1991 par sa fille Christine. De couleur soutenue, le pinot noir 2003 est issu d'un terroir sédimentaire complexe ; il révèle des notes de torréfaction qui laissent deviner un élevage sous bois bien maîtrisé. Un vin charpenté.
EARL Paul Schwach,
30-32, rte de Bergheim, 68150 Ribeauvillé,
tél. 03.89.73.62.73, fax 03.89.73.37.99,
e-mail earl.paul.schwach@wanadoo.fr r.-v.

EMILE SCHWARTZ Réserve personnelle 2003
0,7 ha 6 000 **5 à 8 €**

Un domaine de 6,5 ha situé à Husseren-les-Châteaux et aujourd'hui exploité par la quatrième génération. Un terroir argilo-calcaire a donné naissance à ce pinot noir qui exhale des senteurs de fruits rouges un peu cuits. Après une belle attaque, le vin se révèle structuré et persistant.
Emile Schwartz et Fils,
3, rue Principale, 68420 Husseren-les-Châteaux,
tél. 03.89.49.30.61, fax 03.89.49.27.27,
e-mail emile.schwartz.fils@wanadoo.fr
t.l.j. sf dim. 8h-12h 14h-19h

PHILIPPE SOHLER Cuvée Bacchus 2003
0,53 ha 3 000 3 à 5 €

Descendant d'une lignée de vignerons remontant au XIXᵉs., Philippe Sohler a repris la propriété de son oncle en 1997. Originaire d'un terroir gréseux, sa cuvée Bacchus séduit par sa belle robe grenat. Le nez, intense, laisse percevoir des nuances de fruits secs. Un vin souple mais persistant en bouche.
Dom. Philippe Sohler, 80A, rte des Vins,
67680 Nothalten, tél. et fax 03.88.92.49.89,
e-mail sohler.philippe@wanadoo.fr r.-v.

DOM. STEINER Elsbourg 2003 ★★★
0,25 ha 1 000 8 à 11 €

Fondé en 1895 à Herrlisheim, le domaine Steiner n'a cessé depuis de se développer en surface comme en réputation... Une réputation servie par ce superbe pinot noir originaire d'un terroir calcaire, qui séduit à l'œil par sa robe très intense et au nez par ses nuances de fruits et de vanille. Ample et tannique au palais, ce 2003 se distingue par une persistance exceptionnelle. Un vin prometteur.
GAEC Steiner, 11, rte du Vin,
68420 Herrlisheim-près-Colmar, tél. 03.89.49.30.70,
fax 03.89.49.29.67, e-mail gaec-steiner@terre-net.fr
r.-v.

STEMPFEL 2003
1,14 ha 9 600 **11 à 15 €**

Obermorschwihr est un village très pittoresque avec son clocher à colombage. Les Stempfel y perpétuent la tradition viticole. Vêtu d'une robe limpide, leur pinot noir est d'origine argilo-calcaire. Il est déjà bien ouvert avec ses arômes de fruits rouges (mûre et framboise). Bien structuré au palais, c'est un vin équilibré et persistant.
Stempfel Fils, 4, rue Principale,
68420 Obermorschwihr, tél. 03.89.49.31.95,
fax 03.89.49.26.88 r.-v.

ANDRE STENTZ Schoflit 2003 ★★
0,12 ha 500 **15 à 23 €**

Ce domaine de trois cents ans a su se moderniser et mettre en valeur ses terroirs à travers l'agriculture biologique. André Stentz offre un pinot noir 2003 caractéristique, originaire d'un terroir argilo-calcaire, et qui a séduit le jury d'abord par sa robe d'une couleur franche et soutenue, puis par son nez épicé et boisé. Après une attaque plutôt souple, le vin présente des tanins soyeux et fait preuve d'une bonne persistance. Il peut déjà être bu, mais gagnera à rester quelques années en cave.
André Stentz, 2, rue de la Batteuse,
68920 Wettolsheim, tél. 03.89.80.64.91,
fax 03.89.79.59.75, e-mail andre-stentz@wanadoo.fr
r.-v.

DOM. STOEFFLER Lieu-dit Rotenberg 2003 ★
0,5 ha 3 000 **8 à 11 €**

Vincent Stoeffler veille depuis vingt ans sur 30 ha de vignes et commercialise l'ensemble de sa production en bouteilles sous trente-cinq références différentes. Son pinot noir du Rotenberg, d'origine gréso-calcaire, est un modèle de construction et d'élégance : la robe est sombre, le nez marqué par les fruits rouges et noirs ; la bouche, structurée, révèle une belle matière. Une bouteille parfaitement armée pour le vieillissement.
Dom. Vincent Stoeffler, 1, rue des Lièvres,
67140 Barr, tél. 03.88.08.52.50, fax 03.88.08.17.09,
e-mail info@vins-stoeffler.com
t.l.j. sf dim. 10h-12h 13h30-18h30

STRAUB Elevé en fût de chêne 2003 ★★
0,5 ha 4 000 5 à 8 €

Le caveau de dégustation est installé dans une cave voûtée, et la demeure date de 1715. Allez donc y goûter ce remarquable pinot noir d'origine granitique, à la robe soutenue. Bien qu'élevé en barrique, il reste dominé par des senteurs de fruits rouges. En bouche, si les tanins sont bien présents, ils sont fondus et confèrent au vin une grande élégance. Et quelle matière !
Jean-Marie Straub, 61, rte des Vins,
67650 Blienschwiller, tél. et fax 03.88.92.40.42
r.-v.

STRUSS 2003
0,43 ha 3 800 **5 à 8 €**

Le domaine André Struss présente deux pinots noirs. D'une part, ce rosé à la robe à reflets rubis issu d'un terroir calcaire. Son nez est déjà très ouvert avec ses notes de fruits rouges. Souple, légère et équilibrée, cette bouteille accompagnera des grillades. D'autre part, le **pinot noir rouge 2003, élevé en barrique**, avec ses notes de torréfaction, décroche une étoile. Il a bien assimilé le bois et se montre harmonieux et persistant.

André Struss et Fils, 16, rue Principale, 68420 Obermorschwihr, tél. 03.89.49.36.71, fax 03.89.49.37.30 r.-v.
Philippe Struss

## ANDRE THOMAS ET FILS 2003 ★★

0,6 ha 4 000 8 à 11 €

Le village d'Ammerschwihr, outre ses belles et anciennes demeures, compte de nombreuses caves particulières parmi lesquelles celle d'André Thomas. Une robe très intense pare son pinot noir où les senteurs boisées et des parfums de fruits rouges, en particulier la cerise, se marient agréablement. De l'ampleur, de la longueur et de la puissance pour un vin qui a parfaitement intégré l'élevage en barrique. Un millésime plein de promesses.
André Thomas et Fils, 3, rue des Seigneurs, 68770 Ammerschwihr, tél. 03.89.47.16.60, fax 03.89.47.37.22 r.-v.

## ULMER Coteau du Bruderberg 2003 ★★

0,23 ha 2 000 5 à 8 €

Rosheim mérite une visite pour son patrimoine architectural (dont une superbe église romane) et ses vignerons talentueux tels les Ulmer. D'origine calcaire, ce pinot noir se caractérise par des arômes de cerise mêlés à des notes de sous-bois. Après une belle attaque, le vin se montre puissant et tannique, d'une grande persistance.
Dom. Rémy Ulmer, 3, rue des Ciseaux, 67650 Rosheim, tél. 03.88.50.45.62, fax 03.88.48.65.83, e-mail domaineulmer@wanadoo.fr r.-v.

## DOM. DE LA VIEILLE FORGE Elevé en fût de chêne 2003 ★

n.c. 2 200 8 à 11 €

Denis Wurtz, œnologue, et son cousin Pascal Wagner, diplômé d'école de commerce, ont repris en 1998 le domaine de leurs grands-parents. En 2004, ils ont créé dans l'ancienne maison alsacienne à colombage du XVII^e s. une salle de dégustation où vous pourrez goûter ce pinot noir. D'un grenat soutenu, ce vin est marqué au nez par des notes grillées et torréfiées. Ample et chaleureux, il devrait avoir suffisamment de matière pour intégrer harmonieusement le bois de l'élevage en barrique.
Dom. de la Vieille Forge, 5, rue de Hoen, 68980 Beblenheim, tél. 03.89.86.01.58, fax 03.89.47.86.37, e-mail virginie.wurtz@wanadoo.fr t.l.j. 10h-12h 16h-18h30
Denis Wurtz

## J.-CH. VONVILLE Rouge d'Ottrott 2003 ★

n.c. 9 800 8 à 11 €

Vignerons à Ottrott depuis 1830, les Vonville sont particulièrement attachés au célèbre rouge d'Ottrott : ils en produisent davantage que du vin blanc. Leur 2003, originaire d'un terroir gréseux, est encore dans sa phase de jeunesse. La robe est soutenue, le nez discret, et le palais révèle une belle structure tannique. Un pinot noir puissant et typé. Du Rouge d'Ottrott encore pour la **cuvée Stéphane 2003 (11 à 15 €)** qui obtient, elle aussi, une étoile. C'est un vin plus marqué par la barrique, ample, riche, complexe et long, qui s'épanouira avec les années.
Jean-Charles Vonville, 4, pl. des Tilleuls, 67530 Ottrott, tél. 03.88.95.80.25, fax 03.88.95.96.40, e-mail earl.vonville@wanadoo.fr t.l.j. 9h-12h 13h30-19h

## CH. WANTZ Rouge d'Ottrott 2003 ★

2,5 ha 10 000 5 à 8 €

La maison Wantz est bien enracinée dans la viticulture puisqu'un de ses ancêtres relança le klevener de Heiligenstein en 1742. Elle reste attachée à son domaine familial qu'elle met en valeur à côté de son activité de négoce. Elle a présenté un pinot noir d'origine sablonneuse. De couleur soutenue, ce 2003 mêle au nez des arômes de fruits rouges et des nuances grillées. La bouche, complexe et structurée, tout en harmonie, est le produit d'une grande matière.
Charles Wantz, 36, rue Saint-Marc, 67140 Barr, tél. 03.88.08.90.44, fax 03.88.08.54.61, e-mail charles.wantz@wanadoo.fr t.l.j. sf dim. 9h-12h30 14h-18h
E. Moser

## ODILE ET DANIELLE WEBER 2003 ★

0,25 ha 2 600 5 à 8 €

Pratiquant la culture biologique, Odile et Danielle Weber exploitent 4 ha de vignes. Né d'un terroir argilo-calcaire, leur pinot noir, d'un rouge intense, associe des senteurs complexes de fruits secs, de sous-bois et de pain grillé. Franc à l'attaque, tannique et puissant, il possède une grande matière qui le destine à un gibier.
Odile et Danielle Weber, 14, rue de Colmar, 68420 Eguisheim, tél. et fax 03.89.41.35.56 r.-v.

## WINTER Elevé en fût de chêne 2003 ★★

n.c. 2 000 11 à 15 €

Hunawihr mérite le détour non seulement pour son église fortifiée mais aussi pour ses vignerons passionnés comme Albert Winter qui bichonne, depuis 1971, ses 4 ha de vignes. Né d'un terroir argilo-calcaire, son pinot noir s'habille d'une robe très prononcée. Malgré un élevage en fût de chêne, il développe au nez des arômes dominés par les fruits rouges (cassis). Ample et soyeux au palais, il allie puissance et élégance. Une bouteille à boire dès maintenant.
Albert Winter, 17, rue Sainte-Hune, 68150 Hunawihr, tél. et fax 03.89.73.62.95 r.-v.

## W. WURTZ 2003 ★

0,4 ha 2 500 8 à 11 €

Fondé en 1952, le domaine bénéficie d'une belle palette de terroir, puisqu'il est établi à Mittelwihr, commune connue pour sa côte des Amandiers. Une robe rubis et des arômes fruités confèrent une grande élégance à son pinot noir d'origine argilo-calcaire. Après une attaque franche, la bouche révèle un caractère fruité d'une grande persistance.
EARL Willy Wurtz et Fils, 6, rue du Bouxhof, 68630 Mittelwihr, tél. 03.89.47.93.16, fax 03.89.47.89.01 t.l.j. 9h-19h

## ZEYSSOLFF Cuvée Z L'Inédit 2003 ★★

0,16 ha 1 000 15 à 23 €

Une cuvée vraiment inédite qui porte bien son nom puisqu'elle décroche un coup de cœur ! Elle est née d'un terroir marno-gréseux et porte une robe pourpre soutenu. Le nez, intense, associe harmonieusement notes boisées, fruits rouges et épices. Complexe et structurée, la bouche confirme toutes ces promesses. Une grande matière à réserver aux viandes rouges et au gibier d'ici un à deux ans.

G. Zeyssolff, 156, rte de Strasbourg, 67140 Gertwiller, tél. 03.88.08.90.08, fax 03.88.08.91.60, e-mail yvan.zeyssolff@wanadoo.fr
r.-v.

ALBRECHT ZIEGLER 2003 *

0,85 ha 9 000 **8 à 11 €**

Allez donc jeter un coup d'œil du côté de la propriété de la famille Ziegler pour admirer la belle cave voûtée du XVII^e s. Profitez-en pour goûter ce pinot noir 2003 d'une couleur soutenue. C'est un vin chaleureux aux arômes fruités et épicés. Charpenté et corsé, il est le fruit d'une grande matière aux allures presque méditerranéennes !

Albert Ziegler, 10, rue de l'Eglise, 68500 Orschwihr, tél. 03.89.76.01.12, fax 03.89.74.91.32
t.l.j. 8h-12h 13h-19h

PAUL ZINCK Elevé en fût de chêne 2003 **

0,4 ha 2 000 **11 à 15 €**

Depuis peu, Eguisheim fait partie du cercle très prisé de l'Association des plus beaux villages de France. Philippe Zinck a repris le flambeau à la tête de la propriété familiale à la fin des années 1990 avec de belles ambitions. Son pinot noir 2003, d'origine argilo-calcaire, se montre à la hauteur de ces ambitions puisque le jury lui a décerné deux étoiles. Une robe profonde et élégante habille cette bouteille qui mêle au nez des notes boisées et des senteurs de fruits rouges. Charpenté et persistant, c'est un vin fort expressif.

Paul Zinck, 18, rue des Trois-Châteaux, 68420 Eguisheim, tél. 03.89.41.19.11, fax 03.89.24.12.85, e-mail info@zinck.fr
t.l.j. sf dim. 8h-12h 14h-18h

# Alsace grand cru

Dans le but de promouvoir les meilleures situations du vignoble, un décret de 1975 a institué l'appellation « alsace grand cru », liée à un certain nombre de contraintes plus rigoureuses en matière de rendement et de teneur en sucre. Une appellation réservée au gewurztraminer, au pinot gris, au riesling et au muscat, jusqu'au décret de mars 2005 qui autorise l'introduction du sylvaner, en assemblage avec le gewurztraminer, le pinot gris et le riesling dans le grand cru altenberg-de-bergheim, et en remplacement du muscat dans le grand cru zotzenberg. Les terroirs délimités produisent le *nec plus ultra* des vins d'Alsace.

En 1983, un décret définit un premier groupe de 25 lieux-dits admis dans cette appellation. Il a été complété par deux nouveaux décrets de 1992 et 2001. Le vignoble d'Alsace compte ainsi officiellement 50 grands crus, répartis sur 47 communes et dont les surfaces sont comprises entre 3,23 ha et 80,28 ha, en raison du principe d'homogénéité géologique propre aux grands crus. La production de ces grands crus reste modeste : 45 435 hl ont été déclarés pour le millésime 2004 sur une superficie de 750 ha.

Les disciplines nouvelles, depuis 2001, concernent l'élévation à 11 % vol. du degré minimum des rieslings et des muscats, et à 12,5 % vol. de celui des pinots gris et des gewurztraminers, la codification des règles de conduite de la vigne (densité de plantation, treille), ainsi que la responsabilisation de chacun des 50 syndicats de cru.

# Alsace grand cru altenberg-de-bergbieten

DOM. FREDERIC MOCHEL Muscat 2003

0,3 ha 1 500 **11 à 15 €**

Etabli à Traenheim, ce domaine renommé dispose d'une dizaine d'hectares sur la commune voisine de Bergbieten, dont une part non négligeable dans le grand cru Altenberg. C'est de ce terroir argilo-marneux, allégé par de nombreux cailloutis calcaires, que provient ce muscat jaune d'or, encore fermé au nez. Tout aussi discret en bouche, il s'impose par sa puissance, soulignée par une attaque assez vive et par sa longueur. Un ensemble prometteur, qui gagnera à attendre. (Sucres résiduels : 8 g/l.)

Dom. Frédéric Mochel, 56, rue Principale, 67310 Traenheim, tél. 03.88.50.38.67, fax 03.88.50.56.19, e-mail infos@mochel.net
r.-v.

MOCHEL-LORENTZ Gewurztraminer 2003 *

0,31 ha 2 087 **8 à 11 €**

Situé dans la partie nord de la route des Vins, à l'ouest de Strasbourg, l'Altenberg de Bergbieten est un terroir argilo-calcaire. Ses sols emmagasinent bien l'eau, ce qui permet une maturation régulière du raisin. Ce grand cru a donné naissance à un vin jaune pâle brillant et finement

## LES CINQUANTE GRANDS

| Grands crus | Communes | Surface délimitée (ha) |
|---|---|---|
| Altenberg-de-bergbieten | Bergbieten (67) | 30 |
| Altenberg-de-bergheim | Bergheim (68) | 35 |
| Altenberg-de-wolxheim | Wolxheim (67) | 31 |
| Brand | Turckheim (68) | 58 |
| Bruderthal | Molsheim (67) | 18 |
| Eichberg | Eguisheim (68) | 57 |
| Engelberg | Dahlenheim, Scharrachbergheim (67) | 14 |
| Florimont | Ingersheim, Katzenthal (68) | 21 |
| Frankstein | Dambach-la-Ville (67) | 56 |
| Froehn | Zellenberg (68) | 14 |
| Furstentum | Kientzheim, Sigolsheim (68) | 30 |
| Geisberg | Ribeauvillé (68) | 8 |
| Gloeckelberg | Rodern, Saint-Hippolyte (68) | 23 |
| Goldert | Gueberschwihr (68) | 45 |
| Hatschbourg | Hattstatt, Voegtlinshoffen (68) | 47 |
| Hengst | Wintzenheim (68) | 76 |
| Kanzlerberg | Bergheim (68) | 3 |
| Kastelberg | Andlau (67) | 6 |
| Kessler | Guebwiller (68) | 28 |
| Kirchberg-de-barr | Barr (67) | 40 |
| Kirchberg-de-ribeauvillé | Ribeauvillé (68) | 11 |
| Kitterlé | Guebwiller (68) | 25 |
| Mambourg | Sigolsheim (68) | 62 |
| Mandelberg | Mittelwihr, Beblenheim (68) | 22 |
| Marckrain | Bennwihr, Sigolsheim (68) | 53 |
| Moenchberg | Andlau, Eichhoffen (67) | 12 |
| Muenchberg | Nothalten (67) | 18 |
| Ollwiller | Wuenheim (68) | 36 |
| Osterberg | Ribeauvillé (68) | 24 |
| Pfersigberg | Eguisheim, Wettolsheim (68) | 74 |
| Pfingstberg | Orschwihr (68) | 28 |
| Praelatenberg | Kintzheim (67) | 18 |
| Rangen | Thann, Vieux-Thann (68) | 19 |
| Rosacker | Hunawihr (68) | 26 |
| Saering | Guebwiller (68) | 27 |
| Schlossberg | Kientzheim (68) | 80 |
| Schoenenbourg | Riquewihr, Zellenberg (68) | 53 |
| Sommerberg | Niedermorschwihr, Katzenthal (68) | 28 |
| Sonnenglanz | Beblenheim (68) | 33 |
| Spiegel | Bergholtz, Guebwiller (68) | 18 |
| Sporen | Riquewihr (68) | 23 |
| Steinert | Pfaffenheim, Westhalten (68) | 38 |
| Steingrubler | Wettolsheim (68) | 23 |
| Steinklotz | Marlenheim (67) | 40 |
| Vorbourg | Rouffach, Westhalten (68) | 72 |
| Wiebelsberg | Andlau (67) | 12 |
| Wineck-schlossberg | Katzenthal, Ammerschwihr (68) | 27 |
| Winzenberg | Blienschwiller (67) | 19 |
| Zinnkoepflé | Soultzmatt, Westhalten (68) | 68 |
| Zotzenberg | Mittelbergheim (67) | 36 |

# CRUS ALSACIENS

| Exposition | Sols | Cépages de prédilection |
|---|---|---|
| S.-E. | Marnes dolomitiques du keuper | Riesling, gewurztraminer |
| S. | Sols marno-calcaires caillouteux d'origine jurassique | Gewurztraminer |
| S.-S.-O. | Terroir du lias, marno-calcaires riches en cailloutis | Riesling |
| S. | Granite | Riesling, gewurztraminer |
| S.-E. | Marno-calcaires caillouteux du muschelkalk | Riesling, gewurztraminer |
| S.-E. | Marnes mêlées de cailloutis calcaires ou siliceux | Gewurztraminer puis riesling, pinot gris |
| S. | Calcaires du muschelkalk | Gewurztraminer |
| S. et E. | Marno-calcaires recouverts d'éboulis calcaires du bathonien et du bajocien | Gewurztraminer puis riesling |
| S.-E. | Arènes granitiques | Riesling |
| S. | Marnes schisteuses | Gewurztraminer |
| S. | Sols bruns calcaires caillouteux | Gewurztraminer puis riesling |
| S. | Marnes dolomitiques du muschelkalk | Riesling |
| S.-E. | Sols bruns à dominante sableuse de grès vosgien | Gewurztraminer, pinot gris |
| E. | Marnes riches en cailloutis calcaires | Gewurztraminer |
| S.-E | Marnes | Gewurztraminer, pinot gris, muscat |
| S.-E. | Marno-calcaires oligocènes | Gewurztraminer, pinot gris |
|  | Marno-calcaires | Riesling, gewurztraminer |
| S. | Schistes caillouteux | Riesling |
| S.-E. | Sable de grès rose et matrice argileuse | Gewurztraminer |
| S. | Calcaires du jurassique moyen | Gewurztraminer, riesling, pinot gris |
| S.-S.-O. | Marnes dolomitiques | Riesling |
| S.-O. | Grès | Riesling |
| S. | Marno-calcaires | Gewurztraminer |
| S.-S.-E. | Marno-calcaires oligocènes | Riesling, gewurztraminer |
| E. | Marno-calcaire | Gewurztraminer |
| S. | Sols limono-sableux du quaternaire | Riesling |
| S. | Terroirs sablonneux du permien | Riesling |
| S.-S.-E. | Marnes caillouteuses | Riesling |
| E.-S.-E. | Sols triasiques assez marneux | Gewurztraminer puis riesling |
| S.-E. | Sols caillouteux calcaires de l'oligocène | Gewurztraminer puis riesling |
| S.-E. | Grès et calcaires du buntsandstein et du muschelkalk | Riesling |
| E.-S.-E. | Sables gneissiques | Riesling |
| S. | Sols volcaniques | Pinot gris, riesling |
| E.-S.-E. | Marnes et calcaires du muschelkalk | Riesling |
| S.-E. | Sols marno-sableux avec cailloutis | Riesling |
| S. | Arènes granitiques | Riesling |
|  | Marnes du keuper recouvertes de calcaires coquilliers | Riesling |
| S. | Arènes granitiques | Riesling |
| S.-E. | Conglomérats et marnes de l'oligocène | Gewurztraminer, pinot gris |
| E. | Marnes de l'oligocène et sables gréseux du trias | Gewurztraminer |
|  | Sols marneux du lias | Gewurztraminer |
| E. | Cailloutis calcaires oolithiques | Gewurztraminer, pinot gris |
| S. | Marnes oligocènes | Gewurztraminer, riesling, pinot gris |
| S. | Marnes recouvertes d'éboulis calcaires du muschelkalk | Riesling, gewurztraminer |
| S.-S.-E. | Marno-calcaires | Gewurztraminer, puis riesling, pinot gris |
| S. | Sables gréseux triasiques | Riesling |
|  | Granite | Riesling |
| S.-S.-E. | Arènes granitiques | Riesling |
| S. | Terroir calcaro-gréseux | Gewurztraminer |
| S. | Calcaires jurassiques et conglomérats marno-calcaires de l'oligocène | Riesling |

aromatique, avec des parfums de fruits confits et de rose. Ample, agréablement équilibré, soutenu par une acidité de bon aloi, épicé, il offre une finale puissante au fruité confituré. « Il donne envie d'en reprendre », concluent les dégustateurs. (Sucres résiduels : 23 g/l.)

Mochel-Lorentz, 19, rue Principale,
67310 Traenheim, tél. 03.88.50.38.17,
fax 03.88.50.59.18, e-mail plorentz@mochel-lorentz.com
r.-v.

# Alsace grand cru altenberg-de-bergheim

**JACQUES ILTIS** Riesling 2002 *

0,19 ha 1 200 8 à 11 €

A la tête du domaine familial depuis cinq ans, Jacques et Christophe Iltis détiennent une parcelle dans l'Altenberg de Bergheim. Aérés par des cailloutis qui lui donnent une grande capacité de rétention d'eau, les sols de ce grand cru permettent une bonne alimentation en eau de la plante. Jaune paille dans le verre, ce 2002 se montre expansif, libérant déjà des arômes tertiaires ; notes confites, abricot et miel composent sa palette. Franc à l'attaque, équilibré entre vivacité et rondeur, ample et élégant, ce vin offre une belle expression du riesling. (Sucres résiduels : 9 g/l.)

Jacques Iltis et Fils, 1, rue Schlossreben,
68590 Saint-Hippolyte, tél. 03.89.73.00.67,
fax 03.89.73.01.82, e-mail jacques.iltis@calixo.net
t.l.j. 8h-12h 14h-18h; dim. sur r.-v.

**DOM. SYLVIE SPIELMANN**
Gewurztraminer 2000 ***

0,5 ha 1 900 15 à 23 €

Les Spielmann ont d'abord tiré parti du sous-sol de Bergheim, en exploitant des carrières de gypse. Sylvie Spielmann a choisi la vigne. Stages en Champagne, en Bourgogne, en Australie, en Californie, elle connaît son monde viticole, l'ancien et le nouveau. A la tête de son domaine (8 ha) depuis 1988, elle détient plusieurs parcelles en grand cru, notamment en Altenberg de Bergheim, terroir qui couvre un coteau entre 220 et 320 m d'altitude. Le millésime 2000 lui a donné l'occasion d'élaborer un superbe gewurztraminer. La couleur jaune d'or annonce la palette aromatique, faite de notes de surmaturation (coing), de fruit de la Passion et de litchi. A la fois intenses et tout en finesse, ces nuances confites et exotiques s'épanouissent au palais, sur un corps ample, puissant et volumineux, jusqu'à la longue finale épicée à souhait. De la richesse et de l'éclat. (Sucres résiduels : 61 g/l.)

Dom. Sylvie Spielmann, 2, rte de Thannenkirch,
68750 Bergheim, tél. 03.89.73.35.95, fax 03.89.73.27.35,
e-mail sylvie@sylviespielmann.com
t.l.j. sf sam. dim. 9h-12h 14h-18h

# Alsace grand cru altenberg-de-wolxheim

**GOETZ** Riesling 2003 *

0,5 ha 3 000 5 à 8 €

Ce grand cru, constitué d'un sol compact argilo-calcaire, est fort propice au riesling. Celui-ci, jaune clair à reflets brillants, libère de délicates notes d'agrumes que l'on retrouve en finale. Déjà bien équilibré et agréable, il présente une belle longueur et une vivacité qui en font un ensemble prometteur. (Sucres résiduels : 11 g/l.)

Mathieu Goetz, 2, rue Jeanne-d'Arc,
67120 Wolxheim, tél. 03.88.38.10.47,
fax 03.88.38.67.61, e-mail mathieu.goetz@wanadoo.fr
r.-v.

**ANDRE REGIN** Riesling 2003

0,73 ha 1 500 8 à 11 €

André Regin exploite près de 8 ha à Wolxheim, à l'ouest de Strasbourg. On le retrouve en grand cru Altenberg. De couleur paille, son riesling 2003 présente un nez intense dominé par les fruits mûrs, avec une expression discrète d'agrumes. Souple à l'attaque, rond et ample, il finit sur une vivacité citronnée. (Sucres résiduels : 12,5 g/l.)

André Regin, 2, rue Principale, 67120 Wolxheim,
tél. et fax 03.88.38.17.02, e-mail regin.andre@free.fr
r.-v.

**DOM. JOSEPH SCHARSCH** Riesling 2003 *

0,5 ha 3 500 8 à 11 €

Les cinquième et sixième générations exploitent ensemble les 10 ha du domaine. On retrouve une fois de plus cette propriété sélectionnée pour son riesling grand cru. Jaune paille à brillants reflets verts, le 2003 se distingue par son nez à la fois puissant et délicat où s'exprime un fruité plutôt confit. Souple à l'attaque, riche et équilibré, porté par une belle fraîcheur, le palais finit sur des notes d'agrumes. Un ensemble élégant que l'on pourra bientôt déguster. (Sucres résiduels : 12 g/l.)

Dom. Joseph Scharsch,
12, rue de l'Eglise, 67120 Wolxheim,
tél. 03.88.38.30.61, fax 03.88.38.01.13,
e-mail domaine.scharsch@wanadoo.fr r.-v.

**LAURENT VOGT** Riesling 2003 *

0,35 ha 3 000 5 à 8 €

Situé à quelques kilomètres au sud-ouest de Strasbourg, le vignoble de Wolxheim fournit volontiers les winstubs de la capitale régionale – et pas seulement en vins de carafe, grâce à des crus comme l'Altenberg où naissent les beaux rieslings qui font la réputation de la commune. Jaune clair à reflets verts, celui-ci exprime un fruité mûr qui rappelle la pêche blanche. Franc à l'attaque, ample, assez gras, bien équilibré, il finit sur une note citronnée très fraîche, et semble promis à une bonne évolution. (Sucres résiduels : 13,3 g/l.)

EARL Laurent Vogt, 4, rue des Vignerons,
67120 Wolxheim, tél. et fax 03.88.38.50.41,
e-mail thomas@domaine-vogt.com r.-v.
Thomas Vogt

**MAISON ZOELLER** Riesling 2003

0,75 ha 6 600 5 à 8 €

Ce très ancien domaine (10 ha de vignes aujourd'hui) pratiquait déjà la vente en bouteilles en 1900. Il propose un

2003 jaune pâle, au nez typé, finement citronné avec des nuances mentholées et minérales. Malgré une pointe de douceur, ce vin est assez vif et persistant, ce qui lui permetttra de bien évoluer. Le 99 avait obtenu un coup de cœur. (Sucres résiduels : 10 g/l.)
EARL Maison Zoeller, 14, rue de l'Eglise, 67120 Wolxheim, tél. et fax 03.88.38.15.90, e-mail vins.zoeller@wanadoo.fr
t.l.j. sf dim. 9h-12h 13h30-19h

# Alsace grand cru brand

**PAUL BUECHER** Tokay-pinot gris 2003 *

0,7 ha 2 850 11 à 15 €

Avec pas moins de 28,5 ha de vignes, cette propriété est de celles qui comptent à Wettolsheim. Elle valorise notamment plusieurs parcelles dans le Brand de Turckheim où est né ce pinot gris. De couleur jaune paille, ce vin exprime un fruité fin accompagné d'une note de surmaturation et, au palais, une touche fumée. Un ensemble puissant et équilibré. (Sucres résiduels : 19 g/l.)
Paul Buecher et Fils, 15, rue Sainte-Gertrude, 68920 Wettolsheim, tél. 03.89.80.64.73, fax 03.89.80.58.62, e-mail vins@paul-buecher.com
t.l.j. sf dim. 8h-12h 13h-18h

**JOSMEYER** Pinot gris 2001 *

0,4 ha 2 950 23 à 30 €

Fondé en 1854, ce domaine conduit par Jean Meyer et Christophe Ehrhart compte plus de 27 ha de vignes. Son pinot gris du Brand s'exprime intensément sur des notes de raisins secs et de fruits confits accompagnées d'un léger grillé. Ce caractère de surmaturation se poursuit en bouche, où l'on trouve jusqu'en finale un bel équilibre entre fraîcheur et rondeur. (Sucres résiduels : 42 g/l.)
Dom. Josmeyer, 76, rue Clemenceau, 68920 Wintzenheim, tél. 03.89.27.91.90, fax 03.89.27.91.99, e-mail josmeyer@wanadoo.fr
r.-v.

**CAVE DE TURCKHEIM** Riesling 2003 **

5 ha 21 500 8 à 11 €

La Cave de Turckheim a vinifié un remarquable riesling provenant du terroir d'élection de la commune. Regardant le sud à l'entrée de la vallée de Munster, le Brand se caractérise par un sol très léger d'arènes granitiques se ressuyant bien et se réchauffant précocement au printemps. Autant de conditions propices pour ce vin jaune d'or aux brillants reflets verts, aux senteurs délicates de tilleul nuancées d'une touche minérale. Gras, légèrement citronné et persistant, le palais est bien structuré et superbement équilibré. Une réelle harmonie. (Sucres résiduels : 4 g/l).
Cave de Turckheim, 16, rue des Tuileries, 68230 Turckheim, tél. 03.89.30.23.60, fax 03.89.27.35.33, e-mail brandt@cave-turckheim.com
r.-v.

# Alsace grand cru bruderthal

**DOM. GERARD NEUMEYER**
Tokay-pinot gris 2003 **

1,02 ha 4 500 15 à 23 €

Célèbre par ses usines Bugatti, Molsheim, petite commune située à une vingtaine de kilomètres de Strasbourg, n'en a pas moins gardé un vignoble de qualité. Exploité jadis par les chartreux, celui-ci a été remis en valeur au début du XX<sup>e</sup>s. par des domaines comme celui-ci. Avec ses 16 ha, dont plusieurs parcelles dans le Bruderthal, Gérard Neumeyer fait découvrir plusieurs facettes de ce grand cru. Il a proposé un remarquable pinot gris au nez d'agrumes et de fruits confits, salué pour sa puissance et sa très belle matière pleine de promesses (sucres résiduels : 67 g/l.) ; un **gewurztraminer 2003** très réussi (une étoile), aromatique, complexe, souple et corsé à l'attaque, bien équilibré et long (sucres résiduels : 42 g/l) ; et un **riesling 2003 (11 à 15 €)** cité pour son fruité d'agrumes et sa structure marquée par la fraîcheur (sucres résiduels : 5 g/l).
Dom. Gérard Neumeyer, 29, rue Ettore-Bugatti, 67120 Molsheim, tél. 03.88.38.12.45, fax 03.88.38.11.27, e-mail domaine.neumeyer@wanadoo.fr r.-v.

**BERNARD WEBER** Riesling 2003 *

1,5 ha 2 000 15 à 23 €

Situé au débouché de la vallée de la Bruche, Molsheim mérite un détour pour son patrimoine architectural (remparts, ancienne église des jésuites, ancienne chartreuse transformée en musée) et pour ses domaines qui maintiennent la tradition viticole. Celui-ci a tiré du riesling un vin jaune doré au nez intense évoquant l'abricot mûr. Au palais, ce 2003 révèle une matière riche, équilibrée, et finit sur une note fraîche d'agrumes. Une belle harmonie. (Sucres résiduels : 10 g/l.)
Bernard Weber, 49, rue de Saverne, 67120 Molsheim, tél. 03.88.38.52.67, fax 03.88.38.58.81, e-mail info@bernard-weber.com r.-v.

# Alsace grand cru eichberg

**CHARLES BAUR** Riesling 2003 *

0,4 ha 2 800 11 à 15 €

Voici vingt-cinq ans qu'Armand Baur met à profit ses compétences d'œnologue pour élaborer des vins de qualité, tel ce riesling du grand cru Eichberg. D'un jaune d'or brillant, ce 2003 présente un nez intense et mûr dominé par des senteurs d'agrumes (citron). Ample et assez gras au palais, il offre une finale persistante et très vive, gage d'une certaine aptitude à la garde. Le 99 avait obtenu un coup de cœur. (Sucres résiduels : 9 g/l.)
Dom. Charles Baur, 29, Grand-Rue, 68420 Eguisheim, tél. 03.89.41.32.49, fax 03.89.41.55.79, e-mail cave@vinscharlesbaur.fr
t.l.j. 9h-12h 13h-19h
Armand Baur

PAUL GINGLINGER Gewurztraminer 2003 ★★

n.c. 2 000 8 à 11 €

La cité médiévale d'Eguisheim abrite nombre de familles de vieille souche vigneronne, telles que les Ginglinger, au service du vin depuis treize générations. Michel Ginglinger a rejoint l'exploitation en 2002. Du millésime 2003, il a tiré un gewurztraminer jaune d'or à reflets verts, à la palette aromatique subtile et complexe, faite de mirabelle, d'une touche d'abricot, de violette et d'anis. Une complexité que l'on retrouve dans une bouche ample, riche, équilibrée, rafraîchie par une longue finale laissant un sillage de fleurs blanches. (Sucres résiduels : 40 g/l.) Quant au **riesling 2002 Eichberg**, il obtient une étoile pour sa robe jaune d'or, son nez très expressif d'abricot mûr et d'agrumes confits, un peu minéral, et pour son palais ample et long. (Sucres résiduels : 8 g/l.)

Paul Ginglinger, 8, pl. Charles-de-Gaulle, 68420 Eguisheim, tél. 03.89.41.44.25, fax 03.89.24.94.88, e-mail info@paul-ginglinger.fr t.l.j. sf dim. 8h-12h 14h-18h

Michel Ginglinger

JEAN-LOUIS ET FABIENNE MANN Gewurztraminer Vendanges tardives 2002

0,23 ha 1 280 23 à 30 €

Cette vieille famille vigneronne s'est installée à Eguisheim dans les années 1950. Elle propose des vendanges tardives jaune d'or brillant, au nez de fruits confits caractéristiques. Au palais, on trouve du volume, une bonne structure marquée par la souplesse et une acidité qui communique à ce vin une fraîcheur agréable. La finale est marquée par des arômes d'épices et de fruits secs. (Sucres résiduels : 60 g/l.)

EARL Jean-Louis Mann, 11, rue du Traminer, 68420 Eguisheim, tél. 03.89.24.26.47, fax 03.89.24.09.41, e-mail mann.jean.louis@wanadoo.fr r.-v.

PAUL SCHNEIDER Riesling 2003 ★

0,21 ha 1 600 8 à 11 €

Eguisheim est une des cités les plus connues de la route des Vins, tant pour ses terroirs précocement mis en valeur que pour son patrimoine architectural. Les deux se combinent dans cette propriété installée dans l'ancienne cour dîmière du grand prévôt de la cathédrale de Strasbourg. Jaune pâle à reflets verts brillants, son riesling 2003 captive par son fruité dominé par la pêche blanche. Ample, délicat et long, c'est le fruit d'une très belle matière. (Sucres résiduels : 6,8 g/l.)

Paul Schneider et Fils, 1, rue de l'Hôpital, 68420 Eguisheim, tél. et fax 03.89.41.50.07 t.l.j. sf dim. 9h30-12h 13h30-18h

PIERRE SCHUELLER ET FILS Gewurztraminer 2003

0,39 ha 1 700 8 à 11 €

Cette exploitation est installée à Husseren-les-Châteaux, petit village qui tire son nom des trois châteaux qui dominent le vignoble environnant. Le grand cru Eichberg a donné naissance à un gewurztraminer jaune aux brillants reflets or, au nez très expressif, exotique et confit. Ces notes confites, associées à un côté miellé, se prolongent dans une bouche riche, douce et ronde, plus vive en finale. On conseille de servir ce vin en carafe. (Sucres résiduels : 48 g/l.)

Dom. Pierre Schueller, 4, rte du Vin, 68420 Husseren-les-Châteaux, tél. 03.89.49.30.36, e-mail vins.schueller.p@free.fr r.-v.

PAUL ZINCK Gewurztraminer 2003

1,5 ha 7 000 11 à 15 €

Créée en 1964 par Paul Zinck, cette propriété a été agrandie et modernisée par son fils Philippe qui s'est installé en 1998. Elle ne compte pas moins de 25 ha, et comprend notamment une belle parcelle de gewurztraminer dans l'Eichberg, un grand cru fort propice à ce cépage. Jaune paille à reflets verts, ce 2003 présente un nez discret, miellé et grillé. Souple à l'attaque, équilibrée, la bouche est dominée par des impressions chaleureuses et agrémentée par des arômes de pomme au four. Un vin puissant, encore sur sa réserve. (Sucres résiduels : 25 g/l.)

Paul Zinck, 18, rue des Trois-Châteaux, 68420 Eguisheim, tél. 03.89.41.19.11, fax 03.89.24.12.85, e-mail info@zinck.fr t.l.j. sf dim. 8h-12h 14h-18h

# Alsace grand cru engelberg

JEAN-PIERRE BECHTOLD Riesling 2002 ★

0,5 ha 3 800 11 à 15 €

Avec ses sols marno-calcaire à cailloutis, l'Engelberg est un des terroirs de choix du vignoble de la Couronne d'or, proche de Strasbourg. Cette exploitation de 9 ha en détient plusieurs parcelles plantées de divers cépages. Le riesling est à l'origine de ce 2002 jaune à reflets dorés, au nez complexe évoluant des fleurs vers les fruits confits, le coing et le miel. Ample, gras, corsé, bien équilibré et racé, ce vin peut se déguster dès maintenant mais il pourra se garder. (Sucres résiduels : 4 g/l.)

Dom. Jean-Pierre Bechtold, 49, rue Principale, 67310 Dahlenheim, tél. 03.88.50.66.57, fax 03.88.50.67.34 r.-v.

# Alsace grand cru florimont

JEAN GEILER Gewurztraminer 2003 ★

4,69 ha 14 100 8 à 11 €

Etablie à Ingersheim, près de Colmar, la cave Jean Geiler est une importante coopérative. Elle propose un volume appréciable de ce gewurztraminer né sur un grand cru favorable à ce cépage. Et de fait, ce 2003 est fort réussi. Or à reflets verts, il libère des senteurs à la fois intenses et subtiles de rose et de litchi. Une palette exotique domine la bouche, souple à l'attaque, ample, soutenue par une bonne fraîcheur et persistante. Un ensemble délicat et charmeur, prêt à boire. (Sucres résiduels : 48 g/l.)

Cave vinicole Jean Geiler, 45, rue de la République, 68040 Ingersheim, tél. 03.89.27.90.27, fax 03.89.27.90.30, e-mail vin@geiler.fr r.-v.

# Alsace grand cru frankstein

HUBERT BECK Tokay-pinot gris 2003 *

| | 0,6 ha | 4 500 | | 5 à 8 € |
|---|---|---|---|---|

Avec son enceinte médiévale presque intacte et ses trois tours qui constituent les portes d'entrée du village, avec ses nombreux vignerons qui exploitent son vaste vignoble, Dambach-la-Ville mérite une visite. Né du Frankstein, grand cru aux sols granitiques de texture légère, ce pinot gris s'affirme par un beau nez légèrement grillé, avec des notes de fleurs et de sous-bois. Cette complexité se retrouve en bouche, où puissance et fraîcheur traduisent une belle matière. Un ensemble élégant. (Sucres résiduels : 25 g/l.) Dans ce même **frankstein le gewurztraminer 2003 (8 à 11 €)** obtient la même note pour sa robe d'or, sa riche palette aromatique (rose, épices, touche minérale au nez, miel, acacia, goyave, orange et miel en bouche), son palais concentré, équilibré, soutenu par une trame fraîche, et chaleureux en finale. (Sucres résiduels : 20 g/l.)

Hubert Beck, 25, rue du Gal-de-Gaulle, 67650 Dambach-la-Ville, tél. 03.88.92.45.90, fax 03.88.92.61.28, e-mail sarl.beck@free.fr
r.-v.

YVETTE ET MICHEL BECK-HARTWEG
Tokay-pinot gris 2002 *

| | 0,21 ha | 1 700 | 8 à 11 € |
|---|---|---|---|

A l'époque où Henri IV régnait sur la « France de l'intérieur », les ancêtres des Beck-Hartweg cultivaient déjà la vigne à Dambach-la-Ville. Le domaine a son siège dans un ensemble de bâtiments à colombage datant du XVII[e]s. Vous pourrez y découvrir ce pinot gris aux arômes fins, d'une belle harmonie, et qui révèle sa naissance en terroir granitique par une note minérale. (Sucres résiduels : 27 g/l.)

Yvette et Michel Beck-Hartweg, 5, rue Clemenceau, 67650 Dambach-la-Ville, tél. 03.88.92.40.20, fax 03.88.92.63.44, e-mail beckhartweg@tiscali.fr
r.-v.

J.-P. GERBER Gewurztraminer 2003 **

| | 0,2 ha | 1 200 | 11 à 15 € |
|---|---|---|---|

Tant par son exposition sud-est que par ses sols d'arènes granitiques de faible profondeur emmagasinant la chaleur, le grand cru Frankstein permet une maturation optimale du raisin. Jaune d'or dans le verre, ce gewurztraminer révèle une excellente expression du cépage. Sa complexité au nez est de bon augure : les jurés y trouvent de la rose, du litchi, de la pêche de vigne, de la pâte d'amandes et des fruits très mûrs. La bouche ne déçoit pas : fraîche et droite, équilibrée et longue, elle finit sur des arômes d'ananas, de zeste d'agrumes et de fines épices. On peut apprécier cette bouteille dès maintenant ou la garder quelques années. (Sucres résiduels : 25 g/l.)

EARL Jean-Paul Gerber et Fils, 16, rue Théophile-Bader, 67650 Dambach-la-Ville, tél. 03.88.92.41.84, fax 03.88.92.42.18
t.l.j. sf dim. 10h-18h30

# Alsace grand cru froehn

SCHEIDECKER Muscat 2003 **

| | 0,15 ha | 800 | | 8 à 11 € |
|---|---|---|---|---|

Couvrant un coteau exposé plein sud, le grand cru Froehn est dominé par le pittoresque village perché de Zellenberg. Installé à Mittelwihr, un peu plus au sud, Philippe Scheidecker y détient une petite parcelle plantée en muscat. Or pâle dans le verre, son 2003 libère des notes de violette et de fruits concentrés qui font bonne impression. S'y ajoutent en bouche des nuances de banane très mûre, de bergamote et de poire séchée ainsi qu'une touche grillée. Soutenu par une agréable acidité, nerveux et long, ce vin plaisant trouvera sa place aussi bien à l'apéritif qu'avec une salade folle ou une tarte aux fruits. Des asperges ? Bien sûr. (Sucres résiduels : 20 g/l.)

Philippe Scheidecker, 13, rue des Merles, 68630 Mittelwihr, tél. 03.89.49.01.29, fax 03.89.49.06.63
r.-v.

# Alsace grand cru furstentum

DOM. JEAN-MARC BERNHARD
Tokay-pinot gris 2003 **

| | 0,17 ha | 1 100 | | 11 à 15 € |
|---|---|---|---|---|

Village secret, Katzenthal abrite dans son vallon des vignerons qui n'hésitent pas à se tourner vers le grand large, tel Frédéric Bernhard : après ses études d'œnologie, le fils de Jean-Marc a fait ses classes jusqu'en Afrique du Sud avant de rejoindre, en 2000, son père sur l'exploitation. Le domaine propose un pinot gris encore un peu réservé, floral au premier nez puis dominé par la pêche et les agrumes. A la première gorgée, il révèle sa grande matière : gras, riche, puissant, d'une belle fraîcheur, persistant, c'est un vin charmeur. (Sucres résiduels : 48 g/l.)

Dom. Jean-Marc Bernhard, 21, Grand-Rue, 68230 Katzenthal, tél. 03.89.27.05.34, fax 03.89.27.58.72, e-mail jeanmarcbernhard@online.fr
t.l.j. sf dim. 9h-12h 13h30-18h30

DOM. BOTT-GEYL
Gewurztraminer Grains Passerillés 2003 **

| | 0,47 ha | 1 850 | | **15 à 23 €** |
|---|---|---|---|---|

Exploité en biodynamie, ce domaine de plus de 13 ha s'est fait un nom à l'étranger où il exporte les deux tiers de sa production, des Etats-Unis au Japon. Issu de raisins passerillés (desséchés au soleil), son gewurztraminer du Furstentum est de toute beauté. Dans le verre, c'est de l'or. Au nez, de la puissance contenue, des senteurs de raisins secs assortis d'une pointe grillée. En bouche, des raisins confits encore, accompagnés d'abricot sec et de miel d'acacia. Et de l'ampleur, de la rondeur et du gras. La magnifique finale aux arômes de pain alsacien aux fruits emporte l'adhésion.(Sucres résiduels : 65 g/l.)

Dom. Jean-Christophe Bott-Geyl, 1, rue du Petit-Château, 68980 Beblenheim, tél. 03.89.47.90.04, fax 03.89.47.97.33, e-mail bottgeyl@libertysurf.fr r.-v.

Bott

RENE FLEITH-ESCHARD ET FILS
Tokay-pinot gris 2002 ★

0,33 ha 2 500 15 à 23 €

René Fleith-Eschard et son fils Vincent axent depuis une dizaine d'années la conduite de leur domaine sur l'expression des terroirs. Très pentu et exposé au sud-ouest, le grand cru Furstentum donne naissance à de grands vins, tel ce pinot gris à la robe soutenue et au fruité mûr, accompagné de notes épicées et miellées. Des arômes d'abricot sec se font jour dans un palais équilibré, puissant et persistant. Un dégustateur aimerait avoir cette bouteille dans sa cave. (Sucres résiduels : 25 g/l.)

René et Vincent Fleith-Eschard, 8, lieu-dit Lange Matten, 68040 Ingersheim, tél. 03.89.27.24.19, fax 03.89.27.56.79 r.-v.

Vincent Fleith

# Alsace grand cru goldert

HENRI GROSS Gewurztraminer 2003 ★★★

0,35 ha 2 400 8 à 11 €

Situé au sud de Colmar, le village de Gueberschwihr a deux fleurons : son église au clocher roman et son grand cru du Goldert, dont les sols marneux riches en cailloux calcaires sont fort propices au gewurztraminer. Celui-ci, en robe d'or, atteint des sommets. Accueillant et franc, le nez délivre d'intenses parfums de rose, de litchi et de mangue. Tout aussi exubérant en bouche, avec des arômes de fruits confits, ce vin n'en offre pas moins un côté aérien et se distingue par un superbe équilibre entre des sucres bien fondus et une excellente fraîcheur. Du charme et de la personnalité. (Sucres résiduels : 45 g/l.)

EARL Henri Gross et Fils, 11, rue du Nord, 68420 Gueberschwihr, tél. 03.89.49.24.49, fax 03.89.49.33.58, e-mail vins.gross@wanadoo.fr r.-v.

# Alsace grand cru hatschbourg

BUECHER-FIX Gewurztraminer 2003

n.c. 2 600 11 à 15 €

Etabli à Wettolsheim près de Colmar, ce domaine possède une parcelle plantée en gewurztraminer dans le grand cru Hatschbourg. Ce vin affiche une robe jaune d'or déjà évoluée et un nez puissant de fruits surmûris avec des nuances de fleur de sureau et d'épices. Une puissance que l'on retrouve en bouche. La finale est soulignée de notes de raisins secs. (Sucres résiduels : 30 g/l.)

Buecher-Fix, 21, rue Sainte-Gertrude, 68920 Wettolsheim, tél. 03.89.30.12.80, fax 03.89.30.12.81, e-mail buecher@terre-net.fr r.-v.

GERARD ET SERGE HARTMANN
Muscat Lucienne 2003 ★

0,53 ha 4 500 11 à 15 €

Au service du vin depuis le XII[e]s., la famille Hartmann exploite 7 ha de vignes. Elle propose un muscat jaune d'or aux reflets étincelants, au nez exquis, fait de senteurs florales agrémentées de nuances grillées et de notes de fruits confits. Ce caractère à la fois floral (violette, primevère) et surmûri se prolonge dans un palais riche, gras, soutenu par une acidité fondue qui communique à ce vin suffisamment de fraîcheur. Pour l'apéritif ou le dessert. (Sucres résiduels : 66 g/l.)

Gérard et Serge Hartmann, 13, rue Frémeaux, 68420 Vœgtlinshoffen, tél. 03.89.49.30.27, fax 03.89.49.29.78 r.-v.

# Alsace grand cru hengst

CHRISTIAN ET VERONIQUE HEBINGER
Tokay-pinot gris 2002 ★

0,54 ha 3 200 8 à 11 €

A la tête de 9,5 ha de vignes, ce couple de vignerons a tiré des sols marno-calcaires du grand cru Hengst un pinot gris des plus réussis. Le nez s'ouvre progressivement sur des notes florales et fruitées, nuancées de miel d'acacia. Ces arômes se prolongent au palais où une attaque fraîche et franche équilibre une douceur bien fondue. Un ensemble élégant. (Sucres résiduels : 31 g/l.)

Christian et Véronique Hébinger, 14, Grand-Rue, 68420 Eguisheim, tél. 03.89.41.19.90, fax 03.89.41.15.61 t.l.j. sf dim. 8h-12h 14h-18h

# Alsace grand cru kanzlerberg

LORENTZ Riesling 2003 ★

1,1 ha 6 000 **15 à 23 €**

Cette maison de négoce qui figure au nombre des pionnières du vin d'Alsace exploite en propre 32 ha dont une grande partie en grand cru. Elle présente un riesling originaire du Kanzlerberg, le plus petit des grands crus (3 ha). D'un jaune clair brillant, ce 2003 apparaît discret au nez, où l'on perçoit quelques senteurs de sous-bois, nuancées de notes d'agrumes et d'une touche végétale. Sa bonne attaque, une pointe de douceur et une finale fraîche marquée par les agrumes en font un vin charmeur. (Sucres résiduels : 7 g/l.)

Gustave Lorentz, 91, rue des Vignerons,
68750 Bergheim, tél. 03.89.73.22.22, fax 03.89.73.30.49,
e-mail info@gustavelorentz.com
t.l.j. sf dim. 10h-12h 14h-18h30
Ch. Lorentz

# Alsace grand cru kastelberg

GUY WACH Riesling 2003

0,58 ha 4 000 **11 à 15 €**

Avec son abbatiale au magnifique portail roman, ses châteaux haut perchés et ses trois grands crus, le village d'Andlau est fort bien doté, tant en vieilles pierres qu'en vignobles de qualité. Terroir schisteux d'origine volcanique, le Kastelberg est très propice au riesling et Guy Wach en tire régulièrement de beaux vins. Issu de vignes de cinquante ans, celui-ci affiche une brillante livrée jaune d'or. Citronné et légèrement végétal, le nez se distingue surtout par une minéralité typique du terroir, qui se prolonge dans une bouche fruitée, bien structurée et longue. Une bouteille à attendre. Le 99 avait obtenu un coup de cœur. (Sucres résiduels : 8 g/l.)

Guy Wach, Dom. des Marronniers,
5, rue de la Commanderie, 67140 Andlau,
tél. 03.88.08.93.20, fax 03.88.08.45.59
r.-v.

# Alsace grand cru kessler

DIRLER Riesling 2003 ★

0,51 ha 3 200 11 à 15 €

En 1871, Jean Dirler préféra renoncer à sa carrière d'instituteur et faire du vin. Ce fut le début d'une lignée vigneronne. Son descendant, appelé lui aussi Jean, est depuis 2000 à la tête d'un important domaine (plus de 18 ha) cultivé en biodynamie (devenu Dirler-Cadé depuis son mariage en 1998). Ce riesling du Kessler est issu de vignes de quarante ans. Jaune clair à reflets brillants, il libère de discrets parfums de fruits confits nuancés de touches végétales. Plus aromatique au palais, avec un caractère de surmaturation, il est ample et gras, marqué par une pointe de sucres résiduels. Une note florale délicate agrémente la finale. (Sucres résiduels : 15 g/l.)

EARL Dirler-Cadé, 13, rue d'Issenheim,
68500 Bergholtz, tél. 03.89.76.91.00, fax 03.89.76.85.97,
e-mail jpdirler@terre-net.fr r.-v.

DOM. SCHLUMBERGER
Pinot gris Le Vallon 2001 ★★

2,5 ha 10 545 **15 à 23 €**

Avec 140 ha dont 70 classés en grand cru, cette propriété, fondée en 1810 par Nicolas Schlumberger et développée par Ernest entre 1920 et 1935, est la plus vaste d'Alsace. Le terroir du Kessler a donné naissance à un superbe pinot gris à la robe étincelante de reflets dorés, qui laisse de belles larmes sur les parois du verre. Concentré et intense au nez, ce 2001 est marqué par des notes de fruits mûrs et de surmaturation, assorties d'une touche minérale. Une belle complexité aromatique (grillé, ananas, orange amère) agrémente un palais riche, chaleureux, gras et soyeux. Un vin de gastronomie qui trouvera sa place à l'apéritif, au dessert et même avec du roquefort. (Sucres résiduels : 91,8 g/l.)

Dom. Schlumberger,
100, rue Théodore-Deck, 68500 Guebwiller,
tél. 03.89.74.27.00, fax 03.89.74.85.75,
e-mail mail@domaines-schlumberger.com r.-v.

# Alsace grand cru kirchberg-de-barr

DOM. HERING Riesling Vendanges tardives 2002 ★

0,4 ha 1 500 15 à 23 €

Anciennement établie au centre de la petite ville de Barr, la famille Hering est très connue dans le milieu viticole, l'arrière-grand-père s'étant essayé à faire des croisements de vignes afin de mettre au point un nouveau porte-greffe. L'un d'eux, le Barr 503, a été utilisé, notamment sur cette parcelle de riesling. Ce cépage a donné naissance à un 2002 or intense à reflets fauves, au nez mêlant des notes citronnées au fruit confit. Après une attaque souple aux accents de pâte de fruits, le vin se développe avec ampleur, puissance et persistance. Un ensemble harmonieux et distingué, à attendre un an ou deux. (Sucres résiduels : 35 g/l.)

Dom. Hering, 6, rue Sultzer, 67140 Barr,
tél. 03.88.08.90.07, fax 03.88.08.08.54,
e-mail jdhering@wanadoo.fr r.-v.

WILLM Gewurztraminer Clos Gaensbrœnnel 2002 ★

0,9 ha 7 000 **11 à 15 €**

Rattachée au groupe Wolfberger, cette maison est célèbre pour son Clos Gaensbrœnnel intégré dans le grand cru Kirchberg de Barr. De couleur jaune d'or, ce gewurztraminer révèle un nez très fin de mangue et de pêche jaune, avec quelques nuances d'acacia. Fort agréable, marquée elle aussi par la mangue, l'attaque introduit une bouche douce, ronde et aromatique qui finit tout en finesse sur une pointe épicée. Un ensemble harmonieux. (Sucres résiduels : 27 g/l.)

🔑 Alsace Willm, 32, rue du Dr-Sultzen, 67140 Barr, tél. 03.88.08.19.11, fax 03.88.08.56.21, e-mail alsace-willm@wanadoo.fr ☑ Ȳ ⛹ r.-v.

# Alsace grand cru kirchberg-de-ribeauvillé

## DOM. HENRY FUCHS Riesling 2003

| | 0,36 ha | 2 000 | | 8 à 11 € |
|---|---|---|---|---|

Surplombée par ses deux châteaux, Ribeauvillé est une petite ville commerçante et très touristique au cœur de la route des Vins. Avec trois grands crus, elle ne manque pas non plus de ressources viticoles, et de nombreux exploitants, tel Henry Fuchs, y ont pignon sur rue. Jaune soutenu, ce riesling livre au nez des senteurs de sous-bois et de fougère, avec une touche fumée. Ample et équilibré, un rien minéral, le palais finit sur de fraîches notes fruitées. A attendre un peu. (Sucres résiduels : 8 g/l.)

🔑 Henry Fuchs, 8, rue du 3-Décembre, 68150 Ribeauvillé, tél. 03.89.73.61.70, fax 03.89.73.39.18, e-mail hfuchs@terre-net.fr ☑ Ȳ ⛹ r.-v.

## JEAN SIPP Riesling 2003

| | 1,5 ha | 8 000 | | 15 à 23 € |
|---|---|---|---|---|

Ce domaine fut au Moyen Age la propriété des seigneurs de Ribeauvillé ; il comprend une parcelle en grand cru Kirchberg, un terroir particulièrement ensoleillé et très favorable au riesling. D'un jaune soutenu, celui-ci présente un nez encore discret mais tout en finesse, fait d'agrumes mûrs assortis d'une touche minérale. La bouche révèle une matière puissante et une pointe de sucres résiduels. Assez longue, elle finit sur un fruité évoquant la pomme et la poire. Le 2001 avait obtenu un coup de cœur. (Sucres résiduels : 13 g/l.)

🔑 Jean Sipp, 60, rue de la Fraternité, 68150 Ribeauvillé, tél. 03.89.73.60.02, fax 03.89.73.82.38, e-mail domaine@jean-sipp.com ☑ Ȳ ⛹ r.-v.

🔑 Jean-Jacques Sipp

# Alsace grand cru kitterlé

## DOM. SCHLUMBERGER Gewurztraminer Le Brise-Mollets 2002 *

| | 4,89 ha | 14 500 | | 15 à 23 € |
|---|---|---|---|---|

Une grande partie de ce vaste domaine est plantée sur des terroirs escarpés aménagés en terrasses. Jaune d'or dans le verre, ce gewurztraminer livre des parfums à la fois puissants et fins de rose et de fruits surmûris. Ample, bien construit, équilibré et fruité, le palais offre une longue finale épicée. Une belle harmonie. (Sucres résiduels : 38 g/l.)

🔑 Dom. Schlumberger, 100, rue Théodore-Deck, 68500 Guebwiller, tél. 03.89.74.27.00, fax 03.89.74.85.75, e-mail mail@domaines-schlumberger.com ☑ Ȳ ⛹ r.-v.

# Alsace grand cru mambourg

## DOM. JEAN-MARC BERNHARD Gewurztraminer 2003 *

| | 0,6 ha | 2 400 | | 11 à 15 € |
|---|---|---|---|---|

Vigneron indépendant depuis 1982, Jean-Marc Bernhard exploite un peu plus de 9 ha avec son fils Frédéric, œnologue, qui l'a rejoint en 2000. L'exploitation ne compte pas moins de quatre terroirs réputés dont ce Mambourg à sol brun calcaire qui convient particulièrement au gewurztraminer. De fait, ce cépage a donné ici de grands vins, et le millésime précédent a obtenu un coup de cœur. Or brillant, le 2003 apparaît très aromatique, avec des nuances de mangue et de poivre. Ces arômes de mangue se prolongent dans une bouche souple, ronde, ample, chaleureuse et bien structurée, finement épicée en finale. Déjà agréable, cette bouteille gagnera à attendre un peu. (Sucres résiduels : 55 g/l.)

🔑 Dom. Jean-Marc Bernhard, 21, Grand-Rue, 68230 Katzenthal, tél. 03.89.27.05.34, fax 03.89.27.58.72, e-mail jeanmarcbernhard@online.fr ☑ Ȳ ⛹ t.l.j. sf dim. 9h-12h 13h30-18h30

## DANIEL FRITZ ET FILS Gewurztraminer 2003 **

| | 0,61 ha | 3 600 | | 11 à 15 € |
|---|---|---|---|---|

Etabli à Sigolsheim, Daniel Fritz possède des vignes sur le coteau du Mambourg, fleuron de cette commune. Il en tire avec régularité de très beaux gewurztraminers. Celui-ci s'annonce par une robe jaune d'or et un nez d'une rare complexité, mêlant le raisin sec à des nuances exotiques (papaye, mangue, fruit de la Passion). Chaleureuse et riche, l'attaque introduit une bouche équilibrée, aux mêmes nuances exotiques et confites, et qui finit longuement et tout en finesse sur des notes fruitées et poivrées. Un modèle de gewurztraminer, que l'on pourra déguster plusieurs années avec du foie gras. (Sucres résiduels : 46 g/l.)

Daniel Fritz et Fils, 3, rue du Vieux-Moulin, 68240 Sigolsheim, tél. 03.89.47.11.15, fax 03.89.78.17.07 r.-v.

ALBERT SCHOECH Gewurztraminer 2003

2,34 ha 7 600 8 à 11 €

Ce négociant établi à Ammerschwihr détient une parcelle importante dans la commune voisine, sur le grand cru Mambourg. Ce terroir a donné naissance à un gewurztraminer jaune pâle brillant, au nez très fin évoquant la mangue. Cette harmonie exotique (mangue encore et litchi) se prolonge dans un palais suave à souhait, dominé par la douceur et la rondeur, à la finale longue et épicée. Déjà agréable, ce vin gagnera à être oublié quelque temps en cave. (Sucres résiduels : 34 g/l.)

SARL Albert Schoech, pl. du Vieux-Marché, 68770 Ammerschwihr, tél. 03.89.78.23.17, fax 03.89.27.90.30, e-mail vin@schoech.fr

PIERRE SPARR Pinot gris 2003 *

1,2 ha 7 020 15 à 23 €

Fondée en 1892, cette maison de négoce a pris de l'envergure au cours des cinquante dernières années. Elle est gérée aujourd'hui par la troisième génération qui développe les marchés à l'export (65 % des volumes). Son pinot gris du Mambourg se distingue par une belle maturité au nez, où se mêlent des notes de fruits jaunes et des nuances miellées. Gras, puissant, charnu, équilibré, ce vin ne manque pas de fraîcheur. Un ensemble racé et de garde. (Sucres résiduels : 17 g/l.)

SA Pierre Sparr et ses Fils, 2, rue de la 1re Armée-Française, 68240 Sigolsheim, tél. 03.89.78.24.22, fax 03.89.47.32.62, e-mail vins-sparr@alsace-wines.com r.-v.

DOM. STIRN Gewurztraminer 2003 *

0,35 ha 2 800 8 à 11 €

Fabien Stirn et sa femme, tous deux œnologues, ont repris en 1999 le domaine familial ; ils sont attachés à la vinification par terroirs. Leur gewurztraminer du Mambourg s'habille d'une robe vieil or soutenu et révèle des parfums de surmaturation (fruits secs et surtout fruits jaunes en confiture). Cette palette aromatique se prolonge dans une bouche franche à l'attaque, souple, chaleureuse et grasse. De l'apéritif au kougelhopf en passant par le foie gras, cette bouteille trouvera facilement sa place. (Sucres résiduels : 48 g/l.)

Fabien Stirn, 3, rue du Château, 68240 Sigolsheim, tél. et fax 03.89.47.30.58, e-mail domainestirn@free.fr r.-v.

# Alsace grand cru mandelberg

CHARLES NOLL Riesling 2003 *

0,16 ha 1 100 8 à 11 €

Fondé en 1864, ce vignoble de 6,50 ha est dirigé depuis une douzaine d'années par Daniel Noll. Jaune clair à reflets verts, son riesling du Mandelberg présente un nez complexe de fleurs blanches et de miel d'acacia. Des notes miellées que l'on retrouve dans un palais plein, charpenté, gras et suffisamment frais, aux arômes de fruits mûrs. Toute la richesse du millésime. (Sucres résiduels : 9 g/l.)

EARL Charles Noll, 2, rue de l'Ecole, 68630 Mittelwihr, tél. 03.89.47.93.21, fax 03.89.47.86.23 t.l.j. 9h-12h 13h30-20h

Daniel Noll

DOM. JEAN-PAUL ET DENIS SPECHT Riesling 2003

0,37 ha 2 500 5 à 8 €

Ce domaine de 9 ha pratique l'enherbement un rang sur deux. Le grand cru Mandelberg a donné ici naissance à un riesling jaune clair brillant à reflets verts, qui s'ouvre sur de fins arômes de fleurs et d'agrumes. Ample et élégant au palais, citronné en finale, c'est un vin prometteur. (Sucres résiduels : 4,5 g/l.)

Dom. Jean-Paul et Denis Specht, 2, rue des Eglises, 68630 Mittelwihr, tél. 03.89.47.90.85, fax 03.89.49.04.22 t.l.j. sf dim. 8h-12h 14h-18h30

W. WURTZ Riesling 2003

0,3 ha 1 800 8 à 11 €

Le Mandelberg, ou « côte des Amandiers », domine le village de Mittelwihr. Ce terroir précoce, où tous les cépages se plaisent, a engendré un riesling jaune pâle à reflets dorés, au nez expressif associant des notes de fruits mûrs à des nuances fumées. Puissant au palais, ce vin est marqué par des sucres résiduels qui demandent à se fondre. Sa longue finale laisse présager une bonne évolution. (Sucres résiduels : 9 g/l.)

EARL Willy Wurtz et Fils, 6, rue du Bouxhof, 68630 Mittelwihr, tél. 03.89.47.93.16, fax 03.89.47.89.01 t.l.j. 9h-19h

# Alsace grand cru marckrain

DOM. STIRN Tokay-pinot gris 2002 **

0,1 ha 800 8 à 11 €

Fabien Stirn et son épouse ont repris le domaine familial en 1999. Œnologues tous les deux, ils ont décidé d'élaborer eux-mêmes leurs vins. Leur intérêt pour la géologie les a conduits à privilégier les vinifications parcellaires – avec savoir-faire, témoin ce pinot gris aux arômes élégants de fruits jaunes et de miel, assortis d'une touche grillée. Après une attaque fraîche, ce vin se montre gras et charnu. La finale persistante offre un beau retour fruité. (Sucres résiduels : 22 g/l.)

Fabien Stirn, 3, rue du Château, 68240 Sigolsheim, tél. et fax 03.89.47.30.58, e-mail domainestirn@free.fr r.-v.

# Alsace grand cru moenchberg

DOM. KOBLOTH Gewurztraminer 2003 *

0,11 ha 1 000 5 à 8 €

Pour ne s'être lancée qu'après guerre dans la viticulture, cette famille n'en a pas moins réussi à développer son vignoble qui compte aujourd'hui 18 ha. Elle possède une parcelle de gewurztraminer dans le Moenchberg. Ce grand cru, situé à l'entrée du val d'Andlau, se caractérise par des sols profonds, limono-argileux, qui conviennent bien à ce cépage. Il a donné ici un vin jaune d'or, au nez frais, floral (rose) et exotique (mangue). On retrouve cette palette aromatique dans un palais doux à l'attaque, ample et équilibré. Une longue finale épicée conclut la dégustation. (Sucres résiduels : 24,2 g/l.)

🔑 EARL Dom. Kobloth, 1, rue des Mimosas,
67680 Nothalten, tél. 03.88.92.44.50, fax 03.88.92.49.20,
e-mail benoitkobloth@yahoo.fr ☑ 🏠 🍷 🚶 r.-v.

DOM. MARC KREYDENWEISS Pinot gris 2003

■ 0,67 ha 3 000 ⓘ 15 à 23 €

A Andlau, vous trouverez la maison de Marc Kreydenweiss en face de la très belle église romane. Il exploite ses 12 ha de vignes en biodynamie dont il a été l'un des précurseurs en Alsace. Sa renommée est mondiale. Marquée par le millésime, la robe de ce pinot gris est jaune paille avec des reflets saumonés très brillants. Le nez, nuancé de brioche fraîche sur une base toastée, est relevé par des notes de fruits mûrs et de noisette grillée. La bouche, d'une structure légère, retrouve les nuances aromatiques du nez jusque dans la finale. Cette bouteille s'affinera encore avec le temps.

🔑 Dom. Marc Kreydenweiss, 12, rue Deharbe,
67140 Andlau, tél. 03.88.08.95.83, fax 03.88.08.41.16,
e-mail marc@kreydenweiss.com ☑ 🍷 🚶 r.-v.

ALBERT MAURER Tokay-pinot gris 2003 *

■ 0,6 ha 3 500 5 à 8 €

Albert Maurer et son fils Philippe exploitent 13 ha autour d'Eichhoffen, village situé à l'entrée du val d'Andlau. Ils disposent de plusieurs parcelles dans le grand cru Moenchberg ou « coteau des Moines », qui fut mis en valeur au XIe s. par les bénédictins d'Altdorf. Le microclimat sec et chaud de ce terroir a fait naître un pinot gris marqué au nez par la surmaturation (miel, pâte de coings). Des notes de fruits mûrs et exotiques complètent la palette aromatique. Ce fruité complexe se prolonge au palais et fait alliance avec une structure chaleureuse, dans un bon équilibre. La finale fraîche est marquée par une touche épicée. (Sucres résiduels : 18 g/l.) Du même grand cru, le **riesling 2003** est cité pour son nez discrètement minéral, sa complexité et son étoffe prometteuse. Il faut l'attendre. (Sucres résiduels : 8 g/l.)

🔑 Albert Maurer, 11, rue du Vignoble,
67140 Eichhoffen, tél. 03.88.08.96.75,
fax 03.88.08.59.98, e-mail info@vins-maurer.fr
☑ 🏠 🍷 🚶 t.l.j. sf dim. 8h-12h 13h30-18h

# Alsace grand cru muenchberg

GERARD METZ Riesling 2002 **

■ 0,4 ha 2 400 ⓘ 8 à 11 €

Construit sur une côte dominant le vignoble, le petit village d'Itterswiller (250 habitants) ne compte pas moins de quatre hôtels et de cinq restaurants. Sa vocation touristique lui vaut d'être particulièrement fleuri à la belle saison. Ce domaine, repris il y a douze ans par Eric Casimir, gendre de Gérard Metz, dispose de plus de 11 ha autour du village et dans les communes environnantes. Très propice au riesling, le grand cru Muenchberg a produit un vin jaune d'or, au nez complexe jouant avec les agrumes, l'acacia et des notes minérales. On retrouve cette palette dans une bouche intense, fraîche, ample et équilibrée, qui persiste longuement sur des notes de fruits exotiques et surmûris. (Sucres résiduels : 6,5 g/l.)

🔑 Dom. Gérard Metz, 23, rte du Vin,
67140 Itterswiller, tél. 03.88.57.80.25,
fax 03.88.57.81.42, e-mail eric@vinsgerardmetz.net
☑ 🍷 🚶 t.l.j. 9h-12h 13h-19h
🔑 Eric Casimir

# Alsace grand cru ollwiller

VIEIL-ARMAND Riesling 2003 *

■ 14 ha 50 000 8 à 11 €

A l'extrémité sud de la route des Vins, Wuenheim possède un grand cru à flanc de coteau, bien abrité par des hauteurs comme le Vieil-Armand. Ce terroir est notamment mis en valeur par la coopérative, qui dépend maintenant de Wolfberger. Très sec et sablo-argileux, il donne naissance à des rieslings de grande expression tels que celui-ci. Jaune clair à reflets verts, ce 2003 associe au nez les fruits surmûris, les fruits confits et les fleurs blanches. Gras et équilibré malgré la présence de sucres résiduels, il persiste longuement sur de fraîches notes fruitées évoquant le pamplemousse. (Sucres résiduels : 9,5 g/l.)

🔑 Cave du Vieil-Armand, 1, rte de Cernay,
68360 Soultz-Wuenheim, tél. 03.89.76.73.75,
fax 03.89.76.70.75 ☑ 🍷 🚶 t.l.j. 8h-12h 14h-18h

# Alsace grand cru osterberg

LOUIS SIPP
Gewurztraminer Vendanges tardives 2002 *

■ 0,93 ha 5 594 ▮🌡 23 à 30 €

Le siège de cette maison se trouve dans des bâtiments du XVIe s. La cave s'adosse aux anciens remparts de Ribeauvillé ; elle a été creusée à partir des années 1930 pour permettre à cette affaire de négoce créée quelques années plus tôt de se développer. Celle-ci est dirigée depuis 1996 par Etienne Sipp, ingénieur passé de l'aéronautique aux terroirs. L'Osterberg, l'un des fleurons du domaine, est à l'origine de ces vendanges tardives d'un jaune soutenu caractéristique, aux parfums épicés (clou de girofle) et exotiques (mangue). Après une attaque souple, on découvre un palais riche, ample et long, équilibré par une belle fraîcheur. Les arômes prolongent ceux perçus au nez, avec des notes confites et un retour épicé. A attendre. (Sucres résiduels : 64,6 g/l.)

⊶ Louis Sipp, 5, Grand-Rue, 68150 Ribeauvillé,
tél. 03.89.73.60.01, fax 03.89.73.31.46,
e-mail louis@sipp.com
☑ Y ⚘ t.l.j. 8h-12h 14h-18h, sam.-dim. sur r.-v.
⊶ Pierre Sipp

SIPP MACK Riesling 2002 **

1,66 ha 5 800 11 à 15 €

Gérée par deux frères, cette exploitation s'étend sur 20 ha. Son siège est à Hunawihr, mais elle détient une parcelle importante dans l'Osterberg de Ribeauvillé, un terroir très caillouteux et propice tant au gewurztraminer qu'au riesling. Ce dernier cépage s'exprime remarquablement dans ce 2002 jaune d'or. Très complexe, le nez mêle un fruité exotique à des notes de menthe et d'épices. Cette palette aromatique se prolonge dans une bouche équilibrée, élégante et longue, qui renoue avec les épices en finale. (Sucres résiduels : 15,2 g/l.)
⊶ Dom. Sipp-Mack, 1, rue des Vosges,
68150 Hunawihr, tél. 03.89.73.61.88,
fax 03.89.73.36.70, e-mail sippmack@sippmack.com
☑ ⌂ Y ⚘ t.l.j. sf dim. 9h-12h 14h-18h

# Alsace grand cru pfersigberg

JOSEPH GRUSS ET FILS Tokay-pinot gris 2003 **

0,3 ha 2 000 8 à 11 €

Terroir de caractère bien ensoleillé et aux sols marno-calcaires, le Pfersigberg a été mentionné dès le XVI[e]s. par les seigneurs laïcs et ecclésiastiques qui détenaient des vignes dans ce cru. Il a donné naissance à un pinot gris expressif et typé. Sa grande matière équilibrée est d'une belle fraîcheur avec ce qu'il faut de rondeur. La finale persiste longuement. Une remarquable structure. (Sucres résiduels : 16 g/l.)
⊶ Joseph Gruss et Fils, 25, Grand-Rue,
68420 Eguisheim, tél. 03.89.41.28.78,
fax 03.89.41.76.66, e-mail domainegruss@hotmail.com
☑ Y ⚘ r.-v.

ALBERT HERTZ Riesling 2003 *

0,36 ha 2 000 8 à 11 €

Très attachée au renom de ses rieslings, cette exploitation largement tournée vers l'exportation en a présenté un fort typique. Citron à l'œil, ce 2003 évoque aussi cet agrume au nez ; à cette note vive s'ajoutent des nuances de pêche et d'abricot pour composer une palette complexe et élégante. Bien charpenté, le palais est soutenu par une belle fraîcheur jusqu'en finale. Son caractère sec permettra à ce vin de s'accorder avec poisson et fruits de mer. Il gagnera à attendre. (Sucres résiduels : 3,2 g/l.)
⊶ Albert Hertz, 3, rue du Riesling, 68420 Eguisheim,
tél. 03.89.41.30.32, fax 03.89.23.99.23,
e-mail info@alberthertz.com ☑ Y ⚘ r.-v.

FRANCOIS LIPP Riesling 2002 **

0,45 ha 3 500 5 à 8 €

Perché à près de 400 m d'altitude et dominé par les trois châteaux d'Eguisheim, Husseren-les-Châteaux est le village le plus élevé de la route des Vins. François Lipp et son fils exploitent 7,50 ha aux alentours. Celui-ci fera bonne figure sur les tables. Le jury salue son nez aromatique et complexe, où l'acacia côtoie des notes d'agrumes, de fruits surmûris et confits. Après une belle attaque ronde, le vin se montre charpenté et frais. Il persiste longuement en finale avec un beau retour du fruité perçu à l'olfaction. Un ensemble harmonieux. (Sucres résiduels : 10 g/l.)
⊶ EARL François Lipp et Fils, 6, rte du Vin,
68420 Husseren-les-Châteaux, tél. 03.89.49.30.37,
fax 03.89.49.32.23 ☑ Y ⚘ r.-v.

JEAN-LUC MEYER Tokay-pinot gris 2003 **

1,16 ha 1 100 8 à 11 €

Situés à quelques pas du centre historique d'Eguisheim, le siège et la cave de ce domaine se trouvent dans une maison du XVIII[e]s. La propriété s'est développée à partir des années 1980 pour atteindre aujourd'hui 10 ha. Elle compte des parcelles dans les deux grands crus présents sur le territoire de la commune. Le Pfersigberg imprime son élégance aux parfums typés de ce pinot gris. Rond, complexe et puissant, ce vin révèle une grande matière et un réel potentiel. On pourra le garder plusieurs années et le déguster à l'apéritif ou avec du foie gras. (Sucres résiduels : 41 g/l.)
⊶ Jean-Luc Meyer,
4, rue des Trois-Châteaux, 68420 Eguisheim,
tél. 03.89.24.53.66, fax 03.89.41.66.46,
e-mail info@vins-meyer-eguisheim.com
☑ ⌂ Y ⚘ t.l.j. sf dim. 9h-12h 13h30-19h

MICHEL SCHOEPFER Tokay-pinot gris 2003 *

0,3 ha 2 000 5 à 8 €

Installée à Eguisheim dans la très belle cour dîmière des Augustins de Marbach, cette exploitation élève la majorité de ses vins dans des fûts en chêne de Hongrie. Typé et expressif, son pinot gris du Pfersigberg allie des qualités de puissance, de fraîcheur et de finesse. Sa longue finale traduit une bonne matière. Un vin harmonieux qui donne envie d'un chapon rôti. (Sucres résiduels : 18 g/l.)
⊶ Michel Schoepfer et Fils, 43, Grand-Rue,
68420 Eguisheim, tél. 03.89.41.09.06,
fax 03.89.23.08.50, e-mail michel.schoepfer@tele2.fr
☑ Y ⚘ t.l.j. 8h-12h 13h-19h

# Alsace grand cru pfingstberg

LUCIEN ALBRECHT Riesling Clos Schild 2003

0,5 ha 2 500 23 à 30 €

La famille Albrecht a pu remonter son arbre généalogique jusqu'en 1425, année où Roman Albrecht cultivait la vigne à Thann. Elle n'a pas quitté le sud de l'Alsace, puisqu'elle est établie à Orschwihr depuis trois siècles. La propriété s'étend aujourd'hui sur 32 ha. Son riesling du Pfingstberg présente une brillante robe dorée et un nez bien ouvert et complexe de fruits en surmaturation. Le palais riche est dominé par des impressions chaleureuses. (Sucres résiduels : 9,5 g/l.)

🔑 Lucien Albrecht, 9, Grand-Rue, 68500 Orschwihr,
tél. 03.89.76.95.18, fax 03.89.76.20.22,
e-mail lucien.albrecht@wanadoo.fr
☑ 🍷 🚶 t.l.j. 8h-19h; f. dim. de jan. à juin et de sept. à nov.
🔑 Jean Albrecht

BERNARD HAEGELIN Gewurztraminer 2003 *

| ■ | 0,18 ha | 1 222 | 🍾 11 à 15 € |
|---|---|---|---|

Couvrant un coteau dominant Orschwihr, le Pfingstberg se caractérise par des sols argilo-gréseux, qui donnent naissance à des vins d'une belle finesse. D'un jaune d'or brillant, celui-ci séduit par son nez évoquant la confiture de fruits jaunes (abricot, mirabelle). Riche, bien structuré, épicé en finale, c'est un vin d'une grande souplesse. (Sucres résiduels : 51 g/l.)

🔑 SCEA Bernard Haegelin,
26, rue de l'Eglise, 68500 Orschwihr,
tél. 03.89.76.14.62, fax 03.89.74.36.46,
e-mail bernard.haegelin@wanadoo.fr
☑ 🍷 🚶 t.l.j. 8h-12h 13h30-19h, dim. sur r.-v.

# Alsace grand cru praelatenberg

LES VIGNERONS RECOLTANTS D'ORSCHWILLER-KINTZHEIM
Gewurztraminer 2003 **

| ■ | 0,55 ha | 2 770 | 🍾 8 à 11 € |
|---|---|---|---|

Constituée en 1957 par des vignerons de trois communes viticoles proches du Haut-Kœnigsbourg, cette cave vinifie 130 ha de vignes. Elle tire le meilleur parti de ses parcelles en grand cru, témoin ce gewurztraminer. Jaune paille à reflets plus pâles, ce vin commence à s'ouvrir et laisse voir une remarquable complexité d'arômes : tilleul, rose, fleurs des champs et mandarine se bousculent au nez. On retrouve ces notes en bouche, notamment la rose et les agrumes. Riche à l'attaque, concentré, rond, le palais offre une longue finale tout en finesse. Un vin prometteur qui devrait encore gagner en expression au cours des années à venir. (Sucres résiduels : 30 g/l.)

🔑 Cave Les Faîtières, 4A, rte du Vin,
67600 Orschwiller, tél. 03.88.92.09.87,
fax 03.88.82.30.92, e-mail cave@cave-orschwiller.fr
☑ 🚶 t.l.j. 10h-12h 14h-17h

DOM. SIFFERT Riesling 2003 *

| ■ | 0,76 ha | 4 600 | 🛢 11 à 15 € |
|---|---|---|---|

De ce domaine, on aperçoit le Haut-Kœnigsbourg, distant de 8 km. La célèbre forteresse domine les coteaux du grand cru Praelatenberg, un terroir sableux d'origine gneissique propice au riesling. D'un jaune-vert brillant, celui-ci s'annonce par un nez d'agrumes franc et plaisant. Ample, structuré, harmonieux, tout en finesse, il finit sur des notes persistantes de fruits exotiques. Un ensemble prometteur qui s'accordera avec de nombreux plats de fête. (Sucres résiduels : 12,4 g/l.)

🔑 SCEA Dom. Siffert, 16, rte du Vin,
67600 Orschwiller, tél. 03.88.92.02.77,
fax 03.88.82.70.02, e-mail siffert@vnumail.com
☑ 🏠 🍷 🚶 t.l.j. 9h-12h 13h30-18h; dim. sur r.-v.; f. fév.

# Alsace grand cru rangen

CLOS SAINT-THEOBALD
Tokay-pinot gris Vendanges tardives 2001 *

| ■ | n.c. | 4 000 | 🛢 38 à 46 € |
|---|---|---|---|

Le domaine Schoffit exporte la moitié de sa production. Etabli à Colmar, il exploite des terroirs diversifiés dont le Rangen constitue l'un des fleurons : on ne compte plus les coups de cœur obtenus par des vins nés des pentes vertigineuses de ce grand cru. Ses vendanges tardives de pinot gris s'habillent d'une robe jaune d'or soutenu et libèrent des arômes caractéristiques de fruits confits ; puis apparaissent des notes grillées et même un rien briochées. Puissant, bien structuré, riche et harmonieux, ce vin fera plaisir encore des années. (Sucres résiduels : 100 g/l.)

🔑 EARL Dom. Schoffit, 66-68, Nonnenholzweg,
68000 Colmar, tél. 03.89.24.41.14, fax 03.89.41.40.52
☑ 🍷 🚶 r.-v.

# Alsace grand cru rosacker

CAVE VINICOLE DE HUNAWIHR
Gewurztraminer 2003 *

| ■ | 1,6 ha | 10 000 | 🍾 8 à 11 € |
|---|---|---|---|

La Cave de Hunawihr fête en 2005 son cinquantième anniversaire. Elle regroupe 110 adhérents et vinifie 200 ha de vignes en coteaux, dont une grande partie située sur le grand cru Rosacker. Régulièrement mentionnée dans le Guide sous cette rubrique, elle ne fait pas défaut cette année avec deux vins sélectionnés. Ce gewurztraminer jaune aux reflets verts mêle au nez du fruit jaune et des notes épicées. Surprenant de fraîcheur, souple, ample, bien structuré, il finit sur une plaisante note de mirabelle. Il mérite d'attendre un an. (Sucres résiduels : 49 g/l.) Quant au **pinot gris 2003 du même grand cru**, une étoile lui aussi, il séduit par sa robe doré soutenu, son nez délicat de fruits frais bien mûrs (poire) ; ces arômes se prolongent en bouche, accompagnés de nuances de coing. Franc à l'attaque, bien étoffé, persistant, c'est un vin harmonieux. Le 2001 avait obtenu un coup de cœur. (Sucres résiduels : 54 g/l.)

🔑 Cave vinicole de Hunawihr, 48, rte de Ribeauvillé,
BP 10016, 68150 Hunawihr, tél. 03.89.73.61.67,
fax 03.89.73.33.95, e-mail info@cave-hunawihr.com
☑ 🍷 🚶 t.l.j. 8h-12h 14h-18h

# Alsace grand cru saering

DOM. SCHLUMBERGER
Riesling L'Anneau de mer 2002 ★★

| | 4,2 ha | 20 000 | | 11 à 15 € |
|---|---|---|---|---|

Etablis au sud de la route des Vins, les domaines Schlumberger jouissent d'une réputation internationale, tant pour la superficie des vignobles, qui en fait la plus vaste propriété d'Alsace, que pour l'importance de ses grands crus (70 ha). La majorité des parcelles est implantée sur des terrasses à l'entrée de la vallée de Guebwiller. Le Saering, terroir de prédilection du riesling, a donné naissance à un superbe vin. Jaune pâle à reflets verts, ce 2002 captive d'emblée par son nez intensément fruité évoquant le fruit de la Passion et le raisin surmûri. Des arômes de zeste de citron s'affirment au palais, accompagnés en finale de notes exotiques et d'une minéralité exquise. Un vin ample, élégant et frais qui se prêtera à de multiples accords gastronomiques. (Sucres résiduels : 5 g/l.)

Dom. Schlumberger,
100, rue Théodore-Deck, 68500 Guebwiller,
tél. 03.89.74.27.00, fax 03.89.74.85.75,
e-mail mail@domaines-schlumberger.com r.-v.

# Alsace grand cru schlossberg

ANDRE BLANCK ET SES FILS
Gewurztraminer 2003

| | 0,19 ha | 1 200 | 8 à 11 € |
|---|---|---|---|

Bien connue des lecteurs du Guide, cette ancienne famille de vignerons est installée à Kientzheim dans la cour des Chevaliers de Malte et jouxte le château de Schwendi qui abrite la confrérie Saint-Etienne et le musée du Vignoble et des Vins d'Alsace. Elle a proposé un gewurztraminer doré aux reflets verts, aux parfums complexes et séducteurs : rose, pâte d'amandes, camomille et pêche blanche se bousculent au nez. Léger à l'attaque, ce vin est ensuite dominé par des impressions chaleureuses jusqu'à la finale épicée. (Sucres résiduels : 18 g/l.)

EARL André Blanck et ses Fils,
Ancienne cour des Chevaliers de Malte,
68240 Kientzheim, tél. 03.89.78.24.72,
fax 03.89.47.17.07, e-mail charles.blanck@free.fr
t.l.j. sf dim. 8h-12h 13h30-19h

CAVE DE KIENTZHEIM-KAYSERSBERG
Riesling 2002

| | 10 ha | 80 000 | | 8 à 11 € |
|---|---|---|---|---|

Cette coopérative a réussi à vinifier 10 ha sur les 80 que compte le grand cru Schlossberg. Cela donne d'importants volumes d'un riesling jaune pâle à reflets verts, et déjà très minéral au nez. Frais à l'attaque, franc, assez complexe, ce vin est soutenu par une acidité vive mais agréable. De fines notes citronnées soulignent la finale. Cette bouteille aimera les préparations à la crème. (Sucres résiduels : 7 g/l.)

Cave de Kientzheim-Kaysersberg,
10, rue des Vieux-Moulins, 68240 Kientzheim,
tél. 03.89.47.13.19, fax 03.89.47.34.38,
e-mail cave-kaysersberg@vinsalsace-kaysersberg.com
r.-v.

ALBERT MANN Riesling 2003

| | 1,2 ha | 5 000 | | 15 à 23 € |
|---|---|---|---|---|

Le Schlossberg de Kientzheim a été le premier terroir délimité en grand cru. Avec ses sols d'arènes granitiques et son exposition plein sud, il convient tout particulièrement au riesling. Jaune pâle aux brillants reflets verts, celui-ci présente un nez de fleurs blanches (acacia) fin et plaisant. Il révèle une belle matière et finit sur une pointe citronnée. (Sucres résiduels : 4 g/l.)

Dom. Albert Mann, 13, rue du Château,
68920 Wettolsheim, tél. 03.89.80.62.00,
fax 03.89.80.34.23, e-mail albert.mann@wanadoo.fr
r.-v.
Barthelmé

# Alsace grand cru schoenenbourg

DOPFF AU MOULIN Riesling 2003 ★

| | 8 ha | 50 000 | | 11 à 15 € |
|---|---|---|---|---|

Dopff au Moulin compte au nombre des maisons qui ont fait la notoriété des vins d'Alsace. Etablis à Riquewihr au XVII[e]s., les Dopff ont été successivement aubergistes, tonneliers, courtiers et négociants en vins, avant de constituer un vaste domaine au début du XX[e]s. Ils disposent ainsi de 63 ha de vignes, ce qui leur permet d'offrir d'importants volumes, même en grand cru. Le coteau du Schoenenbourg fait naître des rieslings de grande expression. Celui-ci, de couleur jaune d'or, se montre discret au premier nez puis libère à l'aération des notes complexes de fruits mûrs, avec une pointe épicée et mentholée. Il offre une longue finale fraîche et épicée de bon augure pour la garde. Comme nombre de vins de ce terroir, mieux vaut l'attendre. (Sucres résiduels : 8 g/l.)

🔑 SA Dopff au Moulin, 2, av. Jacques-Preiss,
68340 Riquewihr, tél. 03.89.49.09.69,
fax 03.89.47.83.61, e-mail domaines@dopff-au-moulin.fr
☑ 🍷 🚶 t.l.j. 9h30-12h 13h30-19h

ROGER JUNG ET FILS Riesling 2002 *

| ■ | 1,2 ha | 5 000 | 🍾 | 8 à 11 € |
|---|---|---|---|---|

Installés en bordure des remparts de Riquewihr, Rémy et Jacques Jung exploitent plus de 15 ha au cœur de la route des Vins ; leurs vignes du Schoenenbourg leur valent de fréquentes sélections dans le Guide. Le 2002 semble promis à un bel avenir. De couleur jaune clair, il offre un nez expressif où se mêlent agrumes et fruits frais. On retrouve les agrumes dans un palais vif, droit et bien structuré, qui persiste longuement sur des notes de mandarine. (Sucres résiduels : 12,5 g/l.)

🔑 Roger Jung et Fils,
23, rue de la 1re-Armée-Française, 68340 Riquewihr,
tél. 03.89.47.92.17, fax 03.89.47.87.63,
e-mail rjung@terre-net.fr
☑ 🏠 🍷 🚶 t.l.j. 8h-12h 13h30-18h

JEAN KLACK Riesling 2003 **

| ■ | 0,35 ha | 1 300 | 🛢 | 8 à 11 € |
|---|---|---|---|---|

Vignerons de père en fils depuis 1626, les Klack sont établis près de l'entrée sud de Riquewihr... dans l'ancienne prison de la ville, construite au XVIes. Faites-vous ouvrir la porte, peut-être aurez-vous la chance de goûter ce riesling, exemple de ce que peut produire le terroir du Schoenenbourg. D'un jaune soutenu à reflets d'or, ce 2003 révèle une palette complexe, où le fruité s'associe à la réglisse et à la menthe. Intense, ample, souple, équilibré, il offre une finale longue et élégante marquée par un beau retour aromatique. Un réel potentiel. (Sucres résiduels : 11 g/l.)

🔑 EARL Jean Klack et Fils,
18, rue de la 1re-Armée-Française, 68340 Riquewihr,
tél. 03.89.47.92.44, fax 03.89.47.84.72,
e-mail jean.klack@wanadoo.fr ☑ 🍷 🚶 r.-v.
🔑 Daniel Klack

RAYMOND RENCK Riesling 2003 *

| ■ | 0,85 ha | 650 | | 8 à 11 € |
|---|---|---|---|---|

Installé à Beblenheim, ce vigneron vient en voisin exploiter sa parcelle dans le Schoenenbourg. Il en a tiré un vin jaune clair au nez complexe, floral, fruité (agrumes) et épicé, avec un rien de menthe. Net et rond, bien équilibré, assez long, ce 2003 finit sur une fraîcheur citronnée. Un vin bien fait. (Sucres résiduels : 9,9 g/l.)

🔑 EARL Raymond Renck, 11, rue de Hoën,
68980 Beblenheim, tél. 03.89.47.91.59,
fax 03.89.47.91.75 ☑ 🍷 🚶 t.l.j. 9h-12h 14h-19h

DOM. STOEFFLER Riesling 2003 **

| ■ | 0,2 ha | 1 200 | 🛢 | 8 à 11 € |
|---|---|---|---|---|

L'exploitation de Vincent Stoeffler a son siège à Barr, mais ses 13 ha sont répartis sur plusieurs communes du Bas-Rhin et du Haut-Rhin, ce qui lui permet de proposer 35 vins différents. Il détient notamment une parcelle dans le Schoenenbourg de Riquewihr dont il a tiré le meilleur parti. La robe jaune d'or de ce riesling annonce le nez puissant, épicé, au fruité concentré et très mûr. Plein, ample, gras, équilibré et persistant, riche d'arômes plutôt confits, le palais est dans une belle continuité. (Sucres résiduels : 7 g/l.)

🔑 Dom. Vincent Stoeffler, 1, rue des Lièvres,
67140 Barr, tél. 03.88.08.52.50, fax 03.88.08.17.09,
e-mail info@vins-stoeffler.com
☑ 🍷 🚶 t.l.j. sf dim. 10h-12h 13h30-18h30

JEAN ZIEGLER Riesling 2003

| ■ | 0,3 ha | 1 000 | 🛢 | 8 à 11 € |
|---|---|---|---|---|

Riquewihr est sans doute la commune la plus visitée de la route des Vins. De nombreux vignerons y ont élu domicile, comme Jean Ziegler. Jaune clair à reflets verts, son riesling du Schoenenbourg attire par son nez intensément fruité, qui évoque le fruit de la Passion. Après une attaque fraîche, la bouche est marquée par les sucres résiduels qui demandent à se fondre. Un vin en devenir. (Sucres résiduels : 8 g/l.)

🔑 Jean Ziegler, 3, chem. de la Daensch,
68340 Riquewihr, tél. 03.89.47.86.02, fax 03.89.86.31.17
☑ 🍷 🚶 r.-v.

# Alsace grand cru sommerberg

FRANCOIS BOHN Riesling 2002 **

| ■ | 0,17 ha | 900 | | 11 à 15 € |
|---|---|---|---|---|

François Bohn n'est venu qu'en 1998 à la vente en bouteilles, mais ses vins sont salués régulièrement dans le Guide. On sait que le Sommerberg, avec son exposition sud et ses sols d'arènes granitiques, donne des rieslings d'une grande finesse. C'est bien le cas de ce 2002. Sa robe dorée et ses senteurs intenses d'agrumes et de pêche constituent une belle entrée en matière. Cette impression se confirme par une attaque ample, un palais à la fois gras et vif, au fruité élégant. La longue finale fraîche est soulignée par des notes citronnées. Ce vin s'accordera aussi bien avec du foie gras poêlé qu'avec une tarte au citron ou des spécialités exotiques. (Sucres résiduels : 18 g/l.)

🔑 François Bohn, 35, rue des Trois-Épis,
68040 Ingersheim, tél. et fax 03.89.27.31.27 ☑ 🍷 🚶 r.-v.

# Alsace grand cru spiegel

LOBERGER Riesling 2003

| ■ | 0,45 ha | 1 980 | 🍾 | 11 à 15 € |
|---|---|---|---|---|

Situé dans le tronçon méridional de la route des Vins, le Spiegel couvre une surface concave qui, avec une exposition à l'est, garantit un ensoleillement optimal. Les galets de grès qui composent ses sols favorisent encore le réchauffement. Les Loberger ont tiré de ce grand cru un coup de cœur dans l'édition précédente (en gewurztraminer). Leur riesling 2003 porte avant tout la marque d'un millésime atypique. Jaune d'or à reflets brillants, il présente un nez intense, fumé, floral et épicé. Rond à l'attaque, il exprime l'ananas, les fruits confits et d'autres notes de surmaturation. Un ensemble riche pour viandes blanches en sauce. (Sucres résiduels : 10 g/l.)

EARL Joseph Loberger, 10, rue de Bergholtz-Zell, 68500 Bergholtz, tél. 03.89.76.88.03, fax 03.89.74.16.89 r.-v.

# Alsace grand cru sporen

## HORCHER Gewurztraminer 2003 *

0,14 ha 1 100 11 à 15 €

Mentionné en 1432, le Sporen de Riquewihr était considéré à la fin du XVIe s. comme le meilleur terroir d'Alsace. C'est un cirque en pente douce, orienté au sud-est. Ses sols argilo-marneux profonds, riches en acide phosphorique, plaisent au gewurztraminer. Celui-ci, de couleur jaune clair, s'épanouit au nez, sur des senteurs intenses de fleurs nuancées d'épices. Flatteur au palais, il est ample, puissant, équilibré, et persiste longuement sur des notes délicates d'épices et de litchi. (Sucres résiduels : 20 g/l.)

Ernest Horcher et Fils, 6, rue du Vignoble, 68630 Mittelwihr, tél. 03.89.47.93.26, fax 03.89.49.04.92, e-mail info@horcher.fr t.l.j. sf dim. 8h-12h 14h-18h

## ROGER JUNG ET FILS Gewurztraminer 2003 *

0,67 ha 4 000 11 à 15 €

Avec son sol profond qui maintient l'humidité, le Sporen est un terroir particulièrement favorable lorsque les millésimes sont chauds et secs comme le 2003. Ce gewurztraminer n'a ainsi pas trop à se plaindre de la canicule. Doré dans le verre, il est marqué par la puissance tout au long de la dégustation, ce qui ne l'empêche pas de garder un bel équilibre. Le nez intense associe les fruits confits et les épices ; la bouche révèle une riche matière, ample, grasse, volumineuse et chaleureuse. La longue finale offre un retour fruité et confituré, avec une subtile note épicée. Le millésime précédent avait vu triompher un pinot gris dans ce même grand cru. (Sucres résiduels : 53 g/l.)

Roger Jung et Fils, 23, rue de la 1re-Armée-Française, 68340 Riquewihr, tél. 03.89.47.92.17, fax 03.89.47.87.63, e-mail rjung@terre-net.fr t.l.j. 8h-12h 13h30-18h

## DOM. DE LA VIEILLE FORGE Gewurztraminer 2003 *

0,13 ha 950 8 à 11 €

D. Wurtz, œnologue, et P. Wagner, diplômé d'école supérieure de commerce, ont uni leurs compétences pour reprendre ce domaine. La propriété compte des parcelles dans les trois grands crus les plus proches de l'exploitation, dont le Sporen. Un terroir qui montre une fois de plus ses affinités avec le gewurztraminer. Jaune clair dans le verre, ce 2003 offre un nez intense et épanoui, fait de fruits confits et de notes torréfiées. En bouche, la palette aromatique s'inscrit dans le même registre. Ample, corsé, bien structuré, le palais persiste longuement sur un fruité subtil. Un vin d'apéritif, qui pourrait aussi trouver sa place au dessert. (Sucres résiduels : 50 g/l.)

Dom. de la Vieille Forge, 5, rue de Hoen, 68980 Beblenheim, tél. 03.89.86.01.58, fax 03.89.47.86.37, e-mail virginie.wurtz@wanadoo.fr t.l.j. 10h-12h 16h-18h30

Wurtz de Nis

# Alsace grand cru steinert

## FRANCOIS FLESCH Tokay-pinot gris 2003 *

0,22 ha 1 800 8 à 11 €

A la tête du domaine familial depuis 1983, François Flesch est resté attaché aux traditionnels foudres de chêne. Au nez, son pinot gris du Steinert s'ouvre sur les arômes fumés caractéristiques du cépage, associés à une note miellée révélant les chaleurs de l'été 2003. Franc, frais puis plus rond, il termine sur une petite pointe d'amertume. « Un vin attachant », conclut l'un des membres du jury. (Sucres résiduels : 26 g/l.)

François Flesch et Fils, 20, rue du Stade, 68250 Pfaffenheim, tél. 03.89.49.66.36, fax 03.89.49.74.71, e-mail francois.flesch@wanadoo.fr t.l.j. 8h-12h 14h-18h; dim. sur r.-v.

## PIERRE FRICK Riesling 2003 *

0,34 ha 2 000 11 à 15 €

Pionnier de l'agrobiologie (dès 1971), puis de la biodynamie (en 1981), Pierre Frick innove maintenant en matière de bouchage en introduisant la capsule métallique. Il exporte 40 % de sa production dans le monde entier. Jaune pâle à reflets dorés, son riesling du Steinert présente une palette expressive, mûre et complexe, plutôt florale au nez et un rien confite en bouche. Croquant, puissant, rond, harmonieux, bien charpenté et long, ce vin s'attire bien des éloges. Une pointe de sucres résiduels lui va bien. Une bouteille prête à boire. (Sucres résiduels : 14 g/l.)

Pierre Frick, 5, rue de Baer, 68250 Pfaffenheim, tél. 03.89.49.62.99, fax 03.89.49.73.78, e-mail pierre.frick@wanadoo.fr r.-v.

## KUENTZ Tokay-pinot gris 2002

0,2 ha 1 500 8 à 11 €

Romain Kuentz et son fils perpétuent une tradition vigneronne inaugurée au XIXe s. en exploitant leurs 8 ha de vignes. Ils organisent au mois de novembre une journée Portes ouvertes. Doré dans le verre et fumé au nez, leur pinot gris est un 2002. Il est marqué par le millésime, avec une pointe de fraîcheur et un caractère presque sec malgré le taux élevé de sucres résiduels. Bien présent avec une touche minérale, c'est un vin de gastronomie. (Sucres résiduels : 30 g/l.)

🔑 GAEC Romain Kuentz et Fils, 22-24, rue du Fossé, 68250 Pfaffenheim, tél. 03.89.49.61.90, fax 03.89.49.77.17
t.l.j. 9h-12h 13h30-19h; dim. sur r.-v.

DOM. MOLTES Tokay-pinot gris 2003 ★★

| | 0,31 ha | 1 900 | 11 à 15 € |
|---|---|---|---|

En 1997, la nouvelle génération – Stéphane et Mickaël Moltès – a pris la tête de l'exploitation familiale qui compte 11 ha de vignes. Depuis 2002, un nouveau chai de vinification accompagne le développement de la production. A l'instar du Steinert, au caractère rocailleux, ce vin est intense et puissant dans ses expressions olfactives et gustatives. Ses arômes typés s'associent à des notes de surmaturation. Son palais corsé, gras et ample est agrémenté d'une pointe de fraîcheur. A déguster à l'apéritif ou avec du foie gras. (Sucres résiduels : 72 g/l.) Du **même grand cru, le gewurztraminer 2003 (8 à 11 €)** est cité. Il libère de discrets effluves de pêche et de rose et se montre doux et miellé à l'attaque, chaleureux, ample et souple. (Sucres résiduels : 32 g/l.)

🔑 Dom. Antoine Moltès et Fils, 8-10, rue du Fossé, 68250 Pfaffenheim, tél. 03.89.49.60.85, fax 03.89.49.50.43, e-mail domaine@vin-moltes.com
t.l.j. 8h-12h 14h-18h

RIEFLE Pinot gris 2003 ★

| | 0,55 ha | 4 000 | 11 à 15 € |
|---|---|---|---|

Bien développé par Joseph Rieflé et ses fils René et André, ce domaine est maintenant géré par la troisième génération, à la tête d'une importante propriété (22 ha). Le grand cru Steinert leur a déjà donné de beaux coups de cœur dans la décennie précédente. Typé au nez et flatteur par sa touche épicée, ce pinot gris est équilibré, fin, assez frais et persistant. Il trouvera facilement sa place à table. (Sucres résiduels : 22 g/l.)

🔑 Dom. Rieflé, BP 43, 7, rue Drotfeld, 68250 Pfaffenheim, tél. 03.89.78.52.21, fax 03.89.49.50.98, e-mail riefle@riefle.com
t.l.j. sf dim. 9h-12h 14h-18h

PAUL SCHNEIDER Tokay-pinot gris 2003 ★

| | 0,61 ha | 4 000 | 8 à 11 € |
|---|---|---|---|

Dès le XIIe s., les bénédictins de Muri et l'évêque de Bâle ainsi que celui de Strasbourg avaient des vignes au lieu-dit Steinert. Ce terroir calcaire et caillouteux convient particulièrement au pinot gris. Ce 2003 s'ouvre peu à peu sur des senteurs de miel et d'épices, tandis que le palais révèle des notes de fruits bien mûrs. Ample et très rond, ce vin est encore marqué par des sucres résiduels. On l'oubliera deux à quatre ans en cave pour le déguster à son optimum. (Sucres résiduels : 43 g/l.)

🔑 Paul Schneider et Fils, 1, rue de l'Hôpital, 68420 Eguisheim, tél. et fax 03.89.41.50.07
t.l.j. sf dim. 9h30-12h 13h30-18h

# Alsace grand cru steingrübler

STENTZ-BUECHER Riesling 2003 ★

| | 0,38 ha | 1 800 | 11 à 15 € |
|---|---|---|---|

Proche de Colmar, le secteur de Wettolsheim a été mis en valeur dès l'Antiquité, puisqu'il conserve les vestiges d'une *villa* romaine. Solidement établie dans la commune depuis plusieurs générations, cette exploitation dispose de 11 ha de vignes et vient d'agrandir sa cave. Ses étiquettes montrent une coupe de sol avec l'empilement des strates. Une bonne illustration pour le Steingrübler, mot qui évoque une carrière de pierre. Ce grand cru a donné un vin jaune d'or à reflets brillants, au nez bien ouvert sur la pêche et les agrumes. Rond, ample, gras et long, ce 2003 est encore alourdi par les sucres résiduels mais il se montre suffisamment frais. Une douceur qui a son charme. (Sucres résiduels : 15 g/l.)

🔑 Stentz-Buecher, 21, rue Kleb, 68920 Wettolsheim, tél. 03.89.80.68.09, fax 03.89.79.60.53, e-mail stentz-buecher@wanadoo.fr
t.l.j. 9h-12h 14h-18h

WUNSCH ET MANN Riesling 2003 ★

| | 1,2 ha | 5 300 | 11 à 15 € |
|---|---|---|---|

Situé à quelques kilomètres au sud-ouest de Colmar, Wettolsheim profite de la proximité du chef-lieu du Haut-Rhin pour se développer. Fondée par deux familles en 1949, cette maison de négoce y a pignon sur rue et dispose d'un important vignoble en propre (20 ha). Jaune soutenu, son riesling du Steingrübler livre d'intenses parfums de pêche, rafraîchis par des nuances végétales et des notes de menthe. Puissant au palais, il est soutenu par une belle vivacité et finit par une pointe d'amertume qui s'estompera avec une petite garde. (Sucres résiduels : 10 g/l.)

🔑 Wunsch et Mann, 2, rue des Clefs, 68920 Wettolsheim, tél. 03.89.22.91.25, fax 03.89.80.05.21, e-mail wunsch-mann@wanadoo.fr
r.-v.
🔑 Mann

# Alsace grand cru steinklotz

LAUGEL Riesling 2003

| | n.c. | n.c. | 8 à 11 € |
|---|---|---|---|

Ce négociant est établi à Marlenheim, petite cité qui marque au nord le début de la route des Vins. Elle possède son grand cru, le Steinklotz, aux sols calcaires de faible épaisseur sur une roche compacte. L'étiquette montre la petite chapelle qui se dresse au milieu de ce lieu-dit. Il a produit un riesling jaune pâle, au nez encore fermé mais qui laisse déjà percer des notes minérales et végétales. Ce registre aromatique se poursuit dans un palais marqué par une grande vivacité et qui reflète bien la personnalité du terroir. Ce vin gagnera en expression avec quelques années de garde. Il accompagnera bien le poisson. (Sucres résiduels : 7 g/l.)

🔑 Sté Vins et Crémants d'Alsace Metz-Laugel, 102, rue du Gal-de-Gaulle, 67520 Marlenheim, tél. 03.88.59.28.60, fax 03.88.87.67.58 r.-v.

# Alsace grand cru vorbourg

DOM. DE L'ECOLE Tokay-pinot gris 2003

| | 0,8 ha | 4 400 | 8 à 11 € |
|---|---|---|---|

Dépendant du lycée viticole de Rouffach, ce domaine, fort de 13 ha de vignes, est une structure économique à part entière. C'est aussi le support privilégié de la formation pratique des étudiants de l'établissement. Au vignoble et à la cave, l'équipe de techniciens développe une production de qualité et des vins de terroir, comme celui-ci, né du grand cru de la commune. Vêtu d'or pâle, ce pinot gris s'ouvre progressivement sur des notes fumées. Bien structuré, souple et harmonieux, il gagnera en expression dans les mois qui viennent. (Sucres résiduels : 45 g/l.)

Dom. de l'Ecole, Lycée agricole et viticole,
8, aux Remparts, 68250 Rouffach,
tél. 03.89.78.73.16, fax 03.89.78.73.43,
e-mail expl.legta.rouffach@educagri.fr ☑ Y ✗ r.-v.

SCHLEGEL-BOEGLIN Tokay-pinot gris 2003 ★★

0,3 ha 2 500 ▮ 8 à 11 €

A la tête du domaine familial depuis 1991, Jean-Luc Schlegel exploite 12 ha de vignes dans la partie sud de la route des Vins. Il a tiré le meilleur de ses parcelles en grands crus dans le millésime 2003, témoin ce pinot gris, né sur les sols marno-calcaires du Vorbourg. Franc et bien ouvert sur des notes typées, un peu citronnées, ce vin est riche, ample et gras tout en faisant preuve d'une belle fraîcheur qui contribue à son élégance. (Sucres résiduels : 56 g/l.)

Dom. Schlegel-Boeglin, 22 A, rue d'Orschwihr,
68250 Westhalten, tél. 03.89.47.00.93,
fax 03.89.47.65.32, e-mail schlegel-boeglin@wanadoo.fr
☑ Y ✗ r.-v.
J.-L. Schlegel

# Alsace grand cru wiebelsberg

REMY GRESSER Riesling 2003 ★★

0,7 ha 4 000 11 à 15 €

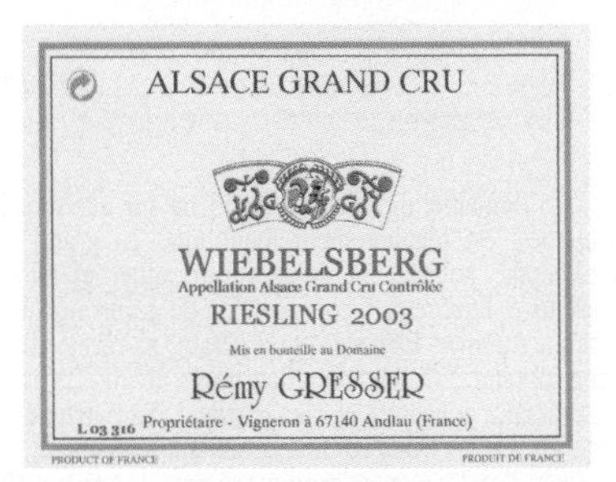


Peut-on imaginer quelqu'un de plus enraciné dans le vignoble que Rémy Gresser, dont un ancêtre fut vigneron et prévôt d'Andlau au XVIes. ? Un office qui devait déjà impliquer des responsabilités viticoles... Engagé dans la défense des vins d'Alsace, son descendant exploite en biodynamie plus de 10 ha dans la même commune, avec des parcelles dans les grands crus du lieu. Du Wiebelsberg, terroir gréseux très propice au riesling, il a tiré un 2003 jaune doré, au nez franc et typé, finement minéral avec des notes d'agrumes. En bouche s'épanouissent des nuances florales puis un fruité complexe. Equilibré, frais et long, ce vin montre une tenue remarquable pour le millésime ; il patientera deux à cinq ans en cave pour dévoiler toutes ses facettes. (Sucres résiduels : 10 g/l.)

Dom. Rémy Gresser, 2, rue de l'Ecole,
67140 Andlau, tél. 03.88.08.95.88, fax 03.88.08.55.99,
e-mail remy.gresser@wanadoo.fr ☑ Y ✗ r.-v.

DOM. DU VIEUX PRESSOIR Riesling 2002 ★

0,44 ha 2 000 5 à 8 €

Ce domaine tire son nom d'un pressoir de 1819, qui resta en service jusqu'en 1965. Il s'étend sur 10 ha. Jaune pâle dans le verre, son riesling du Wiebelsberg est floral au premier nez, puis libère des notes minérales avec une touche de menthe. Ces notes minérales se prolongent dans une bouche vive dès l'attaque, donnant à ce vin une certaine élégance. Par sa nervosité, cette bouteille s'accordera avec le poisson, les fruits de mer et la choucroute. On peut la boire ou la laisser en cave quelques années. (Sucres résiduels : 4 g/l.)

Marcel Schlosser, 7, rue des Forgerons,
67140 Andlau, tél. 03.88.08.03.26, fax 03.88.08.13.76,
e-mail schlosser@terre-net.fr
☑ Y ✗ t.l.j. sf dim. 9h-12h 13h30-18h; groupes sur r.-v.

JEAN WACH Riesling 2002 ★

0,25 ha 1 600 5 à 8 €

Niché au pied des Vosges, Andlau mérite une visite tant pour son abbatiale et ses vieilles pierres que pour ses trois grands crus où prospère le riesling. Le Wiebelsberg couvre un coteau au débouché de la vallée et au nord de la petite ville. Ses sols gréseux ont donné naissance à un vin jaune d'or aux brillants reflets verts, marqué au nez par des senteurs d'agrumes (pamplemousse). Assez vif à l'attaque, riche et bien équilibré, assez long, ce 2002 offre une finale fraîche où l'on retrouve les agrumes. On l'appréciera avec des viandes blanches ou du poisson en sauce. (Sucres résiduels : 9 g/l.)

GAEC Jean Wach et Fils, 16, rue du Mal-Foch,
67140 Andlau, tél. et fax 03.88.08.09.73,
e-mail raph.wach@wanadoo.fr
☑ Y ✗ t.l.j. 8h-12h 14h-19h; dim. 8h-12h

# Alsace grand cru wineck-schlossberg

JOSEPH ET CHRISTIAN BINNER
Riesling Vendanges tardives 2002 ★

0,08 ha 305 23 à 30 €

Cultivé aujourd'hui en biodynamie, ce domaine se transmet de père en fils depuis 1770. Le père, Joseph Binner, est bien connu dans la profession pour avoir mis au point certains matériels et machines viticoles. La dernière génération a pris les rênes des 7 ha de vignes en 1998. Elle propose des vendanges tardives de couleur vieil or, au nez complexe et évolué : à côté des notes miellées, on discerne des arômes de fruits secs, de marrons chauds et de camomille qui se prolongent au palais. Ample, riche et bien charpenté, ce 2002 est soutenu par une bonne acidité qui permettra sa conservation. (Sucres résiduels : 55 g/l.)

🔑 Audrey et Christian Binner, 2, rue des Romains, 68770 Ammerschwihr, tél. 03.89.78.23.20, fax 03.89.78.14.17, e-mail vinsbinner@aol.com
☑ ⚲ 🚶 t.l.j. sf dim. 9h-11h30 14h-18h30

MEYER-FONNE Gewurztraminer 2003

| 0,39 ha | 2 100 | 11 à 15 € |
|---|---|---|

Etablis à 300 m du donjon du Wineck, François et Félix Meyer exploitent 10 ha autour de Katzenthal. Ils exportent la moitié de leur production. Du Wineck-Schlossberg, ils ont tiré une fois de plus un vin réussi, aux arômes de rose, de litchi et de goyave caractéristiques du gewurztraminer. Souple et marqué par les sucres résiduels, ce 2003 devra parfaire son harmonie. (Sucres résiduels : 52 g/l.)

🔑 Dom. Meyer-Fonné, 24, Grand-Rue, 68230 Katzenthal, tél. 03.89.27.16.50, fax 03.89.27.34.17 ☑ ⚲ 🚶 r.-v.
🔑 François et Félix Meyer

ALBERT SCHOECH Riesling 2003

| 2,35 ha | 14 300 | 8 à 11 € |
|---|---|---|

Cette maison de négoce est particulièrement bien implantée dans le Wineck-Schlossberg. Elle propose donc un volume important de riesling de ce grand cru. Jaune cristallin à reflets verts, discrètement fruité au nez, ce 2003 se montre souple, riche, bien équilibré et d'une longueur suffisante. Un fruité mûr marque sa finale. Un ensemble honorable pour le millésime. (Sucres résiduels : 10,4 g/l.)

🔑 SARL Albert Schoech, pl. du Vieux-Marché, 68770 Ammerschwihr, tél. 03.89.78.23.17, fax 03.89.27.90.30, e-mail vin@schoech.fr

DOM. DE LA SINNE Riesling 2003 *

| 0,38 ha | 2 200 | 8 à 11 € |
|---|---|---|

Etabli à Ammerschwihr, ce domaine viticole de 10 ha est exploité en biodynamie. Il détient une parcelle en Wineck-Schlossberg, grand cru granitique particulièrement favorable au riesling. Jaune clair, ce 2003 présente un nez épanoui et floral. De belle attaque, bien équilibré, assez long, il révèle en bouche des nuances d'agrumes soulignées par une bonne fraîcheur jusqu'à la finale. Un ensemble harmonieux. (Sucres résiduels : 6 g/l.)

🔑 EARL Frédéric Geschickt, 1, pl. de la Sinne, 68770 Ammerschwihr, tél. 03.89.47.12.54, fax 03.89.47.34.76, e-mail vignoble@geschickt.fr
☑ 🏠 ⚲ 🚶 t.l.j. sf dim. 8h-12h 13h30-18h

VINCENT SPANNAGEL Riesling 2003

| 0,55 ha | 3 600 | 11 à 15 € |
|---|---|---|

Vincent Spannagel conduit depuis 1982 le domaine constitué par son père. Il exploite 9 ha de vignes et vinifie ses vins dans le bois. Habillé d'or clair, son riesling du Wineck-Schlossberg offre un nez bien fruité aux nuances exotiques. Ce fruité s'accompagne en bouche de notes épicées. Souple puis plus vif, il finit sur une note poivrée. (Sucres résiduels : 4,8 g/l.)

🔑 EARL Vincent Spannagel, 82, rue du Vignoble, 68230 Katzenthal, tél. 03.89.27.52.13, fax 03.89.27.56.48 ☑ ⚲ 🚶 r.-v.

# Alsace grand cru winzenberg

STRAUB Pinot gris 2003 *

| 0,12 ha | 800 | 8 à 11 € |
|---|---|---|

Installée à Blienschwiller, la famille Straub détient plusieurs parcelles dans le grand cru Winzenberg. Le millésime 2003 a donné un pinot gris paré d'une robe jaune doré. Au nez, ce vin associe le chèvrefeuille à la classique nuance fumée du cépage. Cette finesse aromatique se confirme en bouche où un équilibre élégant conduit vers une finale harmonieuse. Une bouteille prête à boire. (Sucres résiduels : 20 g/l.)

🔑 Jean-Marie Straub, 61, rte des Vins, 67650 Blienschwiller, tél. et fax 03.88.92.40.42
☑ ⚲ 🚶 r.-v.

# Alsace grand cru zinnkoepflé

DOM. LEON BOESCH
Gewurztraminer Sélection de grains nobles 2002 ***

| 0,2 ha | 500 | 46 à 76 € |
|---|---|---|

Ce domaine, qui dispose de 13 ha sur des terroirs diversifiés, est régulièrement mentionné en grand cru zinnkoepflé, notamment en gewurztraminer et en vin moelleux et liquoreux. Cette sélection de grains nobles se hisse au sommet. Elle n'a qu'un défaut, sa rareté. D'un jaune soutenu étincelant de reflets dorés, ce 2002 offre un nez puissant, concentré et sans lourdeur. Sa palette complexe associe les fruits confits, la mangue, le litchi et une touche grillée. Le registre exotique se prolonge en bouche, complété de nuances de miel et de fleurs séchées, et de cette pointe poivrée propre aux grands gewurztraminers. Gras, riche et délicat tout à la fois, suffisamment frais et d'une rare longueur, un vin hors du commun pour une occasion exceptionnelle. Il comble déjà mais peut encore attendre. (Sucres résiduels : 140 g/l.)

🔑 Dom. Léon Boesch, 6, rue Saint-Blaise, 68250 Westhalten, tél. 03.89.47.01.83, fax 03.89.47.64.95, e-mail domaine-boesch@wanadoo.fr
☑ 🏠 ⚲ 🚶 r.-v.
🔑 Gérard et Matthieu Boesch

## JEAN-MARIE HAAG

Gewurztraminer Vendanges tardives 2002 *

| 0,2 ha | 900 | 23 à 30 € |
|---|---|---|

Installé à Soultzmatt, jolie petite ville bien fleurie du sud de la route des Vins, Jean-Marie Haag exploite 6 ha de vignes. Après un liquoreux l'an dernier, il figure dans le Guide pour des vendanges tardives provenant du même grand cru. Le cépage est le même, du gewurztraminer. Il faut dire qu'il trouve un lieu d'élection dans le Zinnkoepflé. Jaune d'or dans le verre, ce 2002 offre un nez complexe de fruits confits, avec de la mangue en arrière-plan. Frais à l'attaque, il se montre ensuite rond, riche, moelleux, puissant et harmonieux. (Sucres résiduels : 95 g/l.)

Jean-Marie Haag, 17, rue des Chèvres, 68570 Soultzmatt, tél. 03.89.47.02.38, fax 03.89.47.64.79, e-mail jean-marie.haag@wanadoo.fr r.-v.

## RAYMOND ET MARTIN KLEIN

Gewurztraminer 2003

| 1,8 ha | 9 600 | 8 à 11 € |
|---|---|---|

Exposés au sud, les vignobles pentus du Zinnkoepflé dominent la Vallée Noble et sont particulièrement abrités des vents d'ouest par le ballon de Guebwiller et les plus hauts sommets vosgiens. Ils ont donné naissance à un vin jaune d'or mêlant au nez la rose et les fruits exotiques. Ces arômes se prolongent dans une bouche douce à l'attaque et de bonne longueur. Encore marquée par les sucres résiduels, sa belle matière mérite d'attendre un peu. (Sucres résiduels : 20 g/l.)

Raymond et Martin Klein, 61, rue de la Vallée, 68570 Soultzmatt, tél. 03.89.47.01.76, fax 03.89.47.64.53 t.l.j. sf dim. 9h30-11h30 13h30-17h30

## PAUL KUBLER Pinot gris 2003 *

| 0,47 ha | 1 800 | 11 à 15 € |
|---|---|---|

A Soultzmatt, la rue d'Or mène vignerons et promeneurs au pied du grand cru Zinnkoepflé, réputé depuis des siècles pour son ensoleillement et son aridité idéals pour la viticulture. Paul Kubler a tiré de ce terroir un pinot gris assez typé, au nez floral et élégant, qui s'affirme au palais par son équilibre, sa structure franche et sa fraîcheur. (Sucres résiduels : 28 g/l.)

EARL Paul Kubler, 103, rue de la Vallée, 68570 Soultzmatt, tél. 03.89.47.00.75, fax 03.89.47.65.45, e-mail kubler@lesvins.com t.l.j. sf dim. 9h-12h 14h-19h

## SEPPI LANDMANN

Tokay-pinot gris Sélection de grains nobles 2000 *

| 0,24 ha | 1 000 | 46 à 76 € |
|---|---|---|

Seppi Landmann est l'une des figures les plus connues de Soultzmatt. Etabli au pied du Zinnkoepflé dans une maison de 1574, il s'est fait une spécialité des vins d'exception permis par l'ensoleillement hors du commun du « mont du Soleil ». Cette sélection de grains nobles du millésime 2000 offre un bon exemple du potentiel de ce terroir et de son savoir-faire. La robe brillante a pris une couleur jaune orangé. Le nez intense, évolué, associe des notes de grillé aux nuances de fruits confits. Gras, voluptueux, bien équilibré, le palais exprime des arômes complexes d'agrumes et de confiture. La longue finale est marquée de nuances de figue et de date. (Sucres résiduels : 108 g/l.)

Seppi Landmann, 20, rue de la Vallée, 68570 Soultzmatt, tél. 03.89.47.09.33, fax 03.89.47.06.99, e-mail contact@seppi-landmann.fr r.-v.

## FRANCIS MURE Tokay-pinot gris 2003 *

| 0,2 ha | 1 300 | 11 à 15 € |
|---|---|---|

La flore du Zinnkoepflé, avec ses espèces méditerranéennes et caspiennes, souligne bien son microclimat extrêmement sec qui permet une excellente maturation des raisins. Intense au nez avec une nuance grillée, le pinot gris de Francis Muré s'impose par son ampleur, sa richesse, sa puissance, sa rondeur et sa chaleur. La note fumée caractéristique du cépage lui donne de l'élégance. (Sucres résiduels : 30 g/l.)

Francis Muré, 30, rue de Rouffach, 68250 Westhalten, tél. 03.89.47.64.20, fax 03.89.47.09.39, e-mail mure-francis@club-internet.fr r.-v.

## ERIC ROMINGER

Gewurztraminer Vendanges tardives 2002 *

| 0,8 ha | 900 | 15 à 23 € |
|---|---|---|

Rares sont les éditions du Guide où cette exploitation, grappe de bronze en 1999, ne figure pas en grand cru zinnkoepflé, terroir qui lui a valu plus d'un coup de cœur dans la décennie précédente. Couleur paille soutenu, ces vendanges tardives libèrent des senteurs de fruits exotiques sur un fond miellé relevé d'épices. Au palais, on découvre une matière ample ronde, grasse et très persistante, marquée par la douceur mais bien équilibrée. Les arômes de fruits confits et de mangue sont agrémentés en finale de notes épicées. Ce gewurztraminer gagnera encore en harmonie avec les années. (Sucres résiduels : 70 g/l. Bouteilles de 50 cl.)

SCEA Eric Rominger, 16, rue Saint-Blaise, 68250 Westhalten, tél. 03.89.47.68.60, fax 03.89.47.68.61, e-mail vins-rominger.eric@wanadoo.fr r.-v.

## DOM. SCHIRMER Gewurztraminer 2003 *

| 0,25 ha | 1 000 | 8 à 11 € |
|---|---|---|

Si la vigne est présente sur le domaine depuis le XVIe s., elle ne règne sans partage que depuis deux générations. Une partie des 8,50 ha de son vignoble est implantée dans le Zinnkoepflé, d'où est issu ce gewurztraminer. Jaune d'or à reflets plus pâles, ce 2003 exprime des parfums intenses de rose, d'épices et de pâte de fruits. Une agréable attaque toute de douceur introduit une bouche ample, grasse et puissante. Un retour aromatique sur la rose et les épices marque la longue finale. Le 2001 avait obtenu un coup de cœur. (Sucres résiduels : 45 g/l.)

Dom. Lucien Schirmer et Fils, 22, rue de la Vallée, 68570 Soultzmatt, tél. 03.89.47.03.82, fax 03.89.47.02.33 r.-v.

## SCHLEGEL-BOEGLIN Riesling 2003 **

| 0,6 ha | 4 300 | 8 à 11 € |
|---|---|---|

Très anciennement implantée à Westhalten, cette exploitation sait tirer parti de la situation abritée et de l'ensoleillement optimal du Zinnkoepflé ; ce grand cru ne lui a-t-il pas valu trois coups de cœur ? (Le dernier en date a couronné un pinot gris 99 de vendanges tardives). La propriété présente cette année un riesling et se tire encore d'affaire avec brio. Jaune clair à reflets verts brillants, ce 2003 séduit par un nez frais et tout en finesse associant

acacia, citronnelle et fruits confits. D'une remarquable tenue au palais, il se montre ample, charpenté, gras, fort long et frais ! Un vin de gastronomie. (Sucres résiduels : 13 g/l.)
Dom. Schlegel-Boeglin, 22 A, rue d'Orschwihr, 68250 Westhalten, tél. 03.89.47.00.93, fax 03.89.47.65.32, e-mail schlegel-boeglin@wanadoo.fr r.-v.
Jean-Luc Schlegel

FRANCOIS WISCHLEN Tokay-pinot gris 2002 *

0,4 ha 2 000 11 à 15 €

Selon l'étymologie, Zinnkoepflé ou Sonnkopf signifie « mont du Soleil ». Est-ce en référence aux fossiles d'entroques que l'on trouve dans son sol de calcaire coquillier ou à l'ensoleillement exceptionnel de ses pentes ? Qu'importe... Le soleil est dans cette bouteille ; et des arômes intenses, caractéristiques du pinot gris, avec une nuance exotique. Une belle attaque introduit un palais ample, plaisant par sa fraîcheur et sa persistance. Une réussite pour le millésime 2002. Un gewurztraminer 2000 avait obtenu un coup de cœur. (Sucres résiduels : 71 g/l.)
François Wischlen, 4, rue de Soultzmatt, 68250 Westhalten, tél. 03.89.47.01.24, fax 03.89.47.62.90, e-mail wischlen@wanadoo.fr r.-v.

# Alsace grand cru zotzenberg

DOM. ARMAND GILG Riesling 2003

1,43 ha 10 000 8 à 11 €

D'origine autrichienne, la famille Gilg a fait souche à Mittelbergheim au début du XVIIes. Elle est installée dans un cadre chargé d'histoire, avec une cave du XVIes. et la pierre tombale d'un moine du XIIes., que l'on peut voir dans la cour du domaine. Le vignoble, assez important, s'étend sur 22 ha et dispose d'une superficie non négligeable dans le Zotzenberg. Ce grand cru est à l'origine d'un riesling jaune clair à reflets or, au nez légèrement muscaté, de structure moyenne mais soutenu par une belle acidité qui lui donne de la fraîcheur. (Sucres résiduels : 5,5 g/l.)
GAEC Armand Gilg et Fils, 2, rue Rotland, 67140 Mittelbergheim, tél. 03.88.08.92.76, fax 03.88.08.25.91 t.l.j. 8h-12h 13h30-18h (sam. 17h); dim. 9h-11h30; groupes sur r.-v.

RIEFFEL Riesling 2003 *

0,28 ha 1 800 8 à 11 €

Situé à quelques kilomètres au sud de Barr, le village de Mittelbergheim a gardé tout son cachet Renaissance. Entretenues avec soin, nombre de maisons de vignerons à colombage avec de grandes cours intérieures témoignent de son ancienne et durable prospérité viticole. Lucas et André Rieffel ont bien réussi leur riesling du Zotzenberg. Jaune clair à reflets dorés, ce vin exprime des senteurs florales et fruitées nuancées par une touche briochée. Son attaque fraîche, son ampleur et sa charpente en font une bouteille harmonieuse. (Sucres résiduels : 4 g/l.)
Lucas et André Rieffel, 11, rue Principale, 67140 Mittelbergheim, tél. 03.88.08.95.48, fax 03.88.08.28.94 r.-v.

PIERRE ET JEAN-PIERRE RIETSCH Riesling 2003 **

0,48 ha 2 500 8 à 11 €

On accède par un vieux porche donnant sur une cour à la maison de 1576 où la famille Rietsch a élu domicile. Le domaine (11,50 ha) comprend des parcelles dans le grand cru Zotzenberg qui couvre le flanc sud du coteau dominant le village de Mittelbergheim. Il en tire régulièrement de beaux rieslings. Jaune clair aux brillants reflets dorés, le 2003 présente un nez épanoui où se mêlent la pêche et l'abricot mûr, avec des nuances de citronnelle et de cire d'abeille. Cette complexité se poursuit dans une bouche ample, ronde, bien structurée et longue, aux accents de fruits blancs. (Sucres résiduels : 9,9 g/l.)
EARL Pierre et Jean-Pierre Rietsch, 32, rue Principale, 67140 Mittelbergheim, tél. 03.88.08.00.64, fax 03.88.08.40.91, e-mail rietsch@wanadoo.fr r.-v.

WITTMANN Riesling 2003 **

0,64 ha 4 300 5 à 8 €

Les sols du Zotzenberg, marno-calcaires avec des conglomérats calcaires aérant la terre compacte, favorisent tous les cépages. Installés dans une maison datant de 1558, les Wittmann en ont tiré un riesling de belle expression. Jaune pâle à reflets verts, ce 2003 s'annonce par un nez discret mais délicat mariant la pêche et l'abricot bien mûrs. Riche, bien structuré, d'un remarquable équilibre entre rondeur et fraîcheur, il persiste longuement sur d'élégants et jeunes arômes de fruits mûrs. (Sucres résiduels : 10 g/l.)
EARL André Wittmann et Fils, 7, rue Principale, 67140 Mittelbergheim, tél. 03.88.08.95.79, fax 03.88.08.53.81, e-mail nicolas.wittmann@wanadoo.fr r.-v.

# Crémant-d'alsace

La reconnaissance de cette appellation, en 1976, a donné un nouvel essor à la production de vins effervescents élaborés selon la méthode traditionnelle, qui existait depuis longtemps à une échelle réduite. Les cépages qui peuvent entrer dans la composition de ce produit de plus en plus apprécié sont le pinot blanc, l'auxerrois, le pinot gris, le pinot noir, le riesling et le chardonnay. La production de crémant-d'alsace atteignait un nouveau record avec 215 000 hl lors de la récolte 2004.

PIERRE BECHT 2002 *

2 ha 20 000 5 à 8 €

Très impliqué au sein de la profession viticole, Pierre Becht est secondé avec un grand savoir-faire par son fils

Frédéric. De cette complicité naissent de beaux vins comme ce crémant jaune doré qui s'ouvre sur des arômes grillés, fumés et presque vineux. En bouche, l'harmonie résulte d'une bonne matière, assez souple.
Pierre et Frédéric Becht, 26, fbg des Vosges, 67120 Dorlisheim, tél. 03.88.38.18.22, fax 03.88.38.87.81, e-mail info@domaine-becht.com
r.-v.

ROBERT BLANCK 2002 **

0,7 ha 7 700 5 à 8 €

A l'étroit dans le centre historique d'Obernai, cette vieille famille vigneronne s'est installée hors les murs de la pittoresque cité. Elle a gardé sa cave traditionnelle, exclusivement équipée de fûts de chêne, où a même été élevé le vin de base utilisé pour ce crémant. Assemblage dominé par le pinot blanc et l'auxerrois, complétés par 20 % de pinot noir, c'est un vin de caractère. La robe est assez dorée, la mousse légère. Intense et fin, le nez associe des notes fruitées à une touche épicée, palette aromatique que l'on retrouve au palais, avec une nuance de pain d'épice. Après une belle attaque, la bouche se montre équilibrée et d'une fraîcheur agréable. Elle finit sur une note légèrement fumée.
Robert Blanck, 167, rte d'Ottrott, 67210 Obernai, tél. 03.88.95.58.03, fax 03.88.95.04.03, e-mail info@blanck-obernai.com
t.l.j. 8h-12h 14h-18h

ANDRE DUSSOURT 2002 *

0,3 ha 3 490 8 à 11 €

Ce domaine participe activement à deux événements qui contribuent à l'animation du petit village de Scherwiller : le pique-nique chez le vigneron à la Pentecôte et le Sentier gourmand le premier dimanche de septembre. Laissez-vous séduire par cette cave dont les origines remontent au début du XVIII^e s., puis tenter par ce crémant de riesling : des notes de fleurs blanches un peu miellées, une attaque douce et agréable, une belle matière, élégante et fine, composent un ensemble des plus harmonieux.
Dom. André Dussourt, 2, rue de Dambach, 67750 Scherwiller, tél. 03.88.92.10.27, fax 03.88.92.18.44, e-mail info@domainedussourt.com
t.l.j. sf dim. 8h-12h 13h30-18h
Paul Dussourt

FERNAND ENGEL ET FILS 2003

n.c. 5 300 8 à 11 €

Gérée par Bernard Engel, une importante exploitation (40 ha) conduite en agriculture biologique. Ses vins sont souvent mentionnés dans le Guide. Celui-ci doit tout au pinot noir : sa robe, animée d'une bulle fine, tire sur le rosé. Ses arômes subtils sont caractéristiques du cépage. En bouche, il fait preuve d'un plaisant équilibre.
Fernand Engel et Fils, 1, rte du Vin, 68590 Rorschwihr, tél. 03.89.73.77.27, fax 03.89.73.63.70, e-mail f-engel@wanadoo.fr
t.l.j. 8h-11h30 13h-18h. dim. sur r.-v.

GINGLINGER-FIX

1,05 ha 12 000 5 à 8 €

Village haut perché, veillé par les Trois Châteaux, Vœgtlinshoffen domine le vignoble et la plaine d'Alsace. André Ginglinger y exploite 7,5 ha et élabore ses vins avec sa fille qui est œnologue. Né d'un assemblage d'auxerrois, de chardonnay et de riesling, leur crémant présente une mousse fine, un peu discrète. Les arômes, eux aussi, sont encore réservés. Au palais, ce vin se montre équilibré, fin et frais, avec un fruité qui persiste bien.
Ginglinger-Fix, 38, rue Roger-Frémeaux, 68420 Vœgtlinshoffen, tél. 03.89.49.30.75, fax 03.89.49.29.98, e-mail ginglinger-fix@wanadoo.fr
t.l.j. sf dim. 8h30-12h 13h30-19h

JOSEPH GRUSS ET FILS Prestige 2002

1 ha 10 000 5 à 8 €

Bernard Gruss et son fils André élaborent un crémant régulier en qualité. Assemblage dominé par l'auxerrois (70 %), complété par le riesling et le pinot noir, celui-ci laisse monter une bulle fine dans une robe jaune clair et libère un fruité encore assez discret. Il se développe bien au palais, tout en restant timide dans ses arômes. Un vin assez évolué.
Joseph Gruss et Fils, 25, Grand-Rue, 68420 Eguisheim, tél. 03.89.41.28.78, fax 03.89.41.76.66, e-mail domainegruss@hotmail.com
r.-v.

HUBERT KRICK 2002 *

1 ha 7 500 5 à 8 €

La famille Krick est installée à Wintzenheim, tout près de Colmar, depuis plusieurs générations. Elaboré à partir du cépage auxerrois, ce crémant se situe dans un registre classique avec une mousse fine et légère, un fruité assez discret. Sa fraîcheur délicate en fait un agréable vin d'apéritif.
EARL Hubert Krick, 93-95, rue Clemenceau, 68920 Wintzenheim, tél. 03.89.27.00.01, fax 03.89.27.54.75, e-mail krick.hubert@wanadoo.fr
r.-v.

KUHLMANN-PLATZ 2002 *

1 ha 5 000 5 à 8 €

Depuis 1985, cette ancienne maison de négoce fait partie de la cave coopérative de Hunawihr. Son crémant présente une mousse légère et une robe jaune clair. Ses arômes fruités évoquant la pomme, son équilibre frais, sa légèreté le destinent à l'apéritif.
Cave vinicole de Hunawihr, 48, rte de Ribeauvillé, BP 10016, 68150 Hunawihr, tél. 03.89.73.61.67, fax 03.89.73.33.95, e-mail info@cave-hunawihr.com
t.l.j. 8h-12h 14h-18h

DOM. JOSEPH SCHARSCH 2003 *

1 ha 10 900 5 à 8 €

Wolxheim est au cœur de la Couronne d'or, nom donné au vignoble le plus proche de Strasbourg. Au domaine Scharsch, père et fils travaillent ensemble ; ils ont une fois de plus proposé au jury un crémant fort apprécié. Né de 80 % de pinot blanc complété par du chardonnay et du riesling, ce vin présente un beau nez finement fruité. Il est frais, bien équilibré sur une bonne structure.
Dom. Joseph Scharsch, 12, rue de l'Eglise, 67120 Wolxheim, tél. 03.88.38.30.61, fax 03.88.38.01.13, e-mail domaine.scharsch@wanadoo.fr r.-v.

**DOM. J.-L. SCHWARTZ** Chardonnay 2003

0,29 ha 2 800 8 à 11 €

Cette exploitation est établie à Itterswiller, petit village fleuri situé sur l'ancienne voie romaine qui a peut-être contribué au développement de la viticulture alsacienne. Habillé d'une belle robe aux reflets vert et or, ce crémant exprime un bon fruité et des notes légèrement grillées. En bouche, il se montre frais, assez gras et d'une persistance satisfaisante.

Dom. J.-L. Schwartz,
70, rte des Vins, 67140 Itterswiller,
tél. 03.88.85.51.59, fax 03.88.85.59.16
t.l.j. 9h-19h30; dim. 9h-13h

**DOM. DE LA SINNE** Classique 2002 ★★

0,8 ha 8 000 5 à 8 €

Frédéric Geschickt s'est installé sur le domaine créé par son père en 1992. Depuis 1998, il y a développé la production en biodynamie. Cette cuvée Classique résulte d'un subtil assemblage de pinot blanc, d'auxerrois et de riesling (20 %), cépages qui lui confèrent un fruité fin et typé, tant au nez qu'au palais. La belle tenue de sa mousse, sa présence fruitée et son remarquable équilibre lui valent des éloges unanimes.

EARL Frédéric Geschickt, 1, pl. de la Sinne,
68770 Ammerschwihr, tél. 03.89.47.12.54,
fax 03.89.47.34.76, e-mail vignoble@geschickt.fr
t.l.j. sf dim. 8h-12h 13h30-18h

**PHILIPPE SOHLER** 2002

0,54 ha 5 600 5 à 8 €

En 1997, Philippe Sohler a repris l'exploitation familiale qui compte aujourd'hui plus de 10 ha de vignes. L'assemblage de ce crémant est dominé par l'auxerrois, complété d'un peu de riesling et de pinot noir. Ce vin séduit surtout par son nez expressif, bien fruité. En bouche, il apparaît léger et un peu évolué.

Dom. Philippe Sohler, 80A, rte des Vins,
67680 Nothalten, tél. et fax 03.88.92.49.89,
e-mail sohler.philippe@wanadoo.fr r.-v.

**BRUNO SORG** 2002 ★★

1,2 ha 10 000 5 à 8 €

Eguisheim possède de nombreux attraits, tant pour l'amateur d'architecture et d'histoire que pour l'œnophile, grâce à des vignerons pleins de savoir-faire comme Bruno Sorg. Ce crémant est fort loué : le jury a apprécié les arômes d'agrumes, que l'on retrouve en bouche, l'attaque franche et droite, un bel équilibre et une finale agréable et longue. « Il ne lasse pas », conclut un dégustateur.

Dom. Bruno Sorg,
8, rue Mgr-Stumpf, 68420 Eguisheim,
tél. 03.89.41.80.85, fax 03.89.41.22.64,
e-mail vins@domaine-bruno-sorg.com r.-v.

**BERNARD STAEHLE** 2002

0,5 ha 4 000 5 à 8 €

Etabli à Wintzenheim près de Colmar, Bernard Staehlé a souvent été distingué dans le Guide. Après un 2001, voici le 2002 retenu pour sa belle effervescence, son fruité et son équilibre.

EARL Bernard Staehlé, 15, rue Clemenceau,
68920 Wintzenheim, tél. 03.89.27.39.02,
fax 03.89.27.59.37 r.-v.

**LAURENT VOGT** Chardonnay 2002

0,4 ha 5 000 5 à 8 €

Une maison à colombage, un puits du XVIII<sup>e</sup>s. témoignent de l'enracinement de la famille dans le village de Wolxheim. Thomas Vogt a pris la succession de son père en 1998. Il conduit son domaine en production intégrée. Son crémant s'ouvre peu à peu sur des notes briochées. Franc, plutôt élancé et fin, il persiste assez longuement sur une note fraîche.

EARL Laurent Vogt, 4, rue des Vignerons,
67120 Wolxheim, tél. et fax 03.88.38.50.41,
e-mail thomas@domaine-vogt.com r.-v.
Thomas Vogt

**WOLFBERGER** 2003 ★

n.c. 570 000 5 à 8 €

Dirigée par M. Pfaff, la cave Wolfberger est le groupe coopératif le plus important du vignoble. Elle a produit ainsi plus d'un million de bouteilles de ces deux crémants du millésime 2003, aussi plaisants l'un que l'autre (une étoile chacun). L'étiquette or habille une cuvée au beau fruité fin. Un joli brut plutôt arrondi. Le crémant vendu sous **l'étiquette noire** offre une mousse fine et légère, d'agréables arômes de pinot et se montre fin, frais et riche au palais.

Wolfberger, 6, Grand-Rue, 68420 Eguisheim,
tél. 03.89.22.20.20, fax 03.89.23.47.09 r.-v.

**ZEYSSOLFF** 2002

1,5 ha 15 300 5 à 8 €

Bien connu pour son pain d'épice, le village de Gertwiller abrite aussi des domaines viticoles comme celui de G. Zeyssolff, qui remonte au XVIII<sup>e</sup>s. Assemblant le pinot noir (60 %), le pinot blanc et l'auxerrois, cette cuvée développe de fins arômes de fruits et de pain beurré. Souple et vineux à l'attaque, bien équilibré, assez gras et frais, un crémant facile à boire.

G. Zeyssolff, 156, rte de Strasbourg,
67140 Gertwiller, tél. 03.88.08.90.08,
fax 03.88.08.91.60, e-mail yvan.zeyssolff@wanadoo.fr
r.-v.

# La Lorraine

Les vignobles des Côtes de Toul et de la Moselle restent les deux seuls témoins d'une viticulture lorraine autrefois florissante. Florissant, le vignoble lorrain l'était par son étendue, supérieure à 30 000 ha en 1890. Il l'était aussi par sa notoriété. Les deux vignobles connurent leur apogée à la fin du XIX$^{e}$s. Dès cette époque, plusieurs facteurs se conjuguèrent pour entraîner leur déclin : la crise phylloxérique, qui introduisit l'usage de cépages hybrides de moindre qualité ; la crise économique viticole de 1907 ; la proximité des champs de bataille de la Première Guerre mondiale ; l'industrialisation de la région, à l'origine d'un formidable exode rural. Ce n'est qu'en 1951 que les pouvoirs publics reconnurent l'originalité de ces vignobles. En 1998 les vins-de-moselle sont devenus AOC sous le nom de moselle. Aujourd'hui, les vins de pays de Meuse ont demandé leur accession à l'AOVDQS.

## Côtes-de-toul

Situé à l'ouest de Toul et du coude caractéristique de la Moselle, le vignoble a accédé à l'AOC le 31 mars 1998. Il couvre environ 87 ha et se trouve sur le territoire de huit communes qui s'échelonnent le long d'une côte résultant de l'érosion de couches sédimentaires du Bassin parisien. On y rencontre des sols de période jurassique, composés d'argiles oxfordiennes, avec des éboulis calcaires en notable quantité, très bien drainés et d'exposition sud ou sud-est. Le climat semi-continental qui renforce les températures estivales est favorable à la vigne. Toutefois, les gelées de printemps sont fréquentes.

Le gamay domine toujours, bien qu'il régresse sensiblement au profit du pinot noir. L'assemblage de ces deux cépages produit des vins gris caractéristiques, obtenus par pressurage direct. En outre, le décret précise l'obligation d'assembler au minimum 10 % de pinot noir au gamay en superficie pour la production de gris, ceci conférant au vin une plus grande rondeur. Le pinot noir seul, vinifié en rouge, donne des vins corsés et agréables, l'auxerrois d'origine locale, en progression constante, des vins blancs tendres.

Au départ de Toul, une route du Vin et de la Mirabelle parcourt le vignoble.

> Les vins mentionnés en **caractères gras** dans les notices sont recommandés par les jurys. Leur prix et leur note sont précisés lorsqu'ils sont différents de ceux du vin principal.

### FRANCIS DEMANGE Pinot noir 2004 ★★

■ 0,4 ha 1 000 ▮ 3 à 5 €

Parmi les nombreux viticulteurs de Bruley, Francis Demange exploite un peu moins de 2 ha de vignes et voit sélectionner l'ensemble de sa production, dans les trois couleurs ! Le jury a préféré ce pinot noir. Ce 2004 fait bonne impression par sa robe grenat foncé et ses arômes intenses de fruits rouges que l'on retrouve en bouche. Il tient ses promesses au palais avec sa belle attaque, son ampleur, sa fraîcheur et ses tanins très agréables. Le **gris 2004**, assemblage de trois cépages dominé par le gamay (80 %), obtient une étoile pour ses plaisantes senteurs d'agrumes, son attaque fraîche, son ampleur et son intensité aromatique. Quant au **blanc 2004**, un pur auxerrois, ses notes intenses d'agrumes et son équilibre lui valent la même note.

Francis Demange, 60, rue Victor-Hugo, 54200 Bruley, tél. et fax 03.83.64.33.47 r.-v.

### DOM. VINCENT GORNY
Gris Cuvée Sélection 2004

■ 2 ha 20 000 ▮ 3 à 5 €

Vincent Gorny a repris en 1991 et développé l'exploitation familiale. Il se trouve aujourd'hui à la tête de 8 ha de vignes. Issue de gamay (75 %), d'auxerrois et de pinot noir, sa cuvée Sélection est un gris au nez citronné agréable. Frais et bien structuré, il révèle des arômes légèrement mentholés.

Vincent Gorny, 50, rue des Triboulottes, 54200 Bruley, tél. 03.83.63.80.41, fax 03.83.63.00.01, e-mail svgorny@yahoo.fr
t.l.j. sf dim. 9h-12h 14h-19h

### VINCENT LAROPPE
Elevé en fût de chêne 2003 ★★★

■ 0,3 ha 2 600 5 à 8 €

A 4 km de Toul, les Laroppe perpétuent une tradition viticole vieille de près de trois siècles en exploitant leurs 19 ha. Dans le Guide, ils sont champions des coups de cœur. Ils en décrochent encore un cette année, qui s'ajoute aux six précédemment obtenus. Trois étoiles vont à ce

blanc de couleur jaune intense. Un passage en fût lui a légué un nez complexe, agréablement boisé, un peu fumé. Le palais révèle une superbe matière, une grande structure et des notes vanillées. Le **blanc 2004 élevé en cuve** a été cité. De couleur plus pâle, il présente un nez d'agrumes un rien mentholé et une belle rondeur au palais.

⊶ Michel et Vincent Laroppe,
253, rue de la République, 54200 Bruley,
tél. 03.83.43.11.04, fax 03.83.43.36.92,
e-mail vignoble-laroppe@wanadoo.fr
☑ Y ⩚ t.l.j. sf dim. 9h-12h 13h-18h; groupes sur r.-v.

VINCENT LAROPPE La Chaponière 2003 ★★

■ 1,1 ha 5 000 8 à 11 €

En rouge, les Laroppe ont également hissé cette cuvée de pinot noir à un très bon niveau. D'un rubis engageant, ce 2003 séduit par son nez fin qui embaume la cerise. Rond, souple, très bien équilibré, c'est un vin de gastronomie. Assemblage de gamay (50 %), de pinot noir (40 %) et d'auxerrois (10 %), le **gris 2004 (5 à 8 €)** a été cité pour son nez citronné et sa vivacité.

⊶ Michel et Vincent Laroppe,
253, rue de la République, 54200 Bruley,
tél. 03.83.43.11.04, fax 03.83.43.36.92,
e-mail vignoble-laroppe@wanadoo.fr
☑ Y ⩚ t.l.j. sf dim. 9h-12h 13h-18h; groupes sur r.-v.

ANDRE ET ROLAND LELIEVRE
Pinot noir Vieilli en fût de chêne 2003 ★

■ 2,88 ha 3 460 5 à 8 €

Cette exploitation familiale a connu un net développement depuis les années 1970 et a contribué à la renaissance du vignoble toulois. Forte de 13,5 ha de vignes, elle obtient de nombreuses mentions dans le Guide. Habillé de rubis, son pinot noir vieilli en fût de chêne a séjourné un an dans le bois, ce qui ne l'empêche pas de révéler de plaisants arômes de fruits rouges dominés par la griotte. Des notes boisées se font jour au palais, qui montre une belle fraîcheur.

⊶ André et Roland Lelièvre, 1, rue de la Gare,
54200 Lucey, tél. 03.83.63.81.36, fax 03.83.63.84.45,
e-mail info@vins-lelievre.com
☑ Y ⩚ t.l.j. 8h30-12h30 13h30-19h30

DOM. DE LA LINOTTE Gris 2004 ★★

■ 0,92 ha 8 800 3 à 5 €

Marc Laroppe réalise depuis plus d'une décennie son projet fondé sur le tourisme rural et la viticulture : formation en Sancerrois et en Champagne, plantations en 1993, première mise en bouteilles en 1998... et bientôt, des mentions dans le Guide. Avec sa brillante robe saumon, ses senteurs d'agrumes, son attaque fraîche et puissante, son bel équilibre, son gris 2004 se révèle excellent. Il pourra accompagner tout un repas. Quant à l'**auxerrois 2004**, cité par le jury, il libère de discrets effluves mentholés et séduit par son attaque, sa fraîcheur et sa finale acidulée.

⊶ Marc Laroppe, 90, rue Victor-Hugo, 54200 Bruley,
tél. 03.83.63.29.02, fax 03.83.63.00.34
☑ ⌂ Y ⩚ t.l.j. 9h-20h

ISABELLE ET JEAN-MICHEL MANGEOT
Gris 2004 ★

■ 3 ha 14 000 3 à 5 €

Il règne une belle émulation à Bruley, où de nombreux vignerons sont installés, souvent depuis moins de vingt ans. C'est le cas des Mangeot, qui ne vinifient guère que depuis cinq ans. Cela ne les empêche pas de figurer régulièrement dans le Guide. On retrouve leur gris, en robe rose pâle caractéristique. Au nez, ce 2004 évoque les agrumes, le citron. Cette vivacité se prolonge dans un palais frais et ample. Une bonne matière bien travaillée.

⊶ Dom. Régina, 350, rue de la République,
54200 Bruley, tél. et fax 03.83.64.49.52
☑ ⌂ Y ⩚ t.l.j. sf dim. 10h-12h 14h-18h
⊶ J.-M. Mangeot

# Moselle AOVDQS

Le vignoble représentant 38 ha s'étend sur les coteaux qui bordent la vallée de la Moselle ; ceux-ci ont pour origine les couches sédimentaires formant la bordure orientale du Bassin parisien. L'aire délimitée se concentre autour de trois pôles principaux : le premier au sud et à l'ouest de Metz, le second dans la région de Sierck-les-Bains ; le troisième pôle se situe dans la vallée de la Seille autour de Vic-sur-Seille. La viticulture est influencée par celle du Luxembourg tout proche, avec ses vignes hautes et larges, et sa dominante de vins blancs secs et fruités. En volume, cette AOVDQS reste très modeste. Son expansion est contrariée par l'extrême morcellement de la région.

MICHEL MAURICE Auxerrois 2004 ★★

■ 0,8 ha 10 000 5 à 8 €

Michel Maurice participe à la renaissance du vignoble mosellan depuis 1983. Ses vins sont très souvent distingués par le jury Hachette, en particulier cet auxerrois, qui obtient son troisième coup de cœur avec ce 2004. Un vin pâle dans le verre, or blanc, ce qui ne l'empêche pas d'être intense au nez, sur des senteurs d'agrumes. Equilibré, rond et long, il présente une très belle harmonie. Les agrumes dominent aussi la palette aromatique du **pinot gris 2004**, cité par le jury. Un vin assez peu caractéristique du cépage mais bien agréable par sa souplesse et son gras. Quant au **gris 2004 (3 à 5 €)**, assemblage de 80 % de pinot noir complété par du gamay, il obtient une étoile pour ses senteurs de fruits exotiques et sa belle matière fraîche et grasse.

🔑 Michel Maurice,
3, pl. Foch, 57130 Ancy-sur-Moselle, tél. 03.87.30.90.07, fax 03.87.30.91.48, e-mail mauricem@netcourrier.com
☑ Y ✶ r.-v.

## OURY-SCHREIBER
Pinot noir Vieilles Vignes 2003 *

■ 0,7 ha 2 500 **11 à 15 €**

Pascal Oury se consacre à son vignoble depuis 1991 – avec savoir-faire, comme en témoignent des sélections nombreuses dans le Guide. Issu de ceps âgés d'un demi-siècle et élevé sous bois plus d'un an, ce pinot noir Vieilles Vignes affiche une belle couleur aux reflets violets. Légèrement évolué au nez, il évoque les fruits mûrs. Souple à l'attaque, il est gras et long. Le **pinot noir 2004 élevé en fût de chêne (5 à 8 €)** a séjourné moins d'un an dans le bois. Sa robe cerise, son nez de fruits rouges et sa belle structure aux tanins souples lui valent la même note. Une étoile encore pour le **pinot gris 2004 (5 à 8 €)** : des fleurs blanches au nez, des fruits séchés au palais, de l'intensité, de la rondeur et de la longueur. Quant à l'assemblage **cuvée du Maréchal Fabert blanc 2004 (5 à 8 €)**, il est cité.

🔑 Pascal Oury,
29, rue des Côtes, 57420 Marieulles-Vezon,
tél. 03.87.52.09.02, fax 03.87.52.09.17,
e-mail oury-pascal-viticulteur@wanadoo.fr ☑ Y ✶ r.-v.

## CH. DE VAUX Les Clos 2003 **

■ 1,2 ha 3 000 **11 à 15 €**

Ce château d'origine monastique a connu bien des vicissitudes. A l'époque allemande, entre 1892 et la fin de la Première Guerre mondiale, on y élabora du *Sekt*. Le domaine viticole est conduit depuis 1999 par les Molozay, un couple d'œnologues attachés à ce vignoble du pays messin et qui ont porté sa production à un haut niveau qualitatif. La cuvée Les Clos est un pinot noir rubis profond, au nez de fruits mûrs légèrement boisé. En bouche, après une attaque souple, elle révèle d'intenses arômes de griotte et fait preuve d'une belle longueur. Coup de cœur dans le millésime précédent, la **cuvée Les Gryphées blanc 2004 (5 à 8 €)**, assemblage d'auxerrois, de muller-thurgau et de pinot gris, est citée pour ses arômes de fruits mûrs et son agréable rondeur.

🔑 Ch. de Vaux, 4, pl. Saint-Rémi, 57130 Vaux,
tél. 03.87.60.20.64, fax 03.87.60.24.67,
e-mail chateaudevaux.m@wanadoo.fr ☑ Y ✶ r.-v.

LE BEAUJOLAIS
ET LE LYONNAIS

# LE BEAUJOLAIS ET LE LYONNAIS



## Le Beaujolais

Officiellement – et légalement – rattachée à la Bourgogne viticole, la région du Beaujolais n'en a pas moins une spécificité largement consacrée par l'usage. Celle-ci est d'ailleurs renforcée par la promotion dynamique de ses vins, menée avec ardeur par tous ceux qui ont rendu le beaujolais célèbre dans le monde entier. Ainsi, qui pourrait ignorer, chaque troisième jeudi de novembre, la joyeuse arrivée du beaujolais nouveau ? Déjà, sur le terrain, les paysages diffèrent de ceux de l'illustre voisine ; ici, point de côte linéaire et presque régulière, mais le jeu varié de collines et de vallons, qui multiplient à plaisir les coteaux ensoleillés ; et les maisons elles-mêmes, où les tuiles romaines remplacent les tuiles plates, prennent déjà un petit air du Midi.

Extrême midi de la Bourgogne, et déjà porte du Sud, le Beaujolais s'étend sur 23 000 ha et quatre-vingt-seize communes des départements de Saône-et-Loire et du Rhône, formant une région de 50 km du nord au sud, sur une largeur moyenne d'environ 15 km. Il est plus étroit dans sa partie septentrionale. Au nord, l'Arlois semble être la limite avec le Mâconnais. A l'est, en revanche, la plaine de la Saône, où scintillent les méandres de la majestueuse rivière dont Jules César disait qu'« elle coule avec tant de lenteur que l'œil à peine peut juger de quel côté elle va », est une frontière évidente. A l'ouest, les monts du Beaujolais sont les premiers contreforts du Massif central ; leur point culminant, le mont Saint-Rigaux (1 012 m), apparaît comme une borne entre les pays de Saône et de Loire. Au sud enfin, le vignoble lyonnais prend le relais pour conduire jusqu'à la métropole, irriguée, comme chacun sait, par trois « fleuves » : le Rhône, la Saône et le... beaujolais !

Il est sûr que les vins du Beaujolais doivent beaucoup à Lyon, dont ils alimentent toujours les célèbres « bouchons », et où ils trouvèrent évidemment un marché privilégié après que le vignoble eut pris son essor au XVIIIes. Deux siècles plus tôt, Villefranche-sur-Saône avait succédé à Beaujeu comme capitale du pays, qui en avait pris le nom. Habiles et sages, les sires de Beaujeu avaient assuré l'expansion et la prospérité de leurs domaines, stimulés en cela par la puissance de leurs illustres voisins, les comtes de Mâcon et du Forez, les abbés de Cluny et les archevêques de Lyon. L'entrée du Beaujolais dans l'étendue des cinq grosses fermes royales dispensées de certains droits pour les transports vers Paris (qui se firent longtemps par le canal de Briare) entraîna donc le développement rapide du vignoble.

Aujourd'hui, le Beaujolais produit en moyenne 1 400 000 hl de vins rouges typés (la production de blancs et de rosés est extrêmement limitée), mais – et c'est là une différence essentielle avec la Bourgogne – à partir d'un cépage presque exclusif, le gamay. Cette production se répartit entre les trois appellations beaujolais, beaujolais supérieur et beaujolais-villages, ainsi qu'entre les dix « crus » : brouilly, côte-de-brouilly, chénas, chiroubles, fleurie, morgon, juliénas, moulin-à-vent, saint-amour et régnié. Les appellations beaujolais et beaujolais-villages peuvent être revendiquées pour les vins rouges, rosés ou blancs. Les autres appellations sont réservées aux vins rouges. Seuls les crus, à l'exception du dernier, le régnié, ont légalement la possibilité d'être déclarés en AOC bourgogne. Géologiquement, le Beaujolais a subi successivement les effets des plissements hercyniens à l'ère primaire et alpin à l'ère tertiaire. Ce dernier a façonné le relief actuel, disloquant les couches sédimentaires du secondaire et faisant surgir les roches primaires. Plus près de nous, au quaternaire, les glaciers et les rivières s'écoulant d'ouest en est ont creusé de nombreuses vallées et modelé les terroirs, faisant apparaître des îlots de roches dures résistant à l'érosion, compartimentant le coteau viticole qui, tel un gigantesque escalier, regarde le levant et vient mourir sur les terrasses de la Saône.

De part et d'autre d'une ligne virtuelle passant par Villefranche-sur-Saône, on distingue traditionnellement le Beaujolais Nord du Beaujolais Sud. Le premier présente un relief plutôt doux, aux formes arrondies, aux fonds de vallons en partie comblés par des sables. C'est la région des roches anciennes de type granite, porphyre, schiste, diorite. La lente décomposition du granite donne des sables siliceux, ou « gore », dont l'épaisseur peut varier dans certains endroits d'une dizaine de centimètres à plusieurs mètres, sous forme d'arènes granitiques. Ce sont des sols acides, filtrants et pauvres. Ils retiennent mal les éléments fertilisants en l'absence de matière organique, sont sensibles à la sécheresse mais faciles à travailler. Avec les schistes, ce sont les terrains privilégiés des appellations locales et des beaujolais-villages. Le deuxième secteur, caractérisé par une plus grande proportion de terrains sédimentaires et argilo-calcaires, est marqué par un relief un peu plus accusé. Les sols sont plus riches en calcaire et en grès. C'est la zone des « pierres dorées », dont la couleur, qui vient des oxydes de fer, donne aux constructions un aspect chaleureux. Les sols sont plus riches et gardent mieux l'humidité. C'est la zone de l'AOC beaujolais. Ces deux entités, où la vigne prospère entre 190 et 550 m d'altitude, ont comme toile de fond le haut Beaujolais, constitué de roches métamorphiques plus dures, couvert à plus de 600 m par des forêts de résineux alternant avec des châtaigniers et des fougères. Les meilleurs terroirs, orientés sud-sud-est, sont situés entre 190 et 350 m.

La région beaujolaise jouit d'un climat tempéré, résultat de trois régimes climatiques différents : une tendance continentale, une tendance océanique et une tendance méditerranéenne. Chaque tendance peut dominer, le temps d'une saison, avec des transitions brutales faisant s'affoler baromètre et thermomètre. L'hiver peut être froid ou humide ; le printemps, humide ou sec ; les mois de juillet et août, brûlants quand souffle le vent desséchant du Midi, ou humides avec des pluies orageuses accompagnées de fréquentes chutes de grêle ; l'automne, humide ou chaud. La pluviométrie moyenne est de 750 mm, la température peut varier de -20 °C à +38 °C. Mais des microclimats modifient sensiblement ces données, favorisant l'extension de la vigne dans des situations *a priori* moins propices. Dans l'ensemble, le vignoble profite d'un bon ensoleillement et de bonnes conditions pour la maturation.

L'encépagement, en Beaujolais, est réduit à sa plus simple expression, puisque 99 % des surfaces sont plantées en gamay noir. Celui-ci est parfois désigné dans le langage courant sous le terme de « gamay beaujolais ». Banni de la Côte-d'Or par un édit de Philippe le Hardi qui, en 1395, le traitait de « très desloyault plant » (très certainement en comparaison du pinot), il s'adapte pourtant à de nombreux sols et prospère sous des climats très divers ; il couvre en France près de 33 000 ha. Remarquablement bien adapté aux sols du Beaujolais, ce cépage à port retombant doit, durant les dix premières années de sa culture, être soutenu pour se former ; d'où les parcelles avec échalas que l'on peut observer dans le nord de la région. Il est assez sensible aux gelées de printemps, ainsi qu'aux principaux parasites et maladies de la vigne. Le débourrement peut se manifester tôt (fin mars), mais le plus souvent on l'observe au cours de la deuxième semaine d'avril. Ne dit-on pas ici : « Quand la vigne brille à la Saint-Georges, elle n'est pas en retard » ? La floraison a lieu dans la première quinzaine de juin, et les vendanges commencent à la mi-septembre.

Les autres cépages ouvrant le droit à l'appellation sont le pinot noir pour les vins rouges et rosés, et, pour les vins blancs, le chardonnay et l'aligoté, ce dernier cépage pour les vignes existantes avant le 28 novembre 2004 est admis jusqu'à la récolte 2024 incluse. Jusqu'en 2015, les parcelles de pinot noir pourront être assemblées dans la limite de 15 % ; l'usage d'incorporer en mélange dans les vignes des plants de pinot noir et gris, de chardonnay, de melon et d'aligoté dans la limite de 15 % reste autorisé pour l'élaboration des vins rouges et rosés. Deux principaux modes de taille sont pratiqués : une taille courte en forme de gobelet en éventail, en cordon simple, double ou charmet pour toutes les appellations, et en plus une taille avec baguette (ou taille guyot simple) pour l'appellation beaujolais et beaujolais-supérieur.

## Le Beaujolais

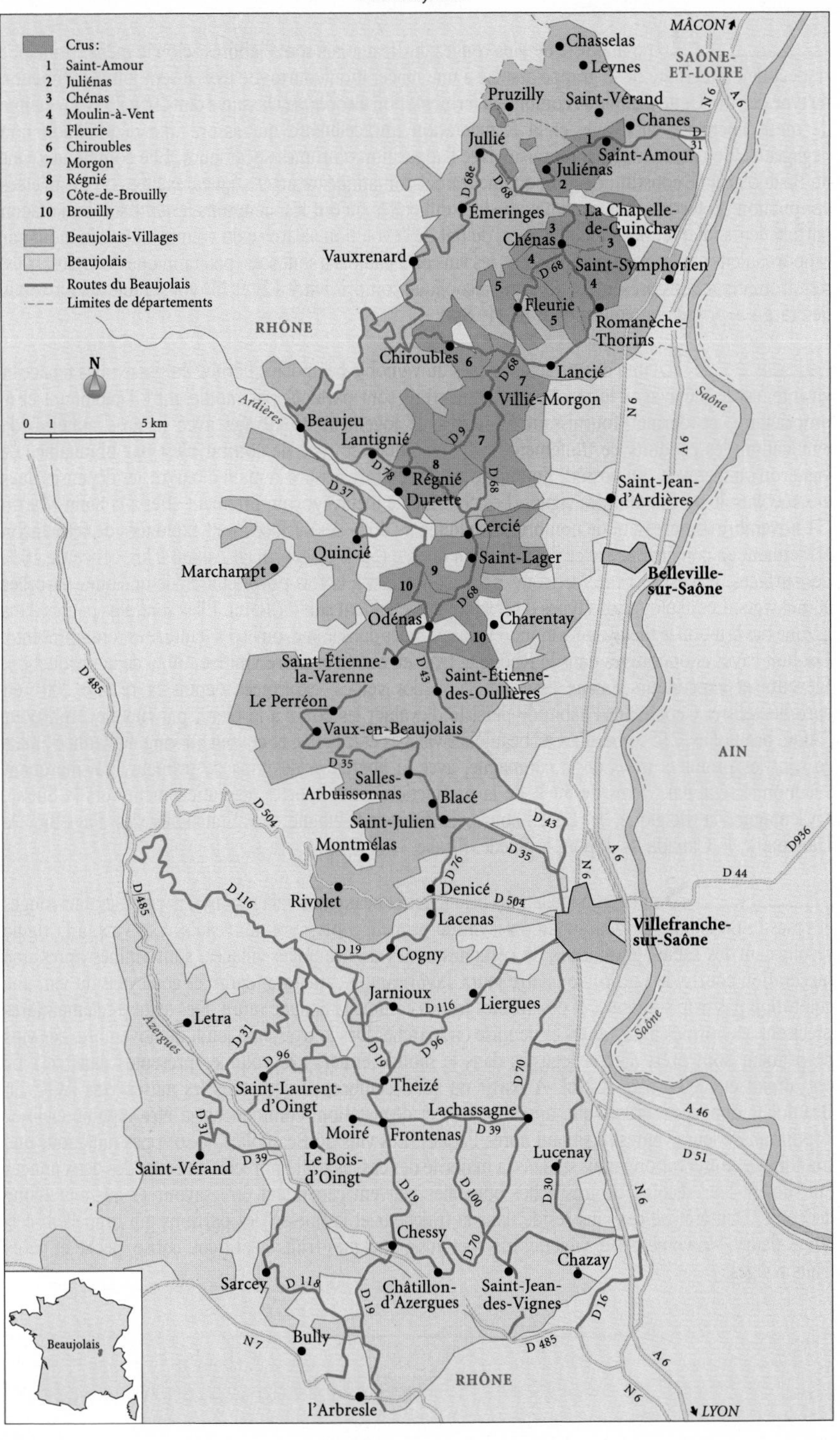

Crus :
1 Saint-Amour
2 Juliénas
3 Chénas
4 Moulin-à-Vent
5 Fleurie
6 Chiroubles
7 Morgon
8 Régnié
9 Côte-de-Brouilly
10 Brouilly
Beaujolais-Villages
Beaujolais
Routes du Beaujolais
Limites de départements
N
0 1 5 km
MÂCON
SAÔNE-ET-LOIRE
RHÔNE
AIN
Chasselas
Leynes
Pruzilly
Saint-Vérand
Chanes
Jullié
Saint-Amour
Juliénas
Émeringes
La Chapelle-de-Guinchay
Chénas
Vauxrenard
Saint-Symphorien
Fleurie
Romanèche-Thorins
Chiroubles
Lancié
Villié-Morgon
Beaujeu
Lantignié
Régnié
Durette
Saint-Jean-d'Ardières
Cercié
Quincié
Saint-Lager
Marchampt
Belleville-sur-Saône
Odénas
Charentay
Saint-Étienne-la-Varenne
Saint-Étienne-des-Oullières
Le Perréon
Vaux-en-Beaujolais
Salles-Arbuissonnas
Blacé
Saint-Julien
Montmélas
Rivolet
Denicé
Lacenas
Villefranche-sur-Saône
Cogny
Jarnioux
Liergues
Letra
Saint-Laurent-d'Oingt
Theizé
Lachassagne
Moiré
Frontenas
Le Bois-d'Oingt
Saint-Vérand
Lucenay
Chessy
Chazay
Sarcey
Châtillon-d'Azergues
Saint-Jean-des-Vignes
Bully
l'Arbresle
LYON
Ardières
Saône
Azergues
Beaujolais

Une majorité de vins rouges du Beaujolais sont élaborés selon le même principe : respect de l'intégralité de la grappe associé à une macération courte (de trois à sept jours en fonction du type de vin). Cette technique combine la fermentation alcoolique classique dans 10 à 20 % du volume de moût libéré à l'encuvage, et la fermentation intracellulaire qui assure une dégradation non négligeable de l'acide malique du raisin avec l'apparition d'arômes spécifiques. Elle confère aux vins du Beaujolais une constitution ainsi qu'une trame aromatique caractéristiques, exaltées ou complétées en fonction du terroir. Elle explique aussi les difficultés qu'ont les vignerons à maîtriser d'une façon parfaite leurs interventions œnologiques, du fait de l'évolution aléatoire du volume initial du moût par rapport à l'ensemble. Schématiquement, les vins du Beaujolais sont secs, peu tanniques, souples, frais, très aromatiques ; ils présentent un degré alcoolique compris entre 12° et 13° vol., et une acidité totale de 3,5 g/l exprimée en équivalence de $H^2$ $SO^4$.

L'une des caractéristiques du vignoble beaujolais, héritée du passé mais tenace et vivante, est le métayage : la récolte et certains frais sont partagés par moitié entre l'exploitant et le propriétaire, ce dernier fournissant les terres, le logement, le cuvage avec le gros matériel de vinification, les produits de traitement, les plants, mais ce type de contrat n'est pas immuable. Le vigneron ou métayer, qui possède l'outillage pour la culture, assure la main-d'œuvre, les dépenses dues aux récoltes, le parfait état des vignes. Les contrats de métayage, qui prennent effet à la Saint-Martin (11 novembre), intéressent de nombreux exploitants ; 40 % des surfaces sont exploitées de cette façon et viennent en concurrence avec l'exploitation directe (50 %). Le fermage, quant à lui, concerne 10 % des surfaces. Il n'est pas rare de trouver des exploitants à la fois propriétaires de quelques parcelles et métayers. Les exploitations types du Beaujolais s'étendent sur 7 à 10 ha. Elles sont plus petites dans la zone des crus, où le métayage domine, et plus grandes dans le sud, où la polyculture est omniprésente. Dix-huit caves coopératives dans le Rhône et trois en Saône-et-Loire vinifient 30 % de la production. Eleveurs et expéditeurs locaux assurent 85 % des ventes, exprimées depuis la récolte 2001 en euro/hectolitre. Cependant l'habitude persiste d'évaluer les cours à la pièce, par fûts de 216 l pour l'AOC beaujolais, 215 l pour l'AOC beaujolais-villages et les crus, et ce tout au long de l'année ; mais ce sont les premiers mois de la campagne, avec la libération des vins de primeur, qui marquent l'économie régionale. Près de 50 % de la production sont exportés, essentiellement vers la Suisse, l'Allemagne, la Belgique, le Luxembourg, la Grande-Bretagne, les Etats-Unis, les Pays-Bas, le Danemark, le Canada, le Japon, la Suède, l'Italie.

Seules les appellations beaujolais et beaujolais-villages ouvrent pour les vins rouges et rosés la possibilité de dénomination « vin de primeur » ou « vin nouveau ». Ces vins, à l'origine récoltés sur les sables granitiques de certaines zones de beaujolais-villages, sont vinifiés après une macération courte de l'ordre de quatre jours, favorisant le caractère tendre et gouleyant du vin, une coloration pas trop soutenue, et des arômes fruités comme la banane mûre. Des textes réglementaires précisent les normes analytiques et de mise en marché. Dès le troisième jeudi de novembre, ces vins de primeur sont prêts à être dégustés dans le monde entier. Les volumes présentés dans ce type ont atteint en 2004, 629 322 hl. A partir du 15 décembre, ce sont tous les autres vins AOC du Beaujolais dont les « crus » qui, après analyse et dégustation, commencent à être commercialisés, l'optimum de leurs ventes se situant après Pâques. Les vins du Beaujolais ne sont pas faits pour une très longue conservation ; mais si, dans la majorité des cas, ils sont appréciés au cours des deux années qui suivent leur récolte, de très belles bouteilles peuvent cependant être savourées au bout d'une décennie. L'intérêt de ces vins réside dans la fraîcheur et la finesse des parfums qui rappellent certaines fleurs – pivoine, rose, violette, iris – et aussi quelques fruits – abricot, cerise, pêche et petits fruits rouges.

# Beaujolais et beaujolais supérieur

L'appellation beaujolais est celle de près de la moitié de la production. 10 140 ha, localisés en majorité au sud de Villefranche, ont fourni en 2004, 574 826 hl dont 10 134 hl de vins blancs élaborés à partir du chardonnay et récoltés pour 16 % des volumes dans le canton de La Chapelle-de-Guinchay, zone de transition entre les terrains siliceux des crus et les terrains calcaires du Mâconnais. Dans la zone des « pierres dorées », à l'est du Bois-d'Oingt et au sud de Villefranche, on trouve des vins rouges aux arômes plus fruités que floraux, parfois avec des pointes olfactives végétales ; ces vins colorés, charpentés, un peu rustiques, se conservent assez bien. Dans la partie haute de la vallée de l'Azergues, à l'ouest de la région, on retrouve des roches cristallines qui communiquent aux vins une mâche plus minérale, ce qui les fait apprécier un peu plus tardivement. Enfin, les zones plus en altitude offrent des vins vifs, plus légers en couleur, mais aussi plus frais les années chaudes. Les huit caves coopératives implantées dans ce secteur ont fait considérablement évoluer les technologies et l'économie de cette région, dont sont issus près de 75 % des vins de primeur.

L'appellation beaujolais supérieur ne comporte pas de territoire délimité spécifique, mais une identification des vignes est réalisée chaque année. Elle peut être revendiquée pour des vins dont les moûts présentent, à la récolte, une richesse en équivalent alcool de 0,5° supérieure à ceux de l'appellation beaujolais. En 2004, ce sont 5 312 hl qui ont été déclarés principalement sur le territoire de l'AOC beaujolais.

L'habitat est dispersé, et l'on admirera l'architecture traditionnelle des maisons vigneronnes : l'escalier extérieur donne accès à un balcon à auvent et à l'habitation, au-dessus de la cave située au niveau du sol. A la fin du XVIIIe s., on construisit de grands cuvages extérieurs à la maison de maître. Celui de Lacenas, à 6 km de Villefranche, dépendance du château de Montauzan, abrite la confrérie des Compagnons du Beaujolais, créée en 1947 pour servir les vins du Beaujolais, et qui a aujourd'hui une audience internationale. Une autre confrérie, les Grappilleurs des pierres dorées, anime depuis 1968 les nombreuses manifestations beaujolaises. Quant à déguster un « pot » de beaujolais, ce flacon de 46 cl à fond épais qui garnit les tables des bistrots, on le fera avec gratons, tripes, boudin, cervelas, saucisson et toute cochonnaille, ou sur un gratin de quenelles lyonnaises. Les primeurs iront sur les cardons à la moelle ou les pommes de terre gratinées avec des oignons.

## Beaujolais

### CAVE DU BEAU VALLON
Au Pays des Pierres dorées 2004 *

| | n.c. | 15 000 | | 3 à 5 € |
|---|---|---|---|---|

Issu du chardonnay, le beaujolais blanc mérite d'être découvert. Celui-ci est né de vignes d'une trentaine d'années, exposées au sud-sud-est et plantées sur des sols argilo-calcaires. D'un jaune pâle limpide, il libère des parfums intenses de pêche, d'abricot et de pamplemousse. Fraîche et aromatique avec une pointe de poire, la bouche se révèle souple et harmonieuse. « Il donne envie de le redéguster », écrit un membre du jury.

Cave du Beau Vallon, 69620 Theizé,
tél. 04.74.71.48.00, fax 04.74.71.84.46,
e-mail cave-beauvallon@wanadoo.fr r.-v.

### CH. DE BEL-AIR 2003

| | 0,55 ha | 5 300 | | 3 à 5 € |
|---|---|---|---|---|

Le lycée agro-viticole de Belleville est un lieu d'enseignement, de formation et de production mais aussi de découverte grâce à un circuit muséographique sur le Beaujolais et les métiers de la vigne et du vin créé au sein de l'exploitation. Coup de cœur l'an dernier en rouge dans ce même millésime, il propose, en beaujolais blanc, une cuvée jaune clair à reflets verts et aux parfums assez intenses et délicats de pêche blanche et d'acacia évoluant vers une nuance noix de coco. Dès l'attaque, des impressions de fraîcheur et des arômes floraux et fruités imprègnent le palais. La finale séduit par son ampleur et sa persistance. Un vin friand à apprécier dès maintenant.

Lycée viticole de Bel-Air, 394, rte Henry-Fessy, Belleville, 69220 Saint-Jean-d'Ardières,
tél. 04.74.66.45.97, fax 04.74.66.54.55,
e-mail lpa.belleville@educagri.fr r.-v.

### CAVE BEAUJOLAISE DU BOIS D'OINGT
Terrasse des pierres dorées 2004

| | n.c. | 6 000 | | 3 à 5 € |
|---|---|---|---|---|

Créée en 1962, cette coopérative vinifie près de 240 ha. Elle propose une cuvée d'un rubis limpide et brillant, aux parfums intenses et frais de cassis et de pêche blanche bien mûre. D'une grande finesse et tout en légèreté, c'est un vin flatteur, à servir dans l'année.

Cave du Bois d'Oingt, Terrasse des Pierres dorées, Les Coasses, 69620 Le Bois-d'Oingt,
tél. 04.74.71.62.81, fax 04.74.71.81.08,
e-mail cave.cooperative.beaujolaise@wanadoo.fr
r.-v.

### DOM. DU BOIS DU JOUR
Bouquet de Vieilles Vignes 2004 *

| | 0,8 ha | 5 000 | | 3 à 5 € |
|---|---|---|---|---|

Né au pays des pierres dorées et de vignes de plus de soixante ans cultivées sur des terrains argilo-sablonneux et limoneux, ce vin rouge vif révèle des parfums de fruits très mûrs. Dotée d'une matière ronde, souple, aromatique, d'une belle homogénéité, une bouteille élégante pour cet hiver.

Gilles Carreau, Lachanal, 69640 Cogny,
tél. 04.74.67.41.40, fax 04.74.67.46.24 r.-v.

### DOM. BOURBON Tradition 2004 *

| | n.c. | 10 000 | | 3 à 5 € |
|---|---|---|---|---|

Le grand-père de Jean-Luc Bourbon a acquis en 1939 le domaine qu'il travaillait. La troisième génération est à la tête de 7,80 ha de vignes. Rouge clair à reflets violets, sa cuvée Tradition livre des parfums de petits fruits rouges. Après une attaque fraîche, le palais fruité révèle une structure assez puissante aux tanins solides et de qualité, gage d'avenir. Ce 2004 pourra attendre un à deux ans avant d'être servi avec une assiette de charcuterie ou de la volaille.

Jean-Luc Bourbon, Le Marquison, 69620 Theizé,
tél. 04.74.71.14.13, fax 04.74.71.14.13 r.-v.

### DOM. DES BRUYERES 2004 **

| | 0,35 ha | n.c. | | 5 à 8 € |
|---|---|---|---|---|

Nicolas Durand est depuis dix ans à la tête de l'exploitation familiale (9,3 ha), achetée par ses parents en 1982. Il a élaboré ce beaujolais de couleur jaune vert, aux parfums floraux intenses. La belle expression de minéralité qui s'en dégage est accompagnée de nuances de citron et de grillé. Franc dès l'attaque, ce 2004 emplit le palais d'une chair aux nuances d'agrumes et de fleurs qui persistent longuement. Du même domaine, le **chénas 2003** a reçu une étoile pour ses arômes de fruits rouges et ses tanins fins. Un vin de qualité à ouvrir dans l'année.

Nicolas et Sandrine Durand,
Dom. des Bruyères, 71570 La Chapelle-de-Guinchay,
tél. 03.85.36.55.16, fax 03.85.37.45.97,
e-mail nicolas.durand41@wanadoo.fr
t.l.j. 9h-20h

### CAVE DES VIGNERONS DE BULLY
Lieu-dit Sableux 2004

| | n.c. | 100 000 | | 3 à 5 € |
|---|---|---|---|---|

Créée en 1959, la cave des vignerons de Bully produit près de 6 millions de bouteilles sur 720 ha, ce qui en fait la plus importante coopérative du Beaujolais. Elle a élaboré une cuvée rubis limpide, aux parfums fruités flatteurs et frais. Souple, charnu, aromatique et d'une bonne longueur, un vin bien fait à servir cet hiver. Le **beaujolais blanc 2004** de la cave a également été cité.

Cave des vignerons de Bully-en-Beaujolais,
La Martinière, 69210 Bully,
tél. 04.74.01.27.77, fax 04.74.01.22.30,
e-mail cavedebully@wanadoo.fr r.-v.

### CH. DE BUSSY 2004 *

| | 3 ha | 20 000 | | 3 à 5 € |
|---|---|---|---|---|

Un agrandissement réalisé en 1892 a donné au château son apparence actuelle. Les vignes s'étendent sur 16 ha. Des ceps de quarante ans sont à l'origine de cette cuvée rubis limpide exhalant de fines notes de framboise et de cerise. Une attaque aromatique introduit une bouche fraîche, fruitée et gouleyante. Un ensemble franc et élégant.

GFA Bussy, 69640 Saint-Julien,
tél. 04.74.67.55.54, fax 04.74.69.09.75

### MICHEL CARRON Terre Noire 2004 **

| | 1 ha | 6 000 | 3 à 5 € |
|---|---|---|---|

Le grand jury, après avoir débattu, a classé coup de cœur cette cuvée rubis limpide, pleine de jeunesse et de soleil. Il a été séduit par le caractère friand de ce vin aux arômes complexes – nuances amyliques, groseille, raisins frais évoluant vers le raisin de Corinthe – portés par une chair riche et ronde. Il a également salué sa persistance. Ce beaujolais harmonieux et élégant pourra accompagner une volaille ou une blanquette. Quant au **beaujolais blanc Coteaux de Terre Noire 2004**, il a obtenu une citation.

EARL Michel Carron, Terre-Noire, 69620 Moiré,
tél. 04.74.71.62.02, fax 04.74.71.62.02 r.-v.

### CH. DE CERCY 2003 **

| | 3 ha | 10 000 | | 3 à 5 € |
|---|---|---|---|---|

Paré d'une robe jaune paille limpide et brillante, ce 2003 développe d'intenses parfums où se mêlent les fleurs, les agrumes et des notes minérales. Ample et aromatique, la bouche révèle des notes de fleurs blanches avec une pointe de vanille bien fondue, et montre une belle persistance. Agréable et équilibré, ce vin est à apprécier dès maintenant.

Michel Picard, Ch. de Cercy, 69640 Denicé,
tél. 04.74.67.34.44, fax 04.74.67.32.35,
e-mail earl-michel.picard@wanadoo.fr r.-v.

### DOM. DE LA CHANAISE 2004 *

| | 1 ha | 8 000 | | 5 à 8 € |
|---|---|---|---|---|

Fort de quatre siècles d'existence, ce domaine familial a présenté un beaujolais blanc de couleur jaune vert brillant, au nez puissant, assez boisé. Le palais rond révèle un mariage réussi du vin et du fût. On pourra apprécier ce 2004 dès à présent. Le domaine a également élaboré un **morgon 2003 Côte du Py (8 à 11 €)**, qui a été cité.

Vins Dominique Piron, Morgon,
69910 Villié-Morgon,
tél. 04.74.69.10.20, fax 04.74.69.16.65,
e-mail dominiquepiron@domaines-piron.fr
t.l.j. sf dim. 9h-12h 14h-18h

### LUCIEN ET JEAN-MARC CHARMET
Cuvée Masfraise 2004

| | 4 ha | 15 000 | | 5 à 8 € |
|---|---|---|---|---|

Lucien et Jean-Marc Charmet exploitent 26 ha de vignes. Des ceps de soixante-dix ans cultivés sur des sols granitiques et argilo-calcaires ont donné naissance à cette cuvée rubis intense aux parfums de pêche et de fruits très mûrs. Sa matière ronde au fruité amylique emplit le palais

et laisse une impression rafraîchissante. Un style de vin tout indiqué pour un repas sous la tonnelle.
Vignoble Charmet, La Ronze, 69620 Le Breuil, tél. 04.78.43.92.69, fax 04.78.43.90.31
t.l.j. sf dim. 8h-12h 14h-18h

### CAROLINE ET JACQUES CHARMETANT
Cuvée de Saint-Trys 2003 ★

0,98 ha 4 000 5 à 8 €

Une vocation viticole tardive pour Jacques Charmetant qui s'est reconverti dans la vigne en 1996, à l'âge de trente-huit ans, par passion pour le beaujolais. Un savoir-faire avéré, témoin ce vin d'un jaune clair limpide et brillant, aux fines senteurs florales et citronnées. Sa matière riche, dotée d'une bonne vivacité, persiste agréablement au palais. A servir dans l'année.
Jacques Charmetant, pl. du 11-Novembre, 69480 Pommiers, tél. 04.74.65.12.34, fax 04.74.65.12.34, e-mail jacques.charmetant@wanadoo.fr r.-v.

### DOM. CHATELUS 2004 ★★

0,42 ha 4 000 5 à 8 €

Bien connu des lecteurs du Guide, Pascal Chatelus a tiré de sols argilo-calcaires cette remarquable cuvée de chardonnay. Or pâle brillant aux légers reflets dorés, ce 2004 libère des parfums expressifs, puissants et nets. Dès l'attaque, sa matière généreuse et élégante s'épanouit au palais, révélant un bel équilibre entre rondeur et acidité. Ce vin au caractère authentique est à ouvrir dans les deux prochaines années.
Pascal Chatelus, La Roche, 69620 Saint-Laurent-d'Oingt, tél. 04.74.71.24.78, fax 04.74.71.28.36 r.-v.

### CLOS DES VIEUX MARRONNIERS 2003

0,43 ha 4 000 3 à 5 €

Une allée de marronniers plus que centenaires longe cette propriété située dans la région des pierres dorées. Jaune pâle à reflets verts, son beaujolais blanc a conservé toute sa jeunesse. Des parfums puissants d'ananas et de pamplemousse se développent dans une bouche ronde, souple et fraîche, accompagnés de nuances de miel et d'amande. Bien équilibrée, une bouteille prête pour l'apéritif.
Ghyslaine et Jean-Louis Large, le Bourg, 69380 Charnay-lès-Mâcon, tél. 04.78.47.95.28, fax 04.78.47.95.28, e-mail jean-louis.large@wanadoo.fr
t.l.j. sf dim. 10h-12h 16h-19h

### DOM. DES COTEAUX DE CRUIX
Cuvée Tradition 2004 ★

4 ha 20 000 5 à 8 €

Dans la famille Brossette, on est vigneron de père en fils depuis 1710. Rouge limpide aux beaux reflets violets, le dernier millésime de sa cuvée Tradition livre des parfums très expressifs de banane, de fraise et d'autres fruits rouges. Dès la mise en bouche, sa matière souple et aromatique garnit le palais assez longuement. Ce vin gourmand est prêt.
Paul André Brossette et Fils, Cruix, 69620 Theizé, tél. 04.74.71.24.83, fax 04.74.71.28.98, e-mail beaujolais.brossette.pa@wanadoo.fr
t.l.j. 8h-19h

### DOM. DES CRETES Cuvée des Varennes 2004 ★

1,75 ha 10 000 3 à 5 €

Installés depuis 1975 dans leur manoir en pierres dorées, J.-F. et Martine Brondel représentent la troisième génération à la tête de la propriété, acquise en 1939. Ils exploitent près de 13 ha de vignes. Des ceps de plus de cinquante ans sont à l'origine de leur cuvée des Varennes qui a la couleur sombre et le parfum du cassis. Avec sa bonne charpente et son fruité développé et persistant, ce vin ne manque pas d'atouts. On pourra l'apprécier au cours des deux prochaines années.
EARL J.-F. et Martine Brondel, 750, rte des Crêtes, 69480 Graves-sur-Anse, tél. 04.74.67.11.62, fax 04.74.60.24.30, e-mail domaine.descretes@wanadoo.fr r.-v.

### DOM. LA CRUISILLE 2004

1,5 ha 3 000 3 à 5 €

C'est dans un bâtiment en pierres dorées datant de 1900, situé au cœur du village de Theizé, qu'a été élevée cette cuvée grenat violet aux parfums de fruits frais. Emplissant agréablement le palais d'une matière acidulée, ce beaujolais aromatique et harmonieux est fait pour maintenant.
Hubert et Vincent Laverrière, GAEC de La Cruisille, rue de la Treille, 69620 Theizé, tél. 04.74.71.14.31, fax 04.74.71.22.90, e-mail gcruisil@terre-net.fr r.-v.

### BRUNO DEBIZE 2003 ★

0,7 ha 2 000 3 à 5 €

Issu de l'agriculture biologique, ce beaujolais blanc élevé sur lies est d'une belle limpidité. Il s'impose dès l'olfaction par des parfums floraux et vanillés. Ces arômes se prolongent dans un palais équilibré, accompagnés de nuances originales fruitées et grillées.
Bruno Debize, Apinost, 69210 Bully, tél. 04.74.01.03.62, fax 04.74.01.03.62 r.-v.

### CH. DE L'ECLAIR 2004 ★

8,26 ha 5 000 3 à 5 €

Depuis sa création au début du XX[e]s., par Victor Vermorel, la vocation expérimentale du domaine ne s'est pas démentie. Sa production a plus d'un coup de cœur à son actif. D'un rouge profond presque violacé, ce 2004 livre des parfums de fleurs et de framboise qui évoquent un vin de primeur. Ronde, harmonieusement aromatique avec des nuances fruitées fines et complexes, la bouche reste fraîche, presque acidulée. Bien équilibré et long, ce vin est à servir dans l'année. Le **beaujolais-villages rouge 2004** a reçu lui aussi une étoile.
Sicarex Beaujolais, Ch. de l'Eclair, 69400 Liergues, tél. 04.74.68.76.27, fax 04.74.68.76.27, e-mail sicarex@beaujolais.com r.-v.

### EMMANUEL FELLOT 2004

0,3 ha 2 500 5 à 8 €

Fondé en 1829, ce domaine de 12 ha est commandé par une maison et un cuvage du XVII[e]s., bâtis à flanc de coteau, entre vignes, prés et bois. Emmanuel Fellot a acquis récemment une parcelle sur terrain argilo-calcaire pour y planter du chardonnay. Aussi les vignes à l'origine de cette cuvée sont-elles très jeunes. D'un or vert pâle, ce 2004 s'ouvre sur des senteurs minérales associées à des nuances de fleurs et d'agrumes. Des notes de pêche viennent compléter cette palette dans une bouche ample,

vive et équilibrée. Ce vin friand est à déboucher dans les deux ans qui viennent. De la même propriété, le **beaujolais-villages Vieilles Vignes Domaine Fellot 2004** a également été cité.
Emmanuel Fellot, Pierre-Filant, 69640 Rivolet, tél. 04.74.67.37.75, fax 04.74.67.39.06, e-mail ne.fellot@wanadoo.fr r.-v.

## DOM. DE FOND-VIEILLE Cuvée Tradition 2004 *

7 ha 4 000 3 à 5 €

Etabli près du pittoresque village d'Oingt, Dominique Guillard exploite 14 ha de vignes. En 2001, il s'est retiré de la coopérative pour vinifier lui-même ses récoltes. D'un rubis limpide, cette cuvée livre des parfums de groseille, de framboise et de feuille de cassis. Fraîche, bien structurée et aromatique, elle tiendra sa place servie avec une assiette de charcuterie ou en apéritif.
Dominique Guillard, Fond-Vieille, 69620 Oingt, tél. 04.74.71.11.74, fax 04.74.71.11.74 r.-v.

## DOM. GARLON 2004 *

4 ha 30 000 5 à 8 €

Ce domaine familial fondé au XVIIIe s. est situé à 100 m du château de Rochebonne, reconstruit à l'époque classique. Il compte 15 ha de vignes. Le travail du sol est une pratique culturale courante dans la propriété qui a tiré de ceps cinquantenaires une cuvée rubis à reflets violets. Ses discrets parfums évoquent les fruits rouges (griotte) et la prune bien mûre. Au palais, l'attaque est fraîche et les arômes fruités rappellent la groseille. Rond, ample, équilibré et long, un beaujolais typique, à apprécier dans l'année avec une assiette de charcuterie.
Jean-François Garlon, Le Bourg, 69620 Theizé, tél. 04.74.71.11.97, fax 04.74.71.23.30, e-mail jf.garlon@chello.fr r.-v.

## DIDIER GERMAIN Rosé d'une nuit 2004

1 ha 6 000 3 à 5 €

Ce domaine remonte à la Révolution (1792). Depuis, les Germain se succèdent de père en fils sur l'exploitation commandée par une petite ferme en pierres dorées perchée sur une colline. Didier est à la tête de 6 ha de vignes depuis une dizaine d'années. Elaboré par saignée après une macération d'une nuit, son rosé a fermenté en fût ancien. D'un rose clair limpide, ce 2004 libère de discrets parfums de fruits frais qui se prolongent dans une bouche acidulée et rafraîchissante, mêlés de nuances de fruits exotiques. Agréable et assez persistante, une bouteille à servir dans l'année.
Didier Germain, Bel-Air, 69380 Charnay-lès-Mâcon, tél. 04.78.43.96.59, fax 04.78.43.96.59, e-mail didier.germain@didiergermain.com r.-v.

## PIERRE ET GENEVIEVE GERMAIN 2004 **

n.c. 7 000 3 à 5 €

De nombreuses recherches et innovations portant sur le matériel viticole et la production raisonnée ont jalonné l'histoire de ce domaine. D'un grenat profond, son 2004 livre d'intenses parfums de cassis associés à des nuances florales et épicées. Ce vin structuré, rond et bien en chair révèle un fort potentiel, mais il n'a pas atteint sa plénitude. On attendra un an ou deux qu'il s'affine et on le servira avec de la charcuterie sèche ou du fromage de chèvre.
EARL Pierre et Geneviève Germain, Les Verdelières, 69380 Charnay-lès-Mâcon, tél. 04.78.43.93.44 r.-v.

## CAVE VINICOLE DE GLEIZE
Cuvée Vieilles Vignes 2004 **

n.c. 40 000 5 à 8 €

Située à la porte de Villefranche-sur-Saône, la cave de Gleizé, construite en 1932 sur un ancien prieuré, a fait l'objet de nombreux aménagements. Elle vinifie 300 ha de vignes. D'un rouge profond à reflets violets, sa cuvée Vieilles Vignes livre d'agréables senteurs de fruits rouges très mûrs, presque confiturés, que l'on retrouve dans une bouche souple où les tanins se font oublier. Remarquablement structurée et d'une bonne persistance, elle est prête mais peut attendre un an.
Cave vinicole de Gleizé, 147, rte de Tarare, 69400 Gleizé, tél. 04.74.68.39.49, fax 04.74.62.09.67, e-mail cave.vinicole.gleize@wanadoo.fr t.l.j. sf sam. dim. 8h-12h 14h-18h

## DOM. DE LA GRANGE-MENARD
Cuvée Vieilles Vignes 2004 *

7 ha 10 000 3 à 5 €

Constituée dans les années 1950, cette exploitation s'est régulièrement développée pour atteindre aujourd'hui 20 ha. Sa production s'est déjà distinguée : on se souvient du coup de cœur obtenu pour un 2001. Quant à cette cuvée Vieilles Vignes, elle avait déjà reçu une étoile dans le millésime précédent. D'un rouge profond, ce 2004 libère des parfums fruités et amyliques. Sa bouche, équilibrée, persiste sur des arômes de fruits rouges. Un vin harmonieux, typé et complet, à servir dans l'année. Du même domaine, le **beaujolais-villages Coteau des Pierres rouge 2004 (5 à 8 €)** a été cité.
Evelyne et Guy Pignard, Dom. de la Grange-Ménard, 69400 Arnas, tél. 04.74.62.87.60, fax 04.74.62.35.28, e-mail pignard.guy@wanadoo.fr t.l.j. sf dim. 10h-13h 15h-19h30; f. 15-30 août

## VIGNOBLE GRANGE-NEUVE 2004 **

3,2 ha 18 000 3 à 5 €

Les origines de la propriété remontent à 1881. Les belles pierres dorées de la région ont été largement utilisées pour construire les bâtiments qui étaient autrefois un vendangeoir. D'un grenat intense, ce 2004 présente un nez très puissant de fleurs, nuancé de pêche et de coing. Ample, charnu, plein de vitalité, harmonieux et persistant, ce vin ravissant offre le meilleur de l'appellation ; il accompagnera dès maintenant une assiette de charcuterie ou de la volaille. Le 2002 avait obtenu un coup de cœur.
Denis Carron, chem. des Brosses, 69620 Frontenas, tél. 04.74.71.70.31, fax 04.74.71.86.30 r.-v.

## DOM. DE LA GRENOUILLERE 2004

2,5 ha 22 000 3 à 5 €

Implanté sur des coteaux dans un secteur granitique au sud du Beaujolais, ce domaine remonte à 1750. A cette époque, les propriétés du lieu vivaient également de la culture des céréales et de l'artisanat textile. Aujourd'hui, l'activité viticole de cette exploitation s'est affirmée. D'une belle couleur rouge soutenu, ce 2004 livre des parfums assez intenses de fruits rouges bien mûrs (cerise). Equilibré, correctement structuré et plutôt long, ce vin reste agréable.
Charles Bréchard, La Grenouillère, 69620 Chamelet, tél. 04.74.71.34.13, fax 04.74.71.36.22, e-mail cbrechard@wanadoo.fr r.-v.

DOM. LES GRYPHEES Cuvée Tradition 2004

■ 1 ha 6 000 3 à 5 €

Ce domaine de 10 ha est situé dans la région des pierres dorées. Il tire son nom de mollusques fossiles particulièrement présents dans ce secteur. D'un rouge soutenu, sa cuvée Tradition livre de beaux parfums de fraise, de groseille et de mûre. Ample, complet, mais un peu austère lors de la dégustation, ce vin sera prêt pour l'hiver et l'année 2006.

Pierre Durdilly,
2, rte de Saint-Laurent, 69620 Le Bois-d'Oingt,
tél. 04.74.72.49.93, fax 04.74.71.62.95 r.-v.

DOM. DU GUELET 2004 *

■ 0,45 ha 3 300 3 à 5 €

Dans des caves voûtées typiques du Beaujolais, datant de 1791, a été élevée cette cuvée d'un rose orangé limpide et brillant, et au nez discrètement fruité. L'attaque souple est suivie d'impressions charnues et fraîches, égayées d'arômes de groseille et de pêche. D'une bonne vivacité, ce vin bien fait est à servir dans l'année avec une salade composée.

Christine et Didier Puillat,
Le Fournel, 69640 Rivolet, tél. et fax 04.74.67.34.05,
e-mail puillat@beaujolais-domaine-du-guelet.com
r.-v.

DOM. DE LA GUINCHULE 2003

□ 0,2 ha 3 000 5 à 8 €

Les 13 ha de ce domaine se répartissent en Mâconnais et en Beaujolais. Aussi, le chardonnay représente-t-il une part non négligeable de l'encépagement. Une vendange mécanique effectuée de nuit, le 16 août 2003, année de la canicule, a permis à la récolte de garder un minimum de fraîcheur. Ce 2003 or vert livre des parfums nets aux nuances de fleurs, d'ananas et de fruits exotiques. Ample, charnue, équilibrée, la bouche est soutenue par une belle vivacité qui fera apprécier cette bouteille flatteuse à l'apéritif.

EARL Félix Dailly,
Les Vignes du Puits, 71570 Chânes,
tél. 03.85.36.52.10, fax 03.85.37.44.87 r.-v.

DOM. DE LA JOUBETTE 2004

■ n.c. 700 3 à 5 €

A la tête de l'exploitation depuis 1991, Chantal Guignier exploite 8 ha de vignes. Elle a élaboré une cuvée à la jolie robe brillante et limpide de couleur rose bonbon. Les délicats parfums fruités et fins s'accompagnent de légères notes de brioche pleines d'élégance. Des arômes de groseille fraîche agrémentent la bouche ronde, équilibrée et longue. Ce vin s'accordera avec du poisson grillé ou des brochettes.

Chantal Guignier, Le Bourg, 69820 Vauxrenard,
tél. 04.74.69.90.65, fax 04.74.69.90.65,
e-mail chantalguignier@aol.com r.-v.

CH. DE LACHASSAGNE Réserve du Clos 2003 *

□ 1 ha 9 000 5 à 8 €

Les origines du domaine remontent à 1535. Celui-ci resta propriété des Rochechouart-Mortemart et des Laguiche jusqu'à son rachat en 1977. Aujourd'hui, 62 ha clos de murs entourent le château qui date de 1810-1830 et 21 ha sont dévolus au vignoble. En été, des journées portes ouvertes permettent de découvrir les lieux où est née cette cuvée issue d'un terroir argilo-calcaire. Or brillant, ce vin offre des parfums frais d'agrumes (pamplemousse) avec une pointe minérale. On retrouve ces impressions en bouche ; celle-ci, très harmonieuse, dotée d'une bonne acidité, gage de longévité, se montre aussi tendre – joli succès pour une vendange du 17 août 2003.

SARL Ch. de Lachassagne,
rue du Château, 69480 Lachassagne,
tél. 04.74.67.00.57, fax 04.74.67.00.53,
e-mail info@lachassagne.com r.-v.
D. Greenland

DOM. LAFOND 2004 *

■ 14 ha 10 000 3 à 5 €

Pierre et Thierry Lafond exploitent une vingtaine d'hectares dans le secteur du mont Brouilly. On retouve leur beaujolais rouge. D'un rubis limpide et brillant, le 2004 présente, à côté des classiques parfums de fruits rouges et de banane, des notes plus originales évoquant la cire d'abeille. Après une attaque franche, la bouche révèle une structure assez marquée par des tanins bien enrobés et des arômes amyliques, poivrés en finale. D'une agréable harmonie, ce 2004 a suffisamment de matière pour attendre un ou deux ans.

Dom. Lafond, Bel-Air, 69220 Saint-Lager,
tél. 04.74.66.04.46, fax 04.74.66.37.91 r.-v.

DOM. LASSALLE La Perle blanche 2004

□ 0,3 ha 2 800 3 à 5 €

Pratiquant la lutte raisonnée depuis quinze ans, ce domaine dispose de plus de 12 ha de vignes orientées au sud. Née du chardonnay, sa Perle blanche affiche une robe jaune brillant et livre des parfums assez intenses d'agrumes et de fleurs. Franche en bouche, particulièrement aromatique avec des nuances amyliques, elle termine sur une pointe d'amertume rafraîchissante.

Dom. Jean-Pierre Lassalle, 1, chem. de Tredo,
69480 Morancé, tél. 04.78.43.63.97, fax 04.78.43.63.97,
e-mail domaine.lassalle@wanadoo.fr r.-v.

CAVE DES VIGNERONS DE LIERGUES
Réserve particulière 2003

□ n.c. 9 500 3 à 5 €

Créée en 1929, la coopérative de Liergues regroupe 80 % des viticulteurs de la commune. Régulièrement présente dans le Guide, elle fait coup double avec deux citations : la première va à son **beaujolais rosé 2004**, la seconde à ce 2003 limpide, expressif au nez comme en bouche, rond et riche. Ce vin est prêt à être servi mais peut attendre.

Cave des Vignerons de Liergues, 69400 Liergues,
tél. 04.74.65.86.00, fax 04.74.62.81.20,
e-mail cave-des-vignerons-de-liergues@wanadoo.fr
t.l.j. sf dim. 8h-12h 14h-18h30

DOM. DU LOUP 2004 *

■ 3 ha 20 000 3 à 5 €

Il était une fois un loup qui vivait en ermite dans une cabane... à l'emplacement du domaine... Qui a vu le loup ? C'était sans doute bien avant la construction de l'église romane de Lucenay... Retournons à notre époque de cuves thermorégulées, aux 10 ha de vignes de Jean Bosse-Platière et à son beaujolais rubis brillant aux parfums complexes rappelant la grenadine. Rond et gouleyant, ce 2004 n'est pas dépourvu de tanins fondus qui promettent une petite

garde. Il accompagnera pendant un à deux ans une viande blanche, une assiette charcutière ou un buffet froid.
🔑 Jean Bosse-Platière, Les Places, 69480 Lucenay, tél. 04.74.67.05.54, fax 04.74.69.09.75

## MACHON 2004 *

■ 20 ha 150 000 3 à 5 €

Négociant en Beaujolais, François Paquet a proposé un beaujolais rubis foncé aux intenses parfums de cassis et de prune. Sa chair ronde aux arômes de cassis, sa bonne charpente, son équilibre et sa longueur rendent ce vin fort sympathique. Il est prêt mais peut attendre un an. Il peut non seulement accompagner un... machon (en-cas de charcuteries beaujolaises) mais aussi tout un repas autour d'une viande rouge. Proposé par la même maison, le **brouilly Pissardière 2004 (5 à 8 €)** a été cité.
🔑 François Paquet,
Le Pont des Samsons, 69430 Quincié-en-Beaujolais,
tél. 04.74.69.09.60, fax 04.74.69.09.28

## DOM. DE MILHOMME 2004

■ 2 ha 10 000 5 à 8 €

Ce domaine est situé à 4 km de Ternand, pittoresque village qui organise chaque année, le premier week-end de juillet, des « journées médiévales ». Il est conduit par la famille Perrin, enracinée dans le vignoble depuis le XVIe s. L'exploitation élabore cette cuvée grenat, aux parfums de fruits rouges, bien structurée, fine et fraîche. Un vin harmonieux à servir dans l'année.
🔑 Robert et Manuel Perrin, Dom. de Milhomme, 69620 Ternand, tél. 04.74.71.33.13, fax 04.74.71.30.87, e-mail dommilhomme@aol.com r.-v.

## DOM. MONTERNOT 2004

0,6 ha 4 550 3 à 5 €

Après avoir joué à Tarzan dans le parc d'aventures *Au fil des arbres*, attraction locale, vous pourrez rendre visite aux Monternot qui exploitent une quinzaine d'hectares sur la commune. Du chardonnay cultivé sur des terrains argilo-siliceux est à l'origine de leur beaujolais blanc d'un jaune pâle brillant, aux parfums plutôt discrets d'herbe fraîchement coupée, de fougère, de miel et d'abricot. Charnu, rond et structuré, ce 2004 peut accompagner dès à présent du poisson cuisiné, une entrée ou de la charcuterie.
🔑 GAEC J. et B. Monternot, Les Places, 69460 Blacé, tél. 04.74.67.56.48, fax 04.74.60.51.13 r.-v.

## M. MONTESSUY 2004 *

■ 1 ha 4 000 3 à 5 €

Jarnioux est un petit village du pays des pierres dorées. Vous y découvrirez un château du XIIe s. à six tours et cette ancienne propriété d'une dizaine d'hectares dont le quart des superficies est planté de vieux ceps. Des vignes de quatre-vingt-dix ans cultivées sur des sols silico-argileux ont donné naissance à cette cuvée d'un grenat sombre, brillant et limpide. Le nez bien ouvert mêle la framboise, la fraise et la cerise. Garnissant avec ampleur le palais de son joli fruité, ce vin agréable fera un excellent apéritif.
🔑 GFA du Bois de la Gorge, La Chanal, 69640 Jarnioux, tél. 04.74.03.82.89 t.l.j. 8h-20h

## DOM. DU MOULIN BLANC Cuvée Tradition 2004 *

■ 1,5 ha 9 000 3 à 5 €

Elevée dans des caves voûtées aménagées durant la première moitié du XIXe s., cette cuvée a obtenu un coup de cœur dans le millésime précédent. D'un pourpre soutenu, limpide et brillant, le 2004 libère des parfums subtils et purs de fruits rouges et de raisin. Son fruité naturel, séduisant de fraîcheur, impressionne longuement le palais. Elégant, harmonieusement structuré par des tanins de qualité, ce vin est à servir dans l'année. Il donnera la réplique à une assiette charcutière.
🔑 Alain et Danièle Germain,
Crière, 69380 Charnay-lès-Mâcon,
tél. 04.78.43.98.60, fax 04.78.43.98.60,
e-mail domaine-du-moulin-blanc@wanadoo.fr
r.-v.

## JEAN-JACQUES PAIRE Cuvée Prestige 2004 *

■ 0,5 ha 3 500 5 à 8 €

Proche des pittoresques villages de Ternand et d'Oingt, ce domaine a installé en 2002, dans ses locaux, une exposition permanente consacrée à « L'histoire du vigneron en Beaujolais ». On retrouve cette année sa cuvée Prestige. Le 2004 s'annonce par une robe rubis intense et limpide, et livre des parfums élégants de cerise et de vanille. Tout aussi aromatique, la bouche révèle d'agréables tanins. Bien équilibré, harmonieux, ce vin sera à découvrir avec une assiette de charcuterie.
🔑 Jean-Jacques Paire, Les Ronzières, 69620 Ternand, tél. 04.74.71.35.72, fax 04.74.71.38.34, e-mail j.paire@terre-net.fr r.-v.

## DOM. PEROL Cuvée Vieilles Vignes 2004

■ 2,8 ha 4 800 5 à 8 €

La maison et la cave de la propriété ont été construites en 1806 sur la colline du hameau La Colletière, face au village médiéval de Châtillon-d'Azergues. D'un rouge violet limpide, cette cuvée mêle au nez des notes poivrées et des arômes de petits fruits rouges que l'on retrouve dans une bouche ample et d'une bonne vivacité. Ce beaujolais bien typé est à ouvrir maintenant. Frédéric Pérol a également présenté le **beaujolais blanc Clos du Château Lassale 2004**, qui a aussi été cité.
🔑 Frédéric Pérol, N447,
chem. de La Colletière, 69380 Châtillon-d'Azergues,
tél. 04.78.43.99.84, fax 04.78.43.99.84 r.-v.

## LA RESERVE DU MAITRE DE CHAIS PIZAY 2004 *

■ 3,8 ha 12 000 5 à 8 €

Depuis 1999, cette métairie du château de Pizay cultive les vignes selon les principes de l'agriculture biologique. Elle propose une cuvée à la robe rubis brillant et limpide, et aux arômes de fruits rouges dominés par la cerise. Frais et vif à l'attaque, plus tannique ensuite, agréable et de bonne longueur, ce vin pourra se garder un à deux ans. Il accompagnera charcuterie ou volaille rôtie.
🔑 Gilles Perez, Pizay, 69220 Saint-Jean-d'Ardières, tél. 04.74.66.26.10, fax 04.74.69.60.66 r.-v.

## LE PUITS DU BESSON 2004 *

■ 2 ha 4 000 3 à 5 €

Depuis 1874, la famille Jomain exploite des coteaux argilo-calcaires exposés au sud-est, face à la Saône et à la colline de Brouilly. Rouge vif, son beaujolais livre des notes végétales, évoquant la vigne, et révèle une structure puissante et ample, expression d'une extraction optimale.

Charpenté tout en restant harmonieux, ce 2004 doit attendre au moins un an.
Gilbert Jomain, 1496, rte d'Anse, 69400 Limas, tél. 04.74.68.66.64, fax 04.74.68.66.64 r.-v.

## DOM. DE ROCHECORBIERE 2004

0,5 ha 4 000 5 à 8 €

Cette propriété (un peu plus de 15 ha aujourd'hui) est dans la famille depuis 1750. Une parcelle au sol agilo-calcaire plantée de chardonnay est à l'origine de cette cuvée jaune pâle aux beaux reflets verts. Ses parfums de fleurs et d'agrumes se mêlent à des nuances de brioche et de beurre. Après une attaque ronde, la bouche se montre vive et réussie : pour une blanquette de veau à l'ancienne.
Dom. de Rochecorbière, Alain et Janine Bidon, 69380 Chessy, tél. 04.78.43.92.34, fax 04.78.47.97.66, e-mail beaujolais@a-bidon.com
t.l.j. sf dim. 8h-12h 15h-18h; f.1er-15 août

## DOM. ROMY 2004 *

1 ha 5 000 3 à 5 €

Dominique Romy exploite 16 ha de vignes depuis 1976. Cette année, son **beaujolais blanc 2004** est cité ; l'étoile revient à cette cuvée grenat aux parfums intenses et purs de petits fruits rouges et de cerise. Sa matière acidulée et des tanins élégants aux saveurs de noyau composent une structure harmonieuse. Un excellent vin de « casse-croûte » qui pourra être servi pendant un à deux ans avec de la charcuterie.
Dominique Romy, 1020, rte de Saint-Pierre, 69480 Morancé, tél. 04.78.43.65.06, fax 04.78.43.65.06, e-mail domaine.romy@infonie.fr r.-v.

## DOM. DE ROTISSON 2004 *

1,2 ha 7 000 3 à 5 €

Situé dans le pays des pierres dorées, ce domaine de 15,7 ha a été racheté en 1998 par Didier Pouget qui élabore des vins d'un bon niveau qualitatif, comme en témoignent de nombreuses mentions dans le Guide. On retrouve cette année son beaujolais rosé. D'un rose intense aux reflets orangés, ce 2004 exprime des parfums fruités, fins et agréables qui s'affirment en bouche. Bien structuré, montant en puissance tout au long de la dégustation, ce vin sera apprécié dans l'année avec une grillade.
Dom. de Rotisson, rte de Conzy, 69210 Saint-Germain-sur-l'Arbresle, tél. 04.74.01.23.08, fax 04.74.01.55.41, e-mail didier.pouget@domaine-de-rotisson.com
t.l.j. 9h-12h30 14h-18h30; dim. sur r.-v.
Didier Pouget

## CAVE BEAUJOLAISE DE SAINT-LAURENT-D'OINGT 2004

n.c. 17 300 5 à 8 €

Créée en 1961, cette coopérative vinifie les récoltes de 320 ha. D'un rouge profond, son beaujolais s'ouvre sur d'assez puissants parfums fruités. La bouche équilibrée, sans sophistication, est agréable et longue. Cette bouteille de bon aloi est à ouvrir dans l'année. Le **beaujolais blanc 2003** de la cave a obtenu la même note.
Cave coop. beaujolaise de Saint-Laurent-d'Oingt, Le Gonnet, 69620 Saint-Laurent-d'Oingt, tél. 04.74.71.20.51, fax 04.74.71.23.46 r.-v.

## LAURENT SAVOYE 2004

1,23 ha 1000 3 à 5 €

Entre vigne et forêt, le village de Vauxrenard mérite une visite pour son charme bucolique et sa petite église au chœur roman. Installé comme fermier en 1993, Laurent Savoye a commencé la vente directe dès 1995. Il a élaboré cette cuvée rose saumon aux agréables parfums exotiques qui s'affirment au fil de la dégustation. L'attaque fruitée révèle une belle vivacité. Ce rosé sera prêt pour la sortie du Guide.
Laurent Savoye, Les Combiers, 69820 Vauxrenard, tél. 04.74.04.11.06, e-mail savoyeml@tele2.fr r.-v.

## DOM. DES TERRES MOREL Cuvée Tradition 2004

2 ha 2 500 3 à 5 €

Ce domaine de 22 ha est très souvent cité dans le Guide. Il a même obtenu récemment un coup de cœur (pour un 2002). On retrouve cette année sa cuvée Tradition. D'un rouge léger, elle livre de discrets parfums de cassis et de fruits rouges, et glisse plaisamment au palais. Le type même du « vin de soif », gouleyant, élégant et fin. A servir.
Dom. des Terres Morel, 69480 Lucenay, tél. 04.74.67.17.00, fax 04.74.60.22.08
t.l.j. sf dim. 10h30-12h30 16h30-19h30
Antoine Riche

## DOM. DE LA TOUR DES BANS 2004 **

n.c. n.c. 5 à 8 €

Raphaël Blanco est l'un des métayers du château de Pizay. Il a élaboré un vin grenat profond aux parfums intenses de fruits rouges (fraise). Elégant, très bien équilibré, ce beaujolais impressionne agréablement le palais de plaisants arômes fruités qui se prolongent en rétro-olfaction. On le boira dans l'année. Le **morgon 2004 de La Tour des Bans** obtient une citation. On l'ouvrira en 2006 et 2007.
Raphaël Blanco, Pizay, 69220 Saint-Jean-d'Ardières, tél. 04.74.66.26.10, fax 04.74.69.60.66

## DOM. DE VAULEINE 2004 *

3 ha 2 000 3 à 5 €

Christian Large s'est installé en 1982 sur l'exploitation familiale qui compte environ 11 ha de vignes. En 2001, il a donné à la propriété le nom de domaine de Vauleine. Rouge limpide à reflets violets, son 2004 charme par ses parfums de framboise et de cerise bien mûres. Sa vivacité et son fruité qui s'épanouissent en bouche sont typiques de l'appellation. Equilibré, structuré par d'aimables tanins, ce vin est à servir dans l'année.
Christian Large, 69640 Rivolet, tél. 04.74.67.43.41, fax 04.74.67.43.41 r.-v.

## DOM. VIDONNEL 2003 **

0,26 ha 2 500 5 à 8 €

Guy Vignat se distingue une fois de plus par son beaujolais blanc. Les vignes de chardonnay, implantées sur des sols argilo-calcaires, sont à l'origine de cette cuvée de couleur or très pâle à reflets verts. Ses parfums floraux (tilleul, fleurs blanches) se mêlent à des notes de fruit de la Passion et de pierre à fusil. Le palais révèle une matière charnue, ample et longue, marquée par la minéralité du terroir. Cette remarquable bouteille peut se déboucher ou rester un an en cave.
Guy Vignat, 70, rte de Chazay, 69480 Morancé, tél. 04.78.43.64.34, fax 04.78.43.77.31 r.-v.

DOM. DES VIGNES D'HOTES
Vieilles Vignes 2004 ★

■ 0,9 ha 4 000 5 à 8 €

Installé en 1995 sur l'exploitation de ses parents, Jean-Paul Grillet s'est retiré de la coopérative pour élaborer lui-même ses vins. Rouge foncé, celui-ci présente un nez de petits fruits rouges légèrement poivré. Plein et harmonieux, il laisse savourer ses arômes de fruits à l'eau-de-vie. Structuré et long, il est à ouvrir dans l'année.

Jean-Paul Grillet, Dom. des Vignes d'Hôtes, Saint-Aigues, 69620 Bagnols, tél. 04.74.71.62.98, fax 04.74.71.62.98, e-mail info@jpgrillet.com t.l.j. 8h-20h

# Beaujolais supérieur

FLORENCE ET PASCAL DESGRANGES
Côtes de Brie 2004

■ 0,8 ha 3 000 3 à 5 €

Cette propriété familiale acquise en 1920 s'étend sur une douzaine d'hectares. Une nouvelle fois retenu, son beaujolais supérieur est issu d'un terroir argilo-calcaire de pierres et gryphée. D'un rubis limpide, il délivre des parfums plutôt discrets de cassis et de fruits rouges. Souple et fine, fruitée et d'une bonne longueur, la bouche se fait plus sévère en finale. Un 2004 de bon aloi, à servir dans l'année.

Pascal et Florence Desgranges, chem. de la Grande-Gonthière, 69480 Pommiers, tél. 04.74.09.06.12 r.-v.

CH. DU GRAND TALANCE 2004 ★★

■ 7 ha 45 000 3 à 5 €

Un château du XIXe s. et un considérable domaine (45 ha) souvent mentionné dans le Guide. La cave de vinification a été rénovée en 2005. Elevé dans des foudres de bois pendant huit mois, ce vin grenat intense exhale des parfums francs et élégants de cassis et de fraise, avec une note poivrée. Après une attaque ample et souple, le palais monte en puissance, révélant en finale une belle structure aux tanins encore jeunes. Equilibré et long, ce 2004 peut attendre un à deux ans. Il accompagnera un saucisson en brioche. Du même vignoble, le **beaujolais rouge 2004** a été cité.

GFA du Grand Talancé, 69640 Denicé, tél. 04.74.67.55.04, fax 04.74.69.09.75 r.-v.

Truchaud

# Beaujolais-villages

Le mot « villages » a été adopté pour remplacer la multiplicité des noms de communes qui pouvaient être ajoutés à l'appellation beaujolais pour distinguer des productions considérées comme supérieures. La quasi-totalité des producteurs ont opté pour la formule beaujolais-villages.

Trente-huit communes, dont huit dans le canton de La Chapelle-de-Guinchay, ont droit à l'appellation beaujolais-villages, mais seulement trente peuvent ajouter le nom de la commune à celui de beaujolais. Si le terme de beaujolais-villages facilite la commercialisation depuis 1950, certains noms synonymes d'un cru peuvent créer des confusions. Les 6 419 ha, dont la quasi-totalité est comprise entre la zone des beaujolais et celle des crus, ont assuré en 2004 une production de 358 632 hl de rouges et 3 715 hl de blancs.

Les vins de l'appellation se rapprochent des crus et en ont les contraintes culturales (taille en gobelet ou éventail, cordon simple ou double charmet, degré initial des moûts supérieur de 0,5° à ceux des beaujolais). Originaires de sables granitiques, ils sont fruités, gouleyants, parés d'une robe d'un beau rouge vif : ce sont les inimitables têtes de cuvée des vins de primeur. Sur les terrains granitiques, plus en altitude, ils apportent la vivacité requise pour l'élaboration de bouteilles consommables toute l'année. Entre ces extrêmes, toutes les nuances sont représentées, alliant finesse, arôme et corps, s'accommodant aux mets les plus variés, pour la plus grande joie des convives : le brochet à la crème, les terrines, le pavé de charolais iront bien avec un beaujolais-villages plein de finesse.

DOM. FRANCOIS BEROUJON 2004 ★

■ 6 ha 10 000 3 à 5 €

Souvent mentionné dans le Guide, ce domaine familial a élevé pendant sept mois en cuve ce vin fruité et typé à classer parmi les vins de garde du Beaujolais. Sa bonne mâche, ses arômes de fruits rouges, son caractère corsé en font un sympathique représentant de l'appellation. On l'attendra un à deux ans.

François Béroujon, La Laveuse, 69460 Salles-Arbuissonnas, tél. 04.74.67.52.47, fax 04.74.67.52.47 r.-v.

DOM. DU BOIS DE LA BOSSE
Cuvée Prestige 2004

■ 3 ha 15 000 5 à 8 €

Georges Després a pris la suite d'une lignée de viticulteurs qui remonte au Second Empire. Il présente ici le produit d'un vignoble, acheté par son arrière-grand-père, qui compte 6 ha aujourd'hui. Rouge clair à reflets violets, cette cuvée se montre assez discrète au nez. Plus expressive, la bouche révèle des arômes de fruits rouges et une chair généreuse et réveillée. Sa bonne structure et sa persistance confèrent à ce vin une certaine aptitude à la garde.

EARL Georges Després, Le Vernay, 69460 Saint-Etienne-des-Oullières, tél. 04.74.03.48.98, fax 04.74.03.31.55, e-mail georges.despres@wanadoo.fr t.l.j. sf dim. 8h-12h 13h30-19h

ANDRE CHANAY 2004

■ 2,3 ha 5 000 5 à 8 €

Des vignes de cinquante ans, cultivées sur des sols argilo-calcaires, ont donné naissance à cette cuvée violine, au nez fruité et un rien minéral. Sa chair riche, souple, soyeuse et aromatique, son palais ample et persistant en font un vin de soif.

André Chanay, La Tallebarde, 69460 Saint-Etienne-des-Oullières, tél. 04.74.03.48.76, fax 04.74.03.48.76 t.l.j. sf dim. 10h-19h

DOM. CHASSAGNE Charme des Bruyères 2004 *

■ 3 ha 13 000 5 à 8 €

Cette exploitation s'étend sur 15 ha. Elle obtient de nouveau une étoile pour ce vin, élevé en cuve pendant six mois. D'un grenat soutenu, ce 2004 libère d'intenses parfums de fruits noirs (mûre et cassis), accompagnés de nuances amyliques. Ample, structuré, franc et aromatique, il présente des tanins bien fondus. A servir dans l'année.

SCEA Chassagne-Bertoldo, Les Bruyères, 69430 Lantignié, tél. 04.74.04.82.11, fax 04.74.69.25.53, e-mail domaine.chassagne@wanadoo.fr r.-v.

DOM. DU CLOS DU FIEF 2004

■ 4,58 ha 15 000 3 à 5 €

Etabli à l'entrée du village de Juliénas, Michel Tête exploite environ 12,5 ha. Des vignes de cinquante ans, implantées sur un sol granitique, sont à l'origine de cette cuvée rubis aux parfums de fruits rouges et de pivoine évoluant vers la groseille. La fraîcheur de la groseille se retrouve en bouche. Celle-ci est corsée et gouleyante. Un vin prêt à accompagner un fromage de tête par exemple.

Michel Tête, Les Gonnards, 69840 Juliénas, tél. 04.74.04.41.62, fax 04.74.04.47.09 t.l.j. sf dim. 8h-12h30 14h-19h

DOM. DES COMBIERS 2004

■ 5 ha 2 400 3 à 5 €

D'un rouge très sombre, presque violacé, ce 2004 livre des parfums fruités assez intenses. Bien que les tanins disent leur jeunesse en finale, la bouche est plutôt légère, agréablement aromatique, imprégnée de nuances de fruits rouges.

Yves Savoye, Les Combiers, 69820 Vauxrenard, tél. 04.74.69.92.69, fax 04.74.69.92.69 r.-v.

MAISON COQUARD 2004 *

■ n.c. 150 000 5 à 8 €

Jeune vigneron, Christophe Coquard a créé en février 2005 sa propre maison de négoce. Soucieux de moderniser le graphisme des étiquettes, il a confié à Zak et Landau le soin de concevoir une image symbole pour chaque appellation de sa marque. Celle qui décore ce beaujolais-villages, fort gaie, convient à cette sélection violacée aux parfums délicats de fruits rouges. Aromatique et long mais peu tannique, c'est un vin à boire jeune sur son fruit. A signaler encore, le **brouilly 2004** cité par le jury.

Maison Coquard, hameau Le Boitier, 69620 Theizé, tél. 04.74.71.11.59, fax 04.74.71.11.60, e-mail christophe-coquard@maison-coquard.com r.-v.

CH. DE CORCELLES 2004

■ 8 ha 50 000 5 à 8 €

Le château de Corcelles date du XVe s. et commande un important domaine viticole. Des vignes implantées sur des sols silico-argileux ont donné naissance à un vin très limpide, rouge léger et brillant. Ses parfums discrets accompagnent une bouche fine et nette, tout en légèreté, prête à accompagner le repas dominical.

Ch. de Corcelles, 69220 Corcelles, tél. 04.74.66.00.24, fax 04.74.69.60.94 t.l.j. sf dim. 10h-12h 14h30-18h30

DOM. DE LA CROIX SAUNIER Sélection Vieilles Vignes 2004

■ 3 ha 10 000 5 à 8 €

Les Dulac exploitent 15 ha autour de Vaux-en-Beaujolais. Issue de ceps de soixante-dix ans cultivés sur des coteaux exposés au sud, leur Sélection Vieilles Vignes s'habille d'une robe rouge léger et se parfume de fines senteurs florales. Des arômes plus affirmés de violette, de cassis et de sous-bois imprègnent sa chair souple. Facile, ce vin sera apprécié dès maintenant.

GAEC du Dom. de la Croix Saunier, Jean Dulac et Fils, 69460 Vaux-en-Beaujolais, tél. 04.74.03.22.46, fax 04.74.03.28.97, e-mail jjdulac@wanadoo.fr r.-v.

THIERRY DESCOMBES Coteau des Quatre Cerisiers Cuvée Vieilles Vignes 2004 *

■ 1 ha 4 000 3 à 5 €

Thierry Descombes exploite un peu moins de 10 ha de vignes autour de Jullié. Les parcelles sont situées à 380 m d'altitude et exposées au sud et à l'est. Des ceps âgés de cinquante-cinq ans sont à l'origine de cette cuvée aux parfums assez intenses de griotte, de fruits confiturés et de pomme cuite au four. Franc, aromatique et doté d'une bonne structure, ce 2004 est à servir dans l'année.

Thierry Descombes, Les Vignes, 69840 Jullié, tél. 04.74.04.42.03, fax 04.74.04.42.03 t.l.j. 8h-20h

DOM. LIONEL DUFOUR 2004

■ 3,13 ha 23 000 11 à 15 €

Elaborée par macération pelliculaire et élevée pendant six mois, cette cuvée grenat livre d'intenses parfums de petits fruits rouges bien mûrs, de cassis et de mûre. La bouche généreuse et aromatique montre beaucoup de rondeur dès l'attaque. Ses tanins fondus gardent en finale un reste de sévérité, mais le vin devrait être prêt à la sortie du Guide.

Dom. Lionel Dufour, Les Bruyères, 69430 Lantignié, tél. 03.87.69.79.69, fax 03.87.69.71.13, e-mail pfievet@lionel-dufour.fr

DOM. DUPERRON Creuze noire 2004 *

■ 4,5 ha 10 000 5 à 8 €

Ce beaujolais-villages est né aux confins du Mâconnais, à Chasselas, de vignes de quarante ans implantées sur des sols granitiques. D'un rubis limpide et brillant, il exprime des notes de framboise, de groseille, de cassis et de pêche de vigne. Les fruits rouges et noirs se prolongent dans une bouche puissante et harmonieuse. Bien fruité, un vin plaisir qui pourra tenir deux ans. Il accompagnera une viande blanche ou du saucisson sec.

SARL Marcel Rivet, Les Renauds, 71570 Chasselas, tél. 03.85.35.12.35, fax 03.85.35.14.51 r.-v.

### CH. D'EMERINGES Vieilles Vignes 2004 ★

■ 2 ha 15 000 3 à 5 €

Bien dans le style Napoléon III, le château d'Emeringes a été construit en 1856 sur l'emplacement d'une autre demeure détruite pendant la Révolution. Dans ses caves a été élevée cette cuvée rubis soutenu aux parfums fruités. Des arômes exubérants se révèlent en bouche : fraise, framboise, épices, sous-bois et sureau. Ample et long, ce 2004 peut attendre un an. On le servira avec une viande grillée ou des fromages secs.

Pierre David, Ch. d'Emeringes, 69840 Emeringes,
tél. 04.74.04.44.52, fax 04.74.04.44.52 r.-v.

### DOM. GOUILLON 2004

■ 5,6 ha 8 000 3 à 5 €

Proche du château de La Palud, ce domaine a été créé en 1983 et compte 9 ha de vignes ; en 1995, le chai actuel a été aménagé dans une bâtisse du XIX<sup>e</sup>s. Des ceps de quarante ans sont à l'origine de cette cuvée rubis léger et brillant au nez friand de petits fruits rouges. L'attaque fruitée et fine, très plaisante, conforte ces premières impressions. Léger et aromatique, c'est un vin à servir dans l'année avec une assiette de charcuterie.

Dominique Gouillon,
Les Vayvolets, 69430 Quincié-en-Beaujolais,
tél. 04.74.04.38.50, fax 04.74.69.00.67,
e-mail gouillon.dominique@club-internet.fr
r.-v.

### DOM. DES HAYES 2004 ★

■ 17 ha 20 000 3 à 5 €

Dans la cave de vinification rénovée en 2004 a été élaboré ce vin rubis violacé limpide, au nez bien ouvert fait de fruits rouges et de notes citronnées. Plus discret en bouche mais charnu, souple et friand, c'est un beaujolais-villages complet, à servir au cours des deux prochaines années.

EARL Pierre Deshayes,
Les Grandes-Vignes, 69460 Le Perréon,
tél. 04.74.03.25.47, fax 04.74.03.23.90 r.-v.

### HILLS 2004 ★

■ 10 ha 80 000 3 à 5 €

Cette maison de négoce, qui rassemble la production de près de 3 000 ha, a été citée pour son **beaujolais rouge 2004 Arena Terroirs des Granits**, et son **beaujolais Hills rouge 2004** obtient une étoile. Quant à ce beaujolais-villages, habillé d'une étiquette style Nouveau Monde, il affiche une robe rubis aux reflets violets et libère de puissants parfums de fruits rouges et de fleurs. Après une attaque souple, une élégante matière garnit le palais, d'une grande richesse en finale. Un vin plaisir à servir dès maintenant avec une volaille rôtie.

Grands Terroirs et Signatures,
Cuvage de la Pierre Bleue, 69460 Odenas,
tél. 04.74.03.52.72, fax 04.74.03.38.58,
e-mail signe-vigneron1@wanadoo.fr

### LOUIS JADOT Combe aux Jacques 2004 ★★

■ n.c. n.c. 5 à 8 €

Cette maison bourguignonne avait décroché un coup de cœur en beaujolais-villages dans la dernière édition. Cette sélection est, elle aussi, de grande qualité. D'un rouge soutenu, brillante et limpide, elle livre des parfums floraux tout en finesse. On retrouve des nuances florales, accompagnées de notes fruitées, dans un palais plein, riche et corsé. Un vin complet, déjà prêt mais apte à une garde de deux ans.

Maison Louis Jadot,
21, rue Eugène-Spuller, BP 117, 21203 Beaune Cedex,
tél. 03.80.22.10.57, fax 03.80.22.26.03,
e-mail contact@louisjadot.com r.-v.

### CH. DE LACARELLE 2004 ★★

■ n.c. 48 000 5 à 8 €

Créé en 1750, ce domaine familial comprend une grande ferme du XVIII<sup>e</sup>s., un vaste vignoble (140 ha) et deux grandes caves voûtées de près de 40 m de long. Dès les origines, sa production était écoulée à Paris. D'un rouge très limpide, lumineux, ce beaujolais-villages, tout d'abord sur la réserve, livre des parfums de fraise des bois et de griotte. L'attaque franche et tendre annonce une chair tout en finesse, élégante et d'une belle persistance. La finale, quoique plus ferme, est très agréable. Racée et suave, cette bouteille peut encore attendre. Elle accompagnera un gigot d'agneau rôti.

Ch. de Lacarelle, GFA de Lacarelle,
69460 Saint-Etienne-des-Oullières,
tél. 04.74.03.40.80, fax 04.74.03.50.18,
e-mail info@lacarelle.com t.l.j. 7h30-19h30

### DOM. DE LA MADONE Le Perréon 2004 ★★

■ 25,5 ha 90 000 5 à 8 €

Né de jeunes vignes, le **beaujolais blanc 2003** du domaine a été cité. Cette production complète la cuvée de beaujolais-villages rouge de la propriété, bien connue des lecteurs du Guide. D'un pourpre soutenu, ce 2004 présente un nez très agréable mêlant fruits rouges, cassis, épices. Ample et rond avec des tanins bien fondus, c'est un vin distingué, à servir dès à présent.

Jean Bérerd et Fils, le Bourg, 69460 Le Perréon,
tél. 04.74.03.21.85, fax 04.74.03.27.19,
e-mail bererd@terre-net.fr r.-v.

### DOM. MANOIR DU CARRA 2004

□ 0,2 ha 1 500 5 à 8 €

Proche du château de Montmelas (XII-XIX<sup>e</sup>s.), cette propriété fondée en 1850 s'étend sur 28 ha. Elle obtient deux citations : pour le **beaujolais-villages rouge 2004 cuvée Tradition**... et pour ce vin d'un jaune clair limpide aux parfums subtils et aériens, de fleurs, de pêche jaune et blanche. Une attaque franche et vive aux accents de citron, de fleurs blanches et d'amande introduit un palais rond, frais et harmonieux. Un 2004 bien représentatif de son appellation.

Jean-Noël Sambardier, Dom. Manoir du Carra,
69640 Denicé, tél. 04.74.67.38.24, fax 04.74.67.40.61,
e-mail jfsambardier@aol.com r.-v.

### JEAN-JACQUES ET SYLVAINE MARTIN Les Perrières 2004 ★

□ 2 ha 8 000 5 à 8 €

Installés en 1973 aux confins du Mâconnais, Jean-Jacques et Sylvaine Martin ont peu à peu constitué un domaine qui s'étend aujourd'hui sur 6 ha. Après un saint-amour 2003, coup de cœur dans la précédente édition, c'est un beaujolais-villages blanc qui est distingué cette année. D'un jaune clair limpide et brillant à reflets verts, ce 2004 libère des parfums intenses de fleurs blanches et de noisette. Après une attaque franche, la

bouche révèle des sensations fruitées typiques du chardonnay, mariées à des notes épicées, complexes. Un vin harmonieux à servir dans l'année.
Jean-Jacques Martin, Les Verchères, 71570 Chânes, tél. 03.85.37.42.27, fax 03.85.37.47.43 r.-v.

DOM. DE LA MERLETTE 2004

n.c. 5 000 3 à 5 €

Le village de Vaux-en-Beaujolais a servi de cadre aux querelles de clochers mise en scène par Gabriel Chevallier dans *Clochemerle*. Il possède comme il se doit un joli clocher roman. C'est là qu'est établi René Tachon, président de la confrérie du Gosier Sec. La Merlette est une fois de plus fidèle au rendez-vous du Guide à travers ce beaujolais-villages rouge soutenu et limpide, qui fleure la framboise et le bonbon anglais. Frais, très fruité et friand, ce 2004 a la vivacité de l'oiseau ! Il accompagnera des brochettes ou des merguez.
René et Marie-Claire Tachon, Le Sottizon, 69460 Vaux-en-Beaujolais, tél. 04.74.03.24.80, fax 04.74.03.24.80, e-mail tachon@tiscali.fr r.-v.

DOM. MIOLANE Coteau de la Folie 2004 *

10,5 ha 20 000 3 à 5 €

Le domaine a aménagé une salle de réception de cent quatre-vingt places dans un bâtiment datant de 1860. Il se distingue cette année grâce à ce vin rubis foncé marqué au nez par le cassis, associé à la groseille. Après une attaque sur les tanins, ce vin se montre très aromatique et charnu, frais et élégant. Il sera apprécié pendant un à deux ans avec du gibier ou une viande rouge.
EARL Dom. Christian Miolane, La Folie, 69460 Salles-Arbuissonnas, tél. 04.74.67.52.67, fax 04.74.67.59.95, e-mail domainemiolane@wanadoo.fr r.-v.

MOMMESSIN Vieilles Vignes 2004 **

25 ha 160 000 5 à 8 €

Créée en 1865, cette maison appartient aujourd'hui au groupe Boisset. Issu de ceps d'un demi-siècle, ce 2004 d'une jolie couleur rubis clair, aux nuances violettes, livre de très agréables parfums de marc de raisins et de fruits, des fragrances bien beaujolaises. Simple et facile à l'attaque, il monte en puissance, gagne du volume et révèle une richesse et une solidité qui se manifestent avec éclat en fin de bouche. Ce vin remarquablement constitué pour durer s'accordera avec un pigeonneau rôti et des champignons des bois. Le **côte-de-brouilly 2003 La Montagne Bleue (8 à 11 €)** reçoit une étoile.
SAS Mommessin, Le Pont-des-Samsons, 69430 Quincié-en-Beaujolais, tél. 04.74.69.09.30, fax 04.74.69.09.75, e-mail information@mommessin.fr

DOM. DE MONSEPEYS 2004 *

6 ha 5 000 5 à 8 €

Ce domaine a aménagé cinq chambres d'hôte classées trois épis. On pourra y découvrir ce beaujolais-villages rubis limpide et brillant, au nez encore sur la réserve. Après une attaque franche, la bouche évolue sur des impressions tanniques puis retrouve un bel équilibre sur des notes fruitées. Ce vin persistant sera apprécié avec des mets relevés comme une canette aux épices. On le gardera deux à trois ans.
Jean-Luc Canard, Les Benons, 69840 Emeringes, tél. 04.74.04.45.11, fax 04.74.04.45.19, e-mail cc.jlc@wanadoo.fr r.-v.

CH. DE MONVALLON 2004 **

n.c. 4 000 3 à 5 €

Commandé par une belle demeure bourgeoise construite au XIXe s., ce domaine est dans la famille depuis cinq générations. Il propose une cuvée grenat foncé aux parfums de fruits noirs (mûre). Après l'attaque fraîche et ferme, une chair généreuse, voire opulente, emplit totalement le palais. Une finale fruitée conclut agréablement la dégustation de ce joli vin qui gagnera à être servi en carafe pour assouplir les tanins.
Françoise et Benoît Chastel, La Grange-Bourbon, 69220 Charentay, tél. 04.74.66.86.60, fax 04.74.66.73.23 t.l.j. 8h-12h30 14h-19h30

DOM. DE LA NOIRIE Cuvée des Centenaires 2004

2 ha 10 000 5 à 8 €

Rouge foncé à reflets grenat, cette cuvée s'ouvre sur des parfums de violette et de fruits rouges. On retrouve en bouche les fruits rouges (groseille et griotte), assortis de nuances de bonbon anglais. Charnu, acidulé et fruité à croquer, ce 2004 allie harmonieusement rondeur et puissance. Il est à servir maintenant avec des viandes grillées ou une volaille rôtie.
Jean-Paul Baritel, 102, imp. Rabelais, 69910 Villié-Morgon, tél. 04.74.69.84.98, fax 04.74.69.82.48 r.-v.

DOM. DE L'OISILLON 2004 **

5 ha 10 000 5 à 8 €

Paré d'une robe rouge sombre aux beaux reflets violets, ce vin livre des parfums complexes de fleurs et de framboise associés à des notes vineuses plus chaleureuses. Franc et frais à l'attaque, il évolue en bouche sur d'harmonieuses et fines sensations qui mettent en valeur une légère pointe d'acidité. Ses arômes de fruits rouges compotés persistent longuement. A déboucher dès l'automne.
Michel et Béatrix Canard, Dom. de l'Oisillon, le Bourg, 69820 Vauxrenard, tél. 04.74.69.90.51, fax 04.74.69.90.51, e-mail beatrix-michel@wanadoo.fr r.-v.

SEBASTIEN PARIAUD Lancié 2004

6 ha 6 000 3 à 5 €

Installé en 1998, Sébastien Pariaud exploite 9,5 ha en beaujolais-villages et dans les appellations voisines. Il propose une cuvée élevée pendant six mois en fût. D'un rouge léger, ce 2004 s'annonce par un beau nez fruité. Rond, gouleyant, aromatique et de structure fine, c'est le type même du vin friand.
Sébastien Pariaud, La Merlatière, 69220 Lancié, tél. 04.74.04.10.16 r.-v.

### AGNES ET PIERRE-ANTHELME PEGAZ 2004 *

■ n.c. 2 000 3 à 5 €

Constituée en 1830, cette propriété familiale n'a cessé de se développer et de se moderniser au fil des générations et dispose aujourd'hui de 14 ha. Elle propose un beaujolais-villages rubis limpide et brillant, qui exprime à l'aération des notes de framboise, de cassis et de myrtille. Sa chair veloutée, ample et d'une belle fraîcheur imprègne le palais d'arômes de fruits rouges confits. Ce vin gourmand peut être servi dans l'année avec de la tête roulée ou de la viande rouge.

Pierre-Anthelme et Agnès Pegaz,
Le Gaillard, 69220 Charentay,
tél. 04.74.66.82.34, fax 04.74.66.82.34 r.-v.
GFA du Gaillard

### JOSEPH PELLERIN Wine and Art 2004 **

■ 5,4 ha 40 000 3 à 5 €

Dans cette gamme Wine and Art, la maison Pellerin associe à chaque cru une création graphique. Le vin est une œuvre d'art à part entière. D'un grenat limpide et brillant, ce 2004 mêle des parfums intenses de cassis, de groseille et de myrtille. Rond, soyeux, soutenu par une trame de tanins serrés mais bien enrobés, typé, harmonieux et long, ce vin de charme accompagnera pendant deux ans une volaille de Bresse, un chapon ou une entrecôte charolaise. Le coup de cœur n'était pas loin...

Maison Pellerin, Ch. de Pierreux, 69460 Odenas,
tél. 04.74.69.09.61, fax 04.74.69.09.75

### DOM. DES PINS 2004

■ 0,5 ha 2 000 3 à 5 €

D'un rouge assez intense, cette cuvée issue d'un terroir granitique s'ouvre sur des parfums puissants de fruits rouges (cerise) ponctués de nuances amyliques. Rondeur, vinosité et tanins fondus composent une bouteille équilibrée, prête à passer à table mais également apte à une garde d'un an.

EARL Gobet, Les Pins, 69430 Lantignié,
tél. 04.74.04.84.12, fax 04.74.69.22.10,
e-mail sanybonn@wanadoo.fr r.-v.

### JEAN-CHARLES PIVOT 2004 *

■ 8 ha 60 000 3 à 5 €

Issu d'un terroir granitique, ce beaujolais-villages affiche une robe d'un beau rouge limpide et brillant. Ses parfums floraux sont fins et harmonieux. Tout aussi aromatique, le palais est charnu, rond et d'une agréable légèreté. Un vin très bien équilibré, à servir dans l'année. Fruité et typé, le **beaujolais blanc 2004 (5 à 8 €)** de Jean-Charles Pivot a par ailleurs été cité par le jury.

Jean-Charles Pivot, 69430 Saint-Didier-sur-Beaujeu,
tél. 04.74.04.30.32 r.-v.

### DOM. DE LA PLAIGNE 2004 *

■ 2,86 ha 20 000 3 à 5 €

Cette propriété familiale est établie à Régnié-Durette. De fait, son **régnié 2004**, qui représente la majorité de sa production, est cité : c'est un vin tannique pour cuisine de terroir. Quant à ce beaujolais-villages rubis foncé, il offre des parfums intenses de cerise, de cassis et de framboise sauvage ponctués de notes légèrement épicées. Ample, rond et équilibré, le palais révèle des arômes complexes, fruités et minéraux. Le raisin y est très présent. Un ensemble plaisant à déguster pendant un an avec du veau ou du cabri.

Gilles et Cécile Roux,
La Plaigne, 69430 Régnié-Durette,
tél. 04.74.04.80.86, fax 04.74.04.83.72,
e-mail gilles-cecile.roux@wanadoo.fr r.-v.

### DANIEL RAMPON 2004 *

■ 4 ha 9 000 5 à 8 €

Si la robe se montre un peu légère, les parfums fruités et floraux font preuve d'une belle intensité. Le palais riche révèle une matière intéressante aux tanins encore sensibles. Gouleyant mais laissant le souvenir d'une bonne structure, ce vin plaisant sera prêt dès l'automne.

Daniel Rampon,
Les Marcellins, 69910 Villié-Morgon,
tél. 04.74.69.11.02, fax 04.74.69.15.88
t.l.j. sf dim. 8h-12h 14h-17h30

### DOM. DE ROCHEMURE 2004

■ 15 ha 20 000 3 à 5 €

Implantées sur des sols de sable et d'argile, des vignes de soixante ans ont donné naissance à un vin fuchsia limpide, au nez très minéral, presque austère, égayé de quelques notes amyliques. Plein, intense et rond au palais, ce 2004 révèle cependant des tanins bien présents. Une bouteille prête à être débouchée à la fin de l'année 2005.

EARL Philippe Vermorel,
La Creuse, 69460 Le Perréon,
tél. 04.74.03.25.21, fax 04.74.03.26.56,
e-mail pvermorel@wanadoo.fr r.-v.

### DOM. DE SAINT-ENNEMOND 2004

■ 5,5 ha 30 000 5 à 8 €

Les amateurs de randonnée pourront séjourner dans l'une des trois chambres d'hôte (trois épis) du domaine pour arpenter la voie verte à pied, à bicyclette ou en roller. Ils goûteront sur place ce vin rouge limpide et brillant aux parfums très marqués de groseille et de framboise. Toujours fruité au palais mais un peu « pointu » et tannique en finale, ce 2004 gagnera à attendre un an. Il aimera épaule roulée et charcuterie.

Christian et Marie Béréziat,
Saint-Ennemond, 69220 Cercié-en-Beaujolais,
tél. 04.74.69.67.17, fax 04.74.69.67.29,
e-mail christian.bereziat@wanadoo.fr r.-v.

### CELLIER DES SAINT-ETIENNE 2004 *

■ n.c. 45 000 3 à 5 €

Créée en 1957, cette coopérative a obtenu une citation pour son **côte-de-brouilly 2004 (5 à 8 €)** et une étoile pour le **brouilly 2004 (5 à 8 €)** ainsi que pour ce joli beaujolais-villages à reflets violacés. Ses parfums complexes mêlent les fruits à noyau, le cassis et quelques notes amyliques. Net et charnu, équilibré et rond, un vin à ouvrir dans l'année.

Cellier des Saint-Etienne,
rue du Beaujolais, 69460 Saint-Etienne-des-Oullières,
tél. 04.74.03.41.77, fax 04.74.03.48.29,
e-mail cellier.st.etienne@terre-net.fr r.-v.

### CAVE DE SAINT-JULIEN 2004 *

■ n.c. 5 000 3 à 5 €

Fondée en 1988, la dernière-née des caves coopératives du Beaujolais vinifie 220 ha de vignes. Les beaujolais-villages ont été récemment remarqués par les jurys du Guide. Rubis foncé, celui-ci libère des parfums élégants de

fraise et de fruits rouges. Vif à l'attaque, souple, rond et aromatique, ce vin termine sur des impressions chaleureuses. Une bouteille équilibrée à servir dans l'année.
Cave coop. de Saint-Julien, 69640 Saint-Julien, tél. 04.74.67.57.46, fax 04.74.67.51.93, e-mail cavesaintjulien@free.fr r.-v.

### CH. SAINT-VINCENT 2004 ★★

■ 5,4 ha 40 000 3 à 5 €

Tout d'abord métayer, Rémy Crozier a racheté les vignes et les bâtiments d'exploitation de ce château restauré en 1890 dans un style romantique. D'un rubis soutenu, ce beaujolais-villages livre des parfums intenses de fruits rouges qui s'affirment en bouche. Sa palette complexe mêle des arômes fruités à des nuances minérales. Rond, équilibré et long, doté d'une belle charpente de tanins souples, ce vin sera apprécié pendant deux ans.
Rémy Crozier, Ch. Saint-Vincent, 69430 Quincié, tél. 04.74.04.39.59, fax 04.74.69.09.75

### CHRISTIAN ET MICHELE SAVOYE
Cuvée Prestige Sélection de Vieilles Vignes 2004

■ 1 ha 3 000 **3 à 5 €**

Constituée en 1991, l'exploitation s'étend sur 7 ha. Rouge foncé, sa cuvée Prestige est toute de fleurs, de fruits rouges (cerise) et d'épices. Après une attaque sur le fruit, la bouche finit sur des impressions austères. On attendra cette bouteille quelques mois avant de la déboucher sur un rôti ou du petit salé aux lentilles.
Christian Savoye, Les Combiers, 69820 Vauxrenard, tél. 04.74.69.91.60, fax 04.74.69.91.60, e-mail savoye.christian@wanadoo.fr r.-v.

### CH. TOUR GOYON 2004 ★

■ 12 ha 100 000 **5 à 8 €**

Rouge violet, cette sélection libère des parfums complexes et intenses de fruits rouges et noirs où dominent le cassis et la framboise. Ils accompagnent en bouche une chair ronde et friande d'une belle finesse et persistante. Ce 2004 bien structuré et élégant est prêt mais il pourra également rester en cave un à deux ans. Jugé également très réussi, le **saint-amour Réserve de la Closerie 2004** est à attendre au moins un an.
Collin-Bourisset Vins Fins, rue de la Gare, 71680 Crèches-sur-Saône, tél. 03.85.36.57.25, fax 03.85.37.15.38, e-mail france@collinbourisset.com r.-v.

# Brouilly et côte-de-brouilly

Le dernier samedi d'août, le vignoble retentit de chants et de musique ; les vendanges ne sont pas commencées et pourtant une nuée de marcheurs, panier de victuailles au bras, escaladent les 484 m de la colline de Brouilly, en direction du sommet où s'élève une chapelle près de laquelle seront offerts le pain, le vin et le sel. De là, les pèlerins découvrent le Beaujolais, le Mâconnais, la Dombes, le mont d'Or. Deux appellations sœurs se sont disputé la délimitation des terroirs environnants : brouilly et côte-de-brouilly.

Le vignoble de l'AOC côte-de-brouilly, installé sur les pentes du mont, repose sur des granites et des schistes très durs, vert-bleu, dénommés « cornes-vertes » ou diorites. Cette montagne serait un reliquat de l'activité volcanique du primaire, à défaut d'être, selon la légende, le résultat du déchargement de la hotte d'un géant ayant creusé la Saône... La production (18 025 hl pour 323 ha) est répartie sur quatre communes : Odenas, Saint-Lager, Cercié et Quincié. L'appellation brouilly, elle, ceinture la montagne en position de piémont sur 1 326 ha, et a produit 76 421 hl en 2004. Outre les communes déjà citées, elle déborde sur Saint-Etienne-la-Varenne et Charentay ; sur la commune de Cercié se trouve le terroir bien connu de la « Pisse-Vieille ».

## Brouilly

### DOM. DE BEL-AIR 2004

■ 6,65 ha 25 000 **5 à 8 €**

Tout d'abord salarié sur l'exploitation, Jean-Marc Lafont l'a reprise en métayage en 1991. D'un rouge soutenu à reflets violines, son brouilly livre de frais et fins parfums fruités mêlés de notes poivrées. L'attaque nette et franche met en valeur ses arômes de framboise et de fraise. Plaisant et structuré, ce 2004 devra attendre quelques mois. Du même domaine, le **beaujolais-villages rouge 2004** est également cité.
Jean-Marc Lafont, EARL Lafont, Dom. de Bel-Air, 69430 Lantignié, tél. 04.74.04.82.08, fax 04.74.04.89.33, e-mail lafont.jean-marc@wanadoo.fr r.-v.

### VIGNOBLE DE BEL AIR Cuvée Pur Sang 2003 ★

■ 0,9 ha 4 000 5 à 8 €

Le vignoble de Bel Air (12 ha) est le domaine familial de la maison Fessy qui possède également une affaire de négoce. De couleur violette, presque noire, sa cuvée Pur Sang libère des parfums concentrés de fruits sauvages et d'épices. Sa charpente tannique fortement marquée est associée à une chair aux arômes de noisette. Equilibré et fait pour la garde, ce 2003 sera apprécié dans un an avec un filet de bœuf marchand de vin ou du gibier en sauce.
SCI Vignoble de Bel-Air, 644, rte de Bel-Air, 69220 Saint-Jean-d'Ardières, tél. 04.74.66.00.16, e-mail vins.fessy@wanadoo.fr r.-v.
Henry et Serges Fessy

### PH. BEREZIAT 2004

■ 7 ha 5 000 **5 à 8 €**

Des vignes de quarante ans implantées sur des sols argilo-siliceux et sablonneux sont à l'origine de ce vin rubis limpide qui s'ouvre sur des nuances de fleurs et de fruits

rouges. Sa fine matière bien équilibrée, ses arômes persistants de framboise, nuancés en finale de litchi, confèrent à ce 2004 beaucoup d'élégance. Coq au vin ou volaille rôtie lui iront bien.
Philippe Béréziat, Brianté, 69220 Saint-Lager, tél. 04.74.66.89.86, fax 04.74.66.89.67, e-mail bereziatph@wanadoo.fr r.-v.

### DOM. DE BERGIRON 2004

■ 6 ha 3 000 5 à 8 €

Elevée dans des foudres de bois pendant six mois minimum, cette cuvée rouge moyen ne se livre pas d'emblée, mais ses parfums de cassis et de mûre sont bien nets. Puissante, charpentée, équilibrée et persistante, elle devra attendre.
Jean-Luc Laplace, Bergiron, 69220 Saint-Lager, tél. 04.74.66.88.42, fax 04.74.66.88.42 r.-v.

### DOM. BERTRAND 2003

■ 2,5 ha 5 000 5 à 8 €

Elevé pendant un an en cuve, ce vin rubis sombre mêle au nez d'harmonieuses notes de framboise, de fruits à noyau, des nuances épicées et une pointe végétale. Après une bonne attaque fraîche, la dégustation se poursuit sur des notes aromatiques caractéristiques du gamay. Sa charpente un peu fine invite à déboucher sans attendre cette agréable bouteille.
EARL Jean-Pierre et Maryse Bertrand, Bonnège, 69220 Charentay, tél. 04.74.66.85.96, fax 04.74.66.72.46 r.-v.

### CH. DE LA CHAIZE Réserve de la Marquise 2003

■ 0,84 ha 3 000 11 à 15 €

Avec son plan dessiné par Mansard et ses jardins tracés par Le Nôtre, le château de La Chaize est l'une des nobles demeures les plus célèbres de la région. Sa Réserve de la Marquise affiche une très belle robe rouge sombre aux reflets violets. Ses parfums fruités, de bonne intensité, s'accompagnent de notes boisées qui évoquent la barrique neuve. Ces impressions boisées se prolongent nettement en bouche sans écraser une chair puissante et structurée. Equilibré et bien typé, ce brouilly mérite d'attendre deux ans. Il accompagnera gibier, viande rouge et fromages de caractère.
Marquise de Roussy de Sales, Ch. de La Chaize, 69460 Odenas, tél. 04.74.03.41.05, fax 04.74.03.52.73, e-mail chateaudelachaize@wanadoo.fr r.-v.

### DOM. COMTE DE MONSPEY Cuvée Tradition 2004

■ 5,5 ha 15 000 5 à 8 €

Ce domaine d'un seul tenant en coteau est exploité par la même famille depuis quatre siècles. Elaboré dans un bel ensemble du XVIII[e]s. qui rassemble le cuvage et la cave, ce brouilly rouge clair aux reflets violines livre des parfums fruités assez intenses qui évoluent vers la confiture de fraises avec des nuances épicées (cardamome). Après une attaque étonnante de fraîcheur, la dégustation évolue sur des impressions tanniques un peu sévères. Un vin d'une puissance mesurée mais aromatique et bien équilibré.
Dom. Comte de Monspey, 69220 Charentay, tél. 04.74.66.83.55, fax 04.74.66.72.64, e-mail domaine.monspey@free.fr r.-v.
Gibert

### JEAN-CHARLES DUFOUR 2003 *

■ 5,15 ha 3 000 5 à 8 €

Issu de vignes d'une quarantaine d'années cultivées sur des sols granitiques, ce vin se pare d'une robe très sombre, violet tirant sur le noir, mais reste fermé au nez. Plus expressif en bouche, il révèle une matière charnue, charpentée et vineuse, et montre équilibre et longueur. Il pourra dès à présent accompagner une viande rouge.
Jean-Charles Dufour, rte de Polanche, 69220 Saint-Lager, tél. 04.74.66.81.79 r.-v.

### HENRY FESSY Cuvée Plateau de Bel-Air 2003 *

■ 2,5 ha 20 000 5 à 8 €

Cette maison familiale de négoce, fondée en 1888, a fort bien réussi cette cuvée de brouilly. D'un beau grenat sombre et intense, ce 2003 exprime des parfums puissants de fruits noirs et rouges très mûrs avec des notes de kirsch et d'épices, qui se prolongent au palais. Tout aussi puissante, franche, ample et onctueuse, la bouche recèle encore des tanins vigoureux mais bien enrobés. Une bouteille harmonieuse à attendre un an. Souple et flatteur, prêt, le **moulin-à-vent La Coudrière 2003** obtient la même note.
Vins Henry Fessy, 644, rte de Bel-Air, 69220 Saint-Jean-d'Ardières, tél. 04.74.66.00.16, fax 04.74.69.61.67, e-mail vins.fessy@wanadoo.fr r.-v.
Henry et Serges Fessy

### DOM. GEOFFRAY 2004

■ 8,5 ha 26 000 5 à 8 €

Cette métairie du château de Saint-Lager a élaboré un brouilly rouge profond limpide, au nez de cassis et de fraise. Ample en bouche, assez long, ce vin conserve un bon équilibre malgré des tanins encore sensibles. On l'attendra un an ou deux.
Denis Geoffray, 69220 Saint-Lager, tél. 04.74.66.26.10, fax 04.74.69.60.66

### DOM. DE GORGE-DE-LOUP 2004 *

■ 1,2 ha 6 000 5 à 8 €

Acquise en 1937, la propriété était déjà exploitée par les arrière-grands-parents de Thierry Thiot dans les années 1900. Née de vignes de soixante ans, cette cuvée rouge clair à reflets roses livre des parfums intenses de cassis et de griotte. La bouche ample aux tanins bien fondus est imprégnée de nuances épicées et persiste longuement. Une bouteille prête mais qui peut attendre. Le **beaujolais rouge 2004 (3 à 5 €)** du domaine a été cité ; il est plaisant dès maintenant.
Thierry Thiot, Gorge-de-Loup, 69220 Saint-Lager, tél. 04.74.66.86.53, fax 04.74.66.86.53, e-mail thierry.thiot@free.fr r.-v.

### DOM. DE LA GRAND'COUR Vieilles Vignes Elevé en fût de chêne 2003 *

■ 0,3 ha 2 000 5 à 8 €

Le domaine a été acheté en 1969 par Jean Dutraive, bien connu dans le milieu viticole. Son fils Jean-Louis en est à la tête depuis 1989. Rouge franc montrant quelques reflets tuilés, ce 2003 livre des parfums soutenus et complexes de fraise, de violette, assortis de touches minérales et grillées. Après une belle attaque aromatique fruitée et florale, la bouche évolue sur des impressions concentrées et élégantes aux accents boisés agréables. Très bien structuré et long, ce vin sera apprécié pendant les deux prochaines années.

🗝 SCEA Jean-Louis Dutraive,
La Grand'Cour, 69820 Fleurie,
tél. 04.74.69.81.16, fax 04.74.69.84.16 r.-v.

## HOSPICES DE BELLEVILLE
Cuvée Claudine Thévenot 2004

| | 4,3 ha | 18 000 | | 5 à 8 € |
|---|---|---|---|---|

D'un rouge sombre bien brillant, ce brouilly exprime des senteurs exubérantes de fraise, de framboise et de cassis. Nette à l'attaque, riche, la bouche est totalement imprégnée de ces arômes de cassis, très mûrs, voire en confiture. Des tanins un peu austères marquent la finale mais devraient se fondre pour la sortie du Guide.

🗝 Hôpital de Belleville,
rue Martinière, 69220 Belleville-sur-Saône,
tél. 04.74.69.09.18, fax 04.74.69.09.75

## LE JARDIN DES RAVATYS 2003 **

| | 7 ha | 10 000 | | 8 à 11 € |
|---|---|---|---|---|

Fondé en 1864 par un entrepreneur, ce domaine a été légué à l'Institut Pasteur en 1937. De nombreuses manifestations y sont organisées, dont le Concours des chardonnay du Monde, mais c'est du bon brouilly (ou côte-de-brouilly) que l'on tire de ses 33 ha de vignes. Voyez ce 2003 : sa magnifique robe rouge soutenu, son nez intense, expression mêlant groseille, framboise et une touche de noyau de cerise sont de bon augure. La bouche n'est pas en reste, puissante, équilibrée, fruitée et persistante. Bien représentatif de l'appellation, ce vin sera apprécié pendant deux ou trois ans. Quant au **côte-de-brouilly cuvée Mathilde Courbe 2003**, son fruité, ses tanins soyeux et sa longueur lui valent aussi deux étoiles. Il offre les mêmes perspectives de garde. A acheter d'urgence pour le plaisir mais aussi pour contribuer à la recherche médicale.

🗝 Institut Pasteur, Ch. des Ravatys,
69220 Saint-Lager, tél. 04.74.66.80.35,
fax 04.74.69.61.38, e-mail info@chateaudesravatys.com
t.l.j. 9h-12h 14h30-18h; sam. dim. sur r.-v.; f. août

## ANNE-MARIE JUILLARD 2004

| | 1,35 ha | 5 000 | | 5 à 8 € |
|---|---|---|---|---|

Transmise de génération en génération depuis 1880, cette propriété a proposé une cuvée rouge profond au nez discrètement fruité. Assez réservée elle aussi, mais nette, riche et vineuse, la bouche révèle un bon potentiel. A attendre un à deux ans.

🗝 Anne-Marie Juillard, Traversée de Bergeron,
rte Beaujeu-Bergeron, 69220 Saint-Lager,
tél. 04.74.66.82.28, fax 04.74.66.53.68,
e-mail juillard.domi@wanadoo.fr r.-v.

## LA MARGOT 2004 *

| | n.c. | 70 000 | | 5 à 8 € |
|---|---|---|---|---|

Créée en 1993, cette maison de négoce familiale a sélectionné un brouilly pourpre aux reflets violets. Le nez discret évoque les fleurs, les fruits rouges et le raisin. L'attaque fraîche et fruitée est relayée par une chair souple et ronde. Facile à boire, typée et pleine de jeunesse, cette bouteille est à déboucher dans les deux ans. Elle s'accordera avec du bœuf braisé.

🗝 Daniel Fauvette Vins, 5, av. Léon-Foillard,
69830 Saint-Georges-de-Reneins, tél. 04.74.67.73.74,
fax 04.74.67.70.24, e-mail dfauvettevins@aol.com
🗝 Les Vignerons du vieux tinailler

## LAURENT MARTRAY Corentin 2003 **

| | 1 ha | 2 500 | | 8 à 11 € |
|---|---|---|---|---|

Laurent Martray s'est installé en 2002 et a montré d'emblée son savoir-faire. Baptisée du nom de son fils, la cuvée Corentin est née des plus vieux ceps du vignoble (soixante ans) et a séjourné huit mois en barrique de deux vins. Sa couleur intense aux reflets rouge vif fait bonne impression, tout comme le nez aux nuances de cassis et de chêne. Très équilibrée et structurée, dotée d'une matière bien présente mais plutôt ronde, soutenue par un agréable boisé et développant des arômes de fruits rouges mûrs, la bouche est unanimement appréciée. Harmonieux tout au long de la dégustation, ce vin pourra accompagner pendant les trois prochaines années une viande rouge ou du gibier en sauce. Quant au **côte-de-brouilly 2003 Les Feuillées (5 à 8 €)**, il a été cité.

🗝 Laurent Martray, Combiaty, 69460 Odenas,
tél. 04.74.03.51.03, fax 04.74.03.50.92,
e-mail laurent.martray@wanadoo.fr r.-v.

## ALAIN MICHAUD 2003

| | n.c. | 5 000 | | 5 à 8 € |
|---|---|---|---|---|

L'exploitation a été créée en 1910 par le grand-père d'Alain Michaud. Elle s'étend aujourd'hui sur 12 ha. Des vignes cinquantenaires sont à l'origine de ce 2003 rouge profond, qui révèle peu à peu des notes fruitées. Après une bonne attaque, des tanins encore mal assagis mais agréables marquent le palais. Un peu léger mais long et bien fait, ce brouilly est pour cet hiver.

🗝 EARL Alain Michaud, Beauvoir,
Cidex 1145, 69220 Saint-Lager,
tél. 04.74.66.84.29, fax 04.74.66.71.91,
e-mail alain.michaud17@wanadoo.fr r.-v.

## DOM. DU MOULIN FAVRE
Cuvée Vieilles Vignes 2004

| | 10 ha | 40 000 | | 5 à 8 € |
|---|---|---|---|---|

Provenant de vignes de cinquante ans, ce brouilly d'un rouge soutenu et brillant libère d'élégants parfums de cassis associés à une note florale. Ample et solide, la bouche surprend par une légère touche de fumé. Cette bouteille assez harmonieuse accompagnera pendant deux à trois ans un rôti de veau ou une rouelle de porc. Le **chiroubles Cuvée Vieilles Vignes 2004** du domaine a été également cité.

🗝 Armand Vernus, le Vieux-Bourg, 69460 Odenas,
tél. 04.74.03.40.63, fax 04.74.03.40.76,
e-mail moulin-favre@wanadoo.fr r.-v.

## DOM. DES NAZINS 2003 **

| | n.c. | 8 000 | | 5 à 8 € |
|---|---|---|---|---|

Installée dans le village de Saint-Lager depuis plus de quatre siècles, la famille Brac de La Perrière a acquis ce domaine au XIX^e s. Elle exploite aujourd'hui 12 ha de vignes. Rouge violacé, son brouilly livre de beaux et fins parfums de cassis et de petits fruits rouges. Si les tanins paraissent un peu fermes en attaque, le milieu de bouche se montre équilibré et souple, agrémenté de nuances épicées. Complexe et harmonieux, ce vin accompagnera pendant deux ans une viande rouge ou du gibier en sauce.

🗝 Loïc Brac de La Perrière,
Les Nazins, 69220 Saint-Lager,
tél. 04.74.66.82.82, fax 04.74.66.72.05 r.-v.
🗝 GFA des Nazins

DOM. DE PONCHON Pissevieille 2004 *

■ 1,5 ha 3 000 5 à 8 €

La cinquième génération est à la tête de cette propriété familiale qui s'étend sur 14 ha. Elle a tiré de ceps âgés de plus d'un demi-siècle cette cuvée au nom légendaire. D'un très beau rouge profond, ce brouilly n'est pas avare de ses parfums de fruits rouges qui se prolongent en bouche avec des nuances d'épices. Bien charpenté, assez rond et long, ce vin de bonne facture est à attendre un à deux ans. Quant au **régnié 2004 (3 à 5 €)** du domaine, il a été cité.

Yves Durand, Ponchon, 69430 Régnié-Durette, tél. 04.74.04.34.78, fax 04.74.04.34.78, e-mail yves.durand1@club-internet.fr r.-v.

DOM. ROLLAND-SIGAUX 2004

■ 5 ha 10 000 **5 à 8 €**

On peut encore admirer dans le cuvage de cet ancien domaine un pressoir Ecureuil en bon état. D'un rouge limpide, son brouilly a été élaboré avec un matériel plus moderne. Ses parfums fruités, assez discrets, se prolongent dans un palais marqué par de jeunes tanins. Bien faite et plaisante, cette bouteille pourra accompagner dès l'automne une volaille rôtie.

Dom. Rolland-Sigaux, Aux Sigaux, 69460 Odenas, tél. 04.74.03.42.23, fax 04.74.03.48.41 t.l.j. sf dim. 8h-20h

DOM. DE TANTE ALICE 2004

■ 1,24 ha 5 000 **5 à 8 €**

Souvent mentionnée dans le Guide, cette propriété a été citée pour son **beaujolais rouge 2004 (3 à 5 €)** comme pour ce brouilly clair et limpide. Agréablement parfumé de nuances fruitées (framboise), ce vin plaisant révèle une structure plutôt légère qui incite à le découvrir dès à présent.

Jean-Paul Peyrard, SCEA Dom. de Tante Alice, La Pilonnière, 69220 Saint-Lager, tél. 04.74.66.89.33, fax 04.74.66.86.20, e-mail peyrard.jean-paul@wanadoo.fr r.-v.

ROBERT VALLETTE 2004

■ 3 ha 6 000 **5 à 8 €**

Des vignes de soixante-dix ans cultivées sur des sols de schistes et de granit ont donné ce vin rubis foncé brillant aux subtils parfums de cerise, de violette et de bonbon anglais. Charnu et frais, le palais révèle des arômes de cassis assortis d'une touche végétale. Un vin sympathique, à boire dans l'année.

Robert Vallette, Les Grandes Bruyères, 69220 Cercié-en-Beaujolais, tél. 04.74.66.84.07, fax 04.74.66.84.07 r.-v.

# Côte-de-brouilly

DOM. BARON DE L'ECLUSE 2003 **

■ 4,97 ha 7 000 **11 à 15 €**

Rattaché jusqu'en 1980 au château Thivin, ce domaine implanté au flanc d'une colline est devenu un lieu de loisir et de culture grâce à ses propriétaires, les Gajowka, qui ont aménagé un vaste gîte dans les bâtiments d'habi-

tation et inauguré, en 2004, un petit théâtre de plein air pour y donner des concerts. Le vin n'est pas oublié pour autant : voyez ce côte-de-brouilly élu coup de cœur. Sa robe rouge sombre presque noire, son fruité concentré sont de bon augure. En continuité avec le nez, la bouche révèle des tanins soyeux et des notes de kirsch et de prune cuite. Riche et prometteur, ce 2003 n'a pas encore atteint son apogée. On le dégustera pendant deux à trois ans avec un gigot d'agneau ou du bœuf braisé.

SCI Baron de l'Ecluse, Le Sigaud, 69460 Saint-Etienne-la-Varenne, tél. 04.74.03.40.29, fax 04.74.03.42.95, e-mail vinbaron@aol.com r.-v.

CAVES DES VIGNERONS DE BEL AIR Veillée 2004

■ n.c. 80 000 **5 à 8 €**

Constituée en 1929 par quelques vignerons, cette coopérative vinifie aujourd'hui les récoltes de 544 ha. Elle est régulièrement mentionnée dans le Guide. De couleur rubis soutenu, sa cuvée Veillée livre des parfums de fruits bien mûrs, voire compotés. Fraîche, de texture plutôt fine, elle révèle de jeunes tanins qui devront s'assagir mais qui ne nuisent pas à son équilibre. On la boira dès cet automne, avec une assiette charcutière ou une carpe au vin, par exemple.

Cave des Vignerons de Bel-Air, rte de Beaujeu, 69220 Saint-Jean-d'Ardières, tél. 04.74.06.16.05, fax 04.74.06.16.09, e-mail cvba@cave-belair.com t.l.j. sf dim. 9h-12h 14h-18h

DOM. REGIS CHAMPIER Extrait de terroir 2003

■ 4 ha 5 000 **8 à 11 €**

Métayers de père en fils depuis 1896, les Champier ont élevé dix mois en cuve un côte-de-brouilly pourpre intense aux parfums expressifs et complexes de fruits secs et de confiture. Ces arômes se retrouvent dans une bouche soutenue par une trame tannique qui commence à s'arrondir. Une bouteille à boire pendant deux ans avec une viande blanche rôtie ou du petit gibier. Le **brouilly 2004 Paul Champier (5 à 8 €)** a obtenu la même note.

GAEC Paul Champier, Les Sigaux, 69460 Odenas, tél. 04.74.03.42.23, fax 04.74.03.48.41, e-mail paulchampier@terre-net.fr t.l.j. sf dim. 8h-20h

DOM. DU CHEMIN DE RONDE 2004 *

■ 3,5 ha 9 000 5 à 8 €

Les locaux de ce domaine au nom moyenâgeux sont modernes et vastes (ils peuvent accueillir une soixantaine de personnes). En revanche, les ceps à l'origine de cette cuvée sont très vieux. Ils ont donné naissance à un vin de couleur profonde aux reflets violets et aux agréables parfums de fruits rouges bien mûrs, avec des notes de kirsch. Ample, puissant et long, ce 2004 révèle en milieu de bouche une minéralité typique. Cette bouteille harmonieuse pourra être débouchée dès cet automne pour accompagner des grillades.

Joëlle Monteil,
70, Grande-Rue, 69220 Cercié-en-Beaujolais,
tél. 04.74.66.80.50, fax 04.74.66.70.91,
e-mail gerardmonteil@terre-net.fr r.-v.

### DOM. CHEVALIER METRAT 2003

■ 2 ha 10 000 5 à 8 €

Sur les quelque 8 ha que compte le vignoble, situé sur le flanc sud du mont Brouilly, 2 sont consacrés au côte-de-brouilly. Des ceps vieux d'un demi-siècle ont donné naissance à ce vin grenat intense, qui s'ouvre sur des notes de fleurs, de fruits à noyau et de fruits secs. Assez ample, fruitée, la bouche révèle des tanins qui commencent à s'arrondir et finit sur des nuances de pêche. A servir au cours des deux prochaines années avec une volaille rôtie.

Sylvain Métrat, Le Roux, 69460 Odenas,
tél. 04.74.03.50.33, fax 04.74.03.37.24 r.-v.

### DOM. DE CONROY 2003 *

■ 7,76 ha 11 000 5 à 8 €

Les Saint-Charles sont à la tête d'un vaste vignoble : 43 ha. Des ceps d'une quarantaine d'années plantés sur des sols granitiques sont à l'origine de ce 2003 dont la robe rouge franc montre quelques reflets tuilés. Les parfums fruités accompagnés d'une nuance de kirsch se prolongent dans une bouche ample, agrémentée d'arômes de fruits noirs. De bonne facture, harmonieux et tout en finesse, ce vin est à boire dans les deux ans avec une viande blanche.

SCE Dom. Saint-Charles,
Le Bluizard, 69460 Saint-Etienne-la-Varenne,
tél. 04.74.03.30.90, fax 04.74.03.30.80,
e-mail saint-charles@sofradi.com r.-v.
Jean de Saint-Charles

### DOM. DU CRET DES GARANCHES 2004

■ 0,7 ha 5 000 5 à 8 €

Créé en 1955, ce domaine familial a été repris en 2002 par Sylvie Dufaitre-Genin, qui propose un côte-de-brouilly rouge sombre et brillant, discret au nez. Des arômes de framboise se font jour dans un palais encore austère. Honorable représentant de son appellation, ce 2004 demande un peu de temps pour s'affiner.

Sylvie Dufaitre-Genin,
Crêt des Garanches, 69460 Odenas,
tél. 04.74.03.41.46, fax 04.74.03.51.65 r.-v.

### VALERIE ET PASCAL DALAIS 2003 **

■ 0,5 ha 3 500 5 à 8 €

L'exploitation a été créée en 1994, mais elle possède des parcelles de vieilles vignes comme celle qui est à l'origine de ce côte-de-brouilly : les ceps y ont soixante-dix ans. Grenat foncé, ce 2003 séduit par ses parfums expressifs de fruits rouges bien mûrs et de gelée de mûre. L'attaque charnue est relayée par une bouche ronde aux tanins souples et d'une belle fraîcheur. Les arômes fruités accompagnés d'une pointe de minéralité persistent longuement. Ce vin d'une superbe élégance est passé près du coup de cœur. Les impatients pourront déjà le déguster, mais il tiendra deux à trois ans. Plein d'atouts lui aussi, le **beaujolais-villages rouge 2004** du domaine a obtenu une étoile.

Valérie et Pascal Dalais,
La Grand-Raie, 69220 Saint-Lager,
tél. 04.74.66.75.37, fax 04.74.66.75.77 r.-v.

### JULIEN DUPORT

Elevé et vieilli en fût de chêne 2003 ***

■ 0,75 ha 1 500 8 à 11 €

B.T.S. viticulture-œnologie en poche, Julien Duport prend, en 2003, la tête du domaine exploité par sa famille depuis 1916. Rubis très intense aux reflets violets, son premier millésime fait sensation. Ses parfums épicés et chauds qui évoquent la pierre bleue ensoleillée s'associent à des notes vanillées et boisées, fruits d'un élevage d'un an dans le chêne. Ce boisé bien fondu accompagne une bouche ample, généreuse, charpentée et persistante. « Toute la côte de Brouilly est dans ce vin », conclut un dégustateur. Cette bouteille, qui a manqué de peu le coup de cœur, pourra être appréciée pendant deux à trois ans. On la servira avec une viande rouge en sauce, une daube...

Julien Duport,
Brouilly, 69460 Odenas, tél. 04.74.03.44.13,
e-mail jul.duport@wanadoo.fr r.-v.
Mlles Monod

### DOM. DES FOURNELLES 2004

■ 9,5 ha 25 000 8 à 11 €

Une solide maison de 1860 bâtie en pierre bleue de Brouilly, entourée de 10,5 ha de vignes, voilà le domaine des Fournelles. Rubis à reflets violacés, son côte-de-brouilly mêle des notes de fruits rouges bien mûrs à des nuances épicées chaleureuses. Après une attaque assez vive aux accents minéraux du terroir, la bouche montre une structure plutôt légère. Une bouteille à déboucher dès l'automne et à servir avec des grillades ou une assiette de charcuterie.

Alain Bernillon,
216, montée de Godefroy, 69220 Saint-Lager,
tél. 04.74.66.81.68, fax 04.74.66.70.76,
e-mail alain.bernillon@libertysurf.fr r.-v.

### DOM. FRANCHET 2003

■ 4,1 ha 4 500 5 à 8 €

Le 2001 fut coup de cœur dans l'édition 2004. Il a été élaboré par des vignerons installés en 1994 sur le domaine familial, propriété qu'ils ont portée par agrandissements successifs à près de 7 ha. Et le millésime de la canicule ? Vendanges le 18 août, fermentation sans levurage, macération de dix jours, élevage de huit mois en cuve. Cela donne un vin d'un rouge sombre brillant, dont le premier nez, discret, ne laisse percer que des notes de sous-bois et des nuances végétales. Le fruité, dominé par le cassis, s'affirme dans une bouche extrêmement puissante et plutôt austère. Il faut laisser à cette bouteille le temps de s'affiner.

Agnès et Franck Tavian,
1130, rte des Gilets, 69220 Saint-Lager,
tél. 04.74.69.02.26, fax 04.74.66.85.42,
e-mail franck.tavian@wanadoo.fr r.-v.

### CH. DU GRAND VERNAY 2003 *

■ 2,75 ha 18 000 5 à 8 €

Avec son grand toit d'ardoise, son perron cossu et ses trois tourelles d'angle, le château du Grand Vernay, construit en 1850, est typique du Second Empire. Il commande un domaine viticole (12 ha aujourd'hui), exploité depuis 1950 par la famille Geoffray, qui signe ce 2003 à l'approche pleine d'attraits. D'un rouge soutenu et

limpide, ce vin exprime d'intenses parfums fruités de belle qualité. La bouche est un peu en retrait, d'une puissance mesurée, mais elle reste bien constituée. Ce côte-de-brouilly franc et bien fait est à déboucher dès maintenant.
EARL Claude Geoffray,
Ch. du Grand Vernay, 69220 Charentay,
tél. 04.74.03.46.20, fax 04.74.03.47.46,
e-mail chateau.grand.vernay@wanadoo.fr r.-v.

## DOM. DU GRIFFON 2004

■ 6 ha 20 000 5 à 8 €

Constituée par l'achat de différents métayages, cette propriété compte 12 ha de vignes. Elle signe un vin rubis soutenu, qui associe au nez d'intenses parfums de fruits rouges (groseille) à une pointe minérale. D'une belle fraîcheur au palais, avec des arômes de jeunesse, ce 2004 est franc et agréable. Il ne lui a manqué qu'un peu de longueur pour avoir une étoile. On conseille de le boire au cours des deux prochaines années.
Jean-Paul et Guillemette Vincent,
391, rte des Brouilly, 69220 Saint-Lager,
tél. 04.74.66.85.06, fax 04.74.66.73.18
t.l.j. 10h-18h

## DOM. ROBERT PERROUD

La Fournaise du Pérou Vieilles Vignes 2004 ★★

■ 0,5 ha 3 000 8 à 11 €

Depuis 1989, Robert Perroud cultive les vignes sur les sols volcaniques ou granitiques de son domaine, ainsi que les bons mots sur ses étiquettes. Un soleil de plomb écrase-t-il la troupe des vendangeurs à l'automne 2000 ? Il baptise une cuvée La Fournaise du Pérou... Intense à l'œil comme au nez, brillant dans le verre, bien fruité, le millésime 2004 développe en bouche une belle puissance. Sa rondeur, ses arômes de framboise et sa longue finale le rendent très harmonieux. Certains dégustateurs lui auraient bien donné un coup de cœur. On peut déjà le savourer, mais il vivra trois ou quatre ans. Le **brouilly L'Enfer des Balloquets Vieilles Vignes 2004** ? Une citation.
Robert Perroud, Les Balloquets, 69460 Odenas,
tél. 04.74.04.35.63, fax 04.74.04.32.46,
e-mail robertperroud@wanadoo.fr r.-v.

## DOM. DE LA POYEBADE 2004

■ n.c. 6 000 5 à 8 €

Située à 500 m de la chapelle du mont Brouilly, cette exploitation familiale, conduite par Marc Duvernay depuis 1987, s'étend sur 10 ha. Elle signe un 2004 grenat limpide, aux intenses parfums de fleurs et d'épices. Franche et fruitée, l'attaque est un joli préambule à une bouche bien construite, équilibrée et persistante, dont les tanins commencent à s'arrondir. Une bouteille à boire dans les deux ans avec du gibier à plume.
Marc Duvernay, La Poyebade, 69460 Odenas,
tél. 04.74.03.51.55, fax 04.74.03.58.82 r.-v.

## CAVE BEAUJOLAISE DE QUINCIE 2003 ★★★

■ n.c. n.c. 5 à 8 €

En 1928, au moment de sa création, la cave de Quincié regroupait 90 ha. Aujourd'hui ce sont les récoltes de 750 ha qui sont vinifiées par la coopérative. Bernard Pivot figure au nombre de ses adhérents. Régulièrement mentionné dans le Guide, l'établissement se distingue cette année grâce à ce côte-de-brouilly de toute beauté. D'un rouge profond, ce 2003 livre d'intenses et frais parfums de fruits noirs très mûrs qui se prolongent en bouche. Ample, rond et puissant, c'est un vin superbe d'harmonie et typique de son millésime, qui a été candidat au coup de cœur. On l'appréciera durant les trois prochaines années.
Cave beaujolaise de Quincié,
Le Ribouillon, 69430 Quincié-en-Beaujolais,
tél. 04.74.04.32.54, fax 04.74.69.01.30,
e-mail cavedequincie@terre-net.fr r.-v.

## DOM. RUET 2003 ★★

■ 1,15 ha 7 000 5 à 8 €

L'étiquette de ce domaine a été reproduite dans la première édition du Guide (un brouilly 84). Elle s'est modernisée depuis. Deux autres coups de cœur ont été décrochés dans la décennie suivante (toujours en brouilly, 98 et 99). Le domaine, dans la famille depuis 1926, reste fidèle au rendez-vous du Guide. Il brille cette année grâce à ce côte-de-brouilly à la superbe robe rouge soutenu et aux parfums de fruits rouges très mûrs. En bouche, ce vin garde son côté aromatique, avec des notes de cerise et une finale complexe mêlant le cassis et la mûre. Fort bien structuré, harmonieux, charnu et puissant, il est représentatif du millésime. Une excellente bouteille à déboucher dès cet automne. Agréable et souple, le **brouilly Voujon 2004** (une étoile) est prêt à boire, lui aussi.
Dom. Jean-Paul Ruet, Voujon,
69220 Cercié-en-Beaujolais, tél. 04.74.66.85.00,
fax 04.74.66.89.64, e-mail ruet.beaujolais@wanadoo.fr
t.l.j. sf dim. 8h-12h 14h-19h

## DOM. DU SANCILLON 2003 ★

■ 1,27 ha 3 600 5 à 8 €

Des vignes de quarante-cinq ans, cultivées sur des sols granitiques et des roches roses, sont à l'origine de cette cuvée grenat intense élevée pendant six mois en cuve. Ses parfums fruités qui évoquent la confiture et le pruneau sont associés à une chair puissante et ronde, caractéristique du millésime. D'une bonne longueur, ce côte-de-brouilly sera apprécié au cours des trois prochaines années.
Mme Charles Champier,
Le Moulin Favre, 69460 Odenas,
tél. 04.74.03.42.18, fax 04.74.03.30.62 r.-v.
Dom. Rolland

## DOM. DU SOULIER 2004 ★

■ 5 ha 3 000 5 à 8 €

Situé sur le flanc sud de la colline de Brouilly, le domaine du Soulier s'étend sur 10 ha. Le jury a cité son **brouilly 2004** et donné une étoile à ce côte-de-brouilly élevé en fût. Rubis vif, ce vin exprime un boisé agréable tant au nez qu'en bouche. Au palais, il est plein de mâche, bien équilibré et révèle un certain potentiel de garde. On pourra l'apprécier deux à trois ans.
Dom. du Soulier, Côte de Brouilly, 69460 Odenas,
tél. 04.74.03.49.01, fax 04.74.03.49.01,
e-mail djulhiet@domainedusoulier.com r.-v.

## CH. THIVIN Cuvée Zaccharie Geoffray 2003 ★

■ 3 ha 5 800 11 à 15 €

Une propriété cédée au Moyen Age aux chanoines de Belleville, puis terre noble jusqu'à la Révolution, vendue comme bien national et achetée par un certain M. Thivind, avocat au Parlement, qui lui lègue son nom : ce domaine est riche d'une longue histoire. En 1877, en pleine crise phylloxérique, un fermier des environs de Villefranche en acquiert une partie : ce Zaccharie, ancêtre avisé des

Geoffray, méritait bien qu'on lui dédiât une cuvée. Rouge brillant dans le verre, ce 2003 mêle au nez les fleurs, les fruits mûrs, les fruits secs et des notes vanillées. Rond, structuré, puissant, harmonieux et long, il montre un côté boisé, produit par un élevage de neuf mois en fût, mais le chêne bien marié laisse parler le fruit.
Claude Geoffray, Ch. Thivin, 69460 Odenas, tél. 04.74.03.47.53, fax 04.74.03.52.87, e-mail geoffray@chateau-thivin.com
t.l.j. sf dim. 10h-12h30 14h-19h

FREDERIC TRICHARD 2003

| | 0,85 ha | 6 000 | | 5 à 8 € |
|---|---|---|---|---|

Conduit par Frédéric Trichard depuis 1989, ce domaine dispose de 14 ha de vignes. Des ceps de cinquante ans implantés sur des sols granitiques ont donné naissance à cette cuvée rouge profond aux nuances violines. Concentrée au nez, elle mêle la cerise, la prune cuite et des notes végétales qui évoquent le sous-bois. Des tanins font sentir leur présence à travers une chair agréable, plutôt vive pour le millésime. D'une bonne harmonie, ce côte-de-brouilly est à boire durant les deux prochaines années.
EARL Frédéric Trichard, 253, rte des Nazins, 69220 Saint-Lager, tél. 04.74.66.89.22, fax 04.74.66.73.61, e-mail fredtrichard@aol.com
t.l.j. sf dim. 7h30-12h 13h30-19h30

ROBERT VERGER L'Ecluse 2003

| | 9 ha | 10 000 | | 5 à 8 € |
|---|---|---|---|---|

Ce domaine s'étend sur 10 ha, avec des vignes exposées au sud et au sud-ouest. Son côte-de-brouilly représente une partie non négligeable de sa production. D'un rubis soutenu, il évoque au nez une salade de fruits rouges parfumée au kirsch. Puissante, soutenue par des tanins encore sévères, la bouche possède une minéralité typique de la « côte ». On boira ce vin dès maintenant avec grillades et viandes rouges.
Robert Verger, L'Ecluse, 69220 Saint-Lager, tél. 04.74.66.82.09, fax 04.74.66.71.31 r.-v.

BERNADETTE ET GILLES VINCENT 2004 *

| | 1 ha | 4 000 | | 5 à 8 € |
|---|---|---|---|---|

Gilles et Bernadette Vincent sont installés depuis 1989 sur le domaine constitué dans les années 1940 ; Stéphane, en formation aux métiers de la vigne et du vin à la Maison familiale de Charentay, se prépare à prendre la relève. Grenat profond, le côte-de-brouilly de la propriété s'ouvre sur des parfums prononcés de fruits rouges, que l'on retrouve en bouche. Riche, rond et puissant, ce vin harmonieux pourra être apprécié dès cet automne.
Bernadette et Gilles Vincent, 2, rte de la Charrière, 69220 Saint-Lager, tél. 04.74.66.82.05, fax 04.74.66.82.05 r.-v.

GEORGES VIORNERY 2004 **

| | 1,9 ha | 6 000 | | 5 à 8 € |
|---|---|---|---|---|

A la tête de l'exploitation depuis sa création en 1972, Georges Viornery exploite 7,15 ha de vignes. Ses vins sont une fois de plus distingués dans le Guide : le **brouilly 2004**, qui représente la plus grande partie de sa production, est cité, et ce côte-de-brouilly couvert d'éloges, puisqu'il a figuré parmi les candidats au coup de cœur. D'un grenat soutenu, ce vin libère d'intenses parfums de fruits rouges mûrs, voire confiturés, aux nuances de framboise. Frais, charnu, ample, harmonieux et persistant au palais, doté de tanins souples, il en impose par sa puissance. On le dégustera au cours des trois prochaines années.
Georges Viornery, Brouilly, 69460 Odenas, tél. 04.74.03.41.44, fax 04.74.03.41.44 r.-v.

# Chénas

La légende raconte que ce lieu était autrefois couvert d'une immense forêt de chênes, et qu'un bûcheron, constatant le développement de la vigne plantée naturellement par quelque oiseau, à n'en pas douter divin, se mit en devoir de défricher pour introduire la noble plante ; celle-là même qui aujourd'hui s'appelle gamay noir.

L'une des plus petites appellations du Beaujolais, couvrant 267 ha aux confins du Rhône et de la Saône-et-Loire, a donné, en 2004, 14 627 hl récoltés sur les communes de Chénas et de La Chapelle-de-Guinchay. Les chénas produits sur les terrains pentus et granitiques à l'ouest sont colorés, puissants, mais sans agressivité excessive, exprimant des arômes floraux à base de rose et de violette ; ils rappellent ceux du moulin-à-vent qui occupe la plus grande partie des terroirs de la commune. Les chénas issus de vignes du secteur plus limoneux et moins accidenté de l'est présentent une charpente plus ténue. Cette appellation, qui, sans pour autant démériter, fait figure de parent pauvre par rapport aux autres crus du Beaujolais, souffre de la petitesse de son potentiel de production. La cave coopérative du château vinifie 45 % de l'appellation et offre une belle perspective de fûts de chêne sous ses voûtes datant du XVII^e s.

DOM. PASCAL AUFRANC Vigne de 1939 2004

| | 4,5 ha | 6 000 | | 5 à 8 € |
|---|---|---|---|---|

Vinifiée séparément depuis 1999, cette vigne âgée de soixante-cinq ans a donné un 2004 vif et brillant aux parfums légers de fruits et d'épices que l'on retrouve en bouche. Ce vin assez simple est à boire dès l'automne.
Pascal Aufranc, En Rémont, 69840 Chénas, tél. 04.74.04.47.95, fax 04.74.04.47.95 r.-v.

DOM. DES BRUREAUX 2003 *

| | 2,5 ha | 9 000 | | 5 à 8 € |
|---|---|---|---|---|

Son atavisme vigneron prédisposait Nathalie Fauvin à reprendre, en 2001, le domaine créé en 1961 par son grand-père. Tout en exploitant ses 5,6 ha, elle a ouvert à Chénas une auberge de spécialités beaujolaises où ce vin grenat intense aux parfums de fruits mûrs, voire confits, et de raisins secs sera à l'honneur. Le beau potentiel du millésime se manifeste dans une chair puissante et aromatique et des tanins encore un rien austères. Ce 2003 peut attendre un à deux ans.

Nathalie Fauvin, Les Gandelins, 71570 La Chapelle-de-Guinchay, tél. 04.74.06.76.31, fax 03.85.36.59.50, e-mail bureaux@wanadoo.fr ☑ Ɪ ⁂ t.l.j. 11h-19h

### DOM. DE CHANTE-GRILLE

Elevé en fût de chêne 2003 ★★

■ 9 ha 5 000 ⦀ 8 à 11 €

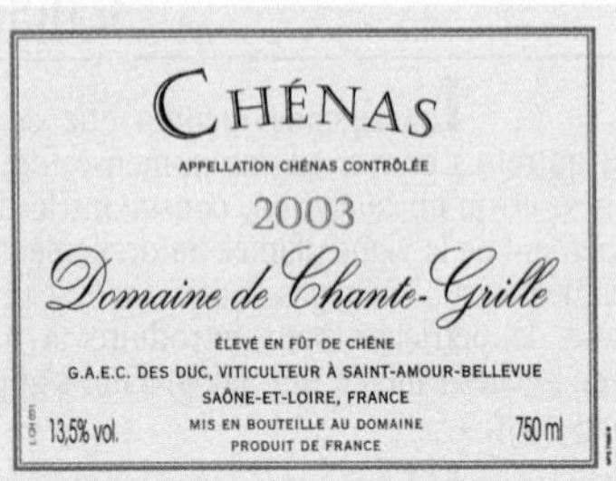


En 1985, ce domaine – présent dans la première édition du Guide – comptait 11 ha ; aujourd'hui il s'étend sur 28 ha. Si son **saint-amour 2004 Domaine des Duc (5 à 8 €)** est cité, ce chénas est élu premier coup de cœur du grand jury de l'appellation, qui a apprécié sa robe rouge soutenu brillante et ses parfums expressifs de fruits rouges et noirs mêlés à des notes de vanille et d'épices. La bouche aromatique et ronde, au boisé fondu, termine sur la réglisse et s'impose par sa complexité et par sa puissance. Ce vin bien travaillé et très riche peut déjà être dégusté.

GAEC des Duc, 71570 Saint-Amour-Bellevue, tél. 03.85.37.10.08, fax 03.85.36.55.75, e-mail duc@vins-du-beaujolais.com ☑ Ɪ ⁂ r.-v.

### DOM. DE CHENEPIERRE

Sélection Vieilles Vignes 2003

■ 0,4 ha 3 000 5 à 8 €

Le vignoble, créé en 1973, a donné une cuvée grenat brillant, élevée pendant un an. Ses parfums qui s'affirment peu à peu rappellent les fruits rouges et noirs légèrement confits, avec une note animale. Ce 2003 possède une chair ronde imprégnée d'arômes caractéristiques de son AOC, marqués en finale par une nuance de kirsch. On peut le boire dès à présent.

Mme Gérard Lapierre, Les Deschamps, 69840 Chénas, tél. 03.85.36.70.74, fax 03.85.33.85.73, e-mail lapierre-gerard@wanadoo.fr ☑ Ɪ ⁂ t.l.j. 9h-19h

### DOM. DE COTES REMONT 2003

■ 9,07 ha 22 000 3 à 5 €

Ce domaine d'un seul tenant est établi sur les pentes de la montagne de Rémont. Ses quelque 9 ha de vignes ont donné naissance à un 2003, élevé en foudre, rouge sombre aux parfums épicés et boisés associés à des notes de fruits rouges confits. Le fruit rouge est encore présent en bouche. Ce bel ensemble à la finale réglissée est à servir dans l'année.

Dom. de Côtes Rémont, Rémont, 69840 Chénas, tél. 04.74.04.44.33, fax 04.74.04.40.49 ☑ Ɪ ⁂ r.-v.
Noël Perrot

### DOM. DE LA CROIX BARRAUD 2003 ★

■ 3,12 ha 3 000 5 à 8 €

Après des études à Beaune, Franck Bessone s'est installé sur 3 ha en 1990. En 1999, il a repris la totalité du domaine familial (8 ha). Grenat assez intense, son chénas s'ouvre sur des parfums de fruits noirs très mûrs. Charnu, rond et aromatique, il est doté d'une bonne structure qui n'a pas atteint sa plénitude. A l'automne, on commencera à le découvrir.

Franck Bessone, Les Pinchons, 69840 Chénas, tél. 04.74.06.77.53, fax 04.74.06.77.13 ☑ Ɪ ⁂ r.-v.

### PASCAL GRANGER 2004 ★

■ 0,68 ha 4 600 5 à 8 €

Fondée depuis plus de deux siècles, cette exploitation familiale s'étend sur 12 ha. Pascal Granger a vinifié cette cuvée intense à l'œil, rubis brillant, aux parfums harmonieux et fins de cassis et d'épices qui se prolongent en bouche. La belle attaque ronde et généreuse met en évidence une surprenante charpente tannique. Ce 2004 très réussi, long et équilibré, pourra être servi pendant deux à trois ans. Le **juliénas Cuvée spéciale 2004** du domaine a obtenu également une étoile. Il mérite d'attendre.

Pascal Granger, Les Poupets, 69840 Juliénas, tél. 04.74.04.44.79, fax 04.74.04.41.24 ☑ Ɪ ⁂ t.l.j. 8h-20h; f.1er-15 août

### HUBERT LAPIERRE 2004 ★

■ 4,2 ha 15 000 5 à 8 €

A la tête de l'exploitation depuis 1970, Hubert Lapierre a aménagé en 2001 un nouveau caveau de dégustation. Si son **moulin-à-vent 2004** a été cité, une étoile revient à cette cuvée rouge soutenu aux parfums fruités, riches mais encore sur la réserve. La mise en bouche est harmonieuse avec des tanins fondus, en revanche la finale se montre plus austère. Ce beau vin est à attendre un à deux ans.

Hubert Lapierre, Les Gandelins, Cidex 324, 71570 La Chapelle-de-Guinchay, tél. 03.85.36.74.89, fax 03.85.36.79.69, e-mail hubert.lapierre@terre-net.fr ☑ Ɪ ⁂ r.-v.

### CH. DES PAQUELETS 2004 ★

■ 3 ha 20 000 5 à 8 €

Cette vieille demeure du XVIe s., avec cave voûtée, puits, chapelle et étang, est entourée par un vignoble formant un clos. Rubis foncé, son chénas livre de beaux parfums de fruits rouges, de cerise et de cassis, associés à une pointe minérale. Emplissant harmonieusement le palais d'une chair ample aux tanins ronds, bien équilibré et élégant, ce 2004 a de la ressource ; il pourra être servi pendant deux à trois ans.

Pierre Perrachon, Ch. des Paquelets, 71570 La Chapelle-de-Guinchay, tél. 03.85.36.70.41, fax 03.85.36.77.27 ☑ Ɪ ⁂ r.-v.

### DOM. DU P'TIT PARADIS 2004 ★

■ 0,5 ha 4 000 5 à 8 €

Le domaine du P'tit Paradis a été créé en 1987. Situé à mi-coteau, entouré de vignes, il a proposé un **moulin-à-vent 2004**, cité, et cette cuvée grenat soutenu qui exprime des parfums de fruits rouges mûrs. Après une très bonne attaque, sa chair ronde, équilibrée par des tanins bien fondus, emplit le palais avec souplesse. Cet agréable chénas sera apprécié dès maintenant avec une viande rouge ou du gibier en sauce.

Denise Margerand, Les Pinchons, 69840 Chénas,
tél. 04.74.04.48.71, fax 04.74.04.46.29
t.l.j. 8h-20h; groupes sur r.-v.

DOM. DES ROSIERS 2004 ★

| ■ | 1,6 ha | 10 000 | | 5 à 8 € |
|---|---|---|---|---|

Coup de cœur pour le moulin-à-vent 97 et le chénas 99, ce domaine a produit en 2004 ce vin rouge profond aux légers parfums de fleurs et de fruits (prune), avec des notes minérales. Plus expressive que le nez, la bouche se montre puissante sans excès et harmonieusement structurée. Elégant et bien représentatif du millésime, ce chénas sera apprécié pendant deux à trois ans.

Gérard Charvet, Les Rosiers, 69840 Chénas,
tél. 04.74.04.48.62, fax 04.74.04.49.80
t.l.j. 8h-19h

BERNARD SANTE Vin élevé en fût de chêne 2003 ★

| ■ | 1 ha | 4 500 | | 5 à 8 € |
|---|---|---|---|---|

Cette exploitation, créée en 1945 par le grand-père de Bernard Santé, dispose de 9 ha de vignes. Elle a produit un **juliénas 2003**, cité, et ce vin grenat intense élevé neuf mois en fût. Comme on peut s'y attendre, ses parfums de cerise, avec une note de pruneau, sont dominés par les nuances vanillées et épicées du bois. Ces nuances dues au séjour dans le chêne se prolongent en bouche, associées à des arômes de fruits rouges très concentrés. Ce chénas ravira les amateurs de vins boisés dès la sortie du Guide.

Bernard Santé,
3521, rte de Juliénas, 71570 La Chapelle-de-Guinchay,
tél. 03.85.33.82.81, fax 03.85.33.84.46,
e-mail bernardsante@terre-net.fr r.-v.

DOM. DE TREMONT Les Gandelins 2004

| ■ | 2 ha | 10 000 | | 5 à 8 € |
|---|---|---|---|---|

La huitième génération est à la tête de l'exploitation familiale depuis 1976. En 1989, elle a créé le domaine de Trémont. Rouge foncé, avec des parfums bien développés de fruits rouges (cerise) et de fruits noirs (cassis), son chénas se montre harmonieusement rond et long. Plutôt simple mais persistant, il est à servir dans les deux prochaines années.

Daniel et Françoise Bouchacourt,
Les Jean-Loron, 71570 La Chapelle-de-Guinchay,
tél. 03.85.36.77.49, fax 03.85.33.87.20,
e-mail daniel.bouchacourt@tele2.fr r.-v.

RAYMOND TRICHARD 2003 ★★

| ■ | 4 ha | 3 000 | | 5 à 8 € |
|---|---|---|---|---|

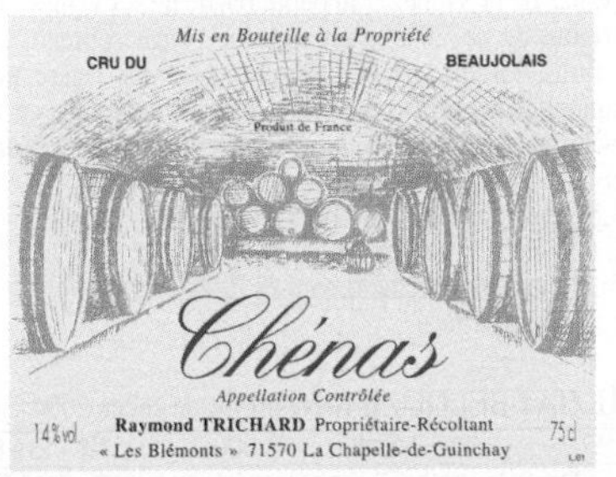


Créé en 1974, ce vignoble a proposé une cuvée de **juliénas 2003**, citée, et ce chénas à la belle robe grenat intense que le grand jury a confirmé second coup de cœur. Ses parfums de fruits noirs, presque confits, s'imposent peu à peu et accompagnent les fruits rouges dans une bouche charnue, puissante, dotée de bons tanins. Sa matière concentrée livre progressivement d'agréables et souples sensations. Ce 2003 sera prêt dès l'automne.

Raymond Trichard,
Les Blémonts, 71570 La Chapelle-de-Guinchay,
tél. 03.85.36.79.41 t.l.j. 8h-20h

# Chiroubles

Le plus « haut » des crus du Beaujolais. Récolté sur les 365 ha d'une seule commune perchée à près de 400 m d'altitude, dans un site en forme de cirque aux sols constitués de sable granitique léger et maigre, il a produit en 2004, 19 880 hl à partir du gamay noir. Le chiroubles, élégant, fin, peu chargé en tanins, gouleyant, charmeur, évoque la violette. Créée en 1996, la Confrérie des Damoiselles de Chiroubles, assistée de ses chevaliers, fait connaître avec tact ce vin quelquefois désigné comme étant le plus féminin des crus. Rapidement consommable, il a parfois un peu le caractère du fleurie ou du morgon, crus limitrophes. Il accompagne à toute heure quelque plat de charcuterie. Pour s'en convaincre, il suffit de prendre la route au-delà du bourg, en direction du Fût d'Avenas, dont le sommet, à 700 m, domine le village et abrite un « chalet de dégustation ».

Chiroubles célèbre chaque année, en avril, l'un de ses enfants, le grand savant ampélographe Victor Pulliat, né en 1827, dont les travaux consacrés à l'échelle de précocité et au greffage des espèces de vigne sont mondialement connus ; pour parfaire ses observations, il avait rassemblé dans son domaine de Tempéré plus de 2 000 variétés ! Chiroubles possède une cave coopérative qui vinifie 3 000 hl du cru.

DOM. DE LA CHAPELLE DES BOIS 2004 ★

| ■ | n.c. | n.c. | | 5 à 8 € |
|---|---|---|---|---|

Située à 500 m de la Madone de Fleurie, l'exploitation est dans la famille Appert depuis 1820. Son chiroubles 2004, rouge soutenu, exprime des notes assez fines de cassis et de fleurs où se mêle une nuance de kirsch. Dès la mise en bouche, ses beaux tanins fondus soutiennent une matière vineuse et ample. Bien équilibré, ce vin pourra accompagner pendant un à deux ans une côte de bœuf ou de l'agneau. Le **fleurie 2003** du domaine reçoit également une étoile.

🔑 EARL Eric et Chantal Coudert-Appert,
Le Colombier, 69820 Fleurie,
tél. 04.74.69.86.07, fax 04.74.04.12.66,
e-mail coudert@terre-net.fr ☑ ⵊ ⚘ r.-v.
🔑 Michel Appert

## PATRICE CHEVRIER Cadole de Grille-Midi 2004 *

■ 3 ha 10 000 ▮⚲ 5 à 8 €

Patrice Chevrier exploite 15 ha de vignes, dont 3 en chiroubles achetés en 2003 ; une cadole, petit abri de pierre traditionnel en pays de vignes, établie au lieu-dit Grille-Midi, a donné son nom à ce vin. Rouge soutenu, il livre des parfums encore un peu timides mais dont on devine la richesse. La bouche assez ample, dotée d'une matière riche, aromatique et longue, présente une bonne structure. Ce vin au joli potentiel est à servir dans les deux ans.
🔑 EARL Patrice Chevrier,
Sermezy, 69220 Charentay,
tél. 04.74.66.86.55, fax 04.74.66.86.55,
e-mail pchevrier@free.fr ☑ ⵊ ⚘ r.-v.

## DOM. DU CLOS VERDY 2003 **

■ 5 ha 20 000 5 à 8 €

Coup de cœur pour le chiroubles 89, ce domaine fait son retour dans le Guide avec ce 2003 grenat soutenu qui obtient deux étoiles. Des parfums de pivoine persistants et d'une belle complexité sont un agréable préambule à une bouche puissante et structurée. La charpente prometteuse, jeune et tannique, réalise un bel équilibre avec une matière charnue. Ce vin solide et harmonieux est fait pour les trois ou quatre prochaines années.
🔑 Georges Boulon, le Bourg, 69115 Chiroubles,
tél. 04.74.04.20.12, fax 04.74.69.13.16,
e-mail georges-boulon@wanadoo.fr
☑ ⵊ ⚘ t.l.j. 8h-12h 14h-18h; f. sep.

## DOM. DE LA COMBE AU LOUP 2003

■ 4,55 ha 33 000 ▮⚲ 5 à 8 €

Avec deux coups de cœur dans la décennie précédente et des sélections régulières dans le Guide, ce domaine est une valeur sûre dans l'appellation. Rouge soutenu, agréable à l'œil, ce 2003 délivre des nuances de fruits confits, des notes grillées et des senteurs de pivoine. L'attaque est relayée par des tanins encore fermes au potentiel de garde plutôt affirmé. A boire au cours des deux prochaines années avec une viande en sauce.
🔑 EARL Méziat Père et Fils,
Dom. de la Combe au Loup, 69115 Chiroubles,
tél. 04.74.04.24.02, fax 04.74.69.14.07,
e-mail david.meziat@meziat.com
☑ ⵊ ⚘ t.l.j. sf dim. 8h30-12h 14h-18h30

## DOM. DU COTEAU VERMONT 2003 **

■ 1,4 ha 3 000 ▮ 5 à 8 €

L'exploitation transmise de beau-père à gendre, puis de père à fils, a produit un **morgon 2004** qui reçoit une étoile et cette cuvée consacrée coup de cœur. Elevé pendant six mois en cuve, ce vin rouge soutenu s'ouvre peu à peu sur des parfums expressifs de cerise mûre, qui s'affirment en bouche. Après l'attaque, sa chair fruitée, soutenue par de jeunes tanins pleins de promesses, s'épanouit harmonieusement. Déjà prêt, ce chiroubles pourra accompagner pendant un à deux ans une viande rouge rôtie.

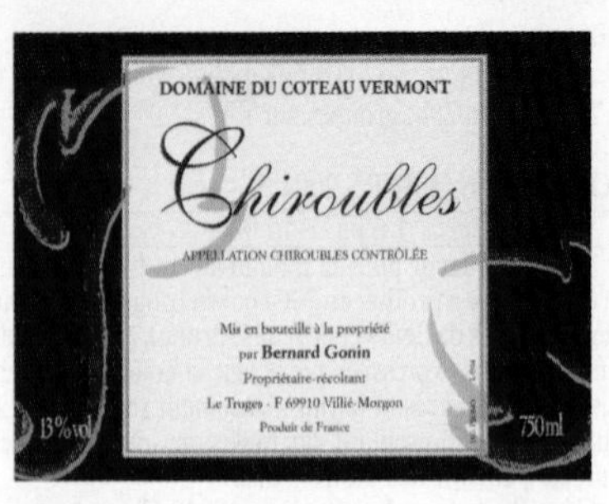


🔑 Bernard Gonin,
Le Truges, 69910 Villié-Morgon,
tél. 04.74.69.12.97, fax 04.74.69.12.97 ☑ ⵊ ⚘ r.-v.

## DOM. DU CRET DES BRUYERES 2004 *

■ 1,78 ha 4 000 ▮⚲ 5 à 8 €

Gilles Desplace, qui représente la quatrième génération, est à la tête de l'exploitation (11 ha) depuis 1983. Il a vinifié une cuvée rubis soutenu au bon nez de fruits rouges et de cassis. Fruité, bien structuré, charnu, ample et persistant, ce 2004 montre une fine charpente tannique. Déjà prêt mais apte à une garde de deux ans, il pourra accompagner des viandes rouges ou blanches. Du même domaine, signé René et Gilles Desplace, le **régnié 2004 (3 à 5 €)** obtient une citation.
🔑 GFA Desplace Frères, 69430 Régnié-Durette,
tél. 04.74.04.30.21, fax 04.74.04.30.55 ☑ 🏠 ⵊ ⚘ r.-v.

## DOM. DE LA GROSSE PIERRE 2004 *

■ 9 ha 35 000 ▮⚲ 5 à 8 €

Ce domaine familial appartient à la famille Passot depuis près de soixante ans. Exposées au sud-est à flanc de coteaux, des vignes de quarante ans sont à l'origine de ce 2004, grenat profond aux reflets rose violacé. Le nez livre de puissants parfums d'épices. Après l'attaque souple, la bouche évolue sur des tanins fins et fondus, et finit sur des nuances végétales. Ce vin est à servir dans les deux ans.
🔑 Alain Passot, La Grosse Pierre, 69115 Chiroubles,
tél. 04.74.69.12.17, fax 04.74.69.13.52,
e-mail apassot@terre-net.fr ☑ 🏠 ⵊ ⚘ t.l.j. 9h-18h

## CH. DE JAVERNAND 2003 *

■ 5 ha 6 000 ▮ 8 à 11 €

Propriété de la famille Fourneau depuis 1917, le château de Javernand domine le village de Chiroubles et la vallée de la Saône. Une petite partie de ses vignes est à l'origine de ce 2003 d'un superbe rouge soutenu, aux parfums floraux vifs et gais assortis d'une légère note d'amande. A la fois puissant et élégant au palais, ce vin révèle une riche matière et une charpente plutôt imposante qui lui permettront d'attendre deux à trois ans.
🔑 SCE de Javernand, 69115 Chiroubles,
tél. 04.74.69.16.04, fax 04.74.69.16.04,
e-mail pierre@javernand.com ☑ ⵊ ⚘ r.-v.
🔑 Pierre Fourneau

## MEZIAT-BELOUZE Elevé en fût de chêne 2004

■ 3,59 ha 6 000 ⏺ 5 à 8 €

Dans des caves climatisées a été élevé en fût de chêne ce chiroubles d'un rouge dense qui s'ouvre sur des notes de framboise et de cerise, mêlées d'un boisé discret. De

bons petits tanins fondus aux arômes de vanille et de chêne sont associés à une chair assez vive. Bien équilibré, ce 2004 au boisé réussi sera apprécié pendant les deux prochaines années.
GAEC Méziat-Belouze,
Rochefort, 69115 Chiroubles,
tél. 04.74.69.11.81, fax 04.74.69.11.81 r.-v.

DOM. MORIN 2004

■ 4 ha 34 000 5 à 8 €

Nichée en plein cœur du village de Chiroubles, Guy Morin a produit un vin grenat élevé pendant six mois en cuve. Ses parfums expressifs de fruits rouges, de cassis et de mûre, associés à des nuances de kirsch, accompagnent une bouche encore marquée par des tanins très jeunes. Laissons-lui le temps de mûrir un an pour affirmer toutes ses potentialités.
Guy Morin, 69115 Chiroubles,
tél. 04.74.69.09.70, fax 04.74.69.09.75

CH. DE RAOUSSET 2003 **

■ 5,7 ha 8 000 5 à 8 €

Dans ce millésime aux conditions climatiques exceptionnelles, les rendements moyens ont été de l'ordre de 18 hl/ha. Les vins du domaine semblent en avoir bénéficié, à en juger par le **morgon 2003** du château qui obtient une étoile, tandis que le chiroubles en reçoit deux. Ce dernier séduit par la franchise de ses parfums de fraise des bois, qui accompagnent une bouche joliment boisée et solide. Puissant, riche et complet, ce vin est à attendre un an pour permettre à ses tanins de s'arrondir. On le servira avec une volaille ou une viande rôtie.
SCEA héritiers de Raousset,
Les Prés, 69115 Chiroubles,
tél. 04.74.69.16.19, fax 04.74.04.21.93,
e-mail remy@scea-de-raousset.fr r.-v.

DOM. PATRICIA ET CYRIL REVOLLAT
La Côte Bel-Air Vieilles Vignes 2004

■ 4 ha 5 000 5 à 8 €

L'exploitation (9 ha) résulte de la reprise en 1998 de vignes familiales complétées par des parcelles cultivées en fermage et en métayage. Elle a produit un vin rouge soutenu aux parfums fruités assez discrets. Sa matière souple d'une bonne vinosité est imprégnée d'arômes de cerise et de kirsch associés à une touche épicée. Un chiroubles harmonieux à servir dans l'année.
Cyril et Patricia Revollat,
La Cour Profonde, 69115 Chiroubles,
tél. 04.74.69.13.72, fax 04.74.04.22.84,
e-mail revollat-cyril@wanadoo.fr t.l.j. 9h-19h

DOM. DE LA ROCASSIERE 2004

■ 6 ha 38 600 5 à 8 €

Grenat aux reflets violets, ce chiroubles livre des parfums intenses et expressifs de fruits rouges et noirs, comme la framboise et la mûre. Après une attaque souple, la bouche évolue sur des sensations tanniques de plus en plus affirmées qui devront se fondre avec une petite garde. Plus loquace au nez qu'au palais, ce vin devra attendre janvier 2006.
Yves Laplace,
Dom. des Rocassières, 69115 Chiroubles,
tél. 04.74.69.12.23, fax 04.74.69.09.75 r.-v.

# Fleurie

Posée au sommet d'un mamelon totalement planté de gamay noir, une chapelle semble veiller sur le vignoble : c'est la Madone de Fleurie, qui marque l'emplacement du troisième cru du Beaujolais par ordre d'importance, après le brouilly et le morgon. Les 870 ha de l'appellation ne s'échappent pas des limites communales, où l'on produit un vin issu d'un ensemble géologique assez homogène, constitué de granites à grands cristaux qui communiquent au vin une impression de finesse et de charme. La production a atteint, en 2004, 48 429 hl. Certains l'aiment frais, d'autres tempéré, mais tous, à la suite de la famille Chabert qui créa le célèbre plat, apprécient l'andouillette beaujolaise préparée avec du fleurie. C'est un vin qui apparaît, tel un paysage printanier, plein de promesses, de lumière, d'arômes aux tonalités d'iris et de violette.

Au cœur du village, deux caveaux (l'un près de la mairie, l'autre à la cave coopérative qui est l'une des plus importantes puisqu'elle vinifie 30 % du cru) offrent toute la gamme des vins aux noms de terroirs évocateurs : la Rochette, la Chapelle-des-Bois, les Roches, Grille-Midi, la Joie-du-Palais...

LES BATAILLONS 2003

■ 3 ha 4 000 5 à 8 €

Ce fleurie est présenté par une nouvelle maison de négoce qui propose uniquement des sélections mises en bouteilles à la propriété. D'un rouge burlat limpide, il livre une large palette de parfums mêlant des fruits très mûrs, la violette, l'iris, des notes empyreumatiques. Rond à l'attaque, il offre une agréable structure aux tanins mûrs. D'une bonne longueur, il est prêt. « Sûrement un vin né sur les sables », écrit un dégustateur. Il a raison ! A signaler encore, également cité, le **beaujolais Milhomme rouge 2004 (3 à 5 €)** de la même maison.
Bernard Perrin, Le Milhomme, 69620 Ternand,
tél. 04.74.71.37.03, fax 04.74.71.93.14,
e-mail sarl.bernard.perrin@wanadoo.fr r.-v.

CH. DU BOURG 2004

■ 6 ha 40 000 5 à 8 €

Les Matray sont vignerons depuis 1730. Aujourd'hui, trois frères, Bruno, Patrick et Denis, perpétuent la tradition viticole au cœur du village de Fleurie. D'un rouge soutenu, leur 2004 se distingue par un fruité affirmé. Il garnit assez longuement le palais d'une matière plutôt légère. On l'appréciera dès à présent.
Bruno, Denis et Patrick Matray, le Bourg,
69820 Fleurie, tél. 04.74.69.81.15, fax 04.74.69.86.80,
e-mail denis@chateau-du-bourg.com r.-v.

DOM. DES CHAFFANGEONS
La Madone Cuvée Michel et Martine 2004 *

■ 3 ha 18 000 5 à 8 €

Créé en 1955 par Robert Depardon, ce domaine est exploité depuis 1988 par son gendre Michel Perrier. Il a

présenté un fleurie rouge intense, aux discrets parfums de fruits rouges assortis de notes florales. La bouche, assez puissante, est soutenue par des tanins bien présents mais ronds qui laissent présager une bonne évolution. Ce vin sera à boire au cours des deux prochaines années.
Michel Perrier, La Chapelle des Bois, 69820 Fleurie, tél. 04.74.69.83.05, fax 04.74.69.84.92
t.l.j. 8h-12h 13h-19h
Robert Depardon

## DOM. DE LA CHAPELLE DES BOIS 2004

2,5 ha 15 000 8 à 11 €

Le négociant Paul Beaudet met en bouteilles et diffuse cette sélection produite par Chantal et Eric Coudert-Apert. D'un pourpre intense, ce 2004 présente un nez plutôt discret de fruits rouges, avec quelques notes florales. La bouche, elle aussi un peu timide, révèle une belle matière aux fins tanins. Complet et plein de charme, ce vin accompagnera pendant deux à trois ans une viande rouge grillée.
Paul Beaudet, rue Paul-Beaudet, 71570 Pontanevaux, tél. 03.85.36.72.76, fax 03.85.36.72.02, e-mail contact@paulbeaudet.com
t.l.j. sf sam. dim. 8h-12h 13h30-17h; f. août

## CAVE DU CHATEAU DE CHENAS 2004

n.c. 20 000 8 à 11 €

Créée en 1934, cette coopérative regroupe aujourd'hui 260 ha. Elle dispose d'une vaste cave du XVII^e s., qui vaut le détour. D'un rouge soutenu aux beaux reflets, son fleurie offre un nez expressif de framboise et de groseille. De structure un peu fine mais aromatique et équilibré, c'est un vin pour maintenant. Bien différent est le **moulin-à-vent 2003 Sélection de la Hante**, également proposé par la cave. Ce vin boisé aux tanins serrés devra attendre deux ans. Il obtient la même note.
Cave du Ch. de Chénas, Les Michauds, 69840 Chénas, tél. 04.74.04.48.19, fax 04.74.04.47.48, e-mail cave.chenas@wanadoo.fr
t.l.j. sf dim. 8h-12h 14h-18h

## DOM. CHIGNARD Cuvée spéciale Vieilles Vignes Elevé en fût de chêne neuf 2003 **

2 ha 4 000 8 à 11 €

Cédric Chignard, qui représente la quatrième génération sur le domaine, remplacera bientôt son père à la tête de l'exploitation. Une propriété qui figure régulièrement dans la section « fleurie » du Guide. Elevée pendant dix mois en fût de chêne, cette cuvée de vieilles vignes de soixante-dix ans affiche une robe rubis intense aux reflets grenat. Elle livre de captivants parfums de confiture de cassis, accompagnés de notes chocolatées, vanillées et réglissées. Ces arômes s'épanouissent au palais, associés à une matière chaleureuse et harmonieuse. Une belle mâche destine ce vin à la garde. Très bien fait mais encore austère en finale, on le servira avec une viande rouge dans un à deux ans.
Michel Chignard, Le Point du Jour, 69820 Fleurie, tél. 04.74.04.11.87, fax 04.74.69.81.97
t.l.j. sf dim. 8h-12h 14h-19h

## DOM. GILLES COPERET 2004

1,06 ha 7 900 5 à 8 €

Installé dans une maison beaujolaise du XVIII^e s., Gilles Copéret exploite environ 7 ha de vignes. Son **régnié 2004** fait jeu égal avec ce fleurie d'un rouge intense, au nez complexe et harmonieux mêlant petits fruits rouges et notes florales. Franche et ronde, soutenue par des tanins assez doux, la bouche est imprégnée d'arômes de fruits à noyau. Ce vin bien fait sera apprécié pendant deux ans.
Gilles Copéret, Les Chastys, 69430 Régnié-Durette, tél. 04.74.04.38.08, fax 04.74.69.01.33, e-mail gilles-coperet@wanadoo.fr r.-v.

## GEORGES DUBŒUF Prestige 2003 *

n.c. n.c. 8 à 11 €

Fondée en 1964 et dirigée par Georges et Franck Dubœuf, cette maison de négoce s'est ouverte au grand public qui peut découvrir à son siège, autour de l'ancienne gare de Romanèche-Thorins, un espace dédié aux vins du Beaujolais et à l'histoire ferroviaire. Même le vaste centre de vinification installé en 2002 est ouvert aux visiteurs. Avec plus de dix coups de cœur obtenus en vingt ans, les vins Dubœuf ont fait le tour du monde. Cette année, le **brouilly 2003 (5 à 8 €)** est cité ; le **beaujolais-villages rouge 2004 (3 à 5 €)** reçoit une étoile, tout comme cette cuvée Prestige dont la robe rouge intense montre quelques reflets orangés. Tout aussi intense, le nez évolue des fruits très mûrs à des notes de chocolat, de pain d'épice, de bois légèrement fumé. Un boisé qui, dès l'attaque, prend le pas sur le fruité d'une chair assez tannique mais équilibrée. Un vin à boire au cours des deux prochaines années.
SA Les Vins Georges Dubœuf, La Gare, 71570 Romanèche-Thorins, tél. 03.85.35.34.20, fax 03.85.35.34.25, e-mail gduboeuf@duboeuf.com
t.l.j. 9h-18h au Hameau-en-Beaujolais; f. 1^er-14 jan.

## CAVE DES PRODUCTEURS DE FLEURIE Cuvée Présidente Marguerite 2003

20 000 5 à 8 €

De 1946 à 1984, la coopérative de Fleurie a été présidée par Marguerite Chabert, qui fut la première femme à occuper une telle charge. Cette cuvée, qui lui est dédiée, laisse admirer une robe rubis limpide et brillant. Sa palette mêle cassis, groseille, cerise burlat et fleurs, arômes que l'on retrouve dans une bouche ample, structurée et persistante, un peu tannique en finale. Ce vin attendra un à deux ans avant d'accompagner une viande rouge. Le **moulin-à-vent 2003** de la cave a été également cité.
Cave des producteurs de Fleurie, le Bourg, BP 2, 69820 Fleurie, tél. 04.74.04.11.70, fax 04.74.69.84.73, e-mail cave-de-fleurie@wanadoo.fr r.-v.

## JEAN GEORGES ET FILS 2003 **

2,5 ha 4 100 8 à 11 €

A la tête de 9 ha de vignes, Franck Georges est installé à Chénas, au cœur de la zone des crus. Son fleurie affiche une robe rouge sombre fort engageante et s'ouvre sur d'élégants parfums de mûre sauvage accompagnés de notes grillées et épicées, effet de la canicule. L'attaque charnue met en valeur une matière concentrée, aromatique et complexe, un peu atypique pour un fleurie mais digne du millésime. Sa belle structure aux tanins fondus permettra de déguster cette bouteille pendant les trois prochaines années. Le domaine a également présenté un **moulin-à-vent 2003** qui a obtenu une étoile pour sa forte charpente ; ce vin devra attendre deux à trois ans.
Jean Georges et Fils, le Bourg, 69840 Chénas, tél. 04.74.04.48.21, fax 04.74.04.42.77, e-mail jean-georges-et-fils@wanadoo.fr r.-v.

DOM. DES GRANDS FERS 2003 *

■ 10 ha 25 000 8 à 11 €

Rouge sombre aux reflets rubis, ce 2003, élevé dix mois en cuve, séduit par la complexité de son nez, qui associe cassis, cerise confite, pivoine et cannelle, touches minérales et animales. En bouche, il apparaît un peu fermé, tannique et austère, mais sa charpente lui permettra d'attendre un an ou deux. Il développera ainsi son potentiel.

SARL Christian Bernard,
Les Grands Fers, 69820 Fleurie,
tél. 04.74.04.11.27, fax 04.74.69.86.64,
e-mail vins@christianbernard.fr
t.l.j. sf dim. 10h-12h 14h30-18h; r.-v. en hiver

DOM. DE HAUTE MOLIERE 2004

■ 1,9 ha 2 500 5 à 8 €

Ce domaine a gardé un four à pain que le propriétaire fait fonctionner cinq ou six fois par an. Mais c'est surtout le moût qui fermente dans ces murs. Né de vignes de quarante-cinq ans, ce 2004 s'habille d'une robe rubis soutenu. Complexe au nez, il évolue de la pierre à feu vers la groseille et les agrumes. En bouche, les tanins puissants se manifestent mais ils laissent s'exprimer les arômes – fruits rouges et notes florales. Equilibré et très présent en bouche, ce vin révèle un bon potentiel. On l'attendra un à trois ans.

Jean-François Patissier,
le Bourg, 69820 Vauxrenard,
tél. 04.74.69.92.58, fax 04.74.69.92.58 r.-v.

DOM. DU HAUT-PONCIE 2003 **

■ 5,5 ha 10 000 5 à 8 €

Vinifié selon la tradition beaujolaise, avec une cuvaison des grappes entières pendant dix à douze jours, ce fleurie s'habille d'une superbe robe rubis intense aux reflets grenat. Il livre des parfums de fruits très mûrs, de cerise, agrémentés de notes de pivoine, de réglisse et de nuances minérales. La bouche veloutée est imprégnée de cerise confite et de pêche. Bien structuré, frais, riche et long, ce 2003 est à boire dans les deux ans. Il accompagnera une entrecôte bordelaise. Du même domaine, le **moulin-à-vent 2003** reçoit une étoile.

SCEA Patrick Tranchand, Poncié, 69820 Fleurie,
tél. 04.74.04.16.06, fax 04.74.69.89.97
t.l.j. 8h-19h

HOSPICES DE BELLEVILLE
Cuvée Clothilde Gaillardon 2004

■ 6,06 ha 46 000 8 à 11 €

Elevé par la maison Thorin, ce fleurie rouge sombre aux beaux reflets s'ouvre sur des notes fruitées. Très riche, corsé, le palais révèle des arômes assez persistants de fruits rouges. La finale, plutôt sévère, suggère d'oublier cette bouteille un an en cave pour lui permettre de s'affiner.

Hôpital de Belleville,
rue Martinière, 69220 Belleville-sur-Saône,
tél. 04.74.69.09.18, fax 04.74.69.09.75

DOM. DES MARRANS 2003 *

■ 4,5 ha 16 000 5 à 8 €

Ce domaine dispose de 18 ha répartis sur plusieurs appellations beaujolaises et de quatre chambres d'hôte trois épis. Les vendanges 2003 ont débuté le 17 août, du jamais vu pour Jean-Jacques Melinand pourtant à la tête du domaine depuis 1970. Ce fleurie est rubis limpide et exprime des arômes de pruneau légèrement poivrés et fumés, avec du fruit confit en bouche. Riche, rond, équilibré, persistant et soutenu par des tanins bien enrobés, un vin à déguster pendant deux à trois ans.

Jean-Jacques et Liliane Melinand, Les Marrans,
69820 Fleurie, tél. 04.74.04.13.21, fax 04.74.69.82.45,
e-mail melinand.m@wanadoo.fr r.-v.

DOM. PARDON 2004 *

■ 3 ha 20 000 5 à 8 €

Fondée en 1820, cette maison de négoce possède en propre deux domaines : le premier a donné un **beaujolais-villages rouge domaine Louis Pardon 2004 (3 à 5 €)**, cité par le jury, et le second est à l'origine de ce fleurie. D'un rouge soutenu, ce vin livre d'assez puissants parfums de fruits très mûrs qui se prolongent en bouche. Bien structuré, soutenu par des tanins de qualité, aromatique, ce 2004 sera apprécié pendant un an. Notez que le **domaine Rastin moulin-à-vent 2003 (5 à 8 €)** a obtenu une citation.

Pardon et Fils,
39, rue du Gal-Leclerc, 69430 Beaujeu,
tél. 04.74.04.86.97, fax 04.74.69.24.08,
e-mail pardon-fils.vins@wanadoo.fr
t.l.j. sf sam. dim. 8h-12h 14h-17h; f. août

DOM. DES PINS 2003 *

■ 2,48 ha 2 000 5 à 8 €

Rubis soutenu, ce vin dévoile quelques reflets tuilés. Ses parfums francs et complexes de fruits rouges, agrémentés de nuances de cassis, de pruneau et de poivre, accompagnent une bouche puissante et séduisante. Rond, frais et persistant au palais, ce 2003 est un peu atypique ; en revanche, il est représentatif du millésime. A boire dans les deux prochaines années.

Alain Chambard, Les Pins, 69840 Emeringes,
tél. 04.74.04.46.00, fax 04.74.04.46.00 r.-v.

CH. DE RAOUSSET 2003

■ 10 ha n.c. 8 à 11 €

Acheté en 1836 par un soyeux lyonnais, ce vignoble s'étend aujourd'hui sur 35 ha, répartis sur plusieurs appellations. Déjà médaillé à l'occasion des Expositions universelles du XIX<sup>e</sup>s., il figure très souvent dans le Guide pour l'un ou l'autre de ses crus. Elevé dix mois en fût, ce fleurie revêt une robe rubis qui montre quelques reflets tuilés. Ses notes poivrées et florales s'épanouissent à l'aération. Après une belle attaque, la bouche se révèle typée. Sa structure un peu fine incite à ouvrir cette bouteille dès maintenant.

Ch. de Raousset, Les Prés, 69115 Chiroubles,
tél. 04.74.69.17.28, fax 04.74.69.17.93,
e-mail chateau.de.raousset@wanadoo.fr r.-v.

DOM. DE ROBERT Cuvée Tradition 2003 **

■ 5 ha 25 000 5 à 8 €

A la tête de ce domaine depuis 1970, Patrick Brunet a signé un fleurie d'une remarquable harmonie, élevé un an en cuve. D'un rubis brillant aux reflets violines, ce 2003 révèle un nez intense et complexe où cassis, cerise et myrtille se nuancent de notes anisées ; la pivoine vient encore enrichir cette palette dans une bouche très équilibrée, charnue et veloutée, aux tanins fondus. Un vin élégant et plein de charme, à déguster pendant deux ou trois ans avec un rôti de viande rouge ou une entrecôte.

Domaine de Robert
FLEURIE
Appellation Fleurie Contrôlée
Cuvée Tradition
Mis en bouteille au Domaine
Patrick BRUNET
Propriétaire-Récoltant
69820 Fleurie (France)


Patrick Brunet, Dom. de Robert, 69820 Fleurie,
tél. 04.74.04.12.11, fax 04.74.04.12.11,
e-mail patrick.brunet@wanadoo.fr r.-v.

DOM. DE ROCHE-GUILLON 2004

| ■ | 5 ha | 25 000 | | 5 à 8 € |
|---|---|---|---|---|

Une fois de plus, le fleurie de ce domaine familial a été retenu. Le 2004 se pare d'une robe aux reflets bleutés ; il en émane de subtils parfums de fruits rouges et de pivoine. La bouche demande à s'affiner : assez puissante, elle révèle des tanins plutôt sévères qui demandent à se fondre. A attendre un à deux ans.

Bruno Coperet, Dom de Roche-Guillon,
69820 Fleurie, tél. 04.74.69.85.34, fax 04.74.04.10.25,
e-mail roche-guillon.coperet@wanadoo.fr
t.l.j. 8h30-20h

DOM. LES ROCHES DES GARANTS
Cuvée Champagne 2004

| ■ | 2 ha | 15 000 | | 5 à 8 € |
|---|---|---|---|---|

Champagne ? Vous avez bien lu, et pourtant c'est rouge dans le verre et il n'y a pas de bulles. Le nom désigne un lieu-dit dans l'aire du fleurie. Un *climat* à l'aspect vallonné qui présente quelques veines de terrain calcaire... Il a donné un vin rubis au nez élégant, mêlant les fleurs et les fruits rouges frais. Ample et généreuse, la bouche offre une finale chaleureuse et fruitée. A boire au cours des deux prochaines années.

Jean-Paul Champagnon, La Treille, 69820 Fleurie,
tél. 04.74.04.15.62, fax 04.74.69.82.60,
e-mail sylvie.champagnon@chello.fr t.l.j. 8h-20h

# Juliénas

Cru impérial d'après l'étymologie, Juliénas tiendrait en effet son nom de Jules César, de même que Jullié, l'une des quatre communes qui composent l'aire géographique de l'appellation (avec Emeringes et Pruzilly, cette dernière se trouvant en Saône-et-Loire). Occupant des terrains granitiques à l'ouest et des terrains sédimentaires avec des alluvions anciennes à l'est, les 609 ha de gamay noir ont permis en 2004 la production de 33 613 hl de vins bien charpentés, riches en couleur, appréciés au printemps après quelques mois de conservation. Gaillards et espiègles, ils sont à l'image des fresques qui ornent le caveau de la Vieille Eglise, au centre du bourg. Dans cette chapelle désaffectée, chaque année à la mi-novembre est remis le prix Victor-Peyret à l'artiste, peintre, écrivain ou journaliste qui a le mieux « tasté » les vins du cru ; celui-ci reçoit 104 bouteilles : 2 par week-end... La cave coopérative, installée dans l'enceinte de l'ancien prieuré du château du Bois de la Salle, vinifie 30 % de l'appellation.

JEAN BARONNAT 2003

| ■ | n.c. | n.c. | 5 à 8 € |
|---|---|---|---|

Créée en 1920, une maison de négoce actuellement dirigée par Jean-Jacques Baronnat qui représente la troisième génération. Pourpre profond, son juliénas s'ouvre sur des parfums de cassis, puis garnit le palais d'une chair friande et souple aux arômes de fruits bien mûrs. Equilibré et déjà prêt, il pourra accompagner un coq au vin. Egalement cité, le **beaujolais blanc 2004**.

Jean Baronnat, 491, rte de Lacenas, 69400 Gleizé,
tél. 04.74.68.59.20, fax 04.74.62.19.21,
e-mail info@baronnat.com r.-v.

ANTOINE BARRIER 2004 *

| ■ | n.c. | 114 000 | | 5 à 8 € |
|---|---|---|---|---|

Ce 2004 grenat sombre s'ouvre sur de belles notes acidulées de petits fruits rouges. L'attaque paraît un peu ferme, mais sa matière bien structurée lui assurera une bonne conservation. A laisser vieillir deux ans en cave. Ce même négociant propose une sélection de **moulin-à-vent 2004** qui obtient une citation ainsi qu'un **brouilly 2004**, équilibré et persistant couronné d'une étoile.

Antoine Barrier,
52, rue Camille-Desmoulins, 92135 Issy-les-Moulineaux,
tél. 01.46.62.76.00, fax 01.46.44.34.08 r.-v.

CAVE DU BOIS DE LA SALLE 2004 *

| ■ | n.c. | 35 000 | | 5 à 8 € |
|---|---|---|---|---|

Cette cave coopérative, qui fête cette année ses quarante-cinq ans, vinifie sept appellations du Beaujolais, dont le juliénas. Celui-ci se présente dans une robe grenat et exhale des parfums discrets de fruits. Caractéristique du cru, ce vin généreux offre au palais des arômes fruités relayés en finale par des impressions tanniques. Néanmoins, à l'automne, il sera prêt et pourra être servi avec une viande rouge ou une canette braisée. Le **beaujolais-villages rouge 2004** de la cave est cité.

Cave coop. des grands vins du Bois de la Salle,
Ch. du Bois de la Salle, 69840 Juliénas,
tél. 04.74.04.42.61, fax 04.74.04.47.47,
e-mail cavejulienas@wanadoo.fr r.-v.

CH. BONNET Vieilles Vignes 2004

| ■ | 1,8 ha | 9 000 | | 5 à 8 € |
|---|---|---|---|---|

Edifiée en 1630, cette demeure où Lamartine aimait venir se reposer est construite sur un ancien relais de chasse. Elle a été restaurée par la famille Perrachon. Sa cuvée Vieilles Vignes, d'un grenat presque violet, se révèle discrète, laissant seulement percevoir quelques notes épicées. Emplissant la bouche d'une chair ronde, friande et harmonieuse, une bouteille à ouvrir dans l'année avec un magret de canard ou une volaille. Le **moulin-à-vent 2003 Vieilles Vignes** du château est également cité.

Pierre-Yves Perrachon,
Ch. Bonnet, 71570 La Chapelle-de-Guinchay,
tél. 03.85.36.70.41, fax 03.85.36.77.27,
e-mail chbonnet@terre-net.fr r.-v.

## CH. DE LA BOTTIERE 2004

■ 3,03 ha 10 000 5 à 8 €

Doté de vastes caves voûtées, le château de La Bottière est entré dans la famille Perrachon en 1877. C'est Laurent Perrachon qui, depuis 1989, est à la tête de l'exploitation. Il propose ce vin grenat brillant aux subtils parfums : cerise, framboise, mûre, cassis avec une touche poivrée. L'attaque souple et fruitée est suivie d'impressions acidulées. D'une structure assez légère, cette bouteille sera appréciée dès à présent entre amis avec une viande braisée, des grillades ou une pintade rôtie.

Laurent Perrachon, Les Mouilles, 69840 Juliénas,
tél. 04.74.04.40.44, fax 04.74.04.40.44,
e-mail laurent.perrachon@wanadoo.fr t.l.j. 8h-19h

## CH. DE LA BOTTIERE Cuvée Vieilles Vignes 2003

■ 2 ha 10 000 5 à 8 €

L'histoire de Juliénas mentionne des Perrachon dès 1601. Voici La Bottière de Jacques et Cécile. Leur juliénas Vieilles Vignes a été élevé pendant un an en fût. Habillé d'une robe rouge sombre, il livre des parfums de fruits noirs et de pivoine. Dès l'attaque, il révèle une chair ample et structurée et des notes d'évolution agréables. « Un vin à l'ancienne qui trouvera preneur dès l'automne », conclut un dégustateur.

Jacques et Cécile Perrachon,
La Bottière, 69840 Juliénas,
tél. 03.85.36.75.42, fax 03.85.33.86.36 r.-v.

## DOM. LE CHAPON 2004 *

■ 5,12 ha 12 000 5 à 8 €

Les vieilles vignes de ce vignoble, implantées en totalité en coteaux, ont donné une cuvée rouge sombre. Les parfums bien développés de fruits rouges s'accompagnent de nuances de sous-bois. La bouche révèle une matière très agréable, ronde avec des tanins souples. Ce vin est déjà plaisant, mais il peut attendre de un à deux ans.

Marie-Thérèse et Jean Buiron,
Le Chapon, 69840 Juliénas,
tél. 04.74.04.40.39, fax 04.74.04.47.52 r.-v.

## LE CLOS DU FIEF 2003

■ 0,5 ha 1 500 5 à 8 €

Ce vignoble en coteaux est constitué à 90 % de vieilles vignes. Celles qui sont à l'origine de cette cuvée ont en moyenne quatre-vingts ans. Ce juliénas rouge sombre, au nez très expressif, livre des parfums de fruits rouges et de pivoine. Franche à l'attaque, la bouche évolue sur une matière charnue et riche aux arômes de fruits rouges confiturés et fait preuve d'une bonne persistance. Typique de l'appellation, ce 2003 est à servir dans les deux ans.

Franck Besson,
Les Chanoriers, 69840 Jullié, tél. 04.74.04.46.12,
e-mail domainebesson@wanadoo.fr r.-v.

## DOM. DE LA COMBE-DARROUX Cuvée Prestige Vieilles Vignes 2004

■ 2,5 ha 13 000 5 à 8 €

Le millésime 2003 a obtenu un coup de cœur dans la précédente édition du Guide. Si le 2004 est plus modeste, il a cependant retenu l'attention du jury. Elevé pendant huit mois en fût, ce juliénas, pourpre et limpide, est issu de vignes de soixante ans. Il s'ouvre sur des parfums de cannelle et d'épices accompagnés de notes de cerise noire. La bouche ample, avec des tanins déjà fondus, presque soyeux, révèle de légers arômes boisés associés à la cerise mûre. Bien structurée, cette cuvée Prestige pourra être bue pendant deux ans avec une noix de veau ou une grillade de bœuf.

EARL Anne et Pascal Guignet, Les Janroux,
69840 Juliénas, tél. 04.74.06.70.90, fax 04.74.04.45.08,
e-mail domaine.guignet@wanadoo.fr r.-v.

## DOM. DE LA CONSEILLERE 2003

■ 2,66 ha 2 500 5 à 8 €

Autrefois « clos de la Conseillère », ce domaine est antérieur à 1789. Il doit son nom à la qualité de sa propriétaire, veuve d'un conseiller du parlement de la province. Grenat limpide, son juliénas exprime d'agréables notes d'iris, de violette et de petits fruits rouges. Si la belle attaque fruitée séduit, la finale tannique apparaît plutôt sévère. Un vin prêt.

GFA Durand, Dom. de La Conseillère,
69840 Juliénas, tél. 04.74.04.44.97, fax 04.78.94.91.92,
e-mail pmldurand@tele2.fr r.-v.

## DOM. DU COTEAU DES FOUILLOUSES Cuvée Vieilles Vignes 2004

■ 1,2 ha 3 000 5 à 8 €

Elaborée dans une cave rénovée en 2004, cette cuvée grenat brillant est née de ceps de soixante ans. Elle livre des parfums francs, amyliques et épicés. L'attaque, d'abord nerveuse, évolue vers le fruité. Encore un peu ferme, ce vin typé et puissant pourra attendre deux ans et accompagner du chevreuil.

Roland Lattaud, Dom. du Coteau des Fouillouses,
le Bourg, 69840 Jullié,
tél. 04.74.04.43.86, fax 04.74.04.43.86 r.-v.

## DOM. DE LA COTE DE CHEVENAL 2004 *

■ 2,95 ha 9 000 5 à 8 €

Les deux frères Bergeron, en GAEC depuis 1996, représentent la quatrième génération sur le domaine familial. Paré d'une robe brillante, d'un rouge sombre presque violet, leur juliénas livre d'assez puissants parfums de fruits noirs très mûrs associés à des nuances d'épices et de sous-bois. L'attaque charnue et ronde fait place à une structure corsée et bien charpentée. Cet ensemble harmonieux pourra être apprécié dès l'automne 2005, ou attendu deux ans. Le **fleurie 2004 (8 à 11 €)** du domaine reçoit également une étoile.

Jean-François et Pierre Bergeron, Emeringes,
69840 Juliénas, tél. 04.74.04.41.19, fax 04.74.04.40.72,
e-mail domaine-bergeron@wanadoo.fr r.-v.

## DOM. LE COTOYON Fût de chêne 2003

■ 1 ha 2 000 5 à 8 €

Cette cuvée rouge sombre a été élevée six mois en fût dans les caves du domaine. Elle exprime de fortes notes vanillées auxquelles se mêlent des nuances de fruits rouges bien mûrs. La mise en bouche franche met en valeur des impressions de bois neuf qui ont tendance à masquer le fruité. Ce juliénas à la finale un peu austère pourra attendre un à deux ans. Il accompagnera un coq au vin ou du fromage.

Frédéric Bénat, Les Ravinets, 71570 Pruzilly,
tél. 03.85.35.12.90 r.-v.

DOM. DAVID-BEAUPERE
Réserve le Saint-Antoine 2003
■ 1,4 ha 4 200 8 à 11 €

Homme de science et vigneron, le docteur J.-P. David est un spécialiste de pharmacobiologie des produits de la vigne à l'université Lyon I. Il propose un juliénas grenat presque noir, aux parfums complexes et charmeurs de fruits, de grillé et de vanille. Après une attaque franche, les tanins font sentir leur présence. Ce vin peut attendre de un à deux ans.

Dom. David-Beaupère, La Bottière, 69840 Juliénas, tél. 03.85.33.86.67, fax 03.85.36.70.35, e-mail saintantoinegla@club-internet.fr r.-v.
GFA Saint-Antoine

CH. D'ENVAUX 2004
■ 4 ha 10 000 5 à 8 €

Ce domaine, dont les origines remontent à 1600, présente un vin carmin soutenu aux beaux reflets grenat, issu de vignes de quarante ans, cultivées sur des sols argilo-calcaires. Ses parfums assez intenses de cerises et de kirsch ne sont pas sans évoquer la Bourgogne voisine. Emplissant totalement le palais d'une chair riche aux tanins arrondis, ce juliénas atypique aux arômes de clafoutis fait preuve d'une très bonne harmonie. A servir pendant deux à trois ans sur un rosbif ou une dinde aux marrons.

Yves et Anne de Coligny, Vaux, 69840 Juliénas, tél. 04.74.04.45.48, fax 04.74.04.45.48
t.l.j. 8h-12h 14h-19h

DOM. DU GRANIT DORE 2004
■ 5,5 ha 12 000 5 à 8 €

Cette propriété familiale propose un vin grenat élevé pendant six mois en fût, qui livre des parfums vineux mêlés de fines notes florales et épicées. L'attaque douce et vanillée révèle un bon équilibre entre tanins et acidité. La finale fraîche et gouleyante de ce 2004 sapide et fin milite pour une consommation dès l'automne. On pourra servir cette bouteille avec des châtaignes grillées ou un sabodet et des pommes vapeur.

Georges Rollet, La Pouge, 69840 Jullié, tél. 04.74.04.44.81, fax 04.74.04.49.12, e-mail rollet-g@wanadoo.fr r.-v.

DOM. DU GREFFEUR 2003
■ 2,15 ha 2 000 5 à 8 €

Cette propriété familiale, agrandie par un achat, couvre 5,3 ha. Elle a proposé une cuvée grenat léger limpide, au nez de framboise et de violette avec de fines touches de grillé nées du soleil de 2003. L'attaque puissante met en valeur une chair riche et aromatique aux tanins très présents mais bien fondus. Solide, opulent, ce juliénas est déjà prêt mais peut aussi attendre. Du même domaine, le **chénas 2003** est cité pour son fruité.

Jean-Claude Lespinasse, Les Marmets, 71570 La Chapelle-de-Guinchay, tél. 03.85.36.70.42, fax 03.85.33.85.49 r.-v.

DOM. DE GRY-SABLON 2004 ★
■ 1,37 ha 10 000 5 à 8 €

En quinze ans la surface de ce domaine a quadruplé pour atteindre 16 ha. La totalité de sa production est désormais commercialisée en vente directe. La propriété peut se flatter d'avoir obtenu plus d'un coup de cœur dans le Guide. Cette année, le **morgon 2004** du domaine a été cité et le juliénas reçoit une étoile. Grenat brillant, particulièrement aromatique, ce 2004 exhale des parfums suaves de pivoine, d'aubépine et des notes d'orange sanguine. L'attaque franche révèle un vin charnu, complet, servi par une structure tannique équilibrée. Cette bouteille séduisante pourra accompagner au cours des trois prochaines années une côte à l'os.

Dominique Morel, Les Chavannes, 69840 Emeringes, tél. 04.74.04.45.35, fax 04.74.04.42.66, e-mail gry-sablon@wanadoo.fr
t.l.j. sf dim. 8h-19h

DOM. JANIN BOIS DE LA SALLE 2004 ★
■ 2,1 ha 8 000 8 à 11 €

Des vignes de quatre-vingts ans, cultivées sur des schistes et des granites, ont donné naissance à une cuvée pourpre brillant très limpide, qui laisse de belles jambes sur le verre. Des parfums agréables et frais de pivoine, de rose fanée, relevés de touches poivrées accompagnent une bouche ample, charnue et ronde, légèrement acidulée. Ce 2004 équilibré et persistant donnera la réplique pendant deux à trois ans à une volaille rôtie ou à de la cochonnaille.

Michel Janin, Bois de la Salle, 69840 Juliénas, tél. 04.74.04.44.74, fax 04.74.04.44.45
t.l.j. 8h-12h 14h-20h

CH. DE JULIENAS Cuvée Prestige 2003 ★★
■ n.c. 10 000 5 à 8 €

Château de Juliénas
Cuvée
Prestige
2003
Juliénas
APPELLATION JULIÉNAS CONTRÔLÉE
François et Thierry CONDEMINE,
propriétaires à JULIÉNAS (Rhône) France
MIS EN BOUTEILLE AU CHÂTEAU
14% vol.
75 cl


Ce château, qui a pris la suite d'une ancienne maison forte des seigneurs de Beaujeu, a été construit pour partie à la fin du XVIes. et pour partie au début du XVIIIes. La propriété a été achetée par la famille Condemine au début du XXes. Son vignoble s'étend sur 35 ha. Il a donné naissance à ce superbe juliénas rouge violacé légèrement grenat. Ce vin livre des parfums très frais de cerise et de fraise associés à des notes de violette et de pain d'épice. A l'attaque franche et fraîche succède une bouche bien ronde aux tanins fondus et à la finale agréable et longue. Les plus impatients déboucheront cette bouteille dès maintenant, les autres pourront attendre deux à trois ans.

SARL François et Thierry Condemine, 69840 Juliénas, tél. 04.74.04.41.43, fax 04.74.04.42.38
t.l.j. sf dim. 8h-12h 14h-17h

DOM. MAISON DE LA DIME 2004
■ 3,5 ha 20 000 5 à 8 €

La Maison de la Dîme, classée Monument historique, a été bâtie en 1592. Jusqu'à la Révolution, c'était dans ce beau bâtiment de pierre qu'était livré l'impôt en nature payé au clergé. L'édifice appartient maintenant à Daniel Foillard qui a élaboré un juliénas grenat sombre élevé pendant six mois en cuve. Ce 2004 livre d'assez puissantes notes de sous-bois associées à la figue. La bouche, encore un peu vive, tarde à s'exprimer. Un vin structuré à attendre un à deux ans.

Daniel Foillard, Maison de la Dîme, 69840 Juliénas, tél. 04.74.04.41.74, fax 04.74.69.09.75

## DOM. JEAN-PIERRE MARGERAND 2004 ★★

■ 5 ha 3 000 ■ 5 à 8 €

Les origines du vignoble, exploité par cette très ancienne famille de vignerons, remonteraient à 1600. Des ceps de plus d'un demi-siècle ont engendré cette cuvée pourpre soutenu et limpide, qui livre des parfums agréables et d'une belle intensité, de pivoine, de rose fanée et d'épices. La bouche ample et aux tanins souples révèle une matière structurée, équilibrée et persistante. Cet harmonieux 2004, bien représentatif de l'AOC, pourra accompagner pendant deux à trois ans un coq au vin, un bœuf bourguignon ou un civet de lièvre.

Dom. Jean-Pierre Margerand, Les Crots, 69840 Juliénas, tél. 04.74.04.40.86, fax 04.74.04.46.54, e-mail contact@dom-jp-margerand.com
t.l.j. sf dim. 8h-19h

## PATRICE MARTIN 2004 ★

■ 0,9 ha 4 000 ■ 5 à 8 €

Patrice Martin s'est installé en 1998 dans un ancien presbytère du XVIII[e]s. L'un de ses premiers achats a été cette vieille vigne de soixante-dix ans, implantée sur un coteau très escarpé. Sa cuvée de juliénas est une fois de plus distinguée dans le Guide. D'un superbe grenat foncé, avec des reflets noirs, elle s'ouvre progressivement sur des notes de fruits noirs, de pruneau et de figue. Sa matière riche aux tanins serrés et au fruité complexe, agrémenté de prunelle, est fort appréciée par le jury. Ce vin typé gagnera à être mis en carafe. On le servira pendant deux à trois ans avec une pintade, une viande grillée ou un fromage persillé. Le **beaujolais-villages rouge 2004** du domaine se voit également attribuer une étoile.

Patrice Martin, Le Village, 71570 Chânes, tél. 03.85.36.53.58, fax 03.85.37.47.43 r.-v.

## DOM. DU MATINAL 2004

■ 2,4 ha 4 000 ■ 5 à 8 €

Installé en 2002, Fabrice Perrachon a élaboré cette cuvée à la robe grenat, printanière et assez légère. Les parfums aguicheurs de petits fruits rouges et de cassis accompagnent une bouche friande, primesautière et acidulée. Ce joli 2004 est à boire dans l'année.

Fabrice Perrachon, Les Perelles, 71570 Romanèche-Thorins, tél. 04.74.04.48.31, fax 04.74.04.47.64 t.l.j. 8h30-20h30

## DOM. DU MOULIN BERGER Vayolette 2004 ★

■ 1,8 ha 6 600 5 à 8 €

Métayer sur ce domaine depuis 1975, Michel Laplace l'a acheté en 1998. Il propose un juliénas grenat élevé en foudre, qui s'ouvre sur des notes vineuses et florales associées à un fruité croquant. Friand dès l'attaque, ce vin assez expressif révèle ses tanins en finale : ce 2004 flatteur gagnera à être aéré. A cueillir dès l'automne.

Michel Laplace, Le Moulin Berger, 71570 Saint-Amour-Bellevue, tél. 03.85.37.41.57, fax 03.85.37.44.75
t.l.j. 8h-12h 14h-19h; f. 15-25 août

## DOM. DU PENLOIS 2004

■ 1,92 ha 10 000 ■ 5 à 8 €

A la tête de cette propriété, la troisième génération de la famille Besson a élevé ce vin grenat intense, dont le nez monte en puissance, exprimant des nuances chaleureuses de cassis et de mûre. Sa chair souple imprègne le palais d'arômes fruités associés à des tanins fondus. Un peu timide mais plaisant, ce 2004 est à boire dans les deux ans.

SCEA Besson Père et Fils, Dom. du Penlois, 69220 Lancié, tél. 04.74.04.13.35, fax 04.74.69.82.07, e-mail domaine-du-penlois@wanadoo.fr r.-v.

## DOM. DES PIVOINES Elevé en fût de chêne 2003

■ 0,35 ha 1 500 5 à 8 €

Ce 2003, issu de vignes de quatre-vingt-sept ans et élevé sept mois en fût, montre une jolie robe rouge soutenu et brillante. Ses parfums expressifs de fruits rouges et de pivoine, associés à un fin boisé aux accents vanillés, sont fort agréables. Après une attaque franche, on découvre une belle structure aux tanins encore austères et de discrètes notes fruitées. Un vin imposant en bouche, à réserver après décantation aux amateurs avertis. A servir pendant deux ans avec un coq au vin.

Alain Peytel, Les Fouillouses, 69840 Juliénas, tél. 04.74.04.44.73, fax 04.74.04.48.39, e-mail alain.peytel@wanadoo.fr t.l.j. 8h-19h

GFA Durand

## DOM. PLACE DES VIGNES 2003 ★

■ 1 ha 2 000 ■ 5 à 8 €

La deuxième génération est à la tête de ce domaine depuis 1995. Elle a élevé pendant huit mois en cuve ce juliénas rouge pivoine très soutenu, aux parfums intenses et agréables de framboise, de cassis, de pain d'épice, assortis de nuances empyreumatiques nées d'un été caniculaire. L'attaque, excellente et franche, met en valeur des tanins qui peuvent encore s'assouplir. Frais et long, complet et équilibré, ce 2003 est prêt mais il pourra être conservé deux à trois ans.

Agnès et Thierry Roussot, Les Vignes, 69840 Jullié, tél. 04.74.04.49.58, fax 04.74.04.49.58 r.-v.

## POTEL-AVIRON Vieilles Vignes 2003 ★★

■ 1,5 ha 8 000 5 à 8 €

Le grand jury a reconnu coup de cœur ce juliénas élevé pendant un an en fût. D'un grenat brillant, ce 2003 livre des parfums intenses et élégants, marqués par des notes de chêne de bon aloi. Les premières impressions de fraîcheur accompagnent une superbe matière, un boisé affirmé et d'une bonne longueur. Equilibré et harmonieux,

ce vin a de la classe ; il sera apprécié pendant deux à trois ans. Egalement retenu, le **moulin-à-vent Vieilles Vignes 2003 (8 à 11 €)** obtient une citation.
SARL Potel-Aviron, 2093, rte des Deschamps, 71570 La Chapelle-de-Guinchay, tél. 03.85.36.76.18, fax 03.85.36.73.55 r.-v.

### DOM. SANCY Fût de chêne 2003 *

■ 0,5 ha 1000 8 à 11 €

Les raisins de vignes de soixante-quinze ans ont fini leur fermentation en pièces. L'élevage en fût, après leur assemblage, a duré douze mois. Le résultat ? Un vin rouge pivoine soutenu aux parfums intenses de fruits noirs, avec des nuances boisées, de vanille, de grillé et de café. Après une attaque fraîche, on découvre une matière riche, ronde, aux tanins plutôt souples. Bien fruité, charnu et puissant, ce 2003 a encore de la réserve : il pourra attendre deux à trois ans.
Bernard Broyer, Les Bucherats, 69840 Juliénas, tél. 04.74.04.46.75, fax 04.74.04.45.18 t.l.j. 9h-19h

### DOM. DE LA VIEILLE EGLISE 2004 *

■ n.c. 6 600 3 à 5 €

Comme dans la précédente édition du Guide, trois distinctions dans le même millésime pour cette maison de négoce : une citation pour le **régnié Château de La Pierre**, une étoile pour le **saint-amour Domaine des Billards** ainsi que pour ce juliénas rubis limpide, aux parfums floraux assez intenses et agréables. Ample avec des tanins légèrement accrocheurs, qui siéent bien à ce cru, légèrement acidulé, ce 2004 accompagnera pendant deux ans une queue de bœuf marchand de vin, une volaille rôtie ou une assiette de charcuterie.
Ets Loron et Fils, Pontanevaux, 71570 La Chapelle-de-Guinchay, tél. 03.85.36.81.20, fax 03.85.33.83.19, e-mail vinloron@loron.fr

### DOM. DU VIEUX CERISIER 2004

■ 9 ha 60 000 5 à 8 €

Des vendanges égrappées, suivies d'une cuvaison longue de dix à quinze jours, ont donné un vin couleur rubis profond qui s'ouvre peu à peu sur de délicates notes acidulées et végétales. L'attaque fruitée est vite dominée par les tanins, qui semblent retenir l'expression des arômes. Malgré tout cela, cette bouteille a suffisamment de potentiel pour attendre deux ans un plein épanouissement.
GFA de la Côte des Roches, 69840 Juliénas, tél. 04.74.69.09.70, fax 04.74.69.09.75
Condemine

# Morgon

Le deuxième cru en importance après le brouilly est localisé sur une seule commune. Ses 1 156 ha revendiqués en AOC ont fourni, en 2004, 64 650 hl d'un vin robuste, généreux, fruité, évoquant la cerise, le kirsch et l'abricot. Ces caractéristiques sont dues aux sols issus de la désagrégation des schistes à prédominance basique, imprégnés d'oxyde de fer et de manganèse, que les vignerons désignent par les termes de « terre pourrie » et qui confèrent aux vins des qualités particulières ; celles qui font dire que les vins de Morgon... « morgonnent ». Cette situation est propice à l'élaboration, à partir du gamay noir, d'un vin de garde qui peut prendre des allures de bourgogne, et qui accompagne parfaitement un coq au vin. Non loin de l'ancienne voie romaine reliant Lyon à Autun, le terroir de la colline de Py, situé à 300 m d'altitude sur cette croupe aux formes parfaites, en est l'archétype.

La commune de Villié-Morgon s'enorgueillit à juste titre d'avoir été la première à se préoccuper de l'accueil des amateurs de vin de Beaujolais : son caveau, construit dans les caves du château de Fontcrenne, peut recevoir plusieurs centaines de personnes. Dans ce lieu privilégié qui fait le bonheur des visiteurs et des associations à la recherche d'une « ambiance vigneronne », sont proposés à la vente des vins de producteur représentatifs des différents terroirs de l'appellation.

### L'AME DU TERROIR 2004 *

■ n.c. 75 000 5 à 8 €

Mise en bouteilles par la maison Thorin, cette sélection est commercialisée par l'enseigne Cora. Rubis foncé bien brillant, elle s'ouvre progressivement sur des nuances minérales, accompagnées de framboise et d'épices. L'attaque franche révèle un vin puissant, riche, doté d'une solide structure tannique, ce qui est de bon augure pour le vieillissement. Un morgon bien typé qui devra attendre deux ans pour gagner en amabilité. On le servira alors avec une viande rouge. L'**Ame du terroir beaujolais 2004 rouge (3 à 5 €)** obtient également une étoile.
CORA Ame du Terroir, BP 81, Croissy-Beaubourg, 77423 Marne-la-Vallée, tél. 04.74.69.09.10, fax 04.74.69.09.75

### DOM. DES ARCADES 2004 *

■ 9 ha 68 000 5 à 8 €

La robe est sombre, presque noire, limpide et brillante. Le nez, très fin, mêle des parfums de fruits rouges mûrs, voire cuits, à des nuances amyliques. L'attaque franche est suivie des impressions puissantes d'une chair riche et bien structurée. Un à deux ans de garde permettront aux tanins, pour l'heure austères, de s'arrondir.
Dom. des Arcades, Morgon, 69910 Villié-Morgon, tél. 04.74.69.09.10, fax 04.74.69.09.75
Sauzey

### DOM. AUCŒUR
Cuvée des Rochauds Vieilles Vignes 2003

■ 3 ha 20 000 5 à 8 €

Neuf générations se sont succédé sur ce domaine qui compte aujourd'hui 11 ha de vignes. Ses morgon sont régulièrement mentionnés dans le Guide, et on peut en goûter de vieux millésimes. D'un rouge vif et limpide, cette

cuvée livre des parfums de fruits rouges expressifs, frais et purs, au nez comme en bouche. Intense, vif et aromatique au palais, avec des tanins bien fondus, elle ne manque pas d'agréments. On la boira dans les deux ans.
Dom. Aucœur, Le Rochaud, 69910 Villié-Morgon, tél. 04.74.04.22.10, fax 04.74.69.16.82, e-mail arnaudaucoeur@yahoo.fr r.-v.

ARNAUD AUCŒUR Vieilles Vignes 2003

2 ha 10 000 5 à 8 €

En 2002, Arnaud Aucœur a créé sa marque pour distribuer des vins de propriétés qu'il sélectionne ainsi que ceux du domaine. D'un rouge intense, celui-ci apparaît puissamment poivré au nez. Il garnit le palais d'une chair imprégnée de tanins encore sévères. Une structure qui traduit un fort potentiel. A attendre.
Dom. Aucœur, Le Rochaud, 69910 Villié-Morgon, tél. 04.74.04.22.10, fax 04.74.69.16.82, e-mail arnaudaucoeur@yahoo.fr r.-v.

JULES BELIN 2003

n.c. 1 500 15 à 23 €

Sélectionné par une maison de négoce nuitonne fondée en 1817, ce morgon de couleur rouge soutenu libère des parfums agréablement fondus. Aromatique, équilibré et fin, il est léger mais plaisant. Une bouteille pour maintenant.
Maison Jules Belin, 6, rue de Chaux, BP 4, 21700 Nuits-Saint-Georges, tél. 03.80.62.43.40, fax 03.80.62.68.02

DOM. DES BOIS 2003 *

1,3 ha n.c. 5 à 8 €

Sur ce domaine familial, on peut prolonger la dégustation autour d'une table d'hôte. Les productions locales sont à l'honneur et particulièrement ce morgon grenat profond montrant quelques reflets dorés. Intenses et typés, agrémentés de notes poivrées, ses parfums sont associés à une chair riche, chaleureuse et puissante. Bien représentatif de l'appellation et du millésime, ce 2003 sera apprécié au cours des deux prochaines années.
Roger et Marie-Hélène Labruyère, Les Bois, 69430 Régnié-Durette, tél. 04.74.04.24.09, fax 04.74.69.15.16, e-mail roger.labruyere@wanadoo.fr r.-v.

PATRICK BOULAND 2004 **

2 ha 10 000 5 à 8 €

Des vignes de cinquante ans implantées sur des sols granitiques sont à l'origine de cette cuvée élevée pendant six mois en cuve et en fût. Comme le 2002, elle a été consacrée coup de cœur par le grand jury, captivé par sa robe limpide, rubis intense, et par son nez où la violette et la rose côtoient la prune, avec des nuances minérales. En bouche, on retrouve les élégantes impressions florales du nez. Charnu à l'attaque, le vin évolue sur des tanins fondus. Sa rondeur s'harmonise avec sa trame tannique serrée, lui donnant beaucoup de classe. Un morgon typique, déjà excellent et qui pourra paraître à table pendant trois ans, avec une volaille de Bresse à la crème par exemple.
Patrick Bouland, 77, montée des Rochauds, 69910 Villié-Morgon, tél. 04.74.69.16.20, fax 04.74.69.13.55, e-mail patrick.bouland@free.fr r.-v.

DOM. NOEL BULLIAT
Cuvée Vieilles Vignes 2003 *

0,7 ha 4 000 5 à 8 €

Des vignes vraiment vieilles, une vinification à l'ancienne et un séjour d'un an en fût sont à l'origine de cette cuvée régulière en qualité. Rubis soutenu avec des beaux reflets, ce 2003 exprime un boisé assez agréable. L'attaque révèle un mariage harmonieux du vin et du chêne, et la finale est tout en finesse. Un ensemble aromatique plaisant et de caractère. On le servira pendant deux ans avec viandes rouges, gibier ou fromage.
Noël Bulliat, Le Colombier, 69910 Villié-Morgon, tél. 04.74.69.13.51, fax 04.74.69.14.09, e-mail bulliat.noel@wanadoo.fr r.-v.

BERNARD CHAGNY Côte du Py 2004

1,7 ha 4 000 5 à 8 €

Bernard Chagny a acheté des vignes au château de Pizay pour se constituer un domaine, qu'il a agrandi peu à peu en exploitant des parcelles en fermage ou en métayage. A la tête de 10 ha, il s'est distingué l'an dernier en décrochant un coup de cœur pour son 2003. Habillé de rubis, le millésime suivant s'ouvre sur des notes florales fines et fraîches ponctuées de touches de terroir. Aromatique et frais à l'attaque, il révèle un grain agréable tout au long de la dégustation et prend des nuances minérales en finale. Une bouteille équilibrée que l'on pourra déboucher dès l'automne et savourer pendant un an.
Bernard Chagny, Les Vergers, 69430 Régnié-Durette, tél. 04.74.04.36.48, fax 04.74.04.36.48 r.-v.

PIERRE CHANAU 2004 **

n.c. 115 000 5 à 8 €

Pierre Chanau est la marque d'Auchan. (Les vins sont mis en bouteilles par la maison Thorin.) A côté d'un **juliénas 2004**, cité, et d'un **beaujolais-villages 2004 (3 à 5 €)** qui obtient une étoile, le jury a beaucoup apprécié ce morgon. Sa robe est rubis profond, son nez expressif associe la cerise et le cassis à de fines notes de violette très élégantes. Agréable dès l'attaque, la bouche laisse découvrir une structure chaleureuse et des arômes de fruits rouges compotés accompagnés d'une touche de noyau de pêche. Cette bouteille harmonieuse peut se boire sur son fruit dès l'automne, ou attendre deux ans.
Auchan, 200, rue de la Recherche, 59650 Villeneuve-d'Ascq, tél. 04.74.69.09.18, fax 04.74.69.09.75

ARMAND ET RICHARD CHATELET
Cuvée du P'tit Moustachu Elevé en fût de chêne 2003

1 ha 6 000 5 à 8 €

Ce domaine familial est exploité par Armand Chatelet et son fils Richard, qui l'a rejoint en 1998. R'voilà leur

P'tit Moustachu... Un séjour de six mois en fût a donné à ce 2003 un léger boisé qui se mêle à des parfums de cerise aux nuances de kirsch. Equilibrée, dotée de tanins assez fondus, la bouche est fortement imprégnée de notes de cannelle. Un vin bien fait, à ouvrir dans les deux ans.
EARL Armand et Richard Chatelet, Les Marcellins, 69910 Villié-Morgon, tél. 04.74.04.21.08, fax 04.74.69.16.48, e-mail armand.richard.chatelet@tiscali.fr r.-v.

## DOM. DU CHAZELAY
Cuvée Vieilles Vignes 2004 *

■ 6,33 ha 10 000 5 à 8 €

Constitué en 1850, un domaine acquis en 2001 par Cyrille Chavy. Des vignes de soixante-dix ans ont donné naissance à un vin rubis intense, au nez élégant et pur, fait de kirsch, de fruits noirs et d'épices. La fraîcheur de ses tanins fruités confère de la gaieté à cette cuvée où l'on retrouve en bouche les épices et la cerise (noyau). Sa charpente lui assure un certain potentiel de garde : on dégustera ce 2004 au cours des deux prochaines années.
Cyrille Chavy, Les Versauds, 69910 Villié-Morgon, tél. 04.74.04.20.47, fax 04.74.69.20.00, e-mail cyrille.chavy@wanadoo.fr r.-v.

## DOM. DE COLONAT Climat Les Charmes 2004 *

■ 9 ha 30 000 5 à 8 €

La septième génération s'apprête à prendre la relève sur ce domaine fondé en 1828, et qui a plus d'un coup de cœur à son actif. Le vignoble s'étend sur un peu plus de 11 ha. Son morgon Les Charmes revêt une robe rubis à reflets violines ; ses parfums d'une grande finesse sont dominés par la pivoine et la rose, puis viennent des nuances de prune et de cassis. Du cassis que l'on retrouve à l'attaque, mêlé de framboise, tandis que la finale renoue avec les notes florales du nez. Ce vin gourmand, à la trame tannique fine et bien serrée, pourra se déguster pendant un an. De la même propriété, le **régnié Vieilles Vignes 2004** a été cité.
Bernard Collonge, Dom. de Colonat, Saint-Joseph, 69910 Villié-Morgon, tél. 04.74.69.91.43, fax 04.74.69.92.47, e-mail domaine.de.colonat@wanadoo.fr
t.l.j. 8h-19h; f. 1er -7 août

## DOM. DE LA CROIX MULINS 2004 **

■ 5,45 ha 40 000 8 à 11 €

Pierre Depardon est établi au pied de la colline du Py dans une bâtisse traditionnelle dotée d'une belle cave voûtée. Il propose un morgon né de schistes pyriteux. D'un pourpre intense à reflets grenat, ce 2004 délivre d'agréables parfums de fruits rouges et d'iris, assortis de notes de grillé et d'épices. Ample et puissant, fortement charpenté par des tanins très élégants et typiques de l'appellation, c'est un excellent représentant du cru, tout indiqué pour accompagner un civet. Il se gardera deux à trois ans.
Pierre Depardon, Les Raisses, 69910 Villié-Morgon, tél. 04.74.69.10.15, fax 04.74.69.09.75

## CAVE JEAN-ERNEST DESCOMBES 2004

■ 1 ha 6 500 5 à 8 €

Les vins de cette cave familiale sont mis en bouteilles à la propriété et commercialisés par les établissements Dubœuf. Celui-ci s'habille d'une robe limpide, rouge soutenu, et exprime d'élégants parfums de cassis et de kirsch. Dès l'attaque, il révèle la richesse des arômes liés au terroir. Ses tanins très présents apparaissent un peu austères. Un classique de l'appellation, suffisamment harmonieux pour attendre un à deux ans.
Nicole Descombes, Les Micouds, 69910 Villié-Morgon, tél. 04.74.04.20.11, fax 04.74.04.26.04 r.-v.

## DOM. DONZEL Cuvée Tradition 2004 *

■ 3,2 ha 20 000 5 à 8 €

Une exploitation créée en 1948, reprise en 1986 par Bernard Donzel, rejoint en 2004 par Vincent. Ses morgon sont très souvent présents dans le Guide, parfois aux meilleures places. Rouge sombre à reflets rubis, ce 2004 offre sans trop se faire prier d'agréables parfums de fruits rouges et de poivre, avec une nuance minérale. Dès l'attaque, on découvre un beau vin, charnu, rond, souple, très bien structuré et aromatique (pêche cuite). Une excellente bouteille à servir pendant deux à trois ans avec une viande en sauce.
EARL Bernard et Vincent Donzel, Fondlong, 69910 Villié-Morgon, tél. 04.74.04.20.56, fax 04.74.69.14.52 r.-v.

## DOYENNE DE LA NOISERAIE
Côte du Py Fût de chêne 2003

■ 1,8 ha 5 000 8 à 11 €

Bernard Martin a élevé douze mois en fût cette cuvée d'un rouge profond et jeune. Un léger boisé marque le nez, tandis que le chêne domine en bouche. Corsée, tannique et typée, cette bouteille devra attendre. Elle plaira aux amateurs de ce style de vin.
Bernard Martin, 140, rue du 8-Mai, 69220 Saint-Jean-d'Ardières, tél. 04.74.66.36.58, fax 04.74.66.15.98, e-mail domainedelanoiseraie@free.fr r.-v.

## HENRI DUBOST La Ballofière 2004

■ 0,6 ha 4 000 8 à 11 €

Jean-Paul Dubost exploite 17 ha de vignes en propre tout en menant une affaire de négoce. Il propose une cuvée grenat limpide aux parfums de fruits très mûrs à la fois chaleureux et d'une grande finesse. Frais à l'attaque, fruité, équilibré, ce vin révèle une structure tannique assez ferme. Sa longue finale laisse parler le terroir. A servir dans l'année avec une viande en sauce ou du petit gibier.
Dom. Jean-Paul Dubost, Tracot, 69430 Lantignié, tél. 04.74.04.87.51, fax 04.74.69.27.33, e-mail j.p-dubost@wanadoo.fr
t.l.j. sf dim. 8h-12h 13h30-19h

## NICOLAS DUBOST 2003 *

■ n.c. 6 600 8 à 11 €

Cette marque appartient à la célèbre maison bourguignonne Reine Pédauque qui est passée dans les mains du Groupe Ballande. Celui-ci a présenté un morgon de couleur cerise burlat assez intense, qui mêle au nez des nuances fruitées, florales et épicées. Le pruneau s'ajoute en bouche à cette palette aromatique. Malgré des tanins plutôt sévères, ce vin garde une belle harmonie. On le dégustera au cours des deux prochaines années.
Reine Pédauque, Le Village, 21420 Aloxe-Corton, tél. 03.80.25.00.00, fax 03.80.26.42.00, e-mail rpedauque@axnet.fr r.-v.

CH. GAILLARD Elevé en fût de chêne 2004

■ 2 ha 13 000 5 à 8 €

Les établissements Raymond Mathelin et Fils ont développé une activité de négoce et d'embouteillage à façon tout en exploitant leur propre vignoble. Des vignes de soixante ans encerclant des bâtiments du XVIIIe s. ont donné naissance à ce morgon d'une couleur sombre, presque noire. Le nez s'ouvre sur d'agréables notes de fruits très mûrs, avec une pointe d'épices. Charnu, équilibré, structuré par des tanins discrets, ce vin emplit le palais d'arômes de fruits rouges. Il sera prêt à l'automne mais pourra se garder un à deux ans. Présenté par la même maison, le **beaujolais Domaine de Sandar 2004 (3 à 5 €)** provient de la propriété des Mathelin. Il a également été cité.

Ets R. Mathelin et Fils,
Dom. de Sandar, BP 2, 69380 Châtillon-d'Azergues,
tél. 04.72.54.26.54, fax 04.78.43.94.85,
e-mail mathelin@beaujolais-france.com
t.l.j. sf dim. 8h30-12h 14h-19h

DOM. DES GAUDETS 2004

■ 2 ha 13 000 5 à 8 €

Cette exploitation familiale a déjà soumis au jury de belles cuvées, comme le 2000 qui avait obtenu un coup de cœur. Né de vignes de cinquante ans implantées sur des sols de schistes friables, ce 2004 affiche une robe rubis éclatante et limpide et présente un nez intense de fruits rouges et noirs, souligné par une touche typique de cerise et de poivre. Après une belle attaque, il révèle une structure assez légère avec des tanins fins. Sa finale fraîche offre un joli retour épicé. Une bouteille harmonieuse qui joue davantage sur la finesse que sur la puissance : on la boira dès cet automne.

Noël et Christophe Sornay,
GAEC des Gaudets, Le Brye, 69910 Villié-Morgon,
tél. 04.74.04.21.69, fax 04.74.69.10.70 r.-v.

ALAIN ET GEORGES GAUTHIER 2003 ★

■ 1,5 ha 11 200 5 à 8 €

Trois mois de cuve et trois mois de fût pour cette cuvée à la robe rouge burlat pimpante. Elle s'ouvre lentement sur des parfums de fruits très mûrs associés à des nuances de sureau. Sa rondeur est équilibrée par une structure assez tannique. Des notes épicées, poivrées, viennent compléter sa palette aromatique. Harmonieux et d'une belle finesse, ce 2003 est à consommer au cours des deux prochaines années.

Alain Gauthier,
La Roche Pilée, 69910 Villié-Morgon,
tél. 04.74.69.15.87, fax 04.74.69.15.87 r.-v.

DOM. LAURENT GAUTHIER
Grands Cras Vieilles Vignes 2004

■ 6 ha 20 000 8 à 11 €

Constituée par des rachats successifs de petits métayages, cette propriété s'étend sur 11,50 ha. Son **chiroubles Châtenay Vieilles Vignes 2004** fait jeu égal avec ce morgon né de ceps de quarante ans. D'un grenat clair et limpide, ce 2004 livre d'intenses parfums de fruits rouges assortis de notes de fruits noirs et d'épices. Une bouche ronde et de jolis arômes de cerise composent une bouteille harmonieuse, à servir maintenant avec andouillette, charcuterie ou viandes blanches.

EARL Laurent Gauthier,
Morgon-le-Bas, 69910 Villié-Morgon,
tél. 04.74.04.26.57, fax 04.74.69.12.08 r.-v.

DOM. DE JAVERNIERE 2004

■ 3 ha 20 000 5 à 8 €

Voilà vingt ans qu'Hervé Lacoque s'est installé sur la propriété familiale, qu'il a agrandie en 2001 : il exploite aujourd'hui plus de 10 ha. Des ceps âgés de plus d'un demi-siècle sont à l'origine de cette cuvée rouge sombre aux reflets de bois de rose. Ses parfums assez puissants de fruits rouges s'accompagnent de fines notes de violette. Robuste et fortement charpenté, plutôt sévère, ce vin devra patienter un ou deux ans en cave.

Hervé Lacoque, Javernière, 69910 Villié-Morgon,
tél. 04.74.04.26.64, fax 04.74.04.27.10 r.-v.

JOEL LACOQUE Côte du Py 2003 ★★

■ 4 ha 30 000 5 à 8 €

Cité l'an dernier à côté d'une superbe cuvée, ce morgon est fort complimenté dans le millésime 2003. Il provient de vignes de quarante-cinq ans cultivées sur des terrains schisteux. Tout a plu en lui : sa robe grenat, son nez fruité intense, sa bonne attaque, sa chair corsée aux agréables arômes de fruits rouges. Sa charpente de tanins encore jeunes doit lui permettre d'attendre deux ou trois ans. Un vin bien représentatif du cru et du millésime.

Joël Lacoque, Morgon, 69910 Villié-Morgon,
tél. 04.74.69.16.52, fax 04.74.04.27.03 r.-v.

MIREILLE LACOQUE Côte du Py 2003

■ 1,25 ha 4 660 5 à 8 €

Cette cuvée est une exclusivité de l'Association des producteurs de morgon, dont le siège est situé au cœur du village, au caveau de Morgon, sous le château de Fontcrenne. Rouge sombre à reflets rubis, ce 2003 présente un nez assez intense où se mêlent notes minérales et réglisse. Riche, puissant et racé, il ne s'exprime pas encore pleinement. On l'attendra un à deux ans.

Caveau de Morgon, Association des Producteurs,
69910 Villié-Morgon, tél. 04.74.04.20.99,
fax 04.74.04.20.25, e-mail contact@morgon.fr
t.l.j. 9h30-12h 14h-19h; f. jan.
Mireille Lacoque

DOM. DU MARGUILLER 2004 ★

■ 4,72 ha 35 000 8 à 11 €

Ce morgon provient de vignes de quarante ans cultivées sur des sols de schiste. D'un rubis soutenu, c'est un panier de framboises et de cerises au nez, agrémenté d'élégantes notes de kirsch. Frais et fruité à l'attaque, un rien épicé, le palais révèle une structure équilibrée et des arômes de pêche de vigne. De bonne longueur, ce vin est déjà prêt mais il possède un potentiel de garde de deux ans.

Christophe Sornay, 312, rue Baudelaire,
69910 Villié-Morgon, tél. 04.74.04.23.65 r.-v.

DOM. MONTANGERON 2003 ★

■ 0,93 ha 7 000 5 à 8 €

Ce domaine développe la vente directe depuis 2000. D'une jolie couleur rubis soutenu, son morgon libère à l'aération des arômes intenses de cassis, de pivoine et de sureau. Assez tannique, corsé, équilibré et de bonne longueur, il mêle en bouche des notes de fruits rouges biens mûrs et des nuances minérales. Cet harmonieux représentant de l'appellation accompagnera pendant deux ans volailles, viandes blanches et fromages.

Frédéric et André Montangeron,
Grand-Pré, 69820 Fleurie,
tél. 04.74.04.10.97, fax 04.74.04.10.97 r.-v.

DOM. DES NUGUES 2003 *

| | 0,5 ha | 3 200 | | 5 à 8 € |
|---|---|---|---|---|

A sa création en 1968, la propriété comptait 0,90 ha. Après achats successifs et locations, elle s'étend aujourd'hui sur 23 ha. Des vignes de quarante-cinq ans sont à l'origine de ce morgon grenat soutenu, qui exprime des notes poivrées franches et de bonne intensité. L'attaque charnue et ronde révèle un vin complet, aromatique, élégant et bien structuré. Un ensemble harmonieux à boire dans les deux ans. A noter encore, du même domaine, le **beaujolais rouge 2004** cité par le jury.

EARL Gelin, Dom. des Nugues, Les Pasquiers,
69220 Lancié, tél. 04.74.04.14.00, fax 04.74.04.16.73,
e-mail earl-gelin@wanadoo.fr r.-v.

BERNARD PICHET 2004

| | 0,52 ha | 3 800 | | 5 à 8 € |
|---|---|---|---|---|

Des vignes de cinquante-cinq ans sont à l'origine de cette cuvée grenat clair qui s'ouvre sur des notes légères de fruits noirs et de fleurs. Assez chaleureux, ce 2004 révèle aujourd'hui un côté tannique austère mais prometteur. On l'oubliera en cave quelques mois pour l'apprécier à sa juste valeur.

Bernard Pichet, Le Pont, 69115 Chiroubles,
tél. 04.74.69.11.27, fax 04.74.69.14.22 r.-v.

ROLAND PIGNARD Les Charmes 2003

| | 6 ha | 6 000 | | 5 à 8 € |
|---|---|---|---|---|

Depuis une douzaine d'années, les vignes sont à nouveau labourées, et l'exploitation est actuellement en cours de conversion vers l'agriculture biologique. Elle a produit un vin rubis limpide aux délicates senteurs de violette, de framboise et d'épices. Après une attaque fraîche, on découvre une excellente structure, des tanins fermes et des arômes de fruits rouges et d'épices. Un joli morgon aux potentialités de garde bien affirmées.

Roland Pignard, Saint-Joseph, 69910 Villié-Morgon,
tél. 04.74.69.90.73, fax 04.74.69.90.73,
e-mail r.j.pignard@wanadoo.fr r.-v.

MICHEL RAMPON ET FILS 2004 *

| | 3 ha | 10 000 | | 5 à 8 € |
|---|---|---|---|---|

Viticulteurs de père en fils depuis au moins six générations, les Rampon ont fort bien réussi leur morgon 2004. Grenat violine dans le verre, ce vin présente un nez expressif où se mêlent la fraise, la framboise, la cerise et les épices. Fruits rouges et noirs imprègnent un palais volumineux et chaleureux, à la longue finale fraîche. Des tanins assez fondus ne cassent pas son bel équilibre. A déguster pendant deux ans. Du même domaine, le **régnié 2004** a été cité.

GAEC Michel Rampon et Fils,
La Tour Bourdon, 69430 Régnié-Durette,
tél. 04.74.04.32.15, fax 04.74.69.00.81,
e-mail gaec.rampon@wanadoo.fr t.l.j. 8h-19h

DOM. DE LA ROCHE PILEE 2003

| | 4 ha | 6 000 | | 5 à 8 € |
|---|---|---|---|---|

Cette propriété domine le village de Villié-Morgon. Ses bâtiments datent de 1792 et ses vignes s'étendent sur un peu plus de 4 ha. C'est donc la quasi-totalité de la production qui est représentée dans ce 2003 rouge burlat léger aux reflets ocre. Le nez associe le cassis et la framboise très mûre au pruneau ainsi qu'à des notes florales. Plaisante, structurée, la bouche révèle un côté chaleureux en harmonie avec la rondeur de sa chair. A ouvrir dès l'automne.

Delorme, Dom. de la Roche Pilée,
chem. de la Roche Pilée, 69910 Villié-Morgon,
tél. 04.74.04.20.47, fax 04.74.04.20.74,
e-mail florencedelorme@wanadoo.fr r.-v.

DOM. DES ROCHES DU PY Côte du Py 2003

| | 2,6 ha | 12 000 | | 5 à 8 € |
|---|---|---|---|---|

Dominée par un chêne plusieurs fois centenaire, la Côte du Py est l'un des principaux *climats* du morgon. Ce domaine est établi sur la pente sud de cette colline. Son morgon est encore au rendez-vous. D'un rouge sombre, ce 2003 s'ouvre sur de délicats parfums fruités qui se marient agréablement aux notes minérales de la bouche. Doté d'une structure tannique équilibrée et d'une chair d'une bonne finesse, il est à boire dès l'automne.

Marcel Jonchet, Côte du Py, 69910 Villié-Morgon,
tél. 04.74.04.23.03, fax 04.74.69.10.35 r.-v.

PIERRE SAVOYE Côte du Py 2004 *

| | 1,5 ha | 10 000 | | 5 à 8 € |
|---|---|---|---|---|

Cette propriété familiale se transmet de père en fils depuis 1852. La totalité de ses vignes est située sur la Côte du Py. Des ceps de plus d'un demi-siècle ont donné naissance à ce morgon d'un rubis superbe de luminosité. Ses parfums d'une belle finesse associent la violette, les fruits noirs et rouges. La pêche et l'abricot s'ajoutent en bouche à cette palette aromatique. Doté d'une élégante structure tannique, équilibré et très typé, ce 2004 est prêt à boire mais pourra se garder deux à trois ans.

Pierre Savoye, Les Micouds, 69910 Villié-Morgon,
tél. 04.74.04.21.92, fax 04.74.04.26.04,
e-mail pierre.savoye@wanadoo.fr
t.l.j. sf dim. 8h-11h30 13h30-18h30; sam. sur r.-v.

DOM. DE LA SERVE DES VIGNES 2003 *

| | 1,1 ha | 3 300 | | 5 à 8 € |
|---|---|---|---|---|

Cette maison de négoce caladoise – c'est ainsi que l'on nomme les habitants de Villefranche-sur-Saône – est citée pour le **brouilly Les Verdières 2004 (8 à 11 €)** et pour le **juliénas Domaine de Boischampt 2003 (5 à 8 €)**, fort bien réussis. Le jury leur a préféré ce morgon rubis soutenu aux nuances violines ; ce vin libère d'intenses parfums de fruits rouges, accompagnés de notes de prune et de figue. On retrouve ces arômes dans une bouche équilibrée aux tanins encore un peu sévères. Avec sa bonne charpente, ce 2003 tiendra deux ans. Il s'accordera avec viandes rouges et gibier.

Pierre Dupond,
235, rue de Thizy, BP 79, 69653 Villefranche-sur-Saône,
tél. 04.74.65.24.32, fax 04.74.68.04.14,
e-mail pierre.dupond@pierredupond.com

DOM. DE LA VOIE ROMAINE 2004

| | 5,45 ha | 40 000 | | 8 à 11 € |
|---|---|---|---|---|

La Voie romaine est un lieu-dit de Villié-Morgon. Le millésime 2004 du domaine présente une robe rubis limpide et respire le kirsch et la violette, arômes que l'on retrouve en finale. Doté d'une puissante structure de tanins fermes, assez harmonieux, il peut attendre deux à trois ans.

SCEA Dufour,
La Grange Cochard, 69910 Villié-Morgon,
tél. 04.74.69.11.04, fax 04.74.69.09.75

# Moulin-à-vent

Le « seigneur » des crus du Beaujolais campe ses 653 ha sur les communes de Chénas, dans le Rhône, et de Romanèche-Thorins, en Saône-et-Loire. L'appellation, symbolisée par le vénérable moulin à vent qui a retrouvé ses ailes en 1999, en présence des navigateurs Laurent et Yvan Bourgnon, se dresse à une altitude de 240 m au sommet d'un mamelon aux formes douces, de pur sable granitique, au lieu-dit Les Thorins. En 2004, elle a produit 36 022 hl élaborés à partir de gamay noir. Les sols peu profonds, riches en éléments minéraux tels que le manganèse, apportent aux vins une couleur d'un rouge profond, un arôme rappelant l'iris, du bouquet et du corps, qui, quelquefois, les font comparer à leurs cousins bourguignons de la Côte-d'Or. Selon un rite traditionnel, chaque millésime est porté aux fonts baptismaux, d'abord à Romanèche-Thorins (fin octobre), puis dans tous les villages et, début décembre, dans la « capitale ».

S'il peut être apprécié dans les premiers mois de sa naissance, le moulin-à-vent supporte sans problème une garde de quelques années. Ce « prince » fut l'un des premiers crus reconnus appellation d'origine contrôlée, en 1936, après qu'un jugement du tribunal civil de Mâcon en eut défini les limites. Deux caveaux permettent de le déguster, l'un au pied du moulin, l'autre au bord de la route nationale. Ici ou ailleurs, on appréciera pleinement le moulin-à-vent sur tous les plats généralement accompagnés de vin rouge.

### CH. DE BEAUREGARD Clos des Pérelles 2003

■ 2 ha 5 000 ◖◗ 15 à 23 €

Un tri manuel de la vendange sur une table vibrante suivi d'une longue macération avec éraflage et d'un élevage de neuf mois en fût de chêne ont donné cette cuvée rouge violacé intense. De subtils parfums de fruits rouges mêlés à de légères notes de boisé se prolongent en bouche, associés à des arômes prononcés de cerise. Bien structuré et d'une bonne longueur, ce 2003 se montre austère en finale et devra être attendu.

Maison Joseph Burrier, Ch. de Beauregard, 71960 Fuissé, tél. 03.85.35.60.76, fax 03.85.35.66.04, e-mail joseph.burrier@wanadoo.fr ☑ Y ⩚ r.-v.

### DOM. BENOIT RACLET 2004 *

■ 3,7 ha 28 000 ▮◖◗⫰ 8 à 11 €

Sur l'étiquette, le portrait de Benoît Raclet qui, en 1840, réussit à vaincre la pyrale, cette chenille qui s'attaque aux végétaux, par l'échaudage des vignes. Pour la troisième année consécutive, le domaine décroche une étoile pour son moulin-à-vent. Dans le millésime 2004, le vin se présente dans une robe rubis foncé, presque noire, et délivre de puissants parfums de fruits très mûrs qui ne manquent pas de finesse. Structurée et de belle longueur, la bouche dévoile de légers arômes de pruneau. Cette harmonieuse bouteille, bien concentrée, rappelle le millésime précédent et pourra attendre deux à trois ans.

Dom. Benoît Raclet, 71570 Romanèche-Thorins, tél. 04.74.69.09.10, fax 04.74.69.09.75

F. Coste

### DOM. DES CAVES Cuvée Etalon 2003 *

■ 2 ha 6 000 ◖◗ 5 à 8 €

Les caves voûtées datant de 1620, où a séjourné un an cette cuvée Etalon, ont donné son nom à ce domaine dirigé depuis 1993 par Laurent Gauthier. Ce moulin-à-vent 2003, rouge profond, livre d'intenses senteurs de fruits rouges et de cassis associées à de légères notes de fût. La bouche, structurée et longue, est imprégnée de saveurs boisées bien fondues et révèle une chair aromatique. Un vin de garde, à attendre un à deux ans. Le 2001 avait obtenu un coup de cœur.

Laurent Gauthier, Dom. des Caves, 69840 Chénas, tél. 04.74.69.86.59, fax 04.74.69.83.15

☑ Y ⩚ t.l.j. 8h-20h

### BARONNE DU CHATELARD 2003 *

■ 1 ha 6 300 ▮◖◗⫰ 5 à 8 €

On cultivait déjà la vigne sur le domaine du temps de Charlemagne. Le château, qui connut bien des vicissitudes au cours des siècles, fut reconstruit au XVIII[e]s. En 2000, il a été acheté par Sylvain Rosier qui complète l'exploitation des 19 ha de vignes par une activité de négoce. Sa sélection 2003 se pare d'une robe rubis intense à reflets bleutés. Au nez, d'harmonieux et délicats parfums de fleurs se mêlent à une note boisée. Après une belle attaque, le palais révèle des tanins bien fondus et montre souplesse et rondeur. Un vin agréable, tout en douceur, à ouvrir dans l'année avec des fromages pas trop affinés. Issu des vignes de la propriété, le **fleurie Château du Chatelard 2003 Fût de chêne** a été cité.

Sylvain Rosier, Ch. du Chatelard, 69220 Lancié, tél. 04.74.04.12.99, fax 04.74.69.86.17, e-mail vinduchato@aol.com

☑ Y ⩚ t.l.j. sf dim. 9h-12h 14h-18h

### DOM. DE LA CHEVRE BLEUE Vieilles Vignes 2003 *

■ 2,4 ha 3 500 ▮ 5 à 8 €

Des vignes de soixante ans cultivées sur des roches granitiques ont donné un vin rubis aux reflets violets. Ses parfums expressifs et complexes de fruits bien mûrs sont associés à des notes minérales. A l'attaque riche et charnue succède la fraîcheur des arômes évoquant la griotte. Un 2003 harmonieux et persistant, à la puissance mesurée. A boire dans les deux prochaines années.

Michel et Gérard Kinsella, Les Deschamps, 69840 Chénas, tél. 03.85.33.85.70, fax 03.85.33.85.70, e-mail gerard@chevrebleue.com ☑ Y ⩚ r.-v.

### CLOS DU MOULIN-A-VENT 2003 *

■ n.c. n.c. ◖◗ 15 à 23 €

Depuis 2002, cette petite parcelle blottie au pied du célèbre moulin fait l'objet d'un partenariat entre son propriétaire et la maison Dubœuf qui assure la commercialisation des vins. Grenat profond, celui-ci associe d'expressifs parfums de cerise confite aux nuances de kirsch à un harmonieux boisé. L'attaque franche souligne la ron-

deur d'une chair structurée par des tanins fondus. Equilibrée, de belle tenue, la bouche révèle des arômes de griotte. A boire au cours des deux prochaines années.
SA Les Vins Georges Dubœuf, La Gare, 71570 Romanèche-Thorins, tél. 03.85.35.34.20, fax 03.85.35.34.25, e-mail gduboeuf@duboeuf.com
t.l.j. 9h-18h au Hameau-en-Beaujolais; f. 1er-14 jan.

## CLOS LES CHARMES 2004 ★★★

| | 0,56 ha | 4 000 | 8 à 11 € |
|---|---|---|---|

Une extension de sa propriété a permis à Didier Desvignes de signer son premier moulin-à-vent. Et c'est une réussite puisqu'il décroche d'emblée trois étoiles ! Ce Clos Les Charmes grenat aux beaux reflets violets s'ouvre sur des notes de fruits très mûrs. Doté d'une structure remarquable associant des tanins fondus à une chair aromatique au fruité persistant, ce vin de garde bien fait et typique de l'appellation sera à boire au cours des trois prochaines années.
Didier Desvignes, Saint-Joseph, 69910 Villié-Morgon, tél. 04.74.69.92.29, fax 04.74.69.97.54 r.-v.

## CORON PERE ET FILS 2003

| | n.c. | 2 500 | 15 à 23 € |
|---|---|---|---|

Cette maison de négoce nuitonne a été créée en 1879. Elle propose un 2003 rubis sombre légèrement ambré, qui délivre des parfums de fruits confits, de pruneau et d'épices. Après une bonne attaque, la bouche se poursuit sur des notes bien fondues, caractéristiques de vins parvenus à maturité, qui mettent en valeur des arômes de fruits mûrs. Un 2003 bien structuré et harmonieux. Déjà prêt, il peut attendre. On le servira avec du gibier.
Maison Coron Père et Fils, 6, rue de Chaux, BP 4, 21700 Nuits-Saint-Georges, tél. 03.80.62.43.40, fax 03.80.62.68.02

## DOM. DE LA CROIX ROUGE 2004 ★★

| | 1,2 ha | 8 000 | 5 à 8 € |
|---|---|---|---|

Des vignes de cinquante ans cultivées sur des sables granitiques ont donné un 2004 d'une couleur rubis vif caractéristique du gamay. Les parfums aux plaisantes nuances fruitées évoquent le raisin mûr. Dotée d'une bonne charpente, la bouche reste sur le fruit et montre une belle rondeur. Bien structuré, équilibré et frais, ce vin peut attendre deux ou trois ans.
SA Signé Vigneron, Brouilly, 69460 Odenas, tél. 04.74.03.52.72, fax 04.74.03.38.58, e-mail signe-vigneron1@wanadoo.fr
André Jeandin

## DOM. DE FORETAL 2004

| | 1,5 ha | 4 000 | 5 à 8 € |
|---|---|---|---|

Aux alentours de Vauxrenard, il existe de nombreux sentiers pédestres et un sentier viticole, le chemin des Vignes. Rien de tel qu'une mise en jambe avant d'aller goûter cette cuvée 2004, rubis clair, qui s'ouvre sur les fruits rouges. La bouche réveillée et vivante révèle une charpente légère. Une bouteille agréable, à ouvrir dans l'année.
Jacques et Marie-Thérèse Perraud, Forétal, 69820 Vauxrenard, tél. 04.74.69.90.45, fax 04.74.69.90.45, e-mail domaine.foretal@laposte.net
t.l.j. 9h-12h 13h30-19h; f. sept.

## DOM. DES GANDELINS 2004

| | 1,2 ha | 9 000 | 5 à 8 € |
|---|---|---|---|

La maison d'habitation en pisé a plus de trois cents ans et le caveau de dégustation est soutenu par des poutres de chêne séculaires. Ce moulin-à-vent 2004, grenat pâle, livre de frais parfums fruités où l'on discerne la framboise et le cassis. La bouche, agréablement aromatique, un peu légère malgré des tanins bien construits, fait preuve de finesse. Harmonieuse et de bonne longueur, cette bouteille est à servir dans l'année.
Patrick Thévenet, Cidex 324 rte des Deschamps, Les Gandelins, 71570 La Chapelle-de-Guinchay, tél. 03.85.36.72.68, fax 03.85.33.89.51, e-mail patrick-thevenet@wanadoo.fr t.l.j. 9h-19h

## DOM. DU GRANIT

La Rochelle Vieilles Vignes Elevé en fût de chêne 2003

| | 1,25 ha | 3 500 | 11 à 15 € |
|---|---|---|---|

Cette exploitation familiale a vu le jour en 1918. Le sol granitique sur lequel sont implantées les vignes a donné son nom au domaine. Sa cuvée La Rochelle 2003 présente une robe pourpre limpide. Elle délivre de légères et agréables notes de fût associées aux fruits rouges, arômes que l'on retrouve en bouche avec des tanins assez fondus. Très vineuse, elle finit sur des impressions chaleureuses. A ouvrir dès l'automne 2005.
Dom. du Granit, La Rochelle, 69840 Chénas, tél. 04.74.04.48.40, fax 04.74.04.47.66, e-mail gbertolla@free.fr r.-v.
A. G. Bertolla

## DOM. JACQUES ET ANNIE LORON 2004

| | 1,5 ha | 7 000 | 5 à 8 € |
|---|---|---|---|

Obtenue à partir de vignes d'une cinquantaine d'années cultivées sur des sables granitiques, cette cuvée rubis intense aux parfums expressifs de petits fruits rouges emplit amplement la bouche d'une chair franche et droite. Une bonne expression du millésime 2004, à déboucher dans les deux prochaines années.
EARL Jacques et Annie Loron, Les Blancs, 69840 Chénas, tél. 04.74.04.48.76, fax 04.74.04.42.14 t.l.j. 9h-19h

## CH. DU MOULIN-A-VENT

Cuvée exceptionnelle 2003

| | 29,62 ha | 17 000 | 8 à 11 € |
|---|---|---|---|

La troisième génération est à la tête de ce domaine transmis de mère en fille depuis le milieu du XXes. Près de 30 ha, soit la quasi-totalité des vignes, ont servi à élaborer ce moulin-à-vent rubis sombre. Des parfums intenses de fruits très mûrs se mêlent à des notes de kirsch et de pruneau. La bouche se révèle souple, aromatique et riche de nuances épicées et réglissées. Un joli vin, tout en rondeur, facile d'approche et caractéristique de son millésime, à ouvrir dans les deux ans.
Ch. du Moulin-à-Vent, 71570 Romanèche-Thorins, tél. 03.85.35.50.68, fax 03.85.35.20.06, e-mail chateau-du-mav@noos.fr
t.l.j. sf dim. 8h-12h 14h-17h30; f. 22 juil.-16 août

## DOM. DU MOULIN D'EOLE

Les Champs de Cour 2003 ★★

| | 0,45 ha | 2 500 | 5 à 8 € |
|---|---|---|---|

Ce domaine est présent dans le Guide avec une grande régularité et il a déjà décroché un coup de cœur dans l'édition 2001 pour un moulin-à-vent 98. Il réitère

l'exploit avec ces Champs de Cour 2003, élaborés à partir de vignes de cinquante-cinq ans cultivées sur un terroir granitique riche en manganèse. Ils sont habillés d'une livrée d'un rouge rubis profond et exhalent des parfums complexes et expressifs de figue, de pruneau et de vanille plaisamment mêlés à des notes minérales. Dès l'attaque, cet excellent ensemble à la chair riche, soyeuse et fruitée, aux nuances de kirsch, de griotte et de fruits confits, manifeste toute son ampleur. Ce très beau vin, « qui possède tout », note un dégustateur, est à apprécier pendant les trois prochaines années avec du gibier ou une viande rouge.

Philippe Guérin, le Bourg, 69840 Chénas,
tél. 04.74.04.46.88, fax 04.74.04.47.29,
e-mail moulindeole@wanadoo.fr
t.l.j. 9h-12h 14h-19h

## DOM. DU PRIEURE SAINT ROMAIN 2004 ★★

■ 7,5 ha 56 000 5 à 8 €

Cette exploitation de 15 ha est installée à Romanèche-Thorins et sa production est commercialisée par la maison Thorin. Dans le millésime 2004, son moulin-à-vent, rubis limpide, est jugé remarquable. Il s'ouvre sur des parfums flatteurs de petits fruits rouges bien mûrs et des notes florales. La bouche, ample et concentrée, offre une chair ronde et fraîche avec beaucoup de fruits. Un vin structuré, harmonieux, à apprécier au cours des deux prochaines années.

Dom. du Prieuré Saint Romain,
71570 Romanèche-Thorins,
tél. 04.74.69.09.10, fax 04.74.69.09.75
René Pin

## DOM. DE LA ROCHELLE Comte de Sparre 2003 ★

■ 8 ha 15 000 8 à 11 €

D'illustre noblesse suédoise, les Sparre sont venus s'installer en France à la fin du XVII^es. Ils achetèrent, en 1874, ce domaine qui compte aujourd'hui 23 ha et qu'ils mènent en partie en biodynamie. Sa production est régulièrement saluée dans le Guide. La cuvée Comte de Sparre 2003, élevée pour moitié en fût pendant dix mois, se présente dans une livrée rouge sombre à reflets pourpres. Elle exhale d'intenses notes de fruits noirs mêlées de nuances épicées et boisées. Bien structuré et de bonne longueur, ce vin emplit agréablement le palais d'un fruité assez puissant. Le boisé est prononcé mais fondu. Une bouteille à recommander aux amateurs de ce style dans deux à trois ans.

GFA des Domaines Sparre,
La Tour du Bief, 69840 Chénas,
tél. 04.74.66.62.05, fax 04.74.69.61.38 r.-v.

## DOM. DE LA ROCHE MERE 2004

■ 1 ha 7 000 8 à 11 €

Pratiquant la lutte intégrée avec un enherbement partiel, Robert Bridet n'a pas utilisé d'insecticide en 2004. Grenat léger, son moulin-à-vent livre des parfums élégants et fins de fruits rouges. La bouche dotée d'une structure équilibrée révèle des arômes de griotte et de kirsch qui emplissent agréablement la bouche. Ce millésime tout en finesse est à servir au cours des deux prochaines années.

Robert Bridet, le Bourg, 69840 Jullié,
tél. 04.74.04.42.32, fax 04.74.04.42.32,
e-mail robertbridet@wanadoo.fr r.-v.

## DOM. ROMANESCA Elevé en fût 2004 ★

■ 1 ha 2 000 8 à 11 €

Dans la famille depuis cinq générations, cette propriété porte le nom de la *villa* romaine qui serait à l'origine du village de Romanèche. Rubis très profond, sa cuvée 2004, élevée pendant un an en fût, exprime de beaux parfums de fruits rouges et de boisé. La bouche nette, riche et ample, révèle un élégant équilibre entre le chêne et le fruit. Un ensemble plaisant, bien typé et représentatif du millésime. Il sera apprécié pendant les trois prochaines années.

Guy Chastel, Dom. Romanesca,
Les Thorins, 71570 Romanèche-Thorins,
tél. 03.85.35.57.31, fax 03.85.35.20.50,
e-mail chastel.guy@wanadoo.fr r.-v.

## DOM. DE LA TEPPE Les Burdelines 2003 ★★

■ 1,5 ha 3 150 8 à 11 €

Le domaine est exploité depuis cinq générations par la famille Bouzereau, mais il n'a pris son nom actuel qu'en 1976. Il propose ces Burdelines, rubis profond à reflets violets, aux parfums riches et complexes associant les fruits rouges et les fruits confits à de très fines notes boisées. La bouche révèle une matière remarquablement concentrée. La chair, ample, avec des tanins soyeux élégamment mariés au chêne, est équilibrée et très bien structurée. Un vin fort plaisant à découvrir pendant les trois ou quatre prochaines années.

EARL Robert et Pierre Bouzereau,
le Bourg, 71570 Romanèche-Thorins,
tél. 03.85.35.52.47, fax 03.85.35.59.40,
e-mail domainedelateppe@wanadoo.fr r.-v.

## THORIN Terres de Silice 2004 ★

■ n.c. n.c. 8 à 11 €

Dans sa gamme des terroirs, cette maison de négoce a été citée pour son **fleurie 2004 Terres de granit rose** et reçoit une étoile pour son **beaujolais-villages rouge 2004 Terres de granit (5 à 8 €)**. Quant à ce moulin-à-vent grenat vif, il séduit par ses puissants parfums floraux. Des arômes de fruits à noyau se développent dans une bouche soutenue par des tanins souples. Très harmonieux, ce 2004, aux délicates notes de terroir, sera apprécié au cours des deux prochaines années.

Maison Thorin,
Pont des Samsons, 69430 Quincié-en-Beaujolais,
tél. 04.74.69.09.10, fax 04.74.69.09.28,
e-mail information@maisonthorin.com

## LE VIEUX DOMAINE 2003 ★

■ 9 ha 5 000 8 à 11 €

Cette exploitation familiale qui se transmet de génération en génération est installée dans le presbytère de Chénas qui date du XVIII^es. Dans la précédente édition du Guide, elle avait reçu un coup de cœur – le troisième – pour son moulin-à-vent 2002. Une robe rouge sombre aux reflets vifs habille le millésime suivant, d'où émanent d'agréables parfums de vanille et un boisé bien intégré associés à la réglisse. Ces arômes accompagnent une bouche fondue, plutôt souple, au fruité confit très agréable. Un vin harmonieux que l'on peut servir dès maintenant sur du gibier ou attendre quelques années. Par ailleurs, le **chénas 2003 (5 à 8 €)** du domaine, boisé et fruité, est cité par le jury.

🔑 EARL M.-C. et D. Joseph, Le Vieux-Bourg, 69840 Chénas, tél. 04.74.04.48.08, fax 04.74.04.47.36, e-mail le.vieux.domaine@wanadoo.fr ☑ Y ⛹ r.-v.

# Régnié

Officiellement reconnu en 1988, le plus jeune des crus s'insère entre le morgon au nord et le brouilly au sud, confortant ainsi la continuité des limites entre les dix appellations locales beaujolaises. A l'exception de 5,93 ha sur la commune voisine de Lantignié, les 746 ha délimités de l'appellation sont totalement inclus dans le territoire de la commune de Régnié-Durette. Par analogie avec son aîné le morgon, seul le nom de l'une des communes fusionnées a été retenu pour le désigner. Seuls 489 ha ont été déclarés en AOC régnié en 2004 pour une production de 27 818 hl.

Le territoire de la commune est orienté nord-ouest-sud-est et s'ouvre largement au soleil levant et à son zénith, ce qui a permis au vignoble de s'implanter entre 300 et 500 m d'altitude. Dans la majorité des cas, les racines de l'unique cépage de l'appellation, le gamay noir, explorent un sous-sol sablonneux et caillouteux ; on est ici dans le massif granitique dit de Fleurie. Mais il y a aussi quelques secteurs à tendance légèrement argileuse.

La conduite des vignes et le mode de vinification sont identiques à ceux des autres appellations locales. Toutefois, une exception d'ordre réglementaire ne permet pas la revendication en AOC bourgogne.

Au Caveau des Deux Clochers, près de l'église dont l'architecture originale symbolise le vin, les amateurs peuvent apprécier quelques échantillons de l'appellation. Les vins aux arômes développés de groseille, de framboise et de fleurs, charnus, souples, équilibrés, élégants sont qualifiés par certains de rieurs et de féminins.

## DOM. DE LA BECHE 2003

■ 2,6 ha 15 000 ▮ **5 à 8 €**

Transmis de père en fils depuis 1848, ce domaine figure souvent dans le Guide, tant en régnié qu'en morgon. De couleur grenat, son régnié mêle au nez la framboise et les fruits noirs très mûrs, arômes qui se prolongent dans un palais bien frais. Malgré des tanins encore présents, c'est un vin plaisant et resté jeune, à ouvrir dans les deux ans. Egalement cité, le **morgon Cuvée Vieilles Vignes 2003**, issu de ceps de soixante ans, devra attendre un peu.

🔑 Olivier Depardon, Dom. de la Bêche, 69910 Villié-Morgon, tél. 04.74.69.15.89, fax 04.74.04.21.88, e-mail o.depardon@libertysurf.fr ☑ Y ⛹ r.-v.

## DOM. DES BRAVES 2004

■ 5 ha 10 000 ▮🌡 **5 à 8 €**

Voilà un bon siècle que la famille Cinquin fait du vin. A la tête de 8 ha de vignes, Franck, qui représente la dernière génération, manque rarement le rendez-vous du Guide. Son régnié 2004, au joli nez de fruits rouges et de cassis, est tout en légèreté, tant dans sa robe rubis que dans sa chair souple, fraîche et friande, aux agréables arômes floraux. Un ensemble harmonieux et fin, à servir dans l'année avec de la charcuterie.

🔑 Franck Cinquin, Les Braves, 69430 Régnié-Durette, tél. 04.74.69.05.32, fax 04.74.69.97.31, e-mail franck.cinquin@wanadoo.fr ☑ Y r.-v.

## JEAN-MARC BURGAUD Vallières 2003 *

■ 0,8 ha 4 500 **5 à 8 €**

Jean-Marc Burgaud est installé depuis 1989 à Villié-Morgon, et son **morgon Côte du Py 2003 (8 à 11 €)** est une fois de plus retenu par le jury. Mais cette année, c'est un régnié qui a la préférence. Le jury a été sensible à sa robe rouge foncé aux beaux reflets noirs, à son nez complexe de fruits rouges et noirs, ponctué de notes poivrées, à sa bouche puissante, charnue et équilibrée, aux arômes persistants de fruits bien mûrs. Un vin harmonieux à apprécier pendant les deux prochaines années.

🔑 Jean-Marc Burgaud, Morgon, 69910 Villié-Morgon, tél. 04.74.69.16.10, fax 04.74.69.16.10, e-mail jeanmarcburgaud@libertysurf.fr ☑ Y ⛹ r.-v.

## DOM. BURNOT-LATOUR 2004 *

■ 9,37 ha 10 000 **3 à 5 €**

Installé en 1986, Christian Chambon exploite un peu plus de 9 ha autour de Régnié-Durette. On retrouve son régnié, né de vignes de quarante ans. D'un rubis profond, ce 2004 exprime des nuances assez intenses de fruits noirs. Après une attaque ferme, presque austère, on découvre une matière charnue, aromatique et des tanins qui devront s'assouplir pour libérer tout le fruit. Ce vin sérieux, bien étoffé, devrait avoir atteint sa plénitude fin 2005.

🔑 Christian Chambon, Lachat, 69430 Régnié-Durette, tél. 04.74.69.26.56, fax 04.74.69.20.99 ☑ Y ⛹ r.-v.

## CAVE DU CHATEAU DES LOGES 2004

■ n.c. 12 000 **3 à 5 €**

Cette coopérative a présenté un régnié aux parfums acidulés de fruits rouges. Plus expressif en bouche, fruité, vif et léger, ce vin attire la sympathie. Simple et avenant, il fera plaisir s'il est dégusté dans sa jeunesse.

🔑 Cave du Château des Loges, 69460 Le Perréon, tél. 04.74.03.22.83, fax 04.74.03.27.60, e-mail caveduperreon@wanadoo.fr ☑ Y ⛹ r.-v.

### DOM. DU CHAZELAY 2004

■ 2 ha 8 000 5 à 8 €

Chez les Chavy, on travaille en famille, mais chacun a son exploitation. Viticulteur depuis 1991, Franck, le fils, a constitué patiemment son domaine après avoir passé son BTS de viticulture-œnologie : 3 ha en régnié puis 4 en morgon. D'un rubis limpide, son régnié 2004 s'ouvre sur des parfums bien marqués de cerise et de framboise ; la bonne attaque franche et fruitée introduit une bouche veloutée et fraîche. Très beaujolais, un vin gouleyant, facile et à déboucher dans l'année.

Franck Chavy, Lachat, 69430 Régnié-Durette,
tél. 06.07.16.18.85, fax 04.74.69.20.00,
e-mail franck.vinchavy@wanadoo.fr r.-v.

### DOM. DU CHAZELAY 2004 **

■ 2 ha 8 000 5 à 8 €

Les passionnés de la « petite reine » trouveront chez Henri Chavy, ancien cycliste de niveau international, de quoi satisfaire leur passion et leur curiosité pour le Pays beaujolais. Les œnophiles pourront goûter ses derniers millésimes : le **morgon 2004**, cité, et ce régnié d'un rubis intense et à la très belle palette aromatique florale et fruitée. Son attaque tout en finesse, sa chair ciselée, aux tanins bien présents mais dénués d'agressivité, composent une structure élégante, résultat d'une extraction réussie. Cette bouteille pourra être servie pendant deux ans, avec une bavette à l'échalote, par exemple.

Henri Chavy, Le Chazelet, 69430 Régnié-Durette,
tél. 04.74.69.24.34, fax 04.74.69.20.00,
e-mail franck.vinchavy@wanadoo.fr r.-v.

### DOM. DE COLETTE 2004

■ 7 ha 25 000 5 à 8 €

Cette propriété de 16 ha développe la vente directe depuis 1980. Ses régnié sont très souvent sélectionnés dans le Guide. Celui-ci provient de vignes de soixante ans et d'une récolte triée avant l'encuvage. Rubis à reflets violines, il est bien épanoui au nez, mêlant des parfums vineux et fruités. Après une attaque souple, la bouche se montre plutôt fermée ; la finale est cependant marquée par un joli retour fruité. Un vin simple et direct, à ouvrir dans l'année qui vient.

EARL Jacky Gauthier,
Dom. de Colette, 69430 Lantignié,
tél. 04.74.69.25.73, fax 04.74.69.25.14 r.-v.

### FLORENCE ET DIDIER CONDEMINE 2004

■ 5 ha 2 000 3 à 5 €

Depuis trois générations, les Condemine conduisent une exploitation d'une douzaine d'hectares, propriété des Hospices de Beaujeu. Ils proposent un régnié rubis clair, aux parfums timides mais délicats évoquant la groseille et la framboise. Après une attaque tout en finesse, la groseille s'affirme encore en bouche. Léger mais agréablement structuré, ce 2004 est à déboucher dans l'année.

EARL Florence et Didier Condemine,
La Martingale, 69220 Cercié-en-Beaujolais,
tél. 04.74.66.72.24, fax 04.74.66.72.24
t.l.j. 8h-12h30 14h-20h; dim. sur r.-v.

### DOM. DU COTEAU DE VALLIERES 2004

■ 5 ha 12 000 5 à 8 €

Régulièrement mentionné dans le Guide grâce à son beaujolais-villages ou son régnié, ce domaine a obtenu plus d'un coup de cœur. Le dernier en date concerne un régnié 2002. Cette année, la propriété est citée pour son **beaujolais-villages rouge 2004 (3 à 5 €)**, souple et fruité, et pour ce régnié grenat au très joli nez fait de notes amyliques, de cassis et de groseille. Sa fraîcheur légère, son fruité exubérant incitent à servir ce vin dans l'année.

Lucien et Lydie Grandjean,
Vallières, 69430 Régnié-Durette,
tél. 04.74.69.24.92, fax 04.74.69.23.36 r.-v.

### STEPHANE GARDETTE 2004 *

■ 5 ha 2 000 5 à 8 €

Stéphane Gardette a choisi de devenir vigneron en 1998, après des études de sciences économiques. Il tire le meilleur parti de son domaine de 7,20 ha, à en juger par le bon accueil que trouvent ses cuvées dans le Guide. Rouge intense à reflets violets, son régnié exprime des parfums intenses et délicats de cassis et de fruits très mûrs, que l'on retrouve dans une bouche ample, vive, équilibrée et soutenue par une bonne structure tannique. La finale est franche et fruitée. A l'automne, ce vin typé sera proche de son apogée et pourra se garder deux ans. Agréable et gouleyant, le **beaujolais-villages rouge 2004 (3 à 5 €)** reçoit lui aussi une étoile. Il avait obtenu un coup de cœur dans le millésime précédent.

Stéphane Gardette,
La Haute-Ronze, 69430 Régnié-Durette,
tél. 04.74.69.50.05, fax 04.74.69.50.05,
e-mail stgardette@wanadoo.fr r.-v.

### HOSPICES DE BEAUJEU
Cuvée des Sires de Beaujeu 2004

■ 60 ha 120 000 5 à 8 €

Depuis 1240, 250 bienfaiteurs ont constitué les Hospices de Beaujeu. Une partie de la production est mise aux enchères depuis 1797. C'est la plus ancienne vente aux enchères du monde, ouverte au public depuis deux ans. Coup de cœur l'an dernier, cette Cuvée des Sires de Beaujeu affiche une robe rubis soutenu à reflets grenat et s'exprime sur des notes de cassis et de framboise. Souple et fruitée, l'attaque est suivie d'une bouche charnue et soyeuse, plus ferme en finale. Une bouteille à déboucher dans l'année et à servir avec de la charcuterie.

Hospices de Beaujeu,
La Grange-Charton, 69430 Régnié-Durette,
tél. 04.74.04.31.05, fax 04.74.04.38.87,
e-mail nesme.l@mommessin.fr r.-v.

### DOM. DOMINIQUE JAMBON 2004

■ 4 ha 5 000 5 à 8 €

Voilà dix ans que Dominique Jambon a pris la suite de son père sur le domaine familial. Il exploite 10,20 ha de vignes et a construit en 2003 un cuvage fonctionnel. Fidèle au rendez-vous du Guide, son régnié affiche une robe grenat vif et livre de complexes parfums aux nuances de fleurs (pivoine et réséda), de fruits rouges et d'épices. Avec sa riche matière, fraîche et fruitée, d'où émergent des tanins qui s'arrondissent, ce 2004 devrait être prêt à la sortie du Guide. Il accompagnera pendant deux ans du bœuf braisé ou une rouelle de veau.

Dominique Jambon, Arnas, 69430 Lantignié,
tél. 04.74.04.80.59, fax 04.74.04.80.59,
e-mail dominique.jambon@wanadoo.fr r.-v.

### JEAN-MARC LAFOREST 2004

■ 7,99 ha 22 000 3 à 5 €

Des vignes de trente-cinq ans cultivées sur des sols granitiques sont à l'origine de ce vin rubis intense aux parfums de fruits noirs dominés par le cassis. L'attaque ferme souligne la présence d'une structure tannique bien développée. Ce 2004 net et d'une assez belle harmonie est à attendre deux ans.

Jean-Marc Laforest, Chez le Bois, 69430 Régnié-Durette, tél. 04.74.04.35.03, fax 04.74.69.01.67 t.l.j. 8h-20h

## DOM. LAGNEAU 2004 ★★

■ 3,12 ha 10 000 5 à 8 €

La sixième génération est à la tête de ce domaine familial qui s'est déjà vu adjuger deux coups de cœur en beaujolais-villages (pour un 98 et un 99). Un nouveau coup de cœur couronne ce régnié. D'un grenat profond et brillant, ce 2004 s'ouvre sur des parfums complexes et délicats, fruités et vineux, ponctués de touches poivrées. Harmonieux prolongement, le palais attaque avec souplesse et fraîcheur, et révèle une matière ciselée par des tanins aromatiques ; on y retrouve du fruité, accompagné de notes réglissées. Un vin équilibré et authentique, à attendre un an. Quant au **beaujolais-villages rouge 2004 (3 à 5 €)**, il obtient une étoile.

Gérard Lagneau, Huire, 69430 Quincié-en-Beaujolais, tél. 04.74.69.20.70, fax 04.74.04.89.44, e-mail jealagneau@wanadoo.fr r.-v.

## ANDRE LAISSUS 2004

■ 7,67 ha 15 000 **5 à 8 €**

Exploitée de père en fils depuis 1947, cette propriété s'étend sur 15 ha. Elle a élaboré un régnié rouge intense aux agréables parfums de fruits très mûrs. Sa chair ronde aux accents de cassis, sa structure gouleyante en font un vin à servir dans l'année. Le **morgon 2004** du domaine a également été cité.

André Laissus, La Grange-Charton, 69430 Régnié-Durette, tél. 04.74.04.38.06, fax 04.74.04.37.75 t.l.j. 9h-20h

## STEPHANE LAROCHE ET MARIA FELISBELA 2004

■ 7 ha 2 000 **5 à 8 €**

De cette exploitation, commandée par des bâtiments du XVIIIe s., la vue embrasse le Beaujolais et même la chaîne des Alpes. Stéphane Laroche, qui représente la cinquième génération, a élaboré un régnié rouge léger aux nuances de framboise et de groseille. On retrouve au palais la groseille, associée au bonbon anglais. Sa chair fine et fruitée suggère de servir ce vin dans l'année, avec un saucisson chaud brioché par exemple.

Stéphane Laroche et Maria Félisbela, Les Braves, 69430 Régnié-Durette, tél. 04.74.04.36.65, fax 04.74.04.36.65 r.-v.

## DOM. PASSOT LES RAMPAUX Les Côtes 2003 ★

■ 1,35 ha 4 000 3 à 5 €

En 2004, Dominique et Rémy Passot ont acquis, au cœur du village de Chiroubles, une maison avec vue sur les Alpes qu'ils ont transformée en vaste gîte. Ils accueillent aussi les amateurs de vin qui pourront découvrir ce 2003 grenat aux puissants parfums de fruits très mûrs, presque confits. On retrouve ces arômes au palais, associés à une matière riche et harmonieuse. Un ensemble équilibré, à ouvrir dans les deux ans.

Dom. Passot Les Rampaux, Les Prés, 69115 Chiroubles, tél. 04.74.69.16.19, fax 04.74.04.21.93, e-mail passot@terre-net.fr r.-v.

## THIERRY ROBIN 2004 ★

■ 2 ha 10 000 5 à 8 €

Dans la vaste cave voûtée des Robin a été élevé ce régnié rubis brillant, au nez discret et fin mêlant griotte et autres fruits rouges à des notes épicées. L'attaque tendre glisse en souplesse sur le fruit. Le palais joue la finesse mais il ne manque pas de structure, offrant une finale soutenue. Elégant et « détendu », ce 2004 sera apprécié dans l'année.

Thierry Robin, le Bourg, 69430 Régnié-Durette, tél. 04.74.04.37.71, fax 04.74.04.37.71 r.-v.

## DOM. DE LA ROCHE ROSE
Saveur des Braves 2004 ★

■ 5,6 ha 8 000 5 à 8 €

Ce domaine, qui tire son nom de sols de granite rose, est de création récente, mais Christiane et Georges Demont sont de bonne souche vigneronne. Ils proposent une cuvée grenat, au nez élégant fait de petits fruits rouges et de nuances florales. Ces arômes s'affirment dans une bouche ample, riche et puissante, soutenue par des tanins harmonieux. Un ensemble prometteur, excellent pour le millésime, à boire dans les deux ans avec un rôti de bœuf.

Georges Demont, Les Braves, 69430 Régnié-Durette, tél. 04.74.04.38.98, fax 04.74.04.33.28 r.-v.

## DOM. JOEL ROCHETTE 2004

■ 2,8 ha 10 000 **5 à 8 €**

Joël Rochette exploite un peu plus de 8 ha autour de Régnié-Durette. De couleur grenat, son régnié libère des senteurs de cerise pleines de fraîcheur. Au palais, la bonne matière fruitée est soutenue par des tanins harmonieux. Un vin facile, vif et gai, à déboucher dans l'année.

Joël Rochette, Le Chalet, 69430 Régnié-Durette, tél. 04.74.04.35.78, fax 04.74.04.31.62, e-mail joelchantal.rochette@wanadoo.fr r.-v.

## DOM. DE LA RONZE
Cuvée Vieilles Vignes Perle de la Ronze 2004

■ 3 ha 20 000 **5 à 8 €**

La septième génération à la tête de ce domaine a tiré de vieilles vignes de plus de soixante ans une cuvée rubis à reflets violets, aux agréables arômes de fruits rouges que l'on retrouve en bouche. Structuré par d'harmonieux tanins, de bonne longueur, ce 2004 est un vin facile à servir dès maintenant.

⊶ Séraphin Bernardo et Fils, La Haute-Ronze, 69430 Régnié-Durette, tél. 04.74.69.20.06, fax 04.74.69.21.69 ☑ Ỵ ⩚ t.l.j. 8h-12h 14h-19h; f. août

DOM. TANO PECHARD Tradition 2004 *

■ 6 ha 15 000 ▮⸸ 5 à 8 €

Le nom de ce domaine est un hommage au père de Patrick Péchard, Antoine Péchard dit Tano. Commandé par une maison typiquement beaujolaise campée sur la colline de Durette, il offre une vue imprenable qui s'étend jusqu'au mont Blanc. Poupre à reflets violacés, ca cuvée Tradition mêle au nez d'élégantes nuances de cassis, de prune et de fleurs. Sa chair vineuse et riche aux arômes de prune cuite, quelque peu sévère en finale, persiste bien au palais. Une bouteille à déboucher dès que ses tanins se seront assagis. Il accompagnera dans les deux prochaines années une noix de veau ou un jarret de porc.

⊶ Ghislaine et Patrick Péchard, Aux Bruyères, 69430 Régnié-Durette, tél. 04.74.04.38.89, fax 04.74.04.33.35, e-mail vinsdomainetanopechard@wanadoo.fr ☑ Ỵ ⩚ r.-v.

DOM. DE THULON 2004 *

■ 5 ha 20 000 ▮⸸ 5 à 8 €

Métayer pendant vingt ans du château de Thulon, René Jambon a acheté les terres qu'il travaillait en 1987. Rejoint par ses enfants, il exploite aujourd'hui 14 ha de vignes. D'un rouge soutenu, son régnié livre des parfums acidulés de framboise, accompagnés de notes amyliques. Volumineux, fruité, gouleyant et persistant, il est bien dans le type du vin friand et jeune du Beaujolais. On le boira dans l'année. Pourquoi pas avec de la queue de bœuf au vin ?

⊶ EARL A. et R., C., L. Jambon, Thulon, 69430 Lantignié, tél. 04.74.04.80.29, fax 04.74.69.29.50, e-mail jambon.annie-rene@wanadoo.fr ☑ Ỵ ⩚ r.-v.

# Saint-amour

Totalement inclus dans le département de Saône-et-Loire, les 317 ha de l'appellation produisent 17 725 hl sur des sols argilo-siliceux décalcifiés, de grès et de cailloutis granitiques, faisant la transition entre les terrains purement primaires au sud et les terrains calcaires voisins au nord, qui portent les appellations saint-véran et mâcon. Deux « tendances œnologiques » émergent pour épanouir les qualités du gamay noir : l'une favorise une cuvaison longue dans le respect des traditions beaujolaises, donnant aux vins nés sur les roches granitiques le corps et la couleur nécessaires pour faire des bouteilles de garde ; l'autre préconise un traitement de type primeur, donnant des vins consommables plus tôt pour assouvir la curiosité des amateurs. Le saint-amour accompagnera des escargots, de la friture, des grenouilles, des champignons ou une poularde à la crème.

L'appellation a conquis de nombreux consommateurs étrangers et une très grande part des volumes produits alimente le marché extérieur. Le visiteur pourra découvrir le saint-amour dans le caveau créé en 1965, au lieu-dit le Plâtre-Durand, avant de continuer sa route vers l'église et la mairie qui, au sommet d'un mamelon de 309 m d'altitude, dominent la région. A l'angle de l'église, une statuette rappelle la conversion du soldat romain qui donna son nom à la commune ; elle fait oublier les peintures, aujourd'hui disparues, d'une maison du hameau des Thévenins, qui auraient témoigné de la joyeuse vie menée pendant la Révolution dans cet « hôtel des Vierges » et qui expliqueraient, elles aussi, le nom de ce village...

DOM. DE L'ANCIEN RELAIS
Vieilles Vignes 2003 **

■ 2 ha 10 000 ▮⸸ 5 à 8 €

Ancien relais de poste, cette exploitation familiale possède l'une des plus anciennes caves du village. C'est sous la voûte de celle-ci que vous pourrez déguster ce superbe saint-amour. Grenat soutenu et brillant, il livre des parfums fruités intenses et complexes, avec une pointe d'épices. Après l'attaque tout en douceur, sa chair ample, ronde et concentrée emplit la bouche d'impressions soyeuses et aromatiques. Ce 2003 très riche, belle expression du millésime, est à servir au cours des deux prochaines années avec un bœuf bourguignon, un coq au vin ou du sanglier.

⊶ EARL André Poitevin, Les Chamonards, 71570 Saint-Amour-Bellevue, tél. 03.85.37.16.05, fax 03.85.37.40.87, e-mail earlandrepoitevin@terre-net.fr ☑ Ỵ ⩚ r.-v.
⊶ Jean-Yves Midey

REMI ET PAOLA BENON 2004 *

■ 1,1 ha 8 000 ▮⸸ 5 à 8 €

En juillet 2004, une nouvelle cave de stockage des bouteilles a été aménagée sur le domaine, ainsi qu'un caveau de dégustation. Vous pourrez y découvrir cette cuvée grenat intense, aux parfums complexes de fruits rouges et d'épices, agrémentés de notes minérales. Son fruité élégant accompagne une bouche charnue, riche, tannique et persistante. Ce vin pourra être consommé pendant un à deux ans.

⊶ Rémi et Paola Benon, Les Avenets, 71570 La Chapelle-de-Guinchay, tél. 03.85.33.84.22, fax 03.85.33.89.54, e-mail benon@vins-du-beaujolais.com ☑ Ỵ ⩚ r.-v.

PASCAL BERTHIER
Esprit de séduction Vieilles Vignes 2004

■ 6,2 ha 25 000 ▮ **11 à 15 €**

A la tête de l'exploitation depuis vingt ans, Pascal Berthier a élaboré deux cuvées citées par le jury : un **beaujolais blanc Réserve des 7 pièces Vieilles Vignes 2004 (8 à 11 €)** et ce saint-amour obtenu après une longue macération. Rubis limpide, ce 2004 libère des arômes de cassis et de framboise. Soyeux et gouleyant, il fait bonne impression en bouche. Malgré sa bonne structure, ce 2004 est à boire au cours des deux prochaines années.

Pascal et Chantal Berthier,
chem. des Bruyères, 71680 Crèches-sur-Saône,
tél. 03.85.37.41.64, fax 03.85.37.44.65,
e-mail pascal.berthier4@wanadoo.fr r.-v.

## DOM. DU CARJOT 2004

■ 7 ha 26 000 5 à 8 €

Dotée d'une belle robe rubis limpide et brillant, cette cuvée s'ouvre sur des notes légères de fruits rouges. Les tanins doivent encore s'affiner. Ce saint-amour simple mais de bonne facture est prêt.

La Réserve des Domaines, Les Chers,
69840 Juliénas, tél. 04.74.06.78.00, fax 04.74.06.78.71
Gilbert Giloux

## JACQUES CHARLET La Victorine 2004 *

■ n.c. 6 600 3 à 5 €

Ce saint-amour d'une belle couleur rubis intense et limpide livre d'assez puissants parfums de fruits rouges. La bouche riche présente un bon équilibre entre la forte charpente tannique et la chair bien fruitée. Ce vin est à attendre un an.

Jacques Charlet, 71570 La Chapelle-de-Guinchay,
tél. 03.85.36.82.41, fax 03.85.33.83.19

## FRANCK JUILLARD Cuvée spéciale 2004

■ 0,9 ha 6 666 5 à 8 €

Installés comme métayers depuis 1992, Franck Juillard et son épouse achèveront en 2005 la construction de leur propre cave et des bâtiments d'habitation aux Capitans. Grenat intense, leur Cuvée spéciale s'ouvre sur des parfums légers de fruits rouges. Soutenue par de beaux tanins, elle se révèle équilibrée et élégante. Ce 2004 est prêt mais il peut attendre.

Franck Juillard, Les Capitans, 69840 Juliénas,
tél. 04.74.04.42.56, fax 04.74.04.42.56,
e-mail fjuillard@terre-net.fr r.-v.

## JUILLARD-WOLKOWICKI Cuvée Prestige 2004

■ 0,8 ha 5 000 5 à 8 €

Le domaine, créé par Michel Juillard en 1880, a été repris en 2003 par sa fille et son gendre. Rubis intense et limpide, leur cuvée Prestige s'affirme peu à peu sur des parfums complexes et fins d'épices et de fruits, que l'on retrouve en bouche. Avec sa chair plutôt légère, ce saint-amour, agréable et tout en finesse, est prêt. De la même propriété, la cuvée de **juliénas Vieilles Vignes 2004** est également citée.

Dom. Juillard-Wolkowicki,
Le Chapitre, 71570 Chânes,
tél. 03.85.36.51.38, fax 03.85.36.51.38 r.-v.

## CEDRIC MARTIN 2004 **

1,5 ha 5 000 5 à 8 €

Coup de cœur et Grappe bronze du Guide Hachette l'an dernier grâce à un saint-amour 2003, Cédric Martin s'est installé il y a une dizaine d'années sur les 6 ha de l'exploitation familiale. Ce jeune vigneron enthousiaste s'est formé « sur le tas », un apprentissage qui a ses vertus quand les parents sont attachés aux bonnes pratiques – n'ont-ils pas obtenu eux aussi un coup de cœur l'an dernier ? Ce 2004 est dans la lignée du millésime précédent. D'un pourpre intense aux reflets violets, il s'affirme au nez avec des notes de merise et de mûre. Bien structurée, équilibrée, ample, sa chair fruitée se montre corsée mais dénuée d'agressivité. D'une grande longueur, cette bouteille pourra être appréciée pendant deux à quatre ans avec une volaille rôtie ou un coq au vin. Du même domaine, le **beaujolais blanc 2004** est cité.

Cédric Martin, Les Verchères, 71570 Chânes,
tél. 03.85.37.46.32, fax 03.85.37.46.32 r.-v.

## DOM. DES PIERRES 2003 **

■ 6 ha 40 000 5 à 8 €

Vigneron depuis quarante ans, Georges Trichard a acheté l'ancienne propriété de Madame Balladur en 1979. Grenat intense, son saint-amour livre de subtils parfums de fruits noirs mûrs et d'épices, agrémentés de nuances minérales presque empyreumatiques. La bouche ample, ronde et concentrée, révèle des arômes de fruits noirs et de réglisse bien marqués et persiste longuement. Ce très beau vin, qui sort des canons traditionnels par son côté méditerranéen, pourra déjà être apprécié avec un lapin au thym ou une daube.

Georges Trichard, rte de Juliénas,
Cidex 230, 71570 La Chapelle-de-Guinchay,
tél. 03.85.36.70.70, fax 03.85.33.82.31 r.-v.

## DOM. DE LA PIROLETTE 2004 *

■ n.c. 10 000 5 à 8 €

L'exploitation, créée en 1990, a produit en 2004 un saint-amour rubis profond, aux parfums complexes de fruits noirs associés à des notes florales. Très friand dès la mise en bouche, souple et rond, doté d'une structure fine et élégante, ce vin n'est pas avare en arômes de fruits rouges. Gouleyant et plaisant, il est à ouvrir dans l'année.

Didier Poitevin,
le Bourg, 71570 Saint-Amour-Bellevue,
tél. 03.85.37.13.82, fax 03.85.37.13.82,
e-mail poit.didier@wanadoo.fr r.-v.

## DOM. DES PREAUX 2004

■ 4,65 ha 28 000 5 à 8 €

Mis en bouteilles par la maison Thorin, ce saint-amour rouge soutenu livre d'agréables parfums de fruits rouges accompagnés d'une pointe minérale. Sa chair ronde et sa structure légère et plaisante lui confèrent une élégante finesse. Ce 2004 harmonieux et friand pourra être servi avec des grillades.

Dom. des Preaux, 71570 Saint-Amour-Bellevue,
tél. 04.74.69.09.18, fax 04.74.69.09.75
Mongenie

## DOM. DES RAVINETS Cuvée Vieilles Vignes 2004 *

■ 2 ha 10 000 5 à 8 €

Des vignes de soixante ans implantées sur sols granitiques et schisteux sont à l'origine de ce saint-amour rubis intense, aux parfums exubérants de cassis et de myrtille, avec une pointe épicée et florale. Sa chair ronde, fruitée et souple confère à ce vin gouleyant un caractère sympathique et convivial. Il est à servir dans l'année avec de la charcuterie, un rôti de porc ou du fromage (cantal ou laguiole).

Georges Spay, Les Ravinets,
71570 Saint-Amour-Bellevue, tél. 03.85.37.14.58,
fax 03.85.37.41.20 t.l.j. sf dim. 9h-18h

# Le Lyonnais

L'aire de production des vins de l'appellation coteaux-du-lyonnais, située sur la bordure orientale du Massif central, est limitée à l'est par le Rhône et la Saône, à l'ouest par les monts du Lyonnais, au nord et au sud par les vignobles du Beaujolais et de la vallée du Rhône. Vignoble historique de Lyon depuis l'époque romaine, il connut une période faste à la fin du XVI<sup>e</sup>s., religieux et riches bourgeois favorisant et protégeant la culture de la vigne. En 1836, le cadastre mentionnait 13 500 ha. La crise phylloxérique et l'expansion de l'agglomération lyonnaise ont réduit la zone de production. Aujourd'hui, la superficie en production s'élève à 375 ha, répartis sur quarante-neuf communes ceinturant la grande ville par l'ouest, depuis le mont d'Or, au nord, jusqu'à la vallée du Gier, au sud.

Cette zone de 40 km de long sur 30 km de large est structurée par un relief sud-ouest–nord-est qui détermine une succession de vallées à 250 m d'altitude et de collines atteignant 500 m. La nature des terrains est variée ; on y rencontre des granites, des roches métamorphiques, sédimentaires, des limons, des alluvions et du lœss. La structure perméable et légère, la faible épaisseur de certains de ces sols sont le facteur commun qui caractérise la zone viticole où prédominent les roches anciennes.

## Coteaux-du-lyonnais

Les trois principales tendances climatiques du Beaujolais sont présentes ici, avec toutefois une influence méditerranéenne plus prononcée. Cependant, le relief, plus ouvert aux aléas climatiques de type océanique et continental, limite l'implantation de la vigne à moins de 500 m d'altitude et l'exclut des expositions nord. Les meilleures situations se trouvent au niveau du plateau. L'encépagement de cette zone est essentiellement à base de gamay noir, cépage qui, vinifié selon la méthode beaujolaise, donne les produits les plus intéressants et les plus recherchés de la clientèle lyonnaise. Les autres cépages admis dans l'appellation sont, en blanc, le chardonnay et l'aligoté. La densité requise est au minimum de 6 000 pieds/ha, les tailles autorisées étant le gobelet ou le cordon et la taille guyot. Le rendement de base est de 60 hl/ha, les degrés d'alcool minimum et maximum étant de 9,5° et 12,5° pour les vins rouges et les vins blancs. La production est de 20 965 hl en rouge et rosé, et 2 190 hl en blanc pour l'année 2004. Vinifiant les trois quarts de la récolte, la cave coopérative de Sain-Bel est un élément moteur dans cette région de polyculture, où l'arboriculture fruitière est fortement implantée.

Consacrés AOC en 1984, les vins des coteaux-du-lyonnais sont fruités, gouleyants, riches en parfums, et accompagnent agréablement et simplement toutes les cochonnailles lyonnaises, saucisson, cervelas, queue de cochon, petit salé, pieds de porc, jambonneau, ainsi que les fromages de chèvre.

### LE BOUC ET LA TREILLE
Le Clos des 3 Cabornes 2004

■ 0,5 ha 3 000 ■ **3 à 5 €**

A l'origine, l'activité du domaine se partageait entre l'élevage (bouc) et la viticulture (treille). Désormais, l'exploitation se consacre entièrement à la vigne. Dans la cave du château de Poleymieux (XIII<sup>e</sup>s.), elle a élevé ce coteaux-du-lyonnais rouge intense, limpide, qui s'ouvre sur de fortes impressions vineuses. La bouche dominée par une matière puissante et ferme, révélatrice d'une importante extraction, s'avère austère aujourd'hui. Ce vin aux arômes prononcés de fruits rouges est à attendre un à deux ans.

Le Bouc et la Treille, 82, chem. de la Tour-Risler, 69250 Poleymieux-au-Mont-d'Or,
tél. 04.72.26.07.53, fax 04.72.26.07.53,
e-mail s.vier@tele2.fr ☑ Y ⛹ r.-v.

### DOM. DU CLOS SAINT-MARC 2004 ★

■ 3 ha 20 000 ■ 3 à 5 €

Depuis 1983, ce domaine n'a cessé de s'agrandir pour devenir, avec 25 ha, le plus important de l'appellation. Son vin, à la robe irréprochable animée de reflets verts, associe des parfums de fleurs blanches à des notes briochées et minérales. Franc et rond en bouche, dominé par des impressions minérales, il n'en conserve pas moins, dès l'attaque, une pointe acidulée. Cette agréable bouteille est à ouvrir dans les deux ans.

Dom. du Clos Saint-Marc, 60, rte des Fontaines, 69440 Taluyers, tél. 04.78.48.26.78, fax 04.78.48.77.91
lun. au jeu. 17h-18h30; ven. à dim. 15h-18h30

REGIS DESCOTES Cuvée Tradition 2004 *

1,5 ha 8 000 3 à 5 €

Alliance du chardonnay et de l'aligoté, cette cuvée Tradition jaune pâle limpide, élaborée à partir d'un pressurage doux et d'une vinification à basse température, livre des parfums nets où dominent les épices et les fleurs (acacia et primevère). La bouche agréable et équilibrée révèle des notes de fleurs blanches et une acidité fondue ; elle persiste assez longuement. Ce 2004 est à servir dans les deux ans.

Régis Descotes, 16, av. du Sentier, 69390 Millery, tél. 04.78.46.18.77, fax 04.78.46.16.22, e-mail vinsdescotes@wanadoo.fr r.-v.

PIERRE ET JEAN-MICHEL JOMARD 2004 *

1,5 ha 12 000 3 à 5 €

L'une des caves de la propriété, exploitée de père en fils depuis 1520, s'enfonce à 7 m sous le sol et laisse apparaître le rocher sous-jacent. Doté d'une robe sombre, profonde et limpide, ce coteaux-du-lyonnais livre d'intenses parfums de petits fruits dominés par le cassis. La bouche ronde, riche et persistante reste imprégnée d'arômes de bourgeon de cassis. Sa bonne matière équilibrée sera à son optimum dès la sortie du Guide.

Pierre et Jean-Michel Jomard, Le Morillon, 69210 Fleurieux-sur-l'Arbresle, tél. 04.74.01.02.27, fax 04.74.01.24.04, e-mail jmjomard@waika9.com r.-v.

ANNE MAZILLE 2004

0,3 ha 2 000 3 à 5 €

Elevée pendant six mois en cuve, cette dixième production d'Anne Mazille qui se présente dans une robe jaune doré, livre des parfums d'acacia, de pêche et de fruits frais. Les premières impressions de rondeur et de douceur accompagnées de notes d'amande douce s'estompent pour laisser place à une finale fraîche et acidulée. Ce chardonnay assez fin est à ouvrir dans l'année.

Anne Mazille, 10, rue du 8-Mai, 69390 Millery, tél. 04.78.46.20.61, fax 04.72.30.16.65
t.l.j. sf dim. 11h30-13h30 17h30-20h; sam. 9h-19h

DOM. DE LA PETITE GALLEE 2003 *

2 ha 10 000 3 à 5 €

Le chardonnay, associé à 10 % d'aligoté, est à l'origine de ce vin jaune, or brillant, aux senteurs de pamplemousse, de fruit de la Passion et de genêt avec un soupçon de grillé dû au millésime. Emplissant agréablement la bouche de sensations soyeuses et rondes, ce 2003, agrémenté d'une touche anisée, finit sur des impressions de pâtisserie. Bien équilibré, il peut encore attendre un à deux ans.

Robert et Patrice Thollet, La Petite Gallée, 69390 Millery, tél. 04.78.46.24.30, fax 04.78.46.24.30, e-mail contact@domainethollet.com r.-v.

DOM. DE PRAPIN 2004 *

1,2 ha 9 000 3 à 5 €

Deux gîtes ruraux, dont un « séjour en vignoble », sont associés au domaine qui se distingue avec un **coteaux-du-lyonnais 2004 rouge**, cité, et ce blanc limpide, aux reflets argentés. Ses parfums expressifs et délicats mêlent les fleurs et les agrumes. L'attaque fraîche et nette est suivie d'impressions harmonieuses et fines. Ce vin de caractère, d'une bonne longueur, est à déboucher dans les deux ans.

EARL Henri Jullian, Dom. de Prapin, 69440 Taluyers, tél. 04.78.48.24.84, fax 04.78.48.24.84, e-mail domainedeprapin@free.fr
t.l.j. 10h-12h 14h-19h; dim. sur r.-v.

CAVE DE SAIN-BEL L'Hommée 2004 **

25 ha 58 500 3 à 5 €

Cette année, la **cuvée Benoit-Maillard blanc 2004** est citée et deux étoiles reviennent à cette cuvée rouge baptisée L'Hommée, du nom de la surface travaillée quotidiennement à l'aide d'un fessou par un homme. Rubis intense, ce vin au nez de cassis bien marqué garnit la bouche avec ampleur. Fruité, rond et d'une belle constitution, cet agréable représentant de l'appellation accompagnera dès à présent une assiette de charcuterie ou de la viande rouge. Les millésimes 2000 et 98 avaient obtenu un coup de cœur.

Cave de Vignerons réunis, RN 89, 69210 Sain-Bel, tél. 04.74.01.11.33, fax 04.74.01.10.27, e-mail cave.vignerons.reunis@wanadoo.fr
t.l.j. 9h-12h 14h-17h; groupes sur r.-v.

# LE BORDELAIS

# LE BORDELAIS

Partout dans le monde, Bordeaux représente l'image même du vin. Pourtant, le visiteur éprouve aujourd'hui quelques difficultés à déceler l'empreinte vinicole dans une ville délaissée par les beaux alignements de barriques sur le port et par les grands chais du négoce, partis vers les zones industrielles de la périphérie. Et les petits bars-caves où l'on venait le matin boire un verre de liquoreux ont presque tous disparu. Autres temps, autres mœurs.

Il est vrai que la longue histoire vinicole de Bordeaux n'en est pas à son premier paradoxe. Songeons qu'ici le vin fut connu avant... la vigne, quand, dans la première moitié du Iers. av. J.-C. (avant même l'arrivée des légions romaines en Aquitaine), des négociants campaniens commençaient à vendre du vin aux Bordelais. Si bien que, d'une certaine façon, c'est par le vin que les Aquitains ont fait l'apprentissage de la romanité... Par la suite, au Iers. de notre ère, la vigne est apparue. Mais il semble que ce soit surtout à partir du XIIes. qu'elle ait connu une certaine extension : le mariage d'Aliénor d'Aquitaine avec Henri Plantagenêt, futur roi d'Angleterre, favorisa l'exportation des « clarets » sur le marché britannique. Les expéditions de vin de l'année se faisaient par mer, avant Noël. On ne savait pas conserver les vins ; après une année, ils étaient moins prisés parce que partiellement altérés.

A la fin du XVIIes., les « clarets » ont été concurrencés par l'introduction de nouvelles boissons (thé, café, chocolat) et par les vins plus riches de la péninsule Ibérique. D'autre part, les guerres de Louis XIV entraînèrent des mesures de rétorsion économique contre les vins français. Cependant, la haute société anglaise restait attachée au goût des « clarets ». Aussi quelques négociants londoniens cherchèrent-ils, au début du XVIIIes., à créer un nouveau style de vins plus raffinés, les *new French clarets* qu'ils achetaient jeunes pour les élever. Afin d'accroître leurs bénéfices, ils imaginèrent de les vendre en bouteilles. Bouchées et scellées, celles-ci garantissaient l'origine du vin. Insensiblement, la relation terroir-château-grand vin s'effectua, marquant l'avènement de la qualité. A partir de ce moment, les vins commencèrent à être jugés, appréciés et payés en fonction de leur qualité. Cette situation encouragea les viticulteurs à faire des efforts pour la sélection des terroirs, la limitation des rendements et l'élevage en fût ; parallèlement, ils introduisirent la protection des vins par l'anhydride sulfureux qui permit le vieillissement, ainsi que la clarification par collage et soutirage. A la fin du XVIIIes., la hiérarchie des crus bordelais était établie. Malgré la Révolution et les guerres de l'Empire, qui fermèrent provisoirement les marchés anglais, le prestige des grands vins de Bordeaux ne cessa de croître au XIXes., pour aboutir, en 1855, à la célèbre classification des crus du Médoc, qui est toujours en vigueur malgré les critiques que l'on peut émettre à son égard.

Après cette période faste, le vignoble fut profondément affecté par les maladies de la vigne, phylloxéra et mildiou ; et par les crises économiques et les guerres mondiales. De 1960 à la fin des années 1980, le vin de Bordeaux a connu un regain de prospérité, lié à une remarquable amélioration de la qualité et à l'intérêt que l'on porte, dans le monde entier, aux grands vins. La notion de hiérarchie des terroirs et des crus retrouve sa valeur originelle ; mais les vins rouges ont mieux bénéficié de cette évolution que les vins blancs. Au début des années 2000, le marché connaît des difficultés qui ne seront pas sans incidence sur la structure du vignoble.

Le vignoble bordelais est organisé autour de trois axes fluviaux : la Garonne, la Dordogne et leur estuaire commun, la Gironde. Ils créent des conditions de milieux (coteaux bien exposés et régulation de la température) favorables à la culture de la vigne. En outre, ils ont joué un rôle économique important en permettant le transport du vin vers les lieux de consommation. Le climat de la région bordelaise est relativement tempéré (moyennes annuelles 7,5 °C minimum, 17 °C maximum), et le vignoble protégé de l'Océan par la forêt de pins. Les gelées d'hiver sont exceptionnelles (1956, 1958, 1985), mais une température inférieure à -2 °C sur les jeunes bourgeons (avril-mai) peut entraîner leur destruction. Un temps froid et humide au moment de la floraison (juin) provoque un risque de coulure, qui correspond à un avortement des grains. Ces deux accidents entraînent des pertes de récolte et expliquent la variation de leur importance. En revanche, la qualité de la récolte suppose un temps chaud et sec de juillet à octobre, tout particulièrement pendant les quatre dernières semaines précédant les vendanges (globalement, 2 008 heures de soleil par an). Le climat bordelais est assez humide (900 mm de précipitations annuelles) ; particulièrement au printemps, où le temps n'est pas toujours très bon. Mais les automnes sont réputés, et de nombreux millésimes ont été sauvés *in extremis* par une arrière-saison exceptionnelle ; les grands vins de Bordeaux n'auraient jamais pu exister sans cette circonstance heureuse.



La vigne est cultivée en Gironde sur des sols de natures très diverses et le niveau de qualité n'est pas lié à un type de sol particulier. La plupart des grands crus de vin rouge sont établis sur des alluvions gravelo-sableuses siliceuses ; mais on trouve aussi des vignobles réputés sur les calcaires à astéries, sur les molasses et même sur des sédiments argileux. Les vins blancs secs sont produits indifféremment sur des nappes alluviales gravelo-sableuses, sur calcaire à astéries et sur limons ou molasses. Les deux premiers types se retrouvent dans les régions productrices de vins liquoreux, avec les argiles. Dans tous les cas, les mécanismes naturels ou artificiels (drainage) de régulation de l'alimentation en eau constituent une caractéristique essentielle de la production de vins de qualité. Il s'avère donc qu'il peut exister des crus ayant la même réputation de haut niveau sur des roches-mères différentes. Cependant, les caractères aromatiques et gustatifs des vins sont influencés par la nature des sols ; les vignobles du Médoc et de Saint-Emilion en fournissent de bons exemples. Par ailleurs, sur un même type de sol, on produit indifféremment des vins rouges, des vins blancs secs et des vins blancs liquoreux.

Le vignoble bordelais atteint 127 000 ha en 2004 (6 850 000 hl en 2004) ; à la fin du XIXe s., il s'est étendu sur plus de 150 000 ha. Après avoir connu une forte régression dans la première partie du XXe s., il a connu une considérable expansion entre 1983 et 2003, gagnant 20 000 ha. La production globale approche les 7 millions d'hectolitres actuellement. On assiste à une concentration des propriétés, avec une diminution du nombre des producteurs.

Les vins de Bordeaux ont toujours été produits à partir de plusieurs cépages qui ont des caractéristiques complémentaires. En rouge, les cabernets et le merlot sont les principales variétés. Les premiers donnent aux vins leur structure tannique, mais il faut plusieurs années pour qu'ils atteignent leur qualité optimale ; en outre, le cabernet-sauvignon est un cépage tardif, qui résiste bien à la pourriture, mais avec parfois des difficultés de maturation. Le merlot donne un vin plus souple, d'évolution plus rapide ; il est plus précoce et mûrit bien, mais il est sensible à la coulure, à la gelée et à la pourriture. Sur une longue période, l'association des deux cépages, dont les proportions varient en fonction des sols et des types de vin, donne les meilleurs résultats. Pour les vins blancs, le cépage essentiel est le sémillon (52 %), complété dans certaines zones par le colombard (11 %) et surtout par le sauvignon – qui tend à se développer – et la muscadelle (15 %), qui possèdent des arômes spécifiques très fins. L'ugni blanc est en retrait.

La vigne est conduite en rangs palissés, avec une densité de ceps à l'hectare très variable. Elle atteint 10 000 pieds dans les grands crus du Médoc et des Graves ; elle se situe à 4 000 pieds dans les plantations classiques de l'Entre-deux-Mers, pour tomber à moins de 2 500 pieds dans les vignes dites hautes et larges. Les densités élevées permettent une diminution de la récolte par pied, ce qui est favorable à la maturité ; par contre, elles entraînent des frais de plantation et de culture plus élevés et luttent moins bien contre la pourriture. La vigne est l'objet, tout au long de l'année, de soins attentifs. C'est à la faculté des sciences de Bordeaux qu'a été découverte en 1885 la « bouillie

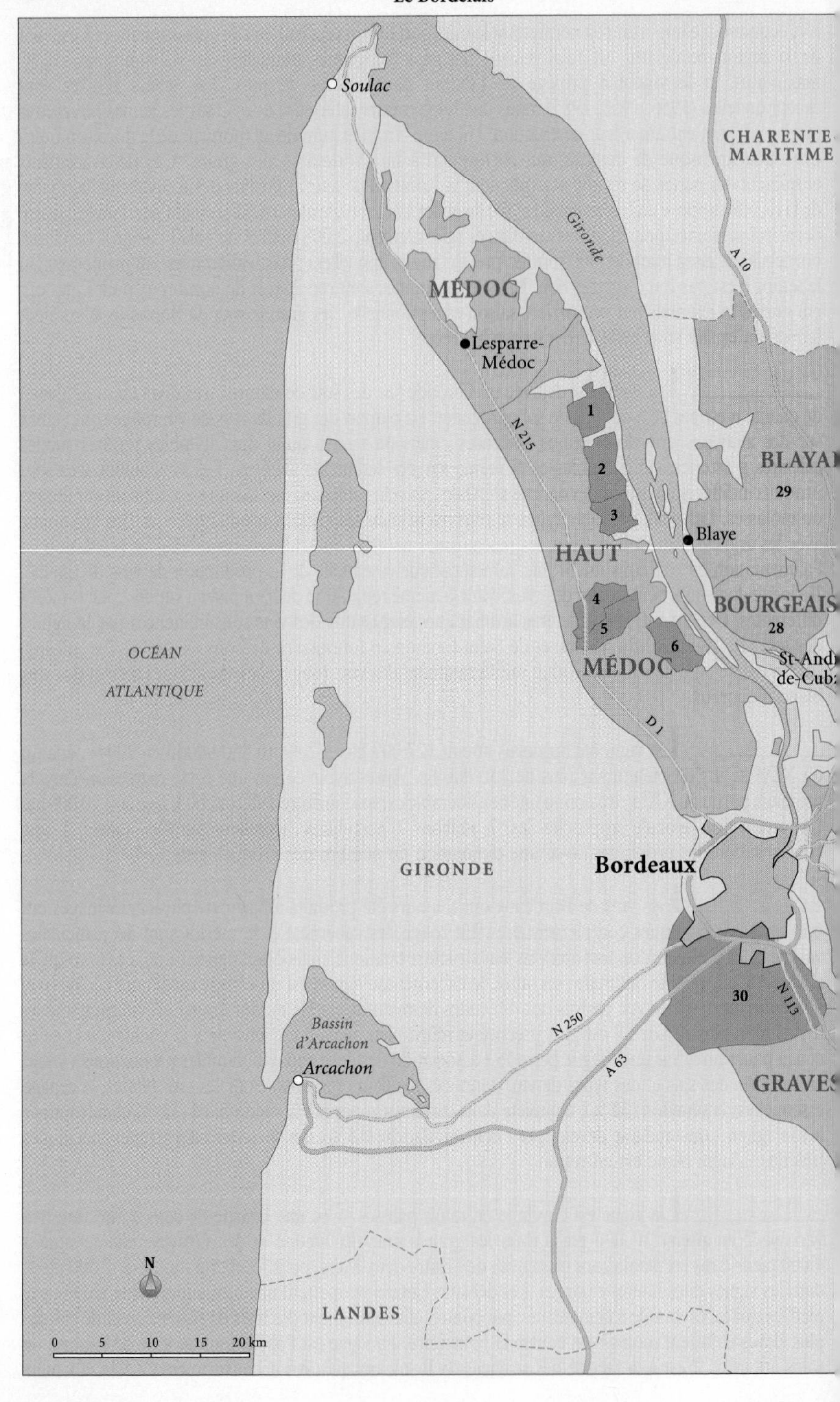
Soulac
CHARENTE-
MARITIME
Gironde
A 10
MÉDOC
Lesparre-
Médoc
1
N 215
2
3
BLAYA
29
Blaye
HAUT
4
5
BOURGEAIS
28
6
OCÉAN
ATLANTIQUE
MÉDOC
St-Andr
de-Cub
D 1
GIRONDE
Bordeaux
30
N 113
Bassin
d'Arcachon
N 250
Arcachon
A 63
GRAVES
N
LANDES
0
5
10
15
20 km

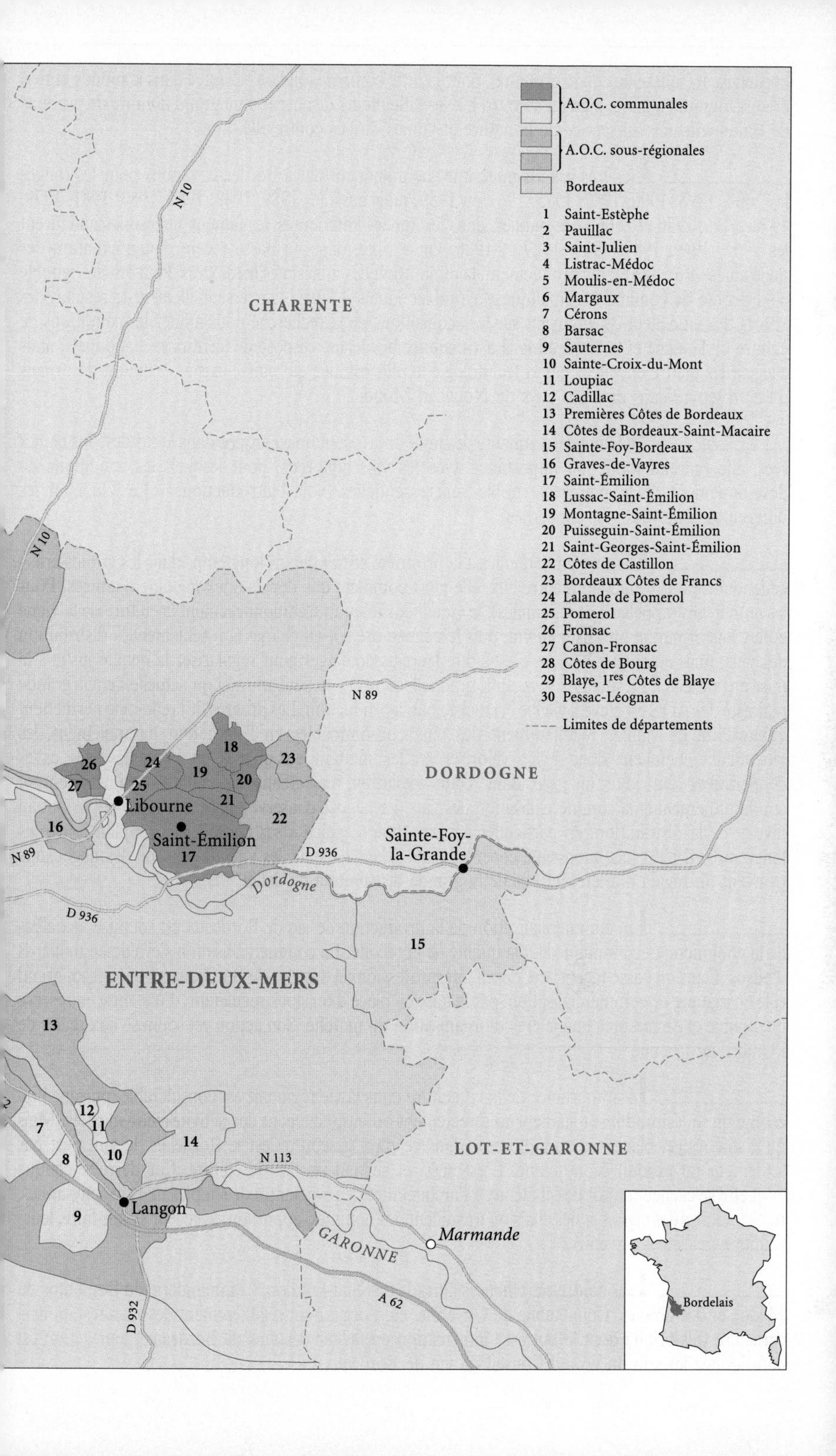
A.O.C. communales
A.O.C. sous-régionales
Bordeaux
1 Saint-Estèphe
2 Pauillac
3 Saint-Julien
4 Listrac-Médoc
5 Moulis-en-Médoc
6 Margaux
7 Cérons
8 Barsac
9 Sauternes
10 Sainte-Croix-du-Mont
11 Loupiac
12 Cadillac
13 Premières Côtes de Bordeaux
14 Côtes de Bordeaux-Saint-Macaire
15 Sainte-Foy-Bordeaux
16 Graves-de-Vayres
17 Saint-Émilion
18 Lussac-Saint-Émilion
19 Montagne-Saint-Émilion
20 Puisseguin-Saint-Émilion
21 Saint-Georges-Saint-Émilion
22 Côtes de Castillon
23 Bordeaux Côtes de Francs
24 Lalande de Pomerol
25 Pomerol
26 Fronsac
27 Canon-Fronsac
28 Côtes de Bourg
29 Blaye, 1res Côtes de Blaye
30 Pessac-Léognan
Limites de départements
CHARENTE
N 10
N 89
DORDOGNE
Libourne
Saint-Émilion
Sainte-Foy-la-Grande
D 936
Dordogne
ENTRE-DEUX-MERS
LOT-ET-GARONNE
N 113
Langon
GARONNE
Marmande
A 62
D 932
Bordelais

bordelaise » (sulfate de cuivre et chaux), pour la lutte contre le mildiou. Connue dans le monde entier, elle est toujours utilisée, bien qu'aujourd'hui les viticulteurs disposent d'un grand nombre de produits de traitement, mis au service de la nature et jamais dirigés contre elle.

Les très grands millésimes ne manquent pas à Bordeaux. Citons pour les rouges les 2000, 1995, 1990, 1982, 1975, 1961 ou 1959, mais aussi les 1989, 1988, 1985, 1983, 1981, 1979, 1978, 1976, 1970 et 1966, sans oublier, dans les années antérieures, les fameux millésimes que furent les 1955, 1949, 1947, 1945, 1929 et 1928. On a noté, dans un passé récent, l'augmentation des millésimes de qualité et, réciproquement, la diminution des millésimes médiocres. Peut-être le vignoble a-t-il profité de conditions climatiques favorables ; mais il faut y voir essentiellement le résultat des efforts des viticulteurs, s'appuyant sur les acquisitions de la recherche pour affiner les conditions de culture de la vigne et la vinification. La viticulture bordelaise dispose de terroirs exceptionnels, mais elle sait les mettre en valeur par la technologie la plus raffinée qui puisse exister et qui est désormais mise en œuvre dans bien des pays du Nouveau Monde.

Si la notion de qualité des millésimes est moins marquée dans le cas des vins blancs secs, elle reprend toute son importance avec les vins liquoreux, pour lesquels les conditions du développement de la pourriture noble sont essentielles (voir l'introduction : « Le Vin », et les différentes fiches des vins concernés).

La mise en bouteilles à la propriété se fait depuis longtemps dans les grands crus ; cependant, pour beaucoup d'entre eux, elle n'est complète que depuis une vingtaine d'années. Pour les autres vins (appellations régionales), le viticulteur assurait traditionnellement la culture de la vigne et la transformation du raisin en vin, puis le négoce prenait en charge non seulement la distribution des vins, mais aussi leur élevage, c'est-à-dire leurs assemblages pour régulariser la qualité jusqu'à la mise en bouteilles. La situation se modifie graduellement et l'on peut affirmer qu'actuellement la grande majorité des AOC est élevée, vieillie et stockée par la production. Les progrès de l'œnologie permettent aujourd'hui de vinifier régulièrement des vins consommables en l'état ; tout naturellement, les viticulteurs cherchent donc à les valoriser en les mettant eux-mêmes en bouteilles ; les caves coopératives ont joué un rôle dans cette évolution, en créant des unions qui assurent le conditionnement et la commercialisation des vins. Le négoce conserve toujours un rôle important au niveau de la distribution, en particulier à l'exportation, grâce à ses réseaux bien implantés depuis longtemps. Il n'est pas impossible cependant que, dans l'avenir, les vins de marque des négociants trouvent un regain d'intérêt auprès de la grande distribution de détail.

La commercialisation de la production de vin de Bordeaux est soumise aux aléas de la conjoncture économique et à la qualité de la récolte. La commercialisation s'évalue en milliards d'euros. Dans un passé récent, le Conseil interprofessionnel des vins de Bordeaux a pu jouer un grand rôle en matière de commercialisation, par la mise en place d'un stock régulateur, d'une mise en réserve qualitative et de mesures financières d'organisation du marché. Son action est soumise aux règles de l'Union européenne.

L'importance de la viticulture dans la vie régionale est considérable, puisque l'on estime qu'un Girondin sur six dépend directement ou indirectement des activités viti-vinicoles. Mais qu'il soit rouge, blanc sec ou liquoreux, dans ce pays gascon qu'est le Bordelais, le vin n'est pas seulement un produit économique. C'est aussi et surtout un fait de culture. Car derrière chaque étiquette se cachent tantôt des châteaux à l'architecture de rêve, tantôt de simples maisons paysannes, mais toujours des vignes et des chais où travaillent des hommes, apportant, avec leur savoir-faire, leurs traditions et leurs souvenirs.

Les confréries vineuses (Jurade de Saint-Emilion, Commanderie du Bontemps du Médoc et des Graves, Connétablie de Guyenne, etc.) organisent régulièrement des manifestations à caractère folklorique dont le but est l'information en faveur des vins de Bordeaux ; leur action est coordonnée au sein du Grand Conseil du vin de Bordeaux.

# Les appellations régionales bordeaux

Si le public situe assez facilement les appellations communales, il lui est souvent plus difficile de se faire une idée exacte de ce que représente l'appellation bordeaux. Pourtant, la définir est apparemment simple : ont droit à cette appellation après agrément tous les vins produits dans la zone délimitée du département de la Gironde, à l'exclusion de ceux qui viendraient de la zone sablonneuse située à l'ouest et au sud (la lande, consacrée depuis le XIXes. à la forêt de pins). Autrement dit, ce sont tous les terroirs à vocation viticole de la Gironde qui ont droit à cette appellation. Et tous les vins qui y sont produits peuvent l'utiliser, à condition qu'ils soient conformes aux règles fixées pour son attribution (sélection des cépages, rendements à ne pas dépasser...). Mais derrière cette simplicité se cache une grande variété. Variété, tout d'abord, des types de vins. En effet, plus que d'une appellation bordeaux, il convient de parler des appellations bordeaux, celles-ci comportant des vins rouges, mais aussi des rosés et des clairets, des vins blancs (secs et liquoreux) et des mousseux (blancs ou rosés). Variété des origines ensuite, les bordeaux pouvant être de plusieurs types : pour les uns, il s'agit de vins produits dans des secteurs de la Gironde n'ayant droit qu'à la seule appellation bordeaux, comme les régions de palus (certains sols alluviaux) proches des fleuves, ou quelques zones du Libournais (communes de Saint-André-de-Cubzac, Guîtres, Coutras...). Pour les autres, il s'agit de vins provenant de régions ayant droit à une appellation spécifique (médoc, saint-émilion, pomerol, etc.). Dans certains cas, l'utilisation de l'appellation régionale s'explique alors par le fait que l'appellation locale est commercialement peu connue (comme pour les bordeaux côtes-de-francs, les bordeaux haut-benauge, les bordeaux sainte-foy ou les bordeaux saint-macaire) ; l'appellation spécifique est un complément de l'appellation régionale. Il arrive également que l'on trouve des bordeaux provenant d'une propriété située dans l'aire de production d'une appellation communale prestigieuse, ce qui ne manque pas d'intriguer certains amateurs curieux. Mais là aussi l'explication est aisée à trouver : traditionnellement, beaucoup de propriétés en Gironde produisent plusieurs types de vins (notamment des rouges et des blancs) ; or dans de nombreux cas (médoc, saint-émilion, entre-deux-mers ou sauternes), l'appellation spécifique ne s'applique qu'à un seul type. Les autres productions sont donc commercialisées comme bordeaux ou bordeaux supérieurs.

S'ils sont moins célèbres que les grands crus, tous ces bordeaux n'en constituent pas moins quantitativement la première appellation de la Gironde, avec, en 2004, en rouge et rosé, 3 344 797 hl, 457 212 hl pour les blancs et 14 030 hl pour les crémants-de-bordeaux.

L'importance de cette production et l'impressionnante surface du vignoble ont pour conséquence une certaine diversité de caractères. Pourtant, il existe aussi des points communs, donnant leur unité aux différentes appellations régionales et tout d'abord par l'utilisation de même cépages (cabernet-sauvignon, cabernet franc, merlot). Ainsi les bordeaux rouges sont des vins qui doivent être fruités, mais pas trop corsés, pour pouvoir être consommés jeunes. Les bordeaux supérieurs rouges se veulent des vins plus complets. Les bordeaux clairets et rosés, eux, sont obtenus par faible macération de raisins de cépages rouges ; les clairets ont une couleur un peu plus soutenue. Ils sont frais et fruités, mais leur production reste très limitée.

Les bordeaux blancs sont des vins secs, nerveux et fruités. Leur qualité a été améliorée par les progrès réalisés dans les techniques de conduite de la vinification. Les bordeaux supérieurs blancs sont moelleux et onctueux ; leur production est limitée.

Il existe enfin une appellation crémant-de-bordeaux. Les vins de base doivent être produits dans l'aire d'appellation bordeaux. La deuxième fermentation (prise de mousse) doit être effectuée en bouteilles dans la région de Bordeaux.

# Bordeaux

### A LA GLOIRE DU CHAT Cuvée Prestige 2003 *

■ 5 ha 38 000 3 à 5 €

L'origine du château de l'Orangerie remonte à 1790. Depuis lors, la même famille conduit son vignoble sur les coteaux argilo-calcaires de la rive droite de la Garonne. De quel chat ce vin fait-il la gloire ? De celui du dessinateur Philippe Geluck qui illustre l'étiquette. Un bordeaux bien équilibré entre merlot et cabernet-sauvignon (50 % de chaque), rouge vif. Le nez fruité et floral est en harmonie avec la bouche ample, parfumée de fruits rouges (cerise confite) et soutenue par des tanins présents, mais élégants. La finale persistante ajoute à la réussite de ce 2003 représentatif de l'appellation, à découvrir dès maintenant. **L'Orangerie 2003** est cité.

Jean-Christophe Icard,
Ch. de l'Orangerie, 33540 Saint-Félix-de-Foncaude,
tél. 05.56.71.53.67, fax 05.56.71.59.11,
e-mail orangerie@chateau-orangerie.com r.-v.

### ALEXANDRIN DU GRAND MONTET 2003

■ n.c. 4 000 3 à 5 €

Composé de merlot (50 %) et de cabernet-sauvignon (50 %), ce vin a plu par son équilibre : couleur rouge profond, nez fruité de fraise et de mûre, bouche souple et vive aux tanins présents mais tendres, finale discrète. A apprécier dès maintenant et pendant encore un an.

Marie-France et Didier Roussel, EARL Les Deux Domaines, Le Montet, 33220 Saint-André-et-Appelles, tél. et fax 05.57.46.10.23 r.-v.

### CH. DES ARNAUDS Tradition 2003 *

■ 2 ha 15 000 3 à 5 €

Ici, on travaille en famille : Paul Lassagne, le grand-père, Daniel, le père, et Nicolas, le fils exploitent les 26 ha de vignes sur les graves rouges de Lussac. Le merlot a donné naissance à ce 2003 rubis qui développe un élégant bouquet de fruits rouges vanillés rehaussés de pain grillé. Un joli mariage avec le bois. La bouche ronde s'appuie sur des tanins qui demandent encore à s'assouplir. Ce sera chose faite d'ici trois ou quatre ans. Vous servirez alors un gigot à l'ail.

Daniel Lassagne, EARL des Vignobles du Château des Landes, 5, Lagrenière, 33570 Lussac, tél. et fax 05.57.74.68.05, e-mail chateaudeslandes@yahoo.fr t.l.j. 8h30-12h 13h30-19h30

### CH. LES ARROMANS Cuvée Prestige 2003 *

■ 4 ha 20 000 5 à 8 €

Les 34 ha de vignes de Joël Duffau se situent à égale distance de la cité de Saint-Emilion, inscrite au patrimoine mondial de l'Humanité, et de la bastide de Libourne, au confluent de l'Isle et de la Dordogne. Une sélection de 95 % de merlot complétés de cabernet-sauvignon compose ce vin rouge très profond, presque noir. Le nez doux et élégant évoque le fruit, la vanille, le boisé d'un élevage de douze mois en fût. Les tanins de qualité soutiennent la bouche souple et ample, d'une longueur plaisante. A découvrir pendant trois ou quatre ans.

Joël Duffau, 2, Les Arromans, 33420 Moulon, tél. 05.57.74.93.98, fax 05.57.84.66.10, e-mail joel.duffau@tiscali.fr t.l.j. sf dim. 8h-12h 14h-19h

### CH. DE BALAN 2003 *

■ n.c. 13 000 3 à 5 €

Le cabernet-sauvignon (40 %) et le cabernet franc (20 %) dominent ce vin grenat profond à reflets violines, complétés par le merlot. Le bouquet concentré libère des notes de fruits mûrs, de confiture de cerises et de fumé que l'on retrouve en bouche, après une attaque souple. Un bordeaux charnu, dont les tanins bien présents devraient s'arrondir d'ici deux ou trois ans. Pour des charcuteries et des grillades.

GAEC Ch. de Balan, Balan, 33490 Sainte-Foy-la-Longue, tél. 05.56.76.43.41, fax 05.56.76.47.34 r.-v.

Jeans

### BARON DE LURE Elevé en fût de chêne 2003 *

■ 20 ha 100 000 5 à 8 €

Un élevage en fût bien maîtrisé pendant six mois a donné naissance à un 2003 intensément coloré. Des notes épicées et boisées se développent en complément de celles de poivron, de fumé et de cuir. Ces arômes accompagnent la bouche ronde et charnue, aux tanins fondus. Certes, la finale longue semble encore ferme, marquée par le bois, mais il suffira de laisser ce vin évoluer pendant deux ans pour y remédier.

Grands Vins de Gironde, Dom. du Ribet, BP 501, 33450 Saint-Loubès, tél. 05.57.97.07.20, fax 05.57.97.07.27, e-mail gvg@gvg.fr

### BARON PICHAUX 2003 *

■ n.c. n.c. 3 à 5 €

Une robe brillante, d'un rouge soutenu à reflets violines, invite à découvrir ce vin flatteur, dont les arômes ouverts de fruits rouges mûrs s'associent aux épices et à la réglisse. D'attaque souple, la bouche pleine et ronde bénéficie de tanins enrobés qui laissent s'exprimer les flaveurs de fruits mûrs. Dans trois ans, ce 2003 sera prêt à servir. **Le Marquis de Bern 2003** est cité.

SA Guiraud-Raymond-Marbot, ZAE de l'Arbalestrier, 33220 Pineuilh, tél. 05.57.41.91.50, fax 05.57.46.42.76, e-mail contact@grm-vins.fr

### CH. DE BEAUREGARD-DUCOURT Le Bois du Fanet 2003 *

■ 41 ha n.c. 5 à 8 €

Ce domaine de l'Entre-deux-Mers, doté d'un encépagement classique sur sol argilo-calcaire, propose un vin grenat soutenu, dont le nez chaleureux rappelle les fruits rouges mûrs, les épices et un boisé de qualité. La bouche charnue et veloutée dès l'attaque se développe sur de bons tanins et laisse le souvenir d'une note de cassis. A déguster dans deux ou trois ans.

SCEA Vignobles Ducourt, 18, rte de Montignac, 33760 Ladaux, tél. 05.57.34.54.00, fax 05.56.23.48.78, e-mail vignobles-ducourt@wanadoo.fr r.-v.

### CH. BELLE-GARDE Cuvée élevée en fût de chêne 2003 *

■ 12 ha 75 000 5 à 8 €

Sélectionné régulièrement dans le guide (avec un coup de cœur pour le millésime 2001), le Château Belle-Garde est une valeur sûre de l'appellation. Son 2003, dominé par le merlot (80 %), a été apprécié pour sa robe pourpre brillant, ainsi que pour ses flaveurs intenses de fruits (griotte, mûre, pêche de vigne), associées à la vanille et aux notes mentholées. Le corps souple en attaque, puis charnu, bénéficie de tanins ronds et d'un boisé bien présent qui ne demande qu'à se fondre dans les deux ans. Réservez à cette bouteille une viande rouge ou un fromage à pâte dure.

Eric Duffau, Ch. Belle-Garde, 33420 Génissac, tél. 05.57.24.49.12, fax 05.57.24.41.28, e-mail duffau.eric@wanadoo.fr t.l.j. sf sam. dim. 8h-12h30 14h-19h; f. 15-30 août

### CH. BEYRAN 2003

■ n.c. 66 600 3 à 5 €

Ce bordeaux élaboré par la cave coopérative de Landerrouat se présente dans une robe pourpre profond à reflets violacés. Son nez intense décline les petits fruits écrasés (mûre, cassis). Des arômes qui se prolongent en bouche dont la matière est ample et équilibrée, les tanins étant présents mais fondus.

⊶ Prodiffu, 17-19, rte des Vignerons,
33790 Landerrouat, tél. 05.56.61.33.73,
fax 05.56.61.40.57, e-mail prodiffu@prodiffu.com
⊶ EARL Vignobles Rebillou

## PRESTIGE DE BORDES 2003 ★★

■ n.c. 50 000 ⅡⅠ 3 à 5 €

Un rubis intense annonce les parfums élégants de fruits mûrs, de grillé, d'épices et de boisé fin qui font tout le charme de ce 2003. La bouche ne déçoit pas : souple, pleine et équilibrée, elle possède de bons tanins et persiste longuement. Un vieillissement de trois ans ne pourra qu'être bénéfique à cette remarquable bouteille.
⊶ Cheval-Quancard, La Mouline,
BP 36, 33560 Carbon-Blanc,
tél. 05.57.77.88.88, fax 05.57.77.88.99,
e-mail chevalquancard@chevalquancard.com Y ✶ r.-v.

## DOM. DE BOUILLEROT 2003 ★★

■ 3 ha 15 000 ▮↓ 3 à 5 €

Créé en 1874, ce domaine se situe non loin du château de La Réole. Merlot et cabernet-sauvignon à parts égales ont donné naisance à un 2003 rouge intense, brillant de reflets violets. Expressif et complexe par ses arômes de fruits rouges mûrs confiturés, nuancés de réglisse, il possède un corps harmonieux et charnu. Les tanins sont certes présents, mais enrobés ; les flaveurs de fruits rouges et de café leur font escorte dans une finale soyeuse. Un bordeaux puissant et riche, à servir pendant cinq ans.
⊶ Thierry Bos, Lacombe,
33190 Gironde-sur-Dropt, tél. et fax 05.56.71.46.04,
e-mail info@bouillerot.com ☑ Y ✶ r.-v.

## CH. BREJOU Elevé en fût de chêne 2002

■ n.c. 1 600 ⅡⅠ **5 à 8 €**

Francis Sottana exploite depuis le début des années 1990 cette propriété viticole de 21 ha dont l'encépagement est resté traditionnel ; merlot (60 %), cabernet-sauvignon (30 %) et cabernet franc (10 %) sur sol argilo-calcaire graveleux ont donné naissance à ce vin complexe par ses arômes de fruits noirs, de violette et d'épices. Structuré et ample, il s'étire en laissant une impression chaleureuse. Agréable dès maintenant.
⊶ Francis Sottana, Ch. Bréjou,
9, le Petit-Montet, 33220 Saint-André-et-Appelles,
tél. et fax 05.57.46.58.81 ☑ r.-v.

## CALVET Extra fruit XF 2003 ★

■ n.c. 55 000 ▮↓ 3 à 5 €

Si c'est du fruit que vous cherchez, ce bordeaux vous est destiné. Du fruit... et de l'extra, s'il vous plaît, apporté par un assemblage de 60 % de merlot et de 40 % de petit verdot. Sous une robe pourpre à reflets violacés se déclinent des arômes intenses de fruits rouges qui participent en bouche à une fraîcheur plaisante. Le vin est ample, rond, soutenu par des tanins fondus jusqu'à une finale tout de cassis. Un plaisir dont vous profiterez sans attendre en accompagnement d'une viande grillée ou rôtie.
⊶ Calvet, 75, cours du Médoc, BP 11,
33028 Bordeaux Cedex, tél. 05.56.43.59.00,
fax 05.56.43.17.78, e-mail calvet@calvet.com

## XAVIER CAPDEVILLE Cuvée sanctissime 2003 ★★

■ 3 ha 4 500 ⅡⅠ 5 à 8 €

Xavier Capdeville a créé son chai en 2001 pour vinifier dans les meilleures conditions le fruit de ses 10 ha de vignes plantées au début des années 1980 sur un sol argilo-calcaire. Son vin à dominante de merlot (80 %), complété de cabernet franc s'affiche dans une robe pourpre intense à reflets violines. Le jury a aimé sa vaste palette d'arômes qui va des fruits mûrs aux fruits confits, du pain grillé aux notes fumées et épicées. Après une attaque franche, la bouche charnue se développe avec ampleur jusqu'en finale. Les tanins promettent de s'assouplir à la faveur de un ou deux ans de garde.
⊶ Xavier Capdeville, La Gorre,
33190 Les Esseintes, tél. et fax 05.56.71.49.13,
e-mail chateaudesanctis@wanadoo.fr ☑ Y ✶ r.-v.

BORDELAIS

## CH. DE CAPPES 2003 ★

■ 6 ha 20 000 ▮↓ 3 à 5 €

Le château de Cappes se situe à 2 km du château Malromé où le peintre Toulouse-Lautrec vécut les derniers mois de sa vie. Un encépagement équilibré entre le merlot (60 %) et les cabernets (40 %) sur sol argilo-calcaire, une vinification et un élevage en cuve ont donné un 2003 pourpre profond qui exprime intensément les fruits rouges (framboise, griotte). Charnu et structuré par des tanins de qualité, le vin évolue sur des notes de fruits mûrs légèrement épicés jusqu'à une finale harmonieuse. A découvrir dans un à deux ans.
⊶ EARL Patrick Boulin,
Ch. de Cappes, 33490 Saint-André-du-Bois,
tél. 05.56.76.40.88, fax 05.56.76.46.15 ☑ Y ✶ r.-v.

## CH. CAZEAU 2003 ★

■ 290 ha 1 200 000 ▮ 3 à 5 €

Cazeau est une chartreuse girondine du XVIIIes. située à Fronsac, au pied du moulin de Haut-Benauge qui date du XVIes et abrite un petit musée rural de la Vigne et du Vin. Après sa visite, découvrez ce vin dominé par les cabernets, qui se pare d'une robe grenat profond et d'arômes de fruits mûrs épicés. Il vous semblera rond et charnu, avec une fraîcheur plaisante en attaque, des tanins élégants et une finale chaleureuse. Vous le garderez deux ou trois ans. Du même producteur, le **Château Giraudot 2003** est cité.
⊶ SCI Domaines de Cazeau et Perey, BP 17,
33540 Sauveterre-de-Guyenne, tél. 05.56.71.50.76,
fax 05.56.71.87.70, e-mail cfontaniol@laguyennoise.com
⊶ Anne-Marie et Michel Martin

## CELLIER DE BORDES
Cuvée Prestige Vieilli en fût de chêne 2003 ★

■ n.c. 50 000 ⅡⅠ 3 à 5 €

Négociant, Pierre Dumontet a élevé un bordeaux rubis intense, dont les arômes de fruits mûrs, d'épices et de fin boisé sont de bon augure. La bouche est franche, en effet, souple et équilibrée, même si les tanins semblent encore sévères et appellent à une toute petite garde.
⊶ Pierre Dumontet,
4, rue du Carbouney, 33560 Carbon-Blanc,
tél. 05.57.77.88.88, fax 05.57.77.88.99

## CH. CHAMP DE GRENET 2003 ★

■ 2,52 ha 16 000 ▮↓ 3 à 5 €

Nous sommes sur les sols argilo-calcaires frais de Lussac, là où le merlot mûrit lentement. Ce cépage constitue 80 % de l'assemblage, associé aux cabernets à parts égales. Bien travaillé, ce vin de teinte rubis soutenu offre des arômes de fruits mûrs qui persistent dans une bouche souple et harmonieuse. Vous apprécierez pleinement sa compagnie dans un à deux ans.

⊶ Ch. Champ de Grenet, Grézard, 33570 Lussac,
tél. 05.57.74.69.83, fax 05.57.74.61.74
t.l.j. 9h-12h 14h-17h30

CH. LA CHAPELLE MAILLARD
Elevé en fût de chêne 2003 *

| ■ | 9,5 ha | 73 500 | | 5 à 8 € |
|---|---|---|---|---|

Le vignoble de 15 ha est implanté sur les coteaux sud, argilo-calcaires, de la Dordogne, non loin des bastides de Sainte-Foy-la-Grande, de Pellegrue et du château de Duras. Cultivé en agriculture biologique, il a produit un vin rouge intense à reflets violacés, composé de merlot et cabernets à parts égales. Au nez de fruits rouges vanillés répond une bouche souple, ample et puissante, tout aussi fruitée. Le boisé, hérité d'un an de fût, apparaît fondu et les tanins soyeux. Un bordeaux agréable, à savourer dès maintenant avec une viande blanche ou rouge en grillade.
⊶ J.-Ch. Mauro, SCEA Château La Chapelle-Maillard, Bourasson, 33220 Saint-Quentin-de-Caplong,
tél. 05.57.41.26.92, fax 05.57.41.27.87,
e-mail jean-christophe.mauro@wanadoo.fr r.-v.

CLEMENT DE BERTIAC
Vieilles Vignes Elevé en fût de chêne 2003 *

| ■ | 8 ha | 40 000 | | 5 à 8 € |
|---|---|---|---|---|

Un nez élégant de fruits rouges agréablement boisé apparaît sous la robe rubis de ce vin souple et ample. Les tanins qui laissent un long sillage chocolaté en finale demandent moins d'un an pour s'arrondir. Egalement diffusé par Œnoalliance, le **Château La Châtaignière 2003 (3 à 5 €)**, élevé en cuve, est cité.
⊶ Œnoalliance, rte du Petit-Conseiller,
33750 Beychac-et-Caillau, tél. 05.57.97.39.73,
fax 05.57.97.39.76, e-mail scluzeau@oenoalliance.com

CLOS AMBRION 2003 **

| ■ | 2,5 ha | 2 600 | | 3 à 5 € |
|---|---|---|---|---|

On ne passe pas à Lalande-de-Fronsac sans s'arrêter devant le portail sud de l'église du XIIe s., chef-d'œuvre de l'art roman. Vous ne repartirez pas non plus sans vous être rendu au Clos Ambrion qui fut une tuilerie jusqu'en 1953 avant de devenir une exploitation viticole de 20 ha. Vous y découvrirez ce vin rouge sombre à reflets violacés qui offre un nez puissant et complexe de fruits noirs confiturés et de truffe noire. La bouche charnue, ronde, soutenue par des tanins mûrs et soyeux contribue à la remarquable réussite de ce bordeaux digne d'une garde de trois ou quatre ans et déjà si agréable.
⊶ Bernard Faure,
Clos Ambrion, 33240 Lalande-de-Fronsac,
tél. et fax 05.57.58.10.92 r.-v.

CLOS DE CLAUZET Elevé en fût de chêne 2003 *

| ■ | 1,19 ha | 2 400 | | 3 à 5 € |
|---|---|---|---|---|

Le malbec, ou cot, cépage peu cultivé aujourd'hui en Bordelais, est bien présent (30 %) dans ce cru, aux côtés du merlot (50 %) et du cabernet-sauvignon (20 %). Conduit sur sables argileux, il apporte rondeur et souplesse au vin, car il est pauvre en acidité. Ses riches pigments colorants ont légué à ce 2003 une robe grenat profond à reflets violacés. Des arômes complexes s'en libèrent, allant des fruits noirs à la croûte de pain, du fumé délicat au cuir et au gibier. Après une attaque ronde et chaleureuse, le corps apparaît charnu, bien charpenté par des tanins francs et solides. Avec sa finale de fruits mûrs, ce bordeaux complet se destine à un repas familial. A boire ou à attendre.
⊶ Franck Palmier, 85, rte de Mage,
33450 Saint-Loubès, tél. et fax 05.56.68.61.72,
e-mail palmier.franck@wanadoo.fr r.-v.

CLOS DE PELIGON Elevé en fût de chêne 2003 *

| ■ | 6 ha | 26 000 | | 3 à 5 € |
|---|---|---|---|---|

Cette propriété familiale de 6 ha sur argiles sableuses et graveleuses se trouve à Saint-Loubès, ville natale de Max Linder, acteur comique et metteur en scène du cinéma muet d'avant 1914. De l'expression, ce vin n'en manque pas. D'un rouge pourpre profond, il offre des arômes de fruits noirs associés au cacao, au menthol, à la vanille et aux notes torréfiées. Un boisé discret souligne sa matière souple et chaleureuse qui se prolonge bien grâce à des tanins fins et fondus. Une petite pointe d'amertume en finale ? Il n'y paraîtra plus dans un ou deux ans aux côtés d'un gigot d'agneau.
⊶ EARL Vignobles Reynaud,
13, rte de Libourne, 33450 Saint-Loubès,
tél. 05.56.20.47.52, fax 05.56.68.65.21 r.-v.

CLOS LA CHATAIGNIERE 2003 **

| ■ | n.c. | 9 700 | | 3 à 5 € |
|---|---|---|---|---|

Il vous faudra bien une demi-journée pour découvrir ce cru de 8 ha exploité depuis 1995 par Laurent Français : promenade commentée à travers le vignoble, accès au moulin à vent, visite accompagnée du musée vitivinicole et dégustation de ce bordeaux grenat intense aux jolis reflets violacés. Vous serez charmé par les arômes de fruits, de fraise et de framboise, par la rondeur et le charnu de sa tendre structure. Un vin fruité et élégant, déjà prêt et à garder jusqu'en 2010.
⊶ Laurent Français,
1, Les Grandes-Terres, 33240 Périssac,
tél. 06.85.52.26.88, fax 05.57.84.37.25 r.-v.

CH. CLUZAN 2003 **

| ■ | 30 ha | 105 000 | | 5 à 8 € |
|---|---|---|---|---|

Une vinification soignée, un élevage de quatorze mois mené en partenariat entre la maison de négoce Sichel et le propriétaire ont façonné ce 2003 dominé par le merlot (60 %) : une robe sombre à reflets violets, un nez complexe de fruits noirs confiturés (myrtille, mûre), des tanins soyeux, enveloppés dans une chair fruitée et persistante. Il vous faudra de la ténacité pour résister à la tentation d'ouvrir cette bouteille avant 2008. En 2006, vous pourrez déjà apprécier le **Sirius 2002, élevé en fût de chêne** qui obtient une étoile pour son harmonie entre le fruité et un fin boisé, sa rondeur et sa structure. Ou encore le bordeaux **Cave Bel-Air 2003 (3 à 5 €)**, qui n'a pas connu le bois. Le jury lui attribue une citation pour son équilibre.
⊶ SA Maison Sichel,
8, rue de la Poste, 33210 Langon, tél. 05.56.63.50.52,
fax 05.56.63.42.28, e-mail maisonsichel@sichel.fr
t.l.j. sf dim. 9h-18h30

DOM. DE LA COLOMBINE 2003

| ■ | 8,04 ha | 28 000 | | 3 à 5 € |
|---|---|---|---|---|

Un bordeaux pour aujourd'hui. Nul besoin d'attendre pour apprécier ses arômes de fruits rouges, de vanille et d'épices sous sa robe rouge profond à reflets cerise. Nul délai pour goûter sa matière riche et ample tant les tanins apparaissent soyeux, accompagnés de flaveurs fruitées et mentholées.

Les Producteurs réunis de Puisseguin et Lussac-Saint-Emilion, 33570 Puisseguin, tél. 05.57.55.50.40, fax 05.57.74.57.43, e-mail direction@producteurs-reunis.com t.l.j. sf sam. dim. 8h30-12h30 14h30-18h30

## CH. LA COMMANDERIE DE QUEYRET 2003 ★★

30 ha 180 000 5 à 8 €

Castelmoron-d'Albret, le plus petit village de France (4 ha à peine) et l'abbaye de Saint-Ferme des XII^e et XIII^e s. constituent déjà des buts de visite dans la région. Prévoyez une étape dans cette ancienne propriété des Templiers datant du XIII^e s. pour y acquérir un bordeaux concentré à souhait, d'une teinte presque noire. Si le nez fruité semble discret et plaisant, la bouche souple en attaque, charnue, évolue avec ampleur sur des tanins solides qui demandent deux ans pour se fondre. L'ensemble est prometteur. Le **Château de Fraysse 2003** obtient une étoile.

Claude Comin, Ch. La Commanderie, 33790 Saint-Antoine-du-Queyret, tél. 05.56.61.31.98, fax 05.56.61.34.22, e-mail vignoble.comin@wanadoo.fr r.-v.

## CORDIER Prestige Collection Privée 2003 ★

n.c. 100 000 5 à 8 €

Cette cuvée Prestige, qui marque les vingt ans de création de la marque Collection Privée, est une sélection de merlot (65 %), de cabernet-sauvignon et de cabernet franc récoltés dans l'Entre-deux-Mers. Après un élevage de dix mois en fût, elle s'est habillée d'un pourpre profond qui donne envie de découvrir les arômes intenses de fruits mûrs, de menthol et de grillé. Elle fait preuve d'un bel équilibre entre sa matière riche et ses tanins soyeux, aux notes de noisette et de torréfaction. Ce vin accompagnera pendant trois ou quatre ans un magret de canard, des viandes grillées ou en sauce. La maison Cordier propose aussi une **Collection Privée 2002 (3 à 5 €)** qui n'a pas connu le bois, ronde et fruitée, prête à boire, que le jury a citée.

Cordier Mestrezat et Domaines, 109, rue Achard, 33300 Bordeaux, tél. 05.56.11.29.00, fax 05.56.11.29.01, e-mail contact@cordier-wines.com

## CH. DE CRAIN 2003 ★

30 ha 200 000 3 à 5 €

Crain est l'un des plus anciens châteaux féodaux d'Aquitaine, puisqu'il fut bâti au XV^e s. sur autorisation du roi Edouard IV. Il propose un vin d'architecture classique, composé de merlot (60 %) et de cabernets récoltés sur sol argilo-calcaire. Le pourpre soutenu de la robe annonce un corps charnu, souple et frais, parfumé de fruits et de café. Grâce à sa structure tannique de qualité, ce 2003 a tout le potentiel pour évoluer favorablement jusqu'en 2008-2009.

SCA de Crain, Ch. de Crain, 33750 Baron, tél. 05.57.24.50.66, fax 05.57.24.14.07, e-mail fougere@chateau-de-crain.com r.-v.

Fougère

## CUVEE DE L'ARTISTE 2003 ★

4 ha 25 000 3 à 5 €

L'artiste, c'est Marcel Chirnoaga, graveur roumain qui a conçu l'étiquette de ce vin issu à 80 % de cabernet franc récolté sur sol argilo-calcaire. Un bordeaux à partager entre amis à partir de 2006. Vous apprécierez alors sa robe rouge profond nuancé de violine, son bouquet de fruits rouges mûrs, sa bouche souple, ronde, aux tanins fondus, comme sa finale harmonieuse et persistante.

Vins de Lisennes, Ch. de Lisennes, 33370 Tresses, tél. 05.57.34.13.03, fax 05.57.34.05.36, e-mail contact@lisennes.fr r.-v.

J.-L. Soubie

## CH. DALLET 2003 ★

2 ha 6 500 3 à 5 €

Proche des bastides médiévales de Créon, de Rauzan, de Sauveterre-de-Guyenne, de l'abbaye de La Sauve-Majeure et du château de la Benauge, ce château propose gîte et chambre d'hôte. L'occasion de découvrir ce vin dominé par le merlot (70 %) cultivé sur sol argilo-calcaire. Sous une teinte rouge intense à reflets violacés se manifestent des arômes de cerise noire et de mûre. La chair est ronde, soutenue par des tanins solides, mais harmonieux jusqu'à la longue finale fraîche. Une bonne image des vins de Bordeaux. A servir au printemps 2006.

Philip Dallet, La Sauvetat, 33760 Baigneaux, tél. 06.14.51.60.66, fax 05.56.23.98.14, e-mail philip.dallet@wanadoo.fr r.-v.

## DIVIN 2003 ★

2 ha 9 000 11 à 15 €

A trois lieues du centre de Bordeaux, ce vignoble s'étend sur 45 ha. Connaissez-vous la phrase de Salvador Dali : « Qui sait déguster ne boit plus de vin mais goûte des secrets » ? Avec ce Divin vous en comprendrez le sens. Soulevez le voile grenat sombre pour déceler les secrets de sa palette de fruits rouges, de vanille et de grillé. Etudiez la rondeur de sa chair qui enrobe des tanins déjà souples. Evaluez la longueur de la finale marquée d'un agréable boisé. L'ensemble est harmonieux et le sera davantage encore dans deux ou trois ans.

GAEC Grandeau et Fils, Ch. Lauduc, av. de Lauduc, 33370 Tresses, tél. et fax 05.57.34.43.58, e-mail m.grandeau@lauduc.fr r.-v.

## ESSENCE DE DOURTHE 2003 ★★

8 ha 6 530 46 à 76 €

Régulièrement au sommet de son appellation – le millésime 2001 fut coup de cœur dans le Guide 2004 –, Essence de Dourthe consacre l'art de l'assemblage : 69 % de merlot, 25 % de cabernet-sauvignon et 6 % de petit verdot. Rouge sombre à reflets fuchsia, ce vin offre un nez puissant de fruits mûrs (groseille, fraise), nuancés de cacao et d'épices. Sa bouche ample et ronde, aux tanins bien présents, intègre harmonieusement un boisé de qualité (torréfaction et pain grillé). Un bordeaux concentré, à découvrir dans deux ou trois ans. **Dourthe n° 1 2003 (8 à 11 €)**, vin puissant et fruité, obtient une étoile, tandis que le **Château Clos de La Tour 2003 (5 à 8 €)** est cité.

Vins et vignobles Dourthe, 35, rue de Bordeaux, 33290 Parempuyre, tél. 05.56.35.53.00, fax 05.56.35.53.29, e-mail contact@cvbg.com r.-v.

## CH. FONGRAVE Elevé en fût de chêne 2003 ★★

3,75 ha 28 000 5 à 8 €

Ce vieux château militaire du XIV^e s. construit au sommet d'une colline pour surveiller la Garonne domine la ville médiévale de Saint-Macaire, célèbre pour ses remparts et sa place du Mercadiou. Issu de merlot à 95 %, son bordeaux se distingue par sa robe grenat profond à reflets violets et par son intense bouquet de fruits mûrs,

BORDELAIS

souligné de menthe, de cannelle, de fin boisé, de cuir, de café et de tabac. Le corps charnu et élégamment structuré se rehausse d'une pointe de moka et de cacao. Un remarquable vin de garde (quatre à six ans) à apprécier avec une côte de bœuf grillée ou un fromage à pâte dure.
François Brouard, Ch. Fongrave,
33480 Saint-André-du-Bois, tél. 06.61.42.83.79,
fax 05.56.92.10.00, e-mail fbrouard@free.fr r.-v.

## DOM. DE LA FONTANILLE 2003

■ 5 ha 25 000 3 à 5 €

Un assemblage classique de merlot (60 %) et de cabernet-sauvignon sur argilo-calcaire a donné naissance à ce bordeaux prêt dès cet automne. Sous une robe rouge brillant apparaît un nez discret de fruits rouges, tandis que la bouche fraîche et fruitée se développe vers une belle finale, grâce au soutien de tanins tendres. Pour une viande blanche.
SCEA Vignobles Arnaud et Marcuzzi, Le Vic nº 13,
33410 Cardan, tél. 05.56.62.60.91, fax 05.56.62.67.05,
e-mail arnaud.marcuzzi@wanadoo.fr r.-v.

## CH. DE FONTENILLE 2003 ★★

■ 25 ha 120 000 5 à 8 €

Une visite s'impose à l'abbaye de La Sauve-Majeure, fondée au XIe s. Tout proche, ce vaste domaine. Un tiers de l'assemblage a séjourné en fût pendant dix-huit mois, ce qui se traduit par une robe rouge sombre, un nez complexe mariant les fruits mûrs, le cassis et un boisé équilibré. La matière ample, puissante, enveloppe des tanins bien présents et persiste sur des flaveurs de griotte, de cassis et de menthol. Le fruit d'une vendange mûre et riche. Un bordeaux à garder cinq ans.
SC Ch. de Fontenille, 33670 La Sauve,
tél. 05.56.23.03.26, fax 05.56.23.30.03,
e-mail contact@chateau-fontenille.com r.-v.
Stéphane Defraine

## CH. DE GADRAS 2003 ★

■ 13 ha 50 000 5 à 8 €

« Bois gardé pour le seigneur », telle est l'origine du nom de ce château situé non loin de la bastide de Monségur fondée en 1265 par l'épouse d'Henri III Plantagenêt, Eléonore de Provence. Le vin, lui, satisfera tous les palais. Il provient d'un assemblage équilibré de merlot (50 %) et de cabernets. Sa robe grenat profond séduit tout autant que le nez fin et complexe de griotte, de cassis, de vanille, d'épices et de boisé fin. Ample et souple, sa matière bénéficie d'une charpente solide, qui lui assurera une garde de quatre ans. Vous le dégusterez avec une viande rouge ou un fromage à pâte dure.
SCEA Vignobles Delpech,
4, Gadras, 33580 Saint-Vivien-de-Monségur,
tél. 05.56.61.82.69, fax 05.56.71.34.95 r.-v.

## CH. GARRIGUES 2003 ★

■ 1,75 ha 13 540 3 à 5 €

Les Tuileries de Gironde-sur-Dropt, les bastides de Sauveterre-de-Guyenne et de Monségur, le cloître bénédictin de La Réole, la ferme viticole girondine du château Garrigues... Quelle belle journée de visites ! Terminez-la par la découverte de ce 2003 issu de merlot et de cabernet franc qui se dévoile dans une robe rouge intense, parfumé de discrets arômes de fraise et de fruits confits. Il est ample, rond, fruité, car si les tanins affirment leur présence, ils tendent à se fondre et laissent place à une finale épicée persistante. 2007 sera une bonne année pour déboucher cette bouteille.
Thierry Breda, 1, Fillote, 33190 Gironde-sur-Dropt,
tél. et fax 05.56.71.13.36 r.-v.

## CH. LE GRAND CHEMIN 2003 ★

■ 1,5 ha 9 600 3 à 5 €

Né de 90 % de merlot complété de cabernet sur sol argilo-calcaire, ce vin séduit par sa teinte rouge intense à reflets violines comme par la qualité de ses arômes de fruits noirs, de confiture, de grillé. Le merlot et la canicule lui ont donné une chair ronde, du volume et du fruit. A servir dès maintenant.
Bourseau, SCEA Le Grand-Chemin, Pradelle,
33240 Virsac, tél. 05.57.43.29.32, fax 05.57.43.39.57,
e-mail sc.legrandchemin@wanadoo.fr
t.l.j. sf dim. lun. 15h-19h

## CH. GRANDEFONT Cuvée Prestige 2003 ★

■ 25 ha 200 000 - de 3 €

Le bâtiment principal du château Grandefont (« grande fontaine ») correspond à un relais pour les gabares, voiliers chargés de bois et de vin qui descendaient autrefois la Dordogne. Ici, le merlot (70 %) et le cabernet-sauvignon plongent leurs racines dans les graves de surface de l'ancien lit de la rivière. Ils ont produit ce 2003 équilibré, plein et rond, dont les tanins ont un grain mûr et soyeux, même s'ils gardent une pointe d'austérité en finale. Si le nez discret décline des notes animales et poivrées, les arômes de fruits rouges se développent bien en bouche. A servir dès maintenant et pendant encore deux ans.
SCEA de Grandefont,
Grandefont, 33220 Saint-Avit-Saint-Nazaire,
tél. 05.57.46.33.23, e-mail contact@grm-vins.fr

## CH. LA GRANDE METAIRIE 2003 ★

■ 7 ha 66 000 3 à 5 €

Si Jean-Luc Buffeteau, œnologue installé sur la propriété familiale en 1998, avait pour objectif d'élaborer un vin souple et fruité, apte à une garde de quatre ou cinq ans, il peut être satisfait. Car ce 2003 rubis intense décline des arômes riches et chaleureux de fruits noirs mentholés, avec une note poivrée. Car sa matière est charnue et persistante, dotée de tanins fins. Un 2003 concentré et fruité.
SCEA Vignobles Buffeteau,
lieu-dit Dambert, 33540 Gornac,
tél. 05.56.61.97.59, fax 05.56.61.97.65 r.-v.

## CH. DU GRAND FERRAND 2003 ★

■ 12,2 ha 94 000 3 à 5 €

Grand Ferrand, situé en haut d'une colline, domine la belle bastide aux quatre portes fortifiées du XIIIe s. de Sauveterre-de-Guyenne, construite par le roi d'Angleterre, Edouard Ier. Son bordeaux rouge intense nuancé de violacé affiche un nez aussi puissant que complexe de fruits, de poivron vert, de sous-bois et de réglisse. Richesse, structure équilibrée et finale persistante sur le fruit en font un vin harmonieux qui trouvera sa place dans un à trois ans aux côtés d'un veau Orloff ou de grillades.
Ch. Grand Ferrand, lieu-dit Grand-Ferrand,
33540 Sauveterre-de-Guyenne, tél. 05.56.71.60.42,
fax 05.56.71.69.08, e-mail grand.ferrand@wanadoo.fr

## CH. GRAND PICQUE CAILLOU 2003

■ 10 ha 35 000 3 à 5 €

Sainte-Croix-du-Mont doit sa réputation à ses vins liquoreux tout autant qu'à son église, à son château, à ses bancs d'huîtres fossilisées et à sa vue imprenable sur la

Garonne. Il ne faudrait pourtant pas oublier sa production de bordeaux, tel celui-ci, dominé par les cabernets (60 %), qui se pare d'une robe rubis et d'arômes épicés discrets. Ample et rond, le vin exprime les fruits rouges en bouche et évolue sur des tanins très présents qui demandent à s'arrondir.
SCEA des Vignobles Ricard, Ch. de Vertheuil, 33410 Sainte-Croix-du-Mont, tél. 05.56.62.02.70, fax 05.56.76.73.23 r.-v.

### CH. LES GRANDS BRIANDS 2003

■ 5,74 ha 44 000 3 à 5 €

Les sols sablo-graveleux portent davantage de merlot (60 %) que de cabernet-sauvignon pour donner naissance à un bordeaux rubis qui marie les fruits rouges surmûris, presque confiturés, ainsi que le pruneau au torréfié et au grillé d'un élevage de neuf mois en fût. La bouche ample et charnue présente des tanins encore austères en finale. Il faudra attendre deux ans pour que l'ensemble se fonde.
Frédéric Guiraud, SCEA du Grand Briand, BP 43, 33220 Pineuilh, tél. et fax 05.57.46.42.16 r.-v.

### DOM. DES GRANDS ORMES 2003 *

■ 6 ha 35 000 5 à 8 €

Ce domaine, qui compte aujourd'hui 42 ha sur des graves, a été construit vers 1900 dans un méandre de la Dordogne, à 4 km de la cité de Saint-Emilion. Le merlot règne en maître, allié à 10 % de cabernet. Il en résulte un vin rouge profond, qui s'ouvre sur les fruits rouges vanillés, sur le grillé et les épices, avant de développer toute sa souplesse et sa rondeur. Le boisé est fondu, la structure puissante et équilibrée. Un bordeaux prometteur, à découvrir dans un à cinq ans. Du même producteur, le **Château Rambaud Sélection Vieilles Vignes 2003** obtient également une étoile.
SCEA Vignobles Daniel Mouty, Ch. du Barry, 33350 Sainte-Terre, tél. 05.57.84.55.88, fax 05.57.74.92.99, e-mail daniel-mouty@wanadoo.fr t.l.j. sf sam. dim. 8h-18h

### CH. LA GRAVE DE BERTIN 2002

■ 14,5 ha 12 500 3 à 5 €

Propriété familiale de plus de 15 ha restructurée en cépages rouges à 100 % depuis 1999, ce cru bénéficie d'un sol de graves, d'argiles et de sable adapté au merlot (70 %). Son bordeaux rouge à reflets violets libère un fruité fin de mûre et de cassis, puis offre une bouche ample et généreuse, élégamment structurée jusqu'à la finale de noisette, prête dès maintenant.
EARL Vignobles Furt, 10, chem. de la Grave, 33450 Saint-Sulpice-et-Cameyrac, tél. 05.56.72.45.61, fax 05.56.72.41.65 r.-v.

### CH. GUIBON 2003 *

■ 14 ha 80 000 5 à 8 €

50 ha de bois et 30 ha de vignes : voici le château Guibon, son terroir argilo-calcaire et siliceux sur la rive gauche de la Dordogne, en Entre-deux-Mers. Son bordeaux, rouge vif à reflets violines, offre un bouquet éclatant de fruits rouges mûrs confiturés, d'épices et de vanille. Après une attaque franche, les tanins soyeux structurent une chair ample et riche d'où émanent des notes fruitées, épicées, d'une bonne persistance. Découvrez ce vin au meilleur de lui-même dans trois ans si vous avez la patience de l'attendre car il est déjà fort agréable. Le **Château Bonnet Réserve 2003** obtient également une étoile.
André Lurton, Ch. Bonnet, 33420 Grézillac, tél. 05.57.25.58.58, fax 05.57.74.98.59, e-mail andrelurton@andrelurton.com r.-v.

### HAUT BLAGNAC 2003 **

■ 5 ha 33 000 3 à 5 €

Comme le 2002, le millésime 2003 atteint un niveau remarquable. Né d'un assemblage dominé par le merlot (60 %) complété par le cabernet-sauvignon, il révèle sous sa robe rouge profond à reflets cerise noire de délicates notes de fruits noirs, de menthol. Sa bouche charnue et charpentée fait preuve de volume et de persistance. Laissez vieillir cette bouteille un couple d'années.
SC du Ch. de Seguin, 33360 Lignan-de-Bordeaux, tél. 05.57.97.19.81, fax 05.57.97.19.82, e-mail info@chateau-seguin.fr r.-v.
Michael Carc

### CH. HAUT-LA PEREYRE 2003 *

■ 10 ha 60 000 3 à 5 €

Un vin bâti sur le merlot (60 %) accompagné de cabernet-sauvignon récoltés sur sol argilo-calcaire. Il n'en fallait pas moins pour obtenir cette robe pourpre intense, ces arômes de fruits, de violette et ses accents de viande cuite. Les tanins souples étayent un corps charnu, parfumé de petits fruits persistants. De l'équilibre encore et toujours.
EARL Vignobles Cailleux, La Pereyre, 33760 Escoussans, tél. 05.56.23.63.23, fax 05.56.23.64.21 r.-v.

### CH. HAUT-MARCHAND

Cuvée Prestige Elevé en fût de chêne 2003 **

■ 3 ha 11 000 5 à 8 €

Non loin de l'église romane du XIIe s. de Targon, la famille Dufourg exploite 80 ha de vignes. Bâti sur un assemblage équilibré entre le merlot et les cabernets nés sur sol argilo-calcaire, ce vin est déjà remarquable par sa robe soutenue à reflets violines. Il se distingue également par ses arômes de fruits mûrs, de grillé et de boisé qui se prolongent dans la chair généreuse. Les tanins encore serrés demandent deux ans pour s'arrondir, mais la finale est déjà plaisante sur le fruit vanillé et réglissé. Le **Château Vermont cuvée Prestige 2003** obtient une étoile, de même que le **Château Haut-Marchand 2003 Grand Vin (8 à 11 €)**, élevé dix-huit mois en fût.
EARL Vignobles Dufourg, 11, rte de Sauveterre, 33760 Targon, tél. 05.56.23.90.16, fax 05.56.23.45.30, e-mail vignoblesdufourg@wanadoo.fr r.-v.

### CH. HAUT-MONDAIN 2003 *

■ 10 ha 60 000 3 à 5 €

Cette chartreuse du XVIIIe s. est proche du château du duc d'Epernon de Cadillac. Elle commande un domaine de 90 ha sur sol argilo-calcaire et graveleux. Le merlot, les cabernets et le malbec s'équilibrent dans ce bordeaux bien vinifié vêtu de pourpre intense. La palette marie finement le fruit, le bois et la vanille, tandis qu'en bouche les tanins bien présents, mais élégants structurent une chair ronde et accompagnent la finale. Laissez-leur deux ans pour s'attendrir. Vous déboucherez alors cette bouteille sur une viande rouge ou blanche.
SCEA Charles Yung et Fils, 8, chem. de Palette, 33410 Béguey, tél. 05.56.62.94.85, fax 05.56.62.18.11 t.l.j. sf sam. dim. 9h-12h30 14h-18h30; f. 1er-15 août

CH. L'INSOUMISE
Vendanges des Poètes Elevé en fût de chêne 2003

■ n.c. 6 500 5 à 8 €

Dans cette ancienne propriété de Jacques-Yves Cousteau, le chai à barriques restauré date de 1615. Vous apprécierez ici la jolie vue sur l'estuaire de la Gironde, ainsi que ce bordeaux rouge burlat qui met en scène le merlot (70 %). Au nez intense de fruits mûrs et confits, de pain grillé et d'épices succède une bouche ronde et équilibrée, harmonieuse en finale. Laissez vieillir ce vin trois ans en cave.

Jean Daspet, SCEA Ch. L'Insoumise,
360, chem. Peyrot, 33240 Saint-André-de-Cubzac,
tél. 05.57.43.17.82, fax 05.57.43.22.74 r.-v.

CH. JOININ 2003 *

■ 24,86 ha 50 000 3 à 5 €

Implantée sur les plateaux argilo-calcaires de Rauzan, célèbre pour son château du XIVe s., son église et sa grotte célestine, cette propriété propose un bordeaux pourpre profond à reflets griotte, dominé par le merlot que complètent 10 % de cabernet franc. Des notes de fruits rouges, de tabac blond, d'épices (cannelle) se marient harmonieusement, comme une invitation à découvrir la bouche ronde à l'attaque, puis solidement structurée. Ce bordeaux devrait s'arrondir à la faveur de deux ans de garde. Sa longue finale chaleureuse est de bon augure.

Brigitte Mestreguilhem, 33420 Rauzan,
tél. 05.57.24.72.95, fax 05.57.24.71.25,
e-mail chateau.pipeau@wanadoo.fr
t.l.j. sf sam. dim. 8h-12h 14h-18h

KRESSMANN MONOPOLE
Elevé en fût de chêne 2003

■ n.c. 150 000 5 à 8 €

Un partenariat technique de longue date entre la maison Kressmann et de petites propriétés viticoles a permis d'élaborer ce bordeaux de merlot et de cabernet-sauvignon à parts presque égales. Rouge soutenu, celui-ci livre des arômes de fruits rouges nuancés de fumé et d'épices. La bouche est agréable, bien structurée, pleine d'arômes de torréfaction et de fruits mûrs persistants. A déguster dès maintenant et pendant deux ans avec un civet de lièvre, par exemple.

Kressmann, 35, rue de Bordeaux,
33290 Parempuyre, tél. 05.56.35.53.00,
fax 05.56.35.53.29, e-mail contact@kressmann.com

CH. DE LABORDE 2002 *

■ 2 ha 8 000 3 à 5 €

La coopérative Baron d'Espiet, fondée en 1932, a fait construire de nouveaux bâtiments en 2002 pour recevoir la production de ses adhérents. Elle propose ici un bordeaux à dominante de merlot, revêtu d'une robe rubis. Les arômes de fruits (groseille, fraise) et de fleurs cèdent place à une bouche ample et soyeuse, aux notes de mûre et de noisette. La structure est présente, mais souple, et la finale agréablement persistante. Un vin à découvrir. Né de la propriété de la SCEA Thillet, le **Château La Lézardière 2002** obtient également une étoile pour son fruité et sa souplesse.

Union de producteurs Baron d'Espiet,
Lieu-dit Fourcade, 33420 Espiet, tél. 05.57.24.24.08,
fax 05.57.24.18.91, e-mail baron-espiet@dial.oleane.com
t.l.j. sf dim. lun. 9h-12h 14h-18h
Alain Duc

CH. LAGARDE DAMBERT 2003 *

■ 24 ha 20 000 3 à 5 €

Ce vignoble est implanté sur la ligne de collines argilo-calcaires de la commune de Gornac, dont la butte constitue un remarquable terroir grâce à ses faluns aquitains et à ses nombreux fossiles *gornacensis*. Ce 2003 a séduit le jury par sa robe grenat profond et brillant comme par son nez discrètement épicé et sa bouche riche, grasse, équilibrée. Un bordeaux bien fait, à découvrir en 2006. Du même producteur, le **Château Grandot 2003** obtient une citation.

La Guyennoise, BP 17,
33540 Sauveterre-de-Guyenne, tél. 05.56.71.50.76,
fax 05.56.71.87.70, e-mail cfontaniol@laguyennoise.com
Gaec Faugère et Fils

CH. DE LAGORCE 2003 *

■ 20 ha 150 000 3 à 5 €

Au château de Lagorce, non loin de Targon, petite cité de l'Entre-deux-Mers, l'ancienne église Saint-Genès abrite aujourd'hui les chais du domaine. C'est là que le raisin de merlot et de cabernet-sauvignon à parts égales vendangés sur un terroir argilo-calcaire a été vinifié. Ce vin pourpre intense à reflets violacés sent bon les fruits rouges : framboise, mûre, fraise des bois. Il est rond et charnu, tout aussi fruité en bouche. Les tanins sont certes présents, mais sages et la finale persiste longuement sur la réglisse. A servir dans les deux ans. Le **Château de Lagorce Réserve 2002 (5 à 8 €)** est cité.

SCEA Ch. de Lagorce, 33760 Targon,
tél. 05.56.23.60.73, fax 05.56.23.65.02,
e-mail cht.de.lagorce@wanadoo.fr r.-v.
B. Mazeau

CH. LALAURIE Elevé en fût de chêne 2003 *

■ 1 ha 6 670 3 à 5 €

Issu d'un encépagement classique de merlot (65 %) et de cabernet-sauvignon, ce vin s'affiche dans une robe rouge foncé à nuances violacées, puis livre un nez fruité souligné d'un fin boisé. Au palais, le fruit se révèle dès l'attaque et s'intègre à une matière ample, bien soutenue par les tanins. Avec sa finale veloutée et persistante, son équilibre et sa concentration, ce bordeaux accompagnera dans deux ans des viandes rouges en sauce.

Christian Siutat, 3, Guibon, 33420 Daignac,
tél. 05.57.74.96.13, fax 05.57.84.66.84,
e-mail csiutat@aol.com r.-v.

CH. LALLIER-LABORIE 2003 *

■ 16 ha 96 000 3 à 5 €

Ce 2003 rouge intense, aux notes discrètes de fruits mûrs et de sous-bois séduit par sa matière riche qui enrobe les tanins, ainsi que par sa finale persistante et harmonieuse. Le **Château Fonfroide 2003** remporte lui aussi une étoile, tandis que le **Château Les Maurins 2003** est cité.

Les caves de Landiras Louis Eschenauer,
rte de Balizac, 33720 Landiras,
tél. 05.57.98.07.41, fax 05.57.98.07.35

CH. LAMOTHE-VINCENT Cuvée Sélection 2003 *

■ 22 ha 160 000 3 à 5 €

Sis sur un sol argileux, ce château a élaboré un bordeaux d'un très bon potentiel. La robe est noire à reflets framboise ; le bouquet discret évoque les fruits cuits, le cuir, la truffe et la fumée. Quant à la bouche, elle n'est que rondeur et volume, bâtie autour de tanins mûrs qui laissent les fruits s'exprimer dans une finale chaleureuse.

🔑 SC Vignobles Vincent, 3, chem. Laurenceau,
33760 Montignac, tél. 05.56.23.96.55,
fax 05.56.23.97.72, e-mail info@lamothe-vincent.com
☑ Y ⛹ t.l.j. sf sam. dim. 8h-12h 14h-18h, f. août

### CH. LARIVE DESMOULINS 2003 ★

■ 10 ha 45 000 - de 3 €

Les deux cabernets s'équilibrent pour accompagner le merlot sur ce terroir de sable ancien de la rive gauche de la Dordogne, face à la bastide de Libourne. Il en résulte un vin de teinte soutenue à reflets grenat qui développe des arômes de fruits rouges mûrs et confits, d'épices, annonçant un corps souple en attaque, puis charnu. Les tanins encore jeunes demandent quelques mois pour se fondre, mais l'équilibre est déjà au rendez-vous.

🔑 SCEA Vignoble Bruno Le Roy, La Salargue,
33420 Moulon, tél. 05.57.24.48.44, fax 05.57.24.49.93,
e-mail vignoble-bruno-le-roy@wanadoo.fr ☑ Y ⛹ r.-v.

### CH. LARROQUE Elevé en fût de chêne 2003 ★

■ 56 ha n.c. 5 à 8 €

Ce château, construit en 1348 sur autorisation du roi d'Angleterre Edouard III Plantagenêt, est devenu une vaste propriété viticole de 400 ha au milieu du XIX^es. Son vignoble couvre aujourd'hui 76 ha. Né sur un sol argilo-calcaire graveleux, ce 2003 fait la part belle au cabernet-sauvignon (48 %). Il se distingue par sa couleur grenat profond, son fruité de cerise et de fraise, et son boisé bien présent. L'empreinte du fût se marie harmonieusement avec la matière et les tanins du vin. Cette bouteille s'épanouira au cours des deux à trois prochaines années.

🔑 M. C. Boyer de La Giroday, 18, rte de Montignac,
33760 Ladaux, tél. 05.57.34.54.00, fax 05.56.23.48.78,
e-mail vignobles-ducourt@wanadoo.fr ☑ ⛹ r.-v.

### CH. LAVILLE 2003

■ 6 ha 20 000 8 à 11 €

Du merlot presque pur (99 %) né sur le sol argilo-graveleux de cette propriété, bâtie sur les vestiges d'une *villa* gallo-romaine a donné ce vin à la teinte soutenue, au nez sage et plaisant. La bouche vive à l'attaque s'appuie sur des tanins discrets qui autorisent un service dans l'année.

🔑 Les Vins Mayer Halpern,
5, rue Joseph-Barat, 93230 Romainville,
tél. 01.48.43.60.22
🔑 A. et H. Faye

### CH. LAVISON 2003 ★

■ 20 ha 133 300 3 à 5 €

Un bordeaux rubis profond qui développe des arômes de fruits très mûrs, de pruneau avant de proposer une bouche franche à l'attaque, puis charnue et riche de tanins harmonieux. La finale semble encore un peu austère, mais l'ensemble se fondra à la faveur de un à deux ans de garde. Marque du négociant Yvon Mau, **Yvecourt 2003** est cité.

🔑 SA Yvon Mau, rue Sainte-Pétronille,
Gironde-sur-Dropt, 33190 La Réole, tél. 05.56.61.54.54,
fax 05.56.61.54.61, e-mail info@ymau.com
🔑 Martet Père et Fils

### CH. MALBEC 2003 ★

■ 24 ha 148 000 5 à 8 €

Malbec ? En effet, cette propriété acquise en 1990 par la famille Castel est restée attachée à ce cépage qu'elle a associé au merlot (61 %), au cabernet-sauvignon (24 %) et au cabernet franc (9 %) pour composer ce vin. Un bordeaux rubis soutenu qui livre d'intenses arômes de fruits mûrs et des notes héritées de ses six mois d'élevage en fût. Il est ample et charnu, avec un retour fruité nuancé d'un boisé bien fondu. Généreux et équilibré, il est prêt à boire avec des volailles, des viandes rouges et des fromages à pâte dure.

🔑 Castel Frères, Ch. Malbec, rte de Montussan,
33370 Yvrac, tél. 05.56.95.54.00, fax 05.56.95.54.20

### CH. MARJOSSE 2003 ★

■ 30 ha 180 000 5 à 8 €

Si vous êtes amateur de cuisine française traditionnelle et de grillades, ce vin est fait pour vous. Sous une teinte grenat violine, découvrez ses arômes de fruits rouges mûrs si concentrés qu'ils en paraissent confiturés. S'y ajoutent des notes de fumé, de grillé et de vanille fine dans un corps riche et plein, dont les solides tanins sont prometteurs. Un bordeaux de garde assurément.

🔑 EARL Pierre Lurton, Ch. Marjosse,
33420 Tizac-de-Curton, tél. 05.57.55.57.80,
fax 05.57.55.57.84, e-mail pierre.lurton@wanadoo.fr

### MAYNE SANSAC 2003

■ 10 ha 66 000 3 à 5 €

Le merlot constitue à lui seul ce bordeaux rubis profond. Un discret parfum de fruits mûrs et de framboise accompagne la bouche souple et ronde, aux tanins serrés qui demandent à s'assagir. Attendez deux ans avant de déboucher cette bouteille.

🔑 Dom. de Sansac, Les Lèves,
33220 Sainte-Foy-la-Grande,
tél. 05.57.56.02.02, fax 05.57.56.02.22,
e-mail jm.portier@univitis.fr ☑ Y ⛹ r.-v.

### CH. MERLIN-FRONTENAC 2003 ★★

■ n.c. 10 000 3 à 5 €

Un bordeaux tout merlot destiné à accompagner dès maintenant viandes rouges et fromages. Rouge intense à reflets violets, il affiche un nez complexe de fruits mûrs, rouges et noirs, alliés à un boisé bien fondu. Il attaque avec finesse avant de gagner en volume autour de flaveurs de fruits et d'épices.

🔑 SA La Croix Merlin,
16, rte de Guibert, 33760 Frontenac,
tél. 05.56.23.98.49, fax 05.56.23.97.22,
e-mail yannick.garras@wanadoo.fr ☑ Y ⛹ r.-v.

### CH. DE MONTVAL Elégance 2003 ★

■ 8 ha 35 000 3 à 5 €

Frédéric Signé possède 70 ha de vignes, dont 50 ha sur cette propriété qui appartient à sa famille depuis 1713. Ce bordeaux à base de 70 % de merlot se pare d'un rubis soutenu à reflets violacés, en accord avec ses arômes de fruits rouges nuancés d'une note animale. Il se montre souple et rond grâce à des tanins mûrs, même si leur présence rend la finale encore un peu austère. Attendez-le un an, il n'en sera que meilleur avec une viande blanche en sauce ou un gibier. Du même producteur, le **Château de Los 2003** est cité.

🔑 SCEA Vignobles Signé, 505, Petit Moulin Sud,
33760 Arbis, tél. 05.56.23.93.22, fax 05.56.23.45.75,
e-mail signevignobles@wanadoo.fr
☑ Y ⛹ t.l.j. sf sam. dim. 8h30-12h 14h-18h; f. août

CH. MOTTE MAUCOURT
Vieilli en fût de chêne 2003 ★

■ 6 ha 8 000 5 à 8 €

Après une visite de l'église du XIIes. de Saint-Genis-du-Bois qui possède des peintures murales, partez à la découverte de la motte féodale située dans ce vignoble. Une étoile pour le millésime 2002, une nouvelle étoile pour le 2003 : la confirmation de la qualité des bordeaux de ce château. Rouge profond à reflets violines, ce vin développe un nez expressif d'épices, de vanille, de toasté, sans oublier les arômes de fruits mûrs confiturés. La bouche est tendre, soutenue par d'agréables tanins. Seule la finale marquée par le bois indique que l'harmonie sera plus belle encore après un vieillissement de deux ans.

Villeneuve, EARL Ch. Motte Maucourt,
2, au Canton, 33760 Saint-Genis-du-Bois,
tél. 05.56.71.54.77, fax 05.56.71.64.23
t.l.j. sf dim. 9h-12h 14h-19h

CH. MOULIN DE MALLET 2003

■ n.c. 30 000 3 à 5 €

Vous ne verrez pas le moulin qui a donné son nom à ce château et à son vignoble, planté sur argilo-calcaire et bancs rocheux, mais vous trouverez un bordeaux traditionnel, pourpre soutenu à reflets violines. Le nez discret de fruits (cassis, framboise, myrtille) est en harmonie avec la bouche ample et savoureuse, structurée par des tanins encore serrés, prolongés d'une finale chaleureuse. A garder deux ans.

SCEA Serge Couderc et Fils,
Moulin de Mallet, 33350 Pujols,
tél. 05.57.40.55.84, fax 05.57.40.53.00 r.-v.

CH. MOULIN DE PILLARDOT 2003 ★

■ 1,3 ha 10 000 3 à 5 €

Le vignoble se situe sur les contreforts argilo-calcaires de la butte de Launay, point culminant de la Gironde. Composé à 90 % de merlot, ce bordeaux rouge profond à reflets grenat évoque les agrumes, le café et les épices. Souple à l'attaque, il trouve un bon équilibre entre une chair svelte aux tanins discrets et les notes de fruits mûrs épicés.

Ch. Bourdicotte, 1, le Bourg, 33790 Cazaugitat,
tél. 05.56.61.32.55, fax 05.56.61.38.26

CH. MOUSSEYRON Elevé en fût de chêne 2003 ★

■ 1 ha 4 000 5 à 8 €

Non loin du Domaine de Malagar, ancienne propriété de François Mauriac, et du château Malromé qui garde le souvenir de Toulouse-Lautrec, ce château propose un vin issu de merlot pur récolté sur sol argilo-graveleux. Rouge intense, celui-ci dévoile un bouquet de fruits mûrs nuancés de toasté avant de développer des tanins ronds qui se fondent dans une matière généreuse, toute de fruits, de vanille et de boisé. La finale est en outre plaisante par son onctuosité.

Jacques Larriaut,
31, rte de Gaillard, 33490 Saint-Pierre-d'Aurillac,
tél. 05.56.76.44.53, fax 05.56.76.44.04 r.-v.

CH. NICOT 2003 ★

■ 25 ha 80 000 5 à 8 €

Escoussans se situe dans le Haut-Benauge, à quelques kilomètres du château médiéval de Benauges. La famille Dubourg y a produit un bordeaux dominé par le cabernet-sauvignon. Sous une robe sombre apparaissent de légères notes de fruits mûrs avec une touche animale. On perçoit de la rondeur et des tanins fondus qui mènent à une élégante finale. Il vous suffit de laisser vieillir ce vin un ou deux ans pour l'apprécier pleinement.

Vignobles Dubourg, Nicot, 33760 Escoussans,
tél. 05.56.23.93.08, fax 05.56.23.65.77 r.-v.

CH. PETIT-FREYLON 2003

■ 15 ha 20 000 3 à 5 €

Cet assemblage de merlot et de cabernet-sauvignon à parts égales offre une teinte grenat et des senteurs discrètes de cerise noire confite. Sa matière pleine, précédée d'une attaque fraîche et nette, fait preuve de persistance et d'équilibre. A déguster dès maintenant.

EARL Vignobles Lagrange,
Ch. Petit-Freylon, 33760 Saint-Genis-du-Bois,
tél. 05.56.71.54.79, fax 05.56.71.59.90 r.-v.

CH. DE PIOTE Cuvée Tradition 2003 ★

■ 6 ha 45 000 3 à 5 €

Virginie Aubrion dirige ce vignoble de plus de 10 ha d'un seul tenant qu'elle a repris en 1998. Elle a à cœur de transmettre sa passion de la nature à ses six enfants. Il ne vous faudra pas plus d'un an pour vous laisser convaincre définitivement par cette cuvée. Le temps pour elle de parfaire sa robe intense, ses arômes puissants de fruits mûrs, de fraise des bois, sa chair souple, ronde, pleine de notes de cerise confite et ses tanins soyeux.

Virginie Aubrion, Ch. de Piote,
33240 Aubie-Espessas, tél. et fax 05.57.43.96.10,
e-mail chateau.piote-aubrion@wanadoo.fr
t.l.j. 9h-20h

CH. LE PORGE 2003

■ 7 ha 50 000 5 à 8 €

Dans cette propriété familiale dont la création remonte à 1928, le savoir-faire se transmet de père en fils : la troisième génération arrive... Elle s'inspirera de ce bordeaux rubis, à dominante de merlot (80 %), aux puissants arômes de fruits rouges et de fruits cuits, qui montre du volume en bouche après une attaque tout aussi fruitée. Un vin équilibré, à boire dès maintenant.

Pierre Sirac, 1, Sallebertrand, 33420 Moulon,
tél. 05.57.84.63.04, fax 05.57.74.99.31 r.-v.

CH. PRIEURE GUILLAUME
Elevé en fût de chêne 2003 ★

■ 12 ha 40 000 - de 3 €

Ce château doit son nom à Guillaume Blanc, consul de la bastide de Sainte-Foy-la-Grande, non loin de là, au XVIes. Un rubis intense à reflets violets brille dans le verre, d'où s'échappent des notes fruitées, mentholées, des touches de café. La structure est encore jeune et vive, mais la chair ronde saura l'envelopper au cours des deux prochaines années pour donner à ce bordeaux toute la tendreté attendue.

Frédéric Guiraud, SCEA Ch. Guillaume,
BP 43, 33220 Saint-Philippe-du-Seignal,
tél. 05.57.46.48.16, fax 05.57.46.42.16,
e-mail contact@grm-vins.fr r.-v.

PRIMO PALATUM Classica 2003 ★

■ 3 ha 9 810 5 à 8 €

Xavier Copel, œnologue, propose un bordeaux rouge sombre, issu majoritairement de merlot. Des notes de fruits noirs (myrtille, cassis) et d'épices éveillent l'intérêt.

Puis c'est une structure souple et ample, composée de tanins soyeux qui laisse une impression favorable de puissance et de longueur.

⊶ Xavier Copel, Primo Palatum, 1, Cirette,
33190 Morizès, tél. 05.56.71.39.39, fax 05.56.71.39.40,
e-mail xavier-copel@primo-palatum.com ☑ Y ⛹ r.-v.

### CH. LA RABALLE 2003 *

■ 0,61 ha 4 600 3 à 5 €

Au départ de Tizac-de-Lapouyade, le petit train touristique à vapeur vous conduit à l'abbatiale bénédictine de Guîtres, dont la construction commença au XIe s. et s'acheva au XVe s. Il serait dommage de ne pas s'arrêter au château La Raballe pour découvrir ce vin (merlot 80 %) que vous pourrez garder deux à trois ans. Celui-ci, rouge sombre à reflets grenat, offre un corps généreux et gras, agrémenté d'arômes de fruits mûrs. Les tanins bien présents demandent simplement à se fondre.

⊶ Isabelle Leynier-Sicot,
La Raballe, 33620 Lapouyade,
tél. et fax 05.57.49.40.58 ☑ Y ⛹ r.-v.

### CH. ROC DE VILLEPREUX 2003 *

■ n.c. 3 000 **5 à 8 €**

L'histoire de la propriété remonte au XIIe s. lorsque les Templiers créent le vignoble, mais elle a connu de nombreuses évolutions : au XVIe s. Henri IV possédait ici un relais de chasse bien utile pour ses rendez-vous galants et ce n'est qu'au XIXe s. qu'un véritable château fut construit. Lors d'une visite, vous découvrirez sa cour fermée carrée, ainsi que le vignoble d'un seul tenant qui l'entoure, bordé de bois : plus de 12 ha sur un sol argilo-calcaire. Le merlot majoritaire a donné naissance à un vin pourpre, dont les arômes délicats évoquent les fruits mûrs. La bouche ample, soyeuse et longue fait preuve d'équilibre et de puissance. Les tanins bien présents laissent présager une évolution favorable dans les trois ans.

⊶ Pascal Salagnac,
1, Villepreux, 33540 Saint-Martin-de-Lerm,
tél. 05.56.71.41.63, fax 05.56.71.41.66,
e-mail salagnac.pascal@wanadoo.fr
☑ Y ⛹ t.l.j. 11h-20h, f. août

### CH. LA ROCHE BEAULIEU Amavinum 2002 **

■ 8,3 ha 22 000 **15 à 23 €**

A l'est de Saint-Emilion, ce cru établi sur les coteaux argilo-calcaires est composé de merlot (74 %), de cabernet franc (20 %) complétés par le cabernet-sauvignon. Le 2002, noir à reflets violacés, offre des arômes intenses et complexes de fruits, de grillé, de pruneau, de réglisse, de cuir et de cannelle. Equilibré, il emplit le palais de sa chair volumineuse qui enrobe d'élégants tanins soyeux et se prolonge sur des notes confiturées persistantes. Du potentiel et une indéniable harmonie pour ce vin qui patientera aisément entre trois et quatre ans.

⊶ SCEA Tchekhov et Associés,
Ch. la Roche Beaulieu, 1, Peyrelebade,
33350 Les Salles-de-Castillon,
tél. 05.57.40.64.37, fax 05.57.40.65.05,
e-mail chateaularochebeaulieu@wanadoo.fr ☑ r.-v.

### CH. LA ROCHE SAINT JEAN 2003 *

■ 25,79 ha 40 000 3 à 5 €

A proximité de l'église classée du XVe s. et du château de Camiran, le visiteur pourra admirer cette ferme du XVIIIe s., propriété viticole familiale depuis 1850. Le cabernet-sauvignon (55 %) associé au merlot, issus d'un sol sableux et argilo-calcaire, a produit un vin profondément coloré, à reflets cerise. Fin et élégant, son nez évoque les fruits rouges (fraise), tandis que la bouche ronde, soutenue par de puissants tanins, y ajoute des notes de cuir. Ce bordeaux charnu et persistant sera apprécié dans deux ans.

⊶ EARL Vignobles Jean-Pierre Pauquet,
N° 23, Le Bourg, 33190 Camiran,
tél. 05.56.71.44.95, fax 05.56.71.49.02,
e-mail jerome.pauquet@wanadoo.fr ☑ Y ⛹ r.-v.

### CH. RONDILLON
Vieilli en fût de chêne 2003 *

■ 1 ha 12 000 **5 à 8 €**

Si le château Rondillon a été détruit à la Révolution, il reste d'intéressantes archives sur son histoire et surtout un vignoble de 10 ha sur un terroir argilo-calcaire. Dominé par le merlot (90 %), ce bordeaux offre sous une teinte rubis intense des notes de fruits rouges confits, de menthol et des nuances boisées harmonieuses. Il se montre rond et ample après une attaque souple, puis conclut par une finale discrète. Les tanins mûrs enrobés de flaveurs de fruits rouges et de vanille lui assurent un potentiel de garde de deux ou trois ans.

⊶ Vignobles Lionel Bord,
Ch. Rondillon, 33410 Loupiac,
tél. 05.56.62.99.83, fax 05.56.62.93.55,
e-mail closjean@vignoblesbord.com ☑ Y ⛹ r.-v.

### CH. ROQUEFORT
Cuvée Roquefortissime 2003 ***

■ 5 ha 12 000 8 à 11 €

Roquefort était à l'origine une maison forte élevée en 1290 sur autorisation d'Edouard Ier d'Angleterre. Il ne reste aujourd'hui que des ruines de ce vieux château sur le plateau argilo-calcaire, et c'est une chartreuse du XVIIIᵉs. qui donne désormais au domaine son élégance et qui a séduit Jean Bellanger en 1978. Son fils Frédéric a produit en 2003 un Roquefortissime à la hauteur du superlatif. Rubis foncé nuancé de violine, le vin développe des arômes de fruits (framboise, mûre) et d'épices sur un élégant fond vanillé et grillé. Il charme par sa matière puissante mais veloutée dès l'attaque, sa structure riche et équilibrée, son boisé bien dosé, sa persistance. Un dégustateur conclut : « Il peut attendre quatre ans, mais peut aussi être bu dès maintenant tant il est fondant. » Le **Château Roquefort 2003 (5 à 8 €)** a été jugé d'une harmonie tout aussi exceptionnelle.

Ch. Roquefort, 33760 Lugasson,
tél. 05.56.23.97.48, fax 05.56.23.50.60,
e-mail chateau-roquefort@vignobles-bellanger.com
r.-v.
F. Bellanger

## BARONS DE ROTHSCHILD LAFITE
Saga R 2003 *

■ n.c. 200 000 8 à 11 €

Vin de marque des domaines Barons de Rothschild, Saga R assemble 60 % de merlot à 40 % de cabernet-sauvignon. Sa robe rouge soutenu présente des reflets quelque peu évolués. Il s'en libère un bouquet intense et complexe, évocateur de poivron vert, de framboise, de cuir, d'épices et de boisé fin. La bouche ronde laisse une agréable impression même si les tanins discrètement nuancés de boisé semblent encore fermes ; ceux-ci se portent garants d'une bonne tenue pendant un ou deux ans. Vous servirez ce bordeaux avec une viande rouge grillée. Une étoile est également attribuée à **Légende R 2003 (11 à 15 €)** pour sa structure.

Les Domaines Barons
de Rothschild (Lafite) distribution,
40-50, cours du Médoc, 33000 Bordeaux,
tél. 05.57.57.79.85, fax 05.57.57.79.87,
e-mail dflamand@lafite.com

## CH. SAINTE-BARBE 2003

■ 10 ha 20 000 5 à 8 €

Au XVIIIᵉs., ce vignoble jouissait déjà d'une belle réputation. La chartreuse ne fut construite qu'au XIXᵉs., au bord de la Garonne, par J. B. Lynch, maire de Bordeaux sous Napoléon Iᵉʳ. Vous y trouverez aujourd'hui un vin intensément parfumé, alliant des notes complexes de fruits rouges cuits, de groseille, de pruneau, de cuir et d'épices. Sa teinte rubis profond à reflets griotte reflète bien sa matière souple à l'attaque, puis pleine et chaleureuse. Les tanins sont très présents et la finale marquée par le bois. Laissez ce bordeaux s'arrondir à la faveur de deux ans de garde.

SCEA Ch. Sainte-Barbe, 33810 Ambès,
tél. 05.56.77.19.02, fax 05.56.77.17.03
e-mail chateausaintebarbe@wanadoo.fr r.-v.

## CH. SAINTONGEY 2003 *

■ 17 ha 100 000 5 à 8 €

Non loin du château du XVIᵉs. du duc d'Epernon s'étend le vignoble de 17 ha de ce cru, sur un terroir de graves argilo-calcaires. Son 2003 se partage à égalité entre le merlot et les cabernets. Vous apprécierez dès maintenant ce bordeaux pourpre intense qui présente un nez fin de fruits rouges, puis une attaque vive, une structure de tanins soyeux et une longue finale.

Les Hauts de Palette, 4 bis, chem. de Palette,
33410 Béguey, tél. 05.56.62.94.85, fax 05.56.62.18.11,
e-mail h-d-p@wanadoo.fr r.-v.

## CH. THIEULEY 2003

■ 20 ha 150 000 5 à 8 €

Sylvie et Marie Courselle, toutes deux œnologues et ingénieurs, prennent aujourd'hui les rênes de ce domaine reconnu pour ses vins blancs secs. Leur bordeaux, issu à 70 % de merlot récolté sur un sol argilo-calcaire acide, se pare d'une teinte rubis à reflets groseille. Son nez fruité est souligné d'un boisé marqué. La belle matière, souple en attaque, s'appuie sur de solides tanins qui réclament deux à trois ans d'évolution pour s'arrondir.

Sté des Vignobles Francis Courselle, Ch. Thieuley,
33670 La Sauve, tél. 05.56.23.00.01, fax 05.56.23.34.37,
e-mail chateau.thieuley@wanadoo.fr r.-v.

## CH. TIRE PE La Côte 2003 **

■ 5 ha 18 000 8 à 11 €

Le château Tire Pé n'en est pas à son premier coup de cœur. Souvenez-vous du millésime 2001 dans le Guide 2004. Aujourd'hui David Barrault propose un 2003 issu de 60 % de merlot, de 30 % de cabernet franc et de 10 % de cabernet-sauvignon. Après un séjour de douze mois en fût, le vin a revêtu une robe intense et soutenue, à reflets grenat. Expressif, riche de fruits en confiture, d'épices et de réglisse, il possède une matière dense et chaleureuse, soulignée d'un boisé vanillé. Les tanins sont certes encore très présents, mais ils sauront se fondre.

David Barrault, Ch. Tire Pé,
33190 Gironde-sur-Dropt, tél. et fax 05.56.71.10.09,
e-mail tirepe@cegetel.net r.-v.

## CH. TOUR CHAPOUX 2003 **

■ 20 ha 120 000 3 à 5 €

Un remarquable bordeaux, puissant et élégant. Sous une robe rouge sombre brillant à reflets violacés, le nez séduit par ses arômes intenses de fruits noirs et d'épices. La chair est ronde et généreuse, soutenue par des tanins soyeux jusqu'à une finale harmonieuse et persistante sur une note de cassis. Ce vin a suffisamment de potentiel pour se bonifier pendant deux à trois ans en cave.

Cheval-Quancard,
La Mouline, BP 36, 33560 Carbon-Blanc,
tél. 05.57.77.88.88, fax 05.57.77.88.99,
e-mail chevalquancard@chevalquancard.com r.-v.
Comin

### CH. TOUR DE BIOT Vieilles Vignes 2003 *

■ 2,5 ha 15 000 5 à 8 €

Equilibre est le maître-mot de ce bordeaux. Equilibre des cépages : merlot et cabernet-sauvignon à parts égales, accompagnés de cabernet franc. Equilibre de l'empreinte des douze mois de fût dans une palette discrètement fruitée. Equilibre de la matière, souple à l'attaque, puis ample et chaleureuse, nuancée de fruits et de bois fondu. La structure tannique bien présente et la longue finale vanillée sont des signes favorables pour l'avenir de ce vin pourpre intense (deux ans).

Gilles Gremen,
EARL La Tour Rouge, 33220 La Roquille,
tél. 05.57.41.26.49, fax 05.57.41.29.84 r.-v.

### CH. TOUR DE GRAVEYRES 2003

■ 8 ha 50 000 5 à 8 €

Cardan, plaisant village de l'Entre-deux-Mers, blotti autour de son église du XII[e]s. et proche du monastère du Broussey, mérite aussi une halte pour découvrir ce bordeaux mi-merlot mi-cabernet-sauvignon. Intensément coloré, celui-ci décline les fruits rouges nuancés de menthol, puis offre une matière ronde, enveloppée de flaveurs persistantes de fruits confits. Un bon vin à attendre un an ou deux.

Vignobles Benito, Ch. Le Videau, 33410 Cardan,
tél. 05.56.76.72.37, fax 05.56.76.95.24,
e-mail benitonv@free.fr r.-v.

### CH. TOUR DE NAUJAN 2003 *

■ 16 ha 103 000 3 à 5 €

Le château du début du XIV[e]s. et l'église du XIIe sont un motif suffisant pour vous rendre dans ce vignoble de 37 ha. Ce bordeaux en est un autre. D'un rouge profond à reflets cerise noire, il offre d'élégantes notes de fruits mûrs, de cuir et d'épices. Son corps souple et charnu bénéficie de tanins présents mais arrondis et d'une bonne finale sur les fruits noirs. Une bouteille très réussie, à attendre trois ans.

SARL Les Grands Châteaux de Naujan,
33420 Saint-Vincent-de-Pertignas,
tél. 05.57.30.00.75, fax 05.56.86.15.45,
e-mail info@direct-chateaux.com r.-v.

### CH. DE TRESSAC 2003 *

■ 4 ha 4 000 8 à 11 €

Le vignoble du village de La Rivière se découvre en empruntant quatre sentiers de randonnée. De son point culminant, vous contemplerez l'étendue des vignes jusqu'aux méandres de la Dordogne, le château La Rivière et, par beau temps, le pont d'Aquitaine, au loin. Au château de Tressac vous attend un bordeaux grenat soutenu, plein de fruits rouges mûrs, de notes grillées et torréfiées. Le vin est charnu, chaleureux, porté par des tanins souples et soyeux jusqu'à la finale épicée. De la richesse, de l'équilibre et une évolution favorable pendant les deux à trois prochaines années. **Carpe Diem Mi Fili 2003 (11 à 15 €)** mérite d'être cité pour sa belle matière.

Ch. de Tressac, Port de Tressac,
33126 La Rivière, tél. 06.07.17.94.64 r.-v.
Henri Despeaux

### ELISABETH TROCARD 2003

■ n.c. 20 000 3 à 5 €

Un bordeaux dominé par le merlot, vêtu de pourpre intense et élégamment parfumé de fruits noirs mûrs et confits. Sa matière ample, d'une longueur agréable, révèle des tanins encore austères qui appellent à la patience. A découvrir dans deux ou trois ans.

Cellier des Charmettes, Le Bourg,
33570 Artigues-de-Lussac, tél. 05.57.55.57.99,
fax 05.57.55.57.98, e-mail et@trocard.coma
t.l.j. 8h-12h 14h-17h, sam. dim. sur r.-v.

### CH. TURCAUD 2003

■ 15 ha 55 000 5 à 8 €

L'abbaye de La Sauve-Majeure (XI[e]s.), de styles roman et gothique mêlés, semble veiller du haut de sa colline sur le vignoble du château Turcaud. Les deux cabernets en équilibre avec le merlot, récoltés sur un sol graveleux, ont donné naissance à un vin grenat brillant qui livre des arômes de fruits rouges, de café, de moka et d'épices. On perçoit une bonne matière, mais les tanins doivent s'arrondir dans le temps. Le boisé toasté est en revanche déjà fondu, et la finale soyeuse persiste bien. A déguster dans un an ou deux.

EARL Vignobles Maurice Robert,
Ch. Turcaud, 33670 La Sauve-Majeure,
tél. 05.56.23.04.41, fax 05.56.23.35.85,
e-mail chateau-turcaud@wanadoo.fr r.-v.

### DOM. DE VALMENGAUX
Valentin Clémentine Margaux 2003 **

■ 3,4 ha 15 000 15 à 23 €

Et l'on retrouve dans les meilleures places le vin de Béatrice et Vincent Rapin, propriétaires d'un peu plus de 3 ha de vignes près de Fronsac. Leurs enfants Valentin, Clémentine et Margaux ont donné leur nom à ce bordeaux remarquable. Issu de merlot à 80 %, assemblé à 15 % de cabernet franc et à 5 % de cabernet-sauvignon, celui-ci séduit dès le premier regard sur sa robe rubis profond. Il se montre généreux et complexe par ses arômes de fruits noirs mûrs, de graphite, ses notes torréfiées et boisées puissantes. Sa matière pleine, au boisé discret, enrobe des tanins fins et se prolonge durablement jusqu'à une finale souple et ample. Digne représentant de l'appellation, ce 2003 pourra se conserver deux ou trois ans.

🔑 Vincent Rapin, Dom. de Valmengaux,
8, petit Gontey, 33330 Saint-Emilion,
tél. et fax 05.57.74.48.92,
e-mail vincent.rapin@libertysurf.fr ☑ 🏠 r.-v.

CH. VIEILLES SOUCHES 2003 *

| ■ | 33 ha | 20 000 | ■ | 3 à 5 € |
|---|---|---|---|---|

Au cœur de l'Entre-deux-Mers, dans la commune de Daubèze, ce vignoble couvre 3 ha sur un plateau argilo-calcaire. Son bordeaux, mi-merlot mi-cabernets, s'exprime en petites touches de fruits mûrs, de cuir, de sous-bois, avant de livrer une chair pleine de finesse et de douceur tant les tanins se montrent souples et soyeux. S'y ajoute une longue finale aux accents de noyau. A boire dans les deux ans.
🔑 La Guyennoise, BP 17,
33540 Sauveterre-de-Guyenne, tél. 05.56.71.50.76,
fax 05.56.71.87.70, e-mail cfontaniol@laguyennoise.com
🔑 EARL Jean de Janot

CH. LA YOTTE 2003 *

| ■ | 4 ha | n.c. | ■ ⓫ 🌡 | 5 à 8 € |
|---|---|---|---|---|

La propriété du château La Yotte date de 1664 et appartient à la même famille depuis 1820 : 8 ha sur sol argilo-calcaire favorable au merlot qui constitue 80 % de ce vin d'un beau rouge. Les arômes de fruits cuits s'accompagnent d'un fin toasté. Après une attaque souple et vive, on découvre une matière de qualité, au boisé fondu qui se prolonge avec élégance sur des notes grillées. L'élevage en fût de onze mois a été bien maîtrisé. Servez cette bouteille dans deux ou trois ans avec une viande en sauce ou un gibier.
🔑 SCEA Bouffard-Audibert, 2, rte de Lambrot,
33410 Loupiac, tél. 05.56.62.92.22, fax 05.56.62.67.79,
e-mail chateaulayotte@wanadoo.fr ☑ 🍷 🚶 r.-v.

# Bordeaux clairet

LE CLAIRET
DU CHATEAU BONNANGE 2004 *

| ■ | 2 ha | 2 000 | ⓫ | 8 à 11 € |
|---|---|---|---|---|

En 1999, Claude Bonnange, cofondateur d'une grande agence de publicité, acheta le Clos des Roberts qu'il rebaptisa de son nom. Du clairet, il attend beaucoup de rondeur. Mission accomplie avec ce 2004 grenat aux tonalités ensoleillées. Le nez complexe s'épanouit sur les fruits confits, les épices, nuancés des notes torréfiées d'un élevage de six mois en fût. La chair douce dès la mise en bouche fait preuve de concentration et d'une agréable persistance sur les épices.
🔑 SCEA Vignobles Bonnange,
10, chem. des Roberts, 33390 Saint-Martin-Lacaussade,
tél. 06.85.52.48.08, fax 05.57.42.19.48,
e-mail le-boulme-terreblanque@wanadoo.fr ☑ 🍷 🚶 r.-v.

CH. LA BRETONNIERE 2004 *

| ■ | 2 ha | 13 300 | ■ 🌡 | 3 à 5 € |
|---|---|---|---|---|

Il a fière allure ce clairet rouge pâle à reflets violets, issu de merlot pur récolté sur sol argileux. Il développe au nez comme en bouche un fruité original, doux mélange d'agrumes, de fruits exotiques (mangue) et de fruits rouges. Suave et long, il accompagnera tout un repas.
🔑 Stéphane Heurlier, EARL Ch. La Bretonnière,
33390 Mazion, tél. 05.57.64.59.23, fax 05.57.64.67.41,
e-mail sheurlier@wanadoo.fr ☑ 🍷 🚶 r.-v.

CH. DE CARRELASSE 2004

| ■ | 2,48 ha | 10 000 | ⓫ | 5 à 8 € |
|---|---|---|---|---|

Cette propriété familiale depuis le XIXe s. couvre 21,5 ha sur sol sablo-argileux et graveleux. Cabernet-sauvignon (60 %), merlot (30 %) et malbec ont fermenté en barrique, puis le vin a séjourné sur ses lies fines. Il en résulte un clairet d'une bonne intensité aromatique qui met en valeur les fruits rouges. D'approche franche et souple, relevée d'une pointe de perlant, il offre au palais une structure aimable et une agréable fraîcheur fruitée jusqu'en finale.
🔑 SC Les Quatre Châteaux,
Ch. de Gaillat, La Carrelasse, 33210 Langon,
tél. 05.56.63.50.77, fax 05.56.62.20.96 ☑ 🍷 🚶 r.-v.

CLOS NORMANDIN
La Concubine de Normandin 2004 **

| ■ | 6 ha | 40 000 | ■ | 3 à 5 € |
|---|---|---|---|---|

Qu'attendre d'une cuvée portant pareil nom, sinon un vin séducteur ? Elle l'est, en effet, elle qui ne compte que sur le cabernet franc pour attirer le regard, charmer le nez et caresser le palais. De sa robe de mousseline rose clair se détachent des parfums de violette, de fraise et de framboise qui donnent envie de mieux la connaître. D'approche raffinée, sa chair prend du volume et porte loin les arômes fruités. Ce clairet fera bel effet en compagnie d'un magret de canard aux tomates confites et d'une garniture de pointes d'asperges vertes aux groseilles.
🔑 EARL R. Alicandri et Fils,
12, le Bourg, 33750 Saint-Quentin-de-Baron,
tél. et fax 05.57.24.26.03,
e-mail closnormandin@wanadoo.fr ☑ 🍷 🚶 r.-v.

CH. DE L'ESTANG 2004

| ■ | 4,2 ha | 28 000 | ■ 🌡 | 3 à 5 € |
|---|---|---|---|---|

Merlot (60 %), cabernet franc (35 %) et cabernet-sauvignon, nés sur un sol argilo-calcaire, ont donné naissance à un 2004 rouge brillant, dont le bouquet frais et complexe évoque les fruits et les fleurs. Chic et sobre à la fois, ce vin affiche suffisamment de rondeur pour s'accorder à un jambon chaud ou à des côtelettes d'agneau et de veau sur le gril.
🔑 SCEA du Ch. de L'Estang,
33350 Saint-Genès-de-Castillon,
tél. 05.57.47.91.81, fax 05.57.47.92.13,
e-mail jmfconseil@aol.com ☑ 🍷 🚶 r.-v.

CH. LES GUYONNETS 2004 *

| ■ | 0,8 ha | 5 500 | ■ 🌡 | 5 à 8 € |
|---|---|---|---|---|

Voilà cinq ans que Sophie et Didier Tordeur ont acheté cette maison de maître de la fin du XIXe s. Ils ont élaboré un clairet de cabernet-sauvignon (75 %) et de merlot, au bouquet tutti frutti. De la rondeur encore et

toujours, des fruits à l'envi, une finale de velours : l'harmonie est accomplie. A découvrir avec des noisettes d'agneau sur le gril.
Sophie et Didier Tordeur, Ch. Les Guyonnets, 33490 Verdelais, tél. et fax 05.56.62.09.89, e-mail didiertordeur@aol.com r.-v.

### CH. HAUT BERTINERIE 2004 *

| | 1,5 ha | 7 000 | | 8 à 11 € |
|---|---|---|---|---|

Originalité dans ce domaine de 60 ha : la vigne est conduite en lyre pour bénéficier d'une pleine exposition au soleil. Son clairet s'affiche dans une robe pivoine, parfumée de cassis, de framboise. L'élevage sous bois de sept mois lui a légué des notes vanillées et torréfiées que l'on retrouve aussi aux côtés du fruit dans la chair ronde et fraîche à la fois.
SCEA Bantégnies et Fils, Ch. Bertinerie, 33620 Cubnezais, tél. 05.57.68.70.74, fax 05.57.68.01.03, e-mail contact@chateaubertinerie.com r.-v.

### CH. HAUT-PHILIPPON 2004

| | 1 ha | 8 000 | | 3 à 5 € |
|---|---|---|---|---|

Une élégante robe framboise habille ce clairet aux arômes de fruits rouges. Frais, d'un abord facile, celui-ci se montre rond et fruité en bouche. De petits tanins apparaissent en finale, mais ils se laissent facilement apprivoiser et ne gênent en rien l'équilibre général.
Romain Roux, 33540 Gornac, tél. 05.56.61.98.93, fax 05.56.61.94.17, e-mail qualite@vignobles-roux.com r.-v.

### CH. JONQUEYRES 2004 *

| | 2,67 ha | 20 500 | | 5 à 8 € |
|---|---|---|---|---|

Si le bouquet semble timide encore, il n'en montre pas moins des signes de fraîcheur et de complexité par ses évocations de fruits rouges. La matière soyeuse, tout en légèreté et persistante, joue le même répertoire fruité qui donne à l'ensemble de l'allant. Une entrecôte de bœuf à la moelle rendra ce vin bavard.
Anne-Marie Audy, Ch. Jonqueyres, 33750 Saint-Germain-du-Puch, tél. 05.56.68.55.88, fax 05.56.30.17.23, e-mail info@gamaudy.com r.-v.

### CH. LARRE BELLEVUE 2004

| | 3,18 ha | 1 200 | | 5 à 8 € |
|---|---|---|---|---|

Ça bouge au château Bellevue... Et cela ne date pas d'hier, car ce domaine, dont les origines remontent aux X^e et XI^e s., a connu une première restructuration en 1592, puis s'est étendu à la fin du XIX^e s. Depuis 1998, les Fimat ont pris soin de rénover son vignoble et de le convertir à l'agriculture biologique. Le clairet 2004, rubis pâle, demande à être aéré pour exprimer ses senteurs de fruits rouges. Ample et vineux en attaque, il évolue avec plus de finesse que de puissance et laisse le fruit s'effacer en finale sur une note acidulée.
SCEA Ch. Bellevue, 2, chem. des Caperanis, 33360 Quinsac, tél. et fax 05.56.20.81.52 r.-v.
Michel Fimat

### CH. LARTIGUE-CEDRES 2004 *

| | 28 ha | 20 000 | | 3 à 5 € |
|---|---|---|---|---|

Le charme fait clairet... Les arômes délicats de fruits rouges trouvent un bel écho en bouche, soulignant la chair souple et ronde d'une note tonique. On sent le travail bien fait et la bonne matière du merlot (70 %) et du cabernet franc. Pour des viandes blanches grillées.
SCEA Avi Jacquin, Ch. Lartigue-Cèdres, 17, rte Brune, 33750 Croignon, tél. 05.56.30.10.28, fax 05.56.30.15.13, e-mail chateaulartigue@wanadoo.fr

### CH. LESTRILLE CAPMARTIN
Cuvée Tradition 2004

| | 2,07 ha | 15 776 | | 3 à 5 € |
|---|---|---|---|---|

Au château Lestrille, on travaille en famille sur 45 ha. Le merlot, complété de 10 % de cabernet-sauvignon, a produit un clairet teinté de violet, d'une texture ronde et gourmande. Les parfums de fruits d'été s'associent à une pointe de fraîcheur pour lui donner de la vitalité. A servir avec une aiguillette de canard ou des charcuteries.
EARL Jean-Louis Roumage, Lestrille, 33750 Saint-Germain-du-Puch, tél. 05.57.24.51.02, fax 05.57.24.04.58, e-mail jlroumage@lestrille.com
t.l.j. 8h30-12h30 14h-18h; sam. dim. sur r.-v.

### CH. DE LISENNES 2004 **

| | 20 ha | 150 000 | | 3 à 5 € |
|---|---|---|---|---|

La grille en fer forgé reproduite sur l'étiquette est celle de la chartreuse du XVIII^e s. qui commande ce vignoble de 52 ha d'un seul tenant. Parfaitement séduisant, ce 2004 à la couleur rose vif. Des arômes de fruits frais, à dominante de framboise, animent le bouquet, tandis qu'en bouche les atouts majeurs du vin sont le volume, la rondeur et la persistance aromatique. Un clairet d'une grande harmonie, qui appréciera la compagnie des grillades, des poissons et des plats orientaux.
Soubie, Ch. de Lisennes, 33370 Tresses, tél. 05.57.34.13.03, fax 05.57.34.05.36, e-mail contact@lisennes.fr
t.l.j. sf sam. dim. 8h-12h 13h30-17h30

### CH. MELIN 2004

| | 2,37 ha | 10 000 | | 5 à 8 € |
|---|---|---|---|---|

En 2003, Pascal Modet a pris les rênes de ce domaine de 35 ha sur sol argilo-graveleux et calcaire. Son clairet se présente dans un habit rouge clair frangé d'orange. Un fruité chaleureux agrémente le bouquet, tandis que le raisin mûr marque la bouche coulante, équilibrée par une pointe de vivacité.
EARL Vignobles Claude Modet et Fils, Constantin, 33880 Baurech, tél. 05.56.21.34.71, fax 05.56.21.37.72, e-mail vmodet@wanadoo.fr
t.l.j. 8h-12h 14h-17h30; sam. dim. sur r.-v.

### CH. MEZAIN 2004 *

| | 3 ha | 20 000 | | 3 à 5 € |
|---|---|---|---|---|

Un rouge vif et des reflets violets attirent le regard. Le bouquet se fait désirer, mais lorsqu'il s'épanouit à l'aéra-

BORDELAIS

tion il charme par ses touches florales et fruitées. Volume et gras laissent une impression de fine douceur, relevée d'un léger perlant et de fruits rouges frais en finale. Pour un filet mignon de porc rôti à la citronnelle, accompagné d'un caviar d'aubergines.
Dulong Frères et Fils, 29, rue Jules-Guesde, 33270 Floirac, tél. 05.56.86.51.15, fax 05.56.40.66.41, e-mail dulong@dulong.com

### CH. DE PARENCHERE 2004 *

6,55 ha 52 000 5 à 8 €

Ce château du XVIII[e]s. d'architecture périgourdine se trouve à quelques lieues seulement de Sainte-Foy-la-Grande. Il commande un peu plus de 67 ha sur un sol argilo-calcaire. Né de merlot (70 %) et de cabernets, le clairet s'annonce à grand renfort de cassis et de fraise des bois avant d'afficher une bouche souple et ronde, dont la finale expressive laisse un bon souvenir.
Gazaniol, SCEA Ch. de Parenchère, 5, domaine de Parenchère, 33220 Ligueux, tél. 05.57.46.04.17, fax 05.57.46.42.80, e-mail info@parenchere.com r.-v.

### CH. PENIN 2004 *

8 ha 60 000 5 à 8 €

Patrick Carteyron, qui gère cette propriété familiale de 40 ha depuis 1982, a toujours porté en affection le clairet. Il en élabore depuis vingt-cinq ans. Le merlot (85 %) et le cabernet-sauvignon vendangés à maturité parfaite s'associent dans cette cuvée aux coloris fuchsia. Le bouquet puissant qui s'en libère, évocateur de fruits des bois, trouve écho au palais, participant de l'impression de fraîcheur. Une bouteille qui donnera une autre dimension à votre pizza du samedi soir.
SCEA Patrick Carteyron, Ch. Penin, 33420 Génissac, tél. 05.57.24.46.98, fax 05.57.24.41.99, e-mail vignoblescarteyron@wanadoo.fr r.-v.

### CH. PEYREBON 2004

1,3 ha 10 000 3 à 5 €

Il merlote sur les fruits rouges, ce 2004 en habit cerise. Lisse et soyeux, il ne demande qu'à laisser fondre au palais sa chair ronde et persistante, toute fruitée. Tout concourt à une alliance réussie avec un lapin sur le gril ou une piperade.
Jean-François Robineau, Bouchet, 33420 Grézillac, tél. 05.57.84.56.73, fax 05.57.74.97.92 r.-v.

### CH. PIOTE-AUBRION Cuvée Prestige 2004 *

1 ha 6 000 5 à 8 €

Jolie teinte que celle de ce clairet : rose soutenu à franges parme. Des arômes de fruits mûrs s'accordent avec la matière généreuse et ronde, équilibrée par une pointe vive qui donne du relief à la finale de cassis. Une idée d'accompagnement ? Des brochettes de lapereau mariné dans l'huile, servies avec une crème d'estragon.
Virginie Aubrion, Ch. de Piote, 33240 Aubie-Espessas, tél. et fax 05.57.43.96.10, e-mail chateau.piote-aubrion@wanadoo.fr t.l.j. 9h-20h

### DOM. DE RICAUD 2004 *

2,47 ha 19 000 5 à 8 €

La cave de vinification de cette propriété a fait peau neuve en 2004. Une façon de bien accueillir les vendanges de cabernet-sauvignon (50 %), de cabernet franc et de merlot (35 %) pour élaborer ce clairet fuchsia qui sent bon le cassis. La bouche garde la même ligne aromatique et se montre fraîche, souple, fondante. Ce vin saura se faire des amis : barbecue, salades, poissons grillés...
Vignobles Chaigne et Fils, Ch. Ballan-Larquette, 33540 Saint-Laurent-du-Bois, tél. 05.56.76.46.02, fax 05.56.76.40.90, e-mail rchaigne@vins-bordeaux.fr r.-v.

### CH. LA SALARGUE 2004 *

8 ha 60 000 3 à 5 €

Cet ancien domaine a été repris par la famille Le Roy en 1970, laquelle s'est appliquée à lui redonner vie. Son clairet parle de fruits rouges, de groseille et de cassis. On aime sa fraîcheur, ainsi que sa rondeur et sa persistance sur les fruits. Pour une fin d'été, autour de grillades de viande ou de poisson.
SCEA Vignoble Bruno Le Roy, La Salargue, 33420 Moulon, tél. 05.57.24.48.44, fax 05.57.24.49.93, e-mail vignoble-bruno-le-roy@wanadoo.fr r.-v.

### CH. TOUR DE BIOT 2004 *

2 ha 15 000 3 à 5 €

Merlot et cabernet-sauvignon se partagent la composition de ce vin rose soutenu. Les arômes frais et fruités ne se font pas prier pour s'exprimer et gagnent le palais avec assurance. La chair satinée, toute de légèreté, a un côté perlant qui lui donne de la gaieté jusqu'en finale. Cette bouteille suscitera la gourmandise aux côtés d'un jarret de veau braisé aux agrumes (pomelo, citron vert et orange).
Gilles Gremen, EARL La Tour Rouge, 33220 La Roquille, tél. 05.57.41.26.49, fax 05.57.41.29.84 r.-v.

## Bordeaux sec

### BARTON & GUESTIER Gold Label 2004 *

15 ha 60 000 5 à 8 €

Un poisson grillé ou des crustacés feront un bel accord avec ce bordeaux sec issu de 80 % de sauvignon. Un vin qui séduit d'emblée par ses reflets jaune-vert, puis par ses arômes intenses de fleurs, de grillé, de vanille et de fin boisé. La bouche est souple, ronde, bien structurée et fraîche à la fois, avec un léger côté épicé en finale.
Barton et Guestier, Ch. Magnol, 33290 Blanquefort, tél. 05.56.95.48.00, fax 05.56.95.48.01, e-mail barton-guestier@diageo.com

### CH. BAUDUC Les Trois Hectares 2003 *

2 ha 7 000 8 à 11 €

Après un petit tour sur l'agréable marché de la bastide Créon qui se tient sur la place de la Prévôté depuis le XIV[e]s., allez découvrir le château Bauduc, bel édifice du XIX[e]s., acquis par la famille Quinney, d'origine anglaise, en 1999. Son bordeaux sec se compose à 100 % de sémillon planté sur un sol de boulbènes. Jaune clair, il délivre des arômes de pamplemousse, de fruits cuits mariés au grillé, au toasté. Sa chair vive et moelleuse à la fois est relevée d'une pointe épicée persistante. De l'harmonie, du plaisir aussi.
Vignobles Quinney, Ch. Bauduc, 33670 Créon, tél. 05.56.23.22.22, fax 05.56.23.06.05, e-mail team@bauduc.com r.-v.

BEAU MAYNE 2004

n.c. 500 000 3 à 5 €

Beau Mayne, marque de la maison Dourthe, se révèle en habit vieil or. Parfumé de pamplemousse, de noisette et de fleurs, il présente une pointe vive en attaque qui met en valeur sa chair ronde et structurée, prolongée d'une note minérale en finale. A boire dans les six mois à un an.

Vins et vignobles Dourthe, 35, rue de Bordeaux, 33290 Parempuyre, tél. 05.56.35.53.00, fax 05.56.35.53.29, e-mail contact@cvbg.com r.-v.

CH. BEL AIR PERPONCHER
Grande Cuvée 2003 ★★

2,66 ha 16 000 11 à 15 €

Demeure de maître reconnaissable à sa tour du XVII^e s., le château Bel Air Perponcher doit son nom à une ancienne famille de seigneurs originaire de Sarlat qui, après l'édit de Nantes, fut contrainte d'émigrer en Hollande. La Grande Cuvée, assemblage classique de sauvignon (70 %) et de sémillon, s'habille d'une robe brillante, jaune pâle à reflets verts. Elle libère un remarquable bouquet de fruits frais, de groseille, de citron, de fruits secs, de bourgeon de cassis et de fleurs blanches. Sa chair ronde, nuancée de notes de grillé, d'épices et de brioche beurrée, persiste en une longue finale moelleuse. Concentré, généreux et élégant, tel est ce bordeaux sec. Le **Château Tour de Mirambeau cuvée Passion 2003** obtient une étoile pour sa fraîcheur.

SCEA des Vignobles Despagne, 33420 Naujan-et-Postiac, tél. 05.57.84.55.08, fax 05.57.84.57.31, e-mail contact@despagne.fr r.-v.

BLAISSAC 2004

20 ha 120 000 3 à 5 €

Deux tiers de sauvignon pour un tiers de sémillon, ainsi se compose ce vin jaune pâle à reflets dorés qui décline d'élégants arômes de fruits, de fleurs et d'agrumes. Le corps souple et rond développe des flaveurs de fleurs blanches dans une finale chaleureuse et persistante. A apprécier avec un plateau d'huîtres, un poisson poché ou grillé, et – pourquoi pas – avec un sorbet.

Sté des Vins de France, 21-24, rue G.-Guynemer, 33290 Blanquefort, tél. 05.56.95.54.00, fax 05.56.95.54.18, e-mail communication@castel-freres.com

CH. BOISSON 2004 ★

7 ha 30 000 - de 3 €

Juste à côté de Cadillac, ce beau château commande un vignoble d'une dizaine d'hectares planté au-dessus d'anciennes carrières de pierre. Son bordeaux sec, assemblage de sauvignon (50 %), de sémillon et de muscadelle, a tiré profit d'un élevage de six mois sur lies fines, avec bâtonnages réguliers. En témoignent son attaque vive et franche, son corps ample et séveux, ainsi que son bouquet d'agrumes, de fruits exotiques, de citronnelle, d'orange et de buis. La longue finale confirme les promesses faites par la couleur jaune pâle à reflets verts si tentante.

SCEA Jean Médeville et Fils, Ch. Fayau, 33410 Cadillac, tél. 05.57.98.08.08, fax 05.56.62.18.22, e-mail medeville-jeanetfils@wanadoo.fr r.-v.

CHAI DE BORDES 2004

n.c. 44 000 3 à 5 €

Un vin au nez puissant et élégant d'agrumes, de fleurs, de miel et de toast. Autant d'arômes qui s'accordent à la chair ronde. Un retour sur le fruit apporte de la vivacité en finale. Le bordeaux sec **Canter 2004**, à base de sauvignon uniquement, est également cité.

Cheval-Quancard, La Mouline, BP 36, 33560 Carbon-Blanc, tél. 05.57.77.88.88, fax 05.57.77.88.99, e-mail chevalquancard@chevalquancard.com r.-v.

LA CHAPELLE D'ALIENOR 2003

1,93 ha 13 500 8 à 11 €

Cette propriété d'un peu plus de 19 ha occupe deux coteaux argilo-calcaires et graveleux. Habitué du Guide, ce bordeaux sec s'affiche après six mois de fût dans une robe jaune paille. Le nez fondu de grillé, de toasté et de réglisse trouve un bel écho dans le corps rond, gras et structuré, prolongé d'une finale fraîche.

Aliénor de Malet Roquefort, Saint-Pey d'Armens, 33330 Saint-Emilion, tél. 05.57.56.05.06, fax 05.57.56.40.89, e-mail sales@malet-roquefort.com r.-v.

CH. CHASSE-SPLEEN 2003

1,66 ha 16 160 11 à 15 €

Célèbre domaine en appellation moulis-en-médoc, Chasse-Spleen a réservé à cette cuvée deux tiers de sémillon pour un tiers de sauvignon, récoltés sur des croupes de graves argilo-calcaires du gunz. Des pratiques modernes de macération pelliculaire, d'élevage sur lies en barrique neuve pendant neuf mois ont forgé ce vin jaune pâle à reflets verts qui livre des senteurs d'acacia et de pêche blanche associées au grillé-épicé du bois. A la chair concentrée et équilibrée, un léger perlant apporte de la fraîcheur et avive les flaveurs florales nuancées d'un fin boisé persistant.

SA Ch. Chasse-Spleen, 2558, Grand-Poujeaux Sud, 33480 Moulis-en-Médoc, tél. 05.56.58.02.37, fax 05.57.88.84.40, e-mail info@chasse-spleen.com r.-v.

CLOSSMANN Le Grand Vin 2003 ★

n.c. n.c. 5 à 8 €

Sous une teinte brillante, jaune aux éclats verts, un tendre perlant souligne les senteurs de fleurs, de fruits, de grillé et d'épices. La bouche souple et ronde délivre ensuite des notes beurrées, ainsi que des flaveurs de bonbon anglais, de pêche blanche et de bon boisé. De l'équilibre et de l'élégance.

Œnoalliance, rte du Petit-Conseiller, 33750 Beychac-et-Caillau, tél. 05.57.97.39.73, fax 05.57.97.39.76, e-mail scluzeau@oenoalliance.com

### COTEAUX DES CARBONNIERES 2004 *

| | 10 ha | 45 000 | | 3 à 5 € |
|---|---|---|---|---|

Créée en 1989, cette marque désigne dans le millésime 2004 un vin de sauvignon pur, d'or pâle vêtu. Au nez discret de noisette, de fruits mûrs, de pamplemousse et de genêt répond une bouche vive et ample à l'attaque, puis ronde, toute fruitée. Un vin équilibré à découvrir dès l'apéritif et en accompagnement d'huîtres ou de poissons en sauce.

SCA Union de producteurs du Nord Fronsadais, 13, av. de la Cave, 33240 Périssac, tél. 05.57.55.43.82, fax 05.57.55.43.84 r.-v.

### COURTEY
Cuvée Jean Elevé en fût de chêne neuf 2002 *

| | 0,7 ha | 3 900 | | 8 à 11 € |
|---|---|---|---|---|

Que se passe-t-il à Saint-Pierre-d'Aurillac le dernier week-end de juin ? On fête l'alose et le vin sous des airs de musique du monde entier. L'occasion de découvrir cette cuvée issue de l'assemblage de quatre cépages, dont 25 % de sauvignon gris. Jaune doré, celle-ci exprime un bouquet riche de parfums : pomme, groseille, miel, brioche beurrée, grillé et toasté. La bouche d'attaque franche présente du gras et du fruité, avec un bon retour sur les agrumes, le miel et la brioche en finale.

SCEA Courtey, 33490 Saint-Martial, tél. et fax 05.56.76.42.56 r.-v.

### CH. LA CROIX DE ROCHE 2004 *

| | 0,5 ha | 3 000 | | 3 à 5 € |
|---|---|---|---|---|

Mi-sauvignon mi-sémillon, ce vin séduit par sa teinte jaune pâle à reflets vert brillant comme par ses arômes de fruits, de noix de cajou et de fin boisé que rehausse un léger perlant. Après la vivacité de l'attaque, il se montre souple, ample, riche et persistant.

GFA La Croix de Roche, 33133 Galgon, tél. 05.57.84.38.52, fax 05.57.84.31.39 t.l.j. sf dim. 9h-19h

F. Maurin

### CH. DU CROS 2004 *

| | 12 ha | 50 000 | | 5 à 8 € |
|---|---|---|---|---|

Le vignoble du château du Cros, demeure du XIII[e]s., s'étend sur les coteaux argilo-calcaires qui dominent la vallée de la Garonne, les Graves et le Sauternais. L'harmonie entre le sauvignon majoritaire, le sémillon et la muscadelle se traduit par d'élégants arômes de fruits secs (amande, noisette), par un corps vif, séveux et fruité, souligné d'un tendre perlant. La finale longue est chaleureuse. Un bordeaux sec typé.

SA Vignobles M. Boyer, Ch. du Cros, 33410 Loupiac, tél. 05.56.62.99.31, fax 05.56.62.12.59, e-mail contact@chateauducros.com t.l.j. 8h-12h 14h-18h; sam. dim. sur r.-v.

### CH. DOISY-DAENE 2003 *

| | 6 ha | 30 000 | | 11 à 15 € |
|---|---|---|---|---|

Ce bordeaux sec de sauvignon pur est issu des vignes d'un célèbre cru classé de Sauternes. Elevé en fût pendant dix mois, il présente une teinte brillante, jaune paille. La palette de senteurs va de la noisette à l'ananas en passant par le bourgeon de cassis, les notes beurrées et le buis. La bouche agréablement ronde, bien construite, s'accompagne en finale de flaveurs persistantes de fruits secs, de brioche, de pain grillé et d'épices.

EARL Pierre et Denis Dubourdieu, Ch. Doisy-Daëne, 33720 Barsac, tél. 05.56.27.15.84, fax 05.56.27.18.99, e-mail denisdubourdieu@wanadoo.fr r.-v.

### CH. FERREYRES 2004 *

| | n.c. | 36 000 | | 3 à 5 € |
|---|---|---|---|---|

Pourquoi attendre que les fruits de mer ou le poisson soient servis pour goûter à ce vin or gris ? L'apéritif est également une bonne occasion d'apprécier ses parfums de fleurs (rose), de noisette et d'amande. L'attaque vive et franche introduit un corps charnu, aux touches citronnées. Une légère pointe d'amertume, pas désagréable du tout, se manifeste en finale. A boire d'ici à 2007.

Prodiffu, 17-19, rte des Vignerons, 33790 Landerrouat, tél. 05.56.61.33.73, fax 05.56.61.40.57, e-mail prodiffu@prodiffu.com

### CH. FOMBRAUGE 2004

| | 1 ha | 6 500 | | 15 à 23 € |
|---|---|---|---|---|

Ce château de Saint-Emilion propose un assemblage de sauvignon blanc, de sauvignon gris (21 %) et de muscadelle, élevé sur lies fines en barrique pendant dix mois. Au nez toasté, grillé et épicé succède une bouche ronde et bien structurée, nuancée d'un boisé fondu. La finale est fraîche et persistante.

SAS Ch. Fombrauge, 33330 Saint-Christophe-des-Bardes, tél. 05.57.24.77.12, fax 05.57.24.66.95, e-mail chateau@fombrauge.com

Bernard Magrez

### FONT-DESTIAC 2004

| | 5 ha | 33 000 | | 3 à 5 € |
|---|---|---|---|---|

Fait rare, la muscadelle (70 %) domine ce bordeaux sec, complétée par le sauvignon. Sous une teinte or pâle apparaissent d'élégantes notes de fruits exotiques, de mangue, de kiwi, de litchi, avec une touche muscatée. Celles-ci se prolongent en bouche, accompagnant une sensation de vivacité en attaque, puis de rondeur. La finale souple est agréable.

Closerie d'Estiac, Les Lèves, 33220 Sainte-Foy-la-Grande, tél. 05.57.56.02.33, fax 05.57.56.02.22, e-mail jm.pontier@univitis.fr t.l.j. sf dim. lun. 9h30-12h30 15h-18h

### CH. FRANC-PERAT 2004 *

| | 5,71 ha | 40 000 | | 8 à 11 € |
|---|---|---|---|---|

Les 10 ha d'un seul tenant sont commandés par cette ancienne place forte bâtie en haut d'une colline. Depuis 1998, la famille Despagne s'est investie pour redonner au vignoble tout son potentiel. Le résultat ? Un 2004 or pâle brillant, nuancé de reflets verts, alliant sauvignon et sémillon. Un léger perlant fait exploser les senteurs fraîches d'agrumes, de pêche, de poire, d'ananas, d'acacia et de genêt. Souple et vive en attaque, la bouche charnue et structurée persiste sur des notes fruitées et un gras élégant. A découvrir en accompagnement d'une terrine de volaille.

SCEA de Mont-Pérat, Le Peyrat, 33550 Capian, tél. 05.57.84.55.08, fax 05.57.84.57.31, e-mail contact@despagne.fr r.-v.

### CH. LA FREYNELLE 2004 *

| | 4 ha | 30 000 | | 5 à 8 € |
|---|---|---|---|---|

Il aura fallu attendre 1991 pour qu'une femme prenne les rênes de ce domaine transmis de père en fils depuis 1789. Une petite révolution, en somme, dans ce vignoble de l'Entre-deux-Mers... et une belle réussite, dont témoigne ce vin séduisant dans sa parure jaune pâle brillant : mariage classique et équilibré des sauvignon, sémillon et muscadelle. Des arômes intenses de fruits et de fumé invitent à découvrir la bouche fraîche et ronde à la fois, longuement parfumée de fruits mûrs. De la typicité et de la personnalité.

Véronique Barthe, Peyrefus, 33420 Daignac, tél. 05.57.84.55.90, fax 05.57.74.96.57, e-mail veronique@vbarthe.com r.-v.

### CH. GAILLOT FOURNIER 2004

1 ha 8 000 3 à 5 €

Issu de sauvignon pur récolté sur sol argilo-calcaire, ce vin jaune pâle teinté de vert libère des arômes discrets d'agrumes et de fruits exotiques. Une discrétion qui caractérise aussi la finale de la bouche souple et ronde, équilibrée. A saisir pour un moment de plaisir.

Jean-Paul Zanon, 1, Clavier, 33420 Tizac-de-Curton, tél. 05.57.24.28.50, fax 05.57.24.15.23 r.-v.

### CH. GRAND JEAN 2004

9 ha 84 000 3 à 5 €

Jaune pâle brillant à reflets verts, ce bordeaux sec joue la finesse et la discrétion dans ses évocations de fruits, de fleurs, de brioche, alliées à un léger boisé. A la vivacité de l'attaque succède un corps souple et charnu, avec un retour fugace sur des notes grillées et épicées.

SC Dulon, Grand-Jean, 33760 Soulignac, tél. 05.56.23.69.16, fax 05.57.34.41.29, e-mail dulon.vignobles@wanadoo.fr r.-v.

### CH. GREYSAC 2004 *

2,01 ha 10 000 8 à 11 €

Ce vin de pur sauvignon est né de belles croupes de graves argilo-calcaires du hameau de By. Elevé sur lies fines en barrique pendant six mois, il séduit par son bouquet intense et complexe de fleurs, de fruits exotiques, de vanille, de grillé et d'épices. La bouche est vive, puis souple et fruitée, soulignée d'un boisé bien présent. Un bordeaux sec qui pourra être gardé sans crainte pendant trois ans.

SA Dom. Codem, 18, rte de By, 33340 Bégadan, tél. 05.56.73.26.56, fax 05.56.73.26.58, e-mail greysac@chateau-greysac.com r.-v.

### CH. LES GUYONNETS Saveur 2004

1 ha 2 000 5 à 8 €

Le château, maison de maître de la fin du XIX^e s., a été acheté en 2000 par Sophie et Didier Tordeur. Tous deux ont misé sur le sauvignon récolté sur un sol argilo-calcaire pour élaborer ce bordeaux sec jaune pâle brillant, nuancé de vert. Si le nez à dominante d'agrumes semble discret, la bouche souple, ample et vive laisse persister les arômes de pamplemousse, de buis et de fruits exotiques. Un vin recommandé pour vos plateaux de fruits de mer.

Sophie et Didier Tordeur, Ch. Les Guyonnets, 33490 Verdelais, tél. et fax 05.56.62.09.89, e-mail didiertordeur@aol.com r.-v.

### CH. HAUT-GARRIGA Elevé en fût de chêne 2004 **

1 ha 2 600 3 à 5 €

Le sémillon (100 %) et un séjour de cinq mois en fût ont donné à ce bordeaux sec une teinte or vert, ainsi qu'une riche et complexe palette : sentez-vous ces notes de jasmin, de pamplemousse, de pêche ? Percevez-vous ces nuances toastées, vanillées et grillées ? L'agréable douceur en attaque se prolonge par une sensation de moelleux tant la bouche est séveuse. Un fin boisé laisse toute sa place aux fruits (poire, banane, litchi) et aux fleurs blanches. Une bouteille séduisante à réserver à des poissons en sauce.

EARL Vignobles C. Barreau et Fils, Garriga, 33420 Grézillac, tél. 05.57.74.90.06, fax 05.57.74.96.63, e-mail barreau.alain@wanadoo.fr t.l.j. sf dim. 8h-12h 14h-18h

### CH. JEAN L'ARC 2004 **

0,3 ha 2 000 5 à 8 €

Quatre mois de fût auront suffi à parfaire ce bordeaux sec issu de deux tiers de sauvignon pour un tiers de sémillon récoltés sur sol argilo-calcaire. Le bouquet complexe mêle la rose, le bonbon anglais, les fruits (abricot, orange confite) et les fleurs blanches aux notes de vanille et de grillé. La bouche vive et charnue à la fois, structurée, n'a de cesse de livrer ses flaveurs jusqu'à une finale tendre. Un vin équilibré à l'apéritif, puis sur un poisson en sauce ou une viande blanche.

EARL Vignobles Siozard, Au Clauset, 33420 Lugaignac, tél. 05.57.84.54.23, fax 05.57.84.67.10, e-mail vignobles-siozard@wanadoo.fr r.-v.

### KRESSMANN MONOPOLE Elevé sur lies fines 2004 *

n.c. 90 000 5 à 8 €

Cette cuvée exclusivement composée de sauvignon, d'une teinte jaune-gris pâle et brillant, vous la trouverez sans doute sur la carte des restaurants, la marque Kressmann Monopole étant largement distribuée dans ce secteur. Commandez un poisson en sauce qui se mariera bien avec ses élégants arômes d'agrumes, de tilleul, de buis, de cire d'abeille, ses accents floraux et discrètement minéraux. Elle vous offrira sa matière vive et franche en attaque, puis ample et riche, aromatique, non dénuée de fraîcheur en finale.

Kressmann, 35, rue de Bordeaux, 33290 Parempuyre, tél. 05.56.35.53.00, fax 05.56.35.53.29, e-mail contact@kressmann.com

### LA RESERVE DE LAFITE-MONTEIL 2004 *

2,7 ha 20 000 3 à 5 €

Cette demeure du XIX^e s., entourée d'un parc de 10 ha, eut un célèbre propriétaire, Gustave Eiffel, qui installa dans le chai une poutre métallique dans la lignée de ses autres réalisations architecturales. Le sauvignon (70 %) et le sémillon composent cette cuvée séduisante dans sa robe jaune pâle brillant. Le nez intense marie les fleurs blanches, le litchi et l'abricot comme une introduction aux flaveurs de fruits confits qui enveloppent la bouche ronde. A l'attaque franche et vive fait écho une longue finale acidulée. La dégustation est fort plaisante.

Maison Grand Monteil, BP 8, 33370 Sallebœuf, tél. 05.56.21.29.70, fax 05.56.78.35.91, e-mail maisongrandmonteil@wanadoo.fr r.-v.

### CH. DE LAGARDE Cuvée Prestige 2004

n.c. n.c. 5 à 8 €

Du château originel reste une cheminée du XII^e s. Le propriétaire vous la montrera peut-être si vous venez découvrir à la propriété ce bordeaux sec d'un jaune-gris très pâle qui décline de discrets arômes de toast, de grillé et de réglisse. Un léger perlant apporte de la fraîcheur à l'attaque, puis laisse place à une bouche ample et équilibrée, nuancée d'une petite note grillée. La finale est agréable.

SCEA Raymond,
Ch. de Lagarde, 33540 Saint-Laurent-du-Bois,
tél. 05.56.76.43.63, fax 05.56.76.46.26,
e-mail scea.raymond@wanadoo.fr r.-v.

## LES ARUMS DE LAGRANGE 2003

4 ha 20 000 8 à 11 €

La muscadelle apporte un petit plus (10 %) à l'assemblage classique de sauvignon et de sémillon récoltés sur un terroir silico-graveleux. Harmonieux et puissant, ce vin d'un jaune pâle brillant affiche des senteurs de pain grillé, de torréfaction avant de livrer sa matière riche et ronde, empreinte de notes d'épices en finale.

SAS Ch. Lagrange, 33250 Saint-Julien-Beychevelle,
tél. 05.56.73.38.38, fax 05.56.59.26.09,
e-mail chateau-lagrange@chateau-lagrange.com
r.-v.
Suntory Ltd

## CH. LAMOTHE DE HAUX 2004

26 ha 250 000 5 à 8 €

Une élégante demeure a été bâtie au début du XIXes. en lieu et place du château du XVIes. détruit à la Révolution. A architecture classique, vin classique, issu d'un assemblage équilibré de sauvignon, de sémillon et de muscadelle. Sous une teinte jaune pâle à reflets verts, se manifeste un bouquet délicat d'agrumes, de fruits blancs, d'ananas, de fleur de vigne et de buis. Un léger perlant apporte de la fraîcheur en attaque, bientôt relayée par une sensation d'ampleur et de rondeur, puis par une discrète pointe de tilleul en finale.

Neel-Chombart, Ch. Lamothe, 33550 Haux,
tél. 05.57.34.53.00, fax 05.56.23.24.49,
e-mail info@chateau-lamothe.com r.-v.

## CH. LESTRILLE CAPMARTIN

Vinifié et élevé en fût de chêne 2004 ★★

0,59 ha 5 600 5 à 8 €

Régulièrement présent dans le Guide, ce cru se distingue remarquablement cette année. Assemblage de 60 % de sauvignon et de 40 % de sémillon, élevé quatre mois en fût, ce vin très pâle et limpide, animé de quelques reflets verts offre un bouquet typique du sauvignon, souligné d'un fin boisé. Un côté perlant ? Juste ce qu'il faut pour mettre en valeur sa bouche ronde, grasse, enveloppée de flaveurs d'agrumes et de fleurs. La finale intense persiste sur le fruit, les notes grillées et épicées. A découvrir avec une viande blanche ou un poisson en sauce.

EARL Jean-Louis Roumage, Lestrille,
33750 Saint-Germain-du-Puch, tél. 05.57.24.51.02,
fax 05.57.24.04.58, e-mail jlroumage@lestrille.com
t.l.j. 8h30-12h30 14h-18h; sam. dim. sur r.-v.

## CH. DE LOS 2004 ★

5 ha 35 000 3 à 5 €

Sur un sol calcaire, argileux et graveleux, le sémillon (60 %), assemblé au sauvignon et à la muscadelle à parts égales, a donné naissance à ce 2004 jaune doré limpide et brillant. Après une attaque vive, le vin séduit par sa rondeur, sa richesse, ses arômes d'agrumes et de fruits exotiques. La finale fraîche persiste bien. A boire avec des fruits de mer. La **cuvée Signature 2004** et le **Château de Montval 2004** obtiennent une étoile pour leur équilibre élégant.

SCEA Vignobles Signé, 505, Petit Moulin Sud,
33760 Arbis, tél. 05.56.23.93.22, fax 05.56.23.45.75,
e-mail signevignobles@wanadoo.fr
t.l.j. sf sam. dim. 8h30-12h 14h-18h; f. août

## CH. LOUDENNE 2003 ★

12 ha n.c. 8 à 11 €

Né du vignoble du château Loudenne, charmante chartreuse du XVIIIes., ce bordeaux sec fait le jeu du sauvignon (75 %) tout en accordant une petite place au sémillon. Après un élevage de onze mois en barrique, il se révèle équilibré tant au nez qu'en bouche. Les fleurs et les fruits s'ajoutent aux notes grillées, torréfiées et épicées, tandis que la bouche ronde et charnue, légèrement perlante, laisse poindre un boisé bien fondu. La finale moelleuse et persistante conforte l'impression d'harmonie générale.

SCS Ch. Loudenne, 33340 Saint-Yzans-de-Médoc,
tél. 05.56.73.17.80, fax 05.56.09.02.87,
e-mail loudenne@lafragette.com r.-v.

## MICHEL LYNCH 2004 ★

n.c. 100 000 5 à 8 €

La marque de Jean-Michel Cazes porte le nom de Michel Lynch qui, au milieu du XVIIIes., participa aux progrès de la viticulture depuis son domaine de Bages, à Pauillac – aujourd'hui connu sous le nom de château Lynch-Bages, propriété de la famille Cazes. Ce bordeaux sec est issu d'un assemblage de sauvignon et de sémillon récoltés sur des terroirs sélectionnés des Graves et de l'Entre-deux-Mers. Un léger perlant anime sa robe jaune pâle à reflets verts, puis souligne les arômes de fleurs, de fruits, de vanille et de grillé. Après une attaque souple, le corps apparaît ample, rond, bien structuré ; il développe des flaveurs fruitées et minérales jusqu'à une finale vive, persistante.

Dom. Jean-Michel Cazes, rte de Bordeaux,
33460 Macau, tél. 05.57.88.60.04, fax 05.57.88.03.84

## CH. LA MAROUTINE 2004

5 ha 25 000 5 à 8 €

Non loin de la bastide de Cadillac s'étend le vignoble de 50 ha de cette propriété familiale. Planté sur un terroir de graves, le sémillon représente les deux tiers de ce 2004, épaulé par le sauvignon. Sous une teinte or pâle se libèrent des senteurs d'agrumes, d'ananas, de fruits exotiques et de buis. Puis ce sont des flaveurs d'écorce de citron et de mangue mûre qui font le charme de la bouche ample et souple dès l'attaque. La finale vous agréera par sa fraîcheur.

SC J. Darriet, Ch. Dauphiné-Rondillon,
33410 Loupiac, tél. 05.56.62.61.75, fax 05.56.62.63.73,
e-mail vignoblesdarriet@wanadoo.fr
t.l.j. 8h30-12h 14h-18h; sam. dim. sur r.-v.;
f. 1er-23 août

## CH. DE MARSAN 2004 ★

6 ha 55 000 3 à 5 €

Le château doit son nom à Pierre de Marsan qui le fit bâtir au milieu du XVIIes. ; ce personnage descendait des vicomtes de Marsan, fondateurs dans les Landes de la ville de Mont-de-Marsan. Ce bordeaux sec jaune pâle brillant à reflets verts fait la part belle au sémillon devant

le sauvignon. Celui-ci développe un nez de buis associé à des notes minérales. Plaisant en bouche par son attaque vive, puis par sa rondeur et sa puissance, il reste équilibré jusqu'à la finale soulignée d'une pointe d'amertume rafraîchissante.
SCEA Gonfrier Frères,
Ch. de Marsan, 33550 Lestiac-sur-Garonne,
tél. 05.56.72.14.38, fax 05.56.72.10.38,
e-mail gonfrier@terre-net.fr r.-v.

## MAYNE D'OLIVET 2003

2 ha 12 000 11 à 15 €

Situés sur le plateau calcaire de Montagne, les moulins de Calon restaurés par Jean-Noël Boidron dominent les vignobles de Montagne, Pomerol et Lalande-de-Pomerol. Ce bordeaux sec est une exception dans le Saint-Emilionnais : le sauvignon gris y est majoritaire, complété par le sauvignon blanc, le sémillon et la muscadelle. Habillé de jaune paille, il développe des arômes de tilleul, d'ananas, de fruits exotiques. Sa bouche ronde offre des flaveurs d'abricot prolongées d'une finale vive et vanillée.
Jean-Noël Boidron, Ch. Calon, 33570 Montagne,
tél. 05.57.51.64.88, fax 05.57.51.56.30,
e-mail vignoblesjnboidron@wanadoo.fr
t.l.j. sf sam. dim. 8h-11h 14h-17h

## CH. MEMOIRES Fleur d'Opale 2003 *

1,5 ha 5 500 5 à 8 €

Après être passé par le domaine de Malagar, le château de Malromé et le calvaire de Verdelais, rendez-vous au château Mémoires qui a élaboré un bordeaux sec classique dans son assemblage dominé par le sauvignon. D'un jaune paille brillant, ce vin offre des arômes discrets de fruits, soulignés de toasté, de grillé et d'épices hérités de ses douze mois d'élevage. Un léger boisé se fond en finale de la bouche ronde et grasse, laissant une tendre impression.
SCEA Vignobles Ménard, Ch. Mémoires,
33490 Saint-Maixant, tél. 05.56.62.06.43,
fax 05.56.62.04.32, e-mail memoires1@aol.com
t.l.j. 9h-12h 14h-18h; sam. dim. sur r.-v.

## CH. MEZAIN 2004 *

5 ha 41 000 3 à 5 €

Une teinte jaune pâle à reflets verts habille ce vin aux arômes intenses de pamplemousse, de zeste de citron, de jasmin. Après une attaque souple et franche, le corps bien structuré présente du gras, accompagné de flaveurs persistantes d'agrumes et d'abricot. Un bordeaux sec équilibré et gourmand.
Dulong Frères et Fils,
29, rue Jules-Guesde, 33270 Floirac, tél. 05.56.86.51.15,
fax 05.56.40.66.41, e-mail dulong@dulong.com

## CH. MINVIELLE 2004

6 ha 1 800 3 à 5 €

Non loin de la cité de Rauzan, cette propriété, familiale depuis deux cents ans, est connue pour sa jolie chartreuse dont les dépendances abritent les chais. Son 2004, élaboré à partir de sauvignon et de sémillon parfaitement équilibrés, offre au regard une teinte jaune paille. Son bouquet d'agrumes, de noyau de pêche, de cire d'abeille et de miel accompagne la bouche riche et pleine, avant une finale toute fruitée.
SCEA Vignobles Gadras,
Dom. de Minvielle, 33420 Naujan-et-Postiac,
tél. 05.57.84.55.01, fax 05.57.84.65.70,
e-mail pierre.michaud3@caramail.com r.-v.

## MONTESQUIEU Réserve du Philosophe 2004

15 ha 20 000 3 à 5 €

Le philosophe qui fut en son temps gentilhomme vigneron. De bonne compagnie, ce vin dominé par le sauvignon bénéficie d'un léger perlant qui rehausse sa chair ronde et grasse, empreinte d'élégants arômes de fleurs, de fruits blancs, d'agrumes et de buis. La finale présente une pointe d'amertume rafraîchissante. Le **M de Montesquieu 2004**, qui n'a pas connu le bois, est cité.
Vins et Domaines H. de Montesquieu,
Aux Fougères, BP 53, 33650 La Brède,
tél. 05.56.78.45.45, fax 05.56.20.25.07,
e-mail montesquieu@montesquieu.com r.-v.

## CH. MOULIN DE PILLARDOT 2004

1,7 ha 15 600 3 à 5 €

Implantées sur les flancs de la butte de Launay, les vignes de ce château dominent la Gironde. Le sauvignon compose à lui seul ce vin or gris pâle, souple et frais en attaque, qui profite d'un côté perlant pour exprimer des arômes de fruits (pêche) et de fleurs blanches. A la fois vif et rond, bien structuré, celui-ci saura accompagner un filet de saumon fumé en aumônière, avec crème d'aneth et œufs de truite.
Ch. Bourdicotte, 1, le Bourg, 33790 Cazaugitat,
tél. 05.56.61.32.55, fax 05.56.61.38.26

## CH. PAQUERETTE 2004 *

1 ha 5 500 5 à 8 €

Le Château Pâquerette 2004 sera un cadeau digne de vos amis qui apprécieront sa teinte jaune-vert, son bouquet complexe de coing, de tilleul, de toasté et de grillé, sa bouche souple, aux flaveurs de fruits et de fin boisé persistant. Le sauvignon domine ce vin, complété à parts égales par le sémillon et la muscadelle.
SARL L. Dubost, Catusseau, 33500 Pomerol,
tél. 05.57.51.74.57, fax 05.57.25.99.95,
e-mail sarl.dubost.l@wanadoo.fr r.-v.

## PAVILLON BLANC DU CH. MARGAUX 2003 *

n.c. n.c. 38 à 46 €

Véritable gourmandise, ce vin est né sur le célèbre domaine médocain. D'emblée, sa richesse s'annonce par une couleur jaune citron étincelante, avant de se confirmer par un bouquet bien typé par le sauvignon et par son millésime. Le palais s'inscrit dans le droit fil avec une attaque moelleuse et une structure suave. En finale, tout est gourmandise. A servir à l'apéritif, au coin du feu.
SC du Ch. Margaux, 33460 Margaux,
tél. 05.57.88.83.83, fax 05.57.88.31.32 r.-v.

## CH. PIERRAIL 2004 *

7,8 ha 62 000 5 à 8 €

Traversez le vaste parc et le jardin à la française, puis entrez dans ce château du XVII^e s. pour découvrir ce 2004 issu de sauvignon blanc (60 %) et de sauvignon gris récoltés sur les coteaux argilo-calcaires. Jaune doré, le vin offre un bouquet éclatant d'agrumes, de buis, de genêt, de citronnelle mentholée et de litchi. Vous aimerez sa rondeur, son gras et ses flaveurs fruitées séduisantes qui en font une bouteille de plaisir, destinée à l'apéritif ou à des fromages de chèvre.

EARL Ch. Pierrail, 33220 Margueron,
tél. 05.57.41.21.75, fax 05.57.41.23.77 r.-v.
Famille Demonchaux

## CUVEE PIN-FRANC-PILET 2004

2,5 ha 30 000 3 à 5 €

Classique dans son assemblage de sauvignon et de sémillon, ce vin jaune pâle à reflets verts révèle des parfums discrets d'agrumes. Les mêmes flaveurs, complétées de notes de fruit de la Passion, se mêlent avec délicatesse et persistance au corps rond et équilibré. Pour des viandes blanches.

SC Vignobles Queyrens et Fils, Le Grand Village,
33410 Donzac, tél. 05.56.62.97.42, fax 05.56.62.10.15,
e-mail scvjqueyrens@free.fr r.-v.

## CH. RAUZAN DESPAGNE
Cuvée de Landeron 2004 ★

22 ha 176 000 5 à 8 €

Issu de sauvignon, de sémillon et de muscadelle à parts égales, ce vin laisse exploser son fruité de pêche blanche, de pamplemousse, d'ananas, souligné de rose et de vanille. Habillé d'or vert, il se montre franc et rond, d'une belle tenue en bouche. Des flaveurs de mandarine, de poire et de mangue se prolongent dans une finale harmonieuse qui contribue à son caractère friand. N'oubliez pas pour autant le **Château Bel Air Perponcher 2004**, cité par le jury. Basaline Despagne saurait sans doute vous proposer l'accord gourmand idéal avec ces vins, elle qui se passionne pour l'art culinaire dans sa cuisine du château Bel Air Perponcher.

SCEA des Vignobles Despagne,
33420 Naujan-et-Postiac,
tél. 05.57.84.55.08, fax 05.57.84.57.31,
e-mail contact@despagne.fr r.-v.

## CH. RECOUGNE 2004 ★

8 ha 76 000 3 à 5 €

Un pur sauvignon blanc élevé sur lies fines qui s'affiche dans une robe paille à reflets verts. Le bouquet complexe éclate de senteurs de tilleul, de fruits exotiques, d'agrumes, de citron confit et de genêt. Une invitation à découvrir sa chair souple en attaque, puis ample et ronde, prolongée d'une finale harmonieuse. « Il faut aimer le côté sauvage du sauvignon », conclut un membre du jury.

SCE Vignobles Jean Milhade, Ch. Recougne,
33133 Galgon, tél. 05.57.55.48.90, fax 05.57.84.31.27,
e-mail milhade@milhade.fr r.-v.

## RECREATION 2004

n.c. 16 000 3 à 5 €

Rauzan est connu pour son château, sa grotte Célestine et sa cave coopérative qui a élaboré cet assemblage de sauvignon (70 %) et de sémillon. Récréatif ? Sûrement et davantage encore si vous le servez avec un plateau d'huîtres. De sa parure jaune paille brillant se libèrent des arômes fruités et floraux qui accompagnent aussi la bouche ample et vive.

Union des Producteurs de Rauzan, L'Aiguilley,
33420 Rauzan, tél. 05.57.84.13.22, fax 05.57.84.12.67,
e-mail accueil@cavesderauzan.com
t.l.j. sf dim. 9h-12h30 14h-18h

## DOM. DE RICAUD 2004 ★

5 ha 36 000 5 à 8 €

L'église de Castelviel, la bastide de Sauveterre, le moulin de Gornac sont sur la route des vignobles de la famille Chaigne. Du domaine de Ricaud, vous retiendrez ce 2004 jaune pâle qui évoque les fleurs blanches, la jacinthe, les agrumes et l'abricot. La bouche vive, pleine et fruitée est soulignée d'un tendre perlant qui invite à un accord avec des fruits de mer. Un bordeaux sec harmonieux.

Vignobles Chaigne et Fils,
Ch. Ballan-Larquette, 33540 Saint-Laurent-du-Bois,
tél. 05.56.76.46.02, fax 05.56.76.40.90,
e-mail rchaigne@vins-bordeaux.fr r.-v.

## CH. ROQUEFORT Roquefortissime 2003

5 ha 12 000 5 à 8 €

Assemblage de sauvignon (80 %) et de sémillon, ce bordeaux sec brille de beaux éclats jaunes et verts. Un élevage de douze mois en barrique lui a légué des arômes grillés, épicés et vanillés, mais le fruit réapparaît aux côtés d'un fin boisé dans sa chair vive et ronde à la fois, équilibrée.

Ch. Roquefort, 33760 Lugasson,
tél. 05.56.23.97.48, fax 05.56.23.50.60,
e-mail chateau-roquefort@vignobles-bellanger.com
r.-v.
Frédric Bellanger

## CH. LA ROSE SAINT-GERMAIN 2004

20 ha n.c. 3 à 5 €

Issu des trois cépages phares du Bordelais (70 % de sauvignon), ce bordeaux sec développe un bouquet de fleurs et de fruits, nuancé d'une pointe fumée. L'attaque est franche, le corps rond et gras, souligné d'arômes floraux, de notes de pamplemousse et de citron persistants. Une bouteille destinée à l'apéritif, aux fruits de mer et aux entremets sucrés.

Les Vins de Crus, 60, bd Pierre-I[er], 33000 Bordeaux,
tél. 05.57.34.54.00, fax 05.56.23.48.78,
e-mail vignobles-ducourt@wanadoo.fr r.-v.
Vignobles Ducourt

## CH. SAINT-FLORIN 2004

17 ha 130 000 3 à 5 €

Un domaine de 80 ha qui a connu un agrandissement progressif depuis le début des années 1980, ainsi qu'une rénovation de ses installations de vinification. Le 2004 est dominé par 60 % de sauvignon, complété par le sémillon et la muscadelle. Jaune pâle brillant à reflets verts, il décline de très discrètes notes florales, puis offre dès l'attaque en bouche un léger perlant qui souligne sa chair ronde et fraîche à la fois, délicatement fruitée. A découvrir avec des fruits de mer.

SC Vignobles Jolivet, Ch. Saint-Florin,
33790 Soussac, tél. 05.56.61.31.61, fax 05.56.61.34.87,
e-mail jeanmarcjolivet@wanadoo.fr r.-v.

## CH. SAINT-OURENS 2004 ★

0,7 ha 5 600 3 à 5 €

Après la visite du château médiéval et de l'église du XII[e]s. de Langoiran, vous trouverez au château Saint-Ourens le complément de votre voyage culturel : un bordeaux sec jaune pâle, au nez expressif de fruits secs (abricot, amande) et de fleurs (rose, jasmin, lilas). Un discret perlant anime la bouche vive et séveuse, aux flaveurs de fruits mûrs. Un vin fin et harmonieux jusqu'en finale.

Michel Maës, 57, rte de Capian, 4D Saint-Ourens,
33550 Langoiran, tél. 05.56.67.39.45, fax 05.56.67.61.14,
e-mail maesmichel@hotmail.com
t.l.j. 9h-13h 14h-19h; f. 1er-15 août

CH. SAINT-PIERRE 2004 ★

2 ha 15 000 3 à 5 €

Nés sur un sol argilo-sablonneux, le sémillon (70 %) et le sauvignon ont produit un vin brillant de reflets dorés, dont le corps rond, soyeux et structuré s'enveloppe de flaveurs de fruits et de rose. Un soupçon d'amertume, fort plaisant, soutient la finale persistante. Des mêmes producteurs, le **Château de Haux 2004** est cité.

SARL Ch. de Haux, 33550 Haux, tél. 05.57.34.51.11, fax 05.57.34.51.15 r.-v.
P. et F. Jorgensen

CH. DE SOURS 2003

4,48 ha 32 600 8 à 11 €

Ce millésime né de sémillon dominant et de sauvignon, dont 15 % de gris, a passé six mois en barrique. D'un jaune-vert pâle, il libère des arômes de fleurs, de fruits, de grillé, puis offre une chair fraîche et ronde à la fois, enveloppée de flaveurs d'acacia. Un vin plaisant.

SCEA Ch. de Sours, 33750 Saint-Quentin-de-Baron, tél. 05.57.24.10.81, fax 05.57.24.10.83, e-mail esme@chateaudesours.com r.-v.
Krajenski

CH. SUAU 2004 ★

3,87 ha 30 000 5 à 8 €

Ce vignoble de 60 ha s'étend sur un terroir argilo-graveleux. Le sauvignon majoritaire, le sémillon et la muscadelle ont donné naissance à ce vin jaune pâle à reflets verts qui explose en élégantes notes de fleurs (jasmin, rose), d'agrumes, de fruits à chair blanche (poire). D'attaque souple et fraîche, il évolue avec rondeur et gras, ponctué de fines flaveurs florales et fruitées (litchi) jusqu'à une longue finale. Un bordeaux sec en tous points harmonieux.

Bonnet, Ch. Suau, 33550 Capian, tél. 05.56.72.19.06, fax 05.56.72.12.43, e-mail bonnet.suau@wanadoo.fr r.-v.

CH. TANESSE 2004

3 ha 26 000 3 à 5 €

Au bord de la Garonne, Langoiran est une petite cité médiévale dominée par les ruines de son imposant château fort. Non loin de là, le château Tanesse, qui a été racheté par la famille Gonfrier en 2004, propose un bordeaux sec classique, jaune-vert pâle, dont le nez est typé sauvignon (40 %) : agrumes, buis, genêt, fruits blancs, notes florales presque miellées. L'attaque franche et vive précède un corps rond, animé d'un léger perlant et prolongé d'une finale fruitée rafraîchissante. A marier à un poisson en sauce ou à des fromages.

SAS Ch. Tanesse, 3, rte de Capian, 33550 Langoiran, tél. 05.56.72.14.38, fax 05.56.72.10.38, e-mail gonfrier@terre-net.fr r.-v.

CH. THIEULEY Cuvée Francis Courselle 2003

n.c. n.c. 8 à 11 €

En 1986, lorsque cette cuvée a été créée, Francis Courselle fit figure de novateur en faisant fermenter son vin en barrique neuve. Le 2003 ne déroge pas à ce principe de vinification et a connu un élevage de neuf mois en fût avant de se livrer, jaune-vert pâle, au regard. Ses senteurs fruitées d'ananas et de poire se mêlent au grillé et au toasté. Après une attaque vive, le corps se montre riche et gras, discrètement parfumé de fleurs blanches et de noisette. Une finale fraîche et discrète conclut la dégustation.

Sté des Vignobles Francis Courselle, Ch. Thieuley, 33670 La Sauve, tél. 05.56.23.00.01, fax 05.56.23.34.37, e-mail chateau.thieuley@wanadoo.fr r.-v.

CH. TOUR DE MIRAMBEAU 2004 ★★

52,5 ha 416 000 5 à 8 €

Toujours aussi remarquables les bordeaux secs de Tour de Mirambeau. Après la cuvée Passion 2002, fort appréciée l'an passé, voici le 2004 qui assemble à parts égales le sauvignon, le sémillon et la muscadelle. Equilibré, riche et séveux, il a tout d'un grand dans sa robe dorée à reflets verts. Il s'épanouit au nez en un bouquet complexe de fleurs (genêt), de fruits (agrumes, pêche) et de toasté. Des flaveurs de fruits exotiques (ananas, mangue) marquent la longue finale. Appréciez-le avec du saumon fumé et des huîtres. Le **Château Lion Beaulieu 2004 (8 à 11 €)** est cité.

SCEA de la Rive Droite, 33420 Naujan-et-Postiac, tél. 05.57.84.55.08, fax 05.57.84.57.31, e-mail contact@despagne.fr r.-v.

JEAN-LOUIS TROCARD 2004

20 ha 20 000 3 à 5 €

De ce vin blanc, mariage classique à 60 % de sauvignon et 40 % de sémillon, on retient la robe jaune pâle brillant, teintée de vert, ainsi que les frais arômes d'agrumes et de fruits exotiques qui semblent portés par le léger perlant. La bouche souple, ronde et harmonieuse se prolonge avec discrétion. Pour des fruits de mer et des charcuteries.

E. Trocard, Le Bourg, BP3, 33570 Artigues-de-Lussac, tél. 05.57.55.57.90, fax 05.57.55.57.98, e-mail et@trocard.com
t.l.j. 8h-12h 14h-17h; sam. dim. sur r.-v.

CH. LES TUILERIES 2004 ★

1,5 ha 12 000 3 à 5 €

Ce vin issu de sauvignon se pare d'une robe jaune pâle très brillante à reflets verts ; son nez subtil et complexe décline les fruits à l'envi, puis les agrumes, l'acacia et les notes minérales viennent souligner la bouche ronde et grasse qui monte en puissance en finale. Un bordeaux sec élégant, destiné à un poisson en sauce.

SCEA des Vignobles Menguin, 194, Gouas, 33760 Arbis, tél. 05.56.23.61.70, fax 05.56.23.49.79, e-mail vignoblesmenguin@cario.fr
t.l.j. 8h-12h 14h-19h; f. week-end juil. août

CH. TURCAUD Vinifié et élevé en fût de chêne 2004

2 ha 10 000 8 à 11 €

Implanté sur un terroir argilo-graveleux, ce château propose un 2004 jaune paille. Après huit mois de fût, ce vin révèle un fin boisé qui se fond dans sa chair dense, ronde et équilibrée. Persistant, il saura vous plaire dès à présent et jusqu'en 2007 avec un plat de poisson en sauce.

EARL Vignobles Maurice Robert, Ch. Turcaud, 33670 La Sauve-Majeure, tél. 05.56.23.04.41, fax 05.56.23.35.85, e-mail chateau-turcaud@wanadoo.fr r.-v.

CH. VERRIERE BELLEVUE 2004 ★

4 ha 30 000 3 à 5 €

Avant de vous rendre au château Verrière-Bellevue, passez donc par l'abbaye de Sainte-Ferme, les bastides de Pellegrue et de Sainte-Foy-la-Grande. Beau programme pour une journée de vacances. Un terroir à dominante

argileuse et une vinification par macération pelliculaire ont permis au sauvignon (70 %) et au sémillon de donner naissance à ce bordeaux sec classique tant par sa teinte jaune pâle que par son nez d'agrumes et sa bouche ample, grasse et fruitée. Si l'attaque est vive, la finale se fait tendre : l'équilibre en somme.
EARL Alice et Jean-Paul Bessette,
5, La Verrière, 33790 Landerrouat,
tél. 05.56.61.36.91, fax 05.56.61.41.12,
e-mail jeanpaul.bessette@wanadoo.fr r.-v.

### CH. VIEILLE TOUR 2004 *

0,6 ha 6 000 3 à 5 €

Née de deux tiers de sauvignon pour un tiers de sémillon, cette cuvée séduit par ses arômes de fleurs blanches et de pêche comme par le volume, la rondeur et la richesse de sa chair. Une pointe de fraîcheur en finale apporte l'harmonie souhaitée pour un accord avec des fruits de mer.
SCEA des Vignobles Gouin, La Pradiasse,
33410 Laroque, tél. 05.56.62.61.21, fax 05.56.76.94.18,
e-mail chateau.vieille.tour@wanadoo.fr r.-v.

### CH. DE LA VIEILLE TOUR Héritage 2003 *

0,75 ha 5 000 8 à 11 €

Habillé de jaune paille, ce bordeaux sec assemble de manière classique le sauvignon et le sémillon. Aucune fausse note dans sa palette de miel, d'abricot, de toasté, de pain grillé et de torréfaction. L'élevage de sept mois en fût a été bien maîtrisé. Son volume, son caractère charnu et gras, associés à un fin boisé, laissent une sensation de puissance équilibrée. La finale est à l'avenant, persistante, toute de vanille et d'épices.
Vignobles Boissonneau,
Le Cathelicq, 33190 Saint-Michel-de-Lapujade,
tél. 05.56.61.72.14, fax 05.56.61.71.01,
e-mail vignobles@boissonneau.fr r.-v.

### VILLA BURDIGALA 2003 *

18 ha 120 000 5 à 8 €

Cette sélection de sauvignon et de sémillon à parts égales, vieillie douze mois en fût, confirme le savoir-faire de la maison Ginestet. Habillée de jaune paille, elle marie des arômes d'agrumes, de fruits cuits, de miel avec les notes de toast et de vanille héritées du bois. Ces flaveurs se mêlent harmonieusement au corps charnu, et un boisé discret accompagne la savoureuse finale. De la concentration et de l'équilibre pour un vin qui vous contentera jusqu'en 2007. Le **Mascaron par Ginestet 2003 (3 à 5 €)** mérite d'être cité.
Ginestet, 19, av. de Fontenille,
33360 Carignan-de-Bordeaux,
tél. 05.56.20.90.74, fax 05.56.20.91.74,
e-mail contact@ginestet.fr r.-v.

### CELLIER YVECOURT 2004

n.c. 700 000 3 à 5 €

Que du sauvignon, rien que du sauvignon pour un bordeaux sec jaune paille, élégamment fruité (fruit de la Passion, pamplemousse) et floral (acacia). L'attaque moelleuse introduit une bouche pleine et grasse qui fait la part belle aux fruits dans sa douce finale. De l'équilibre et du caractère... Vous aimez le sauvignon, n'est-ce pas ?
Yvon Mau, rue Sainte-Pétronille,
33190 Gironde-sur-Dropt, tél. 05.56.61.54.54,
fax 05.56.61.54.61, e-mail info@ymau.com

# Bordeaux rosé

### CH. BALLAN-LARQUETTE 2004

n.c. 20 000 5 à 8 €

Régis Chaigne s'est allié à ses parents en 1992 pour conduire les domaines familiaux, dont le château Ballan-Larquette. Il propose une cuvée intensément colorée à laquelle le merlot apporte une contribution égale à celle des cabernets. Le bouquet mêle les fleurs blanches aux fruits rouges et à une note plaisante de banane. La structure souple maintient une chair dense et ronde, toute florale. Un regret : une certaine vivacité en finale aurait été la bienvenue.
Vignobles Chaigne et Fils,
Ch. Ballan-Larquette, 33540 Saint-Laurent-du-Bois,
tél. 05.56.76.46.02, fax 05.56.76.40.90,
e-mail rchaigne@vins-bordeaux.fr r.-v.

### B. DE BARRABAQUE 2004

n.c. 3 000 5 à 8 €

Ce rosé est issu d'une saignée du grand vin de Château Barrabaque (AOC canon-fronsac). Fait pour le plaisir, il ne demande qu'à être sympathique et à accompagner sans autre discours des côtes d'agneau ou de porc braisées. Des reflets violets animent sa robe framboise de laquelle émanent de fines odeurs de groseille et de bonbon anglais. Des arômes que l'on distingue également en bouche, après une attaque vive. Un moment de grande fraîcheur.
SCEV Noël, Ch. Barrabaque, 33126 Fronsac,
tél. 05.57.55.09.09, fax 05.57.55.09.00,
e-mail chateaubarrabaque@yahoo.fr r.-v.

### CH. BEL AIR PERPONCHER 2004

7,5 ha 53 000 5 à 8 €

Le château domine l'une des vallées paisibles des bords de la Dordogne. Son rosé met l'accent sur les fleurs blanches, le cassis et la fraise sous une robe saumonée. Une bonne fraîcheur donne du relief à la bouche très ronde, dont les flaveurs rappellent le coulis de framboises. Une bouteille qui fera bel effet aux côtés d'un poulet à la basquaise relevé de piments d'Espelette.
SCEA des Vignobles Despagne,
33420 Naujan-et-Postiac,
tél. 05.57.84.55.08, fax 05.57.84.57.31,
e-mail contact@despagne.fr r.-v.

### CH. BELLEVUE 2004

3,45 ha 26 600 5 à 8 €

Implantés dans l'Entre-Deux-Mers, sur les croupes d'un terroir argilo-calcaire que l'on appelle « terrefort », les 84 ha de vignes sont commandés par le château du XVIII[e]s. Une visite vous permettra d'apprécier le paysage. En souvenir, vous rapporterez peut-être ce rosé dominé par le malbec à 80 % et complété par le cabernet franc. Il revêt une coquette robe à frange légèrement orangée. Les arômes semblent encore endormis, mais ayez la patience d'attendre que le vin s'aère : les fruits rouges s'éveillent bientôt. Le contact au palais se fait lisse, soyeux et léger.
SCEA Famille d'Amécourt, Bellevue Saint-Romain,
33540 Sauveterre-de-Guyenne,
tél. 05.56.71.54.56, fax 05.56.71.83.95,
e-mail y.damecourt@chateau-bellevue.com r.-v.

### CH. BELLEVUE LA MONGIE 2004

■ 1,05 ha 8 000 3 à 5 €

Des paillettes or illuminent la robe saumonée qui laisse s'échapper des arômes de cassis, de groseille et d'agrumes. Le vin emplit le palais d'une chair ronde et grasse, bien relevée par une pointe de vivacité, puis éclate de fruits en finale. Il trouvera sa place sur des filets de rougets au fenouil sur le gril.

Michel Boyer,
Ch. Bellevue La Mongie, 33420 Génissac,
tél. 05.57.24.48.43, fax 05.57.24.48.63 r.-v.

### CH. BONNET 2004

■ n.c. 80 000 5 à 8 €

Au nord de l'Entre-Deux-Mers, le vignoble du château Bonnet occupe des croupes argilo-calcaires dominant la vallée de la Dordogne. André Lurton dirige sa destinée depuis 1959. Le rosé 2004 offre un bouquet puissant de fraise et de pamplemousse, puis une texture ronde et ample qui garde une ligne fruitée, avec les notes d'agrumes du sauvignon. D'un bon équilibre, ce vin pourra courtiser une côte de bœuf grillée, une paella aux fruits de mer ou des *chipirones a la plancha*.

André Lurton, Ch. Bonnet, 33420 Grézillac,
tél. 05.57.25.58.58, fax 05.57.74.98.59,
e-mail andrelurton@andrelurton.com r.-v.

### CH. LA BORNE 2004

■ 11,5 ha 70 000 3 à 5 €

Les trois frères Cardarelli ont su moderniser le chai de cette propriété familiale. Ils ont assemblé merlot, cabernet-sauvignon et cabernet franc à parts presque égales pour élaborer ce rosé de couleur franche et brillante. Le nez est frais et élégant, la bouche fruitée, assez intense.

SCEA Cardarelli, La Borne-Nord, 33790 Massugas,
tél. 05.56.61.48.13, fax 05.56.61.32.38
t.l.j. sf dim. 8h-12h 14h-18h;
sam. mat. sur r.-v.; f. 1er-15 août

### CH. BUTTE DE CAZEVERT 2004 *

■ 2,1 ha 16 000 3 à 5 €

Une belle journée s'annonce au domaine de Monique et Jean-François Dufaget ; vous emprunterez le sentier viticole pour découvrir les cépages et pourrez même pique-niquer. Vous en profiterez pour déguster ce rosé aux délicieuses senteurs de gelée de groseille et de fleurs ; des nuances plus précises de fraise et de citron se révèlent à l'aération. La robe abricot rose invite à profiter des saveurs rondes et souples, rehaussées de fraîcheur. Un vin aimable.

Dufaget, Lafond, 33420 Naujan-et-Postiac,
tél. 05.57.84.57.03, fax 05.57.74.97.14,
e-mail ch.buttedecazevert@cario.fr r.-v.

### CH. CAZEAU 2004 **

■ n.c. 50 000 3 à 5 €

Un vaste domaine dont le vignoble se situe au cœur de l'Entre-deux-Mers, sur les coteaux argilo-calcaires du Sauveterrois. Sous la houlette de l'œnologue Claude Gauthier, il a produit un rosé enjôleur qui déploie de riches arômes de fleurs et de fruits mûrs, avant d'emplir le palais de sa texture souple et fraîche. La finale veloutée et vineuse prolonge le plaisir sur des notes fruitées. A réserver à des grillades et des volailles.

SCI Domaines de Cazeau et Perey, BP 17,
33540 Sauveterre-de-Guyenne, tél. 05.56.71.50.76,
fax 05.56.71.87.70, e-mail cfontaniol@laguyennoise.com
Anne-Marie et Michel Martin

### CELLIER DE BORDES 2004 *

■ n.c. 73 350 - de 3 €

Vêtu d'un rose soutenu miroitant de nuances violettes, ce rosé développe un ample bouquet de fleurs et de fruits. Sa texture veloutée, ronde et légère à la fois, fond au palais. Une bouteille agréable, à présenter avec un buffet campagnard.

Pierre Dumontet,
4, rue du Carbouney, 33560 Carbon-Blanc,
tél. 05.57.77.88.88, fax 05.57.77.88.99

### PIERRE CHANAU 2004 *

■ n.c. 600 000 3 à 5 €

Vendu exclusivement dans les magasins Auchan, dont Pierre Chanau est l'anagramme, ce vin rose bonbon s'annonce gourmand. Son bouquet attrayant met l'accent sur la douceur de la fraise mûre. Un fruité que la bouche fraîche et élancée, légèrement perlante, porte généreusement. Le compagnon de l'apéritif, des plats de brochettes ou d'une savoureuse paella.

Producta, 21, cours Xavier-Arnozan,
33082 Bordeaux Cedex, tél. 05.57.81.18.18,
fax 05.56.81.22.12, e-mail producta@producta.com

### DOM. DU CLAOUSET 2004

■ 0,5 ha 5 000 3 à 5 €

Une faible production pour ce rosé issu d'un terroir argilo-calcaire. Couleur fraise à reflets orangés, il joue à cache-cache au nez avant de s'ouvrir à l'aération sur le fruit et la vanille. D'approche vive, il évolue avec plus de rondeur et de fondu jusqu'à une finale harmonieuse.

EARL Vignobles Siozard,
Au Clauset, 33420 Lugaignac,
tél. 05.57.84.54.23, fax 05.57.84.67.10,
e-mail vignobles-siozard@wanadoo.fr r.-v.

### CH. LA CROIX DE ROCHE 2004

■ 2 ha 14 000 3 à 5 €

Le merlot à 80 % et le cabernet-sauvignon récoltés sur un sol argilo-sableux ont donné naissance à ce rosé brillant de reflets saumonés. Les arômes expressifs d'agrumes trouvent un agréable prolongement en bouche, soutenus par un léger perlant qui émoustille les papilles et donne au vin de la vigueur.

GFA La Croix de Roche, 33133 Galgon,
tél. 05.57.84.38.52, fax 05.57.84.31.39
t.l.j. sf dim. 9h-19h
F. Maurin

FLEUR 2004 *

■ n.c. 33 300 3 à 5 €

L'union des producteurs de Rauzan a fait l'objet d'un vaste plan d'investissement et d'équipement. Une rénovation qui porte ses fruits, comme en témoigne ce rosé qui représente dignement son appellation. Un bouquet puissant mais sans arrogance de fruits rouges (fraise et framboise) marque la dégustation. Plein de grâce et de fraîcheur, le vin affiche une flamme toute juvénile : il est frais et séveux jusqu'en finale. Accordez-le à une pintade braisée en papillote de feuille de choux.

Union des Producteurs de Rauzan, L'Aiguilley, 33420 Rauzan, tél. 05.57.84.13.22, fax 05.57.84.12.67, e-mail accueil@cavesderauzan.com
t.l.j. sf dim. 9h-12h30 14h-18h

CH. FRANC-PERAT 2004

■ 2,85 ha 20 000 8 à 11 €

Cent hectares d'un seul tenant : telle est cette propriété sise en haut d'une colline. Une ancienne place forte qui aurait accueilli Henri IV lors de sa reconquête du royaume. Ce n'est pas en conquérant que ce rosé apparaîtra sur votre table, mais en gentil compagnon de la cuisine méditerranéenne. Un satin rose pâle à reflets saumon emplit le verre, puis montent des notes florales et fruitées. De la douceur, une grande souplesse et d'exquises flaveurs de fraise des bois en font un vin agréable.

SCEA de Mont-Pérat, Le Peyrat, 33550 Capian, tél. 05.57.84.55.08, fax 05.57.84.57.31, e-mail contact@despagne.fr r.-v.

CH. GAILLOT FOURNIER 2004 *

■ 1,72 ha 10 000 3 à 5 €

Sous une bannière rose à reflets orangés défilent des arômes de groseille, de fraise, de menthe et des notes beurrées. Le vin se montre non seulement puissant, mais aussi souple et fondant, avec une finale fruitée goûteuse et croquante. On le devine à l'aise dans une alliance avec des sardines ou des darnes de thon à la braise.

Jean-Paul Zanon, 1, Clavier, 33420 Tizac-de-Curton, tél. 05.57.24.28.50, fax 05.57.24.15.23 r.-v.

CH. DE LA GALOCHEYRE 2004 *

■ 1,08 ha 6 000 3 à 5 €

Depuis 2003, Karine et Cécile, les filles d'Yves Pontalier, œuvrent dans ce domaine familial de près de 11 ha. Le merlot pur, ramassé à parfaite maturité sur le plateau caillouteux de calcaire à astéries, a produit un rosé délicieusement parfumé : réminiscence proustienne d'une tranche de pain chaud nappée de confiture de fraises vanillée. On est séduit par la bouche fondante et volumineuse que le fruit souligne jusqu'en finale. Un dégustateur conclut : « un rosé surprenant, original. »

SCEA Vignobles Pontalier, La Galocheyre, 33126 Saint-Michel-de-Fronsac, tél. et fax 05.57.24.92.16 r.-v.

GRANDES VERSANNES 2004 *

■ 9 ha 66 000 3 à 5 €

Il en met plein les yeux... ce rosé de teinte framboise, presque fluo et aux reflets bleutés. Le nez n'est pas en reste pour autant : fruits rouges intenses et notes mentholées se pressent hors du verre. La bouche est équilibrée, séveuse et ronde, dotée d'une juste vivacité capable d'ouvrir l'appétit et l'esprit.

Union de producteurs de Lugon, 6, rue Louis-Pasteur, 33240 Lugon, tél. 05.57.55.00.88, fax 05.57.84.83.16 r.-v.

CH. HAUT-GARRIGA 2004

■ 10 ha 40 000 3 à 5 €

Du calcaire enrichi d'argile compose l'ossature de ce vignoble. Le merlot (70 % de l'assemblage) y a trouvé sol à son cep. Associé aux deux cabernets, il a produit un rosé pâle qui présente déjà quelques nuances d'évolution dans sa robe. Le nez frais rappelle le bonbon acidulé, la fraise, le cassis, rejoints par d'autres notes plaisantes à l'aération. La bouche légère possède une fraîcheur fruitée vivifiante que souligne encore un côté perlant en finale.

EARL Vignobles C. Barreau et Fils, Garriga, 33420 Grézillac, tél. 05.57.74.90.06, fax 05.57.74.96.63, e-mail barreau.alain@wanadoo.fr
t.l.j. sf dim. 8h-12h 14h-18h

CH. LAROCHE 2004 *

■ 1 ha 3 900 3 à 5 €

Sur l'étiquette figure la silhouette de ce château doté d'une tour du XVIes. Julien et Martine Palau conduisent son domaine de 25 ha, mais n'ont accordé qu'un petit hectare à ce rosé confidentiel. Rose-rouge frangé de violacé, ce 2004 reste encore très près du raisin par ses arômes fruités. Son développé souple, ample et rond prépare gentiment le palais à un repas au jardin. Au menu : noisettes d'agneau et aubergines.

Martine Palau, Ch. Laroche, 33880 Baurech, tél. 05.56.21.31.03, fax 05.56.21.36.58, e-mail chateau.laroche@wanadoo.fr r.-v.

CH. LARROQUE 2004

■ 56 ha n.c. 3 à 5 €

Du tout cabernet : 60 % de cabernet-sauvignon et 40 % de cabernet franc. Si un fruité discret se libère de la robe pâle et brillante, l'expression du cabernet est plus manifeste en bouche, accompagnant l'impression de fraîcheur de l'attaque, puis la rondeur du développement. Terrine de légumes et volaille lui feront bon accueil.

M. C. Boyer de La Giroday, 18, rte de Montignac, 33760 Ladaux, tél. 05.57.34.54.00, fax 05.56.23.48.78, e-mail vignobles-ducourt@wanadoo.fr r.-v.

MAYNE SANSAC 2004

■ 5 ha 33 000 3 à 5 €

Une couleur profonde et brillante, à la limite du rouge, invite à profiter du bouquet de fruits rouges – fraise, framboise, groseille – et de fruits exotiques (banane). Une fraîcheur vivifiante relève la bouche ronde et coulante qui laisse toute sa place au fruit. Pour un magret de canard séché et fumé ou un jambon de pays.

Dom. de Sansac, Les Lèves, 33220 Sainte-Foy-la-Grande, tél. 05.57.56.02.02, fax 05.57.56.02.22, e-mail jm.portier@univitis.fr r.-v.

CH. DE MICOULEAU 2004

■ 4 ha 30 000 3 à 5 €

Le propriétaire de ce château s'est allié aux œnologues de Ginestet pour produire ce rosé de teinte pâle, à nuances orangées. Le nez mêle les fleurs blanches, la fraise et le beurre frais, tandis que la bouche souple et légère laisse une impression veloutée. Un vin tout simple mais bien sympathique pour accompagner un repas champêtre ou accueillir un invité surprise.

⊶ Ginestet, 19, av. de Fontenille,
33360 Carignan-de-Bordeaux,
tél. 05.56.20.90.74, fax 05.56.20.91.74,
e-mail contact@ginestet.fr ☑ Y ⚘ r.-v.
⊶ GFA de Micouleau

## CH. MYLORD 2004 ★

| ■ | 1 ha | 8 000 | | 3 à 5 € |
|---|---|---|---|---|

Des Anglais habitaient cette chartreuse au XVIII[e]s. Alain et Michel Large en sont aujourd'hui les gentlemen, à la tête de 45 ha. Leur rosé couleur vieux rose fait briller des nuances orangées d'évolution. Les arômes sont à l'avenant : fruits secs, notes minérales et menthol. Aucun doute : ce vin a l'accent du soleil et des fruits mûrs. Sa chair est toute douce, équilibrée par une pointe de vivacité en finale. Avez-vous noté sur votre agenda la date du prochain barbecue entre copains ?
⊶ SCEA Ch. Mylord, 33420 Grézillac,
tél. 05.57.84.52.19, fax 05.57.74.93.95 ☑ Y ⚘ r.-v.
⊶ A. et M. Large

## CH. PENEAU 2004 ★

| ■ | n.c. | 10 000 | | 3 à 5 € |
|---|---|---|---|---|

Un rosé de pur cabernet-sauvignon qui exprime bien la nature du sol qui l'a vu naître : graves blanches sur calcaire à astéries. Couleur framboise légèrement orangé, il livre un bouquet intense de fruits rouges et de fruits exotiques sur fond de bonbon anglais. La bouche est souple, délicate et fondante, dominée par le fruit. À découvrir sans plus tarder avec un carré de porc accompagné de choucroute.
⊶ Ch. Péneau, 33550 Haux,
tél. 05.56.23.05.10, fax 05.56.23.39.92
☑ Y ⚘ t.l.j. 8h-12h 14h-18h; sam. dim. sur r.-v.
⊶ Dany et Jean-Dany Douence

## CH. PENIN 2004 ★

| ■ | 5 ha | 34 000 | | 5 à 8 € |
|---|---|---|---|---|

Des raisins de cabernet-sauvignon (60 %) et de merlot récoltés à parfaite maturité. Après une macération de quatre à six heures, une saignée et un pressurage doux, le vin a fermenté lentement, puis est resté sur ses lies fines. C'est un rosé de teinte claire ponctué d'orange que l'on découvre ainsi et dont on apprécie l'orchestration fruitée. Par son velouté, il coule en douceur, avec un rien d'embonpoint. Un vin de quatre heures.
⊶ SCEA Patrick Carteyron, Ch. Penin,
33420 Génissac, tél. 05.57.24.46.98, fax 05.57.24.41.99,
e-mail vignoblescarteyron@wanadoo.fr ☑ Y ⚘ r.-v.

## CH. DE PIC Belle de Nuit 2004 ★

| ■ | 13 ha | 100 000 | | 3 à 5 € |
|---|---|---|---|---|

Ravissante Belle de Nuit dans sa robe d'un rose vif si dense qu'elle évoque le clairet. Le bouquet déploie de douces notes de framboise, de fraise et de mûre en accord avec les autres arômes de fleurs blanches et de violette. La bouche charme par son fondant, sa rondeur et la persistance du fruit, avec un côté émoustillant très agréable.
⊶ Masson-Régnault, Ch. de Pic, 33550 Le Tourne,
tél. 05.56.67.07.51, fax 05.56.67.21.22 ☑ Y ⚘ r.-v.

## CH. PIERRAIL 2004

| ■ | 3,5 ha | 27 000 | | 5 à 8 € |
|---|---|---|---|---|

Ce château du XVII[e]s. accueillit pour un court séjour la duchesse de Berry en 1832. Aujourd'hui, c'est dans la grande salle de dégustation que la famille Demonchaux vous reçoit et vous propose ce rosé brillant, saumoné. Il parle le langage des fleurs, mais aussi celui des fruits rouges et des fruits exotiques avec finesse. De sa chair souple et ronde, bien équilibrée, on retient l'empreinte fruitée en estompe. Vous apprécierez cette bouteille avec des charcuteries, du jambon de Parme ou des plats exotiques, sucrés-salés.
⊶ EARL Ch. Pierrail, 33220 Margueron,
tél. 05.57.41.21.75, fax 05.57.41.23.77 ☑ Y ⚘ r.-v.
⊶ J. et A. et A. Demonchaux

## CH. RAUZAN DESPAGNE
Cuvée de Landeron 2004

| ■ | 7,5 ha | 53 000 | | 5 à 8 € |
|---|---|---|---|---|

Du cabernet-sauvignon récolté sur un sol argilo-calcaire à astéries est né ce rosé de teinte claire, dont les dégradés orangés annoncent un début d'évolution. Le nez se partage entre la fraise, la framboise, les fleurs et des notes gourmandes de bonbon anglais. Un même caractère fruité et friand marque la bouche charnue et très douce.
⊶ SCEA des Vignobles Despagne,
33420 Naujan-et-Postiac,
tél. 05.57.84.55.08, fax 05.57.84.57.31,
e-mail contact@despagne.fr ☑ Y ⚘ r.-v.

## CH. REYNIER 2004 ★

| ■ | 2 ha | 12 000 | | 5 à 8 € |
|---|---|---|---|---|

Marc Lurton a déjà reçu plusieurs coups de cœur. Né de merlot et de cabernet-sauvignon à parts égales, ce 2004 fait valoir ses atouts dans sa robe légère. Il sent la brioche, la banane, la cerise et la framboise comme un panier d'été. De tenue souple, il ne manque ni d'allant ni d'équilibre et laisse joliment persister les fruits.
⊶ SCEA Vignobles Marc Lurton, Ch. Reynier,
33420 Grézillac, tél. 05.57.84.52.02, fax 05.57.84.56.93,
e-mail marc.lurton@wanadoo.fr ☑ Y ⚘ r.-v.

## CH. LA RIVALERIE 2004

| ■ | 2,28 ha | 15 000 | | 3 à 5 € |
|---|---|---|---|---|

À 4 km de la citadelle de Blaye, cette propriété, dont l'histoire remonterait à l'époque de François Ier, couvre 35 ha sur des sols argilo-calcaires. Son vin évoque la griotte, le cassis et le bonbon anglais sous une teinte rose violacé. De bonne consistance et riche de flaveurs fruitées, il garde une ligne rafraîchissante jusqu'à sa finale mentholée. Pour des plats exotiques.
⊶ SCEA La Rivalerie, rte de Saint-Christoly,
1, La Rivalerie, 33390 Saint-Paul-de-Blaye,
tél. 05.57.42.18.84, fax 05.57.42.14.27,
e-mail larivalerie@wanadoo.fr
☑ Y ⚘ t.l.j. 8h-12h 14h-18h; sam. dim. sur r.-v.;
f. 15-30 août

## CH. LA ROSE SAINT-GERMAIN 2004

| ■ | n.c. | n.c. | | 3 à 5 € |
|---|---|---|---|---|

De l'union des deux cabernets (60 % de cabernet-sauvignon) est né ce rosé de teinte vive et brillante qui mêle intimement les accents floraux à de frais arômes de fraise, de griotte et d'agrumes. A l'attaque fraîche, pimpante, répond une bouche veloutée et aérienne, qui porte bien le fruit du raisin. Un vin coquet.
⊶ Les Vins de Crus, 60, bd Pierre-I[er], 33000 Bordeaux,
tél. 05.57.34.54.00, fax 05.56.23.48.78,
e-mail vignobles-ducourt@wanadoo.fr ⚘ r.-v.
⊶ Vignobles Ducourt

### ROSE SAINTE BARBE 2004

■ n.c. 10 000 3 à 5 €

On doit à Jean-Baptiste Lynch, maire de Bordeaux, la création de ce vignoble au XVIII[e]s. La chartreuse sise en bordure de la Garonne vous évoquera ce Siècle des lumières en Bordelais. Le rosé Sainte Barbe, violine brillant, demande un souffle d'air pour révéler ses timides parfums de fraise et de framboise. Un léger perlant en bouche éveille cependant le fruit de la bouche ronde.

SCEA Ch. Sainte-Barbe, 33810 Ambès,
tél. et fax 05.56.77.19.02,
e-mail chateausaintebarbe@wanadoo.fr r.-v.

### CH. SAINT-FLORIN 2004 ★

■ 11 ha 80 000 3 à 5 €

Vous avez oublié de mettre le tire-bouchon dans le panier à pique-nique ? Aucun souci, vous trouverez ce rosé sous capsule à vis. En un tour de main et sans effort, le voici qui coule de la bouteille, emplissant les verres d'une couleur rose printanière. Profitez des arômes de fruits rouges, de cassis et de banane. Intéressez-vous à sa bonne mâche, à sa souplesse et à sa jolie finale fruitée qui rappelle la pêche blanche. Un vin fort agréable.

SC Vignobles Jolivet, Ch. Saint-Florin,
33790 Soussac, tél. 05.56.61.31.61, fax 05.56.61.34.87,
e-mail jeanmarcjolivet@wanadoo.fr r.-v.

### CH. DE SOURS 2004

■ 16 ha 90 000 8 à 11 €

Une part importante de merlot associée à 30 % de cabernets récoltés sur un terroir argilo-calcaire bien exposé. Telles sont les origines de ce rosé ouvert sur les fruits et les fleurs. Le vin est souple, dense, séveux même, prolongé d'un fruité frais. Un candidat sérieux pour accompagner une entrecôte à la bordelaise ou des plats méditerranéens canailles.

SCEA Ch. de Sours, 33750 Saint-Quentin-de-Baron,
tél. 05.57.24.10.81, fax 05.57.24.10.83,
e-mail esme@chateaudesours.com r.-v.

Krajewski

### CH. LES TUILERIES 2004 ★

■ 1,5 ha 12 000 3 à 5 €

Un pur cabernet-sauvignon qui joue la distinction par son bouquet de fleurs, de cassis, de fraise et d'agrumes, qu'une pointe mentholée vient encore rafraîchir. Équilibré, il trouve un bon compromis entre une mâche ronde et la fraîcheur du fruit. De la personnalité pour faire le succès d'un repas improvisé autour de charcuteries et de grillades.

SCEA des Vignobles Menguin, 194, Gouas,
33760 Arbis, tél. 05.56.23.61.70, fax 05.56.23.49.79,
e-mail vignoblesmenguin@cario.fr
t.l.j. 8h-12h 14h-19h; f. week-end juil. août

### CH. TURCAUD 2004 ★★

■ 2 ha 15 000 5 à 8 €

A 2 km de l'abbaye de La Sauve-Majeure, haut lieu du vignoble de l'Entre-deux-Mers, Simone Maurice-Robert a acquis en 1973 cette propriété qui compte aujourd'hui 45 ha. Cabernet franc (50 %), merlot (35 %) et cabernet-sauvignon composent ce vin. Dès le premier regard porté sur la robe rose framboise, le dégustateur en perçoit la maturité. Le bouquet confirme cette impression : éventail de fragrances de fruits rouges et d'agrumes (pamplemousse, citron). La bouche friande allie finesse, fruité et fraîcheur.

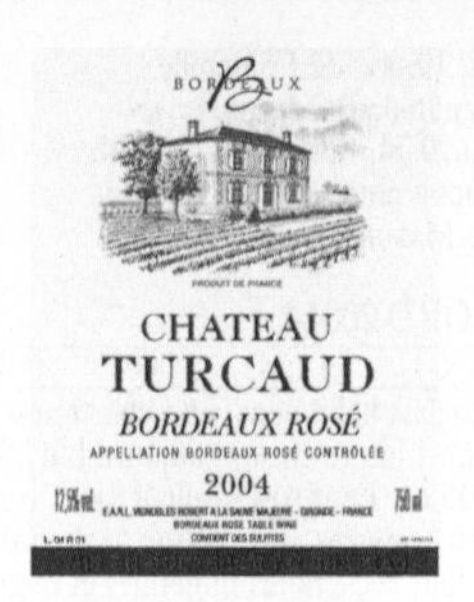

BORDEAUX
CHATEAU
TURCAUD
BORDEAUX ROSÉ
APPELLATION BORDEAUX ROSÉ CONTRÔLÉE
2004


EARL Vignobles Maurice Robert,
Ch. Turcaud, 33670 La Sauve-Majeure,
tél. 05.56.23.04.41, fax 05.56.23.35.85,
e-mail chateau-turcaud@wanadoo.fr r.-v.

### CH. LA VERRIERE 2004

■ 3 ha 20 000 3 à 5 €

Un vin galant, aux saveurs rondes et tendres. Facile à boire. Simplicité n'est pas défaut, surtout lorsque des arômes fruités de framboise et d'agrumes se mêlent de la dégustation, associés à la fleur de genêt au nez. La couleur est dense, qui plus est, brillante de nuances bleutées. Seraient-ce les reflets du ciel d'été au-dessus du jardin ? Pour des barbecues surprises ou des buffets campagnards.

EARL André Bessette,
8, La Verrière, 33790 Landerrouat,
tél. 05.56.61.33.21, fax 05.56.61.44.25,
e-mail alain.bessette@cario.fr r.-v.

Alain et André Bessette

### CH. VIEUX CARREFOUR 2004

■ 7 ha 15 000 3 à 5 €

François Gabard a repris en 1999 la propriété familiale située dans la région du Fronsadais. Cabernet-sauvignon et merlot sont à égalité dans l'assemblage de son rosé, épaulés par le cabernet franc. Sous une teinte rose assez profonde apparaissent des arômes de verveine, de confiture de fraises, de buis et de rose rouge. Le vin est coulant, rondelet comme le veut le merlot. Une tarte aux myrtilles lui tiendra compagnie.

EARL François Gabard, Le Carrefour,
33133 Galgon, tél. 05.57.74.30.77, fax 05.57.84.35.73,
e-mail vignobles.gabard@laposte.net r.-v.

# Bordeaux supérieur

### CH. L'ANGE Elevé en fût de chêne 2002 ★

■ 0,75 ha 4 000 3 à 5 €

Ce vin issu essentiellement d'un terroir argilo-calcaire possède une belle matière sous une teinte sombre, brillante et profonde. Le nez perçoit beaucoup de fruit allié à un boisé aux accents d'épices et de noix de coco. Une structure puissante, du volume et une finale assez longue témoignent du potentiel de vieillissement de ce 2002 : quatre à cinq ans de garde sont à sa portée.

Eric Eymas, 1, L'Ange, 33240 Saint-Laurent-d'Arce,
tél. 06.12.63.68.90, fax 05.57.43.82.85,
e-mail talarisplantier@aol.com r.-v.

CH. D'ARGADENS 2002 ★

| ■ | 40 ha | 130 000 | ◖◗ | 5 à 8 € |
|---|---|---|---|---|

Argadens est le nouveau nom donné par la maison Sichel au château Salle d'Arche lors de son acquisition en 2002. Il rend hommage à l'ancienne famille qui le possédait. Toutes les promesses de la robe rubis soutenu sont tenues à la dégustation de ce vin. Le bouquet naissant évoque étonnamment l'amande et la noisette, avant d'évoluer à l'aération vers un fruité bien présent. Dense, la chair est soutenue par des tanins encore un peu austères, mais élégants, présage d'une évolution favorable. A réserver à un repas de chasse.

SA Maison Sichel, 8, rue de la Poste,
33210 Langon, tél. 05.56.63.50.52,
fax 05.56.63.42.28, e-mail maisonsichel@sichel.fr
t.l.j. sf dim. 9h-18h30

CH. DES ARRAS Cuvée Prestige 2002

| ■ | 0,95 ha | 6 300 | ◖◗ | 5 à 8 € |
|---|---|---|---|---|

Une propriété d'un seul tenant commandée par une demeure du XVe s. et conduite par une jeune viticultrice. Cette dernière signe un vin qu'il faut aérer pour apprécier pleinement son nez de fruits bien mûrs finement épicés. L'attaque est franche, le support tannique solide mais bien enrobé.

SCEA J.M.A. Rozier, Ch. des Arras,
33240 Saint-Gervais, tél. 05.57.43.00.35,
fax 05.57.43.58.25, e-mail chateau-arras@enfrance.com
t.l.j. sf sam. dim. 9h-12h 14h-17h

DOM. DU BALLAT
L'esprit du Ballat Elevé en fût de chêne 2002

| ■ | 1,5 ha | 5 000 | ◖◗ | 5 à 8 € |
|---|---|---|---|---|

Vous voici au pays de Mauriac et de Toulouse-Lautrec. Cette propriété de 36 ha dirigée depuis longtemps par des femmes propose un bordeaux supérieur typique, d'un élégant rubis. Des arômes plaisants et frais se libèrent, accompagnés de notes fines de réglisse et de vanille. L'attaque savoureuse et onctueuse est en harmonie avec la structure souple et discrète perceptible en milieu de bouche. N'attendez plus : débouchez cette bouteille lors de votre prochain repas de famille.

EARL Vignobles Trejaut,
Dom. du Ballat, 33490 Saint-André-du-Bois,
tél. 05.56.76.42.83, fax 05.56.76.45.14 r.-v.

CH. BARREYRE 2003 ★

| ■ | 10 ha | 60 000 | ◖◗ | 8 à 11 € |
|---|---|---|---|---|

Un vin qui ne se départ jamais de son élégance. Voyez sa robe grenat profond, presque noire, qui virevolte dans le verre et laisse s'échapper des arômes expressifs de fruits confiturés qui invitent à la gourmandise. Sa matière ronde et ample, volumineuse, cherche à envelopper des tanins encore rois, mais qui devraient assurer un avenir prometteur. Oubliez-le sans crainte trois à quatre ans en cave.

SC Ch. Barreyre, Beau-Rivage, 33460 Macau,
tél. 05.57.88.07.64, fax 05.57.88.07.00
t.l.j. sf dim. 9h-12h 14h-18h
Giron

CH. BAUDUC 2002 ★

| ■ | 9,06 ha | 15 500 | ◖◗ | 5 à 8 € |
|---|---|---|---|---|

Arrivés en 2000, les Quinney, d'origine anglaise, ont donné un nouvel élan à cette propriété de 30 ha de vignes et de 70 ha de parcs et de bois. A dominante de merlot récolté sur un terroir argilo-graveleux, leur 2002 a gardé toute sa jeunesse dans sa robe rouge franc et intense comme dans son bouquet concentré qui marie harmonieusement les notes du raisin et du bois. Charnu et corsé, il est équilibré par une agréable fraîcheur et épaulé par des tanins prometteurs. Un vin sérieux qui saura bien évoluer au cours des deux à huit ans à venir. Pour une cuisine traditionnelle.

Vignobles Quinney, Ch. Bauduc, 33670 Créon,
tél. 05.56.23.22.22, fax 05.56.23.06.05,
e-mail team@bauduc.com r.-v.

CH. BEAULIEU Comtes de Tastes 2003 ★

| ■ | 15 ha | 75 000 | ◖◗ | 8 à 11 € |
|---|---|---|---|---|

Ici, on respecte le terroir argilo-calcaire et l'environnement. Elaboré à partir de 50 % de merlot et de 50 % de cabernets, le 2003 s'habille d'une robe sombre, éclairée de reflets violets. Ses arômes évoquent les fruits rouges et les baies sauvages, élégamment soulignés d'épices, comme la cannelle. Après une attaque franche s'imposent des tanins mûrs et longs, gage d'une bonne tenue dans les deux à trois ans. Du même producteur, le **Château Haut Gay 2003 (5 à 8 €)** est cité.

Guillaume et Vianney de Tastes,
SCEA Ch. Beaulieu, 33240 Salignac,
tél. 06.23.17.19.88, fax 05.56.81.73.85,
e-mail vianneydetastes@yahoo.fr r.-v.

CH. BEAU RIVAGE Elevé en fût de chêne 2003 ★

| ■ | 6 ha | 30 000 | ◖◗ | 8 à 11 € |
|---|---|---|---|---|

Vous reconnaîtrez la propriété, maison de maître, à ses volets bleus. Issue d'une ancienne famille de tonneliers, Christine Nadalié conduit plus de 7 ha de vignes avec sagesse. Elle a su attendre le bon moment pour vendanger des raisins mûrs et profiter de leur potentiel aromatique. Cas rare, son vin assemble cinq cépages, dont 15 % de petit verdot. Le fruit domine les notes de caramel et de vanille héritées de dix-huit mois d'élevage en fût. La bouche est ronde et délicate. Devant tant de charme, il sera bien difficile de résister à la tentation d'ouvrir cette bouteille avant deux ou trois ans. Pourtant, c'est à ce moment qu'elle sera la meilleure. Une étoile également pour **Le Phare de Château Beau Rivage 2003 (15 à 23 €)**, à réserver à un gibier vers 2007.

Christine Nadalié, SCEA Ch. Beau Rivage,
7, chem. du Bord-de-l'Eau, 33460 Macau,
tél. 05.57.10.03.70, fax 05.57.10.02.00,
e-mail chateau-beau-rivage@nadalie.fr
t.l.j. 9h-12h 14h-18h; sam. dim. sur r.-v.

CH. BEL AIR PERPONCHER 2003 ★★

| ■ | 10 ha | 65 000 | | 8 à 11 € |
|---|---|---|---|---|

Une grande noblesse caractérise ce vin de couleur sombre dont les arômes de fruits et de fleurs finement épicés se prolongent au palais, accompagnant une bonne mâche et une structure équilibrée. Les tanins se disciplinent en finale pour laisser une impression élégante et soyeuse. Attendez cette bouteille jusqu'en 2007 : elle aura alors atteint son apogée.

SCEA des Vignobles Despagne,
33420 Naujan-et-Postiac,
tél. 05.57.84.55.08, fax 05.57.84.57.31,
e-mail contact@despagne.fr r.-v.

CH. BELLE-GARDE L'Excellence 2003 ★

| ■ | 2,5 ha | 12 000 | ◖◗ | 8 à 11 € |
|---|---|---|---|---|

A la tête de 45 ha, Eric Duffau a suffisamment d'expérience pour tirer le meilleur de ce millésime étonnant. Pour preuve, ce vin pourpre aux arômes de fruits nuancés de fines notes de grillé et de menthol très frais. Toute la vigueur et la franchise de la jeunesse. Il emplit le palais d'une matière généreuse, soutenue par des tanins soyeux qui laissent toute sa place au fruité. On a envie de l'apprécier dès maintenant.

🔑 Eric Duffau, Ch. Belle-Garde, 33420 Génissac,
tél. 05.57.24.49.12, fax 05.57.24.41.28,
e-mail duffau.eric@wanadoo.fr
☒ Y ⚲ t.l.j. sf sam. dim. 8h-12h30 14h-19h; f. 15-30 août

## CH. BELROSE MONCAILLOU 2003

■ 7 ha 21 333 ⬮ 8 à 11 €

Ce château du début du XIXes propose un vin rubis qui offre un nez intense aux notes de cuir et de tabac. A l'aération apparaît un fruit bien mûr qui se prolonge en bouche, doublé d'épices. Rond et équilibré, structuré, ce 2003 doit encore se parfaire à la faveur de deux ou trois ans de garde.

🔑 Ernst Reinersmann, SCEA Ch. Belrose,
Dom. de Maucaillou, 33670 Sabirac,
tél. 05.56.30.68.10, fax 05.56.30.63.61,
e-mail domaine.maucaillou@wanadoo.fr ☒ Y r.-v.

## CH. DE BLASSAN 2003

■ 8 ha 48 000 ▮⬮♁ 3 à 5 €

Des reflets framboise animent la robe intense de ce vin. Au nez, c'est plutôt la groseille qui se manifeste, sans se laisser intimider par les notes finement grillées issues de l'élevage en barrique de douze mois. On perçoit beaucoup de souplesse et de fraîcheur, une structure simple mais équilibrée, dont la finale franche est plaisamment boisée. A présenter à table jusqu'en 2007.

🔑 SCEA Ch. de Blassan, 4, Blassan, 33240 Lugon,
tél. 05.57.84.40.91, fax 05.57.84.82.93 ☒ Y ⚲ r.-v.
🔑 Guy Cenni

## CH. BOIS-MALOT

Tradition Elevé en fût de chêne 2002 ★

■ 8 ha 28 000 ▮⬮♁ 8 à 11 €

La maison du début du XVIIIes., ainsi que les vignes qui couvrent aujourd'hui 16 ha ont été parfaitement restaurées par la famille Meynard qui a acquis la propriété dans les années 1970. Cette cuvée est élégante dans sa robe grenat profond, pleine de finesse dans son bouquet vanillé aux notes de fruits mûrs. Harmonieuse aussi tant les tanins sont enrobés. Un vin bien construit, capable de vieillir, mais suffisamment délicat pour procurer du plaisir dès maintenant. Le **Château Bois-Malot 2002 (5 à 8 €)**, élevé en cuve et composé à 60 % de cabernet-sauvignon, obtient également une étoile : fruité et velouté, il peut être bu dès l'automne 2005.

🔑 SCA Meynard,
133, rte des Valentons, 33450 Saint-Loubès,
tél. 05.56.38.94.18, fax 05.56.38.92.47 ☒ Y ⚲ r.-v.

## CH. DE BONHOSTE

Cuvée Prestige Elevé en fût de chêne 2002 ★

■ 9,5 ha 12 000 ⬮ 8 à 11 €

Une propriété familiale de plus de 50 ha sur un sol argilo-calcaire. Le merlot représente 70 % de cette cuvée, accompagné des deux cabernets. Rien d'étonnant à ce que ce vin se montre si rond et charnu, d'une trame tannique soyeuse. De sa robe rouge presque brique émanent des notes de vanille, de pain d'épice, de chocolat et même d'amande grillée. Le fruit garde bien sa place dans ce bouquet. Une gourmandise qui s'épanouira pleinement à la faveur de deux à trois ans de garde.

🔑 Bernard Fournier,
Ch. de Bonhoste, 33420 Saint-Jean-de-Blaignac,
tél. 05.57.84.12.18, fax 05.57.84.15.36,
e-mail fournier.colette@wanadoo.fr ☒ Y ⚲ r.-v.

## DOM. DU BOUSCAT

Cuvée La Gargone Hommage à Emilie 2002 ★

■ 2,5 ha 6 000 ⬮ 11 à 15 €

Le croirez-vous ? A la fin du XIXes., le vin de cette propriété était vendu en... pharmacie ! Il est vrai qu'à cette époque où l'eau courante était insalubre, Louis Pasteur considérait le vin comme « la plus hygiénique des boissons ». Les temps ont changé. Aujourd'hui, François Dubernard cultive ses vignes en biodynamie. Son 2002 né du merlot (58 %), des cabernets et du malbec séduit par sa robe rouge soutenu à reflets violines. Il montre de l'harmonie dans ses arômes d'épices, de girofle et de poivre qui rivalisent avec les fruits mûrs, le boisé restant discret. Vif en attaque, il gagne ensuite en charnu, mais ses tanins encore sévères invitent à une garde de deux ans. Il sera alors parfaitement élégant.

🔑 François Dubernard, 310, domaine du Bouscat,
33240 Saint-Romain-la-Virvée,
tél. 05.57.58.20.82, fax 05.57.58.23.59,
e-mail francois.dubernard@wanadoo.fr ☒ Y ⚲ r.-v.

## CH. DE BRAGUE Plantier de la Reine 2003 ★★

■ n.c. 9 320 ⬮ 5 à 8 €

Du merlot à 80 %, des cabernets à 20 % donnent ce vin rubis intense d'un remarquable classicisme bordelais. Les notes de vanille, de torréfaction nuancent les arômes de fruits mûrs, presque cuits, et apportent de la complexité au bouquet. La bouche est ample, chaleureuse, d'une bonne mâche. Certes, les tanins sont encore jeunes, mais ils révèlent déjà de l'élégance et sont une promesse d'évolution favorable pour ce 2003 au cours des deux ou trois années à venir. Le **Château de Brague Cuvée de L'Etoile 2003 (11 à 15 €)**, élevé en fût, est cité : il se montre souple et léger, plus boisé que fruité.

🔑 Ch. de Brague, 8, Brague, 33240 Vérac,
tél. 05.57.84.41.01, fax 05.57.84.83.03 ☒ Y ⚲ r.-v.
🔑 Galland

## CH. BRAN DE COMPOSTELLE

Cuvée Louisa Elevé en fût de chêne 2003 ★

■ 2 ha 7 800 ⬮ 3 à 5 €

Pourquoi Bran de Compostelle ? Parce que le chemin de Compostelle faisait un petit détour par ce château pour aboutir à une hospitalerie de Saint-Jean-de-Jérusalem. Même si vous ne vous rendez pas à Compostelle, faites-y halte pour découvrir cette cuvée Louisa créée en 2002. Dans le millésime 2003, elle se fait remarquer par sa fraîcheur et son caractère friand : des arômes de raisins mûrs, de fleurs et un boisé fondu composent son bouquet. Classique dans sa robe rouge, ce vin présente de l'élégance et de la vivacité en bouche ; ses tanins fringants lui assureront une bonne garde (quatre ans). Réservez-lui des mets délicats.

🔑 GAEC de La Brande, La Maçonne,
33760 Frontenac, tél. et fax 05.56.23.98.50,
e-mail brancompostelle@aol.com ☒ Y ⚲ r.-v.
🔑 Eric Barrat

### CH. DE BRONDEAU 2003 ★

■ 7 ha n.c. 8 à 11 €

En pleine restructuration, ce vignoble de 14 ha planté sur un terroir argilo-limoneux, aux portes de Libourne, a de nombreux atouts. Pour preuve, ce 2003 élégant, vêtu de couleur vive. Si le bois domine encore un peu le nez, des notes fraîches de fruits rouges, de fraise et de cerise, tiennent parfaitement leur place. Bien élaboré, le vin se montre souple, chaleureux, doté de tanins parfaitement extraits. Ceux-ci s'affirment encore au palais comme une promesse d'un potentiel de garde d'au moins quatre ans.

SCEV Vignobles Brondeau, Ch. Brondeau, 33500 Arveyres, tél. 05.57.55.11.80, fax 05.57.55.11.84, e-mail chateaubrondeau@free.fr r.-v.

Mme Meneret

### CH. BRUN-DESPAGNE Quintessence 2002 ★

■ 2 ha 8 000 11 à 15 €

Du merlot, vous en voulez ? En voici un à 100 %. Une Quintessence élégante et puissante, dont l'élevage de quatorze mois en barrique, très réussi, a respecté le fruit mûr. Ample et généreuse, elle marie la rondeur typique du cépage à des tanins encore frais qui ne masquent en rien la finale fruitée, aux notes confites. Cette bouteille saura attendre deux ou trois ans.

Ch. Brun-Despagne, 33420 Génissac, tél. 06.20.83.02.63, fax 05.57.55.51.69, e-mail chbrundespagne@infonie.fr r.-v.

Querre

### CH. CABLANC Prestige 2003 ★★

■ 10 ha 60 000 8 à 11 €

Réputé dans le cadre du tourisme vitivinicole pour son gîte, ce domaine excelle également par sa production. Des rendements raisonnables, une bonne maturité de la vendange, de longues macérations et un élevage en barrique maîtrisé, telles sont les clés du succès de ce 2003 presque noir qui offre des senteurs complexes de fruits mûrs, légèrement vanillés et grillés. De la fraîcheur aromatique, un équilibre harmonieux, de la longueur : un vin complet que vous apprécierez d'ores et déjà, mais qui pourra aussi vieillir deux ou trois ans.

Jean-Lou Debart, SCEA de Ch. Cablanc, 33350 Saint-Pey-de-Castets, tél. 05.57.40.52.20, fax 05.57.40.72.65, e-mail chcablanc@aol.com t.l.j. 10h-18h, sam.dim. sur r.-v.

### CH. LA CADERIE Elevé en fût de chêne 2002 ★

■ 8 ha 50 000 5 à 8 €

Autrefois, une caderie était un lieu de stockage des cades, tonneaux de 1 000 l. La cade était aussi une unité de mesure sous la Révolution. Aujourd'hui, c'est en barrique que cet assemblage de merlot (75 %) et de cabernet-sauvignon a été élevé. Le vin décline des arômes de fruits et un boisé fondu aux accents légèrement torréfiés. Il possède du corps, une structure élégante et du volume. Encore un peu jeune ? En effet, mieux vaut l'attendre jusqu'en 2008.

François Landais, Ch. La Caderie, 33910 Saint-Martin-du-Bois, tél. 05.57.49.41.32, fax 05.57.49.43.02, e-mail chateau-la-caderie@wanadoo.fr r.-v.

### CH. LE CALVAIRE 2003 ★

■ 10 ha 100 000 5 à 8 €

Vous échapperez aisément au calvaire d'une longue attente... Car ce millésime vous propose un charme immédiat, dont il serait dommage de ne pas profiter dès 2005-2006. Voyez sa robe rouge profond à reflets violets, signe de fraîcheur. Les arômes fruités de cassis ne se laissent pas dominer par le boisé d'un élevage de six mois en fût. Une séduction qui se prolonge en bouche tant le fruit imprègne la chair ronde.

Pierre Dumontet, 4, rue du Carbouney, 33560 Carbon-Blanc, tél. 05.57.77.88.88, fax 05.57.77.88.99

### CH. LA CAPELLE Elevé en fût de chêne 2003 ★

■ 2,7 ha 16 000 5 à 8 €

A proximité de Libourne et de Saint-Emilion, sur les chemins de randonnée, faites une halte agréable pour découvrir ce 2003. Une note exotique de noix de coco venue du chêne participe à la complexité aromatique de ce vin et souligne les arômes de raisins bien mûrs. Souple et charnue, la bouche garde une ligne fraîche et finement poivrée. Les tanins encore assez marqués par le bois n'en sont pas moins élégants et contribuent à l'harmonie de l'ensemble.

GAEC J.-R. Feyzeau et Fils, La Capelle, 33500 Arveyres, tél. 05.57.51.09.35, fax 05.57.51.86.27 r.-v.

### LE CŒUR DE CASTENET 2002

■ 2 ha 7 500 8 à 11 €

Une toute petite parcelle au rendement maîtrisé a produit ce 2002 sombre à reflets violines qui mérite d'être aéré pour révéler ses arômes de fruits rouges et noirs (cassis), finement boisés et épicés. Soyeux et gras en attaque, le vin n'en présente pas moins une structure affirmée : les tanins encore sévères demandent à se fondre au cours des deux ou trois ans à venir.

EARL François Greffier, Ch. Castenet, 33790 Auriolles, tél. 05.56.61.40.67, fax 05.56.61.38.82, e-mail ch.castenet@wanadoo.fr r.-v.

### DOM. DES CHAPELLES 2003 ★★

■ n.c. 20 000 3 à 5 €

Un terroir argilo-calcaire au sous-sol pierreux a porté les cépages merlot (80 %) et cabernets à l'origine de ce vin dont la teinte pourpre brillant témoigne d'une vendange mûre à souhait. On reste sous le charme des notes de cerise, de mûre et de cassis qui explosent à l'aération. L'attaque est souple et franche, le corps équilibré, le grain des tanins soyeux et élégant. Tout le fruit réapparaît, intense et croquant, en finale. Comme c'est plaisant ! Noté une étoile, le **Château Le Grillon 2003 (5 à 8 €)** s'appuie sur des tanins solides qui se fondront dans le temps.

Les Producteurs réunis de Puisseguin et Lussac-Saint-Emilion, 33570 Puisseguin, tél. 05.57.55.50.40, fax 05.57.74.57.43, e-mail direction@producteurs-reunis.com t.l.j. sf sam. dim. 8h30-12h30 14h30-18h30

### CLOS NORMANDIN 2003 ★★

■ 15 ha 100 000 3 à 5 €

On travaille d'arrache-pied au Clos Normandin. Depuis qu'il a repris, en 2000, la propriété créée par son grand-père, Jean-Marc Alicandri restructure le vignoble, refait le cuvier et cherche encore et encore à parfaire ses vinifications. Il trouve sa récompense dans ce 2003 qui explose en fruits persistants : cassis, framboise, griotte. Ces arômes se prolongent en bouche, aux côtés de notes de

violette élégantes. Les tanins fondus soutiennent la finale longue, enveloppés d'une chair séveuse et volumineuse. Vivement 2007 pour profiter de cette bouteille.
EARL R. Alicandri et Fils,
12, le Bourg, 33750 Saint-Quentin-de-Baron,
tél. et fax 05.57.24.26.03,
e-mail closnormandin@wanadoo.fr r.-v.

### CH. LE CONSEILLER 2003

10 ha 35 000 11 à 15 €

Au XVIIIe s., le propriétaire de ce château était conseiller au parlement de Bordeaux. Depuis 2002, Jean-Philippe Janoueix, déjà bien implanté en Bordelais, en conduit la destinée. Ce vin de merlot à 95 %, complété par le cabernet franc, s'habille d'une robe grenat profond et livre des arômes complexes de cassis, de confiture et de torréfaction. Corsé dès l'attaque, il est bien structuré. Les tanins encore exubérants nécessitent un temps pour se fondre ; la matière est là, prometteuse.
Jean-Philippe Janoueix, 83, cours des Girondins,
33500 Libourne, tél. 05.57.25.91.19, fax 05.57.48.00.04,
e-mail topwinesonly@free.fr r.-v.

### CH. DE CORNEMPS 2003

25 ha 150 000 3 à 5 €

A voir : les chais sont adossés à une paroi rocheuse, et une chapelle du XIe s. est bâtie sur un roc. A goûter : dans la fraîcheur de son jeune âge, cette cuvée rouge cerise s'ouvre à l'aération sur des notes de fruits mûrs, légèrement confits et épicés. Les tanins puissants prennent encore un peu de place, alors que les arômes persistent agréablement en bouche. A attendre deux ou trois ans pour davantage d'harmonie.
EARL Vignobles Fagard,
Cornemps, 33570 Petit-Palais,
tél. 05.57.69.73.19, fax 05.57.69.73.75,
e-mail vignobles.fagard@wanadoo.fr r.-v.

### CH. COTES DE CASSAGNE Fanny 2003 *

0,7 ha 3 000 8 à 11 €

Merlot (90 %) et cabernet-sauvignon plantés sur ce terroir argilo-calcaire ont produit ce vin couleur violine et brillant. Au premier nez apparaissent des notes boisées, tandis que l'aération favorise la montée d'un fruité de cassis net et mûr, puis d'un caractère floral. Tout en rondeur, la bouche bénéficie d'une structure puissante, dont l'élégance est assurée par des tanins soyeux. Encore un ou deux ans et cette bouteille s'exprimera pleinement.
Cyril et Myriam Chancelier, Ch. Côtes de Cassagne,
33350 Ruch, tél. 05.57.40.53.13 r.-v.

### CH. COURONNEAU Cuvée Pierre de Cartier Elevé en barrique neuve 2002 **

6 ha 20 000 8 à 11 €

Ce vin est à l'image du beau château reconnaissable à ses huit tours. Comme lui, il montre une imposante structure. Rouge profond à reflets cerise intense, il marie de manière complexe un boisé fondu, finement épicé, aux fruits noirs et à une touche de cuir. Il évolue en bouche avec rondeur, gagne de l'ampleur et s'appuie sur des tanins soyeux qui se prolongent en finale. Equilibre et charme jusqu'en 2010.
Piat, Ch. Couronneau, 33220 Ligueux,
tél. 05.57.41.26.55, fax 05.57.41.27.58,
e-mail chateau-couronneau@wanadoo.fr
r.-v.

### DOM. DE COURTEILLAC 2003 **

26 ha 86 000 8 à 11 €

Dominique Méneret n'est pas un inconnu dans le Saint-Emilionnais. Il a racheté ce domaine de 26 ha en 1998 qu'il restructure progressivement et dont il tire le meilleur du terroir argilo-calcaire. Pour preuve, ce vin rond, aux tanins agréables et à la structure solide. Le charme et la richesse ne sont pas absents tant les arômes d'épices douces et de fruits frais se pressent dans le verre et persistent au palais. De l'équilibre et une remarquable plénitude.
SCA Dom. de Courteillac, 2, Courteillac,
33350 Ruch, tél. 05.57.40.79.48, fax 05.57.40.57.05,
e-mail domainedecourteillac@free.fr r.-v.
D. Méneret

### CH. DAMASE 2003 *

n.c. 80 000 5 à 8 €

Merlot à 100 %. Naturellement sur un sol argilo-sableux qui assure une lente maturation à ce cépage précoce. Ce vin s'adaptera à une cuisine simple, sympathique pour des repas sans façon dès aujourd'hui. Bordeaux frangé de carmin brillant, il est fruité au possible, avec quelques notes fumées discrètes. De la fraîcheur persistante, de la souplesse, des tanins harmonieux : l'ensemble est friand.
Xavier Milhade, Ch. Damase,
33910 Savignac-de-l'Isle, tél. 05.57.55.48.90,
fax 05.57.84.31.27, e-mail milhade@milhade.fr

### CH. L'ESCART Omar Khayam 2003 *

4 ha 12 000 11 à 15 €

Régulièrement présente dans le Guide, cette cuvée digne du poète persan Omar Khayam revêt une robe grenat profond, éclairée de reflets violets. Les arômes de confiture de fruits rivalisent avec ceux de pruneau. La bouche est riche, équilibrée, charpentée par des tanins de qualité qui portent loin la finale harmonieuse. Une bouteille qui tiendra au moins deux ou trois ans en cave. La cuvée **Prestige L'Eden 2003 (8 à 11 €)** est citée. Encore dominée par le bois, elle doit vieillir avant de rejoindre sur la table un plat mijoté.
Gérard Laurent, Ch. L'Escart,
70, chem. Couvertaire, BP 8, 33450 Saint-Loubès,
tél. 05.56.77.53.19, fax 05.56.77.68.59,
e-mail lescart@wanadoo.fr r.-v.

### CH. FERET-LAMBERT 2003 *

4,5 ha 15 600 8 à 11 €

Il serait dommage de ne pas visiter le chai de ce château, adossé à la falaise de calcaire. Une vraie caverne d'Ali Baba où a vieilli ce vin puissant, aux arômes de fruits rouges intenses. Le boisé se fond avec élégance, en apportant des notes épicées, fraîches. La structure est équilibrée, la matière soyeuse et les tanins serrés. Cette bouteille a le temps devant elle pour se parfaire encore et encore.
SCEA Sulzer-Féret, Dom. de Lambert,
33420 Grézillac, tél. 05.57.74.93.18, fax 05.57.74.93.05,
e-mail feretlambert@aol.com r.-v.

### CH. FREYNEAU Cuvée traditionnelle Vin vieilli en fût de chêne 2002

19 ha 80 000 5 à 8 €

Ce domaine familial, bien implanté depuis vingt ans sur plusieurs petites exploitations, s'enrichit en 2004 d'un nouveau chai à barriques que n'a pas connu ce 2002. Rubis intense à reflets vermillon, ce vin, après une attaque soyeuse et vanillée, se montre rond : il est prêt à accompagner un canard à la crème de truffe noire.

EARL Maulin et Fils,
81, rte de Sorbède, 33450 Montussan,
tél. 05.56.72.95.46, fax 05.56.72.84.29,
e-mail accueil@chateau-freyneau.com
t.l.j. sf sam. dim. 9h-12h30 13h30-18h

## CH. LE GRAND CHEMIN
Cuvée élevée et vieillie en fût de chêne 2003

■ 2,25 ha 15 000 5 à 8 €

Un velours noir brillant habille ce vin aux notes de merlot mûr : les fruits rouges restent maîtres, escortés de nuances boisées qui commencent à se fondre. Harmonieux, soutenu par une structure souple, le palais évolue vers une finale persistante qui évoque la griotte. Il ne faudra pas trop attendre pour déguster ce 2003. Décantez-le, il n'en sera que meilleur avec une viande en sauce.

Bourseau, SCEA Le Grand-Chemin, Pradelle,
33240 Virsac, tél. 05.57.43.29.32, fax 05.57.43.39.57,
e-mail sc.legrandchemin@wanadoo.fr
t.l.j. sf dim. lun. 15h-19h

## CH. DE LA GRANDE CHAPELLE 2003

■ 11,42 ha 47 000 5 à 8 €

Beaucoup de fraîcheur dans ce bordeaux supérieur grenat brillant de reflets framboise. Très discret, il demande à être aéré pour révéler ses charmantes notes de fruits mûrs épicés et une pointe de cacao. La fraîcheur de la bouche souligne les tanins bien présents, mais sans agressivité. La structure est équilibrée et souple, déjà plaisante.

EARL des Vignobles Liotard,
La Grande Chapelle, 33240 Lugon-et-l'Ile-du-Carney,
tél. 05.57.84.41.52, fax 05.57.84.45.02,
e-mail vignoblesliotard@free.fr r.-v.

## CH. GRAND FERRAND 2003

■ 24,3 ha 178 000 3 à 5 €

Cette propriété de plus de 80 ha est installée sur des collines argilo-limoneuses. Le merlot (90 %) et le cabernet-sauvignon ont donné naissance à ce vin riche d'arômes floraux et fruités. L'intensité de sa robe pourpre annonce la densité de la matière. Les tanins encore un peu austères demandent un ou deux ans pour se fondre et apporter l'harmonie attendue.

Ch. Grand Ferrand, lieu-dit Grand-Ferrand,
33540 Sauveterre-de-Guyenne, tél. 05.56.71.60.42,
fax 05.56.71.69.08, e-mail grand.ferrand@wanadoo.fr

## GRAND MOULIN Prélude n° 3 2003 ★

■ 0,5 ha 3 000 15 à 23 €

C'est au nord du département, sur un sol graveleux, que ce vin 100 % merlot a vu le jour. Les amateurs de boisé seront heureux de percevoir dès maintenant ses notes de pain grillé et de noix de coco. Les autres l'apprécieront dans deux ou trois ans, lorsqu'il aura acquis plus de fondu. Car tous les éléments sont réunis pour assurer une bonne évolution : structure puissante, volume, tanins en passe de s'enrober, finale harmonieuse. Une pointe de fraîcheur apporte ce petit plus qui émoustille les papilles.

GAEC du Grand Moulin, La Champagne,
33820 Saint-Aubin-de-Blaye, tél. 05.57.32.62.06,
fax 05.57.32.73.73, e-mail jfreaud@wanadoo.fr
t.l.j. sf dim. 9h-12h 14h-18h
Réaud

## CH. LES GRANDS JAYS 2003 ★

■ 11 ha 50 000 5 à 8 €

Christelle travaille au chai, Martine se charge de la commercialisation sous l'œil bienveillant de Jean Boireau, leur père, qui exploite la propriété depuis une quarantaine d'années. Une famille qui travaille bien, à en juger par ce vin aux frais arômes, subtilement réglissés. Cette fraîcheur équilibre le palais gras, souple et dense, bien construit. Vous pouvez déguster cette bouteille dès maintenant ou bien l'attendre un peu. Il en va de même du **Grand Lavergne 2003**, noté une étoile : un vin harmonieux, fruité et boisé.

Jean Boireau, Les Grands Jays,
33570 Les Artigues-de-Lussac,
tél. 05.57.24.32.08, fax 05.57.24.33.24,
e-mail earl-vignobles-boireau@wanadoo.fr r.-v.

## CH. LE GRAND VERDUS Grande Réserve 2003

■ 7 ha 15 000 11 à 15 €

Ravissante gentilhommière du XVIe s. commandant un vignoble de 85 ha. Ce 2003 était très jeune lors de la dégustation ; le fût ne permettait pas encore au fruit de s'exprimer. Néanmoins on percevait quelques nuances de fruits confits, de cacao, de grillé. La structure équilibrée devrait permettre une bonne évolution.

Ph. et A. Le Grix de La Salle, Ch. le Grand Verdus,
33670 Sadirac, tél. 05.56.30.50.90, fax 05.56.30.50.98,
e-mail le.grand.verdus@wanadoo.fr r.-v.

## CH. LA GRAVETTE DES LUCQUES
Elevé en fût de chêne 2003 ★★

■ 4,12 ha 30 000 5 à 8 €

C'est au port de Portets que les vins des Graves partaient autrefois vers Bordeaux. N'attendez pas que cette bouteille vienne à vous ; allez donc la chercher au domaine pour découvrir la région. Un bordeaux supérieur dominé par le merlot bien mûr qui fait preuve d'une grande concentration dans ses arômes de pruneau légèrement épicé et de café. Tout aussi puissant en bouche, il se montre charnu et consistant, bâti autour de tanins encore jeunes mais prometteurs. Attendez que le boisé d'un merrain torréfié s'estompe et laisse s'exprimer toute l'élégance de la matière.

EARL Patrice Haverlan, 11, rue de l'Hospital,
33640 Portets, tél. et fax 05.56.67.11.32,
e-mail patrice.haverlan@worldonline.fr r.-v.

## CH. GUILLAUME BLANC Cuvée du Consul 2003

■ 3 ha 7 600 5 à 8 €

Guillaume Blanc était consul de la bastide de Sainte-Foy-la-Grande en 1525. Son nom désigne aujourd'hui un vin franc. Si les épices, le pain grillé, la noix de coco et le moka dominent le nez, le fruit apparaît en bouche, soulignant la rondeur du merlot. Le boisé et les tanins encore austères demandent à se fondre au cours de deux ans de garde.

Frédéric Guiraud, SCEA Ch. Guillaume, BP 43,
33220 Saint-Philippe-du-Seignal, tél. 05.57.46.48.16,
fax 05.57.46.42.16, e-mail contact@grm-vins.fr r.-v.

## CH. HAUT DAMBERT Agape 2003 ★★

■ 0,5 ha 2 000 15 à 23 €

Jean-Luc Buffeteau n'était pas un néophyte lorsqu'il a repris la propriété familiale en 1998. Œnologue, il s'est lancé dans la sélection parcellaire et dorlote son merlot pour l'amener à une maturité optimale. Il a ainsi obtenu un 2003 presque noir, ourlé de reflets violets. Des notes de fruits, de fleurs, d'épices explosent en un bouquet chatoyant, tandis que la bouche fait preuve de souplesse, de finesse, de structure et d'un fruité persistant. Ne vous faites pas prier : cette bouteille est prête.

SCEA Vignobles Buffeteau,
lieu-dit Dambert, 33540 Gornac,
tél. 05.56.61.97.59, fax 05.56.61.97.65 r.-v.

## CH. HAUT-GAUSSENS
Eminence Elevé en fût de chêne 2002 ★

■ 2,5 ha 5 000 5 à 8 €

Le merlot règne en maître sur ce terroir argilo-calcaire et exprime tous ses caractères dans ce vin aux frais arômes de petits fruits (cassis, framboise, groseille), soulignés de notes complexes apportées par l'élevage d'un an en fût. Séducteur, il se fait suave, rond grâce à des tanins disciplinés. Le fruit d'une vendange mûre et d'une vinification réfléchie. A boire jusqu'en 2007.

Michel Lhuillier et Fils, 4, Les Gaussens, 33240 Vérac, tél. 05.57.84.38.17, fax 05.57.84.42.55 r.-v.

## CH. HAUT NADEAU
Réserve du propriétaire 2003 ★★

■ 10 ha 48 000 5 à 8 €

A 5 km de l'abbaye de La Sauve-Majeure, ce domaine de plus de 18 ha bénéficie du savoir-faire de son propriétaire. Œnologue, Patrick Audouit a su préserver toute l'expression aromatique du raisin : son vin sent bon le pruneau, la griotte et la mûre. Les tanins corsés sont bien enveloppés par une chair concentrée et volumineuse, laissant une juste place au fruit qui persiste en finale. Un 2003 complet et harmonieux, qui a le potentiel pour attendre cinq ans en cave. La **cuvée Prestige 2003 (8 à 11 €)** obtient une étoile. Le bois la domine encore, mais l'on perçoit une bonne matière.

SCEA Ch. Haut Nadeau, 3, chem. d'Estévenadeau, 33760 Targon, tél. et fax 05.56.20.44.07, e-mail hautnadeau@hotmail.fr r.-v.

Audouit

## CH. HAUT NIVELLE
Cuvée Prestige Elevé en fût de chêne 2003 ★

■ 5 ha 33 000 5 à 8 €

Abandonné dans les années 1960 après un gel dévastateur, ce terroir argilo-siliceux a été reconquis par la vigne vingt ans plus tard. Quel chemin a été parcouru depuis. Le 2003, pourpre profond, attire le regard par ses légers reflets violets, puis séduit par l'élégance de ses arômes d'abord toastés, puis très fruités, dominés par le cassis. L'équilibre est le maître mot de la dégustation jusqu'à la finale de griotte bien mûre. Un vin structuré, à boire ou à attendre.

SCEA les Ducs d'Aquitaine, Favereau, 33660 Saint-Sauveur-de-Puynormand, tél. 05.57.69.69.69, fax 05.57.69.62.84, e-mail vignobles@lepottier.com r.-v.

Le Pottier

## CH. HAUT SAINT MARTIN
Elevé en fût de chêne 2003

■ 8 ha 18 000 5 à 8 €

Rubis soutenu, ce vin évoque les fruits mûrs nuancés de café et d'un très léger boisé. L'empreinte de la barrique marque son attaque souple, mais elle ne tarde pas à se fondre : la bouche ronde accorde une large place aux flaveurs de fruits compotés. Les tanins déjà soyeux autorisent aussi bien un service immédiat avec une viande blanche qu'une petite garde.

B. Lafon, la Garrigue, 33910 Saint-Martin-de-Laye, tél. 05.57.55.48.90, fax 05.57.84.31.27, e-mail milhade@milhade.fr

## CH. HAUT-SORILLON Cuvée Prestige 2002

■ 4 ha 12 000 5 à 8 €

Un domaine de 34 ha et une petite cuvée élevée douze mois en barrique. Bordeaux par sa couleur, ce vin évoque le fruit mûr dès le premier nez, avec une étonnante note de poire. La bouche est agréable, fraîche et équilibrée, très aromatique en finale. Bien sûr, les tanins un peu sévères demandent à s'affiner, mais vous saurez bien patienter quelques mois.

SCE Vignobles Rousseau, 1, Petit-Sorillon, 33230 Abzac, tél. 05.57.49.06.10, fax 05.57.49.38.96, e-mail chateau@vignoblesrousseau.com r.-v.

## CH. HAUT-TERRASSON
Elevé en fût de chêne 2003 ★

■ 25,74 ha 170 000 3 à 5 €

Des vignes de merlot (60 %) et de cabernet-sauvignon cultivées en coteau sur un terroir argilo-graveleux dominant la Garonne ont donné naissance à un 2003 de teinte cerise intense. Du fruit en veux-tu-en-voilà, souligné de notes finement grillées du merrain. Le vin est rond et soyeux, harmonieux en finale. Le tire-bouchon est à portée de main ? Servez-vous-en. Mais rien n'interdit d'attendre un peu.

SCEA Gonfrier Frères, Ch. de Marsan, 33550 Lestiac-sur-Garonne, tél. 05.56.72.14.38, fax 05.56.72.10.38, e-mail gonfrier@terre-net.fr r.-v.

## CH. DES HUGUETS 2002 ★

■ 5 ha 8 000 5 à 8 €

Récoltant aussi dans les aires d'appellation du Libournais, cette propriété se distingue avec ce bordeaux supérieur issu d'un assemblage classique : le merlot domine, mais les cabernets l'épaulent à hauteur de 30 %. Né d'un terroir argilo-siliceux et graveleux, ce vin de teinte soutenue semble timide de prime abord, puis s'ouvre à l'aération sur des arômes de fruits rouges mûrs. La bouche monte en puissance après une bonne attaque, soutenue par des tanins prometteurs et déjà élégants malgré leur jeunesse. Une réelle complexité se manifeste en finale. Goûtez cette bouteille dans un an ou deux.

Vignobles Paul Bordes, Faize, 33570 Les Artigues-de-Lussac, tél. 05.57.24.33.66, fax 05.57.24.30.42, e-mail vignobles.bordes.paul@wanadoo.fr r.-v.

## DOM. DE L'ILE MARGAUX
Cuvée Mer de Garonne 2002 ★

■ n.c. 6 000 15 à 23 €

L'Ile Margaux, en pleine Garonne, est un lieu béni des dieux. Extraordinaire terroir d'argiles bleues favorable à la maturation du raisin, où le petit verdot prospère. Ce cépage constitue 40 % de cet assemblage, complété par 30 % de merlot et 30 % de cabernet-sauvignon. D'un rouge intense et brillant, le vin décline de riches notes épicées (poivre) et fruitées (cassis), puis offre une structure de tanins fins, quoique fermes encore. De la fraîcheur, de la persistance et un boisé qui respecte le fruit : tout invite à redécouvrir cette bouteille dans un ou deux ans.

Favarel, Dom. de l'Ile Margaux, 33460 Margaux, tél. 06.81.21.33.23, fax 05.57.88.35.87, e-mail domaine@ilemargaux.com r.-v.

## CH. DE JABASTAS Cuvée Prestige 2003 ★

■ 3 ha 15 000 5 à 8 €

Peut-être viendrez-vous à Izon un jour de mascaret, lorsque la vague attendue par les surfeurs s'avance dans un

bruit étonnant. Reprenez vos esprits au château Jabastas, dont le nouveau propriétaire a élaboré une cuvée grenat intense, ouverte sur des parfums de mûre et de cerise noire finement vanillés. Si l'attaque est discrète, la puissance se révèle bientôt car les tanins sont denses, un peu fermes mais prometteurs.
Ch. Jabastas, 35, av. des Prades, 33450 Izon, tél. 05.57.84.97.13, fax 05.57.84.97.14, e-mail chateaudejabastas@skynet.be r.-v.

### CH. JEAN FAUX 2003 *

4,5 ha 18 000 11 à 15 €

Il faut remonter au Moyen Age pour retrouver les origines de cette propriété implantée dans la vallée de la Dordogne. Son terroir argilo-calcaire a donné naissance à un vin grenat brillant, dont les tanins puissants ne manquent pas de noblesse. Certes, il faut oublier le bois pour apprécier pleinement sa chair ronde, mais les notes de réglisse se marient déjà joliment à un fruité croquant. Le temps ne pourra que parfaire l'harmonie.
Ch. Jean Faux, 33350 Sainte-Radegonde, tél. 05.57.40.03.85, fax 05.56.93.69.39 r.-v.
P. et C. Collotte

### CH. JEANGUILLON 2003 *

25 ha 130 000 8 à 11 €

Une propriété familiale de 80 ha sur argilo-calcaires qui a produit un vin pourpre à reflets violacés, partagé entre des arômes intenses de sous-bois et de fruits mûrs. Solidement structuré, celui-ci possède une chair riche et une belle étoffe tannique en passe de s'affiner. Déjà, on perçoit le caractère qui sied au gibier à plume.
SAS Vignobles Michel Pommier, Vrai Caillou, 33790 Soussac, tél. 05.56.61.31.56, fax 05.56.61.33.52, e-mail vignoblespommier@aol.com r.-v.

### CH. JULIAN Elevé en fût de chêne 2003 *

5 ha 30 000 5 à 8 €

Cette cuvée grenat intense, élevée huit mois en barrique, se distingue par la subtilité et la complexité de ses arômes : la griotte mûre s'associe à un boisé fin, légèrement vanillé. En bouche, un beau fruit se manifeste d'emblée, tout juste souligné de pain grillé. L'équilibre se réalise entre la chair ronde et une charpente prometteuse. Du même producteur, le **Château Grand-Jean 2003 élevé en fût de chêne** obtient également une étoile. Davantage marqué par ses douze mois sous bois, il devra retrouver tout son fruit dans les deux ans à venir.
SC Dulon, Grand-Jean, 33760 Soulignac, tél. 05.56.23.69.16, fax 05.57.34.41.29, e-mail dulon.vignobles@wanadoo.fr r.-v.

### CH. LABOURDETTE Cuvée Prestige 2002

10 ha 50 000 5 à 8 €

Gardez cette bouteille pour accompagner une cuisine traditionnelle dans un ou deux ans. Issue d'un terroir argilo-calcaire sur les coteaux de l'Entre-deux-Mers, celle-ci renferme le fruit d'un merlot et d'un cabernet-sauvignon. Rouge bordeaux : le grand classique, en somme. Les arômes francs de pruneau soutenus par un boisé de qualité se prolongent au palais. Ils en soulignent la nature charnue, même si des tanins un peu austères se manifestent en finale.
SCEA Bernard Gauthier, Ch. Labourdette, 33540 Saint-Sulpice-de-Pommiers, tél. 05.56.71.50.18, fax 05.56.71.62.45, e-mail bgauthier@tiscali.fr r.-v.

### LA RESERVE DE LAFITE MONTEIL 2003

9,5 ha 60 000 3 à 5 €

Le sauté de bœuf emplit la cuisine d'une bonne odeur... C'est le moment d'ouvrir cette bouteille rouge cerise brillant, aux arômes fruités, légers et primesautiers. D'attaque fraîche, elle est construite sur une trame de tanins solides qui ne masquent cependant pas le fruit. Courant 2006, elle devrait être fin prête pour votre plat préféré.
Jean Téchenet, Maison Grand Monteil, BP 8, 33370 Sallebœuf, tél. 05.56.21.12.37, fax 05.56.78.39.91 t.l.j. 9h-12h 14h-18h, f. 24-31 déc.

### CH. LAFLEUR-NAUJAN 2003 *

3,9 ha 23 000 5 à 8 €

Ce bordeaux supérieur aux reflets grenat intense associe merlot (60 %) et cabernets bien mûrs récoltés sur un terroir argilo-calcaire. De même que son nez vineux s'agrémente de notes de cerise, de torréfaction et de vanille, sa bouche volumineuse et pleine marie harmonieusement le fruit et le bois. Un vin souple, riche d'une bonne matière qui plaira tout de suite.
SARL Les Grands Châteaux de Naujan, 33420 Saint-Vincent-de-Pertignas, tél. 05.57.30.00.75, fax 05.56.86.15.45, e-mail info@direct-chateaux.com r.-v.

### CH. LAGRANGE LES TOURS
Les Cent Rangs 2002 *

2,6 ha 14 400 8 à 11 €

Sur le circuit des églises romanes du Cubzaguais, aux portes de Bordeaux, découvrez ce petit château d'époque Napoléon Ier, puis poussez votre exploration jusqu'au chai. Ce vin de garde est déjà bien agréable par ses notes de fruits noirs et ses accents plus intenses d'épices vanillées qui se révèlent à l'aération. Joliment structurée, dotée d'une chair ronde, fine et persistante, une bouteille qui a étonné favorablement le jury.
SCEA des Vignobles Choquet, 30, rue de Bernescut, 33240 Cubzac-les-Ponts, tél. et fax 05.57.43.04.96, e-mail vignobles.choquet@wanadoo.fr r.-v.

### CH. LAGRAVE PARAN Cuvée Géraldine 2003

4 ha 17 000 5 à 8 €

Une dominante de cabernets sur un terroir argilo-graveleux pour un vin paré d'une robe sombre et brillante qui s'ouvre sur des notes fruitées, légèrement torréfiées et balsamiques complexes. Une agréable texture, un fruité croquant et une finale ample et fraîche contribuent à l'harmonie générale de ce 2003 bien élevé.
EARL Lafon, Ch. Lagrave Paran, 33490 Saint-André-du-Bois, tél. 06.89.33.20.20, fax 05.56.76.49.78, e-mail pierre-lafon@wanadoo.fr r.-v.

### CH. LANDEREAU Prestige 2003 **

5 ha 20 000 11 à 15 €

Riche de sites touristiques, l'Entre-deux-Mers intéresse aussi l'amateur de vin. Aucune déception à la dégustation de ce 2003 rouge foncé. Tout est bon et beau en lui. Depuis ses arômes puissants et complexes de fruits confits, nuancés de torréfaction, de moka et de pain grillé, jusqu'à sa rondeur charmeuse et élégante qui tend à envelopper les solides tanins. L'avenir est à lui. Le **Château de L'Hoste blanc Vieilles Vignes 2003 (5 à 8 €)** obtient une étoile pour sa bonne matière.

⊶ Vignobles Baylet, Ch. Landereau, 33670 Sadirac, tél. 05.56.30.64.28, fax 05.56.30.63.90, e-mail vignoblesbaylet@free.fr
☑ Y ⛹ t.l.j. sf sam. dim. 8h-12h 13h30-17h30

### CH. LARONDE DESORMES 2003 ★

■ 9,1 ha 50 000 ⬤ 8 à 11 €

Né sur les bords de la Garonne, ce vin rubis brille de reflets violets, signe de sa jeunesse. Les arômes intenses de fruits mûrs se marient aux notes vanillées et légèrement mentholées issues de la barrique. Toute la fraîcheur du raisin est ainsi préservée. Aussi abondant en bouche, le fruité marque d'accents de cerise et de cassis la belle matière qui enrobe les tanins. A savourer jusqu'en 2008.
⊶ SC Ch. Laronde-Desormes, 33460 Macau, tél. 05.57.88.07.64, fax 05.57.88.07.00 ☑ Y ⛹ r.-v.

### CH. LARTEAU Cuvée Renaissance Vieilles Vignes Elevé en fût de chêne 2002 ★★

■ 1 ha 2 300 ⬤ 5 à 8 €

Cette propriété rénovée lors de son rachat en 1995 n'est pas une nouvelle venue dans le Guide. Son originalité tient à son vignoble qui fut l'un des rares à avoir échappé au phylloxéra grâce à un système d'irrigation astucieux. Un siècle plus tard, son 2002 rubis à reflets violines a su faire la différence. L'élevage en barrique neuve bien maîtrisé a légué au bouquet complexe et puissant des notes épicées et finement grillées, parfaitement mariées au fruit. Après une attaque franche, le vin se montre charnu et frais à la fois, d'une bonne longueur. Une bouteille harmonieuse qui saura évoluer favorablement au cours des deux ou trois ans à venir. Si vous l'ouvrez auparavant, servez-la sur des grillades.
⊶ SCEV Ch. Larteau, Larteau 1, 33500 Arveyres, tél. 05.57.24.86.98, fax 05.57.24.89.69 ☑ Y ⛹ r.-v.
⊶ Ch. et V. Vergne

### CH. LATHIBAUDE 2003 ★★

■ 25 ha 80 000 ▮♁ 5 à 8 €

Limpide et brillant, d'un rouge profond, ce vin décline des notes finement grillées tout en laissant au fruit mûr une large place dans le bouquet après aération. Les tanins encore jeunes mais soyeux composent une remarquable structure ; ils ne demandent qu'à se fondre au fil du temps pour parfaire l'harmonie générale. Le fruit indétrônable se prolonge délicieusement en finale.
⊶ Dynasties de France, Ch. Lesparre, 33750 Beychac-et-Caillau, tél. 05.57.24.51.23, fax 05.57.24.03.99, e-mail vins.gonet@clubadsl.fr
☑ Y ⛹ t.l.j. sf sam. dim. 9h-12h 14h-17h30
⊶ Gonet

### CH. DE LAUNAY Les Vignes de Julia 2003 ★

■ 10 ha 20 000 ▮⬤♁ 8 à 11 €

Un certain sens de l'élégance pour cette cuvée aux notes savoureuses de kirsch et de vanille fine. Les arômes concentrés se renouvellent en bouche, soulignant le volume et le charnu du vin. Bien sûr, les tanins encore sévères qui composent sa structure solide méritent de s'assouplir, mais tout s'arrangera dans les deux ou trois ans à venir. Les plus patients d'entre vous seront récompensés.
⊶ SCEA du Ch. de Launay, 2, La Moussante, 33790 Soussac, tél. 05.56.61.31.44, fax 05.56.61.39.76, e-mail deraignac@aol.com ☑ Y ⛹ r.-v.

### CH. LAVERGNE-DULONG 2003 ★

■ 15 ha 26 666 ⬤ 8 à 11 €

C'est tout le savoir-faire d'une maison de bonne réputation qui s'exprime ici. Sylvie Dulong a élaboré un vin flatteur dans une robe sombre, brillante et limpide, frangée de violet. Les tanins fins et soyeux s'inscrivent gentiment dans la bouche ronde et volumineuse qui persiste sur des notes confites de raisin mûr. A suivre d'ici à 2007.
⊶ Sylvie Dulong, 33140 Montussan, tél. 06.73.69.54.45, fax 05.57.94.09.91

### CH. LESTRILLE CAPMARTIN Cuvée Tradition Elevé en fût de chêne 2002 ★

■ 6,8 ha 50 000 ▮⬤♁ 5 à 8 €

Chez les Roumage, on a l'esprit de famille et le sens du terroir. A chaque parcelle de vignes correspond son mode de vinification et d'élevage. Mais on s'intéresse aussi à la technique. C'est ainsi que les vins subissent un microbullage pour exprimer plus de rondeur dès leur jeunesse. Tel est le cas de ce 2002 qui fait dialoguer le fruit et le bois avec courtoisie. Sous une robe rubis brillant apparaissent des arômes de fruits bien mûrs, suaves et finement grillés. On reste sous le charme de la chair ample et ronde, soutenue par des tanins certes présents, mais fins et élégants. Du plaisir pendant encore quatre ou cinq ans. le **Château Lestrille Capmartin cuvée Prestige Elevé en fût de chêne 2002 (8 à 11 €)** obtient lui aussi une étoile, de même que le **Château Lestrille 2002 (3 à 5 €)** qui n'a pas connu le bois. L'un est encore marqué par le merrain, mais prometteur, l'autre déjà fondu et souple.
⊶ EARL Jean-Louis Roumage, Lestrille, 33750 Saint-Germain-du-Puch, tél. 05.57.24.51.02, fax 05.57.24.04.58, e-mail jlroumage@lestrille.com
☑ Y ⛹ t.l.j. 8h30-12h30 14h-18h; sam. dim. sur r.-v.

### CH. LEZIN 2003 ★

■ 39 ha 50 000 ▮⬤♁ 3 à 5 €

Des raisins bien mûrs ont donné de beaux arômes confiturés à ce vin, perceptibles dès le premier nez. Le bouquet complexe, finement épicé, se prolonge en bouche dont il agrémente la structure imposante, la vinosité et le joli volume. Les tanins encore serrés s'affirment sans masquer la rondeur. Accordez quelques mois à cette bouteille pour l'apprécier dans toute sa subtilité.
⊶ Maison Delor, 35, rue de Bordeaux, BP 49, 33290 Parempuyre, tél. 05.56.35.53.14, fax 05.56.35.53.81, e-mail delor.gms@cvbg.com

### 1ER ALEXIS LICHINE Cuvée exceptionnelle 2002

■ n.c. 130 000 ▮♁ 3 à 5 €

Alexis Lichine, disparu en 1989, était un expert grand connaisseur du Bordelais où il avait acquis un domaine qui porte désormais son nom. Cette cuvée qui lui rend hommage est un assemblage de 65 % de merlot, de 25 % de cabernet-sauvignon et de 10 % de cabernet franc. La robe cerise suscite déjà la gourmandise. Et ce n'est pas vaine promesse, car la bouche, souple, laisse une impression d'harmonie. Les tanins sont présents sans agressivité et le fruité s'exprime sans contrainte, reprenant la déclinaison de fruits rouges perçue au nez. A découvrir dans la fraîcheur de la jeunesse.
⊶ Les caves de Landiras Louis Eschenauer, rte de Balizac, 33720 Landiras, tél. 05.57.98.07.41, fax 05.57.98.07.35

## CH. DE LISENNES
Cuvée Prestige Elevé en fût de chêne 2002

■ 5 ha 33 000 🕪 5 à 8 €

Depuis 1938, la famille Soubie conduit ce vignoble implanté sur un terroir argilo-calcaire aux portes de Bordeaux. Le 2002, issu exclusivement de cabernet-sauvignon, affiche sous une teinte profonde à reflets cerise des arômes intenses et frais de fruits mûrs légèrement épicés. Un vin agréable, charnu, dont les tanins soyeux annoncent une bonne aptitude au vieillissement (trois ans). **L'Esprit Lisennes 2002 (8 à 11 €)** est également cité.

Soubie, Ch. de Lisennes, 33370 Tresses,
tél. 05.57.34.13.03, fax 05.57.34.05.36,
e-mail contact@lisennes.fr
t.l.j. sf sam. dim. 8h-12h 13h30-17h30

## CH. DE LUGAGNAC 2002 *

■ 20 ha 60 000 5 à 8 €

Lors d'un voyage sur la route des Abbayes, arrêtez-vous dans cette propriété, totalement rénovée, pour découvrir son château et son 2002. Pourpre profond à reflets violacés, celui-ci décline des notes de vanille, de toast et de fumée avant de libérer à l'aération les arômes d'un raisin mûr à point. La structure tannique respecte la rondeur et contribue à donner de l'ampleur à ce vin qui saura se bonifier dans les trois prochaines années et trouver sa pleine expression.

Famille Bon, SCEA du Ch. de Lugagnac,
33790 Pellegrue, tél. 05.56.61.30.60, fax 05.56.61.38.48,
e-mail clugagnac@aol.com t.l.j. 9h-12h 14h-18h

## CH. MAJOUREAU 2003 *

■ 7 ha 40 000 3 à 5 €

Le type même d'un bordeaux supérieur. Un assemblage de merlot (60 %) et de cabernets. Un terroir argilo-calcaire bien exposé. Une vinification soigneuse. Ainsi est né ce vin rouge vif brillant qui exprime des notes de fruits rouges à noyau, de cerise à l'eau-de-vie et d'épices. Les arômes persistent au palais, soutenus par une structure de tanins soyeux et mêlés à une chair souple, ample. Tout est harmonieux jusqu'en finale.

Bernard Delong, 1, Majoureau, 33490 Caudrot,
tél. 05.56.62.81.94, fax 05.56.62.75.87,
e-mail familledelong@hotmail.com r.-v.

## CH. MAJUREAU-SERCILLAN
Elevé en fût de chêne 2003 *

■ 25 ha 76 000 5 à 8 €

Un vin rouge sombre à reflets violacés, très attachant par son bouquet complexe de fruits mûrs, subtilement boisés. D'attaque fraîche, le corps charnu est bâti sur des tanins de qualité, et la finale d'épices, de vanille et de café laisse une impression gourmande. Si les dégustateurs conseillent unanimement un accord avec une viande rouge, un juré se singularise en proposant aussi une Forêt-Noire... Certains adorent, en effet, l'alliance du chocolat et d'un vin rouge.

Alain Vironneau, 12, Le Majureau, 33240 Salignac,
tél. 05.57.43.00.25, fax 05.57.43.91.34 r.-v.

## CH. MALFARD Elevé en fût de chêne 2002 *

■ 2 ha 12 000 5 à 8 €

Cette propriété, qui appartenait au début du XIXe s. au duc Decazes, ministre de Louis XVIII, fait l'objet d'une rénovation complète depuis quatre ans. Les résultats sont déjà probants. Ce 2002 bien vinifié flatte le nez par ses arôme de toast, de noix de coco, de pain grillé, de moka et de fleurs légères. Rond, il laisse une impression de soyeux tant les tanins sont équilibrés et respectent l'expression des flaveurs de fruits confits, de prune et de mûre dans la finale suave et chaleureuse. Un vin séduisant que vous apprécierez avec une viande blanche ou un agneau de lait.

SCA de Malfard,
Ch. Malfard, 33910 Saint-Martin-de-Laye,
tél. et fax 05.57.84.74.88 r.-v.

## CH. MARTINON 2003 *

■ 23 ha 140 000 5 à 8 €

Né sur un terroir argilo-calcaire, ce vin associe au merlot (75 %) les deux cabernets ; il représente bien son appellation. Violet intense et brillant, il se montre complexe et chaleureux par ses notes de pâtes de fruits et ses touches empyreumatiques de café grillé. La bonne matière est étayée par des tanins un peu sévères qui demandent à se fondre dans le temps. Il suffira d'une petite année pour que cette bouteille encore jeune se réalise pleinement.

Trolliet, Ch. Martinon, 33540 Gornac,
tél. 05.56.61.97.09, fax 05.56.61.96.23 r.-v.

## CH. MILLE-SECOUSSES
Grande Réserve Elevé en fût de chêne 2003 *

■ n.c. 16 800 5 à 8 €

Si vous privilégiez le fruité dans un vin, c'est maintenant qu'il faut déguster ce 2003 : vous percevrez en finale toute la fraîcheur des notes de cerise et d'élégantes épices. Si vous recherchez le bouquet plus floral des bons bordeaux âgés, oubliez-le dans votre cave. Quoi qu'il en soit, cette bouteille gardera toujours son équilibre, son ampleur et ses tanins bien enrobés. Philippe Darricarrère propose aussi un **Domaine de Rider Vieilli en fût neuf 2003 (8 à 11 €)**, auquel le jury attribue une citation pour sa souplesse. A boire sans attendre.

Philippe Darricarrère, Ch. Mille-Secousses,
33710 Bourg-sur-Gironde, tél. 05.57.68.34.95,
fax 05.57.68.34.91, e-mail info@mille-secousses.com
t.l.j. sf sam. dim. 8h30-12h 14h-18h; f. août

## CH. MIRAMBEAU PAPIN 2002 *

■ 13 ha 40 000 8 à 11 €

Equitablement partagé entre merlot et cabernet-sauvignon, ce vin a de quoi séduire dans sa robe rubis franc. Le bouquet marie les fleurs et les fruits frais, avec un boisé discret, plein de délicatesse. Friande et souple dès l'attaque, la bouche s'appuie sur des tanins veloutés et frais à la fois qui lui donnent du caractère sans rien lui ôter de son charme. Ouvrez cette bouteille pour accompagner des mets fins dès aujourd'hui ou laissez-la à l'ombre de la cave deux ou trois ans.

Vignobles Landeau,
Mondion, 33440 Saint-Vincent-de-Paul,
tél. 05.56.77.03.64, fax 05.56.77.11.17 r.-v.

## MOISIN 2003 *

■ 0,5 ha 2 000 11 à 15 €

Deux mille bouteilles : c'est bien peu. Mais ce 2003 est rare, issu à 100 % du cépage petit verdot vinifié dans le Médoc. De la robe presque noire émanent des arômes floraux et fruités, nuancés d'épices, de cannelle et d'un boisé fondu, témoin d'un élevage bien mené. Une pointe vive caractéristique du cépage apparaît en bouche, mais ne

gêne en rien l'équilibre de ce vin de caractère, d'un bon volume. Le support tannique de qualité assure en outre sa longévité.
Patrice de Bortoli, Ch. Moutte Blanc, 6, imp. de la Libération, 33460 Macau, tél. et fax 05.57.88.40.39, e-mail moutteblanc@wanadoo.fr r.-v.

### CH. MONTLAU Vin éduqué en fût de chêne 2002 ★

■ 15 ha 50 000 8 à 11 €

Vous emprunterez le chemin sinueux et escarpé qui mène au château Montlau pour jouir d'un beau point de vue sur la région. Les vignes plantées sur argilo-graveleux ont donné naissance à ce 2002 issu de raisins mûrs et rigoureusement triés. Très toasté au nez, celui-ci décline des notes fines de vanille et de fruits confits, puis emplit la bouche d'une matière fraîche, soyeuse et souple. L'équilibre entre le bois et le fruit est réussi, la finale tout en dentelle. Appréciez cette bouteille dès maintenant.
Armand Schuster de Ballwil, Ch. Montlau, 33420 Moulon, tél. et fax 05.57.84.50.71 r.-v.

### CH. LA MOTHE DU BARRY Cuvée Design 2003 ★

■ 4 ha 20 000 5 à 8 €

Au château La Mothe du Barry on est soucieux de bien faire. Jugez plutôt. De la corpulence pour ce vin aux tanins encore un peu sévères, mais dont le gras laisse une impression de rondeur et d'ampleur. Les notes de fruits mûrs finement torréfiés se prolongent en bouche avec une certaine sucrosité. Il faudra attendre entre deux et quatre ans pour bien apprécier cette bouteille, tout comme le **Château La Mothe du Barry 2003 (3 à 5 €)**, cité par le jury.
Joël Duffau, 2, Les Arromans, 33420 Moulon, tél. 05.57.74.93.98, fax 05.57.84.66.10, e-mail joel.duffau@tiscali.fr t.l.j. sf dim. 8h-12h 14h-19h

### CH. MOUSSEYRON Cuvée Joris 2003 ★

■ 1 ha 5 000 11 à 15 €

Mauriac et Toulouse-Lautrec affectionnaient ces lieux puisqu'ils résidaient respectivement au domaine de Malagar et au château de Malromé. Sur cette route se situe également le château Mousseyron qui propose une cuvée fruitée, fraîche et puissante à la fois. La structure tannique encore dominante mais prometteuse soutient une chair riche et vineuse, marquée des notes fumées du bois fin. L'ensemble devrait se fondre avec élégance au cours de deux ans de vieillissement.
Jacques Larriaut, 31, rte de Gaillard, 33490 Saint-Pierre-d'Aurillac, tél. 05.56.76.44.53, fax 05.56.76.44.04 r.-v.

### CH. PANCHILLE Cuvée Alix 2003

■ 4 ha 17 000 5 à 8 €

Sur ce terroir argilo-limoneux situé dans un méandre de la Dordogne, le merlot (90 %) a atteint une maturité optimale pour produire ce vin pourpre, doté d'une matière fine et élégante, aux flaveurs de café et de cerise noire. Les tanins déjà soyeux promettent une bonne évolution à la garde.
Pascal Sirat, Penchille, 33500 Arveyres, tél. et fax 05.57.51.57.39, e-mail siratpascal@aol.com r.-v.

### CH. DE PARENCHERE Cuvée Raphaël 2003 ★★

■ 21,08 ha 103 200 11 à 15 €

Situé près de Sainte-Foy-la-Grande, ce château revendique des origines anciennes puisque ses fondations datent de 1570 et que son nom lui vient du seigneur d'alors, Pierre de Parenchières. Il offre aujourd'hui au visiteur son architecture XVIII^e s. et surtout un vin qui s'inscrit comme un canon d'harmonie. Le mariage à parts égales du merlot et du cabernet-sauvignon, ainsi qu'un élevage en fût maîtrisé se traduisent par des arômes expressifs d'épices, de vanille, de noix de coco, de fruits mûrs et de myrtille. Fruits et bois sont à l'unisson. Des saveurs épicées rafraîchissent la bouche ronde, élégamment structurée. Excellente dès aujourd'hui, cette bouteille saura aussi affronter le temps.
Gazaniol, SCEA Ch. de Parenchère, 5, domaine de Parenchère, 33220 Ligueux, tél. 05.57.46.04.17, fax 05.57.46.42.80, e-mail info@parenchere.com r.-v.

### CH. PAS DE RAUZAN Elevé en fût de chêne 2002

■ n.c. 15 000 3 à 5 €

Un encépagement classique (60 % de merlot, 20 % de cabernet franc et 20 % de cabernet-sauvignon), un sol argilo-calcaire et une vinification traditionnelle sont à l'origine de ce vin rubis intense, presque grenat. Les fruits bien mûrs évoluent vers des notes finement épicées et fraîches. L'attaque est chaleureuse, le palais ample et équilibré, d'une longueur plaisante et suave. L'apogée sera atteint dans un an ou deux.
Jean Fourestey, SCEA Pas de Rauzan, 1, rte du Pas-de-Rauzan, 33350 Mouliets, tél. et fax 05.57.40.09.05 r.-v.

### CH. PASSE CRABY
Cuvée Prestige Elevé en fût de chêne 2003 ★★

■ 5 ha 20 000 5 à 8 €

Jérôme Boyé a rejoint son père Vincent en 2000 sur cette propriété de 40 ha. La cuvée Prestige est née la même année. Dans son millésime 2003, elle apparaît de couleur noire, puissamment marquée par des arômes de fruits mûrs et concentrés, finement boisée. Une grande partie de son charme réside dans son caractère velouté et sa finale délicieusement fruitée. Vous pouvez déjà l'apprécier et la servir pendant encore deux ou trois ans. Noté une étoile, le **Château Passe Craby 2003 (3 à 5 €)**, élevé en cuve, se montre souple et velouté.
Vincent Boyé, Lieu-dit Chiquet, BP 6, 33133 Galgon, tél. 05.57.55.05.38, fax 05.57.55.49.81, e-mail v.boye@wanadoo.fr r.-v.

### CH. PENIN Grande Sélection 2003 ★

■ 13 ha 68 000 8 à 11 €

Viticulteur et œnologue, Patrick Carteyron conduit ses 40 ha dominés par le merlot que complète le cabernet franc implantés sur un sol de graves profond. Son vin profondément coloré exprime des notes de vanille avant que ne se manifeste un fruité presque confit, intense à l'aération. Souplesse et rondeur charment les papilles, confortées par une structure équilibrée. Encore quelques mois d'attente et vous savourerez le velouté des tanins.
SCEA Patrick Carteyron, Ch. Penin, 33420 Génissac, tél. 05.57.24.46.98, fax 05.57.24.41.99, e-mail vignoblescarteyron@wanadoo.fr r.-v.

### CH. PERAYNE Elevé en fût de chêne 2002 ★

■ 2 ha 10 000 🝆 5 à 8 €

En 1994, Henri et Monique Luddecke ont abandonné une exploitation agricole d'Allemagne pour s'installer en Bordelais : 22 ha sur argilo-calcaires, conduits en culture raisonnée. Leur 2002 grenat intense possède un nez marqué par les fruits rouges mûrs qui évolue à l'aération vers des notes grillées et épicées. Le fruité frais, finement vanillé, persiste en bouche, soulignant le volume de la matière. Les tanins ne demandent qu'à se fondre au cours des deux à trois prochaines années.

Henri Luddecke,
Ch. Perayne, 33490 Saint-André-du-Bois,
tél. 05.57.98.16.20, fax 05.56.76.45.71,
e-mail chateau.perayne@wanadoo.fr r.-v.

### CH. PETIT FREYLON Excellence Lyre 2003

■ 4 ha 10 000 🝆 5 à 8 €

Excellence Lyre ? Parce que les vignes de merlot (60 %) et de cabernet-sauvignon (40 %) sont ici conduites en lyre depuis 1979. Le vin, lui, s'inscrit bien dans le type bordeaux supérieur. Rubis brillant, il se fait d'abord discret, puis s'ouvre à l'aération sur des notes confiturées et finement boisées. La vanille apporte une suavité supplémentaire à la bouche fondue, souple, gentiment persistante. A boire en 2006.

EARL Vignobles Lagrange,
Ch. Petit-Freylon, 33760 Saint-Genis-du-Bois,
tél. 05.56.71.54.79, fax 05.56.71.59.90 r.-v.

### CH. PEUY-SAINCRIT Montalon 2002 ★

■ n.c. n.c. 🝆 8 à 11 €

Elevé en fût de chêne avec doigté, ce 2002 de couleur sombre suscite la gourmandise. Parce qu'il est encore un peu jeune, il faut prendre soin de l'aérer pour apprécier ses notes finement vanillées et ses arômes dominants de griotte confite. De l'attaque à la finale persistante, il fait preuve d'équilibre, de fraîcheur et d'élégance. Une réussite dans ce millésime difficile.

SCEA Vignobles Bernard Germain,
Ch. Peyredoulle, 33390 Berson, tél. 05.57.42.66.66,
fax 05.57.64.36.20 t.l.j. sf dim. 9h-12h 14h-17h

### CH. PEYFAURES L'Alpha 2003 ★

■ 6,05 ha 33 500 🝆 8 à 11 €

Lorsqu'ils ont hérité du vignoble familial près de Saint-Emilion, Marie-Amélie, Laurent et Nicole Godeau ont décidé de vinifier eux-mêmes le fruit des 15 ha de vignes et de quitter le système coopératif. De l'apéritif aux plats relevés en sauce, l'Alpha trouvera sa place. Joliment présenté dans une robe grenat brillant, il exhale des arômes de griotte confite nuancés de vanille et de grillé discrets. Il emplit durablement la bouche et fait patte de velours tant ses tanins sont soyeux et fondus. Du potentiel pour les deux à trois ans à venir.

Nicole, Marie-Amélie et Laurent Godeau,
Ch. Peyfaures, 33420 Génissac,
tél. 05.57.55.06.77, fax 05.57.25.16.63,
e-mail chateau.peyfaures@wanadoo.fr r.-v.

### CH. PEY LA TOUR
Réserve du château 2003 ★★

■ 120,08 ha 270 000 🝆 8 à 11 €

Propriété des Vignobles Dourthe depuis 1990, le château appartenait au XVIII[e]s. à Bertrand de Goth, futur pape Clément V. Il bénéficie de parcelles argilo-graveleuses favorables au merlot qui constitue 85 % de ce vin, associé aux cabernets et au petit verdot. Vous découvrirez la robe rubis profond, les parfums expressifs de fruits noirs, les notes presque cuites de raisins mûrs, les nuances épicées et grillées. Une puissance aromatique exaltante. Ample, rond et riche, ce 2003 possède en outre une structure de tanins élégants. Une bouteille de grande classe à garder quelques années encore.

Vignobles Dourthe, SC du Ch. Pey La Tour,
35, rue de Bordeaux, 33290 Parempuyre,
tél. 05.56.35.53.00, fax 05.56.35.53.29,
e-mail contadt@cvbg.com r.-v.

### CH. LA PEYRERE DU TERTRE
Cuvée Prestige Elevé en fût de chêne 2003 ★

■ 1,5 ha 8 600 🝆 8 à 11 €

Le château La Peyrère fut construit au milieu du XVIII[e]s. par un banquier et armateur qui vendait son vin par-delà les mers. Cette cuvée franchira-t-elle les frontières ? Elle trouvera bonne place sur votre table, où que ce soit, d'ici 2007. Preque noire mais brillante, elle offre un nez grillé et épicé, puis une bouche fraîche, d'une honorable longueur. Si les tanins sont encore jeunes, ils constituent une structure suffisamment solide pour affronter le temps.

Catherine Lucas, Ch. La Peyrère, 33124 Savignac,
tél. 05.56.65.41.86, fax 05.56.65.41.82,
e-mail lapeyreredutertre@wanadoo.fr r.-v.

### CH. PIERRAIL Elevé en fût de chêne 2002 ★★★

■ 20 ha 100 000 🝆 8 à 11 €

Sur les berges de la Dordogne, ce château du XVII[e]s. se fait déjà remarquer par son architecture et son jardin à la française. Plus que remarquable, exceptionnel même, son vin a conquis le jury. Vêtu d'une robe extrêmement dense, presque noire, il offre un bouquet concentré de fruits mûrs et de fruits noirs, soulignés d'un boisé discret de bon merrain. De quoi susciter votre gourmandise. Aucune déception en bouche : l'attaque est charnue, puissante et ample, la charpente solide, bâtie sur des tanins de raisins mûrs et de chêne fin. Beaucoup d'élégance et d'harmonie en finale. Réservez cette bouteille à une cuisine traditionnelle après deux ans de garde.

EARL Ch. Pierrail, 33220 Margueron,
tél. 05.57.41.21.75, fax 05.57.41.23.77 r.-v.
Demonchaux

### CH. PRIEURE MARQUET 2003 ★

■ 4,34 ha 13 600 🝆 5 à 8 €

Deux grandes signatures pour ce château du nord de la Gironde qui connut de belles heures au XIX[e]s. Nouveau millénaire, nouveau départ. Le 2003 marie harmonieusement le cassis, la groseille et un boisé fin. C'est à l'aération

qu'il libère toute sa richesse, annonciatrice d'une bouche corsée, ample et vineuse, puissamment structurée. Les tanins fermes lui assureront une évolution favorable dans les deux à trois ans.
F. Despujol - A. de Malet Roquefort, Ch. Prieuré Marquet, 33910 Saint-Martin-du-Bois, tél. 06.17.19.41.45, fax 05.57.49.41.70

## CH. RAUZAN DESPAGNE Grande Réserve 2003 *

■ 3 ha 15 000 15 à 23 €

Commandé par un ancien relais de chasse du XVIIe s., ce terroir argilo-calcaire à astéries était à l'abandon lorsque Jean-Louis Despagne l'acheta en 1990. Des années de rénovation lui ont redonné tout son lustre. Le merlot prédomine dans cette cuvée et apporte une belle couleur sombre à reflets violacés. Tandis que le nez se nuance de notes de myrtille et de petits fruits mûrs légèrement fumés, la bouche offre une grande concentration, soutenue par des tanins enrobés. Un vin prometteur à attendre deux ou trois ans. Le **Château Rauzan Despagne cuvée de Landeron 2003 (8 à 11 €)**, élevé en cuve, obtient la même note pour sa fraîcheur et son équilibre.
SCEA des Vignobles Despagne, 33420 Naujan-et-Postiac, tél. 05.57.84.55.08, fax 05.57.84.57.31, e-mail contact@despagne.fr r.-v.

## CH. RECOUGNE 2003 *

■ 60 ha n.c. 5 à 8 €

La famille Milhade a proposé deux jolis bordeaux supérieurs. Celui-ci, d'un pourpre seyant, livre à l'aération un bouquet expressif de raisin mûr, de tabac blond et de vanille. Il se montre chaleureux et séveux, riche d'une matière fruitée qui enveloppe bien les tanins. Décantez-le si vous souhaitez le boire dès aujourd'hui. Sinon, gardez-le en cave un an ou deux. Une étoile également pour le **Château Montcabrier 2003 (3 à 5 €)** qui n'a pas connu le bois. Un vin aromatique, d'un réel équilibre.
SCE Vignobles Jean Milhade, Ch. Recougne, 33133 Galgon, tél. 05.57.55.48.90, fax 05.57.84.31.27, e-mail milhade@milhade.fr r.-v.

## CH. DE REIGNAC 2003 *

■ 20 ha 100 000 5 à 8 €

Une valeur sûre que les fidèles du Guide retrouvent d'année en année. Le château Reignac surprend aujourd'hui par son vin de teinte sombre, presque noire. Il faut un peu lever le voile du bois pour percevoir toute la fraîcheur du fruit, mais une chair savoureuse, ronde et ample, s'épanouit en bouche, soutenue par des tanins fondus. La finale égrène sans contrainte ses notes de poivre et de cacao.
SARL Ch. de Reignac, Le Truch, 33450 Saint-Loubès, tél. 05.56.20.41.05, fax 05.56.68.63.31, e-mail chateau.reignac@wanadoo.fr r.-v.
Vatelot

## CH. ROC MEYNARD 2003 *

■ 27 ha 80 000 3 à 5 €

Vous aimez les orchidées ? Alors, allez dans le Fronsadais, du côté du tertre des Genévriers, classé en 2003 site protégé pour ses pelouses sèches appréciées de ces belles plantes. Vous y trouverez aussi cette propriété intelligemment restructurée pour profiter de son terroir argilo-calcaire et d'une bonne exposition. Riche d'arômes de fruits frais, ce 2003 présente équilibre et élégance grâce à des tanins mûrs, fondus, et à un joli retour aromatique. A consommer dans les mois à venir pour profiter de son charme.
Philippe Hermouet, Clos du Roy, 33141 Saillans, tél. 05.57.55.07.41, fax 05.57.55.07.45, e-mail contact@vignobleshermouet.com r.-v.

## CH. DE LA SABLIERE FONGRAVE Patrimoine Elevé en barrique de chêne 2003 *

■ 6 ha 30 000 5 à 8 €

Un beau patrimoine en effet que ce vignoble de plus de 62 ha implanté sur les coteaux de l'Entre-deux-Mers. Un patrimoine également, pour les deux à cinq ans à venir, que ce vin de velours grenat à reflets presque noirs. Les arômes de fruits mûrs et en confiture, de cassis et de vanille invitent à découvrir la bouche ample et puissante, structurée par des tanins fins. Une bouteille généreuse et équilibrée qui tiendra ses promesses dans le temps.
SCEA Pierre Perromat, Fongrave, 33540 Gornac, tél. 05.56.61.97.64, fax 05.56.61.95.67, e-mail pierreperromat@cario.fr r.-v.

## CH. SAINT-ANTOINE Réserve du château 2003

■ 30 ha 200 000 3 à 5 €

On-ne-peut-plus libournais par son assemblage de merlot (70 %) et de cabernets, ce 2003 porte une robe grenat profond et offre des arômes intenses de fruits rouges mûrs, dominés par la griotte. Un caractère aromatique qui persiste en bouche, après une attaque souple et ronde. L'équilibre se réalise avec des tanins fins. Une bouteille à consommer jeune sur des grillades pour profiter de sa fraîcheur.
Vignobles Aubert, Ch. La Couspaude, 33330 Saint-Emilion, tél. 05.57.40.15.76, fax 05.57.40.10.14, e-mail vignobles.aubert@wanadoo.fr r.-v.

## CH. SAINTE-MARIE Vieilles Vignes 2003 **

■ 8 ha 40 600 5 à 8 €

Une bonne équipe familiale et professionnelle s'investit dans ce vignoble où les cabernets tiennent une place importante (40 %) sur un terroir argilo-calcaire. Cette cuvée montre toute sa puissance dès le premier regard porté sur sa robe foncée à reflets violets. Le nez ouvert fait une large place aux fruits mûrs, nuancés des touches de vanille, de cacao et de tabac héritées d'un élevage de douze mois bien mené. Beaucoup de matière, de la concentration, de la longueur et des tanins de qualité laissent envisager une remarquable évolution à la garde : deux ans, trois ans... et même davantage.
Gilles et Stéphane Dupuch, 51, rte de Bordeaux, 33760 Targon, tél. 05.56.23.64.30, fax 05.56.23.66.80, e-mail ch.ste.marie@wanadoo.fr r.-v.

## CH. SAINT-GERMAIN 2003

■ 85 ha 400 000 3 à 5 €

Un beau château du XIIIe s., classé Monument historique, et un domaine de 175 ha sur des coteaux argilo-calcaires, dont le fruit des vignes est vinifié depuis une quarantaine d'années par la maison de négoce Calvet. Une touche de petit verdot agrémente le merlot et les cabernets dans ce 2003 qui mise tout sur le fruit. Equilibre, souplesse et franchise de la bouche en font un vin plaisant, dont l'harmonie autorise un service prochain avec des grillades sur sarments.

⊶ Calvet, 75, cours du Médoc, BP 11,
33028 Bordeaux Cedex, tél. 05.56.43.59.00,
fax 05.56.43.17.78, e-mail calvet@calvet.com

## CH. SAINT-PIERRE 2002 ★★

■ n.c. n.c. 5 à 8 €

La robe est dense, d'un grenat profond à reflets violacés. Le bois domine encore un peu : les notes grillées, épicées, vanillées accompagnent le fruit mûr. Après une attaque moelleuse et confite, la structure s'impose avec des tanins élégants ; des notes de coco, de toasté et de café se manifestent en finale. L'harmonie sera complète dans deux ou trois ans lorsque le bois et le vin se seront parfaitement mariés.

⊶ SARL Ch. de Haux, 33550 Haux,
tél. 05.57.34.51.11, fax 05.57.34.51.15 r.-v.
⊶ Peter et Fleming Jorgensen

## CH. DE SEGUIN

Cuvée Prestige Vieilli en barrique neuve 2003 ★★

■ 15 ha 125 000 5 à 8 €

Le château de Seguin dont la réputation n'est plus à faire propose un vin très attachant, issu de 40 % de merlot et de 60 % de cabernets. On reste sous le charme dès le premier regard sur sa robe sombre et brillante, puis dès la première perception de ses frais arômes de fruits noirs et rouges agrémentés des nuances chocolatées et finement grillées de la barrique. L'élégance règne jusqu'en finale, soulignée par une structure de tanins soyeux. Il vous faudra savoir attendre deux ou trois ans pour apprécier cette bouteille à son complet épanouissement.

⊶ Michael Carl, SC du Ch. de Seguin,
33360 Lignan-de-Bordeaux,
tél. 05.57.97.19.81, fax 05.57.97.19.82 r.-v.

## SEIGNEUR DES ORMES

Cuvée réservée Elevé en fût de chêne 2003 ★

■ 2 ha 14 000 3 à 5 €

Constituée en 1932, Baron d'Espiet est la plus ancienne cave coopérative de la région. Son 2003 devra attendre un peu que la marque du bois se fonde, mais il présente déjà un bon support aromatique de fruits mûrs intenses qui lui donne de la fraîcheur. L'attaque en bouche est voluptueuse ; la structure est bâtie sur des tanins enrobés qui laissent sur une finale harmonieuse. A déguster dans deux ou trois ans avec une viande rouge, un gibier ou un fromage assez fort.

⊶ Union de producteurs Baron d'Espiet,
Lieu-dit Fourcade, 33420 Espiet, tél. 05.57.24.24.08,
fax 05.57.24.18.91, e-mail baron-espiet@dial.oleane.com
t.l.j. sf dim. lun. 9h-12h 14h-18h

## CH. TAYET

Cuvée Prestige Elevé en fût de chêne neuf 2003 ★

■ 3,75 ha 30 000 8 à 11 €

Composé à 60 % de merlot et à 40 % de cabernet-sauvignon, ce vin rouge vif et brillant libère des arômes de fruits mûrs, concentrés et subtilement soulignés de réglisse, de grillé et de vanille. La matière riche emplit bien la bouche et bénéficie d'un support tannique élégant. La finale est persistante, fraîche, encore marquée par les notes balsamiques d'un bois qui se fondra dans les deux ou trois ans.

⊶ SCEA Ch. Breton, Larigaudière, 33460 Soussans,
tél. 05.57.88.94.17, fax 05.57.88.39.14,
e-mail ch-tayet@aol.com r.-v.
⊶ De Schepper

## CH. TERTRE CABARON

Elevé en fût de chêne 2002

■ 0,6 ha 7 100 5 à 8 €

Fille et petite-fille de viticulteurs, Valérie Dugrand tient bien la barre de ce vignoble de 40 ha d'un seul tenant, planté sur sol argilo-calcaire et dominé par la colline de Cabaron. Son vin rubis intense plaît par la délicatesse de ses arômes de fruits légèrement confiturés, ses notes finement toastées et épicées issues d'un élevage de quatorze mois bien maîtrisé. La bouche apparaît jeune, équilibrée et svelte comme une invitation à un service immédiat.

⊶ Valérie Dugrand,
Dom. de Bastorre, 33540 Saint-Brice,
tél. 05.56.71.54.19, fax 05.56.71.50.29,
e-mail domaine.bastorre@wanadoo.fr r.-v.

## CH. THIEULEY Réserve Francis Courselle 2003

■ 2 ha 15 000 11 à 15 €

Marie et Sylvie Courselle, animées par la même passion que leur père, proposent un 2003 grenat sombre dont les reflets violines renvoient une jolie lumière. Le nez frais évoque les fruits mûrs à noyau, mariés à de fines touches de vanille. Le vin se montre très souple et rond grâce à des tanins fondus qui en soulignent l'équilibre. Il est prêt.

⊶ Sté des Vignobles Francis Courselle, Ch. Thieuley,
33670 La Sauve, tél. 05.56.23.00.01, fax 05.56.23.34.37,
e-mail chateau.thieuley@wanadoo.fr r.-v.

## CH. TOUR DE GILET

L'Expression du petit verdot 2003

■ 6 ha n.c. 5 à 8 €

Le petit verdot (60 %) appose sa signature à ce bordeaux supérieur venu du Médoc. Rubis intense, étincelant de reflets violets, le vin livre des notes de prune légèrement chocolatées, signe de la grande maturité du raisin. Après une attaque ample, des flaveurs compotées apparaissent en bouche, accompagnant des tanins fondus qui dessinent une bonne structure. A boire ou à garder jusqu'en 2007.

⊶ SC Ch. Tour de Gilet,
Ch. Tour de Gilet, 33290 Ludon-Médoc,
tél. 05.57.88.07.64, fax 05.57.88.07.00 r.-v.

## CH. TOUR DE MIRAMBEAU 2004 ★★

□ 0,5 ha 800 15 à 23 €

On ne change pas une équipe qui gagne. Voilà plus de deux siècles et demi que la famille Despagne est propriétaire de ce château entre Garonne et Dordogne, dont le nom fait référence au moulin situé au milieu des vignes. Elaborée à partir du seul sémillon vendangé par tries successives, cette cuvée se distingue remarquablement : le seul bordeaux supérieur liquoreux sélectionné. La teinte or jaune annonce la richesse de ses parfums, mélange de fruits confits, de vanille, de grillé, de fleur d'acacia et de jasmin. Gras et ample, le vin libère en bouche des flaveurs florales qui soulignent joliment les arômes de fruits surmûris et miellés jusqu'à une finale moelleuse, toute d'harmonie. A apprécier avec une escalope de foie gras poêlée accompagnée de litchis et de mangue légèrement caramélisés. Faites-vous plaisir à l'apéritif en dégustant le **Château Tour de Mirambeau 2003 rouge (8 à 11 €)**, élevé en cuve, auquel le jury attribue une étoile. Enfin, la **cuvée Passion élevée en fût de chêne 2003 rouge** obtient deux étoiles.

🔑 SCEA de la Rive Droite, 33420 Naujan-et-Postiac,
tél. 05.57.84.55.08, fax 05.57.84.57.31,
e-mail contact@despagne.fr ☑ Y ⚲ r.-v.

CH. TROCARD Monrepos 2002 *

■ 5 ha 14 000 ⏀ 5 à 8 €

Livré à lui-même, le merlot s'exprime savoureusement dans ce vin rubis franc, encore brillant de quelques reflets violacés. A bon raisin et bon bois, bon bouquet de mariage. La bouche n'est pas moins séveuse, ample et longue, charpentée par des tanins suffisamment solides pour assurer un vieillissement heureux jusqu'en 2012.

🔑 Jean-Louis Trocard, Ch. Trocard Monrepos,
BP 3, 33570 Les Artigues-de-Lussac,
tél. 05.57.55.57.90, fax 05.57.55.57.98,
e-mail trocard@wanadoo.fr ☑ Y ⚲ r.-v.

CH. LA TUILERIE DU PUY
Elevé en fût de chêne 2002 *

■ 5,5 ha 33 000 ▮⏀⚲ 5 à 8 €

Sur la route des Abbayes, près de celle de Saint-Ferme, découvrez cette propriété familiale et sa demeure des XVII$^{e}$ et XVIII$^{e}$s. Son vin est lui aussi intéressant dans sa robe grenat profond à reflets cerise brillant. Il livre des arômes finement boisés, légèrement toastés et vanillés qui se marient harmonieusement aux fruits mûrs. Après une attaque franche, il évolue avec rondeur et équilibre en prolongeant les notes de fruits noirs. Un 2002 bien structuré, déjà prêt mais qui saura vieillir deux ou trois ans en gardant sa fraîcheur.

🔑 SCEA Regaud,
La Tuilerie du Puy, 33580 Le Puy,
tél. 05.56.61.61.92, fax 05.56.61.86.90,
e-mail regaud@free.fr
☑ Y ⚲ t.l.j. sf sam. dim. 8h-12h 14h-18h

CH. TURCAUD Cuvée Majeure 2002 *

■ 2,5 ha 18 000 ⏀ 8 à 11 €

Le château Turcaud fait la part belle au merlot planté sur un sol silico-graveleux et argileux. Le 2002, grenat à reflets violacés, présente beaucoup d'agrément au nez comme en bouche. Sa palette complexe mêle les fruits mûrs aux notes finement boisées et à une touche de cuir. La structure est plaisante, équilibrée, même si une petite pointe austère en finale invite à une garde de quelques mois pour que les tanins se fondent. Ensuite, vous pourrez l'apprécier encore jusqu'en 2010.

🔑 EARL Vignobles Maurice Robert,
Ch. Turcaud, 33670 La Sauve-Majeure,
tél. 05.56.23.04.41, fax 05.56.23.35.85,
e-mail chateau-turcaud@wanadoo.fr ☑ Y ⚲ r.-v.

CH. LA VERRIERE 2003 **

■ 13 ha 80 000 ▮⏀⚲ 5 à 8 €

Né sur des coteaux argilo-siliceux et d'un mariage entre le merlot (70 %) et les cabernets, ce bordeaux supérieur s'inscrit dans le type même de l'appellation. Une vendange mûre à point, un élevage maîtrisé de six mois en fût et douze mois en cuve lui ont apporté des arômes complexes de fruits noirs soulignés d'un boisé fondu. Généreux en bouche, le vin possède de la concentration et de l'ampleur, des tanins de qualité lui offrant une bonne structure. Avec sa finale fruitée et fraîche, il vous offre une gourmandise dès aujourd'hui et pendant encore deux ans.

🔑 EARL André Bessette,
8, La Verrière, 33790 Landerrouat,
tél. 05.56.61.33.21, fax 05.56.61.44.25,
e-mail alain.bessette@cario.fr ☑ Y ⚲ r.-v.

CH. DE VIAUT
Cuvée Prestige Elevé en fût de chêne 2003

■ 44 ha 100 000 ⏀ 5 à 8 €

Ce vignoble implanté sur sol argilo-calcaire bien exposé a produit un vin grenat profond qui exprime d'emblée un boisé prononcé avant de livrer tout son fruité à l'aération. La bouche est fine, d'un développement plaisant même si les tanins sont encore jeunes. A boire ou à garder deux ans.

🔑 F. Boudat Cigana, Ch. de Viaut, 33410 Mourens,
tél. 05.56.61.31.31, fax 05.56.61.99.46 ☑ Y ⚲ r.-v.

CH. DE LA VIEILLE TOUR 2002

■ 40 ha 250 000 ▮⚲ 5 à 8 €

Créé en 1839, ce domaine compte 27 ha aujourd'hui. Cette cuvée qui assemble les cabernets (60 %) et le merlot (40 %) montre déjà son potentiel par sa teinte profonde, presque noire. Le nez intense est marqué par le fruit mûr, tandis que la bouche porte la marque du terroir argilo-calcaire. La structure est solide, la chair ample, les tanins encore un peu austères mais qui devraient se fondre. La **cuvée Réserve Tradition 2002 Elevé en fût de chêne** est citée également ; il faudra l'attendre deux ans.

🔑 Vignobles Boissonneau,
Le Cathelicq, 33190 Saint-Michel-de-Lapujade,
tél. 05.56.61.72.14, fax 05.56.61.71.01,
e-mail vignobles@boissonneau.fr ☑ Y ⚲ r.-v.

CH. VIRECOURT Pillebourse 2003

■ 6,38 ha 22 000 ▮⏀⚲ 8 à 11 €

Bien équilibré et de bonne structure tannique, ce vin associe le fruité du merlot dominant aux notes florales et à un fin grillé. Cette puissance aromatique imprègne aussi la chair ample et vineuse, très franche. Deux ou trois ans de garde sont à la portée de cette bouteille qui révélera dans le temps toute sa générosité.

🔑 Xavier Chassagnoux, Renard, 33126 La Rivière,
tél. 05.57.24.96.37, fax 05.57.24.90.18 ☑ Y ⚲ r.-v.

# Crémant-de-bordeaux

AOC depuis 1990, le crémant-de-bordeaux est élaboré selon des règles très strictes communes à toutes les appellations de crémant, à partir de cépages traditionnels du Bordelais. Les crémants sont généralement blancs (11 350 hl en 2004) mais ils peuvent aussi être rosés (2 680 hl).

CUVEE DE BONHOSTE Blanc de blancs 2003

○ 4 ha 5 500 ▮⚲ 5 à 8 €

Yannick et Sylvaine Fournier ont rejoint leurs parents sur cette propriété que leur père, Bernard, a constitué en 1977 en adjoignant au vignoble familial celui de son voisin. Ce sont 60 ha aujourd'hui sur sol argilo-calcaire, à une dizaine de kilomètres de Saint-Emilion. Dans la cave souterraine en pierre naturelle a été élaboré ce crémant doré

brillant, dont le nez complexe évoque les fruits blancs, les fruits exotiques et les fleurs. Une fine fraîcheur portée par des bulles très actives donne de l'allant à la bouche aromatique. Un agréable compagnon de cannelés bordelais.
Bernard Fournier,
Ch. de Bonhoste, 33420 Saint-Jean-de-Blaignac,
tél. 05.57.84.12.18, fax 05.57.84.15.36,
e-mail fournier.colette@wanadoo.fr r.-v.

### REMY BREQUE Cuvée Prestige

n.c. n.c. **5 à 8 €**

Sémillon et muscadelle à parts égales composent ce crémant jaune pastel à reflets verts. Le bouquet de fleurs blanches s'enrichit d'un fruité miellé, annonce d'une texture ronde, presque moelleuse, caractéristique du sémillon. Notez le bon retour du fruit en finale. Une bouteille à accorder à l'apéritif avec une cassolette de palourdes, de pétoncles, de coques et de moules.
Maison Rémy Brèque, 8, rue du Cdt-Cousteau,
33240 Saint-Gervais, tél. 05.57.43.10.42,
fax 05.57.43.91.61 t.l.j. 9h-12h 14h-18h

### LES CORDELIERS Prestige 2000

n.c. 14 926 **8 à 11 €**

Cette maison de négoce occupe le cloître du couvent des Cordeliers (XIV[e]s.) dont il est possible de visiter les caves. Vous y trouverez ce crémant jaune pâle parsemé de fines bulles. Le nez expressif est en accord avec l'impression de fraîcheur équilibrée de la bouche. Un vin bien représentatif de son appellation.
Les Cordeliers, 33330 Saint-Emilion,
tél. 05.57.24.72.07, fax 05.57.24.68.60,
e-mail les.cordeliers@libertysurf.fr
t.l.j. 15h-18h; groupes sur r.-v.

### LATEYRON Prestige 2003

n.c. 13 952 **5 à 8 €**

Au XIX[e]s. des galeries furent creusées sous le château Tour Calon pour en extraire la pierre. Pouvait-on imaginer alors qu'elles formeraient un cadre idéal à l'élaboration de crémants ? Ce 2003, dans sa robe attrayante aux reflets de jade, déploie hâtivement sa mousse. Il est très expansif. Ses arômes de fleurs blanches et d'abricot, sa chair solidement structurée et vive, son équilibre et sa bonne longueur savent convaincre. Pour l'apéritif, les crustacés et les desserts aux fruits. Le crémant-de-bordeaux **Paulian 2003** est également cité. Il est souple et séduisant, à l'image de sa charmante étiquette.
Lateyron, Ch. Tour Calon, BP 1, 33570 Montagne,
tél. 05.57.74.62.05, fax 05.57.74.58.58,
e-mail lateyron.r@wanadoo.fr r.-v.

### DOM. DE LAUBERTRIE 2003

2 ha 3 500 **5 à 8 €**

Cette propriété du Fronsadais, restée familiale depuis le XVI[e]s., couvre 14 ha sur un sol argilo-calcaire. Son crémant associe 80 % de muscadelle et 20 % de cabernet franc. Il dessine un cordon fin dans le verre. L'attaque est vive, la texture fine et simple.
Bernard Pontallier, Laubertrie, 33240 Salignac,
tél. 05.57.43.24.73, fax 05.57.43.17.24 r.-v.

### LES VIGNOBLES DE MALROME Centenaire de la mort d'Henri de Toulouse-Lautrec 2000 ★★

n.c. n.c. 5 à 8 €

En 2000, on célébrait le centenaire de la mort d'Henri de Toulouse-Lautrec. Naturellement, le château Malromé

lui rend hommage avec une cuvée remarquable, élaborée par la maison Lateyron. Des bulles fines et nombreuses favorisent l'expression d'un bouquet complexe de fruits confiturés et de fleurs. La bouche pleine fait preuve de délicatesse et de suavité, des flaveurs florales la soulignant harmonieusement dans une longue finale.
Ch. Malromé, 33490 Saint-André-du-Bois,
tél. 05.56.76.44.92, fax 05.56.76.46.18
t.l.j. 9h-12h 14h-17h

### MARQUIS DE HAUX

n.c. n.c. **5 à 8 €**

Les caves de cette maison de négoce ont été creusées au début du XX[e]s., sur la rive droite de la Garonne. Elles ont abrité ce crémant qui s'annonce avec discrétion dans sa robe jaune pâle à reflets or : des bulles évanescentes montent en un fin cordon. Cette effervescence se manifeste élégamment en bouche comme pour rehausser l'agréable rondeur de l'ensemble. Les arômes sont assez diserts, évocateurs de fleurs blanches, de fruits, de brioche et de miel jusqu'en finale.
Jean-Louis Ballarin, 33550 Haux,
tél. 05.56.67.11.30, fax 05.56.67.54.60 r.-v.

### J. QUEYRENS ET FILS Cuvée de Chapput 2003 ★

1,83 ha 12 000 5 à 8 €

Une tenue jaune pâle aux reflets verts discrets habille ce crémant issu de pur sémillon. Le cordon de bulles fines véhicule lentement, mais sûrement, d'agréables arômes, en toute simplicité. En bouche, l'effervescence se manifeste harmonieusement, contribuant à l'impression de fraîcheur qui persiste jusqu'à la finale savoureuse. À tenter à l'apéritif, avec des charcuteries fines ou un sorbet à la mousse de foie gras.
SC Vignobles Queyrens et Fils, Le Grand Village,
33410 Donzac, tél. 05.56.62.97.42, fax 05.56.62.10.15,
e-mail scvjqueyrens@free.fr r.-v.

### LE TREBUCHET 2003

0,5 ha 5 000 **5 à 8 €**

Ce crémant s'inscrit dans l'instant à saisir, celui que l'on partage entre amis. Un cordon assez marqué fait l'ascension de la robe jaune pâle à reflets or, de laquelle s'échappent des notes de fleurs blanches et des accents minéraux. Après une attaque fraîche, la bouche révèle un agréable caractère aromatique, souligné par la présence exubérante des bulles.
Bernard Berger,
Ch. Le Trébuchet, 33190 Les Esseintes,
tél. 05.56.71.42.28, fax 05.56.71.30.16,
e-mail chateautrebuchet@wanadoo.fr
t.l.j. sf dim. 8h-12h 14h-18h

VENTADOUR Comtesse de Rauzan ★

n.c. 5 000 5 à 8 €

Muscadelle, cabernet franc et sémillon composent ce crémant. Sur fond jaune doré apparaît une mousse fine et un cordon actif de bulles. Du café torréfié ? C'est bien ce que le nez perçoit. Rien d'anormal lorsque l'on sait que le vin a séjourné en fût. La bouche est ronde, d'une bonne tenue, marquée par le cabernet franc. Plein de jeunesse, ce vin équilibré ne manque pas de caractère. Il saura tenir tête à une volaille fermière ou à une viande blanche.

Union des Producteurs de Rauzan, L'Aiguilley, 33420 Rauzan, tél. 05.57.84.13.22, fax 05.57.84.12.67, e-mail accueil@cavesderauzan.com r.-v.

CH. VIEILLE TOUR Subtilité 2002

0,2 ha 1 800 5 à 8 €

Avec le sémillon pour ascendant, ce vin fait valoir ses atouts dès le premier regard porté sur sa teinte jaune transparente, illuminée de vert. Il évoque discrètement le fruit (pomme) et les fleurs au nez, puis offre au palais un équilibre favorable entre rondeur et vivacité, ce qui souligne le fruité. Un crémant flatteur pour une salade de fruits rouges.

SCEA des Vignobles Gouin, La Pradiasse, 33410 Laroque, tél. 05.56.62.61.21, fax 05.56.76.94.18, e-mail chateau.vieille.tour@wanadoo.fr r.-v.

## Le Blayais et le Bourgeais

Blayais et Bourgeais, deux pays (plus de 9 000 ha) aux confins charentais de la Gironde que l'on découvre toujours avec plaisir. Peut-être en raison de leurs sites historiques, de la grotte de Pair-Non-Pair (avec ses fresques préhistoriques, presque dignes de Lascaux), de la citadelle de Blaye ou de celle de Bourg, ou des châteaux et autres anciens pavillons de chasse. Mais plus encore parce que de cette région très vallonnée se dégage une atmosphère intimiste, apportée par de nombreuses vallées et qui contraste avec l'horizon presque marin des bords de l'estuaire. Pays de l'esturgeon et du caviar, c'est aussi celui d'un vignoble qui, depuis les temps gallo-romains, contribue à son charme particulier. Pendant longtemps, la production de vins blancs a été importante ; jusqu'au début du XXe s., ils étaient utilisés pour la distillation du cognac. Mais aujourd'hui, ils sont réservés à une production d'AOC bordelaises.

On distingue deux grands groupes : celui de Blaye, avec des sols assez diversifiés (calcaires, sables, argilo-calcaires), et celui de Bourg, géologiquement plus homogène (argilo-calcaires et graves).

## Blaye, côtes-de-blaye et premières-côtes-de-blaye

Sous la protection, désormais toute morale, de la citadelle de Blaye due à Vauban, le vignoble blayais s'étend sur environ 5 000 ha plantés de vignes rouges et blanches. L'AOC blaye a revendiqué 5 406 hl en 2004. Les premières-côtes-de-blaye rouges (329 260 hl en 2004) sont des vins puissants et fruités. Les blancs (15 670 hl en premières-côtes-de-blaye et 1 507 hl en côtes-de-blaye) sont aromatiques. Ils sont en général secs, d'une couleur légère, et on les sert en début de repas, alors que les premières-côtes rouges vont plutôt sur des viandes ou des fromages.

La nouvelle charte qualitative de l'AOC blaye exige une mise en bouteilles après dix-huit mois d'élevage.

## Blaye

CH. BEL-AIR LA ROYERE 2002 ★★

5,65 ha 15 000 15 à 23 €

Issu d'une famille de vignerons charentais, Corinne et Xavier Loriaud se sont établis en 1992 sur le plateau de Cars. La demeure girondine a une vue imprenable sur l'estuaire. Les vignes comportent 30 % de malbec (cot), ce cépage de Cahors très présent en Blayais-Bourgeais. Ce 2002 est remarquable. La robe rubis aux reflets mauves est encore jeune. Le bouquet intense et complexe mêle les fruits compotés, le cuir, le cacao, le merrain fin. La bouche est charmeuse et gourmande, d'abord tout en rondeur, puis épicée ; elle s'achève sur d'élégants tanins boisés. Un vin déjà harmonieux, doté d'un bon potentiel de garde.

EARL Chevrier-Loriaud, Les Ricards, 33390 Cars, tél. 05.57.42.91.34, fax 05.57.42.32.87, e-mail chateau.belair.la.royere@wanadoo.fr r.-v.

GRAND VIN DE CH. DUBRAUD 2002

5 ha 18 000 15 à 23 €

Au XIXe s., ce domaine appartenait à la famille Dubraud. Vendu à des Anglais, il a été racheté en 1998 par Céline et Alain Vidal. Sur les 25 ha du vignoble, 5 ha sont consacrés à l'AOC blaye. Ce 2002 est déjà harmonieux dans sa robe rubis. Son bouquet exprime les fruits confiturés ou à l'eau-de-vie. La bouche est souple, fruitée, étoffée. Les tanins déjà plaisants permettront de consommer ce vin assez rapidement.

Alain et Céline Vidal, Ch. Dubraud, 33920 Saint-Christoly-de-Blaye, tél. 05.57.42.45.30, fax 05.57.42.50.92, e-mail avidal@terre-net.fr r.-v.

CH. GARREAU Cuvée Armande 2002

1 ha 5 000 15 à 23 €

Une cuvée originale, dans laquelle les cabernets dominent le merlot (70 % contre 30 %), ce qui n'est pas courant dans la région. L'étiquette illustrée d'un nu n'est pas courante non plus. Dans le verre, le vin est assez particulier. Les fruits et le chêne commencent à se marier. La bouche est souple et fraîche à l'attaque, puis dominée par les tanins en finale. Il faudra attendre un ou deux ans pour que cela s'affine un peu.

SCEA Ch. Garreau, Lafosse, 33710 Pugnac, tél. 05.57.68.90.75, fax 05.57.68.90.84 t.l.j. sf sam. dim. 9h-12h 14h-17h
Guez

CH. HAUT-COLOMBIER 2002 ★

4 ha 12 000 8 à 11 €

Le nom du lieu-dit suggère la modestie : La Maisonnette ; en fait la demeure date du XVII^e s., flanquée d'un pigeonnier d'où partaient des messages lors de la dernière guerre ; le tout est entouré d'un important vignoble de 54 ha. Le terroir argilo-calcaire renferme beaucoup de coquilles d'huîtres et de coquillages fossiles. Ce vin à la teinte grenat joue sur des notes de fruits rouges et noirs bien mûrs qui tiennent tête au bois toasté. La mise en bouche est souple, ronde, puis les tanins boisés paraissent encore un peu frais. Il faudra attendre un an ou deux avant de penser à accommoder cette bouteille avec un civet ou du fromage.

EARL Vignobles Jean Chéty et Fils, 2, La Maisonnette, 33390 Cars, tél. 05.57.42.10.28, fax 05.57.42.17.65, e-mail chateau.hautcolombier@wanadoo.fr t.l.j. sf sam. dim. 8h-12h 14h-18h

CH. LIVENNE 2002

1,1 ha 7 000 11 à 15 €

Sur son vignoble de 7,45 ha situé à 500 m des vestiges gallo-romains de Plassac, Sylvie Germain a sélectionné les plus vieilles parcelles de merlot et de malbec (cot) pour cette cuvée. Le bouquet intense mêle les fruits noirs, le bois grillé et une légère touche d'humus. Le palais est fin et délicat, déjà harmonieux. C'est un vin plaisir qu'il faudra servir assez vite, par exemple sur un navarin d'agneau.

Sylvie Germain, Ch. Maine-Gazin, 33390 Plassac, tél. 05.57.42.66.66, fax 05.57.64.36.20, e-mail bordeaux@vgas.com r.-v.

CH. MELIGNAN 2002 ★

1 ha 6 000 15 à 23 €

Pour cette appellation particulièrement exigeante, Jean-François Pommeraud sélectionne 1 ha de sol calcaire et pierreux complanté à 60 % de merlot, 30 % de cot (malbec) et 10 % de cabernet-sauvignon. Il a obtenu un 2002 coloré (cerise noire), au fumet très boisé, volumineux en bouche, où la saveur fruitée apparaît derrière des tanins de merrain. Ce vin au fort potentiel de garde mérite de vieillir quelques années.

Jean-François Pommeraud, Ch. La Raz Caman, 33390 Anglade, tél. 05.57.64.41.82, fax 05.57.64.41.77 r.-v.

CH. MONCONSEIL GAZIN 2002 ★

4 ha 18 000 11 à 15 €

A Plassac, les amateurs de vieilles pierres sont comblés avec les vestiges et le musée gallo-romain, et même le curieux porche crénelé du château Monconseil Gazin. Si vous passez par là, vous y trouverez un 2002 rubis intense, au bouquet déjà complexe déclinant les fruits rouges, le cuir, le chêne grillé. La bouche encore fraîche présente une bonne concentration de saveurs fruitées et boisées, accompagnées de tanins de qualité qui assureront une bonne évolution dans la prochaine décennie.

Vignobles Michel Baudet, Ch. Monconseil-Gazin, 33390 Plassac, tél. 05.57.42.16.63, fax 05.57.42.31.22, e-mail mbaudet@terre-net.fr r.-v.

CH. MOULIN DE CHASSERAT 2002 ★★

2 ha 10 000 8 à 11 €

Ce vignoble de 21 ha sélectionne de vieux merlots plantés sur graves pour élaborer cette cuvée de haut

niveau. L'an dernier celle-ci avait frisé le coup de cœur, cette année elle le décroche, ce qui est fort méritoire dans un millésime pas toujours facile. Tout y est : la somptueuse robe bordeaux profond ; le bouquet intense de baies noires, de cuir, de chêne torréfié ; la bouche ronde, ample, savoureuse ; les tanins serrés et toastés qui s'intègrent bien à l'ensemble, malgré leur jeunesse. Un très beau vin de garde qu'il faudra attendre deux ou trois ans. On pourra alors l'associer à une large palette culinaire.

EARL Boyer-Fourcade, 21, rue Moulin-de-Chasserat, 33390 Cartelègue, tél. 05.57.64.63.14, fax 05.57.64.50.14, e-mail chateauchasserat@wanadoo.fr r.-v.

CH. PETIT BOYER 2002 ★★

1,68 ha 13 444 11 à 15 €

Pour cette appellation particulièrement exigeante, la famille Bideau sélectionne les plus vieilles vignes de son domaine d'une vingtaine d'hectares. Le résultat est impressionnant. La teinte cerise noire est très profonde. Le bouquet extrêmement complexe décline des notes de fruits rouges à l'eau-de-vie, de baies bien mûres, un boisé doux (noix de coco). La bouche, déjà harmonieuse, mêle des nuances de fruits et des arômes de torréfaction. La finale est soutenue par des tanins bien présents. Un vin de garde, à attendre encore un an ou deux.

EARL Vignobles Jean-Vincent Bideau, 5, Les Bonnets, 33390 Cars, tél. 05.57.42.19.40, fax 05.57.42.33.49, e-mail jvb@petit-boyer.com r.-v.

# Premières-côtes-de-blaye

CH. L'ABBAYE Vieilli en fût de chêne 2002

1,9 ha 13 300 5 à 8 €

Cette propriété familiale de 21 ha, située près des vestiges d'une abbaye du XII^e s., tout au nord de l'appellation, à la limite de la Charente-Maritime, propose deux cuvées. Celle-ci, née sur des argiles sablonneuses, offre un nez fin (floral, fruité, épicé, balsamique) et une saveur de fruit très mûr (pruneau) nuancé de truffe. Les tanins déjà affinés permettront de la servir assez vite sur de l'agneau. Le **blanc sec 2004 (3 à 5 €)** est un pur sauvignon. Il exprime fortement cette origine. Perlant et frais, avec une note de buis au palais, il s'accordera avec des fruits de mers ou des fromages de chèvre secs.

SCEA Vignobles Rossignol-Boinard, L'Abbaye, 33820 Pleine-Selve, tél. 05.57.32.64.63, fax 05.57.32.74.35 t.l.j. sf dim. 9h-12h 14h-19h

## CH. BARBE 2002

20,62 ha 150 000 5 à 8 €

La famille Bayle-Carreau exploite plusieurs crus en Blayais. Celui-ci est occupé par Xavier Carreau, responsable viticole. Il doit son nom à son propriétaire du XVIIIe s., M. Barbé, major de la citadelle et contrôleur des rives de la Dordogne. Ce vin représente la quasi-totalité du vignoble. Sa robe rubis montre quelques reflets grenat d'évolution. Le bouquet est encore un peu fermé mais franc. Souple et ronde, la bouche est soutenue par des tanins affinés qui autorisent un service immédiat.

Vignobles Bayle-Carreau, Ch. Barbé, 33390 Cars, tél. 05.57.64.32.43, fax 05.57.64.22.74, e-mail contact@bayle-carreau.com t.l.j. sf sam. dim. 8h-12h 14h-17h

## CH. BELLEVUE-GAZIN 2003 ★★

4,5 ha 11 000 11 à 15 €

La demeure porte bien son nom : perchée au sommet de la côte du Paradis, elle domine la Gironde, les vestiges gallo-romains, la Vierge des marins et l'adorable église de Plassac. Les nouveaux propriétaires présentent leur première récolte. Parée d'une somptueuse robe pourpre, cette cuvée s'épanouit à l'aération en une succession de fruits (mûre, cassis, myrtille) mûrs accompagnés de notes empyreumatiques, de bois vanillé. La bouche n'est pas en reste ; charnue, elle repose sur une structure tannique encore un peu austère,mais garante d'une bonne garde. Dans un an ou deux, on pourra commencer à servir ce vin sur des viandes rôties.

SCEA Lancereau-Burthey, Ch. Bellevue-Gazin, 33390 Plassac, tél. 05.57.42.02.00, fax 05.57.42.04.60, e-mail aslancereau@aol.com r.-v.

## CH. BERTHENON

Cuvée Henri Elevé en fût de chêne 2003 ★

1 ha 5 000 5 à 8 €

Vaste vignoble de 32 ha entourant une demeure du XVIIIe s., implanté sur argilo-calcaires à quelques kilomètres au nord-est de la citadelle de Blaye. La cuvée Henri est issue de vieilles vignes. La couleur est foncée. Le nez fin, encore fruité, est soutenu par un bois épicé et grillé. En bouche, le vin est généreux, ample et gras. On retrouve les arômes de raisins très mûrs et les tanins de bois vanillés. Un bon vin qu'il faudra attendre encore un ou deux ans avant de l'apprécier avec une viande rouge (entrecôte, rôti de bœuf). Le **blanc sec 2003 cuvée Léa Elevé en fût de chêne**, essentiellement à base de sauvignon gris, est cité. Souple et frais, il peut être servi dès à présent sur un plateau de fruits de mer.

GFA Henri Ponz, Ch. Berthenon, 3, Le Barrail, 33390 Saint-Paul, tél. et fax 05.57.42.52.24, e-mail contact@chateau-berthenon.com t.l.j. 8h-12h 14h-19h30; sam. dim. sur r.-v.

## CH. BERTINERIE 2003 ★★

25 ha 160 000 5 à 8 €

Important vignoble familial d'une soixantaine d'hectares chapeauté par une belle bâtisse du XIXe s. Toute la vigne est palissée en lyre. Cette cuvée est significative : sa robe rubis profond est encore jeune. Le nez frais joue d'abord sur les fruits noirs mûrs, prolongés par un bois vanillé et torréfié. La bouche franche, équilibrée, elle aussi fruitée, est structurée par des tanins fins et denses. Après un ou deux ans de vieillissement, ce vin sera parfait dans la décennie suivante pour accompagner canard ou viande en sauce.

SCEA Bantégnies et Fils, Ch. Bertinerie, 33620 Cubnezais, tél. 05.57.68.70.74, fax 05.57.68.01.03, e-mail contact@chateaubertinerie.com r.-v.

## CH. LES BERTRANDS

Cuvée Prestige Elevé en fût de chêne 2004 ★★

4 ha 25 000 5 à 8 €

Les Dubois exploitent une centaine d'hectares de vigne dans le nord du département. Leurs cuvées de tête sont régulièrement retenues. C'est encore le cas pour celle-ci, d'une jolie teinte or franc, aux arômes puissants de fleurs blanches, de fruits exotiques (mangue), de vanille et de bois grillé ; elle se montre savoureuse, à la fois généreuse et fraîche, bien mariée au bois. Idéale sur une poêlée de Saint-Jacques. Le **Nectar des Bertrands rouge 2003 (11 à 15 €)** obtient aussi deux étoiles. Issu à 95 % de merlot, très coloré, il révèle des arômes déjà intenses qui rappellent la cerise, les épices et le café, soutenus par un bois torréfié. Rond, il est charpenté par des tanins boisés harmonieux. Pour une côte de bœuf.

EARL Vignobles Dubois et Fils, Les Bertrands, 33860 Reignac, tél. 05.57.32.40.27, fax 05.57.32.41.36, e-mail chateau.les.bertrands@wanadoo.fr t.l.j. sf dim. 9h-12h 14h-18h30

## CH. BOIS-VERT

Cuvée Prestige Elevé en fût de chêne 2003

4 ha 16 000 8 à 11 €

Patrick Penaud exploite aujourd'hui un important vignoble de 28 ha. La cuvée Prestige, issue de 4 ha de graves, est surtout intéressante par sa finesse. Le rubis est intense. Le nez associe le bon raisin et le bois grillé. La bouche est souple, étayée par des tanins de raisins et de chêne bien équilibrés et persistants. Après un ou deux ans d'affinage, ce vin satisfera les amateurs pendant plusieurs années. Le **blanc sec 2004 (5 à 8 €)** est également cité.

Patrick Penaud, 12, Boisvert, 33820 Saint-Caprais-de-Blaye, tél. et fax 05.57.32.98.10, e-mail p.penaud.boisvert@wanadoo.fr r.-v.

## CH. BONNANGE Cuvée Julia 2003 ★★

2 ha 2 000 23 à 30 €

Cette cuvée est issue d'une vigne de merlot à très petits rendements ; elle porte le prénom de l'épouse du publicitaire, propriétaire des lieux. Elle fait une entrée fracassante dans le Guide en montant directement sur la plus haute marche. La voici parée d'une robe bordeaux sombre à reflets mauves. Le bouquet est une explosion de fruits (cassis, griotte, myrtille) et de merrain vanillé, toasté, réglissé, mentholé, cacaoté. La bouche se montre à la hauteur par sa saveur et s'achève sur des tanins fins. Comme les très grands, ce vin sera bon jeune et vieux.

*Cuvée Julia*
Château Bonnange
2003
GRAND VIN DE BORDEAUX

L'autre cuvée, **Les Fruits rouges 2003 rouge (11 à 15 €)**, paye un peu la sélection et se contente d'une citation. Une bouteille sympathique, agréable dans sa jeunesse.

SCEA Vignobles Bonnange, 10, chem. des Roberts, 33390 Saint-Martin-Lacaussade,
tél. 06.85.52.48.08, fax 05.57.42.19.48,
e-mail le-boulme-terreblanque@wanadoo.fr ☑ Y ⛹ r.-v.

### CH. LA BRAULTERIE DE PEYRAUD
Cuvée Prestige Elevé en fût de chêne neuf 2003 ★

■ 3,5 ha 20 000 5 à 8 €

Les vins de cet important vignoble de 37 ha, implanté sur graves argileuses, sont régulièrement retenus par notre jury. C'est encore le cas pour cette cuvée née de 65 % de merlot noir et de 35 % de cabernet-sauvignon. Elle se présente dans une robe grenat à reflets violines, entourée de notes intenses de fruits mûrs, d'épices et de bois toasté. Les arômes de bouche sont en accord avec ceux du nez. La structure est bien construite, même si les tanins de chêne demandent à s'assouplir encore un ou deux ans. Il sera alors agréable de déguster ce vin sur un canard ou une viande rouge.

SARL La Braulterie Morisset,
Les Graves, 33390 Berson, tél. 05.57.64.39.51,
fax 05.57.64.23.60, e-mail braulterie@wanadoo.fr
☑ Y ⛹ r.-v.



**Le Blayais et le Bourgeais**

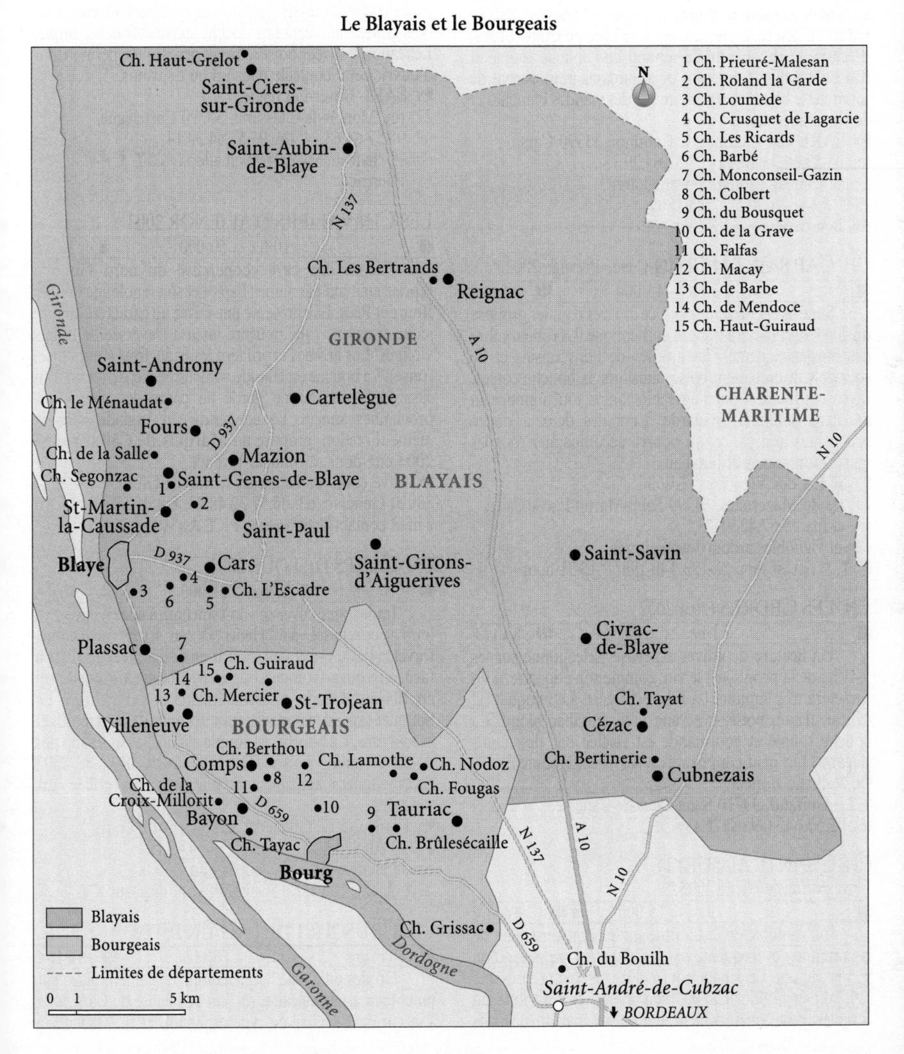

### CH. CAILLETEAU BERGERON
Elevé en fût de chêne 2003

■ 9 ha 55 000 5 à 8 €

Importante propriété familiale d'une quarantaine d'hectares, dont l'origine remonte aux années 1930. Ce vin jeune au bouquet naissant très fin, à la fois floral, fruité, épicé, dans une ambiance boisée, se montre souple, étoffé par des tanins soyeux. On pourra le servir dans les cinq ou six prochaines années avec de la cuisine traditionnelle.

Dartier, Bergeron, 33390 Mazion,
tél. 05.57.42.11.10, fax 05.57.42.37.72,
e-mail chateau.cailleteau.bergeron@wanadoo.fr
r.-v.

### CH. CANTINOT 2003

■ 11 ha 50 000 11 à 15 €

Joli vignoble de 20 ha entourant un petit castel en pierre de taille du XIXe s., situé à 1 km de l'église de Cars. Les cabernets sont presque à parité avec le merlot dans ce vin au caractère intéressant. Aux arômes de fruits rouges, de cerise et de bois toasté répond une bouche souple et fraîche, friande. Les tanins déjà fondants permettront de servir cette bouteille assez vite sur des viandes blanches et des fromages doux.

EARL Ch. Cantinot, 1, Cantinot, 33390 Cars,
tél. 05.57.64.31.70, fax 05.57.64.29.13,
e-mail chateau.cantinot@wanadoo.fr
t.l.j. 9h30-12h 14h-18h
Bouscasse

### CH. CAP SAINT-MARTIN Cuvée Prestige 2003 *

■ 3 ha 15 000 8 à 11 €

Situé sur la *via turonensis*, ce cru très régulier propose un 2003 au caractère franc et authentique. La robe sombre des bordeaux jeunes, les arômes de bons raisins et de sous-bois discrètement boisés ainsi que la bouche corsée, séveuse, structurée par d'agréables tanins, tout annonce un excellent potentiel de garde. Lors des deux à douze prochaines années, ce vin pourra accompagner tous les mets traditionnels et familiaux.

SCEA des Vignobles Ardoin,
11, rte de Mazerolles, 33390 Saint-Martin-Lacaussade,
tél. et fax 05.57.42.91.73,
e-mail vignobles.ardoin@wanadoo.fr
t.l.j. sf dim. 8h-12h 14h-19h; f. 15-31 août

### CH. LES CEDRES Elixir 2002

■ 1 ha n.c. 8 à 11 €

Un hectare de graves argileuses sélectionné sur les 5,41 ha de la propriété : le vin, comme son étiquette, a un caractère très féminin. La robe est légère. Le bouquet est délicat, fruité, boisé, avec une note de tabac blond. La bouche souple et gourmande est étoffée par des tanins élégants. On peut commencer à servir cette bouteille.

Nathalie Bonnet,
4, Le Guiraud, 33710 Saint-Ciers-de-Canesse,
tél. 05.57.64.90.95 r.-v.

### CH. CHANTE ALOUETTE
Elevé en fût de chêne 2003 *

■ n.c. 15 000 8 à 11 €

Joli vignoble de 25 ha situé sur le point culminant de la commune et fréquenté par les alouettes huppées, d'où le nom du cru. Le cépage cot (malbec) est bien représenté (20 %) : en 2003, il a pu bien mûrir. Il contribue au caractère de ce vin de couleur intense et au parfum de fruits mûrs. La bouche est structurée par des tanins fondus qui permettront un service prochain avec un gigot d'agneau, après un passage en carafe.

SCE Lorteaud et Filles, Ch. Chante Alouette,
33390 Plassac, tél. 05.57.42.16.38, fax 05.57.42.85.66,
e-mail mpdeboisseson@chante-alouette.fr r.-v.
de Boisseson

### CH. CHASSERAT
Cuvée André Bouyé Elevé en fût de chêne 2002 *

■ 4 ha 25 000 5 à 8 €

M. Fourcade exploite un vignoble d'une vingtaine d'hectares au nord de Blaye. Il sélectionne 4 ha de graves pour cette cuvée présentée avec une curieuse étiquette, à la fois moderne et évocatrice d'une époque où le vigneron labourait avec un cheval. Cela convient d'ailleurs assez bien au vin, à la fois contemporain et traditionnel. La couleur sombre, cerise noire et le nez prometteur où se succèdent les notes de fruits rouges, d'épices, de cuir et de bois grillé, annoncent une bouche suave et fraîche, ample. Les tanins à saveur boisée, fins et persistants, permettront d'ouvrir cette bouteille dans un ou deux ans.

EARL Boyer-Fourcade,
21, rue Moulin-de-Chasserat, 33390 Cartelègue,
tél. 05.57.64.63.14, fax 05.57.64.50.14,
e-mail chateauchasserat@wanadoo.fr r.-v.
Fourcade

### LES CHEVALIERS D'ALIENOR 2003 *

■ 10 ha 50 000 3 à 5 €

Encore une cave coopérative du nord Gironde reprise en main par James Espiot et son œnologue Olivier Bourdet Pees. Elle présente une cuvée au caractère encore jeune dans une robe pourpre intense traversée de reflets violines. Les arômes expriment les fruits frais (framboise, fraise). La bouche est friande, structurée par des tanins qui assureront une bonne garde au cours des cinq à six prochaines années. La coopérative d'Anglade, sous la même direction, propose un **Marquis de Cabut rouge 2003** cité pour sa rondeur juvénile.

Cave coop. de Générac, 1, Bois-de-Girau,
33920 Générac, tél. 05.57.32.48.33, fax 05.57.32.49.63,
e-mail contact@sutiac.com r.-v.

### CH. CORPS DE LOUP 2003

■ 7,37 ha 21 000 5 à 8 €

Importante cuvée qui doit son nom à une légende : un loup, pourchassé par Henri IV en forêt médocaine, traversa l'estuaire et vint mourir en ce lieu. Depuis, face à face, on trouve Trompe Loup en Médoc et Corps de Loup en Blayais. Ce vin est sympathique et prometteur. Le bouquet exprime les raisins frais, les épices (gingembre) et la fourrure. La bouche est souple et fraîche, soutenue par de bons tanins boisés. D'ici un à six ans, ce 2003 accompagnera agréablement une entrecôte grillée aux sarments.

Françoise Le Guénédal, Ch. Corps de Loup,
33390 Anglade, tél. et fax 05.57.64.45.10,
e-mail chateau-corps-de-loup@wanadoo.fr
t.l.j. 10h-12h 15h-18h30; sam. dim. sur r.-v.

### CH. CRUSQUET DE LAGARCIE 2003 *

■ Cru bourg. 20 ha 60 000 8 à 11 €

Un des piliers de l'appellation, idéalement placé sur un coteau argilo-calcaire, à 1 km de l'église de Cars et de son curieux clocher de type espagnol, et à 2 km de la

citadelle de Vauban qui veille sur la Gironde. Le vin y est toujours très réussi. C'est le cas de ce 2003 jeune et puissant. Les arômes fruités, boisés, épicés se succèdent dans une ambiance de sous-bois. Au palais, la saveur est à la fois fraîche et fondue, charpentée par des tanins boisés, encore un peu sévères. Dans un an ou deux, on pourra commencer à apprécier ce millésime sur toutes les viandes et les petits gibiers.
SAS Vignobles Ph. de Lagarcie, Le Crusquet, 33390 Cars, tél. 05.57.42.15.21, fax 05.57.42.90.87, e-mail vignobles.delagarcie@free.fr r.-v.

## CH. CRUSQUET SABOURIN Prestige 2003 *

■ Cru bourg. 1 ha 6 200 **8 à 11 €**

La famille Sabourin exploite un important domaine viticole de 55 ha. Pour cette petite cuvée, elle sélectionne 1 ha de vieilles vignes. Le vin présente une robe rubis foncé et des arômes de petits fruits rouges. Après une mise en bouche souple, la saveur boisée apparaît au palais. Des tanins déjà affinés permettront une consommation prochaine.
Sabourin Frères, 49, Le Bourg, BP 5, 33392 Blaye Cedex, tél. 05.57.42.15.27, fax 05.57.42.05.47, e-mail info@sabourin-freres.com r.-v.

## CH. L'ESCADRE Major 2003 **

■ 1 ha 4 000 **11 à 15 €**

La propriété achetée en 1832 à un officier de marine (d'où son nom) est exploitée aujourd'hui par la septième génération de la famille Carreau. Elle atteint actuellement une soixantaine d'hectares. La cuvée de tête, Major, avait obtenu un coup de cœur dans le millésime 2002. Le 2003 est un grand vin, élégant et gourmand, très fruité, finement boisé, reposant sur des tanins bien fondus. Le **Château Les Petits Arnauds 2003 rouge (3 à 5 €)**, cuvée principale, est cité. Il est plus léger, plus facile à déguster dans l'immédiat, avec un bouquet légèrement boisé et une bouche souple.
Jean-Marie et Sébastien Carreau, Ch. Les Petits Arnauds, 33390 Cars, tél. 05.57.42.36.57, fax 05.57.42.14.02, e-mail info@vignobles-carreau.com r.-v.

## CH. FERTHIS Cuvée Ulysse 2003 **

■ 1,5 ha 7 500 **11 à 15 €**

Stéphane Eymas cultive un vignoble de 13 ha situé à l'extrême nord de la Gironde, entre le port des Cullonges, sur l'estuaire, et la Charente-Maritime. Sa cuvée Ulysse, ainsi nommée en l'honneur de l'arrière-grand-père créateur du vignoble, est issue de 90 % de merlot. La robe est somptueuse et classique. Les arômes riches de baies noires (mûre, myrtille) sont encore dominés par un boisé fin. La bouche est charnue, ronde, équilibrée par d'excellents tanins. « Le bon raisin est soutenu par un bon bois. » Un vin charmeur pour cuisine contemporaine, à apprécier entre un et huit ans. Le **Château Ferthis 2004 blanc (5 à 8 €)**, avec 95 % de sauvignon, est cité pour sa saveur fraîche et minérale. A essayer avec des asperges du Blayais.
Stéphane Eymas, 9, av. Mendès-France, 33820 Saint-Ciers-Sur-Gironde, tél. 05.57.32.72.52, fax 05.57.32.60.05, e-mail seymas@terre-net.fr t.l.j. 9h-12h 14h-19h

## CH. FONTARABIE 2003 *

■ 15 ha n.c. **5 à 8 €**

La famille Faure est implantée en Bourgeais depuis plus d'un siècle. En 1995, les deux filles ont acheté 20 ha en Blayais. Ce vin est très agréable ; on peut y trouver des notes de griotte et un boisé fin, vanillé, cacaoté. La structure est équilibrée et les tanins finement boisés sont persistants. Une bonne bouteille pour la décennie à venir, après un ou deux ans de patience. Il sera intéressant de le déguster sur un fromage de brebis avec pâte de coings. Le **Château Les Hauts de Fontarabie 2003** a lui aussi été retenu avec une étoile ; son style et son niveau qualitatif sont très voisins de la cuvée principale.
Vignobles A. Faure, Ch. Belair-Coubet, 33710 Saint-Ciers-de-Canesse, tél. 05.57.42.68.80, fax 05.57.42.68.81, e-mail belair-coubet@wanadoo.fr r.-v.

## CH. GIGAULT Cuvée Viva 2003

■ 14 ha 50 000 **11 à 15 €**

Le sol argilo-calcaire et argilo-limoneux de Mazion est planté à 90 % de merlot. Ce vin coloré rappelle les cerises à l'eau-de-vie, les baies noires, le chêne caramelisé et vanillé. La bouche souple et élégante est chaleureuse, marquée par le millésime et l'élevage en barrique. Tout cela devrait s'harmoniser dans un an ou deux.
Christophe Reboul Salze, Ch. Gigault, 33390 Mazion, tél. 06.11.23.69.35, fax 05.57.54.39.39, e-mail christophe@hee-wine-merchaut.com r.-v.

## CH. DU GRAND BARRAIL Cuvée Prestige 2003 **

■ 4,5 ha 20 000 **5 à 8 €**

Denis Lafon exploite plusieurs crus en Blayais ; celui-ci mérite vraiment son qualificatif de cuvée Prestige. C'est un vin très complet, du premier regard à la finale. La robe est sombre, presque noire. Le bouquet profond exprime les fruits mûrs, le bois épicé. La bouche concentrée, savoureuse est charpentée par des tanins élégants. Une grande bouteille déjà harmonieuse, mais qui pourra vieillir. La **cuvée Prestige du Château Graulet 2003 rouge** est citée.
Vignobles Denis Lafon, Bracaille 1, 33390 Cars, tél. 05.57.42.33.04, fax 05.57.42.08.92, e-mail denis-lafon@wanadoo.fr r.-v.

## CH. LE GRAND MOULIN 2003 **

■ 15 ha 80 000 **8 à 11 €**

Ce vignoble est situé sur les sables du nord Blayais, tout près de la Charente-Maritime. Il présente un remarquable 2003 à la robe rubis framboisé et aux arômes intenses de fruits rouges, de bois grillé et d'épices douces. Ample, le palais se révèle rond, en harmonie avec le nez ; les tanins du bois torréfié (café) sont fins et persistants. D'ici un an ou deux, cette bouteille sera très plaisante.
GAEC du Grand Moulin, La Champagne, 33820 Saint-Aubin-de-Blaye, tél. 05.57.32.62.06, fax 05.57.32.73.73, e-mail jfreaud@wanadoo.fr t.l.j. sf dim. 9h-12h 14h-18h
GFA Réaud Père et Fils

## CH. LES GRANDS MARECHAUX 2003

■ 19,29 ha 86 000 **8 à 11 €**

Ce cru important est né de l'association, en 1997, d'un négociant en vins et d'un courtier en vins. Le millésime 2003 reflète bien l'été de la canicule. La couleur rubis intense présente quelques nuances d'évolution. Le bouquet assez fin exprime les fruits mûrs, les épices, le gibier, rafraîchis par un bois mentholé. La bouche est concentrée, chaleureuse, avec une saveur de fruits confits et des tanins réglissés, élégants et persistants.

SCEA Ch. Les Maréchaux,
Geniquet, 33920 Saint-Girons-d'Aiguevives,
tél. 05.56.77.80.60, fax 05.56.77.80.61,
e-mail eb@barre-touton.com r.-v.
Barre

## CH. LES GRAVES Elevé en fût de chêne 2003

5 ha 18 000 5 à 8 €

Cette cuvée, comme son nom l'indique, est issue de graves argileuses. 2003 donne un vin à la couleur soutenue. Le bouquet naissant est encore fruité, puis le fumet de bois réglissé apparaît, tout en finesse. La bouche, d'abord souple, prend de l'ampleur et de l'onctuosité, soutenue par des tanins soyeux, mais qui doivent s'assouplir encore un peu (un ou deux ans). On pourra ensuite en profiter pendant une décennie.

SCEA Pauvif,
15, rue Favereau, 33920 Saint-Vivien-de-Blaye,
tél. 05.57.42.47.37, fax 05.57.42.55.89,
e-mail info@chateau-les-graves.com r.-v.

## DOM. DES GRAVES D'ARDONNEAU
Cuvée Prestige Elevé en fût de chêne 2003 ★★

5 ha 33 000 5 à 8 €

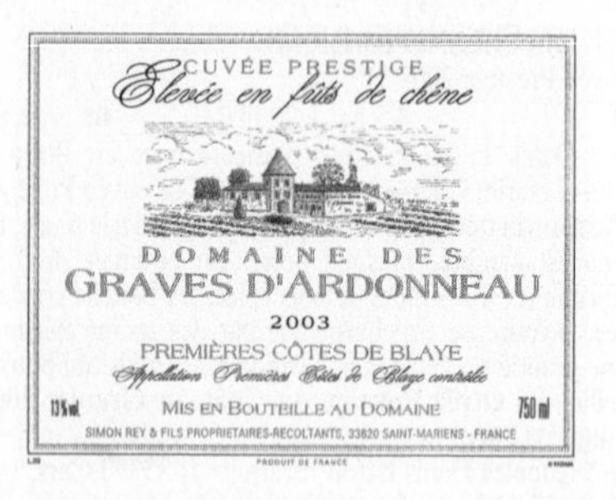


Toujours bien notée, cette cuvée fait encore mieux cette année : elle obtient un coup de cœur. Elle séduit par sa somptueuse robe bordeaux jeune et sombre, par son bouquet à la fois fin et puissant, mariant agréablement les baies noires mûres et le merrain torréfié. Concentrée, elle mêle les saveurs de griotte, de cuir, de moka, et repose sur des tanins soyeux, mais persistants. Un beau vin de garde déjà harmonieux. La **cuvée Prestige blanc sec 2004** obtient aussi deux étoiles et même un coup de cœur. A base de sauvignon, avec un apport de colombard planté sur terroir siliceux, c'est un vin aux arômes persistants rappelant le genêt, les fruits secs (amande), les fruits exotiques (ananas) dans un sillage vanillé. La bouche savoureuse reste élégante. Parfait pour accompagner des poissons en sauce ou une tourte au saumon.

Simon Rey et Fils,
Ardonneau, 33620 Saint-Mariens,
tél. 05.57.68.66.98, fax 05.57.68.19.30,
e-mail gravesdardonneau@wanadoo.fr
t.l.j. sf dim. 8h-12h30 14h30-19h
Christian Rey

## CH. LES GRAVETTES Tradition 2003

17 ha 70 000 5 à 8 €

Les Pointet ont acquis cet important vignoble en 2000. Leur cuvée principale 2003, pourpre intense avec quelques rares reflets d'évolution, offre un nez discret qui repose sur les baies noires (cassis) bien mûres et la réglisse. La bouche est souple et charnue, persistante. Il faudra aérer ce vin pour qu'il puisse donner sa pleine mesure. A cette condition, on pourra le servir rapidement sur une viande blanche ou une volaille.

SCEA Vignobles Alain Pointet,
24, rue Thomas-Laurent, 33820 Etauliers,
tél. et fax 05.57.64.58.08 r.-v.

## CH. HAUT-CABUT 2003 ★★

7 ha 43 000 5 à 8 €

La cave du Blayais produit d'excellents vins. Les jurés ont sélectionné trois cuvées remarquables, le Château Haut-Cabut appartenant à Alain Dop. C'est un vin « nature » qui exprime bien son terroir (argilo-calcaire) et son millésime (très chaud). Le fruit mûr et les fins tanins s'associent harmonieusement. Le **Château Montfollet 2003 Vieilles Vignes rouge (8 à 11 €)**, appartenant aux vignobles Raimond, obtient également deux étoiles. Très coloré, très boisé, très concentré. Lorsque sa jeunesse se sera un peu assagie on aura un excellent vin de style contemporain. Le **Château Les Tours de Peyrat 2003 rouge** décroche lui aussi deux étoiles. C'est une importante cuvée issue des vignes de Christelle Tanet-Sauboua, qui associe harmonieusement le fruit très mûr (pruneau) à la barrique, avec de belles rondeurs et des tanins qui assureront un bon vieillissement.

Cave coop. du Blayais, 9, Le Piquet, 33390 Cars,
tél. 05.57.42.13.15, fax 05.57.42.84.92,
e-mail contact@la-cave-des-chateaux.com
t.l.j. sf dim. 9h-12h 14h-18h
Alain Dop

## CH. HAUT-CANTELOUP
Cuvée spéciale Elevé en fût de chêne 2003 ★

4,5 ha 23 000 5 à 8 €

Grand domaine viticole de 43 ha. La Cuvée spéciale vient d'un sol argilo-calcaire. Elle s'habille d'une couleur grenat intense. Beaucoup de fruits mûrs s'expriment avec une légère note boisée. Le caractère chaleureux, les tanins soyeux, présents mais bien intégrés forment un bel ensemble qui va encore se bonifier dans les prochaines années. Le **blanc sec 2004 (3 à 5 €)** obtient une étoile. Issu d'un terroir silico-graveleux, il est riche en arômes floraux (miel), fruités (agrumes) et minéraux. Après une mise en bouche perlante et douce, il explose en fruits frais, puis s'achève sur une élégante touche minérale. A apprécier à tout moment.

EARL Bordenave et Fils, 1, La Palanque,
33390 Fours, tél. 05.57.42.87.12, fax 05.57.42.36.69,
e-mail chatau-hautcanteloup@wanadoo.fr
t.l.j. sf dim. 8h-12h 14h-19h

## CH. HAUT-COLOMBIER 2003 ★

16 ha 60 000 3 à 5 €

La famille de Jean Chéty exploite un important domaine viticole de 54 ha sur un terroir argilo-calcaire. La demeure date du XVII^e s. Le colombier qui donne son nom à la cuvée retenue, servait à transmettre des messages lors de la dernier guerre. Ce vin chaleureux, à la couleur attrayante mêlant les reflets rubis, grenat, framboise, est marqué par le merlot : pruneau, fruits confits et à l'eau-de-vie, bois épicé. La bouche dense est structurée par de bons tanins à la saveur boisée. Un 2003 harmonieux pouvant accompagner tout un repas.

EARL Vignobles Jean Chéty et Fils,
2, La Maisonnette, 33390 Cars,
tél. 05.57.42.10.28, fax 05.57.42.17.65,
e-mail chateau-hautcolombier@wanadoo.fr r.-v.

## CH. HAUT DU PEYRAT 2003 *

10 ha 20 000 5 à 8 €

Ce cru existait déjà il y a cent cinquante ans. Il est aujourd'hui régulier, comme le confirme cette sélection. A la couleur cerise noire intense de la robe répond un nez mariant le raisin bien mûr et le merrain fin. La saveur franche, fruitée et boisée est celle d'une chair ronde d'une belle concentration tannique, qui assurera au vin une excellente évolution au cours des quatre à cinq prochaines années.

Muriel et Patrick Revaire, Ch. Gardut, 33390 Cars,
tél. 05.57.42.20.35, fax 05.57.42.12.84 r.-v.

## CH. HAUT-GRAVIER 2002

1,5 ha 4 300 3 à 5 €

Cette importante propriété familiale de 25 ha vinifie en chai particulier depuis 2000. C'est donc l'un de ses premiers millésimes qui est sélectionné ici. D'un joli grenat, ce vin commence à s'ouvrir sur des notes de cuir, de clou de girofle. La bouche est souple, bien équilibrée par des tanins présents sans excès. A servir assez vite sur des viandes rouges.

EARL Vignobles Francis Petit, 20, Gravier,
33710 Pugnac, tél. 06.07.16.19.07, fax 05.57.68.47.17,
e-mail tire.bouchon@wanadoo.fr r.-v.

## CH. HAUT-GRELOT Coteaux de Méthez 2003 *

5 ha 30 000 5 à 8 €

Joël Bonneau exploite un important vignoble de 50 ha tout au nord de la Gironde. Il est également président régional de l'Institut technique du vin. Le jury a retenu deux vins très réussis. La cuvée Coteaux de Méthez issue de pur merlot sur graves, d'une couleur bordeaux intense, offre des arômes de fruits rouges, de noyau, d'épices. Son corps rond, fruité et épicé est construit sur des tanins fondus et persistants. Le **blanc 2004 (3 à 5 €)**, à majorité de sauvignon avec un appoint de muscadelle et de sémillon, d'une teinte or vert, est tout en fleurs blanches et en fruits exotiques. Un vin frais, déjà agréable.

EARL Joël Bonneau, Au Grelot,
33820 Saint-Ciers-sur-Gironde, tél. 05.57.32.65.98,
fax 05.57.32.71.81, e-mail jbonneau@wanadoo.fr
t.l.j. 8h-12h30 14h-18h

## CH. DU HAUT GUERIN
Elevé en fût de chêne 2003

6,5 ha 33 000 8 à 11 €

Les vignes entourent un parc de 4 ha commandé par une maison bourgeoise et son chai attenant. Celui-ci a dû être refait en 2002, après les dégâts de la tempête de 1999. Le 2003 a une couleur cerise intense. Le nez expressif et vif est encore dominé par le bois torréfié (café, clou de girofle, vanille). La bouche est charpentée par des tanins de bois encore un peu fermes. On pourra commencer à le servir dans un ou deux ans sur des plats chasseurs.

Coureau, Ch. du Haut Guérin,
33920 Saint-Savin-de-Blaye, tél. 05.57.58.40.47,
fax 05.57.58.93.09, e-mail j.coureau@cgmvins.com
t.l.j. sf dim. 9h-12h 14h-18h

## CH. HAUT-MENEAU Elevé en fût de chêne 2003

Cru bourg. 7 ha 37 000 5 à 8 €

Domaine viticole créé en 1825, constitué d'une longère, de chais attenants et de 14 ha de vignes alentour, repris en 1989 par des Normands passionnés de vins. Dans le verre, on trouve une jolie couleur rubis franc. Le premier nez surprend par ses senteurs de venaison, de cuir. L'aération libère le fruit mûr et le boisé. La bouche est charnue, soutenue par des tanins corsés. Un vin « chasseur » qui peut déranger un peu ; il demandera deux ou trois ans pour s'assagir, mais deviendra intéressant ensuite.

Bravard, 51, Le Bourg,
33390 Saint-Paul-de-Blaye, tél. et fax 05.57.42.15.67,
e-mail cjbravard@club-internet.fr r.-v.

## CH. HAUT-VIGNEAU 2003

2,5 ha 17 000 8 à 11 €

Ce producteur de côtes-de-bourg exploite aussi un petit vignoble en Blayais. On y trouve de la grave, de l'argile et du calcaire. Terroir favorable à la vigne comme l'indique le nom du lieu. Le vin se présente avec un pourpoint rubis franc. Les arômes d'année chaude rappellent la poire surmûrie. La bouche est très souple, harmonieuse, mais avec une légère mollesse. Les tanins déjà soyeux permettront de servir assez vite cette bouteille sur des viandes blanches ou des fromages doux.

Vincent Lemaitre,
Ch. Rousselle, 33710 Saint-Ciers-de-Canesse,
tél. 05.57.42.16.62, fax 05.57.42.19.51,
e-mail chateau@chateaurousselle.com r.-v.
SARL Anthocyane

## CH. LES HIVERS GRILLET 2003

10 ha 60 000 3 à 5 €

Ce cru est implanté sur les terroirs argilo-calcaires de Berson. Le merlot règne en maître (90 %) dans ce vin à la robe rubis franc. Le bouquet repose sur des arômes de fruits mûrs, avec une touche végétale. La bouche est ample, charpentée par des tanins de raisin qu'il faudra laisser s'affiner un an ou deux avant de servir cette bouteille sur un waterzooï de volaille (recette belge).

SC de Grillet, 3, Grillet, 33390 Berson,
tél. 06.83.86.03.37, fax 05.57.64.28.00,
e-mail aline.deneumostier@wanadoo.fr
t.l.j. sf dim. 8h-12h 14h-18h; sam. sur r.-v.
Deneumostier

## CH. LACAUSSADE SAINT MARTIN
Trois Moulins 2003 *

6 ha 40 000 8 à 11 €

La maison B. Germain travaille en partenariat avec plusieurs producteurs. Ainsi cette cuvée Trois Moulins a-t-elle été sélectionnée sur les 35 ha que Jacques Chardat possède à Saint-Martin-Lacaussade. La teinte est franche. Les arômes de fruits mûrs, de cassis, sont finement boisés. La bouche chaleureuse, charnue et gourmande, repose sur des tanins présents mais fondus. Un vin flatteur au palais qui pourra s'apprécier assez prochainement, par exemple sur une caille rôtie farcie au foie gras. Le **Château Peyredoulle 2003 Maine Criquau Vieilles Vignes rouge** est également retenu avec une étoile. Bien dans son appellation et dans son millésime, il devra être attendu un an ou deux.

SCEA Ch. Labrousse,
33390 Saint-Martin-Lacaussade, tél. 05.57.42.66.66,
fax 05.57.64.36.20, e-mail bordeaux@vgas.com

**CH. LARDIERE** Elevé en fût de chêne 2003 ★★

■ n.c. 5 840 5 à 8 €

Sur son important vignoble, le GAEC Lardière propose deux petites cuvées de très bon niveau. Celle-ci, rubis profond, offre des parfums élégants floraux, fruités (cassis, framboise) et finement boisés. Au palais, souple, on croque le fruit, les tanins boisés et soyeux assurant une belle finale. On pourra l'apprécier rapidement. La cuvée **Tradition rouge 2003** obtient une étoile. Bien faite, elle conviendra à ceux qui n'aiment pas le bois. Elle exprime surtout les fruits rouges et s'appréciera plutôt sur du gibier.

GAEC Lardière, 3, Lardière, 33860 Marcillac,
tél. 05.57.32.50.11, fax 05.57.32.50.12,
e-mail lardiere@chateaulardiere.com r.-v.

**CH. LARRAT** 2003

■ 1,68 ha 10 133 5 à 8 €

Bernard Larrat exploite un grand vignoble de 60 ha sur le domaine de Grillet. Ce nom ne pouvant pas être utilisé (il existe une AOC château-grillet dans le Rhône), sa cuvée porte son patronyme. Autrefois, le terroir d'argile, de silice et de limon produisait des vins blancs. Aujourd'hui on y trouve un vin rouge à la jolie couleur rubis, au bouquet assez fin de fruits rouges, avec une note animale. Bien équilibré malgré des tanins encore jeunes, il s'inscrit dans la tradition de l'appellation.

EARL Dom. de Grillet, 5, Grillet, 33710 Pugnac,
tél. 05.57.68.80.64, fax 05.57.68.82.65,
e-mail dom.grillet@wanadoo.fr
t.l.j. sf dim. 9h-13h 14h-20h

**CH. LOUMEDE** Elevé en fût de chêne 2002 ★

■ 5 ha 28 600 5 à 8 €

Un des rares crus situés sur la commune même de Blaye, à mi-chemin entre la citadelle de Vauban et le village d'origine gallo-romaine de Plassac. Sur les 18 ha du vignoble, la famille Raynaud sélectionne 5 ha pour cette cuvée, dont la robe vive présente quelques reflets d'évolution. Le nez commence à s'ouvrir sur des senteurs plutôt animales. Le palais est souple, chaleureux, équilibré par de bons tanins assez persistants. On peut commencer à servir ce vin sur des viandes rouges et des gibiers.

SCE Loumède, Ch. Loumède, BP 4, 33393 Blaye Cedex, tél. 05.57.42.16.39, fax 05.57.42.25.30,
e-mail chateauloumede@wanadoo.fr
t.l.j. 9h-13h 14h-19h

**CH. MAGDELEINE BOUHOU** 2003 ★

■ 10 ha 20 000 5 à 8 €

La famille Rousseau exploite ce cru fort ancien, dont le nom mérite une petite explication. En 1863, le domaine de Bouhou est cité dans la deuxième édition du Féret. En 1886, il devient château Magdeleine Bouhou en l'honneur des femmes portant ce prénom, qui ont marqué la propriété. 1930 voit les premières ventes en bouteilles du célèbre millésime 1929... Dans le millésime 2003, le vin aux beaux reflets rubis et grenat est très aromatique (baies noires et bois élégant). La bouche est ample, en harmonie avec l'olfaction, mais les tanins boisés, encore un peu dominants, demanderont un ou deux ans de patience, puis assureront une bonne évolution.

GAEC Vignobles Rousseau,
Ch. Magdeleine-Bouhou, 33390 Cars,
tél. 05.57.42.19.13, fax 05.57.42.85.27 r.-v.

**CH. MAISON NEUVE** Elevé en fût de chêne 2003 ★

■ 3 ha 12 000 8 à 11 €

Importante propriété familiale de 35 ha qui sélectionne cette cuvée à 80 % de merlot et 20 % de cabernet-sauvignon plantés sur argilo-calcaires. Dans une robe bordeaux carminé, ce vin expressif dans lequel on peut trouver du pruneau, du gingembre, du gibier, le tout dans une ambiance boisée, offre un palais corsé, charnu, charpenté par des tanins de raisin et de bois de qualité, qui lui assurent un bon potentiel de garde. A consommer dans deux à huit ans sur une cuisine traditionnelle.

SCEA Vignobles J.-P. et C. Eymas,
Ch. Maison Neuve, 33820 Saint-Palais-de-Blaye,
tél. et fax 05.57.32.96.15,
e-mail chateaumaisonneuve@hotmail.com
t.l.j. sf dim. 8h-12h 14h-18h; f. jan.

**CH. DES MATARDS**
Cuvée Nathan Elevé en fût de chêne 2003 ★

■ 5,5 ha 30 000 5 à 8 €

La famille Terrigeol exploite un important domaine viticole de 72 ha qui déborde sur la Charente-Maritime. Sa cuvée Nathan, dans une robe bordeaux foncé, offre des arômes de fruits très mûrs, d'épices et de merrain toasté. Le palais, à la fois puissant et fin, est charpenté par des tanins de bois torréfié qui dominent encore un peu, mais qui assureront un bon vieillisement lors des cinq à huit prochaines années. Le **Château des Matards blanc 2004**, à base de sauvignon (90 %) et de muscadelle (10 %), est cité : d'une teinte or, doté d'un nez exotique fin, d'une bouche friande, il est agréable tout de suite.

GAEC Terrigeol et Fils, 27, av. du Pont-de-la-Grâce, 33820 Saint-Ciers-sur-Gironde,
tél. 05.57.32.61.96, fax 05.57.32.79.21,
e-mail christophe.terrigeol@wanadoo.fr
t.l.j. 8h30-12h30 14h-20h; dim. sur r.-v.; f. vendanges

**CH. MAYNE GUYON** 2003 ★

■ 22 ha 127 600 5 à 8 €

Ce vin satisfera beaucoup de monde par sa couleur foncée, par ses arômes de fruits cuits et de pruneau, par son léger boisé, par la douceur de son attaque en bouche, par sa chair fondante, par ses tanins aimables. On peut déjà l'apprécier sur toutes sortes de mets, des plus décontractés aux plus raffinés.

Jacques Chardat, Mazerolles, 33390 Cars,
tél. 05.57.42.09.59, fax 05.57.42.27.93,
e-mail mayne-guyon@wanadoo.fr
t.l.j. sf sam. dim. 8h-12h 14h-17h

**CH. MONDESIR-GAZIN** 2003 ★★

■ 6 ha 18 000 8 à 11 €

Situé sur l'estuaire de la Gironde, à 3 km au sud de Blaye, la petite commune de Plassac est connue pour son site et son musée gallo-romain. C'est là que se trouve un des trois vignobles de Marc Pasquet. Le 2003 est remarquablement réussi. Sa robe miroite de reflets mauves. Le bouquet est déjà intense ; on y trouve des fruits rouges, un fumet animal (cuir). La bouche est souple et friande, fruitée ; les tanins fondus et persistants permettront de servir assez vite cette bouteille comme de la conserver plusieurs années.

Marc Pasquet, Dom. Mondésir-Gazin,
33390 Plassac, tél. 05.57.42.29.80, fax 05.57.42.84.86,
e-mail mondesirgazin@aol.com r.-v.

### CH. MOULIN DE LA GACHE
Cuvée Saint-Pierre 2003 ★

■ 3 ha 10 000 5 à 8 €

Cette cuvée est sélectionnée sur les 10,5 ha que J.-P. Lacuisse exploite sur les sols silico-argileux du nord Blayais. La couleur grenat présente quelques reflets d'évolution. Le bouquet déjà intense repose surtout sur les baies rouges mûres, des senteurs boisées et des notes de sous-bois. La bouche harmonieuse se montre souple, ronde, avec une saveur fruitée et vanillée rappelant le nez. Les tanins boisés prolongent la finale. Un bon équilibre d'ensemble sera atteint dans deux à trois ans.

SCEV Ch. Moulin de La Gache, La Gache,
33920 Saint-Christoly-de-Blaye, tél. 05.57.42.51.47,
fax 05.57.42.40.27 t.l.j. 9h-12h 14h-19h
J.-P. Lacuisse

### CH. MOULIN NEUF Elevé en fût de chêne 2003 ★★

■ 2 ha 10 000 5 à 8 €

Cette cuvée de pur merlot est sélectionnée parmi la douzaine d'hectares cultivés par Laurent Glemet. L'œil est attiré par sa couleur jeune, cerise noire. Le nez est encore dans le bois, mais un bois de qualité finement toasté, alors que la bouche est déjà souple et onctueuse. Là aussi, le bois est très présent, mais il n'écrase pas le fruit. Ce vin peut être servi dès maintenant, mais on peut le faire attendre cinq ou six ans. L'autre cuvée, **Château Moulin Neuf 2003 rouge (3 à 5 €)** est citée. Elle exprime davantage le fruit. Souple et ronde, elle pourra se consommer assez prochainement.

Laurent Glemet, Le Moulin Neuf,
33920 Saint-Christoly-de-Blaye, tél. 05.57.42.55.38,
fax 05.57.42.55.08 t.l.j. 8h-12h 14h-19h

### CH. LES PAQUES Cuvée Prestige 2002

■ 2 ha 11 600 5 à 8 €

Le vignoble est constitué de trois îlots de 6 ha répartis autour de la demeure. La cuvée Prestige provient de 2 ha, uniquement plantés en merlot. La robe grenat est foncée. Le bouquet est déjà agréable : on y trouve des notes florales, fruitées (fruits rouges), épicées (vanille). La bouche est fraîche et bien équilibrée. Les tanins sont encore un peu fermes, mais ils devraient évoluer d'ici un an ou deux.

Bruno Martin, 19, Les Pâques,
33820 Braud-et-Saint-Louis, tél. et fax 05.57.32.76.10,
e-mail chateau.les.paques@voila.fr r.-v.

### CH. PETIT-BOYER Vieilles Vignes 2003 ★

■ 4,8 ha 32 000 8 à 11 €

Jean-Vincent Bideau présente deux cuvées très réussies. Ce 2003 Vieilles Vignes déjà très expressif porte une élégante robe pourpre sombre, entourée d'arômes de baies noires, de bois toasté. Une saveur de fruits confits accompagne une bouche charnue, aux tanins harmonieux. Dans les cinq à six prochaines années, on pourra associer cette bouteille à des plats élaborés : civet, daube. Le **Château Petit Boyer blanc sec 2004 (5 à 8 €)** succède au 2003 qui avait obtenu un coup de cœur. Il décroche une étoile pour sa présentation or franc, ses arômes sauvignonnés et boisés, accompagnés de notes florales, minérales, exotiques. Friand, frais et élégant, il pourra être apprécié tout de suite à l'apéritif ou sur des fruits de mer.

EARL Vignobles Jean-Vincent Bideau,
5, Les Bonnets, 33390 Cars, tél. 05.57.42.19.40,
fax 05.57.42.33.49, e-mail jvb@petit-boyer.com
r.-v.

### CH. LE POUYAU DE BOISSET 2003

■ n.c. 6 000 3 à 5 €

A la tête de l'exploitation depuis 2002, cette viticultrice présente un premières-côtes-de-blaye issu d'un terroir bien particulier, argilo-calcaire sur banc d'huîtres bersonnaises (*Estrea Bersonnansis*) d'une ère paléontologique. C'est un vin nature, sans fard, rubis brillant, aux arômes « pur fruit ». Sa saveur souple et fraîche et ses tanins légers permettront de le servir assez prochainement sur une entrecôte.

Patricia Geai-Beunard, 4, Le Pouyau, 33390 Berson,
tél. et fax 05.57.64.27.53 t.l.j. 9h-12h 13h-20h

### CH. LES RICARD 2002 ★

■ 5 ha 20 000 11 à 15 €

Cette propriété familiale de 13 ha est située sur la commune de Cars (au clocher intéressant), cœur traditionnel des vins rouges du Blayais, dans le prolongement du Bourgeais. Cela se confirme avec ce vin très réussi dans un millésime pas toujours facile. La robe chatoie de reflets rubis et grenat. Le bouquet est déjà agréable : floral, fruité, mentholé, vanillé. Le palais est suave, à la fois chaleureux et frais, accompagné de tanins veloutés, cacaotés qui devraient finir de s'affiner d'ici un ou deux ans. On verrait bien cette bouteille sur une entrecôte à la bordelaise.

Corinne et Xavier Loriaud,
Ch. Bel Air La Royère, 1, Les Ricards, 33390 Cars,
tél. 05.57.42.91.34, fax 05.57.42.32.87,
e-mail chateau.belair.la.royere@wanadoo.fr r.-v.

### CH. RICAUD Elevé en fût de chêne 2003 ★

■ 10 ha 60 000 5 à 8 €

Ce viticulteur cultive 24 ha de vignes sur argilo-calcaires. Cette cuvée se présente agréablement dans une robe rubis intense. Ses arômes mêlent les fruits mûrs et les fruits frais, le bois se faisant discret. Au palais, on trouve un bon raisin, bien vinifié, concentré mais sans excès, prolongé par des tanins fins et fondus. Déjà flatteur, ce vin gagnera cependant à s'ouvrir encore pendant un an ou deux ; il conviendra à une gastronomie traditionnelle.

Vignobles Michel Baudet, Ch. Monconseil-Gazin,
33390 Plassac, tél. 05.57.42.16.63, fax 05.57.42.31.22,
e-mail mbaudet@terre-net.fr r.-v.

### CH. ROLAND LA GARDE 2003 ★★

■ 10 ha 40 000 15 à 23 €

Depuis 1990, ce cru est devenu une des références de l'appellation. Son grand vin 2003 n'y déroge pas. Nos jurés ont aimé sa robe bordeaux, sombre et jeune, son interminable nez de fruits frais (fraise), de baies noires (myrtille), d'épices poivrées, de bois toasté aux senteurs de vanille et de noix de coco. Au palais, la saveur se montre à la hauteur des arômes, chaleureuse et dense. Les tanins boisés dominent encore un peu le fruit, mais ils assureront un bon vieillissement. D'ici un an ou deux, ils devraient être suffisamment fondus. Le **Château Sainte-Luce Bellevue 2003 rouge (11 à 15 €)** obtient une étoile. Fin et élégant, il est un peu moins marqué par le bois.

SCEA Ch. Roland La Garde,
8, La Garde, 33390 Saint-Seurin-de-Cursac,
tél. 05.57.42.32.29, fax 05.57.42.01.86,
e-mail contact@chateau-roland-la-garde.com
t.l.j. sf dim. 8h-12h 14h-19h
Bruno Martin

### CH. LA ROSE BELLEVUE 2004 ★

■ 6 ha 50 000 5 à 8 €

La famille Eymas exploite un important vignoble de 45 ha. Jérôme, le fils, est allé voir ce qui se fait ailleurs. Il a vinifié en Australie, en Champagne, au Chili. Ici, le **rouge 2003** du château obtient une étoile. Son nez déjà expressif évoque la griotte, le cassis, la myrtille dans un sillage de bois toasté. La bouche à la fois souple et nerveuse, équilibré, s'achève sur des tanins minéraux et boisés qui se fondront au cours des douze à vingt-quatre prochains mois. Quant à ce blanc sec issu de sauvignon avec un appoint de muscadelle plantés sur terroir de sables et de graves, il est déjà très ouvert sur des notes de fleurs, d'orange confite, d'abricot. Après l'attaque perlante, la saveur est fraîche et fruitée. C'est un vin de plaisir qui peut se déguster seul ou sur des fruits de mer.

EARL Vignobles Eymas et Fils, 5, Les Mouriers, 33820 Saint-Palais, tél. 05.57.32.66.54, fax 05.57.32.78.78 t.l.j. 9h-12h 14h-19h

### DOM. DES ROSIERS Confidence 2003 ★★

■ 1 ha 6 000 11 à 15 €

De son vignoble situé sur un coteau avec vue sur l'estuaire de la Gironde et le Médoc, Christian Blanchet sélectionne deux cuvées. Cette Confidence est un vin élégant et moderne, vêtu d'une robe bordeaux encore jeune. Son bouquet puissant débute par un bois très fin, très moka, suivi par du raisin bien mûr. La bouche est corsée et savoureuse ; on y retrouve les arômes du nez. Les tanins de bois torréfié sont fins et persistants. D'ici un à cinq ans, ce vin pourra s'apprécier hors repas ou sur une large palette culinaire (y compris moderne). La cuvée **rouge 2003 Elevé en fût de chêne (5 à 8 €)** est citée. Plus simple, elle est soyeuse et déjà aimable.

Christian Blanchet, 10, La Borderie, 33820 Saint-Ciers-sur-Gironde, tél. 05.57.32.75.97, fax 05.57.32.78.37, e-mail cblanchet@wanadoo.fr r.-v.

### CH. DE LA SALLE 2004 ★

■ 3,75 ha 26 000 5 à 8 €

26 ha de vignes entourent un ravissant petit manoir du XVIe s. Ce vin blanc sec issu de sauvignon (70 %) et de sémillon (30 %) est très aromatique : fleurs, fruits exotiques (agrumes, ananas) et léger bois vanillé. La saveur est puissante, fruitée, goûteuse, soutenue par la marque bien dosée du fût. Le tout déjà très harmonieux. Le **2003 rouge (8 à 11 €)** obtient aussi une étoile pour sa robe rubis, pour son bouquet mariant les arômes de cépages et de bois, pour sa bouche chaleureuse et savoureuse (cassis) s'achevant sur des tanins civilisés qui permetront de le servir assez vite.

SCEA Ch. de La Salle, 33390 Saint-Genès-de-Blaye, tél. 05.57.42.12.15, fax 05.57.42.87.11, e-mail marc.bonnin19@voila.fr r.-v.

Bonnin

### CH. SEGONZAC Vieilles Vignes 2003 ★★

■ Cru bourg. 13 ha 72 000 8 à 11 €

Vrai château viticole de 33 ha créé en 1887 par Jean Dupuy, ministre de l'Agriculture et fondateur du *Petit Parisien*. Depuis 2000, Charlotte et Thomas Herter gèrent ce cru emblématique de l'appellation. Ils présentent une cuvée d'importance significative qui a impressionné le jury. Parée d'une robe bordeaux foncé, presque noire, elle affiche un bouquet déjà riche en fruits, ouvert, prolongé par un boisé original, de type balsamique (cyprès, genièvre). Au palais, la saveur est d'une grande finesse, étoffée par des tanins élégants qui garantissent un bon vieillissement. Le **Château Segonzac 2003 rouge (5 à 8 €)** est très réussi. Plus juvénile, fruité, corsé par des tanins encore un peu bruts, il mérite d'attendre un ou deux ans.

SCEA Ch. Segonzac, 39, Segonzac, 33390 Saint-Genès-de-Blaye, tél. 05.57.42.18.16, fax 05.57.42.24.80, e-mail segonzac@chateau-segonzac.com r.-v.

Charlotte Herter-Marmet

### CH. TAYAT

Cuvée Tradition Elevé en barrique de chêne 2003

■ 2,5 ha 15 000 5 à 8 €

La famille Favereaud exploite un important vignoble de 32 ha. Deux de ses cuvées sont citées. La cuvée Tradition en rouge, issue d'argilo-calcaire, d'une couleur cerise noire, est encore marquée par le bois torréfié (café, moka), mais offre une bonne expression fruitée. La bouche, elle aussi, est encore dans le bois. Toutefois, la chair, la rondeur, le fruité existent et devraient s'épanouir d'ici un ou deux ans. Le **blanc 2004** est un pur sauvignon issu d'un sol argilo-siliceux. Sous une teinte paille, son bouquet intense exprime des notes de fleurs et de fruits exotiques. La bouche est fraîche, acidulée, florale.

Favereaud, 2, Tayat, 33620 Cézac, tél. 05.57.68.62.10, fax 05.57.68.15.07 t.l.j. sf dim. 8h-13h 15h-19h

### CH. TERRE-BLANQUE Cuvée Noémie 2003 ★★

■ 10 ha 30 000 11 à 15 €

Cette importante cuvée née de vieilles vignes plantées sur argilo-calcaire avait obtenu un coup de cœur dans le millésime 2002. Le 2003 est tout proche et monte sur la deuxième marche du podium. Tout y est : la robe sombre, le cocktail réussi entre les fruits frais et le chêne toasté, aussi bien au nez qu'en bouche, la saveur minérale, la structure élégante, les tanins réglissés. Un grand vin de garde déjà harmonieux. La petite cuvée **Les Cailloux 2002 rouge (23 à 30 €)** obtient aussi deux étoiles. Elle est issue d'un terroir pierreux, encépagé à 70 % de cabernet-sauvignon à faible rendement. Cela donne un vin très typé, très boisé, qu'il faudra attendre patiemment pendant plusieurs années.

Paul-Emmanuel Boulmé, Ch. Terre-Blanque, 33390 Saint-Genès-de-Blaye, tél. 06.85.52.48.08, fax 05.57.42.19.48 r.-v.

### CH. DES TOURTES Cuvée Prestige 2003 ★

■ 8 ha 40 000 8 à 11 €

Ce domaine d'une cinquantaine d'hectares a créé en 2002 une salle de dégustation pouvant accueillir soixante personnes. Sa cuvée Prestige 2003, rubis intense, est encore jeune, mais prometteuse. Le bouquet concentré exprime le raisin surmûri, le pruneau, avec une touche animale. La bouche est charnue et puissante, charpentée par beaucoup de tanins de raisin et de merrain. C'est un vin de garde, pour cuisine traditionnelle, qu'il faudra attendre deux ou trois ans. Ce vignoble a produit aussi une importante **cuvée Prestige blanc sec sauvignon 2003**, retenue avec une citation. La teinte est déjà dorée. Les arômes boisés le disputent aux notes de sauvignon et aux fruits secs.

EARL Raguenot-Lallez-Miller, le bourg, 33820 Saint-Caprais-de-Blaye, tél. 05.57.32.65.15, fax 05.57.32.99.38, e-mail chateaudestourtes@wanadoo.fr t.l.j. 9h-12h30 14h-19h; dim. sur r.-v.

DUC DE TUTIAC Elevé en fût de chêne 2003 ★

■ 13 ha 80 000 5 à 8 €

Importante cuvée élaborée par la cave des Hauts de Gironde. On a affaire à un vin de caractère qui peut surprendre. La teinte est jeune, cerise noire. Le nez évoque le sous-bois : fleurs sauvages, baies, humus. La bouche charnue et dense, charpentée par des tanins boisés, devrait s'affiner assez rapidement. Pour une entrecôte à la bordelaise.

Cave des Hauts de Gironde, La Cafourche, 33860 Marcillac, tél. 05.57.32.48.33, fax 05.57.32.49.63, e-mail contact@tutiac.com r.-v.

CH. VIEUX PLANTY Elevé en fût de chêne 2003

■ 0,8 ha 3 600 5 à 8 €

Les vignes sont plantées sur un sol de graves argileuses : on a là une cuvée intéressante, à robe jeune et aux arômes harmonieux de griotte et de vanille. Suave au palais, avec une opulence équilibrée par des tanins serrés, chocolatés et épicés, ce vin de plaisir courtois sera apprécié dans un ou deux ans.

EARL Ovide et Fils, 10, Le Bourg, 33820 Saint-Aubin-de-Blaye, tél. et fax 05.57.32.67.35, e-mail chateauvieuxplanty@cario.fr r.-v.

# Côtes-de-bourg

L'AOC couvre environ 3 985 ha. Avec le merlot comme cépage dominant, les rouges (215 673 hl en 2004) se distinguent souvent par leur couleur et leurs arômes typés de fruits rouges. Plutôt tanniques, ils permettent dans bien des cas d'envisager favorablement un certain vieillissement de trois à huit ans. Peu nombreux, les blancs (1348 hl) sont en général secs, avec un bouquet caractéristique.

CH. DE BARBE Pourpre 2003 ★

■ n.c. 30 000 11 à 15 €

Vaste domaine en pente sud, au bord de la Gironde. Le château XVIII[e]s. et le parc peuvent recevoir d'importantes manifestations. Cette cuvée Pourpre parée d'une robe grenat profond offre un bouquet naissant très fin, puis une bouche encore fruitée (cerise, cassis). Les tanins frais lui permettront d'évoluer en puissance. Le **Château de Barbe 2003 rouge (5 à 8 €)**, cuvée principale, est cité pour son caractère authentique de vin de Côtes, un peu austère, apte à la garde.

SC Villeneuvoise, Ch. de Barbe, 33710 Villeneuve, tél. 05.57.42.64.00, fax 05.57.64.94.10 r.-v.

Richard

CH. BEGOT Elevé en fût de chêne 2003

■ 2 ha 12 800 5 à 8 €

Beau domaine viticole situé au cœur de l'appellation. La demeure est entourée de 16 ha de vignes plantées sur un terroir argilo-calcaire. Cette cuvée de prestige parée d'une teinte grenat associe le fruit bien mûr et le bois vanillé. Souple, équilibrée et structurée par de bons tanins, elle devra attendre un ou deux ans.

Alain Gracia, 5, Bégot, 33710 Lansac, tél. 05.57.68.42.14, fax 05.57.68.29.90, e-mail chateau.begot@wanadoo.fr t.l.j. 9h-12h 14h-18h; sam. dim. sur r.-v.

CH. BELAIR-COUBET 2003 ★★★

■ 15 ha 100 000 5 à 8 €

Alain Faure et ses deux filles exploitent plusieurs importants vignobles dans la région. L'ambiance est très féminine, dans la vigne comme au chai. Le résultat est superbe. Belair-Coubet offre un bouquet explosif de fleurs, de fruits des bois et une bouche surpuissante. Le **Château du Bois de Tau 2003 rouge (3 à 5 €)** obtient également trois étoiles : lui aussi est aromatique et raffiné. **Chateau Jansenant 2003 rouge (3 à 5 €)**, **Château Tour Neuve 2003 rouge (3 à 5 €)** et **Château Ferreau Belair 2003 rouge** obtiennent chacun une étoile ; ce sont tous des vins aromatiques, un peu moins boisés, un peu plus modernes, que l'on pourra commencer à boire d'ici un ou deux ans.

Vignobles A. Faure, Ch. Belair-Coubet, 33710 Saint-Ciers-de-Canesse, tél. 05.57.42.68.80, fax 05.57.42.68.81, e-mail belair-coubet@wanadoo.fr r.-v.

EVIDENCE DES VITICULTEURS DE BOURG-TAURIAC 2003

■ n.c. 10 000 11 à 15 €

La Cave de Bourg-Tauriac, située à 2 km des grottes préhistoriques de Pair-non-Pair, sélectionne cette cuvée sur 10 ha de terroir argilo-calcaire. Le nez, encore un peu fermé, demande de l'aération pour libérer des arômes de fruits cuits, de menthe poivrée et une note animale. La bouche souple débute sur une saveur de fruits cuits et de noyau de cerise. Les tanins sont déjà soyeux. Un côtes-de-bourg flatteur qu'il faudra consommer assez vite sur des plats sucrés-salés et des viandes blanches. La cuvée **Etienne de Tauriac rouge 2002 (5 à 8 €)** est également citée pour sa bonne harmonie générale qui permettra de l'apprécier assez rapidement.

Cave de Bourg-Tauriac, 3, av. des Côtes-de-Bourg, 33710 Tauriac, tél. 05.57.94.07.07, fax 05.57.94.07.00, e-mail info@cave-bourg-tauriac.com r.-v.

CH. BRULESECAILLE 2003 ★

■ 20 ha 80 000 8 à 11 €

Important domaine viticole de 28 ha jouissant d'un gîte rural, occasion de découvrir ce vin, rubis intense, au nez torréfié (café), accompagné d'un fumet viandé. La bouche très structurée, tannique, en fait un vin de garde à attendre encore un ou deux ans avant de l'apprécier sur un rôti de marcassin aux airelles. Le **Château La Gravière 2003 rouge (5 à 8 €)** est cité. Il est plus souple et pourra se consommer plus vite sur une cuisine plus simple.

Jacques Rodet, Brulesécaille, 33710 Tauriac, tél. 05.57.68.40.31, fax 05.57.68.21.27, e-mail cht.brulesecaille@freesbee.fr t.l.j. sf dim. 9h-12h 14h30-20h

CH. DE LA BRUNETTE Cuvée traditionnelle 2003 ★

■ 2,11 ha 7 000 5 à 8 €

Dans cette petite exploitation en agriculture biologique depuis 2003, Gil et Dorota Lagarde sélectionnent 2,11 ha pour cette cuvée, dont une petite partie est exportée en Pologne. Le bouquet naissant, à la fois floral et fruité (mûre), se nuance de notes de tabac et de cuir. La

structure tannique encore un peu ferme en fait un vrai vin de garde. On pourra le servir dans un an ou deux sur des grillades ou des fromages à pâte molle.
SCEA Lagarde Père et Fils, Dom. de La Brunette, 33710 Prignac-et-Marcamps, tél. et fax 05.57.43.58.23, e-mail chateau.de.labrunette@wanadoo.fr
r.-v.

## CH. CASTAING Elevé en fût de chêne 2003 *

| ■ | n.c. | 60 000 | | 5 à 8 € |
|---|---|---|---|---|

Christophe Bonnet présente deux cuvées très réussies. Le Château Castaing, dans lequel le cabernet-sauvignon accompagne le merlot à hauteur de 30 %, est un vin fort coloré, au bouquet concentré de fruits mûrs (pruneau), à la saveur chaleureuse et apéritive, structurée par des tanins bien présents qui assureront sa tenue pendant la prochaine décennie. La cuvée **Péché du Roy de Château Haut-Guiraud 2003 rouge (11 à 15 €)** obtient une étoile pour sa robe rubis sombre, son nez de fruits noirs et de bon bois, sa bouche friande, ses tanins réglissés qui en font un bon vin de garde que l'on verrait bien sur des escalopes de dindonneau, accompagnées de farce aux marrons.
EARL Bonnet et Fils, Ch. Haut-Guiraud, 33710 Saint-Ciers-de-Canesse, tél. 05.57.64.91.39, fax 05.57.64.88.05, e-mail bonnetchristophe@wanadoo.fr r.-v.

## CH. CASTEL LA ROSE
Cuvée rosissime Vieilli en fût de chêne 2003

| ■ | 3 ha | 10 000 | | 8 à 11 € |
|---|---|---|---|---|

Sur cet important vignoble de 22 ha tout paraît simple : le terroir argilo-calcaire, l'encépagement (trois quarts merlot, un quart cabernets), le travail en famille. On y produit des vins de plaisir, sans prétention excessive mais avec du caractère. La Cuvée rosissime est plutôt rubis. Son bouquet délicat s'ouvre sur les fruits rouges, le bourgeon de cassis, le cuir et le merrain. Sa bouche est souple et fruitée.
GAEC Rémy Castel, 3, Laforêt, 33710 Villeneuve, tél. 05.57.64.86.61, fax 05.57.64.90.07
t.l.j. 9h-12h 14h-18h

## PIERRE CHANAU 2003

| ■ | 12 ha | 80 000 | | 3 à 5 € |
|---|---|---|---|---|

La maison de négoce Dulong Frères et Fils, fondée en 1873, élabore des vins pour la grande distribution. Ainsi, pour Auchan, cette cuvée de couleur intense et jeune, au nez épicé et fruité (prunelle) que complète une note de tabac. La bouche est équilibrée, même si les tanins demandent à se faire à la faveur d'une petite garde. Le prix est très attractif.
Dulong Frères et Fils, 29, rue Jules-Guesde, 33270 Floirac, tél. 05.56.86.51.15, fax 05.56.40.66.41, e-mail dulong@dulong.com

## CLOS ALPHONSE DUBREUIL 2003 *

| ■ | 0,5 ha | 3 000 | | 15 à 23 € |
|---|---|---|---|---|

Ce couple de viticulteurs blayais a acheté cette petite parcelle en appellation côtes-de-bourg sur la commune de Gauriac en 1990. Le cabernet-sauvignon y domine, planté sur argiles rouges. Bon résultat que ce millésime dont le bouquet naissant, déjà complexe, évoque la violette, les fruits secs, les épices, le cuir dans un environnement discrètement boisé. L'attaque est chaleureuse et puissante, puis la bouche montre beaucoup de vinosité, des tanins mûrs assurant la mâche et la persistance. Un vin dynamique, qui devrait s'ouvrir assez prochainement et qui sera parfait sur un gigot d'agneau.
Isabelle et Pascal Montaut, Ch. Les Jonqueyres, 7, Courgeau, 33390 Saint-Paul-de-Blaye, tél. 05.57.42.34.88, fax 05.57.42.93.80, e-mail lesjonqueyres@free.fr r.-v.

## CH. CLOS DU NOTAIRE Notaris 2003 *

| ■ | 6 ha | 30 000 | | 8 à 11 € |
|---|---|---|---|---|

Ce vignoble de 20 ha a été créé il y a plus d'un siècle par une famille de notaires. Les descendants sélectionnent 6 ha de graves sur calcaire à astéries pour cette cuvée Notaris au bouquet naissant et élégant, encore sur la fleur et le fruit. La bouche est souple, savoureuse, bien équilibrée, structurée par des tanins fins qui ne heurtent pas. On pourra l'apprécier assez prochainement sur une cuisine raffinée.
Roland Charbonnier, SCEA Ch. Le Clos du Notaire, Canillac, 33710 Bourg-sur-Gironde, tél. 05.57.68.44.36, fax 05.57.68.32.87, e-mail infos@clos-du-notaire.fr r.-v.

## CH. COLBERT Cuvée Prestige 2003

| ■ | 3 ha | 15 000 | | 5 à 8 € |
|---|---|---|---|---|

En 1880, un bateau nommé *Colbert* s'ensabla dans la Gironde à proximité du domaine. L'ingénieux viticulteur le remit à flot grâce à un original système de flotteurs constitué de barriques vides. L'armateur versa une prime suffisante pour construire l'actuel château néogothique qui porte le nom du bateau et qui est entouré aujourd'hui d'un vignoble de 22 ha. Cette cuvée Prestige à la robe rubis profond offre un bouquet discret mais fin. La bouche est charpentée, dominée par des tanins réglissés qui appellent à une garde de deux à trois ans.
M. Duwer, SCA Ch. Colbert, 33710 Comps, tél. 05.57.64.95.04, fax 05.57.64.88.41
t.l.j. 9h-12h 14h-19h

## CH. DE COTS Cuvée Prestige 2003 *

| ■ | 2 ha | 6 000 | | 8 à 11 € |
|---|---|---|---|---|

Cette cuvée porte bien son nom puisque son cépage dominant est le cot (ou malbec) à 40 %, accompagné de merlot (30 %) et de cabernet-sauvignon (30 %). Cet encépagement original donne un vin de caractère, d'une superbe robe rubis. Le nez est ouvert et intense, mélange harmonieux de fruits mûrs, d'épices et de bois grillé. La bouche est charnue et élégante, charpentée par des tanins persistants, déjà harmonieux, mais offrant une bonne aptitude au vieillissement. Dans un an ou deux, on pourra commencer à servir ce 2003 sur des viandes rouges.
Gilles Bergon, 3, Cots, 33710 Bayon-sur-Gironde, tél. 05.57.64.82.79, fax 05.57.64.95.82
t.l.j. 10h-13h 15h-19h

## CH. CROUTE-CHARLUS
Elevé en fût de chêne 2003 *

| ■ | 7 ha | 7 500 | | 5 à 8 € |
|---|---|---|---|---|

Vignoble de 15 ha, où le cot (malbec), présent à 10 %, joue l'arbitre entre le merlot et le cabernet-sauvignon (45 % chacun). Dans le millésime 2002, cette cuvée avait décroché un coup de cœur l'an dernier. On a là un vin original, aux arômes ensoleillés de fruits surmûris, aux senteurs épicées liées au cabernet-sauvignon, aux notes boisées. La mise en bouche chaleureuse et ronde est vite relayée par les

tanins épicés qui demandent à s'affiner encore un peu. Bref, un bon vin pour la décennie à venir.
EARL Sicard-Baudouin,
5, rte de Croûte, 33710 Bourg-sur-Gironde,
tél. 05.57.68.25.67, fax 05.57.68.25.77,
e-mail chateaucroutecharlus@wanadoo.fr r.-v.
Cédric Baudouin

## DULONG FRERES ET FILS 2003

■ 24 ha 160 000 3 à 5 €

Elaboré par la maison Dulong dont le siège est à Floirac – mention portée sur l'étiquette – ce côtes-de-bourg est commercialisé par Carrefour. Très intense, la couleur séduit et invite à humer le verre : les fruits et les épices accompagnent une petite note fumée. La bouche, assez tannique en avril 2005, demande à se fondre.
SA Raymond Huet, La Chaise,
33920 Saint-Savin-de-Blaye

## CH. FALFAS Elevé en fût de chêne 2002 *

■ 20 ha 80 000 8 à 11 €

Domaine viticole de 27 ha cultivé en biodynamie. Le château, construit en 1612, repose sur des fondations de l'époque de la guerre de Cent Ans. Aux XVIIIe et XIX[e]s., beaucoup de vignerons étaient propriétaires en Bourgeais et en Médoc sur les deux rives de l'estuaire ; ainsi pour avoir du Château Falfas, les acheteurs devaient-ils également acquérir du médoc ! En 2002, le vin a une couleur jeune, des arômes également très jeunes de bois torréfié avec une touche un peu végétale. La bouche est fraîche, encore tannique. Cette bouteille gagnera à vieillir deux ou trois ans avant d'accompagner un pot-au-feu.
John et Véronique Cochran, Ch. Falfas,
33710 Bayon, tél. 05.57.64.80.41, fax 05.57.64.93.24,
e-mail jvcochran@online.fr r.-v.

## CH. FOUGAS Maldoror 2003 ***

■ 8 ha 40 000 11 à 15 €

Cette année, c'est la cuvée principale qui décroche le coup de cœur. En effet, on est chez un habitué de cet exploit. On a affaire à un grand vin, à la robe bordeaux sombre. Les arômes mêlent les baies mûres et le merrain vanillé. La bouche est très tactile, grasse, soutenue par des tanins puissants, mais élégants. D'ici un ou deux ans, cette bouteille pourra faire face à toutes les situations sur une table. La **cuvée Prestige rouge 2003 (5 à 8 €)** n'est pas mal non plus : elle obtient une étoile. De caractère plus jeune, plus cabernets, moins boisée, elle devrait évoluer en finesse et s'accorder aux viandes rouges.
Jean-Yves Béchet, Ch. Fougas, 33710 Lansac,
tél. 05.57.68.42.15, fax 05.57.68.28.59,
e-mail jean-yves.bechet@wanadoo.fr r.-v.

## CH. GARREAU 2003

■ 5,67 ha 30 000 8 à 11 €

Ce cru est régulièrement retenu par nos dégustateurs. C'est encore le cas de ce côtes-de-bourg d'année caniculaire, de couleur rubis intense. Aux arômes de fruits mûrs et de merrain, s'ajoutent des notes épicées et truffées. La rondeur de la mise en bouche est accompagnée d'une saveur de fruits cuits ; la finale marquée par des tanins boisés indique qu'une garde d'un an ou deux sera favorable. Ensuite, cette bouteille devrait évoluer assez vite comme beaucoup de 2003.
SCEA Ch. Garreau, Lafosse, 33710 Pugnac,
tél. 05.57.68.90.75, fax 05.57.68.90.84
t.l.j. sf sam. dim. 9h-12h 14h-17h
Guez

## CH. GENIBON-BLANCHEREAU 2003 *

■ 9 ha 60 000 5 à 8 €

Ce bon vin aux reflets grenat sombre, aux arômes de fruits mûrs, à la saveur chaleureuse mais équilibrée, s'achevant sur des tanins encore un peu sévères, demande deux ans d'attente pour s'affiner.
EARL Eynard-Sudre,
Genibon, 33710 Bourg-sur-Gironde,
tél. 05.57.68.25.34, fax 05.57.68.27.58,
e-mail eynard.sudre@wanadoo.fr r.-v.

## CH. GRAND LAUNAY Réserve Lion noir 2003 **

■ 2 ha 10 000 5 à 8 €

Michel Cosyns est non seulement viticulteur, mais aussi œnologue ; il exploite près de 27 ha de vignes sur les argiles limoneuses de Teuillac. Ce Réserve Lion noir flatte le regard dans sa robe rubis sombre. Le nez débute sur les petits fruits rouges, le pruneau, suivis d'une évocation de bois et de peausserie. La bouche, ample et chaleureuse, pleine de rondeurs, s'achève sur d'élégants tanins boisés : de bonnes armes pour assurer la garde. Le **Château Grand Launay sauvignon gris 2004 blanc** obtient aussi une étoile pour sa couleur or vert pâle, ses puissants arômes de sauvignon (agrumes, genêt, épices) et sa fraîcheur perlante au palais. On pourra l'apprécier à l'apéritif ou sur des fruits de mer.
Michel Cosyns, Ch. Grand Launay, 33710 Teuillac,
tél. 05.57.64.39.03, fax 05.57.64.22.32,
e-mail grand-launay@wanadoo.fr r.-v.

## CH. LES GRANDS THIBAUDS
Réserve du château Elevé en fût de chêne 2003 *

■ 1,5 ha 6 900 5 à 8 €

Cette petite cuvée est issue d'un terroir de graves. De couleur encore jeune et vive, elle offre un bouquet boisé, empyreumatique, torréfié (café). La bouche est volumineuse et charpentée : on retrouve les arômes de torréfaction soutenus par des tanins boisés. Ce vin de garde devra être attendu deux ou trois ans. La **cuvée Couleau Elevé en fût de chêne 2003 rouge (8 à 11 €)**, née de graves argileuses, est de couleur pratiquement noire. Concentrée, structurée par des tanins solides qui devront s'assagir, elle conviendra à un confit. Une étoile.
Plantey, 33240 Saint-Laurent-d'Arce,
tél. et fax 05.57.43.08.37
t.l.j. 9h-19h; dim. 10h-18h

## CH. DE LA GRAVE Caractère 2003 *

■ 30 ha 150 000 8 à 11 €

Magnifique domaine viticole de 45 ha entourant un authentique château du XVI[e]s. La cuvée Caractère est très représentative. Sous une couleur bordeaux jeune, ce vin livre des parfums expressifs mêlant des notes florales, fruitées (raisin mûr) et boisées (merrain grillé). Sa saveur vanillée, agréable et persistante, est soutenue par des tanins bien présents. Un 2003 de garde, destiné à un gigot d'agneau.

Philippe Bassereau,
Ch. de La Grave, 33710 Bourg-sur-Gironde,
tél. 05.57.68.41.49, fax 05.57.68.49.26,
e-mail chateaudelagrave@chateaudelagrave.com
r.-v.

## CH. LES GRAVETTES Elevé en fût de chêne 2002 *

■ 1 ha 6 000 8 à 11 €

Cette petite cuvée, sélectionnée parmi les 22 ha du vignoble, a été créée en 2000, date de l'achat du domaine par les nouveaux propriétaires. Les cabernets sont presque à parité avec le merlot. Dans le verre, le rubis est profond. D'abord très boisé, le bouquet s'ouvre sur des arômes de fruits noirs, de vanille, de caramel. La bouche est à la hauteur du nez, savoureuse, ronde, étoffée par des tanins enrobés et persistants. Encore un ou deux ans de patience.

SCEA Vignobles Alain Pointet,
24, rue Thomas-Laurent, 33820 Etauliers,
tél. et fax 05.57.64.58.08 r.-v.

## CH. GRAVETTES-SAMONAC Prestige 2003 *

■ 4 ha 20 000 5 à 8 €

Cette cuvée, toujours bien classée, est issue des vieilles vignes du domaine familial. Dans le verre, on trouve un vrai côtes-de-bourg d'année chaude. La robe pourpre est dense. Le nez, riche en notes florales (violette), en fruits noirs (myrtille, mûre), en chêne blanc (noix de coco), est déjà très ouvert. La bouche souple à l'attaque est vite dominée par les tanins boisés qui demandent un ou deux ans pour se fondre. La cuvée **Elégance 2003 rouge** est également retenue avec une étoile ; un peu moins expressive, elle reste sur le fruit et les tanins de raisin. Elle pourra se consommer un peu plus vite.

Gérard Giresse,
Ch. Gravettes-Samonac, 33710 Samonac,
tél. 05.57.68.21.16, fax 05.57.68.36.43 r.-v.

## CH. DE GRISSAC Elevé en fût de chêne 2002 *

■ n.c. 13 000 3 à 5 €

Le château, construit en 1652, fut la propriété de Pierre Montalier de Grissac, conseiller de Guyenne et ami de Montesquieu. Nous sommes à 2,5 km de la grotte de Pair-non-Pair, occupée par l'homme trente mille ans avant J.-C. Ce 2002 est fort bien réussi. Sa robe grenat commence à légèrement tuiler. Le bouquet de bonne intensité exprime des notes boisées, vanillées, toastées, poivrées. La bouche, assez ample, est encore dominée par les tanins boisés qui devraient s'affiner d'ici un ou deux ans. On appréciera pleinement ce vin dans trois à six ans.

Bernadette Cottavoz, Ch. de Grissac,
33710 Prignac-et-Marcamps, tél. et fax 05.57.68.31.65,
e-mail bcottavoz@aol.com r.-v.

## CH. HAUT-BAJAC 2003

■ 11 ha 40 000 5 à 8 €

Il s'agit ici de la cuvée principale de ce domaine de 12,5 ha, situé à 1 km de la cité touristique de Bourg-sur-Gironde. Paradoxalement, la vue panoramique porte sur la Dordogne. Le vin se présente dans une robe à reflets rubis et grenat. Le bouquet naissant demande un peu d'aération pour livrer des arômes de fruits rouges, de gibier, de cuir assez concentrés. La bouche est corsée, charpentée par des tanins encore un peu fermes. On a affaire à un vin de garde qu'il faudra attendre un ou deux ans et consommer ensuite dans les cinq à sept ans sur des mets familiaux.

Jacques Pautrizel,
Ch. Haut-Bajac, 33710 Bourg-sur-Gironde,
tél. 05.57.68.35.99, fax 05.57.68.32.15 r.-v.

## CH. HAUT-MACO Cuvée Jean Bernard 2002

■ 6 ha 19 110 5 à 8 €

Cette cuvée, issue de 6 ha sélectionnés sur la cinquantaine d'hectares de cet important domaine, est régulièrement retenue par nos dégustateurs. Elle est présentée par la nouvelle génération qui a pris le relais en 2004. Elle porte les prénoms des deux frères de la génération précédente. Délicate forme de reconnaissance. Sa couleur cerise noire est attrayante. Le bouquet rappelle, lui aussi, les petits fruits à noyau et le boisé vanillé. Au palais, la barrique est très présente et les tanins serrés, mais une garde d'un an ou deux permettra à l'ensemble de se fondre. On pourra apprécier ce vin lors des cinq années suivantes.

Anne et Hugues Mallet,
Ch. Haut-Macô, 33710 Tauriac, tél. 05.57.68.81.26,
fax 05.57.68.91.97, e-mail hautmaco@wanadoo.fr
t.l.j. sf dim. 8h-12h 14h-18h

## HAUT-MONDESIR 2003 **

■ 1,8 ha 10 000 11 à 15 €

Cet ancien photographe, devenu viticulteur en 1990, possède des vignes en Saint-Emilionnais, en Blayais et en Bourgeais. La couleur sombre de ce 2003 rappelle la cerise noire (burlat) ; le bouquet est un élégant défilé floral (pivoine, violette), fruité (mûre) et boisé. En bouche, on croque dans le fruit très mûr, puis apparaissent de belles rondeurs soutenues par des tanins finement épicés. On a là un vin sensuel qu'il faudra attendre un ou deux ans avant de l'apprécier sur un agneau pascal ou un gigot à la ficelle.

Marc Pasquet, Dom. Mondésir-Gazin,
33390 Plassac, tél. 05.57.42.29.80, fax 05.57.42.84.86,
e-mail mondesirgazin@aol.com r.-v.

## CH. HAUT MOUSSEAU Cuvée Prestige 2003 *

■ 7 ha 40 000 5 à 8 €

La famille Briolais exploite 33 ha en AOC côtes-de-bourg. Dix mois de barrique ont permis d'élever ce 2003 de couleur très jeune. Le bouquet offre déjà une complexité intéressante, associant les arômes de fruits noirs au bois finement vanillé. Le fruit et le volume de la mise en bouche sont vite relayés par des tanins boisés et une saveur concentrée d'épices douces. Ce vin devrait s'ouvrir d'ici un ou deux ans : on le verrait bien alors sur des mets accompagnés de cèpes.

Dominique Briolais, 1, château Haut-Mousseau,
33710 Teuillac, tél. 05.57.64.34.38,
fax 05.57.64.31.73 r.-v.

## CH. L'HOSPITAL L'Estocade 2003 **

■ 0,5 ha 2 000 15 à 23 €

Le château L'Hospital présente deux 2003, dont cette cuvée L'Estocade, hypersélectionnée puisqu'elle ne représente que 0,5 ha sur les 7,3 ha de la propriété. Le merlot et le cabernet franc, issus d'un terroir de graves argileuses, y sont à parité. Cela donne un vin déjà très élégant, expressif, au rubis teinté de carmin, aux arômes de raisin

surmûri et de chêne blanc. La bouche chaleureuse est soutenue par des tanins fins et soyeux qui permettront de l'apprécier assez vite. Le **Château L'Hospital Elevé en fût de chêne 2003 rouge (8 à 11 €)** obtient également deux étoiles pour son caractère élégant et subtil ; il faudra le servir assez rapidement.
Christine et Bruno Duhamel,
EARL Alvitis, Ch. L'Hospital, 33710 Saint-Trojan,
tél. et fax 05.57.64.33.60, e-mail alvitis@wanadoo.fr
r.-v.

### CH. LAMBLIN Cuvée Hommage 2003 *

2 ha 12 000 **11 à 15 €**

Francis Lamblin, ancien militaire, s'est reconverti à la viticulture, appliquant les principes de l'agriculture biologique. Sa cuvée Hommage assemble le merlot et le cabernet-sauvignon à 20 % de cot (malbec), ce qui est assez typique de cette AOC. Elle se présente dans une robe pourpre enjôleuse. Le nez commence à s'ouvrir sur des notes de fleurs, de lierre, de fruits confiturés (myrtille). La bouche ample se révèle chaleureuse ; les notes de bois toasté se marient avec un fruit de qualité. Les tanins chocolatés assurent une bonne finale. Dans deux ou trois ans, vous servirez ce vin avec du saumon en papillote.
Francis Lamblin, 1, Dom. de Beauséjour,
33710 Comps, tél. 06.82.00.83.50, fax 05.57.64.96.05,
e-mail chateaulamblin@aol.com r.-v.

### CH. LANDREAU 2002 *

14,2 ha 110 000 5 à 8 €

Les Carreau sont depuis longtemps implantés en Blayais, mais ils possèdent aussi ce domaine sur la première ligne de crêtes, au-dessus de l'estuaire, à Saint-Seurin-de-Bourg. On a là un bon vin de côtes, au rubis profond à peine tuilé, au bouquet déjà expressif, de fleurs, de fruits frais, de bois vanillé et toasté. La bouche sensuelle, à la fois fraîche et chaleureuse, possède des tanins puissants de raisin et de bois. Ce 2002 devrait finir de s'épanouir dans un ou deux ans ; il sera apprécié durant les cinq à six années suivantes.
Vignobles Bayle-Carreau, Ch. Barbé, 33390 Cars,
tél. 05.57.64.32.43, fax 05.57.64.22.74,
e-mail contact@bayle-carreau.com
t.l.j. sf sam. dim. 8h-12h 14h-17h

### CH. LAROCHE Elevé en fût de chêne 2003 *

21 ha 140 000 5 à 8 €

Importante cuvée issue de 21 ha sur les 40 ha de vignes de ce grand domaine. Les sables et les graves reposent sur l'argile qui assure une bonne réserve d'eau, même en année de canicule comme 2003. De fait, dans le verre, on trouve un vin parfaitement équilibré. La robe est très sombre, presque noire. Le nez fin et puissant reflète un mariage réussi entre les baies bien mûres et le chêne vanillé. La bouche est déjà agréable, d'abord souple, puis structurée par des tanins torréfiés. Ce 2003 est plaisant, avec un bon potentiel de vieillissement ; le jury le goûterait volontiers sur des viandes d'autruche ou de kangourou...
Baron Roland de Onffroy, Ch. Laroche,
33710 Tauriac, tél. et fax 05.57.68.20.72 r.-v.

### CH. LAROCHE JOUBERT 2003 **

16 ha 100 000 5 à 8 €

L'an dernier, Joël Dupuy avait décroché un coup de cœur avec son Château Labadie. Il réitère l'exploit cette année, mais avec son Château Laroche-Joubert issu de

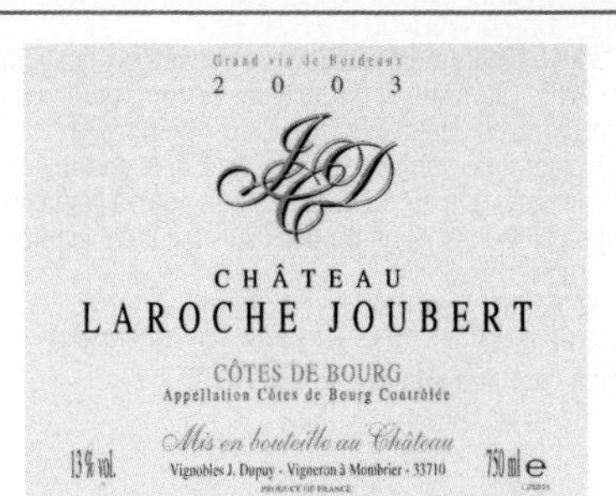


16 ha sur les 60 ha que compte ce vignoble. Tout y est : la robe bordeaux sombre, les senteurs de raisins très mûrs, de fruits confiturés, de nèfle, accompagnés de bon bois. Dès la mise en bouche, les arômes explosent, soutenus par une saveur chaleureuse et des tanins élégants, soyeux, persistants. Un vin déjà harmonieux, mais avec un fort potentiel : il pourra accompagner une large palette culinaire.
SCEA Vignobles Joël Dupuy,
1, Cagna, 33710 Mombrier,
tél. 05.57.64.23.84, fax 05.57.64.23.85,
e-mail vignoblesjdupuy@aol.com r.-v.

### CH. MACAY Original 2003 **

5 ha 24 000 **11 à 15 €**

Ce domaine viticole de 42 ha, au nom d'origine écossaise, est une des références de l'appellation. Deux cuvées sont sélectionnées. L'Original, dans laquelle les cabernets dominent le merlot, est parée d'une robe rubis à reflets pourpres. Son nez de fruits noirs (cassis) et de bois vanillé bien mariés est élégant. Puissante, la bouche est riche de saveurs : le fruit et le bois s'accompagnent de cuir et de cacao. Un grand vin de garde, mais que les gourmands apprécieront bientôt. Le **Château Macay cuvée principale 2003 rouge (5 à 8 €)** obtient une étoile. C'est un vin contemporain, expressif et charmeur, qui pourra s'apprécier prochainement sur une large palette culinaire.
Eric et Bernard Latouche, Ch. Macay,
33710 Samonac, tél. 05.57.68.41.50, fax 05.57.68.35.23,
e-mail chateaumacay@wanadoo.fr r.-v.

### CH. DU MARQUISAT
Sélection Vieilles Vignes Vieilli en fût de chêne 2002 *

3 ha 3 150 **8 à 11 €**

Cette cuvée est issue de 3 ha sélectionnés parmi les 14 ha du domaine. Elle se présente sous une attrayante couleur burlat (cerise noire). Le nez est charmeur ; on peut y trouver des petits fruits rouges, du bois torréfié, des épices (clou de girofle) et du cuir. La bouche ample et franche est plus discrète que le nez, mais elle offre un équilibre harmonieux et des tanins soyeux.
EARL Vignobles Gracia,
Ch. du Marquisat, 33710 Mombrier,
tél. 05.57.64.35.46, fax 05.57.64.24.22,
e-mail chateau.du.marquisat@wanadoo.fr r.-v.

### CH. MARTINAT 2003 *

10 ha 58 000 **8 à 11 €**

Ce domaine, dont les exploitants fêtent leur dixième récolte, ne présente pas de microcuvée, mais l'ensemble de sa production. Ses vins sont régulièrement sélectionnés avec de très bonnes notes et même un coup de cœur pour le 2001. Cela traduit une grande maîtrise qualitative. Le 2003 est festif et séducteur, surtout par son nez associant fruits mûrs et notes boisées bien intégrées, tout en restant dans son appellation (corsée) et son millésime (chaleureux). Du bel ouvrage que l'on pourra commencer à apprécier dans un an ou deux sur une large gamme de mets familiaux.

SCEV Marsaux-Donze, Ch. Martinat, 33710 Lansac, tél. 05.57.68.34.98, fax 05.57.68.35.39, e-mail chateaumartinat@aol.com r.-v.
Stéphane Donze

## CH. MERCIER Cuvée Prestige 2003 *

11 ha 30 000 5 à 8 €

Nous sommes ici chez un des précurseurs de l'agriculture raisonnée en Gironde. La cuvée Prestige est relativement significative puisqu'elle représente 11 ha sur les 23 ha du vignoble familial. Elle mérite son qualificatif, parfois galvaudé. Issue d'un encépagement équilibré (55 % merlot, 25 % cabernet-sauvignon et 20 % cabernet franc) et d'un terroir de graves sur argile rouge, elle revêt une robe rubis flatteuse. Le bouquet naissant demande un peu d'agitation pour s'ouvrir sur une succession de petits fruits, de fleurs d'été et un fumet de bois, de vanille et de cannelle. La bouche chaleureuse, avec une bonne mâche, révèle un mariage harmonieux entre le raisin et le merrain. D'ici un ou deux ans, ce vin pourra accompagner alose et entrecôte. Le **Clos du Piat cuvée Lilas 2002 rouge (11 à 15 €)** est plus confidentiel (6 ha), à 95 % merlot. Il obtient aussi une étoile pour sa puissance, sa concentration, son côté minéral et sa bonne aptitude à la garde. Son originalité lui permettra de tenir tête à des mets de caractère (civet de gibier).

SCEA Famille Chéty, Ch. Mercier, 33710 Saint-Trojan, tél. 05.57.42.66.99, fax 05.57.42.66.96, e-mail info@chateau-mercier.fr
t.l.j. 8h-12h 13h30-18h; sam. dim. sur r.-v.

## LES HAUTS DE MILLE-SECOUSSES 2003 *

n.c. 16 800 8 à 11 €

Philippe Darricarrère, ancien pharmacien, exploite deux vrais châteaux viticoles dans l'appellation. Le château Mille-Secousses (XVIIIe s.) produit essentiellement du bordeaux supérieur, mais aussi cette cuvée de couleur sombre, dotée d'arômes de raisins mûrs et concentrés, accompagnés de sous-bois (truffe). Chaleureuse, celle-ci est charpentée pour la garde. On pourra l'apprécier entre deux et douze ans. Le **Grande réserve Château de Mendoce 2003 rouge Elevé en fût de chêne (5 à 8 €)** obtient aussi une étoile pour son potentiel et son élégance. Les deux châteaux méritent une visite.

Philippe Darricarrère, Ch. Mille-Secousses, 33710 Bourg-sur-Gironde, tél. 05.57.68.34.95, fax 05.57.68.34.91, e-mail info@mille-secousses.com
t.l.j. sf sam. dim. 8h30-12h 14h-18h; f. août

## CH. MOULIN DE GUIET
Elevé en fût de chêne 2002 **

10,81 ha 50 000 5 à 8 €

La coopérative de Pugnac propose deux crus intéressants. Le **Château Pradier Elevé en fût de chêne 2003 rouge** provient de 6,8 ha de vignes appartenant à Valérie Baronnet. Le terroir de graves donne un vin un peu ferme, avec un caractère d'amande grillée qui devrait bien s'exprimer d'ici un ou deux ans. Quant à ce Château Moulin de Guiet, c'est un vrai vin de Côtes, puissant, avec une forte personnalité et une bonne aptitude à la garde pour les sept ou huit prochaines années.

Union de producteurs de Pugnac, Bellevue, 33710 Pugnac, tél. 05.57.68.81.01, fax 05.57.68.83.17, e-mail udep.pugnac@wanadoo.fr r.-v.

## CH. MOULIN DES GRAVES
Cuvée particulière 2004 *

2,5 ha 5 000 5 à 8 €

Un des rares vins blancs secs portant l'appellation côtes-de-bourg. Celui-ci est un pur sauvignon né sur un terroir argilo-siliceux. La teinte est encore pâle, ce qui est normal pour un vin jeune. Les arômes de buis et de graphite, mêlés à des notes minérales, sont soutenus par un bois très présent. La bouche est ample, harmonieuse ; là encore, le bois domine aujourd'hui, mais il devrait se fondre doucement cet automne. Cette bouteille pourra se conserver quelques années et accompagnera poisson, viande blanche ou fromages secs.

Jean Bost, Le Poteau, RN 137, 33710 Teuillac, tél. 05.57.64.30.58, fax 05.57.64.20.59, e-mail jean-bost@wanadoo.fr r.-v.

## CH. MOULIN EYQUEM 2002 *

16 ha 35 000 5 à 8 €

Importante cuvée issue de 16 ha d'argilo-calcaires sélectionnés parmi les 27,5 ha de ce vignoble situé à 60 m au-dessus de la Dordogne. Son nom est lié à la présence de deux moulins. Les cabernets sont à parité avec le merlot. Cela donne une jolie couleur rubis frangée de reflets tuilés. Le bouquet est déjà intense, souligné par des notes de bois vanillé. En bouche, on découvre un vin tout en finesse, quoique charnu, soutenu par des tanins de bois déjà soyeux. A carafer avant le service.

SARL Mostermans-Mercherz, Ch. Moulin Eyquem, 33710 Bourg-sur-Gironde, tél. 05.56.52.53.06, fax 05.56.44.81.01 r.-v.

## LES MOULINS DU HAUT LANSAC
Séduction Elevé en fût de chêne 2003 **

4 ha n.c. 5 à 8 €

Une cuvée à la robe bordeaux, classique, riche d'un nez déjà complexe : arômes fruités, fumet animal (fourrure), senteurs de sous-bois. En bouche, les flaveurs de fruits noirs accompagnent des tanins denses et soyeux. Un vin harmonieux, sans agressivité qui devrait finir de s'ouvrir prochainement et qui pourra être servi tout au long du repas.

Les Vignerons de la Cave de Lansac, 1, La Croix, 33710 Lansac, tél. 05.57.68.41.01, fax 05.57.68.21.09, e-mail contact@cavedelansac.com
t.l.j. sf sam. dim. 8h-12h 14h-18h (ven. 17h)

## CH. DU MOULIN VIEUX 2003

0,2 ha 1 200 3 à 5 €

Une toute petite cuvée de vin blanc sec typique du millésime caniculaire et qui se présente sous une couleur or franc, assez intense. Ses arômes un peu lourds de miel, d'acacia et de zeste d'orange font penser à un moelleux. La bouche est grasse et florale. Il faudra consommer ce vin assez rapidement, par exemple sur un poisson en sauce blanche ou des quenelles.

Jean-Pierre Gorphe, Moulin-Vieux, 33710 Tauriac, tél. 05.57.68.26.21, fax 05.57.68.29.75 r.-v.

CH. NODOZ Elevé en barrique de chêne 2003 ★★

■ 6 ha 30 000 8 à 11 €

Les vins de cette famille appartiennent au peloton de tête de l'appellation. Le Château Nodoz associe la puissance du vigneron et l'élégance de la vinificatrice. Sa robe attrayante est remarquable tout comme son bouquet de vanille et de moka, et sa bouche onctueuse, à la saveur de fruits confits et aux tanins fins. Le cabernet-sauvignon rafraîchit le caractère chaleureux du merlot. Dans un ou deux ans on pourra commencer à associer cette bouteille à des mets de caractère (lamproie à la bordelaise, côte à l'os grillée). Le **Château Galau Elevé en barrique de chêne 2003 rouge (5 à 8 €)** obtient une étoile pour ses arômes expressifs et son goût flatteur qui permettront de l'apprécier assez vite.

Jean-Louis Magdeleine et Filles, Ch. Nodoz, 33710 Tauriac, tél. 05.57.68.41.03, fax 05.57.68.37.34, e-mail chateau.nodoz@wanadoo.fr
t.l.j. 8h30-12h30 14h-18h30

LA PETITE CHARDONNE
Elevé en fût de chêne 2003 ★

■ 6 ha 25 000 8 à 11 €

Un vin de femmes car les filles de Louis Marinier sont maintenant secondées par sa petite-fille Ludivine. C'est aussi un vin typique de son terroir, argilo-calcaire, de son cépage, merlot noir, et de son millésime, 2003, année de la canicule. La couleur est plus proche du noir que du rouge. Les arômes expriment les fruits cuits, la prune à l'eau-de-vie, légèrement boisés. La bouche souple et chaleureuse, aux flaveurs de pruneau, est harmonieusement structurée par des tanins boisés et fondus. Cette bouteille pourra être associée prochainement à une cuisine traditionnelle et familiale.

SCEA Vignobles Louis Marinier, Dom. Florimond-La-Brède, 33390 Berson, tél. 05.57.64.39.07, fax 05.57.64.23.27
t.l.j. sf sam. dim. 8h-12h30 14h-17h30; f. 15-20 août

CH. PEYCHAUD
Maisonneuve Vieilles Vignes 2003 ★

■ 6 ha 40 000 8 à 11 €

Sur cet important vignoble d'une trentaine d'hectares, Bernard Germain sélectionne 6 ha sur graves argileuses exposées au sud. A côté du merlot, les cabernets et le petit verdot apportent un caractère médocain à ce vin. La couleur est vive. Le nez frais et fruité (confiture de cerises) offre quelques notes réglissées. La mise en bouche fruitée et suave est vite relayée par des tanins soyeux s'achevant sur une austérité de bon aloi. Un vin de caractère que l'on verrait bien sur une bécasse à la ficelle.

SCEA Ch. Peychaud, 33710 Teuillac, tél. 05.57.42.66.66, fax 05.57.64.36.20, e-mail bordeaux@vgas.com r.-v.

PIED ROUGE 2002 ★

■ 0,5 ha 1 500 8 à 11 €

Microcuvée, au nom et à l'étiquette de western, issue de la rencontre d'un œnologue et d'un viticulteur possédant du très vieux malbec (cot). Le résultat est original. La pourpre est dense. Le premier nez est encore un peu fermé, mais l'aération favorise l'expression d'arômes puissants de lavande, de baies noires, de petits fruits à noyau et de bois vanillé. La bouche, à la fois fraîche et charnue grâce à des tanins fondus, associe des saveurs de noyau à des notes minérales. Un vin à boire dans sa jeunesse (après décantation), à l'apéritif ou sur une cuisine épicée.

Benjamin Tueux, 57, rte de Créon, 33750 Camarsac, tél. 05.56.12.25.32 r.-v.

CH. PUYBARBE
Cuvée Prestige Elevé en fût de chêne 2002 ★

■ 2,4 ha 13 700 5 à 8 €

Depuis l'an 2000, les frères Orlandi vinifient eux-mêmes la totalité de la production de leurs 27 ha de vignes. Ils présentent une cuvée issue de 2,4 ha d'argilo-calcaire. Celle-ci présente un cœur rubis bordé de reflets saumonés. Le bouquet est frais, avec des notes de cabernet-sauvignon, de groseille et de cèdre. La bouche est, elle aussi, fraîche, fruitée, structurée par des tanins poivrés assez fins. Un vin authentique, encore jeune, mais qui promet. D'ici un ou deux ans, on pourra commercer à le servir avec un magret de canard.

SCEA Orlandi Frères, Ch. Puybarbe, 33710 Mombrier, tél. et fax 05.57.64.37.41, e-mail yvesyorlandi@aol.com r.-v.

CH. PUY D'AMOUR
Cuvée Grain de folie Elevé en fût de chêne 2003

■ n.c. 2 000 8 à 11 €

Microcuvée sélectionnée sur les 12,5 ha de vignes implantées sur terroir argilo-calcaire. Dans le verre, le rubis se révèle foncé. Le bouquet exprime surtout un bois torréfié, mais la mise en bouche surprend par sa souplesse et sa fraîcheur ; les saveurs sont celles des fruits rouges et des tanins aux accents de café. On pourra ouvrir cette bouteille dans un an, sur des viandes rouges.

Johann et Murielle Demel, 5, Marchais, 33710 Saint-Seurin-de-Bourg, tél. et fax 05.57.68.38.01, e-mail puydamour@tiscali.fr
t.l.j. 8h-12h30 14h-19h

CH. PUY DESCAZEAU Cuvée Cardinal 2003 ★★

■ 1,17 ha 5 000 8 à 11 €

Jolie petite propriété reprise en 1998 par deux passionnés. En français, son nom veut dire « le puits du jardin » ; effectivement le chai est exclusivement alimenté en eau par un puits. Et, miracle, à la sortie du chai, c'est un remarquable 2003 qui nous est proposé. Plus sérieusement, ce vin reflète bien son encépagement (80 % merlot, 20 % cot). D'une teinte grenat sombre, il propose des arômes de bois, de menthol et de fruits noirs. La bouche est fruitée, équilibrée, charpentée par des tanins encore un peu sévères qui s'assoupliront après un ou deux ans de garde.

Martine et Jean-Marc Médio, Ch. Puy Descazeau, 33710 Gauriac, tél. 06.12.47.75.75, e-mail jmmedio@club-internet.fr r.-v.

CH. RELAIS DE LA POSTE
Elevé en fût de chêne 2003

■ n.c. 35 600 5 à 8 €

Cuvée comportant 20 % de cot (ou malbec), cépage que l'on trouve surtout dans cette appellation en Bordelais. De couleur rubis, elle rappelle la prune à l'eau-de-vie, avec une touche encore un peu végétale. En bouche, la saveur est à la fois épicée et minérale. Si l'attaque est souple, la finale surprend un peu par sa fermeté. Ce vin original conviendra à des mets en sauce ou à une cuisine un peu grasse.

Vignobles Drode, Relais de la Poste, 33710 Teuillac, tél. et fax 05.57.64.37.95 r.-v.

CH. DE REYNAUD La Volière 2003 ★★

■ 0,5 ha 3 300 5 à 8 €

Cette propriété viticole de 5,5 ha entoure une vieille maison de maître restaurée. Sandrine et Bernard Capdevielle, anciens journalistes parisiens, sélectionnent une petite cuvée à laquelle ils donnent le nom du pigeonnier qui marque l'entrée du domaine. Ce 2003 est remarquable par sa robe bordeaux foncé, son bouquet ouvert, riche en baies mûres. La mise en bouche est attrayante, souple, fruitée, suave ; la saveur de fruits mûrs se mêle à celle de tanins boisés, vanillés, très fins. Ce vin harmonieux et chaleureux sera parfait d'ici un ou deux ans pour accompagner un lapereau aux pruneaux et aux fines herbes.

Bernard Capdevielle, Ch. de Reynaud, 33710 Bourg-sur-Gironde, tél. et fax 05.57.68.44.13, e-mail chateau.reynaud@libertysurf.fr r.-v.

CH. LES ROCQUES

Cuvée Elégance Elevé en fût de chêne 2003

■ 1,1 ha 6 000 8 à 11 €

La famille Feillon exploite une quarantaine d'hectares de vignes dont 15 ha en côtes-de-bourg. Dans cette AOC, nous avons retenu deux vins. Celui-ci issu de vieilles vignes et élevé en barrique neuve est encore très jeune. Le bouquet naissant s'ouvre à l'agitation sur des senteurs de fruits noirs (cassis) et de bois toasté. La bouche est savoureuse et bien structurée. On pourra commencer à l'apprécier pleinement dans un ou deux ans. Le **Château Les Roques 2003 rouge (5 à 8 €)**, cité, est un vin agréable, fruité et souple, parfait pour de joyeuses grillades.

Vignobles Feillon, Ch. Les Rocques, 33710 Saint-Seurin-de-Bourg, tél. 05.57.68.42.82, fax 05.57.68.36.25, e-mail feillon.vins.de.bordeaux@wanadoo.fr t.l.j. 9h-12h 14h-18h; sam. dim. sur r.-v.

CH. DE ROUSSELET Elevé en fût de chêne 2002 ★★

■ 2,9 ha 12 700 5 à 8 €

Sélectionné parmi les 18,7 ha de vignes sur graves argileuses où le cot (malbec) est très présent (30 %), ce côtes-de-bourg à l'ancienne est plein de caractère. La robe pourpre est jeune et foncée. Le nez exprime les baies noires, la barrique chauffée, les épices et des senteurs minérales. La bouche ample est charpentée par des tanins solides qui assureront une longue garde. Cette bouteille pourra tenir tête à des mets puissants et épicés. Le **Château de Rousselet blanc 2003 Vieilles Vignes (3 à 5 €)** est une toute petite cuvée élevée sur lies en barrique. Il est élaboré à partir de 90 % de sauvignon blanc et 10 % de sauvignon gris. Son caractère aromatique de fleurs blanches, d'agrumes et de fruits exotiques lui vaut une citation.

Emmanuel Sou, EARL du Ch. de Rousselet, 33710 Saint-Trojan, tél. 05.57.64.32.18, fax 05.57.64.26.10, e-mail chateau.de.rousselet@wanadoo.fr r.-v.

CH. LE SABLARD

Cuvée Prestige Vieilli en fût de chêne 2003

■ 1,6 ha 9 000 5 à 8 €

Ces vignerons blayais possèdent ce petit cru en Bourgeais. Leur vin aux reflets pourpres est très concentré, tant dans ses arômes de surmaturité que dans sa structure solide. Les tanins boisés, associés aux notes de cuir et de myrtille, promettent de se parfaire au cours d'un an ou deux de vieillissement. A servir sur un gibier ou un magret.

SCEA Jacques Buratti, 7, Le Rioucreux, 33920 Saint-Christoly-de-Blaye, tél. 05.57.42.57.67, fax 05.57.42.43.06 t.l.j. sf dim. 9h-12h 14h30-18h

CH. SAUMAN Cuvée Tradition 2003

■ 18 ha 45 000 5 à 8 €

Domaine familial de 24 ha. Ce vin, au nez encore fruité (agrumes) avec une touche de cuir, est bien équilibré et déjà harmonieux. Les amateurs de vins jeunes pourront le boire tout de suite sur des volailles en cocotte, des petits farcis de légumes.

SCEA Vignobles Dominique Braud, Le Sauman, 33710 Villeneuve, tél. 05.57.42.16.64, fax 05.57.42.93.00, e-mail chateau.sauman@libertysurf.fr t.l.j. 9h-12h30 15h-19h; sam. dim. sur r.-v.

CH. TALARIS 2003

■ 0,5 ha 3 000 3 à 5 €

En 1997, Christelle Rios a repris une partie du vignoble familial (5 ha). Elle sélectionne 0,5 ha pour cette cuvée issue des coteaux argilo-calcaires dominant l'estuaire de la Gironde et complantés à 85 % de merlot et 15 % de cabernet franc. Le vin est d'une couleur rubis vif. Les arômes de fruits dominent le nez : fraise, cerise et cassis. Souple, mais corsé, avec une très légère touche boisée, ce 2003 pourra rapidement accompagner un repas décontracté.

Christelle Rios, Beurrier, 33710 Tauriac, tél. 06.03.52.03.75, fax 05.57.43.82.85, e-mail talarisplantier@aol.com r.-v.

CH. DE TASTE Réserve 2003

■ 1,8 ha 10 000 5 à 8 €

Cette cuvée, née sur argilo-calcaire, associe 5 % de malbec aux cabernets (25 %) et au merlot. Dans le verre, la couleur grenat est assez soutenue ; à l'agitation se libère un nez de prunelle, d'épices, de tabac et de cuir. La structure est équilibrée mais demande un à deux ans de garde pour s'assouplir. Vous servirez alors cette bouteille avec des poissons de l'estuaire (alose au court-bouillon) ou une entrecôte grillée sur sarments.

SCEA des Vignobles de Taste et Barrié, Jean-Paul Martin, La Sablière, 33710 Lansac, tél. et fax 05.57.68.40.34 r.-v.

CH. LE TERTRE DE LEYLE

Elevé en fût de chêne 2003 ★★

■ 1,2 ha 7 500 5 à 8 €

Cet important vignoble d'une vingtaine d'hectares situé sur un tertre argilo-calcaire présente deux très beaux vins dont celui-ci élu coup de cœur. Sa magnifique robe bordeaux est moirée de reflets noirs. Le bouquet ouvert exprime des notes d'épices, de fruits mûrs et de chêne torréfié. La bouche est charnue, savoureuse, concentrée ; les tanins puissants assurent un fort potentiel de garde. Dans quelques années, ce 2003 sera parfait sur une cuisine traditionnelle. La **cuvée principale rouge 2003 (3 à 5 €)** obtient une étoile pour son style classique, ses arômes de raisin mûr, son palais rond et soyeux. Elle pourra être servie plus tôt sur une viande blanche en sauce.

Vignobles Grandillon, le Bourg, 33710 Teuillac, tél. 05.57.64.23.81, fax 05.57.64.24.18, e-mail vignoblegrandillon@tiscali.fr r.-v.

CH. TOUR DE GUIET Elevé en fût de chêne 2003 *

■ 2,2 ha 15 000 8 à 11 €

Une petite propriété de près de 6 ha est à l'origine de ce vin rubis intense, au bouquet très fin de fruits mûrs, de pruneau, de chêne vanillé. Harmonieux, doté de tanins soyeux et persistants, il gagnera à attendre un à deux ans.

Stéphane Heurlier, EARL Ch. La Bretonnière, 33390 Mazion, tél. 05.57.64.59.23, fax 05.57.64.67.41, e-mail sheurlier@wanadoo.fr r.-v.

CH. TOUR DES GRAVES DE LA MEDOQUINE Grande Réserve 2003 *

■ 0,7 ha 2 600 15 à 23 €

Première apparition de cette marque issue d'une sélection sévère de 0,7 ha sur les 5,6 ha du vignoble. L'encépagement est très côtes-de-bourg, puisque le cot (ou malbec) y est présent à 40 %. La couleur rubis est foncée. Le nez agréable exprime les fruits confits délicatement boisés. La bouche est confiturée ; là encore, le raisin et le bois se marient harmonieusement. La structure tannique se sera affinée dans un ou deux ans. On pourra alors commencer à apprécier cette bouteille avec toutes sortes de viandes.

Yannick Belougne, 1, Terrefort, 33710 Mombrier, tél. 05.57.64.27.60, fax 05.57.64.27.61 t.l.j. 9h-12h 14h-19h

CH. LES TOURS SEGUY Elevé en fût de chêne 2003 *

■ 1 ha 4 800 5 à 8 €

Domaine viticole d'une quinzaine d'hectares. En 1842, l'aïeul, Jean-Auguste Lavau, tonnelier de son état, l'acquit et le développa. Aujourd'hui, ses descendants ont sélectionné 1 ha de merlot (60 %) et de cabernet-sauvignon (40 %) pour élaborer cette cuvée parée d'une robe foncée, presque noire. Le bouquet, déjà intense, exprime les baies rouges très mûres et les notes boisées. On retrouve ces arômes en bouche, ainsi qu'une matière riche et concentrée, soutenue par des tanins serrés qui assureront un bon potentiel de garde. A attendre deux ou trois ans.

Jean-François Breton, Les Tours Seguy, 33710 Saint-Ciers-de-Canesse, tél. et fax 05.57.64.99.57, e-mail chateau-les-tours-seguy@wanadoo.fr t.l.j. 9h-12h30 14h-19h; f. 15-30 août

CH. LA TUILIERE 2003 *

■ 10,5 ha 60 000 5 à 8 €

Philippe Estournet exploite une propriété viticole de 13,5 ha sur un sol argilo-calcaire. Le cabernet-sauvignon est très présent puisqu'il atteint 40 % dans ce vin coloré, brillant de quelques reflets grenat. Le bouquet naissant est encore boisé (coco, vanille, café), mais à l'aération se libère le fruit rouge. La bouche est d'abord ronde et souple, puis les tanins se manifestent et durcissent un peu la finale. La saveur n'en reste pas moins agréable. Ce vin gagnera à vieillir deux ou trois ans avant d'être servi sur un petit salé aux lentilles.

Les Vignobles Philippe Estournet, Ch. La Tuilière, 33710 Saint-Ciers-de-Canesse, tél. 05.57.64.80.90, fax 05.57.64.89.97, e-mail info@chateau.la.tuiliere.com r.-v.



## Le Libournais

Même s'il n'existe aucune appellation « Libourne », le Libournais est bien une réalité. Avec la ville-filleule de Bordeaux comme centre et la Dordogne comme axe, il s'individualise fortement par rapport au reste de la Gironde en dépendant moins directement de la métropole régionale. Il n'est pas rare, d'ailleurs, que l'on oppose le Libournais au Bordelais proprement dit, en invoquant par exemple l'architecture moins ostentatoire des châteaux du vin ou la place des Corréziens dans le négoce de Libourne. Mais ce qui individualise le plus le Libournais, c'est sans doute la concentration du vignoble qui apparaît dès la sortie de la ville et recouvre presque intégralement plusieurs communes aux appellations renommées comme Fronsac, Pomerol ou Saint-Emilion, avec un morcellement en une multitude de petites ou moyennes propriétés. Les grands domaines, du type médocain, ou les grands espaces caractéristiques de l'Aquitaine étant presque d'un autre monde.

Le vignoble s'individualise également par son encépagement dans lequel domine le merlot, qui donne finesse et fruité aux vins et leur permet de bien vieillir, même s'ils sont de moins longue garde que ceux d'appellations à dominante de cabernet-sauvignon. En revanche, ils peuvent être bus un peu plus tôt, et s'accommodent de beaucoup de mets (viandes rouges ou blanches, fromages, mais aussi certains poissons, comme la lamproie).

# Canon-fronsac et fronsac

Bordé par la Dordogne et l'Isle, le Fronsadais offre de beaux paysages, très tourmentés, avec deux sommets, ou « tertres », atteignant 60 et 75 mètres, d'où la vue est magnifique. Point stratégique, cette région joua un rôle important, notamment au Moyen Age et lors de la

Fronde de Bordeaux, une puissante forteresse y ayant été édifiée dès l'époque de Charlemagne. Aujourd'hui, celle-ci n'existe plus, mais le Fronsadais possède de belles églises et de nombreux châteaux. Très ancien, le vignoble produit sur six communes des vins personnalisés, complets et corsés, tout en étant fins et distingués. Toutes les communes peuvent revendiquer l'appellation fronsac (45 475 hl sur 1 116 ha en 2004), mais Fronsac et Saint-Michel-de-Fronsac sont les seules à avoir droit, pour les vins produits sur leurs coteaux (sols argilo-calcaires sur banc de calcaire à astéries), à l'appellation canon-fronsac (16 073 hl sur 302 ha).

# Canon-fronsac

### CH. BELLOY Cuvée Prestige 2002 ★

■ 3 ha 13 500 11 à 15 €

Des vignes très anciennes (cinquante ans) de merlot (60 %) et de cabernet franc (40 %) plantées sur un sol de calcaire, d'argile et de quartz sont à l'origine de ce vin grenat profond aux arômes agréables de petits fruits, de fumé, d'épices, de menthol. Les tanins sont fruités, assez puissants et équilibrés en fin de bouche. Laisser vieillir deux à trois ans cette bouteille.

SA Travers, BP 1, 33126 Fronsac,
tél. 05.57.24.98.05, fax 05.57.24.97.79,
e-mail helene-texier-travers@wanadoo.fr r.-v.
GAF Bardibel

### CH. CANON DE BREM 2002 ★

■ 8 ha 28 000 11 à 15 €

Appartenant aux domaines Jean Halley, ce cru est conseillé par Jean-Claude Berrouet ; le millésime 2001 fut coup de cœur l'an dernier. Ce 2002 d'une somptueuse couleur rubis offre un bouquet intense aujourd'hui dominé par les fruits noirs, le moka et le grillé apportés par un élevage de douze mois en barrique fort bien mené. Les tanins fins et élégants sont déjà fondus en finale. Une bouteille qui s'appréciera d'ici un à trois ans.

SCEA Dom. Jean Halley, Ch. La Dauphine,
33126 Fronsac, tél. 05.57.74.06.61, fax 05.57.51.80.57
t.l.j. sf sam. dim. 10h-12h 14h-18h

### CH. CANON SAINT-MICHEL 2002 ★

■ 4,45 ha 22 000 8 à 11 €

Conduites en lutte intégrée, les vignes de ce château sont plantées sur un beau terroir argilo-calcaire et argilo-sableux. Dans une robe grenat profond aux reflets rubis, ce vin offre des parfums intenses d'épices qui se mêlent à d'élégantes senteurs fruitées. Les tanins ronds et soyeux évoluent avec finesse mais aussi une certaine fermeté en finale. Attendre impérativement deux à trois ans.

Jean-Yves Millaire, Lamarche, 33126 Fronsac,
tél. 06.08.33.81.11, fax 05.57.24.94.99
t.l.j. 8h-13h 14h-20h

### CH. CASSAGNE HAUT-CANON La Truffière 2002 ★

■ n.c. 21 000 11 à 15 €

Comme son nom l'indique, ce château est situé sur l'emplacement d'une truffière. En 2002, la maturité exceptionnelle des cabernets a permis un assemblage marqué par ces cépages (50 %) qui confèrent une grande puissance au vin. La robe est presque noire ; les arômes d'épices, de réglisse sont rehaussés de notes fruitées agréables. Les tanins sont équilibrés, assez enrobés et longs. A attendre deux à quatre ans. La **cuvée classique 2002 (5 à 8 €)** obtient également une étoile ; souple et très fruitée, elle pourra être servie pendant un à deux ans.

Zita et Jean-Jacques Dubois,
Ch. Cassagne Haut-Canon,
33126 Saint-Michel-de-Fronsac,
tél. 05.57.51.63.98, fax 05.57.51.62.20,
e-mail chateau.cassagne@wanadoo.fr r.-v.

### CH. LA FLEUR CAILLEAU 2002

■ 3,6 ha 11 000 15 à 23 €

86 88 93 |95| |96| |98| |99| 01 |02|

Paul Barre dirige ce cru depuis 1981. Il applique les principes de la biodynamie. Les vignes de merlot (95 %) et de cabernet franc (5 %) ont donné un bon 2002 : le bouquet encore discret est élégant, les tanins assez présents se révèlent harmonieux et souples. Une bouteille à ouvrir dans les deux à quatre prochaines années.

Paul et Pascale Barre, La Grave, 33126 Fronsac,
tél. 05.57.51.31.11, fax 05.57.25.08.61,
e-mail p.p.barre@wanadoo.fr r.-v.

### CH. DU GABY 2002 ★★

■ 7 ha 22 000 11 à 15 €

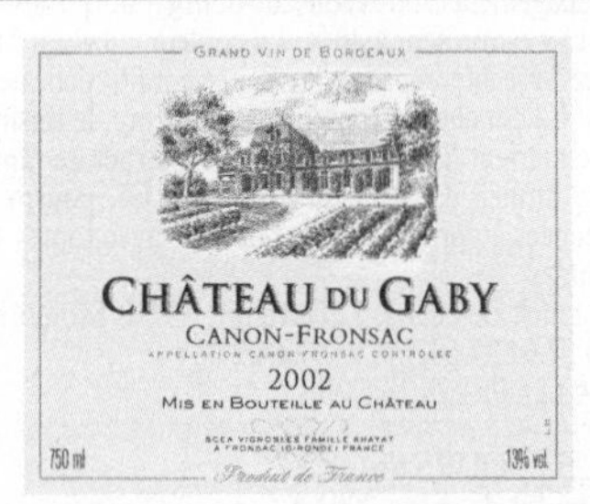


Cet imposant château du XIXᵉs. domine la vallée de la Dordogne. Il a été acheté par Antoine Khayat en 1999 et bénéficie depuis d'efforts qualitatifs importants tant au vignoble que dans les chais. Ce coup de cœur traduit ce travail. Le 2002, paré d'une robe noire traversée de reflets pourpres, affiche d'intenses arômes qui rappellent la vanille, les épices, la griotte, le boisé torréfié. Au palais, il est riche, puissant et complexe ; il évolue avec beaucoup de finesse et de persistance. A garder impérativement deux à cinq ans avant de le servir sur du gibier.

SCEA Vignobles famille Khayat, Gaby,
33126 Fronsac, tél. 05.57.51.24.97, fax 05.57.25.18.99,
e-mail chateau.du.gaby@wanadoo.fr r.-v.

### CH. GRAND RENOUIL 2002

■ 3 ha 12 000 15 à 23 €

Depuis 1934 dans la même famille, ce château présente un vin élaboré exclusivement avec du merlot élevé douze mois en barrique. La robe rubis, légèrement tuilée, et le bouquet délicatement fruité et boisé annoncent une structure aux tanins peu puissants. Du même propriétaire, le **Château du Pavillon 2002 (8 à 11 €)** est également cité ; c'est un vin fruité, agréable, déjà un peu évolué, frais

en finale. Ces deux bouteilles seront servies jeunes dans deux ou trois ans.
Michel Ponty, Les Chais du Port, 33126 Fronsac, tél. 05.57.51.29.57, fax 05.57.74.08.47, e-mail michel.ponty@wanadoo.fr r.-v.

## CH. HAUT-BALLET 2002

3,14 ha 18 000 11 à 15 €

Ce 2002 ne doit pas être laissé pour compte. En effet, vous apprécierez son bouquet naissant de petits fruits rouges, d'épices et de boisé discret, ainsi que sa structure fraîche, harmonieuse et déjà très agréable. Un vin à servir aujourd'hui ou à garder quelques années.
Olivier Décelle, Ch. Haut-Ballet, 33126 Saint-Michel-de-Fronsac, tél. et fax 05.57.24.94.10 r.-v.

## CH. MAZERIS 2002 *

17 ha 70 000 8 à 11 €

Cette bâtisse de type girondin commande un vignoble bien situé sur un sol argilo-calcaire de qualité. Ce 2002 associe 20 % de cabernet franc au merlot. Seuls 30 % du vin passent douze mois en barrique. Le nez joue sur les fruits, le grillé, le chocolat, le fumé ; les tanins sont bien structurés, un peu vifs même mais de bonne longueur. Un vin à goûter dans un an ou deux.
EARL de Cournuaud, Ch. Mazeris, 33126 Saint-Michel-de-Fronsac, tél. 05.57.24.96.93, fax 05.57.24.98.25, e-mail mazeris@free.fr r.-v.

## CH. MOULIN PEY-LABRIE 2002 *

6,5 ha 22 000 15 à 23 €

88 |89| |90| 91 92 93 94 95 |96| |97| 99 00 02

L'origine de ce moulin remonte au XII<sup>e</sup>s. ; il est situé au sommet d'une arête calcaire qui domine le magnifique paysage environnant. Ce 2002 brille par sa robe pourpre intense, par son bouquet fruité, épicé et délicatement toasté. En bouche, les tanins charpentés et fermes participent au bon équilibre de ce vin à la finale fruitée harmonieuse. Deux à six ans de vieillissement sont conseillés avant de l'offrir sur un plat de caractère.
Bénédicte et Grégoire Hubau, Ch. Moulin Pey-Labrie, 33126 Fronsac, tél. 05.57.51.14.37, fax 05.57.51.53.45, e-mail moulinpeylabrie@wanadoo.fr r.-v.

## CH. ROULLET 2002 **

2,8 ha 10 300 8 à 11 €

Princeteau, peintre animalier, habita ces lieux. Vous y dégusterez un remarquable vin dans lequel 20 % des deux cabernets complètent le merlot. Quatorze mois de barrique ont donné à ce 2002 une robe grenat éclatant, un bouquet complexe et intense de fruits rouges, de menthol, de cacao, de réglisse, une attaque riche et puissante. Les tanins parfaitement mûrs sont bien enrobés par un élevage réussi conférant race et élégance. Une bouteille à servir dans deux à six ans.
SCEA Dorneau et Fils, Ch. La Croix, 33126 Fronsac, tél. 05.57.51.31.28, fax 05.57.74.08.88, e-mail scea-dorneau@wanadoo.fr
t.l.j. sf sam. dim. 9h-12h 14h-18h

## CH. SAINT-BERNARD
Elevé en fût de chêne 2002 **

0,3 ha 1 800 11 à 15 €

Une cuvée plutôt confidentielle, élaborée à partir du seul cépage merlot. Le résultat est époustouflant. La robe

pourpre s'anime de reflets noirs. Les arômes intenses évoquent les fruits noirs, la vanille, la réglisse. Les tanins sont veloutés, puissants, enrobés par un boisé de qualité et harmonieux. Un vin remarquablement bien fait à apprécier après trois à cinq ans de vieillisssement. Une simple entrecôte accompagnée d'une fricassée de cèpes, quelques amis chers et cette bouteille... la promesse d'un bon moment.
Sébastien Gaucher, 1, Nardon, 33126 Saint-Michel-de-Fronsac, tél. et fax 05.57.24.90.24, e-mail s.gaucher@free.fr
t.l.j. sf dim. 8h-12h 14h-19h

## CH. VRAI CANON BOUCHE 2002

8 ha 40 000 8 à 11 €

90 |95| |96| 97 |98| |99| 00 01 |02|

Situé sur le tertre de Canon qui domine la région, ce château a réussi son 2002 : couleur rubis aux reflets orangés, bouquet élégant de petits fruits rouges et d'épices. En bouche, les tanins sont souples, équilibrés. Un vin à servir dans les trois ans à venir.
Françoise Roux, Ch. Lagüe, 33126 Fronsac, tél. 05.57.51.24.68, fax 05.57.25.98.67 r.-v.

# Fronsac

## CH. ARNAUTON 2002 *

18,91 ha 121 480 8 à 11 €

Appartenant à une famille belge depuis 1937, cette propriété d'un seul tenant s'est beaucoup développée depuis lors et avec succès. Son 2002, de couleur grenat profond, offre des arômes de fruits noirs qui se mêlent à des notes épicées (poivre, cannelle). Les tanins sont mûrs, ronds, charnus jusque dans une longue finale fruitée. A boire dans deux ou trois ans. La cuvée **Grand Sol 2002 (11 à 15 €)** – étiquette moderne très réussie – obtient également une étoile ; elle est aujourd'hui marquée par un boisé intense mais de qualité ; son potentiel est important : au moins cinq à dix ans.
Ch. Arnauton, rte de Saillans, 33126 Fronsac, tél. 05.57.55.06.00, fax 05.57.55.06.01, e-mail arnauton.chateau@free.fr r.-v.
Herail

## CH. BARRABAQUE 2002 **

9 ha 15 000 11 à 15 €

Barrabaque est célèbre pour ses nombreux coups de cœur en canon-fronsac. Cette fois, c'est en fronsac que Bernard Noël obtient cette distinction. On sait qu'il ne

ménage pas ses efforts, servi par un beau terroir argilo-calcaire et siliceux. Ce 2002 brille d'une robe intense aux reflets violets. Ses arômes complexes, puissants, très concentrés évoquent le café, le fruit noir, la vanille. Ses tanins veloutés évoluent avec puissance et finesse à la fois. Un vin gourmand, riche d'un grand potentiel, à apprécier dans trois à six ans.

SCEV Noël, Ch. Barrabaque, 33126 Fronsac,
tél. 05.57.55.09.09, fax 05.57.55.09.00,
e-mail chateaubarrabaque@yahoo.fr r.-v.

### CH. BELLEVUE 2002 ★

■ 9,08 ha 28 400 8 à 11 €

Provenant exclusivement du merlot, ce vin pourpre intense mêle des notes fruitées (mûre) et boisées (vanille, caramel). Ses tanins veloutés, amples en attaque, se révèlent ensuite avec caractère, puissance et longueur. Une bouteille déjà prête à boire, mais qui se gardera deux à cinq ans.

Olivier Décelle, Ch. Haut-Ballet,
33126 Saint-Michel-de-Fronsac,
tél. et fax 05.57.24.94.10 r.-v.

### CH. LA BRANDE 2002

■ 5 ha 29 000 8 à 11 €

Depuis 1750 dans la même famille, cette propriété propose un bon 2002 : robe rubis aux reflets grenat ; arômes discrets de boisé grillé et d'épices ; tanins souples. Une bouteille agréable à boire dès aujourd'hui. En revanche, la **cuvée Prestige du Château Moulin de Reynaud 2002 (11 à 15 €)**, citée également, devra attendre un à deux ans pour trouver son équilibre entre les tanins du bois et le fruit.

Vignoble Béraud, La Brande, 33141 Saillans,
tél. 05.57.74.36.38, fax 05.57.74.38.46,
e-mail labrande.saillans@wanadoo.fr
t.l.j. sf dim. 8h30-12h30 13h30-19h;
groupes sur r.-v.

### CH. CANEVAULT Cuvée Théo 2002 ★

■ 0,8 ha 5 000 11 à 15 €

Ce château ancien est situé sur des galeries souterraines qui servent de chai de stockage pour les bouteilles du cru. Sa cuvée Théo mérite votre attention : de couleur rubis, elle offre de discrètes et élégantes nuances de petits fruits rouges et de fin boisé. Les tanins sont nerveux en attaque mais ils évoluent vers une bonne harmonie. De belle longueur, un vin à attendre deux ou trois ans.

SCEA Jean-Pierre Chaudet, Caneveau,
33240 Lugon, tél. 05.57.84.49.10, fax 05.57.84.42.07,
e-mail scea-chaudet-j.p@wanadoo.fr
t.l.j. 9h-12h 13h30 -18h, sam. dim. sur r.-v.
Sylvie Chaudet

### CH. DE CARLMAGNUS 2002 ★

■ 2,23 ha 8 400 15 à 23 €

Exclusivement issu de merlot, ce fronsac moderne et très bien vinifié apparaît fruité, tout en offrant un boisé intense, complexe et torréfié. En bouche, les tanins sont puissants, réglissés, très mûrs : là encore le chêne domine ; une garde de trois à six ans devrait permettre à cette bouteille de gagner en harmonie.

Arnaud Roux-Oulié,
Palais du Fronsadais, BP 12, 33126 Fronsac,
tél. 05.57.51.24.68, fax 05.57.25.98.67 r.-v.

### CH. CHADENNE 2002 ★

■ 1,5 ha 5 600 15 à 23 €

Constituée d'un enclos d'un seul tenant, cette propriété présente un 2002 provenant exclusivement du merlot. La robe soutenue a des nuances violettes ; les arômes de chèvrefeuille et de sous-bois sont en harmonie avec des notes plus fruitées. Les tanins se révèlent équilibrés et vineux, assez longs. Une bouteille à attendre deux ou trois ans. Surprenant par son étiquette, le deuxième vin, le **Château La Fleur Chadenne 2002 (11 à 15 €)**, est cité ; il permettra d'attendre son aîné car il peut être servi dès aujourd'hui.

SCEA Ph. et V. Jean,
Ch. Chadenne, 33126 Saint-Aignan,
tél. 05.57.24.93.10, fax 05.57.24.95.98,
e-mail chateau.chadenne@wanadoo.fr r.-v.

### CLOS DU ROY Cuvée Arthur 2002 ★

■ 10 ha 20 000 8 à 11 €

Cette maison girondine du XIX[e]s. commande un important vignoble de 37 ha qui s'est bien agrandi depuis une vingtaine d'années. De couleur rubis limpide, ce 2002 offre un bouquet légèrement épicé aux notes de cuir. Les tanins sont généreux ; un peu vifs, ils évoluent avec finesse et persistance. La cuvée classique **Clos du Roy 2002** est citée ; elle se caractérise par un bon fruit et une structure harmonieuse et racée. Ces deux vins sont déjà prêts ; ils se garderont cependant deux à cinq ans.

Philippe Hermouet, Clos du Roy, 33141 Saillans,
tél. 05.57.55.07.41, fax 05.57.55.07.45,
e-mail contact@vignobleshermouet.com r.-v.

### CH. DALEM 2002 ★★

■ 11,2 ha 39 200 15 à 23 €

**88 89** 90 92 **93** 94 |95| |96| 97 |98| **99** 00 01 **02**

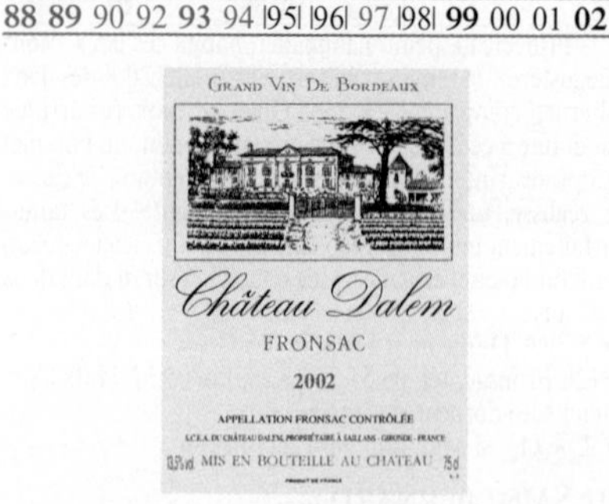


Cette belle propriété est gérée depuis une cinquantaine d'années par Michel Rullier avec beaucoup de passion et de rigueur. Une fois de plus, le résultat est au rendez-vous, ce coup de cœur unanime de notre grand jury en témoigne. La robe de ce 2002 brille d'un éclat magnifique. Ses parfums de fruits et d'épices sont encore dominés par des notes de boisé grillé élégantes et prometteuses. De même qualité, amples, puissants et mûrs, les tanins évoluent avec beaucoup de finesse et de persistance. Ce vin s'épanouira dans trois à huit ans. Du même propriétaire, le **Château de La Huste 2002 (11 à 15 €)** est cité ; il est déjà très agréable.

Michel Rullier, GFA du Ch. Dalem, 1, Dalem, 33141 Saillans, tél. 05.57.84.34.18, fax 05.57.74.39.85, e-mail chateau-dalem@wanadoo.fr r.-v.

### CH. DE LA DAUPHINE 2002 ★

■ 10 ha 30 000 **11 à 15 €**

Superbe demeure acquise en 2001 par Jean Halley auprès des héritiers de Jean-Pierre Moueix. Le nouveau propriétaire, homme d'affaires du secteur de la grande distribution, a laissé la maîtrise technique du domaine à Jean-Claude Berrouet. Dans ce millésime difficile, ce dernier a réussi un vin plaisant. Rubis soutenu, ce 2002 offre un bouquet minéral rehaussé de notes de truffe et de sous-bois. En bouche, il se fait charmeur, assez corsé. Il accompagnera du gibier dans deux à quatre ans, voire davantage.

SCEA Dom. Jean Halley, Ch. La Dauphine, 33126 Fronsac, tél. 05.57.74.06.61, fax 05.57.51.80.57 t.l.j. sf sam. dim. 10h-12h 14h-18h

### CH. FONTAINE-SAINT-CRIC 2002 ★★

■ 1,11 ha 6 100 11 à 15 €

Deux Français et un Finlandais partageant le même intérêt pour le vin sont à l'origine de la création de cette marque dont 2002 est le premier millésime. Pour un coup d'essai... c'est un coup de maître ! Une robe violacée intense, un bouquet épanoui de baies noires et de pruneau à l'Armagnac, des tanins suaves, soyeux en attaque structurant une bouche équilibrée, d'une bonne vinosité finale, composent une bouteille qui devrait se révéler dans deux à cinq ans. A suivre...

SA Ch. Fontaine-Saint-Cric, 33126 Saint-Aignan, tél. 06.75.01.29.74, fax 05.57.94.07.00 r.-v.

### CH. FONTENIL 2002 ★

■ 9,39 ha 34 500 **15 à 23 €**

**88** **89** (90) 92 93 94 **95** 96 97 98 **99** 00 (01) 02

Appartenant à deux œnologues de réputation internationale, ce cru reste une valeur sûre de l'appellation. Après les trois étoiles et le coup de cœur de l'an dernier, il mérite toute votre attention. La robe de ce 2002 est profonde, presque noire d'encre, et ses arômes complexes évoquent la griotte, le cassis, les épices et le bois grillé. Les tanins veloutés et soyeux en attaque évoluent avec finesse, classe et équilibre ; il ne leur manque qu'un peu de longueur. A attendre au moins deux ans.

Michel et Dany Rolland, Catusseau, 33500 Pomerol, tél. 05.57.51.23.05, fax 05.57.51.66.08, e-mail rolland.vignobles@wanadoo.fr

### CH. HAUCHAT LA ROSE 2002 ★★

■ 3 ha 12 000 11 à 15 €

Ce 2002 est issu d'une sélection de vieux merlots plantés sur un remarquable terroir calcaire du plateau de Saint-Aignan. Sa robe profonde brille de mille feux. Ses arômes intenses de groseille et de framboise se mêlent à d'élégantes notes boisées. Puissants et vineux, les tanins sont équilibrés, bien mûrs et très persistants. Un vin à laisser mûrir entre trois et huit ans. Du même propriétaire, le **Château Hauchat 2002 (8 à 11 €)** est cité : plus souple et gouleyant que son aîné, il est prêt.

Vignobles Jean-Bernard Saby et Fils, Ch. Rozier, 33330 Saint-Laurent-des-Combes, tél. 05.57.24.73.03, fax 05.57.24.67.77, e-mail info@vignobles-saby.com r.-v.

### HAUT-CARLES 2002 ★★

■ 8 ha 20 000 **23 à 30 €**

Ce magnifique château construit aux XV<sup></sup>e et XVIes. est inscrit à l'Inventaire supplémentaire des Monuments

**Le Libournais**

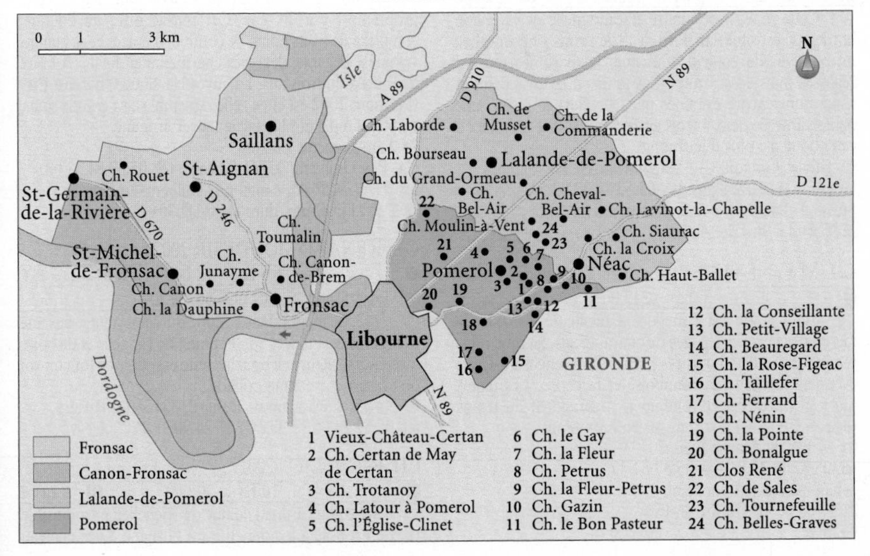

historiques. On ne compte plus les coups de cœur du domaine. Une sélection parcellaire de vieilles vignes (merlot à 90 %) a donné ce remarquable 2002 noir aux reflets pourpres. Ses arômes complexes et puissants évoquent les fruits à l'eau-de-vie, la réglisse, la framboise et le cassis. Un vin structuré et de caractère mais encore très jeune, au potentiel de vieillissement important. A attendre trois à huit ans.

SCEV du Ch. de Carles, Ch. de Carles, 33141 Saillans, tél. 05.57.84.32.03, fax 05.57.84.31.91, e-mail stephane-droulers@lazard.fr r.-v.

## CH. HAUT-MAZERIS 2002

■ 4,94 ha 22 500 15 à 23 €

Ce vignoble est composé de 66 % de merlot, 24 % de cabernet franc et 10 % de cabernet-sauvignon. D'une couleur pourpre, le vin évoque les petits fruits rouges bien mûrs, telle la fraise des bois. Les tanins sont équilibrés mais demandent deux ou trois ans de garde pour donner le meilleur d'eux-mêmes.

SCEA du Ch. Haut-Mazeris, 33126 Saint-Michel-de-Fronsac, tél. 01.53.77.28.38, fax 01.53.77.28.30

## CH. JEANDEMAN La Chêneraie 2002

■ 5 ha 12 000 8 à 11 €

Cette cuvée spéciale du château Jeandeman mérite l'intérêt du consommateur : en effet, le bouquet naissant et expressif de cuir, de pruneau, de caramel est agréable, et la structure souple, ronde, assez simple et déjà un peu évoluée permettra de la servir dès à présent avec une entrecôte.

SCEV Roy-Trocard, Ch. Jeandeman, 33126 Fronsac, tél. 05.57.74.30.52, fax 05.57.74.39.96, e-mail roy.trocard@terre-net.fr
t.l.j. sf sam. dim. 9h-17h
Jean Trocard

## CH. MAGONDEAU BEAU-SITE Elevé en fût de chêne 2002

■ 1,36 ha 8 000 8 à 11 €

Cette maison de maître traditionnelle de la région bordelaise est située au bord de l'Isle ; vous y découvrirez un bon vin de couleur soutenue, aux arômes toastés, réglissés mais aussi fruités. Ses tanins à la fois corsés et ronds sont encore dominés par leur élevage boisé ; une petite garde de deux à trois ans devrait suffire à donner à cette bouteille plus d'harmonie.

Olivier Goujon, Ch. Magondeau, SCEV Vignobles Goujon, 33141 Saillans, tél. 05.57.84.32.02, fax 05.57.84.39.51, e-mail p.goujon@free.fr
t.l.j. 9h-12h 14h-18h

## CH. MAYNE-VIEIL Cuvée Aliénor 2002 *

■ 6 ha 24 000 8 à 11 €

Cette cuvée est issue de la meilleure parcelle de merlot de la propriété, âgée de quarante ans. Sa robe rubis montre des reflets pourpres ; ses arômes encore discrets évoquent le chêne, la framboise et la cerise. Les tanins mûrs très présents et volumineux demandent du temps (deux à cinq ans) pour gagner en harmonie.

SCEA du Mayne-Vieil, 33133 Galgon, tél. 05.57.74.30.06, fax 05.57.84.39.33, e-mail maynevieil@aol.com
t.l.j. 9h-12h30 14h-18h
Sèze

## CH. MOULIN HAUT-LAROQUE 2002 *

■ 14 ha n.c. 15 à 23 €

86 88 |(89)| |90| 91 |95| |96| 97 98 **99** 00 01 02

Ce château, parmi les plus anciens de l'appellation, fait partie des quelques fleurons de l'appellation. Jean-Noël Hervé ne ménage pas ses efforts dans la recherche de la qualité. C'est encore le cas avec ce 2002 au bouquet expressif de pruneau, de noyau de cerise, de figue confite. En bouche, il se montre fin et élégant puis évolue avec puissance. Il faudra l'attendre deux à cinq ans.

Jean-Noël Hervé, Le Moulin, 33141 Saillans, tél. 05.57.84.32.07, fax 05.57.84.31.84, e-mail hervejnoel@wanadoo.fr r.-v.

## LE PETIT ANE 2002

■ 2,3 ha 6 000 5 à 8 €

Un petit âne et la Sainte Famille ornent l'étiquette de ce 2002 de couleur pourpre. Les fruits rouges et les fleurs accompagnent des arômes boisés, des tanins charpentés et équilibrés. Un vin à boire ou à laisser vieillir quelques années.

SCEA Anna et Jacques Favier, Ch. Vieux Mouleyre, 33126 Fronsac, tél. 06.80.58.42.10, fax 01.47.58.08.92, e-mail jacques-favier@vieux-mouleyre.com r.-v.

## CH. PLAIN-POINT 2002 *

■ 17 ha 120 000 11 à 15 €

Ce bâtiment du XVIe s. a été élevé sur les vestiges d'un château fort. Il produit depuis quelques années de bons vins, à l'image de ce 2002. La robe rubis a des reflets carminés et le bouquet de truffe, de tabac et de fleurs est original. Des tanins souples et équilibrés autorisent une consommation rapide, d'ici un à trois ans.

Michel Aroldi, SA Ch. Plain-Point, 33126 Saint-Aignan, tél. 05.57.24.96.55, fax 05.57.24.91.64, e-mail chateau.plain-point@libertysurf.fr r.-v.

## CH. PUY GUILHEM Cuvée Baptistine 2002 *

■ 2 ha 6 000 11 à 15 €

Annie et Jean-François Enixon ont acquis cette propriété il y a dix ans. Ce fronsac offre un bouquet complexe de fruits noirs, de confit et d'épices et des tanins veloutés, élégants, déjà très charmeurs en finale. A boire dans deux ou trois ans. La cuvée classique **Château Puy Guilhem 2002** est citée : elle ressemble à sa grande sœur, en plus simple et plus facile ; à servir jeune.

Jean-François Enixon, Ch. Puy Guilhem, 33141 Saillans, tél. 05.57.84.32.08, fax 05.57.74.36.45, e-mail puy.guilhem@infonie.fr
t.l.j. sf sam. dim. 8h30-18h30

## CH. RENARD MONDESIR 2002

■ 6,5 ha 12 000 11 à 15 €

|**93**| 94 |95| |96| 97 |98| |99| 00 01 |02|

90 % de merlot dans ce 2002 qui se présente sous une robe rubis déjà tuilée. Son bouquet de cannelle et de boisé toasté, sa structure en bouche nette et souple en font un vin prêt à servir avec une grillade.

Xavier Chassagnoux, Renard, 33126 La Rivière, tél. 05.57.24.96.37, fax 05.57.24.90.18 r.-v.

## CH. RICHELIEU 2002

■ 10 ha 20 000 8 à 11 €

Neveu du cardinal, le duc de Richelieu introduisit le vin de Fronsac à la cour. Il est à l'origine de ce château construit au XVII^e s., racheté en 2001 par le propriétaire actuel. La robe de ce 2002 est intense. Son bouquet ouvert évoque le sous-bois, le confit, le café grillé. Sa structure tannique, concentrée et équilibrée, n'a pas encore atteint son harmonie. Deux à cinq ans de garde devraient rendre ce vin plaisant.

Bernard Gauthier, 1, chem. du Tertre, 33126 Fronsac, tél. et fax 05.57.51.13.94 Y r.-v.

### CH. DE LA RIVIERE Aria 2002 *

■ 2,5 ha 4 400 **38 à 46 €**

Le château de La Rivière, remarquable construction du XVI^e s., domine la vallée de la Dordogne. Cette cuvée Aria est issue du seul merlot, élevé dix-huit mois en barrique. La robe rubis foncé est nuancée d'ocre. Le bouquet naissant évoque le sous-bois et les baies noires alors que les tanins présents, boisés mais fruités, évoluent avec harmonie jusqu'à une finale marquée par le merrain. Un vin à attendre deux à quatre ans.

SCA Ch. de La Rivière, 33126 La Rivière, tél. 05.57.55.56.56, fax 05.57.24.94.39, e-mail info@chateau-de-la-riviere.com Y r.-v.

James Grégoire

### CH. LES ROCHES DE FERRAND Elevé en fût de chêne 2002

■ 3,5 ha 21 000 5 à 8 €

Ne manquez pas l'église romane (XII^e s.) de Fronsac puis parcourez 200 m pour découvrir ce domaine régulièrement sélectionné par les jurés du Guide. Ce 2002 est en début d'évolution ; ses parfums sont discrets et se révèlent assez fruités en bouche, en harmonie avec des tanins simples mais élégants. Une bouteille à servir pendant deux ou trois ans.

Rémy Rousselot, Ch. Les Roches de Ferrand, 33126 Saint-Aignan, tél. 05.57.24.95.16, fax 05.57.24.91.44, e-mail vignobles.remy.rousselot@wanadoo.fr Y r.-v.

### CH. LA ROSE GARNIER 2002

■ 1,27 ha 5 500 5 à 8 €

Provenant d'un domaine de 12,5 ha, une petite production qui mérite cependant l'attention du lecteur. Avec ses arômes plaisants de fruits noirs, de gibier, d'épices, un 2002 déjà agréable. Sa structure souple, vanillée et équilibrée lui permet d'être bu jeune.

Jean-Yves Millaire, Lamarche, 33126 Fronsac, tél. 06.08.33.81.11, fax 05.57.24.94.99 Y t.l.j. 8h-13h 14h-20h

### CH. STEVAL 2002 *

■ 4 ha 15 000 5 à 8 €

Une jolie étiquette pour ce très bon 2002, à 90 % merlot. La robe brillante, rubis soutenu, le bouquet complexe de fruits rouges, d'épices, rehaussé de jolies notes boisées, tout annonce sa qualité. La bouche ne déçoit pas, tant par l'attaque tannique élégante et harmonieuse que par l'évolution équilibrée et persistante qui laisse entrevoir un excellent avenir à ce vin racé (au moins quatre à huit ans).

Sébastien Gaucher, 1, Nardon, 33126 Saint-Michel-de-Fronsac, tél. et fax 05.57.24.90.24, e-mail s.gaucher@free.fr Y t.l.j. sf dim. 8h-12h 14h-19h

### CH. DU TERTRE 2002

■ 2,15 ha 10 000 5 à 8 €

Implantées en espaliers sur les coteaux du tertre de Fronsac, les vignes bénéficient d'une exposition remarquable. Elles sont à l'origine de ce vin au bouquet élégant de petits fruits rouges relevé de notes poivrées. Souple, harmonieuse, délicatement boisée, une bouteille à apprécier dès aujourd'hui.

Mme Lagadec-Janoueix, rte de Saillans, 33126 Fronsac, tél. 05.57.25.54.44, fax 05.57.25.26.07, e-mail phbb@janoueixfrancois.com r.-v.

### CH. TOUR DU MOULIN 2002

■ 7 ha 20 000 **8 à 11 €**

Ce château à caractère familial se décline en deux versions dans le millésime 2002 : la cuvée principale présente un subtil bouquet de petits fruits de la forêt ; elle se révèle souple et agréable en bouche, déjà prête ; la **Cuvée particulière (11 à 15 €)** est également citée ; un peu plus fruitée et tannique, elle mérite deux ou trois ans de vieillissement.

SCEA Ch. Tour du Moulin, Le Moulin, 33141 Saillans, tél. et fax 05.57.74.34.26, e-mail chttourdumoulin@aol.com Y r.-v.

Dupuch

### CH. LES TROIS CROIX 2002 *

■ 12 ha 52 000 **15 à 23 €**

Grappe d'argent du Guide 2002 pour son fronsac 1997, millésime difficile parfaitement maîtrisé, ce cru idéalement situé appartient à Patrick Léon et à ses enfants qui s'investissent à fond dans une recherche de la qualité, aidés en cela par un excellent terroir et de vieilles vignes d'une quarantaine d'années. Ce 2002 est élégant dans sa robe rubis aux reflets violets. Ses arômes intenses de fruits noirs, de cuir, dominés par des notes boisées torréfiées, annoncent une structure équilibrée, complexe, très mûre et persistante. Un vin qu'il faut attendre deux à cinq ans : il ne pourra que grandir.

Famille Patrick Léon, EARL Les Trois Croix, Ch. Les Trois Croix, 33126 Fronsac, tél. 05.57.84.32.09, fax 05.57.84.34.03, e-mail lestroiscroix@aol.com Y r.-v.

### CH. LA VIEILLE CROIX Cuvée DM 2002

■ 8 ha 20 000 **8 à 11 €**

Transmise depuis huit générations de fille unique en fille unique, cette propriété présente deux vins qui obtiennent tous deux une citation. La cuvée DM se distingue par des arômes boisés bien fondus, par des notes épicées (cannelle, girofle) et par des tanins harmonieux, équilibrés, un peu dominés par le boisé : il est nécessaire d'attendre deux ou trois ans pour la servir. La cuvée **Tradition 2002** est plus fruitée (cerise) ; sa structure un peu plus légère est cependant très élégante et persistante ; à boire ou à garder quelques années.

SCEA de la Vieille Croix, La Croix, 33141 Saillans, tél. 05.57.74.30.50, fax 05.57.84.30.96 Y t.l.j. 9h-19h

Isabelle Dupuy

### CH. LA VIEILLE CURE 2002 **

■ 17 ha 60 000 15 à 23 €

**88 89 90** 91 92 93 **94** |**95**| |96| |**97**| **98** |99| |00| **01 02**

Ce château du XIX^e s., idéalement situé sur un coteau argilo-calcaire exposé au sud, produit millésime après

millésime d'excellents vins (on se rappelle le coup de cœur du 1998). Un nouveau coup de cœur unanime distingue ce 2002 à la robe pourpre profond, aux arômes de fruits noirs, de truffe, de mûre, de noix. Les tanins structurés, très présents, sont délicatement toastés et fruités. L'évolution, toute de velours et d'onctuosité, laisse présager un très grand vin. Etonnante pour ce millésime, une bouteille à boire dans deux à six ans. **La Sacristie de la Vieille Cure 2002 (8 à 11 €)**, second vin du château, est citée et peut être servie dès maintenant.

SNC Ch. La Vieille Cure, Coutreau, 33141 Saillans, tél. 05.57.84.32.05, fax 05.57.74.39.83, e-mail vieillecure@wanadoo.fr

CH. VILLARS 2002 ★★

■ 20 ha 66 000 11 à 15 €

93 **94** |**95**| 96 |98| |99| **00** 01 **02**

Depuis 1967 à la tête de cette propriété, Jean-Claude Gaudrie a joué parmi ses pairs un rôle moteur dans cette appellation. Il réussit l'exploit, dans ce millésime délicat, de présenter un vin remarquable issu à 70 % de merlot associé à 30 % de cabernets. La robe presque noire, dense et brillante, annonce un bouquet complexe de truffe, de sous-bois, de réglisse, rehaussé de notes fruitées bien mûres. Les tanins sont savoureux et aimables dès l'attaque, puis ils se montrent amples, équilibrés, élégants. Un vin pour connaisseur, à apprécier dans trois à six ans sur du gibier. Second vin, le **Château Moulin Haut Villars 2002 (8 à 11 €)** est cité.

SCEV Gaudrie et Fils, Ch. Villars, 33141 Saillans, tél. 05.57.84.32.17, fax 05.57.84.31.25, e-mail chateau.villars@wanadoo.fr

t.l.j. sf sam. dim. 9h-12h 14h-17h

# Pomerol

Avec environ 830 ha, Pomerol est l'une des plus petites appellations girondines, et l'une des plus discrètes sur le plan architectural.

Au XIXes., la mode des châteaux du vin, d'architecture éclectique, ne semble pas avoir séduit les Pomerolais, qui sont restés fidèles à leurs habitations rurales ou bourgeoises. Néanmoins, l'aire d'appellation possède la demeure qui est sans doute l'ancêtre de toutes les chartreuses girondines, le château de Sales (XVIIes.), et l'une des plus charmantes constructions du XVIIIes., le château Beauregard, qui a été reproduit par les Guggenheim, dans leur propriété new-yorkaise de Long Island.

Cette modestie du bâti sied à une AOC dont l'une des originalités est de constituer une sorte de petite « république villageoise » où chaque habitant cherche à conserver l'harmonie et la cohésion de la communauté ; souci qui explique pourquoi les producteurs sont toujours restés plus que réservés quant au bien-fondé d'un classement des crus.

La qualité et la spécificité des terroirs auraient justifié une reconnaissance officielle du mérite des vins de l'appellation. Comme tous les grands terroirs, celui de Pomerol est né du travail d'une rivière, l'Isle, qui a commencé par démanteler la table calcaire pour y déposer en désordre des nappes de cailloux, que s'est chargée de travailler l'érosion. Le résultat est un enchevêtrement complexe de graves ou cailloux roulés, originaires du Massif central. La complexité des terrains semble inextricable : toutefois il est possible de distinguer quatre grands ensembles : au sud, vers Libourne, une zone sablonneuse ; près de Saint-Emilion, des graves sur sables ou argiles (terroir proche de celui du plateau de Figeac) ; au centre de l'AOC, des graves sur, ou parfois sous des argiles (Petrus) ; enfin, au nord-est et au nord-ouest, des graves plus fines et plus sablonneuses.

Cette diversité n'empêche pas les pomerol de présenter une analogie de structure. Très bouquetés, ils allient la rondeur et la souplesse à une réelle puissance, ce qui leur permet d'être de longue garde tout en pouvant être bus assez jeunes. Ce caractère leur ouvre une large palette d'accords gourmands, aussi bien avec des mets sophistiqués qu'avec des plats très simples. En 2004, l'appellation a produit 41 510 hl.

CH. BEAUREGARD 2002 ★

■ 13 ha 40 000 23 à 30 €

**75 78 81** ⑧② **83** 84 **85** 86 88 89 90 92 **93 94** |**95**| |**96**| **97 98** |**99**| ⓪⓪ **01** 02

Un élève de Victor Louis construisit ce château en 1795 à l'emplacement d'un domaine occupé par les Hospitaliers au XIes. Cette élégante chartreuse a servi de modèle à la villa Millefleurs des Guggenheim à Long Island. Ce millésime associe 80 % de merlot et 20 % de cabernet franc. La robe est soutenue, presque noire. Malgré les dix-huit mois de barrique, le nez est assez profond, dominé cependant par un boisé toasté que l'on retrouve en bouche. Puissant, le palais s'exprime peu. Il faut laisser le temps au temps afin que le fruit l'emporte sur les tanins.

SCEA Ch. Beauregard, 33500 Pomerol, tél. 05.57.51.13.36, fax 05.57.25.09.55, e-mail beauregard@chateau-beauregard.com

r.-v.

CH. BEAU SOLEIL 2002 ★

■ 3,52 ha 13 780 15 à 23 €

Un des nombreux domaines libournais exploités par la famille Audy-Arcaute. Voici un pomerol de garde, encore dominé par les tanins. La teinte est intense et jeune. Le bouquet est un bon compromis entre les fruits noirs et le bois vanillé. Après une attaque souple et fraîche, la structure tannique s'impose : elle assurera une bonne tenue au vin pour les cinq ou six prochaines années.

Anne-Marie Audy,
Ch. Jonqueyres, 33750 Saint-Germain-du-Puch,
tél. 05.56.68.55.88, fax 05.56.30.17.23 r.-v.

CH. BELLEGRAVE 2002 ★★

■ 7 ha 34 000 15 à 23 €

88 89 91 **92** 93 94 |95| |96| **97** **98** |99| 00 01 **02**

Comme son nom l'indique, ce cru est situé sur des graves argileuses. En 2002, cela a sûrement contribué à sa réussite. La robe pourpre est traversée d'éclats grenat. Le bouquet fin et complexe est une succession de fruits confits, de cuir, de fourrure et de léger boisé. Parfaitement équilibré entre le fruit et le bois, ce vin authentique et séveux devrait atteindre l'harmonie d'ici un à deux ans et la garder pendant une dizaine d'années. L'autre cru de Jean-Marie Bouldy, le **Château des Jacobins 2002**, plus frais, obtient une étoile.

Jean-Marie Bouldy, Lieu-dit René, 33500 Pomerol,
tél. 05.57.51.20.47, fax 05.57.51.23.14,
e-mail jmbouldy@wanadoo.fr
t.l.j. sf dim. 8h-12h30 14h-19h

CH. LE BON PASTEUR 2002 ★

■ 7 ha 20 000 38 à 46 €

78 79 81 (82) 83 |85| |86| |88| |89| |90| 92 93 94 (95) 96 97 (98) **99** **00** **01** 02

Dany Rolland gère le laboratoire d'œnologie de Catusseau. Michel parcourt le monde en tant qu'œnologue conseil. Ils trouvent encore le temps d'exploiter en propre plusieurs crus libournais dont Le Bon Pasteur est le porte-drapeau. Leur 2002 se pare d'une robe sombre aux reflets jeunes. Le nez s'ouvre sur un boisé fin aux notes de cacao puis l'agitation libère le fruit frais. La mise en bouche est ample et soyeuse, avant que les tanins de bois grillé ne prennent le dessus. Il faudra deux ou trois ans d'attente pour que ce grand vin de garde atteigne l'harmonie.

SCEA des domaines Rolland, Maillet,
33500 Pomerol, tél. 05.57.51.23.05, fax 05.57.51.66.08,
e-mail rolland.vignobles@wanadoo.fr r.-v.

CH. LA CABANNE 2002

■ 10 ha 45 000 23 à 30 €

85 86 89 90 94 95 96 00 |01| |02|

Ce vignoble, situé sur des graves argileuses, doit son nom à un lieu-dit où se trouvaient plusieurs cabanes isolées, au XIVe s. Depuis 1952, il est exploité par la famille Estager. Le 2002 est un vin frais et tendre. La pourpre de sa robe se frange de reflets d'évolution. Ses arômes framboisés sont accompagnés de notes boisées. La bouche souple, fruitée (cassis), friande devrait s'ouvrir assez vite.

Vignobles Jean-Pierre Estager,
33-41, rue de Montaudon, 33500 Libourne,
tél. 05.57.51.04.09, fax 05.57.25.13.38,
e-mail estager@estager.com r.-v.

CH. CANTELAUZE 2002

■ 1 ha 4 000 38 à 46 €

92 94 |95| |96| 98 |99| 01 02

Une enluminure médiévale en guise d'étiquette, sur laquelle il faut chercher « l'oiseau qui chante », est à l'origine du nom de ce petit cru exploité par Jean-Noël Boidron. Les Boidron sont bien connus en Libournais où ils sont tonneliers et viticulteurs de père en fils depuis 1890. Jean-Noël est aussi estimé à Bordeaux, où il fut chercheur à la faculté d'œnologie. Son 2002 présente une robe rubis frangée de reflets tuilés. Le bouquet exprime des notes de cerise et de noisette relayées par un boisé torréfié. L'attaque est souple et chaleureuse mais les tanins de bois devront être un peu attendus. Dans un à deux ans on pourra commencer à déguster cette bouteille sur une entrecôte bordelaise.

Jean-Noël Boidron, 6, pl. Joffre, 33500 Libourne,
tél. 05.57.51.64.88, fax 05.57.51.56.30,
e-mail vignoblesjnboidron@wanadoo.fr r.-v.

CH. CERTAN DE MAY DE CERTAN 2002 ★★

■ 5 ha 14 000 38 à 46 €

85 86 88 |89| |(90)| 94 |95| |96| 97 |98| |99| 00 01 **02**

Ce cru confirme l'adage qui dit que c'est dans les millésimes difficiles que l'on voit les bons vinificateurs. Ce 2002 ne manque que d'une voix le coup de cœur. La robe bordeaux bordée de carmin est très attrayante. Le nez flatteur, très pomerol, propose des notes de violette et de fruits des bois, de la truffe, des épices douces, du chêne réglissé. La mise en bouche est suave, puis on retrouve les arômes perçus à l'olfaction. Les tanins sont serrés mais veloutés. Une bouteille qui devrait évoluer harmonieusement pendant plus de dix ans.

Mme Barreau-Badar, Ch. Certan de May de Certan,
33500 Pomerol, tél. 05.57.51.41.53, fax 05.57.51.88.51,
e-mail chateau.certan-de-may@wanadoo.fr r.-v.

CH. CHANTALOUETTE 2002

■ 47,5 ha n.c. 15 à 23 €

Ce cru est rattaché au château de Sales, dans la famille de Bruno de Lambert depuis 1464. Il est implanté sur de petites graves et des sables aux portes de la cité de Libourne. Le vin présente une jolie couleur rubis. Le nez, encore un peu fermé, demande de l'agitation pour libérer son fruit. La bouche est fruitée, souple et séveuse, bien équilibrée par des tanins un peu sévères qui demanderont un an ou deux pour s'assouplir.

Bruno de Lambert, Ch. de Sales, 33500 Libourne,
tél. 05.57.51.04.92, fax 05.57.25.23.91,
e-mail chdesales@chateaudesales.fr
t.l.j. sf sam. dim. 9h-12h 14h-18h

LA CLEMENCE 2002 ★★

■ 2,86 ha 6 000 46 à 76 €

L'étiquette ne revendique pas le titre de Château, mais le vin confirme les deux étoiles qu'avait déjà obtenues le 2001. Le vignoble n'est pas très grand, et pourtant ce 2002 est fort complexe. On comprend pourquoi si l'on sait qu'il est réparti sur six terroirs (sables, sables argileux, graves blanches, graves rouges, argiles bleues et argiles ferrugineuses) vinifiés séparément dans six petites cuves en bois, puis élevés en barriques fabriquées par six tonneliers différents. A ce prix, on obtient un produit haut de gamme, cousu main, splendide à tous les étages. Drapé d'une somptueuse robe noire, élégant, ce pomerol marie le fruit

frais et le bois fin, avec des notes de noisette et de cuir. La bouche ample, onctueuse, savoureuse, racée et persistante est déjà très agréable, alors que son potentiel de garde est assuré pour au moins dix à douze ans.
SC Dauriac, Ch. Destieux, 33330 Saint-Emilion, tél. 05.57.24.77.44, fax 05.57.40.37.42, e-mail dauriac@labm.fr r.-v.

## CH. CLINET 2002 ★★

7,89 ha 25 000 + de 76 €

Ce cru est une des références de l'appellation. Il appartint à Georges Audy, figure libournaise, puis au GAN. Depuis quatre ans, c'est Jean-Louis Laborde qui a pris sa destinée en main. Il présente un magnifique 2002, pourpre sombre à reflets noirs, au bouquet expressif et fin, associant les fruits confits et le merrain. La bouche savoureuse (fruits rouges très mûrs), charmeuse, est soutenue par des tanins boisés, veloutés et persistants. Un délice qui tiendra tête aux truffes et aux viandes rouges pendant de nombreuses années.
SA Ch. Clinet, 16, chem. de Feytit, 33500 Pomerol, tél. 05.56.79.12.12, fax 05.56.79.01.11, e-mail contact@chateauclinet.com r.-v.

## CLOS DE LA VIEILLE EGLISE 2002

1,54 ha 5 000 30 à 38 €

92 93 94 |95| |96| (98) 99 **00** 01 02

Jean-Louis Trocard est producteur de plusieurs appellations libournaises et bordelaises. A Pomerol, il exploite une vigne implantée sur graves argileuses qui a donné un bon 2002. Sa couleur rubis est encore vive. Le bouquet intense et fin exprime le bois grillé, le moka, les fruits rouges et le pruneau. L'attaque souple laisse vite la place à des tanins boisés, mais la saveur fruitée résiste bien. A servir assez prochainement sur des viandes rouges ou du gibier à plume.
Jean-Louis Trocard, Clos de la Vieille Eglise, BP 3, 33570 Les Artigues-de-Lussac, tél. 05.57.55.57.90, fax 05.57.55.57.98, e-mail trocard@wanadoo.fr t.l.j. 8h-12h 14h-17h; sam. dim. sur r.-v.

## CLOS DES AMANDIERS 2002 ★

1,5 ha 10 000 15 à 23 €

La famille Garzaro, originaire de l'Entre-deux-Mers, exploite 4 ha à Pomerol. Elle a présenté trois cuvées qui ont été retenues avec une préférence pour ce Clos des Amandiers grâce à sa belle robe sombre et à sa bonne harmonie entre le fruit et le bois, aussi bien au nez qu'en bouche. Sont cités, le **Vieux Château Ferron 2002 (30 à 38 €)**, élégant mais encore un peu austère, et le **Château Elisée 2002**, un vin plaisir qui pourra se boire assez rapidement.
Vignobles Garzaro, Ch. Le Prieur, 33750 Baron, tél. 05.56.30.16.16, fax 05.56.30.12.63, e-mail garzaro@vingarzaro.com r.-v.

## CLOS DU CLOCHER 2002 ★

4,3 ha 16 600 30 à 38 €

82 83 85 (86) |**88**| |**89**| |90| 94 |95| 97 **98** 99 **00** 01 02

Pierre Bourotte gère la maison J.-B. Audy et exploite plusieurs vignobles libournais. En 2002, il a proposé deux crus de pomerol. Ce Clos du Clocher a un caractère très typé : robe sombre, bouquet fin et mûr, bouche suave, élégante et racée. Les tanins sont présents ; ils assureront une bonne garde dans la prochaine décennie. Le **Château Bonalgue 2002 (23 à 30 €)** est cité. Ses arômes sont plus mentholés, sa saveur plus fraîche, il pourra se boire assez rapidement. Dans deux styles différents, ces vins sont très agréables.
SC Clos du Clocher, BP 79, 35, quai du Priourat, 33502 Libourne Cedex, tél. 05.57.51.62.17, fax 05.57.51.28.28, e-mail contact@jbaudy.fr r.-v.

## CLOS L'EGLISE 2002

4,7 ha 12 000 + de 76 €

Il s'agit de la cuvée principale de ce cru qui fait partie des nombreuses acquisitions en Bordelais de la famille Cathiard depuis une à deux décennies. La vigne est classique : 75 % de merlot, 25 % de cabernet franc plantés sur un terroir de graves argileuses. Le vin est plus surprenant avec sa robe presque noire, son bouquet extrêmement aromatique, très fruité (cerise, fruits rouges, pruneau) et boisé. Sa bouche est fort chaleureuse, concentrée, suave mais le fruité et le boisé sont présents. Atypique, un peu exubérant, un vin qu'il faudra laisser s'assagir deux ou trois ans.
Sylviane Garcin-Cathiard, SC Clos L'Eglise, 33500 Pomerol, tél. 05.56.64.05.22, fax 05.56.64.06.98, e-mail haut.bergey@wanadoo.fr r.-v.

## CLOS RENE 2002

12 ha 45 000 23 à 30 €

86 88 |89| |90| 91 92 93 |95| |96| **97** |98| |99| 00 |01| 02

Deux propriétés limitrophes, **Château Moulinet-Lasserre 2002** et Clos René, sont citées dans le millésime. Le malbec (10 %) complète le cabernet franc (20 %) et le merlot élevés seize mois en fûts dont 25 % sont renouvelés chaque année. Cela donne un pomerol typé, équilibré, aux notes de fruits rouges bien mûrs sur un fond boisé. Les tanins demandent deux ou trois ans pour se fondre.
SCEA Garde-Lasserre, Clos René, 33500 Pomerol, tél. 05.57.51.10.41, fax 05.57.51.16.28 r.-v.

## CLOS SAINT-ANDRE 2002 ★

0,6 ha 3 500 23 à 30 €

Daniel Mouty, président régional des vignerons indépendants, exploite plus de 40 ha de vignes en Bordelais. Il y a une dizaine d'années, il a acquis cette parcelle de pomerol aux portes de Libourne. Deux cuvées obtiennent chacune une étoile. Ce Clos Saint-André est un vin de garde encore jeune, coloré, fruité, frais en attaque et d'une concentration tannique qui le rend apte au vieillissement. Ce **Château Grand Beauséjour 2002 (38 à 46 €)** joue plutôt dans le registre de la finesse, tout en exprimant bien le merlot. Dans un an et durant une dizaine d'années, on pourra l'associer à une cuisine fine et traditionnelle.
SCEA Vignobles Daniel Mouty, Ch. du Barry, 33350 Sainte-Terre, tél. 05.57.84.55.88, fax 05.57.74.92.99, e-mail daniel-mouty@wanadoo.fr t.l.j. sf 8h-18h

## CH. LA CONSEILLANTE 2002 ★

12 ha 42 000 46 à 76 €

82 85 88 |**89**| |**90**| 93 |95| |96| 97 98 99 **00** **01** 02

Sous cette étiquette, l'ensemble de la production d'un des domaines porte-drapeau de Pomerol. Son 2002, très réussi, confirme sa réputation. Il a tout des grands vins de garde : la robe rubis, intense et jeune ; le bouquet naissant mêlant des arômes de baies noires (myrtille) et une délicate note de torréfaction. On retrouve le fruit en bouche, sur une structure ronde et charpentée par des tanins fermes mais élégants qui signent un élevage bien conduit. Après deux ou trois ans de patience et pendant une bonne décennie, cette bouteille pourra donner la réplique à une large palette de cuisine traditionnelle.

SC Héritiers Nicolas, Ch. La Conseillante, 33500 Pomerol, tél. 05.57.51.15.32, fax 05.57.51.42.39, e-mail contact@la-conseillante.com r.-v.

## CH. LA CROIX DE GAY 2002

■ 10 ha 26 967 23 à 30 €

(85) 86 88 89 91 92 93 |95| |99| **00** 01 02

Ce cru familial de longue lignée (XVᵉs.) est très régulièrement sélectionné par nos dégustateurs, avec même un coup de cœur pour son 2000. En 2002, les conditions étaient plus difficiles mais le vin reste sympathique. Sa couleur rubis intense présente quelques reflets tuilés. Le bouquet repose surtout sur un boisé toasté et vanillé. C'est également le cas pour la bouche, dont la trame déjà affinée et élégante permettra de servir cette bouteille assez prochainement pour accompagner des mets délicats.

SCEV Ch. La Croix de Gay, 33500 Pomerol, tél. 05.57.51.19.05, fax 05.57.51.81.81, e-mail contact@chateau-lacroixdegay.com r.-v.

Chantal Lebreton et Alain Raynaud

## CH. LA CROIX SAINT-GEORGES 2002 *

■ 4,25 ha 20 088 38 à 46 €

(82) 83 85 86 **88** **89** 90 **93** |**96**| |98| |**99**| **00** 02

La famille Joseph Janoueix, d'origine corrézienne, gère une maison connue à Libourne. De là, elle exploite plusieurs crus, notamment près de 14 ha à Pomerol sur lesquels 4,25 ha sont consacrés à La Croix Saint-Georges dont le vin est régulièrement sélectionné (il fut coup de cœur pour le 2000). Le 2002 est très réussi dans sa robe pourpre sombre. Le nez déjà puissant exprime les fruits noirs, le pruneau, le bois caramélisé et vanillé. La bouche savoureuse, bien équilibrée, repose sur d'élégants tanins boisés et réglissés. Attendre un an ou deux pour l'apprécier pleinement. Le **Clos des Litanies 2002 (23 à 30 €)** devrait évoluer un peu plus vite ; il obtient une citation.

SC Ch. La Croix, 37, rue Pline-Parmentier, BP 192, 33506 Libourne Cedex, tél. 05.57.51.41.86, fax 05.57.51.53.16, e-mail info@j-janoueix-bordeaux.com r.-v.

## CH. LA CROIX-TOULIFAUT 2002

■ 1,95 ha 10 654 23 à 30 €

**85** 86 88 89 90 93 94 |95| (96) **97** 99 00 01 02

Exposé sur le versant sud du plateau de Pomerol, ce cru a composé ce millésime avec le seul merlot. La robe pourpre profond annonce un vin de garde, ce que confirme le nez, dominé par un boisé grillé et vanillé de qualité, que l'on retrouve dans une bouche encore tannique. Attendre deux ou trois ans que le fruit paraisse.

Jean-François Janoueix, 37, rue Pline-Parmentier, BP 192, 33506 Libourne Cedex, tél. 05.57.51.41.86, fax 05.57.51.53.16, e-mail info@j-janoueix-bordeaux.com r.-v.

## CH. DU DOMAINE DE L'EGLISE 2002

■ 7 ha 27 000 30 à 38 €

|95| 97 |98| |**99**| |00| |01| 02

Ce cru, l'un des plus anciens de l'appellation, est distribué par la maison Borie-Manoux dirigée par Philippe Castéja. La robe intense de ce 2002 présente quelques reflets carminés. Le nez, encore sous le bois grillé, demande un peu d'aération pour libérer des senteurs de fruits cuits. La mise en bouche est onctueuse, puis les tanins boisés arrivent vite. L'ensemble reste assez élégant et devrait s'ouvrir assez vite, probalement d'ici un an ou deux.

Indivision Castéja-Preben-Hansen, 33500 Pomerol, tél. 05.56.00.00.70, fax 05.57.87.48.61, e-mail domaines@borie-manoux.fr r.-v.

## CH. L'ENCLOS 2002

■ 9,45 ha 25 509 23 à 30 €

|85| 86 |88| |**89**| |95| |96| |98| |**99**| 00 01 02

Cette propriété viticole est gérée par Hugues Weydert. Elle est implantée sur les graves sableuses et argileuses du secteur de Moulinet à l'ouest de l'appellation. Dans le verre, on a affaire à un vin franc, à la teinte vive, aux arômes de fruits frais et de chêne, à la saveur agréable ; on y retrouve les fruits frais soutenus par des tanins boisés assez présents. Il devrait s'ouvrir d'ici un an ou deux.

SCEA du Ch. L'Enclos, 20, rue du Grand-Moulinet, 33500 Pomerol, tél. 05.57.51.04.62, fax 05.57.51.43.15, e-mail chateaulenclos@wanadoo.fr r.-v.

## CH. L'EVANGILE 2002 **

■ 10 ha 30 000 + de 76 €

Les domaines Barons Rothschild exploitent de prestigieux crus bordelais (Lafite-Rothschild, Duhart Milon, Rieussec). Il y a six ans, ils ont investi à Pomerol dans ce château de réputation internationale. Le vignoble de 14 ha est implanté sur argiles. 10 ha sont consacrés au grand vin, Château L'Evangile ; 4 ha produisent le second vin : **Blason de L'Evangile 2002 (15 à 23 €)**. L'un comme l'autre obtiennent deux étoiles. Le grand vin emporte l'adhésion pour sa richesse, son élégance, son harmonie et son aptitude à la garde. Le second est remarqué pour son originalité, sa fraîcheur et sa finesse ; signalons son excellent rapport qualité-prix.

Ch. L'Evangile, 33500 Pomerol, tél. 05.57.55.45.55, fax 05.57.55.45.56, e-mail levangile@lafite.com r.-v.

Domaines Barons Rothschild (Lafite)

## CH. FERRAND 2002

■ 12,17 ha 61 000 11 à 15 €

Important vignoble établi sur graves et sables. Le cabernet franc joue à parité avec le merlot dans ce 2002 intéressant par sa robe grenat de bonne intensité et par son bouquet séveux, épicé, cacaoté. Fin et charmeur, bien dans son millésime, ce vin devrait s'ouvrir d'ici un ou deux ans et s'apprécier lors des cinq ou six prochaines années.

SCE du Ch. Ferrand, 33500 Pomerol,
tél. 05.57.51.21.67, fax 05.57.25.01.41
t.l.j. sf sam. dim. 14h-17h
H. Gasparoux

## CH. LA FEUILLERAIE 2002 *

■ 0,5 ha 1 350 46 à 76 €

Première apparition pour ce petit cru confidentiel implanté sur sables et graves où le merlot règne en maître (95 %). Sa robe sombre et jeune, son bouquet naissant où le fruit résiste au bois réglissé et sa bouche très gourmande, suave et généreuse, soutenue par des tanins fins et puissants, révèlent une belle maîtrise. D'ici un à deux ans, on aura un vin plaisir capable de vieillir une dizaine d'années.

SCEA Claudie et Bruno Bilancini,
13, chem. de Bequille, 33500 Libourne,
tél. 05.53.57.44.75, fax 05.53.24.85.01,
e-mail info@vinibilancini.com r.-v.

## CH. FEYTIT-CLINET 2002 *

■ 6,34 ha 12 500 30 à 38 €

Le merlot règne (95 %) sur ce cru implanté sur sables et sur graves et exploité par Jérémy Chasseuil, œnologue. Malgré les difficultés du millésime, ce dernier a élaboré un 2002 très réussi. La robe pourpre est sombre et jeune. Le bouquet expressif mêle fruits noirs, épices douces, bois torréfié, tabac blond et cacao. Les tanins boisés et puissants en font un vin de garde racé. Après deux à trois ans en cave, ce pomerol donnera la réplique aux viandes rouges et au gibier.

Jeremy Chasseuil, Ch. Feytit-Clinet, 33500 Pomerol,
tél. 06.85.52.33.18, fax 05.57.25.93.97 r.-v.

## CH. LA FLEUR DES ORMES 2002 *

■ 1,5 ha 6 000 11 à 15 €

Il est rare que le second vin soit mieux noté que le grand mais c'est le cas ici puisque le **Château Grange-Neuve 2002**, 100 % merlot et élevé quinze mois en barrique, obtient une citation et pourra se consommer plus vite que ce Château La Fleur des Ormes. Celui-ci, en revanche, associe 70 % de merlot à 30 % de cabernet franc. Sa robe sombre est traversée de reflets noirs. Le nez s'ouvre sur un bois très toasté, accompagné de fruits rouges. La bouche est fraîche, avec un bon volume soutenu par des tanins boisés présents et persistants. Un vin pour la prochaine décennie, après un ou deux ans d'attente.

SCEA Gros et Fils, 33, chem. des Ormeaux,
33500 Pomerol, tél. 05.57.51.23.03, fax 05.57.25.36.14,
e-mail chateau.grange.neuve@wanadoo.fr r.-v.

## CH. LA FLEUR-PETRUS 2002 *

■ 12,5 ha 44 000 46 à 76 €

82 83 |85| 86 |88| |(89)| |90| 94 |95| |96| 98 99 01 02

Une petite route sépare La Fleur-Petrus de Petrus et pourtant la pédologie des deux propriétés n'est pas identique, la loupe argileuse de Petrus s'estompant devant les graves de la Fleur. L'assemblage marque aussi la différence puisque dans ce millésime le cabernet franc (24 %) complète le merlot. Est-ce la raison d'une certaine austérité en finale ? Car le vin est beau, brillant d'un éclat soutenu. Au nez, un boisé élégant se marie au fruit alors qu'au palais les tanins l'emportent encore même si une note fruitée (griotte confite) apparaît en finale. Une bouteille à confier à une excellente cave afin que le temps lui permette de s'épanouir.

SC du Ch. La Fleur-Petrus, 33500 Pomerol,
tél. 05.57.51.78.96, fax 05.57.51.79.79,
e-mail info@jpmoueix.com

## CH. FRANC-MAILLET 2002

■ 5,6 ha 30 000 15 à 23 €

|98| |99| 00 01 02

Depuis bientôt un siècle, la famille Arpin exploite plusieurs vignobles de la région de Libourne, dont ce cru régulièrement sélectionné. C'est encore le cas pour ce 2002 fort agréable ; ses arômes demandent un peu d'agitation pour se libérer. La bouche est fraîche, structurée par des tanins fins. Dans un à deux ans, ce vin accompagnera des mets en sauce.

EARL Vignobles G. Arpin,
Chantecaille, 33330 Saint-Emilion,
tél. 06.22.08.70.56, fax 05.57.51.96.75,
e-mail vignobles.g.arpin@wanadoo.fr r.-v.

## CH. LE GAY 2002 **

■ 6 ha 15 000 46 à 76 €

En 2002, les Péré-Vergé ont acheté ce cru aux demoiselles Robin. Pour leur premier millésime en propre, ils frappent un grand coup et décrochent un coup de cœur unanime. Le vin se distingue surtout par sa finesse. Le regard est séduit par la teinte cerise noire. Le bouquet marie parfaitement le merlot bien mûr, le cabernet franc délicat et le merrain finement toasté. La bouche est très « pomerol », à la fois ronde et corsée, fruitée et boisée, puissante et élégante. Les deux autres crus de la maison ne sont pas mal non plus. Le **Château Montviel 2002 (23 à 30 €)** est cité. Quant au **Manoir de Gay 2002 (23 à 30 €)**, second vin de Le Gay, d'une grande complexité aromatique et très flatteur, il obtient une étoile.

SCEA Vignobles Péré-Vergé, Le Gay,
33500 Pomerol, tél. et fax 05.57.51.87.92,
e-mail pvp.montviel@skynet.be r.-v.

## CH. GAZIN 2002 **

■ 24,24 ha 36 000 30 à 38 €

70 75 76 78 79 80 81 82 83 84 85 86 87 88 |89| |(90)| 91 92 93 94 (95) (96) |97| 98 99 00 01 02

L'un des grands de Pomerol. Qui, du XII^e s. à la Révolution française, appartenait aux Hospitaliers de Saint-Jean-de-Jérusalem. Et qui, aujourd'hui, conquiert des marchés sur toute la planète (Russie, Chine, etc.). Traditionnellement, ce cru produit un vin de longue garde.

C'est encore le cas avec ce 2002, à la robe sombre à reflets noirs et au bouquet concentré, déclinant fruits mûrs et chêne toasté, amande grillée, cuir et truffe... La bouche séveuse, savoureuse, apparaît encore un peu massive mais elle est charpentée par d'élégants tanins qui confèrent à cette bouteille une aptitude à une garde de dix à douze ans.
Nicolas et Christophe de Bailliencourt, Ch. Gazin, 33500 Pomerol, tél. 05.57.51.07.05, fax 05.57.51.69.96, e-mail contact@gazin.com r.-v.

### CH. GRAND MOULINET 2002

■ 3 ha 20 000 15 à 23 €

94 96 97 |98| |99| 00 01 |02|

Le merlot impanté sur sables et graves a donné ce pomerol au bouquet déjà expressif : le fruité rappelle le noyau de cerise, accompagné d'un léger boisé réglissé. La bouche souple et fraîche devrait évoluer assez vite. On pourra servir ce 2002 dans les toutes prochaines années.
GFA Ch. Haut-Surget, Chevrol, 33500 Néac, tél. 05.57.51.28.68, fax 05.57.51.91.79 r.-v.
Fourreau

### CH. LA GRAVE A POMEROL
Trigant de Boisset 2002 *

■ 8,68 ha 30 000 23 à 30 €

82 83 85 86 |88| |89| |(90)| 92 |94| |95| |98| |99| 00 01 02

Appartenant à la galaxie des crus dirigés par Christian Moueix, cette propriété propose un vin de couleur vive et jeune dont les parfums subtils mêlent le fruit rouge et le merrain. Velouté dès le premier contact, le palais repose sur des tanins polis, aimables, qui accompagnent un fruité (cerise et mûre) encore frais. Les vinificateurs n'ont pas recherché l'extraction dans ce millésime mais l'authenticité. Une élégance discrète qui sera mise en valeur sur un rôti de bœuf et, osez-le, avec une purée de pomme de terre à l'ancienne.
Ets Jean-Pierre Moueix, 54, quai du Priourat, 33500 Libourne, tél. 05.57.51.78.96, fax 05.57.51.79.79, e-mail info@jpmoueix.com

### CH. GUILLOT 2002 *

■ 4,68 ha 24 000 15 à 23 €

82 83 88 89 93 94 |95| |96| 97 |98| |99| 00 02

Le charmant quartier de l'Epinette, à la sortie de Libourne vers Saint-Emilion, illustre parfaitement le concept de ville à la campagne. C'est là que la famille Luquot possède un vignoble depuis 1937. En 2002, elle y a produit un vin à la robe bordeaux profond, au nez superbe mariant les fruits rouges confiturés, le bois délicatement réglissé, la cannelle et le tabac. Ronde et savoureuse, friande, la bouche aux arômes de cuir et d'épices, finit sur des tanins bien intégrés. A attendre un an ou deux. Au cours de la décennie suivante, on pourra l'apprécier sur un canard rôti.
SCEA Vignobles Luquot, 152, av. de l'Epinette, 33500 Libourne, tél. 05.57.51.18.95, fax 05.57.25.10.59, e-mail sceavignoblesluquot@terre-net.fr r.-v.

### CH. HAUT-TROPCHAUD
Elevé en fût de chêne 2002 *

■ 2 ha 12 000 23 à 30 €

88 90 93 94 |95| |96| 02

La famille Coudroy exploite de très importantes surfaces de vignes en Libournais, notamment à Montagne. Ici entre en scène du très vieux merlot planté sur graves argileuses. Cela donne un 2002 expressif et complexe, à la robe rubis profond bordée de reflets d'évolution. Le bouquet intense mêle les fruits frais, la vanille et le bois grillé. La bouche est fraîche et gourmande, harmonieuse, et laisse une bonne impression finale. Dans les cinq à six prochaines années, on pourra servir cette bouteille tout au long du repas.
Michel Coudroy, Maison-Neuve, 33570 Montagne, tél. 05.57.74.62.23, fax 05.57.74.64.18 r.-v.

### CH. LAFLEUR 2002

■ 3 ha 10 000 + de 76 €

85 86 |88| |89| |90| (93) 94 |95| |96| 97 |98| |99| 00 01 02

Jacques Guinaudeau qui gérait depuis 1985 le domaine, a racheté en 2002 les parts de la propriété appartenant à sa famille depuis les années 1870. Mais la signature de Marie Robin figure toujours sur l'étiquette de ce 2002. Voici donc sous son propre nom un premier millésime. Paré d'une robe pourpre intense, ce vin offre un nez puissant marqué par le bois (dix-huit mois de barrique). On retrouve au palais la force d'une trame tannique austère qui a besoin de se fondre. Le 13 mars 2005, ce pomerol ne s'exprimait pas encore.
Sylvie et Jacques Guinaudeau, Grand Village, 33240 Mouillac, tél. 05.57.84.44.03, fax 05.57.84.83.31

### CH. LAFLEUR DU ROY 2002 *

■ 3,2 ha 20 000 15 à 23 €

Depuis longtemps bien implantée à Pomerol (mairie, pépinière...), la famille Dubost exploite plusieurs vignobles dans le Libournais. Son pomerol 2002 se présente très bien. Sa robe vermillon se pare de quelques reflets d'évolution. Encore sous le bois chaud, le nez demande un peu d'aération pour libérer des notes d'épices et d'humus. Souple en attaque, équilibré et harmonieux, le palais s'achève sur des tanins veloutés et persistants. Après un ou deux ans d'attente, on pourra servir cette bouteille sur des sauces au vin ou un confit.
SARL L. Dubost, Catusseau, 33500 Pomerol, tél. 05.57.51.74.57, fax 05.57.25.99.95, e-mail sarl.dubost.l@wanadoo.fr r.-v.
Yvon Dubost

### CH. MAZEYRES 2002 *

■ 21,15 ha 64 800 15 à 23 €

92 93 94 |95| |96| 97 00 01 02

Ce domaine a reçu l'an dernier un coup de cœur pour son 2001. Le 2002 affiche une robe rubis foncé, encore jeune, et s'entoure de notes de bois toasté et vanillé et d'arômes de fruits noirs bien mûrs (mûre). Ronde et élégante, la bouche est structurée par des tanins soyeux et persistants. Dans un ou deux ans, et au cours de la décennie suivante, on pourra accorder cette bouteille à des ris de veau à la crème ou à des tournedos Rossini.
SC Ch. Mazeyres, 56, av. Georges-Pompidou, 33500 Libourne, tél. 05.57.51.00.48, fax 05.57.25.22.56, e-mail mazeyres@wanadoo.fr r.-v.

### CH. PETIT VILLAGE 2002 **

■ 11 ha 20 000 38 à 46 €

85 86 88 89 |90| 92 93 94 |95| 96 97 98 |99| 02

Le terroir de graves argileuses complanté pour deux tiers en merlot et pour un tiers en cabernets (franc et sauvignon) a donné un 2002 d'une teinte bordeaux très profonde. Le bouquet à la fois fin et expressif mêle les fruits mûrs, le merrain noble et une touche de cuir. La bouche se montre à la hauteur, savoureuse, soutenue par des tanins boisés, fins et persistants. Dans deux à trois ans, ce vin devrait s'ouvrir pour la décennie suivante. On pense pour l'accompagner à de la viande des Grisons, à du gibier. Le second vin, **Le Jardin de Petit Village 2002 (15 à 23 €)**, est retenu avec une étoile : c'est un vin bien structuré, d'un bon rapport qualité-prix.

Ch. Petit-Village, Catusseau, 33500 Pomerol, tél. 05.57.51.21.08, fax 05.57.51.87.31, e-mail infochato@petit-village.com

AXA Millésimes

## PETRUS 2002 ★★

■ 11,52 ha 21 000 + de 76 €

61 **67** **71** 74 **75** **76** 78 **79** 81 (82) |**83**| |**85**| |**86**| 87 |(88)| |**89**| **90** **92** |**93**| 94 (95) (96) |**97**| (98) **99** (00) **01** **02**

Une étiquette si célèbre qu'on ne la voudrait pas différente. Et pourtant elle ne répond pas aux critères esthétiques de l'amateur éclairé d'art contemporain qu'est Christian Moueix. Elle n'en est pas moins l'un des symboles des grands vins français. Quoi d'étonnant lorsqu'on voit que, même sur un millésime délicat, ce cru mythique élabore un vin remarquablement réussi, drapé d'une somptueuse robe bordeaux à reflets noirs. Bien que naissant, son bouquet est un feu d'artifice de senteurs florales (lys), de nuances de baies noires (mûre, myrtille), de fruits secs (amande grillée, noisette), de merrain finement torréfié. La bouche est très élégante, en harmonie avec le nez ; la puissance n'écrase pas la finesse. Les tanins ont un grain incomparable, à la fois serré et savoureux. Encore une bouteille de grande classe.

SC du Ch. Petrus, 33500 Pomerol

## CH. PIERHEM 2002 ★

■ 1,8 ha 10 000 23 à 30 €

Anciennement château « Grands Sillons Gabachot », ce petit vignoble a été acheté en 1964 par Pierre Janoueix qui l'a transmis à son fils en 2000. Le nom actuel est la contraction des prénoms de ce dernier. Le terroir de sables anciens sur crasse de fer est complanté de vignes de plus de quarante ans : 70 % de merlot et 30 % de cabernet franc. Le 2002 est un vin de caractère, à la couleur profonde, aux arômes de fruits rouges, de bois toasté, de kirsch. Structuré par des tanins boisés de bonne facture, il pourra être servi assez vite sur un magret aux cèpes, par exemple.

Vignobles Pierre-Emmanuel Janoueix, Ch. Pierhem, BP 10, 33500 Pomerol, tél. 05.57.74.53.18, fax 05.57.74.53.91, e-mail pejanoueix@free.fr r.-v.

## CH. LA POINTE 2002 ★★

■ n.c. 90 000 23 à 30 €

**82** **83** 85 86 88 |**89**| **93** 94 |**95**| |**96**| 97 |(98)| 00 **01** **02**

Très beau domaine viticole entourant une demeure Directoire et idéalement placé à la pointe des routes de Pomerol et de Catusseau, à la sortie de Libourne. Après avoir obtenu deux étoiles pour le 2001, ce cru propose un remarquable 2002 paré d'une superbe robe bordeaux sombre, presque noire. Son bouquet subtil exprime les fruits noirs confiturés et le merrain toasté et balsamique. La saveur est une succession de sensations chaleureuses, suaves, fruitées, boisées, concentrées mais onctueuses, soutenues par des tanins soyeux. Un régal pour la prochaine décennie.

SCE Ch. La Pointe, 33500 Pomerol, tél. 05.57.51.02.11, fax 05.57.51.42.33, e-mail chateau.lapointe@wanadoo.fr

t.l.j. 9h-12h 14h-16h

d'Arfeuille

## CH. PONT-CLOQUET 2002 ★

■ 0,53 ha 2 700 30 à 38 €

Une petite vigne plantée de vieux merlots sur graves fines. Dans le verre, la teinte est vive et jeune. Le nez est expressif, succession de fruits très mûrs, de notes minérales et truffées, accompagnés de bois délicieusement vanillé. La bouche souple et fraîche est étoffée par des tanins poivrés. Après un an ou deux de garde, ce vin devrait évoluer assez vite et s'accorder avec des mets en sauce.

Stéphanie Rousseau, 1, Petit-Sorillon, 33230 Abzac, tél. 05.57.49.06.10, fax 05.57.49.38.96, e-mail chateau@vignoblesrousseau.com r.-v.

## CH. PRIEURS DE LA COMMANDERIE 2002 ★★

■ 3,5 ha 13 100 11 à 15 €

**86** 88 |**89**| |90| 91 **93** 94 96 **97** |98| |99| 00 **02**

Comme pour ses entreprises, dont certaines sont de taille internationale, Clément Fayat sait tirer le meilleur parti de ses nombreux domaines viticoles. C'est le cas pour cette petite propriété qui décroche un coup de cœur sur un millésime pourtant pas très facile. Les dégustateurs sont tombés sous son charme à tous les stades de la dégustation, de la robe attrayante au bouquet élégant et expressif (fruits frais, pruneau, cuir, truffe, moka, chêne grillé). La bouche ample, charnue, onctueuse se révèle construite par d'excellents tanins épicés. Un caractère pomerol sur toute la ligne. Avenir assuré pour les dix prochaines années. Le **Château La Commanderie de Mazeyres 2002 (15 à 23 €)** est cité ; il est encore sous le bois et devra être un peu attendu. A noter que ces deux crus restent à des prix raisonnables.

Vignoble Clément Fayat, Ch. La Dominique, 33330 Saint-Emilion, tél. 05.57.51.31.36, fax 05.57.51.63.04, e-mail info@vignobles.fayat.com

## ROMULUS 2002 ★

■ 1 ha 4 800 46 à 76 €

L'étiquette annonce que cette cuvée constitue « Le Must de Marie-Claude et Claude Rivière » : elle est issue d'un hectare de merlot planté sur sables noirs et crasse de fer. Sa robe pourpre intense présente quelques reflets rubis. Le nez s'ouvre sur des fruits frais (cerise), une touche mentholée et un boisé élégant et épicé. La bouche, suave et soyeuse, charpentée par de superbes tanins, laisse une

très bonne impression. Fort réussi pour le millésime et plein d'avenir, ce vin de garde devrait finir de s'ouvrir dans deux à trois ans ; il pourra alors donner la réplique à des mets de caractère (magrets, bécasse, gibier...).
SARL La Croix Taillefer, Marchesseau, BP 4, 33500 Pomerol, tél. et fax 05.57.25.08.65, e-mail la.croix.taillefer@wanadoo.fr r.-v.
Rivière

## CH. LA ROSE FIGEAC 2002

5,5 ha 3 000 23 à 30 €

86 88 |89| |90| 92 93 94 |95| 96 97 98 00 01 02

Depuis 1961, ce cru est entré dans la famille Despagne-Rapin, lignée de brassiers, de laboureurs, de tonneliers, de propriétaires, de vignerons et de marchands de vin depuis trois siècles. Cela donne l'expérience nécessaire pour élaborer des millésimes un peu difficiles, comme en 2002. On sent que l'extraction a été bien maîtrisée. La robe rubis reste jeune. Le bouquet de fruit frais est encore un peu dominé par un boisé chauffé et vanillé. L'attaque est agréable, à la fois souple et fraîche, puis les tanins de bois arrivent vite, encore un peu fermes. Ils demanderont à s'affiner deux ou trois ans, avant d'atteindre l'harmonie d'un vin de garde.
Vignobles Despagne-Rapin, Maison-Blanche, 33570 Montagne, tél. 05.57.74.62.18, fax 05.57.74.58.98, e-mail vignobles.despagne.rapin@wanadoo.fr r.-v.

## CH. ROUGET 2002 ★★

17,5 ha 30 000 30 à 38 €

94 |95| |96| 97 |98| |99| |00| 01 02

Cet important domaine est établi sur une pente douce de graves argileuses, proche du bourg et de l'ancienne église. Il est exploité depuis 1992 par une famille d'origine beaujolaise. Ses vins sont régulièrement retenus. Cette année, il fait mieux puisqu'il décroche un coup de cœur. La robe de ce 2002 est très sombre, presque noire. Le nez est encore sous le bois réglissé et toasté, mais l'agitation fait apparaître les fruits rouges. De l'onctuosité et du volume règnent en bouche ; celle-ci, soutenue par des tanins boisés à grains fins, se révèle harmonieuse et prometteuse.
SGVP - Ch. Rouget, 33500 Pomerol, tél. 05.57.51.05.85, fax 05.57.45.22.45 r.-v.
Labruyère

## CH. TAILLEFER 2002 ★

11,45 ha 50 000 23 à 30 €

93 94 |95| |96| |97| 00 01 02

Cette belle demeure bien visible de la rocade est de Libourne fut la première propriété achetée par la famille Moueix, d'origine corrézienne. Le chai à barrique mérite une visite. Né sur un sol sablo-graveleux, ce vin porte une robe rubis assez intense. Son bouquet est encore fort boisé (pain grillé, moka, cacao) alors que la bouche est suave, bien équilibrée, même si les tanins de merrain sont très présents ; leur finesse devrait s'affirmer dans un an ou deux. On pourra alors associer ce pomerol à une poularde truffée ou à un gigot d'agneau aux champignons des bois.
SC Bernard Moueix, Ch. Taillefer, BP 9, 33501 Libourne Cedex, tél. et fax 05.57.25.50.45 r.-v.

## CH. THIBEAUD-MAILLET 2002

1,5 ha 6 000 15 à 23 €

88 89 |90| 93 94 95 |96| 97 |98| |99| |01| 02

Joli petit domaine viticole du secteur de Maillet, au nord-est de la commune. Le merlot y règne en maître (90 %) sur un terroir argilo-graveleux. Cela donne un 2002 à la robe encore jeune. Le bouquet est discret mais fin (fleurs d'été, mûre, léger boisé). La bouche fraîche et fruitée est étoffée par des tanins jeunes qui devraient évoluer assez vite. Dans un à deux ans, on pourra commencer à servir cette bouteille sur toutes les viandes fines.
Roger et Andrée Duroux, Ch. Thibeaud-Maillet, 33500 Pomerol, tél. 05.57.51.82.68, fax 05.57.51.58.43 r.-v.

## CH. TOUR MAILLET 2002 ★

2,2 ha 12 000 15 à 23 €

|99| 00 (01) 02

Ces « Montagnards » (viticulteurs à Montagne) avaient atteint le sommet avec leur pomerol 2001, coup de cœur. Ils confirment leur savoir-faire avec un 2002 très réussi. La couleur cerise noire est attrayante. Le bouquet est déjà élégant : on y trouve des fruits confits, de la figue, soutenus par un boisé discrètement vanillé. La bouche charnue exprime le merlot bien mûr ; la texture prometteuse repose sur des tanins savoureux, cacaotés, racés. Ce vin se goûte déjà fort bien et pourra s'apprécier lors des cinq à sept prochaines années.
SCEV Lagardère, Négrit, 33570 Montagne, tél. 05.57.74.61.63, fax 05.57.74.59.62 r.-v.

## CH. TOUR ROBERT 2002 ★

1,2 ha 6 000 15 à 23 €

Une sélection de merlot que Dominique Leymarie effectue sur les 8 ha qu'il exploite à Pomerol. Elle avait obtenu un coup de cœur dans le millésime 1999. Elle se rappelle à nous avec ce très bon 2002. Le rubis profond se borde de reflets grenat. Le boisé intense et toasté demande un peu d'agitation pour libérer des arômes de fruits rouges et de fruits secs. La bouche est à la fois onctueuse et fraîche, typique du millésime, la saveur fruitée et boisée étant en harmonie avec le nez. La structure tannique permettra une bonne évolution lors des cinq à six prochaines années. Le **Château Robert 2002 (11 à 15 €)**, plus marqué par les cabernets, obtient une citation.
Dominique Leymarie, Ch. Tour Robert, BP 132, 33502 Libourne Cedex, tél. 06.09.73.12.78, fax 05.57.51.99.94, e-mail leymarie@quaternet.fr r.-v.

CH. TROTANOY 2002 ★★

■ 7,16 ha 22 000 46 à 76 €

75 79 80 (82) 85 86 87 **|88| |89|** |(90)| **92 94** |(95)| |(96)| 97 **98 99 00** (01) **02**

Un remarquable terroir constitué de graves sur argile et alios d'une part et d'argiles pures de l'autre. De cette complexité naît l'un des plus beaux crus de France, qui réussit l'alliance de la finesse et de la puissance. Ce millésime associe 93 % de merlot au cabernet franc. D'une robe rubis carminé brillant s'échappe un bouquet charmeur de tabac blond, de raisin, de merrain (un dégustateur note « cognac »). Ample dès l'attaque, étoffé par des tanins soyeux et « apéritifs » (note le même juré), le palais offre de multiples saveurs dans un ensemble d'une grande élégance et fort long. Un vin de caractère, intéressant, à servir pendant une décennie sur des mets raffinés. « Un vrai pomerol ».

SC du Ch. Trotanoy, 33500 Pomerol,
tél. 05.57.51.78.96, fax 05.57.51.79.79,
e-mail info@jpmoueix.com

CH. DE VALOIS 2002

■ 7,5 ha 30 000 15 à 23 €

Jolie propriété familiale acquise en 1862 et transmise de fille unique en fille unique jusqu'à nos jours. Située sur les sables éoliens et les graves fines proches du secteur de Figeac, elle a donné un millésime à la teinte pourpre. Le bouquet naissant demande un peu d'aération pour libérer son fruit. Fraîche et vive, la saveur de fruits noirs est soutenue par des tanins encore un peu fermes, à attendre un an ou deux. Ensuite, cette bouteille pourra donner la réplique à des civets ou à des viandes rouges.

EARL Vignobles Leydet, Rouilledimat,
33500 Libourne, tél. 05.57.51.19.77, fax 05.57.51.00.62,
e-mail frederic.leydet@wanadoo.fr r.-v.

VIEUX CHATEAU CERTAN 2002 ★

■ n.c. n.c. 46 à 76 €

81 82 83 85 86 |(88)| **|89| |90|** 92 **|93| |94| |95| |96|** |97| (98) |99| **00 01** 02

Une longue histoire d'amour entre les Thienpont et le Bordelais, commencée après la Première Guerre mondiale, tout particulièrement avec cette superbe chartreuse entourée d'un beau vignoble implanté sur un sol argilo-graveleux. Ce millésime s'exprimait peu lors de notre dégustation. Sa robe grenat foncé est bordée d'un liseré ambré. Le premier nez est dominé par un boisé aux arômes de pain d'épice, puis l'aération libère des notes de fruits. La bouche est friande, à la fois souple et fraîche, puis les tanins boisés arrivent. Ils devraient s'assagir dans deux à quatre ans. Le second vin, **La Gravette de Certan 2002 (11 à 15 €)**, obtient une citation. Plus facile mais fin, il est proposé à un prix très raisonnable.

SC du Vieux Château Certan, 33500 Pomerol,
tél. 05.57.51.17.33, fax 05.57.25.35.08,
e-mail info@vieuxchateaucertan.com r.-v.

CH. VIEUX MAILLET 2002

■ 2,62 ha 12 000 30 à 38 €

95 96 97 |98| **|99|** |00| 01 02

Petit domaine viticole situé au cœur du hameau de Maillet, au nord-est de l'appellation, sur la route de Lussac. Le terroir argilo-graveleux est complanté à 80 % de merlot et à 20 % de cabernet franc. D'une jolie couleur rubis tirant sur le carmin, ce vin est déjà complexe : d'abord floral et fruité (fruits rouges mûrs), il révèle ensuite un fumet de bois, des nuances de girofle et de tabac. Ronde, la bouche repose sur des tanins prometteurs. Signalons que les nouveaux propriétaires effectuant de gros travaux, les visites ne reprendront qu'en juin 2006.

Griet et Hervé Laviale, 16, chem. de Maillet,
33500 Pomerol, tél. 05.57.74.56.80, fax 05.57.74.56.59,
e-mail chateauvieuxmaillet@bluewin.ch

CH. VRAY CROIX DE GAY 2002 ★

■ 3,3 ha 16 200 30 à 38 €

85 86 88 **|89| |90|** 93 94 95 97 |98| |99| 00 01 02

Comme l'important château Siaurac, en lalande-de-pomerol, ce cru appartient à la famille d'Olivier Guichard, qui fut compagnon de la Libération et ministre du général De Gaulle. Ici, le merlot règne en maître (95 %), issu d'un terroir de graves argileuses. Le 2002 y est très réussi dans sa robe chatoyante, nuancée de reflets pourpres, rubis et noirs. Le bouquet est fin ; le boisé discret et fondu respecte les notes de fruits rouges. La bouche, à la fois structurée et puissante, se révèle équilibrée. Un bon pomerol de garde, à ouvrir dans deux ou trois ans et apte à vieillir dix ans.

SCE Baronne Guichard, Ch. Siaurac, 33500 Néac,
tél. 05.57.51.64.58, fax 05.57.51.41.56,
e-mail info@chateausiaurac.com r.-v.

# Lalande-de-pomerol

Créé, comme celui de pomerol dont il est voisin, par les hospitaliers de Saint-Jean (à qui l'on doit aussi la belle église de Lalande qui date du XIIe s.), ce vignoble de 1 143 ha, produit, à partir des cépages classiques du Bordelais, des vins rouges colorés, puissants et bouquetés, qui jouissent d'une bonne réputation, les meilleurs pouvant rivaliser avec les pomerol et les saint-émilion. 61 767 hl ont été revendiqués en 2004.

CH. L'ANCIEN 2002 ★★

■ 4 ha 2 450 15 à 23 €

Sur l'important vignoble de 37 ha qu'elle gère, Simone Nony sélectionne des vieilles vignes de merlot implanté sur un terroir argilo-graveleux pour élaborer cette cuvée haut de gamme. Le vin est très concentré à tous les stades de la dégustation. La robe pourpre est sombre. Le bouquet profond repose sur les baies noires bien mûres et du merrain fin et toasté. Charmeuse et savoureuse, la bouche est charpentée par des tanins puissants mais élégants. Ce vin de garde, encore jeune, gagnera à être carafé et pourra accompagner de l'agneau en croûte. La cuvée principale du **Château Garraud (11 à 15 €)** est également un bon vin de garde. Elle obtient une étoile et devra être attendue un an ou deux.

Vignobles Léon Nony, Ch. Garraud,
33500 Néac, tél. 05.57.55.58.58,
fax 05.57.25.13.43, e-mail info@vln.fr
t.l.j. sf sam. dim. 9h-12h 14h-17h, ven. 9h-12h

CH. BECHEREAU Cuvée fût de chêne 2002 ★

■ 3 ha 16 000 8 à 11 €

Jean-Michel Bertrand exploite 5,26 ha. Sa Cuvée fût de chêne présente quelques reflets tuilés dans sa robe cerise. Le premier nez est dominé par le bois torréfié, puis l'agitation libère des arômes de baies noires, de noisette et de beurre. La bouche est ample, généreuse, structurée par des tanins de bois encore un peu rugueux, qu'il faudra attendre mais qui lui assureront une bonne garde. Dans deux ou trois ans on pourra commencer à servir ce vin sur viandes et fromages doux.

SCE Jean-Michel Bertrand,
Béchereau, 33570 Les Artigues-de-Lussac,
tél. 05.57.24.31.22, fax 05.57.24.34.69,
e-mail contact@chateaubechereau.com
t.l.j. 8h-12h 14h-18h

## CH. BELLES-GRAVES 2002 *

15,5 ha 75 000 11 à 15 €

Une croupe de graves argileuses, bordée par la Barbanne et coiffée par une petite chartreuse du XVIII^e s. ; le tout en pente sud, face au village de Pomerol. Que demander de plus ? Un bon vin ? C'est le cas. Si la robe rubis présente quelques reflets d'évolution, le bouquet joue surtout dans le registre floral, discrètement soutenu par un boisé épicé. La bouche est fraîche et aromatique ; les tanins demandent à s'affiner un an ou deux : on pourra alors commencer à servir ce lalande avec un civet de canard ou un gigot d'agneau rôti.

Xavier Piton, SC du Ch. Belles-Graves, 33500 Néac,
tél. 05.57.51.09.61, fax 05.57.51.01.41,
e-mail x.piton@belles.graves.com
t.l.j. 9h-18h; sam. dim. sur r.-v.

## CH. BERTINEAU SAINT-VINCENT 2002 *

5,4 ha 8 300 11 à 15 €

Ici, le terroir est varié : argiles, graves et sables. Cela donne un vin de style classique, rubis sombre, au bouquet boisé évoluant vers des notes de fleurs et de baies bien mûres. Sa saveur est étonnante, à la fois fraîche et chaleureuse, encore très boisée mais avec, là encore, du fruit sous-jacent. Après un à deux ans d'attente pour permettre au merrain de s'assagir, on pourra apprécier cette bouteille pendant cinq à six ans.

SCEA des domaines Rolland, Maillet,
33500 Pomerol, tél. 05.57.51.23.05, fax 05.57.51.66.08,
e-mail rolland.vignobles@wanadoo.fr r.-v.

## CH. CANON CHAIGNEAU 2002

5 ha 18 000 11 à 15 €

La longère girondine possède une porte dont le linteau est orné d'un mascaron représentant une femme. Son lalande est né sur des sols argilo-sableux. Le premier nez est toasté, très boisé. Il faut beaucoup d'agitation pour libérer le fruit. Après une attaque fraîche et fruitée, la bouche est, elle aussi, vite dominée par le bois. Ce vin de caractère demandera deux ans pour s'assagir. On pourra alors commencer à le servir avec une terrine de foie gras aux pommes de terre et aux truffes.

SCEA Vignobles Marin-Audra,
Ch. Canon Chaigneau, 33500 Néac,
tél. 05.57.24.69.13, fax 05.57.24.69.11,
e-mail suzanne.marin@wanadoo.fr r.-v.

## CH. LES CHAGNIASSES 2002

0,65 ha 3 400 5 à 8 €

Ce petit vignoble doit son nom à l'ancienne présence de chênes en ce lieu. Le 2002, d'un grenat intense, demande de l'agitation pour libérer des arômes de fruits frais (kiwi) accompagnés d'un léger boisé. La bouche est bien équilibrée mais nécessite deux ans de garde.

EARL Vignobles Carrère, 9, rte de Lyon,
Lamarche, RN 89, 33910 Saint-Denis-de-Pile,
tél. 05.57.24.31.75, fax 05.57.24.30.17,
e-mail vignoble-carrere@wanadoo.fr r.-v.
Isabelle Fort

## CH. LA CROIX BELLEVUE 2002

5 ha 12 000 11 à 15 €

Jean-Louis Trocard est l'un des grands responsables professionnels du Bordelais et un membre de l'INAO. Il exploite plusieurs crus. Au château La Croix Bellevue, les cabernets sont à parité avec le merlot. Ils ont donné naissance à un vin de caractère, floral, fruité, boisé, souple et frais à la fois, idéal pour le gibier en sauce. Le **Château La Croix des Moines** aura une évolution plus rapide ; il obtient une citation, tout comme le **Château Tour de Marchesseau (8 à 11 €)**, encore un peu vif, et qui devrait convenir aux viandes blanches et aux daubes.

Jean-Louis Trocard, Ch. La Croix Bellevue, BP 3,
33570 Artigues-de-Lussac, tél. 05.57.55.57.90,
fax 05.57.55.57.98, e-mail trocard@wanadoo.fr
t.l.j. 8h-12h 14h-17h; sam. dim. sur r.-v.

## CH. LA CROIX SAINT-ANDRE 2002 *

16,2 ha 50 000 11 à 15 €

Cet important groupement foncier agricole exploite plusieurs vignobles autour de Libourne. Le lalande est issu de terroirs variés où se mêlent argiles, sables et graves. Cette diversité est peut-être à l'origine d'une complexité intéressante. La robe sombre présente des reflets rubis et grenat. Le nez déjà expressif joue sur des notes de fruits rouges, de menthe, de fleurs, de bois caramélisé et vanillé. Chaleureux, rond et soyeux, étoffé par des tanins de bois épicés, un ensemble moderne et flatteur qui devrait finir de s'ouvrir d'ici un à deux ans et qui s'appréciera dans les cinq prochaines années.

GFA Chabiran, 1, av. de la Mairie, 33500 Néac,
tél. 05.57.84.36.67, fax 05.57.74.32.58,
e-mail fcarayon@wanadoo.fr
t.l.j. sf dim. 8h-12h 14h-18h
F. Carayon

## CH. LA CROIX SAINT-JEAN 2002

1,4 ha 6 000 11 à 15 €

La famille Tapon, présente dans la région depuis le XVI^e s., cultive 31,3 ha de vignes, dont cette parcelle en lalande. Né de graves alluvionnaires, le merlot y règne en maître (90 %). Ce millésime affiche une robe encore jeune. Ses arômes jouent dans le registre des fleurs et des fruits frais. Sa saveur souple et fraîche rappelle les fruits à l'eau-de-vie. C'est un vin de plaisir que l'on pourra servir assez rapidement pour savourer son fruit. Une suggestion gourmande : une poule farcie au pot, accompagnée de ses petits légumes, dans son bouillon aux truffes...

Vignobles Raymond Tapon,
Ch. des Moines, Mirande, 33570 Montagne,
tél. 05.57.74.61.20, fax 05.57.74.61.19,
e-mail information@tapon.net r.-v.

## ENCLOS DE VIAUD 2002

3,82 ha 18 500 8 à 11 €

Le secteur de Viaud, au terroir sablo-graveleux et sablo-argileux, donne son nom à plusieurs crus. Celui-ci est exploité par les propriétaires du château La Patache de Pomerol. Le vin a une couleur encore vive ; son nez de fruit frais est accompagné d'un fumet boisé et réglissé. La

saveur légèrement boisée repose sur des tanins sincères qui devraient évoluer assez vite car le fruit est bien présent. On pourra commencer à boire ce 2002 d'ici un à deux ans.
SARL La Diligence, La Patache, 33500 Pomerol, tél. 05.57.55.38.03, fax 05.57.55.38.01 r.-v.

## CH. LA FLEUR CHAIGNEAU 2002

■ 8,5 ha 51 000 8 à 11 €

Le nouveau responsable de cette exploitation de taille familiale présente deux cuvées toutes deux sélectionnées par le jury. La principale, Château La Fleur Chaigneau, se présente sous des couleurs rubis clair. Le bouquet mêle les fruit rouges, le cuir et le bois grillé. La bouche encore sous le bois devrait s'assouplir assez vite. Cette bouteille accompagnera des viandes blanches en sauce. L'**Ambroisie de La Fleur Chaigneau 2002 (15 à 23 €)** est également citée : de même structure, avec un peu plus de bois, ce vin conviendra mieux aux viandes rouges et sera servi dans les toutes prochaines années.
SCEA La Fleur Chaigneau, 13, Chaigneau, 33500 Néac, tél. 06.84.80.19.26, fax 05.57.51.32.58 r.-v.
Sanchez-Ortiz

## LA FLEUR DE BOUARD 2002 ★★

■ 19,5 ha 60 000 23 à 30 €

Ce cru devient un abonné à nos coups de cœur, c'est le quatrième qu'il décroche depuis sa création en 1998. Le terroir contribue à sa qualité : de grosses graves sur sables et argiles. Même en année difficile, le vin y est remarquablement réussi : de couleur bordeaux sombre à reflets noirs, ce 2002 offre une large palette aromatique mêlant les fleurs, les fruits noirs, le bois très chauffé. La bouche apparaît chaleureuse, opulente, en harmonie avec le nez. La structure tannique est à la fois puissante, élégante et persistante. Une bouteille déjà agréable, et qui vieillira bien lors de la prochaine décennie.
Hubert de Boüard de Laforest, SC Ch. La Fleur Saint-Georges, BP 7, 33500 Pomerol, tél. 05.57.25.25.13, fax 05.57.51.65.14, e-mail contact@lafleurdebouard.com r.-v.

## DOM. DE GACHET 2002 ★

■ 1 ha 5 000 11 à 15 €

Essentiellement implantée à Pomerol, la famille Estager possède une vigne très intéressante sur Néac. Agée de plus de cinquante ans, elle est plantée sur graves et argiles. Merlot et cabernet franc y sont à parité. Cela donne un vin de caractère à la robe dense, au nez floral évoluant sur des notes de bois réglissé et des nuances empyreumatiques. Frais, séveux, discrètement boisé, le palais repose sur des tanins fins. Dans un à deux ans, on pourra commencer à servir cette bouteille avec de la viande rouge grillée ou de la volaille fermière aux figues, par exemple.
Vignobles Jean-Pierre Estager, 33-41, rue de Montaudon, 33500 Libourne, tél. 05.57.51.04.09, fax 05.57.25.13.38, e-mail estager@estager.com r.-v.

## CH. GRAND ORMEAU 2002 ★

■ 8 ha 20 000 23 à 30 €

Remarquable vignoble de graves où ont été sélectionnés 64 % de merlot, 18 % de cabernet franc et 18 % de cabernet-sauvignon pour cet assemblage. Révélant un équilibre très intéressant, la cuvée principale arrive en tête dans le millésime 2002, grâce à sa robe très foncée, son bouquet intense de fruits noirs et de bois épicé, sa saveur fraîche et boisée et ses tanins solides qui en font un bon vin de garde. La **cuvée Madeleine 2002 (30 à 38 €)** est citée ; légèrement austère, elle demande à être un peu attendue.
Jean-Claude Béton, Ch. Grand Ormeau, 33500 Lalande-de-Pomerol, tél. 05.57.25.30.20, fax 05.57.25.22.80, e-mail grand.ormeau@wanadoo.fr r.-v.

## CH. LA GRAVIERE 2002 ★

■ 2,4 ha 8 000 15 à 23 €

Orienté au sud, le coteau de graves domine la Barbanne, rivière qui sépare les AOC pomerol et lalande. Dans le verre, on trouve un 2002 sérieux à la robe jeune et sombre. Le nez, encore un peu fermé, libère d'abord des senteurs boisées, puis des parfums de petits fruits rouges et noirs. Friande, la bouche est fraîche et fruitée (raisin très croquant). Les tanins présents devraient évoluer assez vite : on pourra commencer à ouvrir cette bouteille d'ici un à deux ans et en profiter pendant six à huit ans.
SCEA Vignobles Péré-Vergé, Grand-Moulinet, 33500 Pomerol, tél. 05.57.51.87.92, e-mail pvp.montviel@skynet.be r.-v.

## CH. LE GRAVILLOT 2002

■ 1,1 ha 6 000 11 à 15 €

La famille Brunot exploite plusieurs crus en Libournais. Cette parcelle de pur merlot repose sur un sol limono-sableux. Son 2002 a passé dix-huit mois en barrique. Rubis intense, il présente quelques reflets d'évolution. Le nez encore frais et boisé libère des notes de fruits cuits réglissés. La bouche, également fraîche, est soutenue par une saveur boisée qui devrait s'estomper assez vite et permettre de boire ce vin prochainement.
SCEA J.-B. Brunot et Fils, 1, Jean-Melin, 33330 Saint-Emilion, tél. 05.57.55.09.99, fax 05.57.55.09.95, e-mail vignobles.brunot@wanadoo.fr r.-v.

## CH. HAUT CAILLOU 2002

■ 2,1 ha 13 000 11 à 15 €

Ce petit vignoble a été acquis par l'actuel propriétaire en 2002 : il s'agit donc de sa première récolte sur ce cru. Composé de 90 % de merlot et de 10 % de cabernet-sauvignon plantés sur un terroir argilo-graveleux, le vin est d'une couleur vive, écarlate. Son bouquet naissant repose sur des notes fruitées et animales. La saveur est fraîche, mais les tanins demandent à être attendus un à deux ans.
SCE Vignobles Rousseau, 1, Petit-Sorillon, 33230 Abzac, tél. 05.57.49.06.10, fax 05.57.49.38.96, e-mail chateau@vignoblesrousseau.com r.-v.

CH. HAUT-CHAIGNEAU Cuvée Prestige 2002

■ 20 ha 55 000 15 à 23 €

Les Chatonnet exploitent une trentaine d'hectares de vignes dans le Libournais. Le château Haut-Chaigneau en est le vaisseau amiral, constitué de vignes quadragénaires plantées sur un terroir mêlant argiles, sables et graves. Son 2002 présente une robe rubis frangée de reflets cuivrés. Son bouquet, déjà expressif, offre des notes fruitées (fruits frais et fruits exotiques), une touche de fourrure et une légère nuance boisée. La bouche est bien équilibrée, charpentée par des tanins encore un peu serrés qui en font un vin de garde de style classique. Œnologue bordelais, le fils des Chatonnet, Pascal, élabore aussi deux vins, également cités : le **Château La Sergue 2002** toujours sous le bois, et le **Château La Pignière de La Sergue 2002**, davantage sur le fruit.

Vignobles J. et A. Chatonnet, Ch. Haut-Chaigneau, 33500 Néac, tél. 05.57.51.31.31, fax 05.57.25.08.93, e-mail vignobleschatonnet@wanadoo.fr r.-v.

CH. HAUT-CHATAIN Cuvée Prestige 2002 *

■ 1,8 ha 9 900 11 à 15 €

La famille Rivière-Junquas exploite un important vignoble de 22 ha sur terroir argilo-graveleux. Sa cuvée Prestige a une jolie teinte qui commence à prendre quelques reflets cuivrés. Le nez déjà bien expressif, très boisé, mêle des notes de pain grillé, de fleurs et de fruits (noyau de cerise). La bouche se montre charnue, charpentée par des tanins vanillés et boisés. D'ici un ou deux ans on imagine bien ce vin sur un magret de canard grillé aux sarments de vigne. La cuvée principale, **Château Haut-Châtain 2002 (8 à 11 €)**, plus simple, obtient une citation.

Vignobles Rivière-Junquas, Ch. Haut-Châtain, 33500 Néac, tél. 05.57.25.98.48, fax 05.57.25.95.45, e-mail chateau.haut.chatain@wanadoo.fr r.-v.

Martine Rivière

CH. HAUT-GOUJON 2002

■ 5,65 ha 20 000 11 à 15 €

Voici la cuvée de tête des vignobles Henri Garde, sélectionnée sur les 16,65 ha du domaine créé au début du XXes. par l'arrière-grand-père Elie. Bien représentatif de son millésime, ce vin de couleur grenat intense est plutôt discret et demande de l'aération pour libérer des notes fruitées et boisées. Si les tanins sont encore un peu bruts, ils lui permettront de vieillir.

SCEA Garde et Fils, Goujon, 33570 Montagne, tél. 05.57.51.50.05, fax 05.57.25.33.93, e-mail contact@chateauhautgoujon.com t.l.j. 9h-12h 14h-17h

CH. HAUT-MUSSET 2002

■ n.c. 4 200 8 à 11 €

Petite propriété familiale transmise de mère en fille et située dans le secteur de Musset au nord-est du village. Dans le verre, on trouve un vin déjà bon à boire. La robe légère présente quelques reflets carminés d'évolution. Le nez est ouvert sur des notes de fruits confits et de sous-bois. La bouche, souple et fraîche, est soutenue par des tanins épicés et offre un caractère terroité. On pourra servir ce lalande assez rapidement avec une marinade ou des fromages basques et béarnais, de même origine que les productrices du vin.

Véronique Abbadie, Musset, 33500 Lalande-de-Pomerol, tél. et fax 05.57.51.24.85, e-mail veroabbadie@club-internet.fr r.-v.

CH. LES HAUTS-CONSEILLANTS 2002

■ 10 ha 48 000 11 à 15 €

Implanté sur un terroir sablo-limoneux, ce cru est exploité par Pierre Bourotte qui dirige la maison de négoce Jean-Baptiste Audy, ainsi que plusieurs crus libournais. Ce 2002 à la robe grenat très sombre, au nez franc et sincère de fruits rouges et de bois réglissé, se révèle souple et harmonieux. Sa saveur fruitée s'achève sur des tanins encore fermes qui demanderont à être attendus un an ou deux, mais qui assureront une bonne conservation (cinq à six ans).

SAS Pierre Bourotte, 62, quai du Priourat, BP 79, 33502 Libourne Cedex, tél. 05.57.51.62.17, fax 05.57.51.28.28, e-mail contact@jbaudy.fr r.-v.

CH. LABORDE Mil Six Cent Vingt Huit 2002 *

■ 5 ha 12 900 11 à 15 €

La famille de Jean-Marie Trocard exploite un important vignoble de 21 ha en lalande-de-pomerol. La cuvée de tête porte la date du premier acte notarié attestant la présence des aïeuls sur cette terre (1628). Près de quatre siècles plus tard, on y produit toujours du bon vin, tel ce 2002 à la robe pourpre dense, aux arômes de fruits noirs (cassis, mûre, griotte) accompagnés d'un boisé finement vanillé et d'une touche de cuir. La bouche est charmeuse : on y retrouve les arômes du nez soutenus par des tanins fins et élégants. Dans un an ou deux, cette bouteille pourra accompagner viandes grillées et fromages. Elle se gardera une bonne décennie.

SCEV Jean-Marie Trocard, Ch. Laborde, 33500 Lalande-de-Pomerol, tél. 05.57.74.30.52, fax 05.57.74.39.96, e-mail roy.trocard@terre-net.fr r.-v.

Jean Trocard

CH. LABORDERIE-MONDESIR Cuvée Excellence 2002 *

■ 0,2 ha 2 000 15 à 23 €

Cette cuvée est une hypersélection ! Car cette famille exploite 34 ha dans le nord du Libournais. Du vieux merlot planté sur graves et un appoint de 5 % de cabernet-sauvignon ont donné naissance à un vin grenat très sombre, au bouquet de fruits noirs et de chêne torréfié, à la bouche pleine, fruitée et capiteuse ; ses tanins boisés demandent à s'assouplir un peu. La cuvée principale, **Château Laborderie-Mondésir 2002 (11 à 15 €)**, obtient également une étoile.

SCE Vignobles Rousseau, 1, Petit-Sorillon, 33230 Abzac, tél. 05.57.49.06.10, fax 05.57.49.38.96, e-mail chateau@vignoblesrousseau.com r.-v.

CH. LAFLEUR-VAUZELLE 2002 *

■ 35 ha 200 000 5 à 8 €

Depuis cinq générations, la famille Fourreau exploite une quarantaine d'hectares de vignes dans le Libournais. Cette année, c'est la cuvée destinée à la grande distribution, issue de 35 ha, qui arrive en tête. D'une couleur rubis tirant sur le grenat, elle présente un nez déjà complexe mêlant le cassis, le cèdre, le cuir et le bois torréfié, et une bouche charnue et veloutée, à la saveur fraîche et persistante. Un vin bientôt agréable à servir sur une viande rouge. Le **Château Haut Surget 2002 (8 à 11 €)** obtient une citation. Encore un peu sévère, il demande à vieillir quelques années.

GFA Ch. Haut-Surget, Chevrol, 33500 Néac, tél. 05.57.51.28.68, fax 05.57.51.91.79 r.-v.

Fourreau

### CH. LEVEQUE Cuvée Sélection 2002 *

■ 0,4 ha 1 500 11 à 15 €

Cette petite parcelle est rattachée à une belle exploitation lussacaise. Son lalande 2002 montre déjà quelques reflets tuilés. Les senteurs en sont florales, fruitées (noyau de cerise) et boisées (amande grillée). La bouche souple est agréable ; les tanins soulignent le fruit, la saveur boisée est bien intégrée. Ce vin devrait pouvoir assez rapidement flatter toutes les viandes grillées et les fromages doux.

Jean-François Blanc, Ch. Bellevue-Poitou,
33570 Lussac, tél. 06.07.39.25.70, fax 05.57.74.57.97,
e-mail jean-francois-blanc@wanadoo.fr r.-v.

### CH. MOULIN A VENT 2002 **

■ 11,95 ha 54 000 11 à 15 €

Ce cru, essentiellement constitué de merlot (95 %) planté sur des graves gunziennes, fait partie, comme plusieurs autres, des acquisitions champenoises d'il y a une vingtaine d'années. Le 2002 y est remarquablement réussi. Sa robe rubis se moire de quelques reflets grenat. Ouvert et complexe, son nez égrène des notes de fruits confits, de chêne torréfié, de cacao. Après une mise en bouche tendre et douce, beurrée, la saveur vanillée repose sur des tanins présents mais veloutés. Une bouteille à apprécier assez vite, par exemple sur un gigot.

SARL Moulin à Vent, 17, av. Julien-Ducourt,
33610 Cestas, tél. 05.57.26.26.66, fax 05.57.26.66.67,
e-mail divin@divin-sa.fr

F.-M. Marret

### CH. MOULIN DE SALES
Elevé en fût de chêne 2002 *

■ 10 ha 18 910 11 à 15 €

Belle propriété viticole de 20 ha, dans la même famille depuis 1853. Constitué de 70 % de merlot, de 20 % de cabernet-sauvignon et de 10 % de cabernet franc plantés sur sables et graves, ce bon 2002 pourpre sombre présente quelques reflets rubis. Son bouquet est très fruité (mûre, cassis), confituré, mais le bois réglissé est bien présent. La bouche solide, puissante, est charpentée par des tanins encore un peu fermes qui demanderont un an ou deux d'affinage.

EARL Vignobles Chaumet,
RN 89, Goujon, 33500 Lalande-de-Pomerol,
tél. 05.57.25.50.12, fax 05.57.25.51.48,
e-mail vignobles.chaumet@wanadoo.fr
t.l.j. 8h-12h 14h-18h; dim. sur r.-v.

### CH. DE MUSSET 2002

■ 24,81 ha 39 000 5 à 8 €

Vaste domaine viticole entourant une belle demeure girondine, dans la famille Foucard depuis 1963 et géré par Vincent Duffau-Lagarrosse. L'assemblage de ce millésime comporte notamment 75 % de merlot et 21 % de cabernet-sauvignon. La couleur pourpre se frange de reflets cuivrés. S'ouvrant sur des fruits frais, le fumet est à la fois boisé et animal. La bouche équilibrée et souple repose sur des tanins réglissés qui devraient finir de s'affiner d'ici un à deux ans. On pourra servir ce vin sur une côte ou un tendron de veau.

SCE Y. Foucard et Fils, Ch. Chêne-Vieux,
33570 Puisseguin, tél. 05.57.74.63.15 r.-v.

### DOM. DE MUSSET 2002 **

■ n.c. 12 000 15 à 23 €

La famille Aubert est surtout connue pour son grand cru classé de saint-émilion, mais elle exploite plusieurs

domaines en Libournais, dont ce lalande du secteur de Musset, situé au nord-est du village. Ce 2002 séduit par sa robe bordeaux sombre et par son bouquet déjà puissant et complexe qui mêle les fruits noirs, le chêne torréfié et la fourrure. La bouche chaleureuse et grasse révèle une saveur de raisins mûrs et une trame tannique puissante qui permettra à ce vin de bien vieillir lors de la prochaine décennie et d'accompagner toutes sortes de viandes.

Vignobles Aubert,
Ch. La Couspaude, 33330 Saint-Emilion,
tél. 05.57.40.15.76, fax 05.57.40.10.14,
e-mail vignobles.aubert@wanadoo.fr r.-v.

### CH. PERRON La Fleur 2002 **

■ 5 ha 15 000 23 à 30 €

Michel-Pierre Massonie est le grand maître du Grand conseil du vin de Bordeaux qui fédère toutes les confréries bachiques du Bordelais. Il doit donc donner le bon exemple. C'est le cas avec cette cuvée qui décroche deux étoiles, ce qui est fort méritoire pour un 2002. L'ensemble de la dégustation est remarquable : la robe presque noire, les senteurs de chêne toasté et de fruits confiturés, assorties d'une touche de noisette et de tabac, la saveur ample, épicée, soutenue par des tanins fins et persistants. Le **Château Perron 2002 (15 à 23 €)**, un peu plus austère, obtient une étoile.

SCEA Vignobles Michel-Pierre Massonie,
Ch. Perron, BP 88, 33503 Libourne Cedex,
tél. 05.57.51.40.29, fax 05.57.51.13.37,
e-mail vignoblesmpmassonie@wanadoo.fr r.-v.

### PETIT CLOS DES CHAMPS 2002

■ 0,28 ha 1 200 8 à 11 €

Petite cuvée élevée quinze mois en barrique. La robe est grenat et le nez joue sur les fruits surmûris, le cacao, le boisé fumé. Après une attaque souple, la dégustation évolue sur des tanins fermes mais non agressifs et qui devraient se fondre dans deux ou trois ans.

Vincent Duffau-Lagarrosse,
Musset, 33500 Lalande-de-Pomerol,
tél. 05.57.51.11.40, fax 05.57.25.36.45 r.-v.

### DOM. PONT DE GUESTRES 2002 **

■ 2 ha 9 800 11 à 15 €

Ce cru appartient à une famille de viticulteurs établie dans le Fronsadais depuis plusieurs générations. Elle nous présente deux cuvées en lalande-de-pomerol : ce premier vin obtient deux étoiles pour sa concentration, sa puissance, son élégance et sa persistance, qui lui permettront d'accompagner une large palette culinaire au cours de la prochaine décennie. Le **Château au Pont de Guîtres 2002 (8 à 11 €)**, plus souple, est très agréable : il obtient une étoile. On pourra le boire assez prochainement sur des viandes blanches.

Rémy Rousselot,
Ch. Les Roches de Ferrand, 33126 Saint-Aignan,
tél. 05.57.24.95.16, fax 05.57.24.91.44,
e-mail vignobles.remy.rousselot@wanadoo.fr
r.-v.

## CH. SAINT-JEAN-DE-LAVAUD 2002

1,1 ha 3 600 15 à 23 €

La famille Laviale, établie au château Vieux Maillet à Pomerol, exploite plusieurs crus libournais. En 2004, elle a acquis cette petite vigne plantée sur un sol argilo-calcaire. En fait, nous avons goûté le vin élaboré par l'ancienne propriétaire, Isabelle Motte. Il est honnête pour son millésime ; sa robe rubis commence à présenter quelques reflets d'évolution, son bouquet exprime les petits fruits et le bois vanillé ; il faudra servir assez vite ce vin souple sur de la charcuterie ou des grillades aux sarments...

Griet et Hervé Laviale, 16, chem. de Maillet,
33500 Pomerol, tél. 05.57.74.56.80, fax 05.57.74.56.59,
e-mail chateauvieuxmaillet@bluewin.ch

## CH. SERGANT 2002

n.c. n.c. 8 à 11 €

La famille Milhade exploite cet important vignoble implanté sur les sables et les graves de l'ouest de l'appellation. Dans le verre on trouve un vin encore jeune, à la robe sombre, au nez un peu fermé qui demande beaucoup d'agitation pour libérer des senteurs boisées. La bouche est fraîche, bien équilibrée, mais encore dominée par des tanins un peu fermes. A attendre un an ou deux et à ouvrir une heure ou deux avant le repas, ou mieux, à mettre en carafe.

SCE Vignobles Jean Milhade, Ch. Recougne,
33133 Galgon, tél. 05.57.55.48.90, fax 05.57.84.31.27,
e-mail milhade@milhade.fr r.-v.

## CH. SIAURAC 2002 ★★

20 ha 100 700 11 à 15 €

Un des plus beaux domaines de l'appellation : une vaste demeure girondine, berceau du baron Guichard, entourée de 37 ha de vignes. Ce 2002, déjà agréable, joue davantage dans le registre de l'élégance et de la finesse que dans celui de la puissance. La robe pourpre est encore vive. Le bouquet est déjà expressif, floral, fruité, soutenu par un boisé discret. La mise en bouche, d'abord fraîche, devient vite chaleureuse et suave, avec une bonne harmonie entre le fruit et le bois. Ce vin devrait s'affiner assez vite et rester plaisant pendant de nombreuses années.

SCE Baronne Guichard, Ch. Siaurac, 33500 Néac,
tél. 05.57.51.64.58, fax 05.57.51.41.56,
e-mail info@chateausiaurac.com r.-v.

## CH. DES TOURELLES 2002

4,4 ha 24 000 11 à 15 €

Ce petit cru offre une vue remarquable sur quatre clochers « vineux » : Saint-Emilion, Pomerol, Néac et Montagne-Saint-Emilion. Son sol de graves est complanté à 80 % de merlot et à 20 % de cabernet franc. Grenat intense, légèrement fermé, frais, épicé, ce vin se révèle tout d'abord souple, puis les tanins s'affirment. Il demande à vieillir un an ou deux. On le servira sur un plat en sauce aux truffes.

François Janoueix,
Ch. Clos-du-Roy, 33570 Montagne,
tél. 05.57.25.54.44, fax 05.57.25.26.07,
e-mail phbb@janoueixfrancois.com r.-v.

## CH. TOURNEFEUILLE 2002 ★

10 ha 50 000 15 à 23 €

Tournefeuille est idéalement situé sur le haut d'un coteau argilo-graveleux dominant la Barbanne, face à Pomerol. La présence de la vigne est attestée en 1785 sur la carte de Beyleme. En 2002, elle est toujours là et donne naissance à un vin très réussi. Le grenat de la robe est sombre. Le bouquet exprime les fruits noirs (cassis), le cuir, le bois chaud, le café et les épices. Savoureux, fruité (noyau de cerise), charnu, ce vin est charpenté par des tanins élégants. Après un an ou deux d'affinage, on pourra le servir sur une entrecôte à la moelle.

Familles Petit-Cambier, 24, rue de l'Eglise,
33500 Néac, tél. 05.57.51.18.61, fax 05.57.51.00.04,
e-mail fpetit@terre-net.fr r.-v.

## CH. LA VALLIERE 2002

1 ha 5 000 11 à 15 €

La famille Dubost exploite plusieurs vignobles libournais dont ce petit cru à Lalande implanté sur terroir graveleux. Ce 2002, cerise noire, montre quelques reflets carminés. On y décèle tout d'abord le bois neuf, la noisette, puis une note de fruits confits apparaît. La bouche attaque sur le fruit frais, mais le bois arrive vite. Les tanins présents et persistants étant bien intégrés, ce vin pourra être servi prochainement avec un confit de canard ou des viandes grillées. On le conservera sept à huit ans.

SARL L. Dubost, Catusseau, 33500 Pomerol,
tél. 05.57.51.74.57, fax 05.57.25.99.95,
e-mail sarl.dubost.l@wanadoo.fr r.-v.
Yvon Dubost

## CH. DE VIAUD 2002

19,3 ha 32 110 15 à 23 €

Cet important vignoble constitué au XVIIIe s. a été repris en janvier 2002 par Philippe Raoux, dirigeant de la société de négoce bordelaise Marjolaine. Son premier millésime a été apprécié pour sa robe pourpre très foncée, son bouquet de fruits noirs et de bois torréfié. La bouche, encore un peu massive, est assise sur des tanins assez fermes qui assureront à ce vin une longue vie.

SAS du Ch. de Viaud,
3, Viaud-Sud, 33500 Lalande-de-Pomerol,
tél. 05.57.51.17.86, fax 05.57.51.79.77,
e-mail sophie.lafargue@free.fr r.-v.
Philippe Raoux

## DOM. DE VIAUD Cuvée spéciale 2002 ★

5 ha 18 000 15 à 23 €

Belle exploitation familiale créée en 1955 par le grand-père Marius. En 1983, sa fille Lucette Bielle a assuré la succession. Aujourd'hui son petit-fils Damien se prépare à prendre le relais. La demeure du XVIIIe s. est entourée d'un vignoble de merlot planté sur sables et graves. Le 2002, pourpre sombre, est encore un peu fermé mais révèle déjà un fruité élégant. La bouche, franche et équilibrée, est soutenue par un boisé discret et bien fondu, qui laisse s'exprimer le fruit. On appréciera bientôt cette bouteille avec une lamproie à la bordelaise ou une viande rouge, plus tard avec un gâteau au chocolat.

Lucette Bielle,
16, rue des Gauthiers, 33500 Lalande-de-Pomerol,
tél. 05.57.51.06.12, fax 05.57.25.10.14,
e-mail bielle@wanadoo.fr r.-v.

### CH. VIEUX CHAIGNEAU 2002

■ 6,16 ha 39 000 5 à 8 €

Coquette exploitation viticole située à l'est du hameau de Chaigneau. Le terroir sablo-limoneux y est complanté à 75 % de merlot, 15 % de cabernet-sauvignon et 10 % de cabernet franc. Cela donne un 2002 encore très frais, grenat sombre. Légèrement fermé, ce vin demande de l'aération pour libérer du fruit rouge (groseille) et un fumet animal. La bouche est mentholée, et l'on y retrouve le caractère du nez sur des notes de cuir. La dégustation s'achève par des tanins encore un peu sévères. Il faudra attendre un à deux ans avant de commencer à servir cette bouteille.

Bernard Berlureau, 7, Chatain, 33500 Néac,
tél. et fax 05.57.51.57.70 r.-v.

### VIEUX CHATEAU GACHET 2002

■ 4,83 ha 32 000 11 à 15 €

En 1991, Jean-Baptiste Arpin achète son premier hectare de vigne. Quatre générations plus tard, sa famille exploite plus de 30 ha dans tout le Libournais, dont ce Vieux Château Gachet qui a décroché deux coups de cœur pour les millésimes 2000 et 2001. Le millésime 2002, plus difficile, donne un vin à boire plus jeune. La robe pourpre commence à présenter quelques reflets d'évolution. Le nez est déjà ouvert et charmeur ; on y trouve du fruit frais, du cuir, du chêne vanillé. La bouche souple est soutenue par des tanins épicés et discrets. On pourra servir cette bouteille très prochainement sur un gigot d'agneau.

EARL Vignobles G. Arpin,
Chantecaille, 33330 Saint-Emilion,
tél. 06.22.08.70.56, fax 05.57.51.96.75,
e-mail vignobles.g.arpin@wanadoo.fr r.-v.

### VIEUX CLOS CHAMBRUN 2002 *

■ n.c. 2 700 30 à 38 €

Les Chollet vivent en Normandie mais possèdent des vignes en Libournais. L'an dernier nous avions retenu leur Bouquet de Violette, cette année c'est leur Vieux Clos Chambrun qui décroche une étoile. Sa robe s'anime de reflets rubis et grenat. Son nez déjà expressif affiche la jeunesse des fleurs et des fruits, tempérée par le bois grillé. La bouche, tendre et élégante, est soutenue par des tanins vanillés. Une bouteille très harmonieuse pour accompagner viandes blanche ou rouge.

Jean-Jacques Chollet,
15, La Chapelle, 50210 Camprond,
tél. 02.33.45.19.61, fax 02.33.45.35.54 r.-v.

### CH. VIEUX-RIVIERE 2002

■ 4,8 ha 31 000 8 à 11 €

La famille Rivière est établie à Pomerol, mais elle possède aussi ce vignoble à Lalande, auquel elle a donné son patronyme. Le millésime 2002 rappelle deux événements importants pour cette famille : la naissance d'une petite fille au moment des écoulages et l'entrée en conversion à l'agriculture biologique. La robe pourpre présente des reflets carminés d'évolution. Le nez est discret mais charmeur, floral. La bouche fraîche, souple révèle une saveur fruitée et des tanins fins. Ce 2002 pourra accompagner une pintade aux champignons.

SARL La Croix Taillefer, Marchesseau, BP 4,
33500 Pomerol, tél. et fax 05.57.25.08.65,
e-mail la.croix.taillefer@wanadoo.fr r.-v.
Rivière

## Saint-émilion et saint-émilion grand cru

Etalé sur les pentes d'une colline dominant la vallée de la Dordogne, Saint-Emilion (3 300 habitants) est une petite ville viticole charmante et paisible. Mais c'est aussi une cité chargée d'histoire. Etape sur le chemin de Saint-Jacques-de-Compostelle, ville forte pendant la guerre de Cent Ans et refuge des députés girondins proscrits sous la Convention, elle possède de nombreux vestiges évoquant son passé. La légende fait remonter le vignoble à l'époque romaine et attribue sa plantation à des légionnaires. Mais il semble que son véritable début, du moins sur une certaine surface, se situe au XIII^es. Quoi qu'il en soit, Saint-Emilion est aujourd'hui le centre de l'un des plus célèbres vignobles du monde qui, depuis 1999, fait partie du patrimoine mondial de l'Unesco. L'aire d'appellation, répartie sur neuf communes, comporte une riche gamme de sols. Tout autour de la ville, le plateau calcaire et la côte argilo-calcaire (d'où proviennent de nombreux crus classés) donnent des vins d'une belle couleur, corsés et charpentés. Aux confins de Pomerol, les graves produisent des vins qui se remarquent par leur très grande finesse (cette région possédant aussi de nombreux grands crus). Mais l'essentiel de l'appellation saint-émilion est représenté par les terrains d'alluvions sableuses, descendant vers la Dordogne, qui produisent de bons vins. Pour les cépages, on note une nette domination du merlot, que complètent le cabernet franc, appelé bouchet dans cette région, et, dans une moindre mesure, le cabernet-sauvignon.

L'une des originalités de la région de Saint-Emilion est son classement. Assez récent (il ne date que de 1955), il est régulièrement et systématiquement revu (la première révision a eu lieu en 1958, la dernière en 1996). L'appellation saint-émilion peut être revendiquée par tous les vins produits sur la commune et sur huit autres communes l'entourant. La seconde appellation, saint-émilion grand cru, ne correspond donc pas à un terroir défini, mais à une sélection de vins, devant satisfaire à des critères qualitatifs plus exigeants, attestés par la dégustation. Les vins doivent subir une seconde dégustation avant la mise en bouteilles. C'est parmi les saint-émilion grand cru que sont choisis les châteaux qui font l'objet d'un classement. En 1986, 74 ont été classés, dont 11 premiers grands crus. Dans le classement de 1996, 68 ont été classés dont 13 en premiers crus. Ceux-ci se répartissent en deux groupes : A pour deux d'entre eux (Ausone et Cheval Blanc) et B pour les onze autres. Il faut signaler que l'Union des producteurs de Saint-Emilion est sans nul doute la plus importante cave coopérative française située dans une zone de grande appellation. En 2004, l'AOC saint-émilion (1 874 ha) a produit 98 839 hl. En saint-émilion grand cru 160 600 hl ont obtenu l'aptitude au vieillissement au 1er juillet 2005 pour une superficie de 3 654 ha.

La dégustation Hachette n'a pas été globale au sein de l'appellation saint-émilion grand cru. Une commission a sélectionné les saint-émilion grand cru classés (sans distinction des premiers) ; une autre commission a dégusté les saint-émilion grand cru. Les étoiles correspondent donc à ces deux critères.

# Saint-émilion

## CH. L'ARCHANGE 2002 ★

■ 1,12 ha 5 500 30 à 38 €

Cette petite cuvée est issue de merlot bien mûr. Elle bénéficie d'un élevage de seize à dix-huit mois en fût de chêne. Dans une robe grenat profond et soutenu, ce 2002 révèle un bouquet intense et puissant, marqué par un boisé élégant aux notes grillées, avec du moka, mais aussi des fruits rouges à noyau. La bouche ample et savoureuse repose sur des tanins mûrs et soyeux qui persistent longuement. Très cher pour son appellation, ce vin n'en est pas moins intéressant.

Vignobles J. et A. Chatonnet, Ch. Haut-Chaigneau, 33500 Néac, tél. 05.57.51.31.31, fax 05.57.25.08.93, e-mail vignobleschatonnet@wanadoo.fr r.-v.

## CH. BARBEROUSSE 2002 ★

■ 6 ha 20 000 5 à 8 €

Vignerons depuis trois générations, les Puyol décrochent leur troisième étoile consécutive pour ce cru. D'un rubis brillant et intense, ce millésime dominé par un boisé de qualité s'ouvre à l'agitation sur de jolis fruits rouges. Après une attaque encore fraîche, apparaît une belle structure aux tanins boisés, grillés et persistants. A ouvrir dans deux ans. Autre saint-émilion, le **Château Montremblant 2002** obtient une citation.

GAEC Jean Puyol et Fils, Ch. Barberousse, 33330 Saint-Emilion, tél. 05.57.24.74.24, fax 05.57.24.62.77, e-mail chateau-barberousse@wanadoo.fr r.-v.

## CH. BARREAU COUDERC 2002

■ 1,2 ha 7 000 8 à 11 €

Créé en 2001, ce cru est installé sur des sables tout près de la ville de Libourne. D'un rubis vif et juvénile, ce vin au nez de fruits rouges et de vanille sur une touche boisée bien fondue apparaît bien équilibré ; il « merlote » avec des notes d'épices et de réglisse. En revanche la finale est encore austère.

SCEA du Ch. Haut Brondeau, 17, rte de Bordeaux, 33500 Arveyres, tél. et fax 05.57.24.87.87 r.-v.
R. Masse

## CH. BEAULIEU CARDINAL 2002 ★

■ 1,34 ha 8 000 8 à 11 €

Ce petit cru à dominante de cabernet franc (55 %) équilibré par le merlot (45 %) est installé sur des sols argilo-calcaires à Saint-Laurent-des-Combes ; il a été acquis en 2000 par un propriétaire de l'appellation voisine, puisseguin-saint-émilion. Drapé dans une superbe robe rubis et doté d'un bouquet vineux, avec des notes de kirsch, de cassis, de fraise des bois et un joli boisé vanillé et mentholé, ce vin est séduisant, ample, charnu et harmonieux. Le fruit accompagne une longue finale.

Gérard Opérie, Ch. Beaulieu-Cardinal, 33570 Puisseguin, tél. 05.57.74.59.97, fax 05.57.74.54.82 r.-v.

## CH. BELLECOMBE

Elevé en barrique de chêne 2002

■ 1,38 ha 4 000 5 à 8 €

Issu à 90 % de merlot complété par le cabernet franc, ce vin est élevé treize mois en fûts dont un tiers de fûts neufs. Fin et fruité, le nez mêle la cerise, le noyau et la noisette grillée. La bouche, souple et ronde, fruitée et boisée est déjà agréable.

Jean-Marc Carteyron, 7, La Châtaigneraie, 33750 Cadarsac, tél. 06.82.84.84.63, fax 05.57.27.85.75, e-mail jmcartey@wanadoo.fr r.-v.

## CH. BEZINEAU 2002 ★★

■ 1,6 ha 10 000 8 à 11 €

Un cru de 9,70 ha exploité par la famille Faure depuis plus de huit générations. Cette cuvée se pare de pourpre intense. Son nez épanoui s'ouvre sur une farandole de fleurs de lys, de fruits confits, de noix de coco, de fraise des

**La région de Saint-Émilion**

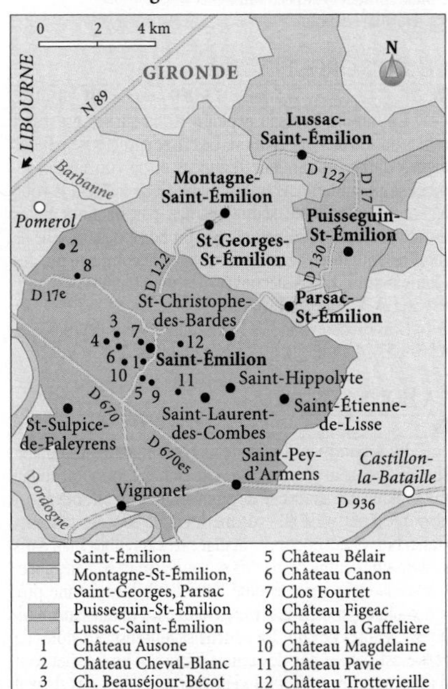

bois, de chêne vanillé. La bouche charnue, pulpeuse, mêle harmonieusement les fruits mûrs et le merrain élégant. Les tanins sont présents mais fondants. Déjà très bon, ce vin est plein d'avenir.
SCEA Vignobles Faure, Ch. Bézineau, 33330 Saint-Emilion, tél. et fax 05.57.24.72.50 r.-v.

## CH. BILLEROND 2002 ★

■ 10,05 ha 43 373 8 à 11 €

Les héritiers Robin possèdent 14,39 ha à Saint-Hippolyte, au sud-est de l'AOC. Le terroir silico-graveleux est complanté de 69 % de merlot, 21 % de cabernet franc et 10 % de cabernet-sauvignon. Cela donne un vin « nature », d'un joli rubis, et aux intenses arômes de fruits rouges et d'épices. A la fois ample et fraîche, la bouche offre une expression fruitée et des tanins persistants qui devraient bien évoluer lors des deux à trois prochaines années.
Union de producteurs de Saint-Emilion, Haut-Gravet, BP 27, 33330 Saint-Emilion, tél. 05.57.24.70.71, fax 05.57.24.65.18, e-mail contact@udpse.com r.-v.
Héritiers Robin

## CH. BOIS GROULEY 2002

■ 4,5 ha 3 000 8 à 11 €

La famille Lusseau exploite 10 ha sur les graves et sables du sud de l'appellation. Le cru se caractérise par des vignes d'une quarantaine d'années et par un encépagement saint-émilionnais traditionnel. Cette cuvée à la robe légère mais brillante séduit au nez par de fines notes florales et fruitées soutenues par un boisé délicat. Elle se montre équilibrée. Les fruits rouges accompagnent des tanins à grain fin. A découvrir dès maintenant.
SCEA Vignobles Lusseau, 276, Bois-Grouley, 33330 Saint-Sulpice-de-Faleyrens, tél. 05.57.24.74.03, fax 05.57.74.46.09 r.-v.

## LA BOUYGUE 2002 ★

■ 2 ha 12 000 8 à 11 €

Le second vin du Château Haut Plantey, cru établi sur un terroir argilo-calcaire. Du château, on jouit d'une magnifique vue sur la cité de Saint-Emilion. Cette cuvée est élaborée à partir de 80 % de merlot et de 20 % de cabernet franc. Nos dégustateurs l'ont jugée très agréable, bien dans le style saint-émilionnais par sa souplesse et son élégance. Un rubis légèrement évolué flatte l'œil. Une bonne présence olfactive mêle les fruits confits, les plantes aromatiques, les notes de cuir. La bouche savoureuse aux notes de cerise est corsée par des tanins mûrs qui lui permettront d'accompagner toutes les viandes rouges lors des deux à cinq prochaines années.
SCE Vignobles Michel Boutet, Ch. Haut Plantey, 33330 Saint-Emilion, tél. 05.57.24.70.86, fax 05.57.24.68.30, e-mail vignoblesboulet@wanadoo.fr r.-v.

## CH. LES CABANNES 2002

■ 1 ha 4 800 8 à 11 €

Cette propriété viticole établie sur les graves sableuses du sud-ouest de l'appellation est dirigée depuis 1997 par un œnologue canadien formé à la faculté de Bordeaux. Ce vin, exclusivement issu de merlot, dont la moitié en vieilles vignes et la moitié en jeunes plantes, est déjà bon à boire : sa teinte grenat présente quelques reflets d'évolution ; son bouquet discret s'ouvre sur des notes de fruits rouges, de sous-bois et de gibier, dans un environnement assez élégant malgré l'austérité tannique de la finale. On appréciera cette bouteille sur des viandes rouges.
EARL Vignobles Kjellberg-Cuzange, Les Cabannes, 33330 Saint-Sulpice-de-Faleyrens, tél. 05.57.24.62.86, fax 05.57.24.66.08, e-mail kjellberg.cuzange@wanadoo.fr r.-v.

## CH. LA CAZE BELLEVUE 2002

■ 13 ha 55 000 5 à 8 €

Installée sur des sols gravelo-sableux, cette propriété assemble ici 80 % de merlot au cabernet franc. Couleur rubis, ce vin offre un festival d'odeurs de fruits, de noix de coco, de clou de girofle, de cuir et de réglisse. La bouche est corsée mais charnue et équilibrée. La finale longue et fruitée permet d'ouvrir dès maintenant – et pendant trois à quatre ans – cette bouteille fort plaisante.
Philippe Faure, 7, rue de la Cité, 33330 Saint-Sulpice-de-Faleyrens, tél. 05.57.74.41.85, fax 05.57.74.42.39, e-mail vignobles.philippe.faure@wanadoo.fr r.-v.

## CHANTET BLANET Elevé en fût de chêne 2002 ★

■ n.c. 120 000 5 à 8 €

Cette marque de la maison de négoce Delor (groupe CVBG) est destinée aux centres Leclerc. Ce millésime se révèle très réussi, tant par sa couleur rubis limpide et brillant, que par son nez de fruits confits mêlant des notes grillées et du moka. La bouche, d'abord aimable et souple, évolue vers une structure bien charpentée et équilibrée. La finale savoureuse et persistante engage à servir cette bouteille un dimanche de fête familiale autour d'un gigot d'agneau.
Maison Delor, 35, rue de Bordeaux, BP 49, 33290 Parempuyre, tél. 05.56.35.53.14, fax 05.56.35.53.81, e-mail delor.gms@cvbg.com

## CLOS AEMILIAN 2002 ★

■ 0,43 ha n.c. 11 à 15 €

Tous les travaux de la vigne sont ici effectués à la main. Cela donne un 2002 drapé dans une robe rubis profond. Complexe et charmeur, le nez associe fruits rouges et noirs à des notes épicées, grillées et mentholées. La bouche charnue, généreuse et longue offre des saveurs agréables. Une bouteille plaisante, à ouvrir pendant trois ou quatre ans.
Marc Triffault, Saint-Jean-Béard, 33330 Saint-Laurent-des-Combes, tél. 06.20.62.50.25 r.-v.

## CH. CLOS JEAN VOISIN 2002 ★

■ 3 ha 18 600 🍷 8 à 11 €

Il s'agit de la dernière récolte vinifiée par Jacques Sautarel puisque Emeric Petit a repris ce domaine viticole en juin 2003. Nos dégustateurs l'ont jugée déjà très agréable avec ses reflets rubis, son bouquet expressif mêlant les fruits rouges et les épices à des notes de cuir et de bois. La saveur est en harmonie avec le nez ; les tanins sont souples et onctueux. Ce vin fin accompagnera viandes blanches et bœuf grillé sur sarments de vignes lors des deux à trois prochaines années.

Emeric Petit, 26, rue de l'Eglise, 33500 Néac,
tél. 05.57.51.18.61, fax 05.57.51.00.04,
e-mail fpetit@terre-net.fr r.-v.

## CORDIER Collection privée 2002 ★

■ n.c. 80 000 5 à 8 €

La maison Cordier fut fondée en 1886 et la Collection privée créée en 1985 par Jean-Georges Cordier. La robe de ce 2002 étincelle de reflets rubis, pourpres et grenat. Le bouquet naissant s'appuie sur la cerise noire et le bois chaud. La bouche, à la fois corsée et élégante, montre des rondeurs bien dans le style saint-émilionnais. Dans les deux à cinq prochaines années, cette bouteille sera parfaite sur un foie gras poêlé, un gigot d'agneau braisé ou un gibier à plume.

Cordier Mestrezat et Domaines,
109, rue Achard, 33300 Bordeaux, tél. 05.56.11.29.00,
fax 05.56.11.29.01, e-mail contact@cordier-wines.com

## CH. DE LA COUR 2002

■ 3,5 ha 25 000 5 à 8 €

Hugues Delacour exploite depuis 1995 une belle propriété de 9 ha sur des graves sablonneuses, au sud de l'appellation. Cette cuvée (à 90 % merlot) a du caractère : couleur profonde, bouquet complexe exprimant les fruits très mûrs (pruneau) et le clou de girofle assortis de senteurs animales ; la bouche à la fois fruitée et corsée finit sur des tanins encore un peu austères. Dans un à trois ans, ce vin pourra accompagner viande rouge et gibier.

EARL du Châtel Delacour,
Ch. de la Cour, 33330 Vignonet,
tél. 05.57.84.64.95, fax 05.57.84.65.00 r.-v.

## CH. CROIX DE VERSANNES 2002 ★★

■ 1,5 ha 6 600 11 à 15 €

CHÂTEAU
CROIX DE
VERSANNES
SAINT-ÉMILION
ERIC DEGLIAME - VIGNERON
2002

Entrée fracassante pour cette première production d'Eric Degliame en saint-émilion. Ce petit vignoble était jusqu'alors vinifié à la cave coopérative. Le terroir de graves et d'argiles se partage à parité entre cabernet-sauvignon et merlot. Cela donne un vin de garde au caractère affirmé – un peu médocain – et à la structure solide. Les arômes de fruits rouges et de merrain toasté sautent au nez. L'attaque est ample, fraîche et fruitée, vite relayée par des tanins boisés très fins. Une excellente harmonie qui devrait encore s'affirmer lors des deux à quatre prochaines années.

GFA Vignobles Degliame,
11, Berthonneau, 33330 Saint-Emilion,
tél. 05.57.25.51.03, fax 05.57.25.92.67,
e-mail degliame.eric@wanadoo.fr r.-v.

## CH. LA CROIX FOURCHE MALLARD
Mathilde 2002

■ 2,5 ha 14 000 11 à 15 €

Des sables mêlés de graves exclusivement plantés de merlot : rubis à reflets violines, ce 2002 libère des arômes de fruits rouges mûrs associés à des parfums de vanille et de noix de coco. La bouche, équilibrée et structurée en attaque, se révèle encore ferme en finale.

Laurent Mallard,
Ch. Naudonnet Plaisance, 33760 Escoussans,
tél. 05.56.23.93.04, fax 05.56.23.97.94,
e-mail contact@laurent-mallard.com r.-v.

## LE «D» DE DASSAULT 2002

■ 9,65 ha 27 200 11 à 15 €

Voici le second vin du château Dassault, issu d'une sélection sur l'important domaine de 26,10 ha que possède la famille Dassault au nord-est de Saint-Emilion. 60 % de merlot et 40 % de cabernet franc nés sur un terroir d'argiles et de sables anciens ont donné un 2002 grenat bordé d'un disque orangé. Le bouquet s'ouvre à l'agitation sur des fruits à noyau, un bois épicé et une touche de cuir. La bouche soyeuse et tendre repose sur des tanins doux qui permettront de boire assez vite cette bouteille, par exemple sur une grillade de bœuf.

SARL Ch. Dassault, 33330 Saint-Emilion,
tél. 05.57.55.10.00, fax 05.57.55.10.01,
e-mail lbv@chateaudassault.com r.-v.

## CH. LE DESTRIER
Cuvée Prestige Elevé en fût de chêne 2002

■ 0,2 ha 1 400 8 à 11 €

Une microcuvée de merlot âgé de soixante ans et planté sur un terroir argilo-siliceux, au sud-est de l'appellation. Ce 2002 se pare d'une robe rubis à franges carminées. Le bouquet intense repose surtout sur un boisé vanillé et épicé, assez fin. Frais, souple en attaque, boisé en finale, un saint-émilion moderne qui devrait s'ouvrir d'ici deux à trois ans.

GFA Vignobles Cheminade,
Peyrouquet, 33330 Saint-Pey-d'Armens,
tél. 05.57.47.15.39, fax 05.57.47.13.82,
e-mail vignobles-cheminade@wanadoo.fr
t.l.j. sf dim. 9h-12h 14h-18h

## CH. LA FLEUR GARDEROSE 2002 ★

■ 1,1 ha 4 000 8 à 11 €

Résistant au développement de la ville de Libourne, La Fleur Garderose assemble 68 % de merlot aux cabernets pour ce millésime qui parade dans une robe rubis intense entourée de petits fruits rouges bien mûrs. La bouche, charnue et ronde, révèle des tanins soyeux et savoureux qui persistent agréablement en finale. Une bouteille charmeuse à ouvrir avant quatre ans.

GAEC Pueyo Frères, 15, av. de Gourinat,
33500 Libourne, tél. 05.57.51.71.12, fax 05.57.51.82.88,
e-mail contact@belregard-figeac.com r.-v.

## CH. LES FOUGERES 2002

7,79 ha 46 667 8 à 11 €

La vigne est implantée sur les sols sablonneux de Saint-Hippolyte. L'encépagement se compose de 77 % de merlot, 16 % de cabernet franc et 7 % de cabernet-sauvignon. Cela donne un vin déjà agréable et facile à boire, à la robe plutôt légère, aux arômes fruités, à la saveur équilibrée, soyeuse et fraîche. On pourra le servir assez rapidement.

Union de Producteurs Saint Emilion,
Haut Gravet BP 27, 33330 Saint-Emilion,
tél. 05.57.24.70.71, fax 05.57.24.65.18,
e-mail contact@udpse.com r.-v.
Michel Valadier

## CH. GRAND BERT 2002 *

5 ha 45 000 5 à 8 €

Ce vin né sur les sols sablo-graveleux de Saint-Sulpice-de-Faleyrens assemble quatre cinquièmes de merlot et un cinquième de cabernet franc. Bien présenté dans une robe noire à reflets violines, ce 2002 révèle des arômes de petites baies rouges et noires, de noix de coco et de chocolat. La bouche est concentrée, gourmande, volumineuse même, mais reste équilibrée. Elle demandera un peu de temps pour s'épanouir avant d'accompagner une lamproie à la bordelaise.

SCEA Lavigne, Ch. Grand Tuillac,
33350 Saint-Philippe-d'Aiguilhe,
tél. 05.57.40.60.09, fax 05.57.40.66.67,
e-mail scea.lavigne@wanadoo.fr r.-v.

## CH. HAUT-BRULY 2002

2,43 ha 16 133 8 à 11 €

Né sur sols argilo-calcaires à Saint-Etienne-de-Lisse, Haut-Bruly est un vin 100 % merlot. Grenat, ce 2002 révèle un nez fin et très fruité. La bouche ronde, souple et harmonieuse, se révèle ample et équilibrée. Une bouteille agréable, sur le fruit, à ouvrir pour accompagner des grillades.

Union de producteurs de Saint-Emilion,
Haut-Gravet, BP 27, 33330 Saint-Emilion,
tél. 05.57.24.70.71, fax 05.57.24.65.18,
e-mail contact@udpse.com r.-v.
Didier Minard

## HAUT-RENAISSANCE 2002 **

1 ha 6 900 8 à 11 €

Sur l'important vignoble de 35 ha qu'il exploite, Denis Barraud sélectionne 1 ha de merlot de quarante-cinq ans sur graves pour cette cuvée qui ne comporte ni le terme « château » ni le terme « grand cru » mais qui décroche régulièrement étoiles et coups de cœur. Le mot « Renaissance » rappelle la tour hexagonale de style Renaissance qui chapeaute les chais bordant la Dordogne, sur les quais de la Branne. Ce 2002 affiche une robe sombre, des arômes vanillés et réglissés, une saveur puissante et séveuse mariant le raisin bien mûr et le merrain de qualité. Un grand vin pour accompagner les mets de caractère ou la côte de bœuf du dimanche.

SCEA des Vignobles Denis Barraud,
Ch. Les Gravières, 33330 Saint-Sulpice-de-Faleyrens,
tél. 05.57.84.54.73, fax 05.57.84.52.07,
e-mail denis.barraud@wanadoo.fr r.-v.

## CH. JACQUES NOIR 2002 *

5,4 ha 30 000 8 à 11 €

Vigneron ou soldat le jour, brigand la nuit, Jacques Noir est un personnage de légende. Il logeait ici ses hommes de main. Cela dit, le vin est très réussi, vêtu de rubis intense et vif ; son nez est frais et fruité. Equilibrée et bien structurée, cette bouteille pourra soutenir une garde de trois à cinq ans.

SCEA Les Demoiselles, 18, rte de Montignac,
33760 Ladaux, tél. 05.57.34.54.00, fax 05.56.23.48.78,
e-mail scealesdemoiselles@wanadoo.fr r.-v.

## CH. JUPILLE CARILLON
Cuvée sélectionnée élevée en fût de chêne 2002

6,92 ha 10 000 5 à 8 €

Des sols bruns et sablo-graveleux, une chartreuse du XVIII^e s., un assemblage de 85 % de merlot et de 15 % de cabernet. Le vin rubis profond libère des arômes vineux de griotte mêlés à des odeurs toastées et mentholées. La bouche révèle une jolie chair et une structure ferme qui demande deux à trois ans de patience.

SCEA des Vignobles Isabelle Visage,
Jupille, 33330 Saint-Sulpice-de-Faleyrens,
tél. 05.57.24.62.92, fax 05.57.24.69.40 r.-v.

## CH. LAGARDE BELLEVUE
Elevé en fût de chêne 2002

1,1 ha 6 133 8 à 11 €

Propriété familiale de 13,5 ha établie sur les graves sablonneuses du sud-ouest de l'appellation. Elle produit essentiellement du saint-émilion grand cru, mais une parcelle de merlot est consacrée à ce saint-émilion qui procure un plaisir immédiat. Sa teinte présente quelques reflets d'évolution, le nez déjà ouvert affiche fruits frais (fraise) et réglisse. Souple et séveuse, avec une agréable saveur fruitée et épicée, cette bouteille est bien dans l'appellation et le millésime ; elle pourra se boire d'ici un à deux ans.

Richard Bouvier, SARL SOVIFA,
36 A, rue de la Dordogne,
33330 Saint-Sulpice-de-Faleyrens,
tél. 05.57.24.68.83, fax 05.57.24.63.12,
e-mail so-vi-fa@wanadoo.fr r.-v.

## CH. LE MAINE 2002 *

1,16 ha 6 000 8 à 11 €

A la tête de 7 ha, Chantal Séguillon mène ce domaine depuis 1997. Dix mois en cuve ciment ont donné ce 2002

rubis intense dont le nez évoque les fruits rouges et les fruits des bois, avec beaucoup de fraîcheur. La bouche, souple, assez tendre, est équilibrée. Une bouteille sympathique qui sera vite prête à boire.
Chantal Séguillon, Maine Reynaud, 33330 Saint-Pey-d'Armens, tél. et fax 05.57.24.74.09, e-mail contact@chateau-maine-reynaud.com r.-v.

## CH. MARTINET 2002

■ 17 ha 50 000 5 à 8 €

Elaboré dans une propriété familiale, ce vin simple mais plaisant est composé par 65 % de merlot. Le nez joue sur les fruits mûrs (prune et cerise), avec des nuances de cuir et d'épices. La bouche, d'abord ronde et souple, évolue sur des tanins encore légèrement fermes en finale : ils demandent deux à trois ans de patience pour s'assouplir.
SCEA de Lavaux, Ch. Martinet, 64, av. du Gal-de-Gaulle, 33500 Libourne, tél. 05.57.51.06.07, fax 05.57.51.59.61 r.-v.

## CH. MAZOUET 2002

■ 6,71 ha 32 266 8 à 11 €

Jean-Claude Pouillet exploite ce vignoble situé sur les argilo-siliceux de Saint-Pey-d'Armens au sud-est de l'appellation. Les cabernets dominent – 38 % de franc, 18 % de sauvignon –, le merlot se contentant de 44 % pour donner un vin plaisir, simple mais d'une jolie finesse. A l'œil, le rubis est bordé d'orangé. Les arômes légers expriment les fleurs (violette, rose), les fruits (cerise, prunelle). La bouche est tendre, sur les fruits à noyau. Ses tanins frais, mais dénués d'agressivité, permettront de boire cette bouteille rapidement et lors des trois prochaines années.
Union de Producteurs Saint Emilion, Haut Gravet BP 27, 33330 Saint-Emilion, tél. 05.57.24.70.71, fax 05.57.24.65.18, e-mail contact@udpse.com r.-v.
Jean-Claude Pouillet

## CH. DE LA NAUVE Elevé en fût de chêne 2002 *

■ 2 ha 13 000 15 à 23 €

Sur les 10,60 ha qu'il exploite sur des sols argilo-sablonneux, au sud-est de l'appellation, Richard Veyry sélectionne cette cuvée composée de 80 % de merlot, 10 % de cabernet franc et 10 % de cabernet-sauvignon, élevée douze mois en fût de chêne. D'une couleur rubis intense, doté d'un nez agréable de fruits rouges et de bois toasté, ce vin offre un bon volume en bouche, soutenu par des tanins boisés, frais et fondus. Il devrait bien évoluer tout au long des trois à quatre prochaines années.
SCEA Ch. de la Nauve, 9, Nauve sud, 33330 Saint-Laurent-des-Combes, tél. 05.57.24.71.89, fax 05.57.74.46.61, e-mail la-nauve@wanadoo.fr r.-v.
Richard Veyry

## CH. LA PAILLETTE VILLEMAURINE 2002

■ 0,45 ha 2 000 11 à 15 €

Bien connue à Pomerol, la famille Nebout possède aussi ce petit vignoble à Saint-Emilion, planté à 90 % de merlot sur les sols argilo-calcaires du plateau, au nord de la cité. D'un rubis plaisant, ce millésime offre un bouquet naissant déjà intense (nuances florales et boisées). Sa trame tannique soyeuse, d'abord fruitée, évolue vite vers le boisé, mais laisse une bonne bouche. Dans les deux à cinq prochaines années, on appréciera ce 2002 sur une lamproie ou une entrecôte.
Nebout et Fils, SC Ch. du Tailhas, 33500 Pomerol, tél. 05.57.51.26.02, fax 05.57.25.17.70, e-mail luc.nebout@wanadoo.fr r.-v.

## PAVILLON DU HAUT ROCHER 2002

■ 1 ha 6 266 8 à 11 €

Sur son domaine implanté dans la pente sud du coteau argilo-calcaire à l'est de Saint-Emilion, Jean de Monteil produit surtout du saint-émilion grand cru. Il élabore aussi cette petite cuvée de saint-émilion à la robe rubis tirant sur le grenat, au bouquet encore un peu fermé mais discrètement fruité et boisé, bien structuré par des tanins consistants qui devraient s'affiner d'ici deux à trois ans.
Jean de Monteil, Ch. Haut-Rocher, 33330 Saint-Etienne-de-Lisse, tél. 05.57.40.18.09, fax 05.57.40.08.23, e-mail ht-rocher@vins-jean-de-monteil.com r.-v.

## CH. RASTOUILLET LESCURE 2002

■ 7,84 ha 28 267 8 à 11 €

Cette belle propriété est installée à Saint-Hippolyte, sur des sols argilo-siliceux et sableux. Son vin se présente bien. Charpenté, assez massif et ferme, il fait preuve d'une belle longueur qui promet un bon épanouissement dans deux ou trois ans.
Union de producteurs de Saint-Emilion, Haut-Gravet, BP 27, 33330 Saint-Emilion, tél. 05.57.24.70.71, fax 05.57.24.65.18, e-mail contact@udpse.com r.-v.
Geneviève Dumery

## CH. ROCHER-FIGEAC 2002 *

■ 3,9 ha 25 000 5 à 8 €

La propriété est située au bord du Tailhas (qui sépare Saint-Emilion de Pomerol), un terroir de graves et de crasse de fer. Ce saint-émilion, d'une couleur rubis dense, offre des senteurs de fruits confits, de pommes cuites, de cuir, soutenues par un léger bois vanillé. En bouche, la silhouette grassouillette est typique de l'appellation, étoffée par des tanins épicés et suffisamment présents pour lui assurer une garde de deux à quatre ans. On l'appréciera sur une viande rouge grillée ou sur un gibier.
J.-P. Tournier, Tailhas, 194, rte de Saint-Emilion, 33500 Libourne, tél. 05.57.51.36.49, fax 05.57.51.98.70 r.-v.

## VIEUX CHATEAU FLOUQUET 2002

■ 2,88 ha 18 600 11 à 15 €

Planté sur des sols argilo-sableux avec 90 % de merlot et un appoint de cabernet, ce cru est rattaché aux vignobles Garzaro de l'Entre-deux-Mers. Agrémenté d'une robe grenat, ce 2002 associe des arômes fruités (cerise et cassis) à de fines notes mentholées. La bouche est plutôt flatteuse, structurée. La sévérité finale est de bon augure.
SCEA Ch. La Fleur du Casse, Ch. Le Prieur, 33750 Baron, tél. 05.56.30.16.16, fax 05.56.30.12.63, e-mail garzaro@vingarzaro.com r.-v.

## CH. LES VIEUX MAURINS
Cuvée Prestige Elevée en fût de chêne 2002 **

■ 1,5 ha 7 000 11 à 15 €

Sur les 8 ha qu'ils exploitent au sud-ouest de l'appellation, Jocelyne et Michel Goudal sélectionnent de vieux merlots et élaborent un vin très expressif et harmonieux. La robe pourpre est foncée. Le bouquet profond mêle les fruits noirs, le café torréfié, le fumet truffé, le bon bois. Charnue, savoureuse, la bouche est charpentée par d'agréables tanins de raisin et de merrain toasté. Lors des deux à cinq prochaines années, ce 2002 pourra accompagner des mets de caractère (cuissot de chevreuil, sanglier). Dans le même millésime, le **second vin (5 à 8 €)** est cité par le jury.

Michel et Jocelyne Goudal,
187, Les Maurins, 33330 Saint-Sulpice-de-Faleyrens,
tél. 05.57.24.62.96, fax 05.57.24.65.03,
e-mail les-vieux-maurins@wanadoo.fr r.-v.

### CH. YON 2002 ★

■ 6,07 ha 22 400 **8 à 11 €**

Né sur les argilo-siliceux de Saint-Christophe-des-Bardes au nord-est de l'AOC et assemblant 87 % de merlot, 9 % de cabernet franc et 4 % de cabernet-sauvignon, ce vin à la robe franche et soutenue offre un fruité discret. Ample et soyeuse, la bouche reste fruitée ; elle est soutenue par des tanins frais et persistants qui lui permettront d'évoluer agréablement. Un caractère naturel et plaisant.

Union de Producteurs Saint Emilion,
Haut Gravet BP 27, 33330 Saint-Emilion,
tél. 05.57.24.70.71, fax 05.57.24.65.18,
e-mail contact@udpse.com r.-v.
Pavageau, Garrigue et C. Quenouille

# Saint-émilion grand cru

### CH. ARMENS 2002 ★

■ 8,5 ha 47 130 **23 à 30 €**

Troisième présentation, troisième sélection ! Comme souvent dans le monde du vin, les fils possèdent le talent des pères. A base de merlot, né sur les sols argilo-calcaires et argilo-siliceux du sud-est de l'appellation, ce vin rubis franc s'ouvre à l'aération sur des notes de fruits rouges, de merrain et une touche de tabac blond. Corsée, séveuse, boisée, la bouche est structurée par des tanins encore un peu austères qui devraient bien évoluer et en faire un bon vin de garde pour les deux à cinq prochaines années.

Alexandre de Malet Roquefort,
Saint-Pey-d'Armens, BP 12, 33330 Saint-Emilion,
tél. 05.57.56.05.06, fax 05.57.56.40.89,
e-mail chateau-armens@chateau-armens.com
r.-v.

### CH. L'ARMONT 2002 ★

■ 3,81 ha 11 000 **8 à 11 €**

Jusqu'à maintenant vinifié par la coopérative, ce petit cru est désormais dirigé par l'équipe du château L'Arrosée. Le nez de ce millésime évoque les fruits à noyau bien mûrs associés à des odeurs d'épices douces, de vanille et de pain grillé. La bouche ronde, charnue et harmonieuse repose sur des tanins mûrs et gras qui laissent une finale savoureuse.

EARL Famille Caille, Ch. L'Arrosée,
33330 Saint-Emilion, tél. 04.72.41.66.40,
fax 04.72.41.66.41, e-mail chateau.larrosee@wanadoo.fr
t.l.j. sf sam. dim. 8h-12h 14h-18h

### CH. ARNAUD DE JACQUEMEAU 2002 ★

■ 3,71 ha 11 000 **11 à 15 €**

Ce petit vignoble tire son nom de celui de l'ancêtre, « Arnaud », et du lieu-dit cadastral « Jacquemeau ». Il est exploité depuis cinq générations par la même famille. Ce 2002 qui marie pourpre et rubis montre tout d'abord un nez de bois vanillé, puis il évolue sur des fragrances de fruits rouges, d'amande grillée, avec une touche de cuir. La saveur joue dans le registre de la finesse : la souplesse de l'attaque est relayée par des tanins au goût de gingembre et de cacao. Déjà bon à boire, ce vin pourra être apprécié dans les six prochaines années sur viandes grillées et fromage.

Dominique Dupuy, Jacquemeau,
33330 Saint-Emilion, tél. 05.57.24.73.09,
fax 05.57.24.79.50 t.l.j. 9h-12h 14h-19h

### CH. L'ARROSEE 2002 ★★

■ Gd cru clas. 9,3 ha 24 000 **15 à 23 €**

Première récolte en propre pour la famille Caille, fondatrice de Jet-Service, qui a acquis ce grand cru classé en 2002. D'entrée elle présente un vin remarquable. Le jury a surtout été séduit par sa très grande élégance. Paré de grenat intense, ce 2002 décline les fleurs (rose), les fruits confiturés et des notes de merrain (toasté, avec une légère touche minérale). Cette complexité se retrouve en bouche, la saveur étant en parfaite harmonie avec le nez ; les tanins fins et veloutés laissent un palais charnu qui permettra de consommer cette bouteille assez vite ; ils lui assureront une bonne garde pour une décennie. Un grand cru classé de qualité, à un prix intéressant.

EARL Famille Caille, Ch. L'Arrosée,
33330 Saint-Emilion, tél. 04.72.41.66.40,
fax 04.72.41.66.41, e-mail chateau.larrosee@wanadoo.fr
t.l.j. sf sam. dim. 8h-12h 14h-18h

### AURELIUS 2002

■ n.c. 44 000 **30 à 38 €**

Cet assemblage, issu de vieilles vignes plantées sur des terroirs complémentaires, donne un vin complexe d'une teinte cerise bigarreau. Son nez encore sous le bois demande un peu d'aération pour libérer les arômes fruités et un fumet animal. La mise en bouche chaleureuse est vite dominée par des tanins à la saveur empyreumatique (bois brûlé). Un peu monolithique aujourd'hui, cette bouteille devrait trouver l'harmonie dans deux à cinq ans.

Union de producteurs de Saint-Emilion,
Haut-Gravet, BP 27, 33330 Saint-Emilion,
tél. 05.57.24.70.71, fax 05.57.24.65.18,
e-mail contact@udpse.com r.-v.

### CH. AUSONE 2002 ★★

■ 1er gd cru clas. A 7,3 ha 20 000 **+ de 76 €**

**85 86** 88 |(89)| **|90|** 92 93 94 **|95|** |(96)| **|97|** (98) **99** (00) **01 02**

CHÂTEAU AUSONE
SAINT-ÉMILION
1er GRAND CRU CLASSÉ "A"
2002
FAMILLE VAUTHIER
Propriétaire


Comme beaucoup de vignobles saint-émilionnais, ce cru remonte aux temps de la présence romaine ; il doit son

# CLASSEMENT 1996 DES GRANDS CRUS DE SAINT-ÉMILION

## SAINT-ÉMILION PREMIERS GRANDS CRUS CLASSÉS

**A** Château Ausone
Château Cheval Blanc

**B** Château Angelus
Château Beau-Séjour (Bécot)
Château Beauséjour (Duffau-Lagarrosse)
Château Belair
Château Canon
Clos Fourtet
Château Figeac
Château La Gaffelière
Château Magdelaine
Château Pavie
Château Trottevieille

## SAINT-ÉMILION GRANDS CRUS CLASSÉS

Château Balestard La Tonnelle
Château Bellevue
Château Bergat
Château Berliquet
Château Cadet-Bon
Château Cadet-Piola
Château Canon-La Gaffelière
Château Cap de Mourlin
Château Chauvin
Clos des Jacobins
Clos de L'Oratoire
Clos Saint-Martin
Château Corbin
Château Corbin-Michotte
Couvent des Jacobins
Château Curé Bon La Madeleine
Château Dassault
Château Faurie de Souchard
Château Fonplégade
Château Fonroque
Château Franc-Mayne
Château Grand Mayne
Château Grand Pontet
Château Guadet Saint-Julien
Château Haut-Corbin
Château Haut-Sarpe
Château La Clotte
Château La Clusière
Château La Couspaude
Château La Dominique
Château La Marzelle
Château Laniote
Château Larcis Ducasse
Château Larmande
Château Laroque
Château Laroze
Château L'Arrosée
Château La Serre
Château La Tour du Pin-Figeac (Giraud-Belivier)
Château La Tour du Pin-Figeac (Moueix)
Château La Tour-Figeac
Château Le Prieuré
Château Les Grandes Murailles
Château Matras
Château Moulin du Cadet
Château Pavie-Decesse
Château Pavie-Macquin
Château Petit-Faurie-de-Soutard
Château Ripeau
Château Saint-Georges Côte Pavie
Château Soutard
Château Tertre Daugay
Château Troplong-Mondot
Château Villemaurine
Château Yon-Figeac

nom au poète Ausone qui enseigna la rhétorique à Burdigala au IVᵉs. La famille d'Alain Vauthier, installée dès la fin du XVIIᵉs., en assume seule aujourd'hui la charge. Avec talent si l'on compte le nombre de coups de cœur obtenus au fil des ans, coups de cœur qui ne font que confirmer une réputation internationale. Issu à 45 % de merlot et à 55 % de cabernet franc, ce vin séduit par la profondeur de sa robe et par son bouquet enjôleur mêlant violette et fruits noirs, épices et notes grillées. Charnue, vineuse, dense et racée, la dégustation offre une superbe fraîcheur et une finale longue et savoureuse digne d'un grand vin de garde.
Famille Vauthier, Ch. Ausone, 33330 Saint-Emilion, tél. 05.57.24.24.57, fax 05.57.74.47.39, e-mail chateau.ausone@wanadoo.fr r.-v.

## CH. BADETTE Prestige 2002 *

■ 2,04 ha 6 000 11 à 15 €

Le premier millésime du nouveau propriétaire, la commune de Saint-Emilion, a été vinifié par Dominique Leymarie. Le terroir argilo-calcaire de Saint-Christophe-des-Bardes s'exprime pleinement dans ce vin de couleur rubis. Le nez est friand, avec un joli fruit, des notes acidulées et un boisé fin et fondu. La bouche, harmonieuse, fraîche, élégante et équilibrée permettra une consommation assez rapide ou une garde de trois à quatre ans.
SCEA Ch. Badette, 33330 Saint-Christophe-des-Bardes, tél. 06.09.73.12.78, fax 05.57.51.99.94, e-mail leymarie@ch-leymarie.com r.-v.
Mairie de Saint-Emilion

## CH. BARDE-HAUT 2002 *

■ 10,8 ha 40 000 23 à 30 €

Le merlot (90 %) et le cabernet franc (10 %) composent ce vin sombre et dense, annonçant une grande concentration. Le nez, encore discret, révèle du fruit mûr et confit et un boisé dominant. La bouche est à l'unisson, puissante, charpentée, apte à une longue garde. Le second vin, Le **Vallon de Barde-Haut 2002 (11 à 15 €)**, obtient également une étoile ; il demandera lui aussi plusieurs années de vieillissement.
SCEA Ch. Barde-Haut, 33330 Saint-Christophe-des-Bardes, tél. 05.56.64.05.22, fax 05.56.64.06.98, e-mail haut.bergey@wanadoo.fr r.-v.
Sylviane Garcin

## CH. BEAUSEJOUR 2002

■ 1er gd cru clas. B 6,8 ha 25 000 46 à 76 €

75 79 81 **82 83 85 86** |(88)| |**89**| |(90)| 92 |**93**| |94| **95** |**96**| 97 |99| 01 02

Joli château au cœur des frondaisons : l'étiquette est le reflet de ce cru élégant. Ce millésime, vendangé le 4 octobre, associe 70 % de merlot aux deux cabernets implantés sur un très beau sol argilo-calcaire. Ce vin sera un compagnon des viandes blanches : rubis à frange carminée, il se montre discret et fin, tant au nez où s'expriment des notes de fruits rouges et de torréfaction, qu'au palais où la structure est délicate.
Héritiers Duffau-Lagarrosse, S.C. Ch. Beauséjour, 33330 Saint-Emilion, tél. 05.57.24.71.61, fax 05.57.74.48.40, e-mail beausejourhdl@wanadoo.fr r.-v.

## CH. BEAU-SEJOUR BECOT 2002 *

■ 1er gd cru clas. B 16,5 ha 62 000 + de 76 €

**82** 83 85 (86) **87 88** |**89**| |90| 93 **94** |**95**| |**96**| |97| |98| **99** 00 **01** 02

Célèbre sur tous les continents, ce cru où les Romains ont laissé leurs marques étend ses 18,5 ha de vignes sur un plateau d'argilo-calcaire à astéries, tout près de la cité médiévale. D'une superbe couleur bordeaux sombre et dense, ce 2002 associe au nez les épices, le pain grillé et le menthol avec du fruit noir confit. La bouche équilibrée aux tanins bien enrobés, la finale fruitée (prune et mûre) et épicée révèlent une matière très prometteuse.
Gérard et Dominique Bécot, SCEA Beau-Séjour Bécot, 33330 Saint-Emilion, tél. 05.57.74.46.87, fax 05.57.24.66.88 r.-v.

## CH. BELLEFONT-BELCIER 2002 *

■ 12,55 ha 22 000 23 à 30 €

95 |96| 97 |98| |99| 00 01 02

Créée à la fin du XVIIIᵉs. par le comte de Belcier, cette jolie propriété doit son nom de Bellefont, c'est-à-dire belle fontaine, aux nombreuses sources émergeant sur le coteau argilo-calcaire qui domine le château. Paré d'une couleur grenat intense et sombre, ce 2002 exhale des odeurs boisées sur des notes de pain grillé, de café et de résine. La bouche est concentrée et bien structurée : son gros potentiel tannique devrait permettre une évolution favorable d'ici quatre à cinq ans.
Jacques Berrebi et Alain Laguillaumie, Ch. Bellefont-Belcier, 33330 Saint-Laurent-des-Combes, tél. 05.57.24.72.16, fax 05.57.74.45.06, e-mail chateau.bellefont-belcier@wanadoo.fr r.-v.

## CH. BERGAT 2002

■ Gd cru clas. n.c. 8 500 30 à 38 €

88 89 93 94 95 96 97 **98** 99 |00| |01| |02|

Ce grand cru classé est un vignoble de taille modeste situé sur les argilo-calcaires. Les cabernets y sont presque à parité avec le merlot (45 %). Cela donne au vin un caractère un peu particulier. Les reflets rubis et grenat sont assez foncés. Le bouquet débute sur des notes mentholées, des nuances d'eucalyptus, accompagnées de bois caramélisé. La bouche, d'abord souple, prend de l'ampleur et révèle une saveur fruitée ; elle est soutenue par des tanins épicés (poivrés) et persistants. Ce millésime devrait s'ouvrir assez vite et se boire dans la décennie.
Indivision Castéja-Preben-Hansen, Ch. Bergat, 33330 Saint-Emilion, tél. 05.56.00.00.70, fax 05.57.87.48.68, e-mail domaines@borie-manoux.fr r.-v.

## CH. BERLIQUET 2002 **

■ Gd cru clas. 9,01 ha 26 000 30 à 38 €

**88** 89 93 94 |95| |96| 97 **98** 99 **00** 01 **02**

Ce domaine viticole coiffé d'une jolie chartreuse du XVIIIᵉs. bénéficie d'un terroir remarquable, d'une exposition parfaite et des conseils de Pascal Ribéreau-Gayon. Dans le millésime 2000, il avait obtenu la consécration avec un coup de cœur ; cette année il n'en est pas loin puisqu'il décroche deux étoiles, ce qui est très méritoire dans ce millésime. La robe sombre scintille de grenat, les arômes très fruités mêlent la framboise confiturée, la griotte et la prune. Le nez prend de la profondeur à l'aération et évolue vers le bois chauffé. Au palais, le raisin

se marie à la barrique avec une touche crayeuse, des tanins à la fois puissants et veloutés. Un grand vin de garde pour la prochaine décennie, et probablement davantage.
Vicomte Patrick de Lesquen,
SCEA Ch. Berliquet, 33330 Saint-Emilion,
tél. 05.57.24.70.48, fax 05.57.24.70.24,
e-mail chateau.berliquet@wanadoo.fr r.-v.

## CH. BOUTISSE 2002 *

■ 24 ha 60 000 15 à 23 €

|97| |98| |99| **00** 02

Les Milhade, négociants à Galgon et propriétaires de près de 200 ha dans le Libournais, sont à la tête de ce cru installé sur des sols argilo-calcaires, avec 70 % de merlot et 30 % de cabernets. Paré d'une couleur rubis à reflets violets, ce 2002 développe un nez agréable et complexe de petits fruits rouges et un boisé chaleureux aux notes de croûte de pain. La bouche est charnue, ample et vineuse, bien charpentée par des tanins mûrs et racés qui persistent longuement en finale, dignes d'une belle garde. Rappelons que le millésime 2000 fut coup de cœur.
SCE du Ch. Boutisse,
33330 Saint-Christophe-des-Bardes,
tél. 05.57.55.48.90, fax 05.57.84.31.27,
e-mail milhade@milhade.fr r.-v.
Milhade

## CH. LES CABANNES 2002 *

■ 1 ha 3 600 11 à 15 €

Ce petit cru est exploité depuis 1997 par un œnologue canadien formé à Bordeaux. Issu de vieilles vignes de merlot plantées sur graves profondes et sables graveleux, son 2002 couleur grenat offre un nez fin de fruits rouges et de vanille. Gourmand et plaisant, constitué de tanins aimables et ronds qui persistent agréablement en finale, ce vin plaisir peut être bu dès maintenant ou d'ici deux à trois ans.
EARL Vignobles Kjellberg-Cuzange,
Les Cabannes, 33330 Saint-Sulpice-de-Faleyrens,
tél. 05.57.24.62.86, fax 05.57.24.66.08,
e-mail kjellberg.cuzange@wanadoo.fr r.-v.

## CH. CADET-BON 2002

■ Gd cru clas. 4,6 ha 16 600 15 à 23 €

**|90|** 93 94 95 |(96)| 97 **|98|** |99| 00 02

Installé sur la butte argilo-calcaire du Cadet, ce vignoble compte 70 % de merlot et 30 % de cabernets trentenaires. Paré d'une attrayante couleur rubis vif, ce 2002 révèle un joli fruité avec des notes d'anis et de menthe. La bouche d'abord souple et fine évolue ensuite sur des tanins mûrs, harmonieux en finale et qui pourront s'apprécier d'ici un à trois ans.
SCEV Ch. Cadet-Bon,
1, Le Cadet, 33330 Saint-Emilion,
tél. 05.57.74.43.20, fax 05.57.24.66.41,
e-mail chateau.cadet.bon@terre-net.fr r.-v.

## CH. DE CANDALE 2002 *

■ 2,63 ha 6 600 38 à 46 €

Cette petite propriété viticole a été reprise en 2002. Voici donc le premier millésime de la nouvelle équipe. Très agréable avec ses arômes de pruneau, de cerise confite et de bon bois aux notes fumées, il est rond, charnu, ample, élégant, bien fondu. A garder quatre à six ans.
Ch. de Candale SAS,
33330 Saint-Laurent-des-Combes,
tél. 05.57.74.43.11, fax 05.57.74.44.67,
e-mail wav-ltd@wanadoo.fr r.-v.

## CH. CANON 2002 *

■ 1er gd cru clas. B n.c. 30 000 46 à 76 €

|89| |90| |96| 97 **|98|** |99| **00** 01 02

Ravissante chartreuse installée sur le plateau argilo-calcaire de Saint-Martin, au vignoble ceint d'un mur de pierre. Le merlot domine l'assemblage de ce 2002, complété par 10 % de cabernet franc. Grenat sombre montrant encore des reflets vifs, ce vin se révèle expressif. Son bouquet rappelle le raisin et les fruits noirs concentrés, avec des notes boisées grillées et fumées. La bouche charpentée, aujourd'hui un peu ferme, promet une belle évolution. Le second vin – qui n'est malheureusement pas sur le marché – le **Clos Canon 2002**, associe 75 % de merlot au cabernet franc. Il est beau dans le verre, élégant au nez, harmonieux en bouche. Il reçoit la même note.
SC Ch. Canon, BP 22, 33330 Saint-Emilion,
tél. 05.57.55.23.45, fax 05.57.24.68.00,
e-mail contact@chateau-canon.com r.-v.
Wertheimer

## CH. CANTENAC CLIMAT 2002

■ 0,5 ha 2 400 23 à 30 €

Sur la douzaine d'hectares de graves et d'argiles qu'elle exploite en bordure de la route Libourne-Bergerac, cette famille sélectionne une petite cuvée présentée sous une étiquette très « tendance ». Sa robe bordeaux est encore vive et jeune. Le bouquet déjà intense se montre flatteur : la chauffe de la barrique domine un peu mais le raisin mûr résiste bien. Après une attaque puissante et chaleureuse, la saveur repose, elle aussi, sur les fruits mûrs et le bois fin. Les tanins encore présents demandent un à deux ans de bonne garde.
Nicole Roskam, SCEA Ch. Cantenac,
RD 670, 33330 Saint-Emilion, tél. 05.57.51.35.22,
fax 05.57.25.19.15, e-mail contact@chateau-cantenac.fr
t.l.j. sf sam. dim. 9h-12h 14h-18h

## CH. CAP DE MOURLIN 2002

■ Gd cru clas. 13,81 ha 50 000 15 à 23 €

(82) 83 85 **86** 88 |89| |90| 93 94 |96| |98| 99 00 01 02

La famille Capdemourlin est enracinée ici depuis des siècles. C'est elle qui a donné son nom au lieu-dit et au cru qu'elle exploite sur la côte argilo-calcaire et argilo-siliceuse au nord de la cité médiévale. Le 2002 s'exprime davantage dans le registre de la finesse que dans celui de la puissance. Sa couleur intense miroite d'éclats grenat. Le nez demande un peu d'aération pour laisser s'exprimer des arômes de petits fruits rouges, de pain d'épice et de merrain. La bouche est dominée par des tanins encore un peu envahissants mais qui respectent le fruit. A attendre deux ou trois ans et à apprécier dans la décennie suivante. Offrez ce vin à vos amis en apéritif avant de le faire suivre à table par les meilleurs rôtis.
SCEA Jacques Capdemourlin, 33570 Montagne,
tél. 05.57.74.62.06, fax 05.57.74.59.34,
e-mail info@vignoblescapdemourlin.com r.-v.

## CH. CARDINAL-VILLEMAURINE 2002 *

■ 5 ha 35 000 15 à 23 €

Cette propriété créée en 1930 est installée sur le site d'un ancien camp maure datant de l'invasion arabe de l'an



BORDELAIS

700 ; elle fit partie des domaines du cardinal Gaillard de Lamothe, neveu du pape Clément V. Le vin, lui, est encore très jeune, de teinte rubis à reflets violines. Elégants, les arômes de fruits mûrs et de raisin sont finement associés à des odeurs toastées. Concentrée, opulente et charnue, avec une finale persistante, une bouteille de garde.
Jean-François Carrille,
pl. du Marcadieu, 33330 Saint-Emilion,
tél. 05.57.24.74.46, fax 05.57.24.64.40,
e-mail paul-carrille@worldonline.fr ☑ Y ⚘ r.-v.

## CH. CARTEAU COTES DAUGAY 2002

■ 15 ha 85 000 11 à 15 €

86 88 |89| 90 92 93 94 95 96 97 |98| |99| 01 02

Etablie entre Libourne et Saint-Emilion, ce cru pourvu d'un encépagement équilibré (deux tiers de merlot pour un tiers de cabernet) propose un 2002 de couleur rubis encore vive. Le nez mêle les fruits rouges acidulés à un boisé fondu et à des notes animales. La bouche est corsée et souple avec une finale encore un peu ferme. Le second vin, **Château Vieux Lescours 2002 (8 à 11 €)**, et l'autre vin de l'exploitation, **Château Franc Pipeau Descombes 2002**, situé à Saint-Hippolyte, sont également cités.
SCEA Vignobles Jacques Bertrand,
Ch. Carteau, 33330 Saint-Emilion,
tél. 05.57.24.73.94, fax 05.57.24.69.07 ☑ Y ⚘ r.-v.

## CH. CHANTE ALOUETTE 2002

■ 5 ha 26 000 11 à 15 €

Né sur un terroir sablonneux situé à 2 km de la cité médiévale, ce vin joue dans le registre de la finesse. Son nez plaisant exprime surtout les petits fruits noirs. La bouche ample et chaleureuse, fruitée (fruits cuits), est soutenue par des tanins à la fois denses et fins qui lui assureront une bonne tenue dans les deux à quatre années à venir.
Guy d'Arfeuille,
Ch. Chante Alouette, 33330 Saint-Emilion,
tél. 05.57.24.71.81, fax 05.57.24.74.82,
e-mail contact@chateau-chante-alouette.com
☑ Y ⚘ t.l.j. sf sam. dim. 9h-12h 14h-18h30

## CH. CHAUVIN 2002

■ Gd cru clas. 13,5 ha 37 200 15 à 23 €

85 86 **88 89** 90 93 94 |96| |98| |99| 00 **01** 02

Cette propriété familiale créée en 1891 à partir de 8 ha compte maintenant 15 ha de vignes. Doté d'une jolie robe rubis, ce 2002 est encore assez discret au nez où percent quelques arômes de petits fruits rouges et noirs, associés à des notes boisées. La bouche, souple et fraîche en attaque, évolue sur une structure tannique puissante et serrée, un peu ferme en finale, qui demandera donc quelques années de patience.
SCEA Ch. Chauvin, 1, les Cabanes-Nord,
BP 67, 33330 Saint-Emilion,
tél. 05.57.24.76.25, fax 05.57.74.41.34,
e-mail chateauchauvingc@aol.com ☑ Y ⚘ r.-v.
Béatrice Ondet, Marie-France Février

## CH. CHEVAL BLANC 2002 ★★

■ 1er gd cru clas. A 37,5 ha n.c. + de 76 €

61 64 66 69 **70 71 75 76 78 79** 80 |**81**| |**82**| |**83**| |**85**| |**86**| |**88**| |**89**| (90) 92 |**93**| 94 |**95**| |(96)| |**97**| **98 99 00 01 02**

Modèle des grands vins classiques, Cheval Blanc joue depuis toujours l'élégance et la finesse plus que la puissance. Propriétaires du cru depuis 1998, Bernard Arnault

et Albert Frère n'ont en rien modifié cette philosophie, mise en œuvre par Pierre Lurton. Ce millésime resplendit dans une robe haute couture rubis sombre à reflets violines. Ses parfums discrets mais complexes évoquent le raisin frais, les fruits noirs, le merrain, les épices (vanille et poivre). Au palais, le corps est remarquablement construit, ses tanins serrés mais fins et veloutés assureront une longue vie à cette bouteille. On retrouve les arômes découverts au premier contact et qui perdurent...
SC du Cheval Blanc, 33330 Saint-Emilion,
tél. 05.57.55.55.55, fax 05.57.55.55.50 r.-v.
B. Arnault et A. Frère

## CH. CLOS DE SARPE 2002

■ 3,68 ha 6 500 46 à 76 €

Créé en 1868, ce cru fut acheté en 1923 par le grand-père de Jean-Guy Beyney. Constitué de merlot avec un appoint de 15 % en cabernet franc, ce 2002 mêle au nez des arômes vineux, fruités et toastés. La bouche, chaleureuse et charnue, est dotée d'une belle matière qui permettra deux à trois ans de garde.
SCA Beyney, Ch. Clos de Sarpe,
33330 Saint-Christophe-des-Bardes,
tél. 05.57.24.72.39, fax 05.57.74.47.54,
e-mail chateau@clos-de-sarpe.com ☑ Y ⚘ r.-v.

## CLOS DES JACOBINS 2002 ★

■ Gd cru clas. n.c. 18 000 23 à 30 €

Ce joli cru de 9 ha, installé entre Libourne et Saint-Emilion sur des sols argilo-silico-calcaires, appartenait aux établissements Cordier jusqu'en 2001, année où il fut racheté par Gérald Frydman, qui obtint un coup de cœur l'an passé avec le millésime 2001. Il vient à nouveau de changer de mains et c'est depuis 2004 Thibaut et son père, Bernard Decoster, qui sont aux manettes. Superbement présenté dans une robe grenat sombre et profond, ce 2002 exhale au nez des arômes fins de fruits rouges, des parfums floraux et des notes boisées discrètes. La bouche, plaisante à l'attaque, révèle une belle chair, des tanins mûrs et harmonieux qui persistent longuement en finale et qui permettront une bonne garde.
Thibaut Decoster, Ch. Clos des Jacobins,
4, Gomerie, 33330 Saint-Emilion,
tél. 05.57.24.70.14, fax 05.57.24.68.08,
e-mail magalidecoster@hotmail.com ☑ Y ⚘ r.-v.
Bernard Decoster

## CLOS DES MENUTS 2002

■ 30 ha 180 000 15 à 23 €

95 96 |98| 01 02

Propriété viticole de belle taille (plus de 36 ha), ce cru est installé au cœur de la cité médiévale dans des caves

monolithes situées à 10 m de profondeur. Doté d'une robe rubis intense, ce 2002 joue en première approche sur des notes fruitées légèrement épicées. La bouche se révèle fraîche, corsée et charpentée, avec du fruit mais une certaine fermeté qui demandera un peu de patience aux amateurs.
SCEV Pierre Rivière,
Clos des Menuts, 33330 Saint-Emilion,
tél. 05.57.55.59.59, fax 05.57.55.59.56,
e-mail mriviere@riviere-stemilion.com
t.l.j. 9h30-12h 14h-18h30

## CH. CLOS DES PRINCE 2002

■ 2 ha 7 600 15 à 23 €

Gilles Prince, courtier en vins installé à Branne, n'a pas pu résister à l'envie de devenir vigneron et, assisté de son épouse comme lui passionnée de vin, il a acquis ce petit cru de 2 ha en 2000 et lui a donné son nom de famille. Ce 2002 rubis à reflets violines affiche un nez puissant, encore dominé par des odeurs boisées, grillées et fumées qui laissent deviner un fruité vineux sous-jacent. La bouche, d'abord ample, ronde et flatteuse, évolue sur une belle structure tannique persistante en finale, qui assurera une très bonne garde.
SCA des Vignobles Prince, 68, rue E.-Roy,
33420 Branne, tél. 05.57.84.64.14, fax 05.57.84.64.54,
e-mail prince.g@wanadoo.fr r.-v.

## CLOS DUBREUIL 2002 ★★

■ 1,4 ha 6 000 38 à 46 €

Une première apparition très réussie dans notre Guide pour ce petit cru créé en 1997 sur le plateau calcaire de Saint-Christophe-des-Bardes, avec une forte proportion de merlot et un appoint de 5 % en cabernet franc. La robe annonce le nez puissant aux arômes de fruits rouges mûrs, d'épices, de fumée et de pain grillé. La bouche, riche et charnue, est structurée par des tanins soyeux et persistants. Une bouteille qui accompagnera agréablement viande rouge et gibier dans quatre à huit ans.
Benoit Trocard, Jean Guillot,
33330 Saint-Christophe-des-Bardes,
tél. 06.12.80.04.39, e-mail bt@trocard.com r.-v.

## CLOS FOURTET 2002 ★★

■ 1er gd cru clas. B 20 ha 46 000 30 à 38 €

**85 86** 87 88 |89| **90 91** 92 93 **94** |(95)| |**96**| **97** |**98**| |99| **00 01 02**

Une grande partie de ce vignoble de 20 ha est installée sur le plateau argilo-calcaire face à la collégiale de Saint-Emilion. Voici le deuxième millésime du nouveau propriétaire qui a su conserver à la direction du domaine Tony Ballu et s'entourer des conseils de Jean-Claude Berrouet. Le succès est grand dans ce millésime difficile. Le vin arbore une somptueuse robe bordeaux, sombre et dense. Le bouquet, concentré, s'ouvre sur des arômes de fruits rouges et noirs confits magnifiquement mariés à des notes vanillées et grillées. La dégustation corsée, charnue, ronde et racée s'achève sur des tanins veloutés très persistants en finale. Une jolie bouteille de garde.
SC Clos Fourtet, 33330 Saint-Emilion,
tél. 05.57.24.70.90, fax 05.57.74.46.52 r.-v.
Cuvelier

## CLOS LA GAFFELIERE 2002 ★

■ n.c. 15 000 15 à 23 €

Second vin du cru classé château La Gaffelière, ce 2002 issu de 70 % de cabernet franc et de 30 % de merlot affiche une robe rubis à touches violines qui révèle d'emblée sa jeunesse. Frais et fruité avec un joli boisé, soyeux à l'attaque, ce vin développe une structure tannique ferme, qui persiste longuement en finale et promet un bel avenir.
De Malet Roquefort, BP 65, 33330 Saint-Emilion,
tél. 05.57.24.72.15, fax 05.57.24.69.06 r.-v.

## CLOS LA MADELEINE 2002 ★

■ 1,98 ha 6 000 30 à 38 €

Ce petit vignoble est implanté sur le coteau argilo-calcaire des secteurs de la Madeleine et de la Gaffelière au sud de Saint-Emilion. Composé de merlot pour 60 % et de cabernet franc, son 2002 paré d'une robe sombre aux reflets rubis et grenat se révèle très flatteur au nez : après le bon merrain chauffé apparaissent les arômes de fruits à noyau (cerise) ; souple et chaleureux à l'attaque, il monte en puissance et en complexité pour finir sur de fins tanins boisés persistants. Après l'avoir laissé s'affiner un an ou deux, on pourra garder ce vin longtemps et le servir en carafe, par exemple sur un magret de canard.
SA du Clos La Madeleine,
La Gaffelière Ouest, 33330 Saint-Emilion,
tél. 05.57.55.38.03, fax 05.57.55.38.01 r.-v.

## CLOS LARCIS 2002

■ 0,87 ha 4 633 15 à 23 €

Un tout petit cru pour un vin de pur merlot, bien présenté dans une robe rubis vif. Le nez agréablement boisé, sans excès, affiche des notes de petits fruits rouges acidulés. La bouche, faute de puissance, se révèle fine et élégante. Un vin de terroir très plaisant dès aujourd'hui.
SC Vignobles Robert Giraud, 33330 Saint-Emilion,
tél. 05.57.43.01.44, fax 05.57.43.08.75,
e-mail direction@robertgiraud.com

## CLOS SAINT-MARTIN 2002 ★★

■ Gd cru clas. 1,36 ha 5 000 38 à 46 €

**88** 89 90 93 |95| |96| 97 **98** |99| **00 01 02**

Nous sommes ici dans le plus petit « grand cru classé » de Saint-Emilion, sur le plateau argilo-calcaire. Sophie Fourcade assure la direction de ce domaine dans sa famille depuis 1850 ; c'était autrefois le clos du presbytère de la petite paroisse de Saint-Martin. Le 2002 y est remarquable. Tout y est : la profondeur de la somptueuse robe bordeaux, la richesse du nez, très fruité (baies noires) avec du merrain toasté, vanillé et cacaoté, la bouche chaleureuse, veloutée, savoureuse, aux tanins enrobés et fins. Un vin de grande classe pour la prochaine décennie.

SA Les Grandes Murailles,
Ch. Côte de Baleau, 33330 Saint-Emilion,
tél. 05.57.24.71.09, fax 05.57.24.69.72,
e-mail lesgrandesmurailles@wanadoo.fr

## SIGNATURE DU CLOS SAINT-VINCENT 2002 ★★

■ 1 ha 6 000 15 à 23 €

Fleuron du clos Saint-Vincent, propriété acquise en 1989 par la famille Latorse issue de l'Entre-deux-Mers, ce cru a produit une cuvée spéciale particulièrement bien travaillée, sur les conseils de Michel Rolland. Issu de très vieilles vignes (quatre-vingt-dix ans), ce 2002 a séduit d'emblée par sa superbe robe rubis et violine, et par son bouquet vineux, marqué par les fruits rouges mûrs, le cassis et le pain grillé. La bouche racée repose sur une magnifique structure tannique, ample et puissante, qui persiste longuement en finale. On aimerait que la cuvée principale atteigne ce niveau l'an prochain.

SC du Clos Saint-Vincent,
33330 Saint-Sulpice-de-Faleyrens,
tél. et fax 05.57.74.44.80, e-mail lionellatorse@aol.com
r.-v.

## CH. LA COMMANDERIE 2002 ★★

■ 6 ha 18 000 15 à 23 €

**82 85** 88 89 |(90)| **95** 96 |98| |99| 00 01 **02**

Ce vignoble installé sur graves et sables avec quatre cinquièmes de merlot pour un cinquième de cabernet franc, vient d'être racheté en 2004 par Bernard Decoster, également propriétaire du cru classé château Clos des Jacobins. Le 2002, vinifié par Gérald Frydman, l'ancien propriétaire, se révèle remarquable ; il a séduit le grand jury par sa robe grenat dense et profond, par son bouquet généreux de fruits cuits mariés à un boisé élégant, et par sa bouche charnue, riche et harmonieuse. Une bouteille racée, à ouvrir dans trois à six ans sur un gigot d'agneau.

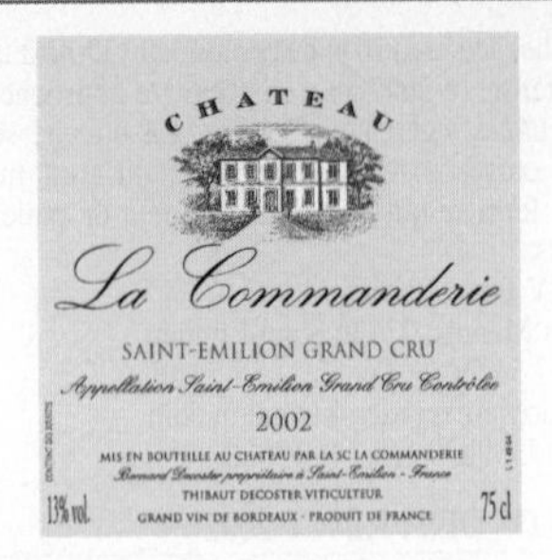


Thibaut Decoster,
Ch. La Commanderie, 33330 Saint-Emilion,
tél. 05.57.24.70.14, fax 05.57.24.68.08,
e-mail magalidecoster@hotmail.com r.-v.
Bernard Decoster

## CH. CORBIN 2002

■ Gd cru clas. 12,22 ha 47 000 23 à 30 €

**85 86** 88 89 90 93 94 |95| |96| |98| |99| 00 02

Cette propriété familiale de 13 ha est transmise par les femmes depuis 1924. Elle est gérée depuis 1999 par Anabelle Bardinet. Installé sur sables et argiles et contigu à l'AOC pomerol, le vignoble compte 80 % de merlot pour 20 % de cabernet franc. La robe cerise avec des reflets violines en surface donne un air très jeune à ce 2002. Le nez confirme cette impression : il doit encore s'ouvrir, malgré quelques arômes fruités et épicés. La bouche, elle aussi, demande un long vieillissement pour assouplir une structure tannique encore ferme et austère en finale.

SC Ch. Corbin, 33330 Saint-Emilion,
tél. 05.57.25.20.30, fax 05.57.25.22.00,
e-mail chateau.corbin@wanadoo.fr r.-v.

## CH. CORMEIL-FIGEAC 2002

■ 10 ha 50 000 15 à 23 €

**82 83 86** 88 **89** 90 94 |95| |96| 98 00 |01| 02

Ce vignoble se situe dans le secteur de Figeac, à l'ouest de Saint-Emilion. Elevé dix-huit mois en barrique neuve, ce millésime à la robe rubis assez soutenu demande une légère agitation pour libérer des arômes fruités mêlés au bois vanillé. La bouche charnue repose sur des tanins serrés qui lui assurent un bon potentiel de garde pour les cinq ou six prochaines années.

SCEA Cormeil-Figeac, BP 49, 33330 Saint-Emilion,
tél. 05.57.24.70.53, fax 05.57.24.68.20,
e-mail moreaud@cormeil-figeac.com r.-v.
Richard Moreaud

## CH. COTE DE BALEAU 2002 ★★

■ 10 ha 32 000 15 à 23 €

88 95 96 |98| **00 01 02**

Dans la même famille depuis sa création en 1643, ce joli cru de 10 ha fut coup de cœur l'an passé avec le 2001. Il est géré par une femme, Sophie Fourcade, qui propose encore un 2002 remarquable, composé de 70 % de merlot, 25 % de cabernet franc et 5 % de cabernet-sauvignon. De couleur sombre, ce vin développe un bouquet puissant et concentré de fruits rouges et noirs agrémentés de notes toastées. La bouche riche et dense est constituée d'une superbe matière tannique, certes un peu austère à ce jour mais très prometteuse pour l'avenir.

SA Les Grandes Murailles,
Ch. Côte de Baleau, 33330 Saint-Emilion,
tél. 05.57.24.71.09, fax 05.57.24.69.72,
e-mail lesgrandesmurailles@wanadoo.fr

## COTES ROCHEUSES 2002 *

■ n.c. 200 000 11 à 15 €

Une des plus anciennes et des plus importantes marques de l'Union de producteurs de Saint-Emilion, coopérative réputée située aux abords de la route Libourne-Bergerac. Le vin, de style classique, est typique de son appellation et de son millésime : la robe bordeaux se frange de reflets d'évolution. Le nez s'ouvre sur des senteurs de brioche, de cacao et de cuir. La bouche bien en chair offre une saveur boisée, minérale et épicée, et des tanins assez persistants. On pourra servir cette bouteille assez rapidement. Autre marque de l'Union à l'étiquette fort élégante, **Pagus Novertas 2002** obtient une étoile.

Union de producteurs de Saint-Emilion,
Haut-Gravet, BP 27, 33330 Saint-Emilion,
tél. 05.57.24.70.71, fax 05.57.24.65.18,
e-mail contact@udpse.com r.-v.

## CH. LA COUSPAUDE 2002 *

■ Gd cru clas. 7,01 ha 36 000 30 à 38 €

85 86 88 (89) 90 91 92 93 94 95 96 97 98 01 02

Dans la famille depuis 1908, ce cru installé à 400 m de Saint-Emilion est le fleuron des Vignobles Aubert. Depuis vingt-cinq ans, il accueille tous les étés des expositions de peintures et sculptures dans la chartreuse du XVIIIe s. et sa cour intérieure pavée de 900 m². Le 2002 peut se permettre d'exposer sa superbe robe pourpre, intense, vive et soutenue, et d'exhaler son bouquet expressif, qui évoque la cerise, la prune et la framboise, avec des notes de noisette grillée et des nuances épicées. La bouche, d'abord ronde, suave et charnue, révèle des tanins mûrs et gras qui persistent longuement en finale.

Vignobles Aubert,
Ch. La Couspaude, 33330 Saint-Emilion,
tél. 05.57.40.15.76, fax 05.57.40.10.14,
e-mail vignobles.aubert@wanadoo.fr r.-v.

## COUVENT DES JACOBINS 2002 *

■ Gd cru clas. 8,3 ha 22 000 38 à 46 €

98 00 01 02

Ce grand cru classé, dans la même famille depuis plus d'un siècle, est établi au cœur de Saint-Emilion, face à la mairie, sur de très anciennes caves souterraines. Ici la mise en bouteilles ne se fait pas « au château » mais au « couvent » (l'ancien établissement des Jacobins). Dans le verre, on a affaire à un vin encore sur le fruit, à la robe cerise noire (burlat) et aux arômes de fraise, de mûre et de cassis, assortis de senteurs de violette et de sous-bois. La saveur est tout aussi fruitée : on croque le raisin tant les tanins sont déjà veloutés ; on appréciera ce vin assez vite dans la prochaine décennie. A déguster religieusement sur un tournedos Rossini. Le second vin du domaine, **Le Menut des Jacobins 2002 (15 à 23 €)**, est cité. Il demande quatre à six ans de vieillissement pour s'assouplir.

SCEV Joinaud,
10, rue Guadet, 33330 Saint-Emilion,
tél. 05.57.24.70.66, fax 05.57.24.62.51 r.-v.
M. et Mme Borde

## CH. CROIX DE LABRIE 2002 *

■ 2 ha 2 000 + de 76 €

91 92 93 95 96 97 01 02

Un tout petit volume et pourtant il s'agit de ce qu'il est convenu de nommer le « grand vin », c'est-à-dire la cuvée la plus importante de ce petit cru. Produit uniquement à partir de merlot planté sur graves anciennes, ce 2002 attire par une couleur dense. Son agréable fumet de fourrure et de gibier est soutenu par un bois discret. La bouche agréable et charnue est charpentée par des tanins encore un peu austères qui devraient bien évoluer. A accorder à une cuisine traditionnelle, par exemple un canard aux olives. Le prix, lié à la rareté, peut effrayer un peu. On achètera cette bouteille au point de vente situé à côté de l'église monolithe de Saint-Emilion.

Puzio-Lesage, SCEA Ch. Croix de Labrie, BP 41,
33330 Saint-Emilion, tél. et fax 05.57.24.64.60 r.-v.

## CH. CROIX DE VIGNOT 2002 *

■ n.c. 5 600 8 à 11 €

Produit par du vieux merlot planté en pied de côte sur des sols argilo-calcaires, ce 2002 mêle des arômes de fruits rouges à quelques notes minérales. Souple et agréable, dotée d'une matière légère mais équilibrée, une bouteille facile qui pourra être ouverte dans un an ou deux.

René Micheau Maillou, la Vieille Eglise,
33330 Saint-Hippolyte, tél. 05.57.24.61.99,
fax 05.57.74.45.37 r.-v.

## CH. LA CROIX MEUNIER 2002

■ 3,3 ha n.c. 11 à 15 €

Cette petite exploitation familiale implantée sur terroir sablonneux présente un vin élaboré à partir de vignes d'une quarantaine d'années : 70 % de merlot et 30 % de cabernet franc. Sa robe rubis est jeune et vive. Les arômes encore frais expriment les fruits rouges finement boisés. La mise en bouche est souple, friande, croquante puis les tanins boisés se manifestent mais apparaissent bien fondus. Un ensemble équilibré qui pourra s'apprécier assez vite.

SCEA Meunier et Fils, Ch. La Croix Meunier,
33330 Saint-Emilion, tél. et fax 05.57.24.72.54,
e-mail sand.pierre.meunier@wanadoo.fr r.-v.

## LE PETIT CHEMIN DE CROQUE MICHOTTE 2002

■ 13,67 ha 23 700 8 à 11 €

Le vignoble, installé à la limite de l'appellation pomerol sur sables anciens et graves, est cultivé en agriculture biologique. Ce second vin du château Croque Michotte s'affiche dans une robe vermillon limpide et brillante. Le bouquet mêle des arômes de fruits rouges acidulés à un boisé épicé et légèrement mentholé. Equilibré, pas très puissant mais agréable par sa fraîcheur et son fruit, ce vin est prêt.

GFA Geoffrion,
Ch. Croque Michotte, 33330 Saint-Emilion,
tél. 05.57.51.13.64, fax 05.57.51.07.81,
e-mail croque-michotte@monaoc.com r.-v.

## CH. DASSAULT 2002

■ Gd cru clas. 16,46 ha 39 500 23 à 30 €

83 86 88 89 90 95 96 98 99 00 01 02

L'année 2005 voit ce château fêter les cinquante ans de l'achat du cru par Marcel Dassault. Un domaine de

26 ha complanté à 69 % de merlot, 20 % de cabernet franc et 11 % de cabernet-sauvignon. Les vendanges ont débuté le 3 octobre 2002 pour finir le 14 octobre. On sait que le merlot a beaucoup souffert en 2002. Celui-ci s'en tire fort bien. La robe soutenue arbore un liseré violine. Le nez mêle des notes boisées, vanillées, cacaotées, mais qui ne cachent pas le fruit. La bouche suit dans le même registre, sur des tanins serrés qui devront se fondre.

SARL Ch. Dassault, 33330 Saint-Emilion,
tél. 05.57.55.10.00, fax 05.57.55.10.01,
e-mail lbv@chateaudassault.com r.-v.

## CH. LA DOMINIQUE 2002 *

Gd cru clas. 23,2 ha 59 000 23 à 30 €

82 86 88 |89| |90| 93 |94| |95| |96| 97 |98| |99| 00 01 02

Le petit apprenti maçon corrézien est devenu un entrepreneur de stature internationale, achetant plusieurs crus en Bordelais, dont celui-ci, acquis en 1969. Il l'a doté d'un équipement de pointe notamment d'une machine à sécher la vendange. Cela lui permet de présenter une qualité très régulière : il est d'ailleurs sélectionné par les dégustateurs du Guide tous les ans. C'est encore le cas pour ce 2002 à la belle robe frangée de reflets d'évolution grenat. Le nez est puissant : on y trouve des fruits rouges, du pruneau, du chêne vanillé et truffé. La bouche charnue repose sur des tanins fins et persistants qui devraient finir de mûrir assez prochainement. Cette bouteille devrait être appréciée dans la décennie sur volaille grillée et fromage affiné.

Vignobles Clément Fayat,
30, av. du Château-Pichon, 33290 Parempuyre,
tél. 05.56.35.23.79, fax 05.56.35.85.23,
e-mail f.boisset@vignobles.fayat.com r.-v.

## CH. LA FAGNOUSE 2002

11 ha 50 000 11 à 15 €

Cette propriété viticole, constituée en 1900 avec 5 ha de vignes, a grandi au fil des ans pour atteindre aujourd'hui 11 ha. Elle est installée sur sols argilo-calcaires avec deux tiers de merlot pour un tiers de cabernet franc. Son 2002 libère des arômes de fruits rouges mûrs, de confiture de pruneaux et de vanille. Corsé et charpenté par des tanins encore un peu fermes, il demande deux à trois ans de vieillissement.

SCE Ch. La Fagnouse,
33330 Saint-Etienne-de-Lisse,
tél. 05.57.40.11.49, fax 05.57.40.46.20 r.-v.

Coutant

## CH. FAUGERES 2002 **

22 ha 63 000 15 à 23 €

93 94 |95| |96| 97 |98| 99 00 01 02

Une jolie chartreuse du XVIII^e s. dans un paysage de vignes à flanc de coteau. Le cru vient d'être vendu à Silvio Denz, d'origine helvétique. Les sols argilo-calcaires ont donné un 2002 paré d'une somptueuse robe pourpre sombre et dense. Le bouquet, puissant et complexe, évoque les fruits confits, la réglisse et le pain grillé. La bouche est riche, ample, concentrée, avec une longue finale sur des saveurs fruitées et boisées. Une grande bouteille à garder trois à huit ans en cave.

Silvio Denz, Ch. Faugères,
33330 Saint-Etienne-de-Lisse,
tél. 05.57.40.34.99, fax 05.57.40.36.14,
e-mail faugeres@chateau-faugeres.com r.-v.

## CH. FAURIE DE SOUCHARD 2002

Gd cru clas. 10,24 ha 39 000 15 à 23 €

Ce cru classé évoque par son nom, Faurie, une bataille qui eut lieu ici durant la guerre de Cent Ans. Aujourd'hui on y produit un vin assez viril de couleur bordeaux vif. Le bouquet de fruits rouges et d'épices poivrées annonce une bouche bien structurée, charpentée par des tanins boisés et puissants qu'il faudra attendre deux ans.

SAS Françoise Sciard Jabiol,
Ch. Faurie de Souchard, 33330 Saint-Emilion,
tél. 05.57.74.43.80, fax 05.57.74.43.96,
e-mail fauriedesouchard@wanadoo.fr r.-v.

## LE FER 2002 *

2 ha 6 000 30 à 38 €

A Saint-Emilion, la maison Mälher-Besse utilise la symbolique du cheval pour nommer ses cuvées. Il s'agit du fer à cheval pour cette cuvée. Le sol argilo-sablonneux est exclusivement planté de merlot. Cela donne un vin fort coloré. Le premier nez très boisé laisse la place à des arômes de fruits à noyau, d'épices, de cacao. La bouche ample s'appuie sur des tanins serrés et lisses qu'il faudra attendre un à deux ans. Le prix est un peu élevé, mais la présentation est très soignée ; bouteilles numérotées, enveloppées sous papier de soie, logées en caisses de bois.

SA Mähler-Besse, 49, rue Camille-Godard,
33000 Bordeaux, tél. 05.56.56.04.30, fax 05.56.56.04.59,
e-mail france@mahler-besse.com r.-v.

## CH. DE FERRAND 2002 **

29,71 ha 65 000 11 à 15 €

82 83 85 86 88 90 94 |95| 98 |01| |02|

Magnifique domaine viticole : un château du XVII^e s., construit par le marquis de Mons, des grottes liées à l'histoire des Girondins, un vignoble de 40 ha. Le tout fut repris en main en 1978 par le baron Bich. Une entreprise solide ! Le vin, lui, s'exprime tout en tendresse, mais il est d'un excellent niveau qualitatif qui confirme les deux étoiles déjà obtenues l'an dernier. La robe sombre miroite de reflets bordeaux. Le nez exprime les fruits à noyau très mûrs. Fruitée et veloutée, la structure harmonieuse repose sur des tanins savoureux. Une remarquable bouteille qui pourra s'apprécier assez rapidement et qui vieillira bien. A noter que son prix reste raisonnable.

Héritiers Baron Bich, Ch. de Ferrand,
33330 Saint-Hippolyte, tél. 05.57.74.47.11,
fax 05.57.24.69.08, e-mail info@chateaudeferrand.com

## CH. FIGEAC 2002

1er gd cru clas. B 37,5 ha 96 000 + de 76 €

62 64 66 70 71 74 75 76 77 78 79 80 |81| |82| |83| |85| |86| 87 |88| |89| |90| |93| |94| 95 |96| 97 98 99 00 01 02

Cet impressionnant domaine de 53 ha, où règne un superbe château du XVIII^e s. entouré d'un grand parc, appartint jadis au duc de Cazes, puis à la famille du marquis de Carles. Depuis 1892, c'est la famille Manoncourt qui le possède. Ce 2002 d'un grenat profond et encore vif est marqué par son élevage de dix-huit mois en barrique. Le nez discret et minéral demande à s'ouvrir. La bouche est corsée, vive, charpentée par des tanins solides mais encore un peu austères en finale. Un vin à conserver au moins cinq ans en cave afin qu'il puisse tenir le discours élégant auquel il vous a habitués.

🔑 SCEA Famille Manoncourt,
Ch. Figeac, 33330 Saint-Emilion,
tél. 05.57.24.72.26, fax 05.57.74.45.74,
e-mail chateau-figeac@chateau-figeac.com r.-v.

## CH. LA FLEUR 2002 ★

■ 5,5 ha 20 000 15 à 23 €

Jusqu'en 2001, ce vignoble appartenait à Lily Lacoste et était exploité en fermage par Jean-Pierre Moueix. Depuis juin 2002, il appartient au groupe Dassault et est confié à Romain Depons en métayage, une formule assez rare dans la région. Pour sa première présentation, il remporte un succès. Sa robe très sombre est égayée de reflets rubis. Son bouquet déjà expressif associe le bourgeon de cassis, les fruits rouges et un très joli boisé. En bouche, le corps est puissant, assis sur des tanins compacts qui lui assureront une longue garde. Attendre un an ou deux avant de commencer à le boire sur une pièce de bœuf et du gibier.

🔑 Romain Depons, Ch. La Fleur, lieu-dit : Mérissac,
33330 Saint-Emilion,
tél. 05.57.55.10.00, fax 05.57.55.10.01,
e-mail lbv@chateaudassault.com r.-v.
🔑 SCEA La Fleur Mérissac

## CH. FLEUR CARDINALE 2002

■ 18 ha 47 000 23 à 30 €

Ce cru important est implanté sur des sols argilo-calcaires au nord-est de l'aire AOC. L'encépagement se compose de 70 % de merlot, de 15 % de cabernet franc, et de 15 % de cabernet-sauvignon. Cela donne un vin bien équilibré, de teinte cerise burlat. Le bouquet se partage entre le bois toasté, les fruits cuits et un fumet animal. Dense et harmonieuse, encore un peu dominée par le boisé, la bouche s'appuie sur des tanins fermes mais de bonne structure, qui lui permettront d'accompagner viande rouge ou gibier pendant les deux à cinq prochaines années.

🔑 Dominique Decoster, SCEA Ch. Fleur Cardinale,
33330 Saint-Etienne-de-Lisse,
tél. 05.57.40.14.05, fax 05.57.40.28.62,
e-mail fleurcardinale@wanadoo.fr r.-v.

## LA FLEUR D'ARTHUS 2002 ★

■ 3 ha 12 000 15 à 23 €

Cette cuvée est exclusivement composée de vieux merlot planté sur des sols mêlant sables, graves et alluvions. D'une belle couleur rubis à reflets vifs et violines, elle libère des arômes fins de fruits rouges mûrs, d'épices, de vanille et de pain grillé. La bouche est puissante, concentrée, avec de la vinosité et une finale ferme qui demandera deux à trois ans de garde.

🔑 Jean-Denis Salvert, La Grave, 33330 Vignonet,
tél. 06.08.49.18.11, fax 05.57.84.61.76,
e-mail contact@fleurdarthus.com
t.l.j. sf sam. dim. 9h-12h 14h-17h

## CH. LA FLEUR DU CASSE 2002 ★

■ 2,5 ha 12 500 15 à 23 €

La famille Garzaro exploite plusieurs vignobles en Entre-deux-Mers et en Libournais, dont celui-ci, implanté sur sols argilo-siliceux, et planté à 90 % de merlot noir. Pourpre très foncé, ce vin libère facilement des arômes de fruits confits, de vanille, de cachou, de bois réglissé. Soyeuse et fruitée, la bouche est accompagnée de tanins boisés et veloutés qui lui assureront une bonne tenue pendant une dizaine d'années. Ce 2002 gagnera à être carafé pour accompagner l'entrecôte à la bordelaise ou des fromages secs.

🔑 SCEA Ch. La Fleur du Casse, Ch. Le Prieur,
33750 Baron, tél. 05.56.30.16.16, fax 05.56.30.12.63,
e-mail garzaro@vingarzaro.com r.-v.

## MAGREZ FOMBRAUGE 2002 ★★

■ 3 ha 5 900 + de 76 €

88 |90| 91 92 93 |95| |96| 97 98 99 00 01 **02**

Dans l'important domaine viticole de 75 ha qu'il exploite depuis 1999 sur les sols argilo-calcaires du nord-est de Saint-Emilion, Bernard Magrez sélectionne cette cuvée haut de gamme à laquelle il donne son nom. Il la vinifie en petites cuves tronconiques en chêne (35 hl). Il obtient un vin de longue garde, extrêmement concentré, comme le montre d'emblée la robe pourpre profond. Au nez, le raisin mûr est associé au merrain fin et vanillé. Ample et puissante, la saveur fruitée et boisée repose sur des tanins denses et cacaotés. A ne pas ouvrir avant trois ans et à servir en carafe. La cuvée principale **Château Fombrauge 2002 (15 à 23 €)**, obtient une étoile.

🔑 SAS Ch. Fombrauge,
33330 Saint-Christophe-des-Bardes, tél. 05.57.24.77.12,
fax 05.57.24.66.95, e-mail chateau@fombrauge.com
🔑 Bernard Magrez

## CH. FONRAZADE 2002 ★

■ 10,8 ha 61 000 11 à 15 €

86 88 |90| |95| |96| |**98**| 00 01 02

Fabienne Balotte, fille de Guy, a élaboré ce joli 2002. La robe miroite de reflets pourpres et rubis. Au nez, le merrain domine encore un peu mais, à l'agitation, on perçoit des arômes de fruits noirs cuits (mûre). En bouche, la saveur fruitée (griotte) est étoffée par des tanins finement boisés. Un vin plaisir qui devrait pouvoir être servi dans deux ou trois ans.

🔑 Fabienne Balotte,
Ch. Fonrazade, 33330 Saint-Emilion,
tél. 05.57.24.71.58, fax 05.57.74.40.87,
e-mail chateau-fonrazade@wanadoo.fr r.-v.
🔑 Guy Balotte

## CH. FONROQUE 2002 ★

■ Gd cru clas. 17,6 ha 46 000 23 à 30 €

81 82 83 85 86 88 89 |**90**| **95** 97 98 00 01 02

Depuis qu'il a repris ce domaine en 2001, Alain Moueix a beaucoup d'ambition pour cet important grand cru classé, berceau de la famille Moueix venue de Corrèze au début des années 1930. Assemblant 88 % de merlot à 12 % de cabernet franc, ce millésime est d'un grand classicisme, tant par sa robe rubis sombre que par ses parfums déjà très fins aux nuances crayeuses, épicées (menthe poivrée), discrètement cacaotées. Sa bouche puissante et charnue offre une saveur fruitée et boisée, charpentée par des tanins solides assurant un bon potentiel.

🔑 SAS Alain Moueix, 56, av. Georges-Pompidou,
33500 Libourne, tél. 06.80.72.58.61, fax 05.57.24.74.59,
e-mail info@chateaufonroque.com r.-v.

## LA CLOSERIE DE FOURTET 2002 ★

■ 5 ha 25 000 15 à 23 €

Second vin de Clos Fourtet, La Closerie naît de jeunes merlots plantés sur sols argilo-calcaires. Pourpre très foncé, le vin pointe un nez expressif de fruits rouges très mûrs, avec une touche animale sur fond finement boisé. Friande à l'attaque, à la fois fraîche et chaleureuse, la saveur est bien en harmonie avec l'olfaction. Les tanins élégants devront encore s'affiner pendant un à deux ans. Cette bouteille se maintiendra à un bon niveau pendant cinq à six ans.

SC Clos Fourtet, 33330 Saint-Emilion,
tél. 05.57.24.70.90, fax 05.57.74.46.52 r.-v.

## CH. FRANC GRACE-DIEU 2002

■ 5 ha 25 000 11 à 15 €

En 1998, Daniel Fournier a repris cette exploitation familiale établie sur les sables bruns et les argiles bleues entre Saint-Emilion et Libourne, et complantée à 60 % de merlot. Ce vin d'une teinte grenat affiche un premier nez très boisé ; l'aération libère le fruit noir (mûre). L'attaque est friande mais la bouche vite submergée par le bois. Celui-ci devrait s'assagir assez rapidement.

SA Dom. Daniel Fournier,
Ch. Franc Grace-Dieu, 33330 Saint-Emilion,
tél. 05.57.24.66.18, fax 05.57.24.67.86,
e-mail fournier.daniel.domaines@wanadoo.fr
r.-v.

## CH. FRANC-MAYNE 2002 *

■ Gd cru clas. 7,02 ha 18 508 38 à 46 €

85 86 88 89 90 92 |95| |96| 97 98 |99| 00 01 02

Ce domaine appartenant à un groupe d'associés belges a tout du grand cru classé saint-émilionnais. Une belle demeure girondine, comprenant six chambres en *B & B*, de grandes caves aménagées dans des carrières souterraines et un vignoble de type familial sur le plateau calcaire planté à 90 % de merlot. Le 2002 paraît dans une robe rubis foncé ourlée d'une frange d'évolution brune. Le bouquet est déjà expressif ; on y trouve des fleurs blanches, des fruits rouges confiturés, un bon boisé et même une touche de tabac. La bouche riche marie harmonieusement le raisin frais au merrain élégant. Beaucoup de finesse dans ce vin qui devrait s'ouvrir assez vite et s'apprécier dans la décennie. Une étoile également pour le second vin du château, **Les Cèdres de Franc-Mayne 2002 (11 à 15 €)**, délicat et séduisant. Une bouteille à ouvrir dans deux ans.

Georgy Fourcroy,
SCEA Ch. Franc-Mayne, 33330 Saint-Emilion,
tél. 05.57.24.62.61, fax 05.57.24.68.25,
e-mail contacts@chateau-francmayne.com
r.-v.

## CH. LA GAFFELIERE 2002 **

■ 1er gd cru clas. B 18,96 ha 50 000 30 à 38 €

(82) 83 85 86 88 89 |90| 91 92 93 94 |95| 97 |99| 02

Plus de quatre siècles de présence sur ce cru où des vestiges d'une *villa* gallo-romaine ont été découverts en 1969 par des chercheurs du CNRS qui considèrent que le domaine aurait été l'une des propriétés viticoles du poète-consul Ausone. Le vin, lui, affiche de façon certaine une très belle robe bordeaux, sombre et dense. Le bouquet est concentré et complexe : prunes et fruits noirs confits, café grillé, résine et épices. La dégustation, corsée et séveuse au premier abord, révèle ensuite une forte charpente avec des tanins fermes, mais prometteurs.

De Malet Roquefort, BP 65, 33330 Saint-Emilion,
tél. 05.57.24.72.15, fax 05.57.24.69.06 r.-v.

## GALIUS 2002 *

■ n.c. 100 000 15 à 23 €

L'une des marques de la coopérative de Saint-Emilion, créée en 1939, et qui réunit aujourd'hui 220 adhérents. Pour ce vin, elle assemble des raisins de terroirs essentiellement silico-graveleux et argilo-siliceux (60 % de merlot, 30 % de cabernet franc et 10 % de cabernet-sauvignon). Cela donne une robe rubis attrayante, un joli nez de fruits soutenu par un boisé fin et persistant, une bouche souple et fruitée étoffée par d'agréables tanins. On pourra associer ce 2002 dès maintenant à une large palette culinaire ou l'attendre trois à quatre ans.

Union de producteurs de Saint-Emilion,
Haut-Gravet, BP 27, 33330 Saint-Emilion,
tél. 05.57.24.70.71, fax 05.57.24.65.18,
e-mail contact@udpse.com r.-v.

## CH. GODEAU 2002

■ 5 ha 20 000 11 à 15 €

Admirablement situé sur les pentes argilo-calcaires du coteau dominant le village de Saint-Laurent-des-Combes, ce vignoble est planté en merlot avec 5 % d'appoint en cabernet-sauvignon. Cela donne un 2002 rubis dont le bouquet vineux rappelle les fruits à noyau bien mûrs, avec des notes épicées et grillées. La bouche, fruitée et charnue, repose sur une belle matière qui assurera deux à quatre ans de garde.

Grégoire Bonte,
Ch. Godeau, 33330 Saint-Laurent-des-Combes,
tél. 05.57.24.72.64, fax 05.57.24.65.89,
e-mail chateau.godeau@free.fr r.-v.

## CH. LA GOMERIE 2002 *

■ 2,52 ha 12 000 + de 76 €

|95| |96| 97 |98| |99| 00 01 02

Un des plus anciens vignobles de Saint-Emilion, autrefois rattaché à l'abbaye de Fayse, dont on retrouve la trace dans des écrits de 1276. Il ne reste aujourd'hui que les 2,52 ha correspondant à l'enclos de l'ancien prieuré et exploité par les frères Bécot, de Beau- Séjour. Ils y apportent beaucoup de soin et avaient obtenu un coup de cœur pour le 2001. Le 2002 présente une robe sombre, presque noire. Son bouquet très puissant est à dominante boisée. La mise en bouche est plus fruitée (myrtille, mûre). La texture dense, charnue, chaleureuse repose sur des tanins boisés et réglissés, très persistants. Vin de longue garde pour les amateurs de vins boisés ayant quelques moyens.

Gérard et Dominique Bécot,
SCEA Beau-Séjour Bécot, 33330 Saint-Emilion,
tél. 05.57.74.46.87, fax 05.57.24.66.88 r.-v.

## CH. GONTEY 2002

■ 2,4 ha 12 000 15 à 23 €

Depuis qu'ils ont pris ce petit vignoble en main en 1997, Laurence et Marc Pasquet ont toujours présenté un vin réussi. C'est encore le cas avec ce 2002 de bon aloi, pourpre intense. Le bouquet repose sur les fruits mûrs et le bois torréfié, avec une touche de pain d'épice qui se dévoile à l'aération. Après une mise en bouche fraîche, la saveur rappelle les fruits cuits avec un fumet animal, soutenue par des tanins boisés et vanillés. Ce millésime devrait être assez vite bon à boire ; il pourra se conserver cinq ans.

Laurence et Marc Pasquet, Grand Gontey,
33330 Saint-Emilion, tél. 05.57.42.29.80,
fax 05.57.42.84.86, e-mail mondesirgazin@aol.com

## CH. LA GRACE DIEU 2002

■ 11,13 ha 47 200 11 à 15 €

Installée à mi-chemin entre Libourne et Saint-Emilion, cette propriété viticole de 13 ha est principalement plantée en merlot, avec un appoint d'un dizième de cabernet franc et d'un dizième de cabernet-sauvignon. Le vin, d'une couleur rubis vive et chatoyante, libère au nez des arômes de fruits rouges à noyau avec une touche florale. La bouche est souple et soyeuse, agréable en finale sur des saveurs fraîches et fruitées. Une bouteille simple à ouvrir d'ici deux à trois ans sur une volaille rôtie.

SCEA Pauty,
Ch. La Grâce Dieu, 33330 Saint-Emilion,
tél. 05.57.24.71.10, fax 05.57.24.67.24,
e-mail chateau.lagracedieu@wanadoo.fr r.-v.

### CH. GRAND CORBIN 2002 ★

■ 15,45 ha 73 200 15 à 23 €

Philippe Giraud exploite ce terroir siliceux sur crasse de fer situé à 3 km au nord-ouest de Saint-Emilion. Dans une robe intense et jeune, ce 2002 offre un bouquet déjà puissant et complexe mêlant violette, cassis, pruneau, le tout soutenu par un boisé élégant. Franc et puissant, bien structuré par des tanins de fruits et de bois, ce vin de garde consistant et cohérent pourra s'apprécier dans la dizaine d'années à venir.

Sté familiale Alain Giraud,
5, Grand Corbin, 33330 Saint-Emilion,
tél. 05.57.24.70.62, fax 05.57.74.47.18,
e-mail grand-corbin@wanadoo.fr r.-v.

### CH. GRAND FAURIE LA ROSE 2002 ★

■ 3,8 ha 12 000 11 à 15 €

Ce petit vignoble, constitué à 80 % de vieux merlots, est implanté sur les sols argilo-siliceux du secteur de la Rose au nord de Saint-Emilion. Le 2002, pourpre intense et brillant, affiche des arômes encore très frais, fruités (cerise, groseille) accompagnés d'un boisé discret. Si la bouche souple reste fruitée, elle n'en est pas moins fortement extraite. Un ensemble à la fois ferme et séduisant qui devrait finir de s'ouvrir d'ici un à deux ans et s'apprécier ensuite plusieurs années sur gibier et pigeonneau.

Ch. Grand Faurie La Rose, La Rose 3,
33330 Saint-Emilion, tél. et fax 05.57.74.46.19,
e-mail vincent.rapin@libertysurf.fr r.-v.
Ferrand

### CH. GRAND LARTIGUE 2002

■ 4,43 ha 20 538 11 à 15 €

Racheté en 2001 par l'actuel propriétaire, ce vignoble de 6 ha est installé sur des sables anciens avec une forte majorité de merlot et un appoint de 10 % en cabernet franc. Ce millésime, dans une robe soutenue, associe des arômes de fruits rouges mûrs et confits à des odeurs vanillées et torréfiées. Elégant et fruité, souple et friand, il est équilibré.

Ch. Grand Lartigue, BP 95, 33330 Saint-Emilion,
tél. 05.56.67.47.78, fax 05.56.67.40.09 r.-v.
Partitor SAS

### CH. GRAND MAYNE 2002

■ Gd cru clas. 17 ha 38 400 30 à 38 €

85 86 88 |89| |90| 91 94 95 |96| 97 |99| 00 01 02

Entourant un manoir du XVIe s., ce domaine de 17 ha est installé à l'ouest de Saint-Emilion sur des sols argilo-calcaires, et complanté de 80 % de merlot, 15 % de cabernet franc et 5 % de cabernet-sauvignon. Le vin exhibe une robe grenat et libère au nez des arômes de petits fruits rouges, agrémentés de fraîches notes boisées, vanillées et réglissées. Après une attaque souple et vive, la bouche révèle une structure tannique forte et nerveuse qui demandera deux à cinq ans pour s'affiner.

SCEV J.-P. Nony,
Ch. Grand Mayne, 33330 Saint-Emilion,
tél. 05.57.74.42.50, fax 05.57.74.41.89,
e-mail grand-mayne@grand-mayne.com r.-v.

### CH. GRAND PONTET 2002 ★★

■ Gd cru clas. 14 ha 47 000 23 à 30 €

85 86 88 89 |90| 93 94 95 96 97 98 (00) 01 02

Situé à 300 m au sud-ouest de la cité médiévale sur laquelle il a une vue imprenable, ce cru a été acheté en 1980 par la famille Pourquet-Bécot à la maison Barton et Guestier. Si certains prétendent que c'est dans les millésimes difficiles que l'on voit les bons viticulteurs et bons vinificateurs, on peut dire qu'ici on sait faire le vin, à en juger par ce 2002. Sa robe sombre est traversée d'éclats rubis et grenat. Le premier nez à dominante de chêne chauffé laisse la place aux fruits (mûre, cassis). La bouche est charnue, la saveur en harmonie avec l'olfaction. Les tanins persistants et de bonne qualité assureront à cette bouteille une excellente évolution pendant les cinq à huit ans à venir.

Ch. Grand Pontet, 33330 Saint-Emilion,
tél. 05.57.74.46.88, fax 05.57.74.45.31,
e-mail chateau-grand-pontet@wanadoo.fr r.-v.
Pourquet-Bécot

### CH. LA GRANGERE 2002

■ 4 ha 17 000 15 à 23 €

Il s'agit de la principale cuvée de cette propriété établie sur les argilo-calcaires à l'est de l'appellation et acquise en 1996 par Nadia Devilder, commissaire priseur libournais et son époux Pierre Durand, champion olympique d'équitation. La robe rubis de ce vin est encore vive. Le bouquet commence à s'ouvrir sur des fragrances de fruits noirs (cassis), de fruits secs (amande, noisette) et de bois réglissé. L'attaque est nerveuse : elle joue plus sur le registre de la finesse que sur celui de la puissance. Il faudra laisser mûrir ce 2002 un an ou deux en bouteille. Il pourra ensuite accompagner des mets délicats pendant quatre à cinq ans.

SCEA Ch. La Grangère, 3, Tauzinat Est, BP 56,
Saint-Christophe-des-Bardes, 33330 Saint-Emilion,
tél. 05.57.74.43.07, fax 05.57.24.60.94,
e-mail devilder.durand@free.fr r.-v.

### CH. GRANGEY 2002

■ 6,2 ha 32 533 11 à 15 €

La vigne est complantée à 80 % de merlot et à 20 % de cabernet franc sur les sols argilo-siliceux de Saint-Christophe-des-Bardes au nord est de l'appellation. Le vin est élaboré par l'Union de producteurs. Sa robe pourpre présente quelques reflets d'évolution. Le nez fin offre des nuances de fleurs et de fruits compotés. En bouche, la structure délicate est un peu en retrait par rapport au nez mais elle révèle de bons tanins épicés en finale. On pourra boire ce 2002 assez rapidement.

Union de producteurs de Saint-Emilion,
Haut-Gravet, BP 27, 33330 Saint-Emilion,
tél. 05.57.24.70.71, fax 05.57.24.65.18,
e-mail contact@udpse.com r.-v.
F. Araoz

### CH. LA GRAVE FIGEAC 2002

■ 6,4 ha 28 000 15 à 23 €

Il ne s'agit pas ici d'une cuvée, mais de la totalité de la production de Pierre Clauzel issue des graves sablonneuses du secteur de Figeac complantées à 65 % de merlot.

Sa jolie robe rubis est bordée de reflets orangés. Le bouquet est typé graves (amande). Souple et frais, étoffé par des tanins agréables, ce vin franc dans son appellation et son millésime pourra se boire assez vite. A associer à une cuisine familiale, par exemple un magret au Saint-Emilion.
Jean-Pierre Clauzel,
Ch. La Grave Figeac, 33330 Saint-Emilion,
tél. 05.57.74.11.74, fax 05.57.74.17.18
t.l.j. sf dim. 9h30-12h30 14h-19h

## CH. LES GRAVIERES 2002 **

4,02 ha 21 000 15 à 23 €

Denis Barraud, à la tête de 35 ha depuis 1971, propose un 2002 produit sur des sables graveleux avec 100 % de merlot trentenaire. Le jury salue le travail au chai sur un raisin trié et un bel élevage en fûts de chêne neufs. La robe grenat sombre et dense, et le nez déjà ouvert sur des arômes de fruits mûrs, d'épices, de vanille et de cacao annoncent une belle concentration que l'on retrouve dans la bouche ample, charnue, vineuse et puissante. Une superbe bouteille de garde. **Lynsolence 2002 (30 à 38 €)**, autre cuvée pur merlot de l'exploitation, obtient une étoile, et méritera une longue garde.
SCEA des Vignobles Denis Barraud,
Ch. Les Gravières, 33330 Saint-Sulpice-de-Faleyrens,
tél. 05.57.84.54.73, fax 05.57.84.52.07,
e-mail denis.barraud@wanadoo.fr r.-v.

## CH. DE GUILHEMANSON
Cuvée Le Grand Trot 2002 *

3,43 ha 20 533 11 à 15 €

Ce vignoble implanté sur les sols argilo-siliceux de Saint-Hippolyte est vinifié par la coopérative de Saint-Emilion, et l'étiquette qui habille la bouteille reproduit un tableau équestre à l'anglaise. Dans le verre, le rubis est bordé de reflets carminés. Le nez est fin et élégant, délicatement boisé. La bouche, bien construite, s'entoure de fruit confituré et de tanins boisés bien intégrés. On pourra apprécier rapidement ce 2002 ou le conserver cinq à six ans.
Union de producteurs de Saint-Emilion,
Haut-Gravet, BP 27, 33330 Saint-Emilion,
tél. 05.57.24.70.71, fax 05.57.24.65.18,
e-mail contact@udpse.com r.-v.
de Roquemaurel d'Anthouard

## CH. HAUT-BADETTE 2002 **

1,3 ha 5 932 15 à 23 €

|98| |99| 01 **02**

Acquis en 1970, ce petit cru est le fleuron des vignobles Joseph Janoueix. Il est composé de merlot avec un appoint de 10 % en cabernet-sauvignon, le tout planté sur des sols argilo-siliceux et siliceux. D'une couleur rubis profonde et intense, ce vin mêle au nez des arômes fruités, floraux et finement boisés. La bouche bien équilibrée présente des tanins mûrs et charnus, encore un peu fermes en finale, qui rendent ce vin apte à une bonne garde. Le **Château Le Castelot 2002** et le **Château Vieux Sarpe 2002** sont cités et demandent aussi quelques années de vieillissement.
Jean-François Janoueix, 37, rue Pline-Parmentier,
BP 192, 33506 Libourne Cedex,
tél. 05.57.51.41.86, fax 05.57.51.53.16,
e-mail info@j-janoueix-bordeaux.com r.-v.

## CH. HAUT-BRISSON 2002 *

5,7 ha 27 000 15 à 23 €

Cette propriété compte aujourd'hui 12,7 ha. Ce vin rubis offre un bouquet déjà expressif évoquant les fruits rouges mûrs, la vanille, la réglisse et le cacao. La bouche, corsée et charnue, révèle des tanins veloutés, longs et savoureux en finale qui permettront une consommation immédiate ou une garde de trois à cinq ans. L'autre cru, le **Château Haut-Brisson La Grave 2002 (11 à 15 €)**, est cité et pourra également être ouvert rapidement.
SCEA Ch. Haut-Brisson, 33330 Vignonet,
tél. 05.57.84.69.57, fax 05.57.74.93.11,
e-mail haut.brisson@wanadoo.fr r.-v.

## CH. HAUT-GRAVET 2002 *

9,01 ha 45 000 23 à 30 €

**|98| 99 00** 01 02

Ce vignoble de 9 ha est installé sur les graves de Saint-Sulpice-de-Faleyrens, au sud de l'appellation. Géré par Alain Aubert, il est composé de 50 % de merlot, 40 % de cabernet franc et 10 % de cabernet-sauvignon. La robe grenat, intense et soutenue de ce 2002, montre encore des reflets rubis vif ; le bouquet, élégant et complexe, mêle les fruits rouges mûrs à des odeurs grillées avec une note de café. La bouche charnue, riche et charpentée, offre du volume. Elle devrait s'épanouir dans deux à trois ans.
Alain Aubert, 57 bis, av. de l'Europe,
33350 Saint-Magne-de-Castillon,
tél. 05.57.40.04.30, fax 05.57.56.07.10,
e-mail domaines.a.aubert@wanadoo.fr

## CH. HAUT LA GRACE DIEU 2002 *

n.c. n.c. 15 à 23 €

**|98|** |99| **|00|** 01 02

Le Château Haut La Grâce Dieu naît de l'assemblage des vignes de deux parcelles, celle des Terres Rouges et celle du lieu-dit La Grâce Dieu. Ainsi argilo-calcaires et graves sablonneuses donnent leurs caractères à ce vin paré d'une robe bordeaux très jeune. Le bouquet naissant mêle le bon raisin au chêne fin puis la bouche se révèle souple, soyeuse, équilibrée, avec des tanins un peu fermes mais subtils. On pourra boire ce 2002 assez rapidement, ou l'attendre cinq ans pour accompagner une cuisine fine (magret de canard ou poulet de Bresse).
Vignobles Jean-Bernard Saby et Fils,
Ch. Rozier, 33330 Saint-Laurent-des-Combes,
tél. 05.57.24.73.03, fax 05.57.24.67.77,
e-mail info@vignobles-saby.com r.-v.

## CH. HAUT-LAVALLADE 2002

8,16 ha 50 000 11 à 15 €

Né sur des sols argilo-siliceux et calcaires, ce 2002 est constitué d'un assemblage classique de l'appellation. Rubis soutenu, fruité, légèrement acidulé et accompagné de notes réglissées et poivrées, il est souple, rond et bien équilibré. Sa jolie finale fraîche et fruitée permettra une consommation assez rapide.
SARL J.P. et M.D. Chagneau,
Ch. Haut-Lavallade, 33330 Saint-Christophe-des-Bardes,
tél. 05.57.24.77.47, fax 05.57.74.43.25,
e-mail chagneau.sarl@wanadoo.fr
t.l.j. sf sam. dim. 8h30-12h 14h-17h30

## CH. HAUT-POURRET 2002 *

2,75 ha 12 000 8 à 11 €

|99| 00 01 02

Serge Lepoutre aime à dire qu'il est un artisan du vin. Sa maison girondine de 1850 règne sur les 3 ha de ce petit vignoble installé à 1 km à l'ouest de la cité médiévale. Avec sa jolie robe rubis et son nez agréable de pruneau, de fruits rouges et de pain grillé, ce 2002 s'annonce prometteur. La bouche est harmonieuse, d'abord souple, chaleureuse et vineuse, puis charpentée et ferme en finale. Cette bouteille supportera un vieillissement de deux à quatre ans.

Serge Lepoutre,
Ch. Haut-Pourret, 33330 Saint-Emilion,
tél. 05.57.74.46.76, fax 05.57.74.45.17,
e-mail serge.lepoutre@worldonline.fr
t.l.j. 9h-12h 14h-20h; f. 1er-15 août

## CH. HAUT ROCHER 2002 *

■ 7 ha 35 700 11 à 15 €

|89| 91 93 94 |95| 97 |99| 00 01 02

Cette belle propriété viticole de 15 ha, magnifiquement exposée sur un coteau argilo-calcaire à l'est de Saint-Etienne-de-Lisse, appartient à la famille de Jean de Monteil depuis le XVIIes. Elle présente un grand cru rubis intense, au bouquet assez concentré associant des arômes de fruits rouges cuits à un agréable boisé grillé bien fondu. La bouche révèle un joli corps, de la chair et des tanins puissants, encore fermes en finale, qui nécessiteront deux à trois ans de vieillissement.

Jean de Monteil,
Ch. Haut-Rocher, 33330 Saint-Etienne-de-Lisse,
tél. 05.57.40.18.09, fax 05.57.40.08.23,
e-mail ht-rocher@vins-jean-de-monteil.com r.-v.

## CH. JEAN VOISIN Cuvée Amédée 2002

■ n.c. 12 500 15 à 23 €

|(95)| 96 97 |**98**| |99| 00 01 02

La cuvée Amédée constitue le premier vin de cet important vignoble de 14 ha planté en merlot sur un terroir sablo-argileux au nord de Saint-Emilion. Bien structurée, d'une teinte bigarreau, elle affiche un boisé toasté et vanillé. La bouche fraîche, souple et ample, étoffée par des tanins de merrain, demande deux à trois ans pour s'affiner.

SCEA du Ch. Jean Voisin, 33330 Saint-Emilion,
tél. 05.57.24.70.40, fax 05.57.24.79.57 r.-v.

Chassagnoux

## CH. JUGUET 2002

■ 11 ha 70 000 8 à 11 €

Un an de barrique pour ce vin de belle apparence et qui présente un début d'évolution. Le nez plaisant évoque les petits fruits rouges mûrs. La bouche souple, ronde et équilibrée s'appuie sur des tanins veloutés qui permettront une consommation rapide.

SCEA Landrodie Père et Fille, Ch. Juguet,
33330 Saint-Pey-d'Armens, tél. 05.57.24.74.10,
fax 05.57.24.66.33, e-mail chateau.juguet@wanadoo.fr
t.l.j. 9h-12h 14h-19h

## CH. LE JURAT 2002 *

■ 7,58 ha 40 500 11 à 15 €

Installé au nord de l'appellation sur des terroirs argilo-calcaires, ce cru se compose de merlot quarantenaire, avec un appoint de 14 % de cabernet-sauvignon. Il propose un 2002 finement boisé sur des notes de pain grillé, d'une fraîcheur mentholée et aux arômes de fruits rouges. La bouche, d'abord souple et ronde, évolue sur des tanins puissants et fermes qui nécessiteront deux à trois ans de garde pour s'assagir.

Ch. le Jurat, 33330 Saint-Emilion,
tél. 05.57.51.95.54, fax 05.57.51.90.93 r.-v.

## CH. LAMARTRE 2002

■ 11,58 ha 45 467 11 à 15 €

Ce vignoble installé à Saint-Etienne-de-Lisse est composé essentiellement de merlot, avec 17 % de cabernet franc. Son 2002 présente une couleur rubis attrayante. Le nez est frais et fruité avec une touche boisée, et la bouche compense un léger manque de consistance par beaucoup de finesse et des tanins soyeux qui permettront une consommation rapide.

Union de producteurs de Saint-Emilion,
Haut-Gravet, BP 27, 33330 Saint-Emilion,
tél. 05.57.24.70.71, fax 05.57.24.65.18,
e-mail contact@udpse.com r.-v.

Héritiers Vialard-Patureau

## CH. LANIOTE 2002

■ Gd cru clas. 5 ha 22 000 15 à 23 €

89 93 94 95 96 |98| |99| |00| |01| 02

La famille de La Filolie possède quelques joyaux de la cité médiévale classée au Patrimoine mondial de l'humanité par l'UNESCO : l'hermitage de saint Emilion, la chapelle de la Trinité (XIIIes.), les catacombes. Avant tout, elle exploite ce grand cru classé implanté sur les argilo-calcaires à l'ouest du village. Son 2002 porte une robe foncée. Le nez encore un peu fermé demande de l'air pour exprimer des senteurs de sous-bois. La bouche très structurée est portée par des tanins un peu austères mais solides, qu'il faudra attendre un peu.

Arnaud de La Filolie,
Ch. Laniote, 33330 Saint-Emilion, tél. 05.57.24.70.80,
fax 05.57.24.60.11, e-mail laniote@wanadoo.fr
r.-v.

## CH. LAPELLETRIE 2002

■ 12 ha 56 200 11 à 15 €

Cette propriété, installée sur les sols argilo-calcaires de Saint-Christophe-des-Bardes, fut créée en 1930 par Pierre Jean. Elle est aujourd'hui gérée par Madame Lassègues et sa fille, et commercialise en exclusivité par la société de négoce Yvon Mau. De couleur rubis vif, ce 2002 évoque au nez les fruits rouges cuits avec des notes grillées. La bouche est souple et équilibrée ; ses tanins soyeux sont déjà plaisants.

GFA Lapelletrie,
33330 Saint-Christophe-des-Bardes,
tél. 05.56.61.51.80, fax 05.56.61.51.90

## CH. LARCIS DUCASSE 2002 *

■ Gd cru clas. 10,85 ha 30 000 23 à 30 €

**85 86** 88 93 94 |96| 00 02

Ce vignoble est installé sur des sols argilo-calcaires exposés en pente sud. L'encépagement, dominé par le merlot, compte aussi 20 % de cabernet franc et 2 % de cabernet-sauvignon. La robe grenat, limpide et intense, affiche des reflets orangés d'évolution. Le bouquet vineux évoque les fruits cuits, le pruneau confit, avec des notes grillées et une nuance poivrée. La dégustation, d'abord suave et souple, évolue généreusement sur une structure tannique équilibrée et charnue, jusqu'à une longue finale.

SCEA Gratiot, Ch. Larcis Ducasse,
33330 Saint-Laurent-des-Combes,
tél. 05.57.24.70.84, fax 05.57.24.64.00,
e-mail larcis-ducasse@tiscali.fr r.-v.

### CH. LARMANDE 2002 *

■ Gd cru clas. 22,4 ha 58 000 15-23 à 30 €

85 86 |(88)| |89| **|90|** 93 94 **|96|** 97 |98| |99| **00** 01 02

Cet important domaine viticole a une vocation plutôt féminine : il est dirigé par une œnologue, Claire Thomas-Chenard. Il n'est donc pas étonnant de trouver un vin plein de charme et d'élégance, rubis tirant sur le grenat et aux arômes encore très fruités : fruits frais (cerise), fruits rouges confiturés, boisé discret. La bouche souple et gourmande est, elle aussi, sur le fruit, étoffée par des tanins fins et persistants qui gagneront à être attendus un an ou deux. Ensuite il sera parfait pour accompagner veau ou petit gibier, pendant huit à dix ans.

Ch. Larmande, Larmande, 33330 Saint-Emilion, tél. 05.57.24.71.41, fax 05.57.74.42.80, e-mail chateau-larmande@wanadoo.fr r.-v.

Groupe La Mondiale

### LE CADET DE LARMANDE 2002

■ n.c. 11 500 11 à 15 €

Second vin du cru classé château Larmande, cette marque est constituée en 2002 par 65 % de merlot et par 35 % des deux cabernets, issus de sols variés : argilo-calcaires, argilo-sableux, ou sables anciens. Elevé treize mois en barrique, ce vin pour le moment discret au nez laisse percer des notes fruitées acidulées et des nuances animales. Souple, fruitée et bien équilibrée, ferme en finale, une bouteille à ouvrir dans deux à trois ans sur des grillades.

Ch. Larmande, Larmande, 33330 Saint-Emilion, tél. 05.57.24.71.41, fax 05.57.74.42.80, e-mail chateau-larmande@wanadoo.fr r.-v.

Groupe La Mondiale

### CH. LAROZE 2002 *

■ Gd cru clas. 25 ha 55 000 15 à 23 €

85 86 88 89 90 93 95 96 97 **|98|** 99 00 01 02

L'important vignoble de ce grand cru classé est implanté sur les sables argileux à l'ouest de Saint-Emilion et appartient à la famille de Guy Meslin depuis 1882. Le 2002 est d'un rubis sombre et jeune. Son bouquet commence à exprimer les fruits rouges confiturés et le merrain caramélisé. La mise en bouche est friande : à la fois fraîche et chaleureuse, la saveur est en harmonie avec l'odorat. Les tanins boisés ne manquent pas d'élégance. Un ensemble attirant qu'il faudra attendre un ou deux ans avant de l'apprécier pleinement dans la décennie suivante.

Guy Meslin, Ch. Laroze, 33330 Saint-Emilion, tél. 05.57.24.79.79, fax 05.57.24.79.80, e-mail info@laroze.com r.-v.

### L. DE LESCOURS 2002 *

■ 0,85 ha 4 500 30 à 38 €

Cette microcuvée, élevée uniquement en fût de chêne neuf, associe 65 % de merlot et 35 % de cabernets. Grenat soutenu, ce 2002 est aujourd'hui dominé au nez par un boisé toasté et grillé. La bouche, équilibrée et bien structurée, est elle aussi marquée par des saveurs de fruits secs grillés et de vanille. Attendre quelques années pour que l'ensemble se fonde et s'épanouisse.

Chariol, Ch. de Lescours, 33330 Saint-Sulpice-de-Faleyrens, tél. 05.57.24.74.75, fax 05.57.24.68.26, e-mail gfa-chateau-lescours@wanadoo.fr r.-v.

### CH. LEYDET-VALENTIN 2002 *

■ 7,62 ha 36 000 8 à 11 €

Le 2001 de ce cru avait obtenu deux étoiles. Devant ce succès la famille Leydet a consacré la quasi-totalité de son vignoble au 2002, proposant deux fois plus de bouteilles de ce vin rubis soutenu. Le nez s'ouvre sur des arômes de fruits agréables et fondus. La bouche souple et pleine offre une saveur de fruits noirs (cassis), étoffée par des tanins fins. Déjà bon, cet ensemble devrait bien évoluer dans les quatre à cinq prochaines années.

EARL Vignobles Leydet, Rouilledimat, 33500 Libourne, tél. 05.57.51.19.77, fax 05.57.51.00.62, e-mail frederic.leydet@wanadoo.fr r.-v.

### CH. LUSSEAU 2002 *

■ 1,5 ha 9 000 15 à 23 €

Une petite parcelle sur sables et graves a donné ce vin couleur grenat brillant, aux reflets d'évolution. Marqués par l'élevage en fût, les arômes boisés dominent au nez. La bouche est charnue et équilibrée, avec un bon volume et une finale persistante. Attendre cependant trois à cinq ans que le vin digère le bois.

SCEA Vignobles Lusseau, 276, Bois-Grouley, 33330 Saint-Sulpice-de-Faleyrens, tél. 05.57.24.74.03, fax 05.57.74.46.09 r.-v.

### CH. MAGDELAINE 2002 *

■ 1er gd cru clas. B 10,37 ha 21 700 38 à 46 €

82 (83) 85 86 87 **|88|** **|89|** **|90|** 92 93 94 **|95|** |96| 97 |98| |99| 00 **01** 02

Installé en partie sur un plateau calcaire et en partie dans une côte argilo-calcaire, ce cru est l'un des grands classiques de Saint-Emilion. Marqué par 90 % de merlot, ce 2002 reçoit l'appoint de 10 % de cabernet franc. Elevé quatorze mois en barrique et respectant parfaitement le raisin, il se pare d'une robe rubis vif. Le nez fin et délicat rappelle le sous-bois, avec des arômes de fruits noirs, d'épices et une touche de violette. La bouche est fraîche, aromatique et équilibrée par des tanins soyeux et élégants qui permettront une consommation dans deux ou trois ans.

Ets Jean-Pierre Moueix, 54, quai du Priourat, 33500 Libourne, tél. 05.57.51.78.96, fax 05.57.51.79.79, e-mail info@jpmoueix.com

### CH. MAINE REYNAUD
Elevé en fût de chêne 2002 *

■ 3,6 ha 21 000 15 à 23 €

Ce cru est composé par 80 % de merlot et 20 % de cabernets. Son 2002 révèle un bouquet complexe de cerise écrasée, de fumée et de vanille. La bouche bien équilibrée repose sur des tanins fondus et élégants et des saveurs fruitées persistantes. Un millésime prêt à servir sur des viandes grillées.

Chantal Seguillon, Maine Reynaud, 33330 Saint-Pey-d'Armens, tél. et fax 05.57.24.74.09, e-mail contact@chateau-maine-reynaud.com r.-v.

### CH. MANGOT 2002

■ 28,75 ha 148 000 11 à 15 €

96 97 |98| |99| 00 01 02

Une belle propriété viticole d'un seul tenant en cirque et terrasses implantée sur un grand terroir de calcaires à astéries. Le merlot domine l'assemblage avec un appoint de 10 % en cabernet franc et de 5 % en cabernet-sauvignon.

Cela donne un vin aux odeurs toastées, aux senteurs de fumée et d'épices, sur des arômes de fruits rouges en confiture. La bouche ample et structurée repose sur beaucoup de mâche. La finale encore ferme demande trois ou quatre ans de garde.
Vignobles Jean Petit, Ch. Mangot,
33330 Saint-Etienne-de-Lisse, tél. 05.57.40.18.23,
fax 05.57.56.43.97, e-mail todeschini@chateaumangot.fr
t.l.j. sf dim. 8h30-12h 14h-18h; sam. sur r.-v.
GFA Ch. Mangot

## CH. MARQUEY 2002

■ 2,9 ha 12 385 11 à 15 €

Ce petit vignoble, installé au pied de la côte Pavie sur des sols argilo-sableux, est marqué par 85 % de merlot. Ce 2002 arbore une robe rubis, vive et intense. Le nez, encore un peu discret, associe fruits rouges et bois grillé, avec une nuance épicée. Souple et ronde à l'attaque, la bouche évolue sur une structure ferme de belle tenue, qui nécessitera trois à cinq ans de garde pour s'affirmer.
Georgy Fourcroy,
SCEA Ch. Franc-Mayne, 33330 Saint-Emilion,
tél. 05.57.24.62.61, fax 05.57.24.68.25,
e-mail contacts@chateau-francmayne.com r.-v.

## CH. LA MARZELLE 2002

■ Gd cru clas. 13,08 ha 60 000 23 à 30 €

**99** |00| 01 |02|

La Marzelle jouxte l'hôtel de luxe Château Grand Barrail sur la route de Saint-Emilion à Libourne. Le terroir y mêle les argiles, les sables et les graves. Le merlot y règne en maître (84 %). Le cru ne nous présente pas une sélection, mais la totalité de sa production. La teinte cerise burlat est dense et vive, les parfums mêlent fruits frais, menthe poivrée, épices et sous-bois. La mise en bouche est friande, souple et fraîche à la fois. La saveur tout en finesse offre un caractère minéral et boisé. Les tanins sont encore frais. Ce millésime devrait s'ouvrir assez rapidement et s'épanouir lors des sept à huit prochaines années.
SCEA Ch. La Marzelle, 33330 Saint-Emilion,
tél. 05.57.55.10.55, fax 05.57.55.10.56,
e-mail chateau@lamarzelle.com r.-v.
J.-J. Sioen

## CH. MATRAS 2002 ★

■ Gd cru clas. 10 ha 15 706 23 à 30 €

**83 85** 86 |**90**| 92 93 94 97 |98| 99 00 01 02

Ce grand cru classé est situé au pied du tertre Dauguay, au sud-ouest de Saint-Emilion sur un terroir argilo-calcaire ou argilo-siliceux. L'encépagement respecte la parité entre le merlot et le cabernet franc. Les chais sont installés dans l'ancienne chapelle de Mazerat, construite au XII^e s. Pour autant, le 2002 ne se présente pas en robe de bure : sa teinte est bordeaux bordé de grenat. Son nez complexe fait de fleurs (violette), de fruits noirs (mûre) et de merrain toasté séduit. Après une attaque friande, souple et fraîche, la bouche se développe harmonieusement jusqu'à une finale marquée par des tanins réglissés encore un peu fermes. Un ou deux ans de patience, et ce vin sera bon à boire dans la décennie suivante.
Vignobles Véronique Gaboriaud-Bernard,
Ch. Matras, 33330 Saint-Emilion,
tél. 05.57.51.52.39, fax 05.57.51.70.19,
e-mail chateau-bourseau@wanadoo.fr r.-v.

## CH. MAUVEZIN 2002

■ 3 ha 6 000 23 à 30 €

90 95 96 97 |98| |99| 00 02

Installé sur des calcaires à astéries, ce cru a été acquis par Pierre Cassat en 1968. Il se compose de deux tiers de merlot pour un tiers de cabernets. Avec sa couleur rubis vive et brillante, ce vin propose un bouquet frais, légèrement acidulé, avec des arômes fruités et des notes de sous-bois. La bouche corsée, légèrement nerveuse et encore un peu ferme en finale demandera deux à trois ans de patience aux amateurs.
EARL Cassat Père et Fils,
BP 44, 33330 Saint-Emilion,
tél. 05.57.24.72.36, fax 05.57.74.48.54 r.-v.

## CH. MOINE VIEUX 2002 ★

■ 2 ha 10 000 15 à 23 €

95 |98| |**99**| 00 |01| 02

Quatre cinquièmes de merlot pour un cinquième de cabernet franc plantés sur sables et graves produisent ce cru repris en main en 1993 par Patrice Dentraygues. Il signe un 2002 d'une belle couleur rubis, au nez délicat de fruits rouges confiturés, de vanille et de tabac. La bouche, d'abord câline, évolue ensuite sur une bonne structure tannique ferme et nerveuse, qui assurera deux à cinq ans de garde.
Patrice Dentraygues,
SCEA Moine Vieux, Lanseman,
33330 Saint-Sulpice-de-Faleyrens, tél. 05.57.74.40.54,
e-mail moine-vieux@moine-vieux.com r.-v.

## CH. MONBOUSQUET 2002 ★

■ 33 ha 80 000 38 à 46 €

93 **94** |**95**| |96| |**97**| |98| 99 00 **01** 02

Cette propriété, acquise en 1993 par Gérard Perse, remonterait au XVI^e s. Paré d'une superbe robe pourpre, son 2002 exhale des parfums de torréfaction (bois brûlé) qui dominent actuellement le fruit. La bouche, concentrée et puissante, a déjà mieux assimilé l'élevage. Sa grande persistance promet une belle bouteille. A laisser dormir au moins trois ans en cave.
SA Ch. Monbousquet,
33330 Saint-Sulpice-de-Faleyrens, tél. 05.57.55.43.43,
fax 05.57.24.63.99, e-mail vignobles.perse@wanadoo.fr
Gérard Perse

## CH. MONDORION 2002 ★

■ 6 ha 20 000 11 à 15 €

Le nom de ce cru, créé en 2000 à Saint-Sulpice-de-Faleyrens, se décompose en « mond » qui vient du lieu-dit où il est situé, « Mondou », et en « orion », de la constellation qui compte quatre planètes centrales, comme les quatre amis actionnaires de cette propriété. Ceux-ci nous proposent un 2002, paré d'une robe sombre et profonde. Le nez, fin et élégant, mêle fruits rouges et bon bois grillé et toasté. La bouche est structurée et puissante, avec des tanins friands qui persistent longuement.
SCEA Mondorion, 151 bis,
Grand-Chemin, 33330 Saint-Sulpice-de-Faleyrens,
tél. 05.57.24.76.11, fax 05.57.74.44.28,
e-mail mondorion@worldonline.fr r.-v.

## CH. MONLOT CAPET 2002

■ 7 ha 45 000 15 à 23 €

90 93 95 96 97 |98| |99| 01 02

Ancien domaine de la seigneurie de Capet, ce cru est installé sur des terroirs argilo-calcaires, avec une propor-

tion de 70 % de merlot pour 25 % de cabernet franc et 5 % de cabernet-sauvignon. Il propose un 2002 de teinte rubis brillant, marqué au nez par un boisé toasté et grillé. La bouche souple, équilibrée et harmonieuse, compense un léger manque de puissance par son élégance.
Béatrice Rivals,
Ch. Monlot Capet, 33330 Saint-Hippolyte,
tél. 05.57.74.49.47, fax 05.57.24.62.33,
e-mail mussetrivals@belair-monlot.com
t.l.j. 9h-20h

## CH. MONTE CHRISTO
Cuvée Edmond Dantes 2002

n.c. n.c. 15 à 23 €

Cette cuvée est présentée par la vieille maison de négoce girondine, récemment reprise par le groupe catalan Freixenet, qui n'hésite pas à faire référence à l'œuvre d'un des plus illustres écrivains français. Pourpre intense, ce vin est déjà très expressif, le bois vanillé laissant la place aux fruits frais (cerise). Franches et fruitées, les saveurs restent en harmonie avec l'olfaction, et la charpente tannique est assez enrobée bien qu'encore un peu marquée par le bois. Il faudra encaver ce 2002 un à deux ans avant de lui permettre de trouver sa liberté sur quelque fin gibier.
Yvon Mau, rue Sainte-Pétronille,
33190 Gironde-sur-Dropt, tél. 05.56.61.54.54,
fax 05.56.61.54.61, e-mail info@ymau.com

## CH. LA MOULEYRE 2002

6 ha 36 000 15 à 23 €

Avec 99 ha de vignes, Philippe Bardet est un des plus importants viticulteurs en Saint-Emilionnais et côtes-de-castillon. Le château La Mouleyre est implanté sur la pente sud du coteau argilo-calcaire de Saint-Etienne-de-Lisse, à l'est de l'aire AOC. Son vin est très coloré. Le nez, encore fermé, demande un peu d'aération pour libérer des senteurs de fruits noirs soutenues par de discrètes notes de bois toasté. La bouche est très structurée, charpentée par des tanins encore fermes, qu'il faudra attendre un ou deux ans. Le **Château Pontet-Fumet (11 à 15 €)** est également cité.
SCEA des Vignobles Philippe Bardet, 17, La Cale,
33330 Vignonet, tél. 05.57.84.53.16, fax 05.57.74.93.47,
e-mail vignobles@vignobles-bardet.fr
t.l.j. sf ven. sam. dim. 8h-12h 14h-17h
GFA Sainte-Colombe

## CH. MOULIN GALHAUD 2002 ★★

2 ha 6 600 15 à 23 €

97 |98| |99| |00| **01 02**

Martine Galhaud, épouse d'un négociant saint-émilionnais, a acquis cette propriété de presque 6 ha en 1996. Depuis, sa première cuvée à laquelle elle a donné le nom de Moulin Galhaud est présente chaque année dans ce Guide, avec un coup de cœur l'an passé pour le 2001. Joliment présenté dans une robe grenat profond, ce 2002 libère un bouquet intense et complexe mêlant les fruits confits à un élégant boisé, frais et légèrement mentholé. La bouche révèle une belle chair, des tanins gras et puissants, du volume et de la longueur. A ouvrir dans trois à cinq ans.
SCEA Martine Galhaud,
Le Manoir, 33330 Saint-Emilion,
tél. 06.63.77.39.75, fax 05.57.74.48.93,
e-mail mgalhaud@galhaud.com r.-v.

## CH. MOULIN SAINT-GEORGES 2002

7 ha 32 000 23 à 30 €

Situé à 200 m au sud de la cité de Saint-Emilion, ce cru jouit d'un beau terroir argilo-calcaire. Vendangé à partir du 30 septembre 2002, le merlot est associé à 10 % de cabernet franc et à 10 % de cabernet-sauvignon, qui ont été travaillés en lutte intégrée et en agrobiologie. Après seize mois de barrique, le vin est fermé en première approche, puis paraissent des notes empyreumatiques puissantes. La bouche surprend par la souplesse de l'attaque, puis la structure s'affirme : de bonne maturité, les tanins demandent à se fondre (trois ou cinq ans de garde).
Famille Vauthier, Ch. Ausone, 33330 Saint-Emilion,
tél. 05.57.24.24.57, fax 05.57.74.47.39,
e-mail chateau.ausone@wanadoo.fr r.-v.

## CH. PALATIN 2002 ★

1 ha 4 000 15 à 23 €

Pour sa première présentation, ce petit « grand cru », créé en 1999, décroche une étoile : pas si mal ! Il est établi sur les argilo-calcaires du secteur de Ferrand, à l'est de Saint-Emilion, et ne comporte que du merlot. Les dégustateurs ont apprécié la couleur foncée et dense de ce 2002 ; le nez, d'abord très boisé, demande un peu d'agitation pour libérer des arômes de griotte, d'abricot sec, de café et de cacao. La bouche est très structurée ; le fruit y reste dominé par une charpente de tanins très serrés qui demanderont un ou deux ans de garde ; ensuite, on pourra conserver cette bouteille très longtemps pour la boire sur une large palette culinaire.
SCEA Palatin, Ferrand, 33330 Saint-Hippolyte,
tél. 05.57.74.47.11, fax 05.57.24.69.08

## CH. DE PASQUETTE 2002

3,2 ha 12 000 11 à 15 €

Ce petit vignoble est installé sur des sables et un sous-sol argileux. Le vin, marqué par une forte proportion de merlot, se présente joliment dans une robe rubis vif. Le nez frais égrène des arômes de fruits rouges et noirs mêlés de notes grillées et vanillées. La bouche, puissante, jouit d'une structure aux tanins veloutés et persistants en finale. Un saint-émilion à oublier deux à trois ans en cave.
GFA Jabiol, SCEA du Ch. Cadet-Piola,
BP 24, 33330 Saint-Emilion,
tél. 05.57.74.47.69, fax 05.57.24.68.28,
e-mail infos@chateaucadetpiola.com r.-v.

## CH. PATRIS 2002 ★

5 ha 12 000 23 à 30 €

90 95 96 97 |98| |99| **00** 01 02

Les Hospices de la Madeleine sont un des plus beaux bâtiments de Saint-Emilion, un peu à l'écart des sentiers touristiques. De là, Michel Querre exploite plusieurs domaines viticoles libournais, dont ce Château Patris. Son 2002 est d'un bordeaux profond très jeune. Le nez apparaît encore sous le bois neuf mais, à l'agitation, il révèle une réelle concentration aromatique. Ample, chaleureux et soyeux, le palais repose sur des tanins fins très boisés qui demanderont un à deux ans pour s'assagir. L'autre **saint-émilion grand cru, le château Cros Figeac 2002**, est cité.
SCEA Ch. Patris,
Hospices de la Madeleine, 33330 Saint-Emilion,
tél. 05.57.55.51.60, fax 05.57.55.51.61 r.-v.
Querre

### CH. PAVIE 2002 ★

■ 1er gd cru clas. B 37 ha 90 000 🍷 + de 76 €

85 86 87 |88| |89| |90| 91 92 93 94 |95| |96| 98 99 **00** **01** 02

Cette propriété viticole établie sur une superbe côte jouit d'une remarquable exposition, plein sud, et de terroirs variés : sols calcaires au sommet, argiles denses dans la pente et sables argileux légèrement graveleux en pied de coteau. A son arrivée en 1997, Gérard Perse a repensé le vignoble et l'infrastructure des chais ; il dispose aujourd'hui d'un très bel outil. Paré de grenat sombre et dense à reflets noirs, le vin se révèle très concentré au nez ; il associe des arômes de fruits noirs (mûre, cerise) à un boisé racé et brûlé (fumée, goudron). La bouche est séveuse, étoffée et charpentée par des tanins mûrs et puissants qui supporteront une longue garde.

SCA Ch. Pavie, 33330 Saint-Emilion,
tél. 05.57.55.43.43, fax 05.57.24.63.99,
e-mail vignobles.perse@wanadoo.fr
Gérard Perse

### CH. PAVIE DECESSE 2002 ★

■ Gd cru clas. 3,65 ha 9 000 🍷 + de 76 €

85 86 88 |89| |90| 92 93 94 96 97 |98| |99| 02

Ce petit cru a une histoire indissociable de celle de son grand-frère Château Pavie : il fut créé à la fin du XIX^e s. par Ferdinand Bouffard, propriétaire de Pavie, qui décida de regrouper quelques parcelles en un vignoble autonome qu'il baptisa Pavie Decesse. Les deux entités appartiennent à Gérard Perse depuis 1997. Arborant une robe grenat, très sombre et dense, ce 2002 offre un bouquet complexe, mariant fruits rouges, mûre et figue, à des odeurs toastées et torréfiées. Suave et ronde au premier abord, la dégustation évolue sur une structure charnue et enrobée. Bonne longueur en finale.

SCA Ch. Pavie, 33330 Saint-Emilion,
tél. 05.57.55.43.43, fax 05.57.24.63.99,
e-mail vignobles.perse@wanadoo.fr

### PETIT CHEVAL 2002 ★

■ 37,5 ha n.c. 🍷 46 à 76 €

Le second vin du château Cheval Blanc, en général issu des vignes les plus jeunes ; ceci ne l'empêche pas d'être très réussi dans le millésime 2002. Dans une robe intense, le bouquet naissant s'ouvre sur des senteurs épicées, poivrées, légèrement toastées. La bouche d'abord souple et fraîche évolue sur une structure ample, bien équilibrée, et repose sur des tanins finement boisés. Cette bouteille devrait s'épanouir assez vite et se garder une petite dizaine d'années.

Bernard Arnault et Albert Frere,
SC du Cheval Blanc, Ch. Cheval Blanc,
33330 Saint-Emilion,
tél. 05.57.55.55.55, fax 05.57.55.55.50,
e-mail contact@chateau-chevalblanc.com

### CH. PETIT-FAURIE-DE-SOUTARD 2002

■ Gd cru clas. 6,92 ha 24 000 🍷 15 à 23 €

85 86 88 89 |90| 91 92 93 94 |96| 97 00 01 02

Situé à 800 m au nord de Saint-Emilion, dans le secteur de Faurie, ce vignoble fut détaché du grand domaine de Soutard en 1850. Son 2002 à reflets grenat assemble 65 % de merlot, 30 % de cabernet franc et 5 % de cabernet-sauvignon. Le nez demande de l'agitation pour libérer des arômes de fruits frais (griotte) et d'épices. La bouche, elle aussi, est d'abord fruitée, puis les tanins arrivent vite mais avec une certaine élégance et assez de persistance. Il faudra attendre ce vin deux ou trois ans et le déguster dans la décennie suivante sur viandes blanches ou rouges.

Jacques Capdemourlin, SCE Vignobles Aberlen,
Ch. Petit-Faurie-de-Soutard, 33330 Saint-Emilion,
tél. 05.57.74.62.06, fax 05.57.74.59.34,
e-mail info@vignoblescapdemourlin.com r.-v.
Françoise Capdemourlin

### CH. PETIT-GRAVET 2002

■ 1,66 ha 7 200 🍷 11 à 15 €

Claude Nouvel exploite 2,66 ha de vignes implantées sur sables profonds. Le merlot (75 %) et le cabernet franc (25 %) ont donné naissance à ce vin dont la robe présente quelques reflets d'évolution. Le nez est encore dominé par la barrique (chêne toasté, café, pain grillé) alors que la bouche se révèle souple, tendre et délicate avec une saveur de noisette qui se marie agréablement au boisé. Un vin charmant qui devrait s'ouvrir assez vite et s'apprécier lors des deux à cinq prochaines années.

Claude Nouvel,
2, rue de la Madeleine, 33330 Saint-Emilion,
tél. 06.82.10.64.75, fax 05.57.24.72.34 r.-v.

### CH. PETIT GRAVET AINE 2002 ★★★

■ 2,5 ha 6 500 🍷 23 à 30 €

En plus de sa propriété personnelle en côtes de Castillon, Catherine Papon-Nouvel gère les trois grands crus saint-émilionnais de la famille. Ils ont tous été retenus par notre jury : le **Château Gaillard 2002 (11 à 15 €)** est cité, le **Clos Saint-Julien 2002** obtient une étoile. Mais c'est le Château Petit Gravet Ainé qui monte sur la plus haute marche et décroche un coup de cœur. C'est un vin extrêmement original, issu à 80 % de cabernet franc. Sa robe est élégante. Les arômes de fleurs, de fruits, d'épices douces et de merrain très fin annoncent une bouche savoureuse, mariant parfaitement les bons raisins et le bon bois. Une superbe bouteille pour accompagner des mets fins lors des dix à douze prochaines années.

SCEA Vignobles Nouvel,
BP 84, 33330 Saint-Emilion,
tél. 05.57.24.72.44, fax 05.57.24.74.84 r.-v.
Catherine Papon-Nouvel

### CH. PIERRE DE LUNE 2002 ★★

■ 0,95 ha 3 000 🍷 38 à 46 €

|99| |00| |01| **02**

Depuis qu'ils ont acquis cette parcelle de merlot sur graves et sables en 1999, Véronique et Tony Ballu ont toujours été présents dans le Guide. C'est encore le cas avec ce 2002 de couleur bordeaux très sombre. Son bouquet est une succession de fruits confits, d'amande grillée, de menthe poivrée, de merrain. La bouche, d'abord

soyeuse et charnue, gagne en puissance et en générosité. Elle repose sur des tanins concentrés de raisin et de merrain qui lui assurent une grande persistance et un potentiel rare dans ce millésime. Un vin plein de charme et qui pourra se garder longtemps.
Véronique et Tony Ballu, 1, Châtelet-Sud, 33330 Saint-Emilion, tél. et fax 05.57.74.49.72, e-mail veronique.ballu@wanadoo.fr r.-v.

## CH. PIPEAU 2002 **

■ 35 ha 180 000 15 à 23 €

86 88 89 92 93 |95| 96 |98| |99| 00 01 **02**

Cette vaste propriété viticole, créée en 1929, étend ses vignes sur des sols argilo-calcaires et graveleux. Elle propose d'importants volumes d'un remarquable 2002. D'un rubis profond, ce vin libère des parfums complexes et puissants de fruits rouges bien mûrs, mariés à un élégant boisé grillé. Au palais, structurés autour d'une chair volumineuse, les tanins s'affirment et demandent quelques années de garde.
GAEC Mestreguilhem, Ch. Pipeau, 33330 Saint-Laurent-des-Combes, tél. 05.57.24.72.95, fax 05.57.24.71.25, e-mail chateau.pipeau@wanadoo.fr t.l.j. sf sam. dim. 8h-12h 14h-17h30

## LA PLAGNOTTE 2002 *

■ 1 ha 2 700 23 à 30 €

Nous sommes ici chez des descendants des anciens propriétaires de Cheval Blanc. Ils proposent une cuvée sélectionnée au sein des 6 ha de Laplagnotte-Bellevue. Comme les 2000 et 2001, le 2002 obtient une étoile : belle régularité. Paré d'une robe pourpre à reflets carminés, il s'ouvre sur des senteurs de sous-bois (chêne, humus, mousse) et sur un fumet agréable. La bouche bien équilibrée se montre souple et fraîche à l'attaque puis une saveur de fruits des bois et des tanins de chêne déjà soyeux s'imposent. Un ensemble agréable et qui le restera lors des trois à quatre prochaines années.
Claude de Labarre, Ch. Laplagnotte-Bellevue, 33330 Saint-Christophe-des-Bardes, tél. 05.57.24.78.67, fax 05.57.24.63.62, e-mail arnauddl@aol.com r.-v.

## CH. PLAISANCE 2002 *

■ 16,6 ha 78 000 11 à 15 €

Situé sur la route qui relie les Bigaroux à Branne et exploité depuis 1997 par Xavier Mareschal, ce cru a élaboré un vin grenat sombre. Le bouquet puissant et fin marie les fruits rouges à un boisé fondu. La bouche est charnue, concentrée, longue et d'un bon volume. Une très belle bouteille de garde.
Xavier Mareschal, Ch. Plaisance, 33330 Saint-Sulpice-de-Faleyrens, tél. 05.57.24.78.85, fax 05.57.24.44.94 r.-v.

## CH. DE PRESSAC 2002 *

■ 28,55 ha 48 296 23 à 30 €

97 |98| |99| 00 **01** 02

C'est au château de Pressac, qu'à l'issue de la bataille de Castillon fut signé en 1453 l'acte qui mit fin à la guerre de Cent Ans. C'est également ici, qu'au XVIIIe s. Vassal de Montviel implanta un nouveau cépage noble, l'auxerrois ou noir de Pressac, aujourd'hui plus connu sous le nom de cot rouge ou malbec. Pour revenir au présent, ce 2002 de teinte rubis sombre présente un bouquet fin et harmonieux associant fruits rouges et bon bois grillé et toasté ; la bouche est équilibrée, bien structurée et élégante, avec des tanins denses et persistants en finale, qui permettront une bonne garde. Le second vin, **Tour de Pressac 2002 (15 à 23 €)** obtient lui aussi une étoile et demande également trois à cinq ans de patience.
GFA Ch. de Pressac, 33330 Saint-Etienne-de-Lisse, tél. 05.57.40.18.02, fax 05.57.40.10.07, e-mail jfetdquenin@libertysurf.fr r.-v.
J.-F. et D. Quenin

## CH. PRIEURE LESCOURS 2002 *

■ 4 ha 6 000 30 à 38 €

Ce vignoble, acquis en 2001 par Jean-Luc Thunevin, est installé à Saint-Sulpice-de-Faleyrens sur sols sablo-graveleux et complanté de 70 % de merlot et de 30 % de cabernet franc. Il a produit un 2002 grenat intense, marqué au nez par les fruits mûrs et un élégant boisé grillé. La bouche est charnue et ample, avec de beaux tanins persistants, bien relevés en finale par une agréable acidité. Le **Clos Badon Thunevin 2002 (46 à 76 €)** obtient lui aussi une étoile ; marqué par le bois et d'une structure ferme, il demande trois à cinq ans de vieillissement. Le **Château Bel-Air-Ouÿ 2002** est cité et pourra être apprécié plus rapidement.
Ets Thunevin, 6, rue Guadet, 33330 Saint-Emilion, tél. 05.57.55.09.13, fax 05.57.55.09.12, e-mail thunevin@thunevin.com

## CH. QUERCY 2002

■ 4 ha 7 200 15 à 23 €

88 89 **90 93** 94 **95** 96 **|98|** |99| |00| 01 02

Ce millésime n'oublie pas qu'il a passé quinze mois sous bois. Les 10 % de cabernet franc complétant le merlot ont donné un vin à la robe très dense, presque noire, et au bouquet dominé par un boisé de type oxydatif. La bouche est cependant savoureuse, jouant essentiellement sur des notes boisées et épicées (réglisse, cannelle...). Il faudra attendre que les tanins se calment un peu.
GFA du Ch. Quercy, 3, Grave, 33330 Vignonet, tél. 05.57.84.56.07, fax 05.57.84.54.82, e-mail chateauquercy@wanadoo.fr r.-v.

## CH. QUINAULT L'Enclos 2002 **

■ n.c. 56 000 30 à 38 €

Cet important vignoble urbain de 20 ha est enserré dans Libourne, d'où le surnom d'Enclos. Le 2002 est remarquablement réussi. Tout y est : la robe sombre à reflets rubis ; le bouquet épanoui aux fragrances de fruits des bois, d'amande grillée, de pain d'épice, de merrain toasté ; la bouche gourmande et charmeuse mariant le velouté des raisins bien mûrs et le corps des tanins boisés. Déjà très agréable, cette bouteille se bonifiera lors des dix prochaines années.

🔑 Madame Raynaud, Ch. Quinault, 33500 Libourne,
tél. 05.57.74.19.52, fax 05.57.25.91.20,
e-mail raynaud@chateau-quinault.com
☑ 🍷 🚶 t.l.j. sf ven. sam. dim. 9h-12h 14h-17h; f. août

### CH. RIOU DE THAILLAS 2002 *

■ 2,54 ha 11 000 🛢 15 à 23 €

Coup de cœur l'an dernier pour le 2001, ce petit cru, exposé plein sud sur une croupe de boulbène riche en galets, est exclusivement planté de merlot. Le 2002 obtient une étoile grâce à sa robe grenat profond, à son bouquet complexe mêlant fruits cuits, tabac, cacao et arômes de torréfaction, et à sa bouche structurée, vineuse et puissante qui lui assurera un bel avenir.

🔑 GFA Béchet,
Ch. Riou de Thaillas, 33330 Saint-Emilion,
tél. 05.57.68.42.15, fax 05.57.68.28.59,
e-mail jean-yves.bechet@wanadoo.fr ☑ 🏠 🍷 🚶 r.-v.

### CH. RIPEAU 2002

■ Gd cru clas. 14,97 ha 36 000 🍾 🛢 🌡 15 à 23 €

90 91 92 93 94 95 |99| 01 02

Le merlot (65 %) est ici associé aux deux cabernets, le franc représentant 30 %. Rubis foncé, ce vin est peu ouvert, laissant s'exprimer quelques notes de fruits rouges sur un fond toasté, boisé. D'un bon volume, l'ensemble est réussi. Il faudra lui laisser le temps d'affiner sa finale.

🔑 Françoise de Wilde,
SCEA Ch. Ripeau, 33330 Saint-Emilion,
tél. 05.57.74.41.41, fax 05.57.74.41.57,
e-mail chateauripeau@wanadoo.fr ☑ 🍷 🚶 r.-v.

### CH. ROC DE BOISSEAUX 2002 *

■ 7,8 ha 35 000 🍾 🛢 11 à 15 €

|98| |99| |00| |01| 02

Ce cru appartient à la famille Clowez depuis 1989 ; il est installé sur des sols sablo-graveleux et comprend 80 % de merlot et 20 % de cabernet franc. Cela donne un 2002 rubis soutenu dont le nez intense et complexe évoque les fruits rouges et noirs, le cacao et le pain grillé. Equilibré et vineux, d'un bon volume, ce vin gagnera à attendre deux à trois ans pour s'épanouir.

🔑 SCEA du Ch. Roc de Boisseaux,
Trapeau, 33330 Saint-Sulpice-de-Faleyrens,
tél. 05.57.74.45.40, fax 05.57.88.07.64 ☑ 🍷 🚶 r.-v.
🔑 Clowez

### CH. ROCHEBELLE 2002 *

■ 3 ha 13 000 🛢 15 à 23 €

88 89 93 |96| 97 **98** 99 00 01 02

Des caves du XVIII[e]s. abritent ce vin rubis vif et intense. Le nez associe des arômes de cerise écrasée à un boisé toasté. Equilibrée, avec du gras, de la chair et des tanins mûrs et fondus qui persistent en finale sur des saveurs boisées, une bouteille bien dans son AOC et qui aurait obtenu une étoile de plus si l'élevage en barrique avait été moins marqué.

🔑 SCEA Faniest, Ch. Rochebelle,
33330 Saint-Laurent-des-Combes,
tél. 05.57.51.30.71, fax 05.57.51.01.99,
e-mail faniest@wanadoo.fr ☑ 🏠 🍷 🚶 r.-v.

### CH. ROCHER BELLEVUE FIGEAC 2002 **

■ 10,2 ha 40 000 🛢 11 à 15 €

Ce vignoble est implanté sur sables anciens, graves et argiles en bordure de Pomerol. Nos dégustateurs ont été impressionnés par la robe pourpre intense de ce vin, par la complexité de ses arômes où se mêlent le cassis, la cerise et le merrain bien chauffé. La bouche se révèle elle aussi très agréable, chaleureuse, savoureuse, en harmonie avec le nez, sa charpente étant assurée par des tanins boisés bien intégrés. Après un ou deux ans de patience, ce 2002 accompagnera une large palette culinaire.

🔑 SC Rocher Bellevue Figeac, J. Dutruilh,
14, rue d'Aviau, 33000 Bordeaux,
tél. et fax 05.56.81.19.69,
e-mail jdfammes@wanadoo.fr 🍷 🚶 r.-v.

### CH. ROL DE FOMBRAUGE 2002

■ 5,57 ha 26 012 🛢 15 à 23 €

Le lieu-dit « Rol » est l'endroit où l'on s'acquittait de son « rôle », c'est-à-dire de ses impôts... Grenat chatoyant, ce 2002 ne s'exprime pas encore mais laisse entrevoir des arômes fruités assez fins. La bouche compense un léger manque de structure par des tanins soyeux. Ce vin pourra être rapidement servi sur des volailles rôties.

🔑 Jean-Michel Delloye, SC Ch. Rol de Fombrauge,
33330 Saint-Christophe-des-Bardes, tél. 05.57.24.77.67,
fax 02.35.86.59.49, e-mail delloye@aol.com ☑ 🍷 🚶 r.-v.

### CH. ROLLAND-MAILLET 2002 *

■ 3,35 ha 10 098 🍾 🛢 🌡 11 à 15 €

(82) 85 **86** |**89**| |**90**| |93| |94| |95| 97 **98** 00 |01| 02

Vendanges manuelles parcelle par parcelle, double table de tri, tri avant et après éraflage, foulage sur cuves, petites cuves de 70 hl, pressoir vertical, dix-huit mois de barrique... tout est mis en œuvre chez Dany et Michel Rolland pour donner le maximum de chaque millésime. Composé de trois quarts de merlot et d'un quart de cabernet franc, ce 2002 présente une robe grenat soutenu. Le nez mûr et élégant associe les fruits rouges, la vanille et quelques touches florales. La bouche harmonieuse et concentrée repose sur des tanins fondus et racés qui persistent agréablement en finale et assureront une bonne garde.

🔑 SCEA des domaines Rolland, Maillet,
33500 Pomerol, tél. 05.57.51.23.05, fax 05.57.51.66.08,
e-mail rolland.vignobles@wanadoo.fr ☑ 🍷 🚶 r.-v.

### CH. LA ROSE COTES ROL 2002 *

■ 8 ha 35 000 🍾 🛢 🌡 8 à 11 €

Installés à Saint-Emilion depuis 1900, les Mirande disposent de vieilles vignes. Les deux cabernets à parts égales s'associent au merlot pour donner un vin bordeaux de bonne intensité, qui demande un peu d'aération pour libérer des arômes de fruits noirs et de raisin frais, accompagnés d'un bon boisé. Equilibré, structuré par des tanins solides mais bien enrobés, ce 2002 possède un bon potentiel pour les deux à cinq prochaines années. On peut l'associer à la nouvelle cuisine, un foie gras frais aux mangues par exemple.

🔑 SCEA Vignobles Mirande,
Lagarde, 33330 Saint-Emilion,
tél. 05.57.24.71.28, fax 05.57.74.40.42,
e-mail pierremirande@aol.com ☑ 🍷 🚶 r.-v.

### CH. LA ROSE-POURRET 2002

■ 8 ha 29 000 🛢 11 à 15 €

94 |95| 96 97 |99| 01 |02|

La famille Warion présente la totalité de sa production, issue du vignoble implanté sur un terroir argilo-sableux à crasse de fer, à l'ouest de Saint-Emilion près de

la route de Libourne. Rubis bordé de quelques reflets grenat, ce millésime est déjà expressif, avec des notes de fruits rouges, un boisé fin et légèrement épicé. La bouche est friande, fraîche et souple à la fois, et s'appuie sur des tanins élégants. Ce n'est pas un « gros » vin, mais il est plein de charme, de délicatesse et sera apprécié assez rapidement ; on pourra aussi le garder quelque temps.
B. et B. Warion,
Ch. La Rose-Pourret, 33330 Saint-Emilion,
tél. 05.57.24.71.13, fax 05.57.74.43.93,
e-mail contact@la-rose-pourret.com r.-v.

## CH. ROYLLAND 2002

■ 8,77 ha 17 456 15 à 23 €

Cette belle propriété viticole, achetée en 1989 par la famille Oddo, est partagée en deux entités distinctes : l'une implantée sur des sols argilo-sableux dans l'anse de Mazerat, sur la commune de Saint-Emilion, et l'autre installée sur les sols argilo-calcaires de Saint-Christophe-des-Bardes. Cela donne un 2002 rubis vif, au nez floral et fruité, marqué par le merlot et par un agréable boisé. La bouche, souple et soyeuse à l'attaque, se montre dense et charpentée, avec une finale encore un peu ferme qui demande plusieurs années pour s'assouplir.
SCEA Roylland, Ch. Roylland, 33330 Saint-Emilion,
tél. 05.57.24.68.27, fax 05.57.24.65.25,
e-mail chantal.oddo-vuitton@wanadoo.fr r.-v.
Chantal Oddo-Vuitton et Pascal Oddo

## CH. SAINT-ESPRIT 2002 ★

■ 1,31 ha 5 360 15 à 23 €

Ce petit cru provient du démembrement de Vieux-Château-Chauvin et a été créé en 1998 par Jérôme Dohet. Son 2002, grenat profond, exprime des notes toastées et grillées qui ne cachent pas le fruit (mûre et fruits rouges à noyau). La bouche, charnue et concentrée, révèle une matière généreuse et une longue finale sur des saveurs de fruit noirs et de réglisse. Idéal avec des viandes rouges dans deux à quatre ans.
Jérôme Dohet, 8, la Rose, 33330 Saint-Emilion,
tél. et fax 05.57.74.41.53,
e-mail chateausaintesprit@ifrance.com r.-v.

## CH. SAINT-HUBERT 2002 ★

■ 3 ha 15 000 15 à 23 €

Dédié au patron des chasseurs, ce petit cru est installé à Saint-Pey-d'Armens sur des sols argilo-sableux. D'une teinte rubis sombre et profond, ce 2002 libère un bouquet complexe et riche de fruits mûrs ou cuits, d'épices et de pain grillé. La bouche dense et puissante révèle une forte charpente enrobée par une matière ronde et charnue. Longue en finale, une bouteille à ouvrir dans trois à cinq ans, sur du gibier.
Vignobles Aubert,
Ch. La Couspaude, 33330 Saint-Emilion,
tél. 05.57.40.15.76, fax 05.57.40.10.14,
e-mail vignobles.aubert@wanadoo.fr r.-v.

## SANCTUS 2002 ★★

■ 3,7 ha 12 000 38 à 46 €

Une microcuvée issue de sables sur alios et d'argilo-calcaire du plateau. Le vin est très expressif, tant par sa somptueuse robe bordeaux à reflets noirs que par ses arômes déjà très complexes, succession de fruits rouges (fraise, framboise), d'épices, de feuilles de thé, de merrain torréfié. La bouche apparaît chaleureuse et pleine de punch, savoureuse, charnue, charpentée par des tanins de bois élégants qui respectent le raisin. Un ensemble gourmand et prometteur pour les quatre à quinze prochaines années. Le **Château La Bienfaisance (11 à 15 €)** est par ailleurs cité.
SA Ch. La Bienfaisance,
39, le Bourg, 33330 Saint-Christophe-des-Bardes,
tél. 05.57.24.65.83, fax 05.57.24.78.26,
e-mail info@labienfaisance.com r.-v.

## CH. SANSONNET 2002

■ 6,96 ha 20 000 30 à 38 €

98 99 00 |01| |02|

Patrick d'Aulan, ancien propriétaire de Piper Heidsieck (champagne), a acquis Sansonnet en 1999. Assemblant 10 % de cabernet franc au merlot, ce 2002 provient d'un sol argilo-calcaire et a sagement passé quatorze mois en barrique. Le nez est encore fermé, le merrain dominant le fruit. Mais l'attaque, élégante et généreuse, ouvre la voie à un vin aromatique, moderne, équilibré, facile, à servir pendant deux ou trois ans.
Patrick d'Aulan,
Ch. Sansonnet, 33330 Saint-Emilion,
tél. 05.57.34.51.51, fax 05.56.30.11.45

## CH. LA SERRE 2002

■ Gd cru clas. 7 ha 21 000 15 à 23 €

90 92 93 95 96 98 **99 00 01 02**

Grand cru classé traditionnel exploité par une vieille famille libournaise et implanté à 200 m des remparts de la cité. Son 2002 a une couleur encore jeune et vive. Le nez un peu fermé demande à être aéré pour libérer ses arômes floraux, fruités (cassis), mentholés et boisés. La saveur joue plus dans le registre de la finesse et de l'élégance que dans celui de la puissance. Les tanins sont cependant présents et permettront à cette bouteille de bien vieillir. Représentative de son millésime, elle pourra être appréciée dans les deux ans.
SCE Luc d'Arfeuille,
Ch. La Serre, 33330 Saint-Emilion,
tél. 05.57.24.71.38, fax 05.57.24.63.01,
e-mail darfeuille.luc@wanadoo.fr r.-v.

## CH. TAUZINAT L'HERMITAGE 2002

■ 9,28 ha 35 000 11 à 15 €

88 89 93 **94 95** |**96**| |97| **00** 01 02

Installé sur de jolis coteaux argilo-calcaires en terrasses des communes de Saint-Christophe-des-Bardes et de Saint-Hippolyte, ce domaine appartient à l'aristocratie des plus anciens crus de la contrée. Les chênes tauzins, célèbres par les truffes qui poussent à leurs pieds, ont donné leur nom à ce vin rubis éclatant. Des arômes de fruits rouges mûrs sont associés à un boisé fin et grillé. Corsé et équilibré, avec une bonne fraîcheur et des tanins veloutés en finale, ce 2002 pourra être consommé d'ici deux à trois ans.
SC Bernard Moueix, Ch. Taillefer, BP 9,
33501 Libourne Cedex, tél. et fax 05.57.25.50.45 r.-v.
Héritiers Moueix B.

## CH. TERTRE DAUGAY 2002 ★

■ Gd cru clas. 14 ha 48 000 15 à 23 €

82 **83 86 88** 89 90 |96| 98 99 00 02

Ancien poste d'observation sur la vallée de la Dordogne, au sud de Saint-Emilion, ce grand cru classé est très

visible de la route Libourne-Bergerac. Le terroir et l'exploitation sont excellents. L'encépagement se compose de 60 % de merlot et de 40 % de cabernet franc. Son vin aux reflets rubis et grenat s'ouvre d'abord sur un boisé vanillé, cacaoté, puis sur des fruits rouges confiturés. L'attaque souple et fraîche est vite relayée par des tanins encore un peu sévères. Après deux ou trois ans de patience on pourra apprécier cette bouteille pendant une décennie.
De Malet Roquefort, BP 65, 33330 Saint-Emilion, tél. 05.57.24.72.15, fax 05.57.24.69.06 r.-v.

## CH. TOINET-FOMBRAUGE 2002

■ 2,35 ha 8 000 11 à 15 €

95 96 97 |98| |99| 00 02

Danielle Sierra a pris le relais en 2004 ; sa famille exploite ce vignoble de 7,65 ha depuis 1894. Implantés sur les argilo-calcaires du nord-est de l'appellation, merlot et cabernet franc sont à parité. La teinte rubis de ce 2002 est intense et jeune, tout comme le nez un peu sous le bois. Concentré, puissant, charpenté par des tanins boisés, l'ensemble demande à s'affiner un peu. Pour amateurs de vins très concentrés.
Danielle Sierra, Ch. Toinet-Fombrauge, 33330 Saint-Christophe-des-Bardes, tél. 05.57.24.77.70, fax 05.57.24.76.49 t.l.j. 9h-12h 15h-19h

## TOUR DU SEME 2002 *

■ 2,46 ha 11 000 15 à 23 €

L'un des deux crus achetés en 1998 par M. Boge à l'est de l'appellation. Son 2002 est élaboré à partir de 60 % de merlot et de 40 % de cabernet franc. La robe légère présente quelques reflets d'évolution. Après un premier nez discret, on découvre des notes de fleurs et de tabac. La bouche est agréable, équilibrée, corsée par des tanins fins. Un ensemble déjà plaisant, que l'on pourra servir, dès aujourd'hui, sur des magrets de canard fumés ou garder quatre à cinq ans. Le **Château Milens 2002 (30 à 38 €)** obtient une citation.
SARL Milens, Le Sème, 33330 Saint-Hippolyte, tél. 05.57.55.24.47, fax 05.57.55.24.44, e-mail chateau.milens@wanadoo.fr

## CH. LA TOUR FIGEAC 2002 *

■ Gd cru clas. 12 ha 37 000 23 à 30 €

**82 83 85** 86 89 **|90|** 93 94 |95| **|96|** 97 |98| 01 02

Ce vignoble fut détaché du château Figeac en 1879 ; il appartient depuis 1994 à la famille Rettenmaïer et est conduit en biodynamie. Composé de 70 % de merlot et de 30 % de cabernet franc nés sur graves et sables anciens, ce 2002 présente une robe grenat, profonde et intense. Au nez, des arômes de fruits rouges et noirs percent agréablement, avec un discret soutien toasté. La bouche est charnue et ronde, bien structurée et équilibrée, agrémentée de saveurs fruitées en finale.
Famille Rettenmaïer, SC La Tour Figeac, BP007, 33330 Saint-Emilion, tél. 05.57.51.77.62, fax 05.57.25.36.92, e-mail latourfigeac@aol.com
r.-v.

## CH. TOUR PEYRONNEAU 2002

■ 7 ha 40 000 8 à 11 €

La famille Lavau, bien établie à Saint-Etienne-de-Lisse, possède aussi ce vignoble situé dans la cité libournaise sur sables et graves et planté à 95 % de merlot. Pourpre intense, ce 2002 demande à être un peu aéré pour libérer des notes de fruits à l'alcool assez fraîches. L'attaque chaleureuse et fruitée est vite relayée par des tanins un peu surextraits qui demanderont un à deux ans pour s'assagir. Ce vin appellera alors un gibier en sauce.
SCEA Régis Lavau et Fils, Ch. Tour Peyronneau, 33330 Saint-Etienne-de-Lisse, tél. 05.57.40.18.19, fax 05.57.40.27.31 r.-v.

## CH. TOUR RENAISSANCE 2002

■ 4 ha 21 000 11 à 15 €

96 97 98 |99| |00| |01| 02

L'étiquette reproduit un tableau du peintre Malrieux. Le vin est tout aussi coloré. Après seize mois de fût, le nez révèle un boisé cacaoté et vanillé, mais sans exagération. Une attaque suave annonce un corps équilibré, assez gras, aux tanins veloutés.
SCEA Vignobles Daniel Mouty, Ch. du Barry, 33350 Sainte-Terre, tél. 05.57.84.55.88, fax 05.57.74.92.99, e-mail daniel-mouty@wanadoo.fr
t.l.j. 8h-18h

## CH. TRIANON 2002

■ 8 ha 22 000 23 à 30 €

Seule propriété saint-émilionnaise à revendiquer dans son encépagement 5 % de carmenère, vieux cépage bordelais, Trianon offre dans ce millésime un vin grenat, profond. Encore un peu discret au nez où percent cependant des notes fruitées et florales, ce vin est bien équilibré, doté d'une matière tannique ferme, puissante et longue. Tout cela lui assurera au moins cinq ans de garde.
Dominique Hébrard, Ch. Trianon, 33330 Saint-Emilion, tél. 05.57.25.34.46, fax 05.57.25.28.61, e-mail contact@chateau-trianon.com r.-v.
Berrebi, Hébrard, Laguillaumie

## CH. TROPLONG-MONDOT 2002 *

■ Gd cru clas. 20,4 ha 70 000 38 à 46 €

82 83 85 86 88 **|89|** |(90)| 92 |95| |96| 97 |98| **01** 02

Du haut de son plateau calcaire, ce grand cru classé domine la vieille cité médiévale de Saint-Emilion. Son 2002, d'une teinte cerise noire (burlat) encore vive, est dominé par des arômes de merrain chauffé et de vanille, mais le raisin existe bien derrière, laissant percer des senteurs de fruits cuits. La bouche, très élégante, se montre d'abord fruitée et ample et finit sur des tanins serrés à la saveur de café et de cacao. C'est l'austérité de la jeunesse ! Ce millésime devrait atteindre sa plénitude entre 2007 et 2010.
Christine Valette Pariente, Ch. Troplong-Mondot, 33330 Saint-Emilion, tél. 05.57.55.32.05, fax 05.57.55.32.07, e-mail contact@chateau-troplong-mondot.com
r.-v.

## CH. TROTTEVIEILLE 2002

■ 1er gd cru clas. B n.c. 19 000 46 à 76 €

82 **85 86 88 90** 93 94 |95| |96| 97 98 |99| **00 01** 02

Une chartreuse du XVIII[e]s. d'où l'on jouit d'une vue exceptionnelle sur la vallée de la Dordogne et le bourg de Saint-Emilion. Né d'un assemblage original où 50 % de merlot sont complétés par 45 % de cabernet franc et 5 % de cabernet-sauvignon, ce vin porte les couleurs de sa région : bordeaux, très jeune. Si le nez est encore fermé, il n'en est pas moins agréable par ses notes de fruits noirs, d'épices et de sous-bois. La bouche est ronde et fondue, assez délicate, fraîche. Dans deux ou trois ans, ce vin pourra accompagner des viandes blanches.

SCEA du Ch. Trottevieille,
Ch. Trottevieille, 33330 Saint-Emilion,
tél. 05.56.00.00.70, fax 05.57.87.48.61,
e-mail domaines@borie-manoux.fr r.-v.

## CH. DE VALANDRAUD 2002 *

■ 4 ha 12 000 + de 76 €

Fleur des établissements Thunevin, ce cru propose un 2002 élevé vingt mois en barrique. Grenat sombre et dense à reflets violines, le vin séduit par ses arômes de fruits mûrs et de vanille. La bouche puissante et concentrée pourra soutenir une longue garde. Le second vin de la propriété, **Virginie de Valandraud 2002 (46 à 76 €)**, 8 000 bouteilles, obtient une citation. Il est également très boisé et demande plusieurs années de patience.

Ets Thunevin, 6, rue Guadet, 33330 Saint-Emilion,
tél. 05.57.55.09.13, fax 05.57.55.09.12,
e-mail thunevin@thunevin.com

## CH. DU VAL D'OR 2002

■ 12,5 ha 60 000 11 à 15 €

Ce vignoble doté d'impressionnants cuviers est exploité par Philippe Bardet à Vignonet, au sud de l'appellation. Le vin est commercialisé par la maison Mau, qui fait partie du groupe catalan Freixenet. Voici un vin de style traditionnel : robe bordeaux intense, bouquet naissant de fruits rouges, discrètement boisé. Chaleureux, il est doté de tanins encore un peu austères, qui devraient se fondre dans un an ou deux.

SA Yvon Mau, rue Sainte-Pétronille,
Gironde-sur-Dropt, 33190 La Réole, tél. 05.56.61.54.54,
fax 05.56.61.54.61, e-mail info@ymau.com
Philippe Bardet

## DOM. DE LA VIEILLE EGLISE 2002 *

■ 13,29 ha 32 000 8 à 11 €

Installé sur des terroirs argilo-limoneux, ce vignoble propose un 2002 au nez encore discret, libérant à l'aération des arômes fruités avec des notes grillées. La bouche est solidement charpentée par des tanins fermes et longs en finale. Apte à une garde de trois à cinq ans, un vin classique.

Micheau-Maillou et Palatin,
La Vieille Eglise, 33330 Saint-Hippolyte,
tél. 05.57.24.61.99, fax 05.57.74.45.37 r.-v.

## CH. VIEILLE TOUR LA ROSE 2002

■ 4,35 ha 23 900 8 à 11 €

Installé au nord de Saint-Emilion sur des sols ferrugineux, ce cru est complanté de merlot avec un appoint de 20 % de cabernet franc. Cela donne un 2002 au bouquet vineux très fruité, à la bouche friande, enrobée, équilibrée, classique.

SCEA Vignobles Daniel Ybert,
Lieu-dit La Rose, 33330 Saint-Emilion,
tél. 05.57.24.73.41, fax 05.57.74.44.83,
e-mail contact@vignoblesybert.fr r.-v.

## VIEUX CHATEAU L'ABBAYE 2002 *

■ 1,73 ha 3 800 15 à 23 €

95 96 97 |98| |99| 00 01 02

Le village de Saint-Emilion remonterait à l'établissement des Celtes. Il est aujourd'hui inscrit sur la liste du Patrimoine mondial de l'Unesco pour ses paysages viticoles. Les sols argilo-calcaires, 85 % de merlot et 15 % de cabernet franc ont donné naissance à ce vin grenat marqué par des arômes de fruits rouges et des notes vanillées. La bouche est puissante, dotée d'une matière ferme et nerveuse. De belle typicité, une bouteille à ouvrir dans trois à cinq ans sur des viandes rouges.

Françoise Lladères,
BP 69, 33330 Saint-Christophe-des-Bardes,
tél. 05.57.47.98.76, fax 05.57.47.93.03,
e-mail francoise.lladeres@club-internet.fr r.-v.

## CH. VIEUX FORTIN 2002 *

■ 5,32 ha 20 000 30 à 38 €

Situé au nord-ouest de Saint-Emilion sur un sol argilo-graveleux complanté à 60 % de merlot, Vieux Fortin propose un 2002 de teinte burlat bordée de grenat. Le bouquet, déjà intense, révèle des petits fruits rouges et noirs, puis du merrain torréfié. La bouche tout en douceur, savoureuse, fruitée, épicée repose sur des tanins serrés mais soyeux. On pourra apprécier cette bouteille dans les deux à trois prochaines années sur viande rouge et gibier.

Claude Sellan,
Ch. Vieux Fortin, 33330 Saint-Emilion,
tél. 06.80.65.97.44, fax 05.57.24.69.97,
e-mail vieuxfortin@wanadoo.fr r.-v.

## CH. DU VIEUX-GUINOT 2002

■ 12 ha 48 000 15 à 23 €

Ce cru est le vaisseau amiral de Jean-Pierre Rollet, personnalité saint-émilionnaise, dont la famille est installée ici depuis trois siècles, comme l'atteste un acte notarié de 1729. Comme son producteur, ce 2002 a du caractère. La robe rubis est bordée d'un liseré grenat. L'aération libère un bouquet de violette, de fruits noirs, un fumet de thym et du bois vanillé. La bouche chaleureuse et fruitée est étoffée par des tanins fins et boisés. On pourra apprécier cette bouteille sur un gigot à la ficelle ou un civet de lapereau aux olives.

Jean-Pierre Rollet,
Guinot, 33330 Saint-Etienne-de-Lisse,
tél. 05.57.56.10.20, fax 05.57.47.10.50,
e-mail contact@vignoblesrollet.com r.-v.

## CH. VILLHARDY 2002 *

■ 1 ha 2 500 30 à 38 €

Deuxième millésime de Stéphane Bedenc. Il est composé à 60 % de merlot et à 40 % de cabernet franc. Grenat soutenu, concentré, il est aujourd'hui dominé par un boisé grillé que l'on retrouve tout au long de la dégustation. Les tanins puissants et fermes demanderont au moins cinq à huit ans pour s'affiner.

Stéphane Bedenc, 6, Petit-Chemin-de-Barreau,
33500 Libourne, tél. et fax 05.57.25.26.67,
e-mail chateau.villhardy@9business.fr r.-v.

## CH. VIRAMIERE 2002 *

■ 13,69 ha 59 333 11 à 15 €

Cet important vignoble, implanté sur les sols argilo-calcaires et argilo-siliceux de Saint-Etienne-de-Lisse, à l'est de l'appellation, est vinifié par la coopérative de Saint-Emilion. Dans le verre, on trouve un 2002 aux reflets vermillon de bonne intensité et aux arômes de fruits noirs associés à un boisé discret et à une touche de cuir. La bouche est chaleureuse, souple, accompagnée de tanins soyeux qui permettront de boire cette bouteille assez vite.

Union de producteurs de Saint-Emilion,
Haut-Gravet, BP 27, 33330 Saint-Emilion,
tél. 05.57.24.70.71, fax 05.57.24.65.18,
e-mail contact@udpse.com r.-v.
Vignobles Dumon

# Les autres appellations de la région de Saint-Emilion

Plusieurs communes, limitrophes de Saint-Emilion et placées jadis sous l'autorité de sa jurade, sont autorisées à faire suivre leur nom de celui de leur célèbre voisine. Ce sont les appellations de lussac-saint-émilion, montagne saint-émilion, puisseguin saint-émilion, saint-georges saint-émilion, les deux dernières correspondant d'ailleurs à des communes aujourd'hui fusionnées avec Montagne. Toutes sont situées au nord-est de la petite ville, dans une région au relief tourmenté qui en fait le charme, avec des collines dominées par nombre de prestigieuses demeures historiques et par des églises romanes du plus haut intérêt. Les sols sont très variés et l'encépagement est le même qu'à Saint-Emilion ; aussi la qualité des vins est-elle proche de celle des saint-émilion.

# Lussac-saint-émilion

Lussac-saint-émilion est l'une des aires du Libournais les plus riches en vestiges gallo-romains. Au centre et au nord de l'AOC, le plateau est composé de sables du Périgord alors qu'au sud le coteau argilo-calcaire forme un arc de cercle bien exposé. 84 241 hl ont été produits en 2004 sur les 943 ha revendiqués.

### CH. DE BARBE BLANCHE Réserve 2002 *

■ 10 ha 30 000 11 à 15 €

Appartenant pour moitié à André Lurton, personnalité bordelaise, et à André Magnon, ce cru propose un vin à la robe pourpre sombre. Ses arômes boisés (vanille, pain grillé) sont relevés par des notes de fruits rouges bien mûrs. Les tanins souples et ronds en attaque montent en puissance et persistent longuement. L'harmonie sera meilleure après deux à cinq ans de vieillissement. Des mêmes propriétaires, le **Château Tour de Ségur 2002 (8 à 11 €)** est cité : bien fruité, il est plus simple en bouche que son aîné ; il s'apprécie dès aujourd'hui.

André Lurton, Ch. Bonnet, 33420 Grézillac,
tél. 05.57.25.58.58, fax 05.57.74.98.59,
e-mail andrelurton@andrelurton.com r.-v.

André Lurton et André Magnon

### CH. BEL-AIR 2002

■ 19 ha 140 000 8 à 11 €

Né sur un terroir d'argile et de crasse de fer, ce vin pourpre aux reflets rubis présente des arômes fruités et bien boisés. Les tanins ronds et puissants en attaque évoluent ensuite vers une certaine sévérité, le boisé l'emportant encore sur le fruit. Deux à trois ans de garde semblent indispensables.

Jean-Noël Roi, EARL Ch. Bel-Air, 33570 Lussac,
tél. 05.57.74.60.40, fax 05.57.74.52.11,
e-mail jean.roi@wanadoo.fr r.-v.

### CH. DE BORDES B de B 2002 *

■ 0,25 ha 2 100 15 à 23 €

Cette microcuvée numérotée est issue à 100 % du cépage merlot ; elle est élevée en fût neuf, ce qui ressort bien à la dégustation. En effet, les arômes de vanille, de pain grillé masquent aujourd'hui le fruité. Heureusement la structure tannique ronde et équilibrée laisse augurer un bon avenir pour cette bouteille, au moins trois à cinq ans.

Vignobles Paul Bordes,
Faize, 33570 Les Artigues-de-Lussac,
tél. 05.57.24.33.66, fax 05.57.24.30.42,
e-mail vignobles.bordes.paul@wanadoo.fr r.-v.

### CH. DU COURLAT
Cuvée Jean-Baptiste Elevé en barrique de chêne 2002 *

■ 4 ha 19 800 11 à 15 €

Propriété de 25 ha d'un seul tenant, dont 17 ha en vignes, ce cru est situé à la sortie nord-est de Lussac. Il appartient à la galaxie des châteaux de Pierre Bourotte, également négociant. Son 2002, d'une couleur sombre et chatoyante à la fois, offre des arômes intenses de fruits mûrs et de vanille. Ses tanins fermes et denses, encore un peu sévères, évoluent tout en équilibre. Ce vin mérite une garde de trois à cinq ans pour s'épanouir totalement.

SAS Pierre Bourotte, 62, quai du Priourat,
BP 79, 33502 Libourne Cedex, tél. 05.57.51.62.17,
fax 05.57.51.28.28, e-mail contact@jbaudy.fr r.-v.

### CH. LES COUZINS Vieilli en fût de chêne 2002

■ n.c. n.c. 8 à 11 €

Le cabernet-sauvignon (20 %) complète le merlot dans ce vin au bouquet élégant de fleurs et de boisé délicat. En bouche, les tanins sont expressifs et équilibrés, ils manquent juste un peu de profondeur et de persistance. Une bouteille à servir dès cet automne.

EARL Robert Seize, Les Couzins, 33570 Lussac,
tél. 05.57.74.60.67, fax 05.57.74.55.60 r.-v.

### CH. LA CROIX DE L'ESPERANCE 2002

■ 7 ha 19 000 11 à 15 €

Ce vin issu à 100 % du merlot et élevé dix-huit mois en barrique n'est pas de grande typicité, mais il plaira aux amateurs de vins concentrés, très mûrs, torréfiés au nez. En finale, il paraît un peu sévère. Une bonne garde (au moins deux ans) devrait lui permettre de s'assouplir.

SAS Ch. Fombrauge,
33330 Saint-Christophe-des-Bardes, tél. 05.57.24.77.12,
fax 05.57.24.66.95, e-mail chateau@fombrauge.com

M. Magrez

### CH. DE LA GRENIERE
Cuvée de la Chartreuse 2002 *

■ 2 ha 11 500 8 à 11 €

Un domaine de 15 ha, et cette cuvée spéciale élaborée à partir d'un assemblage de 70 % de merlot et de 30 % de cabernets vieux de quarante-cinq ans. La teinte rubis, le bouquet marqué par la vanille, le fumé et le menthol sont agréables. Les tanins gras et veloutés à l'attaque évoluent ensuite avec puissance et chaleur et révèle un bon équilibre entre le vin et le boisé de la barrique. Un vin à boire dans les deux à trois ans à venir.

EARL Vignobles Dubreuil, Ch. de La Grenière, 33570 Lussac, tél. 05.57.74.64.96, fax 05.57.74.56.28, e-mail earl.dubreuil@wanadoo.fr r.-v.

## CH. LA HAUTE CLAYMORE 2002

■ n.c. n.c. 5 à 8 €

D'origine écossaise, ce cru propose régulièrement de beaux vins. Ce 2002 à la robe sombre affiche un nez de pruneau, de pain grillé et de vanille. En bouche, les tanins encore très présents ont besoin pour s'arrondir d'un vieillissement de deux ou trois ans.

EARL Vignobles D. et C. Devaud, Ch. de Faise, 33570 Les Artigues-de-Lussac, tél. 05.57.24.31.39, fax 05.57.24.34.17

## PRESTIGE DE HAUT-JAMARD 2002

■ 1,5 ha 5 000 8 à 11 €

Cette cuvée spéciale est une petite sélection de ce cru de 12 ha. Sa robe rubis est bien soutenue. Son bouquet empyreumatique évoque également la cerise et la vanille. La souplesse des tanins est agréable, harmonieuse : ce vin est prêt.

Jean-Claude Charpentier, Jamard, 33570 Lussac, tél. 05.57.74.51.28, fax 05.57.74.57.72, e-mail vignoblecharpentier@wanadoo.fr r.-v.

## L'INTEMPOREL 2002 ★★

■ n.c. 15 000 15 à 23 €

Une fois encore c'est la cave coopérative de Puisseguin et Lussac qui décroche le coup de cœur pour cet Intemporel issu d'une sélection stricte de parcelles de vignes plantées sur des graves argileuses. La robe pourpre brille de reflets violets. Les fruits rouges (framboise) sont en harmonie avec un boisé vanillé bien fondu ; les tanins charnus, fondants, voluptueux sont déjà très élégants. Ce vin se révélera magnifique dans deux à cinq ans. La **cuvée Renaissance 2002 (8 à 11 €)** obtient une étoile : elle est également de grande qualité et ressemble à L'Intemporel.

Les Producteurs réunis de Puisseguin et Lussac-Saint-Emilion, 33570 Puisseguin, tél. 05.57.55.50.40, fax 05.57.74.57.43, e-mail direction@producteurs-reunis.com t.l.j. sf sam. dim. 8h30-12h30 14h30-18h30

## CH. JAMARD BELCOUR 2002

■ 5,5 ha 12 000 5 à 8 €

Un 2002 pourpre aux reflets violines, au bouquet naissant de fleurs, de réglisse et de cassis. En bouche, les tanins sont assez charnus, grillés et puissants en finale. L'harmonie sera parfaite dans deux ou trois ans.

SCEV Despagne et Fils, 3, Bonneau, 33570 Montagne, tél. 05.57.74.60.72, fax 05.57.74.58.22, e-mail despagne@tiscali.fr t.l.j. sf dim. 8h-12h 13h30-19h

## CH. LA JORINE 2002

■ 3,5 ha 25 000 5 à 8 €

Cette petite propriété acquise en 1995 ne ménage pas les efforts qualitatifs depuis quelques années. Le résultat est là avec ce 2002 rubis intense. Son bouquet de fruits rouges et noirs (myrtille), de cuir, de fleurs est agréable. Les tanins fins et puissants à la fois, un peu austères en finale, ont besoin pour s'assouplir de deux à trois ans de garde.

EARL Vignobles Fagard, Cornemps, 33570 Petit-Palais, tél. 05.57.69.73.19, fax 05.57.69.73.75, e-mail vignobles.fagard@wanadoo.fr r.-v.

## CH. DE LAGARDERE Cuvée Sélection 2002 ★

■ n.c. 2 600 5 à 8 €

Cette propriété familiale de 25 ha propose une cuvée spéciale élevée dix-huit mois en barrique. La robe pourpre est traversée de reflets violines. Les arômes intenses et floraux rappellent la lavande avec une touche de mine de crayon. Les tanins fruités, élégants et équilibrés composent un vin typé, déjà agréable et qui pourra également vieillir quelques années.

Jean-François Blanc, Ch. Bellevue-Poitou, 33570 Lussac, tél. 06.07.39.25.70, fax 05.57.74.57.97, e-mail jean-francois-blanc@wanadoo.fr r.-v.

## CH. DES LANDES Cuvée Prestige 2002

■ 2 ha 9 000 8 à 11 €

Un vignoble de 26 ha d'un seul tenant, et une cuvée où le merlot représente la part du lion (80 %). Cette cuvée Prestige n'a pas fait l'unanimité du jury, elle est cependant citée pour la qualité de ses arômes de fruits frais, de cacao, de réglisse, ainsi que pour sa bouche aux tanins concentrés, bien enveloppée et équilibrée en finale. Une bouteille à apprécier dès aujourd'hui.

Daniel Lassagne, EARL des Vignobles du Château des Landes, 5, Lagrenière, 33570 Lussac, tél. et fax 05.57.74.68.05, e-mail chateaudeslandes@yahoo.fr t.l.j. 8h30-12h 13h30-19h30

## CH. LION PERRUCHON La Griffe 2002 ★

■ 5,5 ha 22 000 15 à 23 €

Ce domaine de 10 ha existe depuis le XVI[e]s. Il a été acheté en 2001 par la famille Munck. Son deuxième millésime présente une robe pourpre soutenu, un nez équilibré entre les notes boisées et florales, avec une pointe de tabac. En bouche, il est élégant, marqué par des tanins soyeux et harmonieux. Une légère amertume finale devrait s'estomper avec deux ou trois ans de garde.

SARL Munck-Lussac, Ch. Lion-Perruchon, 33570 Lussac, tél. 05.57.74.58.21, fax 05.57.74.58.39, e-mail perruchon@wanadoo.fr r.-v.

## CH. LUCAS L'Esprit de Lucas 2002 ★

■ 4 ha 12 000 11 à 15 €

Ce château dont les origines remontent au XVI[e]s. présente deux vins qui obtiennent chacun une étoile. La **cuvée Prestige Grand de Lucas 2002 (8 à 11 €)** révèle un bouquet de fruits noirs bien mûrs, de noyau de cerise, de grillé ; elle est assez concentrée en bouche, ample et bien fondue en finale. Un vin à boire ou à attendre deux à cinq ans. Quant à cet Esprit de Lucas, il répond à une conception un peu plus moderne : réglissé et fruité, avec des tanins charnus et équilibrés, puissants en finale, il sera à apprécier dans deux à cinq ans sur un pavé de bœuf.

Frédéric Vauthier, Ch. Lucas, 33570 Lussac,
tél. 05.57.74.60.21, fax 05.57.74.62.46,
e-mail chateau.lucas.fred.vauthier@wanadoo.fr
r.-v.

### CH. DE LUSSAC 2002

■ 22,61 ha 60 000 15 à 23 €

Ce très beau château a consenti de lourds investissements depuis quelques années ; il propose un 2002 puissant et moderne dont le bouquet cacaoté est relevé par des notes d'encre et de santal. Les tanins sont pleins et équilibrés en attaque, puis ils évoluent avec une certaine sévérité : on patientera deux à trois ans avant d'ouvrir cette bouteille.

SCEA du Ch. de Lussac, 15, rue de Lincent,
33570 Lussac, tél. 05.57.74.56.58, fax 05.57.74.56.59,
e-mail chateaudelussac@terre-net.fr r.-v.

### CH. LYONNAT 2002

■ 45 ha 180 000 11 à 15 €

Situé au nord-est de l'AOC, ce château fait partie des plus anciens domaines de l'appellation. Ce vin se distingue par ses arômes fumés et grillés, voire chocolatés, et par une structure souple et fraîche, encore un peu vive en finale. Attendre deux ans afin qu'il gagne en harmonie.

SCE Vignobles Jean Milhade, Ch. Recougne,
33133 Galgon, tél. 05.57.55.48.90, fax 05.57.84.31.27,
e-mail milhade@milhade.fr r.-v.

### CH. MAYNE-BLANC Cuvée Saint-Vincent 2002

■ 4 ha 20 000 8 à 11 €

Depuis 1997, père et fils travaillent ensemble sur ce domaine de 23 ha. Cette cuvée régulièrement à l'honneur dans le Guide est légèrement en retrait cette année ; elle n'en présente pas moins une belle couleur rubis, des arômes boisés et grillés et une structure tannique souple et ferme à la fois. Attendre un à deux ans.

EARL Jean Boncheau, Ch. Mayne-Blanc,
33570 Lussac, tél. 05.57.74.60.56, fax 05.57.74.51.77,
e-mail mayne.blanc@wanadoo.fr
t.l.j. sf dim. 8h-12h 14h-18h30

### CH. TOUR DES AGASSEAUX 2002 ★

■ 10 ha 40 000 5 à 8 €

Un assemblage de 70 % de merlot et de 30 % de cabernet franc élevé douze mois en barrique est à l'origine de ce 2002 ; la robe rouge cerise brille de reflets pourpres ; le bouquet intense évoque le fruit bien mûr et la réglisse ; ronds et élégants en attaque, les tanins évoluent harmonieusement avec du volume et de l'équilibre ; la finale devra se fondre. A attendre deux à trois ans. Le **Vieux Château Chambeau 2002 (8 à 11 €)** obtient également une étoile. Sa fraîcheur bienvenue en finale permet de l'apprécier dès maintenant ; on pourra aussi garder cette bouteille deux à cinq ans.

SC Ch. du Branda, Roques, 33570 Puisseguin,
tél. 05.57.74.62.55, fax 05.57.74.57.33,
e-mail chateau.branda@wanadoo.fr r.-v.

### CH. VIEUX FOURNAY 2002 ★★

■ 3 ha 15 000 5 à 8 €

Appartenant à la même famille depuis plus de cent cinquante ans, cette propriété de 12 ha présente cette remarquable cuvée classique, dont la robe bigarreau offre des reflets pourpre brillant. Ses arômes, complexes et intenses, évoquent les petits fruits noirs (myrtille), le cuir. L'équilibre tannique en bouche se révèle tout en finesse et en typicité. Un vin prometteur à garder cinq ans maximum. La cuvée réservée en fût de chêne, **Vieux Château Fournay 2002 (8 à 11 €)**, obtient une étoile et se caractérise par un bouquet vanillé et beaucoup de fraîcheur en bouche.

EARL Albert et Vergnaud, lieu-dit Poitou,
33570 Lussac, tél. 05.57.74.57.09, fax 05.57.74.57.17,
e-mail vieux-fournay@wanadoo.fr r.-v.
Vergnaud



## Montagne-saint-émilion

Montagne a la chance de disposer d'un riche patrimoine architectural et d'une église romane (Saint-Martin) qui reste malgré sa réfection au XIXᵉs. l'un des joyaux de la région. Le visiteur pourra apprécier la vocation viticole du village dans l'écomusée du Libournais. S'étendant sur 1 590 ha, les terroirs de Montagne sont variés, argilo-calcaires ou de graves. Ils ont donné 92 424 hl de vin rouge en 2004.

### CH. BEAUSEJOUR Clos L'Eglise 2002 ★

■ 4 ha 30 000 11 à 15 €

Une sélection de vignes de soixante-dix ans du château Beauséjour. Sa robe est intense, très jeune. Ses arômes bien ouverts évoquent le café grillé, la vanille. Les tanins, puissants et soyeux à la fois, sont bien enrobés ; le boisé est présent mais de qualité. Trois à quatre ans de vieillissement sont conseillés.

SARL Beauséjour, Ch. Beauséjour,
33570 Montagne, tél. et fax 05.57.74.62.10 r.-v.

### CH. BECHEREAU
Cuvée spéciale Elevé en fût de chêne 2002 ★

■ 4 ha 10 000 8 à 11 €

Cette cuvée issue du merlot est élevée en fût de chêne pendant un an. Sa robe grenat aux reflets rubis et ses arômes mentholés et fruités (framboise) retiennent l'attention. Puis les tanins au caractère marqué marquent agréablement la finale. A servir dans deux ou trois ans.

SCE Jean-Michel Bertrand,
Béchereau, 33570 Les Artigues-de-Lussac,
tél. 05.57.24.31.22, fax 05.57.24.34.69,
e-mail contact@chateaubechereau.com
t.l.j. 8h-12h 14h-18h

### L'ESPRIT DU CHATEAU CAZELON 2002

■ 0,7 ha 4 500 8 à 11 €

Vieilles vignes et fût neuf : cela distingue cette cuvée spéciale parée d'une robe grenat brillant. Son bouquet intense et boisé laisse apparaître des notes fruitées très mûres, voire confites. En bouche, les tanins sont équilibrés mais demandent un an pour se fondre.

Denis Fourloubey, Cazelon, 33570 Montagne, tél. 05.57.74.58.78, fax 05.57.74.57.47 r.-v.

### CH. LA CHAPELLE 2002 *

9,39 ha 67 000 5 à 8 €

Parsac et son église fondée au XIe s. : certes la plus petite des trois églises romanes de Montagne, mais fort intéressante et méritant le détour. Tout comme cette propriété familiale, située sur des coteaux argilo-calcaires, qui propose deux vins distingués chacun par une étoile. La cuvée **élevée en fût de chêne 2002** est bien sûr marquée par des arômes de grillé, de cacao, de ganache ; ses tanins mûrs, chaleureux et encore très boisés assureront une garde de deux ou trois ans. La cuvée classique porte davantage sur les fruits cuits, l'amande grillée, les épices. Sa structure est franche, son équilibre prometteur.

Thierry Demur, SCEA du Ch. La Chapelle, Berlière, Parsac, 33570 Montagne, tél. et fax 05.57.24.78.33 r.-v.

### CH. CHAPELLE SEGUR

Elevé en fût de chêne 2002 **

20 ha 30 000 8 à 11 €

Cette propriété est restée dans la même famille depuis le XIXe s. ; elle est assise sur un beau terroir argilo-calcaire. Le vin se présente sous une robe sombre aux reflets rubis. Ses arômes complexes évoquent les fruits confiturés. Les tanins sont charnus, aussi puissants qu'élégants et persistants. Une remarquable bouteille à attendre trois à six ans. Du même propriétaire, le **Château Coucy 2002 (11 à 15 €)** obtient une étoile.

GFA Mauréze, Ch. Coucy, 33570 Montagne, tél. 05.57.55.09.13, fax 05.57.55.09.12, e-mail thunevin@thunevin.com

### CLOS CROIX DE MIRANDE 2002 *

1,36 ha 7 200 8 à 11 €

Ce clos correspond à six petites parcelles de vignes de merlot (85 %) et de cabernet franc. Rubis soutenu, son vin est dominé par des notes boisées mais le fruit rouge (framboise) apparaît ensuite. En bouche, il est riche, puissant, mûr, avec une finale aromatique, complexe et longue. D'un bon potentiel, cette bouteille sera à ouvrir dans deux ans et pendant quatre ou cinq ans.

Yvette et Michel Bosc, Clos Croix de Mirande, 33570 Montagne, tél. 05.57.74.59.78, fax 05.57.74.50.61 r.-v.

### CH. LE CLOS DAVIAUD Elevé en barrique 2002 *

5,15 ha 30 000 5 à 8 €

Grenat soutenu, ce 2002 élevé douze mois en barrique provient d'un assemblage de 60 % de merlot et de 40 % des deux cabernets. Ses parfums de fruits confits et ses notes toastées sont élégants. Sa structure, souple et soyeuse, en fait un vin déjà agréable mais qui se bonifiera avec une garde de deux à cinq ans.

SCEA Mirambeau, BP 80, 33330 Saint-Emilion, tél. 05.57.55.38.03, fax 05.57.55.38.01 r.-v.

### CLOS FONT-MUREE Elevé en fût de chêne 2002

5,8 ha 1 500 8 à 11 €

Un vin dense, brillant de reflets orangés. Le bouquet floral est rehaussé de notes grillées agréables. Tout aussi plaisants, les tanins sont souples et charnus, équilibrés et particulièrement fruités en finale. A servir maintenant ou à garder trois à cinq ans.

Patrick Demirdjian, Clos Font-Murée, 33570 Montagne, tél. 06.19.58.21.55 r.-v.

### CLOS LA CROIX D'ARRIAILH 2002

2 ha 4 500 8 à 11 €

Issu de vignes de plus de soixante-dix ans, ce 2002 d'une teinte presque noire aux reflets grenat évoque les épices, les fruits rouges bien mûrs. Ses tanins ont un bon potentiel, ils sont cependant encore dominés par un boisé important : trois à cinq ans de garde apporteront un meilleur fondu.

Olivier Laporte, Ch. Croix-Beauséjour, Arriailh, 33570 Montagne, tél. 05.57.74.69.62, fax 05.57.74.59.21 r.-v.

### CH. LA COURONNE 2002 **

11 ha 31 000 8 à 11 €

Millésime après millésime, ce cru, planté exclusivement de merlot, figure parmi les valeurs sûres de l'appellation. Son 2002, de couleur rouge soutenu, offre un délicieux bouquet de sous-bois, de petits fruits rouges bien mûrs et des tanins élégants, onctueux, souples et puissants à la fois. Sa longue finale lui donne une forte présence, une race digne des grands vins. Il s'épanouira totalement après deux à trois ans de garde.

Thomas Thiou, Ch. La Couronne, BP 10, 33570 Montagne, tél. 05.57.74.66.62, fax 05.57.74.51.65, e-mail lacouronne@aol.com r.-v.

### CH. LA CROIX DE MOUCHET

Cuvée sélectionnée Elevé en fût de chêne 2002 *

12 ha 9 400 5 à 8 €

Etabli sur un sol argilo-calcaire, ce château à caractère familial propose un 2002 couleur rubis aux reflets grenat et au bouquet subtil de fruits mûrs, de fleurs, de confiture. La bouche élégante, chaleureuse, monte en puissance. Un ensemble prometteur, à servir dans deux à quatre ans.

SCEA Ch. La Croix de Mouchet, Mouchet, 33570 Montagne, tél. 05.57.74.62.83, fax 05.57.74.59.61, e-mail croixdemouchet@wanadoo.fr r.-v.

### CH. FAIZEAU 2002

10 ha 28 670 11 à 15 €

Cet ancien prieuré de l'abbaye de Faize jusqu'à la Révolution de 1789 est aujourd'hui un domaine viticole. Son 2002, en robe sombre nuancée de rubis, offre des parfums de mûre, de cerise, dominés par des notes très boisées. Les tanins, eux aussi, sont marqués par l'élevage en barrique, mais on sent une bouche volumineuse, grasse, prometteuse. Il suffira de trois à quatre ans pour que l'ensemble s'harmonise.

Chantal Lebreton, SCE Ch. Faizeau, 33570 Montagne, tél. 05.57.51.81.28, fax 05.57.51.81.81, e-mail contact@chateau.faizeau.com r.-v.

### CH. GACHON 2002

10 ha 70 000 5 à 8 €

De couleur rouge vif, le nez ouvert sur le sous-bois, le tabac, les fruits frais, ce vin souple à l'attaque se révèle ensuite assez volumineux et tannique en finale. Il atteindra son harmonie dans deux ou trois ans.

Ꞁ EARL Vignobles G. Arpin,
Chantecaille, 33330 Saint-Emilion,
tél. 06.22.08.70.56, fax 05.57.51.96.75,
e-mail vignobles.g.arpin@wanadoo.fr r.-v.

### CH. GARDEROSE 2002 ★

■ 3 ha 7 200 5 à 8 €

Une robe grenat à nuances noires ; un bouquet naissant de pruneau à l'eau-de-vie, de cerise noire ; des tanins suaves en attaque qui évoluent avec une certaine nervosité, de la fraîcheur et un retour fruité très harmonieux et persistant : tout cela forme une bouteille plaisir à apprécier dès aujourd'hui.

Ꞁ Yvon Mau, rue Sainte-Pétronille,
33190 Gironde-sur-Dropt, tél. 05.56.61.54.54,
fax 05.56.61.54.61, e-mail info@ymau.com
Ꞁ Garde et Fils

### CH. GAY-MOULINS 2002 ★

■ 2 ha 6 000 15 à 23 €

Ce vin qui n'est pas produit tous les ans est issu à 98 % du cépage cabernet franc, ce qui est particulièrement rare dans la région. Le résultat est très intéressant : robe grenat aux reflets rubis ; bouquet élégant, épicé, fruité (mûre) ; tanins souples et gras évoluant avec du caractère et une belle persistance. Une bouteille à attendre deux ou trois ans. Du même propriétaire, le **Château des Moines 2002 (11 à 15 €)** est cité ; il s'épanouira d'ici un ou deux ans.

Ꞁ Vignobles Raymond Tapon,
Ch. des Moines, Mirande, 33570 Montagne,
tél. 05.57.74.61.20, fax 05.57.74.61.19,
e-mail information@tapon.net ☑ Ꭵ ✝ r.-v.

### CH. GRAND BARIL Elevé en fût de chêne 2002

■ 28 ha 33 244 8 à 11 €

Ce château est le siège du lycée viticole de Montagne qui a vu passser sur ses bancs grand nombre de viticulteurs ou de techniciens. Son 2002 se caractérise par un bouquet intense de fumée, de fruits cuits et par une bouche riche, puissante et onctueuse, très souple en finale. Un vin déjà prêt mais qui saura vieillir deux à cinq ans.

Ꞁ Lycée viticole de Libourne-Montagne,
7, le Grand Barail, Goujon, 33570 Montagne,
tél. 05.57.55.21.22, fax 05.57.55.13.53,
e-mail expl.legta.libourne@educagri.fr ☑ Ꭵ ✝ r.-v.

### CH. LA GRANDE BARDE 2002 ★

■ 9 ha 40 000 8 à 11 €

Ce bel ensemble date du XIXᵉs. Son terroir argilo-calcaire, complanté à 80 % de merlot, a donné naissance à un vin grenat soutenu et brillant, aux arômes vineux de fruits noirs assortis d'un léger boisé. La belle expression du fruit et une grande fraîcheur accompagnent une structure harmonieuse. A ouvrir dans deux à cinq ans.

Ꞁ SCEA de La Grande Barde,
Ch. La Grande Barde, 33570 Montagne,
tél. 05.57.74.64.98, fax 05.57.74.65.42,
e-mail chateaulagrandebarde@wanadoo.fr ☑ Ꭵ ✝ r.-v.

### CH. LAFLEUR GRANDS-LANDES 2002

■ 8 ha 12 000 5 à 8 €

Né sur un terroir graveleux, ce 2002 se distingue par une couleur grenat intense, un bouquet délicatement boisé et épicé et par une bouche bien charpentée que deux à trois ans de garde sauront rendre plus aimable.

Ꞁ EARL Vignobles Carrère, 9, rte de Lyon,
Lamarche, RN 89, 33910 Saint-Denis-de-Pile,
tél. 05.57.24.31.75, fax 05.57.24.30.17,
e-mail vignoble-carrere@wanadoo.fr ☑ Ꭵ ✝ r.-v.
Ꞁ Isabelle Fort

### MAISON BLANCHE 2002

■ 22 ha 24 000 11 à 15 €

La famille Despagne, installée depuis plus de trois siècles dans la région, est à la tête de ce vignoble magnifique depuis au moins onze générations. Cette expérience se retrouve dans ce vin classique au bouquet élégant de poivre, de fruits frais et de réglisse. La bouche est plus discrète et demande un à deux ans pour s'exprimer.

Ꞁ Vignobles Despagne-Rapin,
Maison-Blanche, 33570 Montagne,
tél. 05.57.74.62.18, fax 05.57.74.58.98,
e-mail vignobles.despagne.rapin@wanadoo.fr
☑ Ꭵ ✝ r.-v.

### CH. MESSILE-CASSAT

Elevé en fût de chêne 2002 ★★

■ 8,51 ha 40 000 11 à 15 €

Ce domaine entièrement rénové en 2000 appartient à la famille Aubert, propriétaire d'un grand cru classé de Saint-Emilion. Le travail porte ses fruits, comme le montre ce vin, coup de cœur unanime du grand jury. La robe rubis brille de reflets noirs. Les arômes concentrés de fruits noirs, d'amande, de boisé toasté, très harmonieux, annoncent une structure veloutée, riche, bien mûre en attaque. Se révèle ensuite toute la puissance d'un fruité persistant. Un vin moderne, à servir jeune ou à laisser vieillir deux à cinq ans.

Ꞁ Vignobles Aubert,
Ch. La Couspaude, 33330 Saint-Emilion,
tél. 05.57.40.15.76, fax 05.57.40.10.14,
e-mail vignobles.aubert@wanadoo.fr ☑ Ꭵ ✝ r.-v.

### CH. DU MOULIN NOIR 2002 ★

■ 6,2 ha 29 000 11 à 15 €

Créé en 1989, ce cru est géré par Vitigestion. Son 2002 porte une robe grenat légèrement évoluée. Son nez complexe mêle des notes de cuir, de moka, de cachou et de fruits noirs. Ses tanins soyeux évoluent avec élégance et une bonne persistance. A ouvrir dans deux à quatre ans. Un petit gibier lui conviendra.

Ꞁ SC Ch. du Moulin Noir, Lescalle, 33460 Macau,
tél. 05.57.88.07.64, fax 05.57.88.07.00 ☑ Ꭵ ✝ r.-v.

### CH. NEGRIT 2002 ★★

■ 15 ha 80 000 5 à 8 €

Des vignes de trente-cinq ans implantées sur un sol argilo-calcaire classique de l'appellation ont donné nais-

sance à cet excellent 2002. La robe grenat est limpide ; les parfums de fruits rouges se mêlent aux notes épicées, puis les tanins ronds et gras se révèlent charmeurs, complexes et très vineux en finale. Un vin à apprécier dans deux à cinq ans. L'**Héritage de Négrit 2002** est cité ; il est aujourd'hui un peu fermé, voire austère, mais il devrait se révéler agréable après un à deux ans de vieillissement.
SCEV Lagardère, Négrit, 33570 Montagne, tél. 05.57.74.61.63, fax 05.57.74.59.62 r.-v.

### CH. PETIT CLOS DU ROY 2002

■ 9,7 ha 25 000 8 à 11 €

Les clients de ce château sont invités aux vendanges pour découvrir et partager le travail des vignerons. Ce sera l'occasion de goûter ce bon 2002 aux arômes d'épices, de chocolat, de petits fruits rouges. En bouche, c'est un vin rond, assez ample, direct et pas compliqué, à apprécier dans les deux prochaines années.
François Janoueix,
Ch. Clos-du-Roy, 33570 Montagne,
tél. 05.57.25.54.44, fax 05.57.25.26.07,
e-mail phbb@janoueixfrancois.com r.-v.

### CH. PEY-LAMOTHE La Tradition 2002 ★

■ n.c. 5 000 8 à 11 €

Récemment sorti de la cave coopérative (2000), ce cru a su prendre le virage de la qualité pour offrir aujourd'hui deux très bons vins. Cette cuvée La Tradition brille d'une robe grenat intense ; ses arômes sont concentrés (fruits noirs) et sa structure tannique, à la fois puissante et bien équilibrée, permettra de la servir pendant quatre ou cinq ans. La cuvée **La Référence 2002** est citée.
Didier Peytour,
39, Le Bourg, 33330 Saint-Christophe-des-Bardes,
tél. et fax 05.57.74.57.79,
e-mail didier.peytour@terre-net.fr
t.l.j. sf dim. 9h-12h 14h-19h; f. 25 août-15 sept.

### CH. LA PICHERIE Cuvée Privilège 2002

■ 1,4 ha 4 800 8 à 11 €

Installé sur un sol argilo-calcaire, ce cru propose une bonne cuvée au bouquet riche marqué par un boisé toasté assez intense. Sa bouche charnue et corsée s'épanouira lorsque les tanins du bois se seront un peu estompés.
Rodolphe Guimberteau,
2, Champ Tricot, 33570 Montagne,
tél. 05.57.74.57.66, fax 05.57.74.50.78 r.-v.

### CH. PLAISANCE 2002

■ 17,44 ha 60 000 5 à 8 €

Ce 2002 se distingue d'emblée par sa robe rubis assez profonde. Puis le nez joue sur des notes intenses de café, de toasté. Si les tanins sont déjà souples et mûrs, la finale reste encore dominée par le boisé. Attendre deux ans minimum.
Les Celliers de Bordeaux Benauge,
18, rte de Montignac, 33760 Ladaux,
tél. 05.57.34.54.00, fax 05.56.23.48.78,
e-mail celliers-bxbenauge@wanadoo.fr r.-v.

### LERVILLE DE PLAISANCE
Elevé en fût de chêne 2002 ★

■ 3 ha 1 250 5 à 8 €

Ce domaine est situé dans l'aire de l'ancienne AOC parsac. Il présente son troisième millésime élevé en barrique : grenat aux reflets pourpres, ce 2002 s'entoure de parfums élégants de poivre, de menthol, de boisé discret. Ses tanins volumineux et équilibrés sont déjà bien fondus. Un vin de plaisir à partager dans deux ou trois ans avec des amateurs d'entrecôte grillée.
SCEA Erésué Père et Fils, Parsac, 33570 Montagne, tél. 05.57.24.77.62, fax 05.57.74.40.29 r.-v.

### CH. PONT DE PEYRAT
Cuvée Clos Robin Elevé en fût de chêne 2002 ★

■ 1 ha 6 000 8 à 11 €

Cette cuvée de pur merlot se pare d'une teinte rubis soutenu ; ses arômes de fruits noirs sont riches et finement boisés, ses tanins veloutés en attaque évoluent avec chaleur et équilibre. Ce vin sera délicieux dans deux à trois ans.
Christophe Baudet, 6, Cornuau, 33570 Montagne, tél. et fax 05.57.74.50.01 r.-v.

### CH. PUYNORMOND Sélection 2002

■ 1,5 ha 7 000 11 à 15 €

Cette cuvée, issue d'une parcelle âgée de plus de soixante ans, se distingue par un bouquet attrayant de rose, d'épices douces et de menthol. Sa bouche est structurée, équilibrée, fruitée (cerise, groseille). Une bouteille à servir dans les trois prochaines années.
EARL Vignobles Lamarque,
BP 4, 33570 Puisseguin,
tél. 05.57.74.66.69, fax 05.57.74.52.62,
e-mail lamarque.philippe@wanadoo.fr
t.l.j. sf dim. 8h30-12h30 13h30-19h

### CH. ROC DE CALON 2002 ★

■ 18 ha 60 000 5 à 8 €

Une étoile pour chacun des deux vins présentés par ce château. La **cuvée Prestige 2002 (11 à 15 €)** est très bien vinifiée ; son bouquet attrayant évoque les fruits frais, le boisé vanillé avec des notes empyreumatiques. Ses tanins puissants mais veloutés sont encore dominés par la barrique. Quant à cette cuvée classique, elle est davantage marquée par des arômes fruités ; sa structure est souple, harmonieuse et persistante.
Bernard Laydis,
Ch. Roc de Calon, 33570 Montagne,
tél. 05.57.74.63.99, fax 05.57.74.51.47,
e-mail rocdecalon@wanadoo.fr r.-v.

### CH. ROCHER CORBIN 2002 ★

■ 9,5 ha 39 000 8 à 11 €

Après un coup de cœur de l'an dernier, ce château confirme ses excellentes dispositions avec un 2002 grenat profond, mêlant au nez les fruits noirs, la vanille et le fumé. Ses tanins gras et volumineux n'en sont pas moins équilibrés. L'ensemble manque juste un peu de puissance pour décrocher une deuxième étoile. Un vin plaisir, à apprécier sur une grillade de bœuf dans deux à cinq ans.
Philippe Durand,
SCE Ch. Rocher Corbin, 33570 Montagne,
tél. 05.57.74.55.92, fax 05.57.74.53.15 r.-v.

### L'AS DE ROUDIER Elevé en fût de chêne 2002

■ 3 ha 15 000 8 à 11 €

Vaste propriété, dont 30 ha en vignes, créée en 1870 par les ancêtres de Jacques Capdemourlin qui a récemment construit un petit chai à barriques. Cette cuvée spéciale a séjourné seize mois dans le fût. Elle mérite votre intérêt. Son nez exprime des notes de menthol, d'épices, de réglisse que l'on retrouve en bouche ; celle-ci est encore

dominée par des tanins puissants et boisés qui demandent deux à trois ans pour se fondre. Vous aurez alors un joli vin de rôti.
SCEA Jacques Capdemourlin, 33570 Montagne, tél. 05.57.74.62.06, fax 05.57.74.59.34, e-mail info@vignoblescapdemourlin.com r.-v.

### CH. SAINT JACQUES CALON
Cuvée des Moulins Elevé en fût de chêne 2002

■ n.c. 1 300 **8 à 11 €**

Un château, situé sur la butte de Calon et une cuvée rappelant la présence de nombreux moulins dans la région. Le nom du cru est également lié à sa situation sur le chemin de Compostelle. Son vin, au bouquet élégant de fruits confits et de réglisse avec des notes toastées, repose sur des tanins délicats. La finale fraîche et bien équilibrée invite à le servir dans les trois années à venir.
Frédéric Maule, Ch. Saint-Jacques Calon, BP 9, 33570 Montagne, tél. 05.57.74.62.43, fax 05.57.74.53.13, e-mail stjacquescalon@wanadoo.fr r.-v.

### CH. TEYSSIER 2002 ★★

■ 12 ha 67 300 11 à 15 €

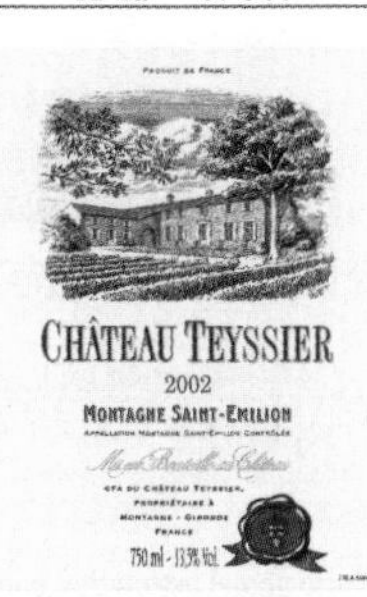


Dans la même famille depuis le XIXe s., ce domaine a su se moderniser au fil du temps. Né sur un sol argilo-calcaire et d'un assemblage classique, ce vin élevé douze mois en barrique a fait l'unanimité. Sa robe pourpre, profonde et brillante, ses arômes de cassis et de mûre se mêlant à des notes de fruits secs (amande), ont réjoui le jury. Corsés et séveux, les tanins sont boisés en attaque, mais sans excès. L'évolution très harmonieuse signe un vin authentique qui se bonifiera avec deux à trois ans de garde.
GFA Ch. Teyssier, 1, Teyssier, 33570 Puisseguin, tél. et fax 05.57.74.63.11

### LA TOUR MONT D'OR Vieilli en fût de chêne 2002

■ 2 ha 7 000 **5 à 8 €**

Ce vin provient de la cave coopérative de Montagne ; il se pare d'une robe rouge rubis déjà un peu tuilée. Ses tanins charmeurs, mûrs et bien fruités, constituent une trame simple et agréable. A servir dans les trois prochaines années.
Groupe de producteurs La Tour Mont d'Or, 33570 Montagne, tél. 05.57.74.62.15, fax 05.57.74.50.51, e-mail la.tour.mont.dor@wanadoo.fr t.l.j. sf sam. dim. 8h-12h 14h-18h

### CH. TREYTINS 2002 ★

■ 2,5 ha 12 610 **8 à 11 €**

Né sur un sol graveleux à flanc de colline et associant 75 % de merlot et 25 % des deux cabernets, ce vin rubis soutenu affiche de délicieux arômes de fleurs (jasmin) et de figue, qui se mêlent à des notes épicées et boisées. Les tanins sont mûrs et fins, équilibrés en finale. Tout est réuni pour un plaisir immédiat que l'on pourra différer deux ou trois ans.
Vignobles Léon Nony, Ch. Garraud, 33500 Néac, tél. 05.57.55.58.58, fax 05.57.25.13.43, e-mail info@vln.fr
t.l.j. sf sam. dim. 9h-12h 14h-17h, ven. 9h-12h

### CH. LA TUILERIE DES COMBES
Cuvée Rubens 2002 ★

■ 0,5 ha 3 100 **15 à 23 €**

Cette microcuvée mérite l'attention : sa couleur grenat brille de reflets violets et ses arômes intenses de mûre et de framboise sont délicatement boisés. Ses tanins se révèlent gras, puissants et toastés, tout en gardant une réelle fraîcheur. Un vin à servir dès aujourd'hui ou à laisser vieillir deux à trois ans.
Ch. La Tuilerie des Combes, GFA La Tuilerie, 33570 Lussac, tél. 05.57.74.67.98, fax 05.57.74.00.06 r.-v.

### VIEUX CHATEAU PALON 2002 ★

■ 5,13 ha 28 000 **11 à 15 €**

Une étiquette élégante, un terroir argilo-calcaire typique de l'appellation et un millésime difficile fort bien réussi. Sous une robe pourpre soutenu, pointe un bouquet de fruits rouges rehaussé de notes boisées et torréfiées. La structure charnue, puissante, à saveur boisée donne un ensemble de bonne garde (deux à cinq ans).
Vignobles Naulet, Mondou, 33330 Saint-Sulpice-de-Faleyrens, tél. 06.89.10.90.01, fax 05.57.51.23.79, e-mail vignobles.naulet@wanadoo.fr r.-v.

### VIEUX CHATEAU SAINT-ANDRE 2002 ★

■ 10,5 ha 45 000 **8 à 11 €**

Ce domaine est situé à 100 m de l'église de Montagne (XIIe s.), du plus haut intérêt. Jean-Claude Berrouet est un serviteur des terroirs. Ici s'exprime le caractère d'un excellent sol argilo-calcaire. Ce vin en a toute l'élégance, tant par ses arômes fruités, avec une pointe fumée, que par sa structure souple, racée et parfaitement équilibrée en finale. Une bouteille plaisir, à ouvrir dans un à trois ans.
Jean-Claude Berrouet, SCEA Vieux Ch. Saint-André, 1, Samion, 33570 Montagne, tél. 06.76.67.87.48, e-mail chateau.samion@wanadoo.fr r.-v.

## Puisseguin-saint-émilion

La plus orientale des voisines de saint-émilion, d'une superficie de 740 ha ; le millésime 2004 a représenté 48 779 hl.

### CH. DE L'ANGLAIS 2002

■ 0,9 ha 5 400 **8 à 11 €**

Au lendemain de la bataille de Castillon qui mit fin à la guerre de Cent Ans, un chevalier anglais s'arrêta dans ce vallon de Puisseguin et donna son nom au lieu-dit.

Aujourd'hui géré par Vitigestion, ce cru propose une bouteille agréable, aux arômes de fruits, de cacao et de café. Charnu dès l'attaque, ce vin déjà aimable et harmonieux peut se boire ou se garder deux à trois ans.
SARL du Ch. de l'Anglais, Langlais,
33570 Puisseguin, tél. et fax 05.57.74.58.94 r.-v.

## CH. BEL-AIR
Cuvée Bacchus Elevé en fût de chêne 2002

■ 4 ha 10 000 8 à 11 €

Dix-sept hectares d'un seul tenant situés sur le plateau argilo-calcaire de Puisseguin composent le domaine. Cette cuvée provient de vignes âgées de quarante-cinq ans en moyenne. Elle présente en 2002 une robe légèrement tuilée, des arômes de violette et de thym. En bouche, les tanins souples, fins et épicés évoluent avec une fraîcheur agréable. A servir dès maintenant.
Adoue Frères, Bel-Air, 33570 Puisseguin,
tél. 05.57.74.51.82, fax 05.57.74.59.94,
e-mail adoue.belair@wanadoo.fr r.-v.

## CH. LE BERNAT 2002 ★

■ 5,92 ha 25 000 11 à 15 €

Poète à ses heures, le propriétaire actuel n'a pas ménagé ses efforts pour améliorer d'année en année la qualité de son vin. Ce 2002, sous une étiquette renouvelée, est très réussi comme le montre d'emblée la robe cerise brillant de reflets violacés. Après un nez intense et bien fruité, les tanins équilibrés et ronds évoluent avec finesse et puissance à la fois. A ouvrir dans deux ou trois ans.
SARL Ch. Le Bernat, 1, Champs-des-Boys,
33570 Puisseguin, tél. 05.57.74.58.54, fax 05.57.74.59.02
t.l.j. 9h-12h 14h-18h
Le Roy

## CH. BRANDA 2002 ★

■ 9,63 ha 55 000 15 à 23 €

97 |98| 99 **00** 01 02

Le cabernet franc représente 20 % de l'assemblage dans ce millésime dominé par le merlot. La robe pourpre brille de reflets rubis. Les senteurs de cassis et de mûre se mêlent à des notes boisées et grillées ; les tanins sont marqués par la barrique en attaque ; ils évoluent ensuite heureusement avec complexité et élégance jusqu'à une finale fraîche et persistante. A boire d'ici deux ou trois ans.
SC Ch. du Branda, Roques, 33570 Puisseguin,
tél. 05.57.74.62.55, fax 05.57.74.57.33,
e-mail chateau.branda@wanadoo.fr r.-v.

## CH. COTES DE SAINT-CLAIR 2002

■ 8 ha 46 000 5 à 8 €

Ce vin provient de la cave coopérative. Rubis brillant, il offre un nez intense et agréable d'épices, de framboise et de cacao. Les tanins sont souples et équilibrés, sans grande puissance en finale. A servir dans les trois prochaines années.
Les Producteurs réunis de Puisseguin
et Lussac-Saint-Emilion, 33570 Puisseguin,
tél. 05.57.55.50.40, fax 05.57.74.57.43,
e-mail direction@producteurs-reunis.com
t.l.j. sf sam. dim. 8h30-12h30 14h30-18h30

## CH. DURAND-LAPLAGNE
Cuvée Sélection Elevé en barrique 2002

■ 6 ha 35 000 11 à 15 €

Frère et sœur, Sylvie et Bertrand Besson disposent d'un domaine de 45 ha. Cette cuvée se distingue par une couleur pourpre très vive, un bouquet puissant fait de notes grillées, vanillées, d'épices douces et de fruits rouges. Le palais se révèle assez puissant, frais et très fruité. A servir d'ici un à trois ans.
Vignobles Sylvie et Bertrand Besson,
Ch. Durand-Laplagne, 33570 Puisseguin,
tél. 05.57.74.63.07, fax 05.57.74.59.58 r.-v.

## CH. FAYAN Réserve 2002 ★

■ 10,77 ha 10 000 15 à 23 €

Dans la même famille depuis 1735, ce cru à base essentiellement de merlot (98 %) ne ménage pas ses efforts dans la recherche de qualité comme le montre ce millésime couleur cerise soutenu ; son bouquet fruité de mûre et de cassis est rehaussé de notes délicates de boisé. Les tanins sont fermes, amples et vineux en finale. Une bouteille d'avenir, à boire dans deux ou trois ans.
Mounet, Ch. Fayan, 33570 Puisseguin,
tél. 05.57.74.63.49, fax 05.57.74.54.73
t.l.j. sf sam. dim. 8h-12h 14h-19h

## CH. GUIBOT La Fourvieille 2002 ★★

■ 10 ha 45 000 15 à 23 €

Le propriétaire actuel est un descendant direct d'un soldat installé au Mexique au XIXe s. lors de la conquête du pays par Maximilien. Revenu en France, le père d'Henri Bourlon acheta Guibot puis se maria avec la fille de ses voisins, propriétaires de la Fourvieille. Ainsi se constituent parfois les domaines... De ce roman on voit le résultat avec un 2002 couronnant les investissements importants qui ont apporté ses lettres de noblesse au cru. La robe profonde a des reflets violacés. Les arômes expressifs de fruit mûr et de grillé accompagnent des tanins soyeux, gras, équilibrés qui évoluent avec race et beaucoup de longueur. Un grand vin à laisser vieillir trois à cinq ans dans une bonne cave.
Henri Bourlon, Ch. Guibeau, 33570 Puisseguin,
tél. 05.57.55.22.75, fax 05.57.74.58.52,
e-mail vignobles.henri.bourlon@wanadoo.fr r.-v.

## CH. HAUT-LAPLAGNE 2002 ★★

■ 4 ha 9 020 15 à 23 €

Achetée en l'an 2000, cette propriété a consenti de gros efforts d'investissements tant dans les vignes que dans les chais. Le résultat est déjà là avec ce coup de cœur unanime du grand jury. La robe rubis intense se pare de reflets brillants ; le bouquet complexe est marqué par les épices et un boisé fumé, toasté et vanillé. Les tanins souples et généreux évoluent avec puissance et rondeur en même temps, bien enrobés par l'élevage en barrique. Une bouteille d'avenir qui demande à vieillir deux à cinq ans au moins pour s'épanouir. Le maître de chai, Patrick Biendon, peut être heureux dans le nouveau chai créé en 2004.

Grand Vin de Bordeaux
CHATEAU
HAUT-LAPLAGNE
PUISSEGUIN ST-ÉMILION
APPELLATION PUISSEGUIN ST-ÉMILION CONTRÔLÉE
2002
MIS EN BOUTEILLE AU CHÂTEAU
PRODUCE OF FRANCE
75 cl
SCEA ANNE GODET - PROPRIÉTAIRE À PUISSEGUIN GIRONDE FRANCE
12,5 % vol.


SCEA Anne Godet, Ch. Haut-Laplagne, 33570 Puisseguin, tél. 05.49.43.26.33, fax 05.49.43.23.43 t.l.j. 9h-17h

### CH. LAFAURIE 2002

5 ha 19 000 8 à 11 €

96 97 98 |99| 00 |02|

Le merlot (60 %) ainsi que les cabernets composent ce 2002 bien vinifié. La robe pourpre est brillante, le bouquet naissant évoque le sous-bois et les fruits rouges. Les tanins, déjà souples et fruités, vineux, structurent une bouche équilibrée et autorisent une consommation rapide de ce vin.

Vignobles Paul Bordes, Faize, 33570 Les Artigues-de-Lussac, tél. 05.57.24.33.66, fax 05.57.24.30.42, e-mail vignobles.bordes.paul@wanadoo.fr r.-v.

### TOUR DES LAURETS 2002

20 ha 126 600 5 à 8 €

Cette très belle propriété a été reprise en 2003 par le groupe que dirige Benjamin de Rothschild. Le vin présenté a donc été élaboré par l'équipe précédente. Grenat aux reflets pourpres, il égrène des notes légèrement boisées, fruitées et épicées.. Ses tanins mûrs sont soyeux, ronds et équilibrés mais la finale est un peu éphémère. A ouvrir d'ici un à trois ans.

SAS Château des Laurets, BP 12, 33570 Puisseguin, tél. 05.57.74.63.40, fax 05.57.74.65.34, e-mail chateau-des-laurets@wanadoo.fr r.-v.

### CH. MOUCHET

Cuvée Fernand Ginestet Elevé en fût de chêne 2002 *

3 ha 12 000 8 à 11 €

La maison de négoce Ginestet a institué une charte qualité en partenariat avec les propriétaires de domaines afin d'élaborer des cuvées avec ses propres œnologues. Celle-ci est très réussie : robe pourpre intense, bouquet élégant de fruits rouges en confiture et de boisé, structure en bouche puissante, encore marquée par l'élevage en barrique. Un vin à laisser mûrir deux ou trois ans.

Ginestet, 19, av. de Fontenille, 33360 Carignan-de-Bordeaux, tél. 05.56.68.81.82, fax 05.56.20.94.47, e-mail contact@ginestet.fr r.-v.

Tamones

### CH. DE PUISSEGUIN-CURAT 2002

3 ha 15 000 5 à 8 €

Ce château faisait partie des terres royales de Guyenne au temps d'Henri IV. Sa longue histoire ne dit pas quand il est devenu viticole mais depuis vingt ans il a su produire des vins de qualité, dont un 1996 exceptionnel. Ce 2002 se distingue par une couleur intense, un bouquet agréable de sous-bois, de fruit rouges et par des tanins amples et harmonieux, vineux en fin de bouche. Un vin plaisir dans trois ans.

EARL du Ch. de Puisseguin-Curat, Curat, 33570 Puisseguin, tél. 05.57.74.51.06, fax 05.57.74.54.29 t.l.j. sf sam. dim. 9h-12h30 13h30-18h; f. 15-30 août

GFA Robin

### CH. RIGAUD 2002 *

8,17 ha 30 000 8 à 11 €

Cette propriété dirigée par des femmes tout au long du XXᵉs. possède une superbe maison girondine dominant un plateau calcaire. Son 2002 n'arbore pas la même étiquette que celle qui habillait les 2000 et 2001, tous deux coups de cœur. Rubis aux reflets violacés, il libère des parfums assez intenses d'épices, de cuir, de griotte et de cassis. Sa structure tannique souple et très fruitée, assez ferme en finale, sera agréable dans un à trois ans.

Josette Taïx, Ch. Rigaud, 33570 Puisseguin, tél. 05.57.74.54.07, fax 05.57.74.50.34, e-mail rigaud@vignoble-taix.com t.l.j. sf sam. dim. 9h-12h 14h-18h30

## Saint-georges-saint-émilion

Séparé du plateau de Saint-Emilion par la Barbanne, le terroir de saint-georges présente une grande homogénéité avec des sols presque exclusivement argilo-calcaires. En 2004, 11 047 hl ont été déclarés pour une superficie de 316 ha.

### CH. CALON 2002

7 ha 50 000 8 à 11 €

Cette propriété à caractère familial depuis deux cent cinquante ans appartenait auparavant à l'abbaye cistercienne de Faize. Elle propose un vin rubis au bouquet agréable d'épices et de boisé léger. Equilibré en bouche, ce 2002 offre des tanins puissants en finale : ils ont besoin de temps (deux à trois ans) pour s'arrondir.

Jean-Noël Boidron, Ch. Calon, 33570 Montagne, tél. 05.57.51.64.88, fax 05.57.51.56.30, e-mail vignoblesjnboidron@wanadoo.fr t.l.j. sf sam. dim. 8h-11h 14h-17h

### CH. LA CROIX DE SAINT-GEORGES 2002

6,58 ha 40 000 8 à 11 €

96 97 |98| |99| 00 |01| 02

Né au XIXᵉs., ce cru assemble dans ce millésime 51 % de merlot et 49 % de cabernet franc. Pourpre intense, le vin est de belle présentation. Ses arômes complexes associent griotte très mûre, vanille et fleurs. Sa structure est puissante mais harmonieuse même si sa finale encore sévère appelle un à deux ans de garde.

Jean de Coninck, Ch. du Pintey, 75, av. de la Roudet, 33500 Libourne, tél. 05.57.51.03.04, fax 05.57.51.03.99 r.-v.

### CH. HAUT-SAINT-GEORGES 2002 ★★

■ 3 ha 12 000 11 à 15 €

97 98 |99| |00| **01 02**

Encore une fois ce petit cru est à la hauteur de la réputation acquise depuis 1996. Il est devenu une valeur sûre de l'appellation, au même titre que le Château Saint-Georges. Un coup de cœur unanime distingue ce 2002 à la robe pourpre éclatante, au bouquet intense de griotte, de café grillé, de fruits noirs très mûrs. Charnus en attaque, volumineux, les tanins sont vraiment présents, bien mûrs et évoluent avec concentration, équilibre et beaucoup de classe. Un très grand vin dans trois à six ans.

SCEA de La Grande Barde,
Ch. La Grande Barde, 33570 Montagne,
tél. 05.57.74.64.98, fax 05.57.74.65.42,
e-mail chateaulagrandebarde@wanadoo.fr r.-v.

### CH. SAINT-GEORGES 2002 ★★

■ 45 ha 200 000 **15 à 23 €**

93 94 **95** 96 **97** |98| 99 |00| **01 02**

Une fois n'est pas coutume, ce cru prestigieux du XVIIIe s. n'obtient pas le coup de cœur, mais il s'en faut de peu ! Il se consolera avec ces deux étoiles si rares dans ce millésime. La robe pourpre intense brille joliment, les arômes de fruits rouges (griotte) sont relevés par des notes de boisé vanillé élégantes. Les tanins ronds et charnus à l'entame évoluent avec beaucoup de relief, de puissance et une rare distinction. Un très grand vin pour qui saura l'attendre (entre deux et six ans au moins).

Desbois, Ch. Saint-Georges, 33570 Montagne,
tél. 05.57.74.62.11, fax 05.57.74.58.62,
e-mail g.desbois@chateau-saint-georges.com r.-v.

### CH. TROQUART 2002 ★

■ 5,32 ha 19 652 **8 à 11 €**

Orientées au sud-ouest sur des coteaux argilo-calcaires, les vignes produisent ce vin qui bénéficie depuis 1999 d'une excellente réputation. Le 2002 se pare d'une robe noire majestueuse. Expressif, il évoque les fruits noirs, le café. Les tanins ronds, pleins et mûrs évoluent tout en finesse et en relief. Ce vin sera prêt dans deux ou trois ans. La **cuvée Auguste (11 à 15 €)**, pur merlot, obtient également une étoile : plus boisée, voire très torréfiée, elle comblera les amateurs de vins riches et puissants qui devront cependant l'attendre deux à cinq ans.

Ch. Troquart, Troquart, 33570 Montagne,
tél. 05.57.74.62.45, fax 05.57.74.56.20,
e-mail chateautroquart@aol.com
t.l.j. sf dim. 9h-12h30 14h-18h
Grégoire

# Côtes-de-castillon

En 1989, une nouvelle appellation est née, côtes-de-castillon. Elle reprend sur 3 600 ha la zone qui était dévolue à l'appellation bordeaux-côtes-de-castillon, c'est-à-dire les neuf communes de Belvès-de-Castillon, Castillon-la-Bataille, Saint-Magne-de-Castillon, Gardegan-et-Tourtirac, Sainte-Colombe, Saint-Genès-de-Castillon, Saint-Philippe-d'Aiguilhe, Les Salles-de-Castillon et Monbadon. Néanmoins, pour quitter le groupe « bordeaux », les viticulteurs doivent respecter des normes de production plus sévères, notamment en ce qui concerne les densités de plantation, qui sont fixées à 5 000 pieds par hectare. Un délai est laissé jusqu'en 2010, pour tenir compte des vignes existantes. En 2004, la production de côtes-de-castillon a atteint 162 081 hl.

### AETOS 2002 ★

■ n.c. 16 000 **11 à 15 €**

Ce « cru de négociant », en l'occurrence de la société Calvet à Bordeaux, est issu exclusivement du merlot. Sa robe cerise est brillante, et son nez expressif offre des senteurs de petits fruits et de boisé vanillé. Les tanins, amples et généreux dès l'attaque, assurent un équilibre très harmonieux. Un vin à laisser vieillir entre deux et cinq ans.

Calvet, 75, cours du Médoc, BP 11,
33028 Bordeaux Cedex, tél. 05.56.43.59.00,
fax 05.56.43.17.78, e-mail calvet@calvet.com

### CH. D'AIGUILHE QUERRE 2002 ★

■ 1,12 ha 4 000 **11 à 15 €**

Cette minuscule propriété, achetée en 2000, est située au point culminant de l'appellation. Composé en majorité de merlot (90 %), ce vin pourpre intense offre un bouquet complexe d'épices, de fumé et de confiture. Ses tanins amples et fruités sont bien équilibrés entre puissance et finesse. A apprécier dans deux à cinq ans.

Emmanuel Querre, Moulin de Lavaud,
33500 Pomerol, tél. 05.57.25.22.52, fax 05.57.25.22.53,
e-mail contact@aiguilhe-querre.com r.-v.

### L'AME DE FONTBAUDE 2002 ★

■ 2 ha 2 500 **11 à 15 €**

L'Ame de Fontbaude est une toute petite cuvée qui bénéficie d'attentions particulières dans son élevage. Sa robe a des reflets grenat vif, ses arômes boisés sont un peu dominants mais laissent des notes fruitées élégantes. Les tanins sont bien extraits, frais et complexes en finale. Cette bouteille sera agréable dans deux à cinq ans. La cuvée **sélection de Vieilles Vignes de Château Fontbaude 2003, élevée en fût de chêne (8 à 11 €)** représente 20 000 bouteilles ; elle obtient une citation. Ses tanins demandent deux ans de garde pour s'assouplir.

GAEC Sabaté, 34, rue de l'Eglise,
33350 Saint-Magne-de-Castillon,
tél. 05.57.40.06.58, fax 05.57.40.26.54,
e-mail chateau.fontbaude@wanadoo.fr r.-v.

## ARTHUS 2002 ★

■ 4 ha 10 000 8 à 11 €

La conduite du vignoble est ici menée rigoureusement pour favoriser une qualité optimale des raisins. Le 2002 grenat soutenu présente un bouquet fruité assorti de notes de fumé et d'épices. Ses tanins soyeux et charmeurs évoluent avec une bonne fraîcheur. Un vin qui mise sur la finesse plus que sur la puissance, à apprécier dans un à trois ans.

Richard et Danielle Dubois, Lartigue,
33330 Saint-Sulpice-de-Faleyrens, tél. 05.57.24.72.75,
e-mail dubricru@terroirsenliberte.com r.-v.

## CH. BELLEVUE
Cuvée Vieilles Vignes Elevé en fût de chêne 2002

■ 3,5 ha 15 000 5 à 8 €

Age moyen des vignes : trente-sept ans. C'est déjà respectable et cela justifie cette mention. Ce vin grenat soutenu se montre discret par ses arômes de vanille et de fruits noirs. En bouche, il paraît un peu nerveux mais il évolue avec un équilibre certain. Il s'appréciera dans un à trois ans.

Michel Lydoire, Ch. Bellevue,
5, Rouye, 33350 Belvès-de-Castillon,
tél. et fax 05.57.47.94.29 r.-v.

## CH. BEYNAT 2002 ★

■ 7 ha 35 000 5 à 8 €

Etabli sur un terroir argilo-calcaire somme toute assez classique, ce château ne déçoit jamais l'amateur de vins sincères et bien faits. Ce 2002 à la robe brillante offre un bouquet complexe assez typé par ses notes de fruits rouges et d'épices. Les tanins sont frais, bien mûrs et équilibrés. Ce vin de garde pourra être servi dans deux ou trois ans. La **cuvée Léonard 2002 (8 à 11 €)** obtient également une étoile ; issue des plus vieilles vignes, elle est marquée par un élevage boisé : elle offre un côté toasté et des tanins plus puissants. A garder en cave entre trois et six ans.

Xavier Borliachon, 27, rue de Beynat,
33350 Saint-Magne-de-Castillon, tél. 05.57.40.01.14,
fax 05.57.40.18.51, e-mail contact@chateaubeynat.com
t.l.j. 9h-12h 14h-19h

## CH. LA BOURREE 2003 ★

■ 10 ha 58 000 5 à 8 €

Beaucoup de soins sont apportés ici au vignoble et dans les chais, et le résultat est à l'image de ce 2003 : la robe rouge framboise tire sur le violet ; le bouquet complexe évoque le pruneau, les fruits très mûrs ; la structure tannique est riche, savoureuse et tout en finesse. Un vin qui se révélera dans deux ou trois ans.

SCEA des Vignobles Meynard,
10, av. de La Bourrée, 33350 Saint-Magne-de-Castillon,
tél. 05.57.40.17.32, fax 05.57.40.38.93 r.-v.

## CH. BRISSON
Elevé et vieilli en barrique de chêne 2002

■ 19 ha 75 000 8 à 11 €

Grenat profond, ce vin offre un bouquet complexe de fruits mûrs, de réglisse, de cuir et de vanille. Equilibré mais un peu vif en finale, il demande à être attendu un à trois ans.

EARL P.L. Valade, 1, Le Plantey,
33350 Belvès-de-Castillon, tél. et fax 05.57.47.93.92,
e-mail paul.valade@wanadoo.fr r.-v.

## CH. CADET 2003

■ 14 ha 46 000 8 à 11 €

Cadet ici rappelle le corps des Cadets de Gascogne auxquels Edmond Rostand, dans Cyrano de Bergerac, prête un propos célèbre : « ... On ne se bat pas dans l'espoir d'un succès ! Non ! Non ! C'est bien plus beau lorsque c'est inutile... » Ici les efforts ne sont pas vains : rubis aux reflets cassis, ce 2003 évoque les fruits noirs et rouges. Ses tanins sont souples et équilibrés, sans grande envergure finale cependant. Un vin à servir dans les trois ans à venir.

SCEA Ch. Cadet, 3, Cadet,
33350 Saint-Genès-de-Castillon, tél. 05.57.47.95.15,
fax 05.57.47.95.20, e-mail vias.philippe@wanadoo.fr
t.l.j. sf dim. 8h-18h; f. 10-25 août
Ph. Vias

## CH. CANTEGRIVE 2002

■ 16 ha 60 000 11 à 15 €

Vaste domaine appartenant à des Champenois depuis 1990, Cantegrive propose un 2002 déjà très plaisant par son bouquet de petits fruits rouges, ses tanins moelleux et fruités, en parfaite harmonie. Un vin à boire ou à garder de deux à trois ans.

SC Ch. Cantegrive,
Terrasson, 33570 Monbadon-Puisseguin,
tél. 03.26.52.14.74, fax 03.26.52.24.02,
e-mail chateau.cantegrive@hexanet.fr r.-v.
Doyard

## CH. CAP DE FAUGERES 2002 ★★

■ 27 ha 87 000 11 à 15 €

Une jolie chartreuse XVIIIe, un lieu plein de charme et un vaste et beau vignoble rénové par Corinne Guisez, à la suite de son mari. Ce cru, qui s'étend aussi en saint-émilion grand cru, vient d'être cédé à un acquéreur suisse alors qu'il s'est hissé au sommet de son appellation. Voyez ce remarquable 2002 : robe grenat profond aux reflets violines ; arômes à la fois intenses et subtils de fruits noirs, d'épices, de vanille et de chocolat ; tanins soyeux, veloutés, volumineux, évoluant avec finesse et ampleur. Tout est réuni pour faire de ce vin une grande bouteille dans deux à cinq ans.

Silvio Denz,
Ch. Cap de Faugères, 33350 Sainte-Colombe,
tél. 05.57.40.34.99, fax 05.57.40.36.14,
e-mail faugeres@chateau-faugeres.com r.-v.

## JOHANNA DE VIEUX CHATEAU CHAMPS DE MARS 2002 ★

■ n.c. 6 000 15 à 23 €

Cette cuvée, assemblant 80 % de merlot à 20 % de cabernet franc élevés dix huit mois en barrique, se distingue par une couleur soutenue, un bouquet naissant de griotte, de noisette, de toasté et par une structure tannique vineuse, assez souple et persistante. Un vin bien fait, à boire dans un à trois ans.

Moro, Le Pin, 33350 Les Salles-de-Castillon,
tél. 05.57.40.63.49, fax 05.57.40.61.41 r.-v.

## CH. LA CLARIERE LAITHWAITE 2002 ★★

■ 4,6 ha 14 500 15 à 23 €

Cette propriété appartient à des Anglais qui, depuis une vingtaine d'années, ne ménagent pas leurs efforts. Ce 2002 remarquable par ses arômes intenses de fruits mûrs, de poivre, de réglisse et de vanille possède des tanins puissants, suaves et harmonieux, en parfait équilibre avec un élevage boisé soigné. Une très belle bouteille à ouvrir dans deux à six ans. Le **Presbytère 2002 (15 à 23 €)** obtient une étoile ; cette cuvée de pur merlot se distingue par des arômes vineux et torréfiés et par un très bon volume en bouche. Un peu austère aujourd'hui, elle devrait s'épanouir dans deux à trois ans.

SARL Direct Wines,
Les Confrères de la Clarière, 33350 Sainte-Colombe,
tél. 05.57.47.95.14, fax 05.57.47.94.47,
e-mail patrick.ferrent@wanadoo.fr r.-v.

Claudy Gomme

## CLOS L'EGLISE 2002

16 ha 50 000 15 à 23 €

Appartenant à Gérard Perse, propriétaire du Château Pavie, 1er grand cru classé de saint-émilion, ces deux vins bénéficient d'importants investissements depuis 2001. Le **Clos les Lunelles 2002 (23 à 30 €)** aussi bien que le Clos l'Eglise sont cités pour leur bouquet expressif de fruits cuits, de cacao, de pain grillé. Leur structure tannique est puissante. A conserver dans une bonne cave entre deux à cinq ans.

Gérard Perse, SCA Sainte-Colombe, Puylazat,
33350 Saint-Magne-de-Castillon, tél. 05.57.55.43.43,
fax 05.57.24.63.99, e-mail vignobles.perse@wanadoo.fr

## CLOS PUY ARNAUD 2002 ★★

7 ha 6 000 15 à 23 €

Thierry Valette a acheté ce cru en 2000 et, après un premier coup de cœur et deux étoiles, il réitère l'exploit avec ce 2002 remarquable en tout point. La robe pourpre intense brille de reflets rubis. Le bouquet complexe et puissant évoque la mûre, la cerise, le cuir, le tabac, le poivre... Veloutés, ronds et charmeurs dès l'attaque, les tanins évoluent avec puissance sans perdre de leur finesse. Un grand vin à oublier trois à six ans dans une bonne cave. Le **château Pervenche Puy Arnaud 2002 (8 à 11 €)** obtient une étoile ; plaisant, aromatique et équilibré, il se boira assez vite (entre un et trois ans).

EARL Thierry Valette,
7, Puy Arnaud, 33350 Belvès-de-Castillon,
tél. 05.57.47.90.33, fax 05.57.47.90.53,
e-mail clospuyarnaud@wanadoo.fr r.-v.

## CH. COTE MONTPEZAT
Elevé en fût de chêne 2003 ★

n.c. 104 000 8 à 11 €

Au sommet de l'appellation depuis la fin des années 1980, ce cru ne déçoit jamais. Ce 2003 se pare d'une robe grenat aux reflets rubis. Son bouquet expressif et raffiné affiche des notes de gibier, de boisé et une légère touche fruitée. La structure tannique très solide, chaleureuse, évolue avec harmonie ; il faudra cependant patienter deux à trois ans avant de servir cette bouteille.

SA Vignobles Bessineau, 8, Brousse,
BP 42, 33350 Belvès-de-Castillon,
tél. 05.57.56.05.55, fax 05.57.56.05.56,
e-mail bessineau@cote-montpezat.com
t.l.j. sf sam. dim. 9h-12h 14h-18h

## DECOUVERTES 2003

7 ha 50 000 8 à 11 €

Vinifié par la cave coopérative de Gardegan, ce 2002 rubis limpide est marqué par des notes fruitées. Il est équilibré et assez persistant ; la touche d'austérité finale exige simplement deux ou trois ans de garde. Le vin le mérite.

UDP Francs Gardegan, Millerie, 33350 Gardegan,
tél. 05.57.56.47.20, fax 05.57.56.47.30 r.-v.

## CH. DUBOIS-GRIMON 2002

2 ha 1 600 15 à 23 €

Le merlot (80 %) et le cabernet franc (20 %) composent ce 2002 de belle intensité, au nez boisé délicatement fruité. Ce vin se distingue surtout en bouche par ses tanins amples, soyeux puis concentrés en finale. A boire dans les trois ans à venir. Autre propriété de Gilbert Dubois, le Château de Belcier dont la cuvée **Le Pin de Belcier 2002 (23 à 30 €)** obtient une citation. C'est un vin moderne, richement boisé.

Gilbert Dubois, Ch. Grimon,
33350 Saint-Philippe-d'Aiguilhe,
tél. et fax 05.57.40.67.58

## CH. FONGABAN 2002 ★

35 ha 150 000 5 à 8 €

Figurant parmi les plus vastes de l'appellation, cette propriété ne démérite pas avec ce 2002 après son coup de cœur pour le 2001. Sa robe presque noire aux reflets violet vif, ses arômes expressifs de fruits noirs mûrs associés à un joli boisé vanillé et fondu séduisent tous les dégustateurs. En bouche, l'attaque souple et fraîche à la fois laisse la place à une présence aromatique tout en finesse et en équilibre. Un vrai plaisir dans deux à trois ans.

Ch. Fongaban, Fongaban, 33570 Puisseguin,
tél. 05.57.74.54.07, fax 05.57.74.50.97,
e-mail fongaban@vignobles-taix.com
t.l.j. sf dim. 9h-12h 14h-18h

Taïx

## CH. GERMAN Elevé en fût de chêne 2002

30 ha 250 000 5 à 8 €

Pendant la Révolution, certains Girondins se sont cachés ici mais ils furent découverts et exécutés. En ces temps plus pacifiques, vous y débusquerez un bon vin, au bouquet complexe et minéral, à la structure tannique traditionnelle et déjà assez évoluée ; à boire dans un à trois ans. Du même propriétaire, le **Château Yot 2002 élevé en fût de chêne (8 à 11 €)** est également cité, il est un peu plus boisé mais ses tanins fruités sont déjà très ouverts.

Alain Aubert, 57 bis, av. de l'Europe,
33350 Saint-Magne-de-Castillon,
tél. 05.57.40.04.30, fax 05.57.56.07.10,
e-mail domaines.a.aubert@wanadoo.fr

## CH. GRAND TUILLAC 2002

19 ha 140 000 3 à 5 €

Située au point culminant de l'appellation (118 m), cette propriété propose un agréable 2002. Ses arômes de

groseille et de fruits à l'eau-de-vie sont harmonieux. Ses tanins souples mûrs et déjà très ronds en font un vin prêt pour le service.
SCEA Lavigne, Ch. Grand Tuillac,
33350 Saint-Philippe-d'Aiguilhe,
tél. 05.57.40.60.09, fax 05.57.40.66.67,
e-mail scea.lavigne@wanadoo.fr r.-v.

## CH. LAGRAVE-AUBERT
Elevé en fût de chêne 2003 ★★

■ n.c. 40 000 8 à 11 €

Propriétaire du château La Couspaude, grand cru classé de Saint-Emilion, Jean-Claude Aubert préside également à la destinée de ces deux côtes-de-castillon, régulièrement à l'honneur dans ce Guide. Ce Château Lagrave-Aubert est remarquable par sa robe rouge cerise, par ses arômes complexes de fruits rouges, de boisé bien fondu et d'épices et par ses tanins veloutés constituant une superbe charpente. Un vin de caractère, au potentiel certain (au moins trois à six ans). Le **Château Labesse Elevé en fût de chêne 2003 (5 à 8 €)** obtient une étoile ; il se distingue par sa maturité aromatique et par son élégance ; il se boira un peu plus jeune.
Vignobles Aubert,
Ch. La Couspaude, 33330 Saint-Emilion,
tél. 05.57.40.15.76, fax 05.57.40.10.14,
e-mail vignobles.aubert@wanadoo.fr r.-v.

## CIMES DE LARTIGUE 2002

■ 1 ha 3 000 **11 à 15 €**

Cette sélection du château La Croix Lartigue mérite l'intérêt par sa présentation, son bouquet complexe de petits fruits rouges en harmonie avec des notes boisées élégantes et des tanins francs, bien présents, encore un peu austères en finale ; ces derniers sont garants de l'équilibre qui sera atteint après un à trois ans de vieillissement.
SCEA Fourcaud-Laussac, Laplagnotte-Bellevue,
33330 Saint-Christophe-des-Bardes,
tél. 05.57.24.78.67, fax 05.57.24.63.62 r.-v.

## CH. DE LAUSSAC 2003 ★★

■ 18 ha 80 000 **11 à 15 €**

Les nouveaux propriétaires ne ménagent pas leurs efforts pour valoriser le potentiel de ce cru. Fruit de ces investissements, un remarquable 2003 : la robe, intense, brille de reflets rubis. L'harmonie entre les notes fruitées et boisées, l'attaque puissante, presque virile, puis l'évolution tout en finesse et en harmonie sont la marque d'un vin de caractère, qui mérite trois à cinq ans de vieillissement.
SARL Comtesse de Laussac,
Ch. de Laussac, 33350 Saint-Magne-de-Castillon,
tél. 05.57.40.13.76, fax 05.57.40.43.54 r.-v.
Y. Vatelot, J. Guyon, A. Roche

## CH. MANOIR DU GRAVOUX
Cuvée La Violette 2002

■ 4 ha 7 000 **8 à 11 €**

Manoir de la fin du XIVᵉs., Gravoux commande un domaine de près de 25 ha. Est-ce le merlot dominant (90 %) qui suggère le joli nom de cette cuvée ? Elle mérite d'être citée pour son bouquet un peu exotique de figue, de coco et de fruits rouges, et pour ses tanins, certes simples, mais équilibrés et déjà ouverts. Un vin plaisant, à servir dans les deux prochaines années.
Philippe Emile, Le Gravoux,
33350 Saint-Genès-de-Castillon,
tél. et fax 05.57.47.93.32 r.-v.

## CH. MAUGRESIN DE CLOTTE 2003 ★

■ 6,5 ha 30 000 5 à 8 €

Ce domaine viticole déjà présent au XIIIᵉs. propose un 2003 aux arômes épanouis et subtils de confiture de prunes, d'épices, de petits fruits rouges. Souple et harmonieux à l'attaque, ce vin se révèle ensuite équilibré et assez persistant. A boire ou à garder quelques années. Quant au **Château de Clotte 2002 (8 à 11 €)**, il obtient une citation : il faut attendre que le boisé omniprésent se fonde.
Bruno Laporte, SCEA Bayard de Clotte,
1, Petit-Champ-de-Bayard, 33570 Montagne,
tél. 05.57.74.62.47, fax 05.57.74.59.12 r.-v.

## CH. LA NAUZE Emotion 2002

■ 1 ha 5 000 **11 à 15 €**

Des vignes rigoureusement sélectionnées pour cette cuvée Emotion 2002 : la robe se présente joliment ; le bouquet est marqué par des notes toastées et vanillées. Ses tanins souples et délicats permettront d'apprécier ce vin dans sa jeunesse et pendant deux ou trois ans.
SARL Le Vignoble Monbadon, 33570 Puisseguin,
tél. 05.57.40.67.00, fax 05.57.40.66.35
t.l.j. sf dim. 9h-12h 14h-18h
Lionel et Cédric Jamet

## CH. PEYROU 2002 ★★

■ 6 ha 24 000 8 à 11 €

Œnologue, Catherine Papon-Nouvel est une viticultrice passionnée qui commence à faire beaucoup parler d'elle à Saint-Emilion, où elle gère les château Gaillard, Clos Saint-Julien et Petit-Gravet Aîné. Ici, elle a déjà fait ses preuves et ce nouveau coup de cœur confirme, s'il en était besoin, la qualité de son travail. La robe grenat profond brille d'un joli reflet ambré. Les notes de fruits mûrs sont associées à un boisé vanillé très élégant. Les tanins soyeux, gras, volumineux évoluent avec une fraîcheur aromatique remarquable. Un vin qui s'épanouira totalement dans deux à six ans. A servir à ses meilleurs amis sur une bonne viande grillée.
Catherine Papon, Peyrou,
33350 Saint-Magne-de-Castillon,
tél. 05.57.40.06.49, fax 05.57.24.74.84,
e-mail chateau.peyrou@free.fr r.-v.

## CH. PILLEBOIS
Vieilles Vignes Vieilli en fût de chêne 2002 ★

■ 2 ha 14 000 5 à 8 €

80 % de merlot et 20 % de cabernet franc plantés sur un terroir gravelo-sableux sont à l'origine de ce 2002 grenat

aux senteurs de fruits rouges bien mûrs (griotte), délicatement vanillées. Les tanins souples et harmonieux sont équilibrés et cacaotés en finale. Un vin déjà élégant et qui pourra se garder.
Vignobles Marcel Petit,
Ch. Pillebois, 33350 Saint-Magne-de-Castillon,
tél. 05.57.40.33.03, fax 05.57.40.06.05,
e-mail contact@vignobles-petit.com r.-v.
Toxé

## CH. DE PITRAY 2002

| ■ | 10 ha | n.c. | | 5 à 8 € |
|---|---|---|---|---|

Si le château de style Renaissance est dû à Viollet-Le-Duc (XIXe), les terres de Pitray appartiennent depuis le XIV[e]s. à la famille des Ségur dont les descendants gèrent aujourd'hui encore ce magnifique domaine de 37 ha. Paré d'une robe grenat brillant, ce vin discret apparaît subtil et complexe. Il demande à s'ouvrir. Ses tanins sont mûrs et fins. L'attente sera brève (un an). On pourra alors servir cette bouteille sur un fromage affiné.
SC de la Frérie, Ch. de Pitray,
33350 Gardegan-et-Tourtirac, tél. 05.57.40.63.35,
fax 05.57.40.66.84, e-mail pitray@pitray.com
t.l.j. 8h-12h 14h-18h; sam. dim. sur r.-v.
de Boigne

## CH. PUY-GALLAND Elevé en fût de chêne 2002

| ■ | 0,2 ha | 1 200 | | 5 à 8 € |
|---|---|---|---|---|

L'église de Saint-Cibard (XI[e]s.), souvent remaniée, possède une chaire d'époque en pierre. A 100 m, ce domaine propose un vin au bouquet encore discret. En bouche, la structure des tanins, souple et fruitée, se révèle déjà très harmonieuse. A servir dès l'automne.
Bernard Labatut, 12, Le Bourg, 33570 Saint-Cibard,
tél. et fax 05.57.40.63.50 r.-v.

## CH. ROBIN 2002 ★★

| ■ | 12,5 ha | 37 000 | | 11 à 15 € |
|---|---|---|---|---|

Vainqueur des coups de cœur de notre grand jury l'an dernier, il s'en est fallu d'un cheveu cette année pour que ce cru fasse coup double avec ce 2002 qui n'en est pas moins remarquable. La robe grenat profond brille de reflets pourpres ; les arômes à dominante boisée (pain grillé) laissent s'exprimer des notes fruitées (framboise, groseille). En bouche, la structure est vive en attaque, puis le palais évolue avec puissance et harmonie grâce à une excellente maturité des tanins. Un vin typique et puissant à laisser vieillir trois à cinq ans, puis à servir sur un rôti de bœuf cuit à la braise.
SCEA Ch. Robin, 33350 Belvès-de-Castillon,
tél. 05.57.47.92.47, fax 05.57.47.94.45,
e-mail chateau.robin@wanadoo.fr r.-v.
Sté Lurckroft

## CH. ROC DE JOANIN 2002

| ■ | 2 ha | 9 600 | | 5 à 8 € |
|---|---|---|---|---|

Un vin agréable, au bouquet encore discret, mais possédant une structure tannique souple et harmonieuse. Bien qu'un peu ferme, la finale laisse entrevoir un avenir d'un à deux ans.
SCEA Vignobles Yves Mirande, lieu-dit Faurie,
Ch. la Rose Côtes Rol, 33330 Saint-Emilion,
tél. 05.57.24.71.28, fax 05.57.74.40.42,
e-mail contact@larosecoterol.com
t.l.j. sf sam. dim. 9h-12h 14h-18h

## CH. ROCHER LIDEYRE 2002

| ■ | 34,98 ha | n.c. | | 5 à 8 € |
|---|---|---|---|---|

Figurant parmi les plus gros propriétaires de la région, Philippe Bardet présente ici un 2002 plaisant, aux arômes minéraux et toastés, avec une pointe de vanille. En bouche, le vin est souple et fruité, mais l'évolution encore un peu ferme conseille un à trois ans de vieillissement.
SCEA des Vignobles Philippe Bardet,
17, La Cale, 33330 Vignonet, tél. 05.57.84.53.16,
fax 05.57.74.93.47, e-mail vignobles@vignobles-bardet.fr
t.l.j. sf ven. sam. dim. 8h-12h 14h-17h

## CH. LA RONCHERAIE Sereine 2002 ★★

| ■ | 7 ha | 18 000 | | 8 à 11 € |
|---|---|---|---|---|

Créée en 1997 par Anne et Grégoire Roy de Pianelli (dont les noms figurent encore sur l'étiquette de ce 2002), cette propriété a été reprise en 2004 par Franck et Laetitia Toquereau, jeune couple ayant fait ses premières armes dans un grand cru classé de Saint-Emilion. Née sur un sol argilo-calcaire classique, cette cuvée à la robe noire éclatante offre généreusement ses arômes de griotte, de figue, de pruneau et de pain grillé. Intenses en bouche, les tanins évoluent avec beaucoup de complexité, de gras et de maturité jusque dans une finale puissante et vineuse ; ils autorisent une garde importante, de quatre à huit ans. Ce vin sera délicieux avec une brochette de grives.
Somovi, Ch. La Roncheraie,
Terrasson, 33350 Belvès-de-Castillon,
tél. 05.57.47.92.20, fax 05.57.47.91.68,
e-mail chateau.laroncheraie@wanadoo.fr r.-v.
F. et L. Toquereau

## DOM. DU ROUX Cuvée Sélection 2002 ★

| ■ | 1,3 ha | 6 000 | | 8 à 11 € |
|---|---|---|---|---|

Depuis quatre générations la famille Teyssier exploite ce domaine. Cette petite cuvée se pare d'une robe pourpre, et présente des arômes dominants de fruits noirs et d'épices, délicatement boisés. La structure tannique est douce en attaque, puis une certaine acidité apparaît, conférant fraîcheur et potentiel à ce vin. A boire dans deux à cinq ans.
EARL Gilles Teyssier, 50, av. de Saint-Emilion,
33330 Saint-Sulpice-de-Faleyrens,
tél. et fax 05.57.24.64.77,
e-mail gillesteyssier@duroux.com r.-v.

## LES FLEURS DE TRENTIN
Elevé en fût de chêne 2002 ★

| ■ | n.c. | 6 000 | | 8 à 11 € |
|---|---|---|---|---|

A 100 m de ce domaine, l'église du XII[e]s. est à visiter avant de découvrir ce vin né de 90 % de merlot (90 %) de cinquante ans, complété par des cabernets. La robe rubis limpide annonce des arômes subtils de fruits noirs, de cuir et de boisé fin. Les tanins ronds et harmonieux, gras et persistants structurent une bouteille à servir dans deux à trois ans.
EARL Thibeau et Fils,
3, Lavergnotte, 33350 Sainte-Colombe,
tél. 05.57.40.25.43, fax 05.57.40.03.04 r.-v.

## VALMY DUBOURDIEU LANGE 2002 ★

| ■ | 3 ha | 10 000 | | 11 à 15 € |
|---|---|---|---|---|

Cette cuvée provient d'une parcelle de merlot, située sur le haut de la côte et elle porte le nom de l'arrière-grand-père de l'actuel propriétaire. Ce 2002 affiche une couleur rouge cerise intense et brillante. Ses arômes de

fruits mûrs et de boisé sont élégants, tout comme la structure tannique fruitée, harmonieuse et suffisamment puissante pour supporter trois à six ans de garde.
Patrick Erésué, Ch. de Chainchon, 33350 Castillon-la-Bataille, tél. 05.57.40.14.78, fax 05.57.40.25.45, e-mail chainchon@wanadoo.fr t.l.j. sf dim. 8h-12h 14h-18h; f. 15-31 août

# Bordeaux-côtes-de-francs

S'étendant, à 12 km à l'est de Saint-Emilion, sur les communes de Francs, Saint-Cibard et Tayac, le vignoble de bordeaux-côtes-de-francs (547 ha en production pour un volume de 28 597 hl en rouge et 406 hl en blanc) bénéficie d'une situation privilégiée sur des coteaux argilo-calcaires et marneux parmi les plus élevés de la Gironde. Presque intégralement consacré aux vins rouges (à l'exception d'une vingtaine d'hectares), il est exploité par quelques viticulteurs dynamiques et une cave coopérative, qui produisent de très jolis vins, riches et bouquetés.

## CH. LES CHARMES-GODARD 2003 ★★★

1,6 ha 12 000 15 à 23 €

Château
Les Charmes-Godard
2003
BORDEAUX CÔTES DE FRANCS
13% Vol. 750 Ml
MIS EN BOUTEILLES AU CHÂTEAU

Habitué des coups de cœur pour son vin blanc sec, ce cru décroche à nouveau cette année trois étoiles, fait suffisamment rare pour être signalé. La robe jaune paille brille de reflets d'or. Les arômes de fruits très mûrs, de fleurs et de miel sont intenses et complexes. En bouche, on découvre un vin tendre, fondu et savoureux qui évolue avec beaucoup de charme, de délicatesse jusqu'à une finale vanillée et florale. Une très grande bouteille à l'actif de Nicolas Thienpont. A déguster pour elle-même dès maintenant ou à garder trois à cinq ans.
GFA Les Charmes-Godard, Lauriol, 33570 Saint-Cibard, tél. 05.57.56.07.47, fax 05.57.56.07.48 r.-v.

## CH. CRU GODARD

Moelleux Elevé en fût de chêne 2002

0,2 ha 1 200 8 à 11 €

Issu de sémillon, ce vin blanc moelleux se caractérise par une robe jaune d'or engageante, un bouquet discret de fruits confits et un boisé un peu marqué. En bouche, il se révèle néanmoins séveux, rond, avec une saveur de miel, de réglisse et d'agrumes. Une bouteille à ouvrir entre 2006 et 2010.
Corinne et Franck Richard, Godard, 33570 Francs, tél. 05.57.40.65.94, fax 05.57.40.67.34, e-mail cru.godard@cario.fr r.-v.

## CH. DE FRANCS

Les Cerisiers Elevé en fût de chêne 2002 ★★

12 ha 42 400 8 à 11 €

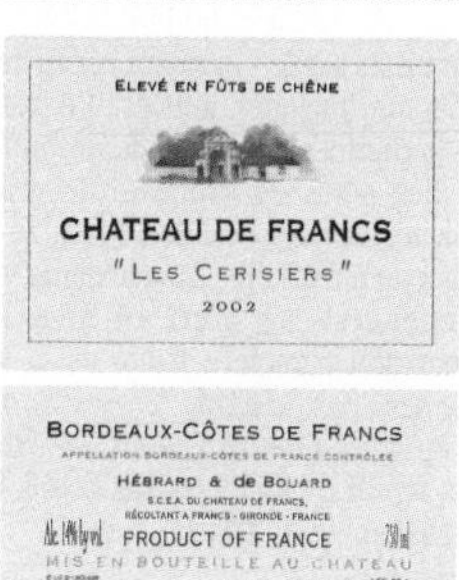


Déjà coup de cœur pour son 99, arrivé second l'an dernier à notre grand jury, ce château décroche cette année la première place et obtient donc le coup de cœur pour cet excellent 2002. La robe profonde animée de reflets violacés, presque noirs, annonce la jeunesse de ce vin à la palette complexe de fruits rouges très mûrs, de vanille, de fumé et de coco. Les tanins soyeux en attaque se révèlent ensuite puissants mais élégants, remarquablement équilibrés. Un boisé encore très présent impose un vieillissement de trois à cinq ans dans une bonne cave.
SCEA Ch. de Francs, 33570 Francs, tél. 05.57.40.65.91, fax 05.57.40.63.04 r.-v.

## CH. HAUT-ROZIER Cuvée Saint-Vincent 2002

2,5 ha 12 000 3 à 5 €

Né sur un sol argileux, ce 2002 se distingue par une couleur grenat assez profonde, un bouquet de fruits rouges très mûrs et des tanins vifs, équilibrés et simples. Un vin à servir dans les trois ans à venir.
Annick Pujol, 1, Rozier, 33570 Tayac, tél. et fax 05.57.40.63.05, e-mail haut-rozier.pujol@wanadoo.fr r.-v.

## CH. LAULAN 2002

14 ha 40 000 5 à 8 €

Ce 2002 est intéressant par sa robe violacée brillante, ses arômes délicats de petits fruits rouges et sa structure ample et présente. Il faudra attendre un an ou deux que la finale se fonde.
Bruno Citerne, Ch. Laulan, Seignade, 33570 Francs, tél. 05.57.40.63.37, fax 05.57.40.68.05 r.-v.

## CH. MARSAU 2002 ★★

12 ha 28 530 11 à 15 €

Situé à 4 km de l'église de Montpeyroux (XIIes.), ce cru occupe un très beau terroir argilo-calcaire situé sur un point culminant de l'appellation ; cela justifie ici la présence exclusive du merlot. En 2002, le rendement a été particulièrement faible à Marsau (moins de 2,5 hl à l'hectare !). La robe grenat est intense et brillante, les arômes de fruits et de fleurs se mêlent à un élégant boisé.

En bouche, l'équilibre et la souplesse des tanins font merveille en attaque, puis l'évolution est puissante, boisée et très persistante. On l'appréciera dans sa jeunesse ou on l'oubliera dans une bonne cave entre trois et six ans.
🗝 Ch. Marsau, La Bernaderie,
33570 Francs, tél. 05.56.44.30.49,
e-mail chadronnier@cvbg.com 🍷 🚶 r.-v.
🗝 S. et J.-M. Chadronnier

### CH. NARDOU 2003 *

■ 10 ha 60 000 ⓪ 5 à 8 €

Situé sur un sol argilo-limoneux, ce cru ne ménage pas ses efforts depuis quelques années. La robe cerise de ce 2003 (90 % merlot) est profonde, le bouquet élégant marqué par des notes de pruneau, de grillé, d'épices. Souple et fraîche, la bouche est déjà agréable et permettra un service d'ici un à trois ans. Le deuxième vin, la **Cuvée du Bois Meney**, est cité. Elevé en cuve, il est surtout intéressant par son caractère fruité et sa souplesse en bouche ; il ne sera pas de garde.
🗝 EARL Vignobles Florent Dubard, Nardou,
33570 Tayac, tél. 05.57.40.69.60, fax 05.57.40.69.20,
e-mail fdubard@aol.fr ☑ 🏠 🏠 🍷 🚶 r.-v.

### PELAN 2002 *

■ 5 ha 1 200 ⓪ 15 à 23 €

Une cuvée confidentielle élevée dix-huit mois en barrique neuve. Celle-ci ne l'emporte pas. En effet, derrière la robe grenat soutenu s'expriment des arômes intenses de fruits rouges mûrs et la structure tannique est souple, équilibrée, même si elle n'est pas très puissante. Un vin plaisir à apprécier dès aujourd'hui.
🗝 Moro, Le Pin, 33350 Les Salles-de-Castillon,
tél. 05.57.40.63.49, fax 05.57.40.61.41 ☑ 🍷 🚶 r.-v.

### CH. LA PRADE 2002 **

■ n.c. 10 000 ⓪ 15 à 23 €

A la tête de l'appellation depuis de nombreuses années, ce cru appartenant à Nicolas Thienpont réussit un très grand 2002, vinifié avec 80 % de merlot et 20 % de cabernet franc. La robe grenat a des reflets violacés. Le bouquet intense et harmonieux associe des notes fruitées et boisées. Les tanins sont souples, gras et amples dès l'attaque, l'évolution en bouche se révélant puissante, fruitée et bien équilibrée. Un vin de garde, à ouvrir dans deux à cinq ans.
🗝 Nicolas Thienpont, 33570 Saint-Cibard,
tél. 05.57.56.07.47, fax 05.57.56.07.48 ☑ 🍷 🚶 r.-v.

### LE PREVOT 2002

■ 3 ha 15 000 ▮⓪🌡 8 à 11 €

Des amis épicuriens, amateurs de rugby, se sont réunis autour de ce vignoble. Ce Prévot se distingue par une couleur grenat violacé, des parfums de fumé, de fruits rouges et de boisé grillé. En bouche, il se montre plaisant, soyeux en attaque, puis évolue avec une légère nervosité qui apporte une fraîcheur finale agréable. Il est prêt mais pourra se garder quelques années.
🗝 SCEA Claude Delmas, Le Prévot, 33570 Francs,
tél. 05.57.84.38.52, fax 05.57.84.31.39 ☑ 🍷 🚶 r.-v.

### CH. PUYANCHE Elevé en fût de chêne 2003 **

□ 0,7 ha 2 100 ⓪ 5 à 8 €

Elevé huit mois en barrique avec bâtonnage sur lies, cet assemblage de 65 % de sauvignon et de 35 % de sémillon donne un vin sec à la robe jaune paille avenante, au bouquet intense de raisin très mûr et de rose accompagnés de notes boisées. Chaleureux en bouche, puissant, ce 2002 bien fait sera de bonne garde (trois à cinq ans). Le **blanc moelleux Elevé en fût de chêne 2002 (8 à 11 €)**, du même château, obtient une étoile ; il se distingue par sa puissance aromatique et par son équilibre tout en fraîcheur et en finesse. Pour un plaisir immédiat avec un fromage bleu.
🗝 EARL Arbo, Godard,
33570 Francs, tél. et fax 05.57.40.65.77,
e-mail earl.arbo@wanadoo.fr ☑ 🍷 🚶 r.-v.

### FLEURON DE CH. PUY GALLAND 2003 **

■ 1 ha 1 500 ⓪ 11 à 15 €

Il est rare que les premier et second vins d'une propriété obtiennent une même note. C'est pourtant le cas ici, avec deux cuvées radicalement différentes dans leur composition. Ainsi, il y a 90 % de cabernet dans l'assemblage du second vin, **Château Puy Galand 2003 (5 à 8 €)** aux arômes élégants et intenses de mûre, de fruits confits et de vanille et aux tanins veloutés, en parfaite harmonie avec un boisé agréable. Une bouteille de caractère à servir dans deux à cinq ans. Quant au grand vin, il est davantage marqué par le merlot (80 %). Egalement très expressif, il est aromatique et puissant en bouche, sans perdre en finesse. Comme son petit frère, il devra attendre quelques années.
🗝 Bernard Labatut, 12, Le Bourg, 33570 Saint-Cibard,
tél. et fax 05.57.40.63.50 ☑ 🍷 🚶 r.-v.

### CH. PUYGUERAUD 2002 **

■ 35 ha 90 000 ⓪ 15 à 23 €

Ce beau manoir du XIVe s. se situe parmi les fleurons de la région, tant par son architecture que par la qualité de ses vins. Ce 2002 est à la hauteur de la réputation du cru : robe grenat brillante et profonde, nez fruité, torréfié, tanins bien mûrs, souples et équilibrés, très harmonieux en finale. D'un grand potentiel, cette bouteille s'exprimera totalement dans deux à cinq ans.
🗝 SCEA Ch. Puygueraud,
Héritier George Thienpont, 33570 Saint-Cibard,
tél. 05.57.56.07.47, fax 05.57.56.07.48 ☑ 🍷 🚶 r.-v.

## Entre Garonne et Dordogne

La région géographique de l'Entre-deux-Mers forme un vaste triangle délimité par la Garonne, la Dordogne et la frontière sud-est du département de la Gironde ; c'est sûrement l'une des plus riantes et des plus agréables de tout le Bordelais, avec ses vignes qui couvrent 23 000 ha, soit le quart de tout le vignoble. Très accidentée, elle permet de découvrir de vastes horizons comme de petits coins tranquilles qu'agrémentent de splendides monuments, souvent très caractéristiques (maisons fortes, petits châteaux nichés dans la verdure et, surtout, moulins fortifiés). C'est aussi un haut lieu de la Gironde de l'imaginaire, avec ses croyances et traditions venues de la nuit des temps.

# Entre-deux-mers

L'appellation entre-deux-mers ne correspond pas exactement à l'Entre-deux-Mers géographique, puisque, regroupant les communes situées entre les deux fleuves, elle en exclut celles qui disposent d'une appellation spécifique. Il s'agit d'une appellation de vins blancs secs dont la réglementation n'est guère plus contraignante que pour l'appellation bordeaux. Mais dans la pratique les viticulteurs cherchent à réserver pour cette appellation leurs meilleurs vins blancs. Aussi la production est-elle volontairement limitée (1 232 ha en production, 90 742 hl en 2004). Le cépage le plus important est le sauvignon qui communique aux entre-deux-mers un arôme particulier très apprécié, surtout lorsque le vin est jeune.

## CH. BEL AIR PERPONCHER 2004 *

4,4 ha 35 000 5 à 8 €

Les trois cépages bordelais à parts égales composent un 2004 d'un jaune-vert pâle et brillant qui mêle avec complexité la pêche blanche, les agrumes et les fruits exotiques. La puissance, la rondeur et le gras enchantent le palais, puis une vivacité toute fruitée paraphe ce vin équilibré et élégant.

SCEA des Vignobles Despagne, 33420 Naujan-et-Postiac, tél. 05.57.84.55.08, fax 05.57.84.57.31, e-mail contact@despagne.fr r.-v.

## CH. BONNET 2004 *

124 ha 800 000 5 à 8 €

Sémillon et sauvignon en équilibre, une touche de muscadelle en plus. Telle est l'origine de ce vin expressif, dont les arômes intenses évoquent la groseille blanche, la feuille de cassis, le tilleul, les agrumes et le minéral. La bouche équilibrée entre rondeur et vivacité s'embellit de flaveurs de fleurs et de fruits avant d'offrir une sensation rafraîchissante en finale. Beaucoup d'élégance.

André Lurton, Ch. Bonnet, 33420 Grézillac, tél. 05.57.25.58.58, fax 05.57.74.98.59, e-mail andrelurton@andrelurton.com r.-v.

## CH. CHANTELOUVE 2004 *

3,1 ha 27 000 3 à 5 €

Que demander de plus pour un apéritif ou une salade composée qu'un vin aérien et frais ? Un peu de complexité pour que les convives aient matière à discussion, peut-être. Ce vin est tout indiqué dans ce cas, lui qui associe harmonieusement sauvignon et sémillon, avec une touche de muscadelle. Il livre des arômes persistants de fleurs blanches (acacia), se montre rond et gras, sans rien perdre de sa vivacité.

EARL J.-C. Lescoutras et Fils, Le Bourg, 33760 Faleyras, tél. 05.56.23.90.87, fax 05.56.23.61.37 r.-v.



**Entre Garonne et Dordogne**

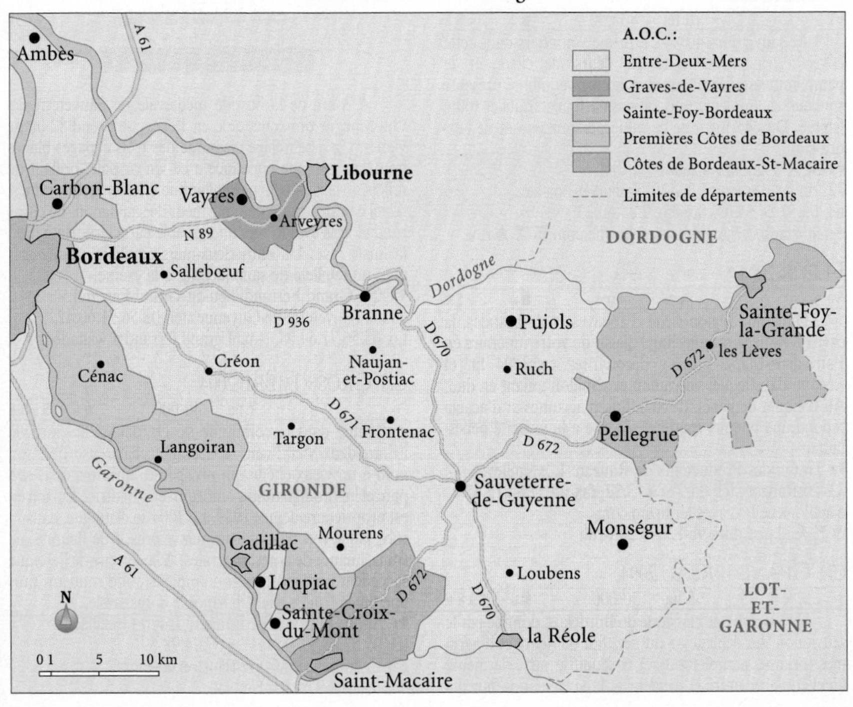

## CH. LA COMMANDERIE DE QUEYRET 2004

12 ha 50 000 3 à 5 €

Castelmoron-d'Albret, le plus petit village de France, ainsi que la resplendissante abbaye bénédictine de Saint-Ferme, des XII^e et XIII^es., se trouvent sur la route de ce château qui fut propriété des Templiers. Le sauvignon (50 %) joue le chef d'orchestre face à la muscadelle et au sémillon (25 % chacun) pour composer une cuvée jaune-gris pâle, animée de reflets verts. Des notes florales accompagnent les arômes de citron vert très frais, tandis qu'en bouche des flaveurs de litchi soulignent le corps souple, d'une bonne vivacité.

Claude Comin,
Ch. La Commanderie, 33790 Saint-Antoine-du-Queyret,
tél. 05.56.61.31.98, fax 05.56.61.34.22,
e-mail vignoble.comin@wanadoo.fr r.-v.

## CH. DE CRAIN 2004 *

11 ha 60 000 3 à 5 €

Ancien château féodal dont le roi Edouard IV d'Angleterre fut seigneur en son temps, le château de Crain commande aujourd'hui 45 ha. Un équilibre parfait entre les trois cépages bordelais assure à ce vin un caractère harmonieux. Harmonie des arômes de fruits (pamplemousse), de buis et de fleurs blanches ; harmonie de la chair séveuse qui allie rondeur et fraîcheur acidulée jusqu'à une élégante finale persistante. Un entre-deux-mers expressif, bien élaboré.

SCA de Crain, Ch. de Crain, 33750 Baron,
tél. 05.57.24.50.66, fax 05.57.24.14.07,
e-mail fougere@chateau-de-crain.com r.-v.
Fougère

## DARZAC 2004 *

10 ha 80 000 3 à 5 €

Le sauvignon (40 %) s'exprime volontiers dans cette cuvée à travers des notes de fleurs, de citron et de pamplemousse. D'attaque vive, le corps équilibré présente rondeur et ampleur, puis offre une finale fraîche, toute fruitée. Du charme, une certaine personnalité et de l'expression.

SCA Vignobles Claude Barthe,
22, rte de Bordeaux, 33420 Naujan-et-Postiac,
tél. 05.57.84.55.04, fax 05.57.84.60.23,
e-mail steph@vignoblesclaudebarthe.com r.-v.

## FLEUR 2004 *

n.c. n.c. 3 à 5 €

Dans une région riche d'abbayes et de bastides, la cave de Rauzan est une étape plaisir de votre itinéraire en Entre-deux-Mers. Vous y découvrirez ce 2004 fin et élégant, dans lequel sauvignon et sémillon jouent en duo. Au bouquet de genêt, de menthol, d'agrumes et d'acacia répond une bouche ronde et séveuse à la vivacité persistante.

Union des Producteurs de Rauzan, L'Aiguilley,
33420 Rauzan, tél. 05.57.84.13.22, fax 05.57.84.12.67,
e-mail accueil@cavesderauzan.com
t.l.j. sf dim. 9h-12h30 14h-18h

## CH. GRAND BIREAU 2004

5 ha 30 000 5 à 8 €

Un assemblage classique du Bordelais, dominé par le sauvignon. La délicatesse du nez, fait de fleurs et d'agrumes (orange, pamplemousse), a séduit le jury, de même que l'équilibre entre la rondeur et la vivacité des flaveurs de fruits exotiques, nuancées de genêt, perceptible en bouche. Une finale chaleureuse prend le relais, avec suffisamment de persistance.

SCEA Michel Barthe,
18, Girolatte, 33420 Naujan-et-Postiac,
tél. 05.57.84.55.23, fax 05.57.84.57.37,
e-mail scea.barthemichel@wanadoo.fr r.-v.

## CH. LA GRANDE METAIRIE 2004

4,2 ha 38 000 3 à 5 €

Du sauvignon majoritaire, de la muscadelle et du sémillon à parts égales, une macération pelliculaire et un élevage de deux mois sur lies. Il n'en fallait pas moins pour obtenir un vin jaune pâle, au nez complexe de menthe, de rose et de cire d'abeille. Le corps élégant décline des flaveurs de pêche et d'abricot avant de conclure sur une finale fraîche.

SCEA Vignobles Buffeteau,
lieu-dit Dambert, 33540 Gornac,
tél. 05.56.61.97.59, fax 05.56.61.97.65 r.-v.

## CH. DU GRAND FERRAND 2004 **

2,5 ha 21 000 3 à 5 €

À 3 km de la bastide médiévale de Sauveterre-de-Guyenne, ce domaine, créé en 1972, comprend 82 ha de vignes. Un assemblage classique des trois cépages blancs bordelais a donné naissance à ce vin or pâle, brillant de reflets verts, qu'un fin perlant anime. Citron vert, agrumes, tilleul composent un nez charmeur de sauvignon. Le corps rond et gras évolue vers un agréable caractère fruité dans la finale vive. Un entre-deux-mers équilibré, à déguster avec un feuilleté de saint-jacques à la crème.

Ch. Grand Ferrand, lieu-dit Grand-Ferrand,
33540 Sauveterre-de-Guyenne, tél. 05.56.71.60.42,
fax 05.56.71.69.08, e-mail grand.ferrand@wanadoo.fr

## CH. GROSSOMBRE 2004

7 ha 40 000 5 à 8 €

Situé dans la commune de Dardenac, au nord de l'Entre-deux-Mers, cette charmante chartreuse doit son nom à un vieux chêne qui prospérait autrefois dans son parc et lui prodiguait son ombre en été. Béatrice Lurton en est propriétaire depuis 1989. Le 2004 se distingue, dans sa robe jaune-vert pâle, par un nez expressif de fleurs et de fruits, nuancé de notes minérales. A la vivacité de l'attaque succèdent une impression d'ampleur et de rondeur, puis une finale fruitée. Belle harmonie d'ensemble.

André Lurton, Ch. Bonnet, 33420 Grézillac,
tél. 05.57.25.58.58, fax 05.57.74.98.59,
e-mail andrelurton@andrelurton.com r.-v.
Béatrice Lurton

## CH. HAUT GUILLEBOT 2004

20 ha 20 000 3 à 5 €

Une femme est aux commandes de cette propriété et il en est ainsi depuis sept générations. Eveline Rénier a donné la faveur au sauvignon (65 %), complété de sémillon et de muscadelle, pour élaborer ce vin jaune paille brillant. Des arômes fins et discrets de citron vert, de groseille blanche, de fleur d'acacia aiguisent la curiosité. Après une attaque vive se révèle un corps ample, rond et équilibré qui offre en finale une note acidulée. A découvrir sur des crustacés et des fruits de mer.

Eveline Rénier,
Ch. Haut Guillebot, 33420 Lugaignac,
tél. 05.57.84.53.92, fax 05.57.84.62.73,
e-mail chateauhautguillebot@wanadoo.fr r.-v.

## CH. HAUT POUGNAN 2004 **

8 ha 50 000 - de 3 €

J. Guéridon exporte 80 % de sa production. Ses vins conquièrent non seulement les tables de l'Europe du Nord, mais aussi celles du Japon. Visualisez bien l'étiquette de ce 2004 pour mieux le reconnaître dans les rayons, car il mérite que vous vous y arrêtiez. Il est issu de macération pelliculaire et d'élevage sur lie. Habillé d'un jaune pâle brillant à reflets verts, le vin possède un nez intense de sauvignon : citronnelle, menthol, fleurs blanches. Le volume, le fruité persistant et la vivacité de son corps lui confèrent un caractère élégant. Un entre-deux-mers si friand que vos convives l'apprécieront dès l'apéritif et en redemanderont pour accompagner le plateau de fruits de mer et le plat de poisson.

SCEA Ch. Haut Pougnan,
6, chem. de Pougnan, 33670 Saint-Genès de Lombaud,
tél. 05.56.23.06.00, fax 05.57.95.99.84,
e-mail hautpougnan@wanadoo.fr t.l.j. 8h-18h
Guéridon

## CH. HAUT RIAN 2004 *

14,8 ha 120 000 3 à 5 €

Après la visite du château médiéval de Rions, rendez-vous au château Haut Rian. Un Alsacien et son épouse d'origine champenoise se sont installés ici en 1988. Ils ont parfaitement intégré l'esprit bordelais à en juger par cet entre-deux-mers vêtu d'une robe jaune pâle aux éclats verts. Un bouquet intense d'agrumes, de fleurs blanches et de fruits exotiques invite à découvrir la bouche harmonieuse, au beau volume et à la juste vivacité, qu'un caractère floral accompagne jusqu'en finale.

Michel Dietrich, La Bastide, 33410 Rions,
tél. 05.56.76.95.01, fax 05.56.76.93.51
t.l.j. sf sam. dim. 9h-12h 14h-17h30; f. 15-30 août

## CH. JANDILLE 2004

1,91 ha 18 000 3 à 5 €

Le village de Ruch, le moulin de l'Escouach, les ruines de l'abbaye de Blasimon des XIIe et XIII[e]s. ainsi que le lac de Blasimon sont autant de buts de visite autour du vignoble. Une halte à la cave coopérative vous permettra de goûter ce pur sauvignon qui déploie sa palette aromatique d'agrumes, de fruits exotiques et de champignon. L'attaque vive ne nuit pas à l'équilibre de la bouche souple et ronde, et trouve un écho en finale. Le **Château de Vaure 2004** mérite aussi d'être cité.

Chais de Vaure, 33350 Ruch,
tél. 05.57.40.54.09, fax 05.57.40.70.22,
e-mail chais-de-vaure@wanadoo.fr r.-v.

## CH. LALANDE-LABATUT

Cuvée Prestige Elevé en fût de chêne 2004 *

0,5 ha 2 800 5 à 8 €

Cette cuvée, issue de l'assemblage des trois cépages bordelais et d'un élevage de six mois en fût sur lies fines, offre de délicieux parfums d'acacia, de tilleul, de pamplemousse, de citron, de grillé et de toasté. Le palais souple et rond intègre harmonieusement le boisé et tire profit d'une vivacité bien présente. La finale chaleureuse laisse le souvenir des fruits.

SCEA Vignobles Falxa, 38, chem. de Labatut,
33370 Sallebœuf, tél. 05.56.21.23.18, fax 05.56.21.20.98,
e-mail chateau.lalande-labatut@wanadoo.fr r.-v.

## CH. LANDEREAU 2004 *

10 ha 70 000 3 à 5 €

Au XVIII[e]s., on comptait à Sadirac cent cinquante familles de potiers. Cette ancienne activité est aujourd'hui présentée à la maison de la Poterie de la ville qui propose même des cours aux amateurs. Lorsque l'art de la poterie n'aura plus de secrets pour vous, allez goûter aux charmes de l'entre-deux-mers. La réussite de ce 2004 repose sur l'élégant nez de sauvignon, évocateur de citron vert, de fruits exotiques, d'épices. La bouche n'est pas moins intéressante car elle fait preuve de volume, de gras et révèle l'agréable fruité du sémillon jusque dans la finale vive, légèrement poivrée, persistante. Un classique.

Vignobles Baylet, Ch. Landereau, 33670 Sadirac,
tél. 05.56.30.64.28, fax 05.56.30.63.90,
e-mail vignoblesbaylet@free.fr
t.l.j. sf sam. dim. 8h-12h 13h30-17h30

## CH. LESTRILLE 2004 **

1,83 ha 16 242 3 à 5 €

En partant de Saint-Émilion et en empruntant les sentiers pédestres ou les pistes cyclables, vous trouverez sans difficulté le château Lestrille. Dans cette propriété familiale la faveur a été donnée aux sauvignons : blanc pour 46 % et gris pour 35 %, complétés par le sémillon (15 %) et la muscadelle. Il en résulte d'agréables senteurs d'agrumes (pamplemousse, citron), de pêche, de fruits exotiques (litchi), ainsi qu'un corps équilibré entre rondeur et vivacité. Les notes fruitées se poursuivent bien au-delà, dans une finale longue et fraîche. Comment rester indifférent ?

EARL Jean-Louis Roumage, Lestrille,
33750 Saint-Germain-du-Puch, tél. 05.57.24.51.02,
fax 05.57.24.04.58, e-mail jlroumage@lestrille.com
t.l.j. 8h30-12h30 14h-18h; sam. dim. sur r.-v.

### MADLYS DE SAINTE-MARIE 2003 *

12 ha 24 000 8 à 11 €

Un incendie a détruit en 1887 le château Sainte-Marie, ancienne propriété de l'abbaye de La Sauve-Majeure. Mais les vignes ont trouvé sur le sol argilo-calcaire un terroir propice. En témoigne aujourd'hui ce 2003 dominé par le sauvignon et élevé six mois en barrique. Sous une robe jaune paille brillant se libèrent des arômes d'acacia, de fruits confits et de pain grillé qui se prolongent dans la matière riche et ronde, au boisé persistant. Un entre-deux-mers équilibré que vous apprécierez avec des coquilles Saint-Jacques, une lotte ou un bar.

Ch. Sainte Marie, 51, rte de Bordeaux, 33760 Targon, tél. 05.56.23.64.30, fax 05.56.23.66.80, e-mail ch.ste.marie@wanadoo.fr r.-v.

G. et S. Dupuch

### CH. MARJOSSE 2004

11,83 ha 85 000 5 à 8 €

Une teinte jaune pâle aux jolis reflets dorés habille cette cuvée qui sent l'acacia, la menthe, le pamplemousse, le citron et les fruits exotiques. Ces mêmes arômes mettent en valeur la bouche souple, à la vivacité bien présente. La finale chaleureuse est toute fruitée.

EARL Pierre Lurton, Ch. Marjosse, 33420 Tizac-de-Curton, tél. 05.57.55.57.80, fax 05.57.55.57.84, e-mail pierre.lurton@wanadoo.fr

### CH. MARTINON 2004 **

16 ha 130 000 3 à 5 €

Le sémillon (60 %) domine cette cuvée, allié au sauvignon (35 %) et à la muscadelle. Lui doit-on l'élégance et la richesse du vin ? Sous un habit jaune-vert pâle apparaît un bouquet de fleurs blanches, de fruits, de genêt et de buis. Le plaisir se poursuit au palais, tant la matière est ronde et séveuse, équilibrée et durablement fruitée. Les viandes blanches et les poissons en sauce apprécieront la compagnie de cet entre-deux-mers caresse.

Trolliet, Ch. Martinon, 33540 Gornac, tél. 05.56.61.97.09, fax 05.56.61.96.23 r.-v.

### CH. NARDIQUE LA GRAVIERE 2004

20 ha 80 000 5 à 8 €

D'une brillante robe or vif se libère un bouquet d'arômes d'acacia, de buis, de pamplemousse et de citron. L'attaque est souple et enveloppante ; la bouche équilibrée entre vivacité et rondeur offre une finale fraîche et fruitée fort plaisante. Du caractère.

EARL Vignobles Thérèse, Ch. Nardique La Gravière, 33670 Saint-Genès-de-Lombaud, tél. 05.56.23.01.37 t.l.j. sf dim. 9h-12h 15h-18h

### CH. PROMIS 2004 *

0,42 ha 4 000 3 à 5 €

Créon est la capitale de l'Entre-deux-Mers occidental. Il faut prendre le temps de flâner dans cette bastide du XIVe s., surtout le mercredi lorsque la place de la Prévôté s'emplit d'étals et nous renvoie à l'histoire : en 1315, la ville acquit du roi le privilège d'organiser des foires. A la cave coopérative aussi, on fait appel à un personnage historique, un collecteur d'impôt... Mais les temps ont changé et c'est avec beaucoup d'aménité qu'on accueille ici les amateurs de vins. Ce 2004 qui assemble le sémillon (70 %), le sauvignon et la muscadelle libère un fin bouquet de fleurs blanches, de rose et de poire. La teinte pastel de la robe, jaune pâle brillant, est en parfait accord, de même que la bouche ronde et équilibrée qui embaume la poire. Ce fruité tendre laisse un agréable souvenir en finale.

Cave Coop. de Créon, Les chais de Prévôt, 59, rte de Créon, Trotte-Chèvre, 33670 Créon, tél. 05.56.23.35.68, fax 05.56.23.29.33, e-mail les-chais-du-prevot@wanadoo.fr t.l.j. 8h45-12h15 14h45-18h30

Mariauchaud

### CH. REYNIER 2004

7 ha 50 000 3 à 5 €

Des reflets vert pâle sur fond jaune et une palette de fleurs, de citron vert et de fruits exotiques. L'ensemble est équilibré, souple, tendre même. On reste sous le charme de cette ligne fruitée-florale qui s'étire harmonieusement. Le sauvignon domine cet assemblage classique.

SCEA Vignobles Marc Lurton, Ch. Reynier, 33420 Grézillac, tél. 05.57.84.52.02, fax 05.57.84.56.93, e-mail marc.lurton@wanadoo.fr r.-v.

### CH. LA TUILERIE DU PUY
Cuvée 1616 Elevé en fût 2003 *

0,75 ha 4 000 15 à 23 €

1616 : une date aussi facile à mémoriser que 1515, mais dont la portée historique n'intéressera que les amateurs de vin. Ce n'est pas si mal, d'autant que le vin de cette propriété familiale de plus de quatre cents ans présente beaucoup d'intérêt. Ce 2004 élevé huit mois en fût s'habille d'une robe brillante à reflets vert pâle. Son nez intense de fruits, de grillé et de toasté trouve un bel écho dans la chair ronde et fraîche à la fois. Le boisé y est fondu, prolongé d'une touche épicée en finale. Du classique bien mené. Du même producteur, le **Château La Tuilerie du Puy Élevé en fût de chêne 2004 (5 à 8 €)** mérite une citation.

SCEA Regaud, La Tuilerie du Puy, 33580 Le Puy, tél. 05.56.61.61.92, fax 05.56.61.86.90, e-mail regaud@free.fr
t.l.j. sf sam. dim. 8h-12h 14h-18h

### CH. TURCAUD 2004 **

12,55 ha 112 500 5 à 8 €

Le château Turcaud, proche des ruines de l'abbaye de La Sauve-Majeure, confirme ici la qualité régulière de sa production. Deux étoiles obtenues pour les millésimes 2002 et 2003 les années précédentes, deux étoiles pour ce 2004 à la fois intense et fin dans ses évocations fruitées et florales. Rond, gras et équilibré, celui-ci ne semble jamais devoir se départir de ses notes de fleurs mellifères et trouve dans une juste vivacité fraîcheur et longueur. Un entre-deux-mers des plus expressifs.

EARL Vignobles Maurice Robert, Ch. Turcaud, 33670 La Sauve-Majeure, tél. 05.56.23.04.41, fax 05.56.23.35.85, e-mail chateau-turcaud@wanadoo.fr r.-v.

Maurice Robert

### CH. VALADE 2004

2,5 ha 20 000 3 à 5 €

En quittant la sobre et massive abbaye de Saint-Ferme, vous trouverez sur votre chemin ce cru de 38 ha, dont l'entre-deux-mers à dominante de sauvignon offre des parfums de fleurs d'acacia, de pamplemousse et de citron. Une certaine vivacité accompagne le corps souple et rond, puis porte la finale persistante et rafraîchissante.

EARL François Greffier, Ch. Castenet, 33790 Auriolles, tél. 05.56.61.40.67, fax 05.56.61.38.82, e-mail ch.castenet@wanadoo.fr r.-v.
Famille Hoffmann

LES VEYRIERS 2004 ★

n.c. 8 000 - de 3 €

Si le tire-bouchon n'est pas un outil que vous maniez avec aisance, sachez que ce vin existe aussi en bouteille bouchée par une capsule à vis. Composé de 60 % de sémillon accompagné de sauvignon et de muscadelle, celui-ci offre de francs et puissants arômes de tilleul, de citron vert et de fruits exotiques (litchi). Le sémillon se révèle par la rondeur, la souplesse et l'élégance du corps aux élégantes flaveurs fruitées. Une tendre et persistante fraîcheur marque la finale. De la présence et de l'expression.

C.C. Viticulteurs réunis de Sainte-Radegonde, le bourg, 33350 Sainte-Radegonde, tél. 05.57.40.53.82, fax 05.57.40.55.99, e-mail cooperativesainteradegonde@wanadoo.fr t.l.j. sf sam. dim. 8h30-12h30 14h-17h

# Entre-deux-mers haut-benauge

Neuf communes situées autour de Targon, sur la même aire que le bordeaux-haut-benauge, peuvent ajouter le nom de haut-benauge.

CH. PEYRINES 2004

12 ha 3 600 3 à 5 €

Ce 2004 issu de sauvignon et de sémillon accompagnés de muscadelle a séduit le jury par sa robe jaune pâle aux reflets verts, par son nez fin et discret aux notes d'agrumes, par sa bouche fraîche, friande et ronde enrobée de parfums de pain de mie, d'ananas. Un vin d'apéritif, d'huîtres et de viandes froides.

Behaghel, Ch. Peyrines, 33410 Mourens, tél. 05.56.61.98.05, fax 05.56.61.98.23 t.l.j. sf dim. 9h-12h 14h-19h

# Graves-de-vayres

Malgré l'analogie du nom, cette région viticole, située sur la rive gauche de la Dordogne, non loin de Libourne, est sans rapport avec la zone viticole des Graves. Les graves-de-vayres correspondent à une enclave relativement restreinte de terrains graveleux, différents de ceux de l'Entre-deux-Mers. Cette appellation a été utilisée depuis le XIXe s., avant d'être officialisée en 1931. Initialement, elle correspondait à des vins blancs secs ou moelleux, mais la conjoncture actuelle tend à augmenter la production des vins rouges qui peuvent bénéficier de la même appellation.

La superficie totale du vignoble de cette région représente environ 490 ha de vignes rouges et 110 ha de vignes à raisins blancs ; une part importante des vins rouges est commercialisée sous l'appellation régionale bordeaux. En AOC graves-de-vayres, la production a atteint en 2004 27 284 hl en rouge et 6 015 en blanc pour une superficie déclarée de 643 ha.

BORDELAIS

CH. BEAUMARD 2004 ★

1,68 ha 13 000 3 à 5 €

Cet ancien prieuré du XVIIe s. propose deux vins. Celui-ci, épicé, floral (rose) et fruité, se montre souple et chaleureux à l'attaque, puis très aromatique et typé. A boire ou à garder deux ou trois ans. Le **Beaumard rouge 2002, Elevé en fût de chêne (5 à 8 €)**, est cité ; le bouquet de fraise confite est agréable et les tanins sont amples et frais. Un vin de plaisir à servir dès aujourd'hui.

Pierre Escarpe, Ch. Beaumard, 33500 Arveyres, tél. 05.57.24.84.18, fax 05.57.24.80.92, e-mail pierre.escarpe@wanadoo.fr t.l.j. 8h-19h

CH. BUSSAC 2004 ★

3,5 ha 8 000 3 à 5 €

Un assemblage de sauvignon et sémillon à parts égales a donné un excellent 2004. La robe jaune or a des reflets verts ; les arômes très frais d'agrumes et de fleurs blanches sont assez intenses ; en bouche, l'attaque nerveuse laisse la place à beaucoup de minéralité et de complexité finale. A servir pendant trois ans. Le **Château Peyrere rouge 2002, Elevé en fût de chêne (5 à 8 €)**, obtient également une étoile ; son bouquet est bien mûr, avec un fin boisé fondu. Les tanins souples et équilibrés ne manquent pas de charme. Une bouteille qui sera parfaite dans deux ou trois ans.

SCEA Vignobles Cassignard, Ch. Bussac, 33870 Vayres, tél. 05.57.24.52.14, fax 05.57.24.06.00 t.l.j. 9h-12h 15h-17h

CH. CANTELAUDETTE
Cuvée Prestige Elevé en fût de chêne 2004 ★

10 ha 70 000 3 à 5 €

Créée en 1870, cette propriété a longtemps été exploitée en polyculture. Elle compte aujourd'hui 48 ha. Ce vin blanc sec fermenté et élevé en fût de chêne revêt une robe jaune paille brillant. Ses parfums d'agrumes, en harmonie avec des notes élégamment boisées, annoncent un vin friand, très fruité en finale. Une belle bouteille à servir dans les trois à cinq ans. Le **Cantelaudette rouge 2003 Elevé en fût de chêne (5 à 8 €)** obtient également une étoile ; très souple et gras, il se caractérise par un bouquet de groseille, de caramel, de confiture. La finale puissante suggère un vieillissement de quelques années.

Jean-Michel Chatelier, Cantelaudette, 33500 Arveyres, tél. 05.57.24.84.71, fax 05.57.24.83.41, e-mail jm.chatelier@wanadoo.fr r.-v.

CH. LA CHAPELLE BELLEVUE
Prestige Elevé en barrique 2003 ★★

0,65 ha 2 500 8 à 11 €

Le cépage sémillon est exclusif dans ce vin remarquable, fermenté et vieilli en fût de chêne. Tout séduit un jury unanime : la robe jaune paille limpide, le bouquet fin et élégant de raisins très mûrs qui évolue vers des notes de

beurre et de fruits jaunes. Souple et chaleureux en attaque, le palais possède beaucoup de sève, des saveurs d'amande grillée et de boisé toasté. À déboucher aujourd'hui pour un plaisir immédiat ou à garder un à cinq ans. Le **rouge 2002 Elevé en barrique** est cité ; il est bien vinifié, fruité et déjà bon.

Lisette Labeille, Ch. La Chapelle Bellevue, 33870 Vayres, tél. 05.57.84.90.39, fax 05.57.74.82.40, e-mail lachapellebellevue@wanadoo.fr r.-v.

CH. FAGE Elevé en fût de chêne 2003

13 ha 75 000 5 à 8 €

Appartenant à Joël Quancard, négociant à Bordeaux, ce cru a vinifié un bon 2003, de couleur grenat intense. Son bouquet expressif rappelle la confiture de cassis, la vanille, le coco grillé. En bouche, les tanins sont denses, encore dominés par un boisé puissant qui devra se fondre. Attendre un an ou deux.

SA Ch. Fage, 33500 Arveyres, tél. 04.67.39.10.51, fax 04.67.39.15.33, e-mail maxcazottes@domainecaton.com r.-v.

CH. GOUDICHAUD 2003 *

39 ha 50 000 5 à 8 €

Ce superbe château construit au XVIII^e s. sur les plans de l'architecte Victor Louis a été pendant de nombreuses années la résidence d'été des archevêques de Bordeaux. Aujourd'hui, vous y trouverez d'excellents vins, à l'image de ce 2003 aux riches arômes (fruits rouges, réglisse, vanille), complexe en bouche grâce à la puissance et à la maturité des tanins. Une bouteille à laisser s'assagir deux à trois ans en cave. Le **Château La Fleur des Graves rouge 2002 (11 à 15 €)** est cité ; c'est un vin plaisant et classique de l'appellation, déjà prêt.

Paul Glotin, EARL Ch. Goudichaud, 33750 Saint-Germain-du-Puch, tél. 05.57.24.57.34, fax 05.57.24.59.90, e-mail chateau-goudichaud@wanadoo.fr r.-v.

CH. HAUT-MONGEAT Vieilli en fût de chêne 2002

2,2 ha 13 800 5 à 8 €

Ce 2002 à la robe grenat légèrement tuilée développe un bouquet de cuir, d'épices, de café et de réglisse. Souple en attaque, il révèle une structure assez serrée, élégante, classique. À attendre un à deux ans.

Bernard Bouchon et Fille, Le Mongeat, 33420 Génissac, tél. 05.57.24.47.55, fax 05.57.24.41.21, e-mail info@mongeat.com r.-v.

CH. LESPARRE Elevé en fût de chêne 2003 *

50 ha 333 334 8 à 11 €

Propriétaires de quelque 220 ha, les Gonet ont acquis en Bordelais de beaux domaines complétant leur vignoble champenois. Navire amiral, Lesparre, parmi les crus les plus prestigieux de l'appellation, se distingue encore avec son 2003. La robe grenat profond, les arômes agréables de pain grillé et de vanille annoncent des tanins pleins et suaves évoluant avec finesse et longueur. Dans deux ou trois ans, ce vin sera parfait sur du gibier. Du même propriétaire, les **Châteaux Durand-Bayle rouge 2003 Elevé en fût de chêne (5 à 8 €)** et **Lathibaude rouge 2003** sont tous les deux cités ; très fruités et déjà assez gouleyants, ils se boiront plus jeunes sur une grillade.

SCEV Michel Gonet et Fils, Ch. Lesparre, 33750 Beychac-et-Caillau, tél. 05.57.24.51.23, fax 05.57.24.03.99, e-mail vins.gonet@wanadoo.fr t.l.j. sf sam. dim. 9h-12h 14h-17h30

CH. DU PETIT PUCH 2003

14 ha 50 000 8 à 11 €

Ce ravissant petit manoir datant en partie du XIV^e s. a connu une histoire riche et mouvementée. Il a changé de propriétaire en 2004. Ce millésime est donc celui d'Isabelle et Patrice Chaland. Ses arômes fruités sont dominés par des notes boisées intenses. En bouche, c'est un vin puissant, encore austère, mais prometteur : il faudra patienter entre deux à trois ans.

Marie-Paule de la Rivière, GFA du Petit Puch, 33750 Saint-Germain-du-Puch, tél. 05.57.24.52.36, fax 05.57.24.01.82, e-mail chateaupetitpuch@yahoo.fr r.-v.

CH. PICHON-BELLEVUE 2004 *

5 ha 40 000 3 à 5 €

Le sauvignon (70 %), complété par le sémillon, a donné une jolie robe jaune pâle brillant et des arômes floraux (rose et genêt). La structure est fraîche, friande, avec une note sauvignonnée de qualité. Un vin agréable et bien fait, à apprécier dès maintenant.

EARL Ch. Pichon-Bellevue, 33870 Vayres, tél. 05.57.74.84.08, fax 05.57.84.95.04 r.-v.

Reclus

CH. LA PONTETE Elevé en fût de chêne 2003

18,65 ha 6 700 5 à 8 €

Situé sur le plus haut plateau de graves de la commune, ce château propose un 2003 aux arômes encore discrets mais élégants de cuir et de boisé vanillé. Les tanins soyeux et très présents à la fois sont équilibrés. Un vin à boire d'ici un à trois ans.

SCEA Ch. et S. Lacombe, Ch. La Pontête, 33870 Vayres, tél. 05.57.74.76.99, fax 05.57.74.79.88, e-mail christianlacombe2@wanadoo.fr r.-v.

CH. LE TERTRE

Cuvée du baron Charles Elevé en fût de chêne 2004 **

0,3 ha 1 800 5 à 8 €

Issue d'un bon terroir graveleux, cette cuvée fermentée et élevée en fût de chêne est un assemblage de 80 % de sauvignon et de 20 % de sémillon. La robe jaune paille est intense ; bien boisé et grillé, le bouquet est à la fois puissant et élégant avec ses notes d'agrumes et de fleurs blanches. La bouche, après une attaque ample, ronde et perlante, devient ensuite plus corsée ; la finale se révèle équilibrée et racée. Un vin remarquable à laisser vieillir un à trois ans.

Pierrette et Christian Labeille, Ch. Le Tertre, 33870 Vayres, tél. 05.57.74.76.91, fax 05.57.74.87.40, e-mail clabeille@vignobles-labeille.com r.-v.

CH. TOUR DE GUEYRON 2003

■ 0,85 ha 6 000 5 à 8 €

Le cabernet franc complète le merlot à parts égales dans ce 2003 : la robe brille de reflets sombres ; le bouquet complexe de fruits rouges est expressif ; les tanins pleins et boisés évoluent avec équilibre. Attendre un à trois ans.

Pascal Sirat, Penchille, 33500 Arveyres, tél. et fax 05.57.51.57.39, e-mail siratpascal@aol.com r.-v.

# Sainte-foy-bordeaux

Cité médiévale à l'intérêt touristique évident, mais aussi cité du vin entre Lot-et-Garonne et Dordogne, Sainte-Foy a produit 2 287 hl de vin blanc et 16 305 hl de vin rouge en 2004 sur les 380 ha du vignoble.

CH. CARBONNEAU Cuvée Réserve 2003 ★★

■ 13 ha 1 800 11 à 15 €

Ce beau château du XIXᵉs. possède une verrière et des jardins remarquables ; il propose deux excellents vins, assez différents. Cette cuvée Réserve, issue à 100 % du cépage merlot, obtient deux étoiles : sa robe brille de reflets rubis, son bouquet complexe évoque les épices, le cuir, le pruneau, le bois. Les tanins veloutés, équilibrés et tout en douceur sont enrobés en finale par un boisé très présent. Un vrai plaisir promis dans un à trois ans. La **cuvée classique en fût de chêne 2003 (5 à 8 €)** obtient une étoile : elle développe des arômes de cacao, de grillé, de confit ; sa structure puissante, voire virile, bien fruitée en finale demande trois à cinq ans de garde.

W. et J. Franc de Ferrière, Ch. de Carbonneau, 33890 Pessac-sur-Dordogne, tél. 05.57.47.46.46, fax 05.57.47.42.26, e-mail carbonneau@wanadoo.fr r.-v.

CH. DU CHAMP DES TREILLES 2004

□ 1 ha 4 000 11 à 15 €

Beaucoup de soins sont apportés tant au vignoble qu'aux chais dans cette propriété tenue par J.-M. Comme, directeur du château Pontet-Canet à Pauillac. Le vin blanc 2004 brille de reflets jaune-vert. Les arômes d'agrumes sont agréables, la structure se montre équilibrée. A boire ou à garder deux ou trois ans.

Corinne Comme, Pibran, 33250 Pauillac, tél. et fax 05.56.59.15.88, e-mail champdestreilles@9online.fr r.-v.

CH. DES CHAPELAINS Cuvée Prélude 2004 ★

□ 9,4 ha 60 000 5 à 8 €

Couronné par quatre coups de cœur dans le Guide en sept ans, Pierre Charlot fait partie des grands vignerons bordelais. Il est vrai que sa famille s'est installée ici au XVIIᵉs. Longue ascendance mais aussi savoir-faire personnel. Cette cuvée est issue d'un assemblage de sauvignon, de sémillon et de muscadelle. Elle présente une couleur jaune pâle brillante, des arômes fleuris et fruités et un équilibre remarquable entre rondeur et acidité. Un vin à boire les yeux fermés sur des coquillages. Pierre Charlot propose une cuvée **La Découverte blanc sec 2003 (8 à 11 €)** d'une grande fraîcheur aromatique, délicatement boisée : elle obtient une citation. La cuvée **Les Temps modernes rouge 2003 (8 à 11 €)** gagne une étoile pour sa distinction.

Pierre Charlot, Les Chapelains, 33220 Saint-André-et-Appelles, tél. 05.57.41.21.74, fax 05.57.41.27.42, e-mail chateaudeschapelains@wanadoo.fr r.-v.

CH. L'ENCLOS Réserve de la marquise 2003

■ 18 ha 15 000 5 à 8 €

Les Bonneville ont repris ce cru en 2003. Ils ont planté quatre cents arbres pour créer un arboretum. Les vignes de trente ans d'âge représentent un encépagement classique ici. Ce vin à la robe rubis légèrement évoluée, aux arômes de petits fruits rouges bien mûrs et aux tanins fermes, bien présents et équilibrés en fin de bouche est à boire ou à garder deux ou trois ans.

SCEA Ch. L'Enclos, 33220 Pineuilh, tél. et fax 05.57.46.55.97, e-mail sceachateaulenclos@wanadoo.fr r.-v.
Eric Bonneville

CH. GRAND MONTET 2003 ★

■ 2,5 ha 12 000 5 à 8 €

Sorti en 2001 de la cave coopérative, ce château a depuis réalisé des investissements qui portent leurs fruits comme le montre cet excellent 2003 à la robe rubis soutenu. Les arômes évoquent le kirsch, le confit, l'amande, la vanille puis les tanins se révèlent suaves, bien présents, un peu dominés par le boisé actuellement. Attendre deux ou trois ans.

Marie-France et Didier Roussel, EARL Les Deux Domaines, Le Montet, 33220 Saint-André-et-Appelles, tél. et fax 05.57.46.10.23 r.-v.

CH. LES MANGONS Vieilles Vignes 2003 ★

■ 2,5 ha 7 500 15 à 23 €

Ce château converti depuis 2000 à la biodynamie propose dans le millésime 2003 deux très bons vins distingués chacun par une étoile. Cette cuvée Vieilles Vignes (cinquante ans) brille d'une belle couleur bigarreau ; son bouquet d'épices, de boisé réglissé et de fruits mûrs est élégant. Sa structure puissante, enrobée par un élevage réussi, nécessite deux à cinq ans de garde. La cuvée classique **rouge 2003 (5 à 8 €)** est encore un peu fermée ; en revanche ses tanins frais, harmonieux et équilibrés promettent beaucoup d'ici un à deux ans.

EARL Ch. Les Mangons, Les Mangons 3-4, 33220 Pineuilh, tél. 05.57.46.17.27, fax 05.57.46.17.67, e-mail michel.comps@chateaulesmangons.com r.-v.
Michel et Brigitte Comps

CH. MARTET Les Hauts de Martet 2003 ★

■ 10 ha 36 000 11 à 15 €

Une fois n'est pas coutume, notre jury a préféré le second vin du château, peut-être plus accessible aujourd'hui en dégustation. La robe pourpre est profonde et les arômes de fruits rouges délicatement toastés annoncent des tanins ronds, gras, au boisé bien fondu, et une bonne longueur. Une bouteille authentique, à boire d'ici un à trois ans. La **Réserve de la famille rouge 2003 (15 à 23 €)** est citée. Complexe sur le plan aromatique, ce vin demande une garde de quelques années pour que ses tanins s'assouplissent.

SCEA Ch. Martet, 33220 Eynesse, tél. 05.57.41.00.49, fax 05.57.41.09.36, e-mail pdc@deconinckwine.com r.-v.

CH. DE LA PELISSIERE Cuvée Maxime 2003

■ 3,6 ha 26 000 5 à 8 €

Cette cuvée se distingue par la finesse de son bouquet de fruits mûrs et par sa structure souple et équilibrée ; un vin à boire dans les trois ans à venir. Le **blanc sec 2003 (8 à 11 €)** est également cité ; il provient à parts égales de sauvignon et de sémillon ; ses arômes francs et fruités sont à l'unisson de sa belle harmonie en bouche. A servir sur des entrées.

Pierre Charlot, Les Chapelains, 33220 Saint-André-et-Appelles, tél. 05.57.41.21.74, fax 05.57.41.27.42, e-mail chateaudeschapelains@wanadoo.fr r.-v.

CH. PICHAUD SOLIGNAC Cuvée des Danaïdes 2003

■ 2 ha 6 000 8 à 11 €

Cette ancienne ferme du XVIII^e s. mérite le détour ; vous y dégusterez ce bon vin à la robe soutenue et brillante. Epices et fruits rouges composent un agréable bouquet. Les tanins, souples en attaque, évoluent avec un peu de sévérité. Un vin pour connaisseur patient (trois à cinq ans minimum de garde).

EARL Pichaud Solignac, La Niolaise, 33790 Pellegrue, tél. et fax 05.56.61.43.55, e-mail contact@chateaupichaudsolignac.com t.l.j. 9h-19h

Delbeuf

CH. LE PRE DE LA LANDE Elevé en fût de chêne 2003 ★★

■ 5 ha 30 000 5 à 8 €

Cette propriété a changé de mains en 2003, avec son lot de transformations et d'investissements. Le résultat est déjà au rendez-vous avec ce coup de cœur unanime du grand jury. La robe sombre brille de jolis reflets vifs. Le bouquet complexe et intense évoque les fruits rouges, la vanille et le grillé. Les tanins très puissants ne perdent jamais leur élégance. La finale de pruneau cuit est très persistante. Ce vin de garde demande à s'assagir : un vieillissement de trois à cinq ans est conseillé. Citée, la cuvée **rouge 2003 (3 à 5 €)**, qui n'a pas connu le fût, est à boire dès maintenant.

EARL Vignobles de la Rayre, 2, La Rayre, 33220 Pineuilh, tél. et fax 05.57.41.36.20, e-mail michel.bauce@laposte.net r.-v.

# Premières-côtes-de-bordeaux

La région des premières côtes de bordeaux s'étend, sur une soixantaine de kilomètres, le long de la rive droite de la Garonne, depuis les portes de Bordeaux jusqu'à Verdelais. Les vignobles sont implantés sur des coteaux qui dominent le fleuve et offrent de magnifiques points de vue. Les sols y sont très variés : en bordure de la Garonne, ils sont constitués d'alluvions récentes, et certains donnent d'excellents vins rouges ; sur les coteaux, on trouve des sols graveleux ou calcaires ; l'argile devient de plus en plus abondante au fur et à mesure que l'on s'éloigne du fleuve. L'encépagement, les conditions de culture et de vinification sont classiques. Le vignoble pouvant revendiquer cette appellation représente 3 467 ha en rouge et 261 ha en blanc doux ; une part importante des vins, surtout blancs, est commercialisée sous des appellations régionales bordeaux. Les vins rouges (182 315 hl en 2004) ont acquis depuis longtemps une réelle notoriété. Ils sont colorés, corsés, puissants ; les vins produits sur les coteaux ont en outre une certaine finesse. Les vins blancs (9 541 hl) sont des moelleux qui tendent de plus en plus à se rapprocher des liquoreux.

CH. BARREYRE Cuvée spéciale Elevé en fût de chêne 2002 ★

■ 2,5 ha 13 000 8 à 11 €

Comme beaucoup de domaines des premières-côtes, cette propriété a appartenu jadis à de grands bourgeois bordelais qui lui ont légué un beau puits en pierre. Encore un peu tannique, sa cuvée spéciale 2002 demande à être attendue deux ou trois ans avant de livrer ses charmes, dont une agréable expression aromatique et une structure bien équilibrée. La **cuvée Tradition 2003 (5 à 8 €)** a été citée.

SAS Vignoble Ch. Barreyre, 33550 Langoiran, tél. 05.56.67.02.03, fax 05.56.67.59.07, e-mail barreyre@barreyre.fr t.l.j. sf sam. dim. 8h-12h 14h-18h; f. août

CH. DU BIAC Elevé en fût de chêne 2002 ★

■ 5,77 ha 20 000 5 à 8 €

Issu d'un vignoble où les deux cabernets font jeu égal avec le merlot, ce vin a l'art de se présenter dans une robe brillante animée de reflets rubis. Développant de fins arômes de fruits mûrs cuits, le bouquet s'harmonise avec le palais, rond, fruité et soutenu par des tanins qui chatouillent les papilles sans les agresser.

SCEA du Biac, 19, rte de la Ruasse, 33550 Langoiran, tél. 05.56.67.19.98, fax 05.56.67.32.63 t.l.j. 9h-12h 14h-17h; f. août

Rossini

CH. CARIGNAN Prima 2002 ★

■ 12 ha 35 000 15 à 23 €

La cuvée prestige de cette importante propriété (62 ha) ne laisse planer aucun doute quant à son aptitude à la garde : d'une couleur rubis soutenu, elle développe un bouquet aux notes fumées et toastées avant de révéler de

puissants tanins de merrain qui se fondront d'ici quatre ou cinq ans. Déjà plaisante tout en justifiant une garde de deux ou trois ans, la **cuvée principale Château Carignan rouge 2002 (8 à 11 €)** a également obtenu une étoile. Rappelons que le château a été fondé en 1453 par l'un des héros de la bataille de Castillon.
GFA Philippe Pieraerts,
Ch. Carignan, 33360 Carignan-de-Bordeaux,
tél. 05.56.21.21.30, fax 05.56.78.36.65,
e-mail tt@chateau-carignan.com r.-v.

## CH. CARSIN 2002 ★

9,75 ha 30 040 8 à 11 €

Fait de plus en plus rare dans l'appellation, ce cru bénéficie d'un encépagement varié qui compte même 2 % de malbec. Soutenu par des tanins mûrs et puissants, ce vin à la robe grenat profond fait preuve d'une réelle consistance qui lui permettra d'être attendu au moins deux ou trois ans. Le destiner à un gibier.
GFA Ch. Carsin, 33410 Rions,
tél. 05.56.76.93.06, fax 05.56.62.64.80,
e-mail chateau@carsin.com r.-v.
Berglund

## CH. DES CEDRES 2003 ★

n.c. n.c. 5 à 8 €

Comme de nombreux crus des premières-côtes, cette propriété est à cheval sur plusieurs appellations (premières-côtes, bordeaux, cadillac). D'une bonne complexité aromatique (fruits rouges, cassis et bois), assez volumineux mais bien équilibré, son 2003 trouvera sa pleine expression dans deux ou trois ans.
SCEA des Vignobles Larroque, 15, allée de Gageot, 33550 Paillet, tél. 05.56.72.16.02, fax 05.56.72.34.44,
e-mail vignobles.larroque@wanadoo.fr
t.l.j. sf dim. 8h-12h 14h-18h
Serge et Jean-Claude Larroque

## CH. CHAMPCENETZ 2003 ★

3,91 ha n.c. 8 à 11 €

Né près de Bordeaux, ce vin à la robe presque noire s'inscrit dans l'esprit du millésime, tant par ses parfums de fruits rouges que par sa structure, bien équilibrée et suffisamment tannique pour mériter une garde de quelques années.
SCEA Ch. Champcenetz, 33880 Baurech,
tél. 05.56.67.05.58,
e-mail chateau-champcenetz@wanadoo.fr r.-v.

## CH. LA CHEZE

Cuvée Prestige Elevé en fût de chêne 2003 ★

5 ha 20 000 5 à 8 €

Construit vers 1515 par le seigneur de La Chèze, cet ancien relais de chasse appartient aujourd'hui à deux œnologues. Jouissant d'un terroir de qualité, ce cru fait preuve d'une belle régularité. Incontestablement de bonne garde (quatre ans d'attente seront les bienvenus), sa cuvée Prestige présente une robe fraîche et vive et un puissant bouquet de fruits mûrs ; elle se distingue par son équilibre, avec du volume, de la rondeur et de l'élégance. Egalement très prometteuse, la **cuvée principale Château La Chèze 2003** a obtenu elle aussi une étoile.
Rontein-Priou, SCEA Ch. La Chèze,
La Chèze D 13, 33550 Capian,
tél. et fax 05.56.72.11.77,
e-mail jfrontein@wanadoo.fr r.-v.

## CLOS BOURBON Vieilli en fût de chêne 2003

3,5 ha 26 000 8 à 11 €

Fidèle à sa tradition, ce cru propose un vin aimable, à servir jeune : rond et gras, il n'aura pas à attendre longtemps pour mettre en valeur le joli côté vanillé que lui a apporté l'élevage. Autre étiquette du même producteur, le **Château La Rose Bourbon 2003 (5 à 8 €)** a également été cité.
Th. et C. d'Halluin, Clos Bourbon, 33550 Paillet,
tél. 05.56.72.11.58, fax 05.56.72.13.76 r.-v.

## CH. LA CLYDE

Cuvée Garde de La Clyde Elevé en fût de chêne 2002 ★

2 ha 12 000 8 à 11 €

Vrai vin de vigneron, cette cuvée élevée en fût réussit à être déjà plaisante tout en montrant une bonne aptitude à la garde. Au côté harmonieux de ses arômes de vanille, de fruits rouges et de torréfaction s'ajoutent en effet de bons tanins, du gras et de la chair.
EARL Philippe Cathala,
Ch. La Clyde, 33550 Tabanac,
tél. 05.56.67.56.84, fax 05.56.67.12.06 r.-v.

## CH. CRABITAN-BELLEVUE 2003 ★★

5 ha 9 000 3 à 5 €

On savait que le millésime 2003 avait été particulièrement favorable aux liquoreux. Ce premières-côtes-de-bordeaux au caractère authentiquement liquoreux en apporte la preuve, par sa robe d'or, comme par ses parfums (aubépine, confiture de melons, abricot sec et miel) ou par son élégance et son équilibre au palais. Déjà très plaisante, cette bouteille pourra aussi être gardée pendant cinq ans, voire plus.
GFA Bernard Solane et Fils, Crabitan,
33410 Sainte-Croix-du-Mont, tél. 05.56.62.01.53,
fax 05.56.76.72.09 t.l.j. sf dim. 8h-12h 14h-18h

## CH. CROIX DE BERN

Cuvée Julien Elevé en fût de chêne 2003

3 ha 12 000 5 à 8 €

Appartenant aux domaines de la famille de Jean-Guy Méric qui représentent 33 ha, ce cru associe 20 % de cabernet au merlot. Sans être très puissante, cette cuvée élevée en fût possède la matière nécessaire pour être attendue deux ou trois ans. Ce délai permettra de l'apprécier pleinement, sans perdre l'agrément de son joli bouquet fruité.
Jean-Guy Méric, 33410 Sainte-Croix-du-Mont,
tél. 05.56.62.01.19, fax 05.56.62.09.33,
e-mail jeanguy-meric@wanadoo.fr r.-v.
Jean-Guy Méric

## CH. LE DOYENNE 2002

8 ha 27 000 8 à 11 €

Situé à 800 m de l'église romane de Saint-Caprais, ce cru a été restauré au début du XX^es. Les fidèles seront peut-être un peu surpris de ne pas trouver dans ce millésime l'aptitude à la garde des précédents. Toutefois, ils devront attendre un ou deux ans pour profiter pleinement des jolis arômes de fruits rouges de ce vin souple et bien équilibré.
SCEA du Doyenné, 27, chem. de Loupes,
33880 Saint-Caprais-de-Bordeaux,
tél. 05.56.78.75.75, fax 05.56.21.30.09,
e-mail chateauledoyenne@wanadoo.fr r.-v.

### DUCHESSE DE GRAMAN 2003

■ 10 ha 30 000 5 à 8 €

Une poignée de viticulteurs se sont réunis en 1967 afin de vinifier en commun le produit de leurs vignes. Ils sont aujourd'hui une cinquantaine à croire en leur avenir. Sans être très complexe, ce vin laisse le souvenir d'un ensemble agréable, notamment par son expression aromatique aux fines notes de fleur d'oranger, de miel, de pain d'épice et de fruits exotiques. Une bouteille à servir à dix-sept heures

SCA Cave de Langoiran,
rte de Créon, 33550 Langoiran,
tél. 05.56.67.09.06, fax 05.56.67.13.34,
e-mail sca.cavedelangoiran@wanadoo.fr r.-v.

### L'ACANTHE DE DUDON 2002 ★

■ 0,5 ha 2 226 5 à 8 €

Placés sous la protection de l'arbre du Paradis, cette cuvée saura apporter à l'amateur des instants gourmands fort plaisants ; tant par la richesse de son bouquet, aux élégantes notes de vanille et de réglisse que par sa structure, fine et ronde. Une sympathique bouteille dont il faudra savoir saisir l'attrait sans attendre. A servir sur des viandes blanches.

SARL Dudon, Ch. Dudon, 33880 Baurech,
tél. 05.57.97.77.35, fax 05.57.97.77.39,
e-mail jmerlaut@jean-merlaut.com r.-v.
Jean Merlaut

### CH. FAYAU

Cuvée Jean Médeville Elevé en fût de chêne 2002 ★

■ 6 ha 30 000 5 à 8 €

Du même producteur que le cadillac homonyme, ce vin d'une couleur profonde a su tirer profit de son élevage en fût. Bien dosé, le bois respecte les arômes mûrs de cabernet-sauvignon (55 %) et donne un ensemble équilibré. Présents sans agressivité, ses tanins appellent un séjour en cave de deux ou trois ans.

SCEA Jean Médeville et Fils, Ch. Fayau,
33410 Cadillac, tél. 05.57.98.08.08, fax 05.56.62.18.22,
e-mail medeville-jeanetfils@wanadoo.fr r.-v.

### CH. FRANC-PERAT 2003 ★

■ 22 ha 130 000 8 à 11 €

Avec ce vin, les Despagne recherchent la rondeur et la souplesse sans négliger pour autant la structure. D'une belle couleur, ce 2003 développe un bouquet élégant (fruits rouges mûrs, épices et torréfaction) avant de révéler un palais ample et savoureux qui justifiera une garde de trois ou quatre ans. Assez proche, le **Château Mont-Pérat 2003 (15 à 23 €)** a également obtenu une étoile. Ample et charnu, il devra attendre que ses tanins se fondent.

SCEA de Mont-Pérat, Le Peyrat, 33550 Capian,
tél. 05.57.84.55.08, fax 05.57.84.57.31,
e-mail contact@despagne.fr r.-v.

### DOM. DU GRAND PARC Vieilles Vignes 2002

■ 10 ha 25 000 5 à 8 €

Né sur un domaine voué depuis 1958 par l'Inra à la recherche agronomique, notamment sur les variétés résistant aux maladies, ce vin souple et bien équilibré se plaira sur des fromages dans les trois ou quatre ans à venir.

INRA, Dom. du Grand Parc, 33360 Latresne,
tél. 05.56.30.77.61, fax 05.56.20.02.04,
e-mail forget@bordeaux.inra.fr r.-v.

### CH. DU GRAND PLANTIER

Elevé en fût de chêne 2002 ★

■ 15 ha 15 500 5 à 8 €

Appartenant à la même famille depuis 1850, ce domaine de 55 ha propose ici sa cuvée prestige élevée un an en barrique. Issu de vignes d'un âge respectable (quarante ans), ce vin souple et rond se montre équilibré. Le côté mûr des tanins s'harmonise avec celui des fruits. Ajoutez des arômes de réglisse et de vanille et vous obtenez un ensemble simple et bien fait qui pourra être apprécié aujourd'hui comme dans deux ou trois ans.

GAEC des Vignobles Albucher,
Ch. du Grand Plantier, 33410 Monprimblanc,
tél. 05.56.62.99.03, fax 05.56.76.91.35,
e-mail chdugrandplantier@hotmail.com r.-v.

### CH. GRIMONT Cuvée Prestige 2003 ★★

■ 8 ha 55 000 5 à 8 €

Coup de cœur l'an dernier avec leur Château Sissan, les Yung renouvellent cette année l'exploit avec cette cuvée du Château Grimont. Intense et soutenue, la robe est pleine de promesses. Des promesses tenues par le bouquet, aussi puissant que complexe, aux élégantes notes de fruits noirs et de toast. Gras, ample et concentré, en même temps que fin et distingué, le palais révèle une belle matière. Après cinq ou six ans de garde, ce vin sera digne d'un gibier. Egalement de bonne garde, le **Château Sissan Grande Réserve Elevé en fût de chêne** a obtenu une étoile.

SCEA Pierre Yung et Fils, Ch. Grimont,
33360 Quinsac, tél. 05.56.20.86.18, fax 05.56.20.82.50
t.l.j. sf sam. dim. 9h-12h 14h-17h;
f. 31 juil. au 31 août
Paul Yung

### CH. LES GUYONNETS Apogée 2003

■ 0,5 ha 1 200 11 à 15 €

Petite cuvée à base de cabernet-sauvignon (75 %), ce vin à la robe profonde et brillante possède une bonne structure tannique et un joli bouquet de fruits rouges. Il sera prêt dans un an. Le **Château Les Guyonnets cuvée Prestige Elevé en fût de chêne 2003 (5 à 8 €)** a également été cité.

Sophie et Didier Tordeur, Ch. Les Guyonnets,
33490 Verdelais, tél. et fax 05.56.62.09.89,
e-mail didiertordeur@aol.com r.-v.

### CH. LES HAUTS DE PALETTE

Elevé en fût de chêne 2002 ★★

■ 5 ha 30 000 5 à 8 €

Bien conseillé par le laboratoire de la Chambre d'agriculture de Cadillac, Jean-Christophe Yung a parfai-

tement surmonté les difficultés de ce millésime réputé délicat. L'intensité de la robe de ce vin se retrouve dans le bouquet, qui se développe tout en finesse en révélant de jolies notes fruitées, épicées et torréfiées. Elégant, charnu et puissant, le palais s'harmonise aujourd'hui avec une grillade, tout en possédant la structure qui lui permettra de gagner en maturité avec une garde de quelques années.
SCEA Charles Yung et Fils, 8, chem. de Palette, 33410 Béguey, tél. 05.56.62.94.85, fax 05.56.62.18.11
t.l.j. sf sam. dim. 9h-12h30 14h-18h30; f. 1er-15 août

CH. DE HAUX 2002 *

■ 50 ha 250 000 5 à 8 €

Vaste ensemble de 120 ha, cette propriété travaille à grande échelle. Mais sans sacrifier la qualité, comme le montre ce 2002 à la robe soutenue et au bouquet délicatement marqué par le bois avec de fines notes d'épices. Equilibré et long, un vin déjà fort plaisant. On le servira tout de suite. Autres vins rouges notés chacun une étoile, le **Château Frère 2002** ainsi que le **Château Gourran 2002** peuvent quant à eux attendre deux ou trois ans.
SARL Ch. de Haux, 33550 Haux, tél. 05.57.34.51.11, fax 05.57.34.51.15 r.-v.
Jorgensen

CH. JONCHET 2002 *

■ 6,5 ha 20 000 5 à 8 €

Philippe Rullaud s'est lancé dans l'élaboration de produits dérivés du raisin. Ainsi il a créé un parfum à la feuille de vigne... qui bien sûr n'a pas été testé par nos dégustateurs. Chartreuse campée sur le coteau, ce château propose un vin bien équilibré entre le fruit et la barrique. Elégant, avec de jolies notes vanillées, il peut être apprécié dès maintenant.
Philippe Rullaud, Ch. Jonchet, La Roberie, 33880 Cambes, tél. 05.56.21.34.16, fax 05.56.78.75.32, e-mail philippe-rullaud@wanadoo.fr r.-v.

CH. LAFITTE Elevé en fût de chêne 2003 *

■ 2 ha 9 000 8 à 11 €

Cru réputé depuis longtemps, ce domaine propose ici un vin bien construit et fin. Elevé en fût, il réussit la performance d'être déjà très plaisant tout en promettant d'être intéressant pendant quelques années. Rouge profond, le nez sur le fruit mûr, il allie élégance et puissance.
Philippe Mengin, Ch. Lafitte, 6, rte de la Lande, 33360 Camblanes, tél. 05.56.20.77.19, fax 05.56.20.00.18, e-mail scchateaulafitte@aol.com r.-v.

CH. LAGAROSSE Les Comtes 2003 **

■ 3,5 ha 11 000 15 à 23 €

Après deux coups de cœur successifs, ce cru se distingue une fois encore par la qualité de sa production. Comme l'annonce sa robe intense et profonde, sa structure puissante et concentrée destine ce 2003 à une bonne garde. Un séjour en cave d'environ cinq ans s'imposera avant de le servir sur des mets de caractère. Ses arômes de cerise bien mûre associés à des notes torréfiées de l'élevage en sortiront grandis.
SAS Ch. Lagarosse, 33550 Tabanac, tél. 05.56.67.00.05, fax 05.56.67.58.90, e-mail lagarosse@wine-and-vineyards.com r.-v.

CH. LAMOTHE DE HAUX
Première cuvée Vieilli en fût de chêne 2002 *

■ 30 ha 80 000 8 à 11 €

Des caves souterraines aménagées dans d'anciennes carrières : c'est dans cet univers privilégié qu'a été élevé ce vin délicatement boisé (vanillé et réglissé). Bien équilibré et structuré, il peut compter sur ses tanins de bonne qualité pour tirer profit d'un séjour en cave de trois ou quatre ans. Très proche, la **cuvée Valentine rouge 2002** a également obtenu une étoile.
Neel-Chombart, Ch. Lamothe, 33550 Haux, tél. 05.57.34.53.00, fax 05.56.23.24.49, e-mail info@chateau-lamothe.com r.-v.

CH. DE LESTIAC
Cuvée Prestige Elevé en fût de chêne 2003

■ 8 ha 55 000 5 à 8 €

S'il est encore marqué par le bois, ce vin associant merlot et cabernet à parts égales, plein et bien constitué, possède la matière nécessaire pour affronter une garde d'environ quatre ans qui lui permettra de s'arrondir.
SCEA Gonfrier Frères, Ch. de Marsan, 33550 Lestiac-sur-Garonne, tél. 05.56.72.14.38, fax 05.56.72.10.38, e-mail gonfrier@terre-net.fr r.-v.

SPECIAL CUVEE DU CH. LEZONGARS 2002 *

■ 4 ha 18 000 11 à 15 €

Toujours régulier en qualité, ce cru offre ici une cuvée spéciale expressive, tant au bouquet qu'au palais. Riche et complexe, le premier marie les fruits aux notes grillées de l'élevage. Corsé et charpenté, le second laisse envisager de bonnes années de garde qui permettront au bois de se fondre. La **cuvée L'Enclos du Château Lezongars rouge 2002 (8 à 11 €)** a été citée.
SC Ch. Lezongars, rte de Roques, 33550 Villenave-de-Rions, tél. 05.56.72.18.06, fax 05.56.72.31.44, e-mail philip@chateau-lezongars.com r.-v.
D. Iles

CH. MATHEREAU Elevé en barrique de chêne 2002

■ 11 ha 50 000 8 à 11 €

S'il est un peu court, ce vin n'en demeure pas moins fort plaisant, avec une expression aromatique assez originale par ses notes florales qui s'ajoutent aux parfums de fruits rouges et d'épices. Rond et souple, il ne demandera pas une longue attente pour livrer ses charmes. A choisir pour les viandes blanches.
Philippe Boulière, Ch. Mathereau, BP 20, 33560 Sainte-Eulalie, tél. et fax 05.56.06.05.56 r.-v.

CH. MELIN Elevé en fût de chêne 2002 ★

■ 5 ha 20 050 8 à 11 €

Ayant constitué leurs vignobles tout au long du XXe s., les Modet ont acquis une solide connaissance de leur terroir. On s'en convaincra en découvrant ce vin, aussi plaisant par son bouquet que par sa structure aux tanins bien présents sans jamais être agressifs.

EARL Vignobles Claude Modet et Fils, Constantin, 33880 Baurech, tél. 05.56.21.34.71, fax 05.56.21.37.72, e-mail vmodet@wanadoo.fr t.l.j. 8h-12h 14h-17h30; sam. dim. sur r.-v.

CH. MONTJOUAN 2003

■ 4,5 ha 30 000 5 à 8 €

S'il appartient toujours à Mme Lebarazer, ce cru est aujourd'hui exploité par les Yung, de Grimont. Très marqué par le bois torréfié, ce vin n'en demeure pas moins intéressant par sa matière qui lui permettra de se fondre avec le temps.

SCEA Pierre Yung et Fils, Ch. Montjouan, 33270 Bouliac, tél. 05.56.20.86.18, fax 05.56.20.82.50 r.-v.

Anne-Marie Lebarazer

LA PERLE DU PAYRE Cuvée Prestige 2003

■ 1 ha 6 000 8 à 11 €

Elevé douze mois en barrique et associant 60 % de merlot aux deux cabernets à parts égales, ce vin joue résolument la carte de la finesse, tant dans son expression qu'au palais où se révèle un bon équilibre.

SCEA Vignobles Arnaud et Marcuzzi, Le Vic no 13, 33410 Cardan, tél. 05.56.62.60.91, fax 05.56.62.67.05, e-mail arnaud.marcuzzi@wanadoo.fr r.-v.

CH. LA RAME La Charmille 2003 ★

■ 7 ha 36 000 8 à 11 €

Du même producteur que le sainte-croix-du-mont homonyme, ce vin se montre fin et équilibré, tant par son bouquet, où la vanille se marie heureusement aux fruits, qu'au palais, avec une structure bien constituée et une finale d'une bonne longueur. Le **Château La Caussade rouge 2002 (5 à 8 €)** a été cité.

Yves Armand, Ch. La Rame, 33410 Sainte-Croix-du-Mont, tél. 05.56.62.01.50, fax 05.56.62.01.94, e-mail dgm@wanadoo.fr t.l.j. 9h-12h 13h30-17h30; sam. dim. sur r.-v.

CH. REYNON 2003 ★★

■ 19 ha 65 000 11 à 15 €

Œnologue renommé, Denis Dubourdieu prouve ici qu'il est aussi compétent dans son chai que dans un amphithéâtre. Dans ce millésime qui ne fut pas facile, il a réussi un vin fin, élégant et bien équilibré : derrière un bois de qualité apparaissent des tanins soyeux et goûteux. Une jolie bouteille qui trouvera sa pleine expression dans trois ans environ.

Denis et Florence Dubourdieu, Ch. Reynon, 33410 Béguey, tél. 05.56.62.96.51, fax 05.56.62.14.89, e-mail reynon@gofornet.com r.-v.

CH. ROLLAND 2003 ★

■ n.c. 2 600 5 à 8 €

Une production réduite mais de qualité pour ce vin, dont la robe intense et profonde laisse deviner la vocation à la garde. Sa solide matière aux tanins serrés confirme cette première impression et incite à attendre trois ans cette bouteille, afin de lui permettre de s'arrondir.

SCEA Gautier et Fils, 4, lieu-dit Rolland, 33490 Saint-Maixant, tél. 05.56.62.02.41, fax 05.56.76.70.22, e-mail cht.rolland@wanadoo.fr r.-v.

CH. SALLABER DE GOURGUE 2002

■ 3,36 ha 17 000 5 à 8 €

Caserne de mousquetaires au XVIIe s., ce cru propose ici un vin dont le bouquet n'a pas encore trouvé sa pleine expression mais que sa souplesse et son équilibre savent rendre plaisant.

Lizotte, Ch. de Gourgue, 33880 Saint-Caprais-de-Bordeaux, tél. 05.56.21.32.82, fax 05.56.78.71.73, e-mail chateaudegourgue@club-internet.fr r.-v.

CH. SUAU 2002 ★

■ 8,4 ha 58 000 8 à 11 €

Discrètement entouré par un rideau de chênes centenaires, ce château possède un charme réel. Son 2002 s'annonce par une jolie robe, entre grenat et bigarreau. Riche et élégant, son bouquet passe des notes de fruits cuits aux arômes de sous-bois, de chocolat et de café. Pleine, concentrée et tannique, sa structure puissante, encore un peu austère, promet de belles perspectives dans quatre à cinq ans.

Bonnet, Ch. Suau, 33550 Capian, tél. 05.56.72.19.06, fax 05.56.72.12.43, e-mail bonnet.suau@wanadoo.fr r.-v.

CH. VIEILLE TOUR Elevé en fût de chêne 2002 ★

■ 1,09 ha 3 600 5 à 8 €

Dans un millésime souvent assez ingrat, ce cru offre un vin ample et bien équilibré, qui possède suffisamment d'acidité pour une garde de quelques années. Ses arômes mêlent acacia, rôti et notes grillées de l'élevage.

SCEA des Vignobles Gouin, La Pradiasse, 33410 Laroque, tél. 05.56.62.61.21, fax 05.56.76.94.18, e-mail chateau.vieille.tour@wanadoo.fr r.-v.

# Côtes-de-bordeaux-saint-macaire

L'appellation côtes de bordeaux saint-macaire prolonge, vers le sud-est, celle des premières-côtes-de-bordeaux. Elle produit des vins blancs secs et liquoreux qui ont représenté 1 983 hl en 2004 pour 40 ha revendiqués en AOC.

DOM. DU BALLAT Moelleux 2003

■ 1 ha 1 200 5 à 8 €

Une propriété transmise de mère en fille depuis plusieurs générations ; cette cuvée de création récente porte une robe dorée à reflets cuivrés. Son bouquet intense est dominé par le miel, puis s'impose une fraîcheur en bouche bienvenue. De l'élégance.

⊶ EARL Vignobles Trejaut,
Dom. du Ballat, 33490 Saint-André-du-Bois,
tél. 05.56.76.42.83, fax 05.56.76.45.14 ☑ ⌂ Y ☦ r.-v.

DOM. DE BOUILLEROT
Le Palais d'or Moelleux 2003 ★★

| | 1 ha | 4 000 | ⏸ | 8 à 11 € |
|---|---|---|---|---|

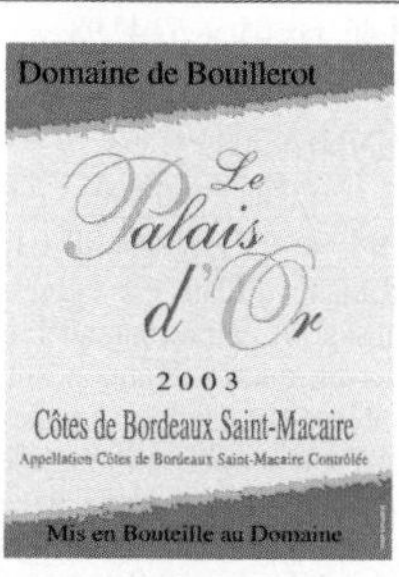


Le Palais d'or, un nom original pour cette cuvée issue exclusivement de vieilles vignes (soixante ans) de sémillon. L'or brille intensément dans le verre, puis le bouquet complexe de miel, de fruits secs (abricot), de figue, assorti d'un délicat boisé, annonce une bouche exquise. Ample et riche, celle-ci possède beaucoup de gras et de volume. La finale est très aromatique (ananas), équilibrée et élégante. Il faudra savoir attendre cette bouteille deux à cinq ans mais elle est déjà bien tentante.
⊶ Thierry Bos, Lacombe,
33190 Gironde-sur-Dropt, tél. et fax 05.56.71.46.04,
e-mail info@bouillerot.com ☑ Y ☦ r.-v.

CH. DE CAPPES Moelleux 2003

| | 0,6 ha | 2 100 | ⏸ | 3 à 5 € |
|---|---|---|---|---|

Cette propriété est située à 2 km du château de Malromé qui appartint à la famille de Toulouse-Lautrec. Son vin blanc moelleux, 100 % sémillon, brille d'une couleur or clair. Le miel et les fleurs dominent avec élégance, au nez comme en bouche. Celle-ci est marquée par une bonne acidité qui apporte une touche de fraîcheur bienvenue dans l'équilibre alcool-sucre. A boire dès maintenant.
⊶ EARL Patrick Boulin,
Ch. de Cappes, 33490 Saint-André-du-Bois,
tél. 05.56.76.40.88, fax 05.56.76.46.15 ☑ Y ☦ r.-v.

CH. FAYARD Sec 2003 ★

| | 3,33 ha | 9 000 | ⏸ | 11 à 15 € |
|---|---|---|---|---|

A moins de 1 km de la cité médiévale de Saint-Macaire qui mérite une longue visite, château Fayard est l'une des plus anciennes propriétés de l'appellation. Né d'un terroir graveleux sur sous-sol pierreux, son vin sec est le fruit d'un subtil assemblage de sémillon (63 %), de sauvignon et d'un zeste de muscadelle. Elégants, les parfums sont floraux puis des notes d'agrumes apparaissent à l'aération ; en bouche, on découvre un vin de bonne structure, bien mûr et joliment boisé. Il s'appréciera encore mieux dans un an ou deux.
⊶ Jacques-Charles de Musset,
Ch. Fayard, 33490 Le Pian-sur-Garonne,
tél. 05.56.63.33.81, fax 05.56.63.60.20,
e-mail chateau-fayard@wanadoo.fr ☑ Y ☦ r.-v.
⊶ SA Saint-Michel

FLEUR D'AURORE
Moelleux Elevé en fût de chêne 2003

| | 2 ha | 4 000 | ⏸ | 8 à 11 € |
|---|---|---|---|---|

Une propriété familiale, petite sœur d'autres crus de Michel Bergey. Fleur d'aurore est une cuvée 100 % sémillon. Le bouquet de cire, de miel et d'amande est finement boisé. La bouche est souple, dominée par des notes d'élevage.
⊶ SCEA Vignobles Michel Bergey,
33490 Sainte-Foy-la-Longue,
tél. 05.56.76.41.42, fax 05.56.76.46.42,
e-mail contact@vignoblesbergey.com
☑ Y ☦ t.l.j. sf sam. dim. 8h30-12h30 14h-18h;
f. sem. 15 août

CH. DE LAGARDE
Sec Cuvée Prestige Elevé en fût de chêne 2004

| | 2,5 ha | 14 000 | ⏸ | 5 à 8 € |
|---|---|---|---|---|

Cette cuvée, élevée neuf mois en barrique, séduit d'emblée par sa robe brillante, ses arômes fins de fleurs et d'agrumes et par sa richesse en bouche. Un vin typé qui accompagnera les viandes blanches.
⊶ SCEA Raymond, Ch. de Lagarde,
33540 Saint-Laurent-du-Bois,
tél. 05.56.76.43.63, fax 05.56.76.46.26,
e-mail scea.raymond@wanadoo.fr ☑ Y ☦ r.-v.

CH. MOULIN BARRAIL Cuvée Ludivine 2003

| | 1 ha | 1 600 | ▮⏸🌡 | 8 à 11 € |
|---|---|---|---|---|

Cette cuvée à base de sémillon complété par 10 % de muscadelle développe des parfums de miel, de cire et de vanille et des nuances florales bien présentes en bouche. Celle-ci est marquée par une note d'alcool et de boisé. Son volume est prometteur. A attendre deux ou trois ans et à servir avec un fromage persillé.
⊶ Sylvain Legrand,
Lieu-dit Chamouneau, 33490 Saint-André-du-Bois,
tél. 05.56.76.45.66, fax 05.56.76.43.71,
e-mail vignobleslegrand@wanadoo.fr ☑ Y ☦ r.-v.

LA PETITE DOREE Moelleux 2003 ★

| | 0,5 ha | 2 700 | ⏸ | 3 à 5 € |
|---|---|---|---|---|

Non loin de Malagar, propriété de François Mauriac, est élaboré ce vin issu de vieilles vignes de sémillon. La robe dorée est brillante. Les notes intenses d'acacia et de noisette, l'équilibre en bouche réussi avec une sensation de sucrosité remarquable composent une bouteille digne d'un foie gras poêlé. À boire ou à garder trois à six ans.
⊶ Mathieu Delong,
5, rue Burdeau, 33490 Saint-Macaire,
tél. 05.56.63.02.62, fax 05.56.62.75.87,
e-mail familledelong@hotmail.com ☑ Y ☦ r.-v.

## La région des Graves

Vignoble bordelais par excellence, les graves n'ont plus à prouver leur antériorité : dès l'époque romaine, leurs rangs de vignes ont commencé à encercler la capitale de l'Aquitaine et à produire, selon l'agronome Columelle, « un vin se gardant longtemps et se bonifiant au bout de quelques années ». C'est au Moyen Age qu'apparaît le nom de Graves. Il désigne alors tous les pays situés en amont de Bordeaux, entre la rive gauche de la Garonne et le plateau landais. Par la suite, le Sauternais s'individualise pour constituer une enclave, vouée aux liquoreux, dans la région des Graves.

# Graves et graves supérieures

S'allongeant sur une cinquantaine de kilomètres, la région des Graves doit son nom à la nature de son terroir : celui-ci est constitué principalement par des terrasses construites par la Garonne et ses ancêtres qui ont déposé une grande variété de débris caillouteux (galets et graviers originaires des Pyrénées et du Massif central).

Depuis 1987, les vins qui y sont produits ne sont pas tous commercialisés comme graves, le secteur de Pessac-Léognan bénéficiant d'une appellation spécifique, tout en conservant la possibilité de préciser sur les étiquettes les mentions « vin de graves », « grand vin de graves » ou « cru classé de graves ». Concrètement, ce sont les crus du sud de la région qui revendiquent l'appellation graves.

L'une des particularités de l'AOC graves réside dans l'équilibre qui s'est établi entre les superficies consacrées aux vignobles rouges (2 708 ha) et blancs secs (700 ha). Les graves rouges (153 678 hl en 2004) possèdent une structure corsée et élégante qui permet un bon vieillissement. Leur bouquet, finement fumé, est particulièrement typé. Les blancs secs (40 550 hl), élégants et charnus, sont parmi les meilleurs de la Gironde. Les plus grands, maintenant fréquemment élevés en barrique, gagnent en richesse et en complexité après quelques années de garde. On trouve aussi des vins moelleux qui ont toujours leurs amateurs et qui sont vendus sous l'appellation graves supérieures.

## Graves

### CH. D'ARCHAMBEAU 2002 ★

■ 15 ha 100 000 8 à 11 €

Commandé par une maison girondine dominant une colline face au Sauternais, ce cru s'inscrit dans la continuité familiale. Agréablement bouqueté avec des notes de fruits rouges mûrs et de pruneau cuit, son 2002 affirme sa vocation à la garde par des tanins encore saillants et une structure dense. On l'attendra de deux à quatre ans en l'associant à des plats pas trop relevés pour éviter d'accentuer le côté épicé de la finale. Marqué par de délicats arômes, le **blanc 2003 (5 à 8 €)** a été cité. A servir à l'apéritif dès cet automne.

SARL Vignobles F. Dubourdieu,
Ch. d'Archambeau, 33720 Illats,
tél. 05.56.62.51.46, fax 05.56.62.47.98,
e-mail chateau-archambeau@wanadoo.fr r.-v.

### CH. D'ARDENNES 2003 ★

■ 20 ha 40 000 8 à 11 €

88 (89) 90 93 94 96 97 |98| |99| 00 01 02 03

L'église romane d'Illats est intéressante par son portail et son abside. A ne pas manquer, tout comme ce domaine régulier en qualité. S'annonçant par une robe d'une couleur intense et soutenue, ce millésime se montre un peu discret par son bouquet mêlant de légères notes de fruits noirs, de réglisse, puis de violette. Il révèle ensuite son ampleur et sa belle constitution. Frais et gras, il possède du caractère et l'affirmera encore plus nettement d'ici deux ou trois ans.

SCEA Ch. d'Ardennes,
Ardennes, 33720 Illats, tél. 05.56.62.53.66,
e-mail cyril.dubrey@wanadoo.fr r.-v.
Cyril Dubrey

### CH. D'ARRICAUD 2002 ★

■ n.c. 48 000 8 à 11 €

Galets roulés, terreforts, calcaires à astéries, la diversité caractérise le terroir de ce cru. D'une couleur peu intense, ce vin se montre ensuite intéressant par son bouquet, mariant les notes grillées et confites (pruneau), comme par son corps, certes tannique, mais rond et charnu ; l'équilibre sera assez vite atteint.

EARL Bouyx, Ch. d'Arricaud, 33720 Landiras,
tél. 05.56.62.51.29, fax 05.56.62.41.47,
e-mail chateaudarricaud@wanadoo.fr r.-v.

### CH. ARZAC Cuvée Evaxel 2003

■ 19,57 ha 12 000 8 à 11 €

Créée par le nouveau responsable du cru, dont c'est le premier millésime, cette cuvée désignée par les prénoms de ses deux enfants, simple mais bien faite, séduit par son nez mêlant pruneau cuit et boisé vanillé, par sa fraîcheur (menthe) et sa rondeur.

EARL Vignobles R. Jaubert,
21, rte de Montignac, 33760 Soulignac,
tél. 05.56.23.64.22, fax 05.56.23.64.19 r.-v.

### BARONNE CHARLOTTE 2003 ★

n.c. n.c. 11 à 15 €

Marque de la maison Philippe de Rothschild, ce vin réussit à surprendre par ses parfums de pêche blanche, de noisette et de miel. D'un bel aspect dans sa robe limpide à reflets verts, il attaque avec fraîcheur et souplesse, puis évolue avec ampleur avant que ne revienne le fruit. Ce 2003 invite à une garde d'un ou deux ans.

Baron Philippe de Rothschild, BP 117,
33250 Pauillac, tél. 05.56.73.20.20, fax 05.56.73.20.44,
e-mail webmaster@bpdr.com r.-v.

### CH. BEAUREGARD DUCASSE Albert Duran Elevé en fût de chêne 2002

■ 10 ha 40 000 8 à 11 €

Sur ce domaine de 42 ha, les chais de vinification occupent un ancien séchoir à tabac. Née sur une des croupes des graves les plus hautes de l'appellation, cette cuvée bien équilibrée et généreuse n'est pas dominée par le bois, dont les notes épicées et vanillées laissent s'exprimer les arômes de cassis et de pruneau à l'eau-de-vie.

EARL Vignobles Jacques Perromat, Ducasse, 33210 Mazères, tél. 05.56.76.18.97, fax 05.56.76.17.73, e-mail vignobles.jacques.perromat@wanadoo.fr r.-v.

GFA de Gaillote

## CH. DE BEAU-SITE 2002

4 ha 16 000 11 à 15 €

Issu d'une petite propriété à direction féminine, ce vin friand et aimable possède un caractère discret tant au nez qu'au palais. Pour profiter de ses arômes fumés mêlés de fruits rouges, il ne sera pas nécessaire de l'attendre longtemps.

Corine Saint-Mleux, Ch. de Beau-Site, 35, rte de Mathas, 33640 Portets, tél. 05.56.67.18.15, fax 05.56.67.38.12, e-mail chateaudebeausite@wanadoo.fr r.-v.

Mme Dumergue

## CH. BICHON CASSIGNOLS Grande Réserve 2002 ★

1,5 ha 6 500 11 à 15 €

Cuvée prestige de ce cru de 12 ha, ce vin sait se présenter dans un habit dont le carmin est si profond qu'il devient presque noir. Intégrant parfaitement l'apport du bois, le bouquet révèle des notes complexes : tabac, pruneau, épices – graves obligent –, fumée et violette. Encore marqué par ses tanins, le palais montre par sa richesse qu'il mérite une garde de quatre à six ans.

Jean-François Lespinasse, 50, av. Edouard-Capdeville, 33650 La Brède, tél. 05.56.20.28.20, fax 05.56.20.20.08, e-mail bichon.cassignols@wanadoo.fr r.-v.

## CH. BIGNON Cuvée des Gravières 2002

5 ha 10 500 5 à 8 €

D'une teinte légère, ce 2002 au nez discret mais harmonieux par son fruit bien fondu se révèle assez délicat en bouche où des notes fruitées associent le raisin et la cerise. Equilibré, un vin agréable qui associe 60 % de cabernet-sauvignon au merlot. Il accompagnera les viandes rouges grillées pendant deux ans.

**La région des Graves**

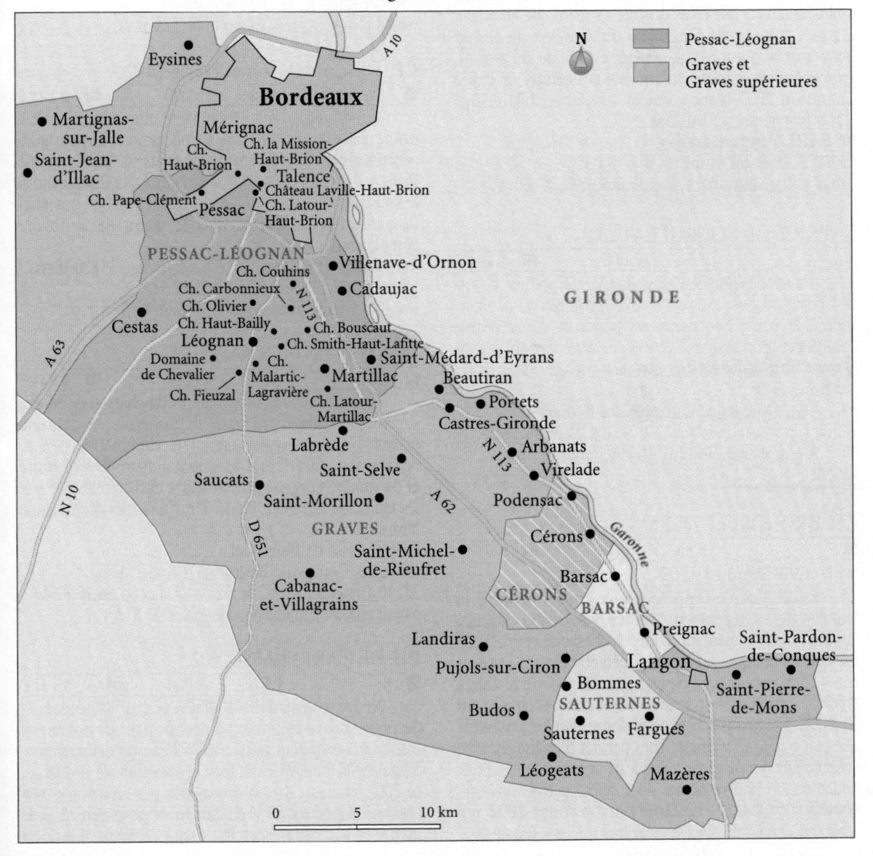

Vignobles H. Daubas, Ch. Tourbicheau, 33640 Portets, tél. et fax 05.56.67.37.75

### CH. LE BONNAT 2003 **

7 ha 200 000 8 à 11 €

Vaste ensemble de propriétés tant en Armagnac, en Madiran qu'en Bordelais, conduit par Jean-Jacques Lesgourgues. Ce graves à la robe d'un jaune léger et brillant développe un bouquet plaisant et complexe d'acacia et de mangue. Ample, délicatement boisé et charnu, le palais révèle une élégance et un équilibre qui en font un vin plaisir à boire aujourd'hui ou d'ici deux à trois ans.

SCA Ch. Branda et Cadillac, Branda, 33240 Cadillac-en-Fronsadais, tél. 05.57.94.09.20, fax 05.57.94.09.30, e-mail contact@leda-sa.com r.-v.

### TENTATION DU CH. LE BOURDILLOT 2003 **

10 ha 60 000 8 à 11 €

Coup de cœur l'an dernier, ce cru, depuis près d'un siècle dans la même famille, est une fois encore au rendez-vous de la qualité. Intense et complexe, son bouquet porte la marque de l'élevage dans ses notes de fumée. Des arômes de réglisse, de chocolat, de pain et de brioche, ainsi qu'un fruité encore discret, se joignent à elles pour composer un ensemble complexe. Bien constitué, avec une solide structure, une chair délicate et une finale tannique, le palais tirera profit d'un séjour en cave de cinq ans ou plus. Aromatique (ananas, mangue et fruit de la Passion), grasse, fruitée et dotée d'une bonne acidité, la cuvée **Tentation 2003 blanc** a obtenu une étoile. Elle pourra être attendue un ou deux ans.

EARL Patrice Haverlan, 11, rue de l'Hospital, 33640 Portets, tél. et fax 05.56.67.11.32, e-mail patrice.haverlan@worldonline.fr r.-v.

### CAPRICE DE BOURGELAT 2003

1,5 ha 12 000 8 à 11 €

Ancien pavillon de chasse du duc d'Epernon, ce cru de Cérons propose avec cette cuvée prestige un vin qui se veut à la page. Savoureux au palais et d'une bonne complexité aromatique, il révèle par ses notes grillées un élevage bien maîtrisé. Il pourra accompagner des ris de veau.

EARL Dominique Lafosse, Clos Bourgelat, 33720 Cérons, tél. 05.56.27.01.73, fax 05.56.27.13.72 t.l.j. sf dim. 9h-12h 14h-19h; groupes sur r.-v.; f. août

### CH. BRONDELLE 2002 **

15 ha 100 000 8 à 11 €

94 |96| |98| |99| |00| |01| **02**

Valeur sûre de l'appellation, ce cru se montre à la hauteur de sa réputation avec ce vin dont l'élégance apparaît dès la présentation. La robe brillante et profonde précède un bouquet se partageant équitablement entre les fruits et les apports de l'élevage : vanille, poivre et autres épices. Le palais découvre un côté moelleux et charnu qui s'associe aux tanins serrés pour donner un bel ensemble que clôt une longue finale. Tout permet d'envisager avec sérénité une bonne garde : cinq à six ans, voire plus. Pour patienter, on pourra ouvrir d'ici deux ou trois ans une bouteille de **Château La Rose Sarron rouge 2002**, qui a obtenu une étoile pour ses élégants tanins « fondants ».

Vignobles Belloc-Rochet, Ch. Brondelle, 33210 Langon, tél. 05.56.62.38.14, fax 05.56.62.23.14, e-mail chateau.brondelle@wanadoo.fr r.-v.

### CH. DU CAILLOU Elevé en fût de chêne 2002

3,5 ha 10 000 5 à 8 €

Bien réussi, ce 2002 se montre flatteur, tant par sa robe soutenue que par son bouquet. Ce dernier s'ouvre sur des parfums de fruits noirs (cerise et pruneau) avant de laisser percer une note de cuir rappelant la place du merlot dans l'encépagement (80 %). Encore sur la réserve, ce 2002 a du corps et devrait évoluer favorablement.

SCEA Ch. du Caillou, rte de Saint-Cricq, 33720 Cérons, tél. 05.56.27.17.60, fax 05.56.27.00.31 t.l.j. 10h-12h 14h-18h

M. Oudinot

### CH. CALENS Cuvée Zélina 2002

n.c. 2 640 5 à 8 €

Cuvée prestige née sur un domaine de 6 ha, ce vin, d'une jolie couleur rubis à reflets violacés, associe un bouquet élégant (fruits noirs mûrs et boisé délicat) à un palais assez puissant et bien équilibré. Il pourra être apprécié sans attendre sur une viande blanche ou un fromage pas trop fort.

GAEC Artaud et Fils, 6, rue des Mages, 33640 Beautiran, tél. 05.56.67.05.48, e-mail clospeyreyre@yahoo.fr r.-v.

### CH. DE CALLAC Cuvée Prestige 2002

3 ha 15 000 8 à 11 €

Ce vin révèle une personnalité attachante qui s'exprime par l'équilibre du bouquet, où les notes de pain grillé accompagnent heureusement les fruits, et par la bonne matière du palais. A la fois rond et ample, ce 2002 a choisi le registre de la finesse tout en possédant un bon potentiel de garde qui laissera au bois le temps de se fondre complètement.

SCE M. et Ph. Rivière, Ch. de Callac, 33720 Illats, tél. 05.57.55.59.59, fax 05.57.55.59.51, e-mail priviere@riviere-stemilion.com r.-v.

### CH. DE CARDAILLAN 2003 *

23 ha 65 000 8 à 11 €

Appartenant aux propriétaires du château de Malle, superbe demeure et cru classé de Sauternes, ce domaine assemble à parts égales merlot et cabernet-sauvignon. Après un bouquet élégant de fruits noirs surmûris, de truffe et de vanille, s'impose une structure encore marquée par les tanins du chêne en finale. Un vin à attendre quelque temps.

Comtesse de Bournazel, GFA des Comtes de Bournazel, Ch. de Malle, 33210 Preignac, tél. 05.56.62.36.86, fax 05.56.76.82.40, e-mail chateaudemalle@wanadoo.fr r.-v.

### CH. DE CARRELASSE 2002 *

1,5 ha 8 000 8 à 11 €

Nouveau venu dans le Guide, ce cru fut pendant la Seconde Guerre mondiale un lieu sûr pour de nombreux résistants qui purent passer ici la ligne de démarcation. Signé par la famille Coste, bien connue dans le Bordelais, ce 2002 témoigne de son savoir-faire par un élevage bien maîtrisé. Associant 63 % de cabernet-sauvignon, 25 % de merlot et 12 % de malbec, puissant et élégant, il est déjà

agréable par son expression aromatique aux notes de fruits noirs frais, tout en affichant des tanins serrés et soyeux à la fois, qui invitent à l'attendre trois ou quatre ans.
SC Les Quatre Châteaux,
Ch. de Gaillat, La Carrelasse, 33210 Langon,
tél. 05.56.63.50.77, fax 05.56.62.20.96 r.-v.
Famille Coste

CH. DE CASTRES 2003 *

13 ha 85 000 11 à 15 €

Belle chartreuse du XVIIIe s. entourée d'un vaste parc arboré, ce cru présente un vin qui a lui aussi un bel aspect dans sa robe d'un rouge profond. Très floral (tubéreuse, jacinthe, muguet) puis fruité (fruits noirs confits) et grillé, le bouquet a autant de charme que l'attaque, ronde à souhait. Au palais se révèlent de solides tanins, extraits avec soin, qui s'accordent avec la finale pour laisser augurer une remarquable évolution dans les trois ou quatre ans à venir. Exotique et frais par son expression aromatique, le **blanc 2003** a également mérité une étoile. Son acidité lui permettra d'affronter une garde de trois ou quatre ans. Autre étiquette du cru, le **Tour de Castres rouge 2003 (5 à 8 €)** a obtenu une citation.
EARL Vignobles Rodrigues-Lalande,
Ch. de Castres, 33640 Castres-sur-Gironde,
tél. 05.56.67.51.51, fax 05.56.67.52.22,
e-mail chateaudecastres@chateaudecastres.fr
t.l.j. 8h-12h 13h-20h

CH. DE CHANTEGRIVE 2002 **

35 ha 170 000 11 à 15 €

82 83 (85) 86 88 89 |90| 93 95 96 |99| 00 **01** **02**

Né sur l'une des plus remarquables propriétés des graves, ce vin n'a rien de confidentiel, ce qui n'en rend que plus intéressantes ses qualités : une belle couleur grenat ; un bouquet séduisant et complexe réunissant avec bonheur des notes de pain grillé et de fruits noirs mûrs ; une attaque moelleuse ; un palais ample, soutenu par de fins tanins. Cette bouteille saura résister à des mets exigeants, comme un gibier ou un fromage fort, dans trois ou quatre ans. D'une réelle richesse (genêt, fleurs blanches, pierre à fusil, fruits exotiques et buis), la cuvée **Caroline 2003 blanc** a obtenu une étoile.
SAS Vignobles Lévêque, Ch. de Chantegrive,
33720 Podensac, tél. 05.56.27.17.38, fax 05.56.27.29.42,
e-mail courrier@chateau-chantegrive.com
t.l.j. sf dim. 9h-12h30 13h30-17h
Henri et Françoise Lévêque

CH. CHANTELOISEAU 2004 *

4 ha 24 000 3 à 5 €

Issu d'une belle unité de près d'une cinquantaine d'hectares, ce 2004 annonce par sa robe délicate le bouquet aux fraîches notes florales et fruitées (acacia, mangue, litchi, agrumes) ; il garde un côté perlant à l'attaque avant de se révéler vif, bien équilibré et harmonieux. A boire sur le fruit à l'apéritif.
SCEA Domaines Latrille-Bonnin,
Petit-Mouta, 33210 Mazères,
tél. 05.56.63.41.70, fax 05.56.76.83.25 r.-v.
GFA du Brion

CH. LE CHEC 2003 *

2,78 ha 9 000 5 à 8 €

Régulier en qualité, ce cru résiste à la pression urbaine. Il a su tirer parti de son terroir de graves avec ce vin dont la structure se lit dans la teinte soutenue de sa robe. Agréable dans son expression aromatique où les fleurs blanches flirtent avec les notes exotiques d'agrumes, ce 2003 poursuit dans le même esprit au palais. Celui-ci s'achève par une élégante finale sur le fruit et l'élevage.
Christian Auney, La Girotte, 33650 La Brède,
tél. et fax 05.56.20.31.94 r.-v.

CH. CHERCHY-DESQUEYROUX 2002

1,5 ha 6 000 8 à 11 €

Né sur un vignoble à forte majorité de merlot (80 %), ce vin porte la marque du cépage dans son expression aromatique fruitée et dans la rondeur de ses tanins bien fondus. Ample, charnu et facile, il a su intégrer l'apport de l'élevage (notes grillées et épicées) pour donner un ensemble plaisant à boire jeune.
SCEA Vignobles Francis Desqueyroux et Fils,
1, rue Pourière, 33720 Budos,
tél. 05.56.76.62.67, fax 05.56.76.66.92,
e-mail vign.fdesqueyroux@wanadoo.fr r.-v.

CH. LES CLAUZOTS 2004 *

6 ha 25 000 5 à 8 €

Le sauvignon (70 % de l'encépagement) ne cache pas sa présence, que révèlent des notes d'agrumes, dont le citron. Ample, gras et néanmoins frais, le palais reste lui aussi sur les mêmes notes de cépage, avec des arômes de fruits exotiques. Un vin agréable dès aujourd'hui.
SCEA Vignobles F. Tach,
Ch. Les Clauzots, 33210 Saint-Pierre-de-Mons,
tél. 05.56.63.34.32, fax 05.56.63.18.25,
e-mail chateaulesclauzots@wanadoo.fr r.-v.

CLOS D'UZA 2003

28 ha 25 000 8 à 11 €

Né sur un cru situé aux portes du Sauternais et dans la même famille depuis 1850, ce vin se montre intéressant par la fraîcheur de son expression aromatique aux fines notes florales et fruitées. A boire jeune.
GAF Les Queyrats,
Ch. Les Queyrats, 33210 Saint-Pierre-de-Mons,
tél. 05.56.63.07.02, fax 05.61.54.41.73,
e-mail dulac.queyrats@wanadoo.fr r.-v.

CLOS FLORIDENE 2003 **

13 ha 62 000 11 à 15 €

Proche du circuit pédestre des bords du Ciron, ce cru mérite la visite, ne serait-ce que pour découvrir le charme de ce vin qui s'exprime tout en finesse. A la fraîcheur et à l'élégance des parfums d'ananas et de pamplemousse agrémentés d'une note grillée s'ajoute un remarquable volume au palais, où se mêlent le fruit et le bois. Une superbe bouteille pour accompagner tout un repas. Le menu ? Fruits de mer cuisinés, rôti de veau et fromage de chèvre.
Denis et Florence Dubourdieu, Ch. Reynon,
33410 Béguey, tél. 05.56.62.96.51, fax 05.56.62.14.89,
e-mail reynon@gofornet.com r.-v.

CLOS LES REMPARTS 2003 **

1,66 ha 2 100 11 à 15 €

Une petite propriété avec sa tour médiévale (ancien péage) au bord du Ciron. Les Gachet l'ont acquise en 2002 et proposent ici leur premier millésime. Le coup d'essai est un coup de maître : son bouquet complexe et puissant, ses tanins soyeux, son équilibre, sa chair réglissée et sa longue finale invitent à trois ans de patience avant de profiter de ses nombreuses qualités.

Catherine et Christophe Gachet, Clos Les Remparts, 33210 Preignac, tél. 05.56.62.20.01, fax 05.56.62.33.11, e-mail clos-dady@wanadoo.fr r.-v.

### CORDIER Collection privée 2003 ★

n.c. 32 000 5 à 8 €

La macération pelliculaire a apporté à ce vin à la robe limpide et cristalline de plaisants parfums de fruits exotiques. Ils s'associent à de séduisantes senteurs de rose et annoncent une structure fraîche, légère et séveuse. Un ensemble très jeune qui pourra attendre trois ou quatre ans ou accompagner déjà des poissons en sauce.

Cordier Mestrezat et Domaines, 109, rue Achard, 33300 Bordeaux, tél. 05.56.11.29.00, fax 05.56.11.29.01, e-mail contact@cordier-wines.com

### DOM. DE COUQUEREAU 2003

1,8 ha 8 000 5 à 8 €

Ce vin n'est sans doute pas destiné à vieillir aussi longtemps que le citronnier de cent trente ans que possède cette petite propriété. Mais bu jeune, il saura se montrer plaisant par sa souplesse et sa finesse et accompagnera un dîner simple de copains.

Gipoulou, 22, av. Adolphe-Demons, 33650 La Brède, tél. 05.56.20.32.27, fax 05.56.78.56.83 r.-v.

### CH. CRABITEY 2002 ★

13 ha 80 000 11 à 15 €

Coup de cœur pour ses millésimes 2000 et 2001, Crabitey propose un 2002 qui allie un bouquet complexe (réglisse, goudron et vanille dominant encore le fruit mûr) à un palais rond et doux. Encore sous le bois mais bien structuré, ce vin méritera d'être attendu quelques années.

SARL Les vignobles de Seillon, Ch. Crabitey, 63, rte du Courneau, 33640 Portets, tél. 05.56.67.18.64, fax 05.56.67.14.73, e-mail chateau.crabitey@libertysurf.fr r.-v.

### CH. LA CROIX 2002 ★

12,1 ha 12 000 5 à 8 €

Etabli sur un chemin emprunté par les pèlerins de Saint-Jacques, ce domaine n'est viticole que depuis 1957. Le cabernet-sauvignon et le merlot à parts égales sont complétés par 5 % de malbec et 15 % de cabernet franc. Rubis intense, discret au nez, ce vin est confortable en bouche : équilibre, structure, complexité, longueur sont au rendez-vous. Il ne manque que deux ou trois ans de garde pour que les tanins se fondent.

Vignobles Espagnet, Ch. La Croix, rte d'Auros, 33210 Langon, tél. 05.56.63.29.36, fax 05.56.63.19.18, e-mail vignobles.espagnet@free.fr t.l.j. 9h-12h 14h-18h

### DOURTHE La Grande Cuvée 2002

n.c. 45 000 8 à 11 €

Dourthe, propriétaire de 400 ha en Bordelais, a célébré en 2005 le dixième anniversaire de sa Grande Cuvée. Ce 2002 est un vin classique par son bouquet, doté d'une bonne matière aux tanins encore présents, le fruit restant en retrait. Il se mariera dans un an ou deux avec de la cuisine traditionnelle (viande rouge, charcuterie, agneau).

Vins et Vignobles Dourthe, 35, rue de Bordeaux, 33290 Parempuyre, tél. 05.56.35.53.00, fax 05.56.35.53.29, e-mail contact@cvbg.com

### EPICURE Elevé en fût de chêne 2002

15 000 8 à 11 €

Pour son graves, l'équipe de Bernard Pujol et d'Hubert de Boüard recherche l'équilibre du palais. Rond avec des tanins bien fondus, ce 2002 répond à son attente. Facile et simple, il sera à boire jeune pour profiter de ses jolis arômes fruités et toastés.

Bordeaux Vins Sélection, 27, rue de Roullet, 33800 Bordeaux, tél. 05.57.35.12.35, fax 05.57.35.12.36, e-mail bvs.grands.crus@wanadoo.fr

### CH. FERRANDE 2003 ★

37 ha 370 000 8 à 11 €

Régulier en qualité, ce cru est une fois encore fidèle à lui-même avec ce vin rouge sombre qui tient les promesses de sa présentation. Certes, le bouquet est encore marqué par le bois, mais il n'ignore pas les fruits noirs mûrs propres au millésime 2003 ; sa complexité est de bon augure, de même que sa matière. Ses tanins puissants et bien fondus invitent à l'attendre deux à quatre ans avant de le servir. Le **Château Ferrande 2004 blanc** obtient une citation.

Castel Frères, 21-24, rue Georges-Guynemer, 33290 Blanquefort, tél. 05.56.95.54.00, fax 05.56.95.54.20, e-mail communication@castel-freres.com

### CH. LA FLEUR JONQUET 2002 ★

5,95 ha n.c. 11 à 15 €

Ce vin raffiné et élégant est plaisant par ses arômes de cuir et de cerise. Il s'accommodera de nombreux mets, de la volaille au gibier en passant par la viande rouge, et pourra être bu jeune ou attendu trois ou quatre ans.

Laurence Lataste, 5, rue Amélie, 33200 Bordeaux, tél. 05.56.17.08.18, fax 05.57.22.12.54, e-mail l.lataste@wanadoo.fr r.-v.

### FLEURON DE GRAMAN Elevé en fût de chêne 2003 ★★

2 ha 5 000 5 à 8 €

Comme beaucoup d'autres producteurs de la rive droite, la Cave de Langoiran a traversé la Garonne pour élaborer ce joli vin dont la robe, d'un jaune soutenu, révèle un séjour en fût. L'élevage est confirmé par les notes toastées du bouquet qui se mêlent à des nuances d'agrumes, de noisette et de fleurs printanières. Les saveurs du palais sont en harmonie avec les arômes. Un ensemble suffisamment friand et sympathique pour pouvoir être servi jeune mais qui peut attendre quelques années. A déguster en apéritif ou tout au long du repas. Dommage qu'il y en ait si peu : cette cuvée est élaborée par une coopérative qui regroupe 250 ha de vigne.

SCA Cave de Langoiran, rte de Créon, 33550 Langoiran, tél. 05.56.67.09.06, fax 05.56.67.13.34, e-mail sca.cavedelangoiran@wanadoo.fr r.-v.

### CH. DES FOUGERES 2002 ★

4 ha 25 000 11 à 15 €

Comme le rappelle la signature de l'étiquette, ce cru appartient toujours à la famille de Montesquieu. Grand

spécialiste des vins, le philosophe aurait sans doute apprécié cette bouteille délicatement bouquetée, qui mêle le fruit à des notes de chocolat. Franche à l'attaque, elle est sympathique dans son développement au palais. Portée par des tanins soyeux, ample, souple et bien charpentée, elle sera très plaisante d'ici trois ou quatre ans. Fort réussi, le **blanc 2003 (8 à 11 €)** a également obtenu une étoile. Elégant et complexe, il déploie une large palette aromatique qui lui ouvre de belles perspectives d'accords gourmands (poisson et viande blanche ou même apéritif). Il acceptera une garde de deux à quatre ans.
SCEA des Vignobles Montesquieu,
Ch. des Fougères, BP 53, 33650 La Brède,
tél. 05.56.78.45.45, fax 05.56.20.25.07,
e-mail montesquieu@montesquieu.com r.-v.

## GRAVEUM DE GAUBERT 2002 **

■ 2 ha 1 200 23 à 30 €

Du même producteur que le Vieux Château Gaubert, cette mini cuvée a bénéficié de soins tout particuliers, tant à la vigne qu'au cuvier et au chai. Le résultat est à la hauteur des espérances de Dominique Haverlan. Dès l'examen olfactif, ce vin fait preuve d'une subtilité qui donne un côté passionnant à la dégustation. Les premières notes musquées et boisées (cèdre) font place à des arômes de fruits (pruneau) pour arriver à l'évocation de tartes aux mûres, d'épices et d'un zeste de menthol. Doux, moelleux, ample et concentré, le palais est aussi complexe que le bouquet. Tout annonce une vraie grande bouteille, à attendre cinq ou six ans, voire plus.
Dominique Haverlan, Vieux Château Gaubert,
33640 Portets, tél. 05.56.67.18.63, fax 05.56.67.52.76,
e-mail dominique.haverlan@libertysurf.fr r.-v.

## CH. DU GRAND BOS 2002 *

■ 6 ha 30 250 11 à 15 €

Après un coup de cœur l'an dernier pour son remarquable 2001 appelant une longue garde, ce cru propose cette année un millésime qui permettra d'attendre que son prédécesseur soit arrivé à maturité : d'une réelle complexité aromatique et bien équilibré, gras et rond, doté de tanins soyeux et longs, ce 2002 pourra être apprécié assez jeune. Seconde étiquette du domaine, le **Cadet du Grand Bos 2002 rouge (8 à 11 €)** est cité.
SCEA du Ch. du Grand Bos,
chem. de l'Hermitage, 33640 Castres-Gironde,
tél. 05.56.67.39.20, fax 05.56.67.16.77,
e-mail chateau.du.grand.bos@free.fr r.-v.
Vincent

## GRAND ENCLOS DU CHATEAU DE CERONS 2002 *

■ 13 ha 29 264 11 à 15 €

Confirmant la bonne impression produite l'an dernier par le 2001, ce 2002 montre que Giorgio Cavanna a parfaitement compris l'esprit du bordeaux en passant du *chianti classico* au graves. A la fois élégant, notamment par son bouquet bien typé (fruité intense encore dominé par des notes de vanille et de réglisse), puissant et solidement structuré, il justifiera une garde de cinq ou six ans, voire plus. Souple, vif, bien équilibré et d'une belle complexité (acacia, pêche de vigne, litchi), le **Grand Enclos du château de Cérons blanc 2003 (8 à 11 €)** obtient également une étoile. Rappelons que le blanc 2001 fut coup de cœur dans le Guide 2004.
SCEA du Grand Enclos de Cérons,
pl. du Gal-de-Gaulle, 33720 Cérons,
tél. 05.56.27.01.53, fax 05.56.27.08.86,
e-mail grand.enclos.cerons@wanadoo.fr r.-v.
Giorgio Cavanna

## CH. DE LA GRAVELIERE Cuvée Prestige 2002

■ 11 ha 50 000 8 à 11 €

Cuvée Prestige numérotée, ce vin assemble à parts égales merlot et cabernet-sauvignon. Il possède une réelle élégance, tant dans son bouquet aux notes de fruits mûrs et d'épices qu'au palais, où l'on découvre un bon équilibre entre le fruit et le merrain. Invitez vos amis autour d'une grillade : ce vin aiguisera la conversation.
Bernard Réglat,
Ch. de La Mazerolle, 33410 Monprimblanc,
tél. 05.56.62.98.63, fax 05.56.62.17.98,
e-mail reglat.bernard@wanadoo.fr r.-v.

## CH. HAURA 2003 *

■ 4 ha 13 000 11 à 15 €

Le cabernet-sauvignon (60 %) et le merlot composent ce vin qui s'inscrit dans l'esprit de l'appellation. Derrière une robe pourpre profond, le nez révèle des notes légèrement vanillées, torréfiées, associées à un fruité discret. Après une attaque concentrée, la cerise noire bien mûre se mêle à des épices. Le fruit est bien valorisé par des tanins équilibrés et charnus ainsi que par une longue finale. Une garde de quelques années ne fera qu'accentuer le charme de cette jolie bouteille.
EARL Pierre et Denis Dubourdieu,
Ch. Doisy-Daëne, 33720 Barsac,
tél. 05.56.27.15.84, fax 05.56.27.18.99,
e-mail denisdubourdieu@wanadoo.fr r.-v.

## DOM. DU HAURET LALANDE 2002

■ 2,6 ha 6 300 5 à 8 €

Issu d'un petit vignoble complémentaire de ceux des liquoreux que possède la famille Lalande, ce vin possède une bonne structure, dont les tanins encore un peu saillants appellent deux ou trois ans d'attente. Il pourra accompagner des plats traditionnels ou exotiques. Souple et assez élégant, le **blanc 2004** est également cité.
EARL Lalande et Fils, Ch. Piada, 33720 Barsac,
tél. 05.56.27.16.13, fax 05.56.27.26.30,
e-mail chateau.piada@wanadoo.fr
t.l.j. 8h-12h 13h30-20h; sam. dim. sur r.-v.

## CH. HAUT-MAYNE Prestige Elevé en fût de chêne 2003 **

□ 3 ha 12 500 8 à 11 €

Profitant d'un vignoble présent sur les trois communes de l'appellation, ce cru a su tirer parti de la diversité de son terroir avec ce fort joli vin. Gras et bien équilibré, ce 2002 laisse le souvenir d'arômes et de saveurs pleins de charme : noisette, pêche blanche, fleur d'acacia et sous-bois. Subtile dans son expression aromatique et bien concentrée, la cuvée **Prestige rouge 2002** obtient une étoile. On l'attendra quatre ou cinq ans.
SC Haut-Mayne-Gravaillas, 10, Caubillon,
33720 Cérons, tél. et fax 05.56.27.08.53,
e-mail ch.haut-mayne@wanadoo.fr

## CH. HAUT-POMMAREDE 2003

■ 7,5 ha 15 000 5 à 8 €

Comme en témoigne un escalier du XVe s., ce domaine est fort ancien. Souple et agréablement fruité, son 2003 pourra être apprécié dès que ses tanins se seront affinés, dans un ou deux ans. Le **blanc 2003** est également cité. Son nez est superbe (cire d'abeille, fleur d'acacia, notes beurrées). La bouche est elle aussi marquée par le millésime, évoluée. Ce graves blanc est destiné aux viandes blanches ; il pourra se garder deux ans.

SCEA Haut-Pommarède, 24, rte de Pommarède, 33640 Castres-Gironde, tél. et fax 05.56.67.01.34, e-mail hautpommarede@wanadoo.fr r.-v.
Larrue-Martin

## CH. HAUT SELVE 2003 *

7,5 ha 20 000 11 à 15 €

L'équilibre, caractéristique du vignoble, entre le sauvignon et le sémillon se retrouve dans le vin. Le bois complétant le tout, on obtient un ensemble complexe et harmonieux qui se plaira sur des poissons cuisinés ou des fromages.

SCEA Ch. Branda et Cadillac, Branda, 33240 Cadillac-en-Fronsadais, tél. 05.57.94.09.20, fax 05.57.94.09.30, e-mail contact@leda-sa.com r.-v.
J.-J. Lesgourgues

## CH. DE L'HOSPITAL 2003 *

3 ha n.c. 11 à 15 €

Très bel exemple d'architecture palladienne, ce château du XVIII[e]s. est classé Monument historique. Un peu déroutant par la rondeur de son attaque signant une vendange effectuée sous la canicule (12 août pour le sauvignon gris qui, ajouté au sauvignon blanc, représente 23 % de l'assemblage, le tout complété par le sémillon), ce 2003 n'en est pas moins d'un classicisme du meilleur aloi. Sa couleur d'un beau jaune séduit d'emblée. Très complexe dans son expression aromatique, aux notes de fleurs et d'amande, il a le gras nécessaire pour accompagner des poissons en sauce. Le **rouge 2002** est cité : il est bien constitué et pourra être servi dans deux ans.

Vignobles Lafragette, lieu-dit Darrouban, 33640 Portets, tél. 05.56.73.17.80, fax 05.56.09.02.87, e-mail loudenne@lafragette.com r.-v.

## CH. JEAN GERVAIS 2003

n.c. 70 000 8 à 11 €

Intégralement élevé en cuves, ce vin associe 70 % de merlot au cabernet-sauvignon. Représentatif des graves non boisés, bien extrait mais sans excès, il est agréable par sa souplesse et sa finesse. Il pourra être bu jeune ou dans quelques années.

SCEA Counilh et Fils, 51-53, rte des Graves, 33640 Portets, tél. 05.56.67.18.61, fax 05.56.67.32.43, e-mail counilhetfils@aol.com r.-v.

## CH. DE LANDIRAS Cuvée Sainte-Jeanne 2003 *

2 ha 6 000 8 à 11 €

Le nom de cette cuvée rappelle que Jeanne de Lestonnac, nièce de Montaigne et fondatrice de l'ordre de Notre-Dame, a vécu ici. Sémillon et sauvignon gris jouent à parts égales dans ce vin issu de vendanges ayant débuté le 17 août. D'une belle intensité, son bouquet passe des notes florales à des nuances de fruits blancs, d'épices et de noisette. Rond et bien équilibré, à peine marqué par huit mois de barrique, le palais est fort plaisant par sa fraîcheur et son côté exotique.

SCA Dom. La Grave, Ch. de Landiras, 33720 Landiras, tél. 05.56.62.40.75, fax 05.56.62.43.78, e-mail chateau.landiras@wanadoo.fr
t.l.j. sf sam. dim. 9h-12h 14h-17h

## CH. LANGLET 2003 *

0,6 ha n.c. 8 à 11 €

Issu de l'un des rares crus situés dans la commune de Cabanac, ce vin dans sa robe brillante à reflets verts développe un bouquet expressif qui monte en puissance à l'agitation. Sa complexité (pêche blanche, notes épicées et boisées) se retrouve au palais. Rond, gras et fruité en finale, il trouvera sa place sur de nombreux mets.

SF Domaines Kressmann, 33650 Martillac, tél. 05.57.97.71.11, fax 05.57.97.71.17, e-mail langlet@domaines-kressmann.com

## CH. LASSALLE 2003 *

1 ha 6 000 8 à 11 €

Propriété d'une quinzaine d'hectares, ce cru est représentatif de ces exploitations passées, au cours des trois dernières décennies, de la polyculture à la viticulture. Belle expression du merlot (60 % de l'assemblage) au bouquet, ce 2003 se montre charmeur avant de laisser apparaître le merrain et un caractère tannique qui appelle un ou deux ans de patience.

Louis Labbé, Ch. Lassalle, 7, allée Lassalle, 33650 La Brède, tél. 05.56.20.20.19, fax 05.56.78.42.75 t.l.j. 10h-12h 14h-18h

## CH. LEHOUL 2002 **

4 ha 17 200 8 à 11 €

Si trop souvent la cuvée prestige s'exprime un peu au détriment des autres lots, on ne fera pas ce reproche au château Léhoul. Témoin, ce très beau vin qui fait preuve d'une réelle richesse et d'une belle générosité ; ils lui permettront d'être servi tout au long d'un repas dans trois ou quatre ans. Fin et bouqueté, le **Léhoul blanc 2004 (5 à 8 €)** obtient une étoile. La cuvée **Plénitude rouge 2002 (15 à 23 €)** reçoit deux étoiles pour sa richesse et la complexité de ses tanins.

EARL Fonta et Fils, rte d'Auros, 33210 Langon, tél. 05.56.63.17.74, fax 05.56.63.06.06
t.l.j. 9h-12h 14h-19h

## CH. LUDEMAN LA COTE
Alix de Ludeman Elevé en fût 2003

3 ha 20 000 8 à 11 €

De son élevage en fût, ce vin a retiré des arômes de vanille et autres épices qui se mêlent aux fruits pour composer un bouquet d'une agréable fraîcheur. Rond à l'attaque, il révèle ensuite une bonne matière qui lui permettra d'évoluer favorablement pendant quatre ou cinq ans.

SCEA Chaloupin-Lambrot, Ludeman, 33210 Langon, tél. 05.56.63.07.15, fax 05.56.63.48.17, e-mail mbelloc-ludeman@wanadoo.fr r.-v.

## CH. LUSSEAU 2002

5 ha 10 000 8 à 11 €

Une belle maison du XIX[e]s. que l'on doit à un général du premier Empire. Sans être très puissant, ce vin se montre suffisamment bien constitué pour mettre en valeur ses arômes de fruits mûrs, de vanille et de cannelle. Rond et plaisant, il pourra être apprécié dans deux ans.

Bérengère Quellien de Granvilliers, Ch. Lusseau, 6, rte de Lusseau, 33640 Ayguemorte-les-Graves, tél. 05.56.67.01.67, fax 05.56.67.30.48, e-mail berengere.quellien@wanadoo.fr r.-v.

## CH. MAGENCE Elevé en fût de chêne 2002 *

26 ha 24 000 11 à 15 €

Très ancienne propriété aux portes du Sauternais, ce cru est d'une grande régularité que confirme ce 2002. Sa robe soutenue à reflets noirs annonce le caractère du vin. Très élégant dans son développement aromatique où les fruits mûrs se marient heureusement aux notes de torréfaction, celui-ci révèle un corps structuré, généreux, qui trouvera toute son expression dans trois ou quatre ans sur du gibier ou un plat en sauce. Le **blanc 2003 (5 à 8 €)** obtient également une étoile. Frais et fruité (agrumes), mais avec du gras, il plaira jeune comme dans deux ou trois ans.

Ch. Magence, 33210 Saint-Pierre-de-Mons, tél. 05.56.63.07.05, fax 05.56.63.41.42, e-mail magence@magence.com r.-v.

Guillot de Suduiraut-d'Antras

## CH. MAGNEAU 2004 *

15 ha 60 000 5 à 8 €

A la tête de 45 ha, les Ardurats recherchent dans leur production le côté fruité. Ils ont atteint leur objectif avec ce vin vif et fin, dont les arômes marqués par le sauvignon se plairont sur des coquillages. Toujours en blanc, la **cuvée Julien 2003 du Château Magneau (8 à 11 €)** et le **Château Coustaut 2004** obtiennent une citation.

Henri Ardurats et Fils, EARL Les Cabanasses, 12, chem. Maxime-Ardurats, 33650 La Brède, tél. 05.56.20.20.57, fax 05.56.20.39.95, e-mail ardurats@chateau-magneau.com t.l.j. 8h30-12h 14h-18h; sam. dim. sur r.-v.

## FLEUR DU CH. MAMIN 2003 **

6 ha 33 000 11 à 15 €

Issu d'une parcelle d'un seul tenant, ce vin surprend par son bouquet qui conjugue des notes fumées, vanillées, des nuances de boîte à cigares et de tabac blond. Son élégance se retrouve au palais. Montant graduellement en puissance, la bouche révèle une belle matière dont les tanins, ronds et doux, traduisent une extraction bien menée. Un remarquable ensemble à associer dans quelques années à un canard rôti.

Vignobles Vincent Lataste, Ch. de Lardiley, 33410 Cadillac, tél. 05.57.98.19.81, fax 05.57.98.29.83, e-mail pchastel@lataste.fr r.-v.

## CH. DU MAYNE 2003 **

7 ha 40 000 8 à 11 €

Né sur le plateau du haut Cérons, ce vin est un bel ambassadeur de son terroir. L'élégance de sa robe blanc-vert se prolonge par de fins parfums fruités. Ample, gras, parfaitement équilibré et enrichi d'une touche exotique, ce 2003 méritera d'être un peu attendu (de deux à quatre ans).

Jean-Xavier Perromat, Ch. de Cérons, 33720 Cérons, tél. 05.56.27.01.13, fax 05.56.27.22.17, e-mail perromat@chateaudecerons.com r.-v.

## CH. MOURAS 2003

5 ha 24 000 5 à 8 €

Dans une robe profonde, ce vin affiche un nez de raisin très mûr (myrtille et fruits cuits), typique du millésime. Au palais il se fait beaucoup plus expressif : ses tanins fondus, onctueux et ses subtiles notes vanillées forment un ensemble agréable.

Ch. Laville, 33210 Preignac, tél. 05.56.63.59.45, fax 05.56.63.16.28, e-mail chateaulaville@hotmail.com r.-v.

Famille Barbe

## CH. MOUTIN 2002

2,93 ha 10 000 11 à 15 €

Appartenant à un producteur loupiacais, ce cru est situé à Portets. Sans être très concentré, son 2002 est plaisant par sa souplesse et sa finesse aromatique. Il s'exprimera bien dès l'automne sur une cuisine traditionnelle. Le **blanc 2003 (8 à 11 €)** est également cité.

SC J. Darriet, Ch. Dauphiné-Rondillon, 33410 Loupiac, tél. 05.56.62.61.75, fax 05.56.62.63.73, e-mail vignoblesdarriet@wanadoo.fr t.l.j. 8h30-12h 14h-18h; sam. dim. sur r.-v.; f. 1er-23 août

## CH. DE NAVARRO 2003 *

5,43 ha 40 000 5 à 8 €

Quatre générations se sont succédé sur ce cru familial. Or gris un peu paillé, la robe de ce vin ne manque pas d'élégance, tout comme son bouquet aux notes de fleurs d'été. Souple et chaleureux, le palais développe de fines saveurs d'amande qui s'apprécieront sur des poissons grillés.

Vignobles Hélène Biarnès-Ballion, Ch. de Navarro, 33720 Illats, tél. 05.56.27.15.36, fax 05.56.27.26.53, e-mail chateaudenavarro@tiscali.fr r.-v.

## CH. DE L'OMERTA Elevé en fût de chêne 2002 *

2,25 ha 17 000 5 à 8 €

Ancienne entité reconstituée par regroupement de parcelles, ce cru propose un vin aussi agréable par son bouquet que par sa structure. Frais, gras et bien équilibré, ce 2002 offre une petite note boisée (six mois de fût) de bon aloi. Sa persistance confirme son aptitude à la garde.

Denis Roumegous, 5, rue de la Résistance, 33210 Preignac, tél. 06.12.33.51.36, fax 05.56.76.20.34 r.-v.

## CH. PERIN DE NAUDINE 2003

1,1 ha 3 000 5 à 8 €

Un peu confidentiel par son volume de production, ce vin assemble à parts égales sémillon et sauvignon. D'une jolie couleur jaune paille, il est plaisant par sa rondeur, son volume, ses notes fruitées et briochées.

SC Ch. Périn de Naudine, 8, imp. des Domaines, 33640 Castres-Gironde, tél. 05.56.67.06.65, fax 05.56.67.59.68, e-mail chateauperin@wanadoo.fr r.-v.

Olivier Colas

## CH. PESSAN 2003 *

7 ha 6 000 11 à 15 €

Bénéficiant d'un terroir de qualité, ce cru a été créé au XVIIIe s. Conciliant structure et finesse, ce 2003 aux tanins soyeux réussit un équilibre parfait entre le raisin et le merrain. Complexe dans son expression aromatique aux jolies notes confiturées et toastées, il sera prêt d'ici deux ou trois ans.

Comtes de Bournazel, SCI Ch. Pessan,
33640 Portets, tél. 05.56.62.36.86, fax 05.56.76.82.40,
e-mail chateaudemalle@wanadoo.fr

## CH. PEYREBLANQUE 2003

1 ha 5 000 8 à 11 €

Peyreblanque signifie pierre blanche. Pourtant, son terroir est fait de terres rouges argilo-calcaires avec quelques affleurements de la roche mère. Assez original par son assemblage (80 % de muscadelle), ce vin simple et bien équilibré porte aussi la marque de l'élevage avec de jolies notes fumées et torréfiées. Il est prêt.

SCEA Jean Médeville et Fils, Ch. Fayau,
33410 Cadillac, tél. 05.57.98.08.08, fax 05.56.62.18.22,
e-mail medeville-jeanetfils@wanadoo.fr r.-v.

## CH. PONT DE BRION 2003 *

7 ha 45 000 8 à 11 €

Le Brion, petit affluent de la Garonne, a donné son nom à ce vin bien typé graves par ses notes de fumée, d'encens et de terre chaude. Ample et porté par des tanins souples, ce 2003 pourra être attendu quatre ou cinq ans avant d'être servi sur une viande rouge. Fin et frais, le **Pont de Brion blanc 2004** obtient une citation.

SCEA Molinari et Fils, Ludeman, 33210 Langon,
tél. 05.56.63.09.52, fax 05.56.63.13.47 r.-v.

## CH. DE PORTETS 2003

4,96 ha 21 000 8 à 11 €

Superbe édifice avec des parties Directoire, Renaissance et même médiévales, ce château mérite une halte. Classique dans sa teinte paille claire, très marqué par le bois torréfié de la barrique, son vin se montre intéressant par son gras et ses notes aromatiques (fruits secs, fleur d'acacia, pain grillé beurré).

SCEA Théron-Portets, Ch. de Portets,
33640 Portets, tél. 05.56.67.12.30, fax 05.56.67.33.47,
e-mail vignobles.theron@wanadoo.fr r.-v.
Jean-Pierre Théron

## CH. PRIEURE LES TOURS 2003 **

19 ha 123 000 8 à 11 €

Ancien domaine du comte de Ravez, garde des sceaux de Louis-Philippe, ce cru se montre à la hauteur de son passé avec ce vin dont la robe, grenat foncé, sait attirer le regard. En dépit de la forte présence du bois neuf, ses notes de fruits noirs lui donnent une belle expression aromatique. Equilibré, plein, concentré et long, le palais suggère un séjour en cave de trois ans ou plus. Ce 2003 trouvera sa place sur une pièce de bœuf grillée.

Domaines de la Mette, 17, rte de Mathas,
33640 Portets, tél. 05.56.67.18.18, fax 05.56.67.53.66,
e-mail domainesdelamette@wanadoo.fr r.-v.
J.-B. Solorzano

## PRIMO PALATUM 2002 **

2 ha 3 000 15 à 23 €

Comme le prouve sa présence régulière dans le Guide, Xavier Copel est devenu une valeur sûre ! D'un superbe rubis profond, ce 2002 laisse apparaître des parfums de fruits, encore un peu cachés par les arômes de chocolat et de torréfaction. Gras, très bien équilibré et porté par des tanins chaleureux, le palais révèle le potentiel nécessaire à un authentique vin de garde. Idéal pour du gibier à poil.

Xavier Copel, Primo Palatum, 1, Cirette,
33190 Morizès, tél. 05.56.71.39.39, fax 05.56.71.39.40,
e-mail xavier-copel@primo-palatum.com r.-v.

## CH. DE RESPIDE

Cuvée Callipyge Elevé en fût de chêne 2002 *

10 ha 24 000 11 à 15 €

Fidèle à sa tradition, ce vin exprime sa personnalité par une aimable rondeur qui prolonge la délicatesse des notes fruitées et réglissées du bouquet. Franc, frais et bien équilibré, il a suffisamment de corps pour être attendu trois ou quatre ans avant d'être servi sur du gibier à plume. Ample, grasse et jeune, la **cuvée Callipyge blanche 2004 (8 à 11 €)** obtient également une étoile.

SCEA Vignobles Bonnet, Le Pavillon de Boyrein,
33210 Roaillan, tél. 05.56.63.24.24, fax 05.56.62.31.59,
e-mail vignobles-bonnet@wanadoo.fr
t.l.j. 9h-12h 13h30-17h30;
sam. dim. et groupes sur r.-v.

## CH. RESPIDE-MEDEVILLE

Elevé en fût de chêne 2003 *

5,4 ha 18 000 11 à 15 €

Mis en vedette en son temps par Mauriac, ce cru offre ici un vin assemblant 12 % de muscadelle, 38 % de sémillon et 50 % de sauvignon. Il n'est pas très puissant mais bien équilibré et sait se montrer plaisant par ses délicates notes fruitées et florales. Parfaitement dosé, le bois reste discret, élégant. Résolument moderne, ce 2003 est à boire jeune.

SCEA Julie Gonet-Médeville, Ch. Gilette,
33210 Preignac, tél. 05.56.76.28.44, fax 05.56.76.28.43,
e-mail gonet.medeville@wanadoo.fr r.-v.

## CH. ROQUETAILLADE LA GRANGE 2002 *

23 ha 150 000 8 à 11 €

Situé à une centaine de mètres du château fort de Roquetaillade, l'un des hauts lieux touristiques de la Gironde, ce cru a trouvé sa vocation viticole très tôt dans l'histoire. Il sait se montrer digne de ce passé par la qualité de ce vin. Rubis à reflets noirs, ce 2002 développe un bouquet complexe de fruits rouges (fraise, groseille, cerise) associés à un boisé discret. Ample et charnu, il promet une jolie bouteille quand, dans trois ou quatre ans, le merrain se sera fondu. Le **blanc 2004 (5 à 8 €)** est cité et le **Château de Carolle rouge 2003 (5 à 8 €)** obtient une étoile. Elégant et bien construit mais encore assez tannique, il demande à être attendu trois ou quatre ans.

GAEC Guignard Frères,
Ch. Roquetaillade la Grange, 33210 Mazères,
tél. 05.56.76.14.23, fax 05.56.62.30.62,
e-mail contact@vignobles-guignard.com
t.l.j. sf sam. dim. 9h-12h 14h-17h30

## CH. SAINT-ROBERT Poncet Deville 2003 **

6 ha 10 000 11 à 15 €

98 99 00 01 |**02**| |**03**|

A peine séparé de Barsac par l'autoroute et quelques centaines de mètres, ce cru, héritier d'une maison noble du XVIII^e^s., bénéficie d'un beau terroir. Comment en douter en découvrant la qualité de sa célèbre cuvée Poncet Deville ? Ananas, fumée, notes de noisette et de beurre, sa complexité aromatique prépare harmonieusement au caractère du palais. Plein, rond et persistant, avec un boisé bien fondu, ce vin peut être attendu deux ou trois ans. Sa délicatesse lui permettra d'accompagner des poissons en sauce ou des fruits de mer. Egalement plein et complexe,

avec du gras et une bonne persistance aromatique, la cuvée principale **Château Saint-Robert blanc 2003 (5 à 8 €)** obtient une étoile, de même que la cuvée **Poncet Deville rouge 2003**. Riche et complexe, soutenue par des tanins soyeux, cette dernière mérite une garde de deux ou trois ans.
SCEA Vignobles Bastor Saint-Robert,
Dom. de Lamontagne, 33210 Preignac,
tél. 05.56.63.27.66, fax 05.56.76.87.03,
e-mail bastor@bastor-lamontagne.com r.-v.
Foncier-Vignobles

## CH. DU SEUIL 2002 ★★

9,37 ha 54 000 11 à 15 €

Si le millésime 2002 n'a pas souri à tous les crus, le Château du Seuil a su tirer son épingle du jeu. Avec une robe pourpre à reflets rubis, un bouquet expressif (cerise, pruneau, cuir et tabac), un palais équilibré et une remarquable trame tannique, ce vin est homogène et bien construit. Il méritera d'être attendu trois ans avant d'être associé à des viandes en sauce. Le **Château du Seuil blanc 2003** obtient une citation.
SCEA Ch. du Seuil, 33720 Cérons,
tél. 05.56.27.11.56, fax 05.56.27.28.79,
e-mail chateau-du-seuil@wanadoo.fr r.-v.

## CH. SIMON 2003 ★

3 ha 8 000 5 à 8 €

Signé par un producteur barsacais, ce vin associe à parts égales sauvignon et sémillon. Il fait preuve d'un classicisme de bon aloi par sa couleur jaune à reflets verts. Il évolue des agrumes aux fleurs blanches. Bien équilibré, avec ce qu'il faut de gras et d'acidité, il est déjà très plaisant et le sera encore dans deux ou trois ans.
EARL Dufour, Ch. Simon, 33720 Barsac,
tél. 05.56.27.15.35, fax 05.56.27.24.79 r.-v.

## CH. TOUMILON 2002

5 ha 35 000 8 à 11 €

Propriété familiale achetée en 1783 à des négociants hollandais, Toumilon est une charmante demeure. Ce cru propose un vin d'une bonne intensité aromatique. Après avoir attaqué dans la finesse et la rondeur, il développe des tanins bien fondus, qui invitent à le boire d'ici un à deux ans.
Vignobles Sevenet,
Ch. Toumilon, 33210 Saint-Pierre-de-Mons,
tél. 05.56.63.07.24, fax 05.56.63.59.24,
e-mail contact@chateau-toumilon.com r.-v.
Marie-France Lateyron

## CH. TOUR DE CALENS 2002 ★

6,44 ha 23 000 5 à 8 €

Un vin qui peut surprendre par son côté un peu atypique mais qui possède une réelle personnalité. A ses arômes épicés et surmûris, il ajoute une attaque en rondeur, un corps élégant, bien construit, et une longue finale. Il peut accompagner une pintade aux pruneaux maintenant ou dans deux ou trois ans.
Bernard et Dominique Doublet, Ch. Vignol,
33640 Beautiran, tél. 05.57.24.12.93, fax 05.57.24.12.83,
e-mail d.doublet@free.fr r.-v.

## CH. TOURTEAU-CHOLLET 2002

45,32 ha 173 088 8 à 11 €

Second millésime pour Maxime Bontoux, ce vin joue résolument la carte de la finesse et de l'élégance, tant dans son expression aromatique que dans sa structure. Droit et net, l'ensemble présente un réel attrait, notamment par sa jeunesse et ses arômes de fruits mûrs, presque confits.
SC du Ch. Tourteau-Chollet,
3, chem. de Chollet, BP 18, 33640 Arbanats,
tél. 05.56.67.47.78, fax 05.56.67.40.09,
e-mail tourteauchollet@wanadoo.fr r.-v.
M. Bontoux

## CH. LA TOURTE DES GRAVES 2003 ★★

n.c. n.c. 11 à 15 €

Appartenant à une famille productrice dans les Graves depuis plus de soixante-dix ans, Michèle Chassaigne propose ici un 2003 ample et généreux. Ce vin séduit par l'intensité et la complexité de son bouquet où se côtoient tabac blond, cigare, raisin très mûr, muscat, toast, genêt et buis. Gras, puissant, corsé et séveux, le palais est déjà très plaisant tout en autorisant une garde de quatre ou cinq ans, voire plus. Dans tous les cas, on associera cette bouteille à un poisson en sauce, de préférence citronnée. A l'heure où nous mettons sous presse, l'étiquette ne nous était pas parvenue ; ce vin est bien coup de cœur. Le **Château du Tourte 2003 rouge (11 à 15 €)** obtient une étoile. Il intègre parfaitement le bois et dispose d'un grand potentiel.
SCI La Tourte des Graves,
Ch. du Tourte, 33210 Toulenne,
tél. 01.46.88.40.08, fax 01.46.88.01.45 r.-v.

## CH. LE TUQUET 2002

44 ha 80 000 8 à 11 €

La façade de ce château du XVIII^e s. serait due à Victor Louis, l'architecte du grand théâtre de Bordeaux. Cette vaste propriété de 120 ha est un haut lieu de l'œnotourisme. Souple et bien équilibré, son vin est servi par d'agréables arômes de fraise et de prune.
Paul Ragon, GFA Ch. Le Tuquet, 33640 Beautiran,
tél. 05.56.20.21.23, fax 05.56.20.21.83 r.-v.

## CH. LA VIEILLE FRANCE 2002

4 ha 20 000 8 à 11 €

Elaboré avec 5 % de petit verdot, 50 % de merlot et 45 % de cabernet-sauvignon, ce 2002 a passé seize mois en barrique. Sans chercher à rivaliser avec certains millésimes antérieurs, il possède des atouts pour affronter une certaine garde : des tanins fermes et de francs arômes de fruits rouges, de biscuit et de poivre.
Michel Dugoua, EARL Ch. La Vieille France,
1, chem. du Malbec, BP 8, 33640 Portets,
tél. 05.56.67.19.11, fax 05.56.67.17.54,
e-mail courrier@chateau-la-vieille-france.fr r.-v.

## VIEUX CHATEAU GAUBERT 2002 ★★

25 ha 60 000 11 à 15 €

Inscrit à l'Inventaire supplémentaire des Monuments historiques, ce château date du XVIII^e s. Situé au bord de la N 213, ce cru jouit d'une solide réputation que n'entachera pas ce millésime. D'emblée, il annonce sa vocation de vin de garde par une couleur cœur-de-pigeon presque noire. Son aptitude au vieillissement est confirmée par la concentration du bouquet (toast, épices, myrtille, framboise et cassis) et par la puissance du palais que soutient une solide charpente tannique. Doté d'un bon équilibre entre le fruit et le bois comme entre le gras et l'acidité, le **Vieux Château Gaubert blanc 2003** obtient une étoile, de même que le **Benjamin de Vieux Château Gaubert blanc 2004 (5 à 8 €)**.

BORDELAIS

🔑 Dominique Haverlan,
Vieux Château Gaubert, 33640 Portets,
tél. 05.56.67.18.63, fax 05.56.67.52.76,
e-mail dominique.haverlan@libertysurf.fr ☑ Y ⛹ r.-v.

CH. VILLA BEL-AIR 2003 ★★

■ 33 ha 200 000 ⓘ 11 à 15 €

A la sortie du village de Saint-Morillon, sur la route de Castres, cette chartreuse mérite un arrêt. Son élégance se retrouve dans ce vin bien typé avec des notes fumées au bouquet comme au palais, des fruits noirs complétant le tableau. L'ensemble est aussi savoureux qu'équilibré. Sa matière et son harmonie s'exprimeront pleinement sur une pièce de bœuf, dans trois ou quatre ans. Floral (genêt et fleurs printanières), d'une bonne acidité et un rien citronné, le **blanc 2004** obtient une étoile. On l'associera à des fruits de mer, aujourd'hui ou dans les trois ou quatre prochaines années.

🔑 Jean-Michel Cazes, Ch. Villa Bel-Air,
Lieu-dit Bel-Air, 33650 Saint-Morillon,
tél. 05.56.20.29.35, fax 05.56.78.44.80

CH. VILLEFRANCHE 2002

■ 5,5 ha 15 000 ▮ⓘ♁ 5 à 8 €

Simple mais agréable, ce vin plaisir porte la marque de son terroir (en partie sablonneux) dans sa matière souple et légère, qui s'accorde avec le bouquet aux notes fruitées (pruneau et cerise) et épicées. Un ensemble à boire jeune.

🔑 Benoît Guinabert, Ch. Villefranche, 33720 Barsac,
tél. 05.56.27.05.77, fax 05.56.27.33.02 ☑ Y ⛹ r.-v.

# Graves supérieures

CH. BRONDELLE 2003 ★

□ 0,5 ha 2 400 ▮ⓘ 8 à 11 €

En 1925, lors de son achat, cette propriété ne produisait que du vin blanc. Depuis 1968, le cru, devenu uniquement viticole, produit aussi du graves rouge. Sans vouloir rivaliser avec le graves rouge 2002, particulièrement réussi, ce vin 100 % sémillon sait se rendre plaisant par sa petite note confite, ses arômes d'abricot et de raisins secs puis de pêche blanche, et par son gras. Moelleux et long, il est bien fait.

🔑 Vignobles Belloc-Rochet, Ch. Brondelle,
33210 Langon, tél. 05.56.62.38.14, fax 05.56.62.23.14,
e-mail chateau.brondelle@wanadoo.fr ☑ Y ⛹ r.-v.

CH. LEHOUL Elevé en fût de chêne 2003 ★

□ 1 ha 2 000 ⓘ 8 à 11 €

Un blanc liquoreux (150 g/l de sucres résiduels) à la hauteur de la réputation du cru. Ample et bien typé par ses arômes de pain d'épice, de miel, de cire d'abeille, de pâte de fruits et de pêche blanche, il se plaira sur une tarte aux poires.

🔑 EARL Fonta et Fils, rte d'Auros, 33210 Langon,
tél. 05.56.63.17.74, fax 05.56.63.06.06
☑ Y ⛹ t.l.j. 9h-12h 14h-19h

# Pessac-léognan

Correspondant à la partie nord des Graves (appelée autrefois Hautes-Graves), la région de Pessac et de Léognan est aujourd'hui une appellation communale, inspirée de celles du Médoc. Sa création, qui aurait pu se justifier par son rôle historique (c'est l'ancien vignoble périurbain qui produisait les clarets médiévaux), s'explique par l'originalité de son sol. Les terrasses que l'on trouve plus au sud cèdent la place à une topographie plus accidentée. Le secteur compris entre Martillac et Mérignac est constitué d'un archipel de croupes graveleuses qui présentent d'excellentes aptitudes vitivinicoles par leurs sols, composés de galets très mélangés, et par leurs fortes pentes. Celles-ci garantissent un excellent drainage. Les pessac-léognan présentent une grande originalité ; les spécialistes l'ont d'ailleurs remarquée depuis fort longtemps, sans attendre la création de l'appellation. Ainsi, lors du classement impérial de 1855, Haut-Brion fut le seul château non médocain à être classé (premier cru). Puis, lorsque, en 1959, seize crus de graves furent classés, tous se trouvaient dans l'aire de l'actuelle appellation communale.

Les vins rouges (66 505 hl en 2004) possèdent les caractéristiques générales des graves, tout en se distinguant par leur bouquet, leur velouté et leur charpente. Quant aux blancs secs (13 463 hl), ils se prêtent tout particulièrement à l'élevage en fût et au vieillissement qui leur permet d'acquérir une très grande richesse aromatique, avec de fines notes de genêt et de tilleul.

CH. BAHANS HAUT-BRION 2002 ★

■ n.c. n.c. ⓘ 38 à 46 €

Etre le second d'un vin comme Haut-Brion impose des obligations. Ce 2002 s'en acquitte brillamment, tant par sa présentation que par son développement au palais. Une splendide livrée rouge cardinal et un bouquet délicat (vanille et fruits avec un côté balsamique et une pointe de chocolat) font l'élégance de la première. Charnu, goûteux et porté par de fins tanins, le second est aussi riche en saveurs que prometteur d'une bonne garde.

🔑 Dom. Clarence Dillon,
Ch. Haut-Brion, 33608 Pessac,
tél. 05.56.00.29.30, fax 05.56.98.75.14,
e-mail info@haut-brion.com Y ⛹ r.-v.

CH. BARDINS 2003

□ 0,4 ha 1 650 ▮ⓘ♁ 8 à 11 €

Détail insolite, ce cru possède une imitation de la grotte de Lourdes inaugurée en 1862. D'un bel or pâle, bien équilibré et plaisant, son vin s'exprime généreusement au palais, avec une intéressante palette aromatique (citron, pêche mûre et agrumes).

EARL du Ch. Bardins,
124, av. de Toulouse, 33140 Cadaujac,
tél. 05.56.30.78.01, fax 05.56.30.04.99,
e-mail chateau.bardins@free.fr r.-v.
de Sigoyer

### CH. BOIS MARTIN 2002

| | 8 ha | 40 000 | 8 à 11 € |
|---|---|---|---|

D'une bonne régularité, ce cru a su maîtriser l'extraction pour préserver le côté fruité de ce vin. Très fins, ses arômes de fruits rouges (fraise cuite) sont accompagnés par des notes épicées.

Mme Perrin,
GFA des Ch. Le Sartre et Bois Martin,
78, chem. du Sartre, 33850 Léognan,
tél. 05.56.64.08.78, fax 05.56.64.52.52,
e-mail chateaulesartre@wanadoo.fr r.-v.

### CH. BOUSCAUT 2003 *

| Cru clas. | 3,8 ha | 18 000 | 15 à 23 € |
|---|---|---|---|

**82 83 85** 86 88 89 90 95 96 |98| **|99|** |00| **01** 03

Pour l'anecdote, rappelons que le château fut détruit par un incendie en 1962, et parfaitement restauré depuis. Rond, ce vin n'en possède pas moins une solide structure, qu'a sans doute renforcée la macération pelliculaire. Il sera bon de l'attendre, d'autant plus que sa complexité aromatique (fleurs blanches, menthol et bois) devrait s'affirmer. Encore dominé par les tanins et le fût, le **Château Bouscaut rouge 2002** a été cité.

Ch. Bouscaut, rte de Toulouse, 33140 Cadaujac,
tél. 05.57.83.12.20, fax 05.57.83.12.21,
e-mail cb@chateau-bouscaut.com r.-v.
S. & L. Cogombles

### CH. BRANON 2002 **

| | 2 ha | 6 000 | 46 à 76 € |
|---|---|---|---|

Après un très beau 2001, ce cru se distingue par la qualité de ce nouveau millésime. Comme sa robe, d'une teinte sombre et profonde, son bouquet naissant s'annonce prometteur, avec une bonne harmonie entre les fruits rouges et un bois bien dosé. A l'attaque, le vin prend de la puissance, et la confirme par de remarquables tanins. Typée, riche et corsée, cette bouteille mérite un séjour en cave de trois à cinq ans.

Ch. Haut-Bergey, 69, cours Gambetta, BP 49,
33850 Léognan, tél. 05.56.64.05.22, fax 05.56.64.06.98,
e-mail haut.bergey@wanadoo.fr r.-v.
S. Garcin

### CH. BROWN 2002 *

| | 10,63 ha | 52 600 | 15 à 23 € |
|---|---|---|---|

98 |99| 00 01 02

Jadis domaine des chartreux, ce cru appartint au peintre animalier John Lewis Brown ; il a changé de mains cette année avec son rachat par la famille Mau. Produit par l'ancien propriétaire, ce vin aura besoin de quelques années pour s'affiner. Sa belle robe noire, ses arômes de fruits rouges, de réglisse et d'amande grillée, comme sa structure aux tanins serrés invitent à les lui donner. Le **blanc 2003**, cité, se plaira sur un bar en papillote.

Ch. Brown,
allée John-Lewis-Brown, 33850 Léognan,
tél. 05.56.87.08.10, fax 05.56.87.87.34,
e-mail chateau.brown@wanadoo.fr r.-v.
Famille Mau

### CH. CANTELYS 2003 *

| | 9 ha | 8 000 | 11 à 15 € |
|---|---|---|---|

Du même producteur que le Château Smith Haut Lafitte, ce vin allie finesse et puissance. Son élégance s'annonce par sa robe jaune pâle avant de s'affirmer par ses parfums empyreumatiques et floraux. Déjà très plaisant, ce 2003 pourra aussi être attendu quelques années.

F. et D. Cathiard, Ch. Smith Haut Lafitte,
33650 Martillac, tél. 05.57.83.11.22, fax 05.57.83.11.21,
e-mail f.cathiard@smith-haut-lafitte.com r.-v.

### CH. CARBONNIEUX 2002 *

| Cru clas. | 45 ha | 300 000 | 15 à 23 € |
|---|---|---|---|

**75 81** 82 **83 85** (86) 87 **|88|** |89| **|90|** 91 92 93 **94** |95| **96** |97| 98 |99| **00 01** 02

Fort ancienne, cette propriété a appartenu pendant un temps à la prestigieuse abbaye de Sainte-Croix. La solide charpente du vin se lit dans l'intensité de sa robe profonde, et son équilibre dans son bouquet. Fin, complexe et puissant, celui-ci met bien en valeur ses notes torréfiées. Pour profiter pleinement de cette élégante bouteille sur une viande grillée ou en sauce, il faudra faire

## LES CRUS CLASSÉS DES GRAVES

| NOM DU CRU CLASSÉ | VIN CLASSÉ | NOM DU CRU CLASSÉ | VIN CLASSÉ |
|---|---|---|---|
| Château Bouscaut | en rouge et en blanc | Château Laville-Haut-Brion | en blanc |
| Château Carbonnieux | en rouge et en blanc | Château Malartic-Lagravière | en rouge et en blanc |
| Domaine de Chevalier | en rouge et en blanc | Château La Mission Haut-Brion | en rouge |
| Château Couhins | en blanc | Château Olivier | en rouge et en blanc |
| Château Couhins-Lurton | en blanc | Château Pape Clément | en rouge |
| Château Fieuzal | en rouge | Château Smith Haut Lafitte | en rouge |
| Château Haut-Bailly | en rouge | Château La Tour-Haut-Brion | en rouge |
| Château Haut-Brion | en rouge | Château Latour-Martillac | en rouge et en blanc |

preuve de patience pendant deux ou trois ans. Seconde étiquette du cru, le **Château Tour Léognan 2002 rouge (8 à 11 €)** obtient également une étoile. Complexe, bien équilibré et solidement construit sur des tanins soyeux, il demandera quelque temps pour se parfaire.
SC des Grandes Graves, Ch. Carbonnieux, 33850 Léognan, tél. 05.57.96.56.20, fax 05.57.96.59.19, e-mail chateau.carbonnieux@wanadoo.fr r.-v.
Antony Perrin

### CH. CARBONNIEUX 2003 ★★

Cru clas. 42 ha 220 000 15 à 23 €

81 82 83 85 86 87 88 89 |90| 91 92 93 94 |95| |96| |97| |98| 99 |(00)| |01| |02| 03

Ruse commerciale des religieux de Sainte-Croix ou malice du sultan d'Istanbul, soucieux de plaire à sa favorite ? Ce vin fut vendu au XVIII^e s. dans la capitale de l'empire ottoman sous le nom d'« eau minérale de Carbonnieux ». Pour le bonheur de la cour, il faut espérer qu'il était aussi réussi que son lointain successeur, tentateur dans sa robe d'un jaune or pâle nuancé de vert. Vanille, épices, fleurs blanches et jaunes ou fruits exotiques, son bouquet est une explosion, que prolonge un palais ample et expressif. Seconde étiquette du cru, le **Château Tour Léognan 2003 blanc (8 à 11 €)** est cité.
SC des Grandes Graves, Ch. Carbonnieux, 33850 Léognan, tél. 05.57.96.56.20, fax 05.57.96.59.19, e-mail chateau.carbonnieux@wanadoo.fr r.-v.

### DOM. DE CHEVALIER 2002 ★★

Cru clas. 18 ha 90 000 23 à 30 €

64 66 70 73 75 78 79 83 84 |85| |86| 87 88 |(89)| |90| 91 92 |93| |94| 96 |97| 98 |99| 00 01 02

DOMAINE DE CHEVALIER
GRAND CRU CLASSÉ DE GRAVES
2002
PESSAC LÉOGNAN

Avec la forêt landaise pour décor de fond, ce cru offre un panorama aussi agréable à l'œil que la robe grenat foncé de ce vin. Fruits rouges, moka, cacao et réglisse, le bouquet complète heureusement la présentation, en apportant une note de finesse. Puissance ou délicatesse, on se demande ce que réserve le palais. La réponse est simple : il suffit de remplacer le « ou » par un « et ». Sa sève lui donne un côté féminin fort agréable, tandis qu'apparaît une remarquable structure, gage d'un sérieux potentiel. Il faudra attendre au moins trois ans ; mais ensuite, pendant une dizaine ou une douzaine d'années, on aura une bouteille dont l'harmonie méritera les mets les plus raffinés.
SC Dom. de Chevalier, 33850 Léognan, tél. 05.56.64.16.16, fax 05.56.64.18.18, e-mail olivierbernard@domainedechevalier.com r.-v.
Olivier Bernard

### DOM. DE CHEVALIER 2002 ★

Cru clas. 4 ha 12 000 46 à 76 €

82 83 85 86 |89| |(90)| 91 92 93 94 |95| |96| 97 |98| (99) 00 |01| 02

Ce vin pourra surprendre, voire désorienter par sa vivacité. Mais derrière cette première impression, quelle élégance ! La fraîcheur et la finesse de ses arômes d'agrumes accompagnent toute la dégustation pour laisser un souvenir des plus harmonieux.
SC Dom. de Chevalier, 33850 Léognan, tél. 05.56.64.16.16, fax 05.56.64.18.18, e-mail olivierbernard@domainedechevalier.com r.-v.

### CLOS MARSALETTE 2002 ★

4 ha n.c. 11 à 15 €

Né sur un petit vignoble se répartissant équitablement entre le merlot et le cabernet-sauvignon, ce vin est surtout marqué par le bois dans son expression aromatique. Du bouquet à la finale, le tabac brun et la torréfaction dominent les fruits noirs. Mais la structure qui appelle la garde laissera à l'ensemble le temps nécessaire pour se fondre.
SCEA Clos Marsalette, 31, rte de Loustalade, 33850 Léognan, tél. 05.56.64.09.93, fax 05.57.24.67.95

### CH. COUHINS 2003 ★

Cru clas. 5 ha 20 000 11 à 15 €

Domaine expérimental de l'Inra, spécialisé dans la protection intégrée, ce cru est l'un des lieux où naît la viticulture des décennies à venir. On ne peut qu'être rassuré sur l'avenir en découvrant ce vin frais et harmonieux, équilibré et bien constitué. Il a tout pour plaire pendant plusieurs années (quatre ou cinq ans). A commencer par un bouquet plein d'originalité avec des arômes de fleurs (seringa et acacia), d'amande et de beurre, dont la fraîcheur a sans doute été accrue par une fermentation à basse température.
INRA - Dom. de Couhins, BP 81, 33883 Villenave-d'Ornon, tél. 05.56.30.77.61, fax 05.56.30.70.49, e-mail forget@bordeaux.inra.fr r.-v.

### CH. COUHINS-LURTON 2003 ★

Cru clas. 5,5 ha 18 000 23 à 30 €

82 83 85 86 87 88 89 |90| 91 |92| 93 94 |95| |(96)| |97| |98| |99| 00 01 02 |03|

Né de la division de Couhins en 1970, ce cru possède depuis 1992 le très beau château du XVII^e s., restauré par André Lurton qui a bien sûr construit des chais modernes. Fidèle à sa tradition, ce 2003 a choisi le registre de l'élégance. Entièrement issu du sauvignon, il en porte la marque dans son expression aromatique où interviennent également des notes dues à l'élevage (vanille, grillé et brioche). Agréable et harmonieux, il pourra être bu jeune.
André Lurton, Ch. Bonnet, 33420 Grézillac, tél. 05.57.25.58.58, fax 05.57.74.98.59, e-mail andrelurton@andrelurton.com r.-v.

### CH. COUHINS-LURTON 2002 ★★

17 ha 30 000 23 à 30 €

Premier millésime rouge du cru, ce vin élégant et équilibré s'inscrit résolument dans l'esprit pessac-léognan. Rien d'étonnant quand on sait qu'André Lurton est le créateur de l'appellation. Une jolie robe grenat profond.

Un nez de mûre, de cassis, d'amande grillée, avec une pointe minérale rappelant le silex. Une bouche fraîche au boisé bien intégré. Les tanins fins et soyeux sont très plaisants. Ce millésime s'accordera dans cinq ou six ans avec une large palette de plats.
André Lurton, Ch. Bonnet, 33420 Grézillac, tél. 05.57.25.58.58, fax 05.57.74.98.59, e-mail andrelurton@andrelurton.com r.-v.

CH. DE CRUZEAU 2002

■ 50 ha 180 000 11 à 15 €

81 82 83 **85 86 88** 89 **90** |**93**| |**94**| |95| |96| |97| **98** 99 (00) 02

André Lurton possède – outre ses fleurons La Louvière et Couhins-Lurton – ce cru situé à Saint-Médard-d'Eyrens sur un sol graveleux, associant 55 % de cabernet-sauvignon et 45 % de merlot. Ce vin affiche une personnalité très différente de celle de ses frères, avec des tanins serrés et un bouquet privilégiant des notes de truffe et de sous-bois. Un séjour en cave est souhaitable.
André Lurton, Ch. Bonnet, 33420 Grézillac, tél. 05.57.25.58.58, fax 05.57.74.98.59, e-mail andrelurton@andrelurton.com r.-v.

CH. D'ECK 2002 *

■ 14 ha 66 000 8 à 11 €

Vieille demeure féodale, ce cru est l'un des rares à être visible de l'autoroute. Reconstitué récemment par les Gonet, son vignoble fait son entrée dans le Guide avec ce vin bien typé par sa structure. Goûteux et souples, ses tanins appellent une garde de trois ou quatre ans, tout en laissant s'exprimer ses arômes caractéristiques du merlot (80 % de l'encépagement), que viennent compléter de plaisantes notes grillées, mentholées et réglissées. Signalons l'étiquette très moderne.
SCEV Michel Gonet et Fils, Ch. Lesparre, 33750 Beychac-et-Caillau, tél. 05.57.24.51.23, fax 05.57.24.03.99, e-mail vins.gonet@wanadoo.fr t.l.j. sf sam. dim. 9h-12h 14h-17h30

CH. FERRAN 2003

□ 4 ha 16 000 8 à 11 €

Après deux coups de cœur, en rouge, voici le Ferran blanc du millésime de la canicule, associant 60 % de sémillon et 40 % de sauvignon, les vendanges ayant eu lieu le 26 août 2003. Pâle à reflets verts, il est franc et floral ; le miel l'emporte en finale.
Ch. Ferran, 33650 Martillac, tél. 06.07.41.86.00, fax 05.56.72.62.73, e-mail chateau-ferran@wanadoo.fr r.-v.
Famille Béraud-Sudreau

CH. DE FIEUZAL 2002 *

■ Cru clas. 35 ha 150 000 30 à 38 €

**70 75 76 77 78 79** 80 **81 82 83** 84 |**85**| |**86**| |**88**| |**89**| |(90)| 91 **92 93 94** (95)|(96)| |**97**| **98** 99 00 **01** 02

A Fieuzal, la tradition est d'élaborer un vin ne sacrifiant ni la puissance ni la finesse. Ce sens de l'équilibre se retrouve dans ce 2002 aux tanins soyeux et bien fondus. Ils s'associent au bouquet d'une bonne complexité (fruits mûrs, confiture, cuir, grillé et toast) pour laisser augurer une évolution favorable à cette bouteille, à attendre pendant trois ou quatre ans.
Ch. de Fieuzal, 124, av. de Mont-de-Marsan, 33850 Léognan, tél. 05.56.64.77.86, fax 05.56.64.18.88, e-mail fieuzal@terre-net.fr r.-v.

CH. DE FIEUZAL 2003 *

□ 8,5 ha 28 000 30 à 38 €

**83 84 85 86 87 88 89** (90) **91 92 93 94** |**95**| |**96**| **97** |**98**| (99) 00 **01** 02 03

Une robe très claire, des arômes d'acacia et de tilleul, typiques des graves, mêlés à une élégante note boisée. Le millésime transparaît dans la générosité de la bouche, vineuse et riche, digne d'un brochet des Dombes au beurre blanc.
Ch. de Fieuzal, 124, av. de Mont-de-Marsan, 33850 Léognan, tél. 05.56.64.77.86, fax 05.56.64.18.88, e-mail fieuzal@terre-net.fr r.-v.

CH. DE FRANCE 2002 *

■ 20 ha 48 000 15 à 23 €

**81 82 83** 85 86 **88** 89 **90 92** 93 95 **96 97** |98| |99| |00| 01 02

Comme beaucoup d'autres dans l'appellation, ce cru a choisi de s'adapter aux conditions du millésime en proposant un vrai « vin plaisir ». Toutefois, ce côté charmeur ne va pas jusqu'au sacrifice du potentiel de garde. Quoique souples et onctueux, ses tanins demandent autour de cinq ans de patience. Mais cette attente sera récompensée, la complexité du bouquet (fruits, toast et fourrure) comme la matière bien mûre promettant de belles alliances avec la cuisine fine. Le **blanc 2003** est cité.
SA Bernard Thomassin, Ch. de France, 98, av. de Mont-de-Marsan, 33850 Léognan, tél. 05.56.64.75.39, fax 05.56.64.72.13, e-mail chateau-de-france@chateau-de-france.com r.-v.

CH. LA GARDE 2002 **

■ n.c. 158 000 15 à 23 €

(90) **91 93** 94 |(95)| **96** 97 |**98**| 99 00 01 **02**

Conçu comme un chai modèle lors de sa construction, le bâtiment où est né ce vin demeure encore parfaitement adapté de nos jours. En tout cas il a réussi à ce 2002, dont la robe d'un rubis scintillant met en confiance. Sa délicatesse se retrouve dans la finesse du bouquet aux jolies notes vanillées. Au palais, ses tanins serrés sont eux aussi très stylés, tout comme la finale, longue et épicée. Original par son bouquet aux notes d'orange, de clémentine et de mandarine, le **La Garde blanc 2003** est cité.
Vignobles Dourthe - Ch. La Garde, 1, chem. de la Tour, 33650 Martillac, tél. 05.56.35.53.00, fax 05.56.35.53.29, e-mail contact@cvbg.com r.-v.

CH. GAZIN ROCQUENCOURT 2002 *

■ 7 ha 30 400 8 à 11 €

Toujours fidèle à lui-même, ce cru propose un vin bien typé, doté d'une bonne matière. Sans excès et sérieusement travaillée, celle-ci invite à attendre trois ou quatre ans pour profiter pleinement de cette bouteille sans fard et très expressive (fruits rouges et épices).
Ch. Gazin Rocquencourt, 74, av. de Cestas, 33850 Léognan, tél. et fax 05.56.64.77.89 r.-v.
Michotte

CH. HAUT-BAILLY 2002 **

■ Cru clas. 26 ha 80 000 30 à 38 €

**78 79** 80 **81** 82 **83 85** |**86**| **87** |**88**| |**89**| |**90**| 92 |**93**| |**94**| |(95)| **96** |**97**| **98 99** 00 **01 02**

Après cinq ans de chantier, Haut Bailly vient d'achever cette année sa rénovation. On attendra donc avec impatience les millésimes à venir. Avec impatience mais sans inquiétude si l'on regarde la qualité de ce 2002. Complet et équilibré, il montre sa puissance dès la présentation avec une belle robe grenat et un bouquet expressif en dépit de sa jeunesse. Plaisante par ses côtés charnus et goûteux, sa structure gagnera cependant à être attendue de cinq à huit ans.

SAS Ch. Haut-Bailly, 103, rte de Cadaujac, 33850 Léognan, tél. 05.56.64.75.11, fax 05.56.64.53.60, e-mail mail@chateau-haut-bailly.com r.-v.

Robert G. Wilmers

## CH. HAUT-BERGEY 2002 *

■ 21,65 ha 46 000 15 à 23 €

91 92 93 94 96 97 **98** |99| 00 01 02

Du même producteur que le Château Branon, ce vin joue davantage la carte de la délicatesse que celle de la puissance, avec une attaque tout en douceur et des tanins enrobés par une chair tendre. Cela ne l'empêche pas de révéler une bonne aptitude à la garde. De son côté, le **blanc 2003** obtient une citation.

Ch. Haut-Bergey, 69, cours Gambetta, BP 49, 33850 Léognan, tél. 05.56.64.05.22, fax 05.56.64.06.98, e-mail haut.bergey@wanadoo.fr r.-v.

Sylviane Garcin

## CH. HAUT-BRION 2002 ***

■ 1er cru clas. 43,2 ha n.c. + de 76 €

73 74 |75| 76 77 78 |79| 81 |(82)| |83| 84 |85| |86| 87 |88| |89| |(90)| 91 92 |93| |94| (95) (96) 97 (98) 99 (00) 01 (02)

Aujourd'hui manoir et vignoble sont enclavés dans la banlieue bordelaise. Haut-Brion fut, au XVIe s., le premier véritable château du vin du Bordelais. Le vignoble est implanté sur un terroir gravelo-sableux sur sous-sol argileux. Le merlot (51 %) est, dans ce millésime, associé à 40 % de cabernet-sauvignon et à 9 % de cabernet franc. Le vin réussit admirablement la synthèse de la puissance et de l'élégance. La première se devine dès le premier coup d'œil sur la robe d'une couleur très sombre. Elle se confirme ensuite au palais et en finale, avec une longue persistance. Ce vin de caractère est incontestablement de belle garde. Toutefois, ses tanins savent manifester leur présence dans la douceur et l'élégance. La distinction du bouquet (vanille, épices douces, fruits noirs des bois) se prolonge au palais par une explosion de saveurs agréables : fruits frais, moka, raisin de Corinthe et réglisse.

Dom. Clarence Dillon, Ch. Haut-Brion, 33608 Pessac, tél. 05.56.00.29.30, fax 05.56.98.75.14, e-mail info@haut-brion.com r.-v.

## CH. HAUT-BRION 2003 **

□ 2,7 ha n.c. + de 76 €

(82) 83 85 87 88 |89| |90| 94 95 |96| |97| |98| |(99)| (00) |01| |02| |03|

S'il n'est pas classé à la différence du rouge, le vignoble blanc de Haut-Brion n'en possède pas moins un superbe terroir. Témoin, ce vin assemblant 52 % de sémillon et 48 % de sauvignon. Il est aussi original par sa couleur, vieil or, que par ses parfums de fleur d'acacia, de genêt et de pamplemousse mûr. Gras, riche et puissant en même temps que croquant, plein et gracieux, il est très plaisant et le restera quelques années.

Dom. Clarence Dillon, Ch. Haut-Brion, 33608 Pessac, tél. 05.56.00.29.30, fax 05.56.98.75.14, e-mail info@haut-brion.com r.-v.

## CH. HAUT-GARDERE 2002 *

■ 38 ha 25 000 11 à 15 €

Elaboré par la même équipe que le Fieuzal mais sur un cru différent, ce vin présente comme son cousin des tanins bien extraits et enrobés. Charnu, corsé et séveux, il demande au moins trois ans d'attente. Ses arômes de raisin très mûr et de pruneau lui ouvrent une large possibilité de mariages gastronomiques. Original par son bouquet aux notes de pêche, de mirabelle, de camphre et de pin sylvestre, le **blanc 2003** est cité.

Ch. de Fieuzal, 124, av. de Mont-de-Marsan, 33850 Léognan, tél. 05.56.64.77.86, fax 05.56.64.18.88, e-mail fieuzal@terre-net.fr r.-v.

## CH. HAUT LAGRANGE 2002 *

■ 18 ha 60 000 11 à 15 €

Créé en 1989, ce vignoble a atteint maintenant sa maturité, comme le prouve ce vin fort réussi. Puissant et chaleureux, son bouquet joue sur des notes de torréfaction, de fruits mûrs et de gingembre. Equilibré et harmonieux, le palais est porté par des tanins qui s'imposent sans agressivité et avec fraîcheur. De bonne garde, ce millésime se plaira dans quelques années sur du gibier ou du fromage gras. Soyeux et élégant avec un bouquet de fleurs et de fruits exotiques, le **blanc 2003** a également obtenu une étoile.

Francis Boutemy, 31, rte de Loustalade, 33850 Léognan, tél. 05.56.64.09.93, fax 05.56.64.10.08, e-mail chateau-haut-lagrange@wanadoo.fr r.-v.

## CH. HAUT-PLANTADE 2002

■ 7,32 ha 32 000 15 à 23 €

Si le bois masque encore un peu le fruit dans le bouquet, on sent dans ce vin de réelles possibilités d'évolution avec une bonne structure révélant une exploitation judicieuse de la matière première ; des tanins toujours jeunes, des arômes de pruneau et de fruits à l'eau-de-vie lui confèrent du caractère. Il devrait arriver à maturité dans environ deux ans.

GAEC Plantade Père et Fils, Ch. Haut-Plantade, 33850 Léognan, tél. 05.56.64.07.09, fax 05.56.64.02.24, e-mail hautplantade@wanadoo.fr r.-v.

## CH. LAFARGUE 2002

■ n.c. 40 000 11 à 15 €

Même s'il reste un peu sévère en finale, ce vin se montre intéressant tant par son bouquet, aux jolies notes de fruits confits et de cacao que par son palais aux saveurs de moka un peu épicées. Tout semble promettre une jolie bouteille d'ici trois ans.

Jean-Pierre Leymarie, 5, imp. de Domy,
33650 Martillac, tél. 05.56.72.72.30, fax 05.56.72.64.61,
e-mail chateau.lafargue@wanadoo.fr r.-v.

## CH. LAFONT MENAUT 2003

3 ha n.c. 8 à 11 €

Comme pour ses autres crus, l'équipe des Perrin (Carbonnieux) cherche à donner sa personnalité à ce vin. Celle-ci s'exprime par un bouquet épanoui et frais, où les fleurs se joignent aux agrumes pour composer un tableau plein de charme. Le **rouge 2002** est cité. Cassis, groseille et noisette se partagent les arômes. La structure est fine.

SCEA Philibert Perrin,
Ch. Lafont Menaut, 33850 Léognan,
tél. 05.57.96.56.20, fax 05.57.96.59.19 r.-v.

## CH. LARRIVET-HAUT-BRION 2002 *

45 ha 160 000 23 à 30 €

Commandé par un château du XIXe s. entouré d'un parc de 13 ha, ce cru est aujourd'hui une superbe unité. Son vin est d'un bel aspect, avec une robe sombre et un bouquet qui s'ouvre sur de délicates notes de vanille et de grillé avant de passer à la noix de coco et à la cannelle. Soutenu par de solides tanins, le palais présente un bon équilibre entre le bois et le fruit. Une jolie bouteille à attendre quatre ou cinq ans.

Ch. Larrivet-Haut-Brion, av. de Cadaujac,
33850 Léognan, tél. 05.56.64.75.51, fax 05.56.64.53.47,
e-mail Larrivethautbrion@wanadoo.fr r.-v.

Ph. Gervoson

## CH. LATOUR-MARTILLAC 2002 **

Cru clas. n.c. 122 400 23 à 30 €

79 81 (82) 83 84 85 86 87 88 89 90 91 92 93 94 95 96 97 98 99 00 01 02

Depuis longtemps les Kressmann se sont fait un point d'honneur d'accueillir chaleureusement leurs visiteurs pour leur faire partager leur amour du vin de Bordeaux. Cet attachement se lit aussi dans la qualité de leur production, dont témoigne ce 2002, aussi élégant que bien bâti. L'élevage est présent dans le bouquet ; mais il sait respecter ses autres composantes. Dès l'attaque, le palais livre sa double personnalité, souple et puissant. Issus d'une extraction parfaitement maîtrisée, les tanins sont délicieux et promettent une très jolie bouteille à ouvrir dans cinq ans ou plus avec une entrecôte grillée sur des sarments. Seconde étiquette, le **Lagrave-Martillac rouge 2002 (15 à 23 €)** est cité.

Domaines Kressmann,
Ch. Latour-Martillac, 33650 Martillac,
tél. 05.57.97.71.11, fax 05.57.97.71.17 r.-v.

Famille Jean Kressmann

## CH. LATOUR-MARTILLAC 2003 **

Cru clas. 9 ha 27 000 23 à 30 €

81 82 83 84 85 86 87 (88) 89 90 91 92 93 94 95 96 97 98 99 (00) 01 02 03

Un fois encore les Kressmann rappellent leur savoir-faire en matière de vin blanc. Rose, jacinthe, fruits exotiques et toast, le bouquet de ce 2003 fait preuve d'une élégance qui se retrouve au palais. Suave et frais, en même temps qu'ample et gras, celui-ci monte en puissance pour aboutir à une longue finale. Rond et encore un peu fermé, le **Lagrave-Martillac blanc 2003 (15 à 23 €)** est cité.

Domaines Kressmann,
Ch. Latour-Martillac, 33650 Martillac,
tél. 05.57.97.71.11, fax 05.57.97.71.17 r.-v.

## CH. LAVILLE HAUT-BRION 2003 **

Cru clas. 3,7 ha n.c. + de 76 €

81 82 83 85 87 88 (89) 90 93 94 95 96 97 (98) 99 00 (01) 02 03

Vignoble unicolore, ce cru est certes de petite taille, mais il est classé avec raison depuis 1959. Associant 12 % de sauvignon au sémillon, ce vin d'une jolie couleur jaune paille à reflets citron est très expressif par son bouquet de fruits au sirop et d'agrumes. Il se développe harmonieusement au palais avec une matière ample, grasse, généreuse et élégante. Il est déjà très plaisant et le sera tout autant dans trois ou quatre ans.

Dom. Clarence Dillon, Ch. Haut-Brion,
33608 Pessac, tél. 05.56.00.29.30, fax 05.56.98.75.14,
e-mail info@haut-brion.com r.-v.

## CH. LA LOUVIERE 2002 **

n.c. 150 000 23 à 30 €

75 80 81 82 83 85 86 88 89 (90) 92 93 94 95 96 97 98 99 (00) 01 02

L'un des rares châteaux du vin Monument historique. A son image, ce vin est solidement bâti ; sa charpente repose sur des tanins serrés mais au grain fin, qui demanderont quelques années pour s'arrondir. Agrémentée de sympathiques notes de café et de groseille, l'expression aromatique a, elle aussi, la complexité voulue pour durer.

André Lurton, Ch. La Louvière, 149, av. Cadaujac,
33850 Léognan, tél. 05.57.25.58.58, fax 05.57.74.98.59,
e-mail andrelurton@andrelurton.com r.-v.

## CH. LA LOUVIERE 2003 **

8 ha 50 000 23 à 30 €

86 88 89 (90) 91 92 93 94 95 96 97 98 99 00 01 02 03

Les habitués du cru auront droit avec ce millésime à une agréable surprise en découvrant les notes presque confites du bouquet où la peau d'orange côtoie la pêche et les fruits jaunes. Le développement au palais sera plus classique mais tout aussi intéressant ; on y retrouvera l'équilibre entre le bois et la matière, entre la vivacité et le gras, qui caractérise le La Louvière. Rappelons son coup de cœur l'an dernier. Aussi frais que savoureux, le **L de La Louvière blanc 2003 (8 à 11 €)** obtient une étoile.

André Lurton, Ch. La Louvière, 149, av. Cadaujac,
33850 Léognan, tél. 05.57.25.58.58, fax 05.57.74.98.59,
e-mail andrelurton@andrelurton.com r.-v.

## CH. LUCHEY HALDE 2002 **

18 ha 5 000 23 à 30 €

Vignoble reconstitué par l'Enita, ce cru fait une entrée remarquée avec ce vin particulièrement réussi. Comme le laisse deviner sa robe d'un beau grenat, ce 2002 est soutenu par une matière consistante avec des tanins suaves qui demandent une garde de cinq ou six ans. Le bouquet n'est pas chiche en promesses : vanille, fruits noirs, pruneau et cuir, tout est là pour ouvrir de belles perspectives de dégustation et d'alliances gourmandes. Comme l'a écrit l'un de nos dégustateurs, c'est un véritable « cas d'école ». Plus souples et à boire plus jeunes, **Les Haldes de Luchey rouge 2002 (11 à 15 €)** sont cités.

ENITA-Bordeaux, Ch. Luchey-Halde,
17, av. du Mal-Joffre, 33700 Mérignac,
tél. 05.56.45.97.19, fax 05.56.45.33.79,
e-mail chateau-luchet-halde@wanadoo.fr r.-v.

## CH. MALARTIC-LAGRAVIERE 2002 ★★★

Cru clas. 23 ha 50 000 30 à 38 €

**64** 66 (70) 71 **75** 76 **79** 81 82 **83** **85** **86** **88** **89** 90
**91** **92** **93** **95** 96 97 98 99 00 01 (02)

GRAND CRU CLASSÉ DE GRAVES
CHATEAU
MALARTIC
LAGRAVIERE
2002
PESSAC-LÉOGNAN
MIS EN BOUTEILLE AU CHATEAU


Un château superbement restauré, des chais aussi performants qu'élégants : le cadre de naissance de ce vin appelle la perfection. Elle est atteinte par ce 2002 dont la robe ne laisse planer aucun doute ; l'intensité de ses teintes rubis et grenat est profonde. Au nez, le bois, un merrain de qualité, fait sentir sa présence ; sans empêcher toutefois les fruits noirs et le cuir de prendre leur place dans cet ensemble puissant et complexe. Le palais est à la hauteur : sa structure ample, riche et harmonieuse promet une grande bouteille de garde. Pour en profiter pleinement, il faudra savoir être patient car elle mérite un séjour en cave de plusieurs années.

Ch. Malartic-Lagravière,
43, av. de Mont-de-Marsan, BP 7, 33850 Léognan,
tél. 05.56.64.75.08, fax 05.56.64.99.66,
e-mail malartic-lagraviere@malartic-lagravie5ere.
r.-v.
A.-A. Bonnie

## CH. MALARTIC-LAGRAVIERE 2003 ★

Cru clas. 3,8 ha 17 000 30 à 38 €

S'il laisse la vedette au rouge 2002, ce vin se montre lui aussi digne du cadre prestigieux que constitue la propriété. D'un jaune clair presque blanc, il se fait séducteur avec ses parfums d'agrumes, de pêche et d'abricot, avant de développer un palais tout aussi frais, vif et élégant. Assez proche, mais avec un peu moins d'ampleur, le **Sillage de Malartic 2003 (15 à 23 €)** est cité.

Ch. Malartic-Lagravière,
43, av. de Mont-de-Marsan, BP 7, 33850 Léognan,
tél. 05.56.64.75.08, fax 05.56.64.99.66,
e-mail malartic-lagraviere@malartic-lagravie5ere.
r.-v.

## CH. MANCEDRE 2002 ★

7 ha 9 000 15 à 23 €

Leur jeunesse (dix ans) n'empêche pas les vignes de ce cru de produire un vin sympathique et sérieux. Agréable, il l'est par son bouquet de framboise, de mûre et de cassis ; solide, il l'est par sa charpente ample, équilibrée, charnue et savoureuse. Déjà plaisant, il pourra aussi être attendu quelques années.

SCEV Héritiers Dubos, Ch. Mancèdre,
33850 Léognan, tél. 05.57.74.30.52, fax 05.57.74.39.96,
e-mail roy.trocard@terre-net.fr r.-v.
Jean Trocard

## CH. LA MISSION HAUT-BRION 2002 ★★

Cru clas. n.c. n.c. + de 76 €

78 80 **81** **82** **83** **84** **85** **86** **87** **88** **89** (90) **92** **93**
**94** **95** (96) **97** **98** **99** (00) **01** **02**

L'un des jeux favoris des amateurs de dîners-dégustations est d'opposer la puissance du Haut-Brion à la finesse du Mission. Comme c'est assez souvent le cas, la règle trouve ici ses limites. D'une part, dans ce millésime, le Haut-Brion se distingue tout particulièrement par son élégance. D'autre part, le Mission possède une très solide structure tannique, gage d'une longue garde. Mais s'il est souhaitable de l'attendre sept ou huit ans, ce vin n'a rien d'austère : ses tanins sont serrés et séveux. Quant à l'expression aromatique, elle possède l'intensité et la complexité d'un grand bordeaux : moka, raisin mûr, fruits noirs, clou de girofle... Frais et fin, le second vin, **La Chapelle de la Mission Haut-Brion 2002 rouge (23 à 30 €)**, est cité.

Dom. Clarence Dillon, Ch. Haut-Brion,
33608 Pessac, tél. 05.56.00.29.30, fax 05.56.98.75.14,
e-mail info@haut-brion.com r.-v.

## CH. LE PAPE 2002

6 ha 21 000 15 à 23 €

Une propriété de taille modeste mais que commande une jolie chartreuse du XVIII^e s. Peut-être inspiré par l'esprit des Lumières, son vin a résolument choisi le registre de l'élégance et de la finesse. La fraîcheur du bouquet aux notes de groseille, de myrtille et de framboise, se retrouve au palais. Ses tanins délicats permettront de l'apprécier dès à présent comme dans trois, quatre ou cinq ans.

Patrick Monjanel, Ch. Le Pape, 33850 Léognan,
tél. 05.56.64.10.90, fax 05.56.64.17.78,
e-mail pmonjanel@chateaulepape.com r.-v.

## CH. PAPE CLEMENT 2002 ★★

Cru clas. 30 ha 85 000 46 à 76 €

**75** **78** **79** 80 (81) 82 83 **85** **86** 87 **88** **89** **90** **91** **92**
**93** **94** **95** **96** **97** **98** **99** 00 **01** **02**

Ne vous fiez pas aux apparences. Si le château est du plus pur style néo-gothique, le domaine et le vignoble sont bien d'origine médiévale. En revanche l'élaboration de ce vin a fait appel au meilleur de l'œnologie moderne. Le résultat est un vin tout en nuances. A la finesse du bouquet (toast, fruits noirs) succède une structure d'une incontestable richesse. Inutile de préciser que ce 2002 demande un séjour en cave (de cinq ou six ans). Fait rare, le second vin, le **Clémentin de Pape Clément 2002 rouge (23 à 30 €)** obtient la même note : rond, équilibré, élégant, il illustre les vertus de l'appellation. Autre vin produit sur une partie du domaine située à Gradignan, la cuvée **La Sérénité 2002 rouge** possède, elle aussi, un solide potentiel. Ample et expressive (moka et cerise noire), elle a obtenu une étoile.

Bernard Magrez, SA Ch. Pape Clément,
216, av. du Dr-Nancel-Penard, BP 164, 33600 Pessac,
tél. 05.57.26.38.38, fax 05.57.26.38.39,
e-mail chateau@pape-clement.com r.-v.

## CH. PAPE CLEMENT 2003 ★★

2,5 ha 7 000 46 à 76 €

92 (93) 94 96 97 |98| 99 |00| |01| 03

Issu d'un vignoble se partageant à parts égales entre le sauvignon et le sémillon, ce vin fait preuve d'une réelle complexité aromatique, mêlant agrumes, fruit de la Passion, pêche jaune, vanille et brioche. Au palais, il révèle sa puissance tout en ne se départissant jamais de son élégance. Gras, bien équilibré et agréablement bouqueté, le **Clémentin de Pape Clément blanc 2003 (8 à 11 €)** obtient une étoile.

Bernard Magrez, SA Ch. Pape Clément, 216, av. du Dr-Nancel-Penard, BP 164, 33600 Pessac, tél. 05.57.26.38.38, fax 05.57.26.38.39, e-mail chateau@pape-clement.com r.-v.

## CH. PICQUE CAILLOU 2002

19 ha 60 000 11 à 15 €

81 86 |88| |89| |90| 93 94 |95| |96| 98 99 00 02

Avec sa chartreuse du XVIII<sup>e</sup>s. et son vignoble situés en pleine agglomération, ce cru résiste vaillamment à l'urbanisation. D'une belle couleur, ample et charnu, son 2002 aux tanins soyeux ne demandera que deux ou trois ans pour être goûté. Frais et fruité, le **blanc 2003** est également cité.

GFA Ch. Picque Caillou, av. Pierre-Mendès-France, 33700 Mérignac, tél. 05.56.47.37.98, fax 05.56.97.99.37, e-mail chataupicquecaillou@wanadoo.fr r.-v.

Isabelle et Paulin Calvet

## CH. PONTAC MONPLAISIR 2003

2,5 ha 18 000 11 à 15 €

Par sa situation aux portes de l'agglomération bordelaise, comme par son nom rappelant l'importante famille des Pontac, ce cru ramène au vignoble historique de Bordeaux. Ample, rond et bien équilibré, son 2003 déploie une jolie palette d'arômes mariant les agrumes et les fleurs blanches aux apports du bois. Le **Château Limbourg 2003 blanc** obtient la même note.

Jean et Alain Maufras, Ch. Pontac Monplaisir, 33140 Villenave-d'Ornon, tél. 05.56.87.08.21, fax 05.56.87.35.10 r.-v.

## CH. DE ROCHEMORIN 2003 ★

12 ha 80 000 8 à 11 €

En 2004, ce cru s'est doté d'un chai entièrement rénové. Ce vin n'en a pas profité, ce qui ne l'empêchera pas de trouver son bonheur sur du poisson, une viande blanche ou du fromage. Très sauvignon avec ses notes de buis, il se montre concentré et consistant au palais. Charnu et assez expressif, le **rouge 2002 (11 à 15 €)** est cité.

André Lurton, Ch. Bonnet, 33420 Grézillac, tél. 05.57.25.58.58, fax 05.57.74.98.59, e-mail andrelurton@andrelurton.com r.-v.

## CH. DE ROUILLAC 2003 ★★

1,5 ha n.c. 15 à 23 €

Propriété du baron Haussmann, qui marqua profondément le domaine (écuries), ce cru reçut la visite de Napoléon III. Riche et puissant, son vin s'annonce par un beau jaune safran avant de livrer sa gamme aromatique (agrumes, fruits mûrs, menthol et grillé). Gras, ample, rond et harmonieux, il pourra être attendu de trois à cinq ans. Souple, bien structuré et élégant, le **rouge 2002** obtient une étoile. Il pourra être proposé à table d'ici quatre à cinq ans.

Vignobles Lafragette, Ch. de Rouillac, 33610 Canéjan, tél. 05.56.73.17.80, fax 05.56.09.02.87, e-mail loudenne@lafragette.com r.-v.

## CH. LE SARTRE 2003 ★★

7 ha 42 000 8 à 11 €

93 94 95 96 97 |98| |99| |00| |01| |03|

Une belle livrée jaune pâle, des arômes de fruits exotiques : ce vin n'est pas sans rappeler son cousin, le Carbonnieux. Mais ici aussi les Perrin savent décliner l'art de vinifier sans tomber dans l'uniformité. Les notes de pain d'épice et de jasmin, l'ampleur et l'étoffe du palais donnent sa personnalité à ce vin remarquable. Très bien construit, il pourra être attendu quelques années. Equilibré et aromatique, le **rouge 2002** est cité.

GFA des Ch. Le Sartre et Bois Martin, 78, chem. du Sartre, 33850 Léognan, tél. 05.56.64.08.78, fax 05.56.64.52.57, e-mail chateaulesartre@wanadoo.fr r.-v.

Mme Perrin

## CH. SEGUIN 2002 ★

24,79 ha 40 000 11 à 15 €

Par son nom qui évoque une ancienne famille comtale du Bordelais comme par sa situation, près de Bordeaux à Canéjan, ce cru nous ramène au Moyen Age, époque d'envol du vignoble de Pessac. Mais rien dans ce 2002 ne peut prêter à confusion avec un *claret*. Sa couleur sombre comme son bouquet, profond et expressif, montrent qu'il constitue un authentique vin de garde. Cuir, fourrure, pruneau, raisin noir et torréfaction, sa complexité aromatique s'accorde heureusement avec les tanins, souples et mûrs, et avec la puissante finale pour appeler, dans deux ou trois ans, une alliance avec des mets de la cuisine traditionnelle.

Ch. Seguin, chem. de la House, 33610 Canéjan, tél. 05.56.75.02.43, fax 05.56.89.35.41, e-mail chateau-seguin@wanadoo.fr t.l.j. 9h-12h 13h-17h; sam. dim. sur r.-v.

Darriet Groupe Loticis

## CH. SMITH HAUT LAFITTE 2002 ★★

Cru clas. 44 ha 100 000 30 à 38 €

61 62 70 71 72 73 (75) 80 82 83 85 86 87 |88| |89| |90| |91| 92 93 94 95 |96| 97 98 99 00 01 02

Seul cru bordelais à être complété par un complexe hôtelier et de vinothérapie, Smith occupe un site de choix, comme le rappelle son nom, la *fite* ou *hite* en gascon indiquant une hauteur. Pessac-léognan oblige, l'élégance est ici de mise, au bouquet (fruits à l'eau-de-vie), comme au palais. Riche et bien construit, celui-ci promet une très belle bouteille dans quatre ou cinq ans.

F. et D. Cathiard, Ch. Smith Haut Lafitte, 33650 Martillac, tél. 05.57.83.11.22, fax 05.57.83.11.21, e-mail f.cathiard@smith-haut-lafitte.com r.-v.

## CH. SMITH HAUT LAFITTE 2003 ★★

11 ha 30 000 30 à 38 €

88 89 90 91 92 93 94 95 96 97 |(98)| |99| |00| |01| 02 03

S'il n'est plus aujourd'hui la vitrine du cru, comme lorsque le domaine était exploité par la maison Eschenauer, le blanc de Smith reste une valeur sûre. D'une belle couleur jaune paille clair, il présente des notes florales et

fruitées (agrumes) avant de faire preuve au palais de beaucoup d'équilibre avec du gras, de l'élégance et de la longueur.
F. et D. Cathiard, Ch. Smith Haut Lafitte, 33650 Martillac, tél. 05.57.83.11.22, fax 05.57.83.11.21, e-mail f.cathiard@smith-haut-lafitte.com r.-v.

### DOM. DE LA SOLITUDE 2002 *

■ 20 ha 76 000 11 à 15 €

Un château bien nommé quand on sait qu'il abrite une communauté de religieuses. Cela explique peut-être la couleur, rouge cardinal, de ce vin. Un rien coquin dans son bouquet aux fines notes d'amande, de noisette, d'épices et de fruits, il se fait sage et équilibré au palais que ses bons tanins destinent à une garde de trois à cinq ans, au moins. Frais et flatteur avec ses notes de pêche et d'agrumes, le **blanc 2003** est cité.
Dom. de La Solitude, 10, rte de la Solitude, 33650 Martillac, tél. 05.56.72.74.74, fax 05.56.72.52.00, e-mail infos@domainedelasolitude.com r.-v.

### CH. LE THIL COMTE CLARY 2002 *

■ 14,3 ha 45 000 15 à 23 €

Fait trop rare dans le Bordelais, ce cru possède un superbe parc avec des arbres séculaires, un lac et un bassin. Le merlot (70 % de l'encépagement) a marqué le bouquet de ce vin d'un délicat côté fruité, rehaussé d'une note de cuir. Corsé et vigoureux, le palais laisse apparaître des tanins carrés qui appellent une bonne garde. D'une belle complexité (agrumes, pêche, poivre et biscuit grillé) le **blanc 2003** reçoit une citation.
Ch. le Thil Comte Clary, Le Thil, 33850 Léognan, tél. 05.56.30.01.02, fax 05.56.30.04.32, e-mail jean-de-laitre@chateau-le-thil.com r.-v.

### CH. LA TOUR HAUT-BRION 2002 *

■ Cru clas. 4,9 ha n.c. 38 à 46 €

78 79 80 81 (82) 83 84 85 |86| 87 |88| |89| |90| 92 |93| |94| |95| |96| 97 98 99 00 01 02

Depuis plus d'un demi-siècle, ce cru a lié son sort à celui de la Mission – mais en gardant jalousement sa personnalité à sa production. Témoin ce vin dont le bouquet ne s'est pas encore pleinement ouvert mais qui fait défiler des parfums de cuir, de fruits rouges, de rose, de pain d'épice et de cannelle. Gras, moelleux, plein et ample, le palais montre que le bois a su respecter le raisin. Une jolie bouteille en perspective, qu'il faudra savoir attendre sept ou huit ans.
Dom. Clarence Dillon, Ch. Haut-Brion, 33608 Pessac, tél. 05.56.00.29.30, fax 05.56.98.75.14, e-mail info@haut-brion.com r.-v.

### CH. TRIGANT 2002

■ 2,55 ha 15 600 8 à 11 €

S'il réussit à échapper aux conséquences du phylloxéra (1869) et de la crise de 1929, il ne résista pas à celles de la grêle qui hacha le vignoble en 1933. Heureusement, il a pu renaître en 1990 comme le prouve ce 2002 charpenté, rond et d'une bonne longueur.
GFA du Ch. Trigant, 149, av. des Pyrénées, 33140 Villenave-d'Ornon, tél. 05.56.48.25.22, fax 05.56.75.82.49, e-mail dbecquart@wanadoo.fr r.-v.
Famille Seze

## Le Médoc

Dans l'ensemble girondin, le Médoc occupe une place à part. A la fois enclavés dans leur presqu'île et largement ouverts sur le monde par un profond estuaire, le Médoc et les Médocains apparaissent comme une parfaite illustration du tempérament aquitain, oscillant entre le repli sur soi et la tendance à l'universel. Et il n'est pas étonnant d'y trouver aussi bien de petites exploitations familiales presque inconnues que de grands domaines prestigieux appartenant à de puissantes sociétés françaises ou étrangères.

S'en étonner serait oublier que le vignoble médocain (qui ne représente qu'une partie du Médoc historique et géographique) s'étend sur plus de 80 km de long et 10 de large. Le visiteur peut donc admirer non seulement les grands châteaux du vin du siècle dernier, avec leurs splendides chais-monuments, mais aussi partir à la découverte approfondie du pays. Très varié, celui-ci offre aussi bien des horizons plats et uniformes (près de Margaux) que de belles croupes (vers Pauillac), ou l'univers tout à fait original du Médoc dans sa partie nord, à la fois terrestre et maritime. La superficie des AOC du Médoc représente environ 16 400 ha.

Pour qui sait quitter les sentiers battus, le Médoc réserve plus d'une heureuse surprise. Mais sa grande richesse, ce sont ses sols graveleux, descendant en pentes douces vers l'estuaire de la Gironde. Pauvre en éléments fertilisants, ce terroir est particulièrement favorable à la production de vins de qualité, la topographie permettant un drainage parfait des eaux.

On a pris l'habitude de distinguer le haut-Médoc, de Blanquefort à Saint-Seurin-de-Cadourne, et le nord Médoc, de Saint-Germain-d'Esteuil à Saint-Vivien. Au sein de la première zone, six appellations communales produisent les vins les plus réputés. Les soixante crus classés sont essentiellement implantés sur ces appellations communales ; cependant, cinq d'entre eux portent exclusivement l'appellation haut-médoc. Les crus classés représentent approximativement 25 % de la surface totale des vignes du Médoc, 20 % de la production de vins et plus de 40 % du chiffre d'affaires. A côté des crus classés, le Médoc compte de nombreux crus bourgeois qui assurent la mise en bouteilles au château et jouissent d'une excellente réputation. Plusieurs caves coopératives existent dans les appellations médoc et haut-médoc, mais aussi dans trois appellations communales.

Le vignoble du Médoc s'étend du nord au sud entre huit appellations d'origine contrôlées. Il existe deux appellations sous-régionales, médoc et haut-médoc (60 % du vignoble médocain), et six appellations communales : saint-estèphe, pauillac, saint-julien, listrac-médoc, moulis-en-médoc et margaux (40 % du vignoble médocain). L'appellation régionale étant bordeaux comme dans le reste du vignoble du Bordelais.

Cépage traditionnel en Médoc, le cabernet-sauvignon est probablement moins important qu'autrefois, mais il couvre 52 % de la totalité du vignoble. Avec 34 %, le merlot vient en deuxième position ; son vin, souple, est aussi d'excellente qualité et d'évolution plus rapide, il peut être consommé plus jeune. Le cabernet franc, qui apporte de la finesse, représente 10 %. Enfin, le petit verdot et le malbec ne jouent pas un bien grand rôle.

Les vins du Médoc jouissent d'une réputation exceptionnelle ; ils sont parmi les plus prestigieux vins rouges de France et du monde. Ils se remarquent à leur couleur rubis, évoluant vers une teinte tuilée, ainsi qu'à leur bouquet fruité dans lequel les notes épicées de cabernet se mêlent souvent à celles, vanillées, qu'apporte le chêne neuf. Leur structure tannique, dense et complète en même temps qu'élégante et moelleuse, et leur parfait équilibre autorisent un excellent comportement au vieillissement ; ils s'assouplissent sans maigrir et gagnent en richesse olfactive et gustative.

# Médoc

L'ensemble du vignoble médocain a droit à l'appellation médoc, mais en pratique celle-ci n'est utilisée que dans le nord de la presqu'île, à proximité de Lesparre, les communes situées entre Blanquefort et Saint-Seurin-de-Cadourne pouvant revendiquer celle de haut-médoc ou des communales, dans le cadre de leurs zones délimitées spécifiques. Malgré cela, l'appellation médoc est la plus importante avec 5 740 ha et une production de 303 368 hl en 2004.

Les médoc se distinguent par une couleur généralement très soutenue. Avec un pourcentage de merlot plus important que dans les vins du haut-médoc et des appellations communales, ils possèdent souvent un bouquet fruité et beaucoup de rondeur en bouche. Certains, provenant de belles croupes graveleuses isolées, présentent aussi une grande finesse et une richesse tannique.

CH. L'ARGENTEYRE Vieilles Vignes 2002

■ 8,5 ha 50 000 5 à 8 €

Sans être dominant dans l'encépagement, le cabernet-sauvignon marque très nettement le bouquet de ce vin aux arômes de fruits rouges cuits et de torréfaction. Bien structuré et riche mais encore dans la dépendance de l'élevage, il demande à être attendu deux ou trois ans avant de s'affirmer sur un canard rôti ou des noisettes d'agneau. Egalement de bonne facture, le **Château Les Tresquots 2002 élevé en barrique** obtient une citation.

GAEC des vignobles Reich, rte de Courbian, 33340 Bégadan, tél. et fax 05.56.41.52.34, e-mail chateau-argenteyre@wanadoo.fr

t.l.j. sf sam. dim. 9h-12h 14h-18h

BARON DE LESTAC

Réserve Elevé en fût de chêne 2002 *

■ n.c. n.c. 5 à 8 €

Marque de la maison Castel, cette Réserve élevée en fût joue la carte de la finesse. Sa robe d'un pourpre violine précède un bouquet où un bois délicat accompagne les fruits rouges. Le palais satiné révèle une bonne structure avec des tanins doux et fondus appelant une garde de trois ou quatre ans. Bien typé, le **Chevalier d'Ars 2002** (une étoile également) sera à boire d'ici deux à trois ans sur du gibier d'eau.

Castel Frères, 21-24, rue Georges-Guynemer, 33290 Blanquefort, tél. 05.56.95.54.00, fax 05.56.95.54.20, e-mail communication@castel-freres.com

CH. BEJAC ROMELYS Elevé en fût de chêne 2002

■ Cru artisan 16,2 ha 20 000 5 à 8 €

Installés en 1986, tout d'abord en coopérative, les Berrouet ont choisi de vinifier eux-mêmes leurs vignes en 1995. Un peu tendance par sa forte extraction, ce vin n'en demeure pas moins bien équilibré, avec un bouquet vif aux jolies notes de fruits mûrs et d'épices que prolonge un palais allant crescendo. La finale est ferme et jeune.

Xavier et Sylvie Berrouet, 4, rue de Rigon, 33340 Saint-Yzans-de-Médoc, tél. et fax 05.56.09.08.21, e-mail romelys@wanadoo.fr

t.l.j. 10h-12h 13h-18h; dim. sur r.-v.

CH. BELLEGRAVE Vieilli en fût de chêne 2002 *

■ Cru bourg. 21 ha 140 000 5 à 8 €

Belle unité de 23 ha, ce cru propose avec ce 2002 un vin classique au meilleur sens du terme. Son classicisme se lit dans sa robe dont l'intensité se retrouve au bouquet où le bois accompagne les arômes de fruits rouges mûrs. Le palais est très bien équilibré. On servira cette bouteille dans quelques années sur une bécasse rôtie. Un peu fermée actuellement, la **cuvée spéciale 2002 (8 à 11 €)** a passé dix-huit mois en barrique. Elle obtient une citation.

EARL des Vignobles Caussèque, Janton, Ch. Bellegrave, 33340 Valeyrac, tél. 05.56.41.53.82, fax 05.56.41.50.10

t.l.j. 9h-12h 14h-19h; f. nov.-avr.

CH. BELLEVUE 2002

■ Cru bourg. 15 ha 90 000 5 à 8 €

Issu d'un cru situé juste en face de l'église de Valeyrac construite au milieu du XIXe s., ce vin se montre sérieux et complexe (fruits noirs et notes boisées). Sa structure est suffisamment tannique pour pouvoir bien évoluer, mais

elle affiche déjà une certaine rondeur. Le jury pense à une vendange bien mûre et suggère un accord gourmand avec un pigeonneau à la Guérande dans deux ou trois ans.
Régis Lassalle, 10, rue du 8-Mai-1945, 33340 Valeyrac, tél. 05.56.41.52.17, fax 05.56.41.36.64
t.l.j. 9h-12h 14h-18h

### CH. DE BENSSE 2002 *

8 ha 45 000 5 à 8 €

Haut de gamme de la cave de Prignac, ce vin est issu d'un cru authentique, au terroir bien identifié. Sa belle teinte violine annonce sa jeunesse. Son bouquet, où les fruits rouges bien mûrs se taillent la part du lion en faisant une petite place aux épices et à des notes de fumée, confirme l'impression favorable : le bois est présent mais ne rompt pas l'harmonie ; des tanins charnus invitent à quatre ou cinq ans de patience avant de servir cette bouteille avec une pièce de bœuf.
Cave Les Vieux Colombiers, 23, rue des Colombiers, 33340 Prignac-en-Médoc, tél. 05.56.09.01.02, fax 05.56.09.03.67, e-mail vieuxcolombiers@uni-medoc.com
t.l.j. sf dim. 9h-12h30 14h-17h30; sam. 9h-12h30
Marc Bahougne

### CH. BOIS CARRE 2002

5,1 ha 15 000 5 à 8 €

Un chantier de fouilles archéologiques a permis de dégager à Saint-Yzans une *villa* gallo-romaine ; Bois-Carré est le nom de ce site. Le visiter sera l'occasion de découvrir ce vin. Finement bouqueté, avec des notes de fruits rouges, de noyau et de cuir, ce 2002 pourra s'appuyer sur de bons tanins, à la fois souples et fermes, pour évoluer favorablement dans les années à venir.
David Renouil, 1, rue de Mazails, 33340 Saint-Yzans-de-Médoc, tél. 05.56.09.08.12, fax 05.56.09.04.21 t.l.j. 8h-12h 13h30-19h

### BOIS GALANT 2002 *

n.c. 39 000 8 à 11 €

Si les coopérateurs d'Uni-Médoc ont l'habitude de proposer des vins pouvant être attendus, celui-ci pourra aussi être bu rapidement. Ses arômes trahissent un court élevage en fût (huit mois) : les notes de toast et de réglisse rendent ce 2002 sympathique tandis que sa trame tannique garantit son avenir. Autre vin d'Uni-Médoc, la cuvée **Merrain rouge 2002 élevé en fût de chêne (5 à 8 €)** obtient une citation. Il porte la marque de son élevage.
Les Vignerons d'Uni-Médoc, 14, rte de Soulac, 33340 Gaillan-en-Médoc, tél. 05.56.41.03.12, fax 05.56.41.00.66, e-mail cave@uni-medoc.com
t.l.j. sf dim. 9h-12h30 14h-17h30

### CH. LE BOURDIEU 2002 **

Cru bourg. 30 ha 160 000 8 à 11 €

Maison de maître du XIXe s., proche d'un petit bois (le « Bois Cardon »), cette propriété ne manque pas de charme. Mais que serait ce cru sans le patient travail de rénovation entrepris depuis le milieu des années 1980 ? Il ne donnerait pas des vins aussi plaisants que ce 2002, résolument moderne dans sa conception. Au bouquet, le bois est encore très présent, puis au palais il trouve un bon équilibre avec des arômes de fruits rouges. Bien constitué, souple et élégant, l'ensemble peut être apprécié dans sa jeunesse tout en méritant d'être attendu quatre ou cinq ans.
Guy Bailly, Ch. Le Bourdieu, 1, rte de Troussas, 33340 Valeyrac, tél. 05.56.41.58.52, fax 05.56.41.36.09, e-mail guybailly@lebourdieu.fr
t.l.j. sf sam. dim. 9h-12h 14h-18h

### CH. BOURNAC 2002 **

Cru bourg. 8 ha 40 000 11 à 15 €

Repris par des céréaliers arrivés en Médoc en 1968, ce cru bénéficie maintenant de vignes trentenaires. A cela s'ajoute un travail soigné, tant dans le vignoble qu'au chai : on tient là les clefs de la réussite, comme le prouve ce 2002. A l'intensité de la robe répond la concentration du bouquet, où les fruits rouges et la confiture de mûres sont relevés d'une petite note de grillé. Savoureuse, l'attaque est suivie d'une matière dense et charnue au palais. Les tanins enrobés témoignent d'une construction solide qui permettra d'attendre que le bois se fonde complètement, ce qui sera chose faite d'ici deux ou trois ans, ou de garder cette bouteille jusqu'à son optimum, dans cinq ou six ans. En attendant, il sera possible d'apprécier le **Little B. 2002 (8 à 11 €)**, qui a été cité.
Bruno Secret, 11, rte des Petites-Granges, 33340 Civrac-en-Médoc, tél. 05.56.73.59.24, fax 05.56.73.59.23 r.-v.

### CH. LA BRANNE Elevé en fût de chêne 2002 *

3 ha 10 500 5 à 8 €

Né sur un domaine familial, ce 2002 assemble 2 % de petit verdot, 28 % de merlot et 70 % de cabernet-sauvignon. Il se montre représentatif de l'appellation. Son bouquet forme une subtile alliance entre le bois et les fruits. Sa structure ronde et bien équilibrée s'appuie sur des tanins fermes et jeunes, et débouche sur une finale épanouie. Tout cela est de fort bon aloi et fera, d'ici deux ou trois ans, un mariage réussi avec un confit de canard ou de porc.
GAEC de Peyressac, 1, rte de la Hargue, 33340 Bégadan, tél. et fax 05.56.41.55.24, e-mail labranne@wanadoo.fr r.-v.
Philippe Videau

### CH. LE BREUIL RENAISSANCE Elevé en fût de chêne 2002 *

5 ha 16 000 5 à 8 €

Vingt ans après avoir repris, en 1985, à l'âge de dix-huit ans, la propriété familiale au bon terroir argilo-calcaire, Philippe Bérard acheta un nouveau cru, Le Breuil. Ce 2002 séduit par sa robe grenat prometteuse. Les fruits rouges marquent nettement leur territoire tout en laissant une petite place aux parfums floraux (violette). La complexité du bouquet se retrouve dans l'attaque, soyeuse et élégante, et au palais doté d'une structure dense, charnue et bien équilibrée. On pourra profiter de cette bouteille sans attendre ou la servir dans deux ou trois ans.
SCA Philippe Bérard, 6, rte du Bana, 33340 Bégadan, tél. 05.56.41.50.67, fax 05.56.41.36.77, e-mail phil.berard@wanadoo.fr
t.l.j. sf sam. dim. 9h-12h 14h-18h

### CH. DES BROUSTERAS 2002 *

Cru bourg. 25 ha 171 500 8 à 11 €

Le merlot, nettement majoritaire (60 % de l'encépagement), apporte sa marque au vin d'une belle note fruitée. Le bois sait aussi montrer sa présence. Sa structure et une petite pointe d'acidité de bon aloi se chargent de montrer l'aptitude à la garde de cette bouteille. On l'ouvrira d'ici trois ou quatre ans sur une daube.

SCF Ch. des Brousteras, 2, rue de l'Ancienne-Douane, 33340 Saint-Yzans-de-Médoc, tél. 05.56.09.05.44, fax 05.56.09.04.21 t.l.j. sf dim. 9h-12h 14h-19h

Renouil Frères

**CH. LE BRULE 2002**

■ 10 ha 79 800 5 à 8 €

Elaboré à la cave de Bégadan, ce vin fait un clin d'œil à son nom par son expression aromatique où les notes de fumée viennent se marier aux fruits confiturés. Simple et bien fait, il pourra être apprécié dans deux ou trois ans, voire plus.



**Le Médoc et le Haut-Médoc**

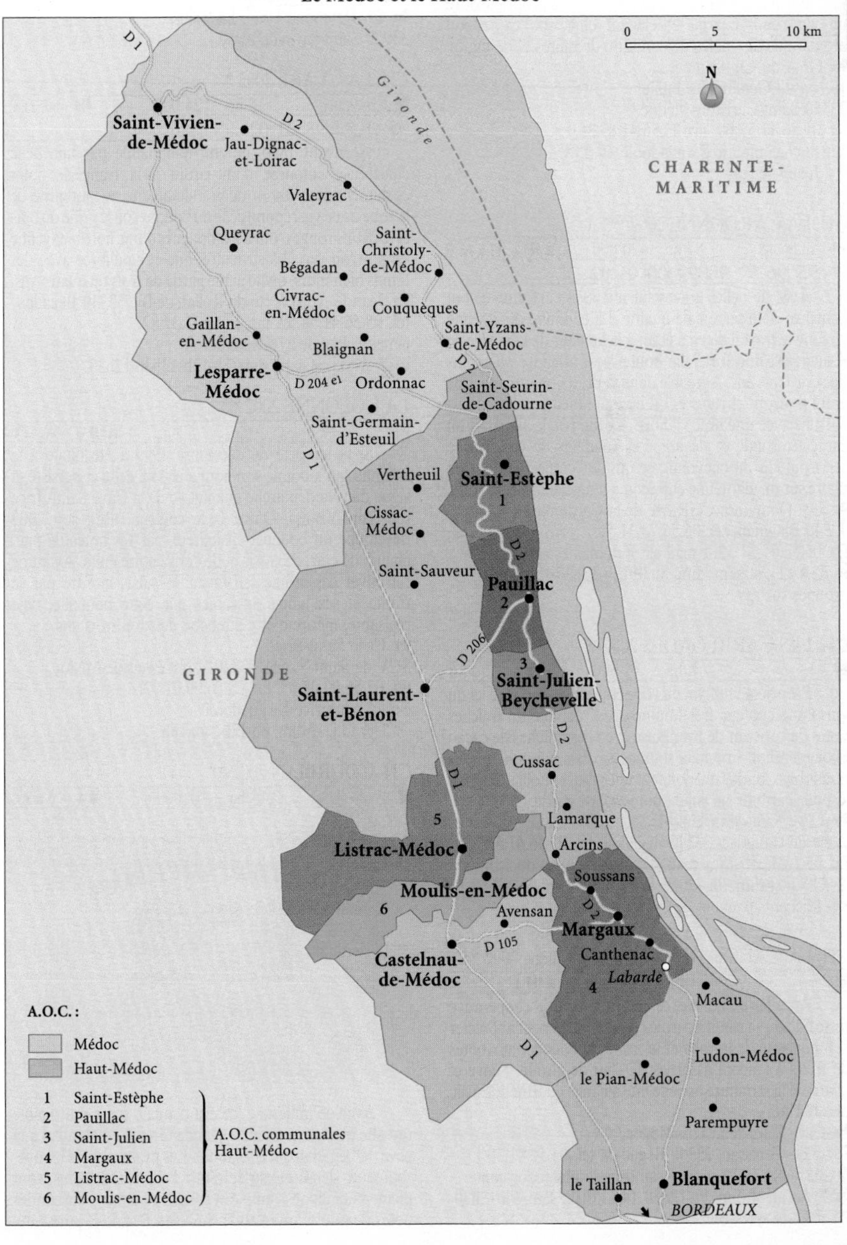

Cave Saint-Jean Uni-Médoc,
2, rte de Canissac, 33340 Bégadan, tél. 05.56.41.50.13,
fax 05.56.41.50.78, e-mail saintjean@uni-medoc.com
t.l.j. sf dim. 9h-12h30 14h-17h30; sam. 9h-12h30
Lagune et Bordagaray

## CH. CANTEGRIC 2002

Cru artisan 1 ha 6 400 5 à 8 €

Portant le joli titre de cru artisan, cette propriété offre un vin rond, charnu et élégant dans son expression aromatique aux notes de confiture de mûres et de figues.
GFA du Ch. Cantegric,
10, av. du Général-de-Gaulle,
33340 Saint-Christoly-Médoc,
tél. 05.56.41.57.00, fax 05.56.41.89.36,
e-mail ch.cantegric@wanadoo.fr r.-v.
Joany-Feugas

## CH. LA CARDONNE 2002 **

Cru bourg. 87 ha 420 000 11 à 15 €

94 **95** **96** 97 98 **99** **00** 01 **02**

Avec de belles graves sur une assise calcaire, ce cru bénéficie d'un terroir de qualité. La conduite de la vigne comme le travail au chai étant à la hauteur de la nature, le résultat est une fort jolie bouteille, à attendre au moins deux ou trois ans. Agréable dans sa présentation, une robe entre pourpre et rubis et un bouquet bien équilibré (bois et fruits avec une note viandée), ce vin révèle au palais un caractère solide et élégant. Les amateurs de venaison le serviront sur du chevreuil, ce qui ne l'empêchera pas de plaire sur un gigot, une entrecôte ou un canard à la royale.
Les Domaines CGR, rte de la Cardonne,
33340 Blaignan, tél. 05.56.73.31.51,
fax 05.56.73.31.52, e-mail cgr@domaines-cgr.com
t.l.j. sf sam. dim. 8h30-12h 13h30-17h;
groupes sur r.-v.

## CH. LES CARREGADES 2002 *

8 ha 42 900 5 à 8 €

Propriété vinifiant en coopérative, ce cru offre ici un vin d'une couleur très lumineuse. Il déploie de fraîches notes de cerise et de framboise avec des touches de cacao et de menthol. Friand et souple, le palais s'appuie sur des tanins bien fondus qui donnent une matière noble. Tout est là pour garantir un solide potentiel de garde.
Cave Saint-Jean Uni-Médoc,
2, rte de Canissac, 33340 Bégadan, tél. 05.56.41.50.13,
fax 05.56.41.50.78, e-mail saintjean@uni-medoc.com
t.l.j. sf dim. 9h-12h30 14h-17h30; sam. 9h-12h30
Michel Chaumont

## CH. LA CAUSSADE Elevé en fût de chêne 2002 *

6,1 ha 45 000 5 à 8 €

Régulier en qualité, ce cru vinifié par la coopérative reste fidèle à sa tradition avec ce vin dont on peut apprécier la luminosité de la robe et le fruité du bouquet aux notes de fruits à l'alcool assorties de clou de girofle. Suave et charnue, la structure appelle une alliance gourmande avec une terrine.
Cave Saint-Jean Uni-Médoc,
2, rte de Canissac, 33340 Bégadan, tél. 05.56.41.50.13,
fax 05.56.41.50.78, e-mail saintjean@uni-medoc.com
t.l.j. sf dim. 9h-12h30 14h-17h30; sam. 9h-12h30
Jean-Jacques Billa

## PIERRE CHANAU 2002

n.c. 62 000 3 à 5 €

Elaboré par l'une des composantes de la maison Dulong qui le met en bouteilles, voici le médoc d'Auchan : ce vin joue résolument la carte de l'élégance avec un joli bouquet fruité (cerise, mûre et cassis) et une structure fraîche, ronde et légère – tanins et saveurs étant équilibrés. On pourra en profiter sur une viande blanche sans avoir à attendre trop longtemps.
SA Raymond Huet, La Chaise,
33920 Saint-Savin-de-Blaye

## CH. LA CLARE 2002 *

Cru bourg. 15 ha 124 000 8 à 11 €

95 96 97 98 **01** 02

Né avant 1850, ce cru, commandé par une belle chartreuse entourée d'un jardin à la française, jouit également d'un terroir de grande qualité. A l'intensité de la robe de ce vin répond celle du bouquet où le grillé du bois et les fruits rouges sont accompagnés d'une note bienvenue de poivron vert. La structure, fine et équilibrée avec des tanins bien mûrs, invite à une garde de trois ou quatre ans.
Jean Guyon, 7, rte de Rollan-de-By, 33340 Bégadan,
tél. 05.56.41.58.59, fax 05.56.41.37.82,
e-mail rollan-de-by@wanadoo.fr
t.l.j. sf sam. dim. 8h-12h 13h30-17h30

## LA COLONNE 2002 **

n.c. n.c. 8 à 11 €

Si la tempête de décembre 1999 a été fatale à la colonne qui a donné son nom à ce vin, celui-ci persiste et signe dans la démarche qualitative de la Cave Saint-Brice (de Saint-Yzans). D'une belle couleur rubis, son 2002 développe un bouquet chaleureux par ses notes de pain chaud, de cuir, de cassis et de cerise noire cuite. Avant de retrouver ces arômes en finale, le palais montre par sa trame et ses tanins agréables que cette bouteille, déjà plaisante, mérite d'être attendue deux ou trois ans.
Cave Saint-Brice,
SCV de Saint-Yzans, 33340 Saint-Yzans-de-Médoc,
tél. 05.56.09.05.05, fax 05.56.09.01.92,
e-mail saintbrice@wanadoo.fr
t.l.j. sf dim. 8h-12h 14h-18h

## CH. COURBIAN 2002 **

7,15 ha 52 000 5 à 8 €

Avec ce millésime, ce cru connaît une remarquable réussite qui fait honneur à Claude Gréteau mais aussi à la cave de Bégadan qui l'a élaboré. Les promesses de la robe, soutenue, dense et ourlée d'une belle frange rubis, sont pleinement tenues. Ample et complexe, le nez joue sur des notes de griotte mûre et de chocolat. Ronde et puissante, avec des tanins bien maîtrisés, la structure appelle un peu de patience, au moins cinq ou six ans. Vous profiterez alors pleinement de cette bouteille sur une côte de bœuf ou du gibier.

Cave Saint-Jean Uni-Médoc,
2, rte de Canissac, 33340 Bégadan, tél. 05.56.41.50.13, fax 05.56.41.50.78, e-mail saintjean@uni-medoc.com
t.l.j. sf dim. 9h-12h30 14h-17h30; sam. 9h-12h30
Claude Gréteau

## LA CROIX DE GADET Le Mystère d'Anaïs 2002

2 ha 10 000 8 à 11 €

Issue d'une propriété familiale, cette cuvée issue en majorité de cabernet-sauvignon est naturellement encore un peu sévère en finale. Le reste de la dégustation témoigne d'un bon équilibre et d'une plaisante complexité mariant les fruits noirs au bois.

EARL Christian Bernard,
7, rte de Vendays, Coudessan, 33340 Gaillan-Médoc, tél. 05.56.41.70.88, fax 05.56.41.76.70, e-mail claudine.gaye@wanadoo.fr r.-v.

## DOURTHE La Grande Cuvée 2002 *

n.c. 30 000 8 à 11 €

La maison Dourthe fut l'une des premières à ouvrir ses portes aux œnologues. C'est dire que la recherche de la qualité y est une vieille tradition. On y reste toujours fidèle, comme le montre ce 2002 résultant d'une très bonne maîtrise des techniques de vinification, d'assemblage et d'élevage. L'équilibre entre le bois et les fruits (cerise, pruneau, mûre) apparaît dès le premier nez avant de se confirmer au palais par une structure qui appelle une garde de deux ou trois ans.

Vins et vignobles Dourthe, 35, rue de Bordeaux, 33290 Parempuyre, tél. 05.56.35.53.00, fax 05.56.35.53.29, e-mail contact@cvbg.com r.-v.

## ELITE SAINT-ROCH Elevé en fût de chêne 2002

4,63 ha 26 000 5 à 8 €

Marque de la cave de Queyrac, ce vin fin, vif et souple se montre déjà fort plaisant par son bouquet aux fines notes fruitées. D'une belle fraîcheur, il pourra être attendu deux ou trois ans. Une dégustatrice conseille de le servir dès aujourd'hui avec un pigeonneau.

Cave Saint-Roch, 27, chem. de la Cave, 33340 Queyrac, tél. 05.56.59.83.36, fax 05.56.59.86.57
t.l.j. sf dim. 9h-12h30 14h-17h30

## CH. D'ESCOT 2002

Cru bourg. n.c. 80 000 8 à 11 €

Si vous avez la nostalgie des vins à l'ancienne, dont la solide charpente était portée par des tanins puissants et néanmoins soyeux, ce 2002 sera tout indiqué. Une robe carminée l'habille avec élégance. Le nez intense joue sur les notes grillées et un fruité bien mûr. Typé et bien fait, ce médoc s'accordera avec une canette aux mirabelles.

Ch. d'Escot, rte de Tréman, 33340 Lesparre-Médoc, tél. 05.56.41.06.92, fax 05.56.41.82.42, e-mail chateau-d-escot@wanadoo.fr
t.l.j. sf sam. dim. 8h30-12h30 13h30-17h30

## CH. D'ESCURAC 2002 **

Cru bourg. 15 ha 80 000 11 à 15 €

Valeur sûre et reconnue, ce cru est encore une fois à la hauteur de sa réputation avec ce 2002. De la teinte soutenue de la robe à la longueur de la finale, tout annonce un vin constitué pour affronter la garde. Fruits rouges, café et bois, son bouquet a la complexité requise pour séduire et une ampleur égale à celle du palais. Une très jolie bouteille, pour un menu de fête. Autre cru bourgeois du même producteur, le **Château Haut-Myles 2002 (5 à 8 €)** a été cité.

Jean-Marc Landureau,
Ch. d'Escurac, 33340 Civrac-en-Médoc, tél. 05.56.41.50.81, fax 05.56.41.36.48, e-mail chateau.d.escurac@wanadoo.fr
t.l.j. sf dim. 9h-12h 13h30-17h30

## ESPRIT D'ESTUAIRE 2002 *

13 ha 40 000 11 à 15 €

A l'image de l'estuaire et du phare de Cordouan, qui illustre l'étiquette, la robe de ce vin est impressionnante. Sa teinte, d'un grenat sombre, incite à découvrir la structure de cette bouteille de garde (quatre ou cinq ans) ; le bois, encore très présent, devra se fondre complètement dans l'ensemble. Un magret de canard lui conviendra.

Les Vignerons d'Uni-Médoc, 14, rte de Soulac, 33340 Gaillan-en-Médoc, tél. 05.56.41.03.12, fax 05.56.41.00.66, e-mail cave@uni-medoc.com
t.l.j. sf dim. 9h-12h30 14h-17h30

## CH. FONGIRAS Elevé en fût de chêne 2002

19 ha 120 000 5 à 8 €

Elaboré par la cave d'Ordonnac, ce vin d'un grenat intense fait preuve d'originalité par son bouquet qui marie les fruits confits, le café et le bois. Souple, rond et soutenu par des tanins charnus, il pourra être attendu trois ou quatre ans avant d'accompagner des viandes grillées ou une côte de veau.

Cave Pavillon de Bellevue,
1, rte de Peyressan, 33340 Ordonnac, tél. 05.56.09.04.13, fax 05.56.09.03.29 r.-v.

## CH. LA GORCE 2002

Cru bourg. 30 ha 200 000 5 à 8 €

Belle unité, ce cru propose un vin au bouquet intéressant, mariage réussi des fruits noirs et des épices. Au palais, on découvre une structure solide ; la forte extraction voue ce 2002 à une garde de quelques années pour que l'ensemble puisse se fondre complètement.

Denis Fabre, Ch. La Gorce, 33340 Blaignan, tél. 05.56.09.01.22, fax 05.56.09.03.27, e-mail info@chateaulagorce.com r.-v.

## CH. LA GORRE Cuvée des Cazaillots 2002 *

Cru bourg. 3 ha 15 000 8 à 11 €

Cette cuvée s'inscrit dans la meilleure tradition médocaine par sa présence tannique qui lui assurera un bon potentiel de garde. Une structure franche et nette, une robe d'un beau pourpre et un bouquet discret au début puis ample composent une bouteille à garder en cave trois à cinq ans.

Michel Laforgue, Ch. La Gorre, 33340 Bégadan, tél. 05.56.41.52.62, fax 05.56.41.35.83
t.l.j. 9h-12h 15h-19h

## CH. GRAND BERTIN DE SAINT-CLAIR 2002 **

4,33 ha 29 400 8 à 11 €

Fait original, en 2000, Olivier Compagnet et Pascal Coyault ont trouvé un moyen astucieux pour financer leur chai, en créant un club composé de leurs clients les plus fidèles. Ceux-ci ne le regretteront pas en dégustant ce vin :

l'élégance des notes de sous-bois et de fruits rouges du bouquet se confirme au palais où les arômes de fruits cuits, de grillé et de confiture, comme les tanins bien fondus, trouveront leur meilleure expression sur une volaille rôtie.
SCEA Ch. Grand Bertin de Saint-Clair, 10, rte de Lesparre, 33340 Bégadan, tél. 05.56.41.57.75, fax 05.56.41.53.22, e-mail compagnetvins@wanadoo.fr
t.l.j. sf dim. 8h-12h 14h-18h
O. Compagnet et P. Coyault

## CH. LE GRAND SIGOGNAC 2002 *

5 ha 32 400 5 à 8 €

Intégralement commercialisé par la maison de négoce libournaise J.-B. Audy, ce 2002 possède cet équilibre qui sied à un vin de Bordeaux, tant dans son bouquet, où l'apport du bois se marie bien au fruit, qu'au palais dont les tanins savoureux révèlent un travail bien mené. On l'appréciera dans deux ou trois ans, par exemple sur un chèvre frais.
Philippe Olivier, Le Grand Sigognac, 33340 Saint-Yzans-de-Médoc, tél. 06.11.27.39.10, fax 05.56.09.06.38

## CH. LES GRANDS CHENES 2002 **

Cru bourg. 10 ha 50 400 11 à 15 €

95 |96| 97 **98** |99| 01 02

Coup de cœur l'an dernier pour sa cuvée Prestige, ce cru nous offre une fois encore un vin très expressif par sa présentation comme par sa structure. A la jeunesse de la robe succède un bouquet prometteur mais où le merrain est encore dominateur. Portée par des tanins de bonne origine, la bouche, pleine, ronde et charnue, appelle une alliance des plus gourmandes avec une pintade fermière aux girolles.
Ch. Les Grands Chênes, 13, rte de Lesparre, 33340 Saint-Christoly-du-Médoc, tél. 05.56.41.53.12, fax 05.56.41.35.69
B. Magrez

## CH. LA GRAVE 2002

10 ha 75 600 5 à 8 €

Fidèle à l'esprit médocain par son encépagement, à 60 % de cabernet-sauvignon, ce cru propose un vin bien constitué, comme l'annonce sa robe. Encore un peu fermé, le bouquet laisse percer de prometteuses notes de baies noires (myrtille). Rond et chaleureux, le palais est équilibré. Une bouteille à ouvrir dans environ quatre ans.
Cave Saint-Jean Uni-Médoc, 2, rte de Canissac, 33340 Bégadan, tél. 05.56.41.50.13, fax 05.56.41.50.78, e-mail saintjean@uni-medoc.com
t.l.j. sf dim. 9h-12h30 14h-17h30; sam. 9h-12h30
Jean-Marc Aberne

## CH. HAUT-BALIRAC
Le Marginal Cuvée Prestige 2002

3 ha 7 500 5 à 8 €

Issue de vignes sélectionnées et élevée en fût, cette cuvée tient les promesses de sa robe grenat à reflets violines. S'ouvrant sur des parfums de petits fruits rouges, le nez évolue ensuite vers des notes animales. Harmonieux, le palais révèle une solide structure classique qui destine cette bouteille à une garde de deux ou trois ans. Le vin mérite mieux que l'étiquette parcheminée qui l'habille.
Cédric Chamaison, Ch. Haut-Balirac, 1, rte de Lousteauneuf, 33340 Valeyrac, tél. 06.86.82.01.99, fax 05.56.41.82.48 r.-v.

## CH. HAUT BARRAIL 2002

Cru bourg. 6 ha 20 000 8 à 11 €

Sans chercher à rivaliser avec certains millésimes antérieurs, ce 2002 sait se montrer intéressant. Certes, il est aujourd'hui très marqué par l'élevage. Mais derrière, on sent poindre un bouquet original, influencé par le merlot (70 %), mariage de notes viandées avec une gamme de fruits des bois. Au palais apparaît une mâche de bon aloi ; puis la finale fait elle aussi preuve d'originalité par des notes de gelée d'airelles et de mûres.
EARL Cyril Gillet, 6, rte du Château-Landon, 33340 Bégadan, tél. 05.56.41.50.42, fax 05.56.41.57.10, e-mail chateau.landon@wanadoo.fr
t.l.j. 8h-12h 13h30-17h30; sam. dim. sur r.-v.

## CH. HAUT CONDISSAS Prestige 2002 **

5 ha 16 000 30 à 38 €

Coup de cœur l'an dernier, cette cuvée, issue de parcelles de Rollan de By, propose une fois encore un vin des plus réussis. Le merlot apporte sa personnalité, avec des arômes fruités (fruits rouges) accompagnés de notes florales, confiturées et boisées (café). Egalement très merlot par sa rondeur et sa souplesse, franc et porté par des tanins mûrs, le palais est résolument moderne dans sa conception. D'ici deux à trois ans, ce 2002 se plaira sur un gibier à poil.
Jean Guyon, 7, rte de Rollan-de-By, 33340 Bégadan, tél. 05.56.41.58.59, fax 05.56.41.37.82, e-mail rollan-de-by@wanadoo.fr
t.l.j. sf sam. dim. 8h-12h 13h30-17h30

## CH. HAUT-COURBIAN
Elevé en fût de chêne 2002 *

Cru artisan 10,65 ha 6 666 3 à 5 €

Issu de nombreuses parcelles aux sols divers, et assemblant 70 % de cabernet au merlot, ce 2002 est un vrai plaisir. Souple et rond, il charme par ses fins arômes fruités, avant de monter progressivement en puissance au palais. Son très bon équilibre entre le bois et le fruit lui permettra de plaire jeune comme dans quelque temps.
GAEC Brugnon-Leaunard, 2, rte de Courbian, 33340 Bégadan, tél. 05.56.41.54.59, fax 05.56.41.59.91 r.-v.

## CH. HAUT-MAURAC 2002 **

Cru bourg. 24 ha 68 943 8 à 11 €

Est-on encore dans le vignoble bordelais ? On en doute, quand on arrive dans cette propriété isolée, campée au bord de l'estuaire dont on devine à peine la rive charentaise. Assurément, si l'on en juge d'après la belle croupe de graves de Mazails ou la qualité de ce vin. Celui-ci se laisse deviner dès le premier coup d'œil sur une robe d'un rouge profond et étincelant. Net et bien équilibré, le nez privilégie les fruits rouges et noirs (groseille, cassis et cerise) en les relevant d'une note toastée. Soyeuse, pleine et dense, la structure est dans la tradition du cru par son aptitude à la garde. Cette bouteille se reposera donc cinq ou six ans, avant d'écrire une belle page de la mémoire gourmande du livre de cave, servie par exemple avec un aloyau aux cèpes grillé sur les sarments.
Ch. Haut-Maurac, 3, rue de Mazails, 33340 Saint-Yzans-de-Médoc, tél. 05.56.09.05.37, fax 05.56.09.00.90, e-mail haut-maurac@wanadoo.fr
t.l.j. sf sam. dim. 9h-13h 13h30-17h30
Decelle

### CH. L'INCLASSABLE 2002 ★

■ Cru bourg. 10 ha 70 000 🛢 11 à 15 €

Un rien provocateur, le nom de ce cru appelle une explication. Pendant longtemps, le château s'est appelé Lafon, avant qu'un retard d'une quinzaine de jours dans le renouvellement de la marque ne l'ait privé de son nom. Son producteur l'a donc rebaptisé « l'Inclassable ». Heureusement, son vin n'a pas souffert de ces péripéties. Témoin ce 2002, qui a provoqué un débat chez les membres du jury Hachette. L'un a trouvé son élevage excessif ; deux l'ont porté au pinacle, jugeant que la puissance de sa structure lui ouvrait une belle route pour l'avenir. Certes les arômes de fruits mûrs sont entourés de notes boisées ; certes les tanins sont serrés, mais assez enrobés. On n'hésitera pas à le servir, dans trois ou quatre ans, sur un mets de caractère.

SCEA Vignobles Rémy Fauchey,
4, chem. des Vignes, 33340 Prignac-en-Médoc,
tél. 05.56.09.02.17, fax 05.56.09.04.96
t.l.j. 9h-18h

### CH. LABADIE 2002 ★

■ Cru bourg. 22 ha 120 000 🛢 5 à 8 €

(90) 95 96 97 **98** |99| 00 |01| 02

Cabernet-sauvignon (50 %), merlot (43 %), cabernet franc (4 %) et petit verdot, ce cru préfère la tradition aux chants des sirènes du mono-cépage. A juste titre, si l'on en juge par l'équilibre de ce vin qui privilégie le côté fruité. Une robe rubis à reflets violets, un nez de fruits rouges mûrs légèrement épicés participent au charme de cette bouteille qui gagnera à être attendue deux ou trois ans.

GFA Bibey, 1, rte de Chassereau,
Ch. Labadie, 33340 Bégadan, tél. 05.56.41.55.58,
fax 05.56.41.39.47, e-mail gfabibey@free.fr
t.l.j. sf dim. 9h-12h 14h-18h

### CH. LASSUS Cuvée Excellence 2002 ★

■ Cru bourg. 3 ha 15 000 🛢 5 à 8 €

Issue d'une égalité parfaite entre merlot et cabernet-sauvignon, cette cuvée de prestige a l'art de se présenter. Sa robe grenat à reflets violets et son bouquet fin et complexe (fruits noirs et bois) créent une sensation d'élégance, qui se retrouve au palais. Sa matière, à la fois dense et ronde, et son ample finale toastée appellent une bonne garde. Autre cru du même producteur, le **Château Le Reysse 2002** a été cité.

Vignobles Chaumont, 7, rte du Port-de-By,
33340 Bégadan, tél. 05.56.41.50.79, fax 05.56.41.51.36,
e-mail vignobles.chaumont@wanadoo.fr
t.l.j. 10h-12h 14h-18h30

### CH. LEBOSCQ Vieilles Vignes 2002 ★

■ Cru bourg. 8 ha 50 000 🛢 11 à 15 €

Du même producteur que le Château Patache d'Aux, mais issue d'une propriété spécifique, cette cuvée a bénéficié d'un terroir de graves profondes à proximité de l'estuaire. Portée par une matière dense et tannique que soutient un bois bien dosé, elle a tout pour mériter une garde de deux ou trois ans. Un peu moins boisée, la **cuvée principale Leboscq 2002 (8 à 11 €)** obtient une citation.

SAS Ch. Patache d'Aux, 1, rue du 19-Mars,
33340 Bégadan, tél. 05.56.41.50.18, fax 05.56.41.54.65,
e-mail info@domaines-lapalu.com r.-v.
Jean-Michel Lapalu

### CH. LISTRAN Cuvée Prestige 2002

■ Cru bourg. 8 ha 40 000 🛢 5 à 8 €

Ayant appartenu dans les années 1930 au général duc espagnol Del Infantado et de Francavilla, ce cru propose avec ce millésime un vin rond, souple et plaisant qui ne demandera pas à être attendu longtemps. Fruités et toastés, ses arômes sont déjà très plaisants, accompagnés de notes de clou de girofle et de cannelle.

Arnaud Crété, Ch. Listran,
33590 Jau-Dignac-et-Loirac, tél. 05.56.09.48.59,
fax 05.56.09.58.70, e-mail crete@listran.fr
t.l.j. sf dim. 9h-12h30 15h-19h

### CH. LOIRAC 2002

■ 9,66 ha 26 000 🛢 5 à 8 €

Première propriété de Jau-Dignac que l'on découvre en venant de Queyrac, ce cru et son pigeonnier surgissent du marais. Un joli spectacle, comme la robe de ce vin d'un rubis intense et brillant. La complexité de son bouquet, la délicatesse de l'attaque et la vivacité de ses tanins annoncent une bouteille qui sera agréable sans avoir à attendre longtemps.

SCA Ch. Loirac, 1, rte de Queyrac,
33590 Jau-Dignac-et-Loirac, tél. et fax 05.56.73.98.22,
e-mail jlcchtloirac@aol.com r.-v.

### CH. LOUDENNE 2002 ★★

■ Cru bourg. 42 ha 188 700 🛢 11 à 15 €

89 90 95 (96) 97 98 |99| |00| **01 02**

Coup de cœur l'an dernier, Loudenne renouvelle la performance cette année. Il est vrai que si l'on croit l'adage qui veut que les grands terroirs médocains regardent le fleuve, ce cru bénéficie d'un réel privilège. Mais le sérieux du travail de la famille Lafragette et de son équipe n'est pas étranger à ce succès. Toutes les promesses d'une robe aussi limpide que foncée sont tenues : les parfums sont puissants et élégants, avec des notes de fruits mûrs et de chêne neuf ; les tanins vigoureux et savoureux imposent un séjour en cave supérieur à cinq ans. Le jury conseille une alliance gourmande avec une viande rouge rôtie aux cèpes ou un tournedos Rossini.

SCS Ch. Loudenne, 33340 Saint-Yzans-de-Médoc,
tél. 05.56.73.17.80, fax 05.56.09.02.87,
e-mail loudenne@lafragette.com r.-v.
Domaines Lafragette

### CH. LOUSTEAUNEUF

Art et Tradition Elevé en fût de chêne 2002 ★

■ Cru bourg. 13,5 ha 80 000 🛢 8 à 11 €

(95) **96 97** |98| 99 **00** |01| 02

L'absence de filtrage et de collage, mentionnée sur l'étiquette, dit clairement l'intention de ne pas offrir un vin appauvri avec cette cuvée. L'objectif est atteint sans le priver pour autant d'une certaine rondeur. Les notes, toujours assez entêtantes, de grillé et de torréfié indiquent que cette bouteille demande encore à se fondre un an ou deux.

Bruno Segond, Ch. Lousteauneuf, 2, rte de Lousteauneuf, 33340 Valeyrac, tél. 05.56.41.52.11, fax 05.56.41.38.52, e-mail chateau.lousteauneuf@wanadoo.fr r.-v.

### CH. DE LUSSAN 2002

Cru artisan 2,5 ha 13 000 5 à 8 €

Issu de l'agriculture biologique, ce vin des domaines Lapalu est très près de la nature par ses arômes sans fard de fruits rouges et de cerise confite. Bien extrait, il pourra être apprécié sans attendre.

Bruno Caussan, Lussan, 33340 Ordonnac, tél. et fax 05.56.09.03.30, e-mail biolussan@libertysurf.fr r.-v.

### CH. MALAIRE 2002

18 ha 110 000 5 à 8 €

Ce vin, qui s'inscrit dans le style de l'appellation avec une bonne matière tannique et une certaine souplesse, demande à être attendu trois ou quatre ans. Autre étiquette de CGR, le **Château Barbaran 2002 (8 à 11 €)** a également obtenu une citation.

Les Domaines CGR, rte de la Cardonne, 33340 Blaignan, tél. 05.56.73.31.51, fax 05.56.73.31.52, e-mail cgr@domaines-cgr.com t.l.j. sf sam. dim. 8h30-12h 13h30-17h; groupes sur r.-v.

### CH. LES MARCEAUX 2002

4,02 ha 11 650 5 à 8 €

Marquant l'entrée du cru dans le Guide, le deuxième millésime de ce producteur se présente avec délicatesse dans une robe brillante animée de jolis reflets. Son bouquet est agréablement fruité. Bien qu'assez souple et rond, il possède une bonne structure déjà veloutée et jouant sur le fruit. La finale devrait se fondre dans un an pour donner une pleine harmonie sur une viande rouge grillée.

Jean-Paul Aloird, 38, chem. des Carrières, 33340 Lesparre-Médoc, tél. et fax 05.56.41.27.90, e-mail contact@chateau-les-marceaux.com r.-v.

### CH. MERIC 2002

Cru bourg. 11,12 ha n.c. 8 à 11 €

Ce cru a été remis en valeur à la fin des années 1980 et racheté à la fin de la décennie suivante. Son vin montre que les investissements réalisés ne l'ont pas été en vain. C'est un plaisir de humer son bouquet aux fins parfums de jasmin rehaussés de notes de grillé, d'épices et d'encens ; de savourer son palais souple, rond et élégant, aux persistantes notes de fruits confits. Une bouteille de plaisir immédiat.

SCEA Ch. Méric, 19, rte de Vensac, 33590 Jau-Dignac-et-Loirac, tél. 05.57.75.01.55, fax 05.57.75.01.57, e-mail denis.hecquet1@libertysurf.fr r.-v.

### CH. LES MOINES Prestige 2002 ★

Cru bourg. 32 ha 150 000 5 à 8 €

Issu à 70 % du cabernet, ce vin en porte la marque dans sa structure, solide et concentrée. Sa richesse et la netteté de son bouquet aux notes de fruits et de grillé le destinent à la garde : on l'attendra deux ou trois ans. Du même producteur, le **Château Moulin de Brion 2002 (3 à 5 €)** a été cité.

SCEA Vignobles Pourreau, 9, rue Charles-Plumeau, 33340 Couquèques, tél. 05.56.41.38.06, fax 05.56.41.37.81 r.-v.

### CH. MOULIN DE CHANTEMERLE

Elevé en fût de chêne 2002 ★

17 ha 20 000 5 à 8 €

Elevé en fût de chêne, ce vin sait le rappeler par de fines notes toastées et vanillées, qui laissent cependant parler les fruits rouges bien mûrs. Soyeux, charnu et dense, le palais connaît une belle évolution que conclut heureusement une finale élégante.

La Guyennoise, BP 17, 33540 Sauveterre-de-Guyenne, tél. 05.56.71.50.76, fax 05.56.71.87.70, e-mail cfontaniol@laguyennoise.com

### CH. DU MOULIN-NEUF

Elevé en fût de chêne 2002 ★

2,5 ha 5 500 5 à 8 €

Même si le mari de Christiane Mastellotto est ostréiculteur à Gujan-Mestras, vous ne serez pas obligé d'ouvrir cette bouteille avec des huîtres. L'ampleur et la puissance de ce 2002 comme la finesse de ses arômes floraux appelleront plutôt une séduisante alliance gourmande avec un croustillant de foie gras. Dans deux ou trois ans.

Christiane Mastellotto, 16, chem. de Charmail, 33590 Jau-Dignac-et-Loirac, tél. 05.56.09.42.86, fax 05.56.60.72.67 r.-v.

### CH. LES ORMES SORBET 2002 ★

Cru bourg. 18 ha 100 000 15 à 23 €

85 86 88 89 (90) |95| |96| |97| |98| **99 00 01** 02

Sympathique par la diversité de son encépagement qui n'oublie pas la carmenère, ce millésime surprendra un peu les habitués du cru par la retenue de sa structure. Celle-ci se traduit par une réelle harmonie que ne dérange pas l'austérité de la finale. Bien fondu, l'apport du bois s'accorde avec les arômes de lys et de groseille. Un civet de marcassin conviendra parfaitement à cette bouteille dans un an ou deux.

Hélène Boivert, Ch. Les Ormes-Sorbet, 33340 Couquèques, tél. 05.56.73.30.30, fax 05.56.73.30.31, e-mail ormes.sorbet@wanadoo.fr t.l.j. sf dim. 9h-12h 14h-18h; sam. sur r.-v.

### CH. PATACHE D'AUX 2002 ★

Cru bourg. 43 ha 250 000 11 à 15 €

82 83 85 86 88 89 |90| 93 94 |95| 96 |97| 98 01 |02|

Comme il se doit pour un ancien relais de diligence (patache), ce cru se trouve au cœur du bourg de Bégadan. Souple, simple et bien équilibré, son 2002 met en valeur ses arômes de fruits noirs compotés. Très flatteur, il a tout pour plaire sans avoir à attendre longtemps. Seconde étiquette de la propriété, **Le Relais de Patache d'Aux 2002 (8 à 11 €)** a été cité.

SAS Ch. Patache d'Aux, 1, rue du 19-Mars, 33340 Bégadan, tél. 05.56.41.50.18, fax 05.56.41.54.65, e-mail info@domaines-lapalu.com r.-v.

Jean-Michel Lapalu

## CH. DU PERIER 2002 ★

■ Cru bourg. n.c. 20 000 🍷 8 à 11 €

90 91 92 **93** 94 95 96 |97| **98** 99 00 01 02

Egalement producteur dans d'autres appellations, Bruno Saintout propose ici un vin tout en finesse et en nuances. Son élégance apparaît dans le bouquet allant du cèdre à la vanille en passant par les fruits rouges. Porté par des tanins doux et d'une bonne puissance, le palais appelle à une garde de trois ou quatre ans. Une bouteille bien typée associant à parts égales merlot et cabernet-sauvignon.

Bruno Saintout, Cartujac,
33112 Saint-Laurent-Médoc,
tél. 05.56.59.91.70, fax 05.56.59.46.13 r.-v.

## PETIT MANOU 2002 ★

■ 1,15 ha 4 800 8 à 11 €

Sa taille réduite n'a pas empêché ce microcru de se doter d'un outil très efficace avec une cuverie comportant dix cuves de 10 à 22 hl. Le résultat est un vin bichonné, comme le montre ce millésime au bouquet complexe (cèdre, vanille et épices) et à la matière riche, ronde et tannique. Franc et net, ce 2002 a mérité d'être attendu deux ou trois ans.

Sogeviti Stéphane et Françoise Dief,
7, rue du 19-mars-1962, 33340 Saint-Christoly-Médoc,
tél. 05.56.41.54.20, fax 05.56.41.37.63,
e-mail sogeviti.sf@wanadoo.fr r.-v.

## CH. LE PEY 2002 ★★

■ Cru bourg. 20 ha 140 000 8 à 11 €

Fidèles à leur habitude, les Compagnet n'ont pas ménagé leurs efforts à la vigne comme au chai avec ce millésime. Sombre et intense, ce 2002 est encore marqué par le bois, mais celui-ci ne masque pas les fruits. Après une attaque douce, sa solide structure tannique promet une belle évolution. On laissera cette bouteille en cave pendant trois ou quatre ans, voire plus, avant de l'ouvrir sur une dinde aux girolles ou un fromage fait.

SCEA Compagnet, Ch. Le Pey, 10, rte de Lesparre,
33340 Bégadan, tél. 05.56.41.57.75, fax 05.56.41.53.22,
e-mail compagnetvins@wanadoo.fr
t.l.j. sf dim. 9h-12h 14h-18h

## CH. PIERRE DE MONTIGNAC

Elevé en fût de chêne 2002

■ 20 ha n.c. 5 à 8 €

Grande maison médocaine en moellons, ce cru propose une immersion dans le monde de la vigne avec ses chambres d'hôte. Ce sera l'occasion de découvrir ce vin au bouquet discret mais intéressant (framboise, cerise, figue, prune) et à la structure harmonieuse. On l'associera à un fromage à pâte molle.

José Sallette, 1, rte de Montignac,
33340 Civrac-en-Médoc, tél. et fax 05.56.73.59.08
t.l.j. 9h-12h 14h-19h

## CH. LA PIROUETTE 2002

■ Cru bourg. 6 ha 42 000 5 à 8 €

Une halte dans ce cru offre un vrai dépaysement par son ambiance de haras. Mais le vin n'est pas oublié : frais dans son expression aromatique (cerise et mûre) et original par ses notes de liqueur, il ne manque pas de charme.

SCEA Roux, Semensan,
33590 Jau-Dignac-et-Loirac, tél. et fax 05.56.09.42.02,
e-mail lapirouette@wanadoo.fr r.-v.

## CH. POITEVIN 2002 ★

■ 30 ha 150 000 8 à 11 €

Né à Jau, une commune à qui le millésime 2002 a souri, ce vin témoigne du savoir-faire de la jeune génération qui a pris le relais des pères fondateurs ayant fait de ce village une terre pionnière dans les années 1980. D'un rubis intense et profond, la robe annonce un bon potentiel qui rassure quand on découvre la forte présence du bois au bouquet. Heureusement, le palais vient confirmer son potentiel de garde en même temps qu'il évolue vers un mariage plus harmonieux du fruit et du merrain. Une bouteille bien réussie qu'il faudra attendre deux à quatre ans. Plus souple et léger, le **Lamothe Pontac 2002 (5 à 8 €)** a été cité.

EARL Poitevin,
14, rue du 19-Mars-1962, 33590 Jau-Dignac-et-Loirac,
tél. 05.56.09.45.32, fax 05.56.09.03.75,
e-mail poitevinG@aol.com t.l.j. 9h-18h30

## CH. PONTAC GADET 2002 ★★

■ 5 ha 30 000 8 à 11 €

Même si, en dépit de la largeur de l'estuaire, Dominique Briolais exploite un autre cru en côtes-de-bourg, il ne néglige pas Pontac Gadet. Ce 2002 en témoigne. Sa robe grenat, son bouquet très expressif (mûre, cassis, grillé) et sa riche structure tannique sont plus que prometteurs.

Dominique Briolais,
Ch. Pontac Gadet, 33590 Jau-Dignac-et-Loirac,
tél. 05.56.09.56.86, fax 05.57.64.31.73 r.-v.

## CH. PONTEY 2002 ★

■ Cru bourg. 11,59 ha 47 833 8 à 11 €

Régulier en qualité, ce cru reste fidèle à lui-même avec ce 2002. S'annonçant par une seyante robe rubis à reflets pourpres, il déploie un bouquet où les fruits rouges et les notes toastées du bois forment un ensemble harmonieux. Cette sensation d'eurythmie se perçoit au palais et en finale, même si cette dernière rappelle par une petite note d'austérité que cette bouteille demande à être attendue au moins trois ans.

Bruno de Bayle, Dom. d'Auberive, 33360 Latresne,
tél. 05.56.20.71.03, fax 05.56.20.11.30 r.-v.

## CH. POTENSAC 2002 ★★

■ n.c. 254 000 15 à 23 €

Egalement propriétaires du prestigieux château Léoville Las Cases, les Delon ne négligent pas cette belle unité qu'ils possèdent depuis plus de deux cents ans. Témoin, ce vin associant 43 % de cabernet-sauvignon, 15 % de cabernet franc et 42 % de merlot. Sa couleur soutenue annonce la remarquable structure. Pourtant, c'est dans la délicatesse que commence la dégustation, avec un bouquet mariant les fruits rouges aux épices. Extraits avec doigté, les tanins donneront dans cinq ans une bouteille à la fois aimable et élégante.

Ch. Potensac, 33340 Ordonnac,
tél. 05.56.73.25.26, fax 05.56.59.18.33,
e-mail leoville-las-cases@wanadoo.fr r.-v.
Héritiers Delon

## CH. PREUILLAC 2002

■ Cru bourg. 20 ha 130 000 11 à 15 €

Si l'extraction a été poussée, la structure de ce 2002 lui permettra de s'assouplir d'ici quelques années. Autre vin du même producteur, le **Château Le Preuil 2002 (5 à 8 €)** a aussi été cité.

🔑 Yvon Mau, SCF Ch. Preuillac,
rte d'Ordonnac, 33340 Lesparre-Médoc,
tél. 05.56.09.00.29, fax 05.56.09.00.34,
e-mail chateau.preuillac@wanadoo.fr r.-v.

## CH. RAMAFORT 2002

■ Cru bourg. 20 ha 130 000 11 à 15 €

Du même producteur que le Château La Cardonne, ce vin est encore un peu fermé. Mais sa longueur et sa solide architecture ramassée et dense lui apportent de bonnes garanties d'avenir. Autre vin du même ensemble, le **Château Ribeiron 2002 (8 à 11 €)** a également été cité.

🔑 Les Domaines CGR, rte de la Cardonne,
33340 Blaignan, tél. 05.56.73.31.51, fax 05.56.73.31.52,
e-mail cgr@domaines-cgr.com
t.l.j. sf sam. dim. 8h30-12h 13h30-17h;
groupes sur r.-v.

## CH. RICAUDET Elevé en fût de chêne 2002

■ Cru bourg. 5,6 ha 41 000 5 à 8 €

Né sur des terroirs silico-graveleux et sablo-argileux de Valeyrac, ce vin, rond et d'une bonne complexité aromatique, monte bien en puissance pour arriver à une riche finale mentholée.

🔑 Cave Saint-Jean Uni-Médoc,
2, rte de Canissac, 33340 Bégadan, tél. 05.56.41.50.13,
fax 05.56.41.50.78, e-mail saintjean@uni-medoc.com
t.l.j. sf dim. 9h-12h30 14h-17h30; sam. 9h-12h30
🔑 Robert Couthures

## CH. ROLLAN DE BY 2002 ★★

■ Cru bourg. 40 ha 132 000 15 à 23 €

94 (96) 97 |98| 00 01 02

Sur un sol de graves argileuses sont implantés le merlot (70 %), le petit verdot (10 %) et les cabernets. Soumis à une macération préfermentaire, à une fermentation malolactique en barrique neuve et à un élevage de douze mois sous bois, ce 2002 a beaucoup d'atouts : une couleur profonde, un nez associant des notes boisées à d'élégants parfums de rose, de pivoine et de fruits mûrs. L'équilibre en bouche est d'un grand classicisme. Une bécasse rôtie conviendra à cette bouteille dans deux ans.

🔑 Jean Guyon, 7, rte de Rollan-de-By, 33340 Bégadan,
tél. 05.56.41.58.59, fax 05.56.41.37.82,
e-mail rollan-de-by@wanadoo.fr
t.l.j. sf sam. dim. 8h-12h 13h30-17h30

## CH. ROUSSEAU DE SIPIAN 2002 ★

■ 9,06 ha 32 000 11 à 15 €

Confirmant la bonne impression produite par le 2001, ce vin met en confiance par l'élégance de sa robe, entre rouge et grenat, et de son bouquet, d'une belle complexité. Ample, long et bien construit, le palais poursuit dans le même style tout en révélant une puissance qui vaudra à cette bouteille d'être attendue deux ou trois ans.

🔑 Ch. Rousseau de Sipian, 26, rte du Port-de-Goulée,
33340 Valeyrac, tél. 05.56.41.54.92, fax 05.56.41.53.26,
e-mail rousseaudesipian@aol.com
t.l.j. sf sam. dim. 9h30-12h 14h-17h
🔑 M. Racey

## CLEMENT SAINT-JEAN 2002 ★

■ 15 ha 31 000 5 à 8 €

Né sur des graves sableuses, ce vin d'un rouge rubis délicat porte la double marque de son terroir et du cépage majoritaire, le cabernet-sauvignon (60 %). Ses arômes de fruits très mûrs viennent de ce dernier, tandis que sa structure, ronde et ample, aux tanins bien équilibrés, doit beaucoup au sol de graves. Une jolie bouteille à attendre trois ou quatre ans. Autre cuvée de la cave, **Le Grand Art 2002** a été cité.

🔑 Cave Saint-Jean Uni-Médoc,
2, rte de Canissac, 33340 Bégadan, tél. 05.56.41.50.13,
fax 05.56.41.50.78, e-mail saintjean@uni-medoc.com
t.l.j. sf dim. 9h-12h30 14h-17h30; sam. 9h-12h30

## CH. SEGUE LONGUE MONNIER

Elevé en fût de chêne 2002

■ Cru bourg. 26,89 ha 160 000 8 à 11 €

Se signalant par la modernité de l'architecture de son chai cuvier, ce cru propose un vin flatteur et plaisant par son expression aromatique aux notes fruitées, épicées et toastées. Franc et légèrement tannique, il sera prêt dans un ou deux ans.

🔑 SCV du Ch. Segue Longue,
13, chem. de Lamale, 33590 Jau-Dignac-et-Loirac,
tél. 06.11.77.30.25, fax 05.56.09.57.28,
e-mail contact@segue-longue.com r.-v.
🔑 Monnier

## CH. LE TEMPLE 2002

■ Cru bourg. 15 ha 75 000 5 à 8 €

Souple et vif mais équilibré, ce vin fait une place de choix aux arômes de bois : vanille, toast et caramel. Un ensemble qui pourra être apprécié jeune, notamment sur un plat assez riche qu'il réveillera.

🔑 Denis Bergey, Ch. Le Temple, 33340 Valeyrac,
tél. 05.56.41.53.62, fax 05.56.41.57.35,
e-mail letemple@terre-net.fr
t.l.j. 8h30-12h30 13h30-19h

## CH. LA TILLE CAMELON

Elevé en fût de chêne 2002

■ 15,39 ha 12 000 5 à 8 €

Propriété familiale confiant sa vinification à la coopérative de Saint-Yzans, ce cru propose un 2002 simple mais bien constitué avec de fins tanins et de sympathiques arômes de fruits rouges qui laissent le souvenir d'un ensemble soyeux.

🔑 Cave Saint-Brice,
SCV de Saint-Yzans, 33340 Saint-Yzans-de-Médoc,
tél. 05.56.09.05.05, fax 05.56.09.01.92,
e-mail saintbrice@wanadoo.fr
t.l.j. sf dim. 8h-12h 14h-18h

## CH. TOUR CASTILLON 2002 ★

■ Cru bourg. 13 ha 36 000 8 à 11 €

Dernier vestige d'un château fort surveillant l'estuaire, cette tour est l'un de ces nombreux sites presque disparus qui participent à la magie de l'histoire de Bordeaux et de sa région. Ce vin, lui, n'a pas de secret. Son attrait tient à un bon soutien du bois, qui le marque encore sans masquer pour autant les fruits rouges, et à une solide structure, dense et charnue. Tout en étant destiné à la garde, c'est un vrai vin plaisir par son côté doux et soyeux.

🔑 Pierre Peyruse, 3, rte du Fort-Castillon,
33340 Saint-Christoly-Médoc,
tél. 05.56.41.54.98, fax 05.56.41.39.19
t.l.j. sf dim. 9h-12h 14h-18h; f. 15-31 août

### CH. LA TOUR DE BY 2002 ★

■ Cru bourg. 64 ha 450 000 11 à 15 €

Difficile d'être plus près de l'estuaire que ce cru dont la butte de graves est surmontée d'une ancienne tour à feu veillant sur la navigation. D'une belle couleur grenat, son 2002 séduit par son bouquet de fruits noirs et rouges, mâtinés de cuir, avant de révéler une mâche et d'aimables tanins qui demanderont deux à trois ans de garde.

SC des Vignobles Marc Pagès,
Ch. La Tour de By, 33340 Bégadan, tél. 05.56.41.50.03,
fax 05.56.41.36.10, e-mail info@la-tour-de-by.com
t.l.j. sf sam. dim. 8h-12h 13h30-16h30;
groupes sur r.-v.

### CH. TOUR HAUT-CAUSSAN 2002 ★

■ Cru bourg. 17 ha 97 818 11 à 15 €

82 83 85 86 |89| (90) 91 92 93 94 |95| |(96)| 97 98 99 00 01 02

Ici, pas de tour féodale mais un authentique moulin du XVIIIe s. en parfait état de marche grâce à une restauration de qualité entreprise en 1981 par des compagnons du Devoir. Philippe Courrian a marqué la viticulture médocaine. Depuis 2000, ce sont Véronique et Fabien Courrian qui sont responsables des travaux de la vigne et des chais. Encore austère, ce vin ne se livre que partiellement. Mais on devine l'élégance naissante de sa structure et de son bouquet. Il faudra attendre trois ou quatre ans avant de le servir sur une brochette de rognons. Le second vin, le **Château La Landotte 2002 (5 à 8 €)**, beaucoup plus fruité, a été cité.

Philippe Courrian,
Ch. Tour Haut-Caussan, 33340 Blaignan,
tél. 05.56.09.00.77, fax 05.56.09.06.24 r.-v.

### CH. TOUR SERAN 2002 ★

■ Cru bourg. 10 ha 77 000 15 à 23 €

Du même producteur que le Château Haut Condissas, ce vin bénéficie lui aussi d'un beau terroir et, avec ce millésime, d'un élevage en barrique neuve. Jouant résolument la carte de l'élégance, tant au bouquet (torréfaction, cassis et rose) qu'au palais, il se plaira sur une viande blanche.

Jean Guyon, 7, rte de Rollan-de-By, 33340 Bégadan,
tél. 05.56.41.58.59, fax 05.56.41.37.82,
e-mail rollan-de-by@wanadoo.fr
t.l.j. sf sam. dim. 8h-12h 13h30-17h30

### TRADITION DES COLOMBIERS
Elevé en fût de chêne 2002 ★

■ 15 ha 21 863 8 à 11 €

La cave de Prignac signe ce vin qui s'inscrit dans la tradition de qualité de cette coopérative. D'une jolie couleur entre rubis et grenat, ce 2002 s'exprime par les belles notes de cassis et de fruits mûrs de son bouquet. Souple, charnu et bien équilibré, le palais promet de fort agréables moments d'ici deux à trois ans. L'autre marque de la cave, **Les Vieux Colombiers 2002 (5 à 8 €)**, a été citée.

Cave Les Vieux Colombiers,
23, rue des Colombiers, 33340 Prignac-en-Médoc,
tél. 05.56.09.01.02, fax 05.56.09.03.67,
e-mail vieuxcolombiers@uni-medoc.com
t.l.j. sf dim. 9h-12h30 14h-17h30; sam. 9h-12h30

### CH. LES TRAVERSES La Franque 2002 ★

■ Cru bourg. 10 ha 60 000 5 à 8 €

Planté au début des années 1980, ce cru reste fidèle à sa tradition avec ce vin élevé douze mois en barrique. Il demande à être bu assez jeune. Son style fruité et son équilibre donnent un caractère aimable à sa jolie matière qui offrira le meilleur d'elle-même d'ici deux à trois ans.

SCEA Ch. Lacombe Noaillac, Le Broustéra,
33590 Jau-Dignac-et-Loirac, tél. 05.56.41.50.18,
fax 05.56.41.54.65, e-mail info@domaines-lapalu.com
Jean-Michel Lapalu

### CH. LES TUILERIES Cuvée Prestige 2002 ★★

■ Cru bourg. 2,5 ha 12 000 11 à 15 €

Rénovée en 1999, cette propriété s'est dotée d'équipements permettant de recevoir dignement les visiteurs et d'élaborer de beaux vins comme cette cuvée particulièrement réussie. D'emblée, celle-ci annonce ses prétentions par une robe d'un grenat foncé et par un bouquet naissant aussi élégant que complexe (beurre, toast, fruits rouges...). Le palais n'est pas en reste : sa structure révèle des tanins racés et concentrés, qui sauront faire un vrai mariage d'amour avec un bois de qualité. Une bouteille à oublier pendant environ cinq ans, avant de l'ouvrir sur des mets de caractère. Fort élégante aussi et de bonne garde, la **cuvée principale 2002 (8 à 11 €)** a obtenu une étoile.

Jean-Luc Dartiguenave, Ch. Les Tuileries,
6, rue de Lamena, 33340 Saint-Yzans-de-Médoc,
tél. 05.56.09.05.31, fax 05.56.09.02.43,
e-mail contact@chateaulestuileries.com
t.l.j. sf sam. dim. 9h-12h 14h-18h

### CH. VERNOUS Elevé en fût de chêne 2002 ★

■ Cru bourg. 22,3 ha 110 000 8 à 11 €

C'est sur cette propriété que fut tué, en 1874, le dernier loup médocain. Mais ce vin n'a rien de sauvage. Bien au contraire, sa rondeur, ses arômes de cassis, de vanille et de noisette, ses tanins soyeux et son équilibre lui donnent un côté chaleureux.

SCA Ch. Vernous,
Saint-Trélody, 33340 Lesparre-Médoc,
tél. 05.56.41.13.57, fax 05.56.41.21.12 r.-v.

### CH. VIEUX ROBIN Bois de Lunier 2002 ★

■ Cru bourg. 12 ha 73 000 11 à 15 €

|88| |89| |90| 91 |93| 94 |95| |96| 97 98 99 00 |01| 02

Réputé pour son accueil comme pour la qualité de sa production, ce cru est une fois encore au rendez-vous du Guide avec sa cuvée **Collection Bois de Lunier 2002 (30 à 38 €)**, une étoile. Encore sous l'influence de l'élevage, elle laisse apparaître sa future personnalité par de belles notes fruitées et par la rondeur de ses tanins. Quant à cette cuvée principale, elle porte une robe profonde, joue la complexité aromatique, avec des notes de cèdre, de vanille et de fruits rouges (griotte). Souple, charnue et bien équilibrée, jamais dominée par le fût, elle affiche une grande fraîcheur.

SCE Ch. Vieux Robin, 3, rte des Anguilleys,
33340 Bégadan, tél. 05.56.41.50.64, fax 05.56.41.37.85,
e-mail contact@chateau-vieux-robin.com
t.l.j. sf sam. dim. 9h-12h 14h-17h
Maryse et Didier Roba

# Haut-médoc

Le territoire spécifique de l'appellation haut-médoc serpente autour des appellations communales. Cette AOC est la seconde en importance avec 4 615 ha et une production en 2004 de 250 278 hl. Ses vins jouissent d'une grande réputation, due en partie à la présence de cinq crus classés dans leur région, les autres se trouvant dans les six appellations communales enclavées dans l'aire d'appellation.

En haut-médoc, le classement des vins a été réalisé en 1855, soit près d'un siècle avant celui des graves. Cela s'explique par l'avance prise par la viticulture médocaine à partir du XVIIIe s. ; car c'est là que s'est en grande partie produit « l'avènement de la qualité », avec la découverte des notions de terroir et de cru, c'est-à-dire la prise de conscience de l'existence d'une relation entre le milieu naturel et la qualité du vin. Les haut-médoc se caractérisent par leur générosité, mais sans excès de puissance. D'une réelle finesse au nez, ils présentent généralement une bonne aptitude au vieillissement. Ils devront alors être bus chambrés et iront très bien avec des viandes blanches et des volailles ou du gibier à plume. Mais bus plus jeunes et servis frais, ils pourront aussi accompagner d'autres plats, comme certains poissons.

## CH. D'AGASSAC 2002 ★★

■ Cru bourg. 26,8 ha 146 383 15 à 23 €

**|95| |96|** 97 **98** 99 **|00|** 01 **02**

Belle maison forte, ce château a longtemps participé au réseau défendant l'accès maritime de Bordeaux. Aujourd'hui aux portes de la ville, il participe à la résistance face à l'urbanisation galopante. Sa meilleure arme est sa production avec de beaux vins comme ce 2002 qui tient toutes les promesses de sa robe sombre. Le bois demande encore à se fondre, notamment au bouquet, et la structure ample, séveuse et goûteuse, appelle une bonne garde et un mariage avec des plats de caractère. Plus souple, le second vin, **Château Pomiès-Agassac cru bourgeois 2002 (8 à 11 €)**, est cité.

SCA Ch. d'Agassac,
15, rue du Château-d'Agassac, 33290 Ludon-Médoc,
tél. 05.57.88.15.47, fax 05.57.88.17.61,
e-mail contact@agassac.com r.-v.
Groupama Assurances

## CH. ANEY 2002 ★

■ Cru bourg. 23 ha 100 000 8 à 11 €

Né dans un chai qui servit de lieu de culte pendant la construction de l'église paroissiale, ce vin bénéficierait-il de la protection divine ? En tout cas, son bouquet aux notes grillées et délicatement fruitées, ses tanins fins et ronds comme sa finale aux accents de moka prouvent sa réussite. Il sera prêt dans trois ou quatre ans.

Pierre et Francine Raimond,
33460 Cussac-Fort-Médoc, tél. 05.56.58.24.89,
fax 05.56.58.28.15, e-mail ch.aney@wanadoo.fr
t.l.j. sf sam. dim. 8h-12h 14h-18h

## CH. D'ARCHE 2002 ★

■ Cru bourg. n.c. n.c. 15 à 23 €

94 |95| **|96| |97|** |98| **99 00 01** 02

Jouissant d'un bon terroir, ce cru a reçu l'an dernier un coup de cœur. Il propose avec ce 2002 un vrai vin de garde. Sa robe, d'une couleur sombre et profonde, annonce un bouquet expressif et complexe alliant un boisé élégant et de jolies notes de fruits rouges. Portée par des tanins bien enrobés, la structure se révèle équilibrée. Une bouteille harmonieuse à attendre trois ans.

SA Mähler-Besse, 49, rue Camille-Godard,
33000 Bordeaux, tél. 05.56.56.04.30, fax 05.56.56.04.59,
e-mail france@mahler-besse.com r.-v.

## CH. D'AURILHAC 2002 ★

■ Cru bourg. 8,8 ha 52 500 8 à 11 €

**|96| 97 98** 99 **00** 01 02

Belle unité située à Saint-Seurin-de-Cadourne, ce cru s'inscrit dans l'esprit de l'appellation par la structure de son 2002 qui concilie une certaine sévérité, due à la jeunesse, avec de la grâce. Son bouquet déjà bien ouvert exprime des notes complexes de fruits noirs et de merrain. L'ensemble gagnera à être attendu trois ou quatre ans. Le second vin, le **Château La Fagotte cru bourgeois 2002**, est cité.

SCEA Ch. d'Aurilhac et La Fagotte,
Sénilhac, 33180 Saint-Seurin-de-Cadourne,
tél. et fax 05.56.59.35.32 r.-v.
Erik Nieuwaal

## CH. BARATEAU Cuvée Prestige 2002 ★

■ Cru bourg. 1 ha 3 000 11 à 15 €

Pour cette cuvée, le merlot a été privilégié (60 %, contre 46 % dans la cuvée principale). Le bouquet en porte la marque avec une présence très nette des fruits rouges. Au palais apparaissent de bons tanins qui donnent de l'ampleur à la structure sans l'étouffer. Bien équilibrée et élégante, cette bouteille mérite un séjour en cave de deux ou trois ans. La cuvée principale du **Château Barateau 2002 (8 à 11 €)** reçoit une citation.

Sté Fermière du Ch. Barateau,
33112 Saint-Laurent-Médoc,
tél. 05.56.59.42.07, e-mail cb@hroy.com r.-v.

## CH. BEAUMONT 2002 ★

■ Cru bourg. n.c. 470 000 8 à 11 €

Avec un vignoble d'une centaine d'hectares, ce cru est l'un des plus vastes de tout le Médoc, et sa production n'a rien de confidentiel. Très agréable dans sa présentation, son 2002 aux reflets rouge profond développe un bouquet rappelant la vendange fraîche, le fruit rouge et le toast. Son retour aromatique se joint à la structure pour appeler une garde de deux ou trois ans. A servir avec une viande rouge de caractère.

SCE Ch. Beaumont, 33460 Cussac-Fort-Médoc,
tél. 05.56.58.92.29, fax 05.56.58.90.94,
e-mail beaumont@chateau-beaumont.com
r.-v.
Grands Millésimes de France

## LE CLASSEMENT DE 1855 REVU EN 1973

PREMIERS CRUS
Château Lafite-Rothschild (Pauillac)
Château Latour (Pauillac)
Château Margaux (Margaux)
Château Mouton-Rothschild (Pauillac)
Château Haut-Brion (Pessac-Léognan)

SECONDS CRUS
Château Brane-Cantenac (Margaux)
Château Cos-d'Estournel (Saint-Estèphe)
Château Ducru-Beaucaillou (Saint-Julien)
Château Durfort-Vivens (Margaux)
Château Gruaud-Larose (Saint-Julien)
Château Lascombes (Margaux)
Château Léoville-Barton (Saint-Julien)
Château Léoville-Las-Cases (Saint-Julien)
Château Léoville-Poyferré (Saint-Julien)
Château Montrose (Saint-Estèphe)
Château Pichon-Longueville-Baron (Pauillac)
Château Pichon-Longueville Comtesse-de-Lalande (Pauillac)
Château Rauzan-Ségla (Margaux)
Château Rauzan-Gassies (Margaux)

TROISIÈMES CRUS
Château Boyd-Cantenac (Margaux)
Château Cantenac-Brown (Margaux)
Château Calon-Ségur (Saint-Estèphe)
Château Desmirail (Margaux)
Château Ferrière (Margaux)
Château Giscours (Margaux)
Château d'Issan (Margaux)
Château Kirwan (Margaux)
Château Lagrange (Saint-Julien)
Château La Lagune (Haut-Médoc)
Château Langoa (Saint-Julien)
Château Malescot-Saint-Exupéry (Margaux)
Château Marquis d'Alesme-Becker (Margaux)
Château Palmer (Margaux)

QUATRIÈMES CRUS
Château Beychevelle (Saint-Julien)
Château Branaire-Ducru (Saint-Julien)
Château Duhart-Milon-Rothschild (Pauillac)
Château Lafont-Rochet (Saint-Estèphe)
Château Marquis de Terme (Margaux)
Château Pouget (Margaux)
Château Prieuré-Lichine (Margaux)
Château Saint-Pierre (Saint-Julien)
Château Talbot (Saint-Julien)
Château La Tour-Carnet (Haut-Médoc)

CINQUIÈMES CRUS
Château d'Armailhac (Pauillac)
Château Batailley (Pauillac)
Château Belgrave (Haut-Médoc)
Château Camensac (Haut-Médoc)
Château Cantemerle (Haut-Médoc)
Château Clerc-Milon (Pauillac)
Château Cos-Labory (Saint-Estèphe)
Château Croizet-Bages (Pauillac)
Château Dauzac (Margaux)
Château Grand-Puy-Ducasse (Pauillac)
Château Grand-Puy-Lacoste (Pauillac)
Château Haut-Bages-Libéral (Pauillac)
Château Haut-Batailley (Pauillac)
Château Lynch-Bages (Pauillac)
Château Lynch-Moussas (Pauillac)
Château Pédesclaux (Pauillac)
Château Pontet-Canet (Pauillac)
Château du Tertre (Margaux)

## LES CRUS CLASSÉS DU SAUTERNAIS EN 1855

PREMIER CRU SUPÉRIEUR
Château d'Yquem

PREMIERS CRUS
Château Climens
Château Coutet
Château Guiraud
Château Lafaurie-Peyraguey
Château La Tour-Blanche
Clos Haut-Peyraguey
Château Rabaud-Promis
Château Rayne-Vigneau
Château Rieussec
Château Sigalas-Rabaud
Château Suduiraut

SECONDS CRUS
Château d'Arche
Château Broustet
Château Caillou
Château Doisy-Daëne
Château Doisy-Dubroca
Château Doisy-Védrines
Château Filhot
Château Lamothe (Despujols)
Château Lamothe (Guignard)
Château de Malle
Château Myrat
Château Nairac
Château Romer
Château Romer du Hayot
Château Suau

### CH. BEL AIR 2002

■ Cru bourg. 37 ha 165 000 5 à 8 €

Si le siège des domaines Henri Martin se trouve à Saint-Julien, c'est d'un vignoble de Cussac que provient ce vin. Encore boisé, celui-ci se signale toutefois par un bon équilibre, tant par son bouquet mêlant tabac, fruits noirs et cerise à l'eau-de-vie, le tout dominé par les notes du merrain, qu'au palais. Il sera plaisant dans deux ou trois ans.

Domaines Martin, Ch. Gloria,
33250 Saint-Julien-Beychevelle,
tél. 05.56.59.08.18, fax 05.56.59.16.18,
e-mail domainemartin@wanadoo.fr r.-v.
Françoise Triaud

### CH. BELGRAVE 2002 **

■ 5e cru clas. 57,5 ha 197 000 23 à 30 €

82 **83 85 86 89** (90) **94** 95 **96 97** |98| **99 00** 01 **02**

L'équipe de la maison Dourthe a su respecter la diversité de l'encépagement tout en maintenant une bonne présence du cabernet-sauvignon (48 %) qui a bénéficié, dans ce millésime, d'une belle maturité ; le merlot (40 %), le cabernet franc (7 %) et le petit verdot (5 %) lui sont associés. Le résultat est un vin élégant, dont le caractère s'annonce par une robe grenat foncé. C'est donc sans surprise qu'on découvre un potentiel de garde. Il faudra attendre 2008 ou 2009 pour profiter de la complexité et de la finesse des arômes de ce 2002 : cuir, réglisse, cerise noire et vanille. Le bois ici est l'allié du vin.

Vignobles Dourthe, Ch. Belgrave,
35, rue de Bordeaux, 33290 Parempuyre,
tél. 05.56.35.53.00, fax 05.56.35.53.29,
e-mail contact@cvbg.com r.-v.

### CH. BELLEGRAVE DU POUJEAU 2002 *

■ Cru bourg. 4 ha 21 000 8 à 11 €

Presque aux portes de Bordeaux, ce cru associe 68 % de cabernet-sauvignon à 28 % de merlot et à 4 % de cabernet franc. Il sait se rendre séduisant par la complexité de son bouquet (bois et fruits rouges cuits), avant de laisser découvrir une bonne présence tannique qui lui permettra d'être attendu deux ou trois ans.

Vignoble Cantelaube,
chem. des Vignes, 33290 Le Pian-Médoc,
tél. 06.07.14.09.47, fax 05.56.39.22.98 r.-v.

### CH. BEL ORME TRONQUOY DE LALANDE 2002

■ Cru bourg. 28 ha 140 000 11 à 15 €

Peut-être parce qu'il provient d'un cru commandé par une jolie chartreuse du XVIIIe s., ce vin a choisi le registre de l'élégance pour s'exprimer. Rond, bien équilibré et délicatement bouqueté, il fera une belle bouteille du dimanche sans avoir à attendre trop longtemps.

Jean-Michel Quié, Ch. Bel Orme Tronquoy,
33180 Saint-Seurin-de-Cadourne,
tél. 05.56.59.38.29, fax 05.56.59.72.83 r.-v.

### CH. BERNADOTTE 2002 **

■ 35 ha n.c. 11 à 15 €

Cabernets (sauvignon 50 % et franc 6 %), merlot (42 %), petit verdot (2 %), l'encépagement s'inscrit dans la tradition bordelaise. Chacun apporte sa touche au vin : les tanins des cabernets sont arrondis par le merlot. Le résultat est un ensemble élégant, avec du relief et beaucoup de générosité.

SC Ch. Le Fournas,
Le Fournas-Nord, 33250 Saint-Sauveur,
tél. 05.56.59.57.04, fax 05.56.59.54.84,
e-mail bernadotte@chateau-bernadotte.com r.-v.
May-Eliane de Lencquesaing

### LES BRULIERES DE BEYCHEVELLE 2002 *

■ 13 ha 65 000 11 à 15 €

Comme le rappelle le dessin de l'étiquette, ce vin est né sur le domaine du « Versailles médocain ». Encore un peu discret mais agréable par son bouquet (fruits rouges et pain grillé), ce 2002 confirme ensuite son côté harmonieux au palais. Sa bonne matière trouvera sa pleine expression dans un à deux ans.

SC Ch. Beychevelle, 33250 Saint-Julien-Beychevelle,
tél. 05.56.73.20.70, fax 05.56.73.20.71,
e-mail beychevelle@beychevelle.com
t.l.j. 10h-12h 14h-17h

### CH. BEYZAC 2002 *

■ 10 ha 10 000 11 à 15 €

Une *villa* romaine à l'origine, un château et des communs des XVIIe et XVIIIe s., un vignoble déjà présent sur la carte de Masse de 1688, ce cru a un vrai passé. Il s'en montre digne par la qualité de sa production, avec un vin un peu timide dans sa présentation mais qui se révèle ensuite avec des arômes bien typés de poivron, de fruits rouges et de boisé fort marqué. Le palais très médocain annonce une fort belle bouteille à ouvrir à partir de 2008 ou 2010.

EARL Les Granges de Civrac,
23, rte des Granges, 33340 Civrac-en-Médoc,
tél. 05.56.41.58.73, fax 05.56.41.55.87,
e-mail jeanpaulroland@hotmail.com r.-v.
Roland

### CH. BRAUDE FELLONNEAU 2002 *

■ Cru bourg. 1,4 ha 7 500 15 à 23 €

Ce cru est situé dans une partie de l'appellation où la poussée urbaine se fait de plus en plus vive. Espérons que l'on pourra déguster pendant longtemps encore des vins comme celui-ci qui associe une jolie complexité aromatique (pêche, myrtille et toast) à des tanins fermes et bien enrobés. On pourra l'apprécier d'ici deux à trois ans sur des viandes blanches.

Régis Bernaleau, SCEA Mongravey,
8, av. Jean-Luc-Vonderheyden, 33460 Arsac,
tél. 05.56.58.84.51, fax 05.56.58.83.39,
e-mail chateau.mongravey@wanadoo.fr r.-v.

### CH. CAMBON LA PELOUSE 2002

■ Cru bourg. 35 ha 220 000 11 à 15 €

Sans rivaliser avec certains millésimes antérieurs, ce 2002 saura plaire aux amateurs de vins généreusement boisés. Très marqué dès l'attaque assez douce, le merrain accompagne toute la dégustation. Si l'on préfère des tanins plus ronds, il vaudra mieux choisir le **Château Trois Moulins 2002 cru bourgeois (8 à 11 €)** du même producteur. Il a également obtenu une citation.

Annick et Jean-Pierre Marie,
SCEA Cambon La Pelouse, 5, chem. de Canteloup,
33460 Macau, tél. 05.57.88.40.32, fax 05.57.88.19.12,
e-mail contact@cambon-la-pelouse.com r.-v.

### CH. CAMENSAC 2002 ★★

■ 5e cru clas. 70 ha 230 000 23 à 30 €

⑨⑤ |⑨⑥| **97** |**98**| |**99**| **00 01 02**

S'il se trouve un peu à l'écart des grands axes de circulation, ce cru classé est situé dans un secteur riche en propriétés de renom, sur un terroir de graves profondes. Le cabernet-sauvignon (60 %) et le merlot élevés dix-huit mois en barrique ont donné un vin d'une couleur intense, doté d'un bouquet ample et généreux, fort intéressant par sa structure aux tanins fins et élégants. Une bouteille possédant assez de caractère pour être attendue trois ou quatre ans et être ouverte sur du gibier ou du fromage.

Ch. Camensac, rte de Saint-Julien,
BP 9, 33112 Saint-Laurent-Médoc,
tél. 05.56.59.41.69, fax 05.56.59.41.73,
e-mail chateaucamensac@wanadoo.fr r.-v.

### CH. CAMINO SALVA Elevé en fût de chêne 2002 ★

■ 4,5 ha 36 000 5 à 8 €

Si la consonance hispanique du nom du cru peut surprendre, elle s'explique par le fait qu'il a appartenu au poète espagnol Emmanuel Perez de Camino, réfugié en Médoc au XVIIIe s. Bien situé sur un terroir argilo-graveleux, il propose un vin encore un peu sévère en finale mais qui indique clairement son aptitude à l'évolution. D'un beau grenat, ce 2002 développe un bouquet expressif (moka, torréfaction, cacao, fruits confiturés, venaison et épices) et une matière de qualité qui invitent à ouvrir cette bouteille entre 2007 et 2010. Egalement bien armé pour la garde, le **Château du Retout 2002 cru bourgeois (8 à 11 €)**, du même producteur, reçoit lui aussi une étoile.

Gérard Kopp, 4, rue du Bois-des-Andres,
33460 Cussac-Fort-Médoc, tél. et fax 05.56.58.91.08,
e-mail contact@chateau-du-retout.com r.-v.

### CH. CARONNE SAINTE-GEMME 2002 ★

■ Cru bourg. 40 ha 170 000 11 à 15 €

Issu d'un cru jouxtant Saint-Julien, ce vin est à la fois flatteur et bien constitué. Son bouquet joue sur des notes de bigarreau, de cassis et de caramel pour composer un ensemble harmonieux. Encore un peu rebelle par ses tanins, le palais a la puissance et la longueur nécessaires pour appeler une solide garde. On attendra également le **Château Labat 2002**, autre cru des vignobles Nony-Borie, qui obtient lui aussi une étoile.

Vignobles Nony-Borie,
Caronne Sainte-Gemme, 33112 Saint-Laurent-Médoc,
tél. 05.57.87.56.81, fax 05.56.51.71.51,
e-mail fnony@chateau-caronne-ste-gemme.com
r.-v.

### CH. DU CARTILLON 2002 ★

■ Cru bourg. 35 ha 200 000 8 à 11 €

S'il peut tirer quelque fierté d'avoir eu comme propriétaire un maire de Bordeaux, Alexandre de Bethmann, ce cru n'a pas à rougir de produire des vins comme ce 2002. Fruits noirs, vanille, tabac brun et eucalyptus, sa complexité aromatique s'associe à des tanins jeunes et ronds. Mieux vaut attendre trois ou quatre ans avant de profiter de cette jolie bouteille.

EARL Vignobles Robert Giraud,
Ch. du Cartillon, 33460 Lamarque, tél. 05.57.43.01.44,
fax 05.57.43.08.75, e-mail direction@robertgiraud.com

### CH. CHARMAIL 2002 ★

■ Cru bourg. 22,5 ha 105 000 15 à 23 €

95 |⑨⑥| **97** |**98**| **99** 00 01 02

Sans chercher à rivaliser avec certains millésimes antérieurs, ce vin sait se montrer intéressant. Sa robe sombre promet un bon potentiel et la puissance de la structure se charge de confirmer ses promesses. L'augure semble d'autant plus crédible que de leur côté les arômes sont encourageants par leur complexité (fruits, poivron, épices et caramel).

Olivier Sèze, Ch. Charmail,
33180 Saint-Seurin-de-Cadourne,
tél. 05.56.59.70.63, fax 05.56.59.39.20 r.-v.

### L'HERITAGE DE CHASSE-SPLEEN 2002 ★

■ 27 ha 190 000 11 à 15 €

Son nom dit clairement que ce vin est de noble origine. Même si on ne le savait pas, on le devinerait à la finesse de son bouquet où percent de beaux arômes de fleurs et de cire. En dépit d'un bon équilibre général, ce 2002 laisse ses tanins s'ébrouer, voire se montrer un peu rebelles en finale, mais en montrant qu'ils sauront rentrer dans le rang dès que jeunesse se sera passée.

SA Ch. Chasse-Spleen,
2558, Grand-Poujeaux Sud, 33480 Moulis-en-Médoc,
tél. 05.56.58.02.37, fax 05.57.88.84.40,
e-mail info@chasse-spleen.com r.-v.
Céline Villars-Fouget

### CH. CISSAC 2002

■ Cru bourg. 50 ha n.c. 11 à 15 €

Au cœur du village, tout à côté de l'église, ce cru mérite la visite. Avec ce millésime il a joué la carte de l'élégance en offrant un vin au corps élancé, d'une bonne concentration, et au bouquet friand. La finesse de la finale contribue à l'homogénéité de l'ensemble.

SCF Ch. Cissac, 33250 Cissac-Médoc,
tél. 05.56.59.58.13, fax 05.56.59.55.67,
e-mail marie.vialard@chateau-cissac.com
t.l.j. sf sam. dim. 9h-12h 13h30-17h
Vialard

### CH. CITRAN 2002 ★★

■ Cru bourg. 57 ha 323 442 15 à 23 €

Faut-il boire les vins jeunes ou après une belle garde ? Pour leur 2002, les vinificateurs de Citran ne se sont pas posé la question. Leur bouteille est déjà très agréable et pourtant, elle gagnera sans doute à être attendue deux ou trois ans et procurera un réel plaisir dans six ou huit ans. Sa robe très jeune et ses arômes de fruits mûrs, encore un peu dominés par le grillé mais bien là, annoncent une réelle

concentration que confirme sa solide structure. Associé à un fromage d'Ossau-Iraty avec un doigt de confiture de cerises noires, ce haut-médoc promet un grand moment. Grand seigneur, le premier vin n'a pas tout pris. La seconde étiquette, le **Moulin de Citran 2002 (5 à 8 €)**, offre un ensemble plaisant à boire jeune et reçoit une citation.
Ch. Citran, chem. de Citran, 33480 Avensan,
tél. 05.56.58.21.01, fax 05.57.88.84.60,
e-mail info@citran.com r.-v.

## CH. CLEMENT-PICHON 2002 *

Cru bourg. 25 ha n.c. 11 à 15 €
85 86 88 89 90 94 95 97 98 99 00 01 02

S'il ne reste rien de l'ancien château de La Motte-Caupène, détruit par un incendie, la demeure actuelle, de 1881, constitue une vraie curiosité architecturale par son inspiration Renaissance. Plus classique, son vin affiche une jolie teinte grenat et un bouquet expressif. Ample, soutenu par des tanins fins et longs, le palais se montre charmeur par ses arômes de fruits croquants qui se marieront bien avec des viandes blanches d'ici deux à trois ans.
Vignobles Clément Fayat,
30, av. du Château-Pichon, 33290 Parempuyre,
tél. 05.56.35.23.79, fax 05.56.35.85.23,
e-mail f.boisset@vignobles.fayat.com r.-v.

## CH. COLOMBE PEYLANDE
L'Aïeul Léontin 2002 *

1,2 ha 5 000 11 à 15 €

Mettez l'Aïeul à la cave. Non, ce n'est pas le titre d'un polar mais la destinée, au moins pendant deux ou trois ans, de cette bouteille. Annonçant sa jeunesse par de sympathiques reflets violets, elle marie l'apport de l'élevage à des parfums de sous-bois et de fruits noirs. Gras et charnu, le palais montre par ses tanins ronds et bien fondus qu'il a la personnalité suffisante pour être confronté à du gibier ou de la viande rouge vers 2007 ou 2008.
EARL Dedieu-Benoit,
6, chem. des Vignes, 33460 Cussac-Fort-Médoc,
tél. 05.56.58.93.08, fax 05.57.88.50.81 r.-v.

## CH. DE COUDOT Vieilli en fût de chêne 2002

Cru artisan 5 ha 31 000 8 à 11 €

Si les vignes ne sont pas très âgées, l'encépagement est diversifié (cabernets, merlot et petit verdot). Le résultat est un vin de plaisir, que l'on pourra servir sans attendre pour profiter pleinement de sa souplesse et de la bonne complexité de son bouquet.
SC du Ch. de Coudot,
9, imp. de Coudot, 33460 Cussac-Fort-Médoc,
tél. 05.56.58.90.71, fax 05.57.88.50.47 r.-v.
Blanchard

## CH. COUFRAN 2002

Cru bourg. 76 ha 360 000 11 à 15 €
95 96 98 99 00 01 02

Une forte proportion de merlot (85 %) caractérise ce cru. Ce millésime n'a pas le charme de son cousin de Soudars. Il n'en demeure pas moins fort intéressant, tant par son bouquet aux notes de fruits rouges et de bourgeon de cassis que par sa structure qui autorise une attente de deux ou trois ans.
SCA Ch. Coufran, 33180 Saint-Seurin-de-Cadourne,
tél. 05.56.59.31.02, fax 05.56.81.32.35,
e-mail contact@chateau-coufran.com
Groupe Jean Miailhe

## CH. DILLON 2002

Cru bourg. 30 ha 200 000 8 à 11 €
(86) 88 89 90 95 96 97 98 99 00 01 02

Au début du XIXe s., ce cru appartint à l'une des figures les plus marquantes de la vie bordelaise : François Seignouret, qui fit fortune en Louisiane, où il créa un style de meubles aujourd'hui très cotés. Bien que d'un volume délicat, ce vin se fait séducteur par sa fraîcheur, son équilibre et son élégance.
Lycée agricole de Blanquefort,
Ch. Dillon, rue Arlot-de-Saint-Saud, 33290 Blanquefort,
tél. 05.56.95.39.94, fax 05.56.95.36.75,
e-mail chateau-dillon@chateau-dillon.com r.-v.

## CH. DOYAC 2002 *

12 ha 80 000 5 à 8 €

A moins de 2 km du site archéologique de Brion, qui est peut-être l'ancien avant-port disparu de Bordeaux, ce cru s'adapte au mystère des lieux par le côté sombre de la robe de son 2002. Cette teinte annonce la jeunesse de la structure. Confirmée par la longueur de la finale, la force des tanins permettra au bouquet de s'épanouir avec de très fins arômes de bois et de fruits rouges.
EARL Max de Pourtalès,
Ch. Doyac, 33180 Saint-Seurin-de-Cadourne,
tél. 05.56.59.34.49, fax 05.56.59.74.82,
e-mail chateau.doyac@wanadoo.fr r.-v.

## CH. DUTHIL 2002 **

Cru bourg. 7 ha 51 000 8 à 11 €

Né sur un ancien cru contigu de Giscours et appartenant au même propriétaire, ce vin montre qu'il est de noble origine. L'élégance de sa robe se retrouve dans le bouquet aux notes de fruits, de vanille et d'épices. Complexe et racé, celui-ci prépare à la découverte d'un palais à la fois soyeux et tannique. Encore un rien sauvage, ce 2002 devra être laissé au calme de la cave, d'où il ressortira assagi, dans deux ou trois ans, pour un mariage réussi avec une bécasse, une entrecôte ou un gigot à la ficelle. Moins complexe mais également de garde, le **haut-médoc de Giscours 2002** obtient une citation.
SAE Ch. Giscours, Labarde, 33460 Margaux,
tél. 05.57.97.09.09, fax 05.57.97.09.00 r.-v.
Eric Albada Jelgersma

## CH. LA FLEUR HAUT CARRAS
Elevé en fût de chêne 2002 *

1 ha 5 400 8 à 11 €

Né sur une propriété de 7,5 ha, ce vin est un peu confidentiel par son volume de production mais intéressant par sa structure. Ample, bien équilibrée et soutenue par des tanins mûrs, celle-ci s'accorde avec les saveurs de réglisse et la complexité du bouquet pour indiquer un potentiel de garde de deux à quatre ans.
Albert Tiffon, 10, rte du Junca,
33250 Saint-Sauveur, tél. 05.56.59.58.66,
fax 05.56.59.56.95, e-mail albert.tiffon@wanadoo.fr
t.l.j. sf dim. 10h-12h30 13h30-19h

### CH. FONPIQUEYRE Vieilles Vignes 2002 ★

■ Cru bourg. 2,5 ha 20 000 11 à 15 €

Rattaché depuis le XVIIIes. au domaine de Liversan, ce cru exprime sa personnalité par celle de son vin. Brillant dans le verre, celui-ci déploie un bouquet d'une bonne intensité aux notes animales (cuir) et grillées avant de révéler une excellente attaque et une structure équilibrée. La forte extraction appelle une attente de deux ou trois ans.

SCEA Ch. Liversan,
1, rte de Fonpiqueyre, 33250 Saint-Sauveur,
tél. 05.56.41.50.18, fax 05.56.41.54.65,
e-mail info@domaines-lapalu.com r.-v.
Jean-Michel Lapalu

### FORT DU ROY

Le Grand Art Elevé et vieilli en fût de chêne 2002

■ 5 ha 14 000 5 à 8 €

Marque de la coopérative des viticulteurs du Fort-Médoc, à Cussac, ce vin est encore un peu fermé, notamment dans son bouquet, mais il laisse filtrer des notes de fruits cuits. Le palais, qui s'ouvre par une attaque charnue, montre qu'il possède du corps et de la mâche.

SCA Les Viticulteurs du Fort-Médoc,
105, av. du Haut-Médoc, 33460 Cussac-Fort-Médoc,
tél. 05.56.58.92.85, fax 05.56.58.92.86,
e-mail cave-fort-medoc@wanadoo.fr
t.l.j. sf dim. 9h-12h30 14h-18h

### CH. DE GIRONVILLE 2002 ★

■ Cru bourg. 10,4 ha 56 000 8 à 11 €

*Villa* gallo-romaine, puis fort et enfin château du XVIIIes., ici l'histoire est riche. Et le vin ne l'est pas moins, à commencer par son bouquet dont la complexité repose sur un bon équilibre entre le fruit et le bois. Homogène et solide, la structure est tout aussi harmonieuse, ce qui permettra de profiter de cette aimable bouteille sans avoir à attendre longtemps.

SC de la Gironville,
69, rte de Louens, 33460 Macau, tél. 05.57.88.19.79,
fax 05.57.88.41.79, e-mail sc.gironville@wanadoo.fr
t.l.j. sf sam. dim. 9h-17h
Mulliez

### CH. GUGES 2002

■ 3 ha 18 000 11 à 15 €

Petit verdot (15 %), carmenère (5 %), les deux cabernets (50 %) et le merlot, ici, aucun cépage n'est oublié, en dépit des 4 ha de la propriété. Le résultat ? Un vin charmeur et aux tanins suffisamment francs pour laisser au bois, encore très présent, le temps de se fondre. Très coloré, ce 2002 affiche des arômes de bois brûlé et de compote de fruits rouges.

Georges-Claude et Colette Gugès et Fils,
29, rue de la Croix-des-Gunes, 33250 Cissac-Médoc,
tél. 05.56.59.58.04, fax 05.56.59.56.19,
e-mail contact@chateau-guges.com r.-v.

### EQUUS DU HA Cuvée Maurice Duhil 2002 ★

■ 0,5 ha 700 11 à 15 €

Appartenant à la cuvée prestige, ce vin a fait l'objet de soins attentifs et efficaces en l'honneur de Maurice Duhil, qui constitua ce vignoble. Elevé vingt-deux mois en fût et d'un beau rouge grenat, il développe un bouquet expressif (fruits frais et boisé délicat) mais il est encore porté par une structure tannique ferme. Déjà plaisant par son côté charnu, il pourra être attendu deux ou trois ans.

Cédric Moreau,
13, château du Hâ, 33250 Saint-Sauveur,
tél. 05.56.59.50.52, fax 05.56.73.92.21,
e-mail cedric.moreau7@wanadoo.fr r.-v.

### CH. HANTEILLAN 2002 ★

■ Cru bourg. 45,31 ha 303 000 8 à 11 €

Belle unité de plus de 78 ha, Hanteillan propose un 2002 au caractère tannique bien trempé. Celui-ci s'annonce dès la présentation par une robe très sombre. Le bouquet se montre à la hauteur avec des parfums de myrtille, de mûre et de fruits noirs multiples. Dans quelques années, cette bouteille pourra se confronter à des plats très gras ou à des fromages à pâte molle.

SAS Ch. Hanteillan, 12, rte d'Hanteillan,
33250 Cissac-Médoc, tél. 05.56.59.35.31,
e-mail chateau.hanteillan@wanadoo.fr
t.l.j. sf ven. sam. dim. 9h-12h 14h-17h
Catherine Blasco

### CH. HAUT BEYZAC 2002 ★

■ 4 ha 26 000 11 à 15 €

Après une entrée réussie dans le Guide l'an dernier, ce cru confirme cette année ses ambitions avec ce 2002 bien ancré dans son millésime par ses arômes de myrtille. Très plaisant par son équilibre des tanins et des saveurs, il n'en devra pas moins attendre deux ou trois ans. Un peu moins élégante mais bien constituée, la **cuvée O'Peyrat 2002 (8 à 11 €)** obtient une citation.

EARL Raguenot-Lallez-Miller,
le Parc, 33180 Vertheuil,
tél. 05.57.32.65.15, fax 05.57.32.99.38 r.-v.
Eric Lallez

### CH. HAUT-BREGA 2002

■ Cru artisan n.c. 40 000 8 à 11 €

Un cru discret pour un vin qui conserve une certaine retenue au bouquet. Sa souplesse ne lui interdit pas de révéler une bonne présence tannique et une certaine intensité dans son expression aromatique aux fraîches notes fruitées.

Joseph Ambach, 16, rue des Frères-Razeau,
33180 Saint-Seurin-de-Cadourne, tél. 05.56.59.62.50,
fax 05.56.59.70.77, e-mail cht.haut.brega@wanadoo.fr
t.l.j. 10h-20h; hiver sur r.-v.

### CH. JULIEN 2002 ★

■ Cru bourg. 15 ha 40 000 8 à 11 €

Régulier en qualité, ce cru reste fidèle à sa tradition avec ce vin. Le merlot (55 % de l'encépagement) marque sa présence d'une note de cuir qui se marie aux arômes de fumée et de fruits noirs (prune sauvage) que nuance un zeste végétal, sans doute dû au cabernet. Ample avec de bons tanins, le palais demande une attente de trois ou quatre ans pour donner un authentique vin plaisir.

Vignobles Alain Meyre, Ch. Cap Léon Veyrin,
33480 Listrac-Médoc, tél. 05.56.58.07.28,
fax 05.56.58.07.50, e-mail capleonveyrin@aol.com
t.l.j. sf dim. 9h-12h 14h-18h

### CH. LABARDE 2002

■ 4,82 ha 30 000 8 à 11 €

Toujours dans l'adolescence, ce vin n'a pas encore atteint sa maturité. Mais sa robe grenat, son bouquet délicat et son corps lisse et long disent clairement qu'il ne faudra pas attendre très longtemps pour qu'il perde son côté ingrat.

SE du Ch. Dauzac, 1, av. Georges-Johnston, 33460 Labarde, tél. 05.57.88.32.10, fax 05.57.88.96.00, e-mail andrelurton@andrelurton.com
t.l.j. sf sam. dim. 9h-12h 14h-17h
MAIF

## CH. LACHESNAYE 2002 ★

Cru bourg. 20 ha 120 000 11 à 15 €

Le style néo-Tudor de ce château rappelle qu'au XIXe s. l'Angleterre était à la mode en Gironde. D'une belle couleur rubis, ce vin trouve lui aussi un équilibre tout britannique dans son bouquet où les parfums fruités sont accompagnés de délicates notes de vanille et d'épices. Au palais, il monte en puissance jusqu'à une solide finale tannique qui demande deux ans pour se fondre.

SCEA Delbos-Bouteiller, 113, Lanessan, 33460 Cussac-Fort-Médoc, tél. 05.56.58.94.80, fax 05.57.88.89.92, e-mail infos@bouteiller.com
t.l.j. 9h15-12h 14h-18h; groupes sur r.-v.

## CH. LACOUR JACQUET 2002

16,24 ha 19 800 8 à 11 €

Rappelant par son nom que jadis les pèlerins de Saint-Jacques remontaient l'estuaire, ce vin n'est pas sans évoquer la cuisine médiévale par son attirance pour le gibier et les mets forts en goût. Ses tanins serrés et son bouquet giboyeux sauront leur résister, dans trois ou quatre ans.

Eric et Régis Lartigue, Ch. Lacour Jacquet, 70, av. du Haut-Médoc, 33460 Cussac-Fort-Médoc, tél. 05.56.58.91.55, fax 05.56.58.94.82 r.-v.

## CH. LA LAGUNE 2002 ★

3e cru clas. 60 ha n.c. 15 à 23 €

81 82 83 85 86 88 (89) 90 91 93 94 |95| |96| |97| 98 99 (00) 01 02

Cette superbe chartreuse du XVIIIe s. avec son vaste domaine de 75 ha appartient depuis 1961 au Champagne Ayala ; en 2000, le groupe immobilier Frey est entré dans le capital. S'il n'entend pas rivaliser avec certains millésimes antérieurs, ce vin sait tirer profit de son caractère fin et suave. Son bouquet aux délicates notes de fruits noirs et sa structure aux doux tanins s'associent à un apport bien dosé du bois pour inviter à une attente de deux à quatre ans.

Ch. La Lagune, 81, av. de l'Europe, 33290 Ludon-Médoc, tél. 05.57.88.82.77, fax 05.57.88.82.70, e-mail p.moulin@chateau-lalagune.com
t.l.j. sf sam. dim. 9h-12h 14h-17h; f. août

## CH. LAMOTHE BERGERON 2002

Cru bourg. 67,75 ha 168 100 11 à 15 €

95 96 97 99 |00| |01| |02|

Repris récemment par le Crédit Agricole, ce cru situé sur la motte de Cussac propose avec ce millésime un vin aux tanins un peu simples, mais élégant et chaleureux par son expression aromatique, faite de sympathiques notes de chocolat noir, de grillé et de fruits cuits.

SC du Ch. Grand-Puy Ducasse, La Croix Bacalan, 109, rue Achard, BP 154, 33042 Bordeaux Cedex, tél. 05.56.11.29.00, fax 05.56.11.29.01

## CH. LANESSAN 2002 ★★

Cru bourg. 50 ha 280 000 15 à 23 €

86 88 90 91 92 93 94 95 96 97 98 99 00 01 02

Fief de la famille Bouteiller, ce cru a été l'un des promoteurs du tourisme vitivinicole à une époque (les années 1950) où le terme d'œnotourisme n'existait pas. C'est aussi un domaine de référence, tant par la qualité de son terroir que par celle de sa production, dont témoigne ce vin. Sa teinte très soutenue met en confiance, de même que son bouquet où la cerise noire, la vanille et les épices trouvent suffisamment de complices pour former un ensemble complexe. Enfin, en vrai gentleman, il attend d'être parvenu au palais pour se révéler complètement : ample, puissant et parfaitement équilibré, il possède la structure et l'élégance des grands vins de garde. Il méritera d'être couché en cave pendant trois ou quatre ans, voire plus, avant de l'être sur la mémoire gourmande du livre de cave. On l'attendra avec le second vin, **Les Calèches de Lanessan 2002 (8 à 11 €)**, qui ne connaît pas le fût ; il est cité.

SCEA Delbos-Bouteiller, 113, Lanessan, 33460 Cussac-Fort-Médoc, tél. 05.56.58.94.80, fax 05.57.88.89.92, e-mail infos@bouteiller.com
t.l.j. 9h15-12h 14h-18h; groupes sur r.-v.

## CH. LAROSE PERGANSON 2002 ★★

Cru bourg. 33 ha 120 000 11 à 15 €

96 97 |98| |99| 00 01 02

Même s'il appartient au même propriétaire que Larose-Trintaudon, ce cru forme une entité à part entière. Son vin en témoigne, tant par la modernité de son style que par sa qualité. Sa solide structure tannique et son potentiel de garde sont annoncés par la teinte rubis à reflets violacés de sa robe. Truffe et bois, charpente remarquable et bouche charnue, cette bouteille a tout pour plaire.

SA Ch. Larose-Trintaudon, rte de Pauillac, 33112 Saint-Laurent-Médoc, tél. 05.56.59.41.72, fax 05.56.59.93.22, e-mail info@trintaudon.com r.-v.
AGF

## CH. LAROSE-TRINTAUDON 2002 ★

Cru bourg. 139 ha 950 000 8 à 11 €

81 82 83 85 86 87 88 89 |90| 91 92 93 94 |95| 96 |97| 98 99 |00| |01| 02

S'il constitue un cas unique en Médoc, le campanile de ce château n'est pas sans rappeler un petit secret de l'architecture bordelaise : les pavillons surmontant les toits de nombreuses maisons du Port de la Lune. Plaisant et harmonieux, ce 2002 se montre déjà chaleureux par son bouquet aux arômes de sous-bois et de fruits rouges. Il révèle un corps suffisamment solide pour gagner à être attendu pendant encore deux bonnes années.

SA Ch. Larose-Trintaudon, rte de Pauillac, 33112 Saint-Laurent-Médoc, tél. 05.56.59.41.72, fax 05.56.59.93.22, e-mail info@trintaudon.com r.-v.
AGF

## CH. LARRIVAUX

Légende de la Vicomtesse de Carheil 2002 ★

Cru bourg. 5 ha 32 000 8 à 11 €

Depuis 1580, cette propriété appartient à la même famille. Le fait est suffisamment rare pour être souligné. Agréable à l'œil, ce vin devient véritablement charmeur

par son bouquet fruité, où la fraise et la framboise se disputent la primauté. Riche et puissant, son palais appelle un séjour à la cave. Ce 2002 affrontera des plats au goût prononcé : civet, gibier, fromage fort, dans un à deux ans.
Domaines Carlsberg,
Ch. Larrivaux, 33250 Cissac-Médoc,
tél. 05.56.41.50.18, fax 05.56.41.54.65,
e-mail info@domaines-lapalu.com r.-v.

## CH. LESTAGE SIMON 2002 ★

■ Cru bourg. 36 ha 155 600 11 à 15 €

Si l'objectif de l'encépagement, avec 60 % de merlot, est de privilégier les vins faciles à boire rapidement, c'est l'inverse qui se produit pour ce millésime. Encore un peu jeune, sa solide structure tannique appelle au moins deux ans de garde. Mais le cépage rappelle sa présence par de belles notes fruitées au bouquet et de cuir au palais. L'élevage (douze mois de barrique) entrant aussi en jeu, on obtient un ensemble d'une certaine complexité aromatique.
SCEA Ch. Lestage Simon,
33180 Saint-Seurin-de-Cadourne,
tél. 05.56.59.31.83, fax 05.56.59.70.56,
e-mail chlestagesimon@wanadoo.fr r.-v.

## CH. LIEUJEAN Cuvée Prestige 2002 ★

■ Cru bourg. 3 ha 20 000 11 à 15 €

Belle unité, ce cru possède quelques jolies parcelles de vieilles vignes. On leur doit ce vin qui n'a pas encore trouvé son point d'équilibre entre les tanins du vin et ceux du merrain neuf, mais qui a tout pour bien évoluer à la garde : un bouquet d'une bonne intensité, une finale agréable et une réelle longueur. La cuvée principale, **Château Lieujean 2002**, obtient une citation.
SCEA Garri du Gai, Ch. Lieujean,
16, rte de la Chatole, 33250 Saint-Sauveur,
tél. 05.56.41.50.18, fax 05.56.41.54.65,
e-mail info@domaines-lapalu.com r.-v.
Jean-Michel Lapalu

## CH. LIVERSAN 2002 ★★

■ Cru bourg. 39 ha 250 000 11 à 15 €

Cru porte-drapeau des domaines Lapalu, ce château est une fois encore à la hauteur de sa réputation avec ce 2002. Drapé dans une robe d'un rouge brillant, ce vin montre sa personnalité dès le bouquet, où les mûre, fraise et framboise imposent leur loi. Ample, rond et charnu, le palais est déjà agréable tout en ayant plusieurs années devant lui pour évoluer, avant de pouvoir accompagner pratiquement tous les mets.
SCEA Ch. Liversan,
1, rte de Fonpiqueyre, 33250 Saint-Sauveur,
tél. 05.56.41.50.18, fax 05.56.41.54.65,
e-mail info@domaines-lapalu.com r.-v.

## LES HAUT DE LYNCH-MOUSSAS 2002 ★

■ n.c. 60 000 8 à 11 €

Lynch-Moussas, cru pauillacais, produit également du haut-médoc : ce vin est d'une belle couleur grenat à reflets pourpres. Encore dominé par le bois, son bouquet commence à s'ouvrir sur des notes de fruits mûrs et de chèvrefeuille. Puis au palais, c'est une explosion de tanins fougueux qui sauront s'arrondir dans trois ou quatre ans.
Emile Castéja, 33250 Pauillac,
tél. 05.56.00.00.70, fax 05.57.87.48.61,
e-mail domaines@borie.manoux.fr r.-v.

## CH. MALESCASSE 2002 ★

■ Cru bourg. 35 ha 160 000 11 à 15 €

82 83 88 89 |90| 93 95 96 97 |98| 99 (00) 01 02

Ici, château et dépendances composent un ensemble harmonieux. Agréablement bouqueté, ce vin sait lui aussi trouver un bon équilibre, tant dans son palais rond et tannique que par son bouquet, où se marient le cuir, le tabac et le grillé. Une longue et plaisante finale couronne le tout. Seconde étiquette du domaine, **La Closerie de Malescasse 2002 (8 à 11 €)** obtient une citation.
Ch. Malescasse,
6, rte du Moulin-Rose, 33460 Lamarque,
tél. 05.56.73.15.20, fax 05.56.59.64.72,
e-mail malescasse@free.fr r.-v.

## CH. DE MALLERET 2002 ★

■ Cru bourg. 18 ha 90 000 11 à 15 €

Beau château du XIX[e]s. au début de la route des Vins, ce domaine possède de superbes écuries qui abritèrent jadis des haras renommés. L'élégance des lieux se retrouve dans le vin. Certes la chauffe de la barrique est sensible dans le bouquet aux notes grillées. Mais celles-ci se marient bien avec le cassis et les épices (poivre) pour composer un ensemble attrayant. Le palais suit en droite file avec des tanins soyeux et serrés.
SCEA du Ch. de Malleret,
Dom. du Ribet, 33450 Saint-Loubès,
tél. 05.57.97.07.20, fax 05.57.97.07.27
t.l.j. sf sam. dim. 9h-12h 14h-17h

## CH. MAUCAMPS 2002 ★

■ Cru bourg. 18 ha 90 000 15 à 23 €

(86) 88 89 90 93 94 95 |96| 97 |98| |99| **00** |01| 02

S'il n'est pas très connu du grand public, ce cru s'est taillé une jolie réputation chez les amateurs. Ce millésime ne fera que la conforter avec un vin bien dans l'esprit de l'appellation par sa structure, dont les tanins soyeux et riches concilient aptitude à la garde et distinction. On l'appréciera pleinement dans deux ou trois ans.
SARL Ch. Maucamps, BP 11, 33460 Macau,
tél. 05.57.88.07.64, fax 05.57.88.07.00
t.l.j. sf sam. dim. 9h-12h 14h-17h
Tessandier

## CH. MAURAC Les Vignes de Cabaleyran 2002 ★

■ n.c. 12 000 11 à 15 €

Vous l'aurez deviné, ce vin provient de parcelles situées au lieu-dit Cabaleyran, à Saint-Seurin-de-Cadourne. Le nom est joli et le détail serait anecdotique si le terroir n'était pas constitué de belles graves. Celles-ci ne sont sans doute pas indifférentes à la structure, ample et harmonieuse, du palais qui s'accorde heureusement avec la complexité du bouquet pour donner une bouteille à attendre trois ou quatre ans.
SCEA du Ch. Maurac,
Le Trale, 33180 Saint-Seurin-de-Cadourne,
tél. 05.57.88.07.64, fax 05.57.88.07.00 r.-v.

## CH. MICALET Elevé en fût de chêne 2002

■ Cru artisan 6 ha 27 000 5 à 8 €

L'année 2002 a vu ce cru devenir Gîte de France et produire un vin, certes encore un peu fermé mais déjà assez complexe dans son expression aromatique. Au palais on découvre un ensemble intéressant par son côté onctueux et charnu comme par sa mâche.

🔑 EARL Fédieu, Ch. Micalet, 10, rue Jeanne-d'Arc, 33460 Cussac-Fort-Médoc, tél. 05.56.58.95.48, fax 05.56.58.96.85, e-mail earl.fedieu@wanadoo.fr
☑ 🏠 Y 🚶 t.l.j. 9h-12h 15h-19h; groupes sur r.-v.

## CH. MILLE ROSES 2002

■ 6,5 ha 25 000 11 à 15 €

Avec quelques autres, ce cru participe à l'ambiance sympathique qui caractérise la viticulture macalaise. Simple, net et bien équilibré, ce vin sera à boire assez jeune pour profiter du charme de son bouquet aux agréables notes de fruits, de vanille, de grillé et d'épices.

🔑 David Faure, Ch. Mille Roses, 16, chem. de Canteloup, 33460 Macau, tél. 06.10.01.31.41, fax 05.57.88.42.16, e-mail chateaumilleroses@wanadoo.fr ☑ Y 🚶 r.-v.

## CH. MILOUCA 2002

■ 2 ha 11 000 5 à 8 €

Sa taille modeste n'empêche pas ce cru de proposer un vin bien fait. Son bouquet, délicatement boisé, et son corps au joli relief sont élégants, même si ses tanins demandent encore un à deux ans pour que l'ensemble s'harmonise complètement.

🔑 Lartigue-Coulary, 6, rue Salies, 33460 Cussac-Fort-Médoc, tél. 05.56.58.93.23 ☑ Y 🚶 r.-v.
🔑 Coulary

## CH. LE MONTEIL D'ARSAC 2002 *

■ Cru bourg. 33,75 ha 198 000 5 à 8 €

Issu des vignes haut-médoc du château d'Arsac, ce vin est encore un peu austère. Mais ses tanins et sa complexité aromatique (cassis, réglisse, genièvre et eucalyptus) lui permettront d'apporter du plaisir dans trois ou quatre ans.

🔑 Philippe Raoux, Ch. d'Arsac, 33460 Arsac, tél. 05.56.58.83.90, fax 05.56.58.83.08, e-mail chateau.arsac@wanadoo.fr ☑ Y 🚶 r.-v.

## CH. DU MOULIN 2002 *

■ 1 ha 5 400 11 à 15 €

Décoiffé et privé de ses ailes, le vieux moulin qui a donné son nom au cru résiste aux tempêtes depuis 1822. La croupe de graves qu'il domine offre ici un vin dont la robe sombre annonce une solide présence tannique. Mariant la torréfaction et la réglisse à un fruité élégant et prometteur, le bouquet possède une réelle puissance. Charnu et pourtant encore un peu sévère, l'ensemble est construit sur une matière élégante, entourée de notes fruitées (cassis). Ce 2002 demande à être attendu quelques années. Pour le servir, on s'offrira le plaisir de le décanter.

🔑 José Sanfins, 16, chem. du Vieux-Chêne, 33460 Lamarque, tél. 06.10.46.34.35, fax 05.56.73.31.52, e-mail chateaudumoulin@aol.com ☑ Y 🚶 r.-v.

## CH. MOULIN DE BLANCHON 2002

■ 13 ha 60 000 5 à 8 €

Ce 2002 à la silhouette rondelette sait se faire pardonner sa finale un peu courte. La jeunesse de sa robe à reflets violets, la complexité de son bouquet aux notes de café et d'amande grillée, avec un rien de mûre et ses tanins soyeux lui donnent un charme réel.

🔑 Henri Négrier, 3, rue des Casaillons, 33180 Saint-Seurin-de-Cadourne, tél. 05.56.59.38.66, fax 05.56.59.32.31, e-mail earlvignoblesnegrier@terre-net.fr
☑ Y 🚶 t.l.j. 8h30-13h 14h-20h

## CH. MOUTTE BLANC Marguerite Déjean 2002 *

■ Cru artisan 0,36 ha 1 800 11 à 15 €

Ici, la conduite de la vigne tient du jardinage. Le résultat est un vin qui sait se présenter, dans une robe intense et concentrée. Son bouquet réussit lui aussi à retenir l'attention par sa concentration avec beaucoup de fruits que soutient un boisé délicat. Rond et souple à l'attaque, le palais revient ensuite vers le style classique de l'appellation avant de déboucher sur une longue finale. On servira cette bouteille dans deux ou trois ans sur une viande blanche.

🔑 Patrice de Bortoli, Ch. Moutte Blanc, 6, imp. de la Libération, 33460 Macau, tél. et fax 05.57.88.40.39, e-mail moutteblanc@wanadoo.fr ☑ Y 🚶 r.-v.

## CH. MURET 2002

■ Cru bourg. 16 ha 88 000 8 à 11 €

Situé à Saint-Seurin-de-Cadourne, ce cru offre un vin dont le bouquet allie délicatesse et complexité, avec une bonne présence du fruit (cassis), des fleurs (violette) et du bois (grillé). L'expression aromatique au palais est plus simple, mais on découvre une solide structure tannique qui garantit un bon potentiel de garde.

🔑 SCA de Muret, 2, rte de Muret, 33180 Saint-Seurin-de-Cadourne, tél. 05.56.59.38.11, fax 05.56.59.37.03, e-mail chateau.muret@wanadoo.fr ☑ Y 🚶 r.-v.

## CH. PALOUMEY 2002 *

■ Cru bourg. n.c. 60 000 15 à 23 €

Peut-être inspiré par la proximité de Margaux, ce cru a pour tradition de privilégier la finesse. Ce millésime ne fait pas exception. Si la robe, d'un grenat soutenu, laisse entrevoir la belle structure du palais, le bouquet annonce son élégance : les arômes fruités sont bien mis en valeur par les notes toastées. Fins et serrés, les tanins se plairont sur une volaille dans un à trois ans.

🔑 Ch. Paloumey, 50, rue Pouge-de-Beau, 33290 Ludon-Médoc, tél. 05.57.88.00.66, fax 05.57.88.00.67, e-mail info@chateaupaloumey.com
☑ Y 🚶 t.l.j. 10h-18h; sam. dim. sur r.-v.

## CH. PEYRABON 2002

■ Cru bourg. 43,89 ha 180 057 11 à 15 €

Propriété du négociant Millésime (Patrick Bernard), ce cru propose un vin qui débute dans la rondeur pour laisser au dégustateur le souvenir d'un ensemble très tannique. Ce 2002 appelle impérativement deux ou trois ans de patience pour qu'il puisse s'arrondir complètement.

🔑 SARL Ch. Peyrabon, Vignes de Peyrabon, 33250 Saint-Sauveur, tél. 05.56.59.57.10, fax 05.56.59.59.45, e-mail contact@chateau-peyrabon.com
☑ Y 🚶 t.l.j. sf sam. dim. 9h-12h 14h-17h

## CH. PEYRAT-FOURTHON 2002 *

■ Cru bourg. 10 ha 20 000 11 à 15 €

Acheté cette année par Pierre Narboni, le directeur technique national du tennis, ce cru joue plus la carte de

l'élégance que celle de la puissance avec ce vin. Rond et long, ce 2002 se montre agréablement bouqueté, grâce notamment à de jolies notes toastées.
Pierre Narboni,
1, allée Fourthon, 33112 Saint-Laurent-Médoc,
tél. 05.56.59.40.87, fax 05.56.59.92.65,
e-mail pn@peyrat-fourthon.com r.-v.

## CH. LA PEYRE 2002

■ 1,2 ha 7 500 8 à 11 €

L'équilibre de l'encépagement (mi-merlot, mi-cabernet) se retrouve dans le bouquet et au palais. Le premier marie agréablement les fruits rouges aux notes toastées. Le second s'appuie sur des tanins ronds et aimables qui permettront de servir ce vin dans sa jeunesse et sa simplicité.
Vignobles Rabiller,
rte de Saint-Affrique, 33180 Saint-Estèphe,
tél. 05.56.59.32.51, fax 05.56.59.70.09 r.-v.

## CH. PRIEURE DE BEYZAC Quintessence 2002

■ 1,5 ha n.c. 8 à 11 €

Implanté sur la dernière croupe de graves dominant le marais de Reysson, ce vignoble est encore assez jeune. Cela ne l'empêche pas d'offrir un vin à la belle livrée sombre. Un brin de coquetterie amène le bouquet à faire un peu attendre ses jolis arômes d'épices et de cuir. A la fois souple et ferme, la structure appelle une garde de deux ans ou plus.
EARL Charlassier, Beyzac, 33180 Vertheuil,
tél. 05.56.41.36.22, fax 05.56.59.37.03 r.-v.

## CH. RAMAGE LA BATISSE 2002 ★

■ Cru bourg. 14,73 ha 110 000 11 à 15 €

89 |90| 91 |95| |96| 97 |98| |99| 00 02

Entourant la chartreuse et sa garenne, ce vignoble jouit d'un terroir de qualité, comme le montre ce vin. S'annonçant par une robe d'une couleur soutenue et brillante, il développe un bouquet alliant la finesse à la complexité avant de révéler un palais fort bien équilibré. Souple, rond et long, il sera apprécié dans quatre ou cinq ans sur une viande rouge ou blanche. La seconde étiquette du cru, **La Commanderie de Ramage 2002**, obtient une citation.
Ch. Ramage La Batisse, 33250 Saint-Sauveur,
tél. 05.56.59.57.24, fax 05.56.59.54.14,
e-mail ramagelabatisse@wanadoo.fr r.-v.
MACIF

## CH. REYSSON 2002 ★

■ Cru bourg. 40 ha 43 000 11 à 15 €

Premier millésime à avoir profité des investissements réalisés par Dourthe qui gère le domaine, ce 2002 est fort bien construit. Si son bouquet est encore marqué par le bois neuf de l'élevage, au palais l'équilibre se rétablit avec les fruits tandis que s'affirme une belle matière tannique. Un séjour en cave d'au moins trois ou quatre ans s'impose.
Ch. Reysson, 33180 Vertheuil, tél. 05.56.35.53.00,
fax 05.56.35.53.29, e-mail contact@cvbg.com r.-v.
Mercian Corporation

## CH. DE SAINTE-GEMME 2002 ★

■ Cru bourg. 10 ha 80 000 11 à 15 €

Sans rivaliser avec son voisin Lanessan, du même producteur, ce vin bien équilibré et gourmand sait se faire séducteur par ses élégants arômes fruités que l'on retrouve jusque dans une longue finale agrémentée de notes boisées bien mesurées.
SCEA Delbos-Bouteiller, 113, Lanessan,
33460 Cussac-Fort-Médoc, tél. 05.56.58.94.80,
fax 05.57.88.89.92, e-mail infos@bouteiller.com
t.l.j. 9h15-12h 14h-18h; groupes sur r.-v.

## CH. SAINT-PAUL 2002

■ Cru bourg. 20 ha 102 500 11 à 15 €

Assez surprenant par ses chaudes notes boisées et épicées, ce vin atypique déroutera certains amateurs mais en passionnera d'autres. Tous tomberont d'accord pour apprécier son ampleur et ses arômes mariant les fruits mûrs et l'amande grillée, dominés aujourd'hui par l'élevage. Celui-ci devrait être moins sensible dans deux ans.
SC du Ch. Saint-Paul,
33180 Saint-Seurin-de-Cadourne,
tél. 05.56.59.34.72, fax 05.56.59.38.35 r.-v.

## CH. SENEJAC 2002 ★★

■ Cru bourg. 25,71 ha 87 000 11 à 15 €

Jadis ce château était l'un des rares en Bordelais à être hanté. Mais depuis le départ des Guigné, personne n'a vu le fantôme ! En revanche, les qualités de ce vin font plus qu'une brève apparition au cours de la dégustation : belle robe d'un rouge brillant à reflets pourpres ; bouquet expressif et complexe (fruits rouges et vanille) ; attaque fraîche ; structure bien équilibrée, avec de la chair et de bons tanins. Ce 2002 se plaira dans deux à quatre ans sur une belle pièce de viande rouge. Quant à la cuvée **Karolus 2002 (30 à 38 €)**, elle est encore dominée par le bois (notes toastées). Elle obtient une étoile.
M. et Mme Thierry Rustmann,
Ch. Sénéjac, 33290 Le Pian-Médoc,
tél. 05.56.70.20.11, fax 05.56.70.23.91,
e-mail chateausenejac@free.fr r.-v.

## CH. SOCIANDO-MALLET 2002 ★★

■ 50 ha 280 000 23 à 30 €

(82) 85 86 88 89 |90| 91 93 (95) (96) 97 |(98)| 99 (00) 01 02

Sociando a été l'un des acteurs vedettes de l'essor vitivinicole des dernières décennies. Pourtant la propriété connut jadis des heures sombres, notamment sous la Révolution avec l'arrestation sur le domaine de son propriétaire d'alors, le jurat bordelais Guillaume de Brochon. D'un bel aspect dans sa robe rouge, ce vin s'ouvre sur une note de torréfaction avant de révéler un mariage réussi des arômes de fruits noirs bien mûrs et de bois. Au palais, on retrouve un remarquable équilibre. Complexe, élégant et bien constitué, ce 2002 gagnera à être attendu au moins trois ans.
SCEA Jean Gautreau,
Ch. Sociando-Mallet, 33180 Saint-Seurin-de-Cadourne,
tél. 05.56.73.38.80, fax 05.56.73.38.88,
e-mail scea-jean-gautreau@wanadoo.fr r.-v.

## CH. SOUDARS 2002 ★

■ Cru bourg. 22,5 ha 150 000 11 à 15 €

|89| |90| 93 94 95 96 97 |98| |99| 00 01 02

Pour ce millésime, ce cru s'est offert une étiquette rajeunie. Sa sobriété contraste avec la richesse de la présentation du vin lui-même, qu'il s'agisse de la profondeur de sa robe ou de la complexité du bouquet, qui débute sur les fruits mûrs avant de faire une place de choix aux

notes toastées et grillées. Souple, charnu, ample, mais aussi tannique, le palais est déjà agréable, tout en possédant un réel potentiel de garde.
Vignobles E. F. Miailhe, Ch. Soudars, 33180 Saint-Seurin-de-Cadourne, tél. 05.56.59.36.09, fax 05.56.59.72.39, e-mail contact@chateausoudars.com

### CH. LA TOUR CARNET 2002 ★★

■ 4e cru clas. 48 ha 160 000 15 à 23 €

79 81 82 83 85 86 |88| |89| 90 93 94 |96| |97| 98 |99| 00 01 02

Comme dans toutes les propriétés qu'il a fait entrer dans son empire viticole, Bernard Magrez n'a pas chicané sur les moyens à mettre en œuvre pour donner une nouvelle jeunesse à ce cru d'origine médiévale. Les résultats ne se sont pas fait attendre, comme en témoigne ce vin. L'intensité de la robe rouge sombre prépare à la découverte d'une structure ample aux tanins puissants. Mais ceux-ci réservent une surprise par leur caractère soyeux et déjà plaisant, prolongeant la remarquable finesse et la complexité du bouquet (fruits rouges, grillé et confiture). Vrai vin plaisir par son élégance, cette bouteille mérite d'être gardée au calme pendant cinq, six ou sept ans... si votre gourmandise ne vous fait pas accompagner plus tôt un repas mémorable.
Ch. La Tour Carnet, rte de Beychevelle, 33112 Saint-Laurent-Médoc, tél. 05.56.73.30.90, fax 05.56.59.48.54, e-mail latour@latour-carnet.com r.-v.
Bernard Magrez

### CH. TOUR DU HAUT-MOULIN 2002 ★★

■ Cru bourg. 32 ha 150 000 11 à 15 €

89 |90| 91 92 93 94 |95| |96| 97 98 99 00 01 02

En vrais Médocains amoureux de leur presqu'île, les Poitou ne se contentent pas d'accueillir chaleureusement leurs visiteurs, ils s'attachent à mieux faire connaître le Médoc. La qualité de leur production est l'un de leurs meilleurs arguments, témoin ce vin solidement charpenté, suffisamment bien constitué pour être gardé en cave pendant plusieurs années, tout en procurant déjà du plaisir tout au long de la dégustation. Bien ouvert, son bouquet évoque les raisins frais et s'accorde avec le côté rond, gras et moelleux du palais.
Lionel Poitou, 24, av. du Fort-Médoc, 33460 Cussac-Fort-Médoc, tél. 05.56.58.91.10, fax 05.57.88.83.13, e-mail contact@chateau-tour-du-haut-moulin.com t.l.j. sf dim. 9h-12h30 13h30-17h30; groupes sur r.-v.
Famille Poitou

### DOM. DU VATICAN 2002 ★

■ 1 ha 5 000 5 à 8 €

En dépit de la taille réduite du cru, ce vin a bénéficié d'un encépagement diversifié (merlot, cabernet-sauvignon et malbec). L'équilibre de son palais n'a donc rien d'étonnant. Il lui permettra d'être apprécié jeune, et on profitera ainsi de son bouquet aux notes de fruits rouges (bigarreau).
Vignobles Rabiller, rte de Saint-Affrique, 33180 Saint-Estèphe, tél. 05.56.59.32.51, fax 05.56.59.70.09 r.-v.
Verdier

### CH. VERDIGNAN 2002

■ Cru bourg. 60 ha 300 000 11 à 15 €

|86| 88 89 90 93 94 95 96 |98| |99| 00 01 02

Du même producteur que les Châteaux Soudars et Coufran, mais issu d'un cru ayant sa propre identité, ce vin joue plus la carte de l'harmonie que de la puissance. Délicatement bouqueté avec de discrètes notes de bourgeon de cassis, rond et charnu, il pourra être servi jeune.
SC Ch. Verdignan, 33180 Saint-Seurin-de-Cadourne, tél. 05.56.59.31.02, fax 05.56.81.32.35, e-mail contact@chateau-coufran.com
Groupe Jean Miailhe

### CH. VIALLET NOUHANT
Vieilli en fût de chêne 2002

■ Cru artisan 11,7 ha 12 000 5 à 8 €

Cuvée vieillie en fût de chêne, ce vin garde la trace de l'élevage dans ses arômes de vanille, qui se marient aux notes de groseille bien mûre. Ses tanins fins et goûteux comme sa bonne persistance lui donnent un certain potentiel.
Nouhant, 5, rue Jeanne-d'Arc, 33460 Cussac-Fort-Médoc, tél. et fax 05.57.88.51.43, e-mail alain.nouhant@libertysurf.fr r.-v.

### CH. DE VILLEGEORGE 2002 ★★

■ Cru bourg. 19 ha 46 400 11 à 15 €

90 93 94 |95| |96| 97 98 |99| 00 02

Aimable chartreuse sur la route qui relie Margaux à Avensan, ce cru propose ici un vin qui possède d'incontestables atouts pour affronter la garde. Son bouquet commence dans la discrétion, puis dévoile progressivement des arômes de mûre et de cassis sur fond boisé. Bien charpenté avec une solide structure, son palais s'ouvre sur une longue finale aromatique.
Vignobles Marie-Laure Lurton, 2036, Chalet, 33480 Moulis-en-Médoc, tél. 05.56.58.22.01, fax 05.56.58.15.10, e-mail contact@vignobles-marielaurelurton.com r.-v.

# Listrac-médoc

Correspondant exclusivement à la commune homonyme, l'appellation est la communale la plus éloignée de l'estuaire. C'est l'un des seuls vignobles que traverse le touriste se rendant à Soulac ou venant de la Pointe-de-Grave. Très original, son terroir correspond au dôme évidé d'un anticlinal, où l'érosion a créé une inversion de relief. A l'ouest, à la lisière de la forêt, se développent trois croupes de graves pyrénéennes, dont les pentes et le sous-sol souvent calcaire favorisent le drainage naturel des sols. Le centre de l'AOC, le dôme évidé, est occupé par la plaine de Peyrelebade, aux sols argilo-calcaires. Enfin, à l'est, s'étendent des croupes de graves garonnaises.

Le listrac est un vin vigoureux et robuste. Cependant, contrairement au style d'autrefois, sa robustesse n'implique plus aujourd'hui une certaine rudesse. Si certains vins restent un peu durs dans leur jeunesse, la plupart contrebalancent leur force tannique par leur rondeur. Tous offrent un bon potentiel de garde, entre sept et dix-huit ans selon les millésimes. En 2004, les 670 ha ont produit 37 134 hl.

### CH. CAP LEON VEYRIN 2002 ★★

■ Cru bourg. 8 ha 60 000 11 à 15 €

En authentique Médocain, Alain Meyre est un fin connaisseur de son terroir. Pour ce millésime il a associé 55 % de merlot à 40 % de cabernet-sauvignon et 5 % de petit verdot. Le résultat est un vin d'une fort belle tenue, comme l'annonce sa robe grenat. Des notes de fumée et de fruits noirs apportent une réelle complexité. Souple à l'attaque, le palais se développe sur les mêmes arômes, qui s'accordent avec la finesse des tanins pour composer un ensemble agréable et bien armé pour la garde.

Vignobles Alain Meyre, Ch. Cap Léon Veyrin, 33480 Listrac-Médoc, tél. 05.56.58.07.28, fax 05.56.58.07.50, e-mail capleonveyrin@aol.com
t.l.j. sf dim. 9h-12h 14h-18h

### CH. CLARKE 2002 ★★

■ Cru bourg. sup. 54 ha 243 000 15 à 23 €

(86) 88 89 90 95 96 97 |98| |99| |00| 01 02

Lorsqu'il acheta cette propriété en 1771, l'Irlandais Tobie Clarke était sans doute loin d'imaginer qu'elle constituerait deux siècles plus tard l'un des crus vedettes de l'appellation. Il aurait sûrement apprécié ce vin au bouquet complexe (fruits sur fond de bois) et au palais ample et long. Bien construit avec des tanins soyeux, ce 2002 se plaira, d'ici trois ou quatre ans, sur une volaille ou un gibier à plume.

EV Edmond et Benjamin de Rothschild, 33480 Listrac-Médoc, tél. 05.56.58.38.00, fax 05.56.58.26.46, e-mail contact@cver.fr r.-v.

### CLOS DES DEMOISELLES 2002 ★

■ n.c. 14 000 11 à 15 €

Premier millésime produit par Jean Chanfreau (Fonréaud) sur cette petite propriété remontant à 1820, ce vin est né d'un beau terroir de graves pyrénéennes profondes, complanté de 62 % de merlot et de cabernet-sauvignon. Souple et élégant, paré d'une robe profonde, il laisse le souvenir d'un ensemble fruité (mûre), joliment boisé, fin et bien bâti, qui méritera trois ou quatre ans d'attente.

Jean Chanfreau, 33480 Listrac-Médoc, tél. 05.56.58.02.43, fax 05.56.58.04.33, e-mail vignobles.chanfreau@wanadoo.fr
t.l.j. sf sam. dim. 9h-12h 14h-17h

### CH. FONREAUD 2002 ★★

■ Cru bourg. sup. 35,5 ha 110 000 11 à 15 €

82 83 85 86 88 89 |93| |95| |96| |97| |98| |99| 01 02

Belle unité située sur la route de Soulac et dominée par le château, ce cru a connu une remarquable réussite dans ce millésime. Tenant toutes les promesses de la robe profonde, le bouquet développe des notes de torréfaction qui laissent une large place aux fruits noirs, tandis que l'attaque, pleine et ronde, débouche sur un palais savoureux et bien équilibré. Long et tannique, l'ensemble demande trois à cinq ans d'attente avant d'affronter des mets dotés d'une forte personnalité.

Ch. Fonréaud, 33480 Listrac-Médoc, tél. 05.56.58.02.43, fax 05.56.58.04.33, e-mail vignobles.chanfreau@wanadoo.fr
t.l.j. sf sam. dim. 9h-12h 14h-17h
Jean Chanfreau

### CH. FOURCAS HOSTEN 2002

■ Cru bourg. sup. n.c. 238 500 8 à 11 €

81 (82) 83 |85| |86| 88 |89| |90| 91 92 93 94 |95| |96| 97 98 99 00 02

Deux terroirs distincts composent ce cru : les schistes pyrénéens du secteur du Fourcas et les sols plus argileux en face du château, situé dans le bourg. Sans être d'une grande ampleur, ce vin bien fait est intéressant par ses fins tanins comme par son bouquet au boisé bien fondu. On l'associera à une viande rouge, dans trois ou quatre ans.

SC du Ch. Fourcas Hosten, rue de l'Eglise, 33480 Listrac-Médoc, tél. 05.56.58.01.15, fax 05.56.58.06.73, e-mail fourcas@club-internet.fr
t.l.j. 9h-11h30 14h-16h30; sam. dim. sur r.-v.

### CH. FOURCAS LOUBANEY 2002 ★★

■ Cru bourg. 19 ha 80 000 11 à 15 €

99 00 01 02

A la tête de trois propriétés listracaises depuis 1999, F.-M. Marret a fait de Fourcas Loubaney une valeur sûre, comme le révèle ce millésime pourtant difficile. Suffisamment ample et ferme pour justifier un séjour en cave de

**Moulis et Listrac**

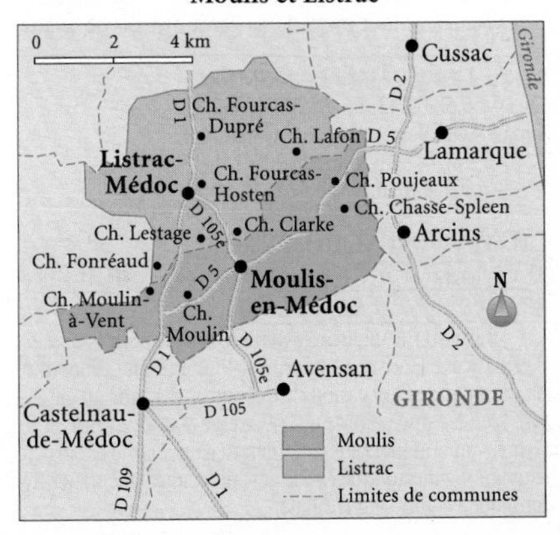

cinq à dix ans, ce vin se signale par son élégance racée. Celle-ci apparaît dès le bouquet aux fines notes de torréfaction et de fruits rouges qui perdurent jusque dans une longue finale. Gibier ou selle d'agneau conviendront à cette bouteille.
SARL Fourcas Loubaney, 17, av. Julien-Ducourt, 33610 Cestas, tél. 05.57.26.26.66, fax 05.57.26.26.67, e-mail divin@divin-sa.fr
F.-M. Marret

## GRAND LISTRAC 2002

■ 30 ha 180 000 8 à 11 €

Marque historique de la cave coopérative, riche de soixante ans d'existence, ce vin au délicat bouquet de fruits rouges est encore un peu austère dans son développement au palais. Sa bonne structure tannique lui permettra de s'arrondir d'ici trois ou quatre ans. Issue de parcelles de vieilles vignes, la cuvée **La Caravelle 2002 (11 à 15 €)** obtient également une citation.
Cave de vinification de Listrac-Médoc, 21, av. de Soulac, 33480 Listrac-Médoc, tél. 05.56.58.03.19, fax 05.56.58.07.22, e-mail grandlistrac@cave-listrac-medoc.com
t.l.j. sf sam. dim. 8h-12h 14h-18h

## CH. LALANDE Cuvée spéciale 2002

■ Cru bourg. 11 ha 25 000 8 à 11 €

Dans la même famille depuis 1819, Lalande est représenté ici par sa cuvée prestige. Ce vin compense son volume délicat par l'agrément de son approche aromatique qui associe des notes fumées aux parfums de fruits rouges. Ses tanins seront fondus dans deux ans.
EARL Darriet-Lescoutra, Ch. Lalande, 33480 Listrac-Médoc, tél. 05.56.58.19.45, fax 05.56.58.15.62, e-mail chlalande.listrac@cario.fr
t.l.j. 9h-12h 14h-18h; sam. dim. sur r.-v.

## CH. LESTAGE 2002 *

■ Cru bourg. 41 ha 150 000 11 à 15 €

Entouré d'un parc, Lestage fut construit en 1870. Du même producteur que le Château Fonréaud, ce 2002 assemble 55 % de merlot au cabernet-sauvignon et à 3 % de petit verdot. Il n'en joue pas moins résolument la carte de la fermeté. Suivant un bouquet bien équilibré entre le fruité et le boisé (douze mois de barrique), l'attaque est franche et s'ouvre sur un palais solidement structuré. Porté par des tanins fermes mais jamais grossiers, l'ensemble est bien armé pour tirer profit d'une garde de trois ou quatre ans.
Ch. Lestage, 33480 Listrac-Médoc, tél. 05.56.58.02.43, fax 05.56.58.04.33, e-mail vignobles.chanfreau@wanadoo.fr
t.l.j. sf sam. dim. 9h-12h 14h-17h
Jean Chanfreau

## CH. MAYNE LALANDE 2002 **

■ Cru bourg. 10 ha 50 000 11 à 15 €

89 |90| 95 96 97 98 99 00 |01| 02

Bernard Lartigue est justement réputé pour la qualité de son accueil. Visiter son cru est toujours une rencontre passionnante et l'occasion de découvrir des vins au caractère bien trempé comme ce 2002 qui a tout pour braver le temps : un bouquet puissant, bien marqué par le cabernet-sauvignon, une attaque ronde et souple, une belle structure tannique et une longue finale.
Bernard Lartigue, Ch. Mayne Lalande, 33480 Listrac-Médoc, tél. 05.56.58.27.63, fax 05.56.58.22.41, e-mail blartigue@terre-net.fr
t.l.j. 9h-12h30 13h30-17h30

## CH. MOULIN DE LABORDE

Elevé en fût de chêne 2002 *

■ Cru bourg. 20 ha 106 000 8 à 11 €

Du même producteur que le Château Fourcas Loubaney, ce vin est doté lui aussi d'une jolie structure. Les tanins, encore fermes et sévères, appellent une bonne garde. Celle-ci permettra au bouquet de s'ouvrir complètement pour laisser libre cours au bel équilibre qui s'établit entre les fruits et le bois.
SARL Fourcas Loubaney, 17, av. Julien-Ducourt, 33610 Cestas, tél. 05.57.26.26.66, fax 05.57.26.26.67, e-mail divin@divin-sa.fr
F.-M. Marret

## CH. MOULIN D'ULYSSE 2002

■ 6 ha 30 000 11 à 15 €

Elevé dans des chais construits en 2000, ce vin se montre intéressant par sa souplesse et par son équilibre aromatique avec une présence agréable des fruits (framboise) et du bois (café grillé).
Jean-Claude Castel, Donissan, 33480 Listrac-Médoc, tél. 05.56.58.04.18, fax 05.56.58.00.15
t.l.j. sf sam. dim. 9h-18h

## CH. REVERDI 2002

■ Cru bourg. 18 ha 135 000 11 à 15 €

Belle unité, ce cru propose ici un vin encore un peu austère mais qui possède une structure tannique suffisante pour pouvoir bien évoluer et s'arrondir. Dans le même temps, le bouquet aux délicates notes fruitées s'ouvrira.
SCEA Vignobles Thomas, Donissan, 33480 Listrac-Médoc, tél. 05.56.58.02.25, fax 05.56.58.06.56 t.l.j. sf dim. 9h-12h 14h-18h

## CH. SARANSOT-DUPRE 2002

■ Cru bourg. 15 ha 70 000 11 à 15 €

86 88 89 90 91 93 94 |95| 96 97 |98| 99 00 01 |02|

Les sols argilo-calcaires du cru expliquent la place du merlot (60 %) mais aussi du cabernet franc (15 %) dans ce 2002. L'encépagement se lit dans le caractère de ce vin. Associant un élégant bouquet fruité à une structure souple et bien équilibrée, il s'étoffe progressivement pour déboucher sur une finale plus corsée.
Yves Raymond, Ch. Saransot-Dupré, 33480 Listrac-Médoc, tél. 05.56.58.03.02, fax 05.56.58.07.64, e-mail y@saransot-dupre.com r.-v.

## CH. VIEUX MOULIN 2002

■ 10 ha 45 000 8 à 11 €

Issu d'une propriété ayant confié sa vinification à la cave coopérative, ce vin se montre d'une bonne complexité aromatique, plus sur le fruit que sur le bois. Souple et rond à l'attaque, il se révèle ensuite plus tannique et plus ferme. On l'attendra trois ou quatre ans avant de le servir sur du gibier ou une grillade d'agneau.
Cave de vinification de Listrac-Médoc, 21, av. de Soulac, 33480 Listrac-Médoc, tél. 05.56.58.03.19, fax 05.56.58.07.22, e-mail grandlistrac@cave-listrac-medoc.com
t.l.j. sf sam. dim. 8h-12h 14h-18h
Fort-Dufau

# Margaux

Si Margaux est le seul nom d'appellation à être aussi un prénom féminin, ce n'est sans doute pas par un pur hasard. Il suffit de goûter un vin bien typé provenant du terroir margalais pour saisir les liens subtils qui unissent les deux.

Les margaux présentent une excellente aptitude à la garde, mais ils se distinguent aussi par leur souplesse et leur délicatesse que soutiennent des arômes fruités d'une grande élégance. Ils constituent l'exemple même des bouteilles tanniques généreuses et suaves, à enregistrer sur le livre de cave dans la classe des vins de grande garde.

L'originalité des margaux tient à de nombreux facteurs. Les aspects humains ne sont pas à négliger. A l'écart des autres grandes appellations communales médocaines, les viticulteurs margalais ont moins privilégié le cabernet-sauvignon. Ici, tout en restant minoritaire, le merlot prend une importance accrue. D'autre part, l'appellation s'étend sur le territoire de cinq communes : Margaux et Cantenac, Soussans, Labarde et Arsac. Dans chacune d'elles tous les terrains ne font pas partie de l'AOC ; seuls les sols présentant les meilleures aptitudes viti-vinicoles ont été retenus. Le résultat est un terroir homogène qui se compose d'une série de croupes de graves.

Celles-ci s'articulent en deux ensembles : à la périphérie se développe un système faisant penser à une sorte d'archipel continental, dont les « îles » sont séparées par des vallons, ruisseaux ou marais tourbeux ; au cœur de l'appellation, dans les communes de Margaux et de Cantenac, s'étend un plateau de graves blanches, d'environ 6 km sur 2, que l'érosion a découpé en croupes. C'est dans ce secteur que sont situés nombre des dix-huit grands crus classés de l'appellation.

Remarquables par leur élégance, les margaux appellent des mets raffinés, comme le chateaubriand, le canard, le perdreau ou, bordeaux oblige, l'entrecôte à la bordelaise. En 2004, 77 410 hl ont été produits sur 1 413 ha.

### ALTER EGO DE PALMER 2002 ★

■ 52 ha n.c. ◨ 46 à 76 €

Si l'Alter ego a sa propre identité, il n'en partage pas moins certaines caractéristiques du Palmer. D'une couleur pourpre, il présente une belle harmonie entre le fruit et le bois ; et sa structure, aux tanins ronds, possède le volume nécessaire pour séjourner avec profit quelques années en cave.

Ch. Palmer, 33460 Margaux,
tél. 05.57.88.72.72, fax 05.57.88.37.16,
e-mail chateau-palmer@chateau-palmer.com r.-v.

### CH. D'ANGLUDET 2002 ★★

■ Cru bourg. sup. 30 ha 85 000 30 à 38 €

Après avoir été démembré à la fin de l'Ancien Régime en dépit d'un superbe terroir, ce cru a dû attendre d'être reconstitué par Peter Sichel en 1961. Tout dernièrement, en 2000, les chais ont été rénovés. Ce millésime en a incontestablement profité : d'un grenat intense, il s'impose d'emblée par la richesse de son bouquet, véritable corbeille de baies rouges accompagnée de belles notes aromatiques. Opulent, presque impérial, son palais, d'une élégance extrême, révèle une parfaite harmonie entre les tanins du bois et ceux du vin. Une bouteille taillée pour la garde (au moins une bonne dizaine d'années).

Sichel, Ch. d'Angludet, 33460 Cantenac,
tél. 05.57.88.71.41, fax 05.57.88.72.52,
e-mail contact@chateau-angludet.fr r.-v.

### CH. BOYD-CANTENAC 2002 ★

■ 3e cru clas. 17 ha 50 000 ◨ 23 à 30 €

75 (82) 83 85 86 88 |89| |90| |95| |96| |97| |98| 99 00 02

A l'image de son encépagement, ce cru s'inscrit avec ce millésime dans l'esprit de l'appellation par son joli bouquet naissant où les fruits sont rejoints par quelques notes de bois de cèdre. Jeune, avec des tanins soyeux, sa structure garantit un bon potentiel de garde (quatre ou cinq ans qui laisseront au merrain le temps de se fondre). Seconde étiquette du cru, le **Jacques Boyd 2002 (11 à 15 €)** a obtenu également une étoile. Parfaitement margalien, il est élégant.

SCE Ch. Boyd-Cantenac, 33460 Cantenac,
tél. 05.57.88.90.82, fax 05.57.88.33.27,
e-mail contact@boyd-cantenac.fr r.-v.
Guillemet

### CH. BRANE-CANTENAC 2002 ★★

■ 2e cru clas. n.c. 160 000 ◨ 38 à 46 €

78 79 81 82 83 84 85 (86) 87 |88| |89| |90| 93 |94| 95 (96) |97| 98 99 00 01 02

Comme son père Lucien, Henri Lurton est un fervent défenseur de l'esprit du margaux. Ce vin aux tanins soyeux l'atteste par son équilibre et sa recherche de l'élégance. Cette dernière se lit au bouquet qui révèle une entente harmonieuse entre un bois de qualité et le fruit. Seconde étiquette, le **Baron de Brane 2002 (15 à 23 €)** a obtenu une étoile.

Henri Lurton, SCEA Ch. Brane-Cantenac,
33460 Margaux, tél. 05.57.88.83.33, fax 05.57.88.72.51,
e-mail contact@brane-cantenac.com r.-v.

## CH. CANTENAC-BROWN 2002 ★★

■ 3e cru clas. 42 ha 145 000 🛢 30 à 38 €

82 83 85 |86| |88| |89| |90| 91 92 93 94 |95| |96| |97| 98 99 00 **02**

A l'image du château lui-même, vaste édifice néo-Tudor, ce vin ne fait pas dans la demi-mesure. Confirmant l'impression produite par la robe, d'une très belle teinte sombre, son volume laisse entrevoir de grandes perspectives de garde et d'accords gourmands avec des mets exigeants, comme un agneau au thym. Cela ne l'empêche pas de se montrer déjà très agréable par ses élégants arômes de grillé et d'épices (cannelle, vanille, muscade), par le côté ample et soyeux de ses tanins, par le fruit flatté par le fût et par la générosité de sa finale. Un vin d'un grand classicisme – et c'est un compliment ! Généreux lui aussi, plaisant et de bonne garde, le **Brio du château Cantenac Brown 2002 (15 à 23 €)** a obtenu une étoile.

Ch. Cantenac-Brown, 33460 Cantenac, tél. 05.57.88.81.81, fax 05.57.88.81.90, e-mail infochato@cantenacbrown.com r.-v.

Axa Millésimes

## CH. CHARMANT 2002 ★

■ 4,69 ha 24 260 🛢 11 à 15 €

Situé sur la commune de Margaux, ce cru jouit d'un beau terroir de fines graves. On n'en doute pas un instant quand on découvre la robe pourpre de ce vin ou ses jolis parfums de fruits noirs et de cassis sur des notes toastées. Rond à l'attaque et savoureux, le palais révèle une solide structure qui s'accorde avec la longue finale pour suggérer trois ou quatre ans de patience avant d'ouvrir cette bouteille de qualité.

SCEA René Renon, Ch. Charmant, 33460 Margaux, tél. 05.57.88.35.27, fax 05.57.88.70.59, e-mail scea.rene.renon@wanadoo.fr r.-v.

## CLOS MARGALAINE 2002

■ 3 ha 12 000 🛢 23 à 30 €

L'encépagement et la vinification convergent pour expliquer la puissance de ce vin qui demande à être attendu pour que les tanins s'arrondissent et que le bois se fonde dans la matière. Mais cette recherche de la force n'exclut pas celle de l'équilibre que révèle le bouquet aux notes de fruits mûrs, d'épices et de goudron.

SARL des Grands Crus, 287, av. de la Libération, 33110 Le Bouscat, tél. 05.56.42.69.50, fax 05.56.42.69.88, e-mail porcheron.philippe@wanadoo.fr

Philippe Porcheron

## CH. DAUZAC 2002 ★★

■ 5e cru clas. 25 ha 130 000 🛢 30 à 38 €

82 83 85 86 88 89 |90| 92 93 |95| |96| 97 98 99 00 01 **02**

La MAIF, mutuelle des fonctionnaires, a acquis ce château margalien dont elle a confié la gestion à André Lurton ; les fidèles du cru seront heureux de retrouver dans ce vin la complexité caractéristique du Dauzac. Judicieusement dosé, le bois s'associe aux fruits pour composer un beau bouquet, à la hauteur de la robe d'un pourpre net et intense. S'appuyant sur de jeunes tanins, la matière possède la richesse, la concentration et la longueur nécessaires à une bonne garde.

SE du Ch. Dauzac, 1, av. Georges-Johnston, 33460 Labarde, tél. 05.57.88.32.10, fax 05.57.88.96.00, e-mail andrelurton@andrelurton.com t.l.j. sf sam. dim. 9h-12h 14h-17h

MAIF

## CH. DEYREM VALENTIN 2002

■ Cru bourg. 12,5 ha 50 000 🛢 15 à 23 €

83 85 86 88 89 90 91 92 93 94 95 97 |98| **99 00** 01 02

Portant le nom du premier maire de Soussans après la Révolution, ce vin compense la relative faiblesse de son retour aromatique par la qualité de sa structure tannique (souple et bien constituée) et de son nez aux notes de fruits rouges et de torréfaction.

EARL des Vignobles Jean Sorge, 1, rue Valentin-Deyrem, 33460 Soussans, tél. 05.57.88.35.70, fax 05.57.88.36.84, e-mail deyremvalentin@aol.com r.-v.

## CH. DURFORT-VIVENS 2002

■ 2e cru clas. 27 ha n.c. 🛢 15 à 23 €

75 76 81 82 83 85 |86| |88| |89| |90| 91 92 93 **94** |95| |96| |97| |99| 00 01 02

A l'entrée du bourg de Margaux en venant de Bordeaux, ce cru est particulièrement bien situé pour accueillir les visiteurs. D'une bonne complexité, frais et surmûri à la fois, ce vin à la robe pourpre profond sait concilier puissance et rondeur pour laisser le dégustateur sur le souvenir d'un ensemble fort agréable.

Gonzague Lurton, Ch. Durfort-Vivens, 33460 Margaux, tél. 05.57.88.31.02, fax 05.57.88.60.60, e-mail infos@durfort-vivens.com r.-v.

## L'ENCLOS GALLEN 2002

■ 1,5 ha 7 500 23 à 30 €

Le château de Meyre s'est doté de chambres d'hôte. Y séjourner sera l'occasion de découvrir ce vin à l'encépagement peu typé (70 % de merlot) de l'appellation. Un 2002 fin et élégant et qui appuie ses tanins mûrs sur une note boisée bien dosée.

SA Ch. Meyre, 16, rte de Castelnau, 33480 Avensan, tél. 05.56.58.10.77, fax 05.56.58.13.20, e-mail chateau.meyre@wanadoo.fr r.-v.

Bonne

## CH. FERRIERE 2002 ★

■ 3e cru clas. 8 ha 40 000 🛢 23 à 30 €

70 75 78 81 83 84 |85| **86** 87 88 |89| 92 93 94 |95| |96| |97| **98** |99| **00 01** 02

A Ferrière, on reste fidèle à l'encépagement margalien avec 80 % de cabernet-sauvignon, 15 % de merlot et 5 % de petit verdot. La vinification a été conduite dans la douceur pour privilégier l'amabilité sans perdre le potentiel de garde. Le résultat est un ensemble dans l'esprit de l'appellation : un équilibre entre les fruits rouges et les notes grillées, des tanins jeunes mais soyeux, de la matière et de la longueur. A attendre quelques années.

Claire Villars, SA Ch. Ferrière, 33 bis, rue de la Trémoille, 33460 Margaux, tél. 05.57.88.76.65, fax 05.57.88.98.33 r.-v.

## CH. GISCOURS 2002 ★

■ 3e cru clas. 80 ha 280 000 30 à 38 €

**75 78** 81 **82 83 85** (86) **88 89** 90 91 **93** 94 97 **98 99 00 01** 02

Par les dimensions du château et des dépendances et par la superficie du domaine (300 ha), Giscours est l'une des plus vastes propriétés du Médoc. D'un grenat soutenu à reflets pourpres, son vin a lui aussi fière allure. Fin et ample, son bouquet se développe sur un fond de notes poivrées. Flatteuse et harmonieuse, sa structure est déjà plaisante, tout en promettant d'excellentes surprises à qui saura patienter environ une demi-douzaine d'années.

SAE Ch. Giscours, Labarde, 33460 Margaux,
tél. 05.57.97.09.09, fax 05.57.97.09.00 r.-v.
Eric Albada Jelgersma

## CH. DES GRAVIERS 2002 ★

■ Cru artisan 5,9 ha n.c. 11 à 15 €

Né à un petit kilomètre de l'église d'Arsac, dont le porche roman ne manque pas d'intérêt, ce vin, bien structuré et équilibré, fait preuve d'une belle jeunesse, tant dans ses saveurs et ses arômes que dans ses tanins. Issue de vignes âgées (cinquante ans), la cuvée **Quintessence du Château des Graviers 2002 (15 à 23 €)** passe vingt mois en barrique. Son caractère boisé n'étonnera pas. Ce millésime a obtenu lui aussi une étoile.

SCE des Vignobles Dufourg-Landry,
52, rue des Graviers, 33460 Arsac,
tél. 05.56.58.89.11, fax 05.57.88.20.34
t.l.j. sf dim. 10h-12h30 14h-18h30

## CH. LA GURGUE 2002

■ Cru bourg. sup. 10 ha 45 000 11 à 15 €

65 % de cabernet-sauvignon complété par le merlot, une densité de dix mille pieds à l'hectare, quatorze mois de barrique : ce vin est encore un peu austère, mais la jeunesse de ses tanins ne cache pas une matière fine de qualité et des arômes de fruits rouges ; autant d'atouts qui sauront lui réserver de bonnes possibilités d'évolution.

SA Ch. Ferrière,
33 bis, rue de la Trémoille, 33460 Margaux,
tél. 05.57.88.76.65, fax 05.57.88.98.33 r.-v.
C. Villars

## CH. HAUT BRETON LARIGAUDIERE 2002 ★★

■ Cru bourg. 8 ha 40 000 15 à 23 €

A la fin du XIXᵉs., ce cru a connu une certaine célébrité chez les œnophiles grâce à la savoureuse description des vendanges sur le domaine qu'en fit Bertall dans son ouvrage, *La Vigne*. D'un beau rouge foncé, ce vin est bien servi par le merrain qui sait respecter sa diversité aromatique. Les notes d'humus, de toast et de tabac blond cohabitent harmonieusement avec les fruits mûrs. Suivant une attaque ronde et douce, les tanins, denses et fermes,



**Margaux**

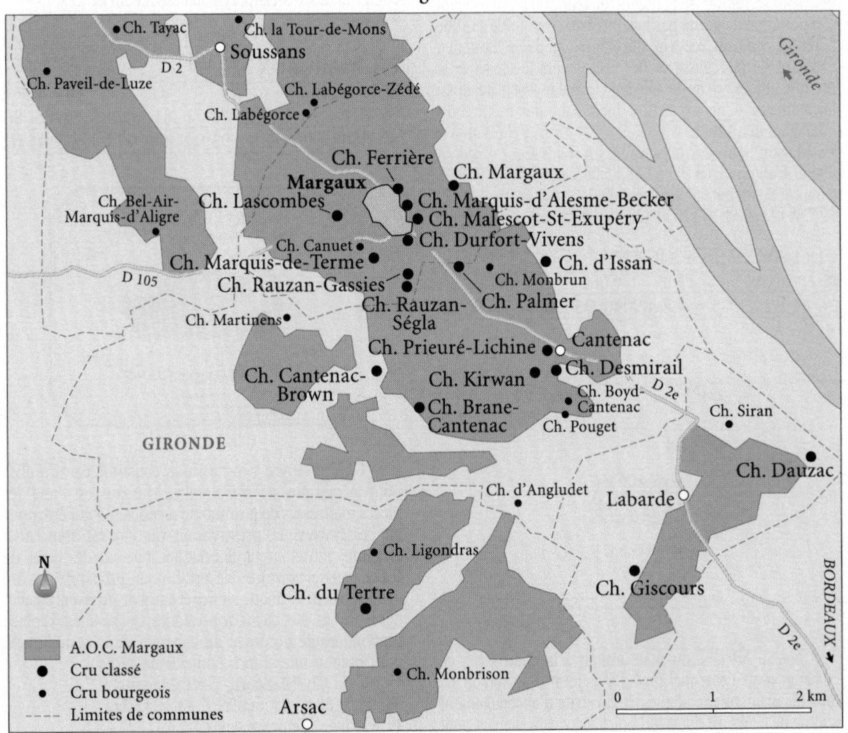

révèlent un sérieux potentiel de garde. Plus simple mais bien construit, le second vin, **Château du Courneau 2002**, a été cité.
SCEA Ch. Haut Breton Larigaudière, 33460 Soussans, tél. 05.57.88.94.17, fax 05.57.88.39.14, e-mail ch-larigaudiere@aol.com r.-v.
de Schepper

### CH. D'ISSAN 2002 ★

■ 3e cru clas. 30 ha 103 000 15 à 23 €

82 83 85 86 |88| |89| |90| 93 94 |95| |96| |98| 99 00 01 02

Très bel édifice du XVII^e s. entouré de douves, le château tient à la fois du manoir et du château fort. C'est de la douceur de vivre du premier que se rapproche le bouquet de ce joli 2002, mêlant des notes de pain grillé, de fleurs (muguet et lilas) et de fruits rouges. Fin et délicat dans son attaque, le palais développe d'harmonieux tanins ronds et gracieux, ainsi qu'une savoureuse matière qui donnent un ensemble flatteur et prometteur.
Ch. d'Issan, SFV de Cantenac, 33460 Cantenac, tél. 05.57.88.35.91, fax 05.57.88.74.24, e-mail issan@chateau-issan.com r.-v.
Famille Cruse

### CH. KIRWAN 2002 ★★

■ 3e cru clas. 35 ha n.c. 38 à 46 €

75 79 81 82 83 85 (86) 88 89 93 94 |95| |96| 97 98 |99| 00 01 02

En 2005, les Schyler fêtent le 80^e anniversaire de leur arrivée dans cette propriété au beau parc de 2 ha. Ils pourront se réjouir de la qualité de leur 2002. Annonçant son potentiel de garde par la teinte très sombre de sa robe à reflets violacés, ce vin développe un beau bouquet, évoluant de la réglisse et des épices vers le cassis et la myrtille. Plein, riche et élégant, le palais est tout aussi harmonieux. Une extraction bien conduite et un bois intelligemment dosé.
Maison Schröder et Schÿler, Ch. Kirwan, 33460 Cantenac, tél. 05.57.88.71.00, fax 05.57.88.77.62, e-mail mail@chateau-kirwan.com
t.l.j. sf 9h30-12h30 13h30-17h30; sam. dim. sur r.-v.

### CH. LASCOMBES 2002 ★★★

■ 2e cru clas. 67 ha 170 000 23 à 30 €

76 81 82 83 85 (86) |88| |89| |90| |95| |96| 97 |98| 00 02

GRAND CRU CLASSÉ
CHÂTEAU LASCOMBES
SPECIMEN
MARGAUX
2002
MIS EN BOUTEILLE AU CHATEAU


Né au XVII^e s. où il se limitait à la chartreuse, ce château, pour l'essentiel du XIX^e s., jouit d'un terroir de qualité parfaitement adapté à la diversité d'encépagement conforme à l'esprit du grand bordeaux : cabernets et petit verdot plantés sur graves ; merlot (40 %) sur terroirs argilo-calcaires. Le résultat est spectaculaire avec ce vin au bouquet parfait, associant des parfums de fruits mûrs, de cassis et de pain d'épice. Très puissant avec une matière particulièrement imposante, le palais appelle une longue garde : pour en profiter pleinement, on attendra cette superbe bouteille une dizaine d'années. Cerise sur le gâteau, vous pourrez le découvrir dans son berceau, le domaine possédant des chambres d'hôte. Pour patienter en attendant de savourer le grand vin, il sera possible d'apprécier dans trois ou quatre ans le **Chevalier de Lascombes 2002 (11 à 15 €)**, qui a été cité.
Ch. Lascombes, 1, cours Verdun, BP 4, 33460 Margaux, tél. 05.57.88.70.66, fax 05.57.88.72.17, e-mail chateaulascombes@chateau-lascombes.fr
r.-v.
Colony Capital

### CH. MALESCOT ST-EXUPERY 2002 ★

■ 3e cru clas. 23,5 ha 69 000 38 à 46 €

81 82 83 85 86 |88| 89 90 94 |95| |96| 98 99 00 02

Né dans des chais situés au cœur du bourg de Margaux, ce vin est encore très marqué par le fût en finale. Mais cette austérité, qui appelle un peu de patience, ne fait pas oublier le charme de sa dégustation. Qu'il s'agisse de sa profonde couleur pourpre, de la complexité de son bouquet aux notes de fruits rouges, de toast, d'épices et d'amande, ou encore de l'ampleur de sa structure soutenue par des tanins soyeux typiques de son terroir.
SCEA Ch. Malescot Saint-Exupéry, 33460 Margaux, tél. 05.57.88.97.20, fax 05.57.88.97.21, e-mail malescotstexupery@malescot.com r.-v.
Roger Zuger

### CH. MARGAUX 2002 ★★★

■ 1er cru clas. n.c. n.c. + de 76 €

59 |61| 70 71 75 78 |79| 80 |81| |(82)| |83| 84 |85| |86| 87 |88| |89| 90 |91| 92 93 94 (95) (96) 97 (98) (99) (00) 01 02

MIS EN BOUTEILLE AU CHÂTEAU
CHÂTEAU MARGAUX
GRAND VIN
2002
PREMIER GRAND CRU CLASSÉ
13% vol
75cl
MARGAUX
APPELLATION MARGAUX CONTRÔLÉE
S.C.A. CHATEAU MARGAUX PROPRIÉTAIRE A MARGAUX - FRANCE


Chef d'œuvre néo-classique construit par Combes pour le marquis de la Colonilla, Margaux est l'une des pièces maîtresses du patrimoine médocain. Peut-être pour lui ressembler, la présentation du vin est tout aussi élégante. Fin et subtil, le bouquet joue sur des notes de fruits (cerise noire) et de grillé pour préparer au côté somptueux de l'attaque, douce et enrobée. Arrivent ensuite des tanins gras et pleins de prestance, qui justifient la place prépondérante accordée au cabernet dans ce millésime pour obtenir une grande bouteille de garde.
SC du Ch. Margaux, 33460 Margaux, tél. 05.57.88.83.83, fax 05.57.88.31.32 r.-v.
Corinne Mentzelopoulos

CH. MARQUIS DE TERME 2002 ★

■ 4e cru clas. 38 ha 170 000 23 à 30 €

75 81 82 (83) 85 |86| 89 90 |93| |94| 95 96 97 98 99 (00) 01 02

En 1692, le marquis de Terme donne son nom à la propriété constituée par la dot de celle qu'il épouse... En 1935, la famille Sénéclauze acquiert le domaine. Pour ce millésime, ce cru a privilégié le cabernet-sauvignon. A juste titre à en juger par ce vin dont la structure, souple et assez riche, met en valeur son élégance et son agréable évolution aromatique au cours de la dégustation. Débutant par des notes de grillé, de cuir et d'extrait de café, ce 2002 passe ensuite sur des nuances de cacao, de griotte et de cannelle. Une garde de trois ou quatre ans est à conseiller avant de le servir sur un plateau de fromages.

Ch. Marquis de Terme, 3, rte de Rauzan, 33460 Margaux, tél. 05.57.88.30.01, fax 05.57.88.32.51, e-mail marquisterme@terre-net.fr

t.l.j. sf ven. sam. dim. 9h-11h 14h-17h

Sénéclauze

CH. MONBRISON 2002 ★

■ Cru bourg. sup. 12 ha 45 000 15 à 23 €

82 83 85 |(86)| |88| |89| |90| 91 |95| |96| |97| 98 00 01 02

Au fil des années, Monbrison s'est taillé une solide réputation parmi les crus bourgeois. Ce 2002 montre qu'elle n'est pas usurpée. Mariant un joli côté fruité à des notes grillées puis mentholées, le bouquet annonce l'élégance de son caractère. Celui-ci s'affirme au palais, d'un réel équilibre. Ses tanins assez ronds et ses arômes de baies rouges en font un vin très classique de l'appellation, ce qui ne l'empêchera pas d'être attendu pendant deux ou trois ans.

Laurent Vonderheyden, Ch. Monbrison, 1, allée de Monbrison, 33460 Arsac, tél. 05.56.58.80.04, fax 05.56.58.85.33, e-mail lvdh33@wanadoo.fr r.-v.

E.M. Davis et Fils

CH. MONGRAVEY 2002 ★★

■ Cru bourg. 9,7 ha 54 000 15 à 23 €

Propriété familiale agrandie depuis 1981 par l'acquisition de petites parcelles. Régulière en qualité, elle a privilégié ici le cabernet-sauvignon (70 %). Avec ses arômes de fruits très mûrs et ses tanins soyeux, le vin en porte heureusement la marque. Comme l'annonce sa robe d'un rubis foncé et le confirme sa longue finale, il a tout pour accompagner dans quatre ou six ans une pièce de bœuf de Bazas grillée sur des sarments.

Régis Bernaleau, SCEA Mongravey, 8, av. Jean-Luc-Vonderheyden, 33460 Arsac, tél. 05.56.58.84.51, fax 05.56.58.83.39, e-mail chateau.mongravey@wanadoo.fr r.-v.

CH. PALMER 2002 ★★

■ 3e cru clas. n.c. n.c. + de 76 €

78 79 80 81 82 83 84 85 (86) 88 89 90 91 92 93 94 |95| 96 97 98 99 00 01 02

Style Napoléon III oblige, le château est un pastiche néo-Renaissance ; mais un pastiche de bon goût. Il s'en dégage une impression d'harmonie que l'on retrouve dans ce vin d'un pourpre dense et profond. Derrière les premières odeurs rappelant l'élevage apparaissent bien vite des arômes de fruits rouges mûrs. Rond à l'attaque, le palais révèle ensuite une solide structure soutenue par des tanins soyeux et suaves. Vrai grand margaux, cette bouteille mérite un sérieux séjour en cave (d'au moins cinq ou six ans).

Ch. Palmer, 33460 Margaux, tél. 05.57.88.72.72, fax 05.57.88.37.16, e-mail chateau-palmer@chateau-palmer.com r.-v.

PAVILLON ROUGE 2002 ★

■ n.c. n.c. 30 à 38 €

78 81 82 83 84 85 86 |88| |89| |90| |93| |95| 96 97 |98| 99 00 01 02

Seconde étiquette de Château Margaux, ce vin fait preuve comme son aîné d'une grande élégance. Le bois se marie avec bonheur au raisin pour apporter au bouquet de délicieuses touches de vanille et d'épices complétées en bouche par des notes de tabac, de cuir, de cerise aussi. Complexe, bien construit et enrobé, c'est un vin authentique qui ne sacrifie rien aux modes éphémères. On attendra trois à cinq ans pour commencer à en profiter.

SC du Ch. Margaux, 33460 Margaux, tél. 05.57.88.83.83, fax 05.57.88.31.32 r.-v.

Corinne Mentzelopoulos

CH. POUGET 2002 ★

■ 4e cru clas. 10 ha 20 000 23 à 30 €

75 85 86 88 89 |90| 92 94 |95| |96| |97| |98| |99| 00 01 02

Du même producteur que le Château Boyd Cantenac mais issu d'un cru séparé, ce vin reste encore un peu timide dans son développement aromatique, mais ses notes grillées témoignent d'un élevage de qualité. Au palais, il prend de l'ampleur. Attaquant avec rondeur et charme, il révèle un bon équilibre avec d'agréables saveurs et une bonne présence tannique. Rappelons que Lucien Guillemet avait reçu un coup de cœur l'an dernier pour le 2001.

SCE Ch. Boyd-Cantenac et Pouget, 33460 Cantenac, tél. 05.57.88.90.82, fax 05.57.88.33.27, e-mail guillemet.lucien@wanadoo.fr r.-v.

CH. PRIEURE-LICHINE 2002 ★

■ 4e cru clas. 40 ha 150 000 23 à 30 €

82 83 86 88 89 |90| 92 93 |96| 97 |(98)| |99| 00 01 02

A la sortie du bourg de Cantenac, sur la D2 en allant vers Pauillac, ce château bénéficie d'un emplacement de choix sur la route des Vins. Les habitués du cru ne retrouveront pas dans ce millésime la charpente et la concentration caractéristiques du Prieuré. C'est sur le registre de la délicatesse que jouent ses tanins soyeux. Volontiers charmeurs et bien équilibrés, ses arômes de fruits rouges et de bois grillé s'adaptent parfaitement à la structure. Tout inviterait à profiter sans attendre de cette jolie bouteille si la finale, longue et encore un peu sévère, ne venait rappeler qu'une attente de quatre ou cinq ans est nécessaire pour l'apprécier pleinement.

Ch. Prieuré-Lichine, 34, av. de la Ve -République, 33460 Cantenac, tél. 05.57.88.36.28, fax 05.57.88.78.93, e-mail contact@prieure-lichine.fr r.-v.

GPE Ballande

CH. RAUZAN-GASSIES 2002 ★

■ 2e cru clas. 26 ha 100 000 30 à 38 €

93 94 |96| 97 |98| 99 00 01 02

Au cœur de l'appellation, ce cru jouit d'un joli terroir que connaissent bien Jean-Michel Quié et son directeur

BORDELAIS

œnologue Jean-Louis Camp, comme le prouve ce 2002. Bien dans l'esprit du margaux par son extraction judicieuse des tanins, il est à la fois savoureux et de bonne garde. L'élégance de sa structure prolonge celle du bouquet aux notes de fleurs et de baies rouges. Un vin de viande blanche.
Ch. Rauzan-Gassies, rue Alexis-Millardet, 33460 Margaux, tél. 05.57.88.71.88, fax 05.57.88.37.49, e-mail jphiquie@net-up.com
t.l.j. sf sam. dim. 8h30-12h 14h-17h
Jean-Michel Quié

### CH. RAUZAN-SEGLA 2002 ★★

2e cru clas. 51 ha 89 000 38 à 46 €

81 82 |83| |85| |86| |88| |89| |90| 91 92 93 94 95 96 97 98 |99| 00 01 02

Ravissante propriété conduite avec maestria par John Kolasa, conseillé par J. Boissenot. Tous deux recherchent l'élégance propre au margaux. Et savent l'obtenir. Le chic et la vivacité de la robe grenat se retrouvent dans le caractère de ce jeune vin aux larges épaules. Un rien gourmand dans son bouquet (cacao, réglisse et toast) comme au palais avec des arômes mentholés, il est aussi puissant que distingué et méritera un séjour en cave de six ou sept ans avant d'accompagner un mets aussi exigeant qu'un gibier à poil. Assez proche, le savoureux **Ségla 2002 (seconde étiquette entre 15 et 23 €)** a obtenu une étoile. « A servir dans toutes les occasions », a conclu un juré. « Pour le plaisir », note un autre.
SA Ch. Rauzan-Ségla, BP 56, 33460 Margaux, tél. 05.57.88.82.10, fax 05.57.88.34.54, e-mail contact@rauzan-segla.com r.-v.
Chanel.Inc

### CH. SIRAN 2002 ★

22,2 ha 76 000 15 à 23 €

66 78 79 80 81 82 83 85 86 87 88 |89| 90 91 92 |93| |94| |95| 96 97 |98| 99 00 01 02

La famille Miailhe est établie en Bordelais depuis le XVIII^e s. et possède plusieurs crus médocains. S'annonçant par une étiquette rendant hommage à Victor Hugo, ce vin paraît dans une robe rubis brillant. Encore un peu vifs, ses riches tanins sont de bon augure, tout comme son bouquet naissant aux notes de fruits noirs et de boisé toasté.
SC du Ch. Siran, 13, av. Comte-JB-de-Lynch, 33460 Labarde, tél. 05.57.88.34.04, fax 05.57.88.70.05, e-mail chateau.siran@wanadoo.fr
t.l.j. 10h15-12h45 13h30-18h
Alain Miailhe

### CH. DU TERTRE 2002 ★

5e cru clas. 50 ha 200 000 23 à 30 €

90 91 92 93 95 |96| 98 99 00 01 02

Occupant la surface et le même emplacement que celui de 1855, le vignoble de ce cru est d'un seul tenant. Les qualités du terroir se retrouvent dans le vin. D'une belle couleur grenat, ce 2002 développe de puissants arômes de toast et de fruits rouges avant de prendre en douceur possession du palais. Soutenue par de fins tanins, la structure est très margalienne par son élégance ; on appréciera cette bouteille pleinement dans trois ou quatre ans.
SEV Ch. du Tertre, 33460 Arsac, tél. 05.57.97.09.09, fax 05.57.97.09.00 r.-v.
Eric Albada Jelgersma

### CH. DES TROIS CHARDONS 2002

Cru artisan n.c. 9 500 15 à 23 €

« Qui s'y frotte... y repique » ; derrière le clin d'œil de l'étiquette se cache une plaisante réalité. Les arômes de ce margaux mêlent fruits mûrs presque confits, gelée d'airelles et merrain. Sa fraîcheur et sa bonne structure laissent le souvenir d'un ensemble agréable.
Claude et Yves Chardon, Issan, 33460 Cantenac, tél. 05.57.88.39.13, fax 05.57.88.94.33
t.l.j. 9h30-11h30 14h30-17h30

### CH. VINCENT 2002 ★

4,18 ha 3 500 15 à 23 €

Datant du début du XIX^e s., cette jolie chartreuse est bâtie sur ses chais à demi enterrés où a été élevé ce vin. Du bois, il a conservé de belles notes de grillé, de vanille et de réglisse qui viennent se confronter aux arômes variétaux de fruits rouges, de framboise et de cassis. Rond à l'attaque, le palais prend ensuite du volume pour enrober de puissants tanins. Elégante et imposante, cette bouteille justifiera un long séjour en cave.
Indivision Domec-Barrault, Ch. Vincent, 33460 Cantenac, tél. et fax 05.57.88.90.56 r.-v.

## Moulis-en-médoc

Etroit ruban de 12 km de long sur 300 à 400 m de large, moulis est la moins étendue des appellations communales du Médoc. Elle offre pourtant une large palette de terroirs.

Comme à Listrac, ceux-ci forment trois grands ensembles. A l'ouest, près de la route de Bordeaux à Soulac, le secteur de Bouqueyran présente une topographie variée, avec une crête calcaire et un versant de graves anciennes (pyrénéennes). Au centre, on trouve une plaine argilo-calcaire qui est le prolongement de celle de Peyrelebade (voir listrac-médoc). Enfin, à l'est et au nord-est, près de la voie ferrée, se développent de belles croupes de graves du Günz (graves garonnaises) qui constituent un terroir de choix. C'est dans ce dernier secteur que se trouvent les buttes réputées de Grand-Poujeaux, Maucaillou et Médrac.

Moelleux et charnus, les moulis se caractérisent par leur caractère suave et délicat. Tout en étant de bonne garde (de sept à huit ans), ils peuvent s'épanouir un peu plus rapidement que les vins des autres appellations communales. Le millésime 2004 a produit 33 238 hl sur 633 ha.

### CH. ANTHONIC 2002

Cru bourg. 25 ha 123 000 11 à 15 €

Belle unité créée au XVIII^e s., ce cru repose sur un sol à 80 % argilo-calcaire, pour le reste sur graves. Elevé en barriques neuves pour un tiers, ce vin n'en offre pas moins un bouquet marqué par des arômes variétaux, avec une

dominante de fruits noirs. Franc et tannique, il sera à maturité dans environ deux ans.
SCEA Pierre Cordonnier, Ch. Anthonic, 33480 Moulis-en-Médoc, tél. 05.56.58.34.60, fax 05.56.58.72.76, e-mail chateau.anthonic@terre-net.fr t.l.j. 9h-12h 14h-17h; sam. dim. sur r.-v.

## CH. BEL-AIR LAGRAVE 2002 *

Cru bourg. 9 ha 50 000 11 à 15 €

Six générations se sont succédé à la tête de cette propriété familiale. A l'image de sa robe profonde et intense, son 2002 allie puissance et élégance, tant par son bouquet, où les notes boisées dominent sans écraser le fruit, que par son palais, dont le volume annonce un certain potentiel de garde.
SARL Seguin-Bacquey, Grand-Poujeaux, 33480 Moulis-en-Médoc, tél. 05.56.58.01.89, fax 05.56.58.05.21 t.l.j. 9h-12h 14h-20h

## CH. BISTON-BRILLETTE 2002 *

Cru bourg. 22 ha 86 500 11 à 15 €

86 88 89 (90) 91 93 94 95 96 97 |98| |99| **00** 01 02

Dans la même famille depuis 1930, ce château s'est modernisé et dispose aujourd'hui d'un cuvier Inox dernier cri et d'un grand chai à barriques. Ce dernier a hébergé quinze mois ce millésime, assemblage de 45 % de cabernet-sauvignon et de merlot. Ce 2002 est agréable par son bouquet de fruits mûrs et d'épices, comme par son côté charnu. Toutefois, sa richesse et sa structure volumineuse suggèrent de l'attendre deux ou trois ans.
EARL Ch. Biston-Brillette, Petit-Poujeaux, 33480 Moulis-en-Médoc, tél. 05.56.58.22.86, fax 05.56.58.13.16, e-mail contact@chateaubistonbrillette.com t.l.j. sf dim. 10h-12h 14h-18h; sam. 10h-12h
Michel Barbarin

## CH. BRANAS GRAND POUJEAUX 2002 **

5,5 ha 12 000 23 à 30 €

Drapé dans de la soie rouge sombre, ce 2002 déploie une large palette aromatique, alliant d'intenses notes grillées et fumées à des parfums de fruits noirs. Au palais s'affirme une solide structure tannique qui s'accorde avec la persistance aromatique pour appeler un long séjour en cave, de quatre à six ans. Etonnant, le second vin **Les Eclats de Branas 2002 (15 à 23 €)** obtient la même note pour l'élégance de son bouquet, pour le mariage réussi du bois et du vin et pour son ampleur.
Vignoble Onclin, Grand Poujeaux, 33480 Moulis-en-Médoc, tél. et fax 05.56.58.08.62, e-mail chateaubranas@wanadoo.fr r.-v.

## CH. BRILLETTE 2002 *

Cru bourg. 40 ha 120 000 15 à 23 €

**94 95 96** |**98**| 99 |**00**| |01| 02

Comme dans beaucoup d'authentiques propriétés médocaines, le château fait ici corps avec les chais, comme pour rappeler que tout est tourné vers le vin. On n'en doute pas en découvrant la puissance, tant aromatique que tannique, de cette bouteille qui sera à ouvrir dans deux ou trois ans sur du gibier ou une pièce de viande rouge. Rappelons que le millésime 2000 fut coup de cœur dans le Guide 2004.
Flageul, Ch. Brillette, 33480 Moulis-en-Médoc, tél. 05.56.58.22.09, fax 05.56.58.12.26, e-mail secretariat@chateau-brillette.fr r.-v.

## CH. CAROLINE 2002

Cru bourg. 8,8 ha 40 000 8 à 11 €

Issu d'un vignoble dépendant des châteaux listracais Fonréaud et Lestage, ce vin n'a pas encore trouvé son bouquet définitif ; mais ses solides tanins, encore un peu compacts, lui apportent le potentiel nécessaire (deux ou trois ans) pour qu'il puisse s'ouvrir. Le **Château Chemin Royal 2002 cru bourgeois** a également été cité.
Ch. Lestage, 33480 Listrac-Médoc, tél. 05.56.58.02.43, fax 05.56.58.04.33, e-mail vignobles.chanfreau@wanadoo.fr t.l.j. sf sam. dim. 9h-12h 14h-17h
Chanfreau



## CH. CHASSE-SPLEEN 2002 **

Cru bourg. 40 ha 300 000 15 à 23 €

75 76 **78 79** 80 **81 82** |(83)| **85 86** |**88**| 89 |**90**| 91 92 93 94 |**95**| |**96**| 97 **98 99 00 01 02**

Enfant, Céline Villars faisait des cabanes avec les caisses stockées dans les chais. C'est peut-être là qu'est née sa double vocation d'architecte et de viticultrice. En tout cas, son troisième millésime est fort bien bâti, avec une belle structure soutenue par des tanins ronds et mûrs. Pleine, grasse et charnue, sa matière s'accorde avec le bouquet riche et complexe (cannelle, vanille et fruits avec un rien de caramel) pour donner une jolie bouteille à ouvrir dans trois ou quatre ans.
SA Ch. Chasse-Spleen, 2558, Grand-Poujeaux Sud, 33480 Moulis-en-Médoc, tél. 05.56.58.02.37, fax 05.57.88.84.40, e-mail info@chasse-spleen.com r.-v.
Céline Villars-Foubet

## LE CHEMIN DE COLOMBE 2002 *

0,34 ha 1 000 11 à 15 €

Né en 1998, ce cru de 34,12 ares (on se croirait en Bourgogne) est sans doute le plus petit de l'appellation. Ce qui ne l'empêche pas de respecter l'esprit médocain par son encépagement (70 % de cabernet-sauvignon et 30 % de merlot). Le 2002, son premier millésime, est prometteur, tant par ses arômes de fruits et de boisé grillé que par la maturité des tanins.
EARL Dedieu-Benoit, 6, chem. des Vignes, 33460 Cussac-Fort-Médoc, tél. 05.56.58.93.08, fax 05.57.88.50.81 r.-v.

## CH. DUPLESSIS 2002 *

Cru bourg. 18,15 ha 35 000 8 à 11 €

Signé par Marie-Laure Lurton, propriétaire de ce cru depuis 1992, comme du château Villegeorge (haut-médoc), ce vin associe 2 % de petit verdot, 2,5 % de cabernet franc et 34 % de cabernet-sauvignon au merlot. Il est tout en finesse et élégance. Celle-ci se lit dans le bouquet aux plaisants parfums de café, d'amande grillée et de fruits. Le palais s'inscrit dans le droit fil avec un côté fondu et satiné. La finale est racée.
Vignobles Marie-Laure Lurton, 2036, Chalet, 33480 Moulis-en-Médoc, tél. 05.56.58.22.01, fax 05.56.58.15.10, e-mail contact@vignobles-marielaurelurton.com r.-v.

CH. LA GARRICQ 2002 *

■ 3 ha 15 000 🛢 15 à 23 €

93 94 95 96 **98** |99| 01 02

La tradition, sur cette propriété, est de privilégier l'équilibre. Perceptible dans le bouquet de ce millésime révélant un mariage heureux des fruits noirs et du bois, celui-ci se confirme au palais grâce à une structure souple, grasse et suffisamment tannique pour accepter une garde de deux ou trois ans.

Ch. Paloumey, 50, rue Pouge-de-Beau, 33290 Ludon-Médoc, tél. 05.57.88.00.66, fax 05.57.88.00.67, e-mail info@chateaupaloumey.com t.l.j. 10h-18h; sam. dim. sur r.-v.

CH. GRANINS GRAND POUJEAUX 2002 *

■ Cru bourg. 12,03 ha 46 000 🛢 11 à 15 €

95 96 97 |99| 01 02

Représentant 48 % de l'encépagement, le merlot imprime fortement sa marque au bouquet, où les fruits sont bien présents, comme au palais, d'une aimable rondeur. Complexe et bien structuré, l'ensemble s'annonce prometteur, tant par sa richesse aromatique (sous-bois, épices et gingembre) que par sa texture tannique. Pour l'apprécier pleinement, on n'hésitera pas à l'attendre quatre ou cinq ans.

SCEA Batailley, Ch. Granins Grand Poujeaux, Grand-Poujeaux, 33480 Moulis-en-Médoc, tél. 05.56.58.05.82, fax 05.56.58.05.26, e-mail sceabatailley@wanadoo.fr t.l.j. sf sam. dim. 9h-12h 14h-18h

CH. GRANINS LAGRAVETTE 2002 *

■ 3,62 ha 26 000 8 à 11 €

Marquant l'entrée dans le Guide de ce cru, séparé depuis 2000 du château Peyredon-Lagravette, ce vin se montre séduisant par sa robe rubis et par son bouquet fruité et floral. Séveux et élégant, le palais est en harmonie avec la présentation par l'amabilité de sa chair et par ses tanins de bonne naissance.

Paul Hostein, Ch. Peyredon-Lagravette, 2062, Médrac-Est, 33480 Listrac-Médoc, tél. 05.56.58.05.55, fax 05.56.58.05.50 r.-v.

CH. GUITIGNAN 2002

■ Cru bourg. 7 ha 42 000 🛢 8 à 11 €

Ce vin bien constitué est long et tannique ; il tient les promesses de sa présentation, qui allie une couleur rubis sombre à des parfums de fruits rouges un peu acidulés. Encore un peu rude, sa finale appelle une garde de deux à trois ans.

Cave de vinification de Listrac-Médoc, 21, av. de Soulac, 33480 Listrac-Médoc, tél. 05.56.58.03.19, fax 05.56.58.07.22, e-mail grandlistrac@cave-listrac-medoc.com t.l.j. sf sam. dim. 8h-12h 14h-18h

Vidaller-Lestage

CH. HAUT-FRANQUET 2002 *

■ Cru bourg. 5 ha 25 000 🛢 8 à 11 €

Après avoir obtenu un coup de cœur l'an dernier, ce domaine propose avec ce millésime un vin qui s'inscrit dans la tradition du cru par la délicatesse de son bouquet. Celui-ci marie harmonieusement des notes fruitées (fruits rouges) et florales. Au palais, on retrouve une bonne structure tannique qui monte en puissance au cours de la dégustation pour confirmer le potentiel de garde de ce 2002.

SARL Seguin-Bacquey, Grand-Poujeaux, 33480 Moulis-en-Médoc, tél. 05.56.58.01.89, fax 05.56.58.05.21 t.l.j. 9h-12h 14h-20h

CH. JANDER 2002 *

■ 1,89 ha 8 000 🛢 11 à 15 €

Ici, la taille de la propriété fait de la conduite de la vigne un véritable jardinage. On retrouve la douceur du jardin dans le bouquet où les fruits rouges sont accompagnés de fines notes boisées et épicées. Souple avec une chair fine et des tanins délicats, le palais poursuit dans le même style pour aboutir à une finale déjà harmonieuse. A attendre un an ou deux.

SCE Vignobles Jander, 41, av. de Soulac, 33480 Listrac-Médoc, tél. 05.56.58.01.12, fax 05.56.58.01.57, e-mail vignobles.jander@wanadoo.fr r.-v.

CH. LALAUDEY 2002 **

■ 10 ha 30 000 🛢 11 à 15 €

Repris en 2002 par le propriétaire du *Relais de Margaux*, complexe hôtelier quatre étoiles, ce cru nous offre ici le premier millésime signé par la nouvelle équipe conseillée par les Boissenot. Le moins que l'on puisse dire est que le coup d'essai est une réussite. La couleur aubergine à reflets violets annonce par son intensité la structure tannique du palais. Rond et puissant, ample et élégant, l'ensemble ne cache pas sa vocation à la garde et son originalité, avec des notes beurrées au bouquet. Pour rester dans l'esprit de la presqu'île du vin, on le mariera à un esturgeon de Gironde poché au lait d'épices avec une boulangère de topinambour au caviar d'Aquitaine que sert le chef du *Relais*. Mais dans quelque temps tout de même.

SCEA Ch. Lalaudey, chem. de Pomeys, 33480 Moulis-en-Médoc, tél. 05.57.88.57.57, fax 05.56.58.06.00, e-mail lalaudey@chateau-lalaudey.fr t.l.j. sf sam. dim. 8h30-12h 13h-18h

J. Delcroix

CH. MALMAISON

Baronne Nadine de Rothschild 2002 *

■ Cru bourg. 24 ha 79 000 🛢 15 à 23 €

88 89 90 **91** 95 96 97 |98| |99| |00| 01 02

Appartenant aux domaines Edmond de Rothschild, comme le château Clarke à Listrac, ce cru propose un vin qui affirme pleinement sa présence tout au long de la dégustation. D'abord par son bouquet où l'apport du bois se fait suffisamment discret pour respecter les parfums du fruit. Ensuite au palais où se révèle une structure bien équilibrée, avec des tanins serrés qui annoncent un bon potentiel de garde.

EV Edmond et Benjamin de Rothschild, 33480 Listrac-Médoc, tél. 05.56.58.38.00, fax 05.56.58.26.46, e-mail contact@cver.fr r.-v.

CH. MAUCAILLOU 2002

■ Cru bourg. 60 ha 340 000 🛢 11 à 15 €

88 89 90 93 94 95 (96) |97| |98| 99 00 01 02

Fief familial des Dourthe, ce cru propose ici un vin qui n'entend pas rivaliser avec certains millésimes antérieurs, mais qui sait se rendre fort agréable par ses parfums de fruits rouges comme par l'équilibre de son palais. Souple et bien constitué, il pourra être attendu deux ou trois ans.

🔑 Philippe Dourthe, quartier de la Gare,
33480 Moulis-en-Médoc, tél. 05.56.58.01.23,
fax 05.56.58.00.88, e-mail chateau@maucaillou.com
t.l.j. 10h-12h30 14h-18h

### CH. MOULIN A VENT 2002 ★

■ Cru bourg. 25 ha 120 000 11 à 15 €

Ici, pas d'arrogant castel éclectique mais une jolie chartreuse dont l'élégante simplicité se retrouve dans le vin. D'un beau rouge foncé, celui-ci se montre très agréable par son bouquet fruité avant d'attaquer franchement. Une bonne présence tannique garantit l'aptitude à la garde de cette bouteille, tout en respectant son équilibre.

🔑 Dominique Hessel, Ch. Moulin à Vent, Bouqueyran,
33480 Moulis-en-Médoc, tél. 05.56.58.15.79,
fax 05.56.58.39.89, e-mail hessel@moulin-a-vent.com
t.l.j. sf sam. dim. 9h-12h 13h30-17h30

### CH. MYON DE L'ENCLOS 2002

■ 5 ha 28 000 8 à 11 €

Bernard Lartigue crée en 2005 quatre chambres d'hôte et deux suites. Les amateurs découvriront ainsi le talent du propriétaire en même temps que le travail du vigneron. Ce vin au bouquet encore boisé (grillé) se montre très agréable au palais, où son fruité procure une bonne impression d'harmonie.

🔑 Ch. Myon de l'Enclos, 33480 Moulis-en-Médoc,
tél. 05.56.58.27.63, fax 05.56.58.22.41,
e-mail blartigue@terre-net.fr
t.l.j. 9h-12h30 13h30-17h30
🔑 B. Lartigue

### CH. POUJEAUX 2002 ★★

■ Cru bourg. 60 ha 290 000 15 à 23 €

81 82 83 85 ⑧⑥ 87 88 89 |90| 93 94 |95| |96| |97| 98 |99| 00 01 02

Peu de crus jouissent d'un terroir d'exception. Avec une belle croupe de graves profondes au drainage excellent, Poujeaux est de ceux-là. Une fois encore, il en apporte la démonstration avec ce vin dont on devine dès le bouquet qu'il possède un rare équilibre. A l'attaque, on retrouve ses arômes de fruits noirs et de torréfaction. L'impression d'harmonie se prolonge au palais, soutenu par une structure alliant souplesse et puissance. Cette bouteille n'amène qu'une question : faudra-t-il l'ouvrir dans trois ans ou dans dix ans ?

🔑 SA Jean Theil,
Ch. Poujeaux, 33480 Moulis-en-Médoc,
tél. 05.56.58.02.96, fax 05.56.58.01.25,
e-mail chateau-poujeaux@wanadoo.fr r.-v.

# Pauillac

A peine plus peuplé qu'un gros bourg rural, Pauillac est une vraie petite ville, agrémentée, qui plus est, d'un port de plaisance sur la route du canal du Midi. C'est un endroit où il fait bon déguster, à la terrasse des cafés sur les quais, les crevettes fraîchement pêchées dans l'estuaire. Mais c'est aussi, et surtout, la capitale du Médoc viticole, tant par sa situation géographique, au centre du vignoble, que par la présence de trois premiers crus classés (Lafite, Latour et Mouton) que complète une liste assez impressionnante de dix-huit crus classés. La coopérative assure une production importante. L'appellation a produit 63 856 hl sur 1 214 ha en 2004.

L'aire d'appellation est coupée en deux en son centre par le chenal du Gahet, petit ruisseau séparant les deux plateaux qui portent le vignoble. Celui du nord, qui doit son nom au hameau de Pouyalet, se distingue par une altitude légèrement plus élevée (une trentaine de mètres) et par des pentes plus marquées. Détenant le privilège de posséder deux premiers crus classés (Lafite et Mouton), il se caractérise par une parfaite adéquation entre sol et sous-sol, que l'on retrouve aussi dans le plateau de Saint-Lambert. S'étendant au sud du Gahet, ce dernier s'individualise par la proximité du vallon du Juillac, petit ruisseau marquant la limite méridionale de la commune, qui assure un bon drainage, et par ses graves de grosse taille qui sont particulièrement remarquables sur le terroir du premier cru de ce secteur, Château Latour.

Provenant de croupes graveleuses très pures, les pauillac sont des vins puissants et charpentés, mais aussi fins et élégants, avec un bouquet délicat. Comme ils évoluent très heureusement au vieillissement, il convient de les attendre. Mais ensuite, il ne faut pas avoir peur de les servir sur des plats assez forts comme des préparations de champignons, des viandes rouges, du gibier ou du foie gras.

### CH. D'ARMAILHAC 2002 ★★

■ 5e cru clas. 49 ha 173 174 38 à 46 €

72 73 74 75 78 79 80 81 82 83 84 |85| |⑧⑥| 87 |88| |89| |90| 92 93 94 |95| |96| 97 98 99 00 01 02

Tour à tour d'Armailhacq, Mouton Baron d'Armailhacq, Mouton Baron Philippe et Mouton Baronne Philippe, ce cru classé a souvent changé de nom mais il est toujours resté une valeur sûre. Pauillac oblige, puissance et élégance sont la marque de fabrique de ce vin arrivé tout près du coup de cœur, devancé d'une courte tête par Clerc Milon. D'un rouge cerise à reflets rubis, il révèle un

bouquet complexe (fruits rouges, framboise et cassis) et une riche matière. Une finale épicée clôt heureusement la dégustation et annonce un très beau potentiel de garde.
SA Baron Philippe de Rothschild, BP 117, 33250 Pauillac, tél. 05.56.73.20.20, fax 05.56.73.20.44, e-mail webmaster@bpdr.com r.-v.

## CH. ARTIGUES ARNAUD 2002 ★

■ 40,15 ha 64 800 15 à 23 €

Appartenant au vaste ensemble constitué par les domaines Cordier et Mestrezat, ce cru propose ici un vin tout à la fois friand et bien constitué. Des plis de sa robe vermillon s'échappent des parfums de cannelle, de merise et de groseille, le tout nappé de réglisse. Tendreté et finesse se retrouvent au palais, tant les tanins sont fondants. À savourer avec du petit gibier ou une viande rouge grillée, aujourd'hui comme dans cinq ou dix ans.
SC du Ch. Grand-Puy Ducasse, La Croix Bacalan, 109, rue Achard, BP 154, 33042 Bordeaux Cedex, tél. 05.56.11.29.00, fax 05.56.11.29.01

## CH. BATAILLEY 2002 ★

■ 5e cru clas. n.c. 220 000 23 à 30 €

70 75 76 78 79 80 81 82 83 |85| |86| |88| |89| |90| 91 92 93 |95| |96| |97| 98 |99| 00 01 02

Comme beaucoup de crus prestigieux de Pauillac, Batailley bénéficie d'un terroir de qualité. Son millésime 2002 semble s'être laissé séduire par les charmes de la torréfaction, véritable fil rouge de la dégustation. Mais là ne s'arrête pas sa personnalité. Elle s'exprime aussi par des arômes de tabac, de noix muscade et de fruits confits, puis par un palais ample et charnu, long et élégant. Dans trois à six ans, les tanins seront bien fondus, de sorte que le vin pourra accompagner un canard braisé.
Héritiers Castéja, 33250 Pauillac, tél. 05.56.00.00.70, fax 05.57.87.48.61, e-mail domaines@borie-manoux.fr r.-v.

## CH. BELLEGRAVE 2002 ★

■ Cru bourg. 7 ha 20 000 15 à 23 €

97 |98| 99 00 01 02

Situé sur la route des châteaux qui longe l'estuaire, ce cru a conservé un beau parc. Encore un peu fermé mais déjà assez agréable par son bouquet aux notes de fruits rouges (cerise) et de fumée, son 2002 semble bien armé pour affronter l'avenir. Homogène, charnu, long et soutenu par un bois bien intégré, il promet de gagner en complexité d'ici trois à quatre ans.
EARL Ch. Bellegrave, 22, rte des Châteaux, 33250 Pauillac, tél. 05.56.59.05.53, fax 05.56.59.06.51 r.-v.
J.-P. Meffre

## CH. CHANTECLER-MILON 2002 ★

■ Cru bourg. n.c. 30 000 8 à 11 €

Diffusé par le négoce, ce vin monte en puissance au fur et à mesure de la dégustation pour livrer un ensemble frais et très près du fruit. Les tanins ne sont pas absents ; bien au contraire, ils viennent rappeler que cette bouteille devra être attendue trois à cinq ans pour être pleinement appréciée.
Œnoalliance, rte du Petit-Conseiller, 33750 Beychac-et-Caillau, tél. 05.57.97.39.73, fax 05.57.97.39.76, e-mail scluzeau@oenoalliance.com

## CH. CLERC MILON 2002 ★★

■ 5e cru clas. 32 ha 78 550 46 à 76 €

75 76 78 79 |82| |83| |85| |86| 87 |88| |89| |90| 92 93 94 (95) |96| |97| |98| 99 00 01 02

Archétype du pauillac, ce vin dense et charnu concilie à merveille deux qualités en apparence opposées : puissance et élégance. Réussie dans la robe, d'un grenat brillant, l'alliance l'est aussi au bouquet, intense et fin avec des notes boisées parfaitement intégrées à celles de fruits rouges, puis l'harmonie se prolonge au palais. Remarquablement équilibré et fort plaisant par ses saveurs de chocolat et de fruits noirs, reposant sur des tanins bien enrobés, ce millésime possède un réel potentiel de garde.
SA Baron Philippe de Rothschild, BP 117, 33250 Pauillac, tél. 05.56.73.20.20, fax 05.56.73.20.44, e-mail webmaster@bpdr.com r.-v.

## CH. COLOMBIER-MONPELOU 2002 ★

■ Cru bourg. sup. 18 ha 113 000 11 à 15 €

Ce cru s'est doté d'un chai souterrain avec brassage d'air. D'une belle couleur grenat, son vin développe un bouquet intéressant à l'aération et révèle un mariage réussi du bois et du fruit. Ses tanins encore fermes appellent une garde de trois à cinq ans.
Sté des Vignobles Jugla, Ch. Colombier-Monpelou, 33250 Pauillac, tél. 05.56.59.01.48, fax 05.56.59.12.01 r.-v.

## CH. CORDEILLAN-BAGES 2002 ★★

■ 2 ha 8 000 30 à 38 €

Surtout connu pour son hôtel Relais et châteaux, ce castel est resté un petit mais authentique cru viticole. Sa production n'a pas grand-chose à envier à celle des prestigieux crus classés qui l'entourent : profondeur du bouquet (fruits noirs, toast et grillé), équilibre du palais, solidité de la charpente aux beaux tanins de raisin, élégance de la finale aux fraîches notes réglissées. Tout est là pour donner un fort joli vin, à déguster dans quatre ou cinq ans sur un mets tout simple mais de qualité, tel un vieux gouda.
Jean-Michel Cazes, Ch. Cordeillan-Bages, 33250 Pauillac, tél. 05.56.73.24.00, fax 05.56.59.26.42, e-mail info@cordeillanbages.com
Famille Cazes

## CH. DUHART-MILON 2002 ★★

■ 4e cru clas. n.c. n.c. 46 à 76 €

61 70 75 76 79 80 81 |82| |83| |85| |86| 87 |88| |89| 90 91 92 |93| 94 |95| |96| |97| 98 99 00 01 02

Né sur des graves légères, ce vin s'inscrit dans l'appellation par son aptitude à la garde. Celle-ci se devine déjà dans sa couleur sombre. Elle se confirme au bouquet par une belle complexité (cappucino, cacao, fruits mûrs, myrtille, framboise...). Dense et souple, l'attaque précède un palais généreux et croquant. Malgré son enveloppe fruitée, la finale demandera quelques années pour se polir. Sérieux et agréable, avec un côté charnu, le second vin du cru, **Moulin de Duhart 2002 (11 à 15 €)**, a obtenu une étoile.

Ch. Duhart-Milon, 33250 Pauillac,
tél. 01.53.89.78.00, fax 01.53.89.78.01

## CH. LA FLEUR PEYRABON 2002 *

Cru bourg. 4,87 ha 26 604 15 à 23 €

Propriété de la maison de négoce Millésime (Patrick Bernard), ce cru propose un vin destiné à une cuisine raffinée. Sa couleur grenat annonce qu'il sera à attendre (deux ou trois ans). Ses parfums complexes et harmonieux (fumée, vanille, caramel) composent un bouquet élégant que prolonge un palais frais, bien équilibré et long.

SARL Ch. Peyrabon,
Vignes de Peyrabon, 33250 Saint-Sauveur,
tél. 05.56.59.57.10, fax 05.56.59.59.45,
e-mail contact@chateau-peyrabon.com
t.l.j. sf sam. dim. 9h-12h 14h-17h

## CH. GRAND-PUY DUCASSE 2002 *

5e cru clas. 40,15 ha 100 100 23 à 30 €

82 **83** 84 **85** 86 **88** 89 |90| 91 92 93 94 |95| **96** 97 |98| |99| **00** 01 02

Construit au bord de la Gironde vers 1820, quand Pauillac n'était encore qu'un village, ce château donne aujourd'hui sur les quais de la capitale du Médoc viticole. Agréable à l'œil par le côté brillant de sa robe, son 2002 séduit par son bouquet. Aux parfums floraux, il ajoute des notes de miel, de berlingot et de cannelle. Tendre, souple, charnu et délicat, le palais se montre lui aussi charmeur tout en révélant une puissance qui appelle une bonne garde. Le second vin, **Prélude à Grand-Puy Ducasse 2002 (15 à 23 €)**, a été cité.

SC du Ch. Grand-Puy Ducasse, La Croix Bacalan,
109, rue Achard, BP 154, 33042 Bordeaux Cedex,
tél. 05.56.11.29.00, fax 05.56.11.29.01

## CH. GRAND-PUY-LACOSTE 2002 *

5e cru clas. 55 ha 180 000 23 à 30 €

**61 66 70** 71 **75** 76 **78** 81 **82 83 85** |(86)| 87 |**88**| |**89**| **90** 91 92 93 94 **95 96** 97 **98** |99| **00** 01 02

Ici, un peu de toponymie s'impose. Non par souci d'érudition ou pour l'anecdote, mais parce qu'elle indique les qualités du terroir, *puy* désignant une hauteur. Forte de cet atout, l'équipe de François-Xavier Borie a su élaborer un vin complexe et ample. Porté par des tanins généreux et élégants, ce 2002 à la finale soyeuse déploie une jolie palette de parfums, allant des fruits rouges à la réglisse en passant par la vanille et les épices. Tout est réuni pour donner une fort agréable bouteille dont on pourra apprécier les charmes dans deux ou trois ans. Seconde étiquette du cru, le **Lacoste Borie 2002 (11 à 15 €)** a été cité.

Domaines F. Xavier Borie, BP 82, 33250 Pauillac,
tél. 05.56.59.06.66, fax 05.56.59.22.27,
e-mail domainesfxborie@domainesfxborie.com

## CH. HAUT-BAGES AVEROUS 2002 **

n.c. 172 000 23 à 30 €

Seconde étiquette du château Lynch-Bages, ce vin est assez proche de son grand frère ; il montre peut-être un peu moins de puissance et de complexité mais on y apprécie un bel équilibre et une grande élégance. Un dégustateur note qu'il « doit provenir d'un grand terroir ». Ce 2002 procurera un réel plaisir.

Jean-Michel Cazes, Ch. Lynch-Bages,
33250 Pauillac, tél. 05.56.73.24.00, fax 05.56.59.26.42,
e-mail infochato@lynchbages.com r.-v.
Famille Cazes

## CH. HAUT BAGES LIBERAL 2002 **

5e cru clas. 28 ha 100 000 23 à 30 €

**75 76** 78 79 80 81 |(82)| **83** 84 |**85**| |**86**| 87 |88| |89| |**90**| 91 92 |93| |94| |**95**| |**96**| |97| (98) **99** (00) 01 **02**

Dans ce millésime où le cabernet-sauvignon a bénéficié de conditions plus favorables que le merlot, le premier cépage a tenu une place prépondérante dans l'assemblage. Ce choix a permis d'apporter au vin les tanins nécessaires pour garantir un bon potentiel de garde. La puissance du bouquet, où se côtoient des notes fruitées, florales et grillées, confirme cette vocation au vieillissement, tout comme l'harmonie du palais dont la finale soyeuse révèle un élevage bien maîtrisé. Très cabernet, cette superbe bouteille restera plus de cinq ans en cave avant d'épouser un mets raffiné. Aromatique, riche et bien construit, le second vin, **La Chapelle de Bages 2002 (11 à 15 €)**, a obtenu une étoile.

**Pauillac**

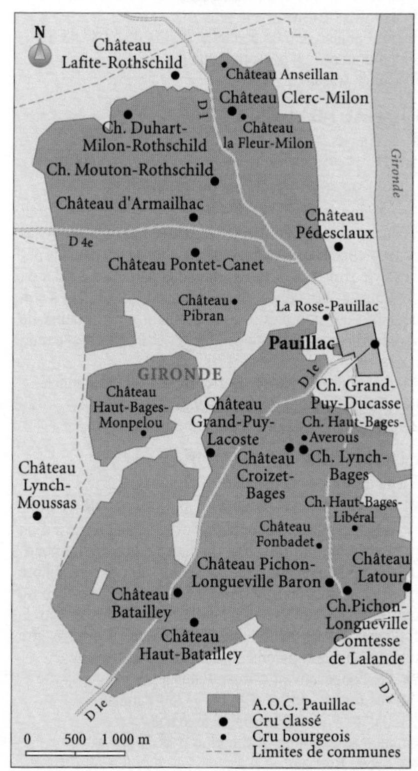

GRAND CRU CLASSÉ EN 1855
Château
Haut-Bages Libéral
PAUILLAC
Appellation Pauillac Contrôlée
2002
S.A. HAUT-BAGES LIBERAL, PROPRIETAIRE À PAUILLAC - GIRONDE - FRANCE
MIS EN BOUTEILLE AU CHATEAU
12,5% vol
750 ml


🗝 Claire Villars, Ch. Haut-Bages Libéral, Saint-Lambert, 33250 Pauillac, tél. 05.57.88.76.65, fax 05.57.88.98.33 ⌶ 🚶 r.-v.

## CH. HAUT-BAGES MONPELOU 2002 ★

■ Cru bourg. n.c. 40 000 🛢 15 à 23 €

Pour les Castéja, Haut-Bages Monpelou a une valeur particulière : si comme beaucoup de dynasties bordelaises ils ont fréquemment changé de propriétés, ce domaine est dans leur famille depuis des temps très anciens. Leur attachement se devine dans la qualité de ce 2002. D'une jolie teinte rubis à reflets brillants, il attaque par des notes boisées avant de laisser revenir le fruit. Ronde et riche, la trame tannique s'affirme progressivement pour déboucher sur une longue et fraîche finale qui confirme que cette bouteille sera à ouvrir dans trois ou quatre ans. On la dégustera sur une épaule d'agneau (de Pauillac bien sûr).

🗝 Héritiers Castéja, 33250 Pauillac, tél. 05.56.00.00.70, fax 05.57.87.48.61, e-mail domaines@borie-manoux.fr r.-v.

🗝 Emile Castéja

## CH. HAUT-BATAILLEY 2002 ★

■ 5e cru clas. 22 ha 110 000 🛢 15 à 23 €

66 71 75 78 81 82 83 84 85 86 87 88 |89| |90| 91 92 |93| |94| |(95)| 96 97 98 99 00 01 02

L'une des particularités de ce cru est d'être situé tout à côté du saint-julien. Un tel voisinage aurait-il inspiré les concepteurs de ce vin ? En tout cas, s'il est bien pauillac par sa solide structure et sa vocation à la garde, ce 2002 a un petit air juliénois dans son harmonie. Celle-ci tient à son équilibre, à sa complexité, avec de fins arômes de fleurs, de vanille, d'épices et de gingembre, et à sa chair qui le rend charmeur.

🗝 Domaines F. Xavier Borie, BP 82, 33250 Pauillac, tél. 05.56.59.06.66, fax 05.56.59.22.27, e-mail domainesfxborie@domainesfxborie.com

## CH. HAUT DE LA BECADE

Vieilli en fût de chêne 2002

■ 8,29 ha n.c. 🛢 11 à 15 €

Elaboré à la cave coopérative de Pauillac à partir d'un petit vignoble situé au cœur du plateau de Saint-Lambert, au sud de l'appellation, ce vin séduit, tant par l'équilibre entre les arômes du fruit (groseille et mûre) et ceux du bois, que par la souplesse des tanins bien fondus et par la fraîcheur de la finale. Très aromatique, il pourra être apprécié assez rapidement, dans deux ou trois ans.

🗝 Sté coopérative La Rose Pauillac, 44, rue du Mal-Joffre, BP 14, 33250 Pauillac, tél. 05.56.59.26.00, fax 05.56.59.63.58, e-mail larosepauillac@wanadoo.fr ☑ ⌶ 🚶 r.-v.

🗝 Sylvie Raynaud

## CH. HAUT MILON Elevé en fût de chêne 2002

■ 10,49 ha n.c. 🛢 11 à 15 €

Fait rare pour un pauillac, ce vin est majoritairement issu du merlot. La part que tiennent les fruits rouges dans le bouquet est sans doute la marque de fabrique du cépage. Le bois est lui aussi présent mais avec discrétion. Une qualité qu'il conserve au palais. Celui-ci s'étoffe progressivement pour s'achever par une finale complexe et bien équilibrée qui confirme le potentiel de garde de cette bouteille.

🗝 Sté coopérative La Rose Pauillac, 44, rue du Mal-Joffre, BP 14, 33250 Pauillac, tél. 05.56.59.26.00, fax 05.56.59.63.58, e-mail larosepauillac@wanadoo.fr ☑ ⌶ 🚶 r.-v.

🗝 Mme Behr

## CH. LAFITE ROTHSCHILD 2002 ★★★

■ 1er cru clas. 100 ha n.c. 🛢 + de 76 €

59 (61) 64 66 69 |70| 73 |75| 76 77 |78| 79 80 |81| |82| |83| 84 |85| |86| 87 |88| |89| |90| |92| |93| |94| (95) (96) |97| (98) 99 (00) 01 (02)

MIS EN BOUTEILLE AU CHÂTEAU
CHATEAU LAFITE ROTHSCHILD
2002
PAUILLAC


Le charme presque désuet de l'étiquette ne doit pas faire oublier que Lafite a toujours su évoluer avec son temps et se doter sans tapage des équipements les plus performants. Une condition indispensable pour tenir son rang et élaborer des vins aussi riches que cet étonnant 2002. Sombre, sa robe à reflets violines en dit long sur sa jeunesse. Cuir, moka, fruits, épices, le bouquet est aussi fin que complexe. L'attaque est un moment d'exception. Gras, plein, riche et élégant avec des tanins soyeux, le palais est un modèle d'équilibre. Grande dame distinguée et puissante, cette bouteille prometteuse mérite de se reposer pendant une bonne dizaine d'années.

🗝 Ch. Lafite Rothschild, 33250 Pauillac, tél. 01.53.89.78.00, fax 01.53.89.78.01 ⌶ 🚶 r.-v.

## CARRUADES DE LAFITE 2002 ★

■ n.c. n.c. 🛢 38 à 46 €

85 86 |88| |89| |90| 92 93 94 |95| |96| 97 |98| 99 00 01 02

Fidèle à sa tradition, l'équipe de Château Lafite propose un second vin parfaitement dans l'esprit de l'appellation. Sa richesse se découvre dans le bouquet aux notes de pruneau, de prune cuite, de garrigue, d'épices et de moka ; puis elle se confirme au palais par une solide charpente et de multiples saveurs. On attendra quatre ou cinq ans pour profiter pleinement des charmes de cette bouteille.

🗝 Ch. Lafite Rothschild, 33250 Pauillac, tél. 01.53.89.78.00, fax 01.53.89.78.01 ⌶ 🚶 r.-v.

### CH. LATOUR 2002 ★★★

■ 1er cru clas. 47 ha 105 000 🛢 + de 76 €

|(61)| **67 71** 73 74 75 |**76**| 77 |**78**| 79 |**80**| 81 |**82**| |**83**| 84 |**85**| |**86**| |**87**| |**88**| |**89**| **90** |**91**| |**92**| |**93**| |**94**| (95) **96** |**97**| (98) **99** (00) **01** (02)

Si le château lui-même, typique de l'architecture du XIXᵉs., ne retient guère l'attention, tout le reste à Latour est d'exception ; le terroir, de graves claires ; l'histoire, de la seigneurie médiévale au grand cru ; les bâtiments et les équipements de vinification. Sans oublier bien sûr le vin. Sombre et profonde, la robe dit clairement que l'avenir de ce 2002 est assuré. Le bouquet ne s'est pas encore complètement ouvert ; pourtant, il est déjà d'une réelle complexité avec des notes de fraise, de cassis, de toast... A l'attaque, savoureuse à souhait, les fruits l'emportent, accompagnés d'une touche réglissée. Les tanins révèlent peu à peu leur caractère imposant et un bel équilibre s'établit. La longueur de la finale épicée (poivre) clôt magnifiquement la dégustation. Une grande bouteille qui s'épanouira dix, voire quinze ans en cave.

🔑 SCV du Ch. Latour, Saint-Lambert, 33250 Pauillac, tél. 05.56.73.19.80, fax 05.56.73.19.81, e-mail f.ardouin@chateau-latour.com ☑ Y 🚶 r.-v.

🔑 F. Pinault

### LES FORTS DE LATOUR 2002 ★

■ 18 ha 85 000 🛢 46 à 76 €

80 **81 82 83 85 86 87** |**88**| |**89**| |**90**| 92 94 |**95**| |**96**| 97 **98 99 00** 01 02

Les amateurs impatients qui voudront se consoler de devoir laisser en cave le Latour pourront, dans quatre ou cinq ans, avoir le plaisir de savourer son second vin. Sa finesse aromatique, des notes de fruits mûrs et de marc de café du bouquet aux épices de la finale, et sa trame tannique harmonieuse permettent à cette bouteille de charmer aujourd'hui comme demain.

🔑 SCV du Ch. Latour, Saint-Lambert, 33250 Pauillac, tél. 05.56.73.19.80, fax 05.56.73.19.81, e-mail f.ardouin@chateau-latour.com ☑ Y 🚶 r.-v.

### CH. LYNCH-BAGES 2002 ★★

■ 5e cru clas. 90 ha 420 000 🛢 46 à 76 €

75 |**79**| 80 |**81**| |(82)| |**83**| 84 |**85**| |**86**| |**87**| |**88**| |**89**| |**90**| 91 92 |**93**| |**94**| 95 **96** |**97**| (98) **99** (00) **01 02**

Histoire, terroir, architecture, le bel ensemble que constitue ce cru est caractéristique du grand domaine viticole médocain. Sa visite n'en est que plus intéressante. Elle permet aussi d'acquérir des vins bien typés, comme ce 2002. La profondeur de sa robe et la puissance de son bouquet (fleurs et bois) disent clairement son caractère.

Plein, moelleux et charnu, avec de solides piliers tanniques, le palais est à la fois charpenté et sensuel, long et élégant. Très complète, cette bouteille accompagnera dans quelques années du gibier ou un carré d'agneau.

🔑 Jean-Michel Cazes, Ch. Lynch-Bages, 33250 Pauillac, tél. 05.56.73.24.00, fax 05.56.59.26.42, e-mail infochato@lynchbages.com ☑ r.-v.

🔑 Famille Cazes

### CH. LYNCH-MOUSSAS 2002 ★

■ 5e cru clas. 35 ha 160 000 🛢 15 à 23 €

**81** 82 **83** 85 86 88 |**89**| |**90**| 93 |**95**| |**96**| 97 **98 00** |**01**| 02

Du même producteur que le Batailley, ce vin affirme fort sa personnalité, prouvant que dans les grandes appellations le terroir reste déterminant. A la densité de la robe répond l'intensité du bouquet aux notes de poivron, de fruits noirs et de cèdre. Au palais apparaissent des tanins d'une fougue juvénile qu'accompagnent des touches de café et de chocolat noir. Une vraie bouteille de garde, à attendre de cinq à huit ans.

🔑 Emile Castéja, 33250 Pauillac, tél. 05.56.00.00.70, fax 05.57.87.48.61, e-mail domaines@borie.manoux.fr r.-v.

### CH. MOUTON ROTHSCHILD 2002 ★★

■ 1er cru clas. 82 ha 247 000 🛢 + de 76 €

73 74 |**75**| **76** 77 |**78**| **79** 80 81 |**82**| |**83**| **84** |**85**| (86) **87** |**88**| |**89**| |**90**| |**91**| |**92**| |**93**| |**94**| (95) |**96**| |**97**| (98) **99** (00) **01 02**

Fidèle à son habitude, l'équipe de Mouton a attendu que ses cabernets (77 % de l'encépagement) soient bien mûrs pour vendanger (pratiquement en octobre). Elle a été bien inspirée, car ce vin ne se contente pas de mettre le dégustateur en confiance par sa robe dense et brillante. Si le bois est encore très présent, notamment dans l'expression aromatique avec des notes de torréfaction, on découvre que ce 2002 a un réel potentiel. Sa structure aux tanins fins et doux, et sa finale, riche et dense, invitent à l'attendre six ou sept ans, voire davantage.

🔑 SA Baron Philippe de Rothschild, BP 117, 33250 Pauillac, tél. 05.56.73.20.20, fax 05.56.73.20.44, e-mail webmaster@bpdr.com r.-v.

### CH. PEDESCLAUX 2002 ★★

■ 5e cru clas. 15 ha 100 000 🛢 15 à 23 €

|98| |99| |00| **01 02**

Portant le nom du premier propriétaire de ce cru, un courtier très connu à Bordeaux au début du XIXᵉs., ce vin est d'un bel aspect, très lumineux. Fin et délicat, le bouquet mêle pruneau, fruits mûrs, fumée et café. Tout aussi harmonieux, le palais enrichit la palette d'arômes de fruits

exotiques et de confiture de melon d'Espagne. Charmeur et séduisant, ce 2002 se laisserait presque boire dès aujourd'hui ; pourtant, il gagnera à attendre six à huit ans.
SCEA Ch. Pédesclaux, Padarnac, 33250 Pauillac, tél. 05.56.59.22.59, fax 05.56.59.63.19, e-mail contact@chateau-pedesclaux.com
t.l.j. sf dim. lun. 10h-12h 14h-17h
Famille Jugla

## CH. PIBRAN 2002 **

Cru bourg. 17 ha 40 000 23 à 30 €

Pour certains, on peut appliquer les mêmes recettes d'un cru à l'autre, pour ne pas dire d'une région à l'autre. Telle n'est pas la conception d'Axa Millésimes. Composé de 60 % de cabernet-sauvignon, 30 % de merlot, 5 % de cabernet franc et 5 % de petit verdot, le Pibran n'a rien d'un clone du Pichon Baron. Paré d'une robe sombre, il associe cannelle, torréfaction, poudre de chocolat et toast, le tout accompagné d'arômes de fruits noirs. Bien structuré, puissant même, ce 2002 promet d'être flamboyant et d'apporter un réel plaisir dans quelques années. Le second vin, **Tour Pibran 2002 (11 à 15 €)**, est un vrai vin plaisir : frais, bien soutenu par des tanins charmeurs, il sera prêt dans deux petites années. Il obtient une étoile.
Ch. Pibran, 33250 Pauillac, tél. 05.56.73.17.17, fax 05.56.73.17.28, e-mail infochato@pichonlongueville.com
Axa Millésimes

## CH. PICHON-LONGUEVILLE BARON 2002 **

2e cru clas. 70 ha 200 000 46 à 76 €

78 81 |82| |83| 84 |85| |86| 87 |88| |89| |90| 91 92 93 94 |95| 96 |97| 98 99 00 01 02

Complémentarité et contraste entre l'architecture du château (XIX^e s.) et celle du chai (fin du XX^e s.) créent une harmonie insolite qui attire le regard du visiteur. Ce vin retient lui aussi l'attention par sa forte personnalité. Celle-ci s'exprime d'abord par la couleur profonde de la robe, puis par la densité et la richesse du bouquet, très typé cabernet-sauvignon. L'apport du bois confère une réelle complexité à l'ensemble. Souple, chaleureuse et concentrée, l'attaque s'ouvre sur un palais aux tanins soyeux. Riche et harmonieux, ce vin appelle une garde de cinq ans ou plus. Seconde étiquette, **Les Tourelles de Longueville 2002 (15 à 23 €)** ont obtenu une étoile. Avec des tanins fins, bien mis en relief par l'élevage sous bois, ce vin sera à attendre trois ou quatre ans.
Ch. Pichon-Longueville, BP 112, 33250 Pauillac, tél. 05.56.73.17.17, fax 05.56.73.17.28, e-mail infochato@pichonlongueville.com
t.l.j. 9h-12h 14h-18h; sam. dim. sur r.-v.
Axa Millésimes

## CH. PICHON-LONGUEVILLE COMTESSE DE LALANDE 2002 **

2e cru clas. 85 ha n.c. 46 à 76 €

66 70 71 75 76 78 79 80 81 82 83 84 85 |86| 87 |88| |89| |90| |91| 92 |93| |94| 95 96 |97| 98 99 00 01 02

Le vin et le verre sont indissociables. May-Eliane de Lencquesaing a voulu le rappeler en exposant une riche collection qui contribue à l'attrait de la visite. Mais plus que le contenant, c'est le contenu qui intéressera l'amateur avec des vins comme ce 2002 tout en nuances. A l'élégance du bouquet (menthol, pain grillé, fruits cuits et vanille) répond l'équilibre d'un palais aussi rond que bien structuré et long. Ce millésime pourra s'allier avec la cuisine moderne. Egalement expressif et bien équilibré, le second vin, la **Réserve de la Comtesse 2002 (11 à 15 €)**, a obtenu une étoile.
SCI Ch. Pichon-Longueville Comtesse de Lalande, 33250 Pauillac, tél. 05.56.59.19.40, fax 05.56.59.26.56, e-mail pichon@pichon-lalande.com r.-v.
May-Eliane de Lencquesaing

## CH. PLANTEY 2002

Cru bourg. 27 ha 78 000 11 à 15 €

Né sur un vignoble d'une surface respectable, ce vin révèle d'agréables arômes de sous-bois, une bonne structure avec des tanins qui demanderont un peu de patience (autour de deux ans) pour s'arrondir. Une bouteille classique.
SCE Ch. Plantey, 33250 Pauillac, tél. et fax 05.56.59.32.30
Claude Meffre

## CH. PONTET-CANET 2002 **

5e cru clas. 80 ha 270 000 23 à 30 €

82 83 84 85 86 87 88 89 |90| 91 92 93 |94| 95 96 97 98 99 00 01 02

A l'heure où l'œnotourisme est au goût du jour, ce cru jouit de réels atouts avec un château du XVIII^e s. et des bâtiments d'exploitation caractéristiques de l'architecture viticole médocaine. Bien typé par sa couleur grenat sombre à reflets violacés, son vin l'est aussi par sa structure, longue et dense. Très élégant, son bouquet passe du café au cassis, du cèdre au cacao et des notes toastées aux mûres. On attendra cinq ou six ans avant de servir cette bouteille avec un fromage à pâte dure par exemple. Finement bouqueté et bien construit, le second vin, **Les Hauts de Pontet Canet 2002 (15 à 23 €)**, a obtenu une étoile.
Alfred Tesseron, Ch. Pontet-Canet, 33250 Pauillac, tél. 05.56.59.04.04, fax 05.56.59.26.63, e-mail pontet-canet@wanadoo.fr r.-v.

## LA ROSE PAUILLAC Vieilli en fût de chêne 2002

n.c. n.c. 11 à 15 €

La plus ancienne coopérative du Médoc, créée en 1932 après trois années de constitution. Elle propose un vin dans la tradition de l'appellation par sa puissance aromatique et sa solide structure tannique qui permettront la garde.
Sté coopérative La Rose Pauillac, 44, rue du Mal-Joffre, BP 14, 33250 Pauillac, tél. 05.56.59.26.00, fax 05.56.59.63.58, e-mail larosepauillac@wanadoo.fr r.-v.

# Saint-estèphe

A quelques encablures de Pauillac et de son port, Saint-Estèphe affirme un caractère terrien avec ses rustiques hameaux pleins de charme. Correspondant (à l'exception de quelques hectares compris dans l'appellation pauillac) à la commune elle-même, l'appellation

(1 252 ha déclarés en 2004 et 69 541 hl) est la plus septentrionale des six appellations communales médocaines. Ceci lui donne une typicité assez accusée, avec une altitude moyenne d'une quarantaine de mètres et des sols formés de graves légèrement plus argileuses que dans les appellations plus méridionales. L'appellation compte cinq crus classés et les vins qui y sont produits portent la marque du terroir. Celui-ci renforce nettement leur caractère, avec, en général, une acidité des raisins plus élevée, une couleur plus intense et une richesse en tanins plus grande que pour les autres médocs. Très puissants, ce sont d'excellents vins de garde.

### CH. ANDRON BLANQUET 2002

■ Cru bourg. 16 ha 70 000 8 à 11 €

85 86 88 89 **90** 93 94 95 96 97 |98| |99| 00 01 02

Très ancienne propriété située dans le village de Blanquet, ce cru est cousin de Cos Labory. Le cabernet-sauvignon (70 %) et le merlot sont plantés sur graves gunziennes. Ce millésime a passé seize mois en barrique. Grenat intense à reflets violacés, la robe affiche sa jeunesse. Les notes de griotte sont encore dominées par le grillé du merrain, mais l'ensemble reste bien construit et élégant. Ce vin sera prêt dans trois ou quatre ans.

SCE Domaines Audoy,
Ch. Andron Blanquet, 33180 Saint-Estèphe,
tél. 05.56.59.30.22, fax 05.56.59.73.52,
e-mail cos-labory@wanadoo.fr r.-v.

### CH. L'ARGILUS DU ROI Elevé en barrique 2002

■ 4 ha 15 000 11 à 15 €

Mettre des vins d'appellation à la portée de tous, l'ambition de José Bueno – qui fut pendant vingt-trois ans maître de chai d'un 1er cru classé – est louable. Sans être agressifs, les tanins de ce 2002 sont suffisants pour donner un ensemble plaisant, avec une jolie expression aromatique (toast, truffe, épices et réglisse).

José Bueno, 6, rue du Luc, 33250 Cissac-Médoc,
tél. 05.56.73.49.78, fax 05.56.59.53.74 r.-v.

### CH. BEL-AIR 2002 ★

■ 4,92 ha 24 000 11 à 15 €

|96| 97 |98| **99 00** 02

Bien qu'établi à Avensan, Jean-François Braquessac ne néglige pas ce cru. D'une couleur soutenue, son 2002 débute la dégustation par un bouquet qui s'ouvre sur des notes animales, puis viennent la cannelle, la vanille et le poivre blanc. S'appuyant sur des tanins bien extraits, sa structure s'accorde avec la finale, ronde et persistante, pour inviter à l'attendre quatre ou cinq ans.

SCEA du Ch. Bel Air, 4, chem. de Fontauge,
33180 Avensan, tél. 05.56.58.21.03, fax 05.56.58.17.20,
e-mail jfbraq@aol.com r.-v.

### CH. LE BOSCQ 2002 ★

■ Cru bourg. 17 ha 32 800 15 à 23 €

82 83 85 (86) **88** 89 90 95 96 97 |**98**| |**99**| **00** 01 02

Fondé au XVIIIe s., Le Boscq occupe le point culminant de l'appellation, signalé par une statue de la vierge protectrice du vignoble. Fidèle à sa tradition, ce cru, exploité par l'équipe de Dourthe, propose un vin qui appelle une garde de deux à quatre ans. Sa complexité aromatique (toast, vanille, notes animales et fruits mûrs) et sa richesse au palais, d'un bon volume, lui apportent en effet un potentiel non négligeable.

Ch. Le Boscq-Vignobles Dourthe,
33180 Saint-Estèphe, tél. 05.56.35.53.00,
fax 05.56.35.53.29, e-mail contact@cvbg.com r.-v.

### CH. CHAMBERT-MARBUZET 2002

■ Cru bourg. 5 ha 30 000 15 à 23 €

66 76 79 81 **82 83 85** |86| |**88**| |89| |90| 93 94 **95** |96| 97 98 99 00 01 02

Le bois est encore assez présent dans ce vin. Mais cela n'affolera pas les habitués du cru. Derrière le merrain, ils sauront reconnaître le cassis et les fruits, ainsi qu'une structure suffisamment ample et longue pour autoriser la garde.

Henri Duboscq et Fils,
Ch. Chambert-Marbuzet, 33180 Saint-Estèphe,
tél. 05.56.59.30.54, fax 05.56.59.70.87,
e-mail infos@haut-marbuzet.net r.-v.

### CH. CLAUZET 2002 ★

■ Cru bourg. 20 ha 80 000 15 à 23 €

Sur ce cru, on aime les macérations longues. Personne ne sera donc étonné de découvrir un vin bien typé saint-estèphe, comme l'annonce d'emblée la robe. Sa jeunesse apparaît dans son bouquet de terre chaude, de cannelle et de cuir avant de se confirmer au palais par l'ampleur et la longueur de sa structure. Autant de raisons d'attendre trois ou quatre ans avant de déboucher cette bouteille.

**Saint-Estèphe**

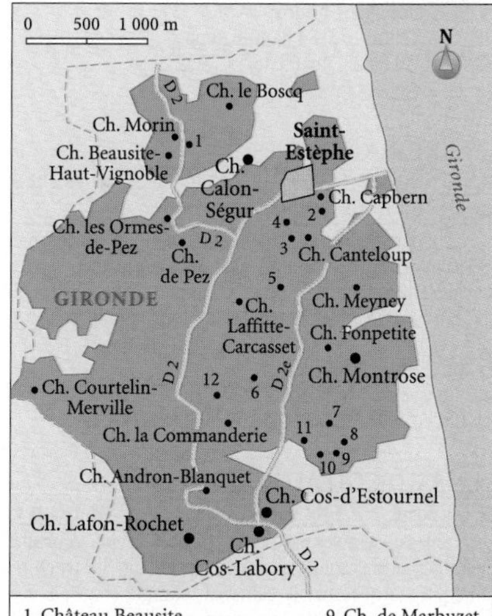


| | |
|---|---|
| 1 Château Beausite | 9 Ch. de Marbuzet |
| 2 Château Phélan-Ségur | 10 Ch. Mac Carthy |
| 3 Château Picard | 11 Château le Crock |
| 4 Château Beauséjour | 12 Château Pomys |
| 5 Ch. Tronquoy-Lalande | A.O.C. Saint-Estèphe |
| 6 Château Houissant | ● Cru classé |
| 7 Château Haut-Marbuzet | • Cru bourgeois |
| 8 Ch. la Tour-de-Marbuzet | ---- Limites de communes |

SA Baron Velge, Ch. Clauzet, Leyssac, 33180 Saint-Estèphe, tél. 05.56.59.34.16, fax 05.56.59.37.11, e-mail clauzet@chateauclauzet.com
t.l.j. sf sam. dim. 9h-12h 14h-17h
Maurice Velge

## CH. COS D'ESTOURNEL 2002 ★★

2e cru clas. 64 ha n.c. + de 76 €

75 76 78 79 80 81 |82| 83 |85| 86 88 |89| |(90)| |91| |92| |93| |94| 95 96 97 98 (00) (01) 02

Très belle unité par sa taille comme par la qualité de son terroir, Cos joue la carte du charme pour ce millésime. Derrière une livrée profonde, presque noire, se développe un bouquet d'une grande délicatesse, avec des arômes de vanille et de cannelle qui se mêlent aux parfums de rose. Soyeux et ronds, les tanins ont opté pour le même registre. La finale serrée vient rappeler que cette bouteille pourra rester cinq ou six ans en cave avant de trouver son bonheur sur un pintadeau à l'armagnac.

SA Domaines Reybier, Cos d'Estournel, 33180 Saint-Estèphe, tél. 05.56.73.15.50, fax 05.56.59.72.59, e-mail estournel@estournel.com r.-v.

## CH. COS LABORY 2002 ★

5e cru clas. 18 ha 80 000 15 à 23 €

82 83 85 86 88 89 |(90)| 91 92 93 94 95 96 |97| 98 |99| 00 01 02

Sans rivaliser avec certains millésimes antérieurs, dont cinq coups de cœur, ce vin ne manque pas d'atouts. A commencer par un bel équilibre et des tanins bien fondus qui lui permettront de tirer profit d'un séjour en cave de quatre ou cinq ans, voire plus. D'autant qu'à ces qualités s'ajoutent une robe grenat, un bouquet révélant un élevage bien mené et une finale aussi longue qu'agréable.

SCE Domaines Audoy, Ch. Cos Labory, 33180 Saint-Estèphe, tél. 05.56.59.30.22, fax 05.56.59.73.52, e-mail cos-labory@wanadoo.fr r.-v.

## CH. LE CROCK 2002

Cru bourg. 32,17 ha 100 000 15 à 23 €

90 95 |96| 97 98 99 00 |01| 02

Un parc de 5 ha et un petit étang donnent un charme réel à cette propriété. Son vin, lui, aurait mérité un peu plus de chair, mais l'intensité de son bouquet (fruits rouges et épices) comme sa puissance et sa longueur le rendent intéressant.

Sté fermière Cuvelier, Ch. Le Crock, Marbuzet, 33180 Saint-Estèphe, tél. 05.56.59.08.30, fax 05.56.59.60.09 r.-v.

## CH. HAUT COTEAU 2002

Cru bourg. 6,47 ha 28 000 11 à 15 €

S'il ne semble pas avoir trouvé sa personnalité définitive, ce vin montre qu'il a du répondant. Sa structure tannique marquée par le cabernet, comme son bouquet d'une bonne complexité confirment en effet les promesses de sa robe d'un pourpre intense.

Bernard Brousseau, Saint-Corbian, 33180 Saint-Estèphe, tél. 05.56.59.39.84, fax 05.56.59.39.09, e-mail chateau.haut-coteau@wanadoo.fr
t.l.j. sf dim. 8h-12h 14h-18h

## CH. HAUT-MARBUZET 2002 ★★

Cru bourg. 61 ha 330 000 23 à 30 €

75 76 77 78 79 80 81 (82) 83 85 86 88 |89| 90 92 93 94 95 |96| 97 (98) 99 00 01 02

Par sa taille comme par sa notoriété, ce cru est l'une des propriétés vedettes de l'appellation. Il défend sa renommée par la qualité de sa production, qu'illustre ce vin. D'une très jolie couleur cerise, celui-ci joue avec des notes grillées, fumées et réglissées. Rond à l'attaque, il s'impose ensuite par la puissance de sa structure tannique et par son expression aromatique. La finale pleine et harmonieuse se prolonge élégamment. Cette bouteille mérite un séjour en cave de trois ou quatre ans.

Henri Duboscq et Fils, Ch. Haut-Marbuzet, 33180 Saint-Estèphe, tél. 05.56.59.30.54, fax 05.56.59.70.87, e-mail infos@haut-marbuzet.net r.-v.

## CH. LA HAYE 2002

Cru bourg. 6 ha 40 000 11 à 15 €

89 90 91 92 93 94 95 96 97 |99| |00| 01 02

Ancien rendez-vous de chasse qu'auraient fréquenté Henri II et Diane de Poitiers, ce cru se sort fort honorablement de ce millésime difficile. Souple et fin, son 2002 séduit par la fraîcheur de son bouquet aux notes de fruits rouges et de menthol. A attendre deux ou trois ans.

Famille Lamiable, Ch. la Haye, Leyssac, 33180 Saint-Estèphe, tél. 05.56.59.32.18, e-mail info@chateaulahaye.com
r.-v.; juil.-août 10h-18h

## CH. LAFON-ROCHET 2002 ★★

4e cru clas. 42 ha 124 800 15 à 23 €

(64) 75 78 79 81 82 83 85 86 |88| |89| 90 91 92 93 94 (95) 96 |97| 98 99 00 01 02

Producteurs de cognac, les Tesseron ont acquis ce cru au début des années 1960. Ils en ont fait l'une des étiquettes de référence de l'appellation. D'une couleur soutenue, ce millésime offre une large palette de puissants parfums, allant de la confiture de mûres au cuir et au chocolat. A la fois ample et fin, gras et puissant, le palais est tout aussi complexe avec des accents minéraux et des notes de sous-bois qui viennent s'ajouter aux arômes du nez. On attendra au moins quatre ou cinq ans pour servir ce vin sur un plat de caractère (cuissot de chevreuil, foie gras mi-cuit). Egalement très réussie et de belle garde, la cuvée **Les Pèlerins de Lafon-Rochet 2002 (11 à 15 €)** obtient une étoile.

SCF Ch. Lafon-Rochet, 33180 Saint-Estèphe, tél. 05.56.59.32.06, fax 05.56.59.72.43, e-mail lafon@lafon-rochet.com r.-v.
Tesseron

## CH. LAVILLOTTE 2002

Cru bourg. 10 ha 40 000 11 à 15 €

Habité depuis la préhistoire, le site de Vertheuil est particulièrement intéressant, tout comme l'église Saint-Pierre, fondée au XII^e s. Quant à ce cru, il ne manque pas de charme. Issu très majoritairement du cabernet-sauvignon (72 % de l'encépagement), son vin joue résolument la carte de la finesse, tant par sa structure tannique que par son bouquet d'une bonne complexité.

🔑 SCEA des Domaines Pedro, Ch. Le Meynieu, 33180 Vertheuil, tél. 05.56.73.32.10, fax 05.56.41.98.89, e-mail ddompedro@aol.com
t.l.j. sf sam. dim. 9h-12h 14h-17h; groupes sur r.-v.; f. du 6-21 août

## CH. LILIAN LADOUYS 2002 ★

■ Cru bourg. 36 ha 200 000 11 à 15 €

89 (90) 91 92 93 94 |95| 96 97 98 |99| 00 |01| 02

En harmonie avec l'architecture du château, ce vin à la robe sombre, profonde et brillante se signale par l'élégance de ses parfums fruités, fumés et toastés. Souple à l'attaque, il révèle des tanins fermes et une longue persistance aromatique qui invitent à l'attendre au moins cinq ou six ans.

🔑 SA Ch. Lilian Ladouys, Blanquet, 33180 Saint-Estèphe, tél. 05.56.59.71.96, fax 05.56.59.35.97, e-mail chateau-lilian-ladouys@wanadoo.fr r.-v.

## TRADITION DU MARQUIS

Elevé en fût de chêne 2002 ★

■ 7 ha 50 000 8 à 11 €

Le sérieux de la cave coopérative de Saint-Estèphe n'est plus à prouver. Avec cette cuvée élevée en fût, elle propose un vin qui plaît à l'œil par sa robe entre rubis et pourpre. Au bouquet, un joli boisé vient appuyer les fruits noirs (cassis et bigarreau) pour former un ensemble d'où se dégagent des notes épicées. Franc et ample, le palais attaque sur des arômes de poivron avant de laisser la place à des saveurs grillées. Tout cela promet, dans environ quatre ans, une fort plaisante bouteille.

🔑 Marquis de Saint-Estèphe, 2, rte du Médoc, 33180 Saint-Estèphe, tél. 05.56.73.35.30, fax 05.56.59.70.89
t.l.j. sf sam. dim. 9h-12h 14h-18h

## CH. MEYNEY 2002 ★

■ Cru bourg. 51,28 ha 150 600 23 à 30 €

81 82 83 85 (86) 88 89 90 92 93 94 |95| 96 97 99 00 01 02

Avec 74 ha, dont 51 ha de vignes, ce cru constitue une belle unité. Il l'est aussi par la qualité de son terroir. Après beaucoup d'autres, ce millésime en témoigne. Certes, il faudra attendre quelque six ou sept ans pour que sa personnalité se révèle pleinement sur une viande rouge ou un fromage. Mais déjà, elle se devine dans les tanins soyeux et charnus comme dans la robe grenat ou dans les arômes de framboise, de cassis, de cuir et de toast.

🔑 SAS Prieuré de Meyney, La Croix Bacalan, 109, rue Achard, BP 154, 33042 Bordeaux Cedex, tél. 05.56.11.29.00, fax 05.56.11.29.01

## CH. MONTROSE 2002 ★★

■ 2e cru clas. 67,42 ha 149 000 38 à 46 €

64 66 |70| |75| 76 78 |79| (82) 83 |85| 86 87 |88| |89| 90 |91| |92| |93| |94| 95 96 |97| 98 99 00 01 02

Dominant le coteau bordant l'estuaire, ce château jouit d'un beau panorama et d'un terroir de qualité. Son 2003 joue la carte de la douceur ; d'abord par son bouquet, où le menthol vient conforter la fraîcheur des parfums de fruits rouges que complètent le poivre, la cannelle et le clou de girofle ; puis au palais, dont le charme tient à la présence de tanins ronds et sans agressivité que prolonge une finale charnue. Déjà agréable, il n'en est pas moins un vin de longue garde.

🔑 Jean-Louis Charmolüe, SCEA du Ch. Montrose, 33180 Saint-Estèphe, tél. 05.56.59.30.12, fax 05.56.59.38.48 r.-v.

## CH. LES ORMES DE PEZ 2002 ★★

■ Cru bourg. 33 ha 230 000 23 à 30 €

81 82 83 |85| |86| |88| |89| 90 |91| 92 93 94 |95| |96| 97 |98| 99 00 01 02

Peut-être en raison de souvenirs d'enfance liés à sa grand-mère, Jean-Michel Cazes est très attaché à ce cru dont il bichonne le vin. Celui-ci n'est pas un ingrat comme le montrent sa robe soutenue et ses parfums de fruits mûrs, de moka, de tabac et de grillé. Rond et moelleux, avec des tanins bien extraits, le palais est d'une belle harmonie. Le retour aromatique est proche du bouquet (cigare et confiture). On attendra au moins trois ans avant de servir ce 2002 sur du gibier ou une pièce de viande.

🔑 Jean-Michel Cazes, Ch. Les Ormes de Pez, 33180 Saint-Estèphe, tél. 05.56.73.24.00, fax 05.56.59.26.42, e-mail infochato@ormesdepez.com
🔑 Famille Cazes

## CH. PETIT BOCQ 2002 ★

■ 13,63 ha 60 000 11 à 15 €

94 95 |96| 97 |98| 99 00 01 02

En une dizaine d'années la superficie de ce cru est passée de 1,3 ha à plus de 15 ha. Cette progression n'a pas été que quantitative, comme le prouve sa réussite dans ce millésime. Destiné à être attendu environ cinq ans, ainsi que l'annonce sa robe d'un pourpre sombre, ce vin bien équilibré et aux tanins soyeux se montre séducteur par son expression aromatique aux notes toastées et torréfiées.

🔑 SCEA Lagneaux-Blaton, Ch. Petit Bocq, 3, rue de la Croix-de-Pez, BP 33, 33180 Saint-Estèphe, tél. 05.56.59.35.69, fax 05.56.59.32.11, e-mail petitbocq@hotmail.com r.-v.

## CH. DE PEZ 2002 ★

■ Cru bourg. 26 ha 108 000 30 à 38 €

Bénéficier d'un beau terroir est utile, mais il faut savoir en tirer la quintessence. C'est le cas ici, comme le prouve ce vin. Au bouquet, derrière un boisé de qualité (notes grillées et torréfiées) apparaît le fruit, toujours sous-jacent. Après une attaque un peu nerveuse, les tanins se développent dans la souplesse pour recommander une garde de quatre ou cinq ans.

🔑 SC La Salle Saint-Estèphe, Ch. de Pez, 33180 Saint-Estèphe, tél. 05.56.59.30.26, fax 05.56.59.39.25 t.l.j. sf sam. dim. 9h-16h; f. août
🔑 Rouzaud

## CH. PHELAN SEGUR 2002 ★★

■ Cru bourg. 89 ha 300 000 30 à 38 €

82 88 |89| |90| 91 93 94 |95| |96| 97 98 99 00 01 02

Toujours fidèle au cabernet-sauvignon et à l'esprit de l'appellation, ce cru présente un vin sans timidité, à en juger par sa robe d'un rouge rubis brillant et par son bouquet aux notes de grillé, de torréfaction et de fruits rouges. Très structuré, avec des tanins fermes, le palais est aussi savoureux, élégant et persistant. Tout est réuni pour donner une grande bouteille dans une demi-douzaine d'années.

🔑 Ch. Phélan Ségur, 33180 Saint-Estèphe, tél. 05.56.59.74.00, fax 05.56.59.74.10, e-mail phelan.segur@wanadoo.fr r.-v.
🔑 X. Gardinier

### CH. PICARD 2002

■ Cru bourg. 8 ha 38 000 15 à 23 €

Né dans un chai Napoléon III, ce vin aura besoin de temps pour se fondre, ses tanins étant encore un peu saillants. Mais la patience sera récompensée, son expression aromatique (fruits noirs, cuir et pruneau) comme son harmonie générale le rendant fort intéressant.

SA Mähler-Besse, 49, rue Camille-Godard, 33000 Bordeaux, tél. 05.56.56.04.30, fax 05.56.56.04.59, e-mail france@mahler-besse.com r.-v.

### CH. SAINT-ESTEPHE 2002

■ Cru bourg. 11 ha 20 000 11 à 15 €

Créé en 1870, ce cru associe 5 % de petit verdot aux deux cabernets et à 35 % de merlot. Sans être très structuré, ce vin révèle un mariage heureux du bois et du fruit. La souplesse du palais n'exigera pas une attente trop longue.

SA Arnaud, Ch. Saint-Estèphe, 33180 Saint-Estèphe, tél. 05.56.59.32.26, fax 05.56.59.35.24, e-mail francois-arnaud@netcourrier.com r.-v.

### CH. SEGUR DE CABANAC 2002 ★★

■ Cru bourg. 7,07 ha 45 000 15 à 23 €

86 88 **89** 90 |**93**| 94 |95| |96| **97 98** 99 **00 01 02**

Après un coup de cœur l'an dernier, ce cru confirme une fois encore qu'il est digne de porter le nom du « prince des vignes » – le comte Joseph-Marie de Ségur-Cabanac – que rappellent des bornes limitant toujours certaines parcelles. D'une belle couleur sombre à reflets noirs, ce vin séduit par son bouquet aux notes gourmandes de fruits mûrs, de confiture, d'angélique, de cannelle, de toast et de réglisse. Ample, moelleux et élégant, il saura affronter les ans et des mets comme le cuissot de sanglier ; mais il faudra savoir l'attendre au moins trois ou quatre ans.

SCEA Guy Delon et Fils, Ch. Ségur de Cabanac, 33180 Saint-Estèphe, tél. 05.56.59.70.10, fax 05.56.59.73.94 r.-v.

### CH. SERILHAN 2002

■ 4 ha 25 000 15 à 23 €

Simple et sans fard, ce vin sait manifester sa personnalité par une structure bien constituée et un aimable bouquet fruité.

SCEA M. Marcelis, Ch. Serilhan, 5, rue Edouard-Herriot, 33180 Saint-Estèphe, tél. 05.56.59.38.83, fax 05.56.59.35.14, e-mail chateau.serilhan@wanadoo.fr r.-v.

### CH. TOUR DE PEZ 2002 ★★

■ Cru bourg. 13,2 ha 65 000 15 à 23 €

89 90 91 93 94 (95) |**96**| 97 |**98**| **99 00** 01 **02**

Ce château doit son nom à une ancienne tour, détruite en 1933 et reconstruite récemment. De millésime en millésime, il est devenu l'une des valeurs sûres de l'appellation. La robe soutenue, presque noire, de son vin affiche ses ambitions. Sa grande classe apparaît au bouquet. Débutant par des notes de café, de kirsch et de tabac blond, il développe ensuite des arômes épicés. Son côté harmonieux se retrouve dans un palais aux tanins veloutés et dans le mariage réussi du bois et du vin. Tout garantit à cette bouteille un réel potentiel ; une garde de huit ou dix ans s'impose pour en profiter pleinement. En attendant on dégustera le second vin du cru, le **T de Tour de Pez 2002 (11 à 15 €)**, cité, ainsi que le **Château Les Hauts de Pez (8 à 11 €)** et le **Château Haut Coutelin 2002 (11 à 15 €)**, qui ont aussi été cités.

SA Ch. Tour de Pez, L'Hereteyre, 33180 Saint-Estèphe, tél. 05.56.59.31.60, fax 05.56.59.71.12, e-mail chtrpez@terre-net.fr t.l.j. sf sam. dim. 9h-11h30 14h-17h; groupes sur r.-v.

P.-H. Bouchara

### CH. TOUR DES TERMES 2002

■ Cru bourg. 14 ha 80 000 15 à 23 €

Situé à l'entrée du village de Saint-Corbian, ce cru a changé d'étiquette pour ce millésime composé à parts égales de merlot et de cabernet-sauvignon. Celui-ci propose une structure légère mais bien faite, accompagnée d'un joli bouquet aux notes d'épices, de rose, de laurier et de cuir : un classique.

SCEA Vignobles Jean Anney, Ch. Tour des Termes, Saint-Corbian, 33180 Saint-Estèphe, tél. 05.56.59.32.89, fax 05.56.59.73.74, e-mail tourdestermes@wanadoo.fr t.l.j. sf sam. dim. 8h30-12h 14h-17h

### CH. TOUR SAINT-FORT 2002

■ Cru bourg. 10,2 ha 41 000 11 à 15 €

S'il demande encore à s'affiner, ce vin possède l'expression aromatique et la structure qui lui permettront de bien évoluer. Assez intense et complexe, la première marie des notes boisées aux fruits rouges. D'une bonne ampleur, la seconde invite à une garde de trois à cinq ans.

Ch. Tour Saint-Fort, 1, rte de la Villotte, Lieut-dit Laujac, 33180 Saint-Estèphe, tél. 05.56.34.16.16, fax 05.56.13.05.54, e-mail contact@chateautoursaintfort.com t.l.j. 10h-12h 14h30-16h30; sam. dim. sur r.-v.

### CH. TRONQUOY-LALANDE 2002 ★★

■ Cru bourg. 18 ha 88 000 15 à 23 €

(82) 83 **85 86** 88 89 90 **93 94** |95| 96 |98| |99| 00 01 **02**

Si les architectes du château ont résolument opté pour l'élégance, c'est le choix de la puissance qu'ont fait les élaborateurs de ce vin. Sombre et profonde, la robe annonce le caractère massif de l'attaque et des tanins. La trame serrée laisse augurer une aptitude à la garde de cinq ou sept ans.

Ch. Tronquoy-Lalande, 33180 Saint-Estèphe, tél. 05.56.35.53.00, fax 05.56.35.53.29, e-mail contact@cvbg.com r.-v.

Mme Castéja-Texier

### CH. VALROSE Cuvée Alienor 2002

■ 5,04 ha 21 000 23 à 30 €

Issue des plus vieilles vignes du domaine, cette cuvée souple et délicate possède une bonne matière qui permettra de profiter de la délicatesse de ses jolis arômes de pain grillé (baguette fraîche) d'ici trois ou quatre ans.

Vignobles Page, 7, rue Michel-Audoy, 33180 Saint-Estèphe, tél. 05.57.34.51.51, fax 05.56.30.11.45

# Saint-julien

Pour l'une « saint-julien », pour l'autre « Saint-Julien-Beychevelle », saint-julien est la seule appellation communale du haut-Médoc à ne pas respecter scrupuleusement l'homonymie entre les dénominations viticole et municipale. La seconde, il est vrai, a le défaut d'être un peu longue, mais elle correspond parfaitement à l'identité humaine et au terroir de la commune et de l'aire d'appellation, à cheval sur deux plateaux aux sols caillouteux et graveleux.

Situé exactement au centre du haut-Médoc, le vignoble de saint-julien constitue, sur une superficie assez réduite (913 ha et 49 763 hl en 2004), une harmonieuse synthèse entre margaux et pauillac. Il n'est donc pas étonnant d'y trouver onze crus classés (dont cinq seconds). A l'image de leur terroir, les vins offrent un bon équilibre entre les qualités des margaux (notamment la finesse) et celles des pauillac (le corps). D'une manière générale, ils possèdent une belle couleur, un bouquet fin et typé, du corps, une grande richesse et de la sève. Mais, bien entendu, les quelque 6,6 millions de bouteilles produites en moyenne chaque année en saint-julien sont loin de se ressembler toutes, et les dégustateurs les plus avertis noteront les différences qui existent entre les crus situés au sud (plus proches des margaux) et ceux du nord (plus près des pauillac), ainsi qu'entre ceux qui sont à proximité de l'estuaire et ceux qui se trouvent plus à l'intérieur des terres (vers Saint-Laurent).

## CH. BEYCHEVELLE 2002 ★

■ 4e cru clas. 74 ha 260 000 **30 à 38 €**

**70 76 79** 81 82 **83 85** |**86**| **88** (89) 90 91 92 93 **94 95** 96 |**97**| **98** 99 **00** 01 02

Ce château du XVII^e s., l'un des plus beaux du Médoc et de la Gironde, méritait la restauration dont il vient de faire l'objet. Les différentes familles qui se sont succédé à sa tête depuis trois cent cinquante ans ont toutes joué un rôle économique et politique. Son terroir de graves garonnaises a donné naissance à ce vin bien médocain avec 4 % de petit verdot, 66 % de cabernets et 30 % de merlot. S'il n'a pas encore trouvé sa pleine expression aromatique, il s'annonce prometteur tant par la complexité de son bouquet (cannelle, clou de girofle, pain grillé, confiture de fraises et note de violette) que par la richesse de sa structure. Tout cela présage de jolies dégustations dans quatre ou cinq ans.

SC Ch. Beychevelle,
33250 Saint-Julien-Beychevelle,
tél. 05.56.73.20.70, fax 05.56.73.20.71,
e-mail beychevelle@beychevelle.com
t.l.j. 10h-12h 14h-17h

## CH. BRANAIRE DUCRU 2002 ★

■ 4e cru clas. 50 ha 170 000 **23 à 30 €**

**81** 82 **83 85 86 88 89** 90 93 **94** |**95**| |96| 97 **98 99 00** 01 02

Commandé depuis 1824 par une belle demeure néoclassique, ce cru reste fidèle à la tradition médocaine grâce à son encépagement diversifié. Homogène et classique, son 2002 montre son potentiel par une solide présence tannique, tout en restant élégant. Soutenu par de légères notes grillées, son bouquet est même assez charmeur avec ses parfums de mûre et de myrtille, tout comme sa finale aux jolies notes poivrées.

Ch. Branaire-Ducru, 33250 Saint-Julien-Beychevelle,
tél. 05.56.59.25.86, fax 05.56.59.16.26,
e-mail branaire@branaire.com r.-v.

## CH. LA BRIDANE 2002 ★

■ Cru bourg. n.c. n.c. **11 à 15 €**

Un vignoble situé à l'ouest du bourg et sur le haut du coteau le dominant. Souple mais doté d'une bonne matière aux tanins serrés, ce vin a tout pour affronter une longue garde : la délicatesse des parfums du bouquet (violette et torréfaction), sans oublier la jeunesse de sa structure et l'élégance de sa finale. Digne d'une bécasse à la ficelle. Plus simple mais bien constitué, le second vin, le **Château Moulin de la Bridane 2002 (8 à 11 €)**, a été cité.

Bruno Saintout, Cartujac,
33112 Saint-Laurent-Médoc,
tél. 05.56.59.91.70, fax 05.56.59.46.13 r.-v.

## CLOS DU MARQUIS 2002 ★

■ n.c. 122 000 **23 à 30 €**

Marque créée à la fin du XIX^e s. ; ce vin puissant et fin répond pleinement à l'objectif que se sont fixé ses auteurs : « une expression du terroir du saint-julien ». Riche bouquet naissant, aux notes de fruits à noyau et de baies noires, attaque franche, tanins ronds, structure droite, autant de qualités qui invitent à réaliser dans trois ou quatre ans un mariage avec une daube, un civet ou, pour rester bordelais, une lamproie.

SC. du Ch. Léoville Las Cases,
BP 4, 33250 Saint-Julien-Beychevelle,
tél. 05.56.73.25.26, fax 05.56.59.18.33,
e-mail leoville-las-cases@wanadoo.fr r.-v.
J.-H. Delon, G. d'Alton

## CH. DULUC 2002

■ 50 ha 20 000 **11 à 15 €**

Né dans un chai ultramoderne, ce vin s'appuie sur une jolie structure et des tanins bien présents sans être trop puissants ; il donnera le meilleur de lui-même d'ici trois ou quatre ans. Son expression aromatique aux notes de fruits rouges et de toast est fort plaisante.

Ch. Branaire-Ducru, 33250 Saint-Julien-Beychevelle,
tél. 05.56.59.25.86, fax 05.56.59.16.26,
e-mail branaire@branaire.com r.-v.

## CH. DU GLANA 2002 ★

■ Cru bourg. 43 ha 120 000 **15 à 23 €**

94 95 |96| 97 00 01 02

Situé près de l'estuaire entre les villages de Beychevelle et de Saint-Julien, ce cru a été acheté en 1961 par Gabriel Meffre qui, par acquisition de parcelles, étendit sa superficie de 5 à 43 ha. Ce millésime porte une robe grenat

BORDELAIS

très sombre. La solidité de sa structure étonne moins que le côté rond et soyeux des tanins. Ceux-ci s'accordent bien avec le développement aromatique (fruits frais bien mûrs, liqueur de framboise, épices et menthol) pour donner un ensemble riche. Un vin destiné à la garde.

SCE Ch. du Glana,
5, Le Glana, 33250 Saint-Julien-Beychevelle,
tél. 05.56.59.06.47, fax 05.56.59.06.51 r.-v.
J.-P. Meffre

## CH. GLORIA 2002 ★★

■ 48 ha 200 000 23 à 30 €

64 66 70 71 75 76 78 79 81 82 83 84 85 86 87
88 89 90 93 94 95 96 97 98 99 00 01 02

Cru créé par Henri Martin, qui fut une figure marquante du Bordelais au XX^es., à partir de la maison familiale de ses aïeux, tonneliers dans la commune. Après un coup de cœur l'an dernier, il présente cette année un vin typique de l'appellation par sa sève et sa finesse. Bien qu'encore naissant, son bouquet est déjà d'une belle complexité, avec notamment de jolies notes de moka. Puissants et bien enrobés, les tanins incitent à attendre ce 2002 quelques années (entre cinq et dix). « Riche et parfaitement élaboré », commente un dégustateur réputé. Un vrai compliment.

Domaines Martin, Ch. Gloria,
33250 Saint-Julien-Beychevelle,
tél. 05.56.59.08.18, fax 05.56.59.16.18,
e-mail domainemartin@wanadoo.fr r.-v.
Françoise Triaud

## CH. GRUAUD-LAROSE 2002 ★

■ 2e cru clas. 82 ha 250 000 38 à 46 €

70 71 75 76 77 78 79 80 81 82 83 84 85 (86) 87
88 89 90 91 92 93 94 (95) 96 97 98 99 (00) 01 02

L'abbé Gruaud fonda cette propriété en 1757 puis la légua à son neveu Sébastien de La Rose. Voilà pour le nom. Toujours fidèle à la diversité de l'encépagement, le cru n'hésite pas à faire entrer un peu de petit verdot et de malbec dans son vin. Le résultat est intéressant, avec une riche expression aromatique (fruits rouges, vanille et épices) et un très bon retour. Bien extraite, la matière tannique structure parfaitement l'ensemble et lui ouvre de réelles perspectives de vieillissement tout en faisant preuve de rondeur et d'élégance. Il conviendra de laisser cette bouteille à la cave pendant quatre ou cinq ans. Assez charmeur par sa complexité aromatique et son côté velouté, le second vin, **Sarget de Gruaud-Larose 2002 (23 à 30 €)**, a également obtenu une étoile. Il sera plus vite prêt.

SA Ch. Gruaud-Larose,
BP 6, 33250 Saint-Julien-Beychevelle,
tél. 05.56.73.15.20, fax 05.56.59.64.72,
e-mail gl@gruaud-larose.com r.-v.

## CH. HAUT BEYCHEVELLE GLORIA 2002 ★

■ 5 ha 30 000 8 à 11 €

Le premier cru créé par les Martin, alors tonneliers, grâce à un accord passé avec les Fould, propriétaires de Beychevelle. S'annonçant par une robe rouge sombre, ce vin est encore un peu dominé par le bois. Mais derrière, on sent poindre de jolis parfums de fruits (griotte). Elégante et équilibrée, la structure joue la carte de la finesse, tout en révélant un bon potentiel de garde.

Domaines Martin,
Ch. Gloria,
33250 Saint-Julien-Beychevelle,
tél. 05.56.59.08.18, fax 05.56.59.16.18,
e-mail domainemartin@wanadoo.fr r.-v.
Françoise Triaud

## CH. LAGRANGE 2002 ★

■ 3e cru clas. 109 ha 277 000 15 à 23 €

79 81 82 83 85 86 87 88 89 (90) 91 92 93 94 95
96 97 98 99 00 01 02

Une belle demeure du siècle des Lumières parfaitement restaurée par le groupe Suntory, un parc, un étang, une collection de cépages oubliés, les raisons de visiter Lagrange ne manquent pas. A commencer par le plaisir de découvrir ce 2002. D'une couleur profonde, ce vin déploie un bouquet complexe où l'on retrouve des notes de marc frais, de cacao et de vanille. Corsés et séveux, les tanins n'en sont pas moins élégants. Un vrai vin plaisir qui gagnera en intensité après quelques années de repos dans la fraîcheur de la cave. Puissant et complet, le second vin, **les Fiefs de Lagrange 2002 (8 à 11 €)**, mérite une citation.

SAS Ch. Lagrange,
33250 Saint-Julien-Beychevelle,
tél. 05.56.73.38.38, fax 05.56.59.26.09,
e-mail chateau-lagrange@chateau-lagrange.com
r.-v.
Suntory Ltd

## CH. LALANDE 2002 ★

■ 32 ha 24 000 5 à 8 €

Beau vignoble d'un seul tenant, ce cru est situé sur la route de Beychevelle, à Saint-Laurent. Aimable et sans agressivité, son vin n'en affirme pas moins une forte personnalité, tant par son bouquet où le bois, bien fondu, sait respecter le fruit (cerise), que par sa structure aux tanins soyeux et enrobés. Tout promet une bouteille pleine de charme pour 2008 ou 2010.

La Guyennoise, BP 17,
33540 Sauveterre-de-Guyenne,
tél. 05.56.71.50.76, fax 05.56.71.87.70,
e-mail cfontaniol@laguyennoise.com

## CH. LANGOA BARTON 2002 ★

■ 3e cru clas. n.c. 96 000 23 à 30 €

70 75 76 78 80 81 82 83 85 86 88 (89) 90 93 94
95 96 97 98 99 00 01 02

Dominant la route des châteaux, à mi-chemin entre Beychevelle et Saint-Julien, cette aristocratique demeure a toute l'élégance du classicisme. En revanche, c'est résolument le registre de la modernité qu'a choisi l'équipe d'Anthony Barton pour ce millésime. Très flatteur, son bouquet accompagne le côté chocolaté de notes fumées et grillées, le tout étant complété par de la cerise et du cassis. Au palais, on découvre une structure souple et bien équilibrée qui met en valeur chair onctueuse. Assez paradoxalement, cette bouteille fraîche et friande pourra aussi bien être appréciée jeune que dans quelques années. Elle sera pleinement à l'aise sur la cuisine moderne.

Anthony Barton, Ch. Langoa Barton,
33250 Saint-Julien-Beychevelle,
tél. 05.56.59.06.05, fax 05.56.59.14.29,
e-mail chateau@leoville-barton.com r.-v.

## CH. LEOVILLE-BARTON 2002 ★★

■ 2e cru clas. n.c. 250 000 30 à 38 €

64 67 **70 71** 75 76 78 79 80 81 |**82**| 83 |**85**| |**86**| |**88**| **89** |(90)| 91 |93| |**94**| **95 96** 97 **98 99 00** 01 **02**

Léoville, l'un des plus importants domaines médocains sous l'Ancien Régime, et Barton, l'une des dynasties les plus prestigieuses de l'histoire du négoce girondin. Nul doute que ce vin est de grande origine. Un sol graveleux sur sous-sol d'argile, un encépagement parfait, avec 80 % de cabernets. Impressionnant par sa teinte d'un rouge sombre presque noir, ce 2002 affiche une élégance toute bordelaise dans son bouquet, mariage harmonieux du bois et des fruits mûrs. A son image, le palais est suave et parfaitement équilibré. Ses saveurs de pruneau et de griotte lui donnent un charme réel, de même que la finale longue et délicatement torréfiée. Un vin voluptueux, à attendre huit à dix ans, avant de le servir sur des mets raffinés.

Anthony Barton,
Ch. Léoville-Barton, 33250 Saint-Julien-Beychevelle,
tél. 05.56.59.06.05, fax 05.56.59.14.29,
e-mail chateau@leoville-barton.com r.-v.

## CH. LEOVILLE LAS CASES 2002 ★★★

■ 2e cru clas. 97 ha 117 000 + de 76 €

Occupant la partie centrale de l'ancienne seigneurie de Léoville, ce cru aux dimensions imposantes bénéficie d'un terroir de choix. Des vendanges toujours pratiquées à maturité avancée constituent un autre facteur d'excellence. Une fois encore, la qualité se vérifie ; dans ce millésime qui n'a pas été facile pour tout le monde, ce vin se distingue par son équilibre et sa longueur. Et que dire de sa couleur, sombre et brillante, ou de sa structure, riche, pleine, puissante, ample, ronde et tellement élégante ! Une grande bouteille en perspective, à attendre de cinq à dix ans pour permettre au bouquet de s'épanouir complètement.

SC. du Ch. Léoville
Las Cases, BP 4, 33250 Saint-Julien-Beychevelle,
tél. 05.56.73.25.26, fax 05.56.59.18.33,
e-mail leoville-las-cases@wanadoo.fr r.-v.
J.-H. Delon et G. d'Alton

## CH. LEOVILLE POYFERRE 2002 ★★★

■ 2e cru clas. 60 ha 210 000 23 à 30 €

**76 78** 79 80 **81 82** (83) **85 86 88 89** |**90**| **91** 93 **94** |**95**| |**96**| 97 **98 99 00** 01 (02)

S'étendant de part et d'autre de la D 2 avant l'arrivée, depuis Bordeaux, dans le bourg de Saint-Julien, ce vaste vignoble est planté sur des croupes de graves garonnaises et des sables éoliens. Un terroir qui convient idéalement à la diversité de l'encépagement, comme en témoigne ce vin (18 % de petit verdot, 1 % de cabernet franc, 53 % de cabernet-sauvignon, 28 % de merlot). Sa concentration semble annoncée par la couleur violet sombre de sa robe. Encore un peu sur la réserve, son bouquet laisse prévoir quelques grands moments dans huit à dix ans. On sent venir des notes de confiture, de cassis, de griotte à l'eau-de-vie, de boisé bien fondu. Elégante et riche, construite sur des tanins mûrs, la structure est tout aussi prometteuse.

Sté fermière du Ch. Léoville Poyferré,
BP 8, 33250 Saint-Julien-Beychevelle,
tél. 05.56.59.08.30, fax 05.56.59.60.09,
e-mail lp@leoville-poyferre.fr r.-v.

**Saint-Julien**

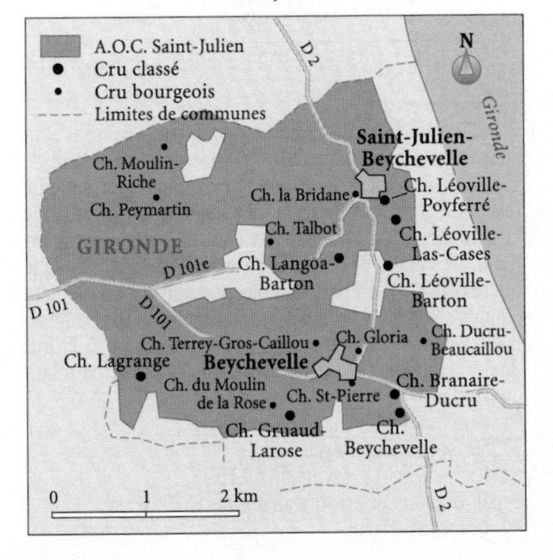

## CH. MOULIN DE LA ROSE 2002 ★

■ Cru bourg. 4,8 ha 30 000 15 à 23 €

93 94 95 **96** 97 98 |99| **00** 01 02

Si saint-julien est l'appellation des grands crus aristocratiques, elle garde aussi quelques petites propriétés comme celle-ci. Très engageant dans sa robe pourpre, son vin tient ensuite ses promesses. D'abord par ses arômes de torréfaction et de fruits cuits ; puis par sa solide structure aux tanins mûrs et bien enrobés. Dans trois ou quatre ans, cette bouteille mettra en valeur un gigot de mouton à la ficelle.

SCEA Guy Delon et Fils, Ch. Moulin de La Rose, 33250 Saint-Julien-Beychevelle, tél. 05.56.59.08.45, fax 05.56.59.73.94 r.-v.

## CH. MOULIN RICHE 2002 ★★

■ 20 ha 83 000 15 à 23 €

Le second vin du superbe Léoville Poyferré 2002 est remarquable par sa richesse, par ses tanins savoureux et par sa complexité aromatique (groseille et réglisse avec des notes grillées). D'un charme évident, cette grande bouteille, à oublier en cave pendant cinq ou six ans, est élaborée avec le seul cabernet-sauvignon.

Sté fermière du Ch. Léoville Poyferré, BP 8, 33250 Saint-Julien-Beychevelle, tél. 05.56.59.08.30, fax 05.56.59.60.09, e-mail lp@leoville-poyferre.fr r.-v.

## CH. SAINT-PIERRE 2002 ★★

■ 4e cru clas. 17 ha 70 000 38 à 46 €

82 **83 85** (86) |**88**| |**89**| |90| |**93**| 94 |(95)| |(96)| 97 **98 99 01 02**

GRAND CRU CLASSÉ EN 1855
CHATEAU SAINT-PIERRE
2002
MIS EN BOUTEILLES AU CHATEAU
SAINT-JULIEN
NEC PLURIBUS IMPAR
APPELLATION SAINT-JULIEN CONTRÔLÉE
13% ALC.VOL
DOMAINES HENRI MARTIN
PROPRIÉTAIRE A SAINT-JULIEN BEYCHEVELLE-GIRONDE 33250
PRODUCE OF FRANCE - BORDEAUX
L102
750ml


Avec 75 % de cabernet-sauvignon, ce cru était bien armé pour réussir dans ce millésime. Le travail de vinification étant à la hauteur, on obtient un superbe résultat. La profondeur de la robe rivalise en intensité avec la complexité du bouquet aux élégantes notes de fruits mûrs, de vanille et de grillé. Grasse à souhait, l'attaque ouvre la porte d'un palais ample, puissant et parfaitement équilibré par des tanins soyeux. La finale clôt la démonstration par une véritable explosion aromatique, à la fois douce et longue. Une superbe bouteille, à ouvrir dans huit ou dix ans.

Domaines Martin, Ch. Saint-Pierre, 33250 Saint-Julien-Beychevelle, tél. 05.56.59.08.18, fax 05.56.59.16.18, e-mail domainemartin@wanadoo.fr r.-v.

Françoise Triaud

## SCHRODER SCHYLER ET CIE

Private Réserve 2002

■ n.c. 6 000 11 à 15 €

Marque de la célèbre maison de négoce, ce vin à la robe rubis foncé séduit par son élégance, qui s'exprime tout au long de la dégustation, du bouquet à la finale. Fruits rouges (cerise) et notes finement boisées, rondeur, équilibre, tout concourt à son charme.

Maison Schröder et Schÿler, 55, quai des Chartrons, BP 113, 33027 Bordeaux, tél. 05.57.87.64.55, fax 05.57.87.57.20, e-mail mail@schroder-schyler.com

## CH. TALBOT 2002 ★

■ 4e cru clas. 102 ha 300 000 30 à 38 €

**78 79** 80 **81 82 83** |(85)| |**86**| |**88**| |89| |90| **93** |94| **95** 96 97 98 99 **00 01** 02

Après un coup de cœur l'an dernier, ce cru propose ici un vin sans doute un peu plus modeste mais très harmonieux. Séducteur dans sa robe rouge à reflets pourpres, par son bouquet aux notes de gibier, de grillé et d'épices que complète un soupçon de réglisse et de truffe, il est rond, avec des tanins bien enrobés. Le palais plaît par son équilibre et son harmonie. Une finale savoureuse achève de convaincre. Cette bouteille de caractère accompagnera dans quelques années du gibier ou des fromages. De moins longue garde (deux ou trois ans) mais très plaisant, le second vin **Connétable de Talbot 2002 (11 à 15 €)** a été cité.

Ch. Talbot, 33250 Saint-Julien-Beychevelle, tél. 05.56.73.21.50, fax 05.56.73.21.51, e-mail chateau-talbot@chateau-talbot.com r.-v.

Mmes Rustmann et Bignon-Cordier

## CH. TERREY-GROS-CAILLOUX 2002 ★

■ Cru bourg. 17 ha 90 000 11 à 15 €

94 |96| |97| |98| 99 00 |01| 02

Si à Saint-Julien les crus classés donnent le « la », les crus bourgeois ne doivent pas être oubliés. Ce vin, né sur les graves garonnaises d'un encépagement où le cabernet-sauvignon domine (70 %) le merlot et le petit verdot (5 %), le rappelle avec force. Sa couleur rubis foncé, son bouquet, délicatement boisé, ses tanins souples et son ampleur au palais en feront un millésime de plaisir.

SCEA Ch. Terrey-Gros-Cailloux, 33250 Saint-Julien-Beychevelle, tél. 05.56.59.06.27, fax 05.56.59.29.32 t.l.j. sf sam. dim. 9h-12h 14h-17h; f. 3 sem. août et 2 sem. déc.

Pradère

## CH. TEYNAC 2002 ★

■ 11,5 ha 30 000 15 à 23 €

93 94 |95| |96| 97 |98| 99 00 01 02

Comme beaucoup d'autres crus médocains, cette propriété, régulière en qualité, a choisi de privilégier le cabernet-sauvignon. Judicieusement, à en juger par ce vin classique, au meilleur sens du terme, par sa solide présence tannique et sa chair. Soutenu par un bois délicat, son bouquet aux parfums de fruit et de confiture de fraises contribue largement à son charme.

Ch. Teynac, Grand-Rue, Beychevelle, 33250 Saint-Julien-Beychevelle, tél. 05.56.59.12.91, fax 05.56.59.46.12, e-mail philetfceb@wanadoo.fr r.-v.

F. et Ph. Pairault

## Les vins blancs liquoreux

Quand on regarde une carte vinicole de la Gironde, on remarque aussitôt que toutes les appellations de liquoreux se retrouvent dans une petite région située de part et d'autre de la Garonne, autour de son confluent avec le Ciron. Simple hasard ? Assurément non, car c'est l'apport des eaux froides de la petite rivière landaise, au cours entièrement couvert d'une voûte de feuillages, qui donne naissance à un climat très particulier. Celui-ci favorise l'action du *Botrytis cinerea*, champignon de la pourriture noble. En effet, le type de temps que connaît la région en automne (humidité le matin, soleil chaud l'après-midi) permet au champignon de se développer sur un raisin parfaitement mûr sans le faire éclater : le grain se comporte comme une véritable éponge, et le jus se concentre par évaporation d'eau. On obtient ainsi des moûts très riches en sucre.

Mais, pour obtenir ce résultat, il faut accepter de nombreuses contraintes. Le développement de la pourriture noble étant irrégulier sur les différentes baies, il faut vendanger en plusieurs fois, par tries successives, en ne ramassant à chaque fois que les raisins dans l'état optimal. En outre, les rendements à l'hectare sont faibles (avec un maximum autorisé de 25 hl à Sauternes et à Barsac). Enfin, l'évolution de la surmaturation, très aléatoire, dépend des conditions climatiques et fait courir des risques aux viticulteurs.

# Cadillac

Cette bastide qu'ennoblit son splendide château du XVIIe s., surnommé le « Fontainebleau girondin », est souvent considérée comme la capitale des premières côtes. Elle est aussi, depuis 1980, une appellation de vins liquoreux qui a produit 5 977 hl sur 200 ha en 2004.

### CH. DE BIROT 2002

4,5 ha 3 900 8 à 11 €

Né dans un cru commandé par une chartreuse du XVIIIe s. bien restaurée, ce vin est à servir dès à présent ; on profitera alors pleinement de ses qualités aromatiques – notes de miel, de fruits confits et de fleurs blanches (acacia).

SCEA Fournier-Castéja, Ch. de Birot, 33410 Béguey, tél. et fax 05.56.62.68.16, e-mail fournier.casteja@wanadoo.fr r.-v.

### CLOS SAINT-NICOLAS

Vieilli en fût de chêne 2003 ★★

0,36 ha 1 500 8 à 11 €

Alors que beaucoup de cadillac sont issus à 100 % du sémillon, ce cru se distingue par son encépagement varié avec des compléments en muscadelle et en sauvignon (10 % chacun). Une combinaison heureuse si l'on en juge d'après ce vin. Fin et élégant dans son expression aromatique (fruits mûrs et secs, amande grillée, épices), ce 2003 développe un palais bien équilibré et typé qui invite à le laisser évoluer pendant quelques années.

Vignobles Benito, Ch. Le Videau, 33410 Cardan, tél. 05.56.76.72.37, fax 05.56.76.95.24, e-mail benitonv@free.fr r.-v.

### CH. FAYAU 2003 ★

n.c. 50 000 8 à 11 €

Commandé par une jolie chartreuse dans un parc, à la sortie de Cadillac vers Sauveterre, ce cru propose un 2003 fin et équilibré, qui fera un liquoreux polyvalent par ses possibilités d'alliances gourmandes. Sa couleur jaune pâle à reflets dorés et ses arômes floraux et fruités, complétés par une note de pain d'épice confèrent à ce vin une réelle élégance. Bon potentiel de garde.

SCEA Jean Médeville et Fils, Ch. Fayau, 33410 Cadillac, tél. 05.57.98.08.08, fax 05.56.62.18.22, e-mail medeville-jeanetfils@wanadoo.fr r.-v.

### CH. HAUT ROC 2003 ★

1,2 ha 3 000 5 à 8 €

Vers 1930, Claude Massieu cultivait sans grandes préoccupations son petit vignoble quand un courtier découvrit son vin et lui conseilla de créer une marque pour mieux le vendre. Fin, riche et complexe, ce 2003 atteste que le conseil était sage. Son volume, son équilibre et ses arômes (fruits confits et confiture) lui donnent un côté flatteur ; sa constitution lui permettra d'être attendu quelques années pour que le bois puisse se fondre. Notez que l'église romane de Gabarnac donne à voir d'intéressantes sculptures.

Gérald Massieu, 13, Lamothe, 33410 Gabarnac, tél. 06.77.14.36.47, fax 05.56.76.96.48 r.-v.

### CH. HAUT-VALENTIN Prestige 2003 ★

4 ha 5 000 8 à 11 €

Du même producteur que les premières côtes Croix de Bern, ce vin s'inscrit dans l'esprit du millésime par sa finesse, son équilibre et ses jolis parfums de fruits confits, de miel et de coing. Riche, complexe et harmonieux, il pourra être apprécié aujourd'hui comme dans de nombreuses années.

Jean-Guy Méric, 33410 Sainte-Croix-du-Mont, tél. 05.56.62.01.19, fax 05.56.62.09.33, e-mail jeanguy-meric@wanadoo.fr r.-v.

### CH. JORDY D'ORIENT 2003

1 ha 2 800 8 à 11 €

Ce vin aurait mérité un peu plus de longueur, mais il n'en demeure pas moins agréable par sa finesse et son équilibre. Rond, élégant et onctueux, il trouvera sa place sur un fromage persillé dont il corrigera le côté piquant.

Laurent Descorps, Ch. Haut-Liloie, 33760 Escoussans, tél. 05.56.23.94.23, fax 05.57.34.40.09 r.-v.

CH. DU JUGE 2003 ★

3 ha 9 000 8 à 11 €

Belle unité de 30 ha située dans la commune de Cadillac, ce cru propose un vin qui attire l'œil par sa couleur jaune d'or. Encore un peu discret, son bouquet s'annonce intéressant par ses notes florales et grillées. Equilibré, chaleureux et persistant, le palais se montre à la hauteur de la présentation et promet un potentiel de garde de plusieurs années.

Pierre Dupleich, Ch. du Juge, rte de Branne, 33410 Cadillac, tél. 05.56.62.17.77, fax 05.56.62.17.59, e-mail chateau-du-juge@wanadoo.fr r.-v.

David

CH. LESCURE 2003 ★

3,85 ha 7 000 5 à 8 €

Trait d'originalité, ce cru n'appartient pas à un particulier ou à une société, mais à une association à vocation sociale. Déguster ce 2003 sera donc une bonne action, en même temps qu'un vrai plaisir : plaisir des yeux car l'étiquette est fort réussie, plaisir du palais car c'est un vrai liquoreux, comme l'annoncent sa couleur et ses arômes rôtis (mandarine confite et abricot sec). Il séduit aussi par sa complexité et son onctuosité. Un vin à apprécier pendant une dizaine d'années.

CAT Ch. Lescure, 33490 Verdelais, tél. 05.57.98.04.68, fax 05.57.98.04.64, e-mail chateau.lescure@free.fr t.l.j. sf sam. dim. 9h-12h 14h-17h

SPEG

CH. MEMOIRES 2003 ★

5,75 ha 10 000 8 à 11 €

Créée en 1985 avec 5 ha, cette propriété en compte aujourd'hui une cinquantaine ; elle est devenue l'une des incontournables de la région. Il est vrai que son vignoble est d'un âge respectable et son vin de qualité. Le vieil or de la robe annonce ici la richesse de la structure. Même si les parfums (orange confite et épices) ne s'expriment pas encore complètement, ce 2003 laisse deviner un réel potentiel (une vingtaine d'années).

SCEA Vignobles Ménard, Ch. Mémoires, 33490 Saint-Maixant, tél. 05.56.62.06.43, fax 05.56.62.04.32, e-mail memoires1@aol.com t.l.j. 9h-12h 14h-18h; sam. dim. sur r.-v.

CH. MOULIN DE BONNEAU 2003 ★★

1,63 ha 6 000 8 à 11 €

Propriétaire de crus dans plusieurs appellations, Vincent Labouille a su tirer profit des bonnes dispositions de l'année pour proposer un vrai vin plaisir. Emblématique du millésime par sa richesse, ce 2003 tire son harmonie d'un équilibre parfait. Rond, gras et fruité, il a trouvé sa signature dans son expression aromatique aux belles notes de coing.

Vincent Labouille, Ch. de Crabitan, 33410 Sainte-Croix-du-Mont, tél. 05.56.62.01.78, fax 05.56.76.71.17, e-mail ml@labouille.net r.-v.

CH. MOULIN DE CORNEIL 2003 ★★★

1 ha 2 500 15 à 23 €

S'il a déjà figuré dans le Guide pour son premières-côtes, ce cru fait une entrée remarquée en cadillac avec ce superbe 2003. Dès le premier regard, le dégustateur devine son caractère liquoreux que révèlent ensuite ses arômes de fruits confits, de confitures, de figues et de botrytis. Onctueux, gras, riche et très bien équilibré, le palais mène harmonieusement vers une longue finale qui confirme un grand potentiel de garde. (Bouteilles de 50 cl.)

SCEA Bonneau, Ch. Moulin de Corneil, 33490 Pian-sur-Garonne, tél. 05.56.76.44.26, fax 05.56.76.43.70, e-mail bonneau@terre-net.fr t.l.j. 8h-19h

CH. DE TESTE 2003 ★

3,5 ha 9 000 8 à 11 €

Comme de nombreux producteurs de la région, Laurent Réglat est établi sur les deux rives de la Garonne. Onctueux et très riche, vêtu d'un or profond et brillant, son 2003 a choisi le registre de la puissance pour exprimer sa personnalité et son aptitude à la garde. Abricot, pain d'épice, raisins secs, grillé se partagent l'ensemble de la dégustation.

EARL Vignobles Laurent Réglat, Ch. de Teste, 33410 Monprimblanc, tél. 05.56.62.92.76, fax 05.56.62.98.80, e-mail vignobles.l.reglat@wanadoo.fr t.l.j. sf sam. dim. 9h30-12h 14h30-17h30

CH. VIEILLE TOUR Elevé en fût de chêne 2002 ★

0,74 ha 1 200 11 à 15 €

Ce cadillac demande à être un peu attendu pour que sa sympathique expression aromatique de miel se développe et que sa structure se polisse.

SCEA des Vignobles Gouin, La Pradiasse, 33410 Laroque, tél. 05.56.62.61.21, fax 05.56.76.94.18, e-mail chateau.vieille.tour@wanadoo.fr r.-v.

# Loupiac

Le vignoble de Loupiac (13 017 hl déclarés en 2004 sur 360 ha) est d'une origine ancienne, son existence étant attestée depuis le XIIIes. Par l'orientation, les terroirs et l'encépagement, cette aire d'appellation est très proche de celle de sainte-croix-du-mont. Toutefois, comme sur la rive gauche, on sent, en allant vers le nord, une subtile évolution des liquoreux proprement dits vers des vins plus moelleux.

## CLOS JEAN 2003 *

13 ha 20 000 11 à 15 €

Au cœur de l'appellation, ce domaine dont le nom s'écrivait primitivement « Clau Jan » est commandé par une maison du XIXes. construite par un Américain, propriétaire de canne à sucre et de coton en Louisiane. Installé en 1986, Lionel Bord propose un 2003 encore un peu discret dans son expression aromatique, mais intéressant par son développement au palais. Consistant et bien concentré, ce vin se plaira sur un foie gras et pourra être attendu quelques années. Autre cru du même producteur, le **Château Rondillon 2003** a obtenu une citation.

Vignobles Lionel Bord, Clos Jean, 33410 Loupiac, tél. 05.56.62.99.83, fax 05.56.62.93.55, e-mail vignobles.bord@wanadoo.fr
t.l.j. 9h-12h 14h-18h; sam. dim. sur r.-v.

## CH. DU CROS 2002

27 ha 42 000 11 à 15 €

Dominant la vallée de la Garonne, un vrai château fort du XIIIes. qui replonge dans l'ambiance magique du Moyen Age. Mais c'est plus au XVIIIes. que fait penser ce vin. Léger et délicatement bouqueté, il développe d'agréables parfums de noisette, de fruits de la Passion, de fleurs blanches et de miel pendant toute la dégustation, en accompagnement d'une chair équilibrée et longue.

SA Vignobles M. Boyer, Ch. du Cros, 33410 Loupiac, tél. 05.56.62.99.31, fax 05.56.62.12.59, e-mail contact@chateauducros.com
t.l.j. 8h-12h 14h-18h; sam. dim. sur r.-v.

## CH. DAUPHINE-RONDILLON 2002 *

6 ha 11 000 11 à 15 €

Une même famille dirige ce château depuis les années 1780. Les vignes atteignent aujourd'hui 54 ha sur différentes propriétés. Le vin reste un peu timide dans sa présentation avant de s'épanouir au palais où apparaissent du gras, du volume, une agréable expression aromatique, avec des notes de miel et de fruits confits.

SC J. Darriet, Ch. Dauphiné-Rondillon, 33410 Loupiac, tél. 05.56.62.61.75, fax 05.56.62.63.73, e-mail vignoblesdarriet@wanadoo.fr
t.l.j. 8h30-12h 14h-18h; sam. dim. sur r.-v.; f. 1er-23 août

## CH. FORTIN 2003 *

10 ha 20 000 5 à 8 €

Peut-être grâce à la diversité de son encépagement (sémillon, muscadelle et sauvignon), ce vin se signale par son équilibre. Celui-ci apparaît dès le bouquet, subtil et élégant avec des notes de fruits exotiques, avant de s'amplifier au palais. Riche et harmonieux, sans lourdeur, ce loupiac est déjà plaisant tout en possédant un bon potentiel qu'affirme sa finale chaleureuse.

SCEA Tourré-Delmas, 26, rte de Saint-Macaire, 33410 Loupiac, tél. 05.56.62.99.45, fax 05.56.62.19.44
Pierre Tourré

## CRU DU GARRE 2003 *

0,6 ha 2 200 8 à 11 €

S'il possède de nombreuses autres productions plus importantes en volume, Vincent Labouille ne néglige pas ce cru. Même si sa finale est un peu courte, ce vin 100 % sémillon l'atteste. Tant par sa robe d'un beau jaune doré que par son bouquet riche et complexe, avec de jolies notes de fruits confits. Son palais, ample, plein et opulent, flatteur, en fait une bouteille plaisir.

Vincent Labouille, Ch. de Crabitan, 33410 Sainte-Croix-du-Mont, tél. 05.56.62.01.78, fax 05.56.76.71.17, e-mail ml@labouille.net r.-v.

## CH. DE LOUPIAC 2003 **

2 ha 5 000 11 à 15 €

La commune de Loupiac bénéficie d'un intéressant patrimoine, dont une belle église romane, presque voisine de ce cru, chartreuse du XVIIIes. Sa visite sera l'occasion de découvrir ce vin des plus réussis. Composé de parfums intenses et concentrés (fruits, grillé et toast), le bouquet est aussi puissant que le palais. Ample et agréablement équilibré, celui-ci unit les apports du bois aux fruits confits. Une superbe bouteille qui émerveillera pendant une bonne dizaine d'années, à l'apéritif comme sur un foie gras.

**Les vins blancs liquoreux**

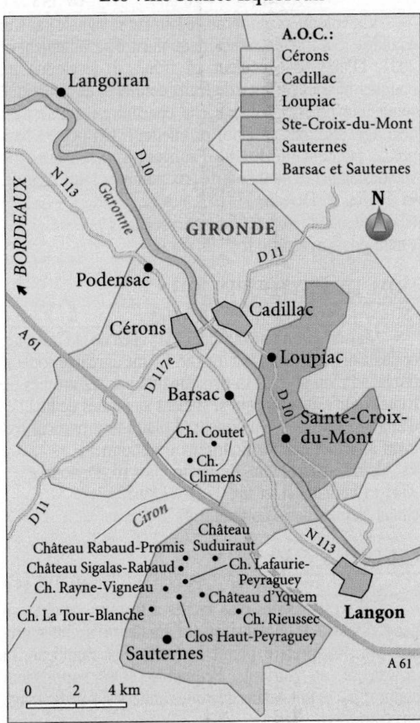

Moins harmonieux mais bien fait, le **Château Loupiac-Gaudiet 2003 (8 à 11€)** a été cité.
SCEA Marc Ducau, Ch. Loupiac-Gaudiet, 33410 Loupiac, tél. 05.56.62.99.88, fax 05.56.62.60.13, e-mail loupiacgaudiet@chateau-loupiacgaudiet.com
r.-v.

### CH. MAZARIN 2003

10 ha 30 000 5 à 8 €

Pris en fermage en 1989 par Jean-Yves Arnaud, ce cru est une très ancienne propriété de Cadillac. Simple mais bien construit, ce moelleux possède le potentiel nécessaire pour pouvoir être attendu pendant encore deux ou trois ans : il achèvera ainsi de s'affiner.
Jean-Yves Arnaud, La Croix, 33410 Gabarnac, tél. et fax 05.56.20.23.52 r.-v.

### DOM. DU NOBLE 2003 ★★

10 ha 28 000 15 à 23 €

Vin volontiers moderne, le loupiac se signale par son équilibre. Un trait de caractère qu'illustre parfaitement ce 2003. D'une belle couleur or franc, il développe un bouquet aux jolies notes de fruits confits et de fleurs que soutient un bois de qualité. Riche, concentré et ample, il est déjà agréable tout en étant prometteur. On pourra l'apprécier pendant une dizaine d'années sur un foie gras, des viandes blanches ou une tarte aux pommes toute chaude.
EARL P. Dejean, 33410 Loupiac, tél. 05.56.62.98.30, fax 05.56.62.15.90, e-mail pdejean@cario.fr r.-v.

### DOM. DE PEYTOUPIN 2003 ★

7 ha 7 000 8 à 11 €

Maison girondine dominant la vallée de la Garonne, ce château possède un joli terroir. D'une agréable couleur dorée, son vin affirme sa personnalité par ses arômes de fruits confits surmûris qui se mêlent aux notes de litchi et d'ananas. Très riche en liqueur, il plaira tout particulièrement aux amateurs de liquoreux traditionnels.
Alain Cartier, Dom. de Peytoupin, 10, Peytoupin, 33410 Loupiac, tél. et fax 05.56.62.99.50, e-mail alaincartier@hotmail.fr r.-v.

### CH. DE RICAUD 2002 ★

18,41 ha 18 000 11 à 15 €

S'il n'est pas des plus faciles à trouver, ce château néogothique a de quoi intéresser l'amateur d'architecture. Son vin, lui, préfère plutôt la finesse, la simplicité, la délicatesse et, surtout, l'équilibre. On l'appréciera aujourd'hui comme dans quelques années sur un fromage pas trop fort.
Ch. de Ricaud, 33410 Loupiac, tél. 05.56.62.66.16, fax 05.56.76.93.30, e-mail chateau-ricaud@thienot.com r.-v.
Alain Thiénot

### CH. LES ROQUES Cuvée Frantz 2002 ★

n.c. 2 000 15 à 23 €

Cuvée de prestige, ce vin, d'un beau jaune doré, ne laisse planer aucun doute sur son caractère authentiquement liquoreux. Si au bouquet le bois est encore très présent, au palais le botrytis monte en puissance. Un loupiac intéressant qui demande encore deux ou trois ans pour achever son évolution. La **cuvée principale Château Les Roques 2002 (11 à 15 €)** obtient une citation.
A. et V. Fertal, SCEA Ch. du Pavillon, 33410 Sainte-Croix-du-Mont, tél. 05.56.62.01.04, fax 05.56.62.00.92, e-mail a.v.fertal@wanadoo.fr r.-v.

### CH. LA YOTTE 2003

3,5 ha 5 000 8 à 11 €

S'il reste encore un peu austère en finale, ce vin n'en demeure pas moins intéressant par ses notes de fleurs et de miel ainsi que par son développement au palais. Frais et sans lourdeur, il possède une bonne longueur. On pourra en profiter pendant près d'une dizaine d'années.
SCEA Bouffard-Audibert, 2, rte de Lambrot, 33410 Loupiac, tél. 05.56.62.92.22, fax 05.56.62.67.79, e-mail chateaulayotte@wanadoo.fr r.-v.

## Sainte-croix-du-mont

Un site de coteaux abrupts dominant la Garonne, trop peu connu en dépit de son charme, et un vin ayant trop longtemps souffert (à l'égal des autres appellations de liquoreux de la rive droite) d'une réputation de vin de noces ou de banquets.

Pourtant, cette aire d'appellation (14 641 hl en 2004 sur 395 ha déclarés), située en face de Sauternes, mérite mieux : à de bons terroirs, en général calcaires, avec des zones graveleuses, elle ajoute un microclimat favorable au développement du botrytis. Quant aux cépages et aux méthodes de vinification, ils sont très proches de ceux du Sauternais. Les vins, autant moelleux que véritablement liquoreux, offrent une plaisante impression de fruité. On les servira comme leurs homologues de la rive gauche, mais leur prix, plus abordable, pourra inciter à les utiliser pour composer de somptueux cocktails.

### CH. BEL AIR Vieilles Vignes 2002 ★

20 ha n.c. 8 à 11 €

Valeur sûre, ce cru a des origines lointaines. Il présente deux cuvées 100 % sémillon, l'une élevée en cuve, l'autre en barrique. D'un beau jaune doré, ce millésime développe un bouquet expressif avec des notes confites (orange et abricot) qui se marient aux parfums floraux.

Souple et bien équilibré, il révèle une bonne présence du botrytis ; il pourra être apprécié aujourd'hui comme dans quatre ou cinq ans. La cuvée **Prestige 2003 (11 à 15 €)** a été citée. C'est un vin riche, très boisé, de garde.
Jean-Guy Méric, 33410 Sainte-Croix-du-Mont, tél. 05.56.62.01.19, fax 05.56.62.09.33, e-mail jeanguy-meric@wanadoo.fr r.-v.

### CH. LA GRAVE Sentiers d'automne 2002

11 ha 5 400 **8 à 11 €**

Acheté en 1930 par la famille Tinon, le château La Grave compte 23 ha. Simple mais bien fait, souple et équilibré, ce vin s'exprime agréablement par son bouquet où les agrumes et la pêche disputent la primauté à la vanille et au grillé du bois.
EARL Vignoble Tinon, Ch. La Grave, 33410 Sainte-Croix-du-Mont, tél. 05.56.62.01.65, fax 05.56.76.70.43, e-mail tinon@terre-net.fr r.-v.

### CH. DU MONT Cuvée Pierre 2003

20 ha 15 000 **11 à 15 €**

96 97 **98** **99** 00 **01** **02** 03

S'il n'entend pas rivaliser avec certains millésimes antérieurs, ce 2003 témoigne du sérieux du travail sur cette exploitation. Des notes confites confèrent un côté plaisant au bouquet, tandis que le palais ample et gras s'agrémente de sympathiques touches d'abricot et d'orange.
Hervé Chouvac, Ch. du Mont, 33410 Sainte-Croix-du-Mont, tél. 06.89.96.54.73, fax 05.56.62.07.58, e-mail chateau-du-mont@wanadoo.fr r.-v.

### CH. PALOY 2002

3 ha 6 000 5 à 8 €

Marquant l'entrée du cru dans le Guide, ce vin est plaisant. Flatteur dans sa robe or brillant et bien équilibré, il révèle une bonne liqueur et de fins arômes de fleurs et de fruits blancs qui lui apportent une agréable fraîcheur.
EARL Vignobles Charron, 3, lieu-dit Mouchac, 33490 Verdelais, tél. 05.56.62.00.35, fax 05.56.76.73.15, e-mail vignobles.charron@tiscali.fr r.-v.

### CH. LA RAME Réserve du château 2003 *

18 ha 18 600 **15 à 23 €**

96 97 **98** 99 **00** **01** **02** 03

Son nom (le roc en vieux français) suffit pour se persuader de la qualité du terroir dont jouit ce cru réputé. Ce vin en apporte la confirmation. Son bouquet, même s'il est encore marqué par l'élevage en barrique, laisse paraître le fruit. Dotée d'une jolie structure qui lui ouvrira les portes de la cave, cette bouteille a choisi pour s'exprimer le registre de l'élégance.
Yves Armand, Ch. La Rame, 33410 Sainte-Croix-du-Mont, tél. 05.56.62.01.50, fax 05.56.62.01.94, e-mail dgm@wanadoo.fr
t.l.j. 9h-12h 13h30-17h30; sam. dim. sur r.-v.

### DOM. DU TICH 2003 *

n.c. n.c. 5 à 8 €

Né à Verdelais, une commune aux inspirations multiples – on y trouve un moulin, une abbaye... et la tombe de Toulouse-Lautrec –, ce vin retient l'attention par sa couleur vieil or. Discrètement mais finement bouqueté, il joue sur des notes fruitées avant de faire apparaître un petit côté confit. Le palais laisse le souvenir d'un ensemble chaleureux et bien équilibré.
Jean Fonteyreaud, Domaines Tich et Grava, 33490 Verdelais, tél. 05.56.62.05.42, fax 05.56.62.01.71, e-mail fonteyreaud.vinsdebordeaux@wanadoo.fr
r.-v.

### LE TICH DE GRAVELINES 2003

1,89 ha 7 467 5 à 8 €

Ce domaine, dont l'histoire remonte au début du XVII^e s., jouit d'une vue remarquable. Son vin, d'une jolie couleur bouton d'or, déploie un bouquet aux notes confites et fait preuve d'une bonne présence au palais. Il saura bien vieillir.
SARL Ch. Gravelines, 1, Gravelines, 33490 Semens, tél. 05.56.62.02.01, fax 05.56.62.02.55, e-mail chateaugravelines@wanadoo.fr
t.l.j. sf sam. dim. 8h-12h 14h-18h
Thérasse

BORDELAIS

# Cérons

Enclavés dans les graves (appellation à laquelle ils peuvent aussi prétendre, à la différence des sauternes et des barsac), les cérons (1 412 hl sur 40 ha déclarés pour le millésime 2004) assurent une liaison entre les barsac et les graves supérieures moelleux. Mais là ne s'arrête pas leur originalité, qui réside aussi dans une sève particulière et une grande finesse.

### CH. DE CERONS 2002

12,3 ha 18 000 **15 à 23 €**

Construit vers 1715, ce superbe château de style Louis XIV possède un décor intérieur Régence, partiellement remanié au XIX^e s. Face à lui, l'église romane du XII^e s. On est là dans l'Histoire. Paille soutenu à l'œil, ce vin joue sur le miel, le gras, le volume. Il faut l'attendre deux ou trois ans, puis le servir sur un gâteau aux amandes.
Jean-Xavier Perromat, Ch. de Cérons, 33720 Cérons, tél. 05.56.27.01.13, fax 05.56.27.22.17, e-mail perromat@chateaudecerons.com r.-v.

### GRAND ENCLOS DU CHATEAU DE CERONS 2002 *

3 ha 3 000 **15 à 23 €**

Giorgio Cavanna, viticulteur en Toscane (chianti classico), a acquis ce château de grand renom en 2000. Il a rénové le chai qui atteint 800 m$^2$ et qui contient 50 % de barriques neuves et 50 % de barriques d'un vin. Ce 2002 est une réussite. Gras, ample, puissant et long, il a tout pour affronter une bonne garde et se marier harmonieusement à un fromage persillé.
SCEA du Grand Enclos de Cérons, pl. du Gal-de-Gaulle, 33720 Cérons, tél. 05.56.27.01.53, fax 05.56.27.08.86, e-mail grand.enclos.cerons@wanadoo.fr r.-v.
Giorgio Cavanna

### CH. HAURA 2003 ★★

0,34 ha 2 000 11 à 15 €

La signature du professeur Denis Dubourdieu est une référence incontestable comme le montre ce vin. D'une belle couleur bouton d'or, celui-ci déploie un riche bouquet de fruits confits avant de trouver sa plus parfaite expression au palais, avec autant de volume et de richesse que d'harmonie. Déjà très séduisant, il le sera tout autant dans quelques années. Ce sera peut-être pour vous l'occasion de découvrir un accord gastronomique avec un fromage bleu d'Auvergne.

EARL Pierre et Denis Dubourdieu,
Ch. Doisy-Daëne, 33720 Barsac,
tél. 05.56.27.15.84, fax 05.56.27.18.99,
e-mail denisdubourdieu@wanadoo.fr r.-v.

### LE HAURET DU PIADA 2003 ★

0,36 ha 1 100 15 à 23 €

Ce cérons, issu d'une vendange de sémillon bien mûr, montre, par ses arômes de fruits confits (abricot et figue) et de miel, le soin apporté à son élaboration. Ample et long, il possède une petite note de fraîcheur de bon aloi.

EARL Lalande et Fils, Ch. Piada, 33720 Barsac,
tél. 05.56.27.16.13, fax 05.56.27.26.30,
e-mail chateau.piada@wanadoo.fr
t.l.j. 8h-12h 13h30-20h; sam. dim. sur r.-v.

## Barsac

Tous les vins de l'appellation barsac peuvent bénéficier de l'appellation sauternes. Barsac (625 ha, 13 025 hl déclarés en 2004) s'individualise cependant par rapport aux communes du Sauternais proprement dit par un moindre vallonnement et par les murs de pierre entourant souvent les exploitations. Ses vins se distinguent des sauternes par un caractère plus légèrement liquoreux. Mais, comme les sauternes, ils peuvent être servis de façon classique sur un dessert ou, comme cela se fait de plus en plus, en entrée, sur un foie gras, ou bien sur des fromages forts du type roquefort.

### CH. COUTET 2002 ★

1er cru clas. 38,5 ha 45 000 23 à 30 €

73 75 76 78 81 83 85 86 89 |90| |95| 96 97 |99| 01 02

Vaste et ancienne propriété, ce cru a pour tradition d'élaborer des vins bien équilibrés. C'est le cas une fois encore avec ce 2002 au joli bouquet floral (aubépine) et fruité (cédrat). Les notes confites mêlées de cire sont présentes et s'associent à la solide constitution pour donner un ensemble déjà appréciable tout en étant apte à la garde. Une bouteille « polyvalente », c'est-à-dire à servir de l'apéritif au dessert ; plat principal ? foie gras ou viande blanche.

SC Ch. Coutet, 33720 Barsac,
tél. 05.56.27.15.46, fax 05.56.27.02.20,
e-mail philippe.baly@chateaucoutet.com
t.l.j. sf sam. dim. 9h-11h30 13h30-16h30

### CH. FARLURET 2003 ★

8,15 ha 19 000 15 à 23 €

86 87 |88| (89) |90| 91 94 95 |96| |97| |98| 01 02 03

Quelques parcelles de sauvignon et de muscadelle (5 % chacun) complètent ici celles de sémillon. Le résultat est un ensemble d'une belle intensité olfactive qui doit encore vieillir. A la cire d'abeille du 2001 et à la fleur d'acacia du 2002 s'ajoutent dans ce millésime l'orange confite, l'abricot sec et le genêt. Gras, concentré et bien équilibré, le palais débouche sur une finale très chaleureuse qui appelle quatre à cinq ans de patience. Une bouteille de bonne garde. Rappelons que le 2002 a été coup de cœur l'an dernier.

Hervé et Patrick Lamothe,
3, Piquey, 33210 Preignac,
tél. 05.56.63.24.76, fax 05.56.63.23.31,
e-mail haut-bergeron@wanadoo.fr
t.l.j. sf dim. 9h-12h 14h-19h

### CH. NAIRAC 2001

2e cru clas. 15 ha 20 000 46 à 76 €

(83) 86 |88| |89| |90| 91 92 93 |94| |(95)| 96 01

A l'entrée du bourg de Barsac, ce château fut construit par une famille de négociants qui firent fortune dans le commerce triangulaire, de triste mémoire. Il n'en offre pas moins une illustration de l'élégance du XVIII[e]s. On trouve un peu de douceur dans les arômes de miel et de fruits confits de ce vin, ainsi que dans le côté soyeux et charnu de son palais.

Ch. Nairac, 33720 Barsac,
tél. 05.56.27.16.16, fax 05.56.27.26.50,
e-mail contact@chateau-nairac.com r.-v.
Nicole Tari

### CH. PIADA 2003 ★★

9,67 ha 13 000 15 à 23 €

83 86 88 89 (90) 91 |95| |96| |97| |98| |99| 01 02 03

Si beaucoup de crus ont une origine ancienne, rares sont ceux qui peuvent se targuer de voir leur nom mentionné dans les « hommages d'Aquitaine » en 1274. Piada est de ceux-là. Mais la grande fierté des Lalande sera d'avoir élevé ce vin particulièrement réussi, qui a manqué de peu le coup de cœur. Soutenu par un bois bien dosé, son bouquet exhale de délicieux parfums de fruits jaunes, d'agrumes et de fruits confits. Riche sans être lourd, le palais se porte garant de la très belle aptitude au vieillissement de cette bouteille exquise. Foie gras et roquefort conseillés.

EARL Lalande et Fils, Ch. Piada, 33720 Barsac,
tél. 05.56.27.16.13, fax 05.56.27.26.30,
e-mail chateau.piada@wanadoo.fr
t.l.j. 8h-12h 13h30-20h; sam. dim. sur r.-v.

CH. DE ROLLAND 2002 ★

| | 15 ha | 20 000 | | 15 à 23 € |
|---|---|---|---|---|

Ancien couvent de chartreux situé à 500 m du pittoresque port de Barsac, ce cru possède un très joli pigeonnier. Jaune doré, la robe de son barsac est vive et lumineuse. Le bouquet séduit par sa complexité, avec des notes d'abricot confit, d'angélique, de fruits blancs et de grillé. Au palais apparaît une belle liqueur. Une bouteille à attendre au moins deux ou trois ans avant de l'ouvrir sur une nage d'écrevisse au safran.

François Guignard, SCA Ch. de Rolland, 33720 Barsac, tél. 05.56.27.15.02, fax 05.56.27.28.58, e-mail info@chateauderolland.com t.l.j. sf sam. dim. 9h-12h 14h-17h30; sam. dim. sur r.-v.

# Sauternes

Si vous visitez un château à Sauternes, vous saurez tout sur ce propriétaire qui eut un jour l'idée géniale d'arriver en retard pour les vendanges et de décider, sans doute par entêtement, de faire ramasser les raisins malgré leur état surmûri. Mais si vous en visitez cinq, vous n'y comprendrez plus rien, chacun ayant sa propre version, qui se passe évidemment chez lui. En fait, nul ne sait qui « inventa » le sauternes, ni quand ni où.

Si en Sauternais, l'histoire se cache toujours derrière la légende, la géographie, elle, n'a plus de secret. Chaque caillou des cinq communes constituant l'appellation (dont Barsac, qui possède sa propre appellation) est recensé et connu dans toutes ses composantes. Il est vrai que c'est la diversité des sols (graveleux, argilo-calcaires ou calcaires) et des sous-sols qui donne un caractère à chaque cru, les plus renommés étant implantés sur des croupes graveleuses. Obtenus avec trois cépages – le sémillon (de 70 à 80 %), le sauvignon (de 20 à 30 %) et la muscadelle –, les sauternes sont dorés, onctueux, mais aussi fins et délicats. Leur bouquet « rôti » se développe très bien au vieillissement, devenant riche et complexe, avec des notes de miel, de noisette et d'orange confite. Il est à noter que les sauternes sont les seuls vins blancs à avoir été classés en 1855. L'AOC couvrait une superficie de 1 700 ha en 2004 pour une production de 33 410 hl.

CH. D'ANNA Cuvée Louis d'or 2003 ★★

| | 0,25 ha | 600 | | 11 à 15 € |
|---|---|---|---|---|

Contrairement à une idée reçue, il est toujours possible de faire des découvertes en Bordelais, même dans les appellations les plus prestigieuses ; témoin, ce cru qui fait son entrée dans le Guide. Très séducteur par son bouquet aux frais arômes d'agrumes, de pêche blanche, de fleur d'acacia mêlés d'une pointe de miel, ce sauternes manifeste sa personnalité par son élégance. Déjà fort agréable, il possède un solide potentiel d'évolution.

Sandrine Dauba, 16, rue Barreau, 33720 Barsac, tél. et fax 05.56.27.20.12 r.-v.

CH. L'ARIESTE Elevé en fût de chêne 2003 ★

| | 25 ha | 4 000 | | 11 à 15 € |
|---|---|---|---|---|

Commandé par une demeure du XVIII^e s., ce cru a reçu à l'époque une visite presque royale, en accueillant le duc d'Anjou, petit-fils de Louis XIV. Peut-être ce souvenir a-t-il inspiré les élaborateurs de ce vin au bouquet riche et puissant de fruits confits ? En tout cas, son volume, son gras et sa longueur destinent cette bouteille à la garde.

EARL Bon Frères, 70, rue de la République, 33210 Preignac, tél. 05.56.63.28.29, fax 05.56.63.31.01, e-mail a.j.vins@wanadoo.fr t.l.j. 9h-12h 14h-19h

CH. D'ARMAJAN DES ORMES 2002 ★★

| | 10 ha | 13 000 | | 15 à 23 € |
|---|---|---|---|---|

95 96 97 98 99 00 01 ②

Très bel ensemble architectural des XVII^e et XVIII^e s., ce château est représentatif du domaine viticole du Sauternais. Si vous vous y rendez, prenez le temps de voir les lieux avant de découvrir ce vin. Des reflets ambrés viennent animer la robe d'or. Ensuite se met en mouvement le bouquet qui fait défiler tour à tour les arômes grillés du bois, puis les agrumes ; les fruits blancs ferment la marche. Comme dans une parade, on passe ensuite à la cavalerie avec une attaque vigoureuse et un palais rond et ample. Mais là s'arrêtent les comparaisons militaires. Si ce 2002 a l'ardeur caractéristique du millésime et une grande aptitude à la garde, son profil aimable le rend déjà très agréable. Beaucoup plus simple, venant d'un cru autonome d'origine médiévale, le **Château Le Juge 2001 (11 à 15 €)** obtient une citation.

EARL Jacques et Guillaume Perromat, Ch. d'Armajan, 33210 Preignac, tél. 05.56.63.58.21, fax 05.56.63.21.55, e-mail guillaume.perromat@wanadoo.fr r.-v.

CRU BARREJATS 2001 ★

| | 5 ha | 7 000 | | 46 à 76 € |
|---|---|---|---|---|

Commercialisé à la fois en bouteilles de 75 cl et de 50 cl, ce 2001 fait preuve d'une jolie complexité aromatique, dans son bouquet comme au palais, mêlant des notes de fleurs, d'épices et d'abricot confit. Il offre en outre une matière onctueuse, puissante et botrytisée. Cette bouteille demande à être attendue pendant cinq ou six ans.

🔑 SCEA Barréjats, Clos de Gensac Mareuil, 33210 Pujols-sur-Ciron, tél. et fax 05.56.76.69.06, e-mail contact@cru-barrejats.com ☑ Y ✶ r.-v.

## CH. DE BASTARD 2003

5 ha 8 000 11 à 15 €

Du même producteur que le Clos des Remparts (graves), ce vin, simple et facile, trouvera sa place à l'apéritif pour initier les gens au sauternes, grâce à ses arômes de fruits surmûris (ananas, orange), d'abricot sec et de fleurs. Petite pointe d'alcool en finale.

🔑 Famille Gachet, EARL de Ch. Bastard, 33720 Barsac, tél. 05.56.62.20.01, fax 05.56.62.33.11, e-mail clos.dady@wanadoo.fr ☑ Y ✶ r.-v.

## CH. BASTOR-LAMONTAGNE 2002 ★

56 ha 70 000 23 à 30 €

82 83 84 85 86 |88| |89| (90) 94 95 96 |97| |98| 99 00 01 02

Belle unité, tant par sa taille que par ses bâtiments, ce cru a décidé d'innover en élaborant à partir du millésime 2004 un sauternes baptisé Caprice de Bastor, destiné aux jeunes amateurs. Cette nouvelle production complétera la gamme existante, dont on retrouvera l'esprit élégant dans ce 2002 fin et délicat. Agréable dans son expression aromatique aux notes d'acacia, il révèle un bon équilibre au palais, avec ce qu'il faut de liqueur. Encore un peu marqué par le bois, l'ensemble est raffiné et offrira de plaisantes alliances de saveurs d'ici deux ou trois ans. Un vin d'apéritif par excellence.

🔑 SCEA Vignobles Bastor Saint-Robert, Dom. de Lamontagne, 33210 Preignac, tél. 05.56.63.27.66, fax 05.56.76.87.03, e-mail bastor@bastor-lamontagne.com ☑ Y ✶ r.-v.

🔑 Foncier-Vignobles

## CRU BORDENAVE 2002 ★

2,5 ha 3 600 38 à 46 €

Issu d'un cru repris en 2000 par Bastor-Lamontagne, ce sauternes est bien constitué avec une belle matière et un bon développement aromatique. Miel, acacia, fruits mûrs et épices composent un ensemble complexe et agréable. Excellent à l'apéritif, ce vin saura également accompagner un plat finement épicé.

🔑 SCEA Vignobles Bastor Saint-Robert, Dom. de Lamontagne, 33210 Preignac, tél. 05.56.63.27.66, fax 05.56.76.87.03, e-mail bastor@bastor-lamontagne.com ☑ Y ✶ r.-v.

🔑 Foncier-Vignobles

## CH. CAILLOU Private-Cuvée 2001

2e cru clas. 13 ha 3 500 38 à 46 €

Deux tourelles pointues donnent un petit air de gentilhommière à ce château du vin situé à 2 km de l'église classée de Barsac. En dépit d'une présence encore marquée du bois, ce vin montre son potentiel aromatique par de fraîches notes de pamplemousse, d'angélique, de genêt, de fleurs blanches et de citron confit. Il a du gras, un bon volume et devrait bien évoluer après deux ou trois ans de garde.

🔑 M. et Mme Pierre, Ch. Caillou, 33720 Barsac, tél. 05.56.27.16.38, fax 05.56.27.09.60, e-mail chateaucaillou@aol.com ☑ Y ✶ r.-v.

## CH. CAPLANE 2003 ★

3 ha 3 000 11 à 15 €

Au cœur de l'appellation, ce cru jouit d'un terroir de qualité. Ce vin l'atteste, tant par son intensité aromatique (fruits confits et fleurs blanches, avec un bon soutien du bois) que par la concentration du palais. Riche, puissant, gras, ample et long, il présente un réel potentiel de garde tout en étant déjà fort plaisant.

🔑 Guy David, 6, Moulin de Laubes, 33410 Laroque, tél. 05.56.62.93.76 ☑ Y ✶ r.-v.

🔑 Mme Garbay

## DOM. DE CARBONNIEU Sélection Prestige 2003 ★

13 ha 12 000 15 à 23 €

Cuvée prestige, ce vin mérite d'être l'ambassadeur de son cru. S'annonçant par une robe dorée, limpide et brillante, il fait preuve à la fois d'élégance et de puissance. La première s'exprime par le bouquet, où le caramel, l'abricot et le bois composent un ensemble de qualité ; la seconde par une chair ronde et grasse qui empreint la bouche d'agréables notes de confiture de melon d'Espagne.

🔑 Alain Charrier, 6, Les Chons, 33210 Bommes, tél. 05.56.76.64.48, fax 05.56.76.69.95, e-mail vignobles.charrier@wanadoo.fr ☑ Y ✶ t.l.j. 9h-12h 14h-19h

## CLOS DU ROY 2003

9,67 ha 1 200 11 à 15 €

2 % de muscadelle, 3 % de sauvignon, le reste, bien sûr, en sémillon : ce vin joue résolument la carte de l'élégance avec de discrets accents floraux. Le vanillé de la barrique est encore très présent. Au palais, on note un rôti bien marqué et une pointe liquoreuse en finale.

🔑 EARL Lalande et Fils, Ch. Piada, 33720 Barsac, tél. 05.56.27.16.13, fax 05.56.27.26.30, e-mail chateau.piada@wanadoo.fr ☑ Y ✶ t.l.j. 8h-12h 13h30-20h; sam. dim. sur r.-v.

## CH. CLOS HAUT-PEYRAGUEY 2002 ★

1er cru clas. 12 ha 19 000 30 à 38 €

82 83 85 86 |88| |89| |90| 91 94 |95| |96| |97| |99| 01 02

Un pavillon central anoblit cette belle demeure dans la tradition girondine. Il s'en dégage un équilibre que l'on retrouve dans le vin ; d'abord au bouquet, avec de fines et fraîches notes de fruits exotiques et d'agrumes ; puis au palais, où s'engage un dialogue entre la liqueur et l'acidité. Une petite touche vanillée donne son charme à la finale, tandis que se confirme la bonne aptitude à la garde de cette bouteille.

🔑 SC J. et J. Pauly, Ch. Clos Haut-Peyraguey, 33210 Bommes, tél. 05.56.76.61.53, fax 05.56.76.69.65, e-mail contact@closhautpeyraguey.com ☑ Y ✶ t.l.j. 9h-12h 14h-18h30; groupes sur r.-v.

## PASSION DE CLOSIOT 2001

n.c. 1 400 38 à 46 €

Cuvée prestige d'un cru de 4,5 ha, ce vin demande encore un peu de patience pour que le bois puisse se fondre dans l'ensemble. Sa structure comme son expression aromatique (vanille, miel, agrumes et caramel) sont suffisamment substantielles pour garantir son évolution.

🔑 Françoise Sirot-Soizeau, Ch. Closiot, 33720 Barsac, tél. 05.56.27.05.92, fax 05.56.27.11.06, e-mail closiot@vins-sauternes.com
☑ 🏠 🍷 🚶 t.l.j. 10h-12h 14h-18h, groupes sur r.-v.; f. 24 déc. au 20 jan.

## CLOS L'ABEILLEY 2003

n.c. 28 000 15 à 23 €

Né sur un petit vignoble enclavé dans celui de Rayne Vigneau, ce vin associe 2 % de muscadelle à 75 % de sémillon et 23 % de sauvignon. Bien équilibré, il se rend sympathique par sa fraîcheur aromatique (fruits blancs, fleur d'acacia, fruits confits et mie de pain) et sa persistance.

🔑 SC du Ch. de Rayne Vigneau, La Croix Bacalan, 109, rue Achard, BP 154, 33042 Bordeaux Cedex, tél. 05.56.11.29.00, fax 05.56.11.29.01, e-mail patrick.eymery@raynevigneau.fr

## CORDIER Collection privée 2003

n.c. 12 000 11 à 15 €

Maison fondée en 1886, liée aujourd'hui aux domaines du Crédit Agricole. A côté de ses crus prestigieux, elle offre une large gamme de vins sous le nom de Collection privée, dont ce sauternes ample et riche. Plus expressif à l'attaque qu'en finale, avec des notes de fleurs et de fruits jaunes ou confits, il privilégie le sucre et plaira aux amateurs de liquoreux traditionnels.

🔑 Cordier Mestrezat et Domaines, 109, rue Achard, 33300 Bordeaux, tél. 05.56.11.29.00, fax 05.56.11.29.01, e-mail contact@cordier-wines.com

## CH. DOISY-DAENE 2003 ★★

2e cru clas. 15 ha 44 000 30 à 38 €

50 71 75 76 78 79 80 |81| 82 |(83)| 84 85 |86| |88| |89| |90| |91| |94| |95| |96| |97| |98| |00| |01| |02| (03)

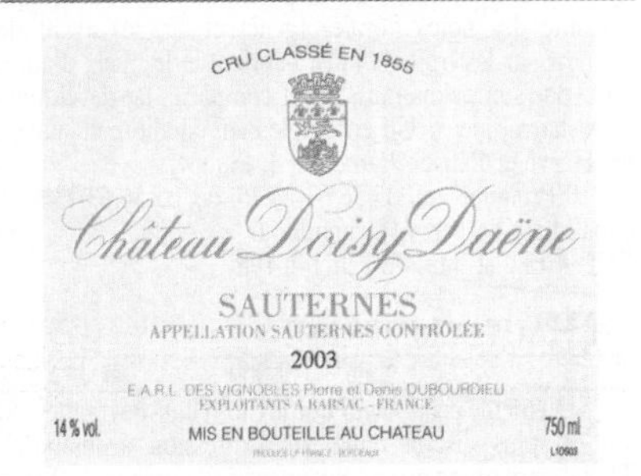


Sur ce cru barsacais, la recherche permanente de l'innovation est une vieille tradition familiale. Cette démarche s'appuie sur un excellent terroir et des vignes de trente-cinq ans. Les vendanges ont ici débuté le 15 octobre 2003. Le sémillon (80 %) et le sauvignon ont donné un vin remarquable. Vous serez impressionnés par l'ampleur de ses arômes aux notes de fruits secs et d'agrumes, puis par la richesse de son palais. Mais ne vous y trompez pas, sa concentration n'exclut pas l'équilibre et une réelle élégance. Gras, moelleux et aromatique (raisin de Corinthe et abricot confit), l'ensemble ne laisse planer aucun doute sur son potentiel de garde (plusieurs décennies).

🔑 EARL Pierre et Denis Dubourdieu, Ch. Doisy-Daëne, 33720 Barsac, tél. 05.56.27.15.84, fax 05.56.27.18.99, e-mail denisdubourdieu@wanadoo.fr ☑ 🍷 🚶 r.-v.

## CH. DOISY VEDRINES 2002 ★★

2e cru clas. 27 ha 42 000 23 à 30 €

70 75 81 |(83)| 86 |88| 90 |95| |97| |98| 00 |02|

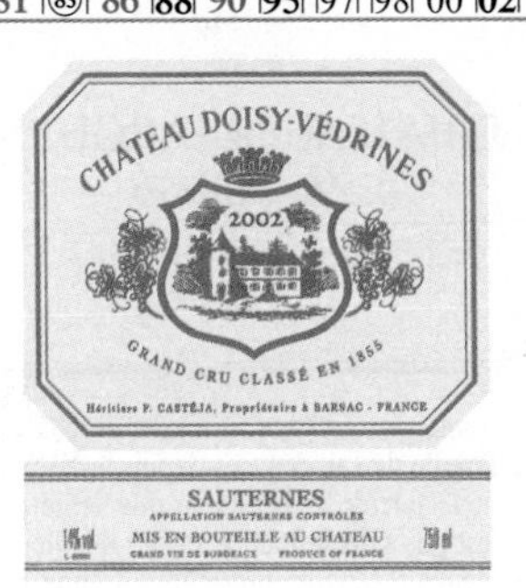


Une maison de campagne aux allures presque bourgeoises, mais qui appartient par ses origines à la noblesse bordelaise la plus authentique. Une même authenticité apparaît dans ce vin jaune doré qui allie la force et le potentiel du sauternes classique à l'élégance du liquoreux moderne. Le bouquet déploie une large palette d'arômes (pêche jaune, fruits confits et aubépine). Dès l'attaque la liqueur fait sentir sa présence, tandis que s'établit un très bel équilibre entre les différents caractères qui donnent sa personnalité au palais (fruits, gras et rôti). Vif et élégant, ce 2002 laisse l'amateur face à un dilemme : faut-il en profiter tout de suite, tant son charme est réel, ou faire preuve de patience pour découvrir les surprises qu'il réserve pour l'avenir ?

🔑 Olivier Castéja, Ch. Doisy-Védrines, 33720 Barsac, tél. 05.56.68.59.70, e-mail joanne@joanne.fr 🍷 🚶 r.-v.

## CH. DUDON 2002

11,8 ha 12 060 15 à 23 €

Jolie chartreuse transformée en gîte rural, ce château propose un vin simple mais vif et plaisant. Sa fraîcheur et sa souplesse lui permettront d'accompagner de nombreux mets en accord avec ses parfums de pêche blanche et d'amande grillée.

🔑 SCEA du Ch. Dudon, 33720 Barsac, tél. et fax 05.56.27.29.38, e-mail chateau.dudon.barsac@wanadoo.fr
☑ 🏠 🍷 🚶 r.-v.
🔑 Allien

## CH. L'ERMITAGE 2003

n.c. 20 000 11 à 15 €

Issu d'un vignoble entièrement planté de sémillon, ce vin est résolument classique par son caractère liquoreux bien marqué. On ne s'étonnera donc pas d'y découvrir des notes de fruits confits et une bonne matière. A attendre quatre ou cinq ans.

🔑 SCEA Ch. L'Ermitage, 9, VC M. Lacoste, 33210 Preignac, tél. 05.56.76.24.13, fax 05.56.76.12.75, e-mail contact@chateau-lermitage.com
☑ 🍷 🚶 t.l.j. sf dim. 8h-18h
🔑 Fontan

### CH. DE FARGUES 2001 ★★

14 ha 15 000 + de 76 €

47 49 53 59 62 (67) 71 75 76 83 84 85 86 87 88 89 90 91 94 95 96 97 98 01

Imposante forteresse médiévale, ce château appartient à la famille de Lur-Saluces depuis le XV^e^s. Entre les hommes et le terroir s'est établie une vraie complicité. Celle-ci n'est pas sans influence sur les qualités de ce vin. Elles se devinent dans sa présentation : une belle teinte jaune et un bouquet aussi élégant que complexe (vanille, fleurs et fruits confits). Dans le même esprit, le palais révèle de jolies notes de rôti et une liqueur parfaitement équilibrée de l'attaque à la finale. Inutile de préciser que ce 2001 se mariera à la perfection avec un foie gras et qu'il méritera un séjour en cave de quelques années.

Comte Alexandre de Lur-Saluces, Ch. de Fargues, 33210 Fargues-de-Langon, tél. 05.57.98.04.20, fax 05.57.98.04.21, e-mail fargues@chateau-de-fargues.com r.-v.

### CH. DU GRAND CARRETEY 2003 ★

6 ha 14 400 11 à 15 €

Ce sauternes témoigne du savoir-faire de Vincent Labouille. A l'intensité du bouquet (agrumes, pêche et abricot) s'ajoute un bon équilibre au palais pour donner un ensemble puissant et chaleureux qui fait découvrir une large palette de saveurs (abricot, figue...).

Vincent Labouille, Ch. de Crabitan, 33410 Sainte-Croix-du-Mont, tél. 05.56.62.01.78, fax 05.56.76.71.17, e-mail ml@labouille.net r.-v.

### CH. GRAVAS 2003 ★

15 ha 30 000 15 à 23 €

Si les Bernard n'ont pas attendu la crise pour s'ouvrir au tourisme, ils n'en continuent pas moins de faire évoluer les équipements d'accueil de leur cru avec une nouvelle salle de réunion. Expressif par ses arômes de raisin de Corinthe, de passerillage et de rôti (fruits confits), leur 2003 possède une jolie liqueur. Après une attaque fraîche et généreuse, la bouche se montre ample et équilibrée. Du même producteur, le **Château Simon Carretey 2003 (11 à 15 €)**, produit par un vignoble autonome, obtient une citation. Il est équilibré et allie genêt et acacia au botrytis.

Michel Bernard, SCC du Ch. Gravas, 33720 Barsac, tél. 05.56.27.06.91, fax 05.56.27.29.83, e-mail gravas.chateau@libertysurf.fr r.-v.

### CH. GRILLON 2003

11 ha 20 000 15 à 23 €

Ce vin possède un solide potentiel de garde qui permettra à sa finale de s'affiner. Sa puissance et sa richesse apparaissent dès l'attaque avant de se confirmer au palais par une bonne concentration.

Odile Roumazeilles Cameleyre, Ch. Grillon, 33720 Barsac, tél. 05.56.27.16.45, fax 05.56.27.03.77, e-mail julien.roumazeilles@wanadoo.fr t.l.j. 9h-12h30 14h-18h30

### CH. GUIRAUD 2002 ★

1er cru clas. 85 ha 95 000 46 à 76 €

83 85 86 88 89 (90) 92 95 96 (97) 98 99 00 01 02

Situé tout à côté du village de Sauternes, ce vaste cru de 100 ha bénéficie d'un terroir de qualité. C'est par son élégance, plus que par son ampleur, que ce vin (65 % de sémillon complété par le sauvignon) affirme sa personnalité. Celle-ci s'exprime en effet par de séduisants parfums de fleurs blanches, de miel et d'agrumes. De leur côté, la liqueur et l'acidité trouvent un bon équilibre et garantissent l'avenir.

SCA du Ch. Guiraud, 33210 Sauternes, tél. 05.56.76.61.01, fax 05.56.76.67.52, e-mail x.planty@club-internet.fr r.-v.

### CH. GUITERONDE DU HAYOT 2001 ★

35 ha 58 000 8 à 11 €

Venu de Barsac, où fut fondé ce cru en 1850, ce vin s'annonce par une avenante robe d'un jaune d'or limpide et brillant. Très fin, son bouquet joue sur les senteurs de fleurs, de miel, de fruits confits, de citron et de cédrat pour entourer le botrytis. Rond, onctueux et harmonieux, le palais séduit par sa douceur.

Vignobles du Hayot, Andoyse, 33720 Barsac, tél. 05.56.27.15.37, fax 05.56.27.04.24, e-mail vignoblesduhayot@aol.com r.-v.

### CH. HAUT-BERGERON 2003 ★

21,3 ha 53 000 15 à 23 €

83 86 88 89 90 91 95 96 97 98 99 00 01 02 03

Le 2001 fut un très beau coup de cœur du Guide 2004. Associant 5 % de sauvignon au sémillon, ce vin montre du caractère ; d'une part, par son bouquet qui exprime des notes florales (genêt et acacia) avant de s'ouvrir sur les fruits confits, l'abricot et le miel ; d'autre part, par son palais puissant et complexe, au développement harmonieux. Un ensemble bien équilibré et suave.

Hervé et Patrick Lamothe, 3, Piquey, 33210 Preignac, tél. 05.56.63.24.76, fax 05.56.63.23.31, e-mail haut-bergeron@wanadoo.fr t.l.j. sf dim. 9h-12h 14h-19h

### CH. HAUT BOMMES 2002

5 ha 9 000 15 à 23 €

Du même producteur que le Clos Haut-Peyraguey, ce vin est plus discret dans son expression aromatique. Toutefois, il prend progressivement de l'ampleur et affirme son élégance par de fraîches notes de confiture de melon d'Espagne, d'abricot confit et de fleurs.

SC J. et J. Pauly, Ch. Clos Haut-Peyraguey, 33210 Bommes, tél. 05.56.76.61.53, fax 05.56.76.69.65, e-mail contact@closhautpeyraguey.com t.l.j. 9h-12h 14h-18h30; groupes sur r.-v.

### CH. HAUT-MAYNE 2003 ★★

7,5 ha 14 000 15 à 23 €

Egalement producteurs du Château Grillon, les Roumazeilles connaissent un beau succès dans ce millésime avec le Haut-Mayne. Citron, litchi, ananas, goyave, son bouquet met en confiance. Cette impression se confirme au

palais par une riche matière. Plein, concentré, floral et porté par une liqueur remarquable, ce 2003 a la carrure d'un vin de garde.
EARL Roumazeilles, Ch. Haut-Mayne, 33210 Preignac, tél. 05.56.27.12.18, fax 05.56.27.03.77, e-mail julien.roumazeilles@wanadoo.fr r.-v.

## CH. LES JUSTICES 2002 ★★

8,5 ha 25 000 23 à 30 €

Sans doute d'origine parlementaire, ce vignoble est fort ancien (XVIII[e]s.). On se souvient qu'il reçut la Grappe d'or du Guide 2000, distinction suprême. Aujourd'hui le cru est dirigé par Julie Médeville qui a épousé un Champenois. Equilibre et élégance sont les maîtres mots de ce vin dont la robe jaune paille est animée de reflets dorés. Fruits confits, gelée de coing et fleur d'acacia composent un joli bouquet, que complète au palais une note de miel. Gras, expressif et long, l'ensemble demande à être attendu (cinq ou six ans).
SCEA Julie Gonet-Médeville, Ch. Gilette, 33210 Preignac, tél. 05.56.76.28.44, fax 05.56.76.28.43, e-mail gonet.medeville@wanadoo.fr r.-v.

## CH. LAFAURIE-PEYRAGUEY 2002 ★

1er cru clas. 41 ha 61 800 30 à 38 €

75 76 79 80 81 82 83 84 85 86 87 (88) 89 90 91 92 93 |94| |95| |96| |97| |98| 99 01 02

Hésitant entre le palais mauresque et le château fort, ce manoir des XVIIe et XVIII[e]s. est l'un des ensembles architecturaux les plus curieux du vignoble bordelais. La structure de son 2002 est plus simple. Mais sa souplesse et sa rondeur s'accordent bien avec ses arômes de fruits jaunes, d'orange confite, de miel, de fleurs et de vanille pour donner une bouteille qui promet d'être assez harmonieuse quand elle aura atteint sa maturité, dans quatre ou cinq ans.
SAS Ch. Lafaurie-Peyraguey, 33210 Bommes, tél. 05.56.76.60.54, fax 05.56.76.61.89, e-mail lafaurie.peyraguey@wanadoo.fr r.-v.
Groupe Suez

## CH. LAMOTHE GUIGNARD 2002 ★★

2e cru clas. 28 ha 21 600 15 à 23 €

81 (83) 85 86 87 |88| |89| |90| 94 |95| |96| 97 98 |99| 00 02

En Sauternais, le terroir et le microclimat du Ciron jouent un rôle essentiel. Mais il ne faut pas oublier la part des hommes, avec quelques familles qui ont écrit l'histoire du vignoble. Les Guignard sont de celles-là. De leur complicité avec le pays naissent des vins comme ce beau 2002. Délicatement boisé, il déploie un bouquet aussi élégant qu'intense et complexe (fleurs blanches, muscade, abricot sec et orange confite). Tout aussi harmonieux, le palais fait preuve d'un réel équilibre, avec un rôti de grande qualité. Longue et aromatique, la finale clôt très heureusement la dégustation de cette bouteille à boire sur un fromage bleu.
GAEC Philippe et Jacques Guignard, Ch. Lamothe Guignard, 33210 Sauternes, tél. 05.56.76.60.28, fax 05.56.76.69.05
t.l.j. 8h-12h 13h30-17h30; sam. dim. sur r-v.; f. vendanges

## CH. LAMOURETTE 2002 ★

10 ha 7 000 15 à 23 €

Ne vous laissez pas aller à imaginer des choses au sujet du nom de ce vin. Une mourette, c'était tout simplement une petite cerise noire. Encore un peu fermé, ce 2002 s'annonce comme très intéressant par son bouquet où les fleurs côtoient les fruits (pamplemousse et citron). Souple, rond et harmonieux, il conserve tout au long de la dégustation une agréable fraîcheur. La longueur de la finale confirme son solide potentiel de garde.
EARL Vignobles A. M. Léglise, Ch. Lamourette, 33210 Bommes, tél. 05.56.76.63.58, fax 05.56.76.60.85, e-mail leglise@terre-net.fr r.-v.

## CH. LATREZOTTE 2003

5 ha n.c. 15 à 23 €

Sans être vraiment un athlète, ce vin est bien constitué. Son bouquet offre une concentration d'arômes de fruits confits et de fleurs blanches que l'on retrouve au palais. Souple, ample et équilibré, l'ensemble pourra être apprécié jeune ou être attendu quelques années.
Jan de Kok, Ch. Latrezotte, 33720 Barsac, tél. 05.56.27.16.50, fax 05.56.27.08.89 r.-v.

## CH. LIOT 2003 ★

20 ha n.c. 15 à 23 €

89 90 91 93 95 96 97 |98| |99| |00| |01| 03

Venu de Barsac, ce vin jaune cuivré développe un bouquet vif et fruité qu'égayent quelques notes florales. Ample, généreux et soutenu par une légère acidité, il laisse apparaître des notes rôties et confites au palais. Bien typé dans son millésime, il devra attendre quelques années.
J. David, Ch. Liot, 33720 Barsac, tél. 05.56.27.15.31, fax 05.56.27.14.42, e-mail chateau.liot@wanadoo.fr
t.l.j. sf sam. dim. 9h-12h 14h-17h; f. 1er-20 août

## CH. DE MALLE 2003 ★

2e cru clas. 27 ha 30 000 30 à 38 €

71 (75) 76 81 83 85 86 87 88 89 90 91 94 95 96 |97| |98| |99| 00 02 03

Château, parc, histoire, tout est réuni pour faire de ce domaine l'un des plus beaux ensembles architecturaux du Bordelais. Son vin aussi a fière allure. Toutefois, il n'a pas choisi le même registre que le château pour s'exprimer. A la grâce de la demeure il préfère la force – tant par son côté liquoreux fortement marqué que par sa concentration aromatique. Bien soutenu par le bois (vanille), il déploie une jolie palette d'arômes (fruits confits, botrytis, miel) et révèle une solide structure qui lui permettra de bien évoluer avec le temps. Equilibré, le second vin du cru, le **Château de Sainte Hélène 2003 (15 à 23 €)**, a été cité. Or clair, il joue sur des notes rôties, mêlées de fleurs blanches et d'alcool de poire.
Comtesse de Bournazel, GFA des Comtes de Bournazel, Ch. de Malle, 33210 Preignac, tél. 05.56.62.36.86, fax 05.56.76.82.40, e-mail chateaudemalle@wanadoo.fr r.-v.

## CH. DU MONT Cuvée Jeanne 2003

0,54 ha 1 500 11 à 15 €

Un vin au bouquet expressif et original (notes de rancio et de figue sèche). Riche, très botrytisé et long, le palais appelle la garde. Une bouteille à conseiller aux amateurs de sauternes classiques.
Hervé Chouvac, Ch. du Mont, 33410 Sainte-Croix-du-Mont, tél. 06.89.96.54.73, fax 05.56.62.07.58, e-mail chateau-du-mont@wanadoo.fr r.-v.

**DOM. DE MONTEILS Cuvée Sélection 2001 ★**

| | 8 ha | 5 948 | 15 à 23 € |
|---|---|---|---|

Rares sont aujourd'hui les vignobles qui ne se parent pas du titre de château. Cela ne rend que plus sympathique ce vin appartenant à la cuvée prestige du cru. Il se montre généreux, tant par son bouquet que par sa structure. Puissant et complexe, le premier décline des notes de fruits confits, tandis que la seconde, concentrée, fraîche et élégante, bénéficie d'un mariage réussi du bois et du fruit. La finale est agrémentée d'une touche de pain d'épice. Cette bouteille pourra être bue jeune ou attendue. Elle trouvera sa place avec un fromage bleu ou un cigare.

SCEA Dom. de Monteils, 3, rte de Fargues,
33210 Preignac, tél. 05.56.62.24.05, fax 05.56.62.22.30,
e-mail vins.sauternes@wanadoo.fr r.-v.
Cousin-Fourcaud

**CH. DE MYRAT 2002 ★**

| 2e cru clas. | n.c. | 36 000 | 30 à 38 € |
|---|---|---|---|

Ce château du XVIIIe s. est absolument à voir quand on passe à Barsac. D'autant plus que ses propriétaires ne sont autres que les Pontac, l'une des familles les plus importantes de l'histoire vinicole bordelaise, et que son vin ne manque pas d'agrément. Débutant par des notes de toast grillé, le bouquet s'ouvre ensuite sur une touche florale que l'on retrouve au palais. Rond, bien équilibré et long, l'ensemble s'achève par une jolie note citronnée.

Comte Jacques de Pontac, Ch. de Myrat,
33720 Barsac, tél. et fax 05.56.27.09.06 r.-v.

**DOM. DE PAVILLON BOUYOT 2002 ★**

| | 4,2 ha | 6 500 | 11 à 15 € |
|---|---|---|---|

L'une des originalités de la commune de Preignac est de posséder de nombreux petits crus, offrant des vins peu connus mais fort intéressants. Ce domaine est l'un d'eux. D'une teinte mi-cuivrée mi-ambrée, son 2002 se rend aimable tout au long de la dégustation. D'abord par les senteurs gourmandes du bouquet (fruits confits et cuits) ; ensuite par le côté soyeux et chaleureux du palais. Souple, savoureux et corsé, ce vin est déjà plaisant tout en gardant un bon potentiel de garde. Il ouvre une large palette d'accords gourmands, de l'apéritif aux volailles.

Yvan Lardeau, 23, Pavillon-Bouyot, 33210 Preignac,
tél. et fax 05.56.76.11.81,
e-mail yvan.lardeau@laposte.com r.-v.

**CH. LA PELOUE 2003 ★**

| | 4 ha | 9 600 | 11 à 15 € |
|---|---|---|---|

A côté de son Moulin de Bonneau en cadillac, Vincent Labouille produit ici un sauternes fort réussi. Fruits cuits, amande grillée, caramel, noisette... le bouquet n'est pas avare en senteurs. Onctueux, gras et ample, le palais révèle une belle matière liquoreuse. Suffisamment riche pour être attendue, cette bouteille fait aussi preuve d'une agréable fraîcheur qui permettra d'en profiter rapidement.

Vincent Labouille, Ch. de Crabitan,
33410 Sainte-Croix-du-Mont, tél. 05.56.62.01.78,
fax 05.56.76.71.17, e-mail ml@labouille.net r.-v.
Dc Elichondo

**CH. RAYNE VIGNEAU 2002**

| 1er cru clas. | 76,24 ha | 113 000 | 46 à 76 € |
|---|---|---|---|

86 88 89 90 91 94 95 96 97 98 99 00 01 02

Depuis quelques mois Bordeaux a redécouvert les mystères de son passé grâce à de remarquables émissions de France 3 Bordeaux. Nul doute que cette nouvelle passion va mettre au goût du jour ce cru dont le vignoble est parsemé de pierres rares originaires de l'Atlantide, du moins selon la légende. Jasmin, litchi et agrumes, le bouquet de ce vin est un appel à l'évasion, sans oublier les notes rôties. Plus sage, la structure se distingue par son équilibre harmonieux.

SC du Ch. de Rayne Vigneau, La Croix Bacalan,
109, rue Achard, BP 154, 33042 Bordeaux Cedex,
tél. 05.56.11.29.00, fax 05.56.11.29.01,
e-mail patrick.eymery@raynevigneau.fr

**CH. RIEUSSEC 2002 ★★**

| 1er cru clas. | 82 ha | 90 000 | 38 à 46 € |
|---|---|---|---|

62 67 70 71 75 76 78 79 80 81 82 83 84 85 86 87 88 89 90 92 94 95 96 97 98 99 00 01 02

Avant la Révolution, Rieussec appartenait aux Carmes. Depuis 1985, il fait partie des domaines d'Eric de Rothschild. Coup de cœur l'an dernier, ce château montre une fois encore qu'il mérite amplement son rang de 1er cru classé. Finesse et élégance semblent avoir été la devise du cru en 2002. Ces deux qualités caractérisent les arômes de fruits secs, de coing, d'abricot et de grillé, avant de se retrouver au palais. Fort bien équilibré, ce dernier offre une finale très aromatique (fruits confits et figue sèche).

Ch. Rieussec,
34, rte de Villandraut, 33210 Fargues-de-Langon,
tél. 05.57.98.14.14, fax 05.57.98.14.10 r.-v.

**CH. DE ROCHEFORT 2003 ★**

| | 1,25 ha | 2 000 | 11 à 15 € |
|---|---|---|---|

Ce vin est né de parcelles situées sur Bommes et sur Preignac, plantées de sémillon. Puissant et long, il possède un bon potentiel de garde. Outre un beau volume qui emplit complètement le palais, il déploie un bouquet aux séductions multiples : parfums de fruits exotiques et confits, fraîches notes de menthol et d'ananas. Le **Château Laville 2003 (15 à 23 €)** obtient une citation. Il faut l'attendre deux à trois ans.

Famille Barbe, Ch. Laville, 33210 Preignac,
tél. 05.56.63.59.45, fax 05.56.63.16.28,
e-mail chateaulaville@hotmail.com r.-v.

**CH. ROMER DU HAYOT 2000 ★**

| 2e cru clas. | 16 ha | 23 600 | 11 à 15 € |
|---|---|---|---|

75 76 79 81 82 83 85 86 88 89 90 91 93 95 96 97 98 99 00

S'il ne l'a pas protégé de la destruction de ses chais, engloutis dans l'autoroute des Deux-Mers, son classement fait de ce cru la pièce maîtresse des vignobles du Hayot. Un statut dont il se rend digne par la qualité de sa production. Témoin ce vin or ambré, gras et onctueux, qui déploie une séduisante palette aromatique : fruits confits à l'eau-de-vie, tilleul, fleur d'acacia, abricot sec. Il trouvera sa place à l'apéritif comme sur des coquilles Saint-Jacques.

Vignobles du Hayot, Andoyse, 33720 Barsac,
tél. 05.56.27.15.37, fax 05.56.27.04.24,
e-mail vignoblesduhayot@aol.com r.-v.

**CH. ROUMIEU 2001 ★**

| | 9 ha | 10 000 | 11 à 15 € |
|---|---|---|---|

Ce cru est situé à proximité d'un ancien chemin de Saint-Jacques. Discret et délicat dans son expression aromatique, son vin attire par la finesse de ses notes

minérales et florales (acacia) que complètent d'agréables senteurs de citron confit, de rancio, d'orange et de caramel. Très traditionnel par son côté confit, il plaira aux amateurs de sauternes classiques.
Olivier Bernadet, Ch. Roumieu, 33720 Barsac, tél. 05.56.27.16.76, fax 05.56.27.05.97, e-mail olivier.bernadet@free.fr r.-v.

## CH. ROUMIEU-LACOSTE 2003 *

6 ha 12 000 15 à 23 €

Issu d'un vignoble intégralement planté en sémillon, ce vin porte la marque du cépage dans ses arômes de fruits que complètent des notes de miel et de bois (vanille et épices). Long, intense et bien constitué, il demande encore quatre ou cinq ans de patience pour trouver son équilibre définitif.
Hervé Dubourdieu, Ch. Roûmieu-Lacoste, 33720 Barsac, tél. 05.56.27.16.29, fax 05.56.27.02.65, e-mail hervedubourdieu@aol.com r.-v.

## CH. SIGALAS RABAUD 2001 **

1er cru clas. 14 ha 35 000 46 à 76 €

66 75 76 81 82 83 85 86 87 88 89 90 91 92 94 95 96 97 98 99 00 01 02

Côté bâtiments, une belle demeure du Grand Siècle ; côté vin, une robe aux reflets verdoyants, un bouquet s'ouvrant progressivement sur des notes d'agrumes, d'abricot sec et de pain grillé, puis une matière onctueuse et un bon volume. Ajoutez à cela quelques touches de pâte de coings, de pamplemousse et d'angélique, tout est là pour un accord avec un foie de canard mi-cuit.
SAS Ch. Sigalas Rabaud, 33210 Bommes, tél. 05.56.21.31.43, fax 05.56.78.71.55

## CH. SUAU 2002

2e cru clas. 8,19 ha 20 000 15 à 23 €

Année du passage de relais à la tête de la propriété, 2002 fut aussi celle d'un vin qui révèle une bonne présence du botrytis. Souple et complexe, il marie des arômes de fruits confits, de citron et de fleurs blanches. Cette association de parfums s'exprimera heureusement sur un curry de poulet.
SARL Vignobles F. Dubourdieu, Ch. d'Archambeau, 33720 Illats, tél. 05.56.62.51.46, fax 05.56.62.47.98, e-mail chateau-archambeau@wanadoo.fr r.-v.

## CH. SUDUIRAUT 2002 *

1er cru clas. 90 ha 70 000 46 à 76 €

67 75 82 83 85 86 88 89 90 96 97 99 01 02

Joyau d'architecture du XVII^e s., entouré d'un parc d'exception, ce domaine (200 ha au total) est l'un des plus vastes de la région. Sauternes classique dans le registre de la finesse, son vin s'accordera parfaitement avec le foie gras ou le roquefort. Ses arômes très concentrés de fruits secs (abricot) trouveront dans cette alliance l'occasion d'exprimer leur harmonie. Le **Castelnau de Suduiraut 2002 (15 à 23 €)** est cité. Il est frais, bien fruité, typé.
Ch. Suduiraut, 33210 Preignac, tél. 05.56.63.61.90, fax 05.56.63.61.93, e-mail contact@suduiraut.com r.-v.
Axa Millésimes

## CH. LA TOUR BLANCHE 2002 **

1er cru clas. 37,92 ha 40 700 38 à 46 €

61 62 75 79 80 81 82 83 85 86 88 89 90 91 94 95 96 97 99 01 02

Imaginez un « resto du cœur », mais au XIX^e s. et sur l'eau. Vous avez le « bateau soupe » que créa Osiris, un financier philanthrope qui fut le propriétaire le plus célèbre de ce cru. Bien équilibré, ce vin qu'annonce une sympathique robe jaune paille à reflets dorés trouvera sa place à l'apéritif. Son côté suave, qui balance son acidité, son ampleur et sa complexité aromatique (fruits secs, vanille, fleurs et rôti) constitueront un bon sujet de conversation. Egalement suave et aromatique, le second vin du cru, **Les Charmilles de Tour Blanche 2001 (15 à 23 €)**, obtient une étoile.
Ch. La Tour Blanche, 33210 Bommes, tél. 05.57.98.02.73, fax 05.57.98.02.78, e-mail tour-blanche@tour-blanche.com
t.l.j. sf sam. dim. 9h-11h30 14h-17h
Ministère de l'Agriculture

## CH. LES TUILERIES 2002 *

3 ha 10 000 11 à 15 €

Egalement présent dans le Guide avec un beau graves rouge 2002, les vignobles Belloc-Rochet montrent qu'en sauternes aussi ce millésime leur a réussi. Un bouquet délicat et élégant de beurre, de miel et d'abricot frais, et un palais fort plaisant, franc et aromatique composent une bouteille que l'on pourra apprécier jeune comme dans cinq ou six ans.
Vignobles Belloc-Rochet, Ch. Brondelle, 33210 Langon, tél. 05.56.62.38.14, fax 05.56.62.23.14, e-mail chateau.brondelle@wanadoo.fr r.-v.

## CH. DE VEYRES 2002 **

13,5 ha 6 000 15 à 23 €

Après une entrée dans le Guide 2005 avec un coup de cœur, on se demandait ce qu'allait faire ce cru cette année. L'élégance de son 2002 lui vaut deux étoiles ! Or ambré dans le verre, ce sauternes joue la carte de la finesse par de jolies notes de miel, de cire, de fleur d'acacia et de pâte de fruits, légèrement citronnées. Frais, suave et bien équilibré, avec une pointe d'acidité du meilleur aloi, il se prêtera à une large palette d'accords gourmands (apéritif, foie gras et volaille) et pourra aussi bien être servi sans attendre qu'être gardé cinq à dix ans. Du même producteur, le **Château Tuyttens 2001 (11 à 15 €)** obtient une citation.
Philippe Mercadier, Ch. Tuyttens, 33210 Fargues, tél. et fax 05.56.76.85.69, e-mail vignoblesmercadier@wanadoo.fr r.-v.

## CH. VILLEFRANCHE 2003

12 ha 30 000 15 à 23 €

Les Guinabert sont barsacais depuis la fin du duché anglo-gascon d'Aquitaine et sont établis sur ce domaine depuis le XVII^e s. Leur fidélité s'exprime également par la qualité de vins comme celui-ci. Franc et bien construit, il séduit par le charme de ses arômes de fruits mûrs, d'orange amère et d'épices (clou de girofle). Encore assez jeune, il demande à être attendu quelques années.
Benoît Guinabert, Ch. Villefranche, 33720 Barsac, tél. 05.56.27.05.77, fax 05.56.27.33.02 r.-v.

### CH. D'YQUEM 2001 ★★★

1er cru sup. 103 ha n.c. + de 76 €

21 29 37 |**45**| 55 59 (67) 70 71 |**75**| 76 83 86 |**88**| **89** |**90**| 91 |**94**| (95) |(96)| (97) |**98**| |(99)| (01)

Lors du dernier Vinexpo, Château d'Yquem a donné l'un des plus brillants dîners à l'occasion du cent cinquantième anniversaire du classement de 1855. Qui doutera que le cru est le phare des liquoreux en découvrant ce superbe 2001 ? Majestueux dans sa tunique vieil or, il joue subtilement de ses parfums de fruit de la Passion, d'abricot, d'agrumes et de figue qu'il met en rivalité avec des fleurs et une pointe de muscade. À l'aération, ceux-ci deviennent de plus en plus présents et dominent le bouquet, complétés de pointes de vanille et de coing. Dense et ample, l'attaque s'ouvre sur un palais rond, enveloppant, riche, mais équilibré ; une dégustatrice note : « Trame énorme contrebalancée par une parfaite et étonnante fraîcheur ». Longue, la finale révèle de nouvelles saveurs de rôti, de fruits frais et d'abricot confit. Un vrai Yquem qui conjugue puissance et élégance, à ouvrir dans cinq ans et qui pourra être attendu un siècle.

SA Ch. d'Yquem, 33210 Sauternes,
tél. 05.57.98.07.07, fax 05.57.98.07.08,
e-mail info@yquem.fr r.-v.

LVMH

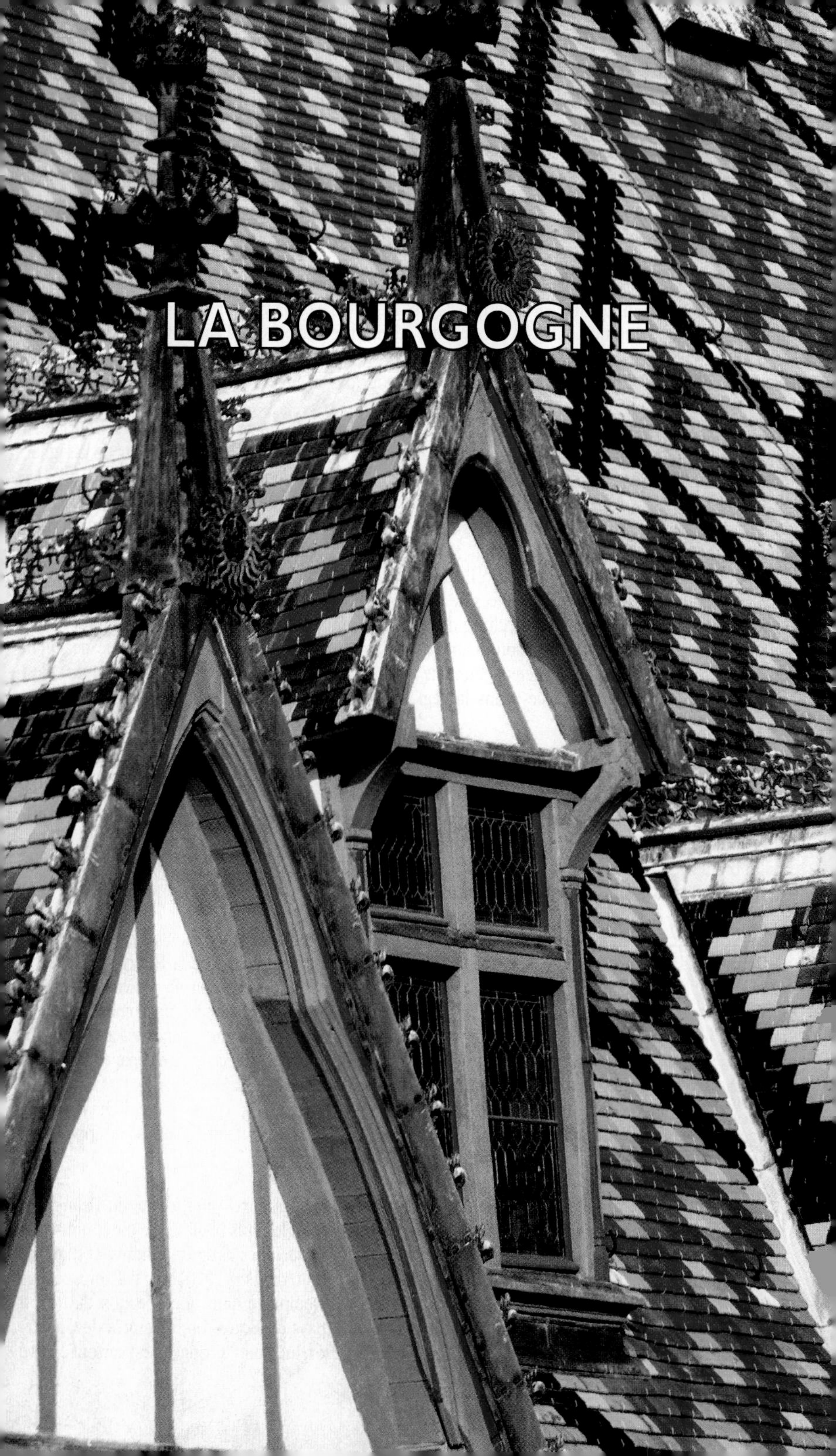

# LA BOURGOGNE

# LA BOURGOGNE

« Aimable et vineuse Bourgogne », écrivait Michelet. Quel amateur de vin ne reprendrait à son compte une telle assertion ? Avec le Bordelais et la Champagne, la Bourgogne porte en effet à travers le monde entier la prestigieuse renommée des vins de France les plus illustres, les associant sur ses terroirs avec une gastronomie des plus riches, et trouvant dans leur diversité de quoi satisfaire tous les goûts et réussir tous les accords gourmands.

Plus encore que dans toute autre région viticole, on ne peut dissocier en Bourgogne l'univers du vin de la vie quotidienne, dans une civilisation forgée au rythme des travaux de la vigne : depuis les confins auxerrois jusqu'aux monts du Beaujolais, tout au long d'une province qui relie les deux métropoles que sont Paris et Lyon, la vigne et le vin ont, dès la plus haute Antiquité, fait vivre les hommes, et les ont fait vivre bien. Si l'on en croit Gaston Roupnel, écrivain bourguignon mais aussi vigneron à Gevrey-Chambertin, auteur d'une *Histoire de la campagne française*, la vigne aurait été introduite en Gaule au VIes. av. J.-C. « par la Suisse et les défilés du Jura », pour être bientôt cultivée sur les pentes des vallées de la Saône et du Rhône. Même si, pour d'autres, ce sont les Grecs qui sont à l'origine de la culture de la vigne, venue du Midi, nul ne conteste l'importance qu'elle a prise très tôt sur le sol bourguignon. Certains reliefs du Musée archéologique de Dijon en témoignent. Et lorsque le rhéteur Eumène s'adresse à l'empereur Constantin, à Autun, c'est pour évoquer les vignes cultivées dans la région de Beaune et qualifiées déjà d'« admirables et anciennes ».

Modelée par les avatars glorieux ou tragiques de son histoire, soumise aux aléas des données climatiques autant qu'aux transformations des pratiques agricoles – où les moines, dans les mouvances de Cluny ou de Cîteaux, jouèrent un rôle capital –, la Bourgogne a dessiné peu à peu la palette de ses *climats* et de ses crus, évoluant constamment vers la qualité et la typicité de vins incomparables. C'est sous le règne des quatre ducs de Bourgogne (1342-1477) que furent édictées les règles destinées à garantir un niveau qualitatif élevé.

Il faut cependant préciser que la Bourgogne des vins ne recouvre pas exactement la Bourgogne administrative : la Nièvre (qui se rattache administrativement à la Bourgogne, avec la Côte-d'Or, l'Yonne et la Saône-et-Loire) fait partie du vignoble du Centre et du vaste ensemble de la vallée de la Loire (vignoble de Pouilly-sur-Loire). Tandis que le Rhône (appartenant pour les autorités judiciaires et administratives à la Bourgogne lui aussi), pays du beaujolais, a acquis par l'habitude une autonomie que justifie – outre la pratique commerciale – l'usage d'un cépage spécifique. C'est ce choix qui est retenu dans le présent guide (voir le chapitre « Le Beaujolais »), où l'on comprend donc en Bourgogne les vignobles de l'Yonne (basse Bourgogne), de la Côte-d'Or et de la Saône-et-Loire, bien que certains vins produits en Beaujolais puissent être vendus en appellation régionale bourgogne.

L'unité ampélographique de la Bourgogne – à l'exclusion, donc, du Beaujolais, planté de gamay noir – ne fait pas de doute : le chardonnay pour les vins blancs et le pinot noir pour les vins rouges y règnent en maîtres. On rencontre cependant quelques variétés annexes, vestiges de pratiques culturales anciennes ou adaptations spécifiques à des terroirs particuliers : l'aligoté, cépage blanc produisant le célèbre bourgogne-aligoté, fréquemment employé dans la confection du « kir » (blanc-cassis) ; il atteint son sommet qualitatif dans le petit pays de Bouzeron, tout près de Chagny (Saône-et-Loire) qui bénéficie d'une AOC communale. Le césar, lui, plant « rouge », est surtout cultivé dans les Côtes d'Auxerre et peut être assemblé au pinot noir pour cette appellation. Le césar apporte beaucoup de tanins. Le sacy donne du bourgogne-grand-ordinaire dans l'Yonne, mais il est de plus en plus remplacé par le chardonnay ; le gamay, lui, fournit du bourgogne-grand-ordinaire et, associé au pinot, du bourgogne-passetoutgrain. Enfin, le sauvignon, fameux cépage aromatique des vignobles de Sancerre et de Pouilly-sur-Loire, est cultivé dans la région de Saint-Bris-le-Vineux, dans l'Yonne, où il donne le saint-bris qui a accédé au statut de l'AOC en 2002.

Sous une relative unité climatique, globalement semi-continentale avec l'influence océanique atteignant ici les limites du Bassin parisien, ce sont les sols qui vont spécifier les caractères propres des très nombreux vins produits en Bourgogne. Car si l'extrême morcellement des parcelles est la règle partout, il se fonde en grande partie sur une juxtaposition d'affleurements géologiques variés, origine de la riche palette de parfums et de saveurs des crus de Bourgogne. Et plus que des données strictement météorologiques, ce sont des variations pédologiques qui rendent compte de la notion de terroir (ou *climat*) précisant les caractères des vins au sein d'une même appellation, et compliquant comme à plaisir le classement et la présentation des grands vins de Bourgogne... Ces *climats*, aux noms particulièrement évocateurs (la Renarde, les Cailles, Genevrières, Clos de la Maréchale, Clos des Ormes, Montrecul...), sont les termes consacrés depuis au moins le XVIII^e s. pour désigner des surfaces de quelques hectares, parfois même quelques « ouvrées » (une ouvrée est égale à 4 ares, 28 centiares), correspondant à « une entité naturelle s'extériorisant par l'unité du caractère du vin qu'elle produit... » (A. Vedel). Et l'on peut constater en effet qu'il y a parfois moins de différences entre deux vignes séparées de plusieurs centaines de mètres mais à l'intérieur du même *climat* qu'entre deux autres voisines mais dans deux *climats* différents.

On dénombre en outre quatre niveaux d'appellations dans la hiérarchie des vins : appellation régionale bourgogne (56 % de la production), *villages* (ou appellation communale), premier cru (12 % de la production) et grand cru (3 % de la production qui recouvre trente-trois grands crus répertoriés en Côte-d'Or et à Chablis). Et le nombre de terroirs légalement délimités est très grand : on compte, par exemple, vingt-sept dénominations différentes pour les premiers crus récoltés sur la commune de Nuits-Saint-Georges, et cela pour une centaine d'hectares seulement !

Dans une étude portant sur cinquante-neuf profils de sols établis dans la Côte de Nuits, Meriaux *et alii* (1980) montrent que ce sont des critères morphologiques et physico-chimiques tels que la pente, la pierrosité, les taux d'argile et de calcaire qui permettent le mieux de distinguer l'échelle des appellations.

Plus simplement, dans une approche géographique beaucoup plus générale, il est d'usage de distinguer, du nord au sud, quatre grandes zones au sein de la Bourgogne viticole : les vignobles de l'Yonne (ou de basse Bourgogne), de la Côte-d'Or (Côte de Nuits et Côte de Beaune), la Côte chalonnaise, le Mâconnais.

Dispersé, le vignoble de Chablis couvre aujourd'hui plus de 4 500 ha de collines aux pentes d'exposition variées avec, en dehors de la petite ville de Chablis elle-même, une constellation de villages et de hameaux. L'exploitation du vignoble est partagée entre de nombreux petits propriétaires et quelques grands domaines de 100 ha et plus qui en font les plus importants de Bourgogne. A noter également la présence d'une coopérative « La Chablisienne » qui regroupe plus de trois cents viticulteurs et qui vinifie environ 25 % du vignoble. Du point de vue pédoclimatique, on distingue trois étages géologiques appartenant au jurassique supérieur : l'oxfordien, le kimméridgien et le portlandien qui sont pris en compte dans la délimitation des quatre appellations d'origine contrôlée : petit-chablis, chablis, chablis-premier-cru, chablis-grand-cru. Le caractère gélif du vignoble chablisien est légendaire et son extension à partir des années 1960 a été possible en partie grâce à la mise en place de systèmes de protection comme l'aspersion d'eau. Le vin de Chablis est décrit comme « un vin sec, finement parfumé, léger, vif, qui surprend l'œil par son étonnante limpidité à peine teintée d'or vert » (P. Poupon). De grande réputation mondiale, le nom de ce vin, rançon du succès sans doute, est utilisé abusivement pour de nombreux vins blancs secs produits dans les divers pays viticoles.

Les Côtes d'Auxerre s'étendent sur une dizaine de communes dont la plus connue est Irancy qui a accédé à l'appellation *village*. C'est un vignoble en pleine expansion avec les communes de Coulanges-la-Vineuse, Saint-Bris-le-Vineux (pays du sauvignon et AOC à part entière sous le nom de saint-bris), Chitry... La proximité de Paris est pour partie à l'origine du renouveau de ce vignoble.

Dans l'Yonne, il faut encore signaler trois autres vignobles presque entièrement détruits par le phylloxéra, mais que l'on tente aujourd'hui de raviver. Le vignoble de Joigny, à l'extrémité nord-ouest de la Bourgogne, dont la superficie atteint à peine 10 ha, est bien exposé sur les coteaux entourant la ville (Côte Saint-Jacques), au-dessus de l'Yonne ; on y produit surtout un vin gris de consommation locale, d'appellation bourgogne, mais aussi des vins rouges et blancs. Autrefois aussi célèbre que celui d'Auxerre, le vignoble de Tonnerre renaît actuellement aux abords d'Epineuil ; l'usage y admet une appellation bourgogne-épineuil. Enfin, les pentes de l'illustre colline de Vézelay, aux portes du Morvan, et où les grands-ducs de Bourgogne possédaient eux-mêmes un clos, voient renaître un petit vignoble en production depuis 1979 ; sous l'appellation bourgogne-vézelay, les vins devraient y bénéficier du renom de l'endroit, haut lieu touristique où les visiteurs de la basilique romane se joignent aux pèlerins.

Le plateau de Langres, karstique et aride, chemin traditionnel de toutes les invasions venues du nord-est, historiques ou, aujourd'hui, touristiques, sépare le Chablisien, l'Auxerrois et le Tonnerrois de la Côte-d'Or, dite « Côte de pourpre et d'or » ou, plus simplement, « la Côte ». Au cours de l'ère tertiaire, et consécutivement à l'érection des Alpes, la mer de Bresse qui couvrait cette région, battant le vieux massif hercynien du Morvan, s'effondra, déposant au fil des millénaires des sédiments calcaires de composition variée : failles parallèles nord-sud nombreuses, datant de la formation des Alpes ; « coulement » des sols du haut vers le bas au moment des grandes glaciations tertiaires ; creusement de combes par des cours d'eau alors puissants. Il en résulte une diversité extraordinaire de terrains se jouxtant sans être identiques, tout en étant apparemment semblables en surface à cause d'une mince couche arable. Ainsi s'expliquent l'abondance des appellations d'origine liées à celle des sols et l'importance des *climats* qui affinent encore cette mosaïque.

Du point de vue géographique, la côte s'allonge sur environ cinquante kilomètres, de Dijon jusqu'à Dezize-lès-Maranges, au nord de la Saône-et-Loire. Le coteau, le plus souvent exposé au soleil levant, comme il se doit pour de grands crus sous climat semi-continental, descend du plateau supérieur, ponctué par les vignes des Hautes-Côtes, la plaine de la Saône, vouée aux cultures. De structure linéaire, ce qui favorise une excellente exposition est-sud-est, la côte se divise traditionnellement en plusieurs secteurs, le premier, au nord, étant en grande partie submergé par l'urbanisation de l'agglomération dijonnaise (commune de Chenôve). Par fidélité à la tradition, la municipalité de Dijon a cependant replanté une parcelle au sein même de la ville (les Marcs d'or). A Marsannay commence la Côte de Nuits, qui s'allonge jusqu'au Clos des Langres, sur la commune de Corgoloin. C'est une côte étroite (quelques centaines de mètres seulement), coupée de combes de style alpestre avec des bois et des rochers, soumise aux vents froids et secs. Cette côte compte vingt-neuf appellations réparties selon l'échelle des crus, avec des villages aux noms prestigieux : Gevrey-Chambertin, Chambolle-Musigny, Vosne-Romanée, Nuits-Saint-Georges... Les premiers crus et les grands crus (chambertin, clos de la roche, musigny, clos de vougeot) se situent à une altitude comprise entre 240 et 320 m. C'est dans ce secteur que l'on trouve les plus nombreux affleurements de marnes calcaires, au milieu d'éboulis variés ; les vins rouges les plus structurés de toute la Bourgogne, aptes aux plus longues gardes, en sont issus.

## La Bourgogne

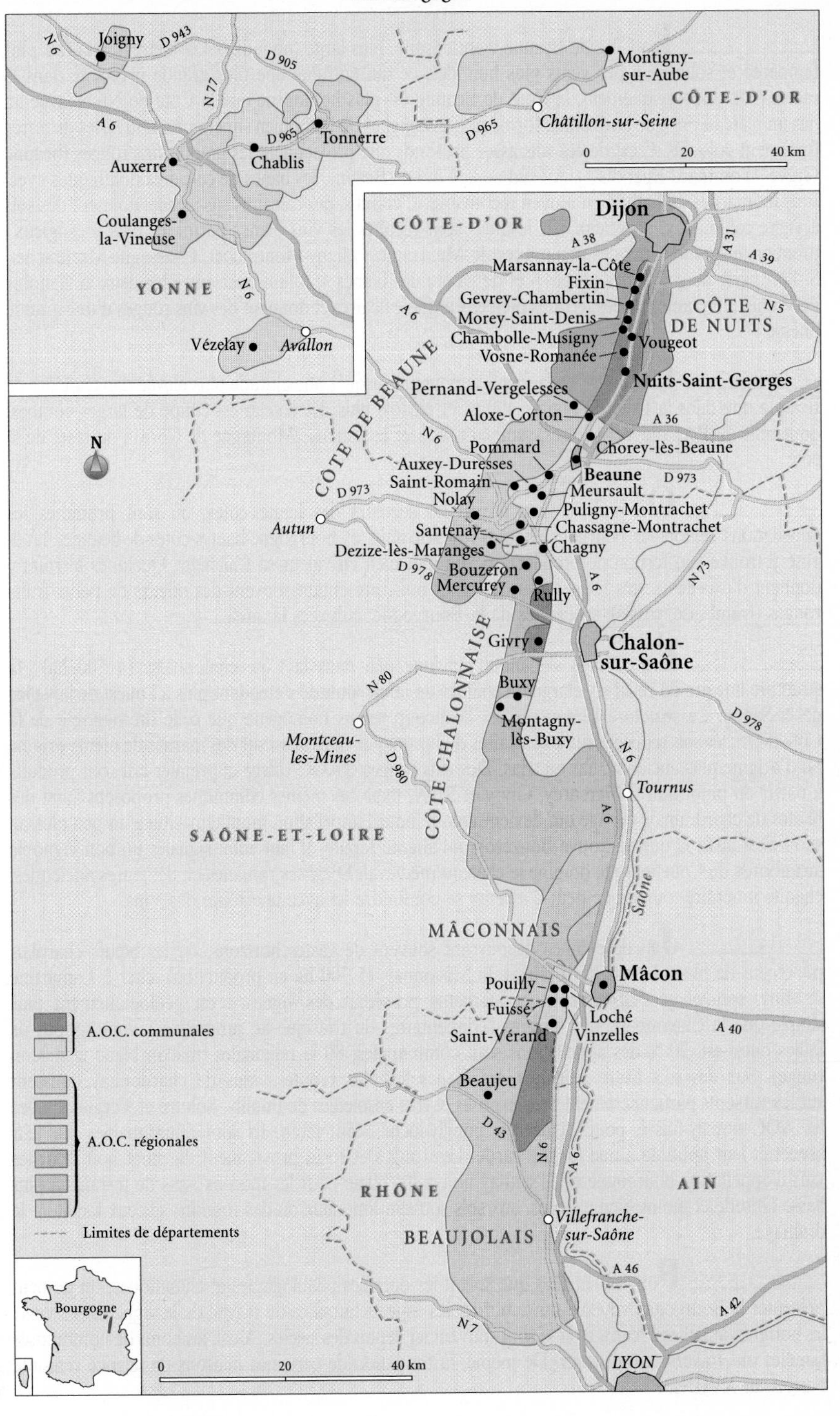

La Côte de Beaune vient ensuite, plus large (un à deux kilomètres), à la fois plus tempérée et soumise à des vents plus humides, ce qui entraîne une plus grande précocité dans la maturation. Géologiquement, la Côte de Beaune est plus homogène que la Côte de Nuits, avec au bas un plateau presque horizontal, formé par les couches du bathonien supérieur recouvertes de terres fortement colorées. C'est de ces sols assez profonds que proviennent les grands vins rouges (beaune Grèves, pommard Epenots...). Au sud de la Côte de Beaune, les bancs de calcaires oolithiques avec, sous les marnes du bathonien moyen recouvertes d'éboulis, des calcaires sus-jacents donnent des sols à vigne caillouteux, graveleux, sur lesquels sont récoltés les vins blancs parmi les plus prestigieux : premiers et grands crus des communes de Meursault, Puligny-Montrachet, Chassagne-Montrachet. Si l'on parle de « côte des rouges » et de « côte des blancs », il faut citer entre les deux le vignoble de Volnay, implanté sur des terrains pierreux argilo-calcaires et donnant des vins rouges d'une grande finesse.

La culture de la vigne se poursuit jusqu'à une altitude plus élevée dans la Côte de Beaune que dans la Côte de Nuits : 400 m et parfois plus. Le coteau est coupé de larges combes, dont celle de Pernand-Vergelesses, semblant séparer la fameuse Montagne de Corton du reste de la côte.

On replante peu à peu les secteurs des hautes-côtes, où sont produites les appellations régionales bourgogne-hautes-côtes-de-nuits et bourgogne-hautes-côtes-de-beaune. L'aligoté y trouve son terrain de prédilection, qui met bien en valeur sa fraîcheur. Quelques terroirs y donnent d'excellents vins rouges issus de pinot noir, présentant souvent des odeurs de petits fruits rouges (framboise, cassis), spécialités de la Bourgogne, cultivées là aussi.

Le paysage s'épanouit quelque peu dans la Côte chalonnaise (4 500 ha) ; la structure linéaire du relief s'y élargit en collines de faible altitude s'étendant plus à l'ouest de la vallée de la Saône. La structure géologique est beaucoup moins homogène que celle du vignoble de la Côte-d'Or ; les sols reposent sur les calcaires du jurassique, mais aussi sur des marnes de même origine ou d'origine plus ancienne, lias ou trias. Des vins rouges d'AOC *village* et premier cru sont produits à partir du pinot noir à Mercurey, Givry et Rully, mais ces mêmes communes proposent aussi des blancs de chardonnay, cépage qui devient unique pour l'appellation montagny située un peu plus au sud ; c'est aussi là que se trouve Bouzeron, à l'aligoté réputé. Il faut enfin signaler un bon vignoble aux abords de Couches, que domine le château médiéval. D'églises romanes en demeures anciennes, chaque itinéraire touristique peut d'ailleurs se confondre ici avec une route des Vins.

Jeu de collines découvrant souvent de vastes horizons, où les bœufs charolais ponctuent de blanc le vert des prairies, le Mâconnais (5 700 ha en production), cher à Lamartine – Milly, son village, est vinicole, et lui-même possédait des vignes – est géologiquement plus simple que le Chalonnais. Les terrains sédimentaires du triasique au jurassique y sont coupés de failles ouest-est. 20 % des appellations sont communales, 80 % régionales (mâcon blanc et mâcon rouge). Sur des sols bruns calcaires, les blancs les plus réputés, issus de chardonnay, naissent sur les versants particulièrement bien exposés et très ensoleillés de Pouilly, Solutré et Vergisson avec les AOC pouilly-fuissé, pouilly-vinzelles, pouilly-loché, saint-véran. Ils sont remarquables par leur aspect et leur aptitude à une longue garde. Les rouges et rosés proviennent du pinot noir pour les vins d'appellation bourgogne et de gamay noir à jus blanc pour les mâcons issus de terrains à plus basse altitude et moins bien exposés, aux sols souvent limoneux où des rognons siliceux facilitent le drainage.

Pour essentielles que soient les données pédologiques et climatiques, on ne peut présenter la Bourgogne vinicole sans aborder les aspects humains du travail de la vigne et des vins : les hommes attachés à leur terroir le sont souvent ici depuis des siècles. Ainsi, les noms de nombreuses familles ont traversé cinq siècles. De même, la fondation de certaines maisons de négoce remonte parfois au XVIIIe s.

Morcelé, notamment en Côte d'Or, le vignoble est constitué d'exploitations familiales de faible superficie. C'est ainsi qu'un domaine de 4 à 5 ha suffit, en appellation communale (nuits-saint-georges, par exemple), à faire vivre un ménage occupant un ouvrier. Rares sont les producteurs qui possèdent et cultivent plus de 10 ha : l'illustre Clos-Vougeot, par exemple, qui couvre 50 ha, est partagé entre plus de soixante-dix propriétaires ! Ce morcellement des *climats* du point de vue de la propriété augmente encore la diversité des vins produits et crée une saine émulation chez les vignerons ; une dégustation consistera souvent, en Bourgogne, à comparer deux vins de même cépage et de même appellation, mais provenant chacun d'un *climat* différent ; ou encore, à juger deux vins de même cépage et de même *climat*, mais d'années différentes. Ainsi, en Bourgogne, deux notions reviennent en permanence en matière de dégustation : le cru, ou *climat*, et le millésime, auxquels s'ajoute bien sûr la « touche » personnelle du vinificateur qui les présente. Du point de vue technique, le vigneron bourguignon est très attaché au maintien des usages et traditions, ce qui ne signifie pas un refus absolu de la modernisation. C'est ainsi que la mécanisation de la viticulture se développe et que de nombreux vinificateurs ont su tirer profit de nouveaux matériels ou de nouvelles techniques. Il est toutefois des traditions qui ne sauraient être remises en cause aussi bien par les viticulteurs que par les négociants : l'un des meilleurs exemples en est l'élevage des vins en fût de chêne.

On recense environ 3 500 domaines vivant uniquement de la vigne. Ils exploitent les deux tiers des 24 000 ha de vignes plantées en appellation d'origine. Dix-neuf coopératives sont répertoriées ; le mouvement est très actif en Chablisien, en Côte chalonnaise et surtout dans le Mâconnais (13 caves). Elles produisent environ 25 % des volumes de vin. Les négociants-éleveurs jouent un grand rôle depuis le XVIIIe s. Ils commercialisent plus de 60 % de la production et détiennent plus de 35 % de la surface totale des grands crus de la Côte de Beaune. Avec ses domaines, le négoce produit 8 % de la récolte totale bourguignonne. Celle-ci représente en moyenne 180 millions de bouteilles (105 en blanc, 75 en rouge) qui génèrent 760 millions d'euros de chiffre d'affaires. Le volume global des appellations représente environ 300 000 hl.

L'importance de l'élevage (conduite d'un vin depuis sa prime jeunesse jusqu'à son optimal qualitatif avant la mise en bouteilles) met en évidence le rôle du négociant-éleveur : outre sa responsabilité commerciale, il assume une responsabilité technique. On comprend donc qu'une relation professionnelle harmonieuse se soit créée entre la viticulture et le négoce.

Le Bureau interprofessionnel des vins de Bourgogne (BIVB) possède trois « antennes » : Mâcon, Beaune et Chablis. Le BIVB met en œuvre des actions dans les domaines technique, économique et promotionnel. L'université de Bourgogne a été le premier établissement en France, du moins au niveau universitaire, à dispenser des enseignements d'œnologie et à créer un diplôme de technicien, en 1934, en même temps qu'était fondée la prestigieuse confrérie des Chevaliers du Tastevin, qui fait tant pour le rayonnement et le prestige universel des vins de Bourgogne. Siégeant au château du Clos-Vougeot, elle contribue avec d'autres confréries locales à maintenir vivaces les traditions. L'une des plus brillantes est sans conteste la vente des hospices de Beaune, créée en 1851, rendez-vous de l'élite internationale du vin et « Bourse » des cours de référence des grands crus ; avec le chapitre de la confrérie et la « Paulée » de Meursault, la vente est l'une des « Trois Glorieuses ». Mais c'est à travers toute la Bourgogne que l'on sait fêter joyeusement le vin, devant quelque « pièce » (228 litres) ou bouteille. Il n'en faut d'ailleurs pas tant pour aimer la Bourgogne et ses vins : n'est-elle pas tout simplement « un pays que l'on peut emporter dans son verre » ?

Les vins mentionnés en caractères gras dans les notices sont également recommandés par les jurés des commissions de dégustation. Leur prix et leur note sont précisés lorsqu'ils sont différents de ceux du vin principal.

Les vins dont l'étiquette est reproduite constituent les « coup de cœur » librement élus à l'aveugle par les dégustateurs du Guide ; seuls les vins remarquables (**) et exceptionnels (***) peuvent obtenir cette distinction.

# Les appellations régionales bourgogne

Les appellations régionales bourgogne, bourgogne-grand-ordinaire et leurs satellites ou homologues couvrent l'aire de production la plus vaste de la Bourgogne viticole. Elles peuvent être produites dans les communes traditionnellement viticoles des départements de l'Yonne, de la Côte-d'Or, de la Saône-et-Loire, et dans le canton de Villefranche-sur-Saône, dans le Rhône. Elles représentent en 2004 600 000 hl environ.

Compte tenu de la dispersion géographique de l'appellation régionale bourgogne, celle-ci est souvent associée au nom de la zone de production : côtes d'auxerre, hautes-côtes-de-nuits et de beaune, côte-chalonnaise.

La codification des usages, et plus particulièrement la définition des terroirs par la délimitation parcellaire, a conduit à une hiérarchie au sein des appellations régionales. L'appellation bourgogne-grand-ordinaire est la plus générale, la plus extensive par l'aire délimitée. Avec un encépagement plus spécifique, on récolte dans les mêmes lieux le bourgogne-aligoté, le bourgogne-passetoutgrain et le crémant-de-bourgogne.

## Bourgogne

L'aire de production de cette appellation est assez vaste, si l'on considère les adjonctions possibles de différents noms de sous-régions (Hautes-Côtes, Côte chalonnaise) ou de villages (Irancy, Chitry, Epineuil) qui constituent chacun une entité à part, et sont présentés ici comme telle. Il n'est pas étonnant qu'en raison de l'étendue de cette appellation les producteurs aient cherché à personnaliser leurs vins et à convaincre le législateur d'en préciser l'origine. Dans le Châtillonnais, en Côte-d'Or, le nom de Massingy a été utilisé, mais ce vignoble a quasiment disparu. Plus récemment, et de manière continue, les viticulteurs utilisent le nom de village et l'ont ajouté à l'appellation bourgogne, sur les coteaux de l'Yonne. C'est le cas de Saint-Bris, de Côtes d'Auxerre, sur la rive droite, et de Coulanges-la-Vineuse, sur la rive gauche.

Les bourgognes blancs sont produits à partir du cépage chardonnay, encore appelé beaunois dans l'Yonne. Le pinot blanc, bien que cité dans le texte de définition et autrefois un peu plus cultivé dans les hautes côtes de la Bourgogne, a pratiquement disparu. Il est d'ailleurs très souvent confondu, du moins par le nom, avec le chardonnay.

En rouge et rosé, le pinot noir est roi. Le pinot beurot a malheureusement presque disparu en raison de sa carence en matières colorantes ; il apportait aux vins rouges une finesse remarquable. Certaines années, les volumes déclarés peuvent être augmentés de volumes issus du « repli » des appellations communales du Beaujolais : brouilly, côte-de-brouilly, chénas, chiroubles, fleurie, juliénas, morgon, moulin-à-vent et saint-amour. Ces vins sont alors issus du cépage gamay noir seul, et ont ainsi un caractère différent. Les vins rosés, dont les volumes augmentent un peu les années de maturité difficile ou de fort développement de la pourriture grise, peuvent être déclarés sous l'appellation bourgogne rosé ou bourgogne clairet.

Pour ajouter à la difficulté, on trouvera des étiquettes portant, en plus de l'appellation bourgogne, le nom du lieu-dit sur lequel a été produit le vin. Quelques vignobles anciens et réputés justifient aujourd'hui cette pratique ; c'est le cas du Chapitre à Chenôve, des Montreculs, vestiges du vignoble dijonnais envahi par l'urbanisation, ainsi que de la Chapelle-Notre-Dame à Serrigny. Pour les autres, ils créent souvent une confusion avec les premiers crus et ne se justifient pas toujours.

### DOM. DE L'ABBAYE DU PETIT QUINCY
Epineuil 2004

■ 3 ha 18 000 5 à 8 €

L'abbaye du Petit Quincy a retrouvé sa vocation... viticole avec l'arrivée de la famille Gruhier en 1990. Ses 26 ha montrent son allant. On découvre ici des **2004 : un bourgogne épineuil blanc** qui s'annonce aimable pour une consommation dans l'année et ce rosé tendre et vif, assez rond sur le fruit et qui respecte les limites du plaisir de l'instant à partager avec une terrine de légumes.

Dominique Gruhier, Dom. de l'Abbaye du Petit Quincy, rue du Clos-de-Quincy, 89700 Epineuil, tél. 03.86.55.32.51, fax 03.86.55.32.50, e-mail gruhier@domaine-abbaye.com
t.l.j. 10h-12h30 14h30-18h; dim. sur r.-v.

### DOM. ALEXANDRE PERE ET FILS 2003

■ 1,75 ha 3 000 5 à 8 €

On ne le sait pas toujours, mais Remigny flirte avec la Côte de Beaune. On a donc affaire à un bourgogne qui tutoie les *villages* avec lesquels il est allé en classe. Cerise burlat, entre réglisse et fruits rouges confits, il serre encore les poings à la manière des 2003 bien souvent. Ferme, intéressant du point de vue aromatique, il patientera utilement un an au moins.

Dom. Alexandre Père et Fils, pl. de la Mairie, 71150 Remigny, tél. 03.85.87.22.61, fax 03.85.87.29.63, e-mail domalexandre@aol.com r.-v.

### FRANCOIS D'ALLAINES 2003 *

■ 0,7 ha 1 950 5 à 8 €

Grenat aux nuances légèrement ambrées, un vin très à l'aise dans son appellation. Sa trame est belle : finesse, tanins assez mûrs, fruit insistant, longueur convenable. L'élevage bien présent n'accapare pas son bouquet.

François d'Allaines, La Corvée du Paquier, 71150 Demigny, tél. 03.85.49.90.16, fax 03.85.49.90.19, e-mail francois@dallaines.com r.-v.

### CHRISTOPHE AUGUSTE
Coulanges-la-Vineuse 2004 *

1,5 ha 10 000 5 à 8 €

Un rosé tout frais émoulu de sa cuverie. De teinte orange sanguine, il offre un bouquet propre et net : la pêche essentiellement mais aussi le minéral. Sa bouche est légère et fruitée, avec un bon goût de terroir et même (rare en cette couleur) une sorte de complexité très réussie.

SCEA Christophe Auguste, 55, rue André-Vildieu, 89580 Coulanges-la-Vineuse, tél. 03.86.42.35.04, fax 03.86.42.51.81 r.-v.

### DOM. D'AZENAY Cuvée fût de chêne 2003 *

5 ha 15 000 5 à 8 €

Si Georges Blanc, l'illustre trois étoiles Michelin de Vonnas, met un coq sur l'étiquette de son vin mâconnais, c'est moins par orgueil légitime qu'en raison de sa présidence très active en faveur de l'AOC Volaille de Bresse. Quel accord gastronomique nous conseillerait-il avec ce vin ? un poulet à la crème, évidemment ! Cependant un dégustateur – qui ignore bien sûr l'identité du propriétaire – propose de l'associer à un rôti de porc au miel. Jaune clair et brillant, miellé, ce chardonnay équilibré et persistant laisse en arrière-bouche un petit goût de noisette.

Georges Blanc, Dom. d'Azenay, 71260 Azé, tél. et fax 03.85.33.37.93, e-mail georgesblanc@relaischateaux.com r.-v.

### BAILLY-LAPIERRE Chitry 2004

n.c. 20 000 5 à 8 €

Solidement fortifiée, l'église de Chitry évoque moins la paix de Dieu que la difficulté de la maintenir. Ce chardonnay du pays est en revanche tout à fait pacifique. Jaune très clair, le nez floral, il est peu acide et plutôt gras. Sa jeunesse le rend friand, gouleyant et prêt à recevoir une tourte aux noix de saint-jacques. Bailly-Lapierre est l'une des marques des caves de Bailly, célèbres pour leurs... caves (plusieurs hectares de superficie).

Caves de Bailly, SICA Vignobles Auxerrois, Hameau de Bailly, 89530 Saint-Bris-le-Vineux, tél. 03.86.53.77.77, fax 03.86.53.80.94, e-mail home@caves-bailly.com t.l.j. 8h-12h 14h-18h (sam. dim. à partir de 10h)

### BERSAN ET FILS Côtes d'Auxerre 2003 **

■ n.c. 6 000 8 à 11 €

Robe d'uniforme, parfum de fraise écrasée, on comprend pourquoi la comédienne Corinne Touzet a tourné ici un épisode de la série télévisée « *Une femme d'honneur* ». Cette bouteille est en effet franche, directe, honnête et, si elle passe à table, ce sera pour la bonne cause. Un peu tannique, virile pour tout dire : ce sont là des choses qui arrivent dans la gendarmerie même lorsque Corinne porte sur l'épaule l'écusson bourguignon ! La **cuvée Louis Bersan 2003 rouge** n'est pas à négliger. Elle obtient une étoile. Son étiquette est plus réussie.

SARL Bersan et Fils, 18, rue Bienvenu-Martin, 89530 Saint-Bris-Le-Vineux, tél. 03.86.53.33.73, fax 03.86.53.38.45, e-mail bourgognes-bersan@wanadoo.fr r.-v.

### CH. DE BLIGNY 2003 **

■ 1 ha 4 000 5 à 8 €

La coopérative des Caves des Hautes-Côtes est désormais chez elle au château de Bligny (à 3 km à l'est de Beaune) qui a connu différents propriétaires français et même japonais. Classé parmi les meilleurs bourgognes, ce vin franc laisse en finale une impression vineuse et élégante. Il « pinote » sans artifice ni faux-semblant.

SC du Ch. de Bligny, Caves des Hautes-Côtes, 21200 Bligny-lès-Beaune, tél. 03.80.21.49.57, r.-v.

### DOM.GUY BOCARD 2002 *

1,8 ha 15 000 5 à 8 €

Un bourgogne de Meursault : il arbore les fameux reflets verts dans une robe d'or et le nez associe des notes florales dominantes à des parfums épicés de muscade. Tout ceci se retrouve en bouche, avec un soupçon de noisette et de miel frais. Equilibré, long et rafraîchissant, un vin fort élégant.

Guy Bocard, 4, rue de Mazeray, 21190 Meursault, tél. 03.80.21.26.06, fax 03.80.21.64.92 r.-v.

### JEAN-CLAUDE BOISSET Chardonnay 2003 **

n.c. 8 000 5 à 8 €

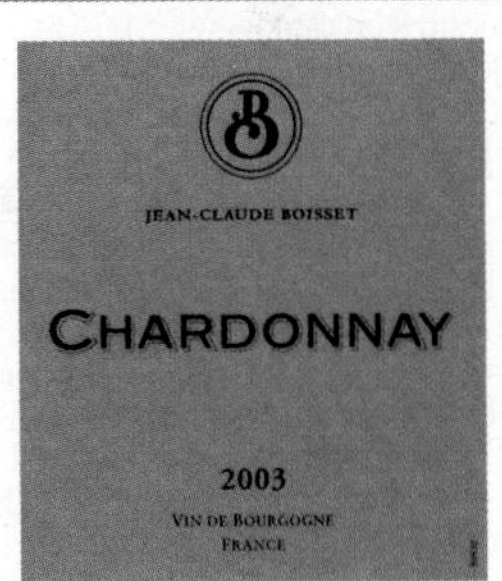


Dites-le avec des fleurs... Acacia, chèvrefeuille, son nez n'y manque pas et l'on sent bien qu'il y a de l'amour dans l'air. Coup de cœur en effet, sous sa robe paille clair à reflets dorés. Ce charme aromatique se poursuit au palais. Quelques notes d'amande grillée agrémentent un prolongement minéral. Lisons simplement les conclusions de nos dégustateurs. « Tout est cadré, rien ne dépasse. » Et un autre : « Il donne beaucoup de plaisir. »

Jean-Claude Boisset, 5, quai Dumorey, 21700 Nuits-Saint-Georges, tél. 03.80.62.61.61, fax 03.80.62.61.72, e-mail jcb@jcboisset.com

### DOM. PIERRE BOUTHENET ET FILS
Côtes du Couchois 2003

■ 1 ha 4 500 5 à 8 €

Grenat sombre nuancé de quelques flammes pourpres, il évoque la cerise noire, le cassis. En bouche, il évolue vers l'humus et le sous-bois. En dépit des réalités du millésime, une certaine délicatesse de chair se révèle sous une attaque aimable. Bonne réserve de tanins pour la garde (deux à trois ans au moins), d'autant qu'ils sont déjà mûrs et en grande partie fondus. Quant au « simple » **bourgogne rouge 2003**, il obtient la même note : joli vin bien typé.

SARL Bouthenet et Fils, La Creuse, 71490 Couches, tél. 03.85.49.63.72, fax 03.85.49.63.82 r.-v.

MICHEL BOUZEREAU ET FILS 2003 *

1 ha 6 000 8 à 11 €

Quand un bourgogne blanc est signé par un domaine de Meursault, on se dit qu'il pourrait bien être touché par la grâce. On dresse le nez et il recueille quelques fleurs du printemps sur le fond torréfié apporté par l'élevage sous chêne. Plus long que profond, le corps se montre bienveillant, dominant ses impulsions. On ne ressent en effet aucune nervosité en bouche.

Michel Bouzereau et Fils, 3, rue de la Planche-Meunière, 21190 Meursault, tél. 03.80.21.20.74, fax 03.80.21.66.41 r.-v.

JEAN-MARC BROCARD Kimméridgien 2004 *

n.c. n.c. 5 à 8 €

La baie anglaise de Kimmeridge aurait-elle pu imaginer qu'en donnant son nom à un étage du jurassique elle deviendrait à Chablis un sujet de passion ? Le lien officiel établi entre le kimméridgien et le pur, le vrai chablis, est parfois discuté, mais ce mot reste ici magique. Jean-Marc Brocard baptise ainsi son bourgogne blanc. Clair à reflets jaune pâle, il est en effet minéral puis la bouche introduit dans la discussion une noisette fraîche et discrète. Petite touche d'amertume finale. A boire dans l'année.

SARL Jean-Marc Brocard, 3, rte de Chablis, 89800 Préhy, tél. 03.86.41.49.00, fax 03.86.41.49.09, e-mail c.brocard@brocard.fr
t.l.j. 9h-13h 14h-18h30

PASCAL BRULE Vézelay Le Clos 2003 *

0,45 ha 1 700 8 à 11 €

Père de Nicolas Restif de La Bretonne, Edme introduisit la vigne à Sacy et vendit son vin jusqu'à Paris. C'est aussi le village où Jacques Lacarrière a écrit une grande partie de son œuvre. Autant dire que ce jeune domaine (45 ares il y a trois ans, le triple de nos jours) bénéficie d'un bon environnement littéraire ! Vous trouverez dans sa cave ce chardonnay au teint pâle et dont le nez s'égaye de goyave et de papaye. Belle et entière, la bouche est plus « couleur locale », un peu mordante évidemment mais avec modération. L'étiquette n'est-elle pas décorée de... hérissons ?

Pascal Brulé, 2, rue de Vézeau, 89270 Sacy, tél. et fax 03.86.81.66.13, e-mail brulepascal@wanadoo.fr r.-v.

DOM. CAILLOT 2002 *

1,5 ha n.c. 5 à 8 €

Il n'est pas immense, ce bourgogne venu de Meursault, mais il est frais et typé, jouant sur la minéralité et les fruits jaunes mûrs. Une pointe muscatée en bouche complète un tableau bien construit, élégant.

Dom. Caillot, 12, rue du Cromin, 21190 Meursault, tél. 03.80.21.21.70, fax 03.80.21.69.58 r.-v.

DOM. CAMUS-BRUCHON ET FILS 2003 **

0,46 ha 2 200 5 à 8 €

La bouteille que l'on ira chercher pour un « plat canaille » : bœuf aux carottes, andouille aux haricots. Grenat foncé, aromatique, structuré, il n'est pas trop boisé, faisant la part belle aux fruits rouges. Ses tanins devraient s'adoucir d'ici quelques mois, laissant l'harmonie s'installer durablement.

Lucien Camus-Bruchon et Fils, Les Cruottes, 16, rue de Chorey, 21420 Savigny-lès-Beaune, tél. 03.80.21.51.08, fax 03.80.26.10.21 r.-v.

DOM. CAPUANO-JOHN Vieilles Vignes 2003

n.c. n.c. 5 à 8 €

Vendangé le 18 août, un vin très présent en bouche, chaleureux, tannique sans excès, d'une relativement bonne acidité pour le millésime. En définitive extrêmement ramassé, concentré, prêt à bondir. Il faut lui donner un an ou deux car il a du fruit et un bel avenir sous ses pas. Très coloré et plus profond qu'intense au chapitre du bouquet.

Dom. Capuano-John, 14, rue Chauchien, 21590 Santenay, tél. 03.80.20.68.04, fax 03.80.20.65.75, e-mail john.capuano@wanadoo.fr r.-v.

UNION DES VITICULTEURS DE CHABLIS
Epineuil 2003

11,64 ha 35 000 5 à 8 €

Grenat violacé, il fait la part égale entre le fût et la cuve, entre le boisé et le fruit rouge confit. Sa bouche ne dissimule pas un penchant tannique. D'où le côté un peu sec du dernier acte, mais c'est correct dans l'ensemble. Il s'agit ici de la Chablisienne sous un autre nom.

Union des Viticulteurs de Chablis, 8, bd Pasteur, BP 14, 89800 Chablis, tél. 03.86.42.89.89, fax 03.86.42.89.90, e-mail chab@chablisienne.fr
r.-v.

LE CHAIS SAINT-PIERRE Clos Saint-Pierre 2003

0,85 ha 2 600 5 à 8 €

Nous voici en Côte chalonnaise sous le patronage du premier père de l'Eglise. Rouge cardinal ? Non, car il est un brin grenat. Le nez est évangélique, gorgé de fruit, ouvert et adroit. La bouche ? Œcuménique, étrangère à toute dureté, souple et accommodante, riche en tanins cependant, moins complexe que le bouquet, assez acide. Son apostolat s'exercera deux à trois ans encore.

SCEA Le Chais Saint-Pierre, rue de la Pompe, 71390 Saint-Désert, tél. et fax 03.85.47.94.40 r.-v.
Sylvie Nugues et Jean-Claude Pigneret

PATRICK ET CHRISTINE CHALMEAU
Chitry 2003 **

2,5 ha 12 000 5 à 8 €

Comme dans un grand magasin célèbre, il y a toujours du nouveau chez les Chalmeau. Un caveau de dégustation en 2002, un gîte en 2005 et du bon vin. Ce Chitry rouge a la préférence du jury. Rubis écarlate, le nez de cassis nuancé par la vanille, il se tient bien en bouche. Un modèle d'harmonie. Le **Chitry blanc 2003** ne laisse pas indifférent. Puissant et calcaire, il abat ses atouts sur la fin et obtient une étoile.

Patrick et Christine Chalmeau, 76, rue du Ruisseau, 89530 Chitry, tél. 03.86.41.43.71, fax 03.86.41.47.51, e-mail chalmeau.patrick@wanadoo.fr r.-v.

LES CHAMPS DE L'ABBAYE
Côtes du Couchois Les Rompeys 2003 *

1,1 ha 1 800 15 à 23 €

La profession de sommelier et celle de caviste conduisent tout droit à la vigne. C'était il y a dix ans et aujourd'hui le domaine (5,6 ha) est bien lancé. D'un grenat délié et brillant, un pinot noir aimablement fruité. Il s'ouvre à une constitution assez riche, sans aucun excès tannique. Bien construit, il est encore un peu habillé par son fût et gagnera à attendre un an ou deux. Pourquoi cette clé de fa sur l'étiquette ? Elle nous rappelle les chants et les champs de cette ancienne abbaye de moniales. Dans cette même AOC, le **Clos rouge 2003**, légèrement plus boisé, est superbe et obtient la même note.

Alain et Isabelle Hasard, 3, pl. de l'Abbaye, 71510 Saint-Sernin-du-Plain, tél. et fax 03.85.45.59.32, e-mail alainhasard@wanadoo.fr r.-v.

## CHANSON 2003 *

n.c. 29 268 8 à 11 €

Propriété Bollinger, la maison Chanson occupe une place de choix à Beaune, disposant de 38 ha en propre. Ce bourgogne porte haut les couleurs de son AOC : l'or. Les fleurs blanches, le citron, le pamplemousse accompagnent nettement le parcours du nez à la bouche, jamais gênés par le fût bien dosé. Equilibre, fraîcheur, une grande réussite.

Dom. Chanson Père et Fils, 10, rue Paul-Chanson, 21200 Beaune, tél. 03.80.25.97.97, fax 03.80.24.17.42, e-mail chanson@vins-chanson.com r.-v.

## DOM. CHARACHE-BERGERET Les Chazots 2003 *

4,5 ha 2 000 11 à 15 €

L'acidité marquée de ce vin plein de vie ne correspond pas tout à fait à l'idée qu'on se fait des 2003, mais prenons le plaisir comme il vient. Car ce vin encore un peu fermé devrait bien évoluer. Il a de la profondeur, des parfums de noyau de cerise, de bourgeon de cassis. La trame est belle, pleine de vie, ses tanins fondus étant bien soutenus par le fruit.

René Charache, chem. de Bière, 21200 Bouze-lès-Beaune, tél. et fax 03.80.26.00.86 r.-v.

## DOM. DE CHARMY 2003 *

n.c. 2 000 15 à 23 €

Ayons une pensée pour Marc Misserey qui s'est éteint récemment et qui porta longtemps les couleurs de la maison familiale (acquise ensuite par la famille Lanvin puis par Laurent Max). Celui qu'on appelait affectueusement « le Grand Paissiâ » (échalas) lors des Chapitres du Tastevin. Il aurait aimé ce bourgogne de tradition : coloré, réglissé, fleurant bon la mûre sauvage et plein de vertus honnêtes (gras élégant, tanins conviviaux, ce qu'il faut d'acidité et une persistance très supérieure à la moyenne).

Maison P. Misserey, 6, rue de Chaux, BP 4, 21700 Nuits-Saint-Georges, tél. 03.80.62.43.40, fax 03.80.62.68.02

## DOM. DES CHENEVIERES La Baronne 2003

0,5 ha 1 500 5 à 8 €

Vous êtes à 3 km des grottes d'Azé. Ici, les vendanges se sont déroulées à partir du 17 août 2003. Un record ! La robe est cerise burlat, annonçant un nez intense de fruits rouges confiturés : ces délicieuses odeurs d'enfance lorsque la maison embaumait de la cuisson des confitures... En bouche, les tanins sont fermes, et l'on attendra deux ans qu'ils veuillent bien se fondre.

Dom. des Chenevières, 71260 Saint-Maurice-de-Satonnay, tél. 03.85.33.31.27, fax 03.85.33.31.71 t.l.j. 9h-12h 14h-19h

Lenoir

## CHEVALIER D'EON Tonnerre 2003

2 ha 12 000 5 à 8 €

Masculin ? Féminin ? Bien difficile à dire, dès lors que ce vin se place sous le patronage ambigu du chevalier d'Eon, illustre enfant de Tonnerre... Aussi agréable que le **bourgogne blanc 2003**, ce rouge met en œuvre une diplomatie où le nez et la bouche complotent efficacement. Les tanins contribuent à leur rapprochement quelque peu complexe. Le premier sera servi à l'apéritif, le second accompagnera les viandes grillées.

Emmanuel Dampt, 3, rte de Tonnerre, 89700 Collan, tél. 03.86.54.49.52, fax 03.86.54.49.89, e-mail emmanuel@dampt.com r.-v.

## DOM. CHRISTIAN CLERGET 2002 *

0,5 ha 3 500 8 à 11 €

Un lapin à la moutarde ne refusera pas le rendez-vous avec ce bon bourgogne. D'une teinte forte et profonde, un vin à potentiel assez élevé et qui, justement, a besoin de vieillir un peu. Ses tanins sont bien fondus, son acidité mesurée, ses arômes puissants (sous-bois, fruits rouges).

Dom. Christian Clerget, 10, Ancienne-RN 74, 21640 Vougeot, tél. 03.80.62.87.37, fax 03.80.62.84.37, e-mail domainechristianclerget@wanadoo.fr r.-v.

## CLOS DU CHATEAU 2003

8 ha 29 000 11 à 15 €

Sauvé de l'urbanisation et offert à la vigne par André Boisseaux, le Clos du Château de Meursault constitue une enclave de l'AOC bourgogne dans l'AOC meursault au nord et au sud. Autant dire qu'on s'en rapproche beaucoup. Une robe jaune pâle à reflets vert-argent et un bouquet aussi complexe que le parcours souterrain dans les caves de la propriété. Eglantine, écorce d'orange... Sa petite nervosité n'est pas un défaut en 2003, mais plutôt un avantage. Bien fait et bon pour le service.

Ch. de Meursault, 21190 Meursault, tél. 03.80.26.22.75, fax 03.80.26.22.76, e-mail chateau.meursault@kriter.com t.l.j. 9h30-12h 14h30-18h

## DOM. DU CLOS DU ROI Coulanges-la-Vineuse 2003 *

8 ha 46 000 5 à 8 €

Denise et Michel Bernard ont repris en 1969 la ferme familiale qui produisait du vin de table. Ils ont beaucoup travaillé pour en faire un domaine AOC de qualité. Bienvenue à Magali qui prend la barre trente-cinq ans plus tard. Pourpre-grenat, son 2003 montre un nez prudent (légère figue sèche). En bouche, son fruit est gouleyant, bien positionné en milieu de bouche. De longueur moyenne, il est à boire maintenant.

SCEA du Clos du Roi, 17, rue André-Vildieu, 89580 Coulanges-la-Vineuse, tél. 03.86.42.25.72, fax 03.86.42.38.20, e-mail clos-du-roi@wanadoo.fr r.-v.

Michel Bernard

## FRANCOIS COURTET Côtes d'Auxerre Elevé en fût de chêne 2003

1 ha 4 500 5 à 8 €

Rouge coucher de soleil, riche de notes confites intenses, bâton de réglisse en bouche, il est très tannique. Il pourrait avoir, associées au pinot noir, quelques gouttes de sang du césar, tant il est tout d'une pièce, dense et concentré, note le jury. Mais non, il n'est fait que de pinot noir... mais c'est un 2003 vendangé le 26 août.

François et Valérie Courtet, 9, rue de Tubie, 89290 Champs-sur-Yonne, tél. et fax 03.86.53.38.17 r.-v.

### DOM. MARIA CUNY Vézelay 2003

□ 0,98 ha 6 000 **8 à 11 €**

Jeune productrice installée en 2000 au sein du parc du Morvan, sélectionnée par le Guide dès son millésime 2001. Des raisins vendangés le 4 septembre donnent ce vin nuancé d'agrumes, pas très puissant mais honnêtement structuré, à boire dans les mois qui viennent.

Maria Cuny, Nanchèvres, 89450 Saint-Père, tél. et fax 03.86.33.27.95 r.-v.

### DOM. PIERRE DAMOY 2002 ★★

■ 0,77 ha 2 689 **11 à 15 €**

Ses voisins de cuve et de cave s'appellent chambertin-clos-de-bèze, chapelle-chambertin... C'est dire s'il est né entouré de bonnes fées. Coup de cœur, on aimerait l'attendre un peu mais est-il possible de résister à cette tentation ? Rubis magnifique, bouquet cerise et sobrement issu de ses dix-neuf mois dans un berceau de chêne, il attaque sur le fruit avec panache. Acidité plaisante, complexité remarquable dans cette appellation, il est sans doute puissant comme un enfant de Gevrey. On est cependant touché par sa grâce.

Dom. Pierre Damoy,
11, rue du Mal-de-Lattre-de-Tassigny,
21220 Gevrey-Chambertin,
tél. 03.80.34.30.47, fax 03.80.58.54.79,
e-mail info@domaine-pierre-damoy.com r.-v.

### ERIC DAMPT Epineuil 2003 ★★

■ 0,68 ha 3 500 **5 à 8 €**

S'il est aujourd'hui vineux et très accueillant, le village de Collan est entré dans l'Histoire grâce à ses forêts profondes : c'est d'ici que sont venus en effet les moines fondateurs de Molesmes puis de Cîteaux. Et voici ce qu'on appellerait entre compagnons un superbe *ouvrage de maîtrise*. Maîtrise du millésime surtout, diantrement difficile. Pourpre tirant sur le mauve, le nez concis (léger cassis), cet Epineuil est d'un tact parfait, tout en finesse et en longueur. Unanimement retenu par le grand jury.

Eric Dampt, 16, rue de l'Ancien-Presbytère, 89700 Collan, tél. 03.86.55.36.28, fax 03.86.55.36.12, e-mail ericdampt@aol.com r.-v.

### ERIC DAMPT 2003 ★

□ n.c. n.c. **5 à 8 €**

Qu'il est joli garçon, ce chardonnay venu de l'Yonne ! Doré, léger et limpide, il suggère le tilleul, discrètement le miel. Quand un beau gras est nappé de sensations fraîches et minérales, comme ici, on se dit qu'on n'a pas perdu sa journée. Etiquette parchemin sympa mais d'un style quelque peu révolu...

Eric Dampt, 16, rue de l'Ancien-Presbytère, 89700 Collan, tél. 03.86.55.36.28, fax 03.86.55.36.12, e-mail ericdampt@aol.com r.-v.

### DOM. JEAN-MICHEL ET MARILYN DAULNE Côtes d'Auxerre Elevé en fût de chêne 2002 ★★

■ 2 ha 6 000 **5 à 8 €**

Entre Vincelles et Cravant, ce domaine de 14 ha est conduit par Jean-Michel Daulne depuis 1997. Quelques signes d'évolution sont perceptibles à l'œil ; mais il s'agit d'un 2002. Il plaît grâce à son bouquet de fruits mûrs, de pain d'épice et de toasté. La bouche est bien vivante, servie par une rétro-olfaction efficace. L'un des meilleurs Côtes d'Auxerre en pinot noir. Citons également un **chardonnay élevé sur lies 2003** : bouteille surprenante au départ, agréable en fin de compte, miellée et imposante ; elle obtient une étoile.

Jean-Michel et Marilyn Daulne, RN 6, Le Bouchet, 89460 Bazarnes, tél. et fax 03.86.42.20.97, e-mail domaine-daulne@wanadoo.fr r.-v.

### DOM. DESERTAUX-FERRAND 2003

□ 0,67 ha 4 020 **5 à 8 €**

Corgoloin est l'un des villages de la Côte des Pierres entre Nuits et Beaune. Très clair et évidemment minéral, ce vin diversifie ses arômes : pain grillé et fleurs blanches. Attaque vive, suivie d'une relation sympathique. Il ne manque pas de finesse. Sa persistance est honorable.

Dom. Désertaux-Ferrand,
135, Grande-Rue, 21700 Corgoloin,
tél. 03.80.62.98.40, fax 03.80.62.70.32,
e-mail contact@desertaux-ferrand.com r.-v.

### DEVEVEY 2003 ★★

□ 0,62 ha 1 800 **5 à 8 €**

L'harmonie générale ? « *Tip-top* », répondront les Allemands. Un vin bien rempli, heureux de vivre, donnant toute satisfaction. Largement à la hauteur d'un *village*. Doré, il a le nez séducteur (sans doute boisé, mais il prend tournure avec complexité). Au-delà de la force, du gras, de la maturité, on éprouve ici le sentiment d'une présence.

Jean-Yves Devevey, rue de Breuil, 71150 Demigny, tél. 03.85.49.91.11, fax 03.85.49.91.59, e-mail jydevevey@wanadoo.fr r.-v.

### DOM. DIGIOIA-ROYER 2003

■ 1 ha 6 500 **5 à 8 €**

Créé par Victor Moretti, ce domaine chambollois fut repris par sa fille puis par son gendre en 1999. Il propose

un bourgogne pourpre très magenta. Les fruits mûrs, les épices produisent un bouquet concentré, bondissant et complexe. L'acidité et les tanins y vont un peu fort, mais l'arrière-plan est intéressant. De garde raisonnable (trois ans environ).
Dom. Digioia-Royer, rue du Carré, 21220 Chambolle-Musigny, tél. et fax 03.80.61.49.58, e-mail micheldigioia@wanadoo.fr r.-v.
Michel Digioia

## ANTOINE DONAT ET FILS
Dessus-bon-boire 2003 ★

| | n.c. | 2 800 | | 3 à 5 € |
|---|---|---|---|---|

A Irancy, le rosé s'était fait une jolie réputation dans l'entre-deux-guerres. L'INAO le qualifia même d'« éclairé ». Le Conseil d'Etat mit un terme à cet élan, mais il subsiste en Auxerrois d'agréables spécimens. Couleur saumon, celui-ci est assez friand et d'un acidulé agréable. A boire maintenant.
André Donat, 19, rue de Vallan, 89290 Vaux, tél. 03.86.53.89.99, fax 03.86.53.68.36, e-mail ca@dessusbonboire.com
t.l.j. 9h-12h 14h-18h30; dim. sur r.-v.

## CH. DE DRACY Côtes du Couchois 2003 ★

| | 0,4 ha | 2 100 | | 11 à 15 € |
|---|---|---|---|---|

Quel beau château à visiter si vous passez par là ! Quatre mains à l'ouvrage, son propriétaire le baron Benoît de Charette fait partie de l'équipe de direction de la maison A. Bichot et il préside la Chambre de commerce de Beaune. Un 2003 à la robe impénétrable, au nez de pain d'épice et de fruits cuits, structuré et serré, compact même, mais riche d'un haut potentiel inexprimé. S'ouvrir ? S'assouplir ? Le pari n'est pas fou. Quant au **bourgogne chardonnay 2003**, il est bien représentatif de son appellation et obtient également une étoile.
SCA Ch. de Dracy, 71490 Dracy-lès-Couches, tél. 03.85.49.62.13, fax 03.80.24.37.38 r.-v.
Benoît de Charette

## GILLES DURAND 2002

| | 1 ha | 3 050 | | 3 à 5 € |
|---|---|---|---|---|

Mais oui, il s'agit bien d'une ferme. L'activité céréalière cède peu à peu le terrain à la vocation vitivinicole. Une robe demeurée assez jeune pour un 2002 peu expressif au nez mais plein, équilibré, long en bouche. Il n'ira guère au-delà de l'année qui vient, tout en gardant assez de souffle pour terminer la course. Choisir un poisson de mer pour l'accompagner.
Gilles Durand, Ferme de l'Hermitage, 89700 Tonnerre, tél. 03.86.54.46.70, fax 03.86.55.29.00, e-mail cavehermitagedurand@wanadoo.fr r.-v.

## CH. D'ESCOLIVES Coulanges-la-Vineuse 2002 ★

| | 1,6 ha | 10 000 | | 5 à 8 € |
|---|---|---|---|---|

Eglantine et Benjamin Borgnat sont à l'évidence des perfectionnistes. Ils choisissent leurs fûts en chêne des Bertranges (superbe forêt proche de Nevers). Avec gîtes et table d'hôtes, ils ont l'âme accueillante. Et leurs 700 m² de caves voûtées valent le déplacement. Escolives étant l'un des sites archéologiques majeurs de la Bourgogne, il est normal qu'on y célèbre le césar (10 % + pinot noir). D'où un vin original rubis foncé, finement bouqueté sur la fraise et aux tanins encore un peu jeunes mais porteurs d'une garde de un à deux ans.
Dom. Benjamin et Eglantine Borgnat, 1, rue de l'Eglise, 89290 Escolives-Sainte-Camille, tél. 03.86.53.35.28, fax 03.86.53.65.00, e-mail benjamin@domaineborgnat.com
t.l.j. 9h-12h 14h-19h; dim. 9h-12h

## DOM. FELIX Côtes d'Auxerre 2003 ★

| | 1,5 ha | 8 000 | | 5 à 8 € |
|---|---|---|---|---|

Pour des rillettes de truite ou de saumon ? Voilà bien la question qui peut vous occuper longtemps du côté de Saint-Bris... Sous sa robe étincelante, ce 2003 chardonne merveilleusement : le beurre, l'aubépine, le miel même, il nous fait la totale. La richesse de sa structure trouve un point d'équilibre avec une minéralité d'esprit chablisien. L'attendre un an seulement.
Dom. Hervé Félix, 17, rue de Paris, 89530 Saint-Bris-le-Vineux, tél. 03.86.53.33.87, fax 03.86.53.61.64, e-mail domaine.felix@wanadoo.fr
t.l.j. sf dim. 9h-11h30 14h-18h30

## DOM. DE LA FEUILLARDE 2003

| | 1 ha | 3 000 | | 5 à 8 € |
|---|---|---|---|---|

Jean-Marie Thomas a créé ce domaine en 1934. Trois générations plus tard, Lucien Thomas propose ce bourgogne à la couleur intense, à l'image des parfums puissants de fruits très mûrs (cerise noire, myrtille). Charnu, structuré par des tanins solides, il devra dormir en cave.
Lucien Thomas, Dom. de La Feuillarde, 71960 Prissé, tél. 03.85.34.54.45, fax 03.85.34.31.50, e-mail contact@domaine-feuillarde.com
t.l.j. 8h-12h30 13h30-19h

## DOM. FEUILLAT-JUILLOT Les Clouzots 2003 ★

| | 1,5 ha | 3 000 | | 5 à 8 € |
|---|---|---|---|---|

Françoise Feuillat-Juillot est installée en Côte chalonnaise dans une maison à galerie traditionnelle. Très charnu, tannique sans astringence, passant de la framboise au balsamique, son bourgogne rouge sait faire la part des choses. D'un style attrayant pour le consommateur, assez moderne, il concilie l'extraction et le plaisir.
Dom. Feuillat-Juillot, BP 13, 71390 Montagny, tél. 03.85.92.03.71, fax 03.85.92.19.21, e-mail domaine-feuillat-juillot@yahoo.fr
t.l.j. 9h-12h 14h-18h30, f. 15-31 août

## CAVEAU DES FONTENILLES 2003

| | 2,7 ha | 7 700 | | 5 à 8 € |
|---|---|---|---|---|

Vignoble de reconquête, le Tonnerrois (à deux pas de Chablis) produit un chardonnay nuancé d'or blanc, très pâle. Acacia ? La fleur est encore en bouton. En revanche, la bouche sait fondre la finesse et le gras, la rondeur et la puissance. Atmosphère riche et chaude : on lit ici du 2003 dans le texte.
Caveau des Fontenilles, pl. Marguerite-de-Bourgogne, 89700 Tonnerre, tél. 03.86.55.06.33, fax 03.86.55.10.43, e-mail cavefont@aol.com r.-v.

## DOM. FOREY PERE ET FILS 2003 ★★

| | n.c. | n.c. | | 5 à 8 € |
|---|---|---|---|---|

« Nous en avons trop peu, cela ne voudrait rien dire », répondait avec une rare et admirable sagesse Jean Forey quand on lui demandait pourquoi il ne revendiquait pas le nom de Tâche pour ses deux ouvrées de Gaudichots à Vosne. Son bourgogne ferait l'excellent capitaine d'une équipe de Nationale 2. Rouge violine et le fruit très fin, il

doit encore se fondre un peu mais il offre à la bouche une belle texture, la mûre et le cassis, des tanins impeccables et une longue persistance aromatique.
🔑 Dom. Forey Père et Fils, 2, rue Derrière-le-Four, 21700 Vosne-Romanée, tél. 03.80.61.09.68, fax 03.80.61.12.63 ☑ Y 🚶 r.-v.

### DOM. GACHOT-MONOT 2003 ★★

| ■ | 2 ha | 6 000 | 🛢 | 5 à 8 € |
|---|---|---|---|---|

Un point commun entre ce vin et le plus illustre grand cru rouge de la Bourgogne ? Eh bien ! le prince de Conti en personne, seigneur d'Argilly, Vosne et Corgoloin parmi d'autres lieux. Ce 2003, digne de cet héritage, superbe, discute d'égal à égal avec nos coups de cœur. Infiniment de robe, suffisamment de fraise pour anoblir le bouquet, parfait sur tous les plans, il est authentiquement seigneurial.
🔑 Dom. Gachot-Monot, 13, rue Humbert-de-Gillens, 21700 Corgoloin, tél. 03.80.62.50.95, fax 03.80.62.53.85 ☑ Y 🚶 r.-v.

### DOM. DE LA GARENNE
Elevé en fût de chêne 2003

| ■ | 4 ha | 4 000 | 🛢 | 5 à 8 € |
|---|---|---|---|---|

Ce millésime a été vendangé le 1er septembre en Tonnerrois. Rubis sombre, il a évidemment de la chair et du sang. Le nez plaisant joue sur la framboise écrasée. Equilibré, rond et assez persistant, il est agréable à boire.
🔑 Philippe Clément, La Garenne, rte de Tissey, 89700 Tonnerre, tél. 03.86.55.16.30, fax 03.86.55.02.66, e-mail domaineclement.lagarenne@orange.fr
☑ Y 🚶 r.-v.

### CAVE DE GENOUILLY
Le Mont Bouzu Vieilles Vignes 2003

| ■ | n.c. | n.c. | 🛢 | 3 à 5 € |
|---|---|---|---|---|

Cette petite coopérative de la Côte chalonnaise (quatre-vingts adhérents) fait déguster un pinot noir vendangé le 18 août, doté de beaucoup de matière. Sa richesse en tanins le rend pugnace, mais on ne peut pas parler de surextraction. Ainsi le millésime le veut-il. Cerise noire à l'œil, fruits rouges au nez, il mérite son nom.
🔑 Cave des vignerons de Genouilly, allée du 19-Mars-1962, 71460 Genouilly, tél. 03.85.49.23.72, fax 03.85.49.23.58, e-mail vigneronsgenouilly@wanadoo.fr
☑ Y 🚶 t.l.j. sf dim. 8h-12h 14h-18h

### PATRICK GIRARDIN 2003 ★

| ■ | 0,9 ha | 1 500 | 🛢 | 5 à 8 € |
|---|---|---|---|---|

« Tenez, mon cœur s'émeut à toutes ces tendresses », dit un personnage de Molière qu'on imagine volontiers reposant ce verre sur la table. Rouge foncé, avançant à pas lents dans le sous-bois, il dispose de l'essentiel : arômes framboisés, équilibre certain, longueur. Certes, il manque un peu de définition mais il a quelque chose dans ses bagages.
🔑 Dom. Patrick Girardin, 14, ancienne rte d'Autun, 21630 Pommard, tél. 03.80.22.61.21, fax 03.80.24.29.23, e-mail girardinpat@wanadoo.fr ☑ Y 🚶 r.-v.

### XAVIER GIRARDIN Les Rouanchottes 2003 ★★

| ■ | n.c. | 1 500 | 🛢 | 5 à 8 € |
|---|---|---|---|---|

Les Rouanchottes. Le petit nom de ce bourgogne a une saveur particulière. A peu de choses près, c'est celui d'un des sites bourguignons les plus évocateurs des romans d'Henri Vincenot... Descendu des Hautes-Côtes-de-Nuits comme l'aurait fait La Gazette (le héros du *Pape des escargots*), ce vin violine porte un nez puissant associant le fruit, les épices à un boisé empyreumatique. La bouche est mignonne, fruitée ; ses tanins fondus, sa longueur, sa générosité signent une vendange du 22 août, pendant la canicule. Une bouteille de bonne compagnie.
🔑 Xavier Girardin, rue des Magniens, 21700 Arcenant, tél. 06.80.04.89.93, fax 03.80.61.37.26, e-mail xavier.girardin@wanadoo.fr ☑ Y 🚶 r.-v.

### GHISLAINE ET JEAN-HUGUES GOISOT
Côtes d'Auxerre Corps de garde 2003 ★

| ■ | 4 ha | 12 000 | 🛢 | 8 à 11 € |
|---|---|---|---|---|

Brie, coulommiers, le corps de garde attendra le moment du fromage pour goûter ce vin au teint couperosé et dont le bouquet célèbre la surmaturation (compréhensible en 2003 – vendanges le 27 août !). Meilleur à l'attaque qu'en finale, il possède ce qu'il faut de gras. C'est joliment friand, facile à déguster et à y regarder de plus près un tantinet complexe. Ce même **Corps de garde en blanc 2003** obtient une citation. Le bois est encore trop présent mais la structure lui offre de belles perspectives.
🔑 Ghislaine et Jean-Hugues Goisot, 30, rue Bienvenu-Martin, 89530 Saint-Bris-le-Vineux, tél. 03.86.53.35.15, fax 03.86.53.62.03, e-mail jhetg.goisot@cerb.cernet.fr ☑ Y 🚶 r.-v.

### DOM. GRAND ROCHE Côtes d'Auxerre 2003 ★

| ■ | 4 ha | 11 000 | 🛢🛢 | 5 à 8 € |
|---|---|---|---|---|

Bien dans le style de l'appellation et du millésime, un pinot noir auxerrois rubis foncé à reflets mauves et porteur d'arômes assez surmaturés. Ses tanins sont bien travaillés, son arrière-bouche réglissée. L'attendre un à deux ans avant de le servir sur le rôti de bœuf du dimanche.
🔑 Erick Lavallée, Dom. Grand Roche, 6, rte de Chitry, 89530 Saint-Bris-le-Vineux, tél. 03.86.53.84.07, fax 03.86.53.88.36 ☑ Y 🚶 r.-v.

### GRIFFE Chitry 2003 ★

| □ | 0,81 ha | 2 650 | 🛢 | 5 à 8 € |
|---|---|---|---|---|

Vignerons depuis trois siècles ! David a repris en 1999 la suite du GAEC qu'il exploitait avec son père. Les choses sont donc bien calées pour ce chardonnay sec et frais, d'une couleur raisonnable et qui joue avec les trésors du terroir : le silex, la pierre à fusil, vieilles choses qui n'ont pas perdu de leur vitalité. Une légère touche d'amertume n'enlève rien au plaisir qu'on en a. A déboucher en 2006 sur une lotte grillée sauce hollandaise.
🔑 EARL Griffe, 15, rue du Beugnon, 89530 Chitry, tél. 03.86.41.41.06, fax 03.86.41.47.36, e-mail domaine.griffe@wanadoo.fr ☑ Y 🚶 r.-v.

### DOM. ROBERT ET SERGE GROFFIER 2003 ★★

| ■ | 1,35 ha | 6 000 | 🛢 | 11 à 15 € |
|---|---|---|---|---|

Le rouge est mis. Les jeux sont faits. Très fruité et même légèrement mentholé, ce 2003 nous rappelle que Morey possède toute une ribambelle de grands crus. Son gras, sa richesse, sa persistance sont déjà très approchables. Attendez cependant un peu : sa bouche se donnera tout entière en 2006-2007.
🔑 SARL Robert et Serge Groffier, 3, rte des Grands-Crus, 21220 Morey-Saint-Denis, tél. 03.80.34.31.53, ☑ r.-v.

DOM. ANNE GROS 2003 *

0,17 ha 940 11 à 15 €

Venu d'un superbe domaine de Vosne-Romanée, pays idéal du pinot noir, voici un bourgogne né du chardonnay, or blanc à reflets or. Le boisé est encore soutenu – c'est normal à cet âge –, les notes de pain grillé laissant le fruit en retrait. Rond et gras, le corps est bien construit, assez concentré lui aussi.

Dom. Anne Gros, 11, rue des Communes, 21700 Vosne-Romanée, tél. 03.80.61.07.95, fax 03.80.61.23.21 r.-v.

PIERRE GRUBER 2002 *

1,5 ha 12 000 3 à 5 €

Ancien bras droit de L.-J. Bruck à Nuits, Pierre Gruber a fondé sa maison en 1973 puis l'a cédée à Jean-Luc Aegerter. Il ne fait guère dans la nuance si l'on s'en tient à la couleur (presque noire) et au nez (à tendance fruitée). Au palais on y prend goût. Un peu tannique en première impression, il a du caractère et l'armature d'un vin durable (deux à trois ans).

Pierre Gruber, 49, rue Henri-Challand, 21700 Nuits-Saint-Georges, tél. 03.80.61.02.88, fax 03.80.62.37.99 r.-v.

DOM. HEIMBOURGER PERE ET FILS 2003

5,4 ha 4 800 5 à 8 €

L'imprimerie Roualet doit aller chercher dans son catalogue 1950 une étiquette « parchemin à bords roulés » aussi kitsch. Mais ce petit côté rétro a des amateurs ! Cela dit, la bouteille est agréable. D'un doré limpide, elle évolue sur le fruit mûr et même le fruit de la Passion. L'amande n'est pas absente et le gras suffit à notre attente. Cité également, le **bourgogne rouge 2003** est spontané et sincère, charpenté et d'une bonhomie un peu astringente qui lui va bien.

Dom. Heimbourger Père et Fils, 5, rue de la Porte-de-Cravant, 89800 Saint-Cyr-les-Colons, tél. 03.86.41.40.88, fax 03.86.41.48.83, e-mail heimbourger@wanadoo.fr t.l.j. 10h-12h 14h-18h30; dim. sur r.-v.

HENRI DE VILLAMONT 2003

n.c. 58 000 5 à 8 €

Maison créée il y a plusieurs décennies par le groupe Schenk sous pavillon helvétique. Rubis brillant, légèrement mauve, le 2003 a le nez séveux puis fruité (cassis). L'aération le conforte dans ses convictions. Belle attaque vineuse débouchant sur un milieu de bouche assez dur et tannique. Forte impression d'acidité en finale due sans doute à la vinification plus qu'au millésime. Tout bien pesé, c'est un vrai bourgogne.

SA Henri de Villamont, 2, rue du Dr-Guyot, 21420 Savigny-lès-Beaune, tél. 03.80.24.70.07, fax 03.80.22.54.31, e-mail hdv@contact.fr t.l.j. sf mar. 10h-18h30; jeu. 14h-18h30; f. 15 nov.-15 mars

HENRY FRERES 2003 **

5,5 ha 5 800 5 à 8 €

Discussions passionnées, mais en attendant il décroche le coup de cœur. Si tout le monde s'accorde à le féliciter pour sa couleur et sa limpidité, à lui trouver bon nez minéral et typé et bouche plutôt vive, quel est l'objet du débat ? Penche-t-il vers le fruit blanc ou vers le fruit jaune ? Toujours est-il qu'il figure parmi les meilleurs. A déguster dans l'année qui vient. La **cuvée bourgogne chardonnay 2003 élevée en fût de chêne** obtient une étoile.

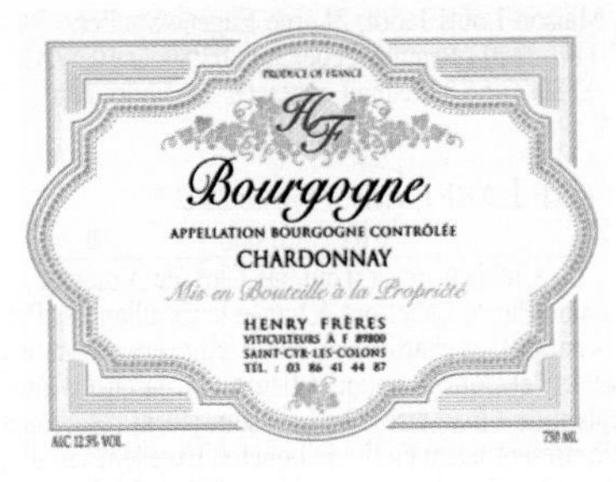


GAEC Henry Frères, 30, chem. des Fossés, 89800 Saint-Cyr-les-Colons, tél. 03.86.41.44.87, fax 03.86.41.41.48 r.-v.

DOM. DES HERITIERES 2003

3 ha 20 000 5 à 8 €

Le millésime ne l'a pas profondément marqué, malgré sa précocité. Elevé en cuve, il se consacre à des arômes classiques en Chablisien : la fameuse pierre à fusil et les agrumes vifs (citron, pamplemousse). Franc et peu porté sur le gras mais ne le négligeant pourtant pas, il se boit bien. A servir sur des moules marinières.

Olivier Tricon, 15, rue de Chichée, 89800 Chablis, tél. 03.86.42.10.37, fax 03.86.42.49.13 r.-v.

JEAN-LUC HOUBLIN Coulanges-la-Vineuse 2003 *

2,8 ha 1 600 3 à 5 €

Migé a fort bien restauré son moulin à vent, devenu une importante attraction touristique. Le village ne manque pas non plus de pressoirs. Ainsi celui d'où vient ce Coulanges d'un jaune soutenu. Ses arômes de jeunesse ont cédé la place à un bouquet de tournure plus mûre (ananas). On retrouve en bouche cette sensation qui évolue vers le citron. Equilibré, presque soyeux, ce 2003 progresse bien. Il possède un certain potentiel.

Jean-Luc Houblin, 1, passage des Vignes, 89580 Migé, tél. 03.86.41.69.87, fax 03.86.41.71.95, e-mail houblin.fr@wanadoo.fr t.l.j. 8h-19h; dim. 9h-12h; groupes sur r.-v.

DOM. HUDELOT-BAILLET 2003 *

1,19 ha 3 400 5 à 8 €

Pourpre éclatant, voici un bourgogne très réussi. Au nez net, franc et pudique, les fruits rouges laissés sur l'arbre cèdent peu à peu la place à un cuir léger. Sûr de lui, un rien dominateur, ce bourgogne de la Côte-de-Nuits a les reins solides. Une petite touche framboisée persistante l'humanise sensiblement.

Dom. Hudelot-Baillet, 21, rue Basse, 21220 Chambolle-Musigny, tél. 03.80.62.85.88, fax 03.80.62.49.83, e-mail hudelot-baillet@club-internet.fr r.-v.

MAISON LOUIS JADOT
Couvent des Jacobins 2001 *

n.c. n.c. 8 à 11 €

Au sein du négoce-éleveur bourguignon, la maison Louis Jadot est ce qu'on pourrait appeler une icône. Elle signe un bourgogne blanc à la robe très fraîche, boisé avec élégance, puis assez moelleux en bouche. Son gras se développe sur fond plus vif de pamplemousse ou de citron. A servir à l'apéritif puis sur une blanquette à l'ancienne.

Maison Louis Jadot, 21, rue Eugène-Spuller, BP 117, 21203 Beaune Cedex, tél. 03.80.22.10.57, fax 03.80.22.56.03, e-mail contact@louisjadot.com
r.-v.

### PIERRE LABET Vieilles Vignes 2002 *

1 ha 6 000 8 à 11 €

Le Château de la Tour au Clos de Vougeot et le domaine Pierre Labet ont échangé leurs alliances. Parmi leurs enfants, ce chardonnay d'une teinte encore jeune (or gris-vert) et dont le bouquet fleure bon la cire d'abeille. L'églantine ? Peut-être... Le fruit sous-jacent reste longuement présent jusqu'en fin de bouche. Excellent vin d'apéritif qui éveillera la conversation... et l'appétit !

Dom. Pierre Labet, Clos de Vougeot, 21640 Vougeot, tél. 03.80.62.86.13, fax 03.80.62.82.72, e-mail contact@francoislabet.com
t.l.j. sf mar. 10h-18h; groupes sur r.-v.

### DOM. RAYMOND LAUNAY 2003 *

1,9 ha n.c. 5 à 8 €

Les Bourguignons se rappellent que Raymond Launay fut le père des Assurances mutuelles agricoles, Groupama aujourd'hui. Débordant d'activité, il se prit de passion pour la vigne et le vin. Levez votre verre à sa mémoire en appréciant la teinte rubis intense aux reflets violets de ce 2003, son bouquet mi-fruit mi-fût, ses tanins assez doux et sa relative complexité. Pascal Marchand reconvertit actuellement le vignoble en biodynamie sérieuse.

EARL Dom. Raymond Launay, 1, rue des Charmots, 21630 Pommard, tél. 03.80.24.08.03, fax 03.80.24.12.87
t.l.j. 8h30-12h 14h-19h; groupes sur r.-v.

### OLIVIER LEFLAIVE Les Sétilles 2003 *

30 ha 130 000 8 à 11 €

Ce vin a-t-il absorbé plus de rayons de soleil que les autres ? En 2003, il eût été préférable d'utiliser une ombrelle, mais force est de le reconnaître : la robe est jolie, le nez bien dessiné et le miel accompagne un long suivi aromatique, rendant la finale assez onctueuse. Seule la première bouche est un peu vive. Ce geste d'humeur lui confère de l'équilibre ; il est rapidement oublié.

Olivier Leflaive Frères, pl. du Monument, 21190 Puligny-Montrachet, tél. 03.80.21.37.65, fax 03.80.21.33.94, e-mail contact@olivier-leflaive.com
r.-v.

### DOM. DES LEGERES 2004 *

n.c. 12 000 5 à 8 €

Péronne est un joli village mâconnais. « Je suis revenu en force vers le bourgogne, confiait récemment Claude Chabrol, car je voulais retrouver l'élan de la jeunesse, et il donne vraiment du nerf. » Celui-ci révèle ses qualités bien avant son entrée en bouche : une limpidité claire et vive, un bouquet ouvert et floral. Et quelle jeunesse en effet, remarquable en 2004 ! Le fruit blanc prend le relais tout au long d'un corps savoureux et dynamique.

Pierre et Véronique Janny, La Condemine, Cidex 1556, 71260 Péronne, tél. 03.85.23.96.20, fax 03.85.36.96.58, e-mail pierre-janny@wanadoo.fr

### DOM. LEGER PERE ET FILS Epineuil 2003

5 ha 10 000 5 à 8 €

Il fleure bon l'animal et le cuir, la gibecière et ce qu'elle contient. Sa tenue foncée est d'un 2003 bien typé. Puissant, assez chaud, il se termine par une petite pointe tannique qui reste fidèle au tableau de chasse. Le fruit rouge n'en est pas absent ; il s'accordera avec un gibier dans deux à trois ans.

SCEA Léger Père et Fils, rue de la Vallée, 89700 Tonnerre, tél. et fax 03.86.55.08.79 r.-v.

### DOM. LEMOULE Coulanges-la-Vineuse 2004 *

0,95 ha 8 000 3 à 5 €

Les vins de l'Auxerrois ont souvent un côté iodé. Cela ne dépayse pas ce viticulteur qui, après dix-huit ans dans la Royale, a posé ici son ancre. Il travaille en famille et il maintient également la tradition des cerisiers, jadis nombreux dans cette région. Net et limpide, légèrement porté sur la fleur blanche, un chardonnay nouveau-né, vif mais sans aspérité, de corpulence moyenne, évoquant la régate plutôt que la circumnavigation. On vous recommande aussi et fortement le très beau **bourgogne Coulanges-la-Vineuse 2003 rouge (5 à 8 €)**, une étoile également.

EARL Lemoule, chem. du Tuyau-des-Fontaines, 89580 Coulanges-la-Vineuse, tél. 03.86.42.26.43, fax 03.86.42.53.16 t.l.j. 8h-19h; dim. 9h-12h

### MICHEL LORAIN 2003 *

2,5 ha 7 000 5 à 8 €

La carte des vins accompagne ici le menu. Ce chef trois étoiles Michelin taquine le cep à ses heures de loisir, dans les environs de Joigny. La Côte Saint-Jacques célèbre d'ailleurs sur son enseigne l'un des plus vénérables crus de l'Yonne. Très typé 2003, ce pinot noir plus noir que rouge, au nez associant note animale et fruits rouges, assez chaud et puissant, se montre tannique mais bien fondu : le boisé élégant traduit un réel savoir-faire.

SCEV Michel Lorain, Dom. du Clos Saint-Jacques, 14, fg de Paris, 89300 Joigny, tél. et fax 03.86.62.06.70, e-mail scev.michel-janin@wanadoo.fr r.-v.

### LA MAISON BLEUE 2003

n.c. n.c. 5 à 8 €

Frais et fruité, bien en place dans le cœur du sujet, il est épaulé par de bons tanins et par une matière très ferme. Ses arômes vont et viennent entre la fraise et le bourgeon de cassis. Il montre du doigté en se tenant à l'écart de toute agressivité. Correct dans son millésime et originaire de la Bourgogne du Sud.

La Maison bleue, La Condemine, Cidex 1556, 71260 Péronne, tél. 03.85.23.96.20, fax 03.85.36.96.58, e-mail pierre-janny@wanadoo.fr

### JEAN-LUC MALDANT 2003 *

1,06 ha 3 000 5 à 8 €

Vin tonique, qui demande à vieillir tranquillement (jusqu'à trois ans). Carmin soutenu, il se livre peu lors des habituels coups de nez. Les fruits mûrs (framboise et griotte) se dessinent cependant. Au palais, on découvre la plénitude d'un 2003 plaisant. La croûte de pain grillé se mêle aux fruits noirs. La charpente tiendra bon.

Jean-Luc Maldant, 24 bis, Grande-Rue, 21200 Chorey-lès-Beaune, tél. 03.80.24.14.15, fax 03.80.24.19.50 r.-v.

### DOM. MALTOFF Coulanges-la-Vineuse Cuvée Classic 2003 *

3 ha 23 000 5 à 8 €

Rouge intense aux portes du violet, ce Coulanges tire assez bien son épingle du jeu. Le cassis prend le dessus sur

la vanille et si la finale est moins longue que d'ici à Compostelle, son corps se tient et n'a nul besoin de corset. Bref, il se boit sans effort, souple et fondu, et plaira à vos convives autour d'une côte de bœuf. La **cuvée M de Maltoff rouge 2003** obtient également une étoile.
Dom. Maltoff,
20, rue d'Aguesseau, 89580 Coulanges-la-Vineuse,
tél. 03.86.42.32.48, fax 03.86.42.24.92,
e-mail domainej-p.maltoff@wanadoo.fr
t.l.j. sf dim. 17h30-19h30; sam. 14h-19h

## JEAN-PHILIPPE MARCHAND
Cuvée Alexis 2003 *

1,5 ha 12 000 5 à 8 €

La vieille maison de la place Souvert à Gevrey a été convertie en chambres d'hôte tandis que Jean-Philippe Marchand s'installait de façon plus moderne dans un bâtiment qui rappelle ici beaucoup de souvenirs odorants : anciennement confiturerie *Duchesse de Bourgogne*. C'est dire si les murs conservent des arômes ! Jaune intense, ce chardonnay suggère davantage le miel et l'aubépine. Très franc de goût, vanillé avec soin, il est bien représentatif.
Jean-Philippe Marchand, 4, rue Souvert, BP 41,
21220 Gevrey-Chambertin, tél. 03.80.34.33.60,
fax 03.80.34.12.77, e-mail marchand@axnet.fr
t.l.j. sf dim. lun. 10h-18h30

## DOM. MARECHAL-CAILLOT
Prestige d'un terroir 2003 *

1 ha 2 000 8 à 11 €

Joli domaine de plus de 8 ha de la région beaunoise. Rouge burlat, cette cuvée d'AOC régionale peut porter son nom sans baisser le regard. Son boisé respecte son arôme de mûre et sa bouche dépourvue d'astringence est élégante et soyeuse.
Bernard Maréchal,
10, rte de Chalon, 21200 Bligny-lès-Beaune,
tél. 03.80.21.44.55, fax 03.80.26.88.21,
e-mail marechalcaillot@aol.com r.-v.

## DOM. DES MARRONNIERS 2003 *

1 ha 2 000 5 à 8 €

Préhy et son église plantée au milieu des vignes, dont une fresque Renaissance évoque saint Eloi ferrant un cheval avec des chevaliers. Non loin, ce domaine de près de 20 ha. Son bourgogne n'est pas trop jaune, comme il convient à un chardonnay encore dans la fleur de l'âge. Son bouquet beurré, légèrement lactique, est très réussi. La bouche évolue de façon satisfaisante. Il lui manque peut-être un petit « plus » pour atteindre les sommets, mais soyons juste : il se situe bien au-dessus de la moyenne.
Bernard Légland, 1 et 3, Grande-Rue-de-Chablis,
89800 Préhy, tél. 03.86.41.42.70, fax 03.86.41.45.82,
e-mail bernardlegland@wanadoo.fr
t.l.j. 9h-12h30 14h-20h; f. 15-30 août

## DOM. ALAIN MATHIAS Epineuil 2003 *

7 ha 15 000 5 à 8 €

Du bon usage d'un licenciement économique : originaire de la Seine-et-Marne, ce viticulteur de la première génération connut cette difficulté en 1982 et opta alors pour une nouvelle existence. Son Epineuil se présente bien : une couleur intense, de la cerise délicatement confite, une bonne structure tannique qui n'en rajoute pas, laissant la bouche fraîche, heureuse et friande. Sympa comme tout.
Dom. Alain Mathias, rte de Troyes, 89700 Epineuil,
tél. 03.86.54.43.90, fax 03.86.54.47.75,
e-mail domaine.alain.mathias@wanadoo.fr
t.l.j. sf dim. 8h-19h

## DOM. DE MAUPERTHUIS
Grande Réserve 2003 *

1 ha 2 400 5 à 8 €

*Vers le mieux*, telle est la devise de ce domaine assez récent (1992) installé en Tonnerrois. Coup de cœur l'an dernier, il confirme cette fois encore ses ambitions. Bien dorée, la Grande Réserve offre des notes de menthol et de rose, sous un boisé (onze mois de fût) assurément intéressant mais encore un peu envahissant. A laisser se faire pendant un à deux ans. Notez aussi **Les Truffières 2003 blanc** ; ce vin élevé en cuve, assez intense et miellé, n'est pas inférieur au premier.
Laurent et Marie-Noëlle Ternynck, Civry,
89440 Massangis, tél. et fax 03.86.33.86.24,
e-mail ternynck@hotmail.com t.l.j. 9h-19h

## MARC MENEAU Vézelay Les Chaumonts 2003 *

2 ha 6 930 5 à 8 €

Marc Meneau, trois étoiles Michelin, est le petit-fils de vignerons à Saint-Père-sous-Vézelay. Il a donc voulu prendre part à l'espérance suscitée par ce vignoble en pleine renaissance. Ses Chaumonts empruntent le chemin de Saint-Jacques-de-Compostelle, avec des arômes et un avant-goût d'agrumes ensoleillés. Doux sur toute la ligne et en mélange sucré-salé. Autre suggestion : le **Clos du Duc blanc 2003**, une étoile également, intéressant pour la relation fruit-minéral. Situé à Nanchèvres (Saint-Père), ce lieu-dit ducal s'appelait traditionnellement *clodu*.
Marc Meneau, rue du Moulin-à-Vent,
89450 Vézelay, tél. 03.86.33.39.11, fax 03.86.33.26.15,
e-mail marcmeneau@wanadoo.fr r.-v.

## DOM. DU MERLE Clos des Condemines 2003 *

0,8 ha 2 000 5 à 8 €

Nous sommes à Sens, à côté de Sennecey-le-Grand en Côte chalonnaise. Un hameau connu pour sa chapelle dédiée à saint Médard, figure météorologique du Paradis. Ce pinot noir à la robe appuyée, d'une maturité suave et coulante, n'a pas un relief considérable, mais il est équilibré, tout en fruits rouges, et long.
Dom. du Merle, Sens, 71240 Sennecey-le-Grand,
tél. 03.85.44.75.38, fax 03.85.44.73.63,
e-mail domainedumerle@tele2.fr
t.l.j. 8h-20h; f. 1er jan. au 1er avril
Michel Morin

## DOM. DE MONTPIERREUX 2003 *

0,85 ha 4 400 5 à 8 €

Vous êtes sûrement passé à Venoy, mais sans voir beaucoup de vignes. Près d'Auxerre, c'est en effet l'aire de l'autoroute A6. Profitez de la sortie la plus proche pour aller visiter cet excellent producteur, déjà remarqué par le Guide. Venoy a retrouvé l'appellation bourgogne en 1988 seulement. Dès l'année suivante, on plantait. Avec succès : jaune doré, miel et fleurs blanches, ce vin coule en bouche comme un ruisseau minéral et rafraîchissant.
Françoise Choné,
Dom. de Montpierreux, rte de Chablis, 89290 Venoy,
tél. 03.86.40.20.91, fax 03.86.40.28.00 r.-v.

DOM. MOREY-COFFINET 2002

■ 0,7 ha 4 500 ▮ 5 à 8 €

Un bourgogne qui nous arrive de Chassagne-Montrachet a forcément un peu d'or dans les veines. C'est le cas. Son année de fût en fait un vin bien élevé et il porte encore la trace d'une éducation assez rigide. Il est un peu réservé en bouche, mais aimable et rond.

Dom. Michel Morey-Coffinet, 6, pl. du Grand-Four, 21190 Chassagne-Montrachet, tél. 03.80.21.31.71, fax 03.80.21.90.81, e-mail morey.coffinet@wanadoo.fr r.-v.

CHRISTIAN MORIN Chitry 2003 ★★

■ 3,5 ha 8 000 5 à 8 €

Jaune-vert limpide, il conviendra à des huîtres chaudes à la sauce Chitry. Son parfum tire son élégance du floral et du minéral. La bouche onctueuse se montre complexe, associant l'iode, le pamplemousse, les fruits confits. Equilibre et puissance sont au rendez-vous jusque dans une finale harmonieuse. A découvrir dans les caves du XVIII[e]s. de Christian Morin.

Christian Morin, 17 et 28, rue du Ruisseau, 89530 Chitry-le-Fort, tél. 03.86.41.44.10, fax 03.86.41.48.21 r.-v.

OLIVIER MORIN Chitry Olympe 2003 ★★

■ 2 ha 6 000 ▮ 5 à 8 €

D'un jaune d'or qu'on pourrait dire clinquant s'il n'était pas aussi fidèle à son appellation (l'expression est d'un de nos dégustateurs), une cuvée où la fleur blanche et le boisé trouvent des accommodements. La bouche est savoureuse, ponctuée par une petite sensation de poire. Chitry blanc dans ses meilleurs jours. Le **rouge 2003 Chitry Vau du Puits** obtient une étoile. Allez dimanche prochain choisir ces bouteilles et rendez visite à l'église Saint-Valérien inscrite à l'Inventaire des Monuments historiques. Vous ne serez pas déçus.

Olivier Morin, 2, chem. du Vaudu, 89530 Chitry, tél. et fax 03.86.41.47.20, e-mail morin.chitry@wanadoo.fr r.-v.

DOM. THIERRY MORTET
Les Charmes de Daix 2003

■ 0,6 ha 2 500 5 à 8 €

A l'ouest de Dijon, il subsiste quelques vignes bénéficiant de l'AOC bourgogne. A Daix notamment, qui comptait 75 ha de gamay en 1830. Il s'agit aujourd'hui du chardonnay, mis en valeur depuis plusieurs décennies par la famille Mortet de Gevrey-Chambertin. Cette bouteille est donc une curiosité rare. La robe est ici assez claire. Le nez torréfié puis fruité. Agréable à goûter, un vin dense et chaleureux, influencé par son année de naissance et d'une longueur honorable.

Dom. Thierry Mortet, 16, pl. des Marronniers, 21220 Gevrey-Chambertin, tél. 03.80.51.85.07, fax 03.80.34.16.80 r.-v.

LUCIEN MUZARD ET FILS 2003 ★

■ n.c. 1 800 ▮ 5 à 8 €

Beaucoup de carrure. L'extraction à l'évidence très poussée et encouragée par le millésime aboutit à un vin riche en mâche, pinot noir jusqu'au bout des ongles et dans l'esprit des bourgognes du XIX[e]s. L'œil se perd entre le violet sombre et le noir pénombre. Le nez s'emplit de gelée de cassis. L'attendre douze à dix-huit mois. A servir à 15 °C.

Lucien Muzard et Fils, 11, rue de la Cour-Verreuil, BP 25, 21590 Santenay, tél. 03.80.20.61.85, fax 03.80.20.66.08, e-mail lucien-muzard-et-fils@wanadoo.fr r.-v.

DOM. PETITJEAN Côtes d'Auxerre
Les Boisseaux Vieilli en fût de chêne 2002

■ 0,5 ha 3 000 ▮ 5 à 8 €

Au cœur du village, cette cave a été créée en 1960. Dans sa robe d'un rubis assez présent ourlé de quelques reflets tuilés, ce 2002 est « vrai ». L'aération est conseillée pour révéler les arômes (cerise surtout). Ses tanins lui donnent un soupçon d'amertume, un peu de dureté : rien d'étonnant à cela, il a connu dix-huit mois de fût.

Petitjean, 1, ruelle de l'Equerre, 89530 Saint-Bris-le-Vineux, tél. 03.86.53.31.04, fax 03.86.53.84.81 t.l.j. sf dim. 9h-12h 14h-18h

DOM. MICHEL PICARD
Chardonnay du château 2003 ★★

■ 3,46 ha 25 000 8 à 11 €

Chardonnay du château. Mise au château. A vrai dire on est un peu étonné en lisant l'étiquette, quand bien même Michel Picard, négociant-éleveur, aurait renoué avec la tradition faisant des gens de Chagny les seigneurs de Chassagne. Et puis, on est émerveillé et on saute dans les bras accueillants de ce chardonnay princier. Or et émeraude à l'œil, beurre frais et fruits secs au nez, il a été élevé en cuve et en fût. La fraîcheur et le gras trouvent un délicieux terrain d'entente. Notez que Michel Picard obtient également deux étoiles par l'intermédiaire de la maison Chandesais qui a acquis le **domaine Champs Perdrix en blanc 2003**.

Maison Michel Picard, 5, rue du Château, 21190 Chassagne-Montrachet, tél. 03.80.21.98.63, fax 03.80.21.97.83, e-mail francine.picard@m-p.fr r.-v.

JEAN-MICHEL ET LAURENT PILLOT 2003

■ 5 ha 5 000 5 à 8 €

Rouge léger, parfum tendre : difficile de ne pas tomber d'accord avec ce pinot noir velouté. Né en Côte chalonnaise (la vallée des Vaux), il se tient bien. Son fruité est agréable, ses tanins conciliants. Un peu de chaleur : on n'échappe pas à la loi du millésime mais elle n'est pas trop dure...

Dom. Jean-Michel et Laurent Pillot, rue des Vendangeurs, 71640 Mellecey, tél. et fax 03.85.45.20.48 r.-v.

ANNE ET REMI PROFFIT 2003

■ 2,63 ha 3 500 3 à 5 €

Un domaine, repris en main il y a près de vingt ans, soucieux de la mise en valeur du patrimoine : un pressoir historique (XIII[e]s.) qui vaut le détour surtout quand on s'en sert les jours de fête. Quant à ce bourgogne blanc, il a la robe brillante avec beaucoup de larmes sur le verre. Vif en attaque, noisette en finale, on le boira cette année.

SCEA Anne et Rémi Proffit, 35, rte d'Aillant, 89710 Senan, tél. 03.86.63.50.47, fax 03.86.91.54.26, e-mail proffit89@hotmail.com r.-v.

CLOS DU CHATEAU DE PULIGNY-MONTRACHET 2002 ★

■ 4,5 ha 30 000 11 à 15 €

L'Ecureuil met ici en réserve ses provisions de noisettes. Le domaine appartient en effet au Crédit Foncier et à son groupe Caisse d'Epargne. Ne vous étonnez donc pas si ce fruit teinte ce vin. Or intense, assez boisé, il est également ouvert sur le miel enrobé dans le... minéral. Plaisante géologie ! Encore jeune pour un 2002, son corps garde les caractères du bouquet sous une sensibilité vive, à fleur de peau.

Ch. de Puligny-Montrachet, 21190 Puligny-Montrachet, tél. 03.80.21.39.14, fax 03.80.21.39.07, e-mail e.demontille@wanadoo.fr r.-v.

Crédit Foncier, groupe Caisse d'Epargne

### DOM. DES REMPARTS Côtes d'Auxerre 2002 *

6,5 ha 15 000 5 à 8 €

Un bourgogne de pinot noir né à Saint-Bris-le-Vineux, commune historique dont les caves remontent à la nuit des temps de la viticulture bourguignonne. Voici une bouteille très classique sur une trame légère. Qu'il s'agisse de la robe, des arômes ou de la constitution, elle va tout bonnement son chemin. Sa simplicité initiale évolue vers quelque chose de plus profond. Rétro-olfaction cassis.

GAEC Dom. des Remparts, 6, rte de Champs, 89530 Saint-Bris-le-Vineux, tél. 03.86.53.33.59, fax 03.86.53.62.12 r.-v.

Sorin

### DOM. RIGOUTAT Coulanges-la-Vineuse Cuvée Prestige Vieilles Vignes Fût de chêne 2003 *

4 ha 5 000 5 à 8 €

Cuvée Prestige. Elle mérite son nom. Pourpre à reflets noirâtres, elle laisse sans doute une large place au fût mais les fruits noirs bien mûrs ne marchandent pas leur accord avec ce boisé. Riche, en effet, suffisamment acide et dotée d'une petite pointe de chaleur en conclusion. Ce n'est pas très précisément la typicité du terroir mais nous sommes en 2003 (vendange le 25 août), et si l'on doit s'adresser à quelqu'un, c'est au soleil...

Dom. Alain Rigoutat, 2, rue du Midi, 89290 Jussy, tél. 03.86.53.33.79, fax 03.86.53.66.89, e-mail domainerigoutat@wanadoo.fr r.-v.

### DOM. NICOLAS ROSSIGNOL 2002 *

1,2 ha 1 800 5 à 8 €

Joyeux enfant de la Bourgogne ! Pourpre intense, discrètement boisé et très porté sur le fruit noir (cassis, mûre), il connaît tous les couplets et le refrain par cœur. La bouche est pleine et bien bâtie, les tanins un peu accrocheurs et mordants. Ce 2002 attendra son gibier deux ans sagement en cave. N'oublions pas qu'il est né à Volnay.

Nicolas Rossignol, rue de Mont, 21190 Volnay, tél. 03.80.21.62.43, fax 03.80.21.27.61, e-mail nicolas-rossignol@wanadoo.fr r.-v.

### DOM. SAINT-PANCRACE Côtes d'Auxerre La Côte d'Or 2003 *

0,55 ha 1 500 5 à 8 €

Vigneron auxerrois, il a planté ses premiers ceps il y a juste dix ans. Saint-Pancrace est le nom d'une tour de fortification, propriété de la famille. Quant à « la Côte d'Or », il fallait l'oser. Est-ce un *climat* cadastré ou un nom de fantaisie ? Parce que nous ne sommes pas en Côte-d'Or... Cela dit, le terroir s'exprime sous un joli jaune discret. Agrumes et sous-bois. Le nez est agréable, fûté si l'on peut évoquer ainsi son élevage (six mois sous chêne, dix de cuve). Un peu monolithique, mais le minéral sait se montrer explicite. A servir pendant deux ans.

Xavier Julien, Dom. Saint-Pancrace, 17, rue Ranthaume, 89000 Auxerre, tél. et fax 03.86.51.69.71, e-mail domaine.saintpancrace@wanadoo.fr r.-v.

### DOM. VINCENT SAUVESTRE 2003 **

2,5 ha 12 000 5 à 8 €

Le pinot noir a une obligation de résultat, même lorsqu'il se présente en AOC régionale. Une couleur profonde, brillante, violacée : on la croise ici des yeux. Un peu foncée peut-être, mais cela devient habituel en 2003. Le bouquet, riche et fin, tire sur la montmorency, la cerise à confiture. Le palais aux tanins fondus se montre souple et élégant : belle expression dans le millésime.

SCEA Dom. Vincent Sauvestre, rte de Monthélie, 21190 Meursault, tél. 03.80.21.22.45, fax 03.80.21.28.05

### SORIN-COQUARD Côtes d'Auxerre 2003

3,47 ha 13 000 5 à 8 €

Il était une fois... Viticultrice en Champagne, Christine rencontra Pascal qui avait repris en Auxerrois quelques vignes de ses grands-parents. Ils se marièrent et jumelèrent ces deux exploitations. N'y a-t-il pas du conte de fées dans cette histoire ? Quelques reflets orangés sur un beau rubis foncé, nez à maturité sur un thème fruité. Peu d'épaule mais une ligne vive et souple, relevée par une petite touche épicée (élevage mi-cuve mi-fût).

Dom. Sorin-Coquard, 15, rue de Grisy, 89530 Saint-Bris-le-Vineux, tél. et fax 03.86.53.37.76, e-mail domaine.sorin.coquard@wanadoo.fr t.l.j. sf dim. 9h-12h 13h30-19h

Pascal et Christine Sorin

### HUBERT ET JEAN-PAUL TABIT Côtes d'Auxerre Cuvée romaine 2002

1 ha 4 000 5 à 8 €

65 % de pinot noir et 35 % de césar, nous dit-on. D'où cette Cuvée dite romaine produite par les descendants d'Astérix. Pourpre impériale, évidemment. *Tu quoque*... Entre le végétal et le pruneau cuit, le nez n'est pas très avancé. Bouche vive, mais de la rondeur et du gras. Avec une belle proportion des deux cépages, les amateurs de choses rares y prendront intérêt.

Cave Tabit et Fils, 2, rue Dorée, 89530 Saint-Bris-le-Vineux, tél. 03.86.53.33.83, fax 03.86.53.67.97, e-mail tabit@wanadoo.fr t.l.j. 8h-19h; dim. sur r.-v.

### LES TEMPS PERDUS Côtes d'Auxerre 2004

0,25 ha 2 000 5 à 8 €

Collaboratrice de J.-M. Brocard dont elle vinifie les vins depuis quinze ans, Clotilde Davenne fait partager ici ses « moments perdus ». Son 2004 va vite en besogne mais, force est de le constater, son rouge cerise noire, son nez fraise des bois et sa jeunesse friande sous des tanins encore vigoureux le recommandent à votre attention. A boire cette année ou la suivante.

Clotilde Davenne, 3, rue de Chantemerle, Préhy, 89800 Chablis, tél. 06.08.96.88.49, fax 03.86.41.49.35, e-mail c.davenne@brocard.fr r.-v.

### JEAN-BAPTISTE THIBAUT Chitry 2003 *

3,15 ha 4 000 5 à 8 €

Or pâle, limpide et brillant, il franchit sans problème le premier obstacle. Un rien d'hésitation devant le deuxième, mais le citron et l'acacia assurent la réussite. La

partie la plus importante du parcours s'effectue dans la finesse et le fruit, aux frontières de l'exotique. Une fraîcheur pas si fréquente en 2003 et ce qu'un de nos dégustateurs appelle « une minéralité maritime ». Il nous rappelle qu'il y a cent cinquante millions d'années la Bourgogne était une mer tahitienne... Le sommelier conseille une sole pochée avec des légumes printaniers.
Jean-Baptiste Thibaut, 3, rue du Château, 89290 Quenne, tél. 03.86.40.35.76, fax 03.86.40.27.70 r.-v.

**DOM. DE LA TOUR BAJOLE** Côtes du Couchois Vieilles Vignes 2003 *

1,2 ha 7 600 5 à 8 €

La reconnaissance de l'identité du Couchois doit beaucoup à Bernard Dessendre, conseiller général et régional, qui a longtemps porté ce lourd dossier. Avec raison, comme le montre ici un 2003 presque noir et très profond, vendangé le 21 août. Mûre et myrtille sur fond vanillé se partagent le nez, puis l'attaque veloutée se fait pleine de douceur. Peu d'acidité, mais à millésime exceptionnel... Fort encadrement des tanins en finale. Une personnalité à laisser un peu mûrir.
Marie-Anne et Jean-Claude Dessendre, Dom. de La Tour-Bajole, 11, rue de la Chapelle, 71490 Saint-Maurice-lès-Couches, tél. et fax 03.85.45.52.90, e-mail domaine-de-la-tour-bajole@wanadoo.fr r.-v.

**DOM. TUPINIER-BAUTISTA 2003** **

1 ha 5 000 5 à 8 €

Ce domaine signe un bourgogne haut de gamme. Rouge cerise burlat, il n'a rien à envier à un *village* : l'expression odorante est agréable, mi-fruit mi-vanille (dix mois de fût). Les tanins très mûrs sont dépourvus d'âpreté ou d'astringence. Tout est de bonne tenue, élégant et sérieux. Retenez bien ce nom, on en entendra parler !
EARL Tupinier-Bautista, Touches, 71640 Mercurey, tél. 03.85.45.26.38, fax 03.85.45.27.99, e-mail tupinier.bautista@wanadoo.fr r.-v.

**CH. DU VAL DE MERCY** Chitry 2003 **

2 ha 5 000 5 à 8 €

Présent en Chablisien et dans l'Auxerrois, ce domaine compte 30 ha. Efficace, le nez fruité et épicé de ce 2003 joue sa partition de façon impeccable. Rubis profond, ce pinot noir d'une douceur cerisée est généreux et soyeux. Sa persistance n'est pas considérable mais le millésime est bien servi. Le **bourgogne blanc Chitry 2003** obtient une étoile : c'est un vin « rieur et généreux ».
Ch. du Val de Mercy, 8, promenade du Tertre, 89530 Chitry, tél. 03.86.41.48.00, fax 03.86.41.45.80 t.l.j. sf sam. dim. 8h-12h 14h-18h

**DOM. DE VAUROUX 2003** *

5 ha 18 000 5 à 8 €

Sous un regard pâle, limpide et brillant, le nez s'accorde avec la bouche. C'est déjà quelque chose ! Miel et agrumes d'un côté, de l'autre un gras qui ne pèse pas. La pointe d'amertume en finale fait partie des figures souvent imposées au chardonnay. Nous nous trouvons dans les environs de Chablis. A servir sur un poisson froid.
SCEA Dom. de Vauroux, rte d'Avallon, 89800 Chablis, tél. 03.86.42.10.37, fax 03.86.42.49.13, e-mail domaine-de-vauroux@domaine-de-vauroux.com r.-v.
O. Tricon

**DOM. VERRET** Côtes d'Auxerre 2003 **

5,29 ha n.c. 5 à 8 €

Pionnier dans ce vignoble pour la mise en bouteilles et la commercialisation directe dans les années 1950, ce domaine présente ici un vin harmonieux. Seule la finale à la queue vive demande encore à se faire. Souple à l'attaque, d'un volume estimable, il est destiné à une grillade cet automne. La robe est profonde et le nez subtil sur le fruit rouge assez frais. Présenté au grand jury des coups de cœur, il a manqué de peu l'honneur suprême du Guide.
Dom. Verret, 7, rte de Champs, BP 4, 89530 Saint-Bris-le-Vineux, tél. 03.86.53.31.81, fax 03.86.53.89.61, e-mail dverret@domaineverret.com t.l.j. sf dim. 8h-12h 14h-18h

**DOM. ALAIN VIGNOT** Côte Saint-Jacques 2003 *

7 ha 30 000 5 à 8 €

2 000 ha dans le Jovinien à la fin du XIXᵉs., quelques dizaines de nos jours, la vigne a repris espoir depuis une vingtaine d'années. Cette Côte Saint-Jacques témoigne de la renaissance du pinot noir. Rubis brillant, ce vin évoque au nez le kirsch, le noyau de cerise. Sa tenue en bouche ne manque ni de corps (tanins un peu austères sur la fin) ni d'esprit (bonne acidité). A l'automne, sa finale devrait s'être adoucie et offrir bien du plaisir. A servir chambré.
Alain Vignot, 16, rue des Prés, 89300 Paroy-sur-Tholon, tél. 03.86.91.03.06, fax 03.86.91.09.37 r.-v.

**DOM. ELISE VILLIERS** Vézelay Le Clos 2003 *

1,2 ha 3 500 5 à 8 €

Saint Bernard avait-il bu un verre de Vézelay le jour où il prêcha ici la croisade ? Sa règle en tout cas l'y eût autorisé. La robe de ce 2003 est claire, sans reflets. Le nez fin est agréable. La bouche en accord, assez riche cependant, offre un beau retour en finale. Pierre-Perthuis est un village très pittoresque de la vallée de la Cure.
Elise Villiers, Précy-le-Moult, Pierre-Perthuis, 89450 Vézelay, tél. et fax 03.86.33.27.62 r.-v.

# Bourgogne-grand-ordinaire

En réalité, les appellations bourgogne-ordinaire et bourgogne-grand-ordinaire sont très peu usitées. Lorsqu'on les utilise, on néglige le plus souvent celle de bourgogne-grand-ordinaire. Certains terroirs un peu en marge du grand vignoble peuvent toutefois y produire d'excellents vins à des prix très abordables. Pratiquement tous les cépages de la Bourgogne peuvent contribuer à la production de ce vin, qui peut se trouver en blanc, en rouge et en rosé ou clairet.

En blanc, les cépages seront essentiellement le chardonnay et l'aligoté ; le sacy (uniquement dans le département de l'Yonne) était essentiellement cultivé dans tout le Chablisien et dans la vallée de l'Yonne, pour produire des vins destinés à la prise de mousse et exportés ; depuis l'avènement du crémant-de-Bourgogne, il est autorisé pour cette appellation. Le melon, dont il n'existe plus que quelques vestiges en Bourgogne, est le cépage du muscadet.

En rouge et rosé, les cépages bourguignons traditionnels, gamay noir et pinot noir, sont les principaux. Dans l'Yonne encore, on peut utiliser le césar, qui est réservé au bourgogne, surtout à Irancy, et le tressot, qui ne figure que dans les textes mais plus jamais sur le terrain... C'est dans l'Yonne, et plus particulièrement à Coulanges-la-Vineuse, que l'on rencontre les meilleurs vins de gamay, sous cette appellation. La production de cette AOC a atteint 7 345 hl en 2004.

### FRANCK CHALMEAU 2003

0,55 ha 1 820 3 à 5 €

L'oiseau rare : un sacy 100 %. Naguère rival du chardonnay en Chablisien, ce cépage ne subsiste plus qu'à Chitry (Auxerrois). Il entre dans le vin de Saint-Pourçain sous le nom de tressalier. On l'utilisait autrefois en Bourgogne pour la production d'effervescents champenois ou allemands. Goûtez donc cette curiosité friande et abricotée, un tantinet muscatée : elle a droit en blanc à l'appellation bourgogne-grand-ordinaire. Il serait regrettable de voir s'éteindre cette espèce menacée.

Franck Chalmeau,
20, rue du Ruisseau, 89530 Chitry-le-Fort,
tél. 03.86.41.42.09, fax 03.86.41.46.84 r.-v.

### DOM. ALAIN JEANNIARD 2003 **

0,12 ha 450 8 à 11 €

Tout nouveau domaine né en 2000 qui réussit fort bien un bourgogne-grand-ordinaire comme il en reste peu ! Bien marqué par son millésime, vendangé le 2 septembre, il porte une robe profonde à reflets violacés. Le boisé vanillé se marie aux fruits compotés, à la mûre, que l'on retrouve dans une bouche généreuse. Finale réglissée.

Dom. Alain Jeanniard, 4, rue aux Loups,
21220 Morey-Saint-Denis, tél. et fax 03.80.58.53.49,
e-mail domaine.ajeanniard@wanadoo.fr r.-v.

### UNIVERSITE DE BOURGOGNE 2003

0,14 ha 500 3 à 5 €

Des vignes léguées à l'université en 1917 et qui font partie de son centre expérimental auto-financé par la vente de ses vins. Tous les universitaires devraient avoir cette bouteille de gamay sur leur table de travail ! L'étiquette en latin est parfaitement à la hauteur. Une robe grenat intense, un nez de cerise, une bouche où le fruit accompagne de bons tanins : un vin de grillades.

Université de Bourgogne, 16, rue du Carré,
21160 Marsannay-la-Côte, tél. et fax 03.80.52.12.96,
e-mail sylvain.debord@u-bourgogne.fr r.-v.

## Bourgogne-aligoté

Le cépage aligoté donne des vins plus vifs et plus précoces que le chardonnay mais le terroir influe sur lui autant que sur les autres cépages. Il y a ainsi autant de profils d'aligotés que de zones où on les élabore. Les aligotés de Pernand étaient connus pour leur souplesse et leur nez fruité (avant de céder la place au chardonnay) ; les aligotés des Hautes-Côtes sont recherchés pour leur fraîcheur et leur vivacité ; ceux de Saint-Bris dans l'Yonne semblent emprunter au sauvignon quelques traces de fleur de sureau, sur des saveurs légères et coulantes. L'Aoc a produit 114 642 hl en 2004.

Le bourgogne aligoté constitue un excellent vin d'apéritif associé ou non à de la liqueur de cassis, devenant alors le célèbre « kir ». L'appellation a trouvé ses lettres de noblesse dans le petit village de Bouzeron près de Chagny (Saône-et-Loire) où elle est devenue en 2001 une appellation *village*.

### CH. DE CARY POTET Vieilles Vignes 2003 *

1,04 ha 4 800 5 à 8 €

Dans la même famille depuis le milieu du XVIIe s., cette propriété comporte vignes et château. Un vrai château tarabiscoté au fil de l'Histoire et plein de vie. Ces Vieilles Vignes de soixante-huit ans d'âge produisent un aligoté or blanc, au petit nez bien fait, typé 2003 sur des arômes de pomme verte et un prolongement plutôt sec. Bonne fin de bouche. Excellent avec un jambon persillé.

Charles et Pierre du Besset, Ch. de Cary Potet, rte de Chenevelles, 71390 Buxy,
tél. 03.85.92.14.48, fax 03.85.92.11.88,
e-mail cary-potet@wanadoo.fr r.-v.

### UNION DES VITICULTEURS DE CHABLIS 2003 *

16,74 ha 50 000 5 à 8 €

Sur ses 1 200 ha, la coopérative La Chablisienne n'est pas très abondamment pourvue en aligoté. Mais il est sympathique ! En robe tendre, il se laisse guider par les agrumes. Sa bouche est moyennement vive (le millésime), gentiment parfumée et fruitée. A servir aujourd'hui.

Union des Viticulteurs de Chablis,
8, bd Pasteur, BP 14, 89800 Chablis,
tél. 03.86.42.89.89, fax 03.86.42.89.90,
e-mail chab@chablisienne.fr r.-v.

### YVES CHALEY Vieilles Vignes 2003 **

1,21 ha 6 000 8 à 11 €

Les cloches de Saint-Saturnin n'ont pas fini de sonner ! Yves Chaley, il est vrai, n'est pas n'importe qui. Sous son toit il a servi lui-même son aligoté au prince Charles d'Angleterre venu taquiner l'aquarelle. Il fait les vignes de l'universitaire œnologue Michel Feuillat. Et à son habitude il indique, et c'est exceptionnel, les clones qu'il a convoqués : 263, 264 et 591. Limpide et clair, le nez percutant sur le minéral et accommodant avec les agrumes, il n'est pas très vif (vendange le 25 août) mais sa bouche est charmante (nuances d'abricot et de réglisse en finale).

Product of France
Bourgogne Aligoté
Appellation Contrôlée
2003
2003
Yves Chaley
mis en bouteille au domaine
Propriétaire-Viticulteur à Curtil-Vergy, 21220 Gevrey-Chambertin, France
11,5% vol.
75 cl


SCEA Yves Chaley et Fille, Dom. du Val-de-Vergy, rue Guillaume-de-Tavanes, 21220 Curtil-Vergy, tél. 03.80.61.43.81, fax 03.80.61.42.79, e-mail hotel.manasses@freesurf.fr
t.l.j. 8h-12h 14h-19h; f. 15 déc.-15 fév.

### DOM. CHARACHE BERGERET
Vieilles Vignes 2003 *

4 ha 3 500 5 à 8 €

Pittoresque village sur les hauteurs de Beaune, rendu célèbre par une gaillarde chanson populaire, Bouze offre une patrie à l'aligoté. Or clair, celui-ci tourne autour du végétal et des agrumes. Tendre et bien typé pour l'année, classique en un mot, il est pur et plaisant. Si vous connaissez la chanson, il ne vous encornera pas.

Dom. Charache-Bergeret, chem. de Bière, 21200 Bouze-lès-Beaune, tél. et fax 03.80.26.00.86
r.-v.

### LOUIS CHENU PERE ET FILLES 2003

0,43 ha 3 800 5 à 8 €

Père et Filles : elles sont deux et ont repris le domaine familial en 2005. Leur 2003 a de la robe, on ne s'en étonnera pas. Au nez on discerne le citron dans un environnement végétal. Le vin attaque au charme et possède un bon fruit en bouche, une vivacité correcte, un peu masquée par la puissance. Car il a les reins solides et les épaules assez larges. Pour un poisson mayonnaise.

Louis Chenu et Filles, 12, rue Joseph-de-Pesquidoux, 21420 Savigny-lès-Beaune, tél. et fax 03.80.26.13.96, e-mail juliette@louischenu.com
t.l.j. 9h-12h 14h-18h

### RAOUL CLERGET 2003 *

n.c. 10 000 5 à 8 €

La famille alsacienne Tresch a repris cette maison. Il est vrai que les épousailles du vin d'Alsace et du vin de Bourgogne ont été célébrées le 7 novembre 1953 au Clos de Vougeot, sous la bénédiction posthume de Hansi. Jaune pâle, noisette et pierre à fusil, ce vin a toute la bonhomie de l'appellation. Sans négliger aucun de ses devoirs (attaque franche, acidité suffisante pour assurer le mordant d'un petit vent de Saint-Valentin, fraîcheur fruitée), il ne se prend pas trop au sérieux.

Raoul Clerget, chem. de la Pierre-qui-Vire, 21200 Montagny-lès-Beaune, tél. 03.80.26.37.37, fax 03.80.24.14.81, e-mail contacts@tresch.fr
Tresch SA

### GERARD DOREAU 2002 **

0,4 ha 2 500 3 à 5 €

Ce 2002 tout en vivacité, sec, aigu comme le silex, bon enfant, un rien impertinent, s'offre même le luxe de reflets verts empruntés au chardonnay. L'excellente impression en début de bouche ne varie pas. Quelques notes grillées rappellent son élevage en fût (douze mois).

Gérard Doreau, rue du Dessous, 21190 Monthélie, tél. 03.80.21.27.89, fax 03.80.21.62.19 r.-v.

### DOM. DUPASQUIER ET FILS 2003

1,89 ha 10 000 3 à 5 €

Bouteille nuitonne paille clair à reflets verts, bouquetée (florale et minérale). Sa bouche est souple, douce, dans le style des raisins 2003 (franchise et maturité). Vin léger, prêt à être servi avec des charcuteries pas trop pimentées.

SCEA Dom. Dupasquier et Fils, 47 bis, rue Henri-Challand, 21700 Nuits-Saint-Georges, tél. 03.80.61.13.78, fax 03.80.61.05.08, e-mail dupasquier.domaine@wanadoo.fr r.-v.

### DOM. FILLON ET FILS 2004 *

10,5 ha 30 000 3 à 5 €

Quand ils font des infidélités à leur sauvignon, les vignerons de Saint-Bris se tournent volontiers vers l'aligoté. Ses reflets or argenté, son nez de citron vert décorent ici un palais d'une verdeur sympathique et conforme à l'appellation. La minéralité offre une touche de complexité. En apéritif avec des gougères.

Dom. Fillon, 53, rue Bienvenu-Martin, 89530 Saint-Bris-le-Vineux, tél. 03.86.53.30.26, fax 03.86.53.63.88 r.-v.

### DOM. JEAN FOURNIER
Vieilles Vignes des Champforey 2003 *

2 ha 4 000 5 à 8 €

Champforey est un *climat* de Marsannay-la-Côte qui, comme la chèvre de M. Seguin, a vaillamment résisté à la marée du béton grimpant. Alors qu'un grand débat agite la commune sur une « urbanisation » croissante, cette bouteille fait valoir les droits de la nature et d'un environnement bien compris. Avec beaucoup de rondeur et de gras (millésime) et un rappel en bouche des notes végétales et minérales du nez, il est évidemment atypique mais fort bien fait. Disons même ciselé pour des cuisses de grenouilles.

Dom. Jean Fournier, 34, rue du Château, 21160 Marsannay-la-Côte, tél. 03.80.52.24.38, fax 03.80.52.77.40, e-mail domaine.jean.fournier@wanadoo.fr r.-v.

### DOM. MARC GAUFFROY 2002

1,02 ha 1 400 3 à 5 €

Un aligoté signé par un domaine murisaltien : on s'attend à caresser un gros chat qui ronronne... Celui-ci a des griffes, même si elles sont un peu limées. Or blanc limpide, sa fraîcheur et son fruit équilibrent un nez légèrement toasté (quinze mois sous bois, ce qui est rare dans l'appellation). Pas mal et à boire maintenant.

Marc Gauffroy, 4, rue du Pied-de-la-Forêt, 21190 Meursault, tél. et fax 03.80.21.21.09 r.-v.

### DOM. GLANTENET Vieilles Vignes 2003 *

8,47 ha 2 500 3 à 5 €

Vous connaissez la chanson. « Qu'est-ce qu'on attend pour être heureux ? » Cette bouteille sans doute. Elle nous arrive du poste-frontière entre les Hautes-Côtes de Nuits et celles de Beaune : une vraie terre d'aligoté, donnant ici

un vin à l'acidité discrète bien fondue, délicatement citronnée. La pierre à fusil et l'amande prennent en charge le bouquet. Peu de robe, mais juste assez. Mise en bouteilles à la propriété depuis 1999.
Dom. Glantenet Père et Fils, rue de l'Aye, 21700 Magny-lès-Villers, tél. 03.80.62.91.61, fax 03.80.62.74.79, e-mail domaine.glantenet@wanadoo.fr
t.l.j. sf dim. 9h-12h 13h30-17h30

## GRIFFE 2003

4,84 ha 5 000 5 à 8 €

Aligoté auxerrois à la robe légèrement soutenue. D'intensité moyenne, son nez butine de fleur en fleur. Pourvu d'un équilibre honorable, assez long, il est calme et serein. Près de 5 ha sur les 13 ha que compte le domaine : on connaît ici le sujet.
EARL Griffe, 15, rue du Beugnon, 89530 Chitry, tél. 03.86.41.41.06, fax 03.86.41.47.36, e-mail domaine.griffe@wanadoo.fr r.-v.

## GILLES JOURDAN 2003

0,25 ha 2 200 5 à 8 €

S'il nous vient de la Côte des Pierres en Nuits et de Beaune, ce vin n'a pas trop le côté silex, caillou tranchant. L'année lui insuffle du gras, de la chaleur. Les arômes floraux sont au rendez-vous sous des abords or cristallin. C'est en attaque qu'il est le plus efficace.
Dom. Gilles Jourdan, 114, Grande-Rue, 21700 Corgoloin, tél. 03.80.62.76.31, fax 03.80.62.98.55, e-mail domaine.jourdan@wanadoo.fr r.-v.

## DOM. JOSEPH LAFOUGE ET FILS 2003 ★★

1,41 ha 2 600 5 à 8 €

Enfant des Hautes-Côtes de Beaune, il recevrait la médaille d'argent si nous étions aux JO. Son jaune très pâle annonce un premier nez discret, qui s'ouvre peu à peu sur la fleur blanche, le tilleul. Un peu chaud (vendange le 27 août), mais la brise du printemps passe là-dessus. Franc et simple, c'est un aligoté de table dont la seule présence aromatique fera sortir les escargots de leurs coquilles.
Dom. Joseph Lafouge et Fils, Marchezeuil, 21340 Changé, tél. 03.85.91.12.16, fax 03.85.91.17.25
r.-v.

## LAMBLIN ET FILS 2003 ★

n.c. 15 000 3 à 5 €

Sous des traits argentés brillants et clairs, il fait la fine bouche de façon franche et directe. Vif et minéral, sa typicité est bien marquée. Son bouquet penche du côté floral. Les fruits de mer l'attendent.
Lamblin et Fils, Maligny, 89800 Chablis, tél. 03.86.98.22.00, fax 03.86.47.50.12, e-mail infovin@lamblin.com
t.l.j. sf dim. 8h-12h30 14h-17h; sam. 8h-12h30

## VIGNERONS DE MANCEY 2004 ★

n.c. 5 000 5 à 8 €

Nous sommes ici à mi-chemin entre la Côte chalonnaise et le Mâconnais, là où les aïeux de Jean-Louis Barrault étaient vignerons. L'air ambiant réveille l'ardeur de ce vin et donne de l'élan à des arômes intéressants. Or argenté, il nuance sa fraîcheur florale de quelques fruits secs. Le corps est assez riche et d'une bonne harmonie.
Cave des vignerons de Mancey, BP 100, RN 6, 71700 Tournus, tél. 03.85.51.00.83, fax 03.85.51.71.20
t.l.j. 8h-12h 14h-18h

## DOM. DES MOIROTS 2003 ★

0,32 ha 2 800 5 à 8 €

Jaune soutenu, il provient de la Côte chalonnaise. Porté sur le fruit jaune, il maintient le cap sur cette couleur. La bouche suit le mouvement. Dans les limites de vivacité des 2003 et néanmoins agréable. Sa petite note d'amertume s'accompagne d'une longueur satisfaisante. Plutôt destiné à un poisson à la crème.
Lucien et Christophe Denizot, Dom. des Moirots, 14, rue des Moirots, 71390 Bissey-sous-Cruchaud, tél. 03.85.92.16.93, fax 03.85.92.09.42, e-mail lucien.denizot@wanadoo.fr r.-v.

## CHRISTIAN MORIN 2003

2,2 ha 10 000 3 à 5 €

Jolie robe de printemps. Au nez, on croit entendre Sidney Bechet jouer *Petite Fleur*. Joue contre joue, la fleur et le fruit dansent un slow très tendre. Il chardonne un peu, cet aligoté qui n'est pas chablisien pour rien. Cela dit, sa finesse surprend agréablement.
Christian Morin, 17 et 28, rue du Ruisseau, 89530 Chitry-le-Fort, tél. 03.86.41.44.10, fax 03.86.41.48.21 r.-v.

## OLIVIER MORIN 2003

2 ha 10 000 3 à 5 €

Très légèrement doré, cet aligoté auxerrois n'a pas énormément de bouquet mais il sait y glisser quelques fleurs blanches. Un petit goût de raisin sec, pas trop d'acidité (encore que...) pour un résultat convenable sur un mode assez simple. Il ne fait pas de chichi et n'est pas cher non plus. Un blanc de charcuterie.
Olivier Morin, 2, chem. du Vaudu, 89530 Chitry, tél. et fax 03.86.41.47.20, e-mail morin.chitry@wanadoo.fr r.-v.

## PATRIARCHE PERE ET FILS
Terroirs et secrets de Bourgogne 2003 ★

n.c. 60 000 8 à 11 €

N'eût été son prix, assez élevé par rapport à la moyenne, cette bouteille réunirait presque toutes les qualités. Sa jeunesse saute aux yeux. L'amande et la fleur blanche lui offrent de bonnes bases aromatiques. Le fruit mûr installé en bouche évite tout excès de vivacité. On y découvre même un rien de complexité.
Patriarche Père et Fils, 5, rue du Collège, 21200 Beaune, tél. 03.80.24.53.01, fax 03.80.24.53.03
t.l.j. 9h30-11h30 14h-17h30

## DOM. GERARD PERSENOT 2004

6 ha 56 000 5 à 8 €

Clair et net, simple et fin, d'une bonne tenue en bouche, il est souple, léger, rapide. N'est-ce pas là tout le vin d'apéritif, appelant de ses vœux la gougère onctueuse, croustillante et tiède ? Bon exemple de l'aligoté icaunais (ce mot signifie : de l'Yonne).



BOURGOGNE

🔑 EARL Gérard Persenot, 20, rue de Gouaix, 89530 Saint-Bris-le-Vineux, tél. 03.86.53.61.46, fax 03.86.53.61.52, e-mail gerard@persenot.com
t.l.j. sf dim. 9h-12h 14h-19h

### GUY SIMON ET FILS 2003 *

3 ha 3 000 5 à 8 €

Un vin qu'on pourrait conseiller comme le premier verre avant de passer à table, celui qui désengourdit les papilles. Brillant, très floral, il est bien rond et bien vif comme il faut. Un modèle d'équilibre pour le millésime et la typicité des Hautes-Côtes de Nuits.

🔑 Guy Simon et Fils, 21700 Marey-lès-Fussey, tél. 03.80.62.91.85, fax 03.80.62.71.82 r.-v.

### DOM. SORIN DE FRANCE 2003

11,45 ha 90 000 3 à 5 €

Les records bourguignons de chaleur ont été atteints en 2003 dans le Chablisien et l'Auxerrois (tout près de 42 °C !). Vendange ici le 25 août sur 11,5 ha (le domaine en compte 39), dans cette petite région de l'Yonne. Agréable à la vue, plaisant au nez, il est évidemment d'un caractère assez mûr mais équilibré.

🔑 Dom. Sorin-Defrance, 11 bis, rue de Paris, 89530 Saint-Bris-le-Vineux, tél. 03.86.53.32.99, fax 03.86.53.34.44 t.l.j. 8h-12h 14h-18h

🔑 Jean-Michel Sorin

### DOM. ROLAND SOUNIT 2003 *

0,88 ha 8 000 5 à 8 €

Toute la question est là : un aligoté peut-il s'abandonner quelque peu à la volupté au lieu de se montrer nerveux et aimablement agressif ? Oui, si c'est un 2003. La maturité élevée de la vendange (25 août en Côte chalonnaise) réduit en effet l'acidité et favorise le moelleux. Doré pâle, un peu miellé, il est assurément atypique tout en se rangeant dans la catégorie du vin plaisir.

🔑 SCEA Dom. Roland Sounit, rte de Monthélie, 21190 Meursault, tél. 03.80.21.22.45, fax 03.80.21.28.05

### DOM. DES TROIS CROIX Vieilles Vignes 2003

4,5 ha 24 000 5 à 8 €

Six mois de cuve, autant de fût pour un aligoté assez aérien. D'une teinte claire, il fait penser à la noisette grillée, à l'herbe fraîchement coupée. L'acidité ne domine pas et le millésime apporte du gras. Il provient sans doute des Hautes-Côtes de Nuits.

🔑 Dom. des Trois Croix, Chem. rural 59, 21700 Nuits-Saint-Georges, tél. 03.80.62.42.00, fax 03.80.61.28.13, e-mail nuicave@wanadoo.fr t.l.j. 10h-18h; f. jan.

### DOM. VOARICK 2003

n.c. n.c. 5 à 8 €

Récolte du Domaine Voarick (Côte chalonnaise) dont Michel Picard assure l'exploitation. Couleur pâle, le nez bourgeonnant un peu sur le cassis (il sauvignonne, dirait-on à Saint-Bris) et une excellente acidité. Cette verve, cette verdeur de tempérament font partie des charmes du cépage. De beaucoup préférable à ces vins pommadés que la technologie nous sert quelquefois sous cette appellation.

🔑 Maison Michel Picard, 5, rue du Château, 21190 Chassagne-Montrachet, tél. 03.80.21.98.63, fax 03.80.21.97.83, e-mail francine.picard@m-p.fr r.-v.

# Bourgogne-passetoutgrain

Appellation réservée aux vins rouges et rosés à l'intérieur de l'aire de production du bourgogne-grand-ordinaire, ou d'une appellation plus restrictive à condition que les vins proviennent de l'assemblage de raisins issus de pinot noir et gamay noir ; le pinot noir doit représenter au minimum le tiers de l'ensemble. Il est courant de constater que les meilleurs vins contiennent des quantités identiques de raisin de chacun des deux cépages, voire davantage de pinot noir.

Les vins rosés sont obligatoirement obtenus par saignée : ce sont donc des rosés macérés, par opposition aux « gris » obtenus par pressurage direct de raisins noirs et vinifiés comme des vins blancs. La production de passetoutgrain rosé est très faible ; c'est surtout en rouge que cette appellation est connue. Elle est produite essentiellement en Saône-et-Loire (environ les deux tiers), le reste en Côte-d'Or et dans la vallée de l'Yonne. Les vins sont légers et friands, et doivent être consommés jeunes.

### CONFURON-COTETIDOT 2002

1,7 ha n.c. 15 à 23 €

Même lorsqu'il vient au monde à Vosne-Romanée, ne vous attendez pas à voir ce vin en tenue de soirée et pourvu d'un monocle. Le passetoutgrain, c'est d'abord le bon gars. Coloré, épicé, celui-ci rappelle la confiture de vieux garçon. L'humus aussi. Assez boisé, le pinot dominant, il est costaud et vineux. Bien dans ses bottes.

🔑 Confuron-Cotetidot, 10, rue de la Fontaine, 21700 Vosne-Romanée, tél. 03.80.61.03.39, fax 03.80.61.17.85 r.-v.

### CAVE DE GENOUILLY 2003

8 ha 40 000 3 à 5 €

Fondée en 1932, cette cave, située en Saône-et-Loire, regroupe 90 ha de vignes pour quelque 80 adhérents. Son passetoutgrain se présente sous une robe rubis à frange violine. Les arômes du nez un peu surmaturés et confits se confirment à l'aération : effet du millésime. Les tanins vigoureux et une certaine rudesse de caractère sont à vrai dire le propre de cette appellation.

🔑 Cave des vignerons de Genouilly, allée du 19-Mars-1962, 71460 Genouilly, tél. 03.85.49.23.72, fax 03.85.49.23.58, e-mail vigneronsgenouilly@wanadoo.fr
t.l.j. sf dim. 8h-12h 14h-18h

### DOM. HUBER-VERDEREAU 2003

0,45 ha 2 200 5 à 8 €

Rubis bien vif, il porte un parfum pour homme qui paraît... bien féminin. Confiture de fraises tout juste sortie du chaudron, pourrait-on dire. Avec un je-ne-sais-quoi rappelant la menthe. N'en soyez pas surpris : Camille Rodier, fondateur de la Confrérie des Chevaliers du tastevin, la distingue dans un grand clos-de-vougeot ! Ici

le pinot prend l'avantage sur le gamay (60/40 %) : l'âpreté de la grappe ne l'empêche pas d'être goûteux et sympathique, avec du gras et un fond consistant.
Dom. Huber-Verdereau, rue de la Cave, 21190 Volnay, tél. 03.80.22.51.50, fax 03.80.22.48.32, e-mail huber.verdereau@huber-verdereau.com r.-v.
Th. Huber

### VIGNERONS DE MANCEY 2003 *

■ n.c. 8 000 5 à 8 €

Deux tiers de gamay, un tiers de pinot, la formule est heureuse. Le teint violacé de ce passetoutgrain respire la santé. Pour la griotte et la mûre, il a le nez large. L'attaque est souple, le volume et le fruit calés en milieu de bouche, les tanins présents et caractéristiques de l'AOC. Produit dans les environs de Tournus, il nous rappelle que Mancey fut en Bourgogne le premier village frappé par le phylloxéra. Il s'en est bien remis, mais au prix de grands efforts.
Cave des vignerons de Mancey, BP 100, RN 6, 71700 Tournus, tél. 03.85.51.00.83, fax 03.85.51.71.20 t.l.j. 8h-12h 14h-18h

### DOM. DES MARGOTIERES
La Fontaine de Pichotot 2002

■ 5 ha 20 000 3 à 5 €

« La Fontaine de Pichotot » : ce nom de fantaisie pourrait être le titre d'un roman d'une veine populaire... Carmin profond, moyennement brillant, son style est en effet rustique, assez friand, typé passetoutgrain léger mais équilibré. Pinot et gamay à 50/50, il joue au centre et s'en porte bien. Pour des œufs en meurette.
Dom. des Margotières, imp. du Clou, 21190 Saint-Romain, tél. 03.80.21.24.40, fax 03.80.21.64.87, e-mail contact@domaine-margotieres.com r.-v.
Monica Buisson

### HERVE SANTE Vignoble de Sommeré 2003 *

■ 0,5 ha 1 800 3 à 5 €

Près du château de Monceau où Lamartine, le regard caressant le vignoble mâconnais, écrivit son... *Histoire des Girondins*, ce passetoutgrain (mi-gamay, mi-pinot) sait faire la part des choses. Son millésime l'habille d'un rouge grenat soutenu, l'enveloppe d'un parfum de fruits cuits et lui donne un corps assez mûr. Ses rondeurs reposent sur un socle solide. Un peu de chaleur et beaucoup de fruit dans l'arrière-bouche après un épisode charnu.
Hervé Santé, Sommeré, 71960 La Roche-Vineuse, tél. 03.85.37.80.57, fax 03.85.37.64.13, e-mail domaine.sante@wanadoo.fr t.l.j. 8h-12h 14h-19h

### DOM. DES VIGNES DES DEMOISELLES 2003 *

■ 1,45 ha 7 300 3 à 5 €

Cette famille s'est déplacée de 4 km seulement en quatre siècles... C'est dire si elle est attachée aux Hautes-Côtes de Beaune ! Proportion classique (67 % gamay, 33 % pinot) pour un vin très coloré, passant agréablement de la groseille à un parfum réglissé. Sa bouche est gérée en bon père de famille, comme au temps où une certaine austérité forgeait le caractère. Structure très correcte et longueur appréciable. Pour un pot-au-feu à l'automne 2006.
Dom. Gabriel Demangeot et Fils, rue de Santenay, 21340 Change, tél. 03.85.91.11.10, fax 03.85.91.16.83, e-mail contact@demangeot.fr r.-v.

## Bourgogne-hautes-côtes-de-nuits

Dans le langage courant et sur les étiquettes, on utilise le plus fréquemment « bourgogne-hautes-côtes-de-nuits » pour les vins rouges, rosés et blancs produits sur seize communes de l'arrière-pays, ainsi que sur les parties de communes situées au-dessus des appellations communales et des crus de la Côte de Nuits. Cette production a augmenté de manière importante depuis 1970, date avant laquelle ce secteur proposait surtout des vins plus régionaux, bourgogne-aligoté essentiellement. Le vignoble s'est reconverti à ce moment-là et des terrains, plantés avant le phylloxéra, ont été reconquis. Ces vignobles ont donné 25 210 hl de vin rouge et 6 562 hl en blanc en 2004.

Les coteaux les mieux exposés donnent certaines années des vins qui peuvent rivaliser avec des parcelles de la Côte, notamment en blanc avec le chardonnay qui, d'un millésime à l'autre, donne des vins d'une meilleure régularité que le pinot noir. A l'effort de reconstitution du vignoble a été associé un effort touristique qu'il faut souligner, avec en particulier la construction d'une maison des Hautes-Côtes où sont exposées les productions locales – dont les liqueurs de cassis et de framboise – que l'on peut déguster avec la cuisine régionale.

### JACQUES CACHEUX ET FILS Bec à vent 2003 *

■ 1,09 ha 3 000 8 à 11 €

Bec à vent, quel drôle de nom pour ce vin ! Cela dit, jouez hautbois et résonnez musette : il nous invite à la danse. Rouge presque mauve, intensément fruits mûrs, il possède des tanins encore jeunes mais bien affinés. Une petite pointe réglissée ajoute à son charme. Assez boisé, il a cependant besoin de vieillir deux à trois ans afin d'être tout à fait libre de ses mouvements.
Jacques Cacheux et Fils, 58, route Nationale, 21700 Vosne-Romanée, tél. 03.80.61.01.84, e-mail cacheuxjetfils@wanadoo.fr r.-v.

### YVES CHALEY
Cuvée de la Tour Saint-Denis Vieilles Vignes 2003

■ 6,38 ha 25 000 15 à 23 €

Ayant reçu à coucher sous son toit le prince Charles d'Angleterre venu peindre des aquarelles dans les Hautes-Côtes, Yves Chaley n'est pas peu fier – non plus – de sa cuvée de la Tour Saint-Denis : un coteau qu'il a replanté sous ce vestige de l'ancienne collégiale de Vergy. Rouge sur toute la ligne (robe vive et petits fruits épicés), un 2003 franc et équilibré, de longueur moyenne. Dans un cadre des plus reposant, vous pourrez apprécier ce vin et autres produits du terroir, et séjourner dans l'une des douze chambres de leur hôtel.

SCEA Yves Chaley et Fille, Dom. du Val-de-Vergy, rue Guillaume-de-Tavanes, 21220 Curtil-Vergy, tél. 03.80.61.43.81, fax 03.80.61.42.79, e-mail hotel.manasses@freesurf.fr
t.l.j. 8h-12h 14h-19h; f. 15 déc.-15 fév.

R. DUBOIS ET FILS 2003 *

1 ha 9 000 5 à 8 €

Virgile le remarquait déjà, la vigne aime les collines. On la sent heureuse dans ce paysage et s'il y a des strates de laves dans le sol et le sous-sol, aucun volcan n'est en cause. On appelle ainsi les grandes pierres plates calcaires qui servaient jadis à couvrir les toits. Ce vin né du chardonnay y puise son côté minéral. Son nez détient d'autres ressources, comme la prunelle et la pâte d'amandes. Franchise et fraîcheur sont ses atouts, sur une constitution élégante.

Dom. Régis Dubois et Fils, rte de Nuits-Saint-Georges, 21700 Premeaux-Prissey, tél. 03.80.62.30.61, fax 03.80.61.24.07, e-mail rdubois@wanadoo.fr
t.l.j. 8h-11h30 14h-17h30; sam. dim. sur r.-v.

DOM. YVAN DUFOULEUR
Les Dames Huguette 2003 *

1,3 ha 6 000 11 à 15 €

Yvan Dufouleur s'occupe également des domaines Guy Dufouleur (depuis 1984) et de Barbier et Fils (depuis 1995). Les Dames Huguette sont probablement le *climat* le plus connu des Hautes-Côtes de Nuits, situé sur la commune même de Nuits, sur ses hauteurs. Cerise foncé, ce vin assez boisé sur fond animal montre beaucoup de tonus en bouche. Il est préférable d'attendre le reflux de la vanille, disons deux ans. Le **blanc 2003 Dames Huguette** obtient également une étoile. Il est frais, boisé dès le premier nez mais sa bonne acidité le porte.

Dom. Yvan Dufouleur, 18, rue Thurot, 21700 Nuits-Saint-Georges, tél. et fax 03.80.62.31.00, e-mail gaelle.dufouleur@21700-nuits.com
t.l.j. sf dim. 10h-18h

DOM. FRANCOIS GERBET Vieilles Vignes 2003 *

6,4 ha 15 000 8 à 11 €

Originaire des Hautes-Pyrénées, François Gerbet arrive à Vosne en septembre 1944 avec l'armée De Lattre. Une jeune fille lui sourit. C'est ainsi qu'il devint vigneron. Ces parcelles ont été conquises par lui sur des friches à Concœur, hameau de Nuits. D'une teinte foncée, un beau vin au bouquet riche et complexe, ample et mûr comme les 2003 quand ils ont de l'ambition. Et là, c'est le cas.

Marie-Andrée et Chantal Gerbet, Maison des Vins, pl. de l'Eglise, 21700 Vosne-Romanée, tél. 03.80.61.07.85, fax 03.80.61.01.65, e-mail vins.gerbet@wanadoo.fr r.-v.

XAVIER GIRARDIN La Croix basse 2003 *

0,29 ha 1 500 8 à 11 €

Motivé, Xavier Girardin l'est assurément. En quelques années, il est passé de 0,50 ha à 3,50 ha et il tient bon le cap. On a ici l'exemple d'une jolie vinification : reflets violets pleins d'ardeur, cassis enveloppant le fût, fruits rouges expressifs et culminants en milieu de bouche. Ce 2003 a assez d'entrain pour nous faire croire à l'histoire.

Xavier Girardin, rue des Magniens, 21700 Arcenant, tél. 06.80.04.89.93, fax 03.80.61.37.26, e-mail xavier.girardin@wanadoo.fr r.-v.

DOM. ANNE GROS Cuvée Marine 2003 *

1,01 ha 5 100 11 à 15 €

Cette cuvée Marine a les pieds bien sur terre. D'un jaune soutenu légèrement doré, elle a le nez « noisetté ». L'aubépine, l'acacia s'y associent. L'impression en bouche est généreuse, assez complète. La persistance est un peu vanillée et un petit quelque chose de minéral nous rappelle que la roche est née d'une mer polynésienne il y a... cent cinquante millions d'années il est vrai.

Dom. Anne Gros, 11, rue des Communes, 21700 Vosne-Romanée, tél. 03.80.61.07.95, fax 03.80.61.23.21 r.-v.

DOM. MICHEL GROS 2003 **

8 ha 29 000 8 à 11 €

La famille Gros (de Vosne) a été l'une des premières dans la Côte à s'intéresser aux Hautes-Côtes. Au début des années 1970, Jean (père de Michel) a remis en valeur 10 ha d'un seul tenant à Chevrey, hameau d'Arcenant. Un premier coup de cœur dans l'édition 1999, un second cette année. Rouge violine, cette bouteille n'est guère bavarde mais elle impressionne par sa profondeur. Nez subtilement porté sur la violette et le cassis, puis une bouche assez tannique au bons sens du mot, car elle pinote bien, phénoménalement longue et esquissant la queue de paon.

SARL Dom. Michel Gros, 7, rue des Communes, 21700 Vosne-Romanée, tél. 03.80.61.04.69, fax 03.80.61.22.29 r.-v.

DOM. GROS FRERE ET SŒUR 2003 *

9 ha 23 000 8 à 11 €

Coup de cœur dans notre précédente édition, et cette fois encore une excellente bouteille rubis limpide. Puissante, elle pratique une attaque sincère, puis elle s'épanouit dans la soie de ses tanins et le velours de son fruit. L'élevage ne domine pas ses arômes de fruits des bois : trois mois de cuve et douze mois de fût, la formule est heureuse.

Dom. Gros Frère et Sœur, 6, rue des Grands-Crus, 21700 Vosne-Romanée, tél. 03.80.61.12.43, fax 03.80.61.34.05, e-mail bernard.gros2@wanadoo.fr r.-v.
Bernard Gros

DOM. JEAN GUY-PIERRE ET FILS
Les Dames Huguettes 2003 **

7,18 ha 30 000 11 à 15 €

Classée numéro deux de la dégustation, la bouteille confirme la qualité de ce domaine coup de cœur dans le

Guide 2003. Œil, nez, bouche : notre contrôle continu accumule le « très bien ». Soutenu et concentré, c'est le millésime 2003 (vendange le 1er septembre) dans son apothéose. Bourgeon de cassis ? Les veillées dans les Hautes-Côtes jadis avaient souvent ce parfum, quand on les préparait pour Grasse. Honneur donc aux dames... Huguettes, d'autant que leurs charmes seront durables.
Dom. Jean Guy-Pierre et Fils,
rue des Caillettes, 21420 Aloxe-Corton,
tél. 03.80.26.44.72, fax 03.80.26.45.36,
e-mail domaine.guy-pierre.jean@wanadoo.fr
r.-v.

## LES CAVES DES HAUTES-COTES
Le Prieuré 2003

■ 6 ha 25 000 5 à 8 €

Reconstruit en 1724 par les moines de Saint-Vivant, le prieuré d'Arcenant a beaucoup souffert sous le poids des ans. Il reste heureusement quelque chose des cent quatre ouvrées (4,46 ha) de vigne qui l'entouraient jadis... et qui ont quelque peu grandi au fil du temps. Jeune et frais, un 2003 rouge grenat produit « à l'ancienne » dans le style des années 1980... Cela donnera d'heureuses surprises au vieillissement : le vanillé de qualité s'estompera.
Les Caves des Hautes-Côtes, rte de Pommard,
21200 Beaune, tél. 03.80.25.01.00, fax 03.80.22.87.05,
e-mail vinchc@wanadoo.fr r.-v.
Gérard Hudelot

## DOM. PATRICK HUDELOT
Les Plançons Vieilli en fût de chêne 2003 *

6 ha 10 000 5 à 8 €

En agriculture biologique depuis 1999, ce domaine familial de 30 ha propose un 2003 intéressant alliant finesse, puissance et complexité. Rien ne manque, ni l'or dans le verre, ni les parfums d'agrumes et de fruits mûrs, ni la pointe minérale que ne cache pas le fût pourtant très présent. Pour un filet de perche à la crème.
Dom. Patrick Hudelot,
rte de Segrois, 21700 Villars-Fontaine,
tél. 03.80.61.50.37, fax 03.80.61.35.53,
e-mail commercial@domaine-patrick-hudelot.com
r.-v.

## DOM. ALAIN JEANNIARD
Les Vignes blanches 2003

1,04 ha 4 800 8 à 11 €

Coup de cœur l'an dernier pour le millésime 2002, voici le suivant. Jaune doré et limpide, un 2003 au nez de pomme cuite et de fleurs blanches. Souple et franc à l'attaque, il est assez nerveux (fraîcheur citronnée) avant de laisser parler le gras en finale. Boisé sans excès. Un peu superficiel mais honnête dans ce millésime.
Dom. Alain Jeanniard, 4, rue aux Loups,
21220 Morey-Saint-Denis, tél. et fax 03.80.58.53.49,
e-mail domaine.ajeanniard@wanadoo.fr r.-v.

## OLIVIER JOUAU 2002 *

■ 4 ha 3 000 8 à 11 €

A la fin du XIXe s., une médaille d'or à Paris valut une importante réputation au vin d'Arcenant. On l'appela « le médaillé »... Ce pinot est son digne descendant. Jeune pour un 2002, réglissé et vanillé, il tire bien parti des différents traits de sa nature. Sa vivacité est ainsi équilibrée par son gras. Buvez-le tandis qu'il atteint son optimum.
Olivier Jouau, 6, rue de l'Eglise, 21700 Arcenant,
tél. 06.21.24.33.69, fax 03.80.62.39.20 r.-v.

## JEAN-PHILIPPE MARCHAND 2003 *

0,5 ha 3 000 5 à 8 €

Un 2003 paille brillant ; son nez un peu réservé évoque un fin beurré et les fruits jaunes. « Plus fait douceur que violence », nous enseigne le bon La Fontaine. Sa bouche est pleinement d'accord, tendre et agréable sur une rétro-olfaction d'aubépine. Certes, on objectera peut-être qu'il manque un peu de corps. Allons, il n'en est tout de même pas démuni !
Jean-Philippe Marchand, 4, rue Souvert,
BP 41, 21220 Gevrey-Chambertin, tél. 03.80.34.33.60,
fax 03.80.34.12.77, e-mail marchand@axnet.fr
t.l.j. sf dim. lun. 10h-18h30

## DOM. LOUIS MAX 2002

■ n.c. 17 000 23 à 30 €

Fondée en 1859 par Louis Max venu de Russie, cette maison possède les châteaux de Caraguilhes et de Pech-Latt en Corbières. L'attaque souple de ce 2002 se développe bien et le fruit (fraise) est enrobé dans un léger boisé. Sa robe est très pinot, son nez agréable et discret. La trame acide n'appelle aucune critique. Peu de matière, mais le millésime n'en portait pas énormément : simple, de bon goût.
Louis Max, 6, rue de Chaux,
BP 4, 21700 Nuits-Saint-Georges,
tél. 03.80.62.43.01, fax 03.80.62.43.16

## DOM. MOILLARD 2003 *

■ 5,07 ha 27 000 8 à 11 €

Moillard s'est intéressé assez tôt aux plantations dans le Pays de Vergy (Concœur et Villars-Fontaine). Son hautes-côtes-de-nuits ? Sous une robe soutenue, le premier nez ne demande qu'à s'ouvrir. Laissons les choses se faire et, en effet, on se trouve bientôt en compagnie d'un enfant du pays : le royal de Naples ou... cassis de Bourgogne. Quelques nuances de café. En bouche, l'acidité est la bienvenue car elle ne mord pas sur le fruit. A boire dans les deux ans. Le **Domaine Charles Thomas, Les Rèpes blanc 2003 (5 à 8 €)**, obtient une étoile. Il ne négligera pas un saumon à l'oseille. Il a la maturité du millésime mais ne manque pas de fraîcheur.
Dom. Moillard, chem. rural 59,
21700 Nuits-Saint-Georges, tél. 03.80.62.42.12,
fax 03.80.61.28.13 t.l.j. 10h-18h; f. jan.

## DOMINIQUE MUGNERET 2003 *

■ 1 ha 3 600 5 à 8 €

Infiniment de couleur et de bouquet, sur des tons classiques mais fortement portés en avant : le rubis sombre et profond à reflets grenat ; la prune et le café, les petits fruits très concentrés. La bouche est en revanche plus nuancée, équilibrée par une matière bien traitée. Riche et gourmand, ce vin possède assez d'acidité pour tenir le coup dans une atmosphère boisée. « Du vin, du vrai », note un dégustateur enthousiaste.
Christine et Dominique Mugneret,
9, rue de la Fontaine, 21700 Vosne-Romanée,
tél. 03.80.61.00.97, fax 03.80.61.24.54 r.-v.

## DOM. HENRI NAUDIN-FERRAND
Elevé en fût de chêne 2003

1,17 ha 6 700 8 à 11 €

Si la nuit du 4 août reste un grand souvenir dans les mémoires des viticulteurs des Hautes-Côtes, c'est qu'on

fêta ce soir-là les AOC nouvelles, en 1961. Aucun abandon de privilèges, bien au contraire ! Ainsi ce chardonnay revendique-t-il hautement son or lumineux aux reflets argentés, ses notes de pierre à fusil (léger fumé), son attaque sérieuse, son petit goût de noisette, sa conclusion tendre et délicate en forme de billet doux.
Dom. Henri Naudin-Ferrand, rue du Meix-Grenot, 21700 Magny-lès-Villers, tél. 03.80.62.91.50, fax 03.80.62.91.77, e-mail dnaudin@ipac.fr r.-v.

## DOM. PANSIOT Le Lieu-Dieu 2003 ★

0,6 ha 3 600 5 à 8 €

Le Lieu-Dieu est à Marey-lès-Fussey une ancienne abbaye cistercienne de femmes dont il subsiste quelques vestiges. Tout ce coteau a été replanté. D'où ce chardonnay jaune pâle, aux arômes beurrés et très fleuris, frais et minéral en bouche avec un retour toasté. Peu d'acidité (le millésime), mais plaisant et à servir dès cet automne sur un poisson ou une tourte au fromage.
Eric Pansiot, 21, imp. du Château-de-la-Chaume, 21700 Corgoloin, tél. 03.80.62.94.32, fax 03.80.62.73.14, e-mail eric.pansiot@cegetel.net r.-v.

## DOM. REMORIQUET 2003 ★

1,5 ha 8 400 8 à 11 €

Le charme du bourgogne au XVIIIe s. : plein de feu et de montant, le pied souple et léger. « Presque tout esprit », disait l'abbé Claude Arnoux dans son livre (1728). D'un rouge violacé, ce 2003 a le nez aimable mais peu expansif. Le fruit, la vanille et le silex explosent en bouche. Finale enlevée. Digne d'un magret de canard aux baies de cassis.
Dom. Remoriquet, 25, rue de Charmois, 21700 Nuits-Saint-Georges, tél. 03.80.61.08.17, fax 03.80.61.36.63, e-mail domaine.remoriquet@wanadoo.fr t.l.j. 8h-12h 14h-18h30

## LAURENT ROUMIER 2002

2 ha 6 300 8 à 11 €

Petit domaine créé il y a quinze ans avec des vignes en location sur 4,10 ha. Mais du clos-de-vougeot et des bonnes-mares aux côtés de cette appellation plus modeste ! D'un beau rouge vif, un 2002 aux accents un peu sauvages, aux notes de fruits (cassis), correctement charpenté. Il est plus souple que robuste, plus fin que concentré, bien 2002. A boire maintenant avec un petit gibier à plume.
Dom. Laurent Roumier, rue de Vergy, 21220 Chambolle-Musigny, tél. 03.80.62.83.60, fax 03.80.62.84.10 r.-v.

## DOM. SAINT SATURNIN DE VERGY 2003 ★

22 ha 85 000 5 à 8 €

Il s'agit d'une partie (31 ha) de l'ancien domaine Geisweiler et Fils à Bévy, aujourd'hui géré par l'équipe de Vincent Sauvestre (maison Jean-Baptiste Béjot à Meursault). L'église de Vergy est dédiée à saint Saturnin. La vigne haute et large donne ici un excellent pinot très violacé. La corbeille de fruits s'ouvre peu à peu et laisse surtout apparaître la cerise noire. L'extraction est importante. Ce qui, associé au millésime, conduit à un vin complet, tannique et concentré, à potentiel.
SCEA Dom. Saint Saturnin de Vergy, 7, rte de Monthelie, 21190 Meursault, tél. 03.80.21.22.45, fax 03.80.21.28.05

## GUY SIMON ET FILS 2002 ★★

0,5 ha 3 000 11 à 15 €

Guy Simon est l'un des jeunes qui ont pris une large part à la reconquête du vignoble des Hautes-Côtes de Nuits durant les années 1970. Ses 15 ha, il les a faits de ses mains et il a vraiment planté les raisins de l'espérance. Son 2002 blanc offre une belle harmonie sous une robe classique. Le minéral accompagne l'amande grillée des seize mois de fût. Souple, très floral au palais, il est « au top ».
Guy Simon et Fils, 21700 Marey-lès-Fussey, tél. 03.80.62.91.85, fax 03.80.62.71.82 r.-v.

## DOM. THEVENOT-LE BRUN ET FILS Clos du Vignon 2003 ★

1,15 ha 4 500 8 à 11 €

Domaine familial ayant contribué dès les années 1970 au réveil viticole des Hautes-Côtes. Ce Clos du Vignon est un classique de l'appellation. Jaune assez prenant, il verse de jolies larmes. Rassurez-vous : sur le verre. Amande grillée, un peu vif, il possède une réelle structure. Les grenouilles de la Dombes feront en sa présence le saut de l'ange.
Dom. Thévenot-Le Brun et Fils, 21700 Marey-lès-Fussey, tél. 03.80.62.91.64, fax 03.80.62.99.81, e-mail thevenot-le-brun@wanadoo.fr r.-v.

## AURELIEN VERDET Le Prieuré 2003 ★★

1,7 ha 8 500 5 à 8 €

Alain et Aurélien cultivent la vigne en biodynamie depuis 1971. C'est un vigneron au Prieuré qui, vers 1765, découvrit le célèbre « plant d'Arcenant » et le fit fructifier dans toute la région. On fit même une chanson en l'honneur de Jean Renevey. Mais il s'agissait alors de gamay : nous avons maintenant du pinot noir à nous mettre sous la langue. A en juger par cette bouteille serrée sur le fruit, il s'y trouve bien. Haut en couleur, il possède un bouquet où la violette cohabite avec la vanille. Beaucoup de classe en bouche. Rien d'inférieur en tout cas à un *village* de la Côte. Sous une étiquette plus classique, vous trouverez un **BHCN blanc Alain Verdet Vieilles Vignes et fût neuf 2002 (11 à 15 €)**, une étoile.
Aurélien Verdet, rue Valentin-Guillemot, 21700 Arcenant, tél. et fax 03.80.61.08.10 r.-v.

## DOM. DE LA VIGNE AU ROY L'Excellence 2003

3 ha 9 000 8 à 11 €

Maurice Eisenchteter (alors PDG de Geisweiler & Fils) a remembré naguère sept cent soixante-douze parcelles pour reconstituer le vignoble de Bévy. La vie a pris ensuite d'autres chemins, mais il fallait être pied-noir pour se lancer dans une telle entreprise. Eric Piffaut (Veuve Ambal) poursuit l'aventure. Ce vin est ferme, étoffé, embelli par des notes de kirsch et disposé à trois ou quatre ans de garde. Quant aux **Champs Bon Valot rouge 2003 (5 à 8 €)**, ils sont cités et bien dans leur millésime.
SCEA Dom. de la Vigne au Roy, rue de la Vigne-au-Roy, 21220 Bévy, tél. et fax 03.80.61.44.87 r.-v.
SA Veuve Ambal

## CH. DE VILLARS-FONTAINE Les Jiromées 2002 ★

2,2 ha 7 000 15 à 23 €

Bernard Hudelot (devenu châtelain de Villars-Fontaine grâce à son labeur passionné) n'est pas de ceux qu'inquiète le réchauffement de la planète. Voici longtemps qu'il pense que les Hautes-Côtes vont ainsi retrouver les conditions climatiques des grands crus de la Côte. Chargé de cours à l'université de Bourgogne, il ne parle pas à la légère. Or clair à reflets verts, ce blanc tire son nom d'un *climat* du Pays de Vergy. Beurré et vanillé, il a le nez fin, d'expression féminine. L'acidité des 2002 est bien domptée pour un résultat soyeux et gras, rond et chaleureux. Digne d'un turbot au beurre blanc.

Ch. de Villars Fontaine, Dom. de Montmain, 21700 Villars-Fontaine, tél. 03.80.62.31.94, fax 03.80.61.02.31, e-mail bernard.hudelot@wanadoo.fr
t.l.j. 9h-12h 14h-16h; sam. dim. sur r.-v.

# Bourgogne-hautes-côtes-de-beaune

Située sur une aire géographique plus étendue (une vingtaine de communes, et débordant sur le nord de la Saône-et-Loire), la production des vins d'appellation bourgogne-hautes-côtes-de-beaune représente un volume de 35 359 hl en rouge et 6 016 hl en blanc en 2004 Les situations sont plus hétérogènes et des surfaces importantes sont encore occupées par les cépages aligoté et gamay.

La coopérative des Hautes-Côtes, qui a fait ses débuts à Orches, hameau de Baubigny, est maintenant installée au « Guidon » de Pommard, à l'intersection des D 973 et RN 74, au sud de Beaune. Elle vinifie un volume important de bourgogne-hautes-côtes-de-beaune. Comme celui des hautes-côtes-de-nuits, ce vignoble s'est essentiellement développé depuis les années 1970-1975.

Le paysage est très pittoresque et de nombreux sites méritent une visite, comme Orches, La Rochepot et son château, Nolay et ses halles. Il faut enfin ajouter que les Hautes-Côtes, qui autrefois étaient le siège d'exploitations de polyculture, sont restées une région productrice de petits fruits destinés à alimenter les liquoristes de Nuits-Saint-Georges et de Dijon. Cassis et framboises servent à élaborer des liqueurs et des eaux-de-vie de ces fruits, d'excellente qualité. L'eau-de-vie de poire des Monts-de-Côte-d'Or, bénéficiant d'une appellation simple, trouve également ici son origine.

### JEAN-BAPTISTE BEJOT 2003 ★

■ n.c. 28 000 5 à 8 €

« A sauts et à gambades » : on pense à cette expression de Montaigne pour raconter les Hautes-Côtes de Beaune où, il est vrai, il ne posa jamais le pied. La nature va par monts et par vaux, et l'on retrouve ici ce bel équilibre entre acidité et tanins, ces notes gentiment vanillées, cet œil de feu. Boisé certes, mais c'est un style. Un peu d'acidité signe la fraîcheur. Béjot a racheté il y a peu la maison Chartron-et-Trébuchet.

SA Jean-Baptiste Béjot, 21190 Meursault, tél. 03.80.21.22.45, fax 03.80.21.28.05

### DOM. BILLARD ET FILS 2003 ★★

■ 2,5 ha 5 000 5 à 8 €

Vous ne serez pas déçu de la visite, d'autant que se rendre à La Rochepot, c'est partager les week-ends des grands-ducs de Bourgogne. Un vin évoquant davantage le travail à l'aiguille que la filature industrielle. Finement boisé, il laisse respirer quelques brins de violette. Tout en finesse racée, sa structure tannique est fondue et persistante. À boire sur sa jeunesse ou à attendre un à deux ans.

Dom. Billard et Fils, 21340 La Rochepot, tél. 03.80.21.87.94, fax 03.80.21.72.17, e-mail billardetfils@aol.com r.-v.

### DOM. MARC BOUTHENET 2003 ★

■ 7,5 ha 5 000 5 à 8 €

Violet intense et fortement concentré, il porte une couleur d'atout – comme on dit au bridge. Contrairement au phénomène le plus habituel, ses arômes de fruits noirs bien prononcés s'estompent au contact de l'air. Sa jeunesse est actuellement confiée à des précepteurs tanniques, mais cette austérité disparaîtra pour laisser place à une virilité plus chaleureuse dans un an ou deux.

Dom. Marc Bouthenet, 11, rue Saint-Louis, 71150 Cheilly-lès-Maranges, tél. 03.85.91.16.51, fax 03.85.91.13.52 r.-v.

### DOM. CHARACHE-BERGERET Les Bignons 2003 ★

■ 4,5 ha 3 000 5 à 8 €

A 6 km au nord-ouest de Beaune, Bouze-lès-Beaune fut fondé au Moyen Age par les moines de Sainte-Seine. Ce domaine, lui, ne fut créé qu'en 1976. Voici un très bon vin de tous les jours. Cerise intense, ouvert sur le bourgeon de cassis, il n'abuse pas de ses tanins. Ni trop, ni trop peu : il s'inspire de la maxime antique pour offrir un vin fidèle à l'appellation malgré le millésime.

Dom. Charache-Bergeret, chem. de Bière, 21200 Bouze-lès-Beaune, tél. et fax 03.80.26.00.86
r.-v.

### LOUIS CHENU 2003

■ 0,92 ha 1 500 5 à 8 €

En 2005, les deux filles apportent au domaine une touche de féminité. Rouge framboise, le nez porté davantage vers le fruit noir, ce vin persiste ainsi en bouche. Ses tanins sont fermes mais nullement sévères. Le fruit demeure assez longtemps.

Louis Chenu et Filles, 12, rue Joseph-de-Pesquidoux, 21420 Savigny-lès-Beaune, tél. et fax 03.80.26.13.96, e-mail juliette@louischenu.com
t.l.j. 9h-12h 14h-18h

### DOM. DE LA CONFRERIE 2003

□ 0,5 ha 2 000 5 à 8 €

Pourquoi la Confrérie ? C'est le nom d'une des parcelles du domaine. Bel éclat pour un chardonnay : on est ici au pays de Lazare Carnot, l'Organisateur de la victoire. Agrumes, fruits secs, jolie palette aromatique. La première bouche fait bonne impression. L'évolution est

ensuite très vivante, on est sous le charme. Bouteille singulière avec son grain d'amertume qu'aimeront une cohorte d'escargots de Bourgogne.
Jean Pauchard et Fils, Dom. de la Confrérie, 37, rue Perraudin, Cirey, 21340 Nolay, tél. 03.80.21.89.23, fax 03.80.21.70.27, e-mail domj.pauchard@wanadoo.fr r.-v.

PIERRE CORNU-CAMUS 2003 *

4,47 ha 3 600 5 à 8 €

Un vin de soif, résume-t-on. Pinot jusqu'au bout des ongles, pinot des Hautes-Côtes pour mieux dire, il porte une robe très pure et son bouquet ne s'embarrasse d'aucun artifice : prune, silex. Fraîche voire rafraîchissante, sa bouche pourrait sembler légèrement diluée tant elle est lisse. Il n'en est rien, et l'appellation se montre ici sous un bon jour, d'une netteté parfaite.
Pierre Cornu-Camus, 2, rue Varlot, 21420 Echevronne, tél. 03.80.21.57.23, fax 03.80.26.11.94, e-mail cornu.camus@voila.fr r.-v.

DOM. DES VIGNES DES DEMOISELLES Cuvée Amandine Poinsot 2003 *

1 ha 5 400 8 à 11 €

Coup de cœur l'an passé en blanc, le domaine se présente cette fois-ci en rouge. Sa cuvée phare brille d'un éclat mauve foncé. Il entre de la complexité dans son bouquet partagé entre la cerise et la violette. Après une attaque séduisante, les tanins montrent qu'ils n'ont pas la bride sur le cou : bien disciplinés, ils laissent à la bouche sa souplesse et son harmonie. La prune cuite se charge de la conclusion aromatique.
Dom. Gabriel Demangeot et Fils, rue de Santenay, 21340 Change, tél. 03.85.91.11.10, fax 03.85.91.16.83, e-mail contact@demangeot.fr r.-v.

DEVEVEY Les Champs Perdrix 2003 *

2,55 ha 8 500 8 à 11 €

Doré sur tranche, il a un petit nez boisé sur fond de noisette, puis il éclate en bouche. Souple sans agressivité, il est tout de plénitude accomplie, soigneusement minéral, amer et vif. Même si le départ est assez simple, la bouche s'avère une grande séductrice. Très plaisant.
Jean-Yves Devevey, rue de Breuil, 71150 Demigny, tél. 03.85.49.91.11, fax 03.85.49.91.59, e-mail jydevevey@wanadoo.fr r.-v.

DOUDET-NAUDIN Château d'Antigny 2003 **

1,2 ha 3 116 8 à 11 €

C'est dans la flamme que le fer se trempe, dit-on. Il y a assez de feu dans sa robe pour faire un vin plein d'avenir (dans les trois à quatre ans) et déjà agréable. Son nez évolue de l'animal aux fruits rouges, puis son attaque est souple, portée en milieu de bouche vers la cerise à l'eau-de-vie. La fin est assez douce, mais comme les tanins sont un peu enveloppants, on prendra soin de l'oublier quelque temps.
Doudet-Naudin, 3, rue Henri-Cyrot, BP 1, 21420 Savigny-lès-Beaune, tél. 03.80.21.51.74, fax 03.80.21.50.69, e-mail doudet-naudin@wanadoo.fr r.-v.
Yves Doudet

DOM. DES ECHARDS 2003 *

3 ha 12 000 8 à 11 €

Hélène et Didier Delagrange reprennent le flambeau sur ces 13,5 ha. Leur chardonnay limpide et légèrement doré semble jouer à cache-cache avec son nez. L'abricot, la mangue peut-être, le miel entrent dans la ronde. Le corps n'est pas celui de l'Apollon du Belvédère, mais la Montagne de Beaune n'est pas l'Olympe... Toutes choses étant égales, ce n'est pas mal du tout pour un poisson à la crème.
Dom. Henri Delagrange et Fils, cours François-Blondeau, 21190 Volnay, tél. 03.80.21.64.12, fax 03.80.21.65.29 r.-v.

DENIS FOUQUERAND ET FILS 2003

0,8 ha 3 500 11 à 15 €

La famille vivait déjà au village à l'époque de Philippe Pot, homme de confiance de Charles le Téméraire dont le tombeau est au Louvre. Cerise noire, voici un vin assez médiéval, à l'image du château. La porte de son nez prend du temps avant de s'ouvrir et l'attaque ne relève pas particulièrement de l'amour courtois. Mais sa virilité épicée et réglissée, sa concentration tannique donnent envie de le revoir d'ici quelques années. Car il est bien né. Ici, les vignes sont à moitié enherbées.
GAEC Denis Fouquerand et Fils, rue de l'Orme, 21340 La Rochepot, tél. 03.80.21.71.59, fax 03.80.21.85.58 t.l.j. 9h-12h 14h-19h

DOM. GLANTENET 2003 *

3,17 ha 4 000 5 à 8 €

Magny-lès-Villers est l'exacte frontière entre les Hautes-Côtes de Nuits et celles de Beaune. D'un or limpide et pas trop pâle, ce vin nous fait penser au Petit Chaperon... blanc tant il respire le beurre et la noisette. Mère Grand ? Rondeur et maturité, longueur et vivacité, le Loup fait craindre l'oxydation, mais on n'y cède pas. A boire pour connaître la fin de l'histoire.
Dom. Glantenet Père et Fils, rue de l'Aye, 21700 Magny-lès-Villers, tél. 03.80.62.91.61, fax 03.80.62.74.79, e-mail domaine.glantenet@wanadoo.fr t.l.j. sf dim. 9h-12h 13h30-17h30

LES HAUTS DE PARIS 2002 *

0,38 ha 2 500 5 à 8 €

Non, il ne s'agit pas du vin de la vigne de Montmartre ! Ces Hauts de Paris (-l'Hôpital) se trouvent en Saône-et-Loire, au sein d'un domaine qui a abandonné l'élevage laitier pour planter de la vigne en coteau. Rubis bien net, limpide et brillant, le nez discrètement vanillé, un 2002 typé équilibrant correctement son acidité, l'alcool et les tanins au point d'acquérir une sorte de complexité.
EARL Les Hauts de Paris, rte de Saint-Sernin, 71150 Paris-l'Hôpital, tél. 03.85.91.11.56, fax 03.85.91.16.22, e-mail vhgirard@wanadoo.fr r.-v.
Girard-Roizot

DOM. LUCIEN JACOB Les Larrets blancs 2003 *

1,2 ha 5 000 5 à 8 €

Rares sont les hommes qui ont autant fait pour les Hautes-Côtes que Lucien Jacob ! Soyez confiant dans son vin, entre les mains de Chantal, Christine et Jean-Michel. Jaune paille, celui-ci place d'emblée le nez sur le fruit à noyau, sachant mettre en retrait son grillé. Le fût est plus prégnant en bouche, seulement nuancé par la vivacité relative et la générosité spontanée du produit. Le **rouge 2002** obtient une citation.

Dom. Lucien Jacob, 21420 Echevronne, tél. 03.80.21.52.15, fax 03.80.21.55.65, e-mail lucien-jacob@wanadoo.fr r.-v.

LA JOLIVODE 2003

■ 2 ha 10 200 5 à 8 €

Coup de cœur dans le Guide 2000 pour ce même vin, ce domaine fait « fidèle devoir » – comme on dit à la Saint-Sébastien de Bligny-sur-Ouche. Du bon travail sur de beaux raisins vendangés le 1er septembre. Outre sa teinte profonde, l'extraction lui apporte des senteurs d'humus, des sensations animales, une présence accentuée de tanins qui devront se fondre.

Christian Menaut, rue Chaude, 21190 Nantoux, tél. 03.80.26.07.72, fax 03.80.26.01.53 r.-v.

MANOIR DE MERCEY Au Cloux 2003 *

1,55 ha 6 000 5 à 8 €

« Aucune vue, aucun site, si varié, si pittoresque qu'il fût, n'a pu me faire oublier mon petit vallon de Bourgogne », écrivait Alexandre Dumas à propos de ce paysage. Joli manoir du XVIIIe s., Mercey appartient à la famille Berger-Rive. Son chardonnay clair, presque vert pâle, égrène des notes fruitées et offre de belles rondeurs en bouche. Il finit de façon un peu vive mais sans agressivité. Le fond n'est pas considérable, mais Dieu que c'est bon ! Les *Trois Mousquetaires* en auraient volontiers fait leur ordinaire. **Au Paradis 2003 rouge** mérite lui aussi le coup de chapeau (une étoile).

Dom. Gérard Berger-Rive et Fils, Manoir de Mercey, 2, rue Saint-Louis, 71150 Cheilly-lès-Maranges, tél. 03.85.91.13.81, fax 03.85.91.17.06, e-mail contact@berger-rive.com r.-v.

MARINOT-VERDUN 2003 *

■ n.c. 20 000 3 à 5 €

Toutes les pièces sont présentes. Il reste à composer le puzzle. Sous une robe pourpre soutenu, le nez se fixe sur les fruits rouges compotés. Belle maturité pour un 2003, mais l'excédent tannique masque encore le sujet. Attendre un à deux ans pour le servir sur une viande rouge grillée.

Marinot-Verdun, Cave de Mazenay, Mazenay, 71510 Saint-Sernin-du-Plain, tél. 03.85.49.67.19, fax 03.85.45.57.21 t.l.j. sf dim. 8h-12h 14h-18h

DIDIER MONTCHOVET 2002

■ 2,5 ha 16 340 8 à 11 €

Il s'agit du plus ancien domaine vitivinicole bourguignon en biodynamie (Demeter-Ecocert), fondé en 1984 par Christine et Didier Montchovet. En tout cas, l'un des tout premiers. Rouge burlat, ce 2002 repose sur un boisé délicat, légèrement minéral. Il met en valeur un vin ne recherchant pas le volume. Une « petite structure », comme il en est d'associatives au service d'une idée.

Didier Montchovet, rue de l'Ancienne-Gare, 21190 Nantoux, tél. 03.80.26.03.13, fax 03.80.26.05.19, e-mail domaine@montchovet.com r.-v.

DOM. MONT-ROME 2003 *

■ 0,7 ha 2 000 5 à 8 €

Le mont Rome (545 m) est l'une des sentinelles élevées qui veillent sur les Maranges et le pays de Couches. Cet oppidum très ancien a donné son nom au domaine qui nous fait ici les honneurs de son pinot noir 2003. Beaucoup de couleur, nez racé (fruits macérés), on sent évidemment la récolte très mûre (sécateurs en action le 1er septembre). Elle ensoleille ce vin d'ardeurs méridionales (pruneau, figue, chocolat). La finale demande un an de garde. Signalons un bel effort sur l'étiquettte.

Caroline Ruelle, pl. des Platanes, 71150 Paris-l'Hôpital, tél. 03.85.91.10.76, e-mail burgundia@free.fr r.-v.

MORIN PERE ET FILS 2003

■ n.c. 40 000 8 à 11 €

Un cellier roman sous le rouge profond d'un vitrail. Les fruits des bois animent le bouquet encore réservé de ce 2003 tandis que les tanins dominent à l'attaque avant de se fondre dans une saveur de cassis. Les voûtes sont solides, l'atmosphère chaleureuse. Il doit bien évoluer un an ou deux en cave. La maison Morin appartient au groupe Jean-Claude Boisset.

Morin Père et Fils, 9, quai Fleury, 21700 Nuits-Saint-Georges, tél. 03.80.61.39.83, fax 03.80.61.32.72, e-mail cave@morinpere-fils.com t.l.j. 9h-12h 14h-18h; été 9h-19h

DOM. HENRI NAUDIN-FERRAND Elevé en fût de chêne 2003 *

2,29 ha 8 800 8 à 11 €

Cette viticultrice ne fait guère d'infidélités à ses fourneaux. Elle propose, en effet, de faire déguster avec ce vin une perche du Nil rôtie au lard. Ce 2003 ne manque d'ailleurs pas de personnalité, 20 % de pinot blanc s'ajoutant au chardonnay. Jaune d'or, il est assez vif pour le millésime ; son bouquet suggère la noisette et le calcaire. Corps tendre et charnu, réussi dans l'ensemble.

Dom. Henri Naudin-Ferrand, rue du Meix-Grenot, 21700 Magny-lès-Villers, tél. 03.80.62.91.50, fax 03.80.62.91.77, e-mail dnaudin@ipac.fr r.-v.

DOM. CLAUDE NOUVEAU 2002

■ 4 ha n.c. 5 à 8 €

Cette bouteille ne laisse rien perdre. Ni le fruit mûr, ni les tanins réglissés. La forte structure de ce pinot noir nécessite un délai d'attente, afin de gommer sa sévérité et d'ouvrir ses arômes en rétro-olfaction. Mais le potentiel épaule ici la matière.

EARL Dom. Claude Nouveau, Marchezeuil, 21340 Change, tél. 03.85.91.13.34, fax 03.85.91.10.39 r.-v.

PAQUET 2003 **

■ 1,8 ha 3 000 8 à 11 €

Installation en 2000. Première vinification dans cette appellation au lendemain des vendanges du 3 septembre 2003. Agnès et Sébastien Paquet signent l'un des meilleurs vins de la dégustation. Pourpre foncé, ce 2003 joue sur les fruits noirs. Ce bouquet devenu très ample à l'aération débouche sur un corps soyeux et gras, d'un beau volume, généreux et gourmand.

Agnès et Sébastien Paquet, rue du Puits-Bouret, 21190 Meloisey, tél. 03.80.26.07.41, fax 03.80.26.06.41, e-mail sebpaquet@club-internet.fr r.-v.

DOM. PARIGOT PERE ET FILS Clos de la Perrière 2003 **

■ n.c. n.c. 8 à 11 €

Une fois n'est pas coutume en Bourgogne, où l'œnologue se tient à côté du vigneron ; premier du grand jury et coup de cœur au plus bourguignon de tous les Grecs :

BOURGOGNE

Kyriacos Kynigopoulos a fort utilement conseillé ce domaine qui obtint trois étoiles dans cette AOC l'an dernier ainsi qu'en savigny. D'un sang noir violacé, cassis, vanille, ce 2003 est rond, puissant et concentré, à apprécier comme un bonbon. Le laisser vieillir un à deux ans.

🔑 Dom. Parigot Père et Fils, rte de Pommard, 21190 Meloisey, tél. 03.80.26.01.70, fax 03.80.26.04.32 ☑ Y 🚶 r.-v.

**BERNARD REGNAUDOT 2003 ★**

■ 1 ha n.c. 🛢 5 à 8 €

Pourpre soutenu violacé, il a bon caractère. La mûre, les épices le parfument agréablement. Il a de la présence et de l'élégance : le fruit – cassis – est franc en bouche sur une belle longueur, et à l'inverse de beaucoup de 2003, ses tanins quoique rustiques sont fondus.

🔑 Bernard Regnaudot, rte de Nolay, 71150 Dezize-lès-Maranges, tél. et fax 03.85.91.14.90 ☑ Y 🚶 r.-v.

**DOM. DE LA ROCHE AIGUE 2003 ★**

■ 4,1 ha 3 050 ▮🛢 5 à 8 €

Rouge framboisé, il est très ouvert dès le premier nez (gelée de cassis). « Un vin fruiteux », pour parler comme Huysmans qui s'y connaissait en grands bourgognes ! Du fruit, du fruit : il est en effet très généreux en bouche. La rondeur de ses tanins (pas facile en 2003) le rend gourmand et s'il est un peu léger, il ne manque pas de malice.

🔑 Eric et Florence Guillemard, EARL La Roche Aiguë, Melin, 21190 Auxey-Duresses, tél. 03.80.21.28.33, fax 03.80.21.63.55 ☑ Y 🚶 r.-v.

**DOM. SAINT-ANTOINE DES ECHARDS 2003**

■ 10 ha 20 000 ▮🌡 5 à 8 €

Viticulteur de la cinquième génération, installé il y a vingt ans tout rond. Si elle n'a pas énormément de jeu, la bouche fait le maximum de levées. Son équilibre fruité, sa longueur raisonnable le lui permettent. Un pur enfant de 2003 ne peut qu'être un peu tannique et astringent lors de la dégustation de mars 2005. C'était dans le sel de son baptême. Robe classique, bien intense et une certaine odeur de cassis à l'aération.

🔑 Franck Guérin, Dom. Saint-Antoine des Echards, rue de Santenay, 21340 Change, tél. 03.85.91.10.40, fax 03.85.91.17.29, e-mail domaine@st-antoine.fr ☑ Y 🚶 r.-v.

**CH. DE SANTENAY**
Clos de La Chaise Dieu Monopole 2003 ★★

■ 12 ha 33 800 🛢 5 à 8 €

Crédit Agricole SA (Grands Crus Investissements) succède ici à Philippe le Hardi et, du haut de son donjon, peut promener son regard sur les 94 ha du domaine. A tout seigneur tout honneur : cet excellent chardonnay pourrait porter le collier de la Toison d'Or tant il a bel aspect. Floral et toasté, il est plein, gras, complet. Opulent, mais ne le dites pas à Bercy...

🔑 Ch. de Santenay, 1, rue du Château, BP 18, 21590 Santenay, tél. 03.80.20.61.87, fax 03.80.20.63.66, e-mail contact@chateau-de-santenay.com ☑ Y 🚶 r.-v.

**CH. DE SASSANGY 2003 ★**

■ 1,09 ha 6 000 🛢 5 à 8 €

L'histoire ressemble un peu à celle de *La Belle au bois dormant*. Imaginez une vieille propriété construite en 1740 endormie après le phylloxéra, réanimée par ce couple depuis 1979, exploitée en bio certifié. « Il faut que l'œil soit séduit et flatté », lit-on sur un manuel de dégustation paru il y a deux siècles. C'est ici le cas. Les arômes de prune et de myrtille se bousculent sur un arrière-plan végétal. Bouche accueillante : on s'y régale.

🔑 Ch. de Sassangy, Le Château, 71390 Sassangy, tél. 03.85.96.18.61, fax 03.85.96.18.62, e-mail musso.jean@wanadoo.fr ☑ 🏠 Y 🚶 r.-v.
🔑 Jean et Geno Musso

# Crémant-de-bourgogne

Comme toutes les régions viticoles françaises ou presque, la Bourgogne avait son appellation pour les vins mousseux produits et élaborés sur l'ensemble de son aire géographique. Sans vouloir critiquer cette production, il faut bien reconnaître que la qualité n'était pas très homogène et ne correspondait pas, la plupart du temps, à la réputation de la région, sans doute parce que les mousseux se faisaient à partir de vins trop lourds. Un groupe de travail constitué en 1974 jeta les bases du crémant en lui imposant des conditions de production aussi strictes que celles de la région champenoise et calquées sur celles-ci. Un décret de 1975 consacra officiellement ce projet, auquel se sont ralliés finalement tous les élaborateurs (bon gré mal gré), puisque l'appellation bourgogne mousseux a été supprimée en 1984. Après un départ difficile, cette appellation connaît actuellement un bon développement et a produit 121 304 hl en 2004. Un crémant-de-bourgogne peut être un blanc de blancs élaboré généralement par un assemblage de chardonnay et d'aligoté, mais le crémant peut être aussi constitué de l'assemblage des cépages blancs avec le pinot noir et/ou le gamay rouge à jus blanc vinifiés en blanc.

**AMELIN** Blanc de blancs 2002

● n.c. 8 000 5 à 8 €

La fille de Jean-Pierre Amelin a repris le flambeau. Elle signe un vin de couleur assez pâle. Son bouquet ressemble à la fleur en bouton. On réservera à l'apéritif et

à des tapas ou des toasts au saumon cette sarabande de bulles. Le corps n'est pas considérable, en effet, mais il y a du muscle, de l'élan.
Amelin, 110, Grande-Rue, 71150 Rully, tél. 03.85.87.16.45, fax 03.85.87.32.43, e-mail sa.amelin@wanadoo.fr r.-v.

## BAILLY-LAPIERRE Blanc de blancs 2002 ★★

n.c. 200 000 5 à 8 €

Finaliste du coup de cœur (il l'a eu en 2003), un crémant qu'il faut visiter sur son lieu de naissance : les immenses caves de Bailly en Auxerrois, anciennes carrières de pierres souterraines. Le chardonnay et l'aligoté se renvoient bien la bulle. Pomme verte et agrumes, la flûte est odorante. Net et persistant, un plaisir d'équilibre d'autant plus remarquable que la production est abondante. Notez également le **Blason de Bourgogne**, élaboré par les mêmes à l'intention d'un groupement de coopératives de la région. Assemblant 10 % de gamay au pinot noir, il obtient une étoile pour sa parfaite typicité.
Caves de Bailly, SICA Vignobles Auxerrois, Hameau de Bailly, 89530 Saint-Bris-le-Vineux, tél. 03.86.53.77.77, fax 03.86.53.80.94, e-mail home@caves-bailly.com
t.l.j. 8h-12h 14h-18h (sam. dim. à partir de 10h)

## DOM. DU BICHERON Blanc de blancs 2002 ★★

1 ha 7 000 5 à 8 €

Son nez ne lui permet guère de garder longtemps l'anonymat. Très Bourgogne du Sud, il vient en effet de Péronne en Mâconnais, où l'on sait ce que chardonner signifie. Or soutenu, la mousse agréable et fine, il évoque les agrumes frais. L'attaque est franche avec une légère pointe de vivacité... bien équilibrée cependant. Vin de plaisir immédiat, on ne peut rien lui refuser.
GAEC Rousset, Dom. du Bicheron, Saint-Pierre-de-Lanques, 71260 Péronne, tél. 03.85.36.94.53, fax 03.85.36.99.80 r.-v.

## CAVE DE BISSEY Blanc de blancs ★★

n.c. 26 153 5 à 8 €

Ce crémant doit remplir de fierté – du haut du ciel – le Dr Ozanon, fondateur en 1928 de cette coopérative. Le chardonnay et l'aligoté jouent à armes égales. D'or brillant et citronné, il suggère la vigne en fleur. Sa mousse ? On dirait les Montgolfiades, célèbre rendez-vous de la Côte chalonnaise. Elégant, frais, racé, il a de la réserve !
Cave de Bissey, Les Millerands, 71390 Bissey-sous-Cruchaud, tél. 03.85.92.12.16, fax 03.85.92.08.71, e-mail cave.bissey@wanadoo.fr r.-v.

## LEONCE BOCQUET ★★

n.c. 10 000 5 à 8 €

Visitant le château du Clos de Vougeot, vous verrez le monogramme qui figure sur cette étiquette. Celui de Léonce Bocquet (1839-1913) à qui l'on doit la restauration du monument historique. La marque appartient au groupe Boisseaux (Patriarche, etc.) et elle honore ici cette figure haute en couleur du vignoble bourguignon. Œil-de-perdrix, ce crémant est mis en valeur par un beau cordon. Il rappelle bien le pinot noir grâce à son ampleur ainsi qu'à ses fruits rouges. Rosé très harmonieux.

Patriarche Père et Fils, 5, rue du Collège, 21200 Beaune, tél. 03.80.24.53.01, fax 03.80.24.53.03
t.l.j. 9h30-11h30 14h-17h30
Boisseaux

## CH. DE CHASSELAS

0,1 ha 1 200 8 à 11 €

Ce chardonnay proche de la Roche de Solutré donne naissance à un crémant élaboré dans le Rhône. Belle effervescence sur une tonalité à reflets or intense. Son parfum est franc, simple, plutôt floral. Vinosité et maturité offrent une expression de vin prêt à boire. Arts et vins font bon ménage au château.
Ch. Chasselas, 71570 Chasselas, tél. 03.85.35.12.01, fax 03.85.35.14.38, e-mail chateauchasselas@aol.com
t.l.j. 10h-12h 14h-18h
Veyron La Croix

## JEAN-BAPTISTE CHAUTARD Fût de chêne 2001 ★★

n.c. 2 150 11 à 15 €

Ce 2001 blanc de blancs (70 % de chardonnay, 30 % d'aligoté) n'est pas loin du coup de cœur. Il s'agit en effet d'un véritable « crémant de table », à goûter sur un sandre à la fondue d'échalotes, par exemple. Sa bulle a de la particule, une élégance fine et régulière qui reste dans les convenances. L'abricot sec, la vanille, les agrumes remplissent le nez d'optimisme. Au palais on sent vraiment le vin. Bel équilibre à tous les étages. L'affaire est restée familiale depuis sa fondation en 1926.
Louis Picamelot, 12, pl. de la Croix-Blanche, BP 2, 71150 Rully, tél. 03.85.87.13.60, fax 03.85.87.63.81, e-mail louispicamelot@wanadoo.fr r.-v.

## PAUL CHOLLET 2003 ★

n.c. 17 300 5 à 8 €

Pinot noir à 80 %, gamay pour le restant, son cordon est présent, ses bulles assez corpulentes. Sa couleur présente un « léger œil » pour parler comme ici, œil-de-perdrix, légèrement rose. Ses arômes font penser à la nougatine. Beaucoup de pression et une bouche très blanc de noirs où le pinot prend le dessus.
Paul Chollet, 18, rue Gal-Leclerc, 21420 Savigny-lès-Beaune, tél. 03.80.21.53.89, fax 03.80.21.53.16, e-mail chollet.paul@wanadoo.fr
t.l.j. sf dim. 8h-12h 14h-18h

## DOM. DE LA CROUZE Blanc de blancs 2003

n.c. 3 000 5 à 8 €

Cette propriété familiale a quitté la coopérative en 2003 pour voler de ses propres ailes. Saint-véran et pouilly-fuissé pour la partie tranquille, chardonnay bien sûr à 100 % pour son crémant élaboré par Delorme à Rully. Des bulles très fines et un petit cordon annoncent une robe

dorée à reflets argentés. Au nez ? Léger biscuit et boisé discret. Franc, frais et vif, il reste effervescent jusqu'à sa dernière goutte.
Dom. de la Crouze, La Crouze, 71960 Vergisson, tél. et fax 03.85.37.80.09, e-mail pierre.desroches@cegetel.net r.-v.
Desroches

## DELIANCE PERE ET FILS Ruban vert

2,5 ha 15 000 5 à 8 €

Chardonnay à 90 %, il a reçu quelques gouttes de pinot noir. Jaune or clair, il porte le ruban vert. Non pas à sa boutonnière à la manière du mérite agricole, mais parmi les reflets de sa robe. Sa vigueur de silex s'accompagne d'une expression fruitée. Longueur réelle.
Dom. Deliance, Le Buet, 71640 Dracy-le-Fort, tél. 03.85.44.40.59, fax 03.85.44.36.13 r.-v.

## ANDRE DELORME Blanc de blancs **

n.c. 18 200 5 à 8 €

Jean-François Delorme frôle ici le coup de cœur qu'il a obtenu l'an dernier. Sous sa belle présentation doré-vert léger, la mousse est délicate. Minéral et fleurs blanches, le nez connaît son sujet par cœur. Servi par une attaque franche, ce vin est d'un classicisme presque parfait. Un rien de vivacité dans la démarche, mais cela donne de la vie à l'intrigue. Du potentiel (un à deux ans).
André Delorme, 2, rue de la République, 71150 Rully, tél. 03.85.87.10.12, fax 03.85.87.04.60, e-mail andre-delorme@wanadoo.fr
t.l.j. sf dim. 9h-12h 14h-18h

## MAISON MAURICE GAVIGNET Cuvée privée

n.c. 3 500 5 à 8 €

Nuits-Saint-Georges dispute à Rully le berceau historique de l'effervescence bourguignonne. Avec quelques vers d'Alfred de Musset, s'il vous plaît ! Ce producteur a donc le droit de donner un air de fête à son pinot noir. La mousse traverse un or tirant sur le citron. Le bouquet se fonde sur des arômes beurrés et briochés très flatteurs. La bouche retrouve un zeste de citron qui réveille son ardeur. On reconnaît sans peine le blanc de noirs.
Maison Maurice Gavignet, 69-71, rue Félix-Tisserand, 21700 Nuits-Saint-Georges, tél. 03.80.61.03.87, fax 03.80.62.14.69
t.l.j. sf dim. lun. 8h30-12h 13h30-18h

## CAVE DES VIGNERONS DE GENOUILLY 2003

2 ha 20 000 5 à 8 €

Genouilly se trouve dans la partie méridionale de la Côte chalonnaise, en direction de Taizé et de Cluny. Si le mot existait, on pourrait parler d'un crémant d'une belle « moussabilité »... Peu de cordon toutefois. Son bouquet penche vers le floral. Sa bouche est dense, robuste, soutenue par un brin d'acidité. L'alliage est intéressant : pinot noir pour l'essentiel et 10 % d'aligoté.
Cave des vignerons de Genouilly, allée du 19-Mars-1962, 71460 Genouilly, tél. 03.85.49.23.72, fax 03.85.49.23.58, e-mail vigneronsgenouilly@wanadoo.fr
t.l.j. sf dim. 8h-12h 14h-18h

## CLAUDE GHEERAERT 2002 *

1 ha 10 000 5 à 8 €

Les vignerons du Châtillonnais (pardon, de Haute-Bourgogne) jouent la carte du crémant et – comme ici – ils y réussissent très bien. Chardonnay et pinot noir à deux tiers-un tiers donnent un vin d'apéritif très classique. Citron frais, suffisamment émoustillé, il est rond, assez impulsif et d'une longueur pas si fréquente. Bien fait. A deux pas de cette cave, allez voir le vase de Vix, à la mesure de la soif antique il y a deux mille cinq cents ans.
Claude Gheeraert, 1, rue Haute, 21400 Mosson, tél. et fax 03.80.93.71.67, e-mail claude.gheeraert@wanadoo.fr
t.l.j. sf dim. 9h-19h

## DOM. DE LA GRANDE COTE Princesse de Vix

10 ha 40 000 5 à 8 €

Domaine châtillonnais acquis par Veuve Ambal (Eric Piffaut). Molesmes se situe à proximité immédiate des Riceys dans l'Aube et... de l'appellation champagne. C'est dire si ce crémant en est voisin... Né du chardonnay (70 %) et du pinot noir (30 %), il est or clair. Sa bulle est effilée. Brioché, son bouquet légèrement muscaté rappelle encore la pêche. Vin de dessert en raison de son fruité intense et de sa suavité en attaque.
SCEV La Grande Côte, rte des Riceys, 21330 Molesmes, tél. 03.80.81.64.94, fax 03.80.81.64.89
r.-v.

## DOM. MICHEL JUILLOT *

0,8 ha 6 000 5 à 8 €

Laurent Juillot a fait son tour du monde vitivinicole, comme les compagnons faisaient jadis leur tour de France. Puis il a succédé à son père qui a consacré une énergie débordante à ce domaine. Une bulle persistante et fine accompagne ce crémant jaune doré au parfum incisif. En bouche, il s'appuie sur un fond très solide, privilégiant le gras et la longueur.
Dom. Michel Juillot, 59, Grande-Rue, 71640 Mercurey, tél. et fax 03.85.98.99.89, e-mail infos@domaine-michel-juillot.fr
t.l.j. 9h-19h; groupes sur r.-v.
Laurent Juillot

## MARIE-HELENE LAUGEROTTE 2003

0,4 ha 2 600 5 à 8 €

Elaboré par Vitteaut-Alberti (Rully) à partir de pinot noir et de chardonnay de la Côte chalonnaise. L'œil est transparent, le nez sur la fleur et la bouche agréable. « A boire à tout moment », conclut le jury.
Marie-Hélène Laugerotte, Cidex 512, 71640 Saint-Denis-de-Vaux, tél. 03.85.44.36.35, fax 03.85.44.42.70 r.-v.

## CAVE DES VIGNERONS DE LIERGUES *

n.c. n.c. 5 à 8 €

Créée en 1990, cette marque, élaborée entièrement à la cave, doit beaucoup à Claude Denis. Ce crémant est entièrement chardonnay, illustrant la célèbre région des Pierres dorées en Beaujolais tout proche. Sous une robe sans défaut, il a de la fraîcheur : pierre à fusil et même un peu de pomme verte. Très bien dosée, sa bouche est en continuité, nette et harmonieuse.
Cave des Vignerons de Liergues, 69400 Liergues, tél. 04.74.65.86.00, fax 04.74.62.81.20, e-mail cave-des-vignerons-de-liergues@wanadoo.fr
t.l.j. sf dim. 8h-12h 14h-18h30

### LOUIS LORON Cuvée impériale ★

n.c. 10 000 5 à 8 €

Escale en Beaujolais. Issu du chardonnay mâconnais, ce vin est riche et ample. On lui trouve une excellente persistance aromatique, des notes de fruits et de miel, et il sait s'y prendre pour flatter les papilles avec des arômes de pêche et d'abricot.

Ets Louis Loron et Fils, Le Vivier, 69820 Fleurie, tél. 04.74.04.10.22, fax 04.74.69.84.19, e-mail fernandloron@wanadoo.fr t.l.j. sf dim. 8h-12h 13h30-18h; sam. 8h30-12h

### JEAN-PIERRE MELLENOTTE ★

0,5 ha 2 500 5 à 8 €

En Côte chalonnaise, Mellecey n'est pas seulement renommé pour les « bandes lombardes » de son église du XIe s. Son crémant mérite également le déplacement. Pinot noir et chardonnay entrent chacun pour moitié dans ce vin au cordon intense, doré à l'or fin et dont le nez est peuplé de fleur d'acacia. Assez vif en attaque, il prend ensuite une tournure vineuse et puissante qui le destine à une terrine de poisson si le cœur vous en dit.

Jean-Pierre Mellenotte, Le Martray, 71640 Mellecey, tél. et fax 03.85.45.15.64, e-mail pascal.mellenotte@wanadoo.fr r.-v.

### PERLE D'OR 2000 ★

n.c. 25 000 5 à 8 €

Cette maison reprise par J.-C. Boisset en 1997 a été relancée par d'importants investissements à Nuits. L'effervescence de ce crémant respecte toutes les règles de la bienséance. Or pâle à reflets verts, il associe le pinot noir et le chardonnay. Son bouquet minéral et végétal, un peu sauvage, introduit une bouche influencée par les fruits secs. Quelques notes d'évolution, mais il s'agit d'un 2000 : il faut apprécier ce vin à la typicité particulière et pleine d'attrait. **Perle de Vigne 2003 (3 à 5 €)** (les mêmes + gamay) obtient une citation.

Louis Bouillot, rue des Frères-Montgolfier, 21700 Nuits-Saint-Georges, tél. 03.80.62.61.61, fax 03.80.62.61.95, e-mail marketing@boisset.fr

### DOM. PIGNERET FILS ★

0,7 ha 7 250 5 à 8 €

Les principaux cépages bourguignons entrent dans cette cuvée. La « bande des quatre » (chardonnay, pinot noir, gamay, aligoté) n'est pas prise en défaut ! Joli cordon de mousse régulière, robe limpide et bien dorée. Mariant le minéral et la pêche blanche, ce vin produit d'abord une impression de légèreté insouciante puis le sentiment d'une force de conviction vineuse et ferme. Original jusqu'à sa note d'hydromel. Un rien de vivacité en plus lui vaudrait une deuxième étoile. Crémant de la Côte chalonnaise.

Dom. Pigneret Fils, Vingelles, 71390 Moroges, tél. 03.85.47.15.10, fax 03.85.47.15.12, e-mail domaine.pigneret@wanadoo.fr r.-v.

### PRIEURE DU BOIS DE LEYNES ★★

0,25 ha 2 600 5 à 8 €

Cet ancien prieuré vous accueillera dans ses chambres d'hôte. Quant au domaine, il est né en 1990 et Nadine a rejoint Bruno en 1997. Le chardonnay mâconnais (100 %) semble invité au bal. Un peu excité, cela se comprend : or intense et beau cordon. Une pointe de biscuit agrémente son nez riche et vineux de fruits mûrs. Franc sans être « facile », très présent en bouche, il représente dignement l'appellation. Il a fait d'ailleurs partie des bouteilles soumises au grand jury. A boire maintenant.

Bruno Jeandeau, Prieuré du Bois de Leynes, Le Bois de Leynes, 71570 Leynes, tél. 03.85.35.11.56, fax 03.85.35.15.15 r.-v.

### DOM. RENAUD ★

0,19 ha 1 000 5 à 8 €

Elaboré par Louis Loron à Fleurie, il a l'accent mâconnais. Solutréen pour tout dire. Or jaune doré un peu soutenu, il assemble la fleur et le fruit au sein d'une vinosité aromatique assez complexe. Charnu et cependant bien frais, marqué par une petite touche d'amertume en finale et par une mousse très présente, il est prêt à servir.

EARL Pascal et Mireille Renaud, Pouilly, 71960 Solutré-Pouilly, tél. 03.85.35.84.62, fax 03.85.35.87.42 r.-v.

### DOM. DE ROTISSON Cuvée Prestige 2002 ★

1 ha 9 500 5 à 8 €

Didier Pouget a acquis ce domaine des environs de Lyon en 1998 et il y multiplie les occasions de lever son verre de crémant : expositions de voitures anciennes et de peintures, dégustations, etc. Son brut issu de chardonnay est un peu exubérant, mais quelle âme de tourlourou ! Or intense, il part de l'acacia pour aboutir au tilleul. Puis il s'anime beaucoup (richesse, plénitude), devenant assez suave et un tantinet exotique.

Dom. de Rotisson, rte de Conzy, 69210 Saint-Germain-sur-l'Arbresle, tél. 04.74.01.23.08, fax 04.74.01.55.41, e-mail didier.pouget@domaine-de-rotisson.com t.l.j. 9h-12h30 14h-18h30; dim. sur r.-v.

Didier Pouget

### DOM. ROYET

4 ha 15 000 **5 à 8 €**

Chardonnay à 80 %, pinot noir à 20 % pour un domaine du Couchois (on dit plutôt les Côtes du Couchois) qui produit ce crémant d'un léger or vert. La mousse est de belle tenue, les arômes de vanille et de fruits blancs, la bouche pas trop dosée et au contact vif.

Dom. Royet, Combereau, 71490 Couches, tél. 03.85.49.64.01, fax 03.85.49.61.77 r.-v.

### SIMONNET-FEBVRE ★★

n.c. 10 000 5 à 8 €

Acquis par la maison Louis Latour en 2003, Simonnet-Febvre à Chablis pratique depuis plus d'un siècle l'effervescence comme une seconde nature. Cette composition à moitié chardonnay auquel s'ajoutent pinot noir (40 %) et gamay (10 %) relève d'une savante alchimie. On en extrait de l'or, ou presque. Une bulle ciselée, un beurré léger sur biscotte grillée, cette minéralité si caractéristique du vignoble, c'est assez particulier. Plus que satisfaisant dans un style consistant et savoureux, il offre une honnête durée de vie (deux à trois ans).

Simonnet-Febvre, 9, av. d'Oberwesel, 89800 Chablis, tél. 03.86.98.99.00, fax 03.86.98.99.01 t.l.j. sf sam. dim. 8h-12h 14h-18h; f. 5-15 août

### ALBERT SOUNIT Cuvée Prestige 2002

2,5 ha 33 320 **5 à 8 €**

Sous pavillon danois et très bourguignon d'esprit, ce crémant fera-t-il rêver la Petite Sirène ? Elle lui trouverait

un charme discret. Seule sa couleur est nettement marquée. Le reste est fin et plaisant. L'heure est venue de faire sauter le bouchon. Coup de cœur dans l'édition 2002.
Albert Sounit, 5, pl. du Champ-de-Foire, 71150 Rully, tél. 03.85.87.20.71, fax 03.85.87.09.71, e-mail albert.sounit@wanadoo.fr ▣ Y ✝ r.-v.

DOM. DE LA TOUR BAJOLE
Blanc de blancs 2002 ★★

● 0,3 ha 1 500 ▮⸸ 5 à 8 €

La Tour Bajole est la doyenne des maisons de Couches (au nord de la Saône-et-Loire) et la famille Dessendre l'une des plus anciennes du Couchois. Ces profondes racines plongent ici dans le verre pour libérer une mousse généreuse et un fruité (pamplemousse) agréable. Rondeur, persistance et effervescence sans excès. On pourra conserver cette bouteille au moins un an. En apéritif avec des gougères tièdes...
Marie-Anne et Jean-Claude Dessendre, Dom. de La Tour-Bajole, 11, rue de la Chapelle, 71490 Saint-Maurice-lès-Couches, tél. et fax 03.85.45.52.90, e-mail domaine-de-la-tour-bajole@wanadoo.fr ▣ Y ✝ r.-v.

VEUVE AMBAL Carte de cœur ★

● n.c. 20 000 5 à 8 €

Remariée à Eric Piffaut qui l'a installée dans ses meubles à Montagny-lès-Beaune, Veuve Ambal s'adapte fort bien à cette nouvelle vie. Son teint rose tirant un peu sur le violacé n'a rien d'étonnant en Bourgogne. Son parfum pinote légèrement. Entre finesse et vinosité, la balance est au point fixe. A déboucher en 2006, pour un gratin de framboises ou une soupe aux fruits rouges.
Veuve Ambal, Le Pré-Neuf, 21220 Montagny-lès-Beaune, tél. 03.80.25.01.70, fax 03.80.25.01.79, e-mail contact@veuve-ambal.com ▣ Y ✝ r.-v.
Eric Piffaut

L. VITTEAUT-ALBERTI Blanc de blancs 2003 ★★

● 4 ha 10 000 ▮⸸ 8 à 11 €

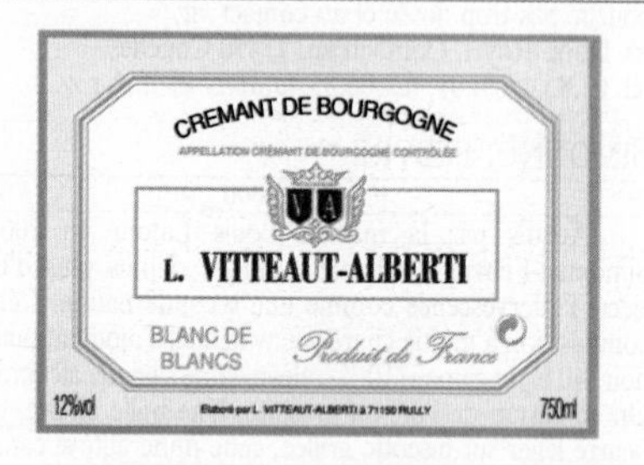


Coup de cœur dans notre édition 2003 et cette année encore, cette maison fondée en 1951 place Rully sur le devant de la scène. Chardonnay (80 %) et aligoté (20 %) s'accordent pour susciter une féerie de bulles au sein d'une mousse onctueuse. Les arômes se concentrent sur la fleur blanche et la mie de pain. Finesse et fraîcheur équilibrent le gras. Ce crémant sera surtout apprécié à table, avec un entremets, par exemple.
Vitteaut-Alberti, 16, rue de la Buisserolle, 71150 Rully, tél. 03.85.87.23.97, fax 03.85.87.16.24, e-mail vitteaut-alberti@wanadoo.fr ▣ Y ✝ r.-v.

## Le Chablisien

Malgré une célébrité séculaire qui lui a valu d'être imité de la façon la plus fantaisiste dans le monde entier, le vignoble de Chablis a bien failli disparaître. Deux gelées tardives, catastrophiques, en 1957 et en 1961, ajoutées aux difficultés du travail de la vigne sur des sols rocailleux et terriblement pentus, avaient conduit à l'abandon progressif de la culture de la vigne ; le prix des terrains en grands crus atteignait un niveau dérisoire, et bien avisés furent les acheteurs du moment. L'apparition de nouveaux systèmes de protection contre le gel et le développement de la mécanisation ont rendu ce vignoble à la vie.

L'aire d'appellation couvre les territoires de la commune de Chablis et de dix-neuf communes voisines dans les quatre appellations chablis. La récolte a atteint 284 317 hl en 2004. Les vignes dévalent les fortes pentes des coteaux qui longent les deux rives du Serein, modeste affluent de l'Yonne. Une exposition sud-sud-est favorise à cette latitude une bonne maturation du raisin, mais on trouvera plantés en vigne des « envers » aussi bien que des « adroits » dans certains secteurs privilégiés. Le sol est constitué de marnes jurassiques (kimméridgien, portlandien). Il convient admirablement à la culture du chardonnay, comme s'en étaient déjà rendu compte au XIIe s. les moines cisterciens de la toute proche abbaye de Pontigny, qui y implantèrent sans doute ce cépage, appelé localement beaunois. Celui-ci exprime ici plus qu'ailleurs ses qualités de finesse et d'élégance, qui font merveille sur les fruits de mer, les escargots, la charcuterie. Premiers et grands crus méritent d'être associés aux mets de choix : poissons, charcuterie fine, volailles ou viandes blanches, qui pourront d'ailleurs être accommodés avec le vin lui-même.

# Petit-chablis

Cette appellation constitue la base de la hiérarchie bourguignonne dans le Chablisien. Elle a produit 40 951 hl en 2004 sur 650 ha. Moins complexe que le chablis du point de vue aromatique, le petit-chablis possède une acidité un peu plus élevée qui lui confère une certaine verdeur. Autrefois consommé en carafe, dans l'année, il est maintenant mis en bouteilles. Victime de son nom, il a eu de la peine à se développer, mais il semble qu'aujourd'hui le consommateur ne lui tienne plus rigueur de son adjectif dévalorisant.

## PASCAL BOUCHARD 2004

n.c. 150 000 5 à 8 €

A l'œil c'est bien typé. Au nez, c'est discrètement mentholé et d'une prudente réserve. La bouche va comme la flèche : droite, linéaire, sans défaut et forcément rapide. Un rien de minéral donne à sa course un certain caractère qui peut s'affirmer d'ici à la mi-2006.

Pascal Bouchard, parc des Lys, 5 bis, rue Porte-Noël, 89800 Chablis, tél. 03.86.42.18.64, fax 03.86.42.48.11, e-mail info@pascalbouchard.com
t.l.j. 10h30-12h30 13h30-19h; f. jan.

## DOM. DU CHARDONNAY 2004

9 ha 59 000 5 à 8 €

Ce domaine de 36 ha résulte de l'association de trois viticulteurs, Christian Simon, William Nahan et Etienne Boileau, il y a tout près de vingt ans. D'intensité moyenne, souple et vif à la fois comme le cépage sait l'être ici, un vin jaune pâle et parfumé à la fleur blanche. Au berceau, il est franc de goût sans être (évidemment) très long. A associer à une salade au fromage de chèvre chaud.

Dom. du Chardonnay, Moulin du Patis, 89800 Chablis, tél. 03.86.42.48.03, fax 03.86.42.16.49, e-mail info@domaine-du-chardonnay.fr
t.l.j. d'avr. à déc. 10h-12h30 13h30-18h
E. Boileau, C. Simon, W. Nahan

## DOM. J. CHATELAIN 2004 *

6,95 ha 14 000 5 à 8 €

Ne pas oublier de parcourir ce village de Fontenay, logé au creux d'une vallée, et dont l'église est fort intéressante. « Parce que je le vaux bien... », semble dire cette bouteille qui inspire pas mal de compliments. Juste ce qu'il faut de robe et la brillance nécessaire. Citron, pamplemousse, les agrumes animent le bouquet. La fraîcheur calcaire ne doit pas précipiter l'intervention du tire-bouchon. On l'attendra un an ou deux et on s'en portera bien car tout est déjà en place.

GAEC De Oliveira Lecestre, Jacky Chatelain, 11, Grand-Rue, 89800 Fontenay-près-Chablis, tél. 03.86.42.40.78, fax 03.86.42.83.72 r.-v.

## DOM. DE LA CONCIERGERIE 2003 *

1,25 ha 5 000 5 à 8 €

Le domaine doit son nom à l'ancienne conciergerie du château de Courgis. Ce vin montre un peu les dents en fin de bouche, mais à force d'imiter l'éclat du silex... Le minéral en effet est ici bien présent sous un doré pâle et dans une suite élégante.

EARL Christian Adine, 2, allée du Château, 89800 Courgis, tél. 03.86.41.40.28, fax 03.86.41.45.75, e-mail nicole.adine@free.fr r.-v.

## LA CAVE DU CONNAISSEUR 2003

0,75 ha 5 000 5 à 8 €

Un intéressant caveau du XIII^es. dans le Vieux Chablis abrite la double activité de négoce et de propriété depuis une quinzaine d'années. Petite robe claire pour ce 2003 au bouquet assez chaud, sur la rhubarbe et le miel d'acacia. Bouche assez insistante, aromatique et dont l'ampleur et le gras sont en harmonie correcte.

La Cave du Connaisseur, rue des Moulins, BP 78, 89800 Chablis, tél. 03.86.42.87.15, fax 03.86.42.49.84, e-mail connaisseur@chablis.net t.l.j. 10h-18h

## DOM. JEAN-CLAUDE COURTAULT 2003

8 ha 11 000 5 à 8 €

Ce petit-chablis pratique ce qu'on appelle en rugby « les fondamentaux » : les bases essentielles d'un jeu efficace, sans inventer l'impossible. Ainsi sous un maillot jaune clair, le nez fait des passes minérales, fruitées qui se révèlent dynamiques à l'aération, en jeu ouvert. Bon regroupement en bouche où l'on reste sur ces arômes qui ont fait leurs preuves en se disant que l'attaque est encore la meilleure des défenses.

Dom. Jean-Claude Courtault, 1, rte de Montfort, 89800 Lignorelles, tél. 03.86.47.50.59, fax 03.86.47.50.74, e-mail jc-courtault@wanadoo.fr
r.-v.

BOURGOGNE

## VIGNOBLE DAMPT Vieilles Vignes 2003 **

0,6 ha 4 800 5 à 8 €

Comme le domaine de Vogüé en Côte de Nuits, Eric Dampt arbore un coq sur son blason. Celui-ci peut dire comme Chantecler : « Et si de tous les chants mon chant est le plus fier, c'est que je chante clair afin qu'il fasse clair ! » D'un jaune soutenu, le nez de fleurs blanches, de miel, d'amande associés à une pointe minérale, complexe, un petit-chablis comme on les aime, intense et rond dans un style de pierre à fusil, proposé en coup de cœur. Sous la marque **Dampt Frères, le petit-chablis 2003** obtient une étoile.

Eric Dampt, 16, rue de l'Ancien-Presbytère, 89700 Collan, tél. 03.86.55.36.28, fax 03.86.55.36.12, e-mail ericdampt@aol.com r.-v.

## AGNES ET DIDIER DAUVISSAT 2003

3 ha 2 000 5 à 8 €

Un 2003 très caractéristique du soleil de l'année, gorgé de maturité et bousculant la vendange. L'or se perçoit au premier coup d'œil. Ses arômes de noix, miel et cire d'abeille en imposent. Plaisant dans ce style où chaque mot est souligné. Un soufflé au comté devrait faire bon ménage avec ce vin qui a du poing.

Agnès et Didier Dauvissat, chem. de Beauroy, 89800 Beine, tél. 03.86.42.46.40, fax 03.86.42.80.82
r.-v.

## DOM. BERNARD DEFAIX 2004

2 ha 12 000 5 à 8 €

Aux pommes ! pourrait-on dire, tant cette cuvée suggère le fruit tentateur. Du fruit frais sous une teinte légère, fidèle à l'appellation. La bouche est bien faite, la persistance honorable. Sa jeunesse est déjà apaisée et la bouteille passera à table dès réception de la commande.

Dom. Bernard Defaix, 17, rue du Château, 89800 Milly, tél. 03.86.42.40.75, fax 03.86.42.40.28, e-mail didier@bernard-defaix.com r.-v.

## DOM. PHILIPPE GOULLEY 2003

2,5 ha 10 000 5 à 8 €

Philippe Goulley a décidé de voler de ses propres ailes en 1991, en se tournant vers la démarche bio, sur 5 ha dont la moitié concerne cette appellation. Il en tire un chardonnay bien coloré, aux arômes nets et fins, au corps assez dense (sensations de pomme cuite, de pâte d'amandes). Un peu appuyé mais le feuilleté d'escargots n'y trouvera rien à redire.

Philippe Goulley, 11 bis, vallée des Rosiers, 89800 La Chapelle-Vaupelteigne, tél. 03.86.42.40.85, fax 03.86.42.81.06, e-mail phil.goulley@wanadoo.fr
r.-v.

## ROLAND LAVANTUREUX 2003 **

4,5 ha 20 000 5 à 8 €

Du petit, on vient au grand... Vin de soif, sans doute, mais de soif distinguée ! Jaune tendre, un vin aux senteurs miellées. On sent le raisin mûri sous un soleil brûlant. Peu d'acidité pour cette même raison. On adore toutefois ce charme friand, ce gras confortable, cette authentique réussite dans l'appellation.

Roland Lavantureux, 4, rue Saint-Martin, 89800 Lignorelles, tél. 03.86.47.53.75, fax 03.86.47.56.43
t.l.j. 8h-20h; dim. sur r.-v.; f. 15-22 août

## DOM. DES MARRONNIERS 2004 *

3 ha 20 000 5 à 8 €

Bernard Légland a créé son domaine en 1976. Il dirige maintenant près de 20 ha. Roulez, jeunesse ! Ce 2004 sera à flot dans le courant de 2006. Brillante, sa robe offre à l'œil un joli gras. Le bouquet floral est délicatement beurré ; la bouche assez fine, équilibrée, n'oublie pas une légère pointe minérale. Une dégustatrice attendait une truite aux amandes !

Bernard Légland, 1 et 3, Grande-Rue-de-Chablis, 89800 Préhy, tél. 03.86.41.42.70, fax 03.86.41.45.82, e-mail bernardlegland@wanadoo.fr
t.l.j. 9h-12h30 14h-20h; f. 15-30 août

## SYLVAIN MOSNIER 2003 **

1,5 ha 3 000 5 à 8 €

*Bis repetita placent...* Coup de cœur l'an dernier, à nouveau cette année. N'est-il pas bon de répéter deux fois les bonnes choses ? Un grand... petit-chablis. Doré comme tout, il évoque au nez le fruit mûr, le coing. Sa bouche est persistante, équilibrée entre le miel et le silex. Délicieuse. Bien des vins plus huppés ne lui viennent pas aux épaules.

Sylvain Mosnier, 4, rue Derrière-les-Murs, 89800 Beine, tél. 03.86.42.43.96, fax 03.86.42.42.88, e-mail sylvain.mosnier@libertysurf.fr
r.-v.

## DOM. DE LA MOTTE 2003 *

3 ha 9 000 5 à 8 €

Bien située, en contrebas de l'église de Beine du XIIᵉs., et anciennement liée à la Chablisienne, la propriété du papa Henri Michaut a pris progressivement son autonomie depuis une quinzaine d'années. Son petit-chablis est léger pour un 2003, mais sa robe a de l'éclat, son bouquet la fraîcheur de l'aubépine et sa bouche des attraits. Il reste dans la norme de son appellation.

Michaut-Robin, SCEA Dom. de La Motte, 41, rue du Ruisseau, 89800 Beine, tél. 03.86.42.49.61, fax 03.86.42.49.63, e-mail mottemichaut@wanadoo.fr
r.-v.

## DOM. DE PISSE-LOUP 2003 *

1,5 ha 2 500 5 à 8 €

Coexploitants du château Lagarde-Rouffiac en AOC cahors, ces viticulteurs ne mettent pas leurs quatre pieds dans deux sabots seulement. On apprécie leur petit-chablis à la robe discrète. Si le nez est fin, la bouche gentiment mordante (citron) montre de la vivacité. En même temps vineuse, elle se détache bien. Prêt à la consommation sur un fromage du pays, le soumaintrain par exemple. Signalons qu'ici les vignes sont travaillées sans herbicides.

SCEA Hugot-Michaut, 1, rue de la Poterne, 89800 Beine, tél. et fax 03.80.97.04.67 r.-v.

## ISABELLE ET DENIS POMMIER 2003 *

4,5 ha 20 000 5 à 8 €

Refonte totale de l'habillage de la bouteille au millésime 2003, celui-ci. Comme il y a en héraldique des « armes parlantes », Isabelle et Denis Pommier se présentent tout naturellement sous cet arbre aux pommes d'or. La dégustation confirme cette teinte. Le fruit mûr s'accorde au millésime. Un corps droit et généreux porte l'élan d'une sève bien goûteuse. Petite touche d'amertume en finale, pas désagréable du tout.

Denis Pommier, 31, rue de Poinchy, Poinchy, 89800 Chablis, tél. 03.86.42.83.04, fax 03.86.42.17.80, e-mail isabelle@denis-pommier.com r.-v.

## FRANCINE ET OLIVIER SAVARY 2003 *

2,57 ha 12 500 5 à 8 €

Francine et Olivier Savary se sont offert en 2000 une cave voûtée comme au temps des moines de Pontigny. Il s'agit cependant ici d'un élevage en cuve. La rondeur et le gras l'emportent sur la longueur et la profondeur. Les arômes de beurre et de miel prennent le dessus sur le silex et la pierre à fusil. Cela dit, il faut vivre avec son temps... A l'œil, ce vin est sur son trente-et-un. Au nez il s'ouvre.

Francine et Olivier Savary, 4, chem. des Hâtes, 89800 Maligny, tél. 03.86.47.42.09, fax 03.86.47.55.80, e-mail f.o.savary@wanadoo.fr
t.l.j. 9h-11h45 14h-18h

## DANIEL SEGUINOT 2003

0,8 ha 2 000 5 à 8 €

Emilie en 2003, Laurence en 2006, la féminité du domaine est assurée car les filles de la famille rejoignent l'exploitation. Doré, assez fruité, résolument minéral, ce millésime prend les armes dès l'attaque. Vif et frais, il ne donne pas envie de s'endormir. Agréable, on le boira dans les mois à venir sur les multiples entrées de repas familial...

GAEC Daniel Séguinot, rte de Tonnerre, 89800 Maligny, tél. 03.86.47.51.40, fax 03.86.47.43.37, e-mail domaine.danielseguinot@wanadoo.fr r.-v.

## DOM. SEGUINOT-BORDET 2003

1 ha 4 000 5 à 8 €

Un petit-chablis produit par l'une des plus anciennes familles vigneronnes du Chablisien, à l'ouvrage de façon sûre depuis l'an 1590. Or clair et d'intensité aromatique moyenne (plutôt de silex), ce 2003 attaque en souplesse, mais non sans vivacité. Il se montre plus accommodant dès le milieu de bouche et il finit avec force.

🔑 FWS Séguinot-Bordet, 8, chem. des Hâtes, 89800 Maligny, tél. 03.86.47.44.42, fax 03.86.47.54.94, e-mail j.f.bordet@wanadoo.fr ☑ 🍷 🚶 r.-v.

### DOM. DU VIEUX LOUP 2003

4,5 ha 1 000 8 à 11 €

Jules, puis Octave, puis Serge, puis Christophe Goublot associé à son beau-frère Jean-Marie Longhi. En Bourgogne le cadastre est une généalogie vivante. Si soucieux de traditions, les Japonais sont même venus tourner un film ici. Quant à ce 2003, il est assez typé dans son millésime : suffisamment de robe, arômes de sous-bois et d'épices, constitution riche et longue. Charnu plus que fruité et d'une longueur satisfaisante.

🔑 Goublot-Longhi, 1, Grande-Rue, 89800 Beine, tél. et fax 03.86.42.43.34 ☑ 🍷 🚶 r.-v.

### DOM. YVON VOCORET 2003 *

3 ha 9 800 5 à 8 €

Si vous consultez le livre d'or du domaine, vous constaterez qu'on ne s'ennuie pas autour de la table de dégustation. Par exemple, avec ce 2003 vendangé le 31 août. Jaune pâle, il n'est pas avare de ses arômes : pain d'épice, fruits blancs baignant dans une fraîcheur citronnée. Un peu vif et très puissant, jouant toujours sur les agrumes. Il répond aux canons de son appellation.

🔑 Dom. Yvon Vocoret, 9, chem. de Beaune, 89800 Maligny, tél. 03.86.47.51.60, fax 03.86.47.57.47, e-mail domaine.yvon.vocoret@wanadoo.fr ☑ 🍷 🚶 r.-v.

# Chablis

Le chablis, qui a produit 191 677 hl sur 3 056 ha dans le millésime 2004, doit à son sol ses qualités inimitables de fraîcheur et de légèreté. Les années froides ou pluvieuses lui conviennent mal, son acidité devenant alors excessive. En revanche, il conserve lors des années chaudes une vertu désaltérante et une minéralité que n'ont pas les vins de la Côte-d'Or également issus du chardonnay. On le boit jeune

Le Chablisien

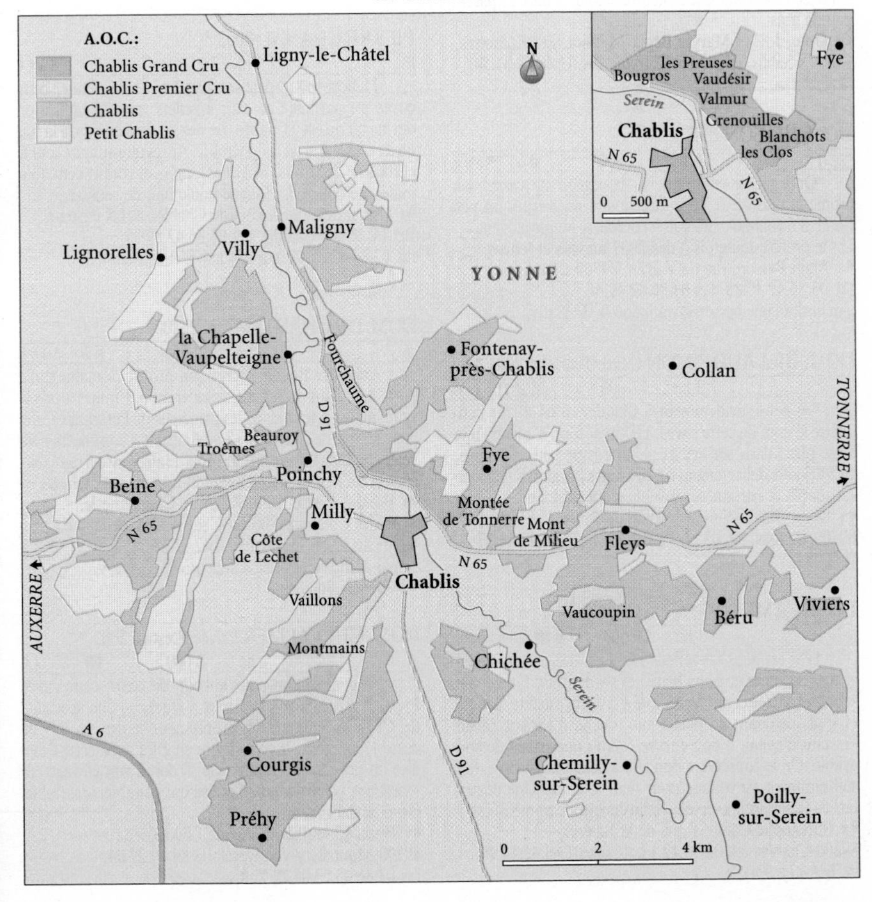

(un à trois ans), mais il peut vieillir jusqu'à dix ans et plus, gagnant ainsi en complexité et en richesse de bouquet.

**DOM. DES AIRELLES** Vieilles Vignes 2003 ★★

5 ha 4 500 5 à 8 €

Un candidat sérieux au coup de cœur. Il tire fort bien son épingle du jeu, doré il va sans dire et à reflets blanc-vert. Les fruits jaunes influent sur un bouquet intense. Agréable et assez puissante, l'attaque conduit à un corps de structure minérale, sans grand effet de gras et qu'une note citronnée distrait de son boisé léger.

Dom. des Airelles, 40, Grande-Rue, 89800 Chichée, tél. 03.86.42.49.60, fax 03.86.42.85.40, e-mail didirobin@aol.com r.-v.

Robin

**DOM. BEGUE-MATHIOT** 2003 ★

10 ha 1 700 5 à 8 €

Jaune assez soutenu, limpide et brillant, il ne manque pas de complexité aromatique : floral, beurré, il s'exprime avec franchise et netteté. Appréciable pour le millésime, sa jeunesse repose sur une structure légère, confortée par un peu de gras.

Dom. Joël et Maryse Bègue-Mathiot, Les Epinottes, 89800 Chablis, tél. 03.86.42.16.65, fax 03.86.42.81.54 r.-v.

**DOM. BESSON** 2003

7,6 ha 9 600 5 à 8 €

Or léger, il emprunte au bourgeon de cassis son arôme le plus actif. Vif à l'attaque, il reste frais, un peu floral. S'il chantait, ce serait « comme la plume au vent »... On le préfère toutefois à des 2003 massifs et lourds.

Alain Besson, rue de Valvan, 89800 Chablis, tél. 03.86.42.40.88, fax 03.86.42.49.46, e-mail domaine-besson@wanadoo.fr r.-v.

**DOM. BILLAUD-SIMON** Cuvée Tête d'or 2003 ★

3 ha 12 000 11 à 15 €

On pense évidemment à Claudel en lisant sur l'étiquette le nom de cette cuvée. Le vin occupe d'ailleurs une large place dans son œuvre. D'une robe peu accentuée, ce 2003 joue délicatement sur des notes florales. Sa bouche est souple et citronnée, moyennement prolongée.

Dom. Billaud-Simon, 1, quai de Reugny, BP 46, 89800 Chablis, tél. 03.86.42.10.33, fax 03.86.42.48.77 r.-v.

**DOM. CAMU** 2003 ★★

3 ha 20 000 8 à 11 €

L'or est dans ses reflets. Le nez a des objectifs bien sentis : agrumes et fleurs blanches s'y plaisent. Une petite sensation lactée et un léger toasté s'invitent à la fête. Souple et frais, délivrant au palais une touche d'abricot cueilli l'instant d'avant, il doit encore fondre une partie de son acidité. On le conservera donc un à deux ans en cave. Il a suffisamment de volume pour tenir le coup. Une dégustatrice le servirait avec des Saint-Jacques caramélisées !

Christophe Camu, 1, av. de la Liberté, 89800 Chablis, tél. 03.86.42.12.50, fax 03.86.42.14.40 t.l.j. 9h-18h

**LA CHABLISIENNE** Les Vieilles Vignes 2003 ★★

20 ha 160 000 11 à 15 €

La Chablisienne peut s'offrir le luxe de 20 ha de vieilles vignes sur les 1 200 ha qu'elle exploite. Sans doute la formule n'obéit-elle à aucun règlement et relève-t-elle de la confiance, mais le fait est : voici un pur chef-d'œuvre, l'une des vedettes de la dégustation. D'une grande intensité sur tous les plans, puissant sans perdre sa fraîcheur, très floral, il est à garder car sa finale peut se développer encore. Sublime jusqu'en 2010.

La Chablisienne, 8, bd Pasteur, BP 14, 89800 Chablis, tél. 03.86.42.89.89, fax 03.86.42.89.90, e-mail chab@chablisienne.fr r.-v.

**PIERRE CHANAU** 2003 ★

37,5 ha 300 000 5 à 8 €

Elaboré pour Auchan par La Chablisienne, cette cuvée est parfaite : or clair à reflets verts, d'emblée on devine qu'on est à Chablis. Le nez ne dément pas, à la fois ouvert sur le fruit et la minéralité. Après une attaque souple et franche, les fruits reviennent, mûrs et confits cette fois, millésime oblige. La longue finale finit de séduire.

Union des Viticulteurs de Chablis, 8, bd Pasteur, BP 14, 89800 Chablis, tél. 03.86.42.89.89, fax 03.86.42.89.90, e-mail chab@chablisienne.fr r.-v.

**DOM. DE CHANTEMERLE** 2003

11,3 ha 70 000 5 à 8 €

Adhémar Boudin a créé son propre domaine et l'a porté à un haut niveau de considération. Francis a pris la suite, mais on reste dans les principes de la famille. Celui par exemple de voir le vin s'emplir de vie « comme un petit veau en nouvelle lune »... Le chardonnay est ici agréable, clair et un peu floral, équilibré et à boire maintenant.

Boudin Père et Fils, SCEA de Chantemerle, 3, pl. des Cotats, 89800 La Chapelle-Vaupelteigne, tél. 03.86.42.18.95, fax 03.86.42.81.60, e-mail domchantemerle@aol.com r.-v.

Francis Boudin

**DOM. CHEVALLIER** Cuvée Prestige 2003 ★★

1 ha 2 000 8 à 11 €

En compétition pour le coup de cœur, cette cuvée Prestige accompagne le biscuit « Duché », une spécialité de Chablis. Sans être à proprement parler un vin de dessert, son goût s'harmonisera en effet avec cette friandise un peu sucrée. Jaune pâle, il doit à son élevage ces sensations vanille-amande grillée qui vont bien ensemble. Original dans le lot.

Dom. Chevallier, 6, rue de l'Ecole, 89290 Montallery-Venoy, tél. 03.86.40.27.04, fax 03.86.40.27.05 r.-v.

### DOM. CHRISTOPHE ET FILS Vieilles Vignes 2003

0,6 ha 4 000 **5 à 8 €**

Il faut une bonne carte pour découvrir le domaine. Fyé, hameau de Chablis, est tout simplement en haut de la vallée de Bréchain et l'on y côtoie le grand cru ! Or vif, ce vin d'accès facile a besoin d'un souffle d'air pour révéler ses arômes classiques. Rondeur et gras enveloppent une constitution aimable, teintée d'agrumes exotiques.

Dom. Christophe et Fils, Ferme des Carrières à Fyé, 89800 Chablis, tél. et fax 03.86.55.23.10 r.-v.

### DOM. DU COLOMBIER 2003

35 ha 150 000 **5 à 8 €**

Jean-Louis, Thierry et Vincent : trois frères sur ce domaine de 40 ha, pour un chablis jaune d'or aux arômes de beurre frais assez chaleureux. Miel ? Sur les bords. Cette cuvée assure le résultat sans viser la performance. Entre deux séquences souples et rondes, l'acidité s'affirme et permet au vin de bien se tenir. Il est prêt à la consommation sur fond d'andouillette du pays.

Guy Mothe et ses Fils, Dom. du Colombier, 42, Grand-Rue, 89800 Fontenay-près-Chablis, tél. 03.86.42.15.04, fax 03.86.42.49.67 t.l.j. sf dim. 8h-12h 14h-18h

### DOM. DE LA CONCIERGERIE 2003 *

13 ha 40 000 **8 à 11 €**

Coup de cœur en 2004, le Domaine de La Conciergerie est en effet un bon gardien des lieux. On échangerait volontiers son pavillon contre cette loge construite en 1793 auprès du château de Courgis. Le nez droit (silex et chèvrefeuille), la typicité de ce vin apparaît dès l'approche du verre. Son caractère citronné anime une bouche dans l'ensemble minérale, calcaire en un mot.

EARL Christian Adine, 2, allée du Château, 89800 Courgis, tél. 03.86.41.40.28, fax 03.86.41.45.75, e-mail nicole.adine@free.fr r.-v.

### DOM. JEAN-CLAUDE COURTAULT 2003 *

9 ha 31 000 **5 à 8 €**

Un vin qu'aurait apprécié le curé Printemps, personnage de caf'conc' qui choisissait volontiers le chablis comme vin de messe. Robe, bouquet, tout est bien typé. Terroir bien sûr, mais aussi millésime avec ce côté surmûri offert par la canicule. Sa vivacité assez présente en bouche, sa rétro-olfaction de chèvrefeuille contribuent à une personnalité attachante. A boire dans les deux ans.

Dom. Jean-Claude Courtault, 1, rte de Montfort, 89800 Lignorelles, tél. 03.86.47.50.59, fax 03.86.47.50.74, e-mail jc-courtault@wanadoo.fr r.-v.

### AGNES ET DIDIER DAUVISSAT 2003 *

4,5 ha 2 000 **8 à 11 €**

La saga des Dauvissat fait partie de l'histoire chablisienne. On frappe ici à la porte d'Agnès et de Didier : pour un 2003 paré d'une belle robe très dorée et au bouquet démonstratif. Ce vin de caractère, charpenté, riche en matière et en relief, est à boire dès à présent.

Agnès et Didier Dauvissat, chem. de Beauroy, 89800 Beine, tél. 03.86.42.46.40, fax 03.86.42.80.82 r.-v.

### WILLIAM FEVRE 2004

n.c. n.c. **5 à 8 €**

Ce 2004 paraît prometteur et il est le meilleur des chablis dégustés dans le millésime. Une couleur très jeune, un bouquet où les fleurs sont en bouton, une acidité encore omniprésente : ce pari sur l'avenir n'est pourtant pas trop risqué. A élever soi-même, en quelque sorte.

Dom. William Fèvre, 21, av. d'Oberwesel, 89800 Chablis, tél. 03.86.98.98.98, fax 03.86.98.98.99, e-mail france@williamfevre.com t.l.j. sf mar. dim. 9h-12h 14h-18h; f. 1er déc.-1er mars

### FOURREY ET FILS 2003 *

11 ha 4 300 **5 à 8 €**

Il ressemble à ce chablis décrit par Henri Elwing : « Un arôme haute couture sans violence, d'une fraîcheur bondissante aux papilles. » Comme il y a des romances « fleur bleue », celle-ci est fleur blanche, sous une robe de jeune fille. L'entrée en bouche est pudique, réservée, mais quelle jolie volée d'escalier que l'on gravit en s'arrêtant à chaque marche ! L'alcool le rend chaleureux en finale. Il n'a pas été vendangé un 4 septembre pour rien... Coup de cœur dans notre précédente édition, pour son 2002.

Dom. Fourrey et Fils, 6, rue du Château, 89800 Milly-Chablis, tél. 03.86.42.14.80, fax 03.86.42.84.78, e-mail domaine.fourrey@wanadoo.fr r.-v.

### ALAIN GAUTHERON 2003

14 ha 20 000 **5 à 8 €**

Paille pâle, il distille quelques notes timides de miel et de fleur d'acacia. Sa bouche est enrobée de gras, sans acidité agressive : comme doit l'être un 2003 issu de la nature et fils du soleil. On trouve ici ce que les Anglais (qui s'y connaissent en vrai chablis) appellent *a real taste of gunflint*.

GAEC Alain et Cyril Gautheron, 18, rue des Prégirots, 89800 Fleys, tél. 03.86.42.44.34, fax 03.86.42.44.50, e-mail vins@chablisgautheron.com t.l.j. 9h-12h 13h30-17h30; dim. sur r.-v.

### DOM. JEAN GOULLEY ET FILS 2003

7 ha 55 000 **5 à 8 €**

L'école bourguignonne de dégustation n'a-t-elle pas le sens de la nuance ? On lit sur une fiche : « Or pâle assez soutenu »... S'il a peu de nez, ce vin laisse une petite note miellée apparaître à l'aération. Chaleureux et costaud, il porte la marque du millésime.

Dom. Jean Goulley et Fils, 11 bis, vallée des Rosiers, 89800 La Chapelle-Vaupelteigne, tél. 03.86.42.40.85, fax 03.86.42.81.06, e-mail phil.goulley@wanadoo.fr r.-v.

### DOM. GUITTON-MICHEL 2003 *

6 ha 10 000 **8 à 11 €**

Si l'on élisait une Miss Chablis, cette bouteille pourrait à coup sûr figurer sur le podium. A tout le moins comme demoiselle d'honneur ! Car sa robe est dorée comme celle d'une princesse et son parfum en envoûterait plus d'un... L'impression est généreuse, fruitée, un peu vanillée sans doute : sa beauté lui suffirait amplement. Vin de plaisir à déguster séance tenante.

Guitton-Michel, 2, rue de Poinchy, 89800 Chablis, tél. 03.86.42.43.14, fax 03.86.42.17.64 r.-v.

BOURGOGNE

### DOM. DES HERITIERES 2003 *

4,5 ha 25 000 8 à 11 €

« Un vin qui n'est pas trop jaune », écrivait du vin de Chablis l'auteur de la célèbre *Bataille des vins* au début du XIII[e]s. Il n'a rien perdu de cette subtilité, comme on le voit ici. La fleur blanche prend ses quartiers dans le bouquet et ne le quitte plus. Ample et épicé, assez gras et rond, un 2003 d'heureuse rencontre qui pourra vieillir un peu.

Olivier Tricon, 15, rue de Chichée, 89800 Chablis, tél. 03.86.42.10.37, fax 03.86.42.49.13 r.-v.

### DOM. LAROCHE Saint-Martin 2003

63 ha 381 000 11 à 15 €

Chablis honore saint Martin. Il figure sur ses armes car la cité servit jadis de refuge à ses reliques menacées par les Normands. Econome de son or, le nez d'une charité légère et fruitée, ce chablis généreux en chaleur s'inspire autant que se peut des vertus du personnage. Michel Laroche occupe l'Obédiencerie où l'on peut toujours voir un pressoir du XIII[e]s.

Michel Laroche, L'Obédiencerie, 22, rue Louis-Bro, 89800 Chablis, tél. 03.86.42.89.00, fax 03.86.42.89.29, e-mail info@larochewines.com r.-v.

### ROLAND LAVANTUREUX 2003 *

14 ha 30 000 5 à 8 €

Un peu de gras dans la robe annonce la couleur. Année chaude, sauvée grâce aux thermorégulations. Il en reste quelque chose, comme si le soleil avait voulu s'introduire dans la bouteille. En bouche, les arômes vont crescendo et il y a de l'ampleur dans la démarche.

Roland Lavantureux,
4, rue Saint-Martin, 89800 Lignorelles,
tél. 03.86.47.53.75, fax 03.86.47.56.43
t.l.j. 8h-20h; dim. sur r.-v.; f. 15-22 août

### DOM. DES MALANDES
Cuvée Tour du Roy Vieilles Vignes 2003 **

1,3 ha 10 000 8 à 11 €

Un coup de cœur en 2001 et cette fois encore un vin remarqué. Tout ce qui brille n'est pas or, certes. Mais dans ce verre et sur une nappe blanche, cela y ressemble bien. Ouvert sur le fruit jaune, le nez est plein d'ardeur. Peu de matière selon la loi naturelle, mais une bouche élégante, bien fondue, un tout petit peu mordante comme la brise du printemps, travaillée avec soin. Tout en dentelle, avec du potentiel : parfait en 2006.

Dom. des Malandes, 63, rue Auxerroise,
89800 Chablis, tél. 03.86.42.41.37, fax 03.86.42.41.97,
e-mail contact@domainedesmalandes.com r.-v.
Marchive

### DOM. DE LA MANDELIERE 2003

9 ha 40 000 5 à 8 €

Josette et Robert sont tous deux enfants de viticulteurs. Ils ont ainsi trouvé des vignes Nicolle et des vignes Laroche dans la corbeille de noces. Leur 2003 a été récolté relativement tard (11 septembre). Se rapprochant d'une teinte vieil or, il respecte les normes habituelles du millésime : peu d'acidité, puissance et longueur, arômes assez fruités et mûrs. Plutôt destiné à une viande blanche.

Nicolle, SCEA de La Mandelière,
55, rue des Monts-de-Milieu, 89800 Fleys,
tél. 03.86.42.19.30, fax 03.86.42.80.07 r.-v.

### MAUPA 2003

15 ha 2 600 5 à 8 €

Dernières nouvelles du domaine : l'achat et la plantation de 75 a en Vosgros, en 2004. 1er cru situé justement sur Chichée, joli village au sud-est de Chablis. « Or doré », dit-on de ce vin qui fait sur ce point le maximum, il est souple et fruité.

EARL du Maupa, 6, rte de Chablis, 89800 Chichée, tél. et fax 03.86.42.15.75 r.-v.
Maurice

### DOM. DE LA MEULIERE 2003

17,5 ha 60 000 8 à 11 €

Après Henri et Ulysse Laroche, Roger développa la mise en bouteilles. Claude, l'arrière-petit-fils, créa en 1984 le domaine de La Meulière. Et les générations continuent... Peu coloré, leur 2003 offre une belle intensité aromatique. Très arrondie, sa bouche exprime une acidité modérée et l'alcool y est bien présent. On n'échappe pas à son destin : sa minéralité le ramène à son appellation d'origine.

Famille Claude Laroche,
18, rte des Monts-de-Milieu, BP 25, 89800 Fleys,
tél. 03.86.42.13.56, fax 03.86.42.19.32,
e-mail chablis.meuliere@wanadoo.fr
t.l.j. 9h-19h; dim. 9h-14h

### J. MOREAU ET FILS
Croix Saint-Joseph Réserve 2003 *

0,42 ha 3 209 8 à 11 €

Très ancienne maison chablisienne fondée en 1814 par un Dijonnais et redevenue côte-d'orienne lors de son acquisition par Jean-Claude Boisset. Avec ce 2003, on comprend pourquoi Chablis est *the Golden Gate of Burgundy*, la Porte d'Or de la Bourgogne. La clarté dans le verre, sa luminosité écartent tout excès de couleur. L'aubépine, l'abricot sec, l'amande grillée constituent un solide donjon aromatique. Riche et persistante, la bouche va son chemin sur des notes d'agrumes. Légère amertume en finale.

J. Moreau et Fils, La Croix Saint-Joseph,
rte d'Auxerre, 89800 Chablis, tél. 03.86.42.88.00,
fax 03.86.42.88.08, e-mail moreau@jmoreau-fils.com
r.-v.

### MOREAU-NAUDET ET FILS Caractère 2003 *

0,65 ha 2 500 8 à 11 €

Jaune clair, ce vin est racé, mariant la fleur blanche et l'agrume exotique (citron, c'est-à-dire un arôme classique). La petite pointe d'acidité est dans cette tonalité traditionnelle. Longueur appréciable. Tout ce que l'on attend dans cette AOC.

EARL Moreau-Naudet, 5, rue des Fosses,
89800 Chablis, tél. 03.86.42.14.83, fax 03.86.42.85.04
r.-v.

### DOM. DE LA MOTTE Vieilles Vignes 2003 ***

2 ha 15 000 8 à 11 €

« Sec, limpide, parfumé, vif et léger », ainsi Raymond Dumay définissait-il le pur chablis. Celui-ci illustre parfaitement les impératifs exigés. Sous une teinte d'aquarelle fine et luisante, le nez répond au modèle (silex, noisette grillée, un soupçon de miel). En bouche, le programme est ample et équilibré. Un petit élan de vivacité anime le dénouement. A déguster pour Noël 2006.

Michaut-Robin, SCEA Dom. de La Motte, 41, rue du Ruisseau, 89800 Beine, tél. 03.86.42.49.61, fax 03.86.42.49.63, e-mail mottemichaut@wanadoo.fr
r.-v.

## DOM. DE PERDRYCOURT Cuvée Prestige 2003

0,75 ha 2 500 8 à 11 €

Implanté, pour ses installations, dans l'Auxerrois Nord (près de Seignelay), ce domaine s'est fixé l'objectif de produire le plus féminin des chablis : la robe, il est vrai, est d'un jaune doré appétissant. Miel et fleurs font un bouquet assorti tandis que le corps montre une légère vivacité. La fraîcheur en bénéficie, dans un volume correct, avec un soupçon de pêche pour égayer la visite.

Arlette et Virginie Courty, Dom. de Perdrycourt, 9, voie Romaine, 89230 Montigny-la-Resle, tél. 03.86.41.82.07, fax 03.86.41.87.89, e-mail domainecourty@wanadoo.fr
t.l.j. 9h-19h (dim. 18 h)

## MICHELE ET CLAUDE POULLET 2003

n.c. n.c. 5 à 8 €

Jaune intense, ce 2003 est très ouvert sur des notes florales ; quelques nuances annoncent une certaine complexité. D'un tempérament vineux et assez chaud en fin de bouche, il porte une acidité plutôt faible et sa fraîcheur à l'attaque s'accompagne d'un petit goût de poire. Tout cela reste fort agréable.

Claude Poullet, 6, rue du Temple, 89800 Maligny, tél. et fax 03.86.47.51.37 r.-v.

## DENIS RACE 2003 **

8 ha 23 000 5 à 8 €

Sa couleur est sympa, nous dit-on. Limpide, claire et brillante évidemment. Assez neutre au premier nez, son bouquet devient bientôt minéral. Représentatif du terroir et du millésime, un vin aimable et franc, toujours minéral jusqu'à la montée du fruit mûr en *pole position* sur la fin. Au bon sens de l'expression, il donne tout ce qu'il peut. On le débouchera dans les deux ans.

Denis Race, rue Benjamin-Constant, 89800 Chablis, tél. 03.86.42.45.87, fax 03.86.42.81.23, e-mail domaine@chablisrace.com r.-v.

## DOM. SAINT PRIX 2003 *

3,3 ha 15 000 8 à 11 €

S'il est un peu long à s'ouvrir au bénéfice du sous-bois, de la mousse (vous trouverez aussi le champignon), et donc à carafer, nul besoin de le garder en cave : on peut se faire tout de suite plaisir. Signé par un voisin de Saint-Bris, pâle et limpide, il est dans les limites de l'épure : équilibré entre acidité et alcool, partagé entre le fruité et le minéral.

Dom. Bersan et Fils, 20, rue du Dr-Tardieux, 89530 Saint-Bris-le-Vineux, tél. 03.86.53.33.73, fax 03.86.53.38.45, e-mail bourgognes-bersan@wanadoo.fr
t.l.j. sf dim. 8h-12h 14h-18h; dim. sur r.-v.

## FRANCINE ET OLIVIER SAVARY

Sélection vieilles vignes 2003 *

2 ha 6 800 8 à 11 €

Aimable et souple, le fruit croquant, un peu d'épices, pas trop de rondeur mais cette vivacité indispensable à tout chablis bien réussi... Que demander de plus ? Le nez est assez fin, l'or assez vert et la finale assez longue. La maturité du millésime n'est pas escamotée mais elle demeure disciplinée. Dans quelques siècles on dira : « La cave ? Elle a été creusée et voûtée en 2000. »

Francine et Olivier Savary, 4, chem. des Hâtes, 89800 Maligny, tél. 03.86.47.42.09, fax 03.86.47.55.80, e-mail f.o.savary@wanadoo.fr
t.l.j. 9h-11h45 14h-18h

## DOM. SERVIN 2003

20,44 ha 64 000 8 à 11 €

Vaste domaine de plus de 33 ha fondé au XVII^e s. Que penser de ce 2003 ? Doré foncé, il ne peut pas mentir sur son millésime. Fruits blancs et vanille, ses arômes sont insistants. Il ne laisse aucune place libre en bouche, le gras dominant la minéralité. Sa densité profonde est balancée par un peu d'acidité et – il faut le dire – une certaine grâce.

SCEA Dom. François Servin, 20, av. d'Oberwesel, BP 8, 89800 Chablis, tél. 03.86.18.90.00, fax 03.86.18.90.01, e-mail contact@servin.fr r.-v.

## DOM. DU VIEUX CHATEAU Vieilles Vignes 2001

10 ha 50 000 8 à 11 €

Ce domaine a ses habitudes. Il nous fait toujours déguster un millésime plus ancien que les autres. Ce 2001 à la robe relativement soutenue (normal, vu son âge) n'insiste pas outre mesure quand on le hume. Encore vif et de tournure assez simple. Les cinéphiles se rappellent qu'Harrisson Ford se remonte le moral avec ce chablis dans *Le Fugitif*...

Daniel-Etienne Defaix, Dom. du Vieux-Château, 14, rue Auxerroise, 89800 Chablis, tél. 03.86.42.42.05, fax 03.86.42.48.56, e-mail chateau@chablisdefaix.com
t.l.j. 9h-12h 14h-18h

## DOM. DU VIEUX LOUP 2003 **

2,3 ha 1 000 8 à 11 €

Cette bouteille suit au pied de la lettre le verdict de Raymond Baudoin : « Le vin de Chablis doit être blanc-vert et transparent. » Une touche d'acacia et le nez s'ouvre tout grand comme la fenêtre au réveil du printemps. Fine et gourmande, élégante, la bouche possède le grain du pays. Grand vin pour poisson noble.

Goublot-Longhi, 1, Grande-Rue, 89800 Beine, tél. et fax 03.86.42.43.34 r.-v.

## DOM. YVON VOCORET 2003 ***

12 ha 10 500 5 à 8 €

Expressif et déjà plaisant, il affinera avec l'âge (environ dix-huit mois) toute sa complexité. Jaune-vert pâle, il affiche des arômes de bon ton, nuancés sur la fleur blanche et le miel. Au palais, il récite le catalogue des charmes de l'appellation : belle acidité, texture minérale,

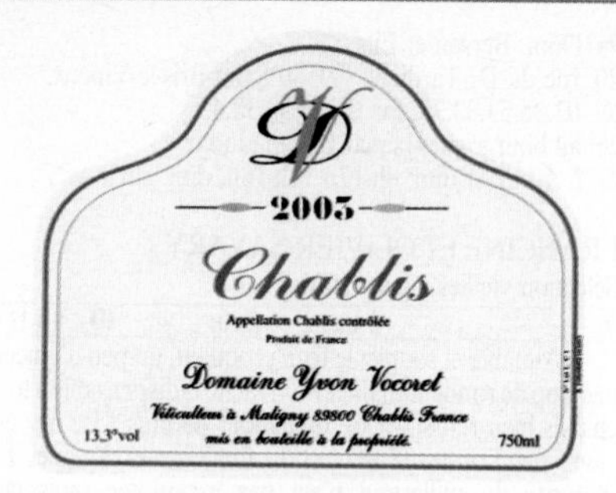


discrets accents de citron et de menthol, équilibre et longueur remarquables. Ce chablis apparaît comme un modèle de vinification en 2003 (vendange le 31 août).
Dom. Yvon Vocoret, 9, chem. de Beaune, 89800 Maligny, tél. 03.86.47.51.60, fax 03.86.47.57.47, e-mail domaine.yvon.vocoret@wanadoo.fr r.-v.

DOM. VRIGNAUD 2003

n.c. 10 000 5 à 8 €

Cette ancienne ferme exploitée par les Templiers a été rendue à l'état civil. Sous une robe fluide, un 2003 dont le nez applique le silence cistercien : fermé tout en laissant deviner quelque chose. Epicé et minéral, vif et souple, il ne recherche pas l'ampleur. Net et bien fait, équilibré.
Dom. Vrignaud, 10, rue de Beauvoir, 89800 Fontenay-près-Chablis, tél. 03.86.42.15.69, fax 03.86.42.40.06, e-mail guillaume.vrignaud@wanadoo.fr
t.l.j. 8h-18h; sam. dim. sur r.-v.

DOM. GERARD VULLIEN 2003 *

5,22 ha 6 000 8 à 11 €

Ancien patron des vastes domaines Albert Bichot en Chablisien, Gérard Vullien est parti en retraite après trente-deux ans de bons et loyaux services. Il occupe ses loisirs en veillant sur un domaine de 5,85 ha qu'il a repris. Si le nez de ce 2003 est difficile à cerner, du moins dans l'immédiat, sa robe or pâle à reflets argentés est superbe. Les agrumes ajoutent une note presque exotique à un chablis très puriste, un peu nerveux, bien comme il faut. Moulins-en-Tonnerrois est proche de Noyers-sur-Serein, belle cité médiévale.
Dom. Gérard Vullien, 2, rue de Censy, 89310 Moulins-en-Tonnerrois, tél. 06.12.22.80.14, fax 03.86.51.66.40, e-mail vullien.g@wanadoo.fr
t.l.j. sf dim. 10h30-13h 14h30-18h30; f. janv. fév.

# Chablis premier cru

Produit sur 775 ha, il provient d'une trentaine de lieux-dits sélectionnés pour leur situation et la qualité de leurs produits (45 963 hl en 2004). Il diffère du précédent moins par une maturité supérieure du raisin que par un bouquet plus complexe et plus persistant, où se mêlent des arômes de miel d'acacia, un soupçon d'iode et des nuances végétales. Le rendement est limité à 50 hl à l'hectare. Tous les vignerons s'accordent à situer son apogée vers la cinquième année, lorsqu'il « noisette ». Les *climats* les plus complets sont la Montée de Tonnerre, Fourchaume, Mont de Milieu, Forêt ou Butteaux, et Côte de Léchet.

DOM. BARAT Vaillons 2003 *

3 ha 10 000 8 à 11 €

Vaillons trône au centre de la grande côte au sud-ouest de Chablis. Réputé « pour en mettre plein la bouche », il joue souvent des coudes avec Fourchaume. Riche et étoffé en première partie du parcours, il fait ensuite sa révérence avec élégance sans trop appuyer sur le fond. Typé fruits mûrs, agrumes, d'une belle couleur, il est à mettre sur votre table.
Dom. Barat, 6, rue de Léchet, Milly, 89800 Chablis, tél. 03.86.42.40.07, fax 03.86.42.47.88, e-mail domaine.barat@wanadoo.fr r.-v.

DOM. BILLAUD-SIMON
Mont de Milieu Vieilles Vignes 2003 **

1 ha 3 000 15 à 23 €

Deux très belles bouteilles aussi bien notées : l'une de **Vaillons 2003** (vinification impeccable) et celle-ci dans le même millésime. Certes, le boisé l'arrange un peu, mais ce n'est pas au détriment du chardonnay. Son or argenté typique, son bouquet d'églantine, son tranchant de silex et son entrain la situent au premier plan.
Dom. Billaud-Simon, 1, quai de Reugny, BP 46, 89800 Chablis, tél. 03.86.42.10.33, fax 03.86.42.48.77
r.-v.

PASCAL BOUCHARD Beauroy 2003 *

n.c. 8 000 11 à 15 €

Il mérite bien son nom ! Sans doute ce *climat* très respecté s'écrivait-il jadis Boroy, mais la République est tolérante... Le couronnement d'un 2003 d'une grande maturité, riche et gras, digne d'une poularde à la crème tant son règne est aimable. Tout aussi estimable, le **Vaillons 2003** ne passe pas inaperçu, il est cité.
Pascal Bouchard, parc des Lys, 5 bis, rue Porte-Noël, 89800 Chablis, tél. 03.86.42.18.64, fax 03.86.42.48.11, e-mail info@pascalbouchard.com
t.l.j. 10h30-12h30 13h30-19h; f. jan.

JEAN-MARC BROCARD Montmains 2003

n.c. n.c. 11 à 15 €

Un verre ballon. Rond de préférence, car au stade d'Auxerre ce vin est souvent servi lors de la mi-temps aux hôtes de la tribune d'honneur. Sous son maillot or pâle à reflets verts, le nez a un peu de mal à entrer dans le match. Il y réussit à l'aération. Jolies passes entre l'ananas et le toasté. En bouche le ballon circule bien, sans la moindre agressivité. Il est sans doute encore trop tôt pour juger cette bouteille : attendons la saison prochaine.
SARL Jean-Marc Brocard, 3, rte de Chablis, 89800 Préhy, tél. 03.86.41.49.00, fax 03.86.41.49.09, e-mail c.brocard@brocard.fr
t.l.j. 9h-13h 14h-18h30

DOM. CAMU Côte de Léchet 2003 *

0,2 ha 1 500 11 à 15 €

Christophe Camu a commencé en 1988 avec 24 a qui lui ont été donnés. Il dispose aujourd'hui de 8 ha. Beau

succès. Ce Côte de Léchet voit une belle évolution dans le verre ; c'est une jolie personnalité. Son nez est fleuri, délicatement citronné. Son tempérament impulsif n'est pas inopportun, d'autant qu'il sait assez vite se raisonner. L'andouillette se lie volontiers avec un tel vin. Celle de Michel Soulier, il va sans dire.
Christophe Camu, 1, av. de la Liberté,
89800 Chablis, tél. 03.86.42.12.50, fax 03.86.42.14.40
t.l.j. 9h-18h

## LA CHABLISIENNE Mont de Milieu 2003 ★★

5,56 ha 30 000 15 à 23 €

Avouons notre embarras, tant le jury accorde d'étoiles (une ou deux à chaque fois) à La Chablisienne ! Soit sous son propre nom **Grande Cuvée 2003 (11 à 15 €)** – une étoile, coup de cœur l'an dernier et déjà en 2004, en 2003...–, **L'Homme mort 2003**, une étoile ; soit sous l'étiquette de la **Cave des Vignerons de Chablis : Fourchaume 2003**, une étoile, **Fourneaux 2003 (11 à 15 €)**, deux étoiles, et **Beauregard 2003 (11 à 15 €)**, deux étoiles. S'il faut vraiment mettre une bouteille en exergue, ce sera Mont de Milieu. Doré soutenu, en éveil aromatique (minéral et lactique) et d'une ambition flagrante. Son ampleur et son gras, sa pointe de fraîcheur en font un chat de race, ronronnant et d'une insondable volupté d'être.
La Chablisienne, 8, bd Pasteur, BP 14,
89800 Chablis, tél. 03.86.42.89.89, fax 03.86.42.89.90,
e-mail chab@chablisienne.fr r.-v.

## DOM. DE CHANTEMERLE L'Homme mort 2003

0,22 ha 1 700 11 à 15 €

Encore un incontournable ! C'est bien Adhémar Boudin qui a rendu la vie à l'Homme mort. Jaune vif, il respire l'aubépine, l'acacia dans un décor citron. Au palais et même si la finale est un peu sévère (avec un nom pareil !), sa personnalité se traduit par la densité et le gras. Délicate, l'acidité ne montre aucune agressivité. Le fruit blanc apparaît en flash-back. Etonnant destin pour ce soudard anglais de la guerre de Cent Ans, à l'origine dit-on du nom de ce lieu-dit auquel Fourchaume ne fait plus d'ombre.
Boudin Père et Fils, SCEA de Chantemerle,
3, pl. des Cotats, 89800 La Chapelle-Vaupelteigne,
tél. 03.86.42.18.95, fax 03.86.42.81.60,
e-mail domchantemerle@aol.com r.-v.

## DOM. DE CHAUDE ECUELLE Montmains 2003 ★

0,76 ha 5 797 8 à 11 €

Coup de cœur en 2003 pour sa Montée de Tonnerre 2000, Chaude Ecuelle ignore le spleen si l'on en juge par cette bouteille. Brillante et claire, d'un fruit discret, elle offre une belle accroche et les wagons suivent. C'est vif et savoureux, conseillé à l'apéritif. Plein de gaieté. « On a envie d'en reboire », note un dégustateur sur sa fiche. Qu'espérer de mieux ?
Dom. de Chaude Ecuelle,
35, Grande-Rue, 89800 Chemilly-sur-Serein,
tél. 03.86.42.40.44, fax 03.86.42.85.13 r.-v.
Gabriel et Gérald Vilain

## DOM. DES CHENEVIERES Fourchaume 2003 ★

1,5 ha 10 000 11 à 15 €

Il s'agit de la reprise du Domaine Bernard et Lucette Tremblay pour ce millésime. Quelle jolie blonde ! Comme dans un film d'Hitchcock ! Les reflets dorés de cette bouteille mettent en valeur un bouquet assez capiteux, dû à la maturation très particulière du millésime. Tout en puissance et plénitude, empli de soleil, un mariage bien abouti. Quant à la **Côte de Léchet 2003 (8 à 11 €)**, elle obtient une étoile mais ne devra pas attendre.
Frédéric Gueguen, Dom. des Chenevières,
3, rte de Chablis, 89800 Préhy, tél. 03.86.41.49.00,
fax 03.86.41.49.09, e-mail f.gueguen@brocard.fr
t.l.j. sf dim. 9h-12h 14h-18h30

## DOM. JEAN COLLET ET FILS
Montée de Tonnerre Elevé en fût de chêne 2003 ★★

2,16 ha 15 900 11 à 15 €

Le labyrinthe chablisien a été quelque peu simplifié : soixante-dix-neuf lieux-dits en 1er cru, mais quarante usités et regroupés sous dix-sept dénominations plus connues. Ainsi Montée de Tonnerre fédère-t-il Capelots, Pied d'Aloue, etc. *Climat* réputé pour son éclat de silex, il donne ici un vin bien typé, légèrement pain grillé. Sa robe est claire, son bouquet agrémenté de pêche. Il a été sélectionné pour la finale du coup de cœur, arrivant en troisième position. Le **Montmains 2003 (8 à 11 €)** obtient une étoile. Il est minéral, beurré et fruité.
Dom. J. Collet et Fils, 15, av. de la Liberté,
89800 Chablis, tél. 03.86.42.11.93, fax 03.86.42.47.43,
e-mail collet.chablis@wanadoo.fr r.-v.
Gilles Collet

## DOM. DU COLOMBIER Fourchaume 2003 ★★

2,4 ha 17 000 8 à 11 €

Vous pouvez opter pour **Vaucoupin 2003** (une étoile) parmi les vins présentés par les trois fils de Guy Mothe. Il fleure bon le mousseron et c'est tout dire à Chablis. On lui préfère toutefois ce Fourchaume vendangé le 2 septembre. Or intense, évoquant la pêche et les fruits secs, il est très logique en bouche et au regard du millésime. Pas de longueur exceptionnelle, mais un tempérament très flatteur qui ne donne guère envie de résister longtemps à la tentation. Il fait partie de la demi-douzaine de bouteilles dans le peloton de tête puisqu'il fut présenté à l'échappée décisive du grand jury.
Guy Mothe et ses Fils, Dom. du Colombier,
42, Grand-Rue, 89800 Fontenay-près-Chablis,
tél. 03.86.42.15.04, fax 03.86.42.49.67
t.l.j. sf dim. 8h-12h 14h-18h

## DOM. DE LA CONCIERGERIE Montmain 2003 ★

3,3 ha 20 000 8 à 11 €

Montmain, l'un des meilleurs 1ers crus de la rive gauche. Dans sa robe classique et brillante, celui-ci rappelle la pierre à fusil de nos aïeux quand ils se disputaient. Sa bouche est assez vive, un peu muscatée par le millésime, originale. A déboucher dans l'année qui vient.
EARL Christian Adine, 2, allée du Château,
89800 Courgis, tél. 03.86.41.40.28, fax 03.86.41.45.75,
e-mail nicole.adine@free.fr r.-v.

## LA CAVE DU CONNAISSEUR
Mont de Milieu 2003

0,35 ha 2 000 11 à 15 €

Agréable au regard, fin et fruité (fermé de prime abord, le nez s'ouvre assez rapidement), un vin un peu léger. Il attaque en y mettant du cœur et il fait de son mieux. La **Montée de Tonnerre 2003** se situe dans la même perspective. A boire courant 2006.
La Cave du Connaisseur, rue des Moulins, BP 78,
89800 Chablis, tél. 03.86.42.87.15, fax 03.86.42.49.84,
e-mail connaisseur@chablis.net t.l.j. 10h-18h

BOURGOGNE

### DANIEL DAMPT Beauroy 2003 *

0,45 ha 3 400 11 à 15 €

Daniel Dampt a repris en 1986 le domaine créé à partir de 1954 par son beau-père Jean Defaix. Vincent, c'est la nouvelle génération. Bien fait de sa personne, ce Beauroy jaune paille est la brise du printemps : acacia, chèvrefeuille... Il s'y ajoute une pointe de fruits mûrs. Sa complexité n'est nullement élitiste. Accessible à tous, elle brille aussi par l'élégance.

Dom. Daniel Dampt et Fils, 1, rue des Violettes, Milly, 89800 Chablis, tél. 03.86.42.47.23, fax 03.86.42.46.41, e-mail domaine.dampt.defaix@wanadoo.fr r.-v.

### VINCENT DAUVISSAT Vaillons 2003 **

1,3 ha 5 600 11 à 15 €

Comment échapper à **La Forest 2003** de Dauvissat ? Cette grande classique, en effet, est au vin ce que Paris-Roubaix est au vélo... Doit-elle cette fois-ci à son nom ce côté gentiment boisé qui l'enveloppe comme un châle ? Oui comment lui échapper ? Eh bien ! En choisissant son égal dans cette dégustation, ce Vaillons élégant, bien construit, à l'œil brillant et au joli nez de pamplemousse. Sa structure, sa puissance incitent à deux ou trois ans de garde. Récompense assurée.

Vincent Dauvissat, 8, rue Emile-Zola, 89800 Chablis, tél. 03.86.42.11.58, fax 03.86.42.85.32

### DOM. BERNARD DEFAIX Les Lys 2003 *

1 ha 4 000 11 à 15 €

Ce 1er cru du domaine, très pâle à reflets gris-vert, est fin, minéral, légèrement boisé ; on retrouve ces caractères tout au long de la dégustation, accompagnés d'une agréable note d'agrumes. Equilibré, déjà rond et long, il conviendra à un poisson grillé. Quant au **Fourchaume 2003 de Sylvain et Didier Defaix**, maison de négoce créée parallèlement au domaine, il obtient une étoile. Il règne ici sur un bouquet beurré, brioché auquel se joint le toasté du fût. Celui-ci va évoluer, libérant tout à fait un corps de soie et de bonne tenue. Petite pointe d'amertume en finale, après un long chapelet de caudalies.

Dom. Bernard Defaix, 17, rue du Château, 89800 Milly, tél. 03.86.42.40.75, fax 03.86.42.40.28, e-mail didier@bernard-defaix.com r.-v.

### JEAN-PAUL ET BENOIT DROIN Montée de Tonnerre 2003 ***

1,76 ha 13 500 11 à 15 €

Le père et le fils ont obtenu tant de coups de cœur au fil des ans qu'on ne les compte plus. Ils furent couronnés par la Grappe d'argent du Guide 2002. « Mesdames et Messieurs, la cour ! » Elle rend son verdict et accorde la palme d'or à cette divine Montée de Tonnerre. On distingue deux phases dans son bouquet : l'une assez simple sur le fruit unique, l'autre plus complexe à l'aération. Ses dix mois de cuve et autant de fût constituent un bel équilibre pour bien doser son énergie, ne pas négliger la minéralité, rester confortablement en bouche. **Fourchaume 2003** et **Vosgros 2003** obtiennent l'un et l'autre deux étoiles, chacun dans son style : le premier direct et croquant (à boire), le second plus riche (à garder).

Dom. Jean-Paul et Benoît Droin, 14 bis, rue Jean-Jaurès, BP 19, 89800 Chablis, tél. 03.86.42.16.78, fax 03.86.42.42.09, e-mail benoit@jeanpaul-droin.fr

t.l.j. sf sam. dim. 8h30-12h 13h30-17h; f. 1-15 août

### JEAN DURUP Reine Mathilde 2003 *

1,25 ha 10 000 15 à 23 €

Le chablis 1er cru sans indication de *climat* est assez rare. Soit un *climat*, soit une cuvée d'assemblage comme c'est le cas avec celle-ci qui porte le nom de Reine Mathilde. Belle robe classique à reflets brillants, arômes assez fins sur l'amande et le minéral, franchise, richesse et netteté de la bouche dans les perspectives offertes par le millésime. Le vignoble Durup est passé en trente ans de 2 ha à 180 ha. Superbe réussite.

SA Jean Durup Père et Fils, 4, Grande-Rue, 89800 Maligny, tél. 03.86.47.44.49, fax 03.86.47.55.49, e-mail cdurup@club-internet.fr r.-v.

### WILLIAM FEVRE Fourchaume 2003 *

n.c. n.c. 11 à 15 €

Coup de cœur l'an dernier en Montmains, William Fèvre (repris par Joseph Henriot en 1997) se présente cette fois en Fourchaume. Peu de robe, mais c'est une qualité : les puristes aiment le chablis quasiment blanc. Sans être omniprésent, le nez est bien là sur des notes classiques minérales et florales, un fond de noisette grillée. L'attaque est fraîche, voire vive, le corps vineux et soutenu. Citron et menthol accompagnent la finale. Voir aussi **Vaillons 2003**, une étoile également.

Dom. William Fèvre, 21, av. d'Oberwesel, 89800 Chablis, tél. 03.86.98.98.98, fax 03.86.98.98.99, e-mail france@williamfevre.com

t.l.j. sf mar. dim. 9h-12h 14h-18h; f. 1er déc.-1er mars

### FOURREY ET FILS Vaillons 2003

2,2 ha 800 11 à 15 €

Un joli vin bien dans son millésime, gras et rond et néanmoins frais. Les arômes de fruits mûrs sont dans le même registre.

Dom. Fourrey et Fils, 6, rue du Château, 89800 Milly-Chablis, tél. 03.86.42.14.80, fax 03.86.42.84.78, e-mail domaine.fourrey@wanadoo.fr

r.-v.

### ALAIN GAUTHERON Vaucoupin 2003

1,2 ha 7 000 8 à 11 €

**Mont de Milieu 2003** et Vaucoupin se valent. D'une teinte bien chablisienne, ce dernier a le nez très ouvert et carré, tirant sur la poire. Léger, mais gourmand, le corps joue sur le fruit frais avec élégance. On peut commencer à le boire pour profiter de sa jeunesse.

🔑 GAEC Alain et Cyril Gautheron,
18, rue des Prégirots, 89800 Fleys, tél. 03.86.42.44.34,
fax 03.86.42.44.50, e-mail vins@chablisgautheron.com
t.l.j. 9h-12h 13h30-17h30; dim. sur r.-v.

DOM. DES GENEVES Mont de Milieu 2003 *

1,4 ha 5 300 8 à 11 €

Une situation géographique tout à fait comparable à celle du grand cru range Montmains dans l'aristocratie des 1ers crus. L'or ne manque pas ici de carats. Son bouquet s'inspire du miel, du pain d'épice, de la viennoiserie tirée du four. Il demeure en bouche dans cette atmosphère aromatique. Ce vin reposant dialoguera sans difficulté avec une tranche de comté. Egalement recommandé et à boire maintenant, **Vaucoupin 2003**, une étoile.

🔑 Dom. des Genèves, 3, rue des Fourneaux,
89800 Fleys, tél. 03.86.42.10.15, fax 03.86.42.47.34,
e-mail domainegeneves@wanadoo.fr r.-v.
Aufrère et Fils

DOM. JEAN GOULLEY ET FILS
Fourchaume 2003 *

1,5 ha 12 000 11 à 15 €

Or moyennement intense, il est destiné selon une dégustatrice à des coquilles Saint-Jacques au safran. Les fruits secs prennent une part active à son élan aromatique. L'acidité est discrète, l'alcool un peu présent (vendange le 1er septembre). Encore légèrement fermé, il se tient bien.

🔑 Dom. Jean Goulley et Fils, 11 bis, vallée des Rosiers,
89800 La Chapelle-Vaupelteigne, tél. 03.86.42.40.85,
fax 03.86.42.81.06, e-mail phil.goulley@wanadoo.fr
r.-v.

DOM. HAMELIN Vau Ligneau 2003 *

3,5 ha 23 500 8 à 11 €

« Un vin très intéressant », note un dégustateur. L'œil ? Bien blanc-vert classique. Le nez ? Frais et minéral, avec un soupçon de fruit blanc. La bouche ? Vineuse – c'est un 2003 – mais avec assez de nerf pour être équilibrée (ce sont les agrumes qui s'y expriment) et fraîche. Pour fin 2006.

🔑 EARL Dom. Hamelin,
1, rue des Carillons, 89800 Lignorelles,
tél. 03.86.47.54.60, fax 03.86.47.53.34,
e-mail domaine.hamelin@wanadoo.fr
t.l.j. sf dim. 8h30-12h 13h30-18h; mer. sam. sur r.-v.

DOM. DES HERITIERES Montmains 2003 *

1,5 ha 8 000 11 à 15 €

Très bien typé, un Montmains or clair brillant dont le nez réussit la difficile équation de la richesse et de la finesse. Ce chablis a de la race et de la persistance. Seul signe de son millésime, sa souplesse en bouche. Si vous êtes grand cuisinier, essayez-le sur un feuilleté de poisson sauce meunière ou un turbot au four.

🔑 Olivier Tricon, 15, rue de Chichée, 89800 Chablis,
tél. 03.86.42.10.37, fax 03.86.42.49.13 r.-v.

LAMBLIN ET FILS Fourchaumes 2003 *

n.c. 25 000 11 à 15 €

La constance est assurément une vertu bourguignonne. Pensez donc, la douzième génération arrive... Ce Fourchaumes est dès l'abord à la hauteur de sa réputation par sa couleur jaune pâle argentée. Les parfums d'agrumes et de fenouil le confortent dans sa fraîcheur. Rectiligne en bouche, sans trop de puissance à la façon fréquente des 2003, il mobilise son énergie et la rend productive. Bon à servir courant 2006. Une sole meunière lui conviendra.

🔑 Lamblin et Fils, Maligny, 89800 Chablis,
tél. 03.86.98.22.00, fax 03.86.47.50.12,
e-mail infovin@lamblin.com
t.l.j. sf dim. 8h-12h30 14h-17h; sam. 8h-12h30

DOM. LAROCHE Les Vaudevey 2003 *

10 ha 54 200 15 à 23 €

Beine ou Beines ? Quand ils auront réglé cette question, les gens de Chablis, le monde aura peut-être perdu de sa saveur. Ne soyons pas morose. Ce Vaudevey (ou Vau de Vey) qui provient en effet de ce village saura convaincre du contraire. Or blanc, bouqueté (fruits secs à nuances florales), ce chablis est vineux et plein comme un 2003 tout en restant léger, minéral, bien fait en un mot. Coup de cœur en 2001 pour un Vaillons 98.

🔑 Michel Laroche, L'Obédiencerie, 22, rue Louis-Bro,
89800 Chablis, tél. 03.86.42.89.00, fax 03.86.42.89.29,
e-mail info@larochewines.com r.-v.

OLIVIER LEFLAIVE Fourchaume 2002 *

1,3 ha 8 000 23 à 30 €

A-t-il tendance à se refermer comme parfois les 2002 ? Or léger et argenté, sa robe est chablisienne. Au nez, registre minéral également classique, avec un rien de croûte de pain grillé (huit mois de fût). Soutenue par une bonne acidité qui fait l'effet d'une source fraîche, sa constitution relativement légère et sa longueur ont du charme. On est venu le choisir depuis Puligny-Montrachet et on ne s'est pas trompé.

🔑 Olivier Leflaive Frères, pl. du Monument,
21190 Puligny-Montrachet, tél. 03.80.21.37.65,
fax 03.80.21.33.94, e-mail contact@olivier-leflaive.com
r.-v.

DOM. DES MALANDES Vau de Vey 2003 *

3,52 ha 25 000 11 à 15 €

L'un des plus récents *climats* parmi les 1ers crus, Vau de Vey s'est déjà fait un nom. Présenté par l'un de nos coups de cœur en 2001 (pour un Fourchaume 98), il offre une belle brillance sur fond pâle. Ses arômes très expressifs révèlent le millésime de fruits surmaturés et exotiques. Cette nature pleine et vineuse se confirme ensuite avec chaleur. Queue de bouche d'une longueur assez étonnante et rare. On est dans un plaisir certain, pas dans ce que l'on appelle la typicité du chablisien. A réserver à l'apéritif ou à une viande blanche sauce crémée.

🔑 Dom. des Malandes, 63, rue Auxerroise,
89800 Chablis, tél. 03.86.42.41.37, fax 03.86.42.41.97,
e-mail contact@domainedesmalandes.com r.-v.
Marchive

DOM. DE LA MANDELIERE
Les Fourneaux 2003 *

4,5 ha 20 000 8 à 11 €

Bien exposé en altitude vers le sud-est, ce *climat* qui en fédère plusieurs (La Côte, Morein, etc.) se trouve à Fleys, village dont les habitants, aux dires de Robert Fèvre, l'historien du cru, étaient jadis appelés les *Gougueys*, du nom patois de l'escargot. Ce vin, il est vrai, est bien dans sa coquille. Jaune doré, limpide, il est déjà ouvert sur le fruit. Sa structure et son potentiel font bonne impression. Autre suggestion : **Mont de Milieu 2003**, également 1er cru de Fleys, reçoit aussi une étoile.

Nicolle, SCEA de La Mandelière,
55, rue des Monts-de-Milieu, 89800 Fleys,
tél. 03.86.42.19.30, fax 03.86.42.80.07 r.-v.

## DOM. DES MARRONNIERS
Côte de Jouan 2003 ★★

0,26 ha 2 000 8 à 11 €

Côte de Jouan est peu connu. Il est pourtant excellent. Il a ce qu'il faut de robe, pas plus, un nez légèrement minéral et floral. Sa bouche équilibrée est fraîche et ferme à la fois. Elégante, elle réunit toutes les qualités.

Bernard Légland, 1 et 3, Grande-Rue-de-Chablis,
89800 Préhy, tél. 03.86.41.42.70, fax 03.86.41.45.82,
e-mail bernardlegland@wanadoo.fr
t.l.j. 9h-12h30 14h-20h; f. 15-30 août

## DOM. JEAN-CLAUDE MARTIN
Montmains 2003 ★

0,93 ha 7 000 8 à 11 €

On approche du but. Le vin est bon, minéral et fruité. L'image même d'un 1er cru, d'un chablis distingué. Il attaque avec brio et on le garde longtemps au palais. Un rien l'habille, mais il n'en faut pas davantage. Son bouquet est dans la maturité du millésime.

SCEV Dom. Jean-Claude Martin et Fils,
5, rue de Chante-Merle, 89800 Courgis,
tél. 03.86.41.40.33, fax 03.86.41.47.10,
e-mail domaine.martin@wanadoo.fr r.-v.

## LOUIS MICHEL ET FILS Fourchaume 2003

n.c. 2 000 15 à 23 €

Cent cinquante ans d'existence : ce domaine familial atteint 24 ha. Vendangé le 31 août, voici son Fourchaume. L'attaque est souple sur une matière légère. Le bouquet est assez diversifié, assez mûr, harmonieux. On s'attachera à son potentiel, car il a de l'énergie à dépenser.

Louis Michel et Fils, 9, bd de Ferrières,
89800 Chablis, tél. 03.86.42.88.55, fax 03.86.42.88.56,
e-mail contact@louismicheletfils.com r.-v.

## DOM. MILLET Vaucoupins 2003 ★

1 ha 5 000 8 à 11 €

Ce domaine, créé en 1980, est aujourd'hui dirigé par les deux fils du fondateur. A *L'Angélus* de Millet, il ne manque qu'une bouteille de chablis pour se défatiguer de la journée et chanter les louanges d'un aussi beau pays. Celle-ci par exemple. L'or vert joue dans sa lumière. Du beurre au miel, au nez, il n'y a qu'un pas. Sa persistance n'est pas considérable, mais le corps se développe de façon charmante, riche et mesurée. « Il donne bien du plaisir », confie l'un de nos jurés.

Baudouin Millet, ferme de Marcault,
89700 Tonnerre, tél. 03.86.75.92.56, fax 03.86.75.95.12,
e-mail baudouin.millet@wanadoo.fr r.-v.

## J. MOREAU ET FILS Montmains 2002 ★★

0,63 ha 5 030 11 à 15 €

La très ancienne maison J. Moreau et Fils fait partie des vins Jean-Claude Boisset, en conservant son autonomie chablisienne. Montmains figure sur la liste préférentielle des 1ers crus de la rive gauche. On leur prête généralement une certaine sévérité initiale. Parlons plutôt ici d'un souffle sauvage : le terroir force cinq. Paille clair, minéral, allongé sur sa plénitude, il traite le sujet de façon classique et il le traite à fond.

J. Moreau et Fils, La Croix Saint-Joseph,
rte d'Auxerre, 89800 Chablis, tél. 03.86.42.88.00,
fax 03.86.42.88.08, e-mail moreau@jmoreau-fils.com
r.-v.

## DOM. OUDIN Vaugiraut 2003 ★★

0,75 ha 4 500 8 à 11 €

**Vaucoupins 2003 (11 à 15 €)**, une étoile, est un chablis prometteur malgré la rigueur présente de son caractère. Quant à celui-ci, il pourra lui aussi prendre un à deux ans de cave mais il est dès maintenant plus souriant dans sa robe or soutenu entourée de parfums frais et discrets. C'est un 2003 bien structuré. Son acidité assure sa vitalité dans de bonnes conditions (un à deux ans). On pense aux vers de F. de Courcy : « Je donnerais fortune et titre pour ce vin blanc avec des huîtres... »

Dom. Oudin, 5, rue du Pont, 89800 Chichée,
tél. 03.86.42.44.29, fax 03.86.42.10.59,
e-mail domaine.oudin@wanadoo.fr r.-v.

## GILBERT PICQ ET SES FILS Vaucoupin 2003

0,5 ha 2 200 11 à 15 €

Le territoire de Chichée (sud-est de Chablis) s'étend sur les deux rives du Serein et il comporte de beaux 1ers crus comme Vosgiraud, Vosgros et celui-ci, Vaucoupin. Jaune blanchâtre typé chablis, il entreprend de libérer ses arômes de silex et – divine surprise ! – de mousseron, comme le veut la tradition. Son mordant conduit à le garder pendant un à deux ans. Il est complet et il a du potentiel.

Gilbert Picq et ses Fils,
3, rte de Chablis, 89800 Chichée,
tél. 03.86.42.18.30, fax 03.86.42.17.70 r.-v.

## DOM. PINSON FRERES La Forêt 2003 ★

0,68 ha 3 200 11 à 15 €

Ce domaine dirigé par le petits-fils de Louis Pinson nous invite cette année à l'accompagner en Forêt. Or clair à reflets gris, ce chablis ouvre sur la fleur blanche, la noisette et l'amande (huit mois sous bois, quatre en cuve). Une petite pointe d'amertume ne dérange pas ; gras sans excès, nuancé de pain de mie beurré, il est équilibré et bien vinifié. Optimum d'ici deux à trois ans. Une étoile également pour un **Mont de Milieu 2003** très tendre, qui sait faire vibrer la corde sensible (coup de cœur pour les millésimes 98 et 2000).

Dom. Pinson, 5, quai Voltaire, 89800 Chablis,
tél. 03.86.42.10.26, fax 03.86.42.49.94,
e-mail contact@domaine-pinson.com r.-v.

## ISABELLE ET DENIS POMMIER
Côte de Léchet 2003 ★★

1,1 ha 7 200 11 à 15 €

Ce Milly n'est pas celui de Lamartine, cependant les « Harmonies poétiques » auraient pu naître d'une bouteille aussi sensible. Ses reflets émeraude décorent un nez vanillé, citronné, légèrement miellé. Plaisant dès maintenant, elle allie fraîcheur et concentration. Sans doute le boisé ne se fait-il pas oublier, mais c'est tellement gourmand et si bien maîtrisé... Encore jeune et méritant l'attente, notez sous une étiquette rajeunie un délicieux **Fourchaume 2003**, deux étoiles également, à attendre trois ou quatre ans.

Denis Pommier, 31, rue de Poinchy, Poinchy,
89800 Chablis, tél. 03.86.42.83.04, fax 03.86.42.17.80,
e-mail isabelle@denis-pommier.com r.-v.

DENIS RACE Mont de Milieu 2003 ★★★

0,9 ha 2 100 8 à 11 €

Coup de cœur en 2000 (Côte de Cuissy 97), ce domaine double la mise grâce à cette bouteille. Une vraie pépite d'or ! Très beurré et minéral, son nez suggère aussi des arômes plus rares, comme l'églantine. En dégustant ce vin, on comprend pourquoi on a donné à la bouche le nom de palais... Complexe, minéral et persistant, il a toutes les grâces des grands chablis sous un caractère inflexible. Egalement minéral et calcaire, souple néanmoins, **Montmain 2003** apparaît comme une très honorable deuxième solution (une étoile). N.B. Le record de chaleur en Bourgogne fut atteint à Chablis (41,7 °C) !

Denis Race, rue Benjamin-Constant, 89800 Chablis, tél. 03.86.42.45.87, fax 03.86.42.81.23, e-mail domaine@chablisrace.com r.-v.

DOM. SEGUINOT-BORDET Fourchaume 2003 ★★

1,15 ha 9 000 11 à 15 €

Ce viticulteur a repris le domaine familial à vingt et un ans en 1998. Vendange le 14 septembre, ce qui est relativement tardif en 2003. Le choix fut le bon puisqu'il permit de retrouver le style du pays. Ce chablis fait de l'aile volante ! Il plane au-dessus de beaucoup d'autres. Sa pureté et sa finesse le rendent en effet aérien. Juste ce qu'il faut de robe, le nez droit et fruité, il a un petit côté iodé venu de l'Océan. Rien de corpulent, mais cependant une jolie matière.

FWS Séguinot-Bordet, 8, chem. des Hâtes, 89800 Maligny, tél. 03.86.47.44.42, fax 03.86.47.54.94, e-mail j.f.bordet@wanadoo.fr r.-v.

Bordet

DOM. SERVIN Montée de Tonnerre 2003

2,75 ha 12 000 11 à 15 €

Jaune paille limpide, il porte un nez de 2003 : pêche bien mûre, agrumes confits. Franc à l'attaque, rond et gras en milieu de bouche, il conclut par une expression minérale. Dans le cadre du millésime (maturité, chaleur), il offre une complexité aromatique satisfaisante. Il est fort bien élevé. Cité, **Vaillons 2003** peut se garder deux à trois ans et être servi avec un saumon au four.

SCEA Dom. François Servin, 20, av. d'Oberwesel, BP 8, 89800 Chablis, tél. 03.86.18.90.00, fax 03.86.18.90.01, e-mail contact@servin.fr r.-v.

SIMONNET-FEBVRE Fourchaume 2003 ★

0,5 ha 3 800 15 à 23 €

Cette vénérable institution chablisienne (fondée en 1840) s'est beaucoup penchée sur les secrets du vin effervescent. Elle réussit également en vin tranquille et a été acquise par la maison L. Latour en 2003 qui accroît ainsi la présence beaunoise en Bourgogne septentrionale. Finesse et fraîcheur caractérisent ce 2003 : il ne cherche aucune démonstration de concentration ou de puissance. Tendre, équilibré, légèrement amer au terme d'une longue course, on lui sait gré d'éviter toute vanille intempestive (élevage en cuve). Au nez ? Camomille, acacia et une touche miellée.

Simonnet-Febvre, 9, av. d'Oberwesel, 89800 Chablis, tél. 03.86.98.99.00, fax 03.86.98.99.01

t.l.j. sf sam. dim. 8h-12h 14h-18h; f. 5-15 août

CH. DU VAL DE MERCY Beauregard 2003 ★

2 ha 7 000 11 à 15 €

Beauregard réunit des lieux-dits dont certains mériteraient de défendre leurs couleurs. On pense ainsi à Bec d'oiseau, Haut des chambres du roi... Celui-ci porte une robe très claire. Son bouquet, bien développé, est à aérer légèrement pour parvenir à une belle expression florale. Ni trop minéral ni trop moelleux, assez en chair, il manque peut-être un peu de vivacité, mais il est fort agréable.

Ch. du Val de Mercy, 8, promenade du Tertre, 89530 Chitry, tél. 03.86.41.48.00, fax 03.86.41.45.80

t.l.j. sf sam. dim. 8h-12h 14h-18h

DOM. DU VIEUX CHATEAU Les Lys 1999 ★

3,59 ha 25 000 15 à 23 €

Trente mois d'élevage, fait rarissime à Chablis. Ce domaine pourrait être annoncé comme l'antiquaire du Chablisien... si celui-ci n'existait à Sauternes. L'or est limpide, le registre aromatique est intense, jouant sur des notes de beurre et de pêche. On lui trouve du gras, de la rondeur, de la complexité, de la puissance et une petite touche d'amertume en finale, qui lui apporte la fraîcheur. Un poisson de mer sauce blanche l'accompagnera dignement ou, si vous aimez la cuisine japonaise, des sushis.

Daniel-Etienne Defaix, Dom. du Vieux-Château, 14, rue Auxerroise, 89800 Chablis, tél. 03.86.42.42.05, fax 03.86.42.48.56, e-mail chateau@chablisdefaix.com

t.l.j. 9h-12h 14h-18h

CH. DE VIVIERS Vaucopins Monopole 2003 ★

1,66 ha 10 500 11 à 15 €

Vaucopins, Vaucoupins, si l'orthographe n'obéit ici à aucune règle, l'étiquette est stricte au château de Viviers, qui appartient à la maison beaunoise A. Bichot (Lupé-Cholet en fait également partie). Blason or et sinople. Parfum discret et de bon goût, minéral et fleur blanche. La bouche garde son quant-à-soi : sa richesse ne s'étale pas. Sa puissance est tempérée par une réserve ancestrale. Est-il besoin de signaler que ce 1er cru est rive droite du Serein ? Coup de cœur en 2004 (Vaillons).

Lupé-Cholet, SCEV Ch. de Viviers, 89700 Viviers, tél. 03.80.61.25.02, fax 03.80.24.37.38, e-mail bourgogne@lupe-cholet.com

DOM. VOCORET ET FILS Côte de Léchet 2003

1,35 ha 10 000 8 à 11 €

Entre Poinchy et Milly, rive gauche, Côte de Léchet possède, selon les experts, une remarquable unité morphologique. D'où ce 2003 d'une nature généreuse en même temps qu'acide et vive où citron et pamplemousse se donnent la réplique. S'il est assez chaud en finale, son or blanc est parfait, son bouquet un peu minéral sous des abords toastés. Citée également **La Forêt 2003** porte les caractères du millésime. Du même domaine, le **Fourchaume 2003** obtient la même note.

🔑 Dom. Vocoret et Fils, 40, rte d'Auxerre, 89800 Chablis, tél. 03.86.42.12.53, fax 03.86.42.10.39, e-mail domaine.vocoret@wanadoo.fr
☑ Y ⛹ t.l.j. sf dim. 8h-12h 13h30-17h30

# Chablis grand cru

Issu des coteaux les mieux exposés de la rive droite, divisés en sept lieux-dits : Blanchot (538 hl), Bougros (650 hl), les Clos (1 058 hl), Grenouilles (503 hl), Preuses (438 hl), Valmur (479 hl), Vaudésir (700 hl), le chablis grand cru possède à un degré plus élevé toutes les qualités des précédents, la vigne se nourrissant d'un sol enrichi par des colluvions argilo-pierreuses. Quand la vinification est réussie, un chablis grand cru est un vin complet, à forte persistance aromatique, auquel le terroir confère un tranchant qui le distingue de ses rivaux du sud. Sa capacité de vieillissement stupéfie, car il exige huit à quinze ans pour s'apaiser, s'harmoniser et acquérir un inoubliable bouquet de pierre à fusil, voire, pour les Clos, de poudre à canon !

### DOM. BILLAUD-SIMON
Les Blanchots Vieilles Vignes 2003 ★★

0,18 ha 600 38 à 46 €

Vignerons de père en fils depuis 1815, mais la première mise en bouteilles au domaine date de 1954 seulement. Billaud-Simon a la main heureuse en Blanchots, couronnés par le coup de cœur après l'avoir déjà été en 2004. Certes **Les Clos 2003** (une étoile) ont des qualités. Il s'agit ici de vertus. La robe très soignée habille magnifiquement un authentique grand cru. La pureté de son bouquet s'exprime par le fruit sec et la pierre à fusil. Fraîche et minérale, la bouche est en cohérence absolue avec le nez. On estime ses capacités de garde sensiblement au-delà de la présente décennie.

🔑 Dom. Billaud-Simon, 1, quai de Reugny, BP 46, 89800 Chablis, tél. 03.86.42.10.33, fax 03.86.42.48.77
☑ Y ⛹ r.-v.

### LA CHABLISIENNE Blanchot 2003 ★★

1,49 ha 10 000 30 à 38 €

Cette coopérative exemplaire a l'œil sur 1 200 ha, mais elle regarde chaque cuvée comme si c'était la seule. Ici 1,49 ha en Blanchot et nous sommes en Bourgogne : 49 a ne font pas 50 ! Ce chablis grand cru sur la pente ascendante offre une merveilleuse vision sur l'horizon : cinq à dix ans, c'est sûr. Sa teinte est plus bouton d'or que dorée. Malgré un séjour en cuve plus long qu'en fût, le boisé reste assez présent. Très souple, le vin demande à s'exprimer et sa complexité croît à l'aération. Vous voyez, il donne envie de prendre rang.

🔑 La Chablisienne, 8, bd Pasteur, BP 14, 89800 Chablis, tél. 03.86.42.89.89, fax 03.86.42.89.90, e-mail chab@chablisienne.fr ☑ Y ⛹ r.-v.

### DOM. JEAN COLLET ET FILS Valmur 2003 ★

0,51 ha 3 400 23 à 30 €

Trois parcelles en Valmur totalisant 0,51 ha et l'image de Jean Collet, force de la nature et grand architrave des Piliers chablisiens. Paille limpide, une jolie palette aromatique : elle va de la pêche de vigne (ô souvenir !) à la poire, en passant par un important grillé. L'attaque est vive, sur la même définition. Energie et tension au service d'une harmonie très réussie. A attendre deux à trois ans.

🔑 Dom. J. Collet et Fils, 15, av. de la Liberté, 89800 Chablis, tél. 03.86.42.11.93, fax 03.86.42.47.43, e-mail collet.chablis@wanadoo.fr ☑ Y ⛹ r.-v.

### JEAN DAUVISSAT Les Preuses 2002

0,7 ha 5 000 23 à 30 €

On se souviendra avec émotion de Jean Dauvissat, haute figure du chablisien, disparu en 2004. Son fils Sébastien, qui travaillait avec lui depuis une dizaine d'années, a repris le flambeau. Paille éclatant, ce chablis s'appuie sur un bouquet tout d'abord boisé (douze mois de cuve, autant de fût), puis porté sur les agrumes. La plénitude de l'attaque conduit à une bouche puissante terminant sur la mirabelle et une pointe d'alcool. Il a besoin de deux ans de garde pour trouver la rondeur attendue.

🔑 Caves Jean et Sébastien Dauvissat, 3, rue de Chichée, 89800 Chablis, tél. 03.86.42.14.62, fax 03.86.42.45.54, e-mail jean.dauvissat@wanadoo.fr
☑ Y ⛹ r.-v.

### VINCENT DAUVISSAT Les Preuses 2003

0,96 ha 5 300 23 à 30 €

Prolongeant Bougros vers le haut de la côte, ce *climat* des Preuses est souvent considéré comme le plus gras, le plus « facile » du grand cru. Jaune légèrement soutenu, il se présente ici riche en souvenirs de son élevage. L'acidité apparaît seulement sur la fin qui est assez longue. Vin sans problème particulier, que l'on sent consciencieux. **Les Clos 2003** obtiennent une citation : on leur trouve des notes minérales, fruitées et florales prometteuses. Ces deux vins se révéleront davantage après quelque temps de garde.

🔑 Vincent Dauvissat, 8, rue Emile-Zola, 89800 Chablis, tél. 03.86.42.11.58, fax 03.86.42.85.32

### JEAN-PAUL ET BENOIT DROIN
Vaudésir 2003 ★★

1,05 ha 7 500 15 à 23 €

Chez Jean-Paul et maintenant Benoît Droin (depuis 2002), on fait toujours le tour de la cave et on s'arrête longtemps de station en station. Coup de cœur en 2001, 2003, 2005... Attendons 2007. Procédons ici par ordre : le jury décerne une étoile aux **Clos 2003** et **Valmur 2003**. **Grenouille 2003** obtient deux étoiles. Choisissons de décrire ce Vaudésir. Belle couleur jaune brillant. L'abricot sec, la pêche et le silex composent un bouquet intense et très plaisant. L'élevage bien mesuré demeure élégant. La

fraîcheur s'allie au fruit mûr pour tapisser de gras un palais comblé. Vinification remarquable pour un produit de garde (trois à cinq ans au moins).
Dom. Jean-Paul et Benoît Droin, 14 bis, rue Jean-Jaurès, BP 19, 89800 Chablis, tél. 03.86.42.16.78, fax 03.86.42.42.09, e-mail benoit@jeanpaul-droin.fr
t.l.j. sf sam. dim. 8h30-12h 13h30-17h; f. 1-15 août

## GERARD ET LILIAN DUPLESSIS Les Clos 2002

0,36 ha 2 500 23 à 30 €

Limpide et brillant, un 2002 aux senteurs nettement grillées et beurrées. La vanille n'est pas dépaysée parmi quelques notes de fruits exotiques qui apparaissent en bouche. Une petite sensation d'amertume ponctue la finale. Une bouteille qui peut accompagner une blanquette de veau à l'ancienne.
EARL Caves Duplessis, 5, quai de Reugny, 89800 Chablis, tél. 03.86.42.10.35, fax 03.86.42.11.11, e-mail cavesduplessis@wanadoo.fr r.-v.

## DOM. WILLIAM FEVRE Vaudésir 2003 ★

1,2 ha n.c. 23 à 30 €

Coup de cœur à trois reprises depuis notre édition 2001, William Fèvre (la maison a été acquise par Joseph Henriot en 1997) reste une clé de voûte parmi les *climats* du grand cru. Nous apprécions à la même hauteur **Les Preuses 2003** et **Valmur 2003**. **Bougros 2003** obtient une citation. Tous passent la barre qualificative. Choisissons ce Vaudésir que traversent quelques reflets verts. Son bouquet mandarine et silex ne cherche pas à se singulariser à tout prix. L'attaque est franche. Le fruit arrive en milieu de bouche. La feuille de route d'un vin à la fois vif et gourmand est parfaitement respectée. Et avec élégance.
Dom. William Fèvre, 21, av. d'Oberwesel, 89800 Chablis, tél. 03.86.98.98.98, fax 03.86.98.98.99, e-mail france@williamfevre.com
t.l.j. sf mar. dim. 9h-12h 14h-18h; f. 1er déc.-1er mars

## RAOUL GAUTHERIN ET FILS Vaudésirs 2003

0,83 ha 3 000 15 à 23 €

Après ses études d'œnologie, Alain a pris la suite de Raoul, son père. Si la robe de son chablis grand cru est jaune d'or limpide, son premier nez garde une certaine discrétion. Au contact de l'air il s'anime davantage sur l'amande fraîche et le fruit confit. En bouche, c'est le contraire : il démarre de façon très expressive sur une franche minéralité, faisant appel aux ressources du terroir et s'entourant d'une complexité de grand cru. Puis à la manière des célèbres huîtres fossiles du pays, il se ferme un peu sur la fin.
Dom. Raoul Gautherin et Fils, 6, bd Lamarque, 89800 Chablis, tél. 03.86.42.11.86, fax 03.86.42.42.87, e-mail domainegautherin@wanadoo.fr
t.l.j. 8h30-19h

## DOM. GUITTON-MICHEL Les Clos 2003

0,16 ha 1 200 23 à 30 €

Vigne provenant de Maurice Michel, ancien viticulteur à Chablis. Cousu d'or, ce 2003 est presque issu de vendanges tardives : le 10 septembre. Sa densité, son intensité, sa petite pointe de chaleur traduisent la nature du millésime. La légère vivacité et le boisé fondu sont réussis.
Guitton-Michel, 2, rue de Poinchy, 89800 Chablis, tél. 03.86.42.43.14, fax 03.86.42.17.64 r.-v.
Patrice Guitton

## LAMBLIN ET FILS Les Clos 2003 ★★

n.c. 1 300 23 à 30 €

« Lorsqu'on a l'esprit morose, il faut s'enfuir loin de Paris », chantait Aristide Bruand, qui fit ses études à Sens. « Et pour voir l'existence en rose, s'en aller tout droit à Chablis... » Résultat assuré si vous croisez cette bouteille sur votre chemin ! Elle est en effet superbe, haut de gamme. Sa robe or doré, ses arômes floraux et minéraux, son gras et sa richesse, son élégance n'appellent que des compliments. Quant à sa complexité, les mots nous manquent...
Lamblin et Fils, Maligny, 89800 Chablis, tél. 03.86.98.22.00, fax 03.86.47.50.12, e-mail infovin@lamblin.com
t.l.j. sf dim. 8h-12h30 14h-17h; sam. 8h-12h30

## DOM. LAROCHE Les Clos 2002 ★

1,12 ha 8 036 46 à 76 €

Plusieurs fois coup de cœur ces dernières années en Blanchots, Michel Laroche signe cette fois des Clos or blanc parsemé de reflets verts. Son parfum encore discret est tout d'abord d'expression florale, puis on distingue un zeste d'agrumes et une note minérale. Les soubassements ne sont pas considérables mais la rondeur, le gras, la délicatesse lui font un joli profil. Beau retour d'arômes.
Michel Laroche, L'Obédiencerie, 22, rue Louis-Bro, 89800 Chablis, tél. 03.86.42.89.00, fax 03.86.42.89.29, e-mail info@larochewines.com r.-v.

## DOM. LONG-DEPAQUIT La Moutonne 2002

2,35 ha 13 000 30 à 38 €

Ancienne propriété de l'abbaye de Pontigny, La Moutonne est un cru monopole de ce domaine, propriété Bichot. Il est commandé par un château du XVIIIe s. au cœur d'un parc de 15 000 m². Fin, complexe et floral, le nez annonce un vin élégant, dont le fruit se développe en bouche. La finale est plutôt minérale. On est bien en Chablisien sur un sol kimméridgien.
Dom. Long-Depaquit, 45, rue Auxerroise, 89800 Chablis, tél. 03.86.42.11.13, fax 03.86.42.81.89, e-mail chateau-long-depaquit@albert-bichot.com
r.-v.
Albert Bichot

## DOM. LOUIS MOREAU Valmur 2003 ★★

0,99 ha 2 525 23 à 30 €

« La maison Moreau est construite pour durer », écrivait Bernard Ginestet dans son livre sur Chablis. Certes, mais elle a été cédée depuis, tandis que le domaine restait familial. Il est dirigé depuis 1994 par Louis Moreau, fils de Jean-Jacques. Selon une tradition Moreau, ce Valmur se tient à l'écart d'un boisé exubérant. Son bouquet de fruits secs et de sous-bois annonce une bouche mûre, montant progressivement en puissance et équilibrée par une note de vivacité. Sa longueur est remarquable.
Louis Moreau, 10, Grande-Rue, 89800 Beine, tél. 03.86.42.87.20, fax 03.86.42.45.59, e-mail contact@louismoreau.com
t.l.j. sf sam. dim. 8h-12h 13h30-17h. (ven. 16h30); f. 1er-15 août

## MOREAU-NAUDET Valmur 2003

0,58 ha 2 300 15 à 23 €

Valmur bénéficie d'une grande notoriété dans les pays anglo-saxons. Albert Pic le classait, il est vrai, dès 1935, parmi les cinq « têtes de 1er cru ». Et puis en anglais, c'est tout de même plus facile à prononcer que

BOURGOGNE

Grenouilles... Or aux tempes argentées, ce vin, sans être un monstre de matière, joue sur la subtilité. Ses arômes tirent sur la fleur blanche, puis sur le coing. La bouche est encore pointue : il faudra donc patienter à sa porte.
EARL Moreau-Naudet, 5, rue des Fosses, 89800 Chablis, tél. 03.86.42.14.83, fax 03.86.42.85.04
r.-v.

### DOM. DE PERDRYCOURT Les Clos 2002 *

0,5 ha 500 23 à 30 €

Arlette Courty et sa fille devraient être rejointes prochainement par Rémi, fils d'Arlette. D'un jaune appuyé, ce 2002 voit sa robe évoluer. Le nez, à maturité, suit dans le même registre sur des notes de coing mariées au végétal. Un fumé discret accompagne le développement d'une démarche rectiligne mais nullement linéaire. Le boisé lui apporte une touche originale et bien intégrée.
Arlette et Virginie Courty, Dom. de Perdrycourt, 9, voie Romaine, 89230 Montigny-la-Resle, tél. 03.86.41.82.07, fax 03.86.41.87.89, e-mail domainecourty@wanadoo.fr
t.l.j. 9h-19h (dim. 18 h)

### DOM. PINSON FRERES Les Clos 2003 **

2,57 ha 9 000 23 à 30 €

Petits-fils de Louis Pinson, haute figure chablisienne, Laurent et Christophe assurent la continuité du domaine. Celui-ci reste dans son âge d'or car il renouvelle le coup de cœur déjà obtenu en 1999 pour ces mêmes Clos. Cette bouteille fabuleuse est à la fois très complexe par ses arômes de coing, de fruits blancs bien associés au vanillé des douze mois sous bois et par sa bouche franche et ronde, dense, sur des notes confites qui n'excluent pas la minéralité des grands chablis.
Dom. Pinson, 5, quai Voltaire, 89800 Chablis, tél. 03.86.42.10.26, fax 03.86.42.49.94, e-mail contact@domaine-pinson.com r.-v.

### REGNARD Les Preuses 2002

1 ha 7 000 30 à 38 €

Fondée en 1860, longtemps dirigée par Michel Rémon et acquise en 1984 par le baron Patrick de Ladoucette (pouilly-fumé, sancerre et vouvray), cette maison présente un 2002 paille clair. De coup de nez en coup de nez, on reste sur la finesse. Même construction en bouche : de beaux restes de jeunesse dans un contexte minéral et quelque peu austère. Sa persistance réelle compense une profondeur moyenne. Attendre un an avant de le servir. Cité également le **Valmur 2003** est lui très solaire, reflet de son millésime par ses notes d'abricot et de pêche de vigne. La sève est bien présente en bouche, certes, au détriment de l'acidité, mais le charme de la sincérité opère.
Régnard, 28, bd Tacussel, 89800 Chablis, tél. 03.86.42.10.45, fax 03.86.42.48.67
t.l.j. sf sam. dim. 9h-12h 14h-18h; f. août

### SEGUINOT-BORDET Vaudésir 2003 *

n.c. 1 360 23 à 30 €

Affaire de négoce-éleveur fondée en 2002, parallèlement à un domaine réputé. « Le désir fleurit », comme l'écrivait Marcel Proust. Rien d'étonnant face à une bouteille qui porte un nom pareil... Jaune léger, son bouquet est un peu anisé, d'une fraîcheur florale avec un fond boisé. Assez longue et aromatique, la bouche prolonge le nez. Sa finesse soyeuse contribue à son harmonie.
FWS Séguinot-Bordet, 8, chem. des Hâtes, 89800 Maligny, tél. 03.86.47.44.42, fax 03.86.47.54.94, e-mail j.f.bordet@wanadoo.fr r.-v.

### DOM. SERVIN Les Preuses 2003

0,7 ha 3 600 23 à 30 €

Cette famille, implantée au XVIIes., possède aujourd'hui 33 ha de vignes. Les Preuses ont été accueillies parmi les « grands » en 1938. Joli nom pour qui pratique le français médiéval : nobles, fières, valeureuses au combat. Cette bouteille n'en est pas indigne. Ses reflets sont plus dorés que sa robe. Son nez un peu monolithique, carré et puissant. Au palais, on se dit qu'il faut la prendre comme elle est, d'autant que sa finale est assez salivante : un voyage aérien en montgolfière.
SCEA Dom. François Servin, 20, av. d'Oberwesel, BP 8, 89800 Chablis, tél. 03.86.18.90.00, fax 03.86.18.90.01, e-mail contact@servin.fr r.-v.

### DOM. DE VAUROUX Bougros 2002

0,65 ha 4 000 15 à 23 €

Un igloo au milieu des vignes du domaine ? Elle en a la forme, cette vieille cabane, mais elle est en pierre sèche... Le long de la route qui va vers Maligny, nous sommes ici sur la pointe nord-ouest du grand cru. Doré pâle, le nez abricoté et d'amande grillée, ce Bougros tire aussi sur le confit. Facile à déguster, il est charnu, souple bien qu'un peu « serré » sur la fin, et fruité, d'un élevage bien fondu et d'une structure légère.
SCEA Dom. de Vauroux, rte d'Avallon, 89800 Chablis, tél. 03.86.42.10.37, fax 03.86.42.49.13, e-mail domaine-de-vauroux@domaine-de-vauroux.com
r.-v.
O. Tricon

### CH. DE VIVIERS Blanchots 2003 *

0,5 ha 3 000 23 à 30 €

Nous sommes sur les terres d'une des propriétés acquises en Chablisien par la maison beaunoise Albert Bichot, qui possède par ailleurs à Nuits la maison Lupé-Cholet. Et nous voici en Blanchots. La généalogie n'est rien par rapport aux filiations vitivinicoles ! Saluons F. Denis qui succède au très respecté G. Vullien : excellemment vinifié, ce vin or blanc offre un nez gentiment floral et d'une certaine complexité. Puissant, serré, concentré, son corps est encore sur la réserve mais il promet beaucoup.
SCEV Ch. de Viviers, 89700 Viviers, tél. 03.80.61.25.02, fax 03.80.24.37.38, e-mail bourgogne@lupe-cholet.com

# Irancy

Ce petit vignoble situé à une quinzaine de kilomètres au sud d'Auxerre a vu sa notoriété confirmée, devenant AOC communale.

Les vins d'Irancy ont acquis une réputation en rouge, grâce au césar ou romain, cépage local datant peut-être du temps des Gaules. Ce dernier, assez capricieux, est capable du pire et du meilleur ; lorsqu'il a une production faible à normale, il imprime un caractère particulier au vin et, surtout, lui apporte un tanin permettant une très longue conservation. Au contraire, lorsqu'il produit trop, le césar donne difficilement des vins de qualité ; c'est la raison pour laquelle il n'a pas fait l'objet d'une obligation dans les cuvées.

Le cépage pinot noir, qui est le principal cépage de l'appellation, donne sur les coteaux d'Irancy un vin de qualité, très fruité, coloré. Les caractéristiques du terroir sont surtout liées à la situation topographique du vignoble, qui occupe essentiellement les pentes formant une cuvette au creux de laquelle se trouve le village. Le terroir débordait d'ailleurs sur les deux communes voisines de Vincelotte et de Cravant, où les vins de la Côte de Palotte sont particulièrement réputés. La production a été de 5 436 hl en 2003.

### BENOIT CANTIN Palotte
Elevé en fût de chêne 2003 *

■ 0,66 ha 3 600 8 à 11 €

Ah ! tout de même un Palotte ! Rouge carminé, il dispose d'un bon support aromatique. Iris, réglisse, celui-ci l'accompagne durant toute sa course. Un peu chaud peut-être mais la bouche est soyeuse, modérément tannique, d'une texture réussie. « 10 % de césar », précise-t-on.

Benoît Cantin, 35, chem. des Fossés, 89290 Irancy, tél. 03.86.42.21.96, fax 03.86.42.35.92
t.l.j. sf dim. 8h-12h 14h-19h

### ANITA JEAN-PIERRE ET STEPHANIE COLINOT Palotte 2003 *

■ 0,27 ha n.c. 15 à 23 €

Ce domaine s'étend seulement sur l'aire de l'irancy et Stéphanie Colinot en est devenue maître de chai en 2001. Ce palotte comporte 5 % de césar. Sa robe impressionniste habille un corps plein d'élan, long et fruité, qui tire profit d'une structure digne de ce nom, encore assez ferme : c'est un millésime à garder trois ans et plus pour un filet mignon.

Anita Jean-Pierre et Stéphanie Colinot, 1, rue des Chariats, 89290 Irancy, tél. et fax 03.86.42.33.25, e-mail earlcolinot@aol.com
r.-v.

### FRANCK ET FRANCOIS GIVAUDIN
Palotte 2002

■ 0,3 ha 1 500 8 à 11 €

Ce domaine s'est modernisé en 2004, en s'équipant de cuves Inox thermorégulées. Bien connu des amateurs, Palotte a ses inconditionnels ; ils ne seront pas déçus par ce 2002 rouge mauve. Son bouquet offre tout d'un coup : la cerise et le noyau. Il est plus profond que démonstratif. Un rien d'amertume tannique accompagne un corps structuré qui s'épanouira vers 2007. Le césar entre pour 10 % dans l'encépagement.

Franck Givaudin, sentier de la Bergère, 89290 Irancy, tél. 03.86.42.20.67, fax 03.86.42.54.33, e-mail earl.givaudin@wanadoo.fr r.-v.

### LUCIEN JOUDELAT
Les Mazelots Elevé en fût de chêne 2003 **

■ 1,46 ha 9 000 11 à 15 €

Les Mazelots concurrencent de plus en plus le cru Palotte longtemps considéré comme le *nec plus ultra* de ce terroir. Les voici sous une robe rouge noirâtre, parfumés au cassis et généreux en attaque. Les tanins étant très bien enveloppés, une fraîcheur veloutée rend cet irancy... comment dire ? Gourmand, c'est cela. Cette exubérance aromatique n'est pas vraiment septentrionale mais les 2003 ne se comparent à rien d'autre. L'un des deux meilleurs vins de la dégustation (pinot noir exclusivement).

Lucien Joudelat, 10, chem. des Fossés, 89290 Irancy, tél. et fax 03.86.42.31.46 r.-v.



### ANNICK NAVARRE Les Ronces 2002 *

■ 0,45 ha 2 500 5 à 8 €

Les premiers sentiments sont toujours les plus naturels. Ainsi de ce pur pinot noir rouge clair au léger violacé ombré. Il s'ouvre sur la framboise, puis il ne ménage pas ses efforts pour séduire le palais. Plus carré que corsé, ce 2002 permet de découvrir les Ronces, un cru présenté pour la première fois et qui fait de jolis débuts dans le monde. Persistance moyenne.

Annick Navarre, 89290 Irancy, tél. 03.86.42.31.00
r.-v.

### THIERRY RICHOUX Veaupessiot 2003 **

■ 1,34 ha 4 300 11 à 15 €

Premier millésime au lieu-dit Veaupessiot (vinifié seul, d'où la mention du *climat*) qui ne date pas d'hier : il figure déjà sur un acte au temps de Charles le Chauve (IXe s.) ! D'une teinte rappelant celle de la syrah, ce 2003 hors normes respire le cassis, la mûre et les épices. Seigneurial, extraordinaire... mais atypique en bouche, ample, complexe. De garde, bien sûr. Une petite note de bois en finale le prive de la troisième étoile.

Thierry Richoux, 73, rue Soufflot, 89290 Irancy, tél. 03.86.42.21.60, fax 03.86.42.34.95
t.l.j. sf dim. 8h-19h

### DOM. SAINT GERMAIN Paradis 2003 *

■ 0,47 ha 2 400 11 à 15 €

Coup de cœur à plusieurs reprises dans le passé et notamment en 2004 (millésime 2001), Christophe a déclaré sa flamme à la vigne en 1987 et il n'a pas changé de sentiments. Dans l'esprit du terroir, ce pinot noir légèrement mâtiné de césar (5 %) équilibre par une fraîcheur minérale un bouquet décidé (réglisse, fleur d'oranger). Sans doute ses tanins ont-ils besoin de quelques coups de rabot, mais l'ensemble est d'une bonne tenue. La trame est fine, mettant le vin en tension. Si l'alcool est davantage présent dans l'**irancy 2003 (8 à 11 €)**, il n'empêche pas ce vin d'obtenir une citation.

Christophe Ferrari, 7, chem. des Fossés, 89290 Irancy, tél. 03.86.42.33.43, fax 03.86.42.39.30 r.-v.

DOM. VERRET L'Ame du Domaine 2003 *

1 ha 4 200 8 à 11 €

« Ayez, si vous pouvez, un langage simple », conseillait avec raison La Bruyère. Cet irancy se pare de rouge cerise comme le bon goût l'y autorise. Ses arômes de vanille et de cannelle, discrètement réglissés, sont la douceur même. D'une constitution plaisante, fondue et persistante, il finit sur une petite touche d'amertume qui n'a rien d'étonnant. Intéressant (10 % de césar).

Dom. Verret, 7, rte de Champs, BP 4, 89530 Saint-Bris-le-Vineux, tél. 03.86.53.31.81, fax 03.86.53.89.61, e-mail dverret@domaineverret.com t.l.j. sf dim. 8h-12h 14h-18h

# Saint-bris

Seul VDQS bourguignon depuis 1974, saint-bris est devenu AOC depuis 2001 pour le cépage sauvignon. Celui-ci provient d'une aire géographique de 895 ha, principalement sur la commune de Saint-Bris. Sa production est la plupart du temps limitée aux zones de plateaux calcaires où il atteint toute sa puissance aromatique. Contrairement aux vins du même cépage de la vallée de la Loire ou du Sancerrois, le sauvignon fait ici, généralement, sa fermentation malolactique, ce qui ne l'empêche pas d'être très parfumé et lui confère une certaine souplesse. Le millésime 2004 a produit 7 002 hl sur 103 ha.

BERSAN ET FILS Cuvée Louis Bersan 2003 *

1,5 ha 8 000 8 à 11 €

Le sous-sol de Saint-Bris vaut le détour : un incroyable dédale de caves médiévales. Installée ici depuis 1453, la famille Bersan vous entraînera avec plaisir dans ce réseau souterrain. Cette bouteille sera débouchée à la mi-2006. Sa robe bien nette habille un sauvignon un peu boisé (60 % de fût, le reste en cuve) et qui va s'épanouir. On sent ici une matière riche et pleine.

Dom. Bersan et Fils, 20, rue du Dr-Tardieux, 89530 Saint-Bris-le-Vineux, tél. 03.86.53.33.73, fax 03.86.53.38.45, e-mail bourgognes-bersan@wanadoo.fr t.l.j. sf dim. 8h-12h 14h-18h; dim. sur r.-v.

DOM. JEAN-MICHEL DAULNE 2003 **

n.c. 4 000 5 à 8 €

Situé entre Vincelles et Cravant près de la RN 6, les bâtiments du domaine se sont modernisés il y a près de dix ans, quand Jean-Michel Daulne a succédé à son père. Or léger à reflets verts, ce 2003 délicatement bouqueté (la figue apportant une note originale au fameux bourgeon de cassis), franc et rond, s'ouvre sur une bouche inspirée par le fruit à chair blanche. Très agréable, en raison surtout de son équilibre.

Jean-Michel et Marilyn Daulne, RN 6, Le Bouchet, 89460 Bazarnes, tél. et fax 03.86.42.20.97, e-mail domaine-daulne@wanadoo.fr r.-v.

DOM. FELIX ET FILS 2003 *

1,7 ha 10 000 5 à 8 €

« Amour, patience et tradition », telle est la devise d'Hervé Félix. Ancien fonctionnaire de l'Equipement, il a abandonné les ponts et les chaussées pour se consacrer à cette exploitation fort ancienne. D'une teinte or blanc, son bouquet fait penser à la rose. Au palais assez souple et où perce la pêche, l'impression est aimable, plus langoureuse que vive, comme le veut souvent ce millésime caniculaire. Bon pour le service sur des escargots de Bourgogne.

Dom. Hervé Félix, 17, rue de Paris, 89530 Saint-Bris-le-Vineux, tél. 03.86.53.33.87, fax 03.86.53.61.64, e-mail domaine.felix@wanadoo.fr t.l.j. sf dim. 9h-11h30 14h-18h30

GHISLAINE ET JEAN-HUGUES GOISOT 2003 **

6,2 ha 35 000 5 à 8 €

Jean-Hugues et Ghislaine Goisot sont entrés du pied droit dans le XXI[e]s : leur 2001 a reçu le coup de cœur. Mais le décor nous plonge un millénaire en arrière, au XI[e]s. : il faut visiter ce corps de garde. Le feuilleté de ris de veau devrait bien s'accorder à ce vin d'une typicité parfaite, ménageant habilement ses effets sans trop insister, tout en longueur et capable de fêter Noël en 2006 (pratique bio certifiée). Dans le peloton de tête.

Ghislaine et Jean-Hugues Goisot, 30, rue Bienvenu-Martin, 89530 Saint-Bris-le-Vineux, tél. 03.86.53.35.15, fax 03.86.53.62.03, e-mail jhetg.goisot@cerb.cernet.fr r.-v.

DOM. GRAND ROCHE 2003 *

5,4 ha 21 500 5 à 8 €

Ce domaine couvre un peu plus de 20 ha, dont un quart en sauvignon (saint-bris). L'œil est pâle, doré brillant, limpide. Le nez, racé, joue sur la fleur et le fruit. Fraîche et persistante, sous-tendue par la pierre à fusil, la bouche remplit son office de façon satisfaisante.

Erick Lavallée, Dom. Grand Roche, 6, rte de Chitry, 89530 Saint-Bris-le-Vineux, tél. 03.86.53.84.07, fax 03.86.53.88.36 r.-v.

DOM. DES REMPARTS 2003 *

4,5 ha 12 000 5 à 8 €

Limpide et d'une nuance peu appuyée, il a le nez fleuri mais pas exubérant. Il joue sur la finesse et, sans trop rendre de comptes au cépage, il se contente d'être plaisant, goûteux. Un petit quelque chose d'exotique complète l'arrière-bouche (pamplemousse, ananas). Pas mal du tout dans cet esprit du millésime et à boire maintenant.

Patrick et Jean-Marc Sorin, 6, rte de Champs, 89530 Saint-Bris-Le-Vineux, tél. 03.86.53.33.59, fax 03.86.53.62.12 r.-v.

DOM. SORIN DE FRANCE 2004 *

14,7 ha 95 000 5 à 8 €

Si Saint-Bris a ajouté le-Vineux à son nom, ce n'est pas pour rien. Franc et discret tant en couleur qu'en parfum (plutôt floral), il se montre ample, riche et chaud. Le cépage sauvignon s'exprime ici avec force et présence.

Dom. Sorin-Defrance, 11 bis, rue de Paris, 89530 Saint-Bris-le-Vineux, tél. 03.86.53.32.99, fax 03.86.53.34.44 t.l.j. 8h-12h 14h-18h
Jean-Michel Sorin

LES TEMPS PERDUS 2004 **

2 ha 18 000 3 à 5 €

Œnologue et maîtresse de chai au sein de la maison J.-M. Brocard, Clotilde Davenne a repris un domaine ancien à Saint-Bris. Elle a planté sur Préhy, Courgis et Chablis. Bref, ses « temps perdus » sont bien occupés ! Jaune-vert très pâle, d'un classicisme parfait (bourgeon de cassis et minéralité), voici un vin de haute volée. Typé sauvignon sous une attaque fraîche, il exprime une sensibilité presque émouvante. N'attendez pas pour le déguster : c'est la grâce qui passe.
Clotilde Davenne, 3, rue de Chantemerle, Préhy, 89800 Chablis, tél. 06.08.96.88.49, fax 03.86.41.49.35, e-mail c.davenne@brocard.fr r.-v.

## La Côte de Nuits

# Marsannay

Les géographes discutent encore sur les limites nord de la Côte de Nuits car, au siècle dernier, un vignoble florissant faisait, des communes situées de part et d'autre de Dijon, la Côte dijonnaise. Aujourd'hui, à l'exception de quelques vignes vestiges comme les Marcs d'Or et les Montreculs, l'urbanisation a chassé le vignoble de Dijon, mais aussi de la commune voisine de Chenôve.

Marsannay, puis Couchey ont, encore, il y a une cinquantaine d'années, approvisionné la ville de grands ordinaires et manqué en 1935 le coche des AOC communales. Petit à petit, les viticulteurs ont replanté ces terroirs en pinot et la tradition du rosé s'est développée sous l'appellation locale « bourgogne rosé de Marsannay ». Puis, on a retrouvé les vins rouges et les vins blancs d'avant le phylloxéra et, après plus de vingt-cinq ans d'efforts et d'enquêtes, l'AOC marsannay a été reconnue en 1987 pour les trois couleurs. Une particularité cependant, encore une en Bourgogne : le « marsannay rosé », dont les deux mots sont indissociables, peut être produit sur une aire plus extensive, dans le piémont sur les graves, que le marsannay (vins rouges et vins blancs) délimité uniquement dans le coteau des trois communes de Chenôve, Marsannay-la-Côte et Couchey.

Les vins rouges sont charnus, un peu sévères dans leur jeunesse et il faut les attendre quelques années. Pas courants dans la Côte de Nuits, les vins blancs sont ici particulièrement recherchés pour leur finesse et leur solidité. Il est vrai que le chardonnay, mais aussi le pinot blanc trouvent dans des niveaux marneux propices leur terroir d'élection.

DOM. CHARLES AUDOIN Les Favières 2002 *

0,9 ha 4 500 8 à 11 €

Au domaine l'événement est l'achat d'une parcelle à Pommard. Charles, Françoise et Cyril Audoin ont donc maintenant un pied sur chaque Côte. Pour ce qui est du marsannay, le jury est particulièrement sensible à cette bouteille au charme élégant et flatteur, à la robe rubis sombre, et suggérant cassis, réglisse et café. Léger, il est bien dans l'esprit de l'appellation et d'un style aromatique. Citons en outre **Clos de Jeu 2002 rouge** et le **village 2003 blanc (11 à 15 €)** qui tiennent leur rang avec une citation pour le premier et une étoile pour le second.
Dom. Charles Audoin, 7, rue de la Boulotte, 21160 Marsannay-la-Côte, tél. 03.80.52.34.24, fax 03.80.58.74.34, e-mail domaine-audoin@wanadoo.fr r.-v.

DOM. BART Les Champs Salomon 2002 *

1,4 ha 6 000 11 à 15 €

Certes, **Les Grands Vignes 2002 rouge** ont eu de chauds supporters en raison de leur beau caractère affirmé ; encore assez austère, ce vin devrait bien évoluer (de trois à quatre ans de garde pour qu'il s'épanouisse). Obtenant la même note, cet autre 2002 (né sur un *climat* central, à la frontière entre Couchey et Marsannay) est, à l'inverse, disposé à passer à table bien qu'il puisse attendre deux à trois ans. Sa robe intense et limpide, son nez déjà épicé, sa matière structurée font rapidement avancer les présentations. La finale un peu tendue reste dans la norme.
Dom. Bart, 23, rue Moreau, 21160 Marsannay-la-Côte, tél. 03.80.51.49.76, fax 03.80.51.23.43 r.-v.

REGIS BOUVIER
Clos du Roy Tête de cuvée 2003 **

1,38 ha 5 000 11 à 15 €

GRAND VIN DE BOURGOGNE
PRODUCE OF FRANCE
2003
MARSANNAY
CLOS DU ROY
Appellation Marsannay Contrôlée
Tête de Cuvée
Mis en bouteille à la propriété par
REGIS BOUVIER
750 ml
Viticulteur à MARSANNAY LA CÔTE (CÔTE D'OR) - FRANCE

Coup de cœur l'an dernier, coup de cœur à nouveau ! Mieux encore : les deux bouteilles jugées dignes de cette distinction cette année sont l'une et l'autre signées par ce viticulteur décidément très inspiré ! En **Longeroies, la Cuvée Excellence 2002 rouge** mérite bien son nom. Puissante, concentrée, mais ne négligeant pas le fruit, elle est de longue garde. Quant à ce Clos du Roy rubis foncé (sur Chenôve), il trône en majesté. Son nez évoque la fraise confite avant de prendre une tournure animale, légèrement réglissée. Et une bouche gourmande, d'un équilibre parfait... Le **Clos du Roy blanc 2003** obtient une étoile.
Régis Bouvier, 52, rue de Mazy, 21160 Marsannay-la-Côte, tél. 03.80.51.33.93, fax 03.80.58.75.07, e-mail dom.reg-bouvier@wanadoo.fr r.-v.

DOM. RENE BOUVIER Champs Salomon 2002 *

■ 0,5 ha 2 000 15 à 23 €

René Bouvier est le père de Régis. Installation depuis quelques années à Gevrey-Chambertin dans un beau bâtiment ancien, le long de la RN 74. Grenat très sombre et aux limites du noir, un 2002 dont les arômes associent le fruit mûr et le grillé, le café signant un long élevage en fût. Beaucoup de mâche, de plénitude en bouche, dont la richesse tannique s'affirme sans astringence. Vin complet qu'anime une note assez chaude en finale.

Dom. René Bouvier, 29 B, rte de Dijon, 21220 Gevrey-Chambertin, tél. 03.80.52.21.37, fax 03.80.59.95.96, e-mail rene-bouvier@wanadoo.fr r.-v.

MARC BROCOT 2002 *

■ 0,15 ha 780 5 à 8 €

Installé depuis 1985, ce viticulteur est à la tête de 8,70 ha. Pourpre sombre à reflets bleutés, son marsannay a le nez frais et fruité, vineux pour tout dire. Tannique sans excès, plaisant, il pourrait apparaître comme un vin facile et prêt à être servi. Cependant, il est prometteur car sa persistance en dit... long. Une citation est attribuée aux **Echézeaux 2002 rouge (8 à 11 €)** (à boire dès à présent).

Marc Brocot, 34, rue du Carré, 21160 Marsannay-la-Côte, tél. 03.80.52.19.99, fax 03.80.59.84.39 r.-v.

COILLOT PERE ET FILS Les Boivins 2003

■ 0,87 ha 5 700 11 à 15 €

Il y a des bouteilles nées sous une bonne étoile. Ainsi ces Boivins : tout un programme ! Couleur cerise noire, un pinot au nez légèrement confit, marqué par l'élevage en fût. La bouche confirme ce caractère, avec une présence où l'acidité et les tanins trouveront un terrain d'entente dans quelque temps.

Dom. Bernard Coillot Père et Fils, 31, rue du Château, 21160 Marsannay-la-Côte, tél. 08.71.22.67.59, fax 03.80.52.12.75, e-mail domaine.coillot@wanadoo.fr r.-v.

Christophe Coillot

DOM. COLLOTTE Les Champsalomon 2002 *

■ 0,5 ha 2 700 8 à 11 €

Cet ancien relais de diligence voit passer trois marsannay rouges coup sur coup : **Le Clos de Jeu 2002** et **Les Boivins 2003** sont de bonne venue, bien à l'heure (cités). Arrêtons-nous davantage sur celui-ci. A l'œil, il déclare sa flamme. Au nez, il se partage entre mûre et grillé. En bouche, il ne dispose pas d'atouts considérables mais il sait être harmonieux, sagement boisé, bref très agréable.

Dom. Collotte, 44, rue de Mazy, 21160 Marsannay-la-Côte, tél. 03.80.52.24.34, fax 03.80.58.74.40, e-mail domaine.collotte@terre-net.fr r.-v.

DEREY FRERES Les Vignes Marie 2003

■ 0,98 ha 2 700 8 à 11 €

S'honorant du titre envié de métayer de la ville de Dijon (aux Marcs d'Or), la famille Derey sollicite ici l'attention avec une bouteille « à suivre » (d'ici un à deux ans). Un vin intéressant, bien fait, encore un peu strict : robe assez dense, nuance violine ; bouquet de fruits rouges ; du volume et des tanins à l'impact raisonnable. S'il prend de la rondeur avec l'âge, il sera très convenable.

Derey Frères, 1, rue Jules-Ferry, 21160 Couchey, tél. 03.80.52.15.04, fax 03.80.58.76.70, e-mail derey-freres@wanadoo.fr t.l.j. 8h-12h 14h-19h; dim. sur r.-v.

DOM. FOUGERAY DE BEAUCLAIR Les Favières 2002

■ 0,53 ha 2 500 11 à 15 €

Dans cette appellation, le domaine a déjà reçu le coup de cœur à deux reprises. Ici le rouge est soutenu. Les arômes ont besoin d'un certain temps pour se manifester. Le fruit est alors discret mais distingué. Déjà très fondue, l'impression globale offre une image fine et goûteuse du cépage. Ne pas l'attendre sur le pas de la porte : il est dans sa meilleure forme et nous invite à entrer. Domaine présent aussi en Coteaux du Languedoc (Val Grieux).

Dom. Fougeray de Beauclair, 44, rue de Mazy, BP 36, 21160 Marsannay-la-Côte, tél. 03.80.52.21.12, fax 03.80.58.73.83, e-mail fougeraydebeauclair@wanadoo.fr t.l.j. 8h-12h 14h-19h; dim. sur r.-v.

DANIEL FOURNIER 2003

■ 12 ha 900 3 à 5 €

Domaine créé en 1970 par Daniel et Michelle Fournier, repris par leur fils en 2004. Ce rosé nous rappelle que marsannay est en *village* la seule appellation tricolore de Bourgogne. De teinte saumonée, on a affaire à un nez bien net (groseille, pomme mûre) puis à un corps vif, nerveux pourrait-on dire, excitant les papilles.

EARL Daniel Fournier, 1, rue Raymond-Poincaré, 21160 Couchey, tél. et fax 03.80.52.18.38 r.-v.

DOM. JEAN FOURNIER Les Echézeaux 2003

■ 0,89 ha 1 800 11 à 15 €

Signalons que depuis 2003 Laurent Fournier a succédé à son père sur les 16 ha que compte le domaine. Il y a des Echézeaux un peu partout dans la Côte. Ceux de marsannay (l'une des situations les plus élevées de l'appellation) donnent ce vin à la robe très intense, d'un beau rouge sombre. Epicé et complexe, son bouquet ne passe pas inaperçu. Des notes de fruits rouges vanillés s'égrènent ensuite dans un contexte puissant, rustique au bon sens du mot. Il peut évoluer à son avantage en se dotant d'un peu de gras en plus.

Dom. Jean Fournier, 34, rue du Château, 21160 Marsannay-la-Côte, tél. 03.80.52.24.38, fax 03.80.52.77.40, e-mail domaine.jean.fournier@wanadoo.fr r.-v.

ALAIN GUYARD Les Genelières 2002 **

■ 1,3 ha 4 000 8 à 11 €

Finaliste du coup de cœur, cette bouteille remarquable n'est pas très loin du podium. A choisir en pleine confiance, elle affiche une robe grenat pleine de feu ; ses parfums chantent le cassis avec beaucoup de souffle sur un fond boisé élégant. Souplesse et caractère, longueur et équilibre (acidité-alcool) combleront d'aise un bœuf bourguignon mitonné avec amour.

Alain Guyard, 10, rue du Puits-de-Têt, 21160 Marsannay-la-Côte, tél. 03.80.52.14.46, fax 03.80.52.67.36 r.-v.

OLIVIER GUYOT La Montagne 2003 **

■ 1 ha 4 000 15 à 23 €

Olivier Guyot fait partie des premiers vignerons de la Côte à avoir renoué avec le cheval. Rubis pâle, ce 2003

figure parmi les meilleurs de la dégustation. Fruits rouges, café, le nez se montre élégant. Au palais on découvre une belle minéralité. Ses tanins sont encore un peu présents mais la réussite générale est au rendez-vous d'un millésime difficile. A boire sur sa fraîcheur entre 2006 et 2007.
Olivier Guyot, 39, rue de Mazy,
21160 Marsannay-la-Côte, tél. 03.80.52.39.71,
fax 03.80.51.17.58, e-mail domaine.guyot@libertysurf.fr
r.-v.

## HUGUENOT PERE ET FILS
La Montagne 2003 ★★

1,4 ha 6 000 11 à 15 €

Signée Huguenot, cette bouteille n'inspire que de l'intérêt. Il est vrai que Nicolas Theuriet, l'aïeul de la famille, était déjà vigneron au pays en 1789 ! Il est vrai aussi que ce domaine a déjà eu quelques coups de cœur dans cette appellation. Il se retrouve cette année encore en finale. Un 2003 qui doit atténuer l'influence de son élevage, mais dont les qualités éclatent de façon démonstrative : robe de velours, bouquet de fruits confits, richesse et complexité. S'il s'ouvre à l'aération, ne le débouchez pas trop vite... D'une très belle harmonie, deux étoiles également, le **marsannay blanc 2003** sera remarquable dans un an ou deux.
SCE Huguenot Père et Fils, Dom. Nicolas Theuriet,
7, ruelle du Carron, 21160 Marsannay-la-Côte,
tél. 03.80.52.11.56, fax 03.80.52.60.47,
e-mail domaine.huguenot@wanadoo.fr r.-v.

## CH. DE MARSANNAY Champs Perdrix 2002 ★

1,24 ha 7 835 11 à 15 €

Château de Meursault en Côte de Beaune, château de Marsannay en Côte de Nuits : l'œuvre d'André Boisseaux. En haut de coteau, les Champs Perdrix touchent à Fixin et tirent remarquablement profit de ce terroir en blanc. Nous avons aimé le **marsannay Les Echézeaux 2002 rouge** (robuste, solide, de bonne garde), cité, et plus encore ce chardonnay or intense, joliment bouqueté, d'une constitution harmonieuse et complexe.
Ch. de Marsannay,
rte des Grands-Crus, BP 78, 21160 Marsannay-la-Côte,
tél. 03.80.51.71.11, fax 03.80.51.71.12,
e-mail chateau.marsannay@kriter.com
t.l.j. 10h-12h 14h-18h30;
groupes sur r.-v.; f. dim. de nov. à mars

## ARMELLE ET JEAN-MICHEL MOLIN 2002

0,8 ha 800 8 à 11 €

Le 19 mai 2007, on fêtera les vingt ans de l'AOC communale Marsannay. Pensez donc à préparer la parade dans votre cave ! Voici un 2002 qui sera à point en 2007. Sans doute ne cherche-t-il pas midi à quatorze heures, mais on lui reconnaît une couleur intense, un nez mûr et chaud, une saveur de cerise noire et une petite note d'alcool.
EARL Armelle et Jean-Michel Molin,
54, rte des Grands-Crus, 21220 Fixin,
tél. 03.80.52.21.28, fax 03.80.59.96.99 r.-v.

## DOM. PHILIPPE NADDEF Les Genelières 2002 ★

0,36 ha 1 700 11 à 15 €

Petit-fils d'un médecin beaunois fameux dans le monde du vin, le docteur Bizot, Philippe Naddef a acquis il y a quelques années la grosse maison à Fixin où il a créé de fort belles chambres d'hôte. Ses Genelières (sur Couchey) sont de belle couleur, sombres à reflets violacés ; ce vin affiche un nez racé où se côtoient fruits rouges et vanille. Accessible et soyeuse, sa bouche n'offre que du plaisir. Au moins deux ans de patience ! Notez aussi les **Vieilles Vignes en village blanc 2002** qui obtiennent une citation.
Dom. Philippe Naddef, 30, rte des Grands-Crus,
21220 Fixin, tél. 03.80.51.45.99, fax 03.80.58.83.62,
e-mail domaine.phil.naddef@wanadoo.fr
r.-v.

## SYLVAIN PATAILLE Fleur de Pinot 2003

0,8 ha 600 11 à 15 €

Œnologue, Sylvain Pataille est ici sur son propre domaine ; son rosé assemble jus de presse et de saignée, dans la tradition de l'AOC et est élevé en fût neuf. Entre le rose saumon et la pelure d'oignon, sa robe annonce un bouquet floral. Sans aspérité, bien typé, il possède ce qu'il faut de fruits et de gras. Un repas léger est conseillé par le jury ; le jambon persillé devrait aussi s'en accommoder.
Sylvain Pataille,
14, rue Neuve, 21160 Marsannay-la-Côte,
tél. 03.80.51.17.35, fax 03.80.52.49.49 r.-v.

BOURGOGNE

## DOM. HENRI RICHARD 2003 ★

0,32 ha n.c. 8 à 11 €

Un marsannay d'un rouge soutenu à reflets violacés. Peu d'arômes, sinon vanille et petits fruits noirs. Si l'acidité est présente sur des tanins assez marqués, la matière est amplement suffisante et l'équilibre bien assuré par un élevage de douze mois en fût, respectueux du vin. On le mettra de côté durant deux à trois ans car il a de la ressource et peut s'assouplir encore.
SCE Henri Richard, 75, rte de Beaune,
21220 Gevrey-Chambertin, tél. et fax 03.80.34.35.81,
e-mail scehenririchard@hotmail.com
t.l.j. 9h-18h; dim. 9h-13h sur r.-v.; f. 15-30 août

## DOM. TRAPET PERE ET FILS 2003

1,4 ha n.c. 11 à 15 €

Célèbre domaine bourguignon voué à la biodynamie et titulaire d'une grappe d'or du Guide en grand cru... Assemblage de plusieurs *climats* de marsannay, ce pinot noir, simple et discret, assez brillant, légèrement framboisé, se montre franc, plutôt souple, avec un petit goût de cerise et un fond tannique modéré. D'une persistance moyenne, il pourra être servi dans un an.
Dom. Trapet Père et Fils,
53, rte de Beaune, 21220 Gevrey-Chambertin,
tél. 03.80.34.30.40, fax 03.80.51.86.34,
e-mail message@domaine-trapet.com r.-v.

## DOM. DU VIEUX COLLEGE
Les Vignes-Marie 2003 ★

0,5 ha 4 500 8 à 11 €

Ce *climat* appartient à la « colonne vertébrale » de l'appellation. Le chardonnay s'y exprime avec bonheur comme le démontre celui-ci, paré d'or paille. Que de fleurs blanches dans son bouquet ! Ronde et soyeuse, sa bouche s'ouvre sur les fruits exotiques. D'une concentration intéressante et de bonne longueur, ce vin est nettement au-dessus de la moyenne. **Les Longeroies 2002 rouge** d'une structure sobre et carrée obtiennent une citation.
Guyard, Dom. du Vieux Collège,
4, rue du Vieux-Collège, 21160 Marsannay-la-Côte,
tél. 03.80.52.12.43, fax 03.80.52.95.85 r.-v.

# Fixin

Après avoir visité les pressoirs des ducs de Bourgogne à Chenôve, dégusté le marsannay, vous rencontrez Fixin, première d'une série de communes donnant leur nom à une AOC, où l'on produit surtout des vins rouges. Ils sont solides, charpentés, souvent tanniques et de bonne garde. Ils peuvent également revendiquer, au choix, à la récolte, l'appellation côte-de-nuits-villages. L'AOC couvre 107 ha auxquels il faut rajouter les 45,3 ha des premiers crus.

Les *climats* Hervelets, Arvelets, Clos du Chapitre et Clos Napoléon, tous classés en premiers crus, sont parmi les plus réputés, mais c'est le Clos de la Perrière qui en est le chef de file puisqu'il a même été qualifié de « cuvée hors classe » par d'éminents écrivains bourguignons et comparé au chambertin ; ce clos déborde un tout petit peu sur la commune de Brochon. Autre lieu-dit : Le Meix-Bas.

### DOM. BART Les Hervelets 2002 ★

■ 1er cru 1,3 ha 6 000 15 à 23 €

Le père d'André et de Jean fut l'un des piliers des Cadets de Bourgogne aux origines du Tastevin. Peu de famille incarnent davantage l'âme de cette partie de la Côte. Ce 1er cru a de la personnalité : attaque franche, tanins sans dureté, notes de cassis. L'acidité est assez présente. Teinte presque violette et parfum de fruits cuits. Le fût n'est pas absent mais se fait oublier.

Dom. Bart,
23, rue Moreau, 21160 Marsannay-la-Côte,
tél. 03.80.51.49.76, fax 03.80.51.23.43 r.-v.

### VINCENT ET DENIS BERTHAUT Les Arvelets 2003

■ 1er cru 1 ha 5 000 11 à 15 €

Avec ses arômes de merise (la cerise sauvage) et sa puissance, sa mâche, sa pointe de dureté, ce fixin rubis franc est aussi influencé par la chaleur du millésime. Celle-ci a tendance à accentuer le caractère d'un vin nettement calcaire et volontiers sévère dans sa jeunesse, concentration intense, surmaturité, extraction assez poussée.

Vincent et Denis Berthaut, 9, rue Noisot,
21220 Fixin, tél. 03.80.52.45.48, fax 03.80.51.31.05,
e-mail denis.berthaut@wanadoo.fr
t.l.j. 10h-12h 14h-18h; f. jan.

### BOUCHARD AINE ET FILS La Mazière Cuvée Signature 2003 ★

■ n.c. 3 129 15 à 23 €

Bouchard Aîné et Fils élève et commercialise depuis... 1896 cette Mazière (inséparable de la gloire du Domaine Marion). Bel exemple de fidélité à la mode bourguignonne. Cette bouteille pourra être servie à la parution du Guide. Pourpre foncé, le nez framboisé et toasté, elle est ronde et suave, subtile. Maison beaunoise acquise en 1994 par les Vins Jean-Claude Boisset, elle est installée dans un bel hôtel particulier face aux bastions. Un coup de cœur dans le passé pour ce même *climat* né de la même coopération.

Bouchard Aîné et Fils, hôtel du Conseiller-du-Roy,
4, bd Mal-Foch, 21200 Beaune, tél. 03.80.24.24.00,
fax 03.80.24.64.12, e-mail bouchard@bouchard-aine.fr
t.l.j. 9h30-11h30 14h-17h30
J.-C. Boisset

### DOM. RENE BOUVIER Crais de chêne 2002 ★★

■ 1 ha 5 000 15 à 23 €

Les lieux-dits de l'appellation *village* sont revendiqués de plus en plus souvent, alors qu'ils ne l'étaient guère dans le passé. Ici un *climat* situé en bordure de Couchey (AOC marsannay) ; ce 2002 a son bâton de maréchal dans sa giberne. Rubis sombre, il a grand avenir. Son bouquet chante le fruit noir dans un environnement empyreumatique. Au palais, il confirme le cassis et apparaît classique, traditionnel, d'un style un peu sauvage qui appellera le gibier. Un « vin d'hiver », comme on dit ici.

Dom. René Bouvier, 29 B, rte de Dijon,
21220 Gevrey-Chambertin, tél. 03.80.52.21.37,
fax 03.80.59.95.96, e-mail rene-bouvier@wanadoo.fr
r.-v.

### DOM. HERVE CHARLOPIN 2003 ★★★

■ 0,74 ha 4 165 11 à 15 €

On pourrait présenter cette bouteille comme l'objectif à rechercher. Elle réunit beaucoup de qualités à l'œil (couleur rubis), au nez (vanille, moka, cerise) et en bouche. D'une souplesse magnifique, le vin est charnu sur une belle palette de petits fruits rouges. On connaît le nom de famille de ce producteur : il va falloir désormais s'habituer à son prénom car ce fixin est un coup de cœur décerné à l'unanimité du jury.

Hervé Charlopin, 5, rue des Avoines,
21160 Marsannay-la-Côte, tél. 03.80.59.86.75,
fax 03.80.51.44.49, e-mail charlopin.herve@free.fr
r.-v.

### DOM. DU CHATEAU DE MARSANNAY 2002

■ 1,43 ha 8 093 15 à 23 €

Baptisée « château » par la *vox populi*, cette demeure a été acquise par André Boisseaux. Il souhaitait rééditer en Côte de Nuits le succès du Château de Meursault. Son fixin porte une robe soutenue. Moyennement puissant, le nez est cependant expressif et fruité ; si la structure est bonne, les tanins ne sont pas encore fondus. Pas tout à fait prêt à servir (à partir de 2007, pensons-nous).

Ch. de Marsannay,
rte des Grands-Crus, BP 78, 21160 Marsannay-la-Côte,
tél. 03.80.51.71.11, fax 03.80.51.71.12,
e-mail chateau.marsannay@kriter.com
t.l.j. 10h-12h 14h-18h30;
groupes sur r.-v.; f. dim. de nov. à mars

**MICHEL DEFRANCE 2003**

■ 2,5 ha 7 000 5 à 8 €

Robe somptueuse, celle d'un sacre. Mais voilà, un tel manteau rend assez difficile l'usage de son corps avant qu'habitude se prenne. Un fixin encore rustique ; ses tanins le masquent un peu et lui apportent un côté austère qui devrait s'atténuer sinon disparaître. Son bouquet se fixe sur le cuir et le café issu de son élevage.

Michel Defrance,
38-50, rte des Grands-Crus, 21220 Fixin,
tél. et fax 03.80.52.84.67
r.-v.

**DOM. DEREY FRERES Hervelets 2003**

■ 1er cru 0,9 ha 3 300 15 à 23 €

Comme le disait Virgile, il n'est pas si facile de « cueillir la rose au printemps et les fruits en automne »... Ce beau vin y parvient, mais il faut « le laisser venir ». Sa robe appuyée annonce des tanins très entreprenants, orientés vers des arômes végétaux. Un petit goût de fruits des bois contribue à son charme présent.

Derey Frères, 1, rue Jules-Ferry, 21160 Couchey,
tél. 03.80.52.15.04, fax 03.80.58.76.70,
e-mail derey-freres@wanadoo.fr
t.l.j. 8h-12h 14h-19h; dim. sur r.-v.

**La côte de Nuits (Nord-1)**

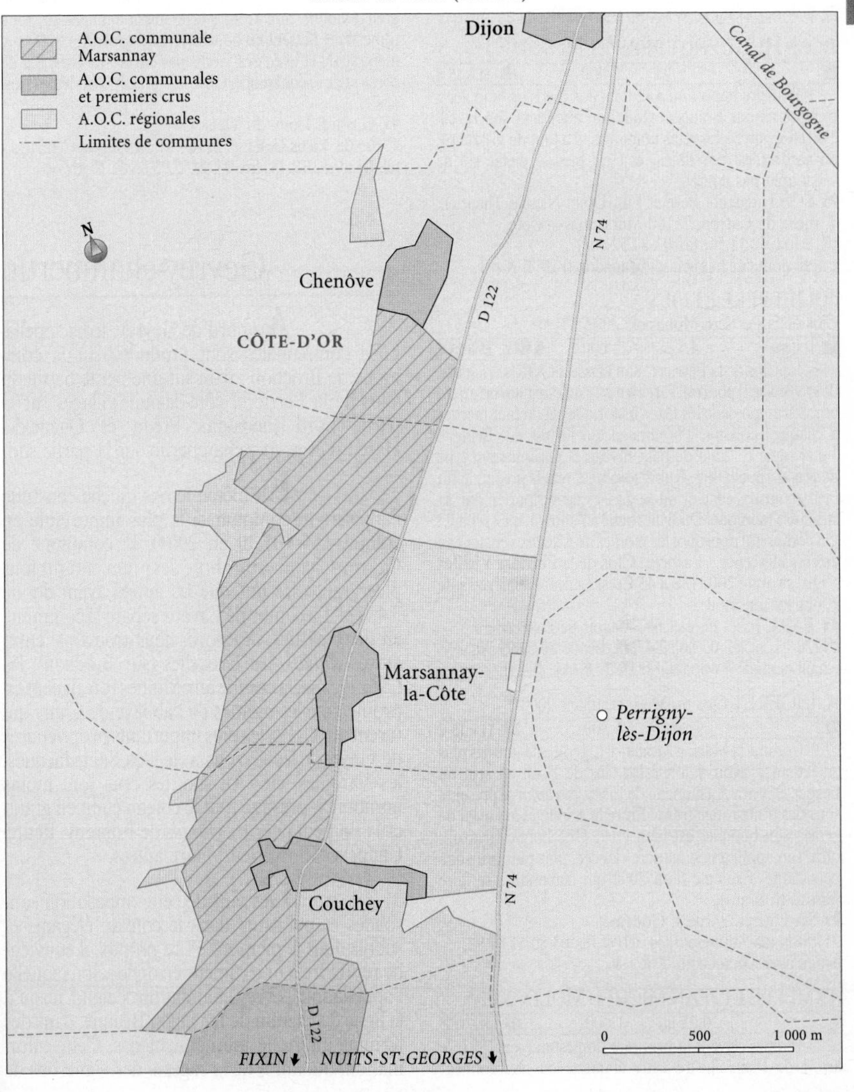

DOM. PIERRE GELIN 2002 ★★

■ 3 ha 12 000 11 à 15 €

Les inconditionnels de l'Empereur préféreront peut-être le **1er cru Clos Napoléon rouge 2002 (15 à 23 €)** à l'étiquette si évocatrice et très fixin d'esprit qui obtient une citation. En revanche, ce *village* est remarquable : tout juste si on ne lui met pas le ruban rouge à la boutonnière. D'un rubis grenat insondable, finement boisé et légèrement animal, il transforme la bouche d'un coup de baguette magique : un sous-bois où l'on cherche avec bonheur le champignon. Rien de frivole dans cette constitution à la trame soyeuse et qui s'achève sur le Zan. Ne pas en user trop tôt : il se gardera au moins trois à quatre ans.

Dom. Pierre Gelin, 2, rue du Chapitre, 21220 Fixin, tél. 03.80.52.45.24, fax 03.80.51.47.80, e-mail gelin-pierre@wanadoo.fr t.l.j. sf dim. 9h-11h30 14h-17h30

DOM. HUGUENOT PERE ET FILS 2003

■ 5 ha 25 000 11 à 15 €

Pourpre imposant, il se tient aux pieds de Napoléon (sculpté ici par François Rude) en attendant son réveil. Torréfié, poivré, les reins tanniques, il a tout du grognard. Sa garde n'est pas finie... et c'est bien le diable s'il ne s'assouplit pas un peu.

SCE Huguenot Père et Fils, Dom. Nicolas Theuriet, 7, ruelle du Carron, 21160 Marsannay-la-Côte, tél. 03.80.52.11.56, fax 03.80.52.60.47, e-mail domaine.huguenot@wanadoo.fr r.-v.

JOLIET PERE ET FILS

Clos de la Perrière Monopole 2002 ★★

■ 1er cru 4,5 ha 22 000 15 à 23 €

Le Clos de la Perrière était classé au XIXe s. en « tête de cuvée » et il pourrait fort bien être aujourd'hui un grand cru. S'il en possède les titres historiques, il lui faut mériter à chaque vendange l'hommage qui lui est dû. Bénigne Joliet signe ce 2002 de haut niveau et parfaitement typé dans son appellation. Rubis sombre à reflets grenat, le fût bien maîtrisé, celui-ci ne se laisse pas emporter par sa structure tannique. Du fruit rouge à l'animal, quel récital ! On comprend pourquoi les moines de Cîteaux venaient ici en convalescence... La cuvée **Clos de la Perrière Vieilles Vignes rouge 2003 (38 à 45 €)** est également intéressante et obtient une étoile.

EARL Joliet Père et fils, manoir de La Perrière, 21220 Fixin, tél. 03.80.52.47.85, fax 03.80.51.99.90, e-mail benigne@wanadoo.fr t.l.j. 8h-18h

A. LIGERET Clos du Meix Trouhans 2002 ★

■ n.c. 6 800 11 à 15 €

Comme la Maison Moillard, Ligeret est l'une des plus anciennes à avoir valorisé les vins de Fixin au sein du négoce-éleveur. Au hameau de Fixey, ce *climat* se présente sous des traits rouge franc. Entre la griotte et le noyau de cerise, son bouquet est bien typé. Une bonne structure offre son appui à une matière élancée, plus puissante que persistante. Exemple d'un 2002 qui demande à se faire (disons trois ans).

SA Ligeret, 2, rue J. Godemet, 21700 Nuits-Saint-Georges, tél. et fax 03.80.61.08.92, e-mail ligeret@aol.com r.-v.

ARMELLE ET JEAN-MICHEL MOLIN 2002 ★

■ 0,25 ha 1 000 8 à 11 €

Temple élevé à la propreté domestique en 1827, le lavoir de Fixin illustre cette étiquette où bourdonnent quelques abeilles (Napoléon oblige !). L'occasion de déguster un blanc qui joue très bien de son charme. Peu coloré mais très brillant, il reste sur un ton sobre. L'ananas, le citron apparaissent à l'aération. L'acidité lui offre la fraîcheur, le gras des éléments de confort. Et une petite note minérale que l'on n'attendait peut-être pas. Ont obtenu une citation **Les Chenevières rouge 2002 en village.** Coup de cœur en 2000 pour le millésime 97.

EARL Armelle et Jean-Michel Molin, 54, rte des Grands-Crus, 21220 Fixin, tél. 03.80.52.21.28, fax 03.80.59.96.99 r.-v.

DOM. DU VIEUX COLLEGE

Les Champs des Charmes 2002 ★

■ 1,3 ha 6 000 8 à 11 €

Situé en limite de Brochon, ce *climat* donne un vin grenat violine, aux arômes légèrement animaux sur fond fumé. Très présent en bouche (cerise, groseille), suffisamment acide et avec des tanins pas encore rabotés, il a du corps et de la cohérence. On le laissera reposer deux à trois ans.

Guyard, Dom. du Vieux Collège, 4, rue du Vieux-Collège, 21160 Marsannay-la-Côte, tél. 03.80.52.12.43, fax 03.80.52.95.85 r.-v.

# Gevrey-chambertin

Au nord de Gevrey, trois appellations communales sont produites sur la commune de Brochon : fixin sur une petite partie du Clos de la Perrière, côte-de-nuits-villages sur la partie nord (lieux-dits Préau et Queue-de-Hareng) et gevrey-chambertin sur la partie sud.

En même temps qu'elle constitue l'appellation communale la plus importante en volume (14 101 hl en 2004), la commune de Gevrey-Chambertin abrite des premiers crus tous plus grands les uns que les autres ayant donné 3 434 hl. La combe de Lavaux sépare la commune en deux parties. Au nord, nous trouvons, entre autres *climats*, les Evocelles (sur Brochon), les Champeaux, la combe aux Moines (où allaient en promenade les moines de l'abbaye de Cluny qui furent au XIIIe s. les plus importants propriétaires de Gevrey), les Cazetiers, le clos Saint-Jacques, les Varoilles, etc. Au sud, les crus sont moins nombreux, presque tout le coteau étant en grand cru ; on peut citer les *climats* de Fonteny, Petite-Chapelle, Clos-Prieur, entre autres.

Les vins de cette appellation sont solides et puissants dans le coteau, élégants et subtils dans le piémont. A ce propos, il convient de répondre à une rumeur erronée selon laquelle l'appellation gevrey-chambertin s'étend jusqu'à la ligne de chemin de fer Dijon-Beaune, dans des terrains qui ne le mériteraient pas. Cette information, qui fait fi de la sagesse des vignerons de

Gevrey, nous donne l'occasion d'apporter une explication : la côte a été le siège de nombreux phénomènes géologiques, et certains de ses sols sont constitués d'apports de couverture, dont une partie a pour origine les phénomènes glaciaires du quaternaire. La combe de Lavaux a servi de « canal », et à son pied s'est constitué un immense cône de déjection dont les matériaux sont identiques ou semblables à ceux du coteau. Dans certaines situations, ils sont simplement plus épais, donc plus éloignés du substratum. Essentiellement constitués de graviers calcaires plus ou moins décarbonatés, ils donnent ces vins élégants et subtils dont nous parlions précédemment.

DOM. DES BEAUMONT
Vieilles Vignes 2003 ★★

■ 1,5 ha 6 000 ⅡⅠ 15 à 23 €

Voisines des Latricières, les Combottes auraient sans doute partagé naguère la couronne du roi Chambertin si leurs propriétaires n'avaient pas eu la mauvaise idée d'habiter... Morey. Comme quoi... Cela dit, **le 1er cru Aux Combottes 2003 (23 à 30 €)** est léger mais fin et obtient une étoile. Nous lui préférons cependant le gevrey Vieilles Vignes du même millésime. Grenat intense, aromatique (pain au lait en ouverture, fruits rouges ensuite), ce vin que l'on carafera révèle la complexité du terroir sur des notes d'élevage bien maîtrisées et une structure tannique qui n'est pas là pour la figuration. Prometteur de surcroît. Si jamais le domaine est fermé, vous trouverez ces vins au caveau de la place de l'Eglise à Morey.

**La côte de Nuits (Nord-2)**

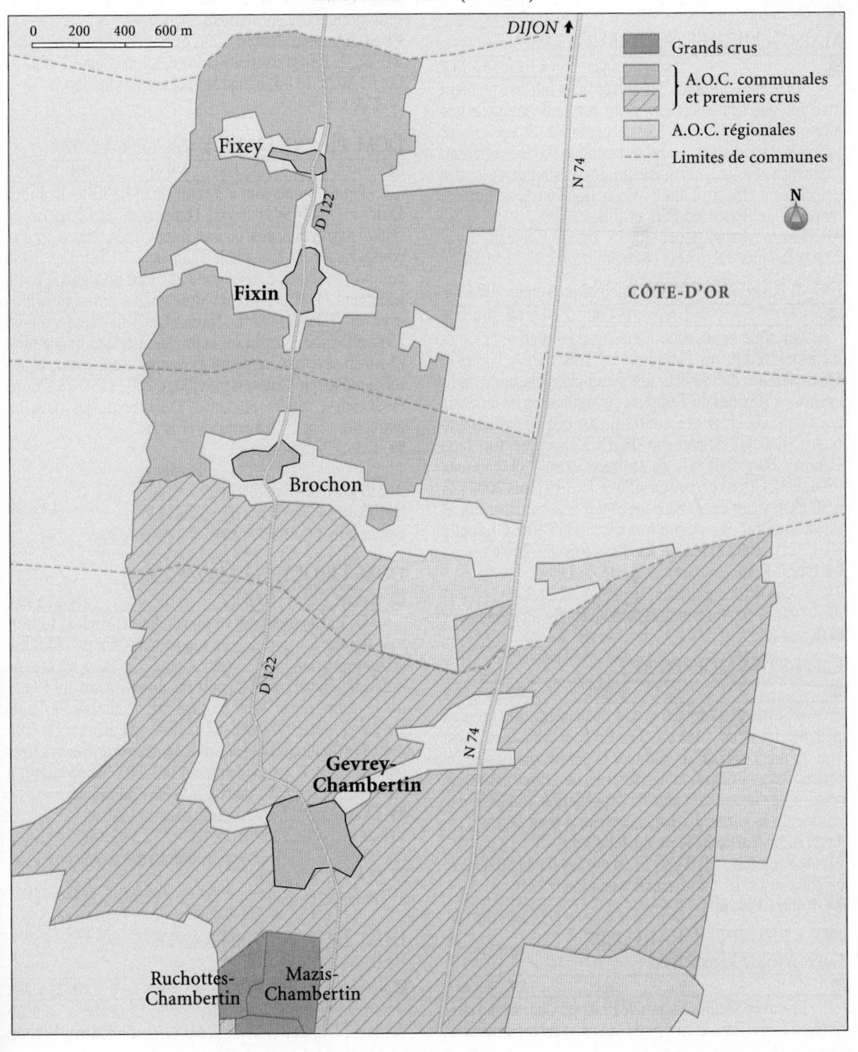


BOURGOGNE

🔑 EARL Dom. des Beaumont, 9, rue Ribordot, 21220 Morey-Saint-Denis, tél. et fax 03.80.51.87.89, e-mail thierry.beaumont1@libertysurf.fr
☑ 🏠 Y 🚶 r.-v.

## DOM. LUCIEN BOILLOT ET FILS
Les Cherbaudes 2002 ★★

■ 1er cru 0,6 ha 2 400 🛢 30 à 38 €

Le domaine, déjà ancien, a pris son véritable essor en 1978 lorsque Pierre et Louis sont venus travailler avec leur père. Quant aux Cherbaudes, il faut savoir que seule la route des Grands Crus les sépare des mazis et du clos-de-bèze. Voici donc le beau et grand vin de garde, encore un tantinet austère mais d'une richesse accomplie. Un bouquet cerise, noyau. En bouche, une matière bien mise en valeur. Toute la complexité attendue d'un 1er cru.

🔑 Dom. Lucien Boillot, 1, rue du Docteur-Pujo, 21220 Gevrey-Chambertin, tél. 03.80.51.85.61, fax 03.80.58.51.23 ☑ Y 🚶 r.-v.

## MAISON MICHEL BOUCHARD 2003 ★

■ n.c. n.c. 🛢 15 à 23 €

« Un peu différent des autres mais intrinsèquement meilleur que beaucoup », conclut sur sa fiche un de nos jurés-gourmets. Couleur cerise profonde, il est encore fermé et il va évoluer. Le relais tannique s'avère cohérent. Puissance et longueur signalent un vin bien fait. A garder deux ans ou plus si affinités. Michel Bouchard est l'une des marques de Bouchard Père et Fils.

🔑 Maison Michel Bouchard, 15, rue du Château, 21200 Beaune, tél. 03.80.24.80.50, fax 03.80.22.55.88

## DOM. RENE BOUVIER Racines du Temps 2002 ★

■ 1 ha 5 000 🛢 30 à 38 €

On aime assez cette bouteille pour s'étonner de la mention inédite sur l'étiquette : « Très vieilles vignes ». Quitte à faire, donner leur âge serait plus éclairant. On lit encore : « Racines du Temps », dénomination de fantaisie qui risque de créer une confusion avec le *climat* authentique... Il s'agit simplement d'un vin classique, fort bien élaboré. Son style est chaleureux (corps) et capiteux (bouquet). Citons encore en **village Jeunes Rois 2002 (23 à 30 €)**. Il s'agit cette fois d'un *climat* réel, sur Brochon. Il est lui aussi de bonne tenue, tout comme la **Petite Chapelle en 1er cru 2002 (38 à 46 €)**. Trois fois une étoile !

🔑 Dom. René Bouvier, 29 B, rte de Dijon, 21220 Gevrey-Chambertin, tél. 03.80.52.21.37, fax 03.80.59.95.96, e-mail rene-bouvier@wanadoo.fr
☑ Y 🚶 r.-v.

## CAVES DES MOINES 2002

■ n.c. 1 200 🛢 15 à 23 €

« Caves des Moines », soit ; ils étaient nombreux à Beaune. Ici nous sommes chez Prosper Maufoux. Il est vrai qu'il est difficile d'ordonner la généalogie des entreprises. Rubis brillant, le nez réservé, ce gevrey est représentatif de l'image tannique de l'appellation, imposante et destinée à la garde. La patience vient à bout de tout...

🔑 Naudin-Varrault, 1, pl. du Jet-d'Eau, 21590 Santenay, tél. 03.80.20.60.40, fax 03.80.20.63.26, e-mail maisondesgrandscrus@wanadoo.fr
🔑 Robert Fairchild

## DOM. PHILIPPE CHARLOPIN
Cuvée Vieilles Vignes 2002

■ n.c. n.c. 🛢 38 à 46 €

La cuvée Vieilles Vignes de Philippe Charlopin a déjà obtenu trois fois le coup de cœur, accompagnant la notoriété croissante de ce domaine. L'intensité colorante est ici satisfaisante. Si l'empreinte boisée est importante, la structure permet à l'ensemble de tenir bon. Fruits et tanins s'accordent dès l'attaque. Une bouteille à déboucher dans l'année qui vient.

🔑 Philippe Charlopin, 18, rte de Dijon, 21220 Gevrey-Chambertin, tél. et fax 03.80.58.50.46

## DOM. BRUNO CLAIR
Clos du Fonteny Monopole 2002 ★

■ 1er cru 0,67 ha 3 800 🛢 30 à 38 €

Seul le chemin de Curley sépare les Ruchottes de ce 1er cru dont Bruno Clair détient partiellement le monopole, pour dire les choses comme en Bourgogne... Le monopole du Clos du Fonteny (0,67 ha), qui n'est pas tout le Fonteny. Violine clair – c'est ainsi – il évoque les fruits mûrs mais aussi l'humus. La franchise de l'attaque annonce un vin plus fin que puissant, dont les tanins épicés se font entendre en dernière analyse.

🔑 SCEA Dom. Bruno Clair, 5, rue du Vieux-Collège, BP 22, 21160 Marsannay-la-Côte, tél. 03.80.52.28.95, fax 03.80.52.18.14, e-mail brunoclair@wanadoo.fr
☑ Y 🚶 r.-v.

## DOM. PIERRE DAMOY Clos Tamisot 2002 ★

■ 1,45 ha 4 010 🛢 30 à 38 €

Petit commerçant à Yvetot, Jean-Baptiste dit Julien Damoy (1844-1941) devint l'empereur de l'épicerie en région parisienne, puis un jour il vendit son affaire pour se consacrer au vin. Il acquit le Tamisot en 1936, jolie maison comportant cour, caves, jardin et... clos de vigne. Ce vin, justement. Pourpre grenat, son grillé s'harmonise bien avec la fraîcheur de la fraise. Le fruit réapparaît en rétro-olfaction, surtout sur la fin. La façade tannique n'est pas trop sévère. Charpente moyenne. Nous avons également remarqué l'intéressant **village 2002 (15 à 23 €)**, une étoile aussi, tendre et étoffé. Deux bouteilles dont les étiquettes sont également très réussies.

🔑 Dom. Pierre Damoy, 11, rue du Mal-de-Lattre-de-Tassigny, 21220 Gevrey-Chambertin, tél. 03.80.34.30.47, fax 03.80.58.54.79, e-mail info@domaine-pierre-damoy.com r.-v.

## DOM. DROUHIN-LAROZE 2003 ★

■ 1er cru 0,69 ha 2 100 🛢 23 à 30 €

Grand amateur des vins du domaine, André Maurois y a-t-il puisé l'inspiration de son roman *Climats* ? Un titre si bourguignon... Issu sans doute de la synthèse de différents *climats* car il ne porte le nom d'aucun, un 1er cru où le rubis règne sans partage sur l'éclat de la robe. Quelques notes torréfiées se mêlent aux arômes de fruit mûr. De facture classique, mais ses tanins doivent rentrer dans le rang. C'est évidemment un 2003 bien portant, à laisser mûrir en cave deux à trois ans minimum.

🔑 Dom. Drouhin-Laroze, 20, rue du Gaizot, 21220 Gevrey-Chambertin, tél. 03.80.34.31.49, fax 03.80.51.83.70, e-mail drouhinlaroze@aol.com
☑ Y 🚶 t.l.j. 9h30-18h
🔑 Philippe Drouhin

## DOM. DUPONT-TISSERANDOT
La Petite Chapelle 2003 ★

■ 1er cru 0,17 ha 650 🛢 23 à 30 €

L'édition 2002 de cette Petite Chapelle a valu au domaine Dupont-Tisserandot la croix d'honneur, le coup de cœur. L'édition 2003 n'atteint pas le sommet, mais sa couleur est certaine, violacée, et son bouquet en train de se déterminer (grillé, réglissé, cerisé). On se plaît en bouche car il y a du fond, de la densité, une pointe de chaleur, une finale qui doit encore se faire. Notons l'excellente présentation d'ensemble de la cave puisque les **1ers crus Lavaux Saint-Jacques 2003**, une étoile, et **Les Cazetiers 2003**, cités, suscitent des opinions très favorables.

Dom. Dupont-Tisserandot,
2, pl. des Marronniers, 21220 Gevrey-Chambertin,
tél. 03.80.34.10.50, fax 03.80.58.50.71
t.l.j. 8h30-12h 14h-18h; sam. dim. sur r.-v.
M.-F. Guillard et P. Chevillon

## FAIVELEY Les Marchais 2002

■ 1,08 ha 6 650 23 à 30 €

Installé à Gevrey dans l'ancienne propriété de Grésigny, le domaine Faiveley est bien implanté sur ce terroir. Sous une robe claire et lumineuse, la mûre rencontre les senteurs de la forêt et de la chasse comme il y en a aux Cazetiers sur le coteau d'en face (notes de gibier). Des tanins encore austères conduisent à remettre la bouche à plus tard.

Bourgognes Faiveley,
8, rue du Tribourg, 21701 Nuits-Saint-Georges Cedex,
tél. 03.80.61.04.55, fax 03.80.62.33.37,
e-mail bourgognes@bourgognes-faiveley.com r.-v.

## FERY-MEUNIER 2002 ★★

■ 0,53 ha 3 200 15 à 23 €

Alain Meunier et Jean-Louis Féry se rencontrent en 1988. Leur amour du vin et le goût du défi les rapprochent. Ils s'associent en 1995. Quel bel enfant ! « Il n'y a que du positif », notent nos dégustateurs. Rubis mauve, un vin qui attaque dans la soie, évolue dans l'épice et le fruit rouge, esquisse une queue de paon. Des tanins fondants comme des cassissines... Son bouquet est un peu sauvage, légèrement empyreumatique, pas trop grillé, superbe.

Maison Féry-Meunier, 2, rue Marey,
21420 Echevronne, tél. 03.80.21.59.60,
fax 03.80.21.59.59, e-mail fery.meunier@wanadoo.fr
r.-v.

## JEROME GALEYRAND Vieilles Vignes 2003 ★

■ 0,3 ha 1 500 23 à 30 €

Jérôme est jeune et ses vignes (celles-ci à tout le moins) sont vieilles. Il s'est installé à Saint-Philibert, village de la Plaine de Gevrey, le plus proche du chef-lieu de canton. Juste un peu plus de 4 ha pour un résultat très estimable. Marqué par le millésime, ce *village* livre des arômes très mûrs (pruneau, fruits cuits, cuir). On reste en bouche sur cette impression de forte concentration, de chaleur expressive. Atypique mais intéressant. Quant au **gevrey 2003 (15 à 23 €)** qui ne porte pas la mention Vieilles Vignes, il est flatteur et obtient une citation.

Jérôme Galeyrand, Saint-Philibert,
21220 Gevrey-Chambertin,
tél. 06.61.83.39.69, fax 03.80.34.39.69,
e-mail jerome.galeyrand@wanadoo.fr r.-v.

## DOMINIQUE GALLOIS
La Combe aux Moines 2002

■ 1er cru 0,5 ha n.c. 23 à 30 €

Petit-fils de la belle-sœur de Gaston Roupnel, l'écrivain bourguignon par excellence, Dominique est viticulteur, bien sûr ! Sa Combe aux Moines est encore plongée dans le recueillement. Il faudra attendre un an pour la voir délivrée de la règle du silence. La robe en revanche montre une brillance peu cistercienne et les dix-huit mois de fût, heureusement, n'effacent pas le fruit (cassis).

Dominique Gallois,
9, rue du Mal-de-Lattre-de-Tassigny,
21220 Gevrey-Chambertin, tél. 03.80.34.11.99,
fax 03.80.34.38.62 r.-v.

## DOM. PIERRE GELIN Clos Prieur 2002 ★★

■ 1er cru 0,23 ha 1 040 30 à 38 €

Ce vin esquisse une légère évolution. Sa robe est cependant de bonne intensité. Son nez ? Assez complexe entre le fruit et la vanille. Les tanins gardent une astringence plutôt positive, signe de jeunesse, d'autant que l'acidité est parfaite. Arrière-saveur de fruits rouges confits, excellente persistance. Ce vin provient d'un 1er cru situé en début du piémont et en dessous des mazis.

Dom. Pierre Gelin, 2, rue du Chapitre, 21220 Fixin,
tél. 03.80.52.45.24, fax 03.80.51.47.80,
e-mail gelin-pierre@wanadoo.fr
t.l.j. sf dim. 9h-11h30 14h-17h30

BOURGOGNE

## S.C. GUILLARD Aux Corvées Vieilles Vignes 2002 ★

■ 0,5 ha 3 000 11 à 15 €

Michel Guillard est le petit-fils d'Henri IV. En ce temps-là, quatre garçons portaient au village le même prénom, et on les avait numérotés comme des rois de France... Cela dit, cette bouteille grenat intense à reflets bleutés, charnue et bien fruitée, ferait très bon ménage avec la poule au pot. Une légère touche animale nuance l'arôme dominant (framboise écrasée). Les tanins sont aimables, et un peu de chaleur en finale ne nuit pas à l'ensemble.

SCEA Guillard, 3, rue des Halles,
21220 Gevrey-Chambertin, tél. 03.80.34.32.44
r.-v.

## JEAN-MICHEL GUILLON Vieilles Vignes 2003 ★★

■ 4,1 ha 6 100 15 à 23 €

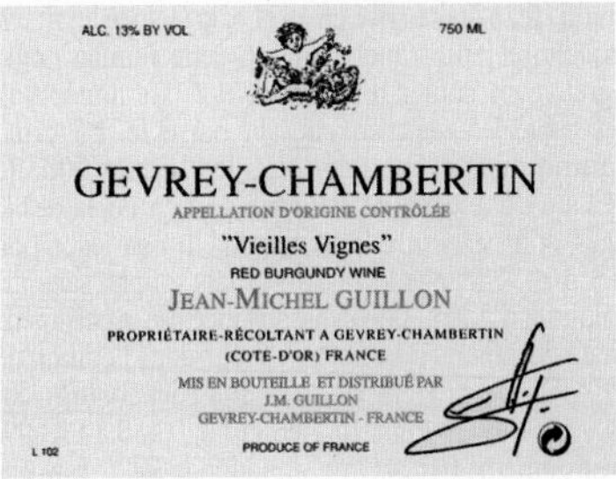

Pour gagner la course et remporter le coup de cœur, il fallait vraiment être le meilleur. Ce *village*, il est vrai, aurait pu concourir en catégorie supérieure. Grenat jusqu'aux confins de la cerise noire, il maintient le cap sur ce fruit, mariant cet arôme et celui du Zan, si caractéristique en gevrey. Pas de surprise en bouche : bien en chair mais plus gras que corpulent, il est corsé, mâle et de superbe garde, trois ou quatre ans. Alexis Guillon prend la relève en ce domaine récent (1980) et pourtant de 11 ha.

Jean-Michel Guillon, 33, rte de Beaune,
21220 Gevrey-Chambertin, tél. 03.80.51.83.98,
fax 03.80.51.85.59, e-mail eurlguillon@aol.com
r.-v.

### DOM. ANTONIN GUYON 2002 ★★

■ 2,4 ha 12 000 23 à 30 €

Une bouteille que l'on servira à n'en pas douter lors d'un dîner à l'ambassade de Finlande. L'un des propriétaires du domaine est en effet consul de ce pays à Dijon. Digne d'un sanglier de Carélie sorti d'un four garni de branches de pin, un vin de grande classe. Pourpre intense, le bouquet fruité plein d'ampleur, il égrène un chapelet de compliments : corsé, gras, capiteux, distingué. Un peu de patience est requise car il s'agit d'un 2002 dont le corps resplendissant va encore monter sur le chemin des étoiles. Seule sa modestie l'empêche de recevoir dès à présent le coup de cœur.

Dom. Antonin Guyon, 21420 Savigny-lès-Beaune, tél. 03.80.67.13.24, fax 03.80.66.85.87, e-mail domaine@guyon-bourgogne.com r.-v.

### DOM. HARMAND-GEOFFROY
Vieilles Vignes 2002 ★★

■ 0,7 ha 3 000 15 à 23 €

Si l'on décernait un coup de cœur pour le nombre des vins retenus au sein d'une même appellation et l'homogénéité des résultats, ce domaine le remporterait ici haut la main. Autant s'arrêter à chaque tonneau ! Une étoile pour les **1ers crus Les Champeaux 2002 (30 à 38 €)** et **Lavaux Saint-Jacques 2002 (23 à 30 €)** et pour **En Jouise 2002 en village**. Mention *summum cum lauda* pour cette cuvée Vieilles Vignes : fruit, bouquet, puissance, tout annonce le chapon à Noël 2009. Au charme bien réel s'ajoute la constitution exceptionnelle d'un grand bourgogne. Elevé place des Lois, il la fait en effet, la loi !

Dom. Harmand-Geoffroy, 1, pl. des Lois, 21220 Gevrey-Chambertin, tél. 03.80.34.10.65, fax 03.80.34.13.72, e-mail harmand-geoffroy@wanadoo.fr r.-v.

### DOM. HERESZTYN La Perrière 2003

■ 1er cru 0,34 ha 1 200 23 à 30 €

Européenne bien avant l'entrée de la Pologne dans l'Union (Jean était arrivé en 1932 et la chance lui fit choisir l'agriculture plutôt que la mine), cette famille nous fait généralement goûter toute sa cave. Cette année voit un beau triplé. Passent en effet la barre le **1er cru Les Champonnets** et le **village Vieilles Vignes 2003 (15 à 23 €)** ainsi que cette Perrière rubis vif. Au-delà des fruits rouges, son nez truffe légèrement. Un peu léger pour le millésime (vendangé le 28 août) mais souple, sans dureté tannique et d'adaptation facile aux idées de la cuisinière. Ce même *climat* a reçu le coup de cœur dans l'édition 1999.

EARL Dom. Heresztyn, 27, rue Richebourg, 21220 Gevrey-Chambertin, tél. et fax 03.80.34.13.99, e-mail domaine.heresztyn@wanadoo.fr r.-v.

### DOM. HUGUENOT PERE ET FILS 2003 ★★

■ 3,15 ha 15 000 15 à 23 €

Philippe a pris la suite de Jean-Louis, célèbre dans la Côte pour sa carrure de Burgonde et sa barbe de Viking. Ce gevrey en tout cas a du sang bourguignon plein les veines : robe riche en éclat, bouquet cerise noire légèrement boisé. L'attaque est suave et son fruit envahissant sur une texture charnue aux tanins de velours ; c'est une véritable réussite d'avoir préservé une telle délicatesse en 2003. Le **1er cru Les Fontenys 2003 (23 à 30 €)** mérite également considération pour ses deux étoiles (à déguster l'un et l'autre dans leur jeunesse).

SCE Huguenot Père et Fils, Dom. Nicolas Theuriet, 7, ruelle du Carron, 21160 Marsannay-la-Côte, tél. 03.80.52.11.56, fax 03.80.52.60.47, e-mail domaine.huguenot@wanadoo.fr r.-v.

### DOM. HUMBERT FRERES
Estournelles Saint-Jacques 2003 ★★

■ 1er cru 0,16 ha 750 30 à 38 €

Voisines du fameux Clos Saint-Jacques, les Estournelles sont un petit *climat* niché en haut de coteau à l'orée de la combe de Lavaut. Elles accrochent le coup de cœur à leur boutonnière car ce 2003 riche et concentré rend au centuple ce qu'il a reçu du millésime. Grenat bleuté, il quitte rapidement le terrain boisé pour chanter réglisse et myrtille. Sa rondeur tire profit d'une délicate pointe de vivacité ainsi que d'une couverture tannique efficace et ferme. Les **1ers crus Poissenot 2003** et **Craipillot 2003** font également partie des bouteilles retenues par le jury avec une étoile chacun. Cette cave a de la ressource !

Dom. Humbert Frères, rue de Planteligone, 21220 Gevrey-Chambertin, tél. et fax 03.80.51.80.14 r.-v.

### S. JAVOUHEY Vieilles Vignes 2002

■ n.c. 1 200 15 à 23 €

Ah ! ces règles de l'étiquette... « Mis en bouteille au domaine par D à F 21220 – Sélectionné par S. Javouhey » : 21220 c'est Gevrey. Nous y sommes en effet. Légère évolution de la robe. Des parfums à maturité (cuir, épices, cerise à l'eau-de-vie). La bouche confirme : elle présente des qualités, mais la bouteille ne gagnera rien à rester plus d'un an au cellier.

S. Javouhey, 50, rue du Gal-de-Gaulle, BP 63, 21700 Nuits-Saint-Georges, tél. 03.80.61.10.30, fax 03.80.61.35.76, e-mail domaine@javouhey.com t.l.j. 9h-12h 13h-18h

### DOM. LEYMARIE-CECI La Justice 2002

■ 0,68 ha 4 100 23 à 30 €

La Justice est peut-être le *climat* le plus étendu de gevrey. La robe de celle-ci a la couleur et le feu de celle que porte saint Michel à l'hôtel-Dieu de Beaune. Un peu de fruit au nez, pas mal de tanins en bouche : il ne sourit guère et emprunte à l'archange en train de peser les âmes la rigueur de sa physionomie. Un petit temps de purgatoire laisse au moins l'espoir du paradis partagé avec un bœuf bourguignon.

Dom. Leymarie-CECI, Clos du Village, 24, rue du Vieux-Château, 21640 Vougeot, tél. 03.80.62.86.06, fax 03.80.62.88.53, e-mail leymarie@skynet.be r.-v.

**FREDERIC MAGNIEN Cazetiers 2002 ★**

■ 0,27 ha 1 460 38 à 46 €

La Terre, le Soleil et même la Lune ont rendez-vous sur l'étiquette de ce Cazetiers. Il répond en bouche au portrait-robot de ce *climat* assez fauve, d'une étreinte vive. Le renard n'est pas loin, mêlé à des arômes de sous-bois, de mousse comme on en rencontre dans la combe de la Bossière. Au nez, ce vin s'ouvre doucement. Cassis ? Cela y ressemble. Attrayante à l'œil, la robe nous rappelle l'encre violette de notre enfance. Longue vie !

EURL Frédéric Magnien, 4, rue Ribordot, 21220 Morey-Saint-Denis, tél. 03.80.58.54.20, fax 03.80.51.84.34, e-mail fredericmagnien.grandsvinsdebourgogne@wanadoo.fr r.-v.

**DOM. MICHEL MAGNIEN ET FILS Les Goulots 2002 ★★**

■ 1er cru 0,16 ha 850 30 à 38 €

Le nom de ce *climat* ne fait pas référence à la partie la plus sensible de la bouteille, mais à une petite source, un ruisseau. Bigarreau rouge (il existe une cerise bigarreau rose et une autre blanche !) à reflets rubis foncé, ce 1er cru né en situation très élevée sur le coteau offre une rondeur délicieusement caressée par ses tanins, charmée par une fraise très fraîche. A carafer ou à ouvrir une bonne demi-heure avant le repas. Le **Seuvrées Vieilles Vignes 2002 (15 à 23 €)** (sous les Charmes, mais de l'autre côté de la nationale) est discret mais très correct en *village* : il obtient une étoile.

EARL Michel Magnien et Fils, 4, rue Ribordot, 21220 Morey-Saint-Denis, tél. 03.80.51.82.98, fax 03.80.58.51.76 r.-v.

**JEAN-PHILIPPE MARCHAND Lavaux Saint-Jacques 2003 ★**

■ 1er cru 0,3 ha 1 500 23 à 30 €

Viticulteur et négociant, Jean-Philippe Marchand gère également des chambres d'hôte. Quatre mains à l'ouvrage, il signe ici un vin né de raisins coupés un 22 août. Cerise limpide, l'œil est sans défaut. Réglisse et épices douces composent un bouquet de tradition, conventionnel mais élégant. Les fruits (cerise noire, cassis) font mouvement après l'entrée en bouche, sur des tanins mûrs et soyeux, un peu chauds (les contraintes de la vinification d'un millésime hors normes).

Jean-Philippe Marchand, 4, rue Souvert, BP 41, 21220 Gevrey-Chambertin, tél. 03.80.34.33.60, fax 03.80.34.12.77, e-mail marchand@axnet.fr t.l.j. sf dim. lun. 10h-18h30

**DOM. MAREY La Justice 2002 ★**

■ 1,15 ha 7 300 15 à 23 €

« Tradition et culture raisonnée », lit-on sur l'étiquette. Installé à Meuilley, ce viticulteur a démarré en 1980 après une longue pratique des petits fruits produits dans les Hautes-Côtes de Nuits. La Justice est le *climat* le plus connu à l'est de la N 74. Cela donne un *village* très honorable. Sa teinte est affirmée. Le nez mi-bois mi-fruit, un peu alcool de noyau, est agréable. Les tanins bien marqués ne sont pas coupables et l'aideront à supporter convenablement le poids des ans. Il est cependant à boire en 2007 ou 2008.

EARL Dom. Marey, rue Bachot, 21700 Meuilley, tél. 03.80.61.12.44, fax 03.80.61.11.31, e-mail dommarey@aol.com r.-v.

**CH. DE MARSANNAY 2002 ★★**

■ 1er cru 0,69 ha 3 973 30 à 38 €

Bien représentatif du millésime, il évoque à l'approche le fruit en compote, puis il finit sur la rigueur. Il a du charme et se reprend sur une bonne texture. C'est clair, on a envie de le suivre. Sa couleur brillante, son nez de sous-bois, ses tanins enrobés ont quelque chose d'entraînant. Le **village 2002 (23 à 30 €)** nous apparaît comme un « vin à l'ancienne », assez tannique, bien dans le type gevrey. Il obtient une étoile.

Ch. de Marsannay, rte des Grands-Crus, BP 78, 21160 Marsannay-la-Côte, tél. 03.80.51.71.11, fax 03.80.51.71.12, e-mail chateau.marsannay@kriter.com t.l.j. 10h-12h 14h-18h30; groupes sur r.-v.; f. dim. de nov. à mars

**DOM. THIERRY MORTET 2003 ★**

■ 3 ha 15 000 15 à 23 €

Chacun des frères Mortet a créé son domaine. Nous sommes ici chez Thierry. Difficile d'imaginer robe plus sombre, d'un grenat proche du noir. La framboise se détache, puis apparaissent des senteurs de fruits confits. L'attaque est fournie : un vrai vin à l'acidité fraîche et au bon suppport tannique. Excellent niveau pour un *village*, et n'allons pas parler d'un « simple village » !

Dom. Thierry Mortet, 16, pl. des Marronniers, 21220 Gevrey-Chambertin, tél. 03.80.51.85.07, fax 03.80.34.16.80 r.-v.

**DOM. PHILIPPE NADDEF Vieilles Vignes 2002**

■ 0,88 ha 2 360 23 à 30 €

Philippe Naddef a reçu ses vignes sur Gevrey de son grand-père, le Dr Bizot, qui abandonnait à l'occasion le stéthoscope pour la pipette. Entreprenant, il a acheté il y a quelques années la Grosse Maison à Fixin, aménagée en chambres d'hôte. Ces Vieilles Vignes ont de l'étoffe, du coffre, et on ne s'en étonne pas car l'âge donne du corps. Trapu et fin à la fois, mariant le fût et le fruit, encore un peu sec en finale, ce vin gagnera à l'attente (un à deux ans). Voir aussi le **1er cru Les Champeaux 2002 (30 à 38 €)**, déjà très agréable.

Dom. Philippe Naddef, 30, rte des Grands-Crus, 21220 Fixin, tél. 03.80.51.45.99, fax 03.80.58.83.62, e-mail domaine.phil.naddef@wanadoo.fr r.-v.

**DOM. HENRI REBOURSEAU 2002 ★**

■ 7,02 ha 11 993 15 à 23 €

Le clos de la propriété Rebourseau s'étend sur 5,78 ha devant le perron d'une belle demeure 1800 acquise par le général en 1923, auprès d'arbres magnifiques qui n'ont pas été sacrifiés à la vigne. Solide comme le *Porteur de benaton* sculpté par Henri Bouchard pour le Clos de Vougeot, un vin riche en corps et en tanins, fait pour durer. Son rubis est de bonne qualité, son nez légèrement ouvert sur le fruit. Une certaine distinction, un caractère un peu sauvage, voilà de la présence.

NSE Dom. Henri Rebourseau, 10, pl. du Monument, 21220 Gevrey-Chambertin, tél. 03.80.51.88.94, fax 03.80.34.12.82, e-mail domaine@rebourseau.com r.-v.

PHILIPPE ROSSIGNOL Vieilles Vignes 2002 *

■ 2 ha 15 000 15 à 23 €

Un parcours assez exceptionnel. Rien ne prédestinait Philippe Rossignol à devenir vigneron quand, à l'âge de dix-neuf ans, il a repris 2 ha de vignes. C'était l'année de la sécheresse, en 1976. Il a construit maison, cave et cuverie. Il est aujourd'hui à la tête de 6,25 ha et son gevrey retient l'attention. Un 2002 rubis limpide, le nez bien ouvert sur la griotte et les épices, les tanins solides. Sa charpente est capable de porter l'édifice plusieurs années encore. Cerise à l'eau-de-vie en fin de bouche.

Philippe Rossignol, 61, av. de la Gare, 21220 Gevrey-Chambertin, tél. et fax 03.80.51.81.17 r.-v.

DOM. ROSSIGNOL-TRAPET 2002 **

■ 6 ha 35 000 15 à 23 €

Domaine né de Mado et Jacques Rossignol-Trapet. Rencontrée dans les parages du coup de cœur, cette bouteille s'inscrit dans la tradition. Une tradition quelque peu renouvelée, peut-être moins charpentée et moins tannique que le gevrey d'autrefois mais où le fruit respire la jeunesse, où l'astringence légère est bien calculée. Rubis bourguignon, ce 2002 discrètement boisé fait un beau vin que l'on conservera pour un filet de biche aux morilles.

Dom. Rossignol-Trapet, 4, rue de la Petite-Issue, 21220 Gevrey-Chambertin, tél. 03.80.51.87.26, fax 03.80.34.31.63, e-mail info@rossignol-trapet.com r.-v.

DOM. MARC ROY Clos Prieur 2002 *

■ 0,26 ha 1 450 15 à 23 €

Domaine de 4 ha seulement, dans l'atmosphère des *Baraques de Gevrey* chantées par Roupnel. Il ne sacrifie pas le présent à l'avenir, ce Clos Prieur 2002 vinifié sur la fraîcheur et le fruit. Si sa robe présente quelques reflets d'évolution, la finesse aromatique est assez subtile. Au palais, un petit côté sauvage, comme on sait l'être dans l'adolescence. Le fût est bien fondu et un petit air de violette accompagne des notes de fruits noirs.

Marc Roy, 8, av. de la Gare, 21220 Gevrey-Chambertin, tél. 03.80.51.81.13, fax 03.80.34.16.74 r.-v.

DOM. J. ET M. SIMON Vieilles Vignes 2002

■ 1,1 ha 3 200 15 à 23 €

La couleur est suffisante. Le nez juste un peu ouvert sur le petit fruit rouge, mais encourageant. Les tanins sont relativement discrets, tout en se montrant présents. En bouche, on évolue de la fraîcheur initiale jusqu'à une certaine chaleur. Fruité ? Assurément.

Dom. J. et M. Simon, 11, rue Saint-Roch, 21220 Morey-Saint-Denis, tél. 03.80.34.15.19, fax 08.25.17.06.78, e-mail domainesimon@wanadoo.fr r.-v.

DOM. TORTOCHOT Les Champeaux 2002 *

■ 1er cru 0,79 ha 4 800 23 à 30 €

Après Brochon et en se dirigeant vers le château de Gevrey, ce 1er cru occupe le haut du coteau. Sous sa robe profonde, d'un rouge soutenu, il a déjà bien intégré son fût. Un parfum de cassis semble se dessiner, tandis qu'en bouche il procède par étapes. D'abord souple et léger, presque soyeux, il est plus viril durant la seconde moitié du parcours, l'acidité et les tanins étant assez marqués. Cela dit, on est en gevrey et on n'abordera pas la bouteille avant deux ans, ce qui lui laisse du temps.

Dom. Tortochot, 12, rue de l'Eglise, 21220 Gevrey-Chambertin, tél. 03.80.34.30.68, fax 03.80.34.18.80, e-mail contact@tortochot.com r.-v.

Ch. Michel-Tortochot

DOM. TRAPET PERE ET FILS 2003 *

■ 5,5 ha n.c. 15 à 23 €

Jeannot Trapet voulait « voir à voir » quand son fils s'est engagé résolument dans la biodynamie. Jean-Louis a réussi à le convaincre. Ne fut-il pas grappe d'or de notre Guide en 2003 pour son chambertin 2000 ? D'une robe limpide et sobre, ce *village* s'appuie sur des arômes assez complexes (pruneau à l'eau-de-vie, animal). Bien agréable en bouche, il s'y comporte avec souplesse et élégance. L'acidité et les tanins trouvent un juste point d'équilibre.

Dom. Trapet Père et Fils, 53, rte de Beaune, 21220 Gevrey-Chambertin, tél. 03.80.34.30.40, fax 03.80.51.86.34, e-mail message@domaine-trapet.com r.-v.

ROMUALD VALOT 2002 *

■ n.c. 2 800 15 à 23 €

Pourpre moyen, ce vin a la cerise comme commun dénominateur. Du noyau à la cerise à l'eau-de-vie, la palette aromatique est toutefois assez large. Equilibré sur un mode chaleureux, il dispose de quelques perspectives d'avenir dans un délai raisonnable.

SARL Romuald Valot, 14, rue des Tonneliers, 21200 Beaune, tél. 03.80.24.84.63, fax 03.80.25.91.29

ALAIN VOEGELI 2003 *

■ 1,5 ha 3 300 15 à 23 €

Fondé en 1900 par Etienne Grey (de la famille du célèbre moutardier dijonnais allié aux Poupon), le domaine est aujourd'hui entre les mains de son arrière-arrière-petit-fils. Nuance bigarreau, ce vin a le nez confortablement assis. Noyau, cassis, vanille. Une bonne maîtrise du millésime donne une substance étoffée, assez complète et bien pourvue en gras. La mâche surgit à la fin de la dégustation mais elle n'abuse pas de la situation.

Alain Voegeli, 5, rte de Dijon, 21220 Gevrey-Chambertin, tél. et fax 03.80.34.37.13 r.-v.

# Chambertin

Bertin, vigneron à Gevrey, possédant une parcelle voisine du Clos de Bèze et fort de l'expérience qualitative des moines, planta les mêmes plants et obtint un vin similaire : c'était le « champ de Bertin », d'où Chambertin. L'AOC a produit 288,25 hl en 2003 et 496 en 2004.

DOM. CAMUS PERE ET FILS 2002 *

■ Gd cru 1,69 ha 5 500 38 à 46 €

Belle vigne de 1,69 ha et 38 ca. Ce millésime possède un tempérament soyeux dans une robe bien soutenue aux pourtours violacés. Le bouquet très épicé n'oublie pas le fruit rouge. La bouche a gardé de sa fraîcheur, appuyée sur des tanins ronds équilibrés. Dans deux ou trois ans, cette bouteille accompagnera un petit gibier à plume.

SCEA Dom. Camus Père et Fils,
21, rue du Mal-de-Lattre-de-Tassigny,
21220 Gevrey-Chambertin, tél. 03.80.34.30.64,
fax 03.80.51.87.93 r.-v.
Hubert Camus

### DOM. PIERRE DAMOY 2002

■ Gd cru 0,48 ha 1 611 + de 76 €

Corps et couleur font l'image du chambertin. Rubis profond, celui-ci séduit le regard. Fraise, framboise, réglisse influent sur un bouquet teinté par ses dix-neuf mois de fût. En bouche se produit une bonne montée de sève, puis on éprouve une sensation veloutée, très fondue. Elle nous quitte sur la rondeur caressante du fruit. Ces 47,59 ares sont contigus au Clos de Bèze du même domaine. Ne pas déboucher avant 2007-2008.

Dom. Pierre Damoy,
11, rue du Mal-de-Lattre-de-Tassigny,
21220 Gevrey-Chambertin,
tél. 03.80.34.30.47, fax 03.80.58.54.79,
e-mail info@domaine-pierre-damoy.com r.-v.

### LUPÉ-CHOLET 2003

■ Gd cru 0,17 ha 600 + de 76 €

Imaginez que ces 17,27 ares se répartissent en sept parcelles cadastrées séparément, dont trois inférieures à 1 are, acquises en 1967 et 1968 sur les vignobles Peyrazeaux, Jaboulet-Vercherre et Dufouleur. Il est vrai que cela se touche... et facilite le travail des vendangeurs. Cerise noire à reflets violines, ce 2003 justement boisé commence à s'exprimer sur le raisin frais ainsi que le sous-bois. La plénitude du millésime se traduit par une mâche marquée par une belle acidité et des tanins qui devront se fondre. Lupé-Cholet appartient à la maison A. Bichot.

Lupé-Cholet, 17, av. du Gal-de-Gaulle,
21700 Nuits-Saint-Georges, tél. 03.80.61.25.02,
fax 03.80.24.37.38, e-mail bourgogne@lupe-cholet.com

### DOM. HENRI REBOURSEAU 2002 *

■ Gd cru 0,79 ha 2 736 + de 76 €

92 94 |96| 98 (99) 00 02

« Rien ne fait paraître l'avenir couleur de rose comme de le regarder à travers un verre de chambertin », proclame Athos dans *Les Trois Mousquetaires*. Couleur de rose ? Disons de belle rose rouge. Rubis profond. Framboise, cerise, le pinot noir livre un message frais et pur. Le fruit est plus timide en bouche, mais celle-ci se révèle ample et longue même si les tanins sont à enrober un peu ; l'acidité contribue à son élan et permet de voir l'avenir à la façon du personnage de Dumas. Un lièvre à la royale lui tiendra compagnie entre 2007 et 2010.

NSE Dom. Henri Rebourseau,
10, pl. du Monument, 21220 Gevrey-Chambertin,
tél. 03.80.51.88.94, fax 03.80.34.12.82,
e-mail domaine@rebourseau.com r.-v.

### DOM. LOUIS REMY 2002 *

■ Gd cru 0,32 ha 1 300 46 à 76 €

Domaine de plus de cent quatre-vingts ans, possédant 32,6 ares en plusieurs parcelles. Si ce chambertin montre quelques petits signes d'évolution à l'œil, le nez joue sur des notes de cassis toasté, de fruits compotés, de fraise. La bouche bénéficie de ses deux années de pension en fût. Plus ronde que carrée, elle est dans la continuité du nez, assez gourmande, charnue, longue et fraîche à la fois. Ce n'est pas un monstre de concentration et c'est tant mieux ! Un joli 2002, en un mot.

Dom. Louis Remy, 1, pl. du Monument,
21220 Morey-Saint-Denis, tél. et fax 03.80.34.32.59,
e-mail domaine.louis.remy@wanadoo.fr r.-v.

### DOM. ROSSIGNOL-TRAPET 2002 *

■ Gd cru 1,6 ha 6 000 46 à 76 €

Le chambertin appartient pour l'essentiel à des domaines gibriacois : Rossignol-Trapet en particulier, sur 1,6 ha. « Cela fait déjà ! », dit-on en Bourgogne pour marquer l'importance et la considération. Pourpre foncé à reflets mauves, celui-ci est assez aromatique (fruits rouges sur fond vanillé). Sa structure reste conforme à celle générale des 2002. Une pointe d'acidité assure son équilibre et le rend bien vivant. Sa chaleur n'est pas sans charme. Elégante, la finale est harmonieuse. On conseille de le carafer après une garde de deux ou trois ans.

Dom. Rossignol-Trapet, 4, rue de la Petite-Issue,
21220 Gevrey-Chambertin, tél. 03.80.51.87.26,
fax 03.80.34.31.63, e-mail info@rossignol-trapet.com
r.-v.

### DOM. TRAPET PERE ET FILS 2003 *

■ Gd cru 2 ha n.c. 46 à 76 €

|96| **98** 99 (00) **01** 02 03

1,85 ha et 24 ca en biodynamie absolue et quelques pieds de vignes plantés en 1919 ! Si jeunesse savait, si vieillesse pouvait... Eh bien ! non. Cette bouteille a besoin de vieillir et ne demande qu'à s'ouvrir. Sans doute n'apparaît-elle pas actuellement à son plein avantage (la cause en est, bien sûr, la chaleur et la sécheresse de cet été torride). Sous une couleur à l'éclat vif et un discret boisé mâtiné de fruits mûrs, le milieu de bouche est plus riche que ne le laisserait penser une visite rapide. Car elle attaque en finesse puis se révèle à la fois riche et fraîche, reposant sur des tanins soyeux et de bonne longueur. Son équilibre général ne pose aucun problème.

Dom. Trapet Père et Fils,
53, rte de Beaune, 21220 Gevrey-Chambertin,
tél. 03.80.34.30.40, fax 03.80.51.86.34,
e-mail message@domaine-trapet.com r.-v.

## Chambertin-clos-de-bèze

Les religieux de l'abbaye de Bèze plantèrent en 630 une vigne dans une parcelle de terre qui donna un vin particulièrement réputé : ce fut l'origine de l'appellation, qui couvre une quinzaine d'hectares ; les vins peuvent également s'appeler chambertin. La production a atteint 411 hl en 2004 sur 14,62 ha.

### DOM. PIERRE DAMOY 2002 **

■ Gd cru 5,36 ha 6 989 + de 76 €

La moitié de la superficie du domaine se trouve en clos-de-bèze ! La bagatelle de 5,35 ha et 95 ca ! Pionnier du commerce moderne mais las de la vie parisienne, Julien Damoy, âgé de plus de soixante-dix ans, opta pour une nouvelle vie, s'installa à Gevrey et acquit ce fleuron du patrimoine national. Nous sommes en présence d'un vin paisible et triomphant, d'une qualité exceptionnelle ou peu s'en faut. Rouge grenat à anneau violacé, son nez s'éveille

BOURGOGNE

sur le fruit noir. Aucune domination du fût. Concentration, structure, fruit (mûre, cassis), on est vraiment ici dans la cour des grands. Il a d'ailleurs manqué de peu le coup de cœur du grand jury. Patience !

🔑 Dom. Pierre Damoy,
11, rue du Mal-de-Lattre-de-Tassigny,
21220 Gevrey-Chambertin,
tél. 03.80.34.30.47, fax 03.80.58.54.79,
e-mail info@domaine-pierre-damoy.com r.-v.

DOM. DROUHIN-LAROZE 2003 ★★

■ Gd cru 1,5 ha 3 900 46 à 76 €

|95| 96 97 |00| |01| 02 **03**

Plusieurs parcelles sur 1,46 ha et 71 ca (dont une partie anciennement Marey-Monge). « Il est à lui seul tout le grand bourgogne possible », ce jugement de Camille Rodier vient à l'esprit en dégustant ce clos-de-bèze ambitieux et superbe. Coup de cœur, un 2003 de haute stature. Sa robe classique et jeune n'a rien de spectaculaire. Son bouquet en revanche nous emporte à Cythère. Il se déploie à l'aération avec élégance sur les fruits noirs, un vanillé très fin, une touche de tabac blond. Entier, généreux, puissant, opulent, il attend son heure (filet de chevreuil recommandé) au terme d'une garde à l'évidence respectueuse.

🔑 Dom. Drouhin-Laroze, 20, rue du Gaizot,
21220 Gevrey-Chambertin, tél. 03.80.34.31.49,
fax 03.80.51.83.70, e-mail drouhinlaroze@aol.com
t.l.j. 9h30-18h
🔑 Philippe Drouhin

FREDERIC MAGNIEN 2003

■ Gd cru 0,6 ha 2 200 + de 76 €

Rubis foncé à reflets de jeunesse, ce vin résume toute la mémoire bourguignonne. Songez que l'abbaye de Bèze perdit en 1217 toutes ses vignes à Gevrey ! Un bouquet mi-fruit mi-bois, des tanins bien élevés, de la souplesse et de la rondeur, un rien de subtilité, ce vin est agréable. Son millésime le rend honorable.

🔑 EURL Frédéric Magnien, 4, rue Ribordot,
21220 Morey-Saint-Denis, tél. 03.80.58.54.20,
fax 03.80.51.84.34, e-mail fredericmagnien.grandsvinsdebourgogne@wanadoo.fr r.-v.

# Autres grands crus de Gevrey-Chambertin

Autour des deux précédents, il y a six autres crus qui, sans les égaler, restent de la même famille. Les conditions de production sont un peu moins exigeantes, mais les vins y ont des caractères de solidité, de puissance et de plénitude semblables, où domine la réglisse, qui permet généralement de différencier les vins de Gevrey de ceux des appellations voisines : les latricières (environ 7 ha) ; les charmes (31 ha 61 a 30 ca) ; les mazoyères, qui peuvent également s'appeler charmes (l'inverse n'est pas possible) ; les mazis, comprenant les Mazis-Haut (environ 8 ha) et les Mazis-Bas (4 ha 59 a 25 ca) ; les ruchottes (venant de roichot, lieu où il y a des roches), toutes petites par la surface, comprenant les Ruchottes-du-Dessus (1 ha 91 a 95 ca) et les Ruchottes-du-Bas (1 ha 27 a 15 ca) ; les griottes, où auraient poussé des cerisiers sauvages (5 ha 48 a 5 ca) ; et enfin, les chapelles (5 ha 38 a 70 ca), nom donné par une chapelle bâtie en 1155 par les religieux de l'abbaye de Bèze, rasée lors de la Révolution.

# Latricières-chambertin

DOM. DROUHIN-LAROZE 2003 ★

■ Gd cru 0,67 ha 3 100 38 à 46 €

Parcelle de 67 ares et 45 ca achetée il y a déjà longtemps à la famille Gillot. Les Latricières sont citées pour la première fois en 1508. Voici une belle bouteille pour fêter bientôt les cinq cents ans du *climat*, du moins sous ce nom. De nuance magenta pourpre, elle garde au fond du nez certains de ses secrets. Des tanins soigneusement rabotés tapissent de velours une bouche que l'ardeur du soleil (vendange le 27 août) rend assez chaude, plus douce que robuste. A voir dans les trois ans.

🔑 Dom. Drouhin-Laroze, 20, rue du Gaizot,
21220 Gevrey-Chambertin, tél. 03.80.34.31.49,
fax 03.80.51.83.70, e-mail drouhinlaroze@aol.com
t.l.j. 9h30-18h
🔑 Philippe Drouhin

PHILIPPE HEBERT 2001

■ Gd cru 0,5 ha 900 + de 76 €

Henry Miller conservait à Big Sur, sur son bureau, l'étiquette d'un latricières dont il parle avec amour dans *Souvenirs, souvenirs*. Ce 2001 montre quelques légers signes d'évolution (robe), mais son développement aromatique sur le noyau et son équilibre malgré la nervosité fréquente du millésime, ainsi que la qualité de son élevage, conduisent à lui donner le feu vert pour un salmis de pintade dès cette année.

🔑 Maison Philippe Hébert,
1, pl. Saint-Jacques, BP 327, 21200 Beaune,
tél. 03.80.22.62.58, fax 03.80.24.65.72,
e-mail maison.philippe.hebert@wanadoo.fr r.-v.

DOM. ROSSIGNOL-TRAPET 2002 ★★

■ Gd cru 0,73 ha 3 000 38 à 46 €

Domaine géré depuis 1990 par David et Nicolas Rossignol et conduit en biodynamie. Cette vigne de 73 ares et 40 ca (10 % environ du grand cru) a donné un 2002 pourpre violacé. Son nez tient conclave et il n'a pas encore

fait son choix, restant sur le fruit rouge vanillé. En bouche l'harmonie est excellente. Si la concentration se trouve dans les frontières du millésime, la tannicité est fort bien traitée (approche soyeuse) et cette constitution a de quoi tenir dans les trois à six ans.
Dom. Rossignol-Trapet, 4, rue de la Petite-Issue, 21220 Gevrey-Chambertin, tél. 03.80.51.87.26, fax 03.80.34.31.63, e-mail info@rossignol-trapet.com r.-v.

DOM. TRAPET PERE ET FILS 2003 *

■ Gd cru 0,8 ha n.c. 38 à 46 €

|98| |99| **00 01** 02 03

Cette vigne représente environ 10 % du grand cru. Teinté cerise noire, ce vin né d'une biodynamie très rigoureuse s'oriente vers des arômes de réglisse et de moka. Grappe d'or du Guide, ne l'oublions pas. Est-il en tout point représentatif des 2003 ? On en discute et c'est difficile à dire, tant ce millésime offre de résultats divers sur un fond de canicule. Richesse en bouche, du fruit rouge bien mûr, de la longueur en arrière-bouche, il faudra surveiller son évolution au-delà de deux à trois ans (aménité des tanins notamment).
Dom. Trapet Père et Fils, 53, rte de Beaune, 21220 Gevrey-Chambertin, tél. 03.80.34.30.40, fax 03.80.51.86.34, e-mail message@domaine-trapet.com r.-v.

# Chapelle-chambertin

DOM. PIERRE DAMOY 2002 *

■ Gd cru 2,22 ha 4 010 46 à 76 €

98 99 00 01 02

Julien Damoy acquit vers 1920 une vaste parcelle en chapelle-chambertin (40 % du grand cru), lors de la vente du domaine Serre de Meursault. Ce 2002 porte une robe rouge cassis intense et brillante. Son premier nez est épicé (19 mois de fût), les suivants plus frais et aux allures de fruits rouges. Ce millésime offre une heureuse présence en bouche sur des tanins bien mesurés et un boisé bien intégré. A déguster dans un an ou deux.
Dom. Pierre Damoy, 11, rue du Mal-de-Lattre-de-Tassigny, 21220 Gevrey-Chambertin, tél. 03.80.34.30.47, fax 03.80.58.54.79, e-mail info@domaine-pierre-damoy.com r.-v.

DOM. DROUHIN-LAROZE 2003

■ Gd cru n.c. 1 700 38 à 46 €

La chapelle Notre-Dame de Bèze a disparu dans les années 1830, mais le nom de ce terroir a subsisté. Le domaine Drouhin-Laroze en a acquis près de 10 % il y a déjà longtemps. Rouge griotte à reflets violines, ce vin au bouquet encore réservé fait songer au sous-bois et aux fruits rouges. On apprécie une mâche savoureuse, la belle enveloppe du corps sur des tanins relativement souples mais bien présents. Encore difficile à juger, ce 2003 devrait bien évoluer dans trois à cinq ans.
Dom. Drouhin-Laroze, 20, rue du Gaizot, 21220 Gevrey-Chambertin, tél. 03.80.34.31.49, fax 03.80.51.83.70, e-mail drouhinlaroze@aol.com t.l.j. 9h30-18h
Philippe Drouhin

DOM. ROSSIGNOL-TRAPET 2002

■ Gd cru 0,52 ha 2 000 38 à 46 €

(93) |97| |98| 00 02

Un demi-hectare issu de la division du domaine Louis Trapet en 1990 entre Jean et (ici) sa sœur Mado dont les fils Nicolas et David assurent la continuité. Une chapelle vendangée le 19 septembre 2002, agréable à regarder pour le rouge légèrement violacé de sa robe. L'animal s'invite au nez mais de façon discrète et nuancée par la cerise. Ce vin racé, au fût bien mesuré, de constitution souple et assez fine, laisse le pinot s'exprimer.
Dom. Rossignol-Trapet, 4, rue de la Petite-Issue, 21220 Gevrey-Chambertin, tél. 03.80.51.87.26, fax 03.80.34.31.63, e-mail info@rossignol-trapet.com r.-v.

DOM. TRAPET 2003 *

■ Gd cru 0,7 ha n.c. 38 à 46 €

94 |95| |96| **98** 99 00 01 02 03

Vigne achetée par la famille Trapet à deux figures du vieux Gevrey : Truchetet qui construisait des automobiles en 1900 et Boinet qui aurait inventé le blanc-cassis... Stricte biodynamie pratiquée par Jean-Louis Trapet. Pourpre sombre à auréole mauve, le vin finement boisé allie un parfum chocolaté à des senteurs de mousse, de sous-bois et de fruits confits. L'attaque est franche, le corps déjà assez souple, l'acidité dans les possibilités du millésime mais correcte. Plus romane que gothique, cette chapelle appuie sa voûte sur d'épais piliers.
Dom. Trapet Père et Fils, 53, rte de Beaune, 21220 Gevrey-Chambertin, tél. 03.80.34.30.40, fax 03.80.51.86.34, e-mail message@domaine-trapet.com r.-v.

# Charmes-chambertin

DOM. ARLAUD 2003 *

■ Gd cru 1,14 ha 4 500 38 à 46 €

**00** 01 03

Depuis 2004, Romain a rejoint son frère Cyprien pour seconder leur père, Hervé Arlaud. La mûre sur toute la ligne : à l'œil et au nez. Couleur et senteur s'harmonisent bien. Et la bouche est très... mûre. Doté de beaucoup de matière et de gras, large comme un foudre, un vin aussi costaud que le porteur de *b'nâton* du Clos de Vougeot. D'accord, il est ainsi bâti, encore tannique. D'accord, sa finale est serrée. Mais « attendez voir », comme on dit ici. L'âge en fera un beau gaillard car la vie ne l'a pas mal servi.
Dom. Arlaud Père et Fils, 41, rue d'Epernay, 21220 Morey-Saint-Denis, tél. 03.80.34.32.65, fax 03.80.34.10.11, e-mail cyprien.arlaud@wanadoo.fr r.-v.

DOM. RENE BOUVIER 2002

■ Gd cru 0,3 ha 1 200 46 à 76 €

Savez-vous que le charmes-chambertin figure en bonne place dans *La Vie mode d'emploi*, le célèbre roman de Georges Perec ? Cette bouteille, il est vrai, n'a guère besoin de mode d'emploi, sinon un tire-bouchon. De tonalité cerise burlat, sa robe est profonde. Le nez un peu timide rappelle la framboise écrasée. Sa réserve n'atténue pas sa fermeté tannique, sa chaleur spontanée. A ouvrir dans deux ans.

BOURGOGNE

Dom. René Bouvier, 29 B, rte de Dijon,
21220 Gevrey-Chambertin, tél. 03.80.52.21.37,
fax 03.80.59.95.96, e-mail rene-bouvier@wanadoo.fr
r.-v.

DOM. PHILIPPE CHARLOPIN-PARIZOT 2003 ★★

■ Gd cru 0,18 ha n.c. + de 76 €

2003
CHARMES CHAMBERTIN
GRAND CRU
DOMAINE PHILIPPE CHARLOPIN PARIZOT
21220 GEVREY CHAMBERTIN


Philippe Charlopin n'en est pas à son premier coup de cœur. Cette parcelle de 18 ares est émouvante à ses yeux, car, provenant d'André Charlopin, ce fut le vin de baptême de son domaine en grand cru. Encore sur la réserve (de garde moyenne, cinq ans environ), un vin éblouissant pour l'appellation et le millésime. Une couleur recherchée, cerise noire brillante. Puis la mûre et la myrtille prennent les devants. En arrière-fond les épices signent un boisé élégant, parfaitement maîtrisé. On est impressionné tout à la fois par sa santé rayonnante, sa richesse de constitution et sa rondeur charnue. Un charmes fou !

Philippe Charlopin, 18, rte de Dijon,
21220 Gevrey-Chambertin, tél. et fax 03.80.58.50.46

FERY-MEUNIER 2003 ★

■ Gd cru 0,5 ha 1 700 38 à 46 €

Des cailles farcies aux grains de cassis ! Mis en verve par cette bouteille, un de nos dégustateurs suggère cet accord qui peut en effet remplacer la dinde de Noël. L'œil est clair, le nez élégant, la bouche légère et distinguée. Ce qui ne l'empêche pas d'avoir du style et de la classe ! Une aquarelle née d'une main sensible, et durable... Un horizon à cinq ans est tout à fait concevable.

Maison Féry-Meunier, 2, rue Marey,
21420 Echevronne, tél. 03.80.21.59.60,
fax 03.80.21.59.59, e-mail fery.meunier@wanadoo.fr
r.-v.

DOM. HUMBERT FRERES 2003 ★

■ Gd cru 0,22 ha 900 46 à 76 €

|96| 98 99 **01 02** |03|

Près de 20 ares d'origine familiale. Frédéric et Emmanuel Humbert en tirent un vin à la robe superbe, promis à des lendemains qui chantent. Après un premier nez de léger pain grillé, les fruits mûrs, classiques en 2003, sortent peu à peu de leurs coquilles. Légèrement marqués, les tanins doivent se fondre davantage. Il en est de même du parfum boisé de l'élevage en fût. Cela dit, il est à la hauteur de la situation et devra être gardé trois à quatre ans au moins dans une bonne cave.

Dom. Humbert Frères, rue de Planteligone,
21220 Gevrey-Chambertin, tél. et fax 03.80.51.80.14
r.-v.

JEAN-PAUL MAGNIEN 2003 ★★

■ Gd cru 0,2 ha 800 30 à 38 €

Les propriétaires de Morey sont nombreux dans les charmes, pour d'évidentes raisons de proximité. Jean-Paul Magnien n'a jamais voulu arrondir ses 4,5 ha dont 19,92 ares dans le secteur des mazoyères. Ce qu'on appelle en Californie une « boutique-winery ». Cette bouteille fait penser à un clos-de-bèze, c'est dire ! Rouge foncé sans excès, elle est très « terrienne » (au sens bourguignon et flatteur du mot). Les portes du paradis lui sont encore fermées, mais quatre à cinq ans de purgatoire ne lui feront pas peur. Puis elle accompagnera parfaitement un canard au sang (proposition d'un dégustateur sommelier).

Jean-Paul Magnien, 5, ruelle de l'Eglise,
21220 Morey-Saint-Denis, tél. 03.80.51.83.10,
fax 03.80.58.53.27, e-mail DomMagnien@aol.com
t.l.j. sf dim. 10h-12h 15h-19h; f. 1ère sem. août

DOM. MICHEL MAGNIEN ET FILS 2003 ★★

■ Gd cru 0,3 ha 900 46 à 76 €

**01 02 03**

Une parcelle de 27,95 ares dans la partie mazoyères des charmes, dont on reconnaît ici les caractères classiques : couleur brillante, complexité des arômes (cuir, eucalyptus et surtout cassis), corps robuste. La relation acidité/tanins se fait bien et donne du gras. Ce charmes-chambertin se plaît tant en bouche qu'il semble ne plus vouloir la quitter, longtemps après la dernière goutte.

EARL Michel Magnien et Fils, 4, rue Ribordot,
21220 Morey-Saint-Denis, tél. 03.80.51.82.98,
fax 03.80.58.51.76 r.-v.

DOM. HENRI PERROT-MINOT
Vieilles Vignes 2002 ★★

■ Gd cru n.c. 3 500 + de 76 €

Rouge, bleu, violet : un charmes bien né hisse volontiers ce drapeau tricolore et singulier qui annonce son cru. C'est ici le cas et l'on peut dire de cette robe qu'elle est vraiment complexe. Terre mouillée et sous-bois, le bouquet signe la typicité des charmes et mazoyères. Rassurez-vous, pour y voir clair il n'est pas nécessaire d'être grand clerc ! Un soupçon de boisé (seize mois de fût), un petit côté réglissé, du coffre, sans dénaturer le cépage, une très jolie fin de bouche, tout est à la hauteur de ce grand cru. La côte à l'os de charolais est encore dans le ventre de sa mère : patience récompensée après 2010.

Henri Perrot-Minot,
54, rte des Grands-Crus, 21220 Morey-Saint-Denis,
tél. 03.80.34.32.51, fax 03.80.34.13.57

GERARD RAPHET 2003 ★

■ Gd cru 1 ha 1 500 46 à 76 €

62,84 ares + 12,85 ares + 37,90 ares : vous mettez bout à bout les vignes paternelles, celles de la grand-tante Emilienne... et vous trouverez un peu plus de 1 ha. Quant à la maison, typiquement vigneronne d'autrefois, vous ne pouvez pas vous tromper : elle décore cette étiquette. Sous sa robe dense et très jeune, le 2003 est partagé entre le fruit noir et le tabac blond. Si le nez est encore un peu fermé, sa bouche tannique et mûre, charnue et concentrée, sensuelle, s'épanouira dans trois à cinq ans.

Gérard Raphet, 25, rte des Grands-Crus,
21220 Morey-Saint-Denis, tél. 03.80.51.89.52,
fax 03.80.51.84.25, e-mail gerard.raphet@wanadoo.fr
r.-v.

DOM. HENRI REBOURSEAU 2002

■ Gd cru 1,31 ha 5 472 38 à 46 €

Rubis comme une pierre précieuse. Le nez, lui, est plus modeste mais laisse des perspectives : du fruit, des

effluves boisées de qualité. On attend la bouche ; elle se révèle aromatique (framboise, cerise noire), non dénuée de gras, construite sur une bonne acidité et des tanins bien dans le caractère du millésime.
NSE Dom. Henri Rebourseau,
10, pl. du Monument, 21220 Gevrey-Chambertin,
tél. 03.80.51.88.94, fax 03.80.34.12.82,
e-mail domaine@rebourseau.com r.-v.

# Griotte-chambertin

### JOSEPH DROUHIN 2003 *

Gd cru 0,53 ha n.c. + de 76 €

La maison Joseph Drouhin possède 19,6 % du grand cru (près de 53 ares achetés en 1981 à la commune de Gevrey-Chambertin et replantés à cette époque). Sa griotte 2003 brille d'un beau rouge distingué. Au bouquet, les petits fruits rouges confits ont du charme sur un fond boisé bien mesuré. A la franchise de l'attaque succèdent des tanins assez enrobés et une charpente discrète. La finesse l'emporte sur le corps et la puissance. On retirera la bouteille de la cave vers 2007-2009. On pourra lui confier une bécasse ou des cailles truffées.
Maison Joseph Drouhin, 7, rue d'Enfer,
21200 Beaune, tél. 03.80.24.68.88, fax 03.80.22.43.14,
e-mail maisondrouhin@drouhin.com r.-v.

### DOM. MARCHAND FRERES 2003 *

Gd cru 0,13 ha 620 38 à 46 €

|98| 99 00 01 03

Parcelle de 12,6 ares depuis longtemps dans la famille Marchand, descendue opportunément de Reulle-Vergy à Morey et à Gevrey au XIXe s. En période normale l'insolation est déjà intense dans l'AOC griotte. Imaginez en 2003, avec une vendange le 21 août ! Soyeux, très fin, destiné peut-être aux palais féminins, celui-ci tire le meilleur parti du millésime. Cramoisi violacé, bouqueté aux fruits mûrs légèrement vanillés, il est bien structuré et sa concentration n'est heureusement pas considérable. Il sera de moyenne garde (trois à quatre ans) et il parviendra alors à l'optimum.
Dom. Marchand Frères, 1, pl. du Monument,
21220 Gevrey-Chambertin, tél. 03.80.62.10.97,
fax 03.80.62.11.01, e-mail dmarc2000@aol.com
r.-v.

# Mazis-chambertin

### DOM. CHARLOPIN PARIZOT 2002 *

Gd cru n.c. n.c. + de 76 €

|97| 99 00 01 02

La fille de Philippe Charlopin vous accueillera au caveau. Ce 2002 est bien dans son millésime : il n'a pas la puissance des 2003 et repose les dégustateurs par sa belle fraîcheur, ses tanins fondus et son fruité qui lui confèrent une bouche presque ronde qui n'oublie pas les notes toastées du fût. Commencez de le servir dans deux ans.
Philippe Charlopin, 18, rte de Dijon,
21220 Gevrey-Chambertin, tél. et fax 03.80.58.50.46

### DOM. DUPONT-TISSERANDOT 2003 **

Gd cru 0,35 ha 900 38 à 46 €

35,54 ares dont ce domaine tire un mazis vendangé le 27 août, superbement vinifié. Un vin « à l'ancienne », de longue garde et parmi les meilleurs de la table. Haut en couleur, le bouquet un peu torréfié mais ouvert sur d'autres horizons plus fruités, il repose sur une bonne assise tannique. Tout en restant raisonnable, son astringence réelle lui garantit d'intéressantes espérances. Un succès pour 2003 où il n'était guère aisé d'acquérir un tel équilibre.
Dom. Dupont-Tisserandot,
2, pl. des Marronniers, 21220 Gevrey-Chambertin,
tél. 03.80.34.10.50, fax 03.80.58.50.71
t.l.j. 8h30-12h 14h-18h; sam. dim. sur r.-v.
M.-Françoise Guillard, Patricia Chevillon

### JEAN-MICHEL GUILLON 2003 *

Gd cru 0,13 ha 860 38 à 46 €

Trois ouvrées de mazis pour ce viticulteur qui a introduit le nom de Guillon à Gevrey il y a vingt-cinq ans. Cramoisi aux reflets à la limite du noir, ce vin a le nez suffisant (cassis, réglisse ponctués par une note brûlée – quinze mois de fût). Ample et généreux, concentré et même dense lors de notre dégustation du 30 mars 2005, gardant néanmoins de la fraîcheur, c'est un beau 2003, bien travaillé.
Jean-Michel Guillon, 33, rte de Beaune,
21220 Gevrey-Chambertin, tél. 03.80.51.83.98,
fax 03.80.51.85.59, e-mail eurlguillon@aol.com
r.-v.

### DOM. HARMAND-GEOFFROY 2002 *

Gd cru 0,73 ha 4 000 38 à 46 €

Sa robe ? Coucher de soleil un soir d'été sur la combe de Lavaux. Son bouquet ? Très mazis, sur des notes de cuir, épicées et sauvages, de kirsch. Dès l'attaque, il se montre fidèle à sa légende : une bouche étoffée et corsée, puissante et dotée de mâche. Ses arômes secondaires se situent dans la lignée des premiers. Comme certains généraux, il obtiendra ses étoiles à l'ancienneté (cinq à dix ans) et cela n'a rien de péjoratif ici... Il y gagnera en effet du gras et de la finesse.
Dom. Harmand-Geoffroy,
1, pl. des Lois, 21220 Gevrey-Chambertin,
tél. 03.80.34.10.65, fax 03.80.34.13.72,
e-mail harmand-geoffroy@wanadoo.fr r.-v.

### DOM. TORTOCHOT 2003 *

Gd cru 0,42 ha 2 000 38 à 46 €

41,83 ares vendangés le 25 août, voici un mazis (y, ys, i, is les étiquettes sont parfois brouillées avec l'orthographe !) en robe de cour. Son bouquet moyennement intense sollicite le cassis, les fruits à l'eau-de-vie. L'attaque est satisfaisante. Ses tanins vont s'amadouer en cave (deux à trois ans minimum) et le vin s'ouvrir davantage. Puissante, la bouche offre une longueur prometteuse sur le fruit noir.
Dom. Tortochot, 12, rue de l'Eglise,
21220 Gevrey-Chambertin, tél. 03.80.34.30.68,
fax 03.80.34.18.80, e-mail contact@tortochot.com
r.-v.

# Mazoyères-chambertin

DOM. HENRI PERROT-MINOT
Vieilles Vignes 2002 *

| ■ Gd cru | 0,7 ha | 3 000 | + de 76 € |
|---|---|---|---|

Gendre d'Armand Merme, Henri Perrot-Minot reçut cette vigne en mazoyères ou charmes (les deux noms peuvent être revendiqués) de sa belle-famille. Ce 2002 tient son rang et on sait ce que cela signifie ! Rubis grenat très profond, il exprime des arômes intenses où le cassis et l'animal se rejoignent dans un décor épicé par les dix-huit mois de fût. Il garde ce caractère au palais : riche et gras, fruité et plein, il laisse un peu de liberté à ses tanins sur la fin. Bon potentiel (cinq à dix ans).

Henri Perrot-Minot,
54, rte des Grands-Crus, 21220 Morey-Saint-Denis,
tél. 03.80.34.32.51, fax 03.80.34.13.57

DOM. HENRI RICHARD 2002

| ■ Gd cru | n.c. | n.c. | 30 à 38 € |
|---|---|---|---|

Cette vigne appartenait à l'écrivain Gaston Roupnel qui la vendit en 1938 à Jean Richard, vantant alors « les bons soins, la bonne culture et la loyauté » du nouveau propriétaire. Rubis bourguignon, voici un vin « retour de la chasse ». Animal, doté de notes de sous-bois et de kirsch, il ne revient pas bredouille de sa matinée dans les hauteurs de la Côte ! Sa bonne structure tannique et son acidité correcte lui ouvrent les portes d'une certaine longévité.

SCE Henri Richard, 75, rte de Beaune,
21220 Gevrey-Chambertin, tél. et fax 03.80.34.35.81,
e-mail scehenririchard@hotmail.com
t.l.j. 9h-18h; dim. 9h-13h sur r.-v.; f. 15-30 août

# Ruchottes-chambertin

CH. DE MARSANNAY 2002

| ■ Gd cru | 0,1 ha | 542 | 46 à 76 € |
|---|---|---|---|

Parcelles acquises en 1990 par André Boisseaux (9,76 ares) : anciennement Bourtourault puis Quillardet. Les Ruchottes donnent souvent des moûts admirables, riches en tanins et en alcool. Il n'y a guère besoin d'extraction pour mettre au jour leur gras, leur fond. D'un rubis assez flamboyant par ses reflets violets, cette bouteille présente un nez pointu, mordant : son bouquet n'est pas encore tout à fait fondu. De même vogue-t-elle toutes voiles dehors vers sa plénitude future. Une navigation au long cours (cinq à dix ans). Sa dureté et sa vivacité présentes incitent à l'optimisme.

Ch. de Marsannay,
rte des Grands-Crus, BP 78, 21160 Marsannay-la-Côte,
tél. 03.80.51.71.11, fax 03.80.51.71.12,
e-mail chateau.marsannay@kriter.com
t.l.j. 10h-12h 14h-18h30;
groupes sur r.-v.; f. dim. de nov. à mars

# Morey-saint-denis

Morey-Saint-Denis constitue, avec un peu plus de 100 ha, une des plus petites appellations communales de la Côte de Nuits (2 181 hl en rouge, 161 hl en blanc). On y trouve d'excellents premiers crus rouges (1 611 hl), et blancs (74 hl) et cinq grands crus ayant une appellation d'origine contrôlée particulière : clos-de-tart, clos-saint-denis, bonnes-mares (en partie), clos-de-la-roche et clos-des-lambrays.

L'appellation est coincée entre Gevrey et Chambolle, et l'on pourrait dire que ses vins produits sur 80,57 ha en communale et 71,85 ha en premier cru sont, avec leurs caractères propres, intermédiaires entre la puissance des premiers et la finesse des seconds. Les vignerons présentent au public les morey-saint-denis, et uniquement ceux-ci, le vendredi précédant la vente des Hospices de Nuits (3e semaine de mars) en un Carrefour de Dionysos, à la salle des fêtes communale.

DOM. PIERRE AMIOT ET FILS
Les Millandes 2003 **

| ■ 1er cru | 0,5 ha | 1 800 | 23 à 30 € |
|---|---|---|---|

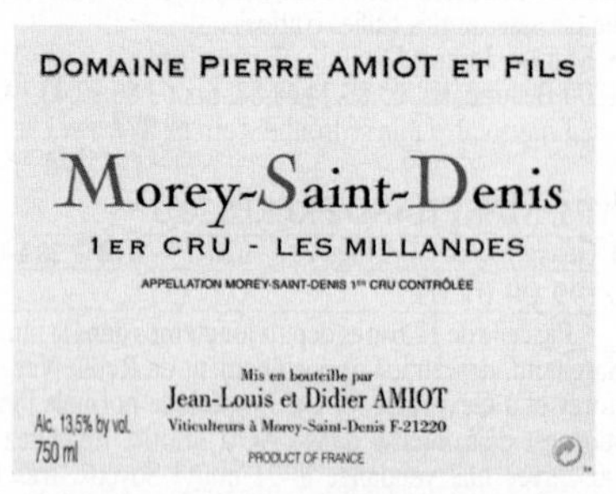

DOMAINE PIERRE AMIOT ET FILS
Morey-Saint-Denis
1ER CRU - LES MILLANDES
APPELLATION MOREY-SAINT-DENIS 1ER CRU CONTRÔLÉE
Mis en bouteille par
Jean-Louis et Didier AMIOT
Viticulteurs à Morey-Saint-Denis F-21220
Alc. 13,5% by vol.
750 ml
PRODUCT OF FRANCE


Deux coups de cœur seulement depuis 2000 dans cette appellation, et voici le troisième. Jean-Louis et Didier Amiot signent un très beau 2003 rouge grenat aux limites du noir. Un vrai coucher de soleil sur la combe Grisard ! La framboise prend peu à peu le pas sur les fruits de l'élevage, puis le corps s'épanouit. « Rien n'égale la suave fermeté de ce vin distingué et complet », écrivait Gaston Roupnel à propos du morey. On le vérifie en indiquant qu'une longue garde n'est pas indispensable.

Dom. Pierre Amiot et Fils, 27, Grande-Rue,
21220 Morey-Saint-Denis, tél. 03.80.34.34.28,
fax 03.80.58.51.17 r.-v.

DOM. ARLAUD Aux Cheseaux 2003 *

| ■ 1er cru | 0,71 ha | 2 800 | 23 à 30 € |
|---|---|---|---|

S'il n'y avait pas eu la guerre, il n'y aurait pas de Domaine Arlaud. Ardéchois au cœur fidèle, le soldat Joseph Arlaud eut la chance d'être envoyé en garnison à... Morey et d'y tomber amoureux de Renée Amiot. Après Hervé (le fils devenu le père), Cyprien et Romain assurent la troisième génération. Ce 1er cru pourpre extrêmement sombre, assez torréfié, repose sur des tanins de bonne composition. Si le fruit accompagne la finale, l'ensemble est, selon l'expression consacrée, particulièrement extrait. Le **village 2003 (15 à 23 €)** obtient également une étoile. Il est soyeux et raffiné.

Dom. Arlaud Père et Fils, 41, rue d'Epernay,
21220 Morey-Saint-Denis, tél. 03.80.34.32.65,
fax 03.80.34.10.11, e-mail cyprien.arlaud@wanadoo.fr
r.-v.

### GUY COQUARD Les Blanchards 2003

1er cru 0,3 ha 1 570 23 à 30 €

Vous les situez où, ces Blanchards ? Mais oui, vous le savez : en plein cœur du pays. Cette position centrale donne un vin bien balancé. Moyennement coloré, il n'abuse pas des ressources de l'extraction. Des senteurs de gelée de cassis complètent le grillé, puis l'attaque est souple sans excès tannique. Le jury aimerait le rejuger dans une paire d'années, car il est loin d'avoir dit son dernier mot.

Guy Coquard, 55, rte des Grands-Crus,
21220 Morey-Saint-Denis, tél. 03.80.34.38.88,
fax 03.80.58.51.66, e-mail guy.coquard@club-internet.fr
t.l.j. sf dim. 9h-12h 14h-18h

### ETIENNE COSSON Les Blanchards 2003 *

1er cru 0,25 ha 1 000 15 à 23 €

C'est Renée Cosson qui aurait été contente ! Et Albert Rodier, donc ! Si ce légendaire domaine a vu s'éloigner son Clos des Lambrays, il s'exprime encore. Il produit en Blanchards un 1er cru, vendangé le 31 août et taillé pour demeurer longtemps debout. Rouge-mauve, il s'entoure de parfums épicés et de fruits cuits (pruneau d'Agen). Ceux-ci s'harmonisent avec une constitution souple et intense, bien mariée. Hansi, le dessinateur alsacien, grand ami des Cosson et Rodier est l'auteur du blason de Morey figurant sur l'étiquette.

Etienne Cosson, 28, rue Basse,
21220 Morey-Saint-Denis, tél. 03.80.34.32.42
r.-v.

### DUFOULEUR PERE ET FILS 2003 *

n.c. 2 750 15 à 23 €

Un manteau de rubis et une traîne de velours... Si son bouquet s'esquisse sur des notes torréfiées qui n'ont pas encore « pris le la » du cépage et du terroir, le palais est net, élégant, déjà fondu, d'une harmonie bien établie. Jolie sensation de griotte (la montmorency, la cerise à confiture).

Dufouleur Père et Fils, 17, rue Thurot,
21700 Nuits-Saint-Georges, tél. 03.80.61.21.21,
fax 03.80.61.10.65, e-mail dufouleur@dufouleur.com
t.l.j. 9h-19h

### DOM. DUJAC Monts Luisants 2002 *

1er cru 0,65 ha 3 600 23 à 30 €

Hormis le musigny blanc et quelques vignes çà et là, les pieds de chardonnay sont assez rares en Côte de Nuits. Comme Jean-Marie Ponsot, Jacques Seysses a voulu tenter l'aventure dans les Monts Luisants (le versant du coteau séparé des latricières-chambertin par les Combottes). Cette bouteille n'est nullement une intruse au royaume des rouges. A l'œil, un jaune clair presque pâle et des jambes fines. Au nez, des accents briochés sur un préambule teinté d'écorce d'orange. Ces arômes subsistent au palais dans un contexte équilibré.

Dom. Dujac, 7, rue de la Bussière,
21220 Morey-Saint-Denis, tél. 03.80.34.01.00,
fax 03.80.34.01.09, e-mail dujac@dujac.com
Seysses

### DOM. JEAN FERY ET FILS 2002 *

0,44 ha 2 500 15 à 23 €

Que lui manque-t-il pour décrocher sa seconde étoile ? Pas grand-chose et notre sonde spatiale n'en est pas passée très loin. La robe est réussie. Ses parfums gardent la juste mesure entre les épices (cannelle) et l'animal, le fruit noir. Vif et fin, consistant et d'une structure persistante, il bénéficie d'une bonne rétro-olfaction sur la fraise. Est-ce une question de personnalité ? Il fait en tout cas partie des meilleurs.

Dom. Jean Féry et Fils, rue Marey,
21420 Echevronne, tél. 03.80.21.59.60,
fax 03.80.21.59.59, e-mail fery.meunier@wanadoo.fr
r.-v.

BOURGOGNE

### DOM. FOREY PERE ET FILS 2003 *

1,2 ha n.c. 15 à 23 €

Corps, couleur, bouquet, les vins de Morey ont quasiment tout en poche. Les proportions varient mais le cadre, le décor sont toujours bien plantés. Ce 2003 montre l'exemple. Son éclat, ses reflets réjouissent l'œil. Vanille, réglisse sont complétées par une très belle note de cerise confite. En finale, ses tanins sont la cause d'une sensation plus austère mais on n'en est pas autrement surpris dès lors qu'il s'agit d'une bouteille inviolable avant 2008.

Dom. Forey Père et Fils, 2, rue Derrière-le-Four,
21700 Vosne-Romanée, tél. 03.80.61.09.68,
fax 03.80.61.12.63 r.-v.

### DOM. MAURICE GAVIGNET Les Millandes 2003

1er cru 0,28 ha 1 500 11 à 15 €

On n'est pas peu fier dans cette famille de compter un aïeul, Honoré Gavignet, vigneron au Domaine de la Romanée-Conti. Dans la Côte cela vaut brevet de noblesse. Arnaud est à la barre depuis 2003. Son 1er cru présente la limpidité et la profondeur suffisantes pour passer le premier obstacle. Peu de nez pour commencer, puis s'impose le mariage des épices et des fruits noirs. La bouche est plutôt vive, les tanins pleins d'ardeur.

Maison Maurice Gavignet,
69-71, rue Félix-Tisserand, 21700 Nuits-Saint-Georges,
tél. 03.80.61.03.87, fax 03.80.62.14.69
t.l.j. sf dim. lun. 8h30-12h 13h30-18h

### JEAN-MICHEL GUILLON La Riotte 2003 *

1er cru 0,18 ha 1 100 15 à 23 €

*In medio stat virtus* ? Ce *climat* est situé au milieu du village et d'ailleurs la mairie y possède sa propre vigne. La robe est naturellement foncée mais pas très vive. Girofle, vanille, cassis, le nez joue ce tiercé dans l'ordre. Un petit quelque chose de marc, de chaleur sur la fin, mais il y a là un élan, un souffle assez puissant, des tanins bien à leur place : l'idée qu'on se fait en général d'un morey.

Jean-Michel Guillon, 33, rte de Beaune,
21220 Gevrey-Chambertin, tél. 03.80.51.83.98,
fax 03.80.51.85.59, e-mail eurlguillon@aol.com
r.-v.

### ALAIN JEANNIARD Les Genavrières 2003

1er cru 0,2 ha 1 200 15 à 23 €

Naissance de cette maison de négoce en 2003 : elle complète les activités d'Alain Jeanniard, déjà salarié des Hospices de Beaune et viticulteur sur ses 2 ha. Pourpre très dense et à reflets violets, ce morey 1er cru offre un nez un peu sauvage et teinté noyau de cerise. Du gras à l'attaque.

Si les tanins sont longs à venir, ils ne font pas comme Grouchy à Waterloo : ils arrivent serrés et enrobés dans le fruit. Finale vanillée et de persistance moyenne.

Dom. Alain Jeanniard, 4, rue aux Loups, 21220 Morey-Saint-Denis, tél. et fax 03.80.58.53.49, e-mail domaine.ajeanniard@wanadoo.fr ☑ ⊤ ⛹ r.-v.

## MARCEL JEANNIARD ET FILS

Vieilles Vignes 2002 *

| ■ | 0,63 ha | 3 850 | 11 à 15 € |
|---|---|---|---|

Vieilles vignes il est vrai, ce 2002 n'a pas la souplesse d'un champion de gymnastique mais son tempérament assez brut est exempt de toute rudesse. Sa robe grenat introduit un bouquet très mûr où l'on perçoit la fraise cuite, le cuir, le clou de girofle. Bien en accord avec la typicité morey, il a pour voisin de cave un **village 2002 rouge**, une étoile, qui atteint lui aussi son apogée : l'un et l'autre sont à boire dans les deux ans.

EARL Marcel Jeanniard et Fils, chez Jeanniard Rémi, 20 pl. du Monument, 21220 Morey-Saint-Denis, tél. et fax 03.80.58.52.42 ☑ ⊤ r.-v.

## VIRGILE LIGNIER Vieilles Vignes 2003

| ■ | 0,8 ha | 500 | 15 à 23 € |
|---|---|---|---|

« Le temps emporte tout », estimait Virgile assez désabusé. Virgile Lignier n'est pas de cet avis et il est vrai que ses vieilles vignes peuvent encore tenir bon pendant deux à trois ans. Il a fondé son affaire de négoce-éleveur en 2000 et achète uniquement en raisins qu'il vinifie. D'une teinte violacée, ce vin aux épices douces nuancées de fruits rouges possède une bouche plaisante et un corps bien potelé. Il affinera ses tanins pour glisser en beauté.

SARL Virgile Lignier, 39, rue des Jardins, 21220 Morey-Saint-Denis, tél. 06.07.31.24.07, fax 03.80.58.52.16 ⊤ r.-v.

## DOM. LIGNIER-MICHELOT Aux Charmes 2003 *

| ■ | 1er cru | 0,26 ha | 880 | 23 à 30 € |
|---|---|---|---|---|

Les Charmes de morey n'ont rien à envier à ceux du chambertin. D'ailleurs, ils se touchent... Il n'y a pratiquement aucune différence de morphologie entre le grand cru et le 1er cru. Celui-ci est joliment coloré mais il n'a pas le nez très expansif. En revanche, il est présent au palais, vivant, liant, d'une rondeur pleine de bonhomie, et l'on sent le raisin bien mûr (vendangé le 27 août, sans se presser). Fin 2004 est né le futur repreneur du domaine, n'en doutons pas : son prénom colle au paysage, Bertin.

Dom. Lignier-Michelot, 11, rue Haute, 21220 Morey-Saint-Denis, tél. 03.80.34.31.13, fax 03.80.58.52.16, e-mail virgile.lignier@wanadoo.fr ☑ ⊤ r.-v.

## FREDERIC MAGNIEN Les Larrets 2002

| □ | 0,48 ha | 3 339 | 15 à 23 € |
|---|---|---|---|

Voisins du Clos des Lambrays, les Larrets culminent parmi les *villages*. Peu de sol sur la roche calcaire et cette particularité : 50 % de chardonnay, 25 % de pinot beurot et 25 % de pinot blanc, sur un demi-hectare se consacrant au blanc. Ce conservatoire des cépages offre un vin d'un jaune légèrement soutenu, toasté et beurré comme un petit-déjeuner. Fraîche et citronnée, sa bouche exprime un style un peu nerveux auquel on se fait très bien. Le produit de cet encépagement est de toute façon intéressant. Coup de cœur dans le Guide 2004.

EURL Frédéric Magnien, 4, rue Ribordot, 21220 Morey-Saint-Denis, tél. 03.80.58.54.20, fax 03.80.51.84.34, e-mail fredericmagnien.grandsvinsdebourgogne@wanadoo.fr ☑ ⊤ ⛹ r.-v.

## DOM. MICHEL MAGNIEN ET FILS

Le Très Girard 2002 **

| ■ | 0,49 ha | 2 800 | 15 à 23 € |
|---|---|---|---|

L'enseigne d'un restaurant bien connu a beaucoup contribué à la notoriété de ce *climat*. Le vigneron extrait ici davantage la couleur (ce noir violine ne nous gêne pas, bien au contraire) que les tanins (et on s'en réjouit). Son bouquet chaleureux est modérément boisé, légèrement ouvert sur les fruits noirs confits. On se trouve ensuite en présence d'un vin assez complet, pas trop dur. Un vin dont on se souvient. Deux autres morey obtiennent chacun une étoile : le **village 2002 rouge** dans un esprit riche en mâche et fortement concentré. Sur un mode plus délicat, le **1er cru Les Chaffots 2002 rouge (30 à 38 €)**.

EARL Michel Magnien et Fils, 4, rue Ribordot, 21220 Morey-Saint-Denis, tél. 03.80.51.82.98, fax 03.80.58.51.76 ☑ ⊤ ⛹ r.-v.

## REMI SEGUIN 2002 *

| ■ | 1er cru | 0,54 ha | n.c. | 15 à 23 € |
|---|---|---|---|---|

Deux bouteilles retenues. Chacune dans sa catégorie à un niveau égal de qualité. Le **village 2002 rouge (11 à 15 €)** cité et ce 1er cru rouge perdrix bien soutenu, sans trop de reflets mais limpide et laissant des jambes fines. Sa vinosité saute au nez. Elle libère des arômes de cassis intenses à l'aération. Les tanins sont encore fermes, mais une acidité bien fondue, un certain fruité plaident en sa faveur. Prêt à la dégustation. Rémi Seguin peut s'enorgueillir d'être né au Clos de Tart où son père était régisseur. Heureuse paternité !

Rémi Seguin, 19, rue de Cîteaux, 21640 Gilly-lès-Cîteaux, tél. 03.80.62.89.61, fax 03.80.62.80.92 ☑ ⊤ ⛹ r.-v.

# Clos-de-la-roche, clos-de-tart, clos-saint-denis, clos-des-lambrays

Le clos-de-la-roche – qui n'est pas un clos – est le plus important en surface (16 ha environ), et comprend plusieurs lieux-dits ; il a produit 623 hl en 2004 ; le clos-saint-denis, d'environ 6,5 ha, n'est pas non plus un clos, et regroupe aussi plusieurs lieux-dits (231 hl). Ces deux crus, assez morcelés, sont exploités par de nombreux propriétaires. Le clos-de-tart est, lui, entièrement ceint de murs et exploité en monopole. Il fait un peu plus de 7 ha et les vins sont vinifiés et élevés sur place ; la cave de deux niveaux mérite une visite. Le clos-des-lambrays est également d'un seul tenant ; mais il regroupe plusieurs parcelles et lieux-dits : les Bouchots, les Larrêts ou clos des Lambrays, le Meix-Rentier. Il représente un peu moins de 9 ha, dont 8,5 sont exploités par le même propriétaire. Il a produit 254 hl en 2004.

## Clos-de-la-roche

### DOM. PIERRE AMIOT ET FILS 2003 *

■ Gd cru 1,2 ha 3 000 38 à 46 €

Dire Amiot, c'est dire Morey. On n'est pas loin de la dizième génération attachée au domaine ! Celui-ci possède plusieurs parcelles sur plus de 1 ha dans ce grand cru, et il exploite celle du peintre dijonnais Pierre Albert. Sous sa robe noire à reflets bleutés, ce vin devra être décanté afin d'offrir à son bouquet un plein élan. Le gras, l'acidité et les tanins trouvent en bouche un bon terrain d'entente. La griotte se joint à la fête. Bonne appréciation générale après aération. L'attendre trois ans pour une pintade en salmis.

Dom. Pierre Amiot et Fils, 27, Grande-Rue, 21220 Morey-Saint-Denis, tél. 03.80.34.34.28, fax 03.80.58.51.17 r.-v.

### DOM. DUJAC 2002 *

■ Gd cru 1,95 ha 6 000 46 à 76 €

Près de 2 ha acquis en plusieurs fois sur les domaines Graillet, Bertagna et Jacquot, dont une partie très centrale qui incarne bien l'âme du grand cru. Sous une teinte cerise noire, profonde et brillante, ce 2002 partagé entre le fruit et le grillé, intense au nez, réserve au palais l'essentiel de sa richesse : rond et gras, il est équilibré par une bonne vivacité et laisse le fruit apparaître en milieu de bouche. Sa finale est appuyée. On peut lui fixer rendez-vous en 2007 ou 2008.

Dom. Dujac, 7, rue de la Bussière, 21220 Morey-Saint-Denis, tél. 03.80.34.01.00, fax 03.80.34.01.09, e-mail dujac@dujac.com

Seysses

### OLIVIER GUYOT 2003 *

■ Gd cru n.c. 900 46 à 76 €

Sur l'étiquette, par ailleurs élégante, le cheval de labour annonce un travail attentif à la vigne et laisse imaginer une vinification à l'ancienne ; celle-ci a le mérite d'exister. Déjà le rubis relativement clair et léger indique une certaine prudence quant à l'extraction. Des senteurs de fruits rouges montrent qu'on n'a pas bousculé la nature. Longueur et complexité accompagnent une acidité suffisante (pas toujours là en 2003) et des tanins bien lisses et soyeux. A ouvrir dans deux ou trois ans : vous devriez alors retrouver – ou découvrir – ce que « vin fin » veut dire...

Olivier Guyot, 39, rue de Mazy, 21160 Marsannay-la-Côte, tél. 03.80.52.39.71, fax 03.80.51.17.58, e-mail domaine.guyot@libertysurf.fr r.-v.

### DOM. LIGNIER-MICHELOT 2003 *

■ Gd cru 0,32 ha 900 38 à 46 €

Si le clos-de-la-roche fait figure d'« homme de base » à Morey (le plus charpenté, celui sur lequel on s'aligne), celui-ci est sensiblement différent. Il se développe bien, avec un joli volume, beaucoup de fruit et d'élégance, de fraîcheur aromatique. Il joue la délicatesse et non la carrure. Couleur grenat-cerise noire, il marie la vanille et le cassis. L'équilibre tanins-acidité ne pose aucun problème.

Dom. Lignier-Michelot, 11, rue Haute, 21220 Morey-Saint-Denis, tél. 03.80.34.31.13, fax 03.80.58.52.16, e-mail virgile.lignier@wanadoo.fr r.-v.

### DOM. MARCHAND FRERES 2003 *

■ Gd cru 0,7 ha 325 30 à 38 €

Une bouteille qui embaume le cassis, parfum suave et un peu liquoreux, nuancé de quelques notes grillées. Le disque est brillant, la robe limpide, grenat pourpre intense. Concentré et puissant, son corps est cependant assez enrobé. Cette sensation d'équilibre fait oublier sa complexité sans grand mystère aujourd'hui, mais que quelques années en cave éveilleront.

Dom. Marchand Frères, 1, pl. du Monument, 21220 Gevrey-Chambertin, tél. 03.80.62.10.97, fax 03.80.62.11.01, e-mail dmarc2000@aol.com r.-v.

### POULET PERE ET FILS 2001 *

■ Gd cru n.c. 1 200 + de 76 €

Poulet Père et Fils est né au XVIII^e s. En 1983, cette maison beaunoise est devenue nuitonne (Jean-Claude Bourrellis puis sa reprise par la maison Louis Max, également fort ancienne). S'il n'est pas très intense, ce clos-de-la-roche possède une intéressante complexité. Entrouvert sur la griotte, son bouquet doit ses épices douces à dix-huit mois de fût (il s'agit d'un 2001, notez-le). L'attaque en bouche est assez franche, les tanins bien dominés. A boire maintenant.

Poulet Père et Fils, 6, rue de Chaux, BP 4, 21700 Nuits-Saint-Georges, tél. 03.80.62.43.02, fax 03.80.62.68.02

### DOM. LOUIS REMY 2002

■ Gd cru n.c. 3 500 46 à 76 €

De nombreuses familles appartenant à l'histoire du vin de Bourgogne sont passées par ici : les Vercherre, marquis d'Arcelot, Maldant, Rodier, Riembault jusqu'aux Remy il y a un siècle. Ce clos-de-la-roche porte une belle robe rubis intense. Son bouquet se développe à l'aération sous une double influence : végétale et fruitée (framboise). En bouche, la douceur s'établit sur des bases solides, égayées par la cerise oubliée sur l'arbre. Tanins réactifs en finale.

Dom. Louis Remy, 1, pl. du Monument, 21220 Morey-Saint-Denis, tél. et fax 03.80.34.32.59, e-mail domaine.louis.remy@wanadoo.fr r.-v.

## Clos-saint-denis

### OLIVIER GUYOT 2003 *

■ Gd cru n.c. n.c. 46 à 76 €

Le clos-saint-denis serait le Mozart de la Côte de Nuits. Certes, mais celui de *La Flûte enchantée* ou celui de *Don Giovanni* ? Ce vin très vivant possède la chair fine et fruitée d'un morceau d'agrément ainsi que la puissance et la profondeur d'une pièce plus grave. Dans une robe cerise burlat à reflets violets, parfumé de vanille, confituré, il honore ce millésime difficile, méritant un séjour de deux à trois ans en cave afin de s'arrondir encore.

Olivier Guyot, 39, rue de Mazy, 21160 Marsannay-la-Côte, tél. 03.80.52.39.71, fax 03.80.51.17.58, e-mail domaine.guyot@libertysurf.fr
r.-v.

DOM. HERESZTYN 2003

■ Gd cru 0,23 ha 1 100 46 à 76 €

Vendangés le 26 août 2003, les raisins ont donné un vin à la robe pourpre sombre animée de reflets violines. Le premier nez joue sur un boisé fort dense, puis l'aération laisse s'exprimer des notes de cassis. Sur la langue, le fût le dispute au cassis et à la myrtille dans un environnement puissant et racé, sans lourdeur. Bien trop jeune encore, il doit rester en cave quelque temps (trois à cinq ans).

EARL Dom. Heresztyn, 27, rue Richebourg, 21220 Gevrey-Chambertin, tél. et fax 03.80.34.13.99, e-mail domaine.heresztyn@wanadoo.fr r.-v.

JEAN-PAUL MAGNIEN 2003

■ Gd cru 0,32 ha 1 200 30 à 38 €

Pourquoi saint Denis, resté fameux pour avoir, selon la légende, marché de Montmartre à Saint-Denis en tenant sa tête dans ses mains, est-il célébré à Morey ? Il existait une collégiale dédiée à ce grand personnage sur la colline de Vergy. Ce 2003 rubis profond développe des arômes de cassis, pruneau, épices. L'attaque est dense, pulpeuse avant de céder la place à un corps assez caressant. Ses tanins en particulier ne montrent aucune sécheresse ce qui n'est pas fréquent en 2003.

Jean-Paul Magnien, 5, ruelle de l'Eglise, 21220 Morey-Saint-Denis, tél. 03.80.51.83.10, fax 03.80.58.53.27, e-mail DomMagnien@aol.com
t.l.j. sf dim. 10h-12h 15h-19h; f. 1re sem. août

DOM. MICHEL MAGNIEN ET FILS 2003 ★★

■ Gd cru 0,15 ha 500 46 à 76 €

Si l'on en croit Héraclite, l'harmonie cachée vaudrait mieux que l'harmonie visible. On nous permettra de ne pas partager ce point de vue : l'harmonie se voit ici ; elle se hume et se goûte. En robe cerise noire à reflets violines, ce 2003 a besoin d'un peu de temps pour s'ouvrir sur la groseille et un boisé bien intégré. Gras, riche, un peu porté sur la minéralité, il est également complexe, réussi sur tous les plans. Déjà coup de cœur l'an dernier pour le 2002.

EARL Michel Magnien et Fils, 4, rue Ribordot, 21220 Morey-Saint-Denis, tél. 03.80.51.82.98, fax 03.80.58.51.76 r.-v.

PAUL REITZ 2000

■ Gd cru n.c. 912 38 à 46 €

Un 2000, millésime dont on a souvent dit qu'il porterait sa collerette durant de longues années. En réalité, sa durée ne sera généralement pas séculaire. Ce clos-saint-denis donne quelques signes d'évolution. Il faut donc y préparer la cuisinière. La compote de fruits rouges, la cerise à l'eau-de-vie ont de l'ascendant aromatique. Assez robuste, persistant, non dénué de finesse, il tient son rang sans recourir à des artifices.

SA Paul Reitz, 122-124, Grande-Rue, 21700 Corgoloin, tél. 03.80.62.98.24, fax 03.80.62.96.83, e-mail maison-paul.reitz@laposte.net
r.-v.

# Clos-des-lambrays

DOM. DES LAMBRAYS 2002 ★★

■ Gd cru 8,66 ha 34 750 46 à 76 €

79 81 **82** 83 **85** 88 **89** |**90**| 92 |93| 94 |**95**| 96 97 **98** **99** |00| **01** **02**

« La main de fer dans un gant de velours », disait de ce vin Charles Quittanson. S'il a connu tous les extrêmes durant son histoire, ce clos-des-lambrays se présente ici de façon équilibrée, fruits et tanins s'accordent dans le cadre du millésime. Carmin comme sait l'être le pinot, le bouquet ouvert sur les épices, la truffe et le fruit noir, il offre une entrée en bouche pleine de chair. Cette sensation soyeuse se prolonge jusqu'à l'aigre-douce, cette cerise bourguignonne si aromatique et caractéristique des lambrays, présente en finale. « Une bouteille de belle expression où ampleur, fruit et tanins s'équilibrent », conclut le jury.

Dom. des Lambrays, 31, rue Basse, 21220 Morey-Saint-Denis, tél. 03.80.51.84.33, fax 03.80.51.81.97 r.-v.

Freund

# Chambolle-musigny

Le nom de musigny à lui seul suffit à situer le pupitre dans la composition de l'orchestre. Commune de grande renommée malgré sa petite étendue, elle doit sa réputation à la qualité de ses vins et à la notoriété de ses premiers crus, dont le plus connu est le *climat* des Amoureuses. Tout un programme ! Mais chambolle a aussi ses Charmes, Chabiots, Cras, Fousselottes, Groseilles et autres Lavrottes... Le petit village aux rues étroites et aux arbres séculaires abrite des caves magnifiques (domaine des Musigny). La production a atteint 4 276 hl en communale et 2 348 hl en premiers crus en 2004.

Les chambolle sont élégants et subtils. Ils allient la force des bonnes-mares à la finesse des musigny ; c'est un pays de transition dans la Côte de Nuits.

DOM. ROBERT ARNOUX 2002 ★★

■ 2 ha 8 500 23 à 30 €

Alexis Lichine (qui connaissait bien l'endroit et possédait même quelques pieds de vigne de ce côté-ci de

# La côte de Nuits (Centre)

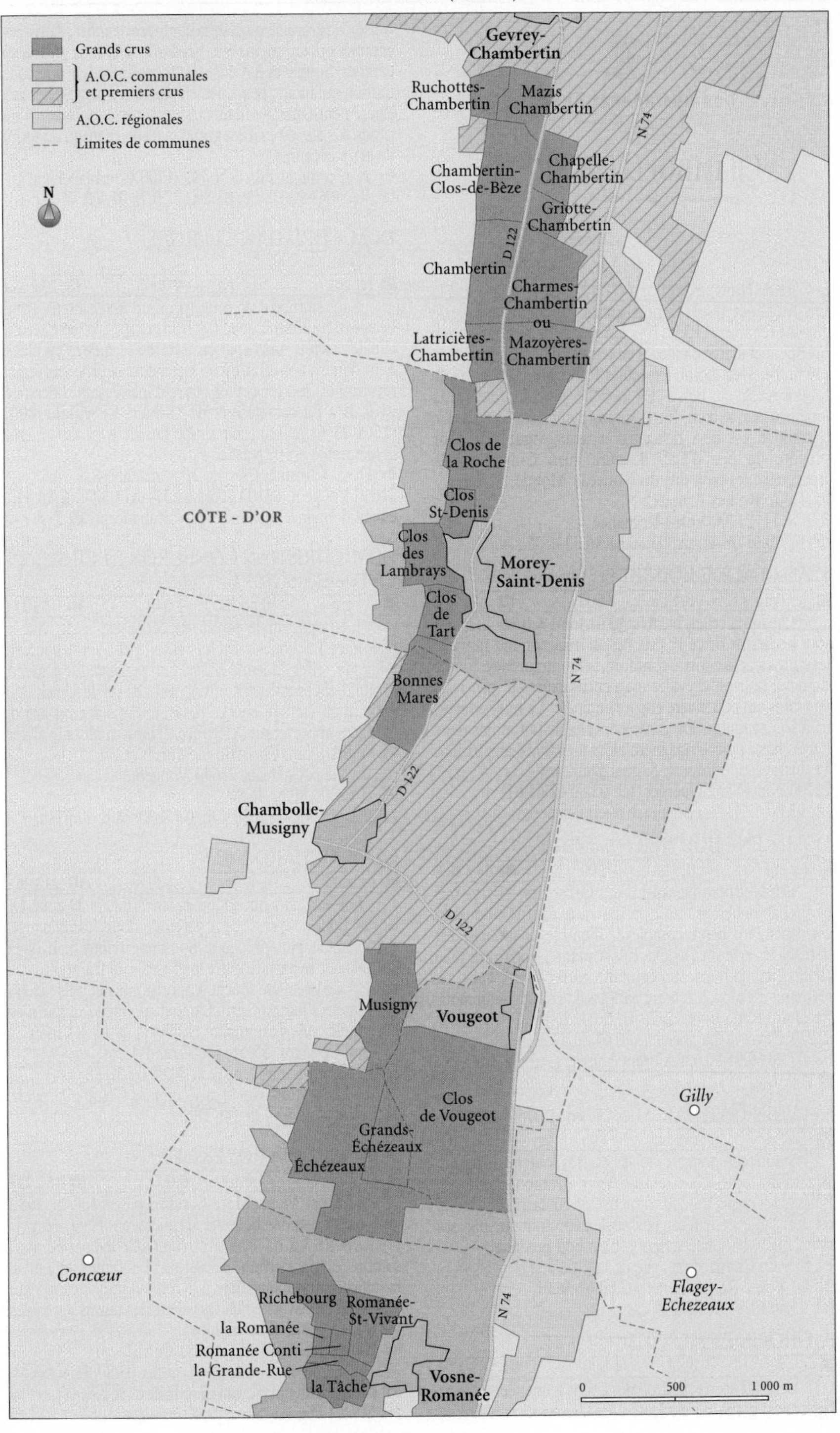

Grands crus
A.O.C. communales
et premiers crus
A.O.C. régionales
Limites de communes
N
Gevrey-Chambertin
Ruchottes-Chambertin
Mazis Chambertin
N 74
Chambertin-Clos-de-Bèze
Chapelle-Chambertin
Griotte-Chambertin
D 122
Chambertin
Charmes-Chambertin
ou
Mazoyères-Chambertin
Latricières-Chambertin
Clos de la Roche
Clos St-Denis
CÔTE - D'OR
Clos des Lambrays
Morey-Saint-Denis
Clos de Tart
N 74
Bonnes Mares
D 122
Chambolle-Musigny
D 122
Musigny
Vougeot
Clos de Vougeot
Gilly
Grands-Échézeaux
Échézeaux
Concœur
Flagey-Echezeaux
Richebourg
Romanée-St-Vivant
N 74
la Romanée
Romanée Conti
la Grande-Rue
la Tâche
Vosne-Romanée
0
500
1 000 m

la Côte de Nuits) trouvait au chambolle « un charme à la fois fragile et résolu – précisément ce qu'on appelle le charme féminin ». Rubis foncé, cette bouteille confirme ce jugement et arrive d'ailleurs en tête de la dégustation. Son premier nez est floral, le second fruité (rouge et noir), le tout légèrement boisé. La bouche joue la finesse, la longueur sur le fruit, fût et tanins étant bien fondus. Ce chambolle est déjà délicieux et assez vigoureux pour prendre un peu d'âge. Il saura aussi convertir à la Bourgogne les pays dits du Nouveau Monde.

Dom. Robert Arnoux,
3, RN 74, 21700 Vosne-Romanée,
tél. 03.80.61.08.41, fax 03.80.61.36.02 r.-v.

## JEAN-CLAUDE BOISSET Les Charmes 2003 *

■ 1er cru 0,4 ha 1 500 30 à 38 €

Quelques reflets bleutés sur un fond vermillon, on est sous le charme de ce 1er cru. Net et frais, son nez rappelle les effluves de la cerise à confiture, la montmorency. L'âme du pinot noir est chevillée à un corps expressif, généreux en tanins, un peu sévère encore en finale. Le millésime est ici à son avantage. De garde convenable (au moins deux à trois ans). Il accompagnera alors un canard aux truffes.

Jean-Claude Boisset, 5, quai Dumorey,
21700 Nuits-Saint-Georges, tél. 03.80.62.61.61,
fax 03.80.62.61.72, e-mail jcb@jcboisset.com

## DOM. RENE BOUVIER Noirots 2002

■ 1er cru 0,5 ha 1 200 30 à 38 €

Les Noirots sont voisins des Groseilles. Voyez-vous ça : ils leur ont emprunté le parfum de ce fruit ! Ce bouquet est cependant assez complexe. L'entrée en bouche est agréable et, si le vin n'est pas très structuré, il offre une jolie rondeur langoureuse, un équilibre correct entre l'acidité, les tanins et l'alcool. A boire dans les douze à dix-huit mois.

Dom. René Bouvier, 29 B, rte de Dijon,
21220 Gevrey-Chambertin, tél. 03.80.52.21.37,
fax 03.80.59.95.96, e-mail rene-bouvier@wanadoo.fr
r.-v.

## SYLVAIN CATHIARD Les Clos de l'Orme 2003 *

■ 0,48 ha 1 800 23 à 30 €

Si son teint pourpre violacé est très soutenu, le nez un peu toasté opte pour le fruit frais (framboise, fraise). Puissant et corsé, un 2003 à mettre de côté car son acidité est suffisante et il n'est pas seulement soutenu par ses tanins. Une bouteille sérieuse, d'un bon potentiel.

Sylvain Cathiard, 20, rue de la Goillotte,
21700 Vosne-Romanée, tél. 03.80.62.36.01,
fax 03.80.61.18.21 r.-v.

## A. CHOPIN ET FILS 2003 **

■ 0,8 ha 1 800 15 à 23 €

Un 2003 sorti tout droit des doigts d'une fée... Rouge bigarreau, gorgé de couleur, il distille ses arômes. A la fraise, à la groseille succède la confiture de mûres sauvages, comme on en cueille au bord des chemins des deux combes. Souple et flatteuse, l'attaque introduit une constitution qui monte peu à peu en puissance jusqu'à la finale légèrement tannique mais sans sécheresse, poivrée. N'hésitons pas à le dire : il est grand et à suivre jusqu'au terme de cette décennie.

A. Chopin et Fils, RN 74, 21700 Comblanchien,
tél. 03.80.62.92.60, fax 03.80.62.70.78 r.-v.

## DOM. CHRISTIAN CLERGET Les Charmes 2002 *

■ 1er cru 1 ha 4 000 23 à 30 €

Sous sa robe d'un rouge profond assez intense, quel beau *casting* aromatique ! Les fruits rouges, la violette, une vanille discrète, tous sont en train de se mettre en place. Sans doute a-t-on affaire à un vin encore sévère, aux tanins serrés, mais son gras épicé ouvre d'intéressantes perspectives. Il a du caractère et de l'avenir. Le **village 2002 (15 à 23 €)** présente un air de famille avec ce 1er cru : la hiérarchie est respectée.

Dom. Christian Clerget, 10, Ancienne-RN 74,
21640 Vougeot, tél. 03.80.62.87.37, fax 03.80.62.84.37,
e-mail domainechristianclerget@wanadoo.fr r.-v.

## DOM. CHRISTIAN CONFURON ET FILS Les Feusselottes 2003 *

■ 1er cru 0,86 ha 2 040 15 à 23 €

L'attaque sur le noyau de cerise est assez vive et plaisante. La bouche évolue ensuite dans un contexte tannique : effet de jeunesse, cela lui passera. Noir grenat profond, il commence à ouvrir son nez sur le kirsch et le moka d'un élevage encore présent. Trois à cinq ans de garde lui apporteront l'élégance. Il aimera alors le gibier.

SCEA Dom. Christian Confuron et Fils,
rue du Vieux-Château, 21640 Vougeot,
tél. et fax 03.80.62.86.80
t.l.j. 9h30-11h30 14h30-17h30; sam. dim. sur r.-v.

## GUY COQUARD 2003 *

■ 1er cru 0,49 ha 2 600 23 à 30 €

Les sécateurs ont coupé ici les raisins le 29 août. On ne s'est donc pas pressé car il y a eu alentour des vendanges sensiblement plus précoces. Sous une teinte bien typée 2003, le nez se partage entre la groseille, la framboise et le tabac. Une première touche impressionniste, puis l'alcool et les tanins s'harmonisent. La petite pointe tannique n'est pas inutile : elle s'estompera d'ailleurs au fil des mois.

Guy Coquard, 55, rte des Grands-Crus,
21220 Morey-Saint-Denis, tél. 03.80.34.38.88,
fax 03.80.58.51.66, e-mail guy.coquard@club-internet.fr
t.l.j. sf dim. 9h-12h 14h-18h

## DOM. DIGIOIA-ROYER 2002 *

■ 1,6 ha 6 000 15 à 23 €

Créé par Victor Moretti, repris par sa fille en 1982, puis par le gendre de cette dernière en 1999, ce petit domaine de 3,5 ha signe un chambolle à la robe assez sombre et au parfum de cerise. Le tempérament se manifeste surtout au palais, à la fois velouté et charpenté. Une certaine vivacité met en valeur des tanins agréables. Un vin équilibré et harmonieux.

Dom. Digioia-Royer, rue du Carré,
21220 Chambolle-Musigny, tél. et fax 03.80.61.49.58,
e-mail micheldigioia@wanadoo.fr r.-v.
Michel Digioia

### HENRI FELETTIG Les Carrières 2003 *

■ 1er cru 0,38 ha 1 800 23 à 30 €

Curieusement ces Carrières ne se situent pas en haut de coteau, comme c'est souvent le cas dans la Côte, mais au milieu de l'appellation. Sous des abords grenat sombre, le vin présente une certaine élégance aromatique florale et cerisée, accompagnée d'un fin boisé. Une belle acidité combinée à des tanins assez fins permet de relativiser un sentiment de puissance persistante et chaude en finale. « Mérite qu'on s'y arrête », note un dégustateur...

GAEC Henri Félettig, rue du Tilleul,
21220 Chambolle-Musigny, tél. 03.80.62.85.09,
fax 03.80.62.86.41 r.-v.

### DOM. ROBERT GROFFIER PERE ET FILS Les Sentiers 2003 **

■ 1er cru 1,07 ha 2 700 38 à 46 €

Ce n'est pas donné, mais le fait est : ce 1er cru domine la plupart des bouteilles dégustées. Une réussite qui nous rappelle les coups de cœur déjà obtenus par le domaine dans cette appellation. Sa robe est superbe, très profonde. Les fruits en compote et les épices douces contribuent à sa complexité aromatique. Dès l'attaque, l'impression suggère une maturité parfaitement maîtrisée, dense et ferme. Le fruit reste vivace jusqu'à la finale légèrement empreinte de moka. On a envie d'y revenir...

SARL Robert et Serge Groffier,
3, rte des Grands-Crus, 21220 Morey-Saint-Denis,
tél. 03.80.34.31.53 r.-v.

### DOM. A.-F. GROS 2003

■ 0,39 ha 1 800 23 à 30 €

Des rouges bâtonnés ? C'est ici le cas en raison du caractère atypique du millésime, nécessitant une vinification et un élevage particulièrement imaginatifs. Rouge cerise noire, le fruit noir en surmaturité, il emplit le palais. Du gras, de la rondeur, une note tannique et une continuité aromatique du nez à la bouche : un vin qu'on pourra lire en russe puisque le site web du domaine vient de s'ouvrir à cette langue.

Dom. A.-F. Gros, La Garelle, 5, Grande-Rue,
21630 Pommard, tél. 03.80.22.61.85, fax 03.80.24.03.16,
e-mail af-gros@wanadoo.fr r.-v.

### JEAN-MICHEL GUILLON 2003 *

■ 0,28 ha 1 400 15 à 23 €

Plutôt que de se consacrer au vignoble de la butte Montmartre ou à celui de Suresnes, Jean-Michel Guillon – natif de Paris – a préféré la terre de Bourgogne. Depuis 2004, Alexis incarne la deuxième génération. « Vendanges tardives » pourrait-on dire ici : le 4 septembre 2003 ! D'un violacé très soutenu, ce chambolle au nez discret (un pétale d'églantine, un bourgeon de cassis) est un vin un peu sombre, tout en fruits noirs veloutés et doux au palais. Assez boisé, il lui manque seulement la petite pointe d'acidité qui épaulerait ses tanins et son fruit.

Jean-Michel Guillon, 33, rte de Beaune,
21220 Gevrey-Chambertin, tél. 03.80.51.83.98,
fax 03.80.51.85.59, e-mail eurlguillon@aol.com
r.-v.

### DOM. HERESZTYN 2003 *

■ 0,37 ha 1 200 23 à 30 €

Coup de cœur dans notre édition 2002, ce domaine présente cette année un chambolle assez classique. Il ne recherche pas l'originalité à tout prix, et on ne le lui reprochera pas. Sa robe est appuyée, son nez élégant est encore influencé par son élevage. Beaucoup de matière et de fond, de force. Tout viendra à point à qui saura l'attendre (trois ans serait une bonne base de départ). Excellent avec un rôti de bœuf.

EARL Dom. Heresztyn, 27, rue Richebourg,
21220 Gevrey-Chambertin, tél. et fax 03.80.34.13.99,
e-mail domaine.heresztyn@wanadoo.fr r.-v.

### DOM. LOUIS HUELIN 2002 *

■ 1 ha 2 500 15 à 23 €

Un mouchoir de poche (le domaine couvre 3,3 ha seulement) pour un vin « de soie et de dentelle », comme l'écrivait Gaston Roupnel. Il luit d'un grenat soutenu. Son bouquet confit et mûr précède une bouche souple et fruitée, peu structurée mais typique de l'appellation. Il s'accordera avec un pigeonneau rôti accompagné de légumes printaniers.

Dom. Louis Huélin, 3, La Ruelle,
21220 Chambolle-Musigny, tél. et fax 03.80.62.86.78,
e-mail domaine.louis.huelin@wanadoo.fr r.-v.

### OLIVIER JOUAN Les Bussières 2003 *

■ 0,26 ha 1 200 15 à 23 €

Les Bussières touchent morey-saint-denis. Ce 2003 ne manque pas d'audace et ose contredire Merleau-Ponty qui affirmait : « Le cours des choses est sinueux. » Eh bien ! non. Rouge cerise noire légèrement violacé, la bouche suit le nez : « le parfum de la mûre restée sur le buisson et séchée par le soleil », on ne saurait mieux raconter la chose. Joli fruit, bonne acidité, tanins fondus, papilles éveillées au-delà de l'excitation passagère, il s'en tire très bien.

Olivier Jouan, 6, rue de l'Eglise, 21700 Arcenant,
tél. 06.21.24.33.69, fax 03.80.62.39.20 r.-v.

### DOM. LEYMARIE-CECI Aux Echanges 2002 **

■ 1er cru 0,93 ha 2 450 23 à 30 €

*Climat* assez central au sein du finage : il donne ici un 2002 excellent, présent lors de la finale du coup de cœur. On peut donc le choisir en toute confiance. Robe violacée, parfum de violette : sa personnalité se dessine d'emblée. Sur une texture tannique aux grains denses et fins, il offre une bouche riche et quelque peu corsée, racée. Peut-être strict et sévère, mais il ne sera pas pleinement ouvert avant deux ans. Aucun souci : il a un bon potentiel de garde.

Dom. Leymarie-CECI, Clos du Village,
24, rue du Vieux-Château, 21640 Vougeot,
tél. 03.80.62.86.06, fax 03.80.62.88.53,
e-mail leymarie@skynet.be r.-v.

### FREDERIC MAGNIEN Charmes 2002 **

■ 1er cru 0,76 ha 4 140 38 à 46 €

Pourpre foncé, vermillon, la robe de ce vin suscite la conversation. Si le boisé est ici à fondre, les fruits rouges en compote accompagnent avec bonheur les trois coups de nez. Puissance et longueur en bouche révèlent assez de gras et une note d'amertume tannique. Ses heures ne sont pas comptées : laissez-lui le temps de s'ouvrir. Le **chambolle-musigny 1er cru 2002 (23 à 30 €)** obtient une étoile.

EURL Frédéric Magnien, 4, rue Ribordot,
21220 Morey-Saint-Denis, tél. 03.80.58.54.20,
fax 03.80.51.84.34, e-mail fredericmagnien.grandsvinsdebourgogne@wanadoo.fr r.-v.

BOURGOGNE

### DOM. MARCHAND FRERES Vieilles Vignes 2003

■ 1er cru 0,5 ha 2 100 15 à 23 €

Voici une bouteille qui nous éloigne du formatage... Elle plaide pour la diversité. Son millésime l'explique amplement. Tout est concentré, depuis l'intensité de la robe jusqu'au cassis très mûr, confituré des coups de nez. L'attaque est nette, un peu sèche. La finale assez chaude et poivrée. Entre-temps, on peut suivre le long défilé des tanins. Mais évitez tout jugement hâtif : on ne s'y ennuie pas et une bonne garde devrait l'amadouer.

Dom. Marchand Frères, 1, pl. du Monument, 21220 Gevrey-Chambertin, tél. 03.80.62.10.97, fax 03.80.62.11.01, e-mail dmarc2000@aol.com r.-v.

### DOM. THIERRY MORTET Les Beaux Bruns 2003 ★

■ 1er cru 0,25 ha 900 23 à 30 €

Installé en 1992 sur 4 ha, Thierry Mortet en possède aujourd'hui 7. Grenat brillant d'une nuance assez soutenue, ce vin est un grand classique, sans excès d'extraction. Son bouquet est croquant, élégant et frais sur le fruit rouge. En bouche, son corps est plein de charme. Plus délicat que robuste, il jouit d'une belle acidité et ne manque pas de tanins. A déguster en 2006.

Dom. Thierry Mortet, 16, pl. des Marronniers, 21220 Gevrey-Chambertin, tél. 03.80.51.85.07, fax 03.80.34.16.80 r.-v.

### BERNARD MUNIER Les Clos de l'Orme 2002

■ 0,26 ha 1 500 11 à 15 €

Le fils de Bernard Munier arrive sur l'exploitation. Il représente la sixième génération. En Bourgogne, les vignobles ont l'esprit de famille. On aime aussi citer l'église de Gilly, bâtie par les moines de Cîteaux au XIVe s., à 300 m de ce domaine. Limpide assez clair, un *village* agréable et souple, d'une persistance moyenne. Ses arômes acquièrent de la densité à l'aération (fruits confits).

Bernard Munier, 1, rue de Cîteaux, 21640 Gilly-lès-Cîteaux, tél. et fax 03.80.62.86.38 r.-v.

### DOM. MICHEL NOELLAT ET FILS 2003

■ 1 ha n.c. 15 à 23 €

Savez-vous pourquoi les pierres de cette cave sont heureuses de leur destin ? Elles proviennent de l'ancienne prison de Beaune et n'ont pas perdu au change. Haut en couleur, ce 2003 a pour le moment le nez un peu caché. L'aération fait naître quelques arômes réglissés ; ils glissent vers le cassis. Une matière très concentrée : le millésime et la vinification y sont pour beaucoup.

SCEA Dom. Michel Noëllat et Fils, 5, rue de la Fontaine, 21700 Vosne-Romanée, tél. 03.80.61.36.87, fax 03.80.61.18.10 r.-v.

### PATRIARCHE PERE ET FILS 2003 ★

■ n.c. 1 447 30 à 38 €

La griotte bien mûre illumine le verre. Sous-bois et framboise sauvage composent un nez particulièrement frais pour le millésime. Sa souplesse et sa rondeur ne l'empêchent pas de montrer un corps assez ferme où les tanins s'imposent en dernière analyse. A carafer, mais pas tout de suite : dans les deux ans qui viennent.

Patriarche Père et Fils, 5, rue du Collège, 21200 Beaune, tél. 03.80.24.53.01, fax 03.80.24.53.03 t.l.j. 9h30-11h30 14h-17h30

### NICOLAS POTEL Les Fuées 2002 ★

■ 1er cru 0,19 ha 1 200 30 à 38 €

Les Fuées prolongent les bonnes-mares en direction des maisons du village. Ce nom provient de l'étendue qu'un vigneron pouvait jadis labourer avec sa houe. Grenat à reflets rubis, ce vin au parfum intense (bourgeon de cassis) offre une bouche où le fruit tempère l'ardeur de tanins bien présents. Cela demande un peu de temps, mais charpente et structure sont là pour tenir les choses en main. Un dégustateur le choisirait pour accompagner une marinade dans trois ans.

Nicolas Potel, 44, rue des Blés, 21700 Nuits-Saint-Georges, tél. 03.80.62.15.45, e-mail nicolas.potel@wanadoo.fr r.-v.

### GERARD SEGUIN Derrière le Four 2003 ★

■ 0,3 ha 1 600 15 à 23 €

Derrière le Four est un *climat* rencontré à plusieurs reprises dans la Côte, tant en vosne qu'en chambolle... Avec un nom pareil, ne soyez pas surpris si ce vin est intense ! Grenat foncé, il est encore boisé et d'une concentration assez considérable en bouche. Très travaillé et bien fait, il doit impérativement s'assouplir en cave (deux ans minimum – c'est alors qu'on le débouchera).

Dom. Gérard Seguin, 11-15, rue de l'Aumônerie, 21220 Gevrey-Chambertin, tél. 03.80.34.38.72, fax 03.80.34.17.41, e-mail domaine.gerard.seguin@wanadoo.fr r.-v.

### DOM. HERVE SIGAUT Les Sentiers Vieilles Vignes 2003 ★

■ 1er cru 0,68 ha 3 000 23 à 30 €

« Certainement bien vendangé », note un dégustateur sur sa fiche. Cela se passait le 25 août. Séparé des bonnes-mares par la route des Grands Crus, ce 1er cru témoigne d'une recherche de couleur assez accentuée et tirant sur le violine. Légèrement vanillé sur confiture de myrtilles, son bouquet prend rapidement de l'ascendant. Riche ? Bien sûr, car c'est un 2003. Sa texture est cependant soyeuse. Cet ensemble d'une certaine complexité est à attendre trois à cinq ans pour une bécasse.

Dom. Hervé Sigaut, 12, rue des Champs, 21220 Chambolle-Musigny, tél. 03.80.62.80.28, fax 03.80.62.84.40, e-mail herve.sigaut@wanadoo.fr t.l.j. 8h-12h 14h-18h, dim. 14h-18h

### DOM. TAUPENOT-MERME La Combe d'Orveau 2002 ★

■ 1er cru n.c. 2 700 30 à 38 €

Entre le musigny et les échézeaux, ce 1er cru occupe une situation enviée. Il n'est donc pas étonnant de le voir paraître sous un grenat profond. Ce beau nez de fruits rouges cuits, auxquels s'ajoutent le cuir et le musc, annonce un vin riche en chair, solide et équilibré ; il présente une belle rémanence. La qualité de ses tanins le rend apte au vieillissement. Pour un rognon de veau accompagné de champignons des bois, mais pas avant cinq ans. Il mérite en effet qu'on s'y attarde.

Dom. Taupenot-Merme, 33, rte des Grands-Crus, 21220 Morey-Saint-Denis, tél. 03.80.34.35.24, fax 03.80.51.83.41, e-mail domaine.taupenot-merme@wanadoo.fr r.-v.

# Bonnes-mares

Cette appellation, qui s'étend sur 13 ha 54 a 17 ca a produit 482 hl en 2004. Elle déborde sur la commune de Morey, le long du mur du clos-de-tart, mais la plus grande partie est située sur Chambolle. C'est le grand cru par excellence. Les vins de bonnes-mares, pleins, vineux, riches, ont une bonne aptitude à la garde et accompagnent allègrement le civet ou la bécasse après quelques années de vieillissement.

### JEAN-LUC AEGERTER 2002

■ Gd cru 0,45 ha 1 800 46 à 76 €

« Qu'importe le soleil, je n'attends rien des jours », soupirait Lamartine. Ce bonnes-mares nous inspire un sentiment contraire. Il faut en effet savoir l'attendre, dans les trois à quatre ans. Rubis foncé, il s'ouvre sur le sous-bois, la mousse et un boisé fin. Equilibré sur une belle matière fruitée (framboise, cerise), il garde la main sur ses tanins et remet à plus tard l'éveil de sa complexité.

Jean-Luc Aegerter, 49, rue Henri-Challand, 21700 Nuits-Saint-Georges, tél. 03.80.61.02.88, fax 03.80.62.37.99, e-mail jean-luc.aegerter@wanadoo.fr r.-v.

### DOM. CHRISTIAN CONFURON ET FILS 2003 *

■ Gd cru 0,7 ha 290 46 à 76 €

D'un velours épais, rouge soutenu à très beaux jambages, ce vin se situe sur des notes de kirsch, de fraise confite. L'acidité, l'alcool, les tanins, tout est en place sans que le boisé soit dominant et on ne s'en plaint pas. Il devrait acquérir davantage de relief lors de son nécessaire séjour en cave (trois ans minimum).

SCEA Dom. Christian Confuron et Fils, rue du Vieux-Château, 21640 Vougeot, tél. et fax 03.80.62.86.80 t.l.j. 9h30-11h30 14h30-17h30; sam. dim. sur r.-v.

### DOM. DROUHIN-LAROZE 2003 *

■ Gd cru n.c. 5 300 46 à 76 €

Carmin cardinal (à vrai dire, un peu plus sombre), il entre au conclave. Forcément, on n'en tirera pas grand-chose tant qu'il sera soumis à la règle du silence. Il a bien sûr le nez fin et on y perçoit la promesse d'une cerise noire. Ample et dense, il montre de la suavité mais son fruit reste austère dans sa jeunesse ; il use un peu de ses tanins comme d'une discipline. L'heure de la fumée blanche n'a pas encore sonné : lorsqu'on proclamera « *Habemus Papam !* », d'ici quelques années, il vous apparaîtra cependant comme une grâce du Ciel.

Dom. Drouhin-Laroze, 20, rue du Gaizot, 21220 Gevrey-Chambertin, tél. 03.80.34.31.49, fax 03.80.51.83.70, e-mail drouhinlaroze@aol.com t.l.j. 9h30-18h

Ph. Drouhin

### DOM. FOUGERAY DE BEAUCLAIR 2003

■ Gd cru 1,6 ha 2 600 + de 76 €

Existe-t-il une différence de tempérament entre bonnes-mares sur Morey ou sur Chambolle ? Vieux sujet de discussion ! Cette bouteille peut servir de pièce à conviction car la vigne quasi d'un seul tenant est située en grande partie côté Morey (1,48 ha sur 1,60 ha). Rouge grenat brillant, épicé (vanille, cannelle), elle donne un vin bien structuré, vendangé le 28 août et donc assez chaud.

Dom. Fougeray de Beauclair, 44, rue de Mazy, BP 36, 21160 Marsannay-la-Côte, tél. 03.80.52.21.12, fax 03.80.58.73.83, e-mail fougeraydebeauclair@wanadoo.fr t.l.j. 8h-12h 14h-19h; dim. sur r.-v.

### FREDERIC MAGNIEN 2003 **

■ Gd cru 0,15 ha 550 + de 76 €

Rouge grenat voluptueux, un parfum à traverser les mers : fumé sur sous-bois, fruits noirs très mûrs, du gibier à poil dans la gibecière. Au palais, l'opulence même. Les fruits rouges y sont soutenus par un fût présent mais dépourvu d'agressivité. Les tanins sont soyeux, la finale réglissée. Attendre ? Cette bouteille en brûle d'envie et il serait impardonnable de l'envisager avant cinq ans. Elle a de riches espérances et les moyens de les satisfaire.

EURL Frédéric Magnien, 4, rue Ribordot, 21220 Morey-Saint-Denis, tél. 03.80.58.54.20, fax 03.80.51.84.34, e-mail fredericmagnien.grandsvinsdebourgogne@wanadoo.fr r.-v.

### NICOLAS POTEL 2002

■ Gd cru 0,32 ha 1 800 + de 76 €

Si Gérard Potel n'est malheureusement plus de ce monde, son œuvre lui survit grâce à cette affaire de négoce-éleveur créée en 1997 et dirigée par son fils Nicolas. Rubis foncé très limpide, ce 2002 assez boisé porte une empreinte végétale due à ses tanins. Plus élégante que complexe, sa trame est satisfaisante. Contemplatif, mais Cîteaux il est vrai n'est guère éloigné.

Nicolas Potel, 44, rue des Blés, 21700 Nuits-Saint-Georges, tél. 03.80.62.15.45, e-mail nicolas.potel@wanadoo.fr r.-v.

# Vougeot

C'est la plus petite commune de la côte viticole. Si l'on ôte de ses 80 ha les 50 ha 59 a 10 ca du clos, les maisons et les routes, il ne reste que quelques hectares de vignes en vougeot, dont plusieurs premiers crus, les plus connus étant le Clos blanc (vins blancs) et le Clos de la Perrière. Le volume de production s'élève en 2004 à 366 hl en 1er cru rouge et 156 en 1er cru blanc ; les *villages* représentent 74 hl en rouge et 25 hl en blanc.

### DOM. BERTAGNA
Clos de la Perrière Monopole 2002 **

■ 1er cru 2,26 ha 9 000 38 à 46 €

Propriétaire de 200 ha de vigne près de Bône (Anaba), Claude Bertagna quitta l'Algérie au début des années 1960 et acquit le Domaine Georges et Lucien Berthon à Vougeot, cédé en 1982 à Gunther Reh, important producteur de vins effervescents en Rhénanie-Palatinat. Sa fille Eva Reh-Siddle gère ces 21 ha et produit ce remarquable Clos de la Perrière 2002 rouge (Mono-

pole). Le fruit noir est ici en verve, dans un contexte riche et complexe, aux tanins soyeux et à l'avenir assuré. Le 1er **cru 2002 blanc** décline à merveille le minéral citronné et obtient deux étoiles.
🔑 Dom. Bertagna, 16, rue du Vieux-Château, 21640 Vougeot, tél. 03.80.62.86.04, fax 03.80.62.82.58, e-mail contact@domainebertagna.com ☑ Y ⛹ r.-v.
🔑 Reh-Siddle

LEYMARIE-CECI Clos du Village 2002

| ■ | 0,39 ha | 2 450 | 15 à 23 € |
|---|---|---|---|

Corrézien établi en Belgique en 1920, Charles Leymarie, à la tête d'une activité de négoce, achète une parcelle bourguignonne. Là commence une activité de vigneron qui gagnera le Bordelais et qui se perpétue. Ce petit Clos du Village, équilibré, de teinte profonde encore ferme, est aujourd'hui marqué par l'élevage en fût. Mais son potentiel est certain comme le garantit la longue finale sur les fruits noirs. A attendre trois à cinq ans.
🔑 Dom. Leymarie-CECI, Clos du Village, 24, rue du Vieux-Château, 21640 Vougeot, tél. 03.80.62.86.06, fax 03.80.62.88.53, e-mail leymarie@skynet.be ☑ Y ⛹ r.-v.

DOM. ROUX PERE ET FILS
Les Petits Vougeot 2002 ★★

| ■ 1er cru | 1,25 ha | 6 000 | 30 à 38 € |
|---|---|---|---|

De nos jours, le lieu-dit Petits-Vougeot se répartit en Clos de la Perrière (2,5 ha) et en Petits Vougeot (3,5 ha). Du temps des moines de Cîteaux, c'était le Petit-Clos noir, déjà consacré au pinot noirien. Rubis soutenu, boisé sous un lit de cerise intense, il tapisse le palais d'un velours fruité. On a tout intérêt à l'attendre un peu.
🔑 Dom. Roux Père et Fils, 21190 Saint-Aubin, tél. 03.80.21.32.92, fax 03.80.21.35.00, e-mail roux.pere.et.fils@wanadoo.fr ☑ Y ⛹ r.-v.

DOM. DE LA VOUGERAIE
Clos du Prieuré Monopole 2002 ★★

| ■ | 0,82 ha | 3 734 | 30 à 38 € |
|---|---|---|---|

2002
Vougeot
APPELLATION D'ORIGINE CONTRÔLÉE
CLOS DU PRIEURÉ
MONOPOLE
Tirage limité à 3 734 bouteilles

Si les vignes blanches sont peu nombreuses en Côte de Nuits, celles de vougeot possèdent le plus beau certificat de baptême : signé par l'abbaye de Cîteaux. Il s'y ajoute un deuxième coup de cœur (le premier en 2004 pour un 2000), grâce à ce vin or jaune. Marqué par une légère surmaturité, le nez révèle des arômes d'eucalyptus et de coing, d'agrumes en arrière-plan. Beaucoup de gras enveloppe une belle acidité, un fût bien fondu : une bouteille prête à la dégustation. Il s'agit du domaine de la famille de Claudine et Jean-Claude Boisset, en biodynamie.
🔑 Dom. de La Vougeraie, rue de l'Eglise, 21700 Premeaux-Prissey, tél. 03.80.62.48.25, fax 03.80.61.25.44, e-mail vougeraie@domainedelavougeraie.com Y r.-v.
🔑 Famille Boisset

# Clos-de-vougeot

Tout a été dit sur le Clos ! Comment ignorer que plus de soixante-dix propriétaires se partagent ses 50 ha 59 a 10 ca et les 1 732 hl déclarés en 2004 ? Un tel attrait n'est pas dû au hasard ; c'est bien parce qu'il est bon et que tout le monde en veut ! Il faut bien sûr faire la différence entre les vins « du dessus », ceux « du milieu » et ceux « du bas », mais les moines de Cîteaux, lorsqu'ils ont élevé le mur d'enceinte, avaient tout de même bien choisi leur lieu...

Fondé au début du XIIes., le Clos atteignit très rapidement sa dimension actuelle ; l'enceinte d'aujourd'hui est antérieure au XVes. Plus que le Clos lui-même, dont l'attrait essentiel se mesure dans les bouteilles quelques années après leur production, le château, construit aux XIIe et XVIes., mérite qu'on s'y attarde un peu. La partie la plus ancienne comprend le cellier, de nos jours utilisé pour les chapitres de la Confrérie des Chevaliers du Tastevin, actuel propriétaire des lieux, et la cuverie, qui abrite à chaque angle quatre magnifiques pressoirs d'époque.

JEAN-LUC AEGERTER 2003 ★★

| ■ Gd cru | 0,45 ha | 1 800 | 38 à 46 € |
|---|---|---|---|

Quelle que soit l'année, un clos-de-vougeot rappelle toujours les grands airs de ses ancêtres. Faisant cette réflexion en 1859, Auguste Luchet précisait : « C'est un vin à soi ressemblant. » Malgré les vicissitudes du millésime (canicule et vendange le 24 août), ce magnifique 2003 confirme le propos. Un peu surextrait sans doute, mais d'une fraîcheur inespérée et d'une concentration très expressive. Il est d'une teinte nocturne et son bouquet (du nez à la bouche) associe la mûre, le cuir et l'épice.
🔑 Jean-Luc Aegerter, 49, rue Henri-Challand, 21700 Nuits-Saint-Georges, tél. 03.80.61.02.88, fax 03.80.62.37.99, e-mail jean-luc.aegerter@wanadoo.fr ☑ Y ⛹ r.-v.

BERTRAND AMBROISE 2003 ★

| ■ Gd cru | n.c. | n.c. | 46 à 76 € |
|---|---|---|---|

De celui-ci on ne dira pas comme les mauvaises langues de certains vins : « Il faut l'acheter après l'avoir

bu. » On peut en effet lui accorder la confiance. Par ailleurs, et même si on y prend déjà plaisir, son harmonie générale apparaîtra plus tard. Rubis pourpre violacé, il suggère les fruits noirs sous le vanillé du fût. Très velours à l'entrée, il montre ensuite ses tanins. Leur relation avec l'acidité et l'alcool est toutefois apaisée.
🔑 Maison Bertrand Ambroise, rue de l'Eglise, 21700 Premeaux-Prissey, tél. 03.80.62.30.19, fax 03.80.62.38.69, e-mail bertrand.ambroise@wanadoo.fr ☑ Y ⛹ r.-v.

## DOM. D'ARDHUY 2003

■ Gd cru 0,6 ha 1 800 ◖◗ 46 à 76 €

Une jolie robe pourpre violacé, profonde et fraîche. Un nez fin et discret, tant par son fruité que son boisé ; la bouche en revanche est puissante, concentrée, structurée. Le fruit n'en est pas absent. Deux ou trois ans de garde sont nécessaires.
🔑 Dom. d'Ardhuy, Clos des Langres, 21700 Corgoloin, tél. 03.80.62.98.73, fax 03.80.62.95.15, e-mail domaine.d.ardhuy@tiscali.fr ☑ Y ⛹ r.-v.

## DOM. RENE BOUVIER 2002

■ Gd cru 0,3 ha 1 200 ◖◗ 46 à 76 €

Le clos-de-vougeot s'impose rarement du premier coup. Il ne vous accueille pas à bras ouverts. Il faut aller le chercher, comme ici. Le chercher en forêt, dans un environnement de sous-bois où le gibier est à l'affût. Rond à l'attaque, il montre son acidité sur la fin. On lui trouve à ce stade le bourgeon de cassis en rétro-olfaction. Il ne sera sans doute pas de longue garde, mais il a de l'avenir à moyen terme.
🔑 Dom. René Bouvier, 29 B, rte de Dijon, 21220 Gevrey-Chambertin, tél. 03.80.52.21.37, fax 03.80.59.95.96, e-mail rene-bouvier@wanadoo.fr ☑ Y ⛹ r.-v.

## CAPITAIN-GAGNEROT 2003 **

■ Gd cru 0,17 ha 900 ◖◗ 46 à 76 €

Parcelle de 17 a 12 ca située en haut du clos selon une bande verticale, acquise par Henri Capitain lors de la vente Bocquet en 1920. Son rouge foncé séduit le regard. Fruits noirs et rouges et boisé bien fondu, son bouquet s'exprime en puissance. L'attaque est intéressante et l'on constate cette plénitude corsée qui caractérise le clos-de-vougeot. Une petite touche tannique en finale procure un zeste d'amertume, mais – en évitant toute extraction abusive – il fait partie des bons vins de garde.
🔑 Capitain-Gagnerot, 38, rte de Dijon, 21550 Ladoix-Serrigny, tél. 03.80.26.41.36, fax 03.80.26.46.29, e-mail contact@capitain-gagnerot.com ☑ Y ⛹ r.-v.

## DOM. DU CLOS FRANTIN 2003 *

■ Gd cru 0,63 ha 2 100 ◖◗ + de 76 €

Maréchal de camp de Napoléon Ier, Antoine-Vincent Legrand acquiert le clos Frantin situé juste en dessous de la tâche, à Vosne-Romanée. La maison Albert Bichot a conservé la vieille maison entourée de son clos. Voici son clos-de-vougeot à la couleur violine, au nez de raisins séchés et de fruits confits (millésime 2003). La bouche reste sur cette impression puissante et fruitée, charnue, mais dans un très bon équilibre, les tanins formant une charpente étonnante. A ouvrir dans deux ou trois ans.
🔑 Dom. du Clos Frantin, 6 bis, bd Jacques-Copeau, 21200 Beaune, tél. 03.80.24.37.37, fax 03.80.24.37.38, e-mail bourgogne@albert-bichot.com

## COUVENT DES CORDELIERS 2003

■ Gd cru n.c. 755 ◖◗ 46 à 76 €

Cordeliers et cisterciens prêchent ici d'une seule voix, sous le patronage de la famille Boisseaux. Rouge pivoine assez limpide et d'intensité moyenne, il orne son nez d'un brin de violette. La fleur ne l'emporte cependant pas sur le fruit. Quant au boisé, il est appelé à se fondre. D'une texture souple et soyeuse, il est peu tannique, correctement acide. Le jury se demande en fin de compte s'il ne serait pas « féminin »...
🔑 Caves du Couvent des Cordeliers, rue de l'Hôtel-Dieu, 21200 Beaune, tél. 03.80.25.08.85, fax 03.80.25.08.21 ☑ Y ⛹ t.l.j. 9h30-12h 14h-18h

## DOM. DROUHIN-LAROZE 2003 *

■ Gd cru 1 ha 2 400 ◖◗ 46 à 76 €

Parcelle proche du château, acquise partiellement par Alexandre Drouhin-Laroze lors de la vente Bocquet en 1920. C'est dire si elle fait partie de la famille ! Le millésime 97 a d'ailleurs été salué d'un coup de cœur en l'an 2000. Ici une robe satinée, rubis grenat brillant, puis un léger boisé sur la cerise noire. Ce nez ne se confie pas beaucoup. La bouche se fait plus expressive pour libérer un gras consistant et des tanins fermes. Opulent, il est en gestation et à revoir après 2010.
🔑 Dom. Drouhin-Laroze, 20, rue du Gaizot, 21220 Gevrey-Chambertin, tél. 03.80.34.31.49, fax 03.80.51.83.70, e-mail drouhinlaroze@aol.com ☑ Y ⛹ t.l.j. 9h30-18h
🔑 Philippe Drouhin

## CH. GENOT-BOULANGER 2003

■ Gd cru 0,43 ha 400 ◖◗ 46 à 76 €

On sait depuis Musset qu'une porte doit être ouverte ou fermée. Noir de jais ou peu s'en faut, ce 2003 n'a pas encore tranché. Fermée, serrée, on la dit verrouillée. Mais justement un tempérament aussi absolu suscite des questions. Il ne laisse pas dans l'indifférence. Très travaillé à la cuverie et en cave, il repose sur des tanins impérieux et pourtant il ne passe pas en force... Le pari porte sur plusieurs années. S'il réussit, ce peut être sublime.
🔑 SCEV Ch. Génot-Boulanger, 25, rue de Cîteaux, 21190 Meursault, tél. 03.80.21.49.20, fax 03.80.21.49.21, e-mail genotboulanger@wanadoo.fr ☑ Y ⛹ r.-v.

## DOM. FRANCOIS GERBET 2003 *

■ Gd cru 0,31 ha n.c. ◖◗ 38 à 46 €

Parcelle de 31 a 33 ca dont la généalogie fait apparaître la maison Piat en Beaujolais, le groupe britannique IDV puis la SAFER pour rétrocession à des viticulteurs en 1985. Elle se situe en partie basse du clos, au milieu, selon une bande verticale. Typicité satisfaisante : on est en présence d'un beau vin rouge mauve foncé, plus floral que fruité et dont le fond est bon. Consciencieux, appliqué, il a une certaine complexité et des espérances.
🔑 Marie-Andrée et Chantal Gerbet, Maison des Vins, pl. de l'Eglise, 21700 Vosne-Romanée, tél. 03.80.61.07.85, fax 03.80.61.01.65, e-mail vins.gerbet@wanadoo.fr ☑ Y ⛹ r.-v.
🔑 GFA Gerbet SI

BOURGOGNE

JEAN-MICHEL GUILLON 2003 *

■ Gd cru 0,14 ha 900 38 à 46 €

Trois ouvrées seulement dans le clos, mais en Bourgogne, cela vaut brevet de noblesse ! Grenat foncé à reflets noirs, ce vin est à la hauteur de son appellation. Racé, assez complet, il demande bien sûr à vieillir une ou deux paires d'années. Son léger boisé ne perturbe pas la maturité de ses arômes tirant sur le fruit confit. La bouche est signifiante, avec une matière importante traitée en finesse. Nous sommes bien en clos-de-vougeot.

Jean-Michel Guillon, 33, rte de Beaune, 21220 Gevrey-Chambertin, tél. 03.80.51.83.98, fax 03.80.51.85.59, e-mail eurlguillon@aol.com r.-v.

LOUIS JADOT 2000

■ Gd cru 2,16 ha n.c. 46 à 76 €

Le Domaine Louis Jadot a grandi dans ce grand cru : un tiers d'hectare à la fin des années 1980, plus de 2 ha aujourd'hui. Il présente un 2000, année très généreuse en raisins. Il fallait ouvrir l'œil et le bon ! Quelques reflets d'évolution n'étonnent pas vraiment. Porté sur la cerise noire et l'animal, l'engagement aromatique reste discret. On rencontre à nouveau ces sensations en bouche, sous une forme légèrement réglissée. Structurée et puissante, la bouche est encore marquée par une bonne acidité. Ce vin se prépare à sa seconde vie, d'ici trois à quatre ans.

Maison Louis Jadot, 21, rue Eugène-Spuller, BP 117, 21203 Beaune Cedex, tél. 03.80.22.10.57, fax 03.80.22.56.03, e-mail contact@louisjadot.com r.-v.

DOM. FRANCOIS LAMARCHE 2003 **

■ Gd cru 1,35 ha 4 200 38 à 46 €

Quatre parcelles situées à tous les coins du clos, sur 1 ha 35 a 89 ca. On compte ainsi en Bourgogne, au pied de vigne près. Cela se comprend, tant ce vin rappelle l'exclamation de Hugh Johnson : « Voilà de la présence ! » Haut en couleur, il compose un bouquet d'une adorable complexité où l'on croise le sous-bois, le cuir, la myrtille. Son corps impressionne par la qualité de l'architecture, la générosité du fruit noir, des tanins de soie. Raisonnablement boisé sans le moindre excès, il supportera largement plusieurs années en cave.

Dom. François Lamarche, 9, rue des Communes, 21700 Vosne-Romanée, tél. 03.80.61.07.94, fax 03.80.61.24.31, e-mail domainelamarche@wanadoo.fr r.-v.

LEYMARIE 2002

■ Gd cru 0,53 ha 1 500 38 à 46 €

Parcelle de 52 a 60 ca achetée en 1935 à Eugène Liger-Belair qui la tenait lui-même de son père. Les grands-échézeaux sont de l'autre côté du mur. D'une couleur grenat très profond, un 2002 au boisé pas trop insistant. Il laisse libre cours au cassis et à la mûre. Un peu austère par sa belle structure tannique, il garde de la fraîcheur et de la vivacité. Il n'est pas complètement ouvert et on le gardera quelques années en attente.

Dom. Leymarie-CECI, Clos du Village, 24, rue du Vieux-Château, 21640 Vougeot, tél. 03.80.62.86.06, fax 03.80.62.88.53, e-mail leymarie@skynet.be r.-v.

Leymarie

DOM. MICHEL NOELLAT ET FILS 2003 *

■ Gd cru 0,47 ha 1 200 46 à 76 €

L'œil perçoit du gras sous le rubis violet de sa robe. Vanille et fruits très mûrs résument, après ses seize mois de fût, les tendances naturelles du millésime. Ses tanins dessinent une trame serrée et fine jusque dans la finale cistercienne. A laisser trois ou quatre ans dans une bonne cave.

SCEA Dom. Michel Noëllat et Fils, 5, rue de la Fontaine, 21700 Vosne-Romanée, tél. 03.80.61.36.87, fax 03.80.61.18.10 r.-v.

MICHEL PICARD 2003

■ Gd cru n.c. 300 46 à 76 €

Pourpre et dense, il laisse cependant passer la lumière. Gaston Roupnel respirait ici « tout l'arôme du printemps ». D'un fruit aimable (groseille, cerise) et d'un fût bien dosé, ce 2003 est d'un abord tendre, d'une chair plus riche que puissante ; ses tanins sont droits sans être rugueux. En phase d'accomplissement, il est gourmand, presque déjà prêt.

Maison Michel Picard, 5, rue du Château, 21190 Chassagne-Montrachet, tél. 03.80.21.98.63, fax 03.80.21.97.83, e-mail francine.picard@m-p.fr r.-v.

DOM. HENRI REBOURSEAU 2002 *

■ Gd cru 2,21 ha 6 688 46 à 76 €

89 90 92 |93| 94 |**95**| |96| |97| |98| |99| 00 01 02

Arrière-arrière-petit-fils de Jean Rebourseau qui acquit cette vigne en deux parcelles au lendemain de la vente de 1889, Jean de Surrel présente un vin issu de la partie médiane du clos. Cette bouteille correspond à ce qu'on attend de son âge et de sa condition. Rubis sombre – le bouquet attiré par le cassis, la myrtille où pointe un vanillé discret qui s'estompe assez vite –, elle attaque avec détermination. La suite est réglissée, charpentée. Un 2002 classique qu'on laissera au repos pendant trois à quatre ans.

NSE Dom. Henri Rebourseau, 10, pl. du Monument, 21220 Gevrey-Chambertin, tél. 03.80.51.88.94, fax 03.80.34.12.82, e-mail domaine@rebourseau.com r.-v.

CH. DE LA TOUR 2003 *

■ Gd cru 5,4 ha n.c. + de 76 €

**85** 86 **88 89** 90 |95| **96 97** |(98)| 99 01 02 03

Près de 5,5 ha : la plus vaste superficie au sein du clos. La couleur ne porte pas vraiment de nom, entre pourpre et grenat avec quelques larmes de gras sur le verre. Au-delà de son élevage évidemment distingué et mesuré (treize mois de fût), ce 2003 développe des arômes de fruits cuits, presque confits. Au palais, ce vin très mûr se révèle ample, complexe ; les tanins sont de qualité. Le millésime 98 a reçu le coup de cœur en 2002.

Ch. de la Tour, Clos de Vougeot, 21640 Vougeot, tél. 03.80.62.86.13, fax 03.80.62.82.72, e-mail contact@chateaudelatour.com
t.l.j. sf mar. 10h-19h; groupes sur r.-v.; f. nov. à mars
François Labet

### DOM. DES VAROILLES 2002

■ Gd cru 0,6 ha 1 550 46 à 76 €

« Une certaine élégance », conclut un membre du jury. Le fruit est présent, le boisé assez fondu ; l'ampleur n'est pas gigantesque, mais la finesse est plutôt une qualité dans un grand cru quand elle ne manque pas de fond. C'est le cas ici.

Gilbert Hammel, rue de l'Ancien-Hôpital, 21220 Gevrey-Chambertin, tél. 03.80.34.30.30, fax 03.80.51.88.99, e-mail contact@domaine-varoilles.com r.-v.

# Echézeaux et grands-échézeaux

Au sud du Clos de Vougeot, la commune de Flagey-Echézeaux, dont le bourg est dans la plaine, tout comme celui de Gilly (les Cîteaux) en face du Clos de Vougeot, longe le mur de celui-ci pour faire, jusqu'à la montagne, une incursion dans le vignoble. La partie du piémont bénéficie de l'appellation vosne-romanée. Dans le coteau se succèdent deux grands crus : le grands-échézeaux et l'échézeaux. Le premier fait environ 9 ha de surface, sur plusieurs lieux-dits et a produit 1 117 hl en 2004, alors que le second couvre plus de 36 ha.

Les vins de ces deux crus, dont les plus prestigieux sont les grands-échézeaux, sont très « bourguignons » : solides, charpentés, pleins de sève mais aussi très chers. Ils sont essentiellement exploités par les vignerons de Vosne et de Flagey.

# Echézeaux

### DOM. RENE BOUVIER 2002

■ Gd cru 0,3 ha 1 200 46 à 76 €

Les échézeaux sont en grande partie l'œuvre des moines de Cîteaux. Mais dès avant la Révolution, ils perdirent la plupart de ces vignes au profit de la propriété civile. Ce 2002 assez austère a gardé une vocation cistercienne. Ferme, tirant sur le fruit noir et le gibier, raisonnablement boisé (café, vanille), il rappelle le millésime 76 dans sa jeunesse. Il lui reste à s'ouvrir, ce qui fait partie du possible. Et ce sont là des bouteilles qui font rêver...

Dom. René Bouvier, 29 B, rte de Dijon, 21220 Gevrey-Chambertin, tél. 03.80.52.21.37, fax 03.80.59.95.96, e-mail rene-bouvier@wanadoo.fr
r.-v.

### CAPITAIN-GAGNEROT 2003 *

■ Gd cru 0,3 ha 1 500 46 à 76 €

Après voir fêté son bicentenaire avec le millésime 2002, Michel et Patrice Capitain ont vendangé dès le 19 août 2003 ce grand cru rouge très sombre. Son acidité suffisante devra favoriser une belle expression quand les tanins se montreront caressants. Au nez, il chante le fruit frais (cassis et prune) ainsi que le cacao, les épices douces. Au palais, il montre une personnalité classique, des tanins fins mais bien présents, un boisé qui tend à se fondre et laisse apparaître les fruits rouges.

Capitain-Gagnerot, 38, rte de Dijon, 21550 Ladoix-Serrigny, tél. 03.80.26.41.36, fax 03.80.26.46.29, e-mail contact@capitain-gagnerot.com r.-v.

### DOM. CHARLOPIN-PARIZOT 2003 *

■ Gd cru n.c. n.c. + de 76 €

Philippe Charlopin signe ici un échézeaux qui s'ouvre, comme au théâtre, sur un rideau de scène pourpre foncé. Mûre et myrtille occupent les premiers sièges d'orchestre, la vanille et le grillé préférant les loges. Même après l'entracte, on les retrouvera au deuxième acte. La pièce est dense. Elle a de la matière et du fond, dans une atmosphère soyeuse. Elle s'accordera avec une cuisine truffée, mais vous avez tout le temps... L'œuvre tiendra longtemps l'affiche.

Philippe Charlopin, 18, rte de Dijon, 21220 Gevrey-Chambertin, tél. et fax 03.80.58.50.46

### DOM. CHRISTIAN CLERGET 2002 *

■ Gd cru 1 ha 4 600 30 à 38 €

Rouge sombre très affirmé, reflets d'un rose violacé, il porte l'uniforme des 2002. Au premier nez la cerise annonce ses prétentions. Au troisième, et à l'aération, les épices de l'élevage s'ajoutent à une note de cuir. Franc de goût, il est moins évolutif en bouche : d'abord soyeux, il reste suave et stable. L'acidité est là, précieuse pour l'avenir, les tanins comme toujours bien présents. L'harmonie réelle pour un chevreuil.

Dom. Christian Clerget, 10, Ancienne-RN 74, 21640 Vougeot, tél. 03.80.62.87.37, fax 03.80.62.84.37, e-mail domainechristianclerget@wanadoo.fr r.-v.

### FRANCOIS CONFURON-GINDRE 2003

■ Gd cru 0,3 ha 1 200 30 à 38 €

Beaucoup d'extraction dans la robe de cet échézeaux marqué encore par son élevage en fût (notes épicées : vanille). Mais le fruit pointe le bout de son nez, affichant des notes de cassis bien mûr et de fruits à noyau (confits). La bouche est « énorme », encore dans ses langes ; sa longueur promet une belle évolution. A revoir dans trois à quatre ans.

François Confuron, 2, rue de la Tâche, 21700 Vosne-Romanée, tél. 03.80.61.20.84, fax 03.80.62.31.29, e-mail confuron.gindre@wanadoo.fr
r.-v.

### DOM. A.-F. GROS 2003 *

■ Gd cru 0,26 ha 900 46 à 76 €

89 90 94 96 |97| 98 99 00 01 02 |03|

Cinq parcelles constituant en tout 26,8 ares dans les Champs-Traversins, l'un des meilleurs *climats* du grand cru. Rubis intense, un vin que l'on a bâtonné comme s'il s'agissait d'un blanc : le caractère atypique du millésime a conduit ici à sortir des sentiers battus. Le cassis épouse le grillé de l'élevage (fût neuf). Souple et rond en première approche, il laisse ensuite monter des tanins jeunes mais bien faits. Intéressant et à ne pas solliciter trop tôt.

Dom. A.-F. Gros, La Garelle, 5, Grande-Rue, 21630 Pommard, tél. 03.80.22.61.85, fax 03.80.24.03.16, e-mail af-gros@wanadoo.fr r.-v.

### DOM. GUYON 2003 **

■ Gd cru 0,2 ha 940 46 à 76 €

Parcelle de 20,4 ares donnée naguère en fermage par la famille Lavigne et située en haut du coteau (En Orveaux). Sans doute faut-il tenir compte du millésime, de sa vendange le 26 août, mais il est difficile de montrer plus d'aspects apparemment contradictoires tout en bénissant leur mariage. Le bouquet réunit le tabac, la confiture de framboises, des notes toastées. Le corps associe des tanins mûrs et soyeux à une force puissante, capiteuse. Grand vin, évidemment de garde.

EARL Dom. Guyon, 11-16, RN 74, 21700 Vosne-Romanée, tél. 03.80.61.02.46, fax 03.80.62.36.56 r.-v.

### FREDERIC MAGNIEN 2003 *

■ Gd cru 0,16 ha 850 46 à 76 €

« Le caractère, voilà ce qui dure », disait le sage Euripide. Cette bouteille en est le vivant exemple. Tout en finesse, elle est ciselée, subtile du début à la fin. Le rouge et le noir composent un tableau impressionniste, sur des nuances de violette, de framboise... Ses tanins sont bien fondus, sa persistance convaincante, et on aime cette petite sensation de griotte à l'eau-de-vie... De bonne compagnie dans le futur, sur un steak de chevreuil.

EURL Frédéric Magnien, 4, rue Ribordot, 21220 Morey-Saint-Denis, tél. 03.80.58.54.20, fax 03.80.51.84.34, e-mail fredericmagnien.grandsvinsdebourgogne@wanadoo.fr r.-v.

### DOMINIQUE MUGNERET 2003 *

■ Gd cru 0,43 ha 1 200 38 à 46 €

Grenat rouge violacé, un 2003 aux notes de sous-bois qui s'allient au bourgeon de cassis pour lui offrir une base assez capiteuse. L'attaque est nette, franche sur un fond assez vite minéral. Les tanins ne le perturbent pas et si ses développements ont une fin, sa complexité onctueuse a de quoi plaire. Dans quelques années, bien sûr.

Dominique Mugneret, 9, rue de la Fontaine, 21700 Vosne-Romanée, tél. 03.80.61.00.97, fax 03.80.61.24.54 r.-v.

### DOM. HENRI NAUDIN-FERRAND 2002

■ Gd cru 0,34 ha 1 560 46 à 76 €

Tous les dégustateurs sont d'accord pour apprécier le fruit rouge d'un bouquet bien typé, rehaussé par vingt mois de fût. En bouche, les deux tiers du film sont captivants. Sur la fin, le scénario devient plus sévère, les tanins prenant le dessus car il n'est pas encore tiré de sa gangue. « Heureux, si son cœur bat, celui qui vous attend ! » On pourrait lui dédier ce vers de François Coppée... avant de lui offrir un rable de lièvre aux pommes reinette.

Dom. Henri Naudin-Ferrand, rue du Meix-Grenot, 21700 Magny-lès-Villers, tél. 03.80.62.91.50, fax 03.80.62.91.77, e-mail dnaudin@ipac.fr r.-v.

### DOM. MICHEL NOELLAT ET FILS 2003 *

■ Gd cru 0,29 ha 1 000 46 à 76 €

Les vendanges ont ici attendu le 4 septembre. La robe est moins sombre que chez la plupart de ses confrères du même millésime, mais le nez en a toute la complexité, des fruits confiturés aux notes toastées de l'élevage, que l'on retrouve dans une bouche ample, équilibrée et distinguée.

SCEA Dom. Michel Noëllat et Fils, 5, rue de la Fontaine, 21700 Vosne-Romanée, tél. 03.80.61.36.87, fax 03.80.61.18.10 r.-v.

### DOM. DES PERDRIX 2002

■ Gd cru n.c. 5 773 + de 76 €

Bertrand Devillard gère depuis quelques années le domaine Mugneret-Gouachon ou domaine des Perdrix. Son échézeaux 2002 retient l'attention grâce à son bouquet fait de myrtille, de réglisse et de vanille. L'animal n'est pas loin ! Sa bouche est assez vive dans un premier temps, puis contemplative dans un cloître tannique. Ce vin demande à vieillir pour se fondre et atteindre la Terre promise. Combien de décennies ? Pas tant... mais trois ans minimum. *Climats* Echézeaux du Dessus et Quartiers de Nuits.

B. Devillard, Dom. des Perdrix, rue des Ecoles, 21700 Premeaux-Prissey, tél. 03.80.61.26.53

### DOM. JACQUES PRIEUR 2002 *

■ Gd cru 0,35 ha 1 200 46 à 76 €

Un beau domaine de plus de 20 ha. Cet échézeaux à la robe brillante conservant des reflets bleutés (signes de grande jeunesse), joue sur la myrtille, le cassis et la griotte. Jolie corbeille de fruits entourée d'un nuage de vanille. La bouche déjà en partie arrondie – la finale reste encore assez tannique et boisée – possède une belle acidité, gage de bonne garde. A ouvrir dans deux ans.

Dom. Jacques Prieur, 6, rue des Santenots, 21190 Meursault, tél. 03.80.21.23.85, fax 03.80.21.29.19, e-mail domaine.jprieur@wanadoo.fr r.-v.

### DOM. FABRICE VIGOT 2003 *

■ Gd cru 0,59 ha 1 400 46 à 76 €

Complexe, long et fin, un grand cru plein de fruits mûrs (cassis) accompagnés de notes de tabac, de fumée. Riche sans excès, structuré et généreux, il réussit – et c'est rare dans ce millésime – à témoigner de l'excellence de ce terroir.

EARL Dom. Fabrice Vigot, 20, rue de la Fontaine, 21700 Vosne-Romanée, tél. et fax 03.80.61.13.01, e-mail fabrice.vigot@wanadoo.fr r.-v.

## Grands-échézeaux

### JOSEPH DROUHIN 2003 *

■ Gd cru 0,47 ha n.c. + de 76 €

Parcelle acquise en 1970 par cette grande maison beaunoise sur la famille Lanternier, elle-même issue d'une propriété Girard depuis 1919. Ce 2003, un personnage d'Arcimboldo, tant les fruits le composent. Myrtille, fraise, cassis, ses parfums sont un régal et il s'y mêle quelque chose

d'animal. Rubis à reflets bleu violacé, il bénéficie d'une bonne acidité et si ses tanins sont un peu austères en finale, c'est qu'il est bien jeune. L'ensemble est ferme et bien construit. On le dégustera volontiers dans cinq à dix ans.
Maison Joseph Drouhin, 7, rue d'Enfer, 21200 Beaune, tél. 03.80.24.68.88, fax 03.80.22.43.14, e-mail maisondrouhin@drouhin.com ☑ Ⲁ ⛹ r.-v.

### DOM. MONGEARD-MUGNERET 2003 *

■ Gd cru 1,44 ha 3 500 **46 à 76 €**

Chez les Mongeard, un projet bouscule toujours le précédent : ouverture en mars 2005 de l'hôtel trois étoiles *Le Richebourg* à Vosne-Romanée (vingt-six chambres de grande classe et jusqu'au hammam !). Sombre et néanmoins brillant, il a de qui tenir ! Le pinot Mongeard eut jadis son heure de gloire au sein de l'ampélographie bourguignonne. Le cassis et l'amande grillée sont ici de la partie. Le corps concentré est à la fois ferme et finement tannique, et son acidité est impeccable. Il laisse au palais une excellente impression. Il est vraiment grand avant d'être échézeaux, mais il s'offrira à qui saura l'attendre.
Dom. Mongeard-Mugneret, 14, rue de la Fontaine, 21700 Vosne-Romanée, tél. 03.80.61.11.95, fax 03.80.62.35.75, e-mail domaine@mongeard.com ☑ Ⲁ r.-v.

## Vosne-romanée

Là aussi, la coutume bourguignonne est respectée : le nom de romanée est plus connu que celui de Vosne. Quel beau tandem ! Comme Gevrey-Chambertin, cette commune est le siège d'une multitude de grands crus ; mais il existe à côté des *climats* réputés – tels les Suchots, les Beaux-Monts, les Malconsorts et bien d'autres. L'appellation vosne-romanée couvre 218 ha et a produit 4 309 hl en *villages* et 2 380 hl en 1er cru en 2004.

### DOM. CHARLES ALLEXANT ET FILS 2003 *

■ 0,25 ha 1 150 **15 à 23 €**

C'est à 2 km de l'Archéodrome que vous découvrirez ce domaine de 13 ha. Son *village* 2003 a la véritable couleur du pinot noir et un bouquet très caractéristique où entrent épices, sous-bois et fruits rouges. Cette atmosphère se poursuit en bouche et domine la dégustation. Caniculaire, il est chaud et tannique. On le sent encore sur sa réserve, mais il devra être dégusté dans deux ans.
Dom. Charles Allexant et Fils, 3, rue du Château, Cissey, 21190 Merceuil, tél. 03.80.26.83.27, fax 03.80.26.84.04, e-mail domaine-allexant@wanadoo.fr ☑ Ⲁ ⛹ r.-v.

### RENE CACHEUX ET FILS Les Suchots 2002

■ 1er cru 0,95 ha 5 400 **23 à 30 €**

Petite exploitation familiale sur 3,2 ha. Les Suchots se trouvent à côté de la romanée-saint-vivant. Il y a pire comme voisine de palier ! Rouge grenat, ce 2002 très appuyé sur le sous-bois et la cerise va crescendo en bouche : une belle suite sur le fruit. Tanins moyennement marqués et acidité présente : la garde est assurée jusqu'à 2010.
EARL René Cacheux et Fils, 28, rue de la Grand-Velle, 21700 Vosne-Romanée, tél. 03.80.61.28.72, fax 03.80.61.05.61, e-mail gerald.cacheux@free.fr ☑ Ⲁ ⛹ r.-v.

### SYLVAIN CATHIARD En Orveaux 2003 **

■ 1er cru 0,3 ha 1 500 **30 à 38 €**

Dans le peloton de tête, cette bouteille nous rappelle (selon le jugement de l'abbé Courtépée au XVIIIe s.) qu'« il n'y a pas à Vosne de vins communs ». Le beau 2003, tout de rubis vêtu ! Cassis macéré, épices, son nez est avantageux, marqué par un certain boisé. Si le palais joue sur les mêmes nuances, le fût ne tire pas la couverture de son côté. A conserver au moins cinq ans et même un peu plus.
Sylvain Cathiard, 20, rue de la Goillotte, 21700 Vosne-Romanée, tél. 03.80.62.36.01, fax 03.80.61.18.21 ☑ Ⲁ ⛹ r.-v.

### DOM. PHILIPPE CHARLOPIN 2002 *

■ n.c. n.c. **38 à 46 €**

Quatre mains à l'ouvrage, Philippe Charlopin vient de prendre la conduite de la vigne et du vin au château de Pommard, sur quelque 20 ha. Il n'oublie pas pour autant ses devoirs envers la Côte de Nuits. Limpide et brillant, violet clair, son *village* est bien ouvert (mûre et ronce, dès lors que les notes d'élevage se dissipent). Frais, élégant, suave, il est assurément flatteur, souple et plus profond qu'il n'en a l'air. A ne pas trop laisser vieillir et à découvrir chez sa fille au Caveau des vignerons.
Philippe Charlopin, 18, rte de Dijon, 21220 Gevrey-Chambertin, tél. et fax 03.80.58.50.46

### DOM. CHRISTIAN CLERGET Les Violettes 2002 *

■ 0,38 ha 19 000 **23 à 30 €**

Seul un mur sépare ce *climat* de la partie sud du clos de vougeot, sur le territoire de Flagey-Echézeaux. Il fournit ce vin resté très jeune et à l'avenir prometteur. Velours carmin, il développe à l'aération des senteurs de sous-bois moussu, puis de petits fruits (cassis). Sa structure est déjà bien définie et, si sa concentration est moyenne, il se laisse gentiment caresser. Classique en un mot.
Dom. Christian Clerget, 10, Ancienne-RN 74, 21640 Vougeot, tél. 03.80.62.87.37, fax 03.80.62.84.37, e-mail domainechristianclerget@wanadoo.fr ☑ Ⲁ ⛹ r.-v.

### DOM. DU CLOS FRANTIN Les Malconsorts 2003 **

■ 1er cru 1,76 ha 7 000 **46 à 76 €**

Appartenant alors à Bernard Grivelet, ce domaine historique de Vosne-Romanée a été acquis par la maison A. Bichot à la récolte 1965. Il produit une superbe bouteille des Malconsorts, *climat* voisin de la tâche. Rubis violacé, baignant dans un complexe aromatique de fruits noirs cuits, d'épices de marinade, de gingembre, elle se montre puissante à l'attaque. Ses beaux tanins sont enveloppés, offrant une bouche tendre et vineuse. Due au fût un peu brûlé, sa petite nuance pain grillé lui va bien. A boire pendant dix ans... s'il en reste ! Cité, le **village 2002 (30 à 38 €)**, assez charnu, sera à ouvrir dans deux ans.
Dom. du Clos Frantin, 6 bis, bd Jacques-Copeau, 21200 Beaune, tél. 03.80.24.37.37, fax 03.80.24.37.38, e-mail bourgogne@albert-bichot.com
A. Bichot

FRANCOIS CONFURON-GINDRE
Les Beaumonts 2003

■ 1er cru 0,27 ha 600 23 à 30 €

Fortement coloré, entre violet et noir, un 2003 vendangé « assez tard », c'est-à-dire le 6 septembre. Il a de la suite dans les idées : parfum de cerise à l'eau-de-vie, de vanille, de compote de fruits variés. Ample et souple, il attaque sur le gras de façon très concentrée, vineuse et chaude. Sa charpente est tannique, marquée par le millésime. Durée de vie difficile à prévoir au-delà de trois ans.

François Confuron, 2, rue de la Tâche,
21700 Vosne-Romanée, tél. 03.80.61.20.84,
fax 03.80.62.31.29, e-mail confuron.gindre@wanadoo.fr
r.-v.

JOSEPH DROUHIN Les Petits Monts 2002 *

■ 1er cru 0,39 ha n.c. 46 à 76 €

Propriété de Véronique Drouhin, fille de Robert Drouhin, cette parcelle d'un peu moins de dix ouvrées s'exprime tout en finesse et persistance. Rubis grenat, une bouteille au bouquet intéressant (arômes de fruits rouges, légèrement boisés). Au palais, l'équilibre s'établit sur le fruit frais. Véronique se consacre par ailleurs au Domaine Drouhin en Oregon alors que la maison de Beaune est désormais présidée par Frédéric Drouhin.

Maison Joseph Drouhin, 7, rue d'Enfer,
21200 Beaune, tél. 03.80.24.68.88, fax 03.80.22.43.14,
e-mail maisondrouhin@drouhin.com r.-v.

HENRI FELETTIG 2003 *

■ 0,42 ha 2 000 15 à 23 €

En retraite depuis 2002, Henri Félettig a transmis le relais à Christine et à Gilbert, la génération suivante. Celle-ci vient de rénover et d'étendre la cave et la cuverie. Ce *village* 2003 se présente très foncé à disque brillant. Réglisse, cassis, le nez s'inscrit dans un registre de tradition. Un peu d'acidité, de bons tanins : le corps est vif en première impression, puis il trouve son aplomb. Laissez-le reposer deux à trois ans.

GAEC Henri Félettig, rue du Tilleul,
21220 Chambolle-Musigny, tél. 03.80.62.85.09,
fax 03.80.62.86.41 r.-v.

DOM. JEAN FERY ET FILS Aux Réas 2002 *

■ 0,39 ha 1 400 15 à 23 €

Jean Féry et Fils : on devrait plutôt dire Jean Féry et Petit-Fils, car le domaine en est à sa troisième génération. Quant aux Réas, ils constituent une « avancée » de Vosne sur le coteau de Nuits. Rien à reprocher à la robe de ce 2002, bien au contraire. Au nez, on perçoit la cerise burlat, le cassis, la violette. Si sa bouche est actuellement un peu en retrait, sa densité et son équilibre plaident pour lui. Bien étoffé en somme et à attendre deux à trois ans.

Dom. Jean Féry et Fils, rue Marey,
21420 Echevronne, tél. 03.80.21.59.60,
fax 03.80.21.59.59, e-mail fery.meunier@wanadoo.fr
r.-v.

DOM. FRANCOIS GERBET Aux Réas 2003 *

■ 1,88 ha 6 500 15 à 23 €

Deux fois coup de cœur dans le passé et pour cette appellation, Marie-Andrée et Chantal Gerbet ont en général la main heureuse en Réas. Cela se vérifie à nouveau. Elles ne lésinent pas sur la robe, évidemment. Ni sur le parfum, on l'imagine : cerise noire, pruneau, animal et cuir. Si ces arômes tendent à la maturité, la bouche est fraîche à l'attaque, plus mûre ensuite dans la continuité du nez. Jusqu'à la petite pointe d'amertume en manière de révérence. Quelle élégance, mesdames !

Marie-Andrée et Chantal Gerbet, Maison des Vins,
pl. de l'Eglise, 21700 Vosne-Romanée,
tél. 03.80.61.07.85, fax 03.80.61.01.65,
e-mail vins.gerbet@wanadoo.fr r.-v.

DOM. A.-F. GROS Aux Réas 2003 **

■ 1,27 ha 5 700 23 à 30 €

Vendangés le 23 août, ces raisins avares en jus ont suscité de sérieuses réflexions à la cuverie. Sombre, presque grenat, ce vin offre un bouquet exubérant et cordial. Les fruits noirs, les épices se libèrent avec enthousiasme. Riche et chaleureux, le palais affiche une trame serrée mais dépourvue de sécheresse : on s'éloignerait peut-être un peu de son lieu d'origine si l'année n'avait pas été aussi folle. Les Réas de la famille Gros sont depuis longtemps réputés. Le **Maizières 2003** obtient une étoile. Les deux seront prêts à servir fin 2006.

Dom. A.-F. Gros, La Garelle, 5, Grande-Rue,
21630 Pommard, tél. 03.80.22.61.85, fax 03.80.24.03.16,
e-mail af-gros@wanadoo.fr r.-v.

DOM. HENRI GROS 2002 *

■ 0,42 ha 1 200 15 à 23 €

Ce domaine Gros situé dans les Hautes-Côtes de Nuits est distinct de ceux de la famille vosnoise. Ce *village* 2002 né d'une parcelle acquise en 1999 possède une robe étoffée. Des senteurs de cassis et de pruneau ouvrent sur une bouche concentrée. Macération et extraction : la matière a été travaillée ! Ce vin s'affinera, mais pour cela il lui faudra deux ans. En tout cas il est ici à son rang.

Henri Gros, 4, rue de la Grande-Fontaine,
21220 Chambœuf, tél. 03.80.51.81.20,
fax 03.80.49.71.75, e-mail henrigros@wanadoo.fr
r.-v.

DOM. MICHEL GROS
Clos des Réas Monopole 2003 **

■ 1er cru 2,12 ha 11 000 38 à 46 €

Fils de Jeanine et de Jean Gros, Michel a fondé le cinquième domaine Gros à Vosne-Romanée. Cadastre et généalogie s'entremêlent comme seule la Bourgogne sait le faire... Cette bouteille à la robe épaisse et foncée n'a pas besoin d'un long préambule. Son bouquet séduit par sa richesse variée : épices, écorce d'agrumes, thé, encens. Passionnant répertoire d'arômes signant un long élevage sous bois. Jeune et encore un peu austère, il ne manque ni de gras ni de race. Il mérite un temps d'attente (trois à cinq ans). Le **village 2003 (15 à 23 €)** obtient une étoile.

SARL Dom. Michel Gros, 7, rue des Communes,
21700 Vosne-Romanée, tél. 03.80.61.04.69,
fax 03.80.61.22.29 r.-v.

DOM. GROS FRERE ET SŒUR 2003

■ 4 ha 15 000 23 à 30 €

Gros Frère et Sœur : on devrait dire Gros Oncle, Tante et Neveu. Fils de Jeanine et Jean, Bernard veille en effet sur les vignes de Colette et Gustave, sœur et frère de Jean... Voici un *village* haut en couleur ; son bouquet évoque les raisins surmûris sur fond poivré et vanillé. Une certaine vivacité de tempérament s'exprime plus tard, mais les tanins ne sont guère agressifs, tout en étant fermes. Très honorable, comme disent les jurys de thèses.

Dom. Gros Frère et Sœur, 6, rue des Grands-Crus, 21700 Vosne-Romanée, tél. 03.80.61.12.43, fax 03.80.61.34.05, e-mail bernard.gros2@wanadoo.fr r.-v.
Bernard Gros

### ALAIN GUYARD Aux Réas 2002 *

■ 0,3 ha 1 200 15 à 23 €

Elevé dix-huit mois en chêne du Tronçais, ce vin carmin soutenu n'y va pas par quatre chemins : expressif et ouvert, son nez accueille avec bienveillance la fraise, la framboise sur un boisé discret et bien fondu. D'une constitution avenante, il dispose d'une structure suffisante, de tanins fins et nobles, bien enrobés : il a du temps devant lui et n'est pas fait pour être servi tout de suite, mais il sera digne d'un chapon de Bresse dans deux à quatre ans.

Alain Guyard, 10, rue du Puits-de-Têt, 21160 Marsannay-la-Côte, tél. 03.80.52.14.46, fax 03.80.52.67.36 r.-v.

### DOM. GUYON En Orveaux 2003 ***

■ 1er cru 0,34 ha 1 000 38 à 46 €

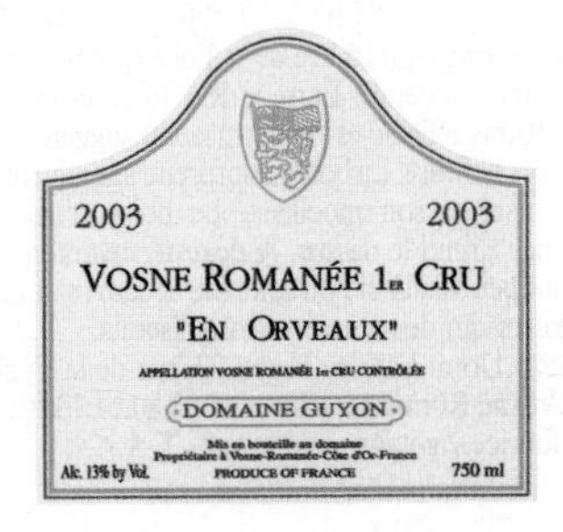


Quatre coups de cœur pour cette appellation en sept ans ! Difficile de mieux faire. Voici en effet la perle du milieu : les Orveaux se situent entre le clos de vougeot, le musigny et les échézeaux... Une robe éclatante et profonde met en valeur des senteurs de cassis, de mûre, de cuir sur le retour d'arômes. D'une absolue finesse et d'un équilibre magnifique, l'acidité bien en place : c'est un 2003 « sur un petit nuage ».

EARL Dom. Guyon, 11-16, RN 74, 21700 Vosne-Romanée, tél. 03.80.61.02.46, fax 03.80.62.36.56 r.-v.

### S. JAVOUHEY Vieilles Vignes 2002 *

■ 1er cru n.c. 1 200 23 à 30 €

Vieilles vignes de quarante-cinq ans d'âge : cette bouteille très réussie emprunte à la cerise noire tout à la fois sa couleur et son parfum. Cette cohérence n'exclut pas quelques complexités. Pleine de fruits et d'allant, la bouche est plaisante, et ce charme dure. Le volume n'est pas considérable, mais satisfaisant, équilibré par une juste pointe d'acidité. Sa longueur appréciable promet à l'amateur une jolie découverte dans deux ou trois ans.

Dom. Javouhey, 50, rue du Gal-de-Gaulle, BP 63, 21700 Nuits-Saint-Georges, tél. 03.80.61.10.30, fax 03.80.61.35.76, e-mail domaine@javouhey.com
t.l.j. 9h-12h 13h-18h

### DOM. DU VICOMTE LIGER-BELAIR Clos du Château Monopole 2002

■ 0,83 ha 3 300 30 à 38 €

Louis-Michel Liger-Belair entreprend d'assurer la pérennité d'un des domaines historiques (début du XIXe s.) les plus anciens de Bourgogne. Le Clos du Château planté en 1969 portait jadis le nom de Clos Trouvé (le dernier abbé de Cîteaux lors de la Révolution). D'un joli pourpre brillant, ce 2002 est vanillé avec mesure : le bouquet laisse échapper des confidences de poivre, de cannelle, de fraise des bois. Vif au palais, équilibré par une bonne acidité, il offre une texture légère et classique.

Dom. du Vicomte Liger-Belair, Ch. de Vosne-Romanée, 21700 Vosne-Romanée, tél. et fax 03.80.62.13.70, e-mail ligerbelair@free.fr

### MARCHE AUX VINS Malconsorts 2003 *

■ 1er cru n.c. 443 + de 76 €

Créé naguère par André Boisseaux (Patriarche) face à l'hôtel-Dieu de Beaune, le Marché aux vins permet d'aller de cru en cru dans un lieu historique. Ces Malconsorts ont une nuance mauve et un nez de violette. C'est tout juste s'ils n'ont pas – dans le même ton – les palmes académiques... Un peu léger, mais velouté, gras, vineux dans un environnement réglissé. Il faut l'attendre deux à trois ans.

Marché aux vins, rue Nicolas-Rolin, 21200 Beaune, tél. 03.80.25.08.20, fax 03.80.25.08.21
t.l.j. 9h30-12h 14h-18h

### DOM. FABRICE MARTIN 2003 **

■ 1 ha 1 000 11 à 15 €

Domaine « de poche » sur 3,2 ha seulement. Cette bouteille évoque « le sens de l'art, ce flair si délicat, si subtil, si insaisissable... », tel que l'évoque Maupassant, tant la légèreté l'emplit, sans compromis avec la facilité. Grenat à reflets bleutés, le nez pénétré de griotte, il est de grande classe. Exactement le charme, la typicité du cru : la plénitude d'un coup d'archet. A déguster maintenant.

Dom. Fabrice Martin, 42, rue de la Grand-Velle, 21700 Vosne-Romanée, tél. et fax 03.80.61.27.84
r.-v.

### DOMINIQUE MUGNERET 2003 *

■ 1,4 ha 7 200 15 à 23 €

Dominique est le fils de Denis Mugneret. Son *village* 2003 porte une robe très profonde, aux abords du noir. Au nez, une petite pointe animale est mariée au cuir, mais c'est surtout le cassis qui se détache dans l'air ambiant. Chaud et corsé, il se montre vif, sur des tanins respectables. Il fera plaisir lorsqu'il aura amélioré encore sa performance dans un à deux ans.

Christine et Dominique Mugneret, 9, rue de la Fontaine, 21700 Vosne-Romanée, tél. 03.80.61.00.97, fax 03.80.61.24.54 r.-v.

### JEAN-PIERRE MUGNERET 2002 **

■ 0,94 ha 6 000 15 à 23 €

Pourpre carminé, il s'offre au regard d'une densité marquée, sans excès. Belles nuances olfactives, révélées surtout à l'aération – le grillé initial laissant place aux fruits rouges macérés. Franc et charnu, le corps s'accompagne d'un fruit tangible et pulpeux. Aucune lourdeur dans la démarche. Un beau spécimen.

EARL Jean-Pierre Mugneret, Concœur, 21700 Nuits-Saint-Georges, tél. 03.80.61.00.20, fax 03.80.62.30.67 r.-v.

DOM. MICHEL NOELLAT ET FILS 2003 ★

■ 1,2 ha 3 300 🛢 15 à 23 €

Beau domaine de Vosne constitué de 17 ha. Vendanges début septembre pour deux 2003 très réussis : **Les Beaux Monts (30 à 38 €)** charpentés et épicés et ce *village* à la parure rubis grenat. Délicat bouquet où la mûre apparaît dans un concert de notes fumées. En bouche, il revient aux fruits noirs, assis sur une envolée de tanins qui s'estompent en douceur. Il n'est pas encore tout à fait ouvert. A déguster fin 2006 ou 2007.

SCEA Dom. Michel Noëllat et Fils, 5, rue de la Fontaine, 21700 Vosne-Romanée, tél. 03.80.61.36.87, fax 03.80.61.18.10 r.-v.

DOM. DES PERDRIX 2002 ★★

■ n.c. 5 906 🛢 38 à 46 €

Domaine des Perdrix
B. ET C. DEVILLARD
VOSNE-ROMANÉE
Récolte 2002


Jamais deux sans trois ? On le souhaite à Bertrand Devillard et aux siens, déjà coup de cœur l'an dernier pour le millésime 2001. Sous une robe rubis violacé, très profonde, on distingue le fruit rouge en éveil. Il est entouré d'arômes grillés, fumés, de pain de mie, bien répartis. A cette complexité succède une intense pureté du corps aux tanins parfaitement fondus. Vraiment un vosne de rêve, fait de plénitude et de délicatesse. Quatre à cinq ans de cave ne lui feront pas peur. Le temps de réfléchir à son accompagnement culinaire...

B. Devillard, Dom. des Perdrix, rue des Ecoles, 21700 Premeaux-Prissey, tél. 03.80.61.26.53

DOM. DE LA POULETTE Les Suchots 2002

■ 1er cru 0,25 ha 1 400 🛢 38 à 46 €

Françoise a succédé à son père Lucien Audidier, figure marquante de la vigne bourguignonne durant la seconde moitié du XXes., président de l'Académie d'agriculture, etc. Elle a donc de qui tenir. Ses Suchots grenat limpide ont une belle intensité aromatique : réglisse, vanille, nuances de fruits rouges. La bouche prolonge ce caractère jusqu'au bourgeon de cassis. L'acidité et les tanins sont influents : attente conseillée (deux ou trois ans).

Dom. de la Poulette, 103, Grande-Rue, 21700 Corgoloin, tél. 03.80.62.98.02, fax 01.45.25.43.23, e-mail info@poulette.fr r.-v.

F. Michaut-Audidier

DOM. ROBERT SIRUGUE ET SES ENFANTS Les Petits Monts 2003 ★★

■ 1er cru 0,57 ha 2 800 🛢 23 à 30 €

Notre coup de cœur de l'an dernier tire à nouveau son épingle du jeu. Son **village 2003** (une étoile) est solide, presque opulent et riche en avenir. Quant à ces Petits Monts, ils sont réellement à la hauteur d'un 1er cru. « La Bourgogne n'a rien fait de mieux que ce petit coin où elle réunit ses enchantements », disait Gaston Roupnel. Pourpre foncé, cassis épicé, un vin excellemment vinifié en année complexe. Du fût, mais pas trop. On sent la force, mais la finesse l'emporte.

Robert Sirugue, 3, rue du Monument, 21700 Vosne-Romanée, tél. 03.80.61.00.64, fax 03.80.61.27.57, e-mail sirugue@ifrance.com r.-v.

CHARLES VIENOT Les Suchots 2003 ★

■ 1er cru n.c. 2 000 23 à 30 €

Charles Viénot (1882-1937) contribua de façon flamboyante au renom des vins de Vosne-Romanée. La descendance est assurée de nos jours au sein de la famille des vins Jean-Claude Boisset. La robe est ici soutenue. Un nez cassis en plein élan, des tanins bien présents, une certaine vivacité : tout à fait un 2003, à goûter vers 2007/2008.

Charles Viénot, 5, quai Dumorey, BP 102, 21703 Nuits-Saint-Georges Cedex, tél. 03.80.62.61.61, fax 03.80.62.61.57

SA Boisset

DOM. FABRICE VIGOT Le Pré de la Folie 2003 ★

■ 0,85 ha 1 500 🛢 30 à 38 €

Où se cache-t-il ce Pré de la Folie rarement revendiqué sur une étiquette ? Entre la RN 74 et les maisons de Vosne. Rubis affirmé et brillant, ce vin suggère les fruits rouges en confiture. La bouche surprend agréablement par sa fraîcheur et son moelleux. Le boisé n'insiste pas. L'élégance prend le dessus. A déguster maintenant ou à laisser un peu vieillir si l'on souhaite découvrir ses arômes secondaires qui demeurent encore discrets.

EARL Dom. Fabrice Vigot, 20, rue de la Fontaine, 21700 Vosne-Romanée, tél. et fax 03.80.61.13.01, e-mail fabrice.vigot@wanadoo.fr r.-v.

# Richebourg, romanée, romanée-conti, romanée-saint-vivant, grande-rue, tâche

Tous sont des crus plus prestigieux les uns que les autres, et il serait bien difficile d'en indiquer le plus grand... Certes, la romanée-conti jouit de la plus importante renommée, et l'on trouve dans l'histoire de nombreux témoignages de « l'exquise qualité » de ce vin. La célèbre pièce de vigne de la Romanée fut convoitée par les grands de l'Ancien Régime : ainsi madame de Pompadour ne réussit pas à l'emporter contre le prince de Conti, qui put l'acquérir en 1760. Jusqu'à la dernière guerre, la vigne de la romanée-conti et celle de la tâche restèrent non greffées, traitées au sulfure de carbone contre le phylloxéra. Mais il fallut alors les arracher, et la première récolte des nouveaux plants eut lieu en 1952. Ce romanée-conti, exploité en monopole sur 1,80 ha, reste l'un des vins les plus illustres et les plus chers du monde.

La romanée est plantée sur une superficie de 0,83 ha (32 hl), richebourg sur 8 ha (255 hl), romanée-saint-vivant sur 9,5 ha (266 hl), la tâche sur un peu plus de 6 ha (151 hl) et la grande-rue sur 1,65 ha (46 hl). Comme dans tous les grands crus, les volumes produits sont de l'ordre de 20 à 30 hl par hectare selon les années. La grande-rue dernière née des grands crus a été reconnue par le décret du 2 juillet 1992.

# Richebourg

## DOM. A.-F. GROS 2003 ★★

■ Gd cru 0,6 ha 1 800 + de 76 €

89 90 **91** 92 93 94 |(96)| |97| **98 99** 00 |01| **02 03**

Les familles Gros possèdent quelque 2 ha sur les 8 en tout du grand cru richebourg. Le domaine A.-F. Gros (Anne-Françoise) : 60 ares. Pourpre sombre à reflets violet pur, ce vin complet, élégant est digne de son rang. Epices, sous-bois sont l'expression de son élevage 100 % en fût neuf. En raison de la nature du millésime, des essais intéressants de bâtonnage en rouge. La cerise mûre à point se dessine en fond de bouquet. L'attaque est soyeuse, sensuelle, puis l'opulence se développe grâce à une concentration superbe. Seul le dénouement est un peu tannique sur un soupçon d'amertume. De garde, évidemment.

Dom. A.-F. Gros, La Garelle, 5, Grande-Rue, 21630 Pommard, tél. 03.80.22.61.85, fax 03.80.24.03.16, e-mail af-gros@wanadoo.fr r.-v.

## DOM. GROS FRERE ET SŒUR 2003

■ Gd cru 0,7 ha 2 930 + de 76 €

89 90 **91** 92 93 94 |(96)| 97 |**98**| **99** 00 01 **02** 03

Fils de Jean Gros, neveu de Colette et Gustave Gros dont il a repris les vignes, Bernard veille sur 68 ares et 77 ca dans le grand cru. Existe-t-il des rubis noirs ? On pourrait le croire en regardant ce vin sous toutes ses facettes. Ses arômes sont assez chauds (fréquent en 2003), orientés vers le cassis intense et le pruneau cuit. Cette sensation se poursuit au palais sans excès (tanins présents mais enrobés) et dans un style assez confituré. A déguster dans les cinq ans.

Dom. Gros Frère et Sœur, 6, rue des Grands-Crus, 21700 Vosne-Romanée, tél. 03.80.61.12.43, fax 03.80.61.34.05, e-mail bernard.gros2@wanadoo.fr r.-v.

Bernard Gros

## DOM. DE LA ROMANEE-CONTI 2004 ★★

■ Gd cru 3,51 ha n.c. + de 76 €

Pour un rendement de 27,25 hl/ha, des vendanges le 29 septembre 2004. A la première dégustation, on va vers un vin digne de son image. Très bon nez, une sève et un corps qui annoncent un volume massif, sinon exubérant. Très fruité, moins réglissé qu'en tâche du même millésime, il n'est pas encore affable mais se montre assez complexe. De garde évidemment.

SC du Dom. de la Romanée-Conti, 1, rue Derrière-le-Four, 21700 Vosne-Romanée, tél. 03.80.62.48.80, fax 03.80.61.05.72

# La romanée-conti

## DOM. DE LA ROMANEE-CONTI 2003 ★★

■ Gd cru 1,8 ha n.c. + de 76 €

84 |**88**| **89 90** |**91**| **94 95** (96) (97) **98 01 03**

Vendangée aux tout derniers jours d'août 2003 au bord de la surmaturation, mise en bouteilles en mai 2005, une romanée-conti rare (16 à 17 hl/ha) et haute en relief dès son berceau (13 à 13,5% vol.). Il fallait viser juste : récolte pas trop tardive, vinification pas trop longue. Grand et durable, ce millésime trouvera sa troisième étoile à l'ancienneté – c'est-à-dire à la maturité. Dernières nouvelles du domaine : il va se déplacer à Vosne pour s'installer dans l'ancien vendangeoir des moines de Saint-Vivant.

SC du Dom. de la Romanée-Conti, 1, rue Derrière-le-Four, 21700 Vosne-Romanée, tél. 03.80.62.48.80, fax 03.80.61.05.72

BOURGOGNE

# Romanée-saint-vivant

## LOUIS LATOUR Les Quatre Journaux 2002 ★

■ Gd cru 0,68 ha 3 000 + de 76 €

Les Quatre Journaux constituent l'un des clos historiques du monastère de Saint-Vivant-de-Vergy en Romanée. Marey puis Marey-Monge après la Révolution, la vigne devient Latour en 1898. Depuis le XIIe s., ses propriétaires se comptent sur les doigts d'une seule main ! Ici : 68 ares sur 1,48 ha et 34 ca. Sous son drapé léger et fraisé, un 2002 au parfum où le fruit mûr et le végétal échangent leurs alliances. Malgré sa sobriété, il garde de la finesse. Il se montre souple, soyeux, lisse.

Maison Louis Latour, 18, rue des Tonneliers, 21204 Beaune, tél. 03.80.24.81.00, fax 03.80.22.36.21, e-mail louislatour@louislatour.com

## DOM. DE LA ROMANEE-CONTI 2004 ★★

■ Gd cru 5,28 ha n.c. + de 76 €

67 72 **73 75 76 78** |(79)| **80 81** |**82**| |**87**| |**89**| |**91**| |**92**| **95** |**97**| **98 99 00 01** (03) **04**

Le « chemin des moines » a été ouvert récemment entre la romanée-saint-vivant et l'ancien monastère de Saint-Vivant à Vergy grâce à Aubert de Villaine qui a pris en main la sauvegarde de ses vestiges. « Le vent des Rameaux, c'est le vent de l'année », dit le dicton. Bio (comme ici) ou pas, des poudrages mesurés de soufre sont indispensables à la lutte contre l'oïdium. Mildiou, botrytis, que de soucis en 2004 jusqu'à l'ensoleillement parfait à partir du 25 août ! Le domaine note sur sa fiche du millésime : « les plus longues et les plus difficiles vendanges depuis longtemps. » En romanée-saint-vivant : récolte du 30 septembre au 2 octobre pour 28,3 hl/ha et le tiers des pieds en cours de longue restauration (de dix à quinze ans). Pour un millésime aux arômes de jeunesse transparents, jouant entre réglisse et cassis.

SC du Dom. de la Romanée-Conti, 1, rue Derrière-le-Four, 21700 Vosne-Romanée, tél. 03.80.62.48.80, fax 03.80.61.05.72

# La grande-rue

**DOM. FRANCOIS LAMARCHE**
Monopole 2003 ★★

■ Gd cru 1,65 ha 5 700 + de 76 €

**89** 90 **91** 92 93 94 95 98 99 **00** 01 02 **03**

La grande-rue, serrée entre la romanée-conti et la tâche, a été acquise par la famille Lamarche en 1933. Classée grand cru en 1992, elle demeure l'un des rares en Monopole. Vendangée le 30 août, elle a produit un 2003 magenta pourpre. Le fût lui a conféré un boisé tout en dentelle. En bouche, puissant et chaleureux dans l'esprit du millésime, il sait aussi laisser l'empreinte d'une matière tendre et ronde : ses tanins assez soyeux apparaissent au dernier acte, jouant le rôle des chœurs à l'opéra.

Dom. François Lamarche,
9, rue des Communes, 21700 Vosne-Romanée,
tél. 03.80.61.07.94, fax 03.80.61.24.31,
e-mail domainelamarche@wanadoo.fr r.-v.

# La tâche

**DOM. DE LA ROMANEE-CONTI 2002** ★★★

■ Gd cru 6,06 ha 17 343 + de 76 €

72 **73** **75** **78** 79 **80** **81** **82** **87** **89** **91** **92** 97 98 99 **00** 02

SOCIÉTÉ CIVILE DU DOMAINE DE LA ROMANÉE-CONTI
PROPRIÉTAIRE A VOSNE-ROMANÉE (COTE-D'OR) FRANCE
LA TÂCHE
APPELLATION LA TÂCHE CONTROLÉE
17.343 Bouteilles Récoltées
LES ASSOCIÉS-GÉRANTS
BOUTEILLE Nº
ANNÉE 2002
A. de Villaine
Mise en bouteille au domaine


17 343 bouteilles récoltées. Sur un marché convoité, elles seront peut-être disponibles jusqu'en 2007 car il y aura très peu de 2003... La robe magenta est déjà très affirmée. Deux questions. Comment se fait-il qu'après dix-huit mois de fût neuf nul boisé ne subsiste ? La modestie du rendement, répond Aubert de Villaine. Et pourquoi a-t-on le sentiment de découvrir et de goûter le nombre d'or, comme le secret des pyramides et des cathédrales ? Ah ! c'est dans le sang de la vigne... Pureté, charme, équilibre, on dirait la beauté même car rien ne dépasse du cadre ni ne l'infléchit. Un vin civilisé.

SC du Dom. de la Romanée-Conti,
1, rue Derrière-le-Four, 21700 Vosne-Romanée,
tél. 03.80.62.48.80, fax 03.80.61.05.72

# Nuits-saint-georges

Petite bourgade de 5 500 habitants, Nuits-Saint-Georges n'engendre pas de grands crus comme ses voisines du nord ; l'appellation (7 202 hl en *villages* rouge et 90 hl en blanc) déborde sur la commune de Premeaux, qui la jouxte au sud. Ici aussi, les très nombreux premiers crus (5 671 hl en rouge et 522 hl en blanc) sont à juste titre réputés, et avec l'appellation communale la plus méridionale de la Côte de Nuits, nous trouvons un type de vins différent aux caractères de *climats* très accusés, où s'affirme généralement une richesse en tanin plus élevée, assurant une grande conservation.

Les Saint-Georges, dont on dit qu'ils portaient déjà des vignes en l'an mil, les Vaucrains aux vins robustes, les Cailles, les Champs-Perdrix, les Porets, de « poirets », au caractère de poire sauvage accusé, sur la commune de Nuits, et les clos de la Maréchale, des Argillières, des Forêts-Saint-Georges, des Corvées, de l'Arlot, sur Premeaux, sont les plus connus de ces premiers crus.

Petite capitale du vin de Bourgogne, Nuits-Saint-Georges a également son vignoble des Hospices, avec vente aux enchères annuelle de la production, le dimanche précédant les Rameaux. Elle est le siège de nombreux négoces de vin et de maints liquoristes qui produisent le cassis de Bourgogne, ainsi que d'élaborateurs de vins à mousse qui furent à l'origine du crémant de Bourgogne. C'est enfin ici que se trouve le siège administratif de la Confrérie des Chevaliers du Tastevin.

**DOM. DE L'ARLOT**
Clos de l'Arlot Monopole 2002 ★

■ 1er cru 1 ha 3 300 38 à 46 €

Depuis les vendanges 1986, Axa Millésimes et Jean-Pierre de Smet (un Essec tombé amoureux de la vigne et du vin) succèdent ici aux familles Viénot et Belin. Quelques pieds de pinot beurot complètent l'encépagement chardonnay de cette vigne blanche. Jaune or, un vin original au sein de l'appellation. Peu aromatique au nez, il est tout de charme et de plaisir en bouche, long et fruité. A déguster cette année ou la prochaine.

Dom. de l'Arlot, Premeaux,
21700 Nuits-Saint-Georges, tél. 03.80.61.01.92,
fax 03.80.61.04.22 r.-v.
Axa Millésimes

**BOISSEAUX-ESTIVANT 2003** ★★

■ 0,15 ha 800 38 à 46 €

Ce vin ne parle pas, il chante. Limpide, le nez frais et friand, la bouche modérément tannique, il exprime son caractère en demeurant fidèle au fruit et en ne cédant pas à l'excès du boisé. Le jury n'aurait nullement été surpris si on lui avait présenté un 1er cru. Ni trop mince ni trop robuste, n'attendez pas plus de deux ans pour le servir.

Boisseaux-Estivant, 38, fb Saint-Nicolas, BP 107,
21200 Beaune, tél. 03.80.22.26.84, fax 03.80.24.19.73

**MAISON MICHEL BOUCHARD 2003** ★

■ n.c. n.c. 15 à 23 €

Michel Bouchard est une variante de Forgeot, et Forgeot une variante de Bouchard Père et Fils. Bonne

intensité visuelle sans lourdeur ni effet appuyé. Il ne faut pas attendre le troisième nez pour découvrir la framboise. La bouche est découpée, en finesse, tapis soyeux sur une tannicité lisse, dans une atmosphère fraîche et jeune.
Maison Michel Bouchard, 15, rue du Château, 21200 Beaune, tél. 03.80.24.80.50, fax 03.80.22.55.88

### SYLVAIN CATHIARD Aux Murgers 2003 *

1er cru 0,48 ha 1 800 38 à 46 €

Coup de cœur l'an dernier pour ces mêmes Murgers, ce viticulteur souvent remarqué signe un 2003 à reflets framboisés. Son bouquet s'ouvre sur un boisé bien tempéré et une pointe caramélisée. Par la suite on retrouve le fût dans un style gourmand, ne cachant pas un fruit soyeux. Joli vin pour l'année atypique.
Sylvain Cathiard, 20, rue de la Goillotte, 21700 Vosne-Romanée, tél. 03.80.62.36.01, fax 03.80.61.18.21 r.-v.

### DOM. DU CHATEAU-GRIS
Les Terrasses du Château 2003

0,67 ha 1 500 30 à 38 €

Construit par Zéphyr de Mayol de Lupé vers 1815, le domaine du Château-Gris doit son nom à sa couverture en ardoise. La maison A. Bichot l'a acquis en 1978, conservant toutefois le nom de Lupé-Cholet. Les vignes de pinot noir qui entourent le bâtiment surplombant Nuits ont reçu l'an dernier le coup de cœur. Une autre partie est plantée en chardonnay. Or brillant, ce vin délivre un parfum d'amande. Flatté par un souffle chaleureux, il est à boire dès à présent. Cité, le **1er cru Château-Gris 2002 rouge** porte une robe profonde et brillante, et affiche une belle matière qui devrait s'épanouir dans deux ou trois ans.
Dom. du Château-Gris, 17, av. du Gal-de-Gaulle, 21700 Nuits-Saint-Georges, tél. 03.80.61.25.02, fax 03.80.24.37.38, e-mail bourgogne@lupe-cholet.com

### DOM. JEAN CHAUVENET Les Damodes 2003 **

1er cru 0,28 ha 990 23 à 30 €

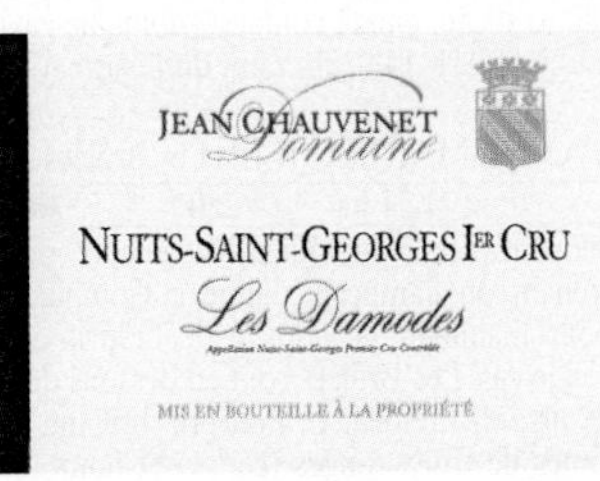


Jean Chauvenet n'en est pas à son premier coup de cœur. On sait que les Damodes couronnent le coteau nuiton côté Vosne. Elles produisent un 2003 (vendangé assez tard, le 8 septembre) éblouissant d'équilibre et de concentration. Infiniment de robe bien sûr. Bouquet de fruits noirs et de pruneau. Attaque en fanfare, retour du fruit au sein d'une bouche ronde et un gras très friand qui ne masque pas la structure. L'avenir n'est pas assuré au bout de trois à quatre ans, mais en attendant... quel bonheur ! Deux autres 1ers crus obtiennent chacun une étoile : **Les Vaucrains 2003 (30 à 38 €)** et **Les Bousselots 2003**. Pour les amateurs de vins très boisés.
Dom. Jean Chauvenet, 3, rue de Gilly, 21700 Nuits-Saint-Georges, tél. 03.80.61.00.72, fax 03.80.61.12.87 r.-v.
Ch. Drag

### CHAUVENET-CHOPIN Aux Thorey 2003 *

1er cru 0,52 ha 1 800 15 à 23 €

Coup de cœur en 1995, 1999 et 2001, ce domaine dispute avec ardeur chaque millésime. Ces Thorey 2003 à la teinte très sombre adoptent un style aromatique grillé, réglissé. Cependant, l'entrée en bouche est onctueuse, empressée. Les tanins reviennent alors à une composition plus nuitonne car il s'agit d'un vin jeune encore influencé par son fût.
Chauvenet-Chopin, 97, rue Félix-Tisserand, 21700 Nuits-Saint-Georges, tél. 03.80.61.28.11, fax 03.80.61.20.02 r.-v.

### JEROME CHEZEAUX Aux Boudots 2003 *

1er cru 0,34 ha 1 300 15 à 23 €

Jérôme Chezeaux conduit depuis 1993 ce domaine de 11 ha. Son **village 2003**, un vin solide et mûr, obtient une citation. Quant à cette bouteille grenat violacé, elle tire le maximum de vinosité et de vigueur des Boudots. Vanille et groseille de bout en bout, nuancées de pruneau et de coing durant la seconde mi-temps. Là encore, cette fermeté (habituelle à Nuits quand le vin est jeune) nécessite un à deux ans de patience.
Jérôme Chezeaux, rte de Nuits-Saint-Georges, 21700 Premeaux-Prissey, tél. 03.80.61.29.79, fax 03.80.62.37.72 r.-v.

### DOM. GEORGES CHICOTOT
Les Charmottes 2002

n.c. 1 500 15 à 23 €

Ce *climat* est situé dans le haut du pays quand on monte à Concœur, côté Vosne. Il donne ici un rouge de couleur moyenne et aux ardeurs assez sauvages (notes animales nuancées de cuir). Carré et austère, il n'est cependant pas taciturne : il attaque avec allant et présente une longueur honorable.
Dom. Georges Chicotot, 15, rue du Gal-de-Gaulle, 21700 Nuits-Saint-Georges, tél. 03.80.61.19.33, fax 03.80.61.38.94, e-mail chicotot@aol.com
t.l.j. 10h-12h 14h-18h30

### A. CHOPIN ET FILS Les Murgers 2003 *

1er cru 0,5 ha 900 23 à 30 €

On prononce les Meurgers : ce sont des amas de pierres retirées des vignes au fil des siècles. Grenat très appuyé et légèrement bleuté comme la baie du cassissier, ce vin rappelle que ce domaine fut coup de cœur dans l'édition 1998. Cette fois le nez joue entre des notes de café et de fruits mûrs. Structuré et puissant, son corps met en évidence des tanins plutôt solides. D'où cette petite note d'amertume en finale qui disparaîtra avec une garde de deux ans. **Les Bas de Combe en village 2003 (15 à 23 €)**, sur un brin de violette, obtiennent une citation.
A. Chopin et Fils, RN 74, 21700 Comblanchien, tél. 03.80.62.92.60, fax 03.80.62.70.78 r.-v.

### R. DUBOIS ET FILS Clos des Argillières 2002 *

1er cru 0,42 ha 2 500 23 à 30 €

Raphaël et Béatrice suivent le chemin tracé par Régis, et son père avant lui. Cette lignée vigneronne attache maintenant ses soins à 22 ha, dont près d'un demi-hectare dans ce *climat*. Ancien Clos Labaume, le Clos des Argillières réalise l'heureux mariage de l'argile et du calcaire, côté Premeaux. Ce vin maîtrise son sujet : très belle robe, bouquet un peu confituré, ampleur et maturité. L'acidité et les tanins ne débordent pas de leur mission.

BOURGOGNE

Dom. Régis Dubois et Fils,
rte de Nuits-Saint-Georges, 21700 Premeaux-Prissey,
tél. 03.80.62.30.61, fax 03.80.61.24.07,
e-mail rdubois@wanadoo.fr
t.l.j. 8h-11h30 14h-17h30; sam. dim. sur r.-v.

## DOM. GUY DUFOULEUR 2003 *

■ 1,85 ha 3 000 23 à 30 €

Créé par Guy et Xavier Dufouleur, ce domaine couvrant actuellement près de 20 ha a pour régisseur et vinificateur Yvan. Si l'on change de génération, les principes sont les mêmes dans un esprit bio pratiqué depuis une quinzaine d'années. Prête à être servie, la bouteille dégustée est joliment colorée mais d'intensité moyenne. Moka, son nez est un peu empyreumatique. De l'attaque à la finale, tout est enlevé, sympathique, dans les limites du millésime. La **Cuvée Vieilles Vignes 2003 en village (15 à 23 €)**, de bonne facture, obtient également une étoile.

Dom. Guy Dufouleur, 18, rue Thurot,
21700 Nuits-Saint-Georges, tél. et fax 03.80.62.31.00,
e-mail gaelle.dufouleur@21700-nuits.com
t.l.j. sf dim. 10h-18h

## DUFOULEUR PERE ET FILS
Les Saint-Georges 2003 *

■ 1er cru n.c. 1 200 30 à 38 €

Porte-étendard de Nuits, les Saint-Georges offrent ici une couleur griotte ; ce vin porte encore l'empreinte de son fût, tout en commençant à développer des arômes de cerise et de prune. Le nez introduit parfaitement le sujet : attaque souple, texture assez tendre, structure nette et franche. Pointe de chaleur en finale. A mettre de côté jusqu'en 2008.

Dufouleur Père et Fils, 17, rue Thurot,
21700 Nuits-Saint-Georges, tél. 03.80.61.21.21,
fax 03.80.61.10.65, e-mail dufouleur@dufouleur.com
t.l.j. 9h-19h

## DOM. DUPASQUIER ET FILS 2002

■ 2,17 ha 1 900 11 à 15 €

Robe à disque brillant. Nez discret en première analyse, puis ce 2002 s'ouvre sur des notes de fruits secs et de groseille. Des tanins bien fondus, dépourvus d'aspérité, contribuent à son aménité en bouche jusqu'à un aimable retour d'arômes (cerise). Il lui manque un peu d'épaule mais il sait se montrer tendre au bon moment. Comment le définir d'un seul mot ? Il est... précis.

SCEA Dom. Dupasquier et Fils,
47 bis, rue Henri-Challand, 21700 Nuits-Saint-Georges,
tél. 03.80.61.13.78, fax 03.80.61.05.08,
e-mail dupasquier.domaine@wanadoo.fr r.-v.

## FAIVELEY Aux Chaignots 2002 *

■ 1er cru 0,73 ha 4 200 23 à 30 €

Comme dans la chanson, Faiveley et Nuits-Saint-Georges sont « des noms qui vont très bien ensemble ». Pour nouvelle preuve, ce vin rubis grenat au parfum de framboise, boisé juste comme il faut, porté par une attaque soutenue. La griotte se présente ensuite à l'appel. Assez concentré, issu de beaux raisins, bien dans son appellation et capable de gagner une étoile de plus dans deux ans !

Bourgognes Faiveley,
8, rue du Tribourg, 21701 Nuits-Saint-Georges Cedex,
tél. 03.80.61.04.55, fax 03.80.62.33.37,
e-mail bourgognes@bourgognes-faiveley.com r.-v.

## HENRI FELETTIG Les Chaliots 2003 *

■ 0,2 ha 1 000 15 à 23 €

Henri Félettig a passé la main à ses enfants en 2002. Né à mi-chemin entre Nuits et Premeaux, ce *village*, violine très foncé, reflète bien l'appellation : ce qu'un de nos jurés nomme « le goût de terre ». Et pas seulement de terre ! Elégance et persistance, touche d'amertume en conclusion, qui disparaîtra dans deux ou trois ans pour laisser le fruit s'exprimer longuement.

GAEC Henri Félettig, rue du Tilleul,
21220 Chambolle-Musigny, tél. 03.80.62.85.09,
fax 03.80.62.86.41 r.-v.

## DOM. FOREY PERE ET FILS 2003 *

■ 1,2 ha n.c. 15 à 23 €

L'habit ne fait pas le moine ? Eh bien, si ! En tout cas quelquefois. Nuitonne de la tête au pied, cette bouteille incarne la nature du pays. Cerise et même noyau de cerise, son bouquet se montre généreux. Cette sensation se poursuit tandis que l'on goûte plus avant. Chaleureuse et ronde, la bouche donne envie de s'attarder. Sa constitution n'est pas fragile, mais pourquoi refuser la tentation du moment présent ?

Dom. Forey Père et Fils, 2, rue Derrière-le-Four,
21700 Vosne-Romanée, tél. 03.80.61.09.68,
fax 03.80.61.12.63 r.-v.

## PHILIPPE GAVIGNET Les Bousselots 2003 *

■ 1er cru 0,63 ha 2 800 15 à 23 €

Presque noir tant il est coloré, ce vin suggère les fruits cuits dans un contexte vanillé conféré par le chêne. Une pointe réglissée s'y associe un peu plus tard, car le chêne paraît fort grillé mais, comme le gras est bien présent, la démarche harmonieuse et la persistance convenable, on lui trouve bien des atouts.

Dom. Philippe Gavignet,
36, rue du Dr-Louis-Legrand,
21700 Nuits-Saint-Georges, tél. 03.80.61.09.41,
fax 03.80.61.03.56, e-mail contact@domaine-gavignet.fr
t.l.j. 8h-12h 14h-18h; sam. dim. sur r.-v.

## DOM. ANNE-MARIE GILLE Les Brûlées 2002

■ 1,21 ha 7 250 15 à 23 €

On peut être pharmacien, ou encore pilote, tout en reprenant un flambeau allumé à Comblanchien en 1570 pour maintenir la vinosité de l'esprit de famille. Tel est ici le cas. Les Brûlées sont en dessous des Poirets, entre Nuits et Premeaux. Pourpre brillant, ce 2002 aux arômes de fruits rouges (cerise) et noirs (cassis) se montre savoureux, d'un beau volume ; il est honnête et ne pèche pas par excès de concentration. Il joue sur la finesse, et sera prêt dans deux ans pour un gibier à plume.

Dom. Anne-Marie Gille, 34, RN 74,
21700 Comblanchien, tél. 03.80.62.94.13,
fax 03.80.62.99.88, e-mail domaine.gille@wanadoo.fr
r.-v.

## DOM. HENRI GOUGES Les Pruliers 2002 *

■ 1er cru n.c. n.c. 23 à 30 €

Henri Gouges (1889-1967) fut l'un des fondateurs des AOC en Bourgogne. « Le gendarme des vignerons », disait-on, tant il était craint et respecté ! Le domaine familial (15 ha) demeure fidèle à son nom ainsi qu'à son prénom. Le nez de ce vin rubis grenat tient en équilibre entre le boisé et la mûre – sans excès de fût. En bouche, un

caractère entier peut faire considérer ce vin comme rustique, mais il s'appuie sur des bases solides et capables de tenir bon en cave.
Dom. Henri Gouges, 7, rue du Moulin, 21700 Nuits-Saint-Georges, tél. 03.80.61.04.40, fax 03.80.61.32.84, e-mail domaine@gouges.com
r.-v.

DOM. GUYON Aux Herbues 2003 ★★

■ 0,22 ha 1 150 15 à 23 €

Qu'il s'agisse de vosne ou de nuits, l'un des meilleurs élèves de la classe. Les Herbues se situent tout contre Vosne. On leur trouve beaucoup d'intensité à l'œil, puis les coups de nez vont et viennent entre fruits rouges et café. L'attaque s'opère sur des tanins caressants. Charnu, élégant, ce vin reste dans la ligne aromatique du début et il apparaît très gourmand pour le millésime. Plateau de fromages ? Dites brillat-savarin.
EARL Dom. Guyon, 11-16, RN 74, 21700 Vosne-Romanée, tél. 03.80.61.02.46, fax 03.80.62.36.56 r.-v.

DOM. JAVOUHEY Vieilles Vignes 2002 ★★

■ 0,44 ha 2 700 23 à 30 €

La robe « tombe » bien, superbement colorée. Compote de fruits rouges, vanille, fruits secs, ce 2002 est riche en arômes. La matière est séductrice, enveloppeuse, harmonieuse. Un vin de confort et même de régime, rassurant, apaisé grâce à son acidité raisonnable, ses tanins fondus et son croquant. Saisissez la grâce quand elle passe !
Dom. Javouhey, 50, rue du Gal-de-Gaulle, BP 63, 21700 Nuits-Saint-Georges, tél. 03.80.61.10.30, fax 03.80.61.35.76, e-mail domaine@javouhey.com
t.l.j. 9h-12h 13h-18h

DOM. MACHARD DE GRAMONT 2003 ★★

■ 1,5 ha 7 600 15 à 23 €

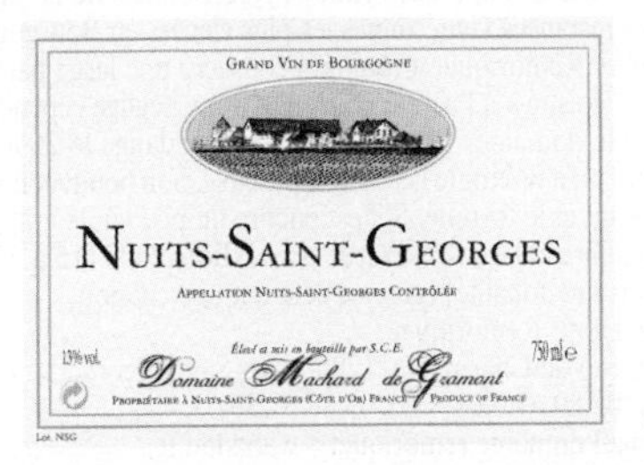


Ce domaine, installé dans une cuverie occupant les communs de l'ancien château de Prissey, a connu plusieurs évolutions depuis une quarantaine d'années. Coup de cœur, ce 2003 (vendangé le 24 août) est vraiment la bouteille qu'auraient pu emporter les héros de Jules Verne pour fêter leur arrivée aux abords de la Lune. Il s'agissait en effet d'un nuits. Cerise rouge limpide, le nez mêle notes de cerise et de vanille ; un vin charpenté et gras dont les tanins déjà enrobés signent un équilibre parfait. Une bouteille harmonieuse à laisser mûrir une paire d'années.
SCE Dom. Machard de Gramont, Le Clos, BP 105, rue Pique, Premeaux-Prissey, 21703 Nuits-Saint-Georges Cedex, tél. 03.80.61.15.25, fax 03.80.61.06.39
t.l.j. sf dim. 8h30-11h45 14h-17h30; sam. sur r.-v.; f. août

BERTRAND MACHARD DE GRAMONT
Aux Allots 2002 ★

■ 0,92 ha 4 300 15 à 23 €

Quelle est cette cuverie construite récemment sur la colline de Vergy non loin de Saint-Vivant ? Justement, celle de Bertrand Machard de Gramont. Il présente, rouge griotte limpide, un nuits au bouquet plaisant et complexe, allié à un boisé soigné (fruits noirs, notes empyreumatiques). Généreux, ample, gardant son fruit et laissant les tanins monter en première ligne sur la fin, un vin d'esprit moderne et d'un contact très convivial. Cités par le jury, **Les Hauts Pruliers 2002**.
EARL Bertrand Machard de Gramont, 13, rue de Vergy, 21700 Nuits-Saint-Georges, tél. et fax 03.80.61.16.96 r.-v.

FREDERIC MAGNIEN
Saint-Georges Vieilles Vignes 2002 ★★

■ 1er cru 0,53 ha 3 012 38 à 46 €

Des Saint-Georges flamboyants, prêts à affronter tous les dragons du monde ! La robe de ce nuits rappelle le rouge profond et lumineux des icônes byzantines. Mais rien de byzantin dans le bouquet où se superposent des notes de grillé, de cassis et de mûre. L'attaque est ferme, assurée. Nul besoin d'un coup de lance : l'acidité, les tanins, l'alcool respectent le rôle qui leur est imparti. La trame du pinot est serrée comme une cotte de mailles. Aucune inquiétude à nourrir, c'est un grand 2002 au potentiel considérable. Cités, **Les Thorey 2002 (23 à 30 €)** sont très élégants : le fût accompagne une facture fine. A servir dans deux ans. Frédéric Magnien produit également un **bourgogne-hautes-côtes-de-nuits Les Genevrières 2002 (11 à 15 €)** qui ont obtenu une étoile. A boire en 2006 avec une cane rôtie.
EURL Frédéric Magnien, 4, rue Ribordot, 21220 Morey-Saint-Denis, tél. 03.80.58.54.20, fax 03.80.51.84.34, e-mail fredericmagnien.grandsvinsdebourgogne@wanadoo.fr r.-v.

PROSPER MAUFOUX Les Boudots 2002 ★

■ 1er cru n.c. 900 30 à 38 €

Fondée en 1860 à Santenay, cette maison de négoce-éleveur possède des caves voûtées des XVIIe et XVIII[e]s. sur deux étages. Ici a été élevé ce vin gras à l'œil, rouge profond ; des Boudots aux accents légèrement réglissés. S'il demande à s'ouvrir, il offre dès à présent des qualités substantielles. Ce gras en particulier qui fait bonne impression en bouche. Persistance très honorable sur des tanins sachant raison garder.
Prosper Maufoux, 1, pl. du Jet-d'Eau, 21590 Santenay, tél. 03.80.20.60.40, fax 03.80.20.63.26, e-mail prosper.maufoux@wanadoo.fr
t.l.j. 10h-12h30 14h30-18h30; f. oct.-mars
Robert Fairchild

DOM. ALAIN MICHELOT
Aux Champs-Perdrix 2002 ★

■ 0,34 ha 2 100 23 à 30 €

A ne pas confondre avec les Perdrix – un 1er cru situé dans la partie la plus méridionale de l'appellation – alors qu'on est ici juché tout en haut du coteau donnant sur Vosne. Voici donc cet agréable *village* cerise noire, le nez mi-café mi-cassis sur fond un peu sauvage. Après une

bonne attaque, la structure se révèle chaleureuse. L'ensemble joue la finesse et mérite quelques années de garde. L'aérer avant de le servir.
Dom. Alain Michelot, 6, rue Camille-Rodier, 21700 Nuits-Saint-Georges, tél. 03.80.61.14.46, fax 03.80.61.35.08, e-mail domalainmichelot@aol.com
r.-v.

### DOM. MOILLARD 2002

0,37 ha 2 000 15 à 23 €

Si la robe montre de légers signes d'évolution, on aime son parfum de fruits compotés. Charpenté comme l'église Saint-Symphorien, un vin de tempérament très nuiton : strict dans son jeune âge, il semble avoir été élevé par une de ces gouvernantes anglaises autrefois nombreuses dans les familles de la bourgeoisie du cru. Mais il se tient droit et il fera son chemin dans la vie (trois à quatre ans semblent un bon objectif).
Dom. Moillard, chem. rural 59, 21700 Nuits-Saint-Georges, tél. 03.80.62.42.12, fax 03.80.61.28.13 t.l.j. 10h-18h; f. jan.

### DOMINIQUE MUGNERET Les Boudots 2003 **

1er cru 0,6 ha 2 100 23 à 30 €

D'un noir violacé assez impressionnant, chargé d'arômes de petits fruits, un vin à qui l'on donne sa chance : sans doute n'est-il pas complètement ouvert mais cela n'a rien d'extraordinaire. Sa fraîcheur, son arrière-goût de réglisse, la cohérence de ses composants, son boisé qui reste à sa place, tout cela conduit non pas à l'indulgence mais à la confiance.
Christine et Dominique Mugneret, 9, rue de la Fontaine, 21700 Vosne-Romanée, tél. 03.80.61.00.97, fax 03.80.61.24.54 r.-v.

### DOM. MICHEL NOELLAT ET FILS Les Boudots 2003 **

1er cru 0,46 ha 2 100 23 à 30 €

« Un verre de nuits prépare la vôtre », dit-on au Tastevin. Si vous hésitez sur le choix, prenez celui-ci. Sa robe a déjà les couleurs fauves du coucher de soleil sur la combe de la Serrée. Son bouquet ? Confiture de fraises, réglisse et vanille. Rondeur et plénitude s'accordent au palais pour concocter des sensations veloutées. Gras et puissant, pas très long, il ne pourrait guère mentir sur son millésime mais il a été bien vinifié. Signalons que les pierres de la cave étaient jadis celles de la prison de Beaune !
SCEA Dom. Michel Noëllat et Fils, 5, rue de la Fontaine, 21700 Vosne-Romanée, tél. 03.80.61.36.87, fax 03.80.61.18.10 r.-v.

### DOM. DES PERDRIX Aux Perdrix 2002 **

1er cru n.c. 15 962 46 à 76 €

Ce domaine des Perdrix, et son 1er cru éponyme, appartiennent à la famille de Bertrand Devillard. Comme elles chantent ces Perdrix ! Dans sa belle robe noire à reflets pourpres et à grands volants, un vin où l'on discerne des parfums de quetsche, de cerise et de sous-bois. De la chair, de la puissance, de la présence : l'avenir lui appartient. Signalons en outre le très intéressant **village 2002 (38 à 46 €)** à la mâche délicieuse, à conserver jusqu'en 2010 ; il obtient une étoile.
B. Devillard, Dom. des Perdrix, rue des Ecoles, 21700 Premeaux-Prissey, tél. 03.80.61.26.53

### DOM. JEAN PETITOT ET FILS Les Poisets 2002

1 ha 5 300 11 à 15 €

Les Poisets, guère éloignés des Saint-Georges, sont voisins des Cailles. Hervé Petitot a rejoint ses parents Jean et Michèle en 1994 et, depuis 2002, il gère seul l'exploitation, assisté de son épouse Nathalie (œnologue). Vous saurez vraiment tout quand on vous aura présenté ce 2002 : pourpre net, de brillance moyenne, il réunit des arômes de fruits (cerise, fraise) et d'épices. Un dégustateur britannique parle d'une senteur d'encre. Facile et policé, vif et d'un grain assez fin, il offre une bonne prestation d'ensemble sur un mode léger.
EARL Dom. Jean Petitot et Fils, 26, pl. de la Mairie, 21700 Corgoloin, tél. 03.80.62.98.21, fax 03.80.62.71.64, e-mail domaine.petitot@wanadoo.fr
t.l.j. sf dim. 8h-12h 14h-19h

### CH. DE PREMEAUX Clos des Argillières 2003 *

1er cru 0,5 ha n.c. 15 à 23 €

Vendanges le 23 août, on s'en souviendra ! Sous une robe irréprochable se dessine un joli petit bout de nez assez ouvert, vanille et cassis. L'acidité est sensible alors que les tanins ne se font pas encore oublier tout en étant soyeux. Le pinot montre ici un visage plaisant. Bouteille à déboucher dans deux ans avec des œufs en meurette.
Dom. du Ch. de Premeaux, 21700 Premeaux-Prissey, tél. 03.80.62.30.64, fax 03.80.62.39.28, e-mail chateau.de.premeaux@wanadoo.fr
t.l.j. 9h-12h30 13h30-19h30
Pelletier

### HENRI ET GILLES REMORIQUET Les Bousselots 2003 *

1er cru 0,55 ha 1 820 30 à 38 €

Du Groupe des Jeunes Professionnels de la Vigne aux instances vigneronnes les plus élevées en Bourgogne, Gilles Remoriquet a toujours consacré une large part de ses « loisirs » à l'action collective. Il ne néglige cependant pas le domaine. Témoin ce 1er cru vendangé le 26 août, dont on a tiré toute la couleur possible. Son bouquet marie le fruit et le torréfié. S'il est encore un peu vif, le gras fait équilibre et la sève est racée. **Les Allots 2003 (15 à 23 €)** dans une tonalité légère obtiennent une citation.
Dom. Remoriquet, 25, rue de Charmois, 21700 Nuits-Saint-Georges, tél. 03.80.61.08.17, fax 03.80.61.36.63, e-mail domaine.remoriquet@wanadoo.fr
t.l.j. 8h-12h 14h-18h30

### DOM. MICHELE ET PATRICE RION Clos des Argillières 2002 **

1er cru 0,72 ha 3 500 30 à 38 €

Patrice Rion a vinifié jusqu'en 2000 le domaine familial (Daniel Rion), puis il a décidé de s'occuper de ses propres vignes (3 ha) en développant une activité de négoce-éleveur par achat de raisins surtout, en Côte de Nuits. Vendangé le 19 septembre (mais en 2002 et non en 2003), ce Clos des Argillières est, nous dit-on, « un délice ». Brillant, parfumé, il est déjà très agréable sur tous les plans et l'avenir lui sourit. Finaliste du coup de cœur et même classé premier par l'un des jurés. Voir aussi en **village les Vieilles Vignes 2002 (15 à 23 €)** qui obtiennent une étoile.

🔑 Michèle et Patrice Rion, 1, rue de la Maladière, 21700 Premeaux-Prissey, tél. 03.80.62.32.63, fax 03.80.62.49.63, e-mail patrice.rion@wanadoo.fr
r.-v.

DOM. DANIEL RION ET FILS
Grandes Vignes 2003 *

■ 1 ha 3 800 15 à 23 €

Les Grandes Vignes se situent tout à côté du village de Premeaux, à la hauteur des Argillières. Vendangé dès le 23 août, un rouge carminé et limpide. Fruits cuits et grillé participent activement au bouquet. Les tanins lui donnent aujourd'hui un caractère assez sec sur la finale, mais le reste est rond et dans la typicité du millésime. Prévoyez deux ans de garde.

🔑 Dom. Daniel Rion et Fils, RN 74, 21700 Premeaux, tél. 03.80.62.31.28, fax 03.80.61.13.41, e-mail contact@domaine-daniel-rion.com
t.l.j. sf dim. 9h-12h 13h30-18h; sam. sur r.-v.

DOM. VINCENT SAUVESTRE
Les Saint-Georges 2003 **

■ 1er cru 0,6 ha 3 100 30 à 38 €

Les Saint-Georges ont dans la Côte de Nuits le rang objectif d'un grand cru. Finesse et bouquet distinguent ce 1er cru de ses voisins. Ce vin le démontre amplement. Rouge violacé et profond, il exprime le fruit frais tout au long de la dégustation. Au nez avec épices et café. Au palais sur une réserve initiale qui évolue en milieu de bouche pour atteindre un toucher soyeux, une délicatesse fondée sur la complexité. Finale remarquable. Des raisins vendangés le 25 août et vinifiés par un artiste.

🔑 SCEA Dom. Vincent Sauvestre, rte de Monthélie, 21190 Meursault, tél. 03.80.21.22.45, fax 03.80.21.28.05

DOM. JEAN-PIERRE TRUCHETET
Vieilles Vignes 2002 *

■ 0,55 ha 3 400 15 à 23 €

Truchetet est un nom bien connu en Côte de Nuits. Au début du XXe s., il y eut un Truchetet producteur de matériel vitivinicole, et un autre fabricant d'automobiles. Quant à ce vigneron, il nous fait partager le bonheur d'un nuits-saint-georges jusqu'au bout des ongles. Noir de peau, noir de bouquet (myrtille, réglisse) dans un décor épicé ; concentré et complexe, il est riche en matière. L'austérité du point final n'enlève rien au plaisir qu'il procure.

🔑 Jean-Pierre Truchetet, RN 74, 21700 Premeaux-Prissey, tél. 03.80.61.07.22, fax 03.80.61.34.35, e-mail jeanpierre-truchetet@wanadoo.fr r.-v.

CHARLES VIENOT Chaînes Carteaux 2003

■ 1er cru n.c. 1 800 23 à 30 €

*Climat* très proche des Vaucrains, à tous égards. Moins connu cependant. D'un feu rubis grenat tout à fait classique, celui-ci privilégie la cerise noire dès qu'on sollicite ses arômes. Son attaque est souple, son gras appréciable. S'il n'est pas d'une puissance biblique, on le savoure avec plaisir. On le savourera, devrait-on dire, car le mieux serait de le conserver deux ans encore en cave. La pérennité de la maison Charles Viénot est assurée de nos jours par Jean-Claude Boisset.

🔑 Charles Viénot, 5, quai Dumorey, BP 102, 21703 Nuits-Saint-Georges Cedex, tél. 03.80.62.61.61, fax 03.80.62.61.57
🔑 Boisset SA

# Côte-de-nuits-villages

Après Premeaux, le vignoble s'amenuise pour se réduire à une longueur de vignes d'environ 200 m à Corgoloin. C'est l'endroit où la côte est la plus étroite. La « montagne » diminue d'altitude, et la limite administrative de l'appellation côte-de-nuits-villages, anciennement appelée « vins fins de la Côte de Nuits », s'arrête au niveau du clos des Langres, sur Corgoloin. Entre les deux, deux communes : Prissey, associée à Premeaux, et Comblanchien, réputée pour la pierre calcaire (appelée improprement marbre) que l'on tire des carrières du coteau. Toutes deux possèdent quelques terroirs aptes à porter une appellation communale. Mais les superficies de ces trois communes étant trop petites pour avoir une appellation individuelle, Brochon et Fixin y ont été associées pour constituer cette unique appellation côte-de-nuits-villages, qui a produit, en 2004, 6 754 hl en vin rouge et 334 hl en vin blanc. On y trouve d'excellents vins, à des prix abordables.

JULES BELIN 2002 *

n.c. 3 000 30 à 38 €

On peut être fils de notaire, négociant en vin et généreux mécène. Ce fut le cas de Jules Belin à la fin du XIXe s., là où se trouve de nos jours le Clos de l'Arlot à Premeaux. Cette marque fut cédée en 1985 à Claude Lanvin puis récemment à Louis Max, toujours à Nuits. Or aux reflets verdoyants, un vin au nez de pomme fraîche, vif sans excès et d'une longueur normale.

🔑 Maison Jules Belin, 6, rue de Chaux, BP 4, 21700 Nuits-Saint-Georges, tél. 03.80.62.43.40, fax 03.80.62.68.02

VINCENT ET DENIS BERTHAUT 2003 **

■ 0,5 ha 2 000 8 à 11 €

Les frères Berthaut font partager le plaisir de ce côte-de-nuits-villages côté fixin. Il arrive en effet second du grand jury des coups de cœur. D'une nuance violine, il ne lésine pas sur le bouquet, non seulement réglissé, torréfié et épicé (clou de girofle) en signe de bon élevage, mais encore cerisé. Une maturité bien maîtrisée conduit à la souplesse et à l'équilibre. Du grain dans les tanins, de la chaleur dans l'élan, c'est bien. Ce sera mieux encore lorsque, au palais, ses notes de café seront fondues (d'ici un an sans doute).

🔑 Vincent et Denis Berthaut, 9, rue Noisot, 21220 Fixin, tél. 03.80.52.45.48, fax 03.80.51.31.05, e-mail denis.berthaut@wanadoo.fr
t.l.j. 10h-12h 14h-18h; f. jan.

JEAN BOUCHARD 2003

■ n.c. 18 000 11 à 15 €

Grenat bleuté, un 2003 dont on est allé chercher loin les senteurs de fruits rouges très mûrs. Au palais cette sensation subsiste, mêlée à des tanins très fins et à des épices douces. Charpenté sans excès et dépourvu d'astringence, il fait bonne figure dans l'appellation. Par parenthèse, cette « autre Maison Bouchard » est domiciliée à la Maison Albert... Bichot. Elle n'en a pas moins sa propre devise que nous traduisons du latin : « Si tu veux garder ton honneur, sache le servir ! »

Maison Jean Bouchard, BP 47, 21200 Beaune, tél. 03.80.24.37.27, fax 03.80.24.37.38

### DOM. A. CHOPIN ET FILS
Aux Monts de Boncourt 2003 ★

| | 0,7 ha | 2 000 | | 8 à 11 € |
|---|---|---|---|---|

Intéressant *climat*, les Monts de Boncourt ! Après la Côte des Pierres, les carrières de Comblanchien, il marque sur Corgoloin le retour de la vigne en coteau, la pointe sud de la Côte de Nuits. Coup de cœur l'an dernier en Essards, le Domaine joue ici une jolie sonate. Or vert limpide, sur des notes de pamplemousse, de noisette, ce 2003 commence avec vivacité puis s'alanguit dans la douceur de son gras, dans la chaleur de sa finale.

A. Chopin et Fils, RN 74, 21700 Comblanchien, tél. 03.80.62.92.60, fax 03.80.62.70.78 r.-v.

### DOM. DU CLOS SAINT-LOUIS 2003 ★★

| ■ | 2,5 ha | n.c. | | 11 à 15 € |
|---|---|---|---|---|

L'ancienne propriété des Herbues (baptisée Clos Bizoutte car elle abritait il y a cent ans les rendez-vous galants d'un notable dijonnais) a été rebaptisée plus moralement Clos Saint-Louis par la famille Bernard (moutarde et vinaigre) qui l'acquit en 1918. Cette bouteille mérite votre intérêt : c'est la meilleure des quarante-sept vins dégustés dans cette appellation. Sa robe est royale. Son bouquet réglissé, un tantinet sauvage. Richesse, puissance, concentration sont au service de la distinction même. Pour une fois, Saint-Louis n'est pas sous son chêne... « L'élevage respecte en effet le vin. Digne d'un gibier », note le jury.

Dom. du Clos Saint-Louis, 4, rue des Rosiers, 21220 Fixin, tél. 03.80.52.45.51, fax 03.80.58.88.76, e-mail clos.st.louis@wanadoo.fr
t.l.j. 9h-19h; f. 15-31 août
Philippe Bernard

### DOM. DESERTAUX-FERRAND
Les Perrières 2003

| ■ | 2,2 ha | 11 000 | | 8 à 11 € |
|---|---|---|---|---|

Si des Perrières sont bien à leur place, c'est ici. En pleine Côte des Pierres et au bout de l'appellation, côté corton. Rouge foncé, parfumé de façon très nette et très pure (réglisse, muscade, sous-bois sauvage), voici une bouteille savoureuse et gourmande. Sa légère âpreté n'aura plus de raison d'être dans dix-huit mois. On ne peut que regretter la disparition de la belle fête tournante de l'Eté des Côtes-de-Nuits-Villages...

Dom. Désertaux-Ferrand, 135, Grande-Rue, 21700 Corgoloin, tél. 03.80.62.98.40, fax 03.80.62.70.32, e-mail contact@desertaux-ferrand.com r.-v.

### RAPHAEL DUBOIS 2002 ★

| ■ | n.c. | 10 000 | | 8 à 11 € |
|---|---|---|---|---|

Comme le font beaucoup de domaines ces dernières années, Raphaël Dubois a créé avec le concours de sa sœur Béatrice une affaire de négoce. Il achète en raisins et vinifie lui-même. On gardera cette bouteille un an ou deux, afin que tout se mette bien en place. Puis on appréciera son rubis violine, son nez de cerise à confiture et son comportement très honorable en bouche. Vif et frais tout en étant assez structuré, il offre un bon reflet de l'appellation.

Raphaël Dubois, rue de la Courtavaux, 21700 Premeaux-Prissey, tél. 03.80.62.19.40, fax 03.80.61.24.07, e-mail rdubois@wanadoo.fr
t.l.j. 8h-11h30 14h-17h30; sam. dim. sur r.-v.

### DOM. GACHOT-MONOT 2002

| ■ | 5,08 ha | 10 000 | | 8 à 11 € |
|---|---|---|---|---|

Grenat à reflets pourpres, il accompagne d'un boisé discret le fruit rouge à noyau (cerise). Une légère note animale s'exprime en bouche, mais l'appellation admet cette démarche au demeurant bien fondue (tanins) et assez persistante sous la langue. Les coups de cœur 2001 et 2000 ne sont pas oubliés.

Dom. Gachot-Monot, 13, rue Humbert-de-Gillens, 21700 Corgoloin, tél. 03.80.62.50.95, fax 03.80.62.53.85 r.-v.

### DOM. JEROME GALEYRAND
Vieilles Vignes 2003 ★★

| ■ | 0,8 ha | 2 400 | | 11 à 15 € |
|---|---|---|---|---|

Dans le trio de tête, ce vin émane d'un petit domaine (par la superficie, 4,2 ha), né d'une passion pour la vigne en 2001 seulement. Bravo ! Pour Jérôme Galeyrand, la valeur n'attend pas. Rubis profond, ce 2003 offre au nez une complexité étonnante. Rond et long, il possède pleinement la concentration du millésime. Son nez complexe énonce des notes de fruits noirs mûrs, de fruits secs et de bois.

Jérôme Galeyrand, Saint-Philibert, 21220 Gevrey-Chambertin, tél. 06.61.83.39.69, fax 03.80.34.39.69, e-mail jerome.galeyrand@wanadoo.fr r.-v.

### GILLES JOURDAN
La Robignotte Monopole 2002 ★★

| ■ | 0,6 ha | 3 500 | | 11 à 15 € |
|---|---|---|---|---|

La Robignotte ? En monopole ? Eh bien ! oui, cela existe. Vous ne pouvez pas vous tromper : sur la gauche à Corgoloin quand on prend la route de Villers. Quel fameux vin ! Rubis grenat, il ne se fait pas prier dès l'approche de la bouche. Au sens propre, une entrée en matière où structure et texture s'harmonisent à merveille. A déboucher courant 2006. Savez-vous ce qui lui ferait plaisir ? Un jambon à la nuitonne.

Dom. Gilles Jourdan,
114, Grande-Rue, 21700 Corgoloin,
tél. 03.80.62.76.31, fax 03.80.62.98.55,
e-mail domaine.jourdan@wanadoo.fr r.-v.

## DOM. HENRI NAUDIN-FERRAND
Vieilles Vignes 2002 *

| ■ | 1,52 ha | 8 300 | | 15 à 23 € |
|---|---|---|---|---|

On pourait le classer hors concours, celui-ci. Des coups de cœur comme s'il en pleuvait : 2004, 2001, 1999, 1995... Sous l'éclat d'une robe rubis violacé, une belle corbeille de fruits rouges. La bouche emploie un langage très tendre, mais la chair est bientôt là, suffisamment remplie. Une voix féminine nous conseille ici de le boire avec l'élan rôti. Soit, mais seul le défunt curé de Corgoloin (fondateur de la ville d'Igloolik chez les Inuits) aurait pu nous le procurer...

Dom. Henri Naudin-Ferrand, rue du Meix-Grenot,
21700 Magny-lès-Villers, tél. 03.80.62.91.50,
fax 03.80.62.91.77, e-mail dnaudin@ipac.fr r.-v.

## DOM. PANSIOT Les Chazots 2003 *

| | 0,19 ha | 900 | | 8 à 11 € |
|---|---|---|---|---|

Bouteille bien profilée. Sa ligne est vive à l'attaque, longue, racée, jaune doré à reflets gris-vert ; elle privilégie

La côte de Nuits (Sud)

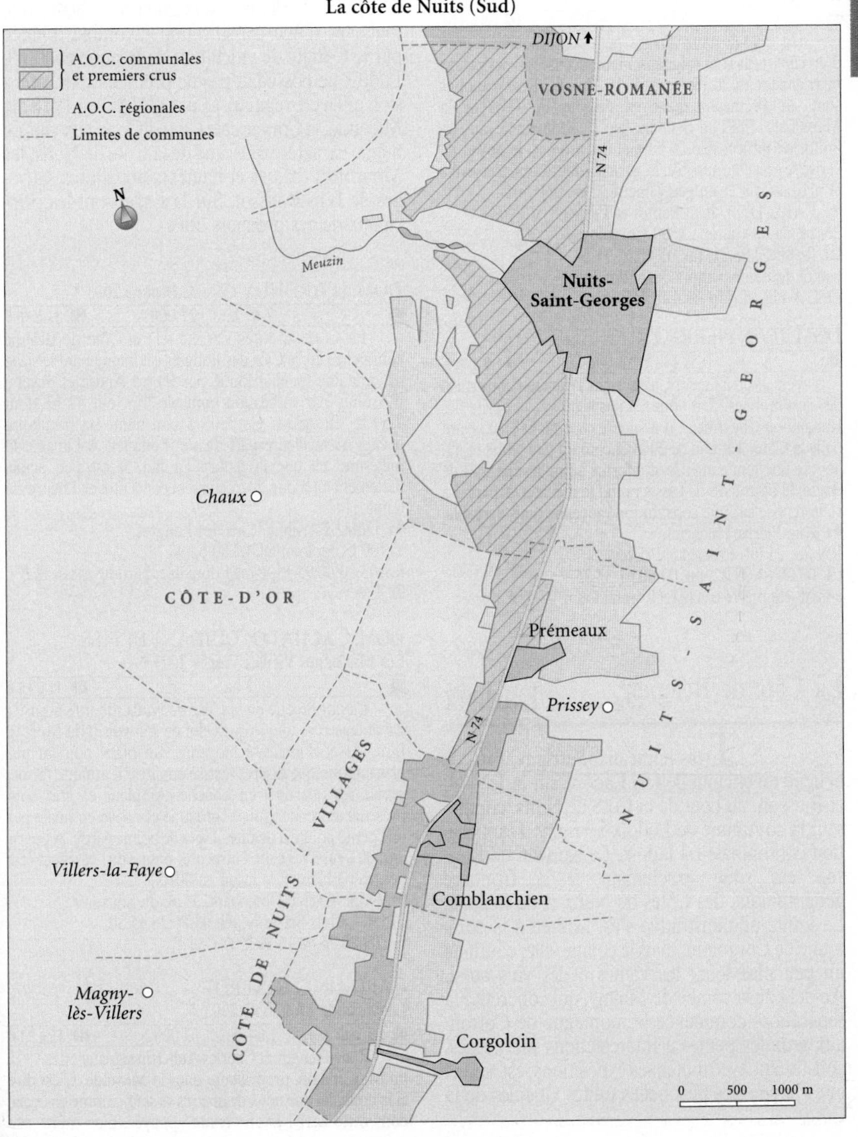

l'arôme du coing, de la pâte de coings comme en faisaient nos grand-mères. Peut-être un rien exotique mais en tout cas le beurré entre dans la recette. Rassurez-vous, un peu de gras et de la mâche se retrouvent en bouche pour le respect des traditions. « Bisque de homard », propose une dégustatrice. Pourquoi pas ? Si vous préférez un accord gourmand plus classique, un lapin aux pruneaux conviendra.
Eric Pansiot, 21, imp. du Château-de-la-Chaume, 21700 Corgoloin, tél. 03.80.62.94.32, fax 03.80.62.73.14, e-mail eric.pansiot@cegetel.net
r.-v.

DOM. JEAN PETITOT ET FILS
Les Vignottes Vieilles Vignes 2002 *

■ 0,6 ha 3 300 8 à 11 €

Un côte-de-nuits-villages peut revendiquer le nom d'un *climat* (ils sont soigneusement recensés) si ses raisins proviennent exclusivement de ce lieu-dit. Les Vignottes sont sur Premeaux, juste en dessous du Clos de la Maréchale. Elles lui tiennent lieu d'ordonnance sous un uniforme impeccable. A l'appel des arômes, le noyau de cerise se présente aussitôt. Léger sans doute, mais serviable et plaisant, fin et un peu minéral, il est déjà prêt.
EARL Dom. Jean Petitot et Fils, 26, pl. de la Mairie, 21700 Corgoloin, tél. 03.80.62.98.21, fax 03.80.62.71.64, e-mail domaine.petitot@wanadoo.fr
t.l.j. sf dim. 8h-12h 14h-19h

DOM. JEAN-PIERRE TRUCHETET 2003

■ 0,53 ha 3 090 8 à 11 €

Vers 1900 à Gevrey, un certain Truchetet construisit des automobiles. Son nom n'a pas acquis la célébrité des Renault ou Chevrolet... Il demeure cependant bien vivant dans la Côte. Témoin ce 2003 encore un peu jeune et qui adopte une tenue intense, conforme au millésime. Pas de doute, le bourgeon de cassis prend le meilleur départ. La suite repose sur une constitution moyenne mais agréable.
Jean-Pierre Truchetet, RN 74, 21700 Premeaux-Prissey, tél. 03.80.61.07.22, fax 03.80.61.34.35, e-mail jeanpierre-truchetet@wanadoo.fr r.-v.

La Côte de Beaune

# Ladoix

Trois hameaux, Serrigny, près de la ligne de chemin de fer, Ladoix, sur la RN 74, et Buisson, au bout de la Côte de Nuits, composent la commune de Ladoix-Serrigny. L'appellation communale est ladoix. Le hameau de Buisson est situé exactement à la frontière géographique des Côtes de Nuits et de Beaune. La limite administrative s'est arrêtée à la commune de Corgoloin, mais la colline, elle, continue un peu plus loin ; les vignes et les vins aussi. Au-delà de la combe de Magny, qui concrétise la séparation, commence la montagne de Corton, aux grandes pentes à intercalations marneuses, constituant avec toutes ses expositions, est, sud et ouest, l'une des plus belles unités viticoles de la Côte.

Ces différentes situations confèrent à l'appellation ladoix une variété de types auxquels s'ajoute une production de vins blancs mieux adaptés aux sols marneux de l'argovien ; c'est le cas des Gréchons, par exemple, situés sur les mêmes niveaux géologiques que les corton-charlemagne, plus au sud, mais jouissant d'une exposition moins favorable. Les vins de ce lieu-dit sont très typés. S'étendant sur près de 50 ha, l'appellation ladoix est peu connue ; c'est dommage !

Autre particularité : bien que jouissant d'une classification favorable donnée par le Comité de viticulture de Beaune en 1860, Ladoix ne possédait pas de premiers crus, omission qui a été régularisée par l'INAO en 1978 : la Micaude, la Corvée et le Clou d'Orge, aux vins de même caractère que ceux de la Côte de Nuits, les Mourottes (basses et hautes), aux allures sauvages, le Bois-Roussot, Sur la Lave, sont les principaux de ces premiers crus.

DOM. D'ARDHUY Côte de Beaune 2003 *

■ 7,49 ha 27 000 11 à 15 €

La Côte de Nuits s'arrête ici ; la Côte de Beaune commence là : le Clos des Langres est maintenant le siège du domaine familial fondé par Pierre André et devenu d'Ardhuy par succession familiale. En tout 42 ha dont 7,50 ha en ladoix. Ce 2003 a bon teint. La framboise occupe la meilleure part de son bouquet. A l'image du millésime tel que la nature l'a fait, il est peu acide, nettement tannique, correctement concentré et d'heureuse tenue.
Dom. d'Ardhuy, Clos des Langres, 21700 Corgoloin, tél. 03.80.62.98.73, fax 03.80.62.95.15, e-mail domaine.d.ardhuy@tiscali.fr
r.-v.

DOM. CACHAT-OCQUIDANT ET FILS
Les Madonnes Vieilles Vignes 2003 *

■ 1,2 ha n.c. 11 à 15 €

*Climat* proche de la Côte de Nuits, dont le nom est davantage revendiqué que celui de son voisin (la Mort !). Limpide et d'intensité moyenne, un pinot noir au nez plaisant quoique discret (cerise confite). Il attaque ferme, prend ses quartiers en bouche. Ampleur et gras sont présents au rendez-vous. Tannique et relevé en finale par une petite pointe d'acidité, il sera de bonne garde. A ouvrir en 2007 sur une belle entrecôte, pour voir, car peut-être pourra-t-il bien vivre jusqu'en 2010 !
Dom. Cachat-Ocquidant, 3, pl. du Souvenir, 21550 Ladoix-Serrigny, tél. 03.80.26.45.30, fax 03.80.26.48.16 r.-v.

CAPITAIN-GAGNEROT
La Micaude Monopole 2003 *

■ 1er cru 1,64 ha 7 000 15 à 23 €

René Danguy et Charles Aubertin signalent dès 1892 un M. Capitain, propriétaire dans la Micaude. C'est dire si la bouteille que nous dégustons se sent comme chez elle dans cette cave ! D'une teinte appuyée, bien mûre, elle

esquisse un bouquet fruité qui évolue vers l'épice. De longueur moyenne, elle prend appui sur une bonne structure de base qui en fait un ladoix aimable et élégant.
Capitain-Gagnerot,
38, rte de Dijon, 21550 Ladoix-Serrigny,
tél. 03.80.26.41.36, fax 03.80.26.46.29,
e-mail contact@capitain-gagnerot.com r.-v.

### CLAUDE CHEVALIER Bois de Gréchons 2003

0,6 ha 3 000 11 à 15 €

Créée par Claude Chevalier en 1992, cette maison de négoce-éleveur présente ici le produit de raisins achetés et vinifiés par elle-même. Les Gréchons 2000 reçurent un coup de cœur dans le Guide 2003. Or limpide à légers reflets verts, floral et discrètement vanillé, ce 2003 gras et persistant obéit aux lois du millésime. Carré, très mûr, il est peu acide et destiné à une cuisine roborative, comme une volaille à la crème. A ouvrir dans l'année qui vient.
SARL Claude Chevalier, Buisson,
21550 Ladoix-Serrigny, tél. 03.80.26.46.30,
fax 03.80.26.41.47, e-mail ladoixch@club-internet.fr
r.-v.

### EDMOND CORNU ET FILS La Corvée 2002 *

1er cru 0,36 ha 2 000 15 à 23 €

La Corvée se trouve au-dessus du hameau de Buisson, dans la partie septentrionale de l'appellation. Elle donne ici un 2002 rouge très sombre aux reflets de feu. Une petite touche boisée accompagne amicalement des effluves de cassis et de myrtille. Impression que confirme la bouche, aromatiquement parlant car elle est encore austère. Ce vin a de l'avenir (trois à quatre ans). Le **1er cru Le Bois Roussot 2002 rouge (11 à 15 €)** inspire un jugement similaire, la framboise remplaçant les fruits noirs.
Edmond Cornu et Fils, Le Meix Gobillon,
21550 Ladoix-Serrigny, tél. 03.80.26.40.79,
fax 03.80.26.48.34 r.-v.

### FRANCOIS GAY ET FILS 2002

0,49 ha 3 000 8 à 11 €

Trois coups de cœur dans cette appellation depuis 1999 ! Du fruit confit au fruit mûr, il passe du nez à la bouche en demeurant fidèle, pour l'essentiel, à ses convictions. Rouge bigarreau, il trouve le juste milieu entre alcool, acidité et tanins. Au niveau d'un *village*, ce qu'il est.
EARL François Gay et Fils, 9, rue des Fiètres,
21200 Chorey-lès-Beaune, tél. 03.80.22.69.58,
fax 03.80.24.71.42 r.-v.

### CHRISTIAN GROS Les Gréchons 2003 *

1er cru 1,4 ha n.c. 11 à 15 €

Parcelle plantée, puis délaissée, reprise enfin durant les années 1990. Elle produit un 2003 jaune d'or intense. Ses parfums vont à l'exotique sous le couvert des fruits jaunes. Important retour d'arômes en bouche : Ladoix ne vient-il pas d'une douâ (source vauclusienne, résurgence ?). Gras, robuste, à servir dès à présent sur un poisson en sauce, pas en entrée.
Christian Gros, rue de la Chaume,
21700 Premeaux-Prissey, tél. 03.80.61.29.74,
fax 03.80.61.39.77, e-mail christian.gros@wanadoo.fr
t.l.j. sf dim. 9h-12h 14h-19h

### DOM. JEAN GUITON La Corvée 2002 *

1er cru 0,79 ha 2 500 11 à 15 €

Une belle étiquette, moderne tout en restant sobre, digne des meilleures tables. Un exemple à suivre. Cela dit, le vin n'est pas mal non plus : sa couleur réjouit l'œil. Le nez est tout en fruits et en épices. Après une attaque puissante mais harmonieuse, la bouche s'appuie sur des tanins soyeux d'une belle longueur. Digne de son origine.
Dom. Jean Guiton,
4, rte de Pommard, 21200 Bligny-lès-Beaune,
tél. 03.80.26.82.88, fax 03.80.26.85.05,
e-mail domaine.guiton@libertysurf.fr r.-v.

### DOM. ROBERT ET RAYMOND JACOB
Côte de Beaune 2003 **

4 ha 20 000 8 à 11 €

Excellent rapport qualité-prix car le jury lui voit beaucoup de qualités. Rubis foncé, ce vin suggère le cassis, la mûre. Certes, il a de l'acidité, mais bien fondue et qui lui permettra de vieillir en paix. Sa concentration très satisfaisante s'illumine de fruits rouges confits en rétro. Les tanins ont de doux sentiments. Bref, on se situe ici au meilleur niveau. Une étoile pour le **ladoix village 2003 blanc (11 à 15 €)** : pur et droit, il n'attend que vous.
Dom. Robert et Raymond Jacob, hameau de Buisson, 21550 Ladoix-Serrigny, tél. 03.80.26.40.42,
fax 03.80.26.49.34 r.-v.

### DOM. MARATRAY-DUBREUIL
Les Gréchons 2003 **

1er cru 0,4 ha 2 000 11 à 15 €

Tout en haut du coteau, les Gréchons et Foutrières (leur vrai nom) voient depuis plus d'un siècle s'épanouir le chardonnay. Inutile de garder celui-ci en attente. Jaune pâle, la fleur blanche ne se laissant pas dominer par le boisé, il démarre sur une note minérale que maintiennent fraîcheur et vivacité. Elégant retour d'arômes (fruits blancs, mandarine). En 1er cru, il est parmi les siens.
Dom. Maratray-Dubreuil,
5, pl. du Souvenir, 21550 Ladoix-Serrigny,
tél. 03.80.26.41.09, fax 03.80.26.49.07,
e-mail maratray-dubreuil@club-internet.fr
t.l.j. sf dim. 9h-12h 14h-18h

### DOM. PRINCE FLORENT DE MERODE
Les Chaillots 2003 *

1 ha 5 900 8 à 11 €

Les Clermont-Tonnerre étaient déjà propriétaires en Chaillots (*climat* proche des 1ers crus et même du grand cru) dès le XIXe s. et peut-être auparavant. Le Domaine Prince Florent de Mérode est issu de cette noble lignée. Rubis grenat, doté d'un bouquet de fruits rouges légèrement vanillé, c'est un ladoix que l'on fera patienter un an ou deux dans l'antichambre, le temps de déposer son armure tannique particulièrement serrée. Car il reste bien équilibré au palais.
Prince Florent de Mérode, 3, rue du Château,
21550 Ladoix-Serrigny, tél. 03.80.26.40.80,
fax 03.80.26.49.37 r.-v.

### MESTRE PERE ET FILS 2002 *

1,32 ha 3 000 8 à 11 €

Sous une robe éclatante, un nez tirant sur l'animal et baigné de cerise. La petite note de sécheresse en bouche n'a pas le dernier mot. Vif et fruité, ce vin réussit sa prestation avec une certaine insistance dans la démarche. Rustique ? Il l'est un peu : le mot n'a rien de désobligeant quand le fond est solide.

🔑 Mestre Père et Fils, 12, pl. du Jet-d'Eau, BP 24,
21590 Santenay, tél. 03.80.20.60.11, fax 03.80.20.60.97,
e-mail gilbert.mestre@wanadoo.fr
☑ Y 🚶 t.l.j. 10h-13h 14h-18h; f. 24 déc.-2 jan.

DOM. NUDANT 2003 **

■ 2,3 ha 10 000 🛢 11 à 15 €

Voici deux éditions que ladoix n'avait pas décroché de coup de cœur. Déjà lauréat en 2003, ce domaine remporte cette année la palme pour un *village* si rubis qu'on pourrait le présenter en joaillerie. Né pendant la canicule, ce vin exprime un fruit intéressant. Vendangés dès le 21 août, ces raisins suscitent l'admiration en bouche : un ouvrage de précision, tout en finesse, d'une longueur remarquable, et qui culminera dans trois à quatre ans. Les **1ers crus Les Buis rouge 2003 (15 à 23 €)** et **La Corvée 2003 rouge (15 à 23 €)** ont reçu l'un et l'autre une étoile.

🔑 Dom. Nudant, 11, rte de Dijon,
21550 Ladoix-Serrigny, tél. 03.80.26.40.48,
fax 03.80.26.47.13, e-mail domaine.nudant@wanadoo.fr
☑ Y 🚶 t.l.j. sf dim. 8h30-12h 14h-18h; sam. sur r.-v.

DOM. JEAN PETITOT ET FILS
Côte de Beaune 2002 *

■ 0,65 ha 3 800 🛢 8 à 11 €

Domaine placé depuis 2002 entre les mains d'Hervé Petitot et de son épouse Nathalie, œnologue. A l'œil, de la couleur et un joli bras. Au nez, les fruits rouges. Son caractère tannique s'exprime avec détermination comme sa persistance honorable.

🔑 EARL Dom. Jean Petitot et Fils,
26, pl. de la Mairie, 21700 Corgoloin,
tél. 03.80.62.98.21, fax 03.80.62.71.64,
e-mail domaine.petitot@wanadoo.fr
☑ Y 🚶 t.l.j. sf dim. 8h-12h 14h-19h

DOM. PRIN 2002 *

■ 0,97 ha 3 300 🛢 8 à 11 €

Ce fut notre coup de cœur 2002, pour son 98 d'illustre mémoire. Celui-ci offre une belle brillance aux charmes violacés. Son bouquet est flatteur sur des notes de réglisse et de fruits rouges à l'eau-de-vie. Légèrement épicé en bouche, il ne cède pas à la facilité, montrant équilibre et élégance dans un style assez gouleyant. Bouteille prête à la consommation.

🔑 Dom. Prin, 12, rue de Serrigny, Cidex 10,
21550 Ladoix-Serrigny, tél. 03.80.26.45.83,
fax 03.80.26.46.16, e-mail domaineprin@yahoo.fr
☑ Y r.-v.
🔑 Jean-Luc Boudrot

# Aloxe-corton

Si l'on tient compte de la superficie classée en corton et corton-charlemagne, l'appellation aloxe-corton en occupe une faible part, sur la plus petite commune de la Côte de Beaune, et a produit en 2004, 5 154 hl de vin rouge et 26 hl de blanc. Les premiers crus y sont réputés : les Maréchaudes, les Valozières, les Lolières (grandes et petites) sont les plus connus.

La commune est le siège d'un négoce actif, et plusieurs châteaux aux magnifiques tuiles vernissées méritent le coup d'œil. La famille Latour y possède un superbe domaine dont il faut visiter la cuverie du siècle dernier, qui reste encore un modèle du genre pour les vinifications bourguignonnes.

DOM. CACHAT-OCQUIDANT ET FILS
Les Maréchaudes 2003 *

■ 1er cru 0,16 ha 1 000 🛢 15 à 23 €

Ce domaine fait apprécier ses Maréchaudes, un *climat* proche de Ladoix. Prenez votre temps pour convoquer cette bouteille à votre table. Si sa teinte est flamboyante, ses arômes sont moins expansifs (fruits noirs, café). D'un fruit généreux, ce vin se présente au palais avec fermeté mais sans arrogance. Long et beau 2003, suave et gras, portant sa petite pointe d'amertume comme une plume à son chapeau. Trois à cinq ans de garde.

🔑 Dom. Cachat-Ocquidant, 3, pl. du Souvenir,
21550 Ladoix-Serrigny, tél. 03.80.26.45.30,
fax 03.80.26.48.16 ☑ Y 🚶 r.-v.

CAPITAIN-GAGNEROT Les Moutottes 2003 *

■ 1er cru 1,46 ha 6 000 🛢 23 à 30 €

Ces mêmes Moutottes version 2002 ont reçu l'an dernier le coup de cœur. Le millésime suivant fait le plein de jeunesse sans excès d'extraction. Au nez, l'éveil exprime des notes fumées et de fruits rouges très mûrs. S'il subsiste bien sûr quelques tanins à polir, la bouche est assez ronde. Elle repose sur une structure de maturité déjà solide et qui devrait tenir quelques années.

🔑 Capitain-Gagnerot,
38, rte de Dijon, 21550 Ladoix-Serrigny,
tél. 03.80.26.41.36, fax 03.80.26.46.29,
e-mail contact@capitain-gagnerot.com ☑ Y 🚶 r.-v.

DOM. MARGUERITE CARILLON
Les Maréchaudes 2003 **

■ 1er cru 0,4 ha 2 500 🛢 15 à 23 €

Allez donc refuser le plaisir que vous offre cette bouteille demoiselle d'honneur du coup de cœur ! Sous une robe grenat cerné de violet, les arômes font la ronde en se tenant par la main : framboise, raisin très mûr, brûlé du fût. Rond, gras, élégant, un vin glamour comme ces figures de rêve qu'on voit dans les magazines. Mieux vaut prendre la main quand on a de la chance : profitez-en maintenant.

🔑 Dom. Marguerite Carillon, 7, rte de Monthelie, 21190 Meursault, tél. 03.80.21.22.45, fax 03.80.21.28.05

## DOM. CHEVALIER PERE ET FILS 2002 *

■ 1,5 ha 8 000 🍷 15 à 23 €

Ce domaine de 12 ha fut constitué en 1885. Sous-bois, feuillages, ce vin nous emmène aux champignons et son nez a de l'allant. Assez puissant, discrètement complexe, puisque des notes de cerise et de rose fanée s'ajoutent au bouquet. L'œil ? D'un rubis accompli. Tout concourt en bouche à l'élégance du propos. Sans doute ne présente-t-il pas un volume énorme, mais le millésime ne l'exige pas. Agréable, il peut être servi dans l'année à venir.

🔑 SCE Chevalier Père et Fils, Buisson, 21550 Ladoix-Serrigny, tél. 03.80.26.46.30, fax 03.80.26.41.47, e-mail ladoixch@club-internet.fr
☑ 🍷 🚶 r.-v.

## EDMOND CORNU ET FILS Les Valozières 2002 *

■ 1er cru 0,42 ha 2 400 🍷 23 à 30 €

En voilà un qui prend la vie du bon côté ! Sa structure, sa chair se laissent caresser. Les tanins ne sont pas absents mais ils ont de la finesse et contribuent à ce caractère soyeux. Pourpre soutenu, tirant sur le mauve, ce 2002 esquisse de petites nuances de cerise bien mûre. Ces vignes de quarante-cinq ans d'âge ont bien supporté ces dix-huit mois de fût dont 20 % sont neufs.

🔑 Edmond Cornu et Fils, Le Meix Gobillon, 21550 Ladoix-Serrigny, tél. 03.80.26.40.79, fax 03.80.26.48.34 ☑ 🏠 🍷 🚶 r.-v.

## DOUDET-NAUDIN Les Guèrets 2003

■ 1er cru 0,65 ha 3 402 🍷 30 à 38 €

Grenat sombre, il a été vendangé le 7 septembre 2003 – ce qui relève d'une rare patience. Au nez, le pruneau cuit



**La côte de Beaune (Nord)**

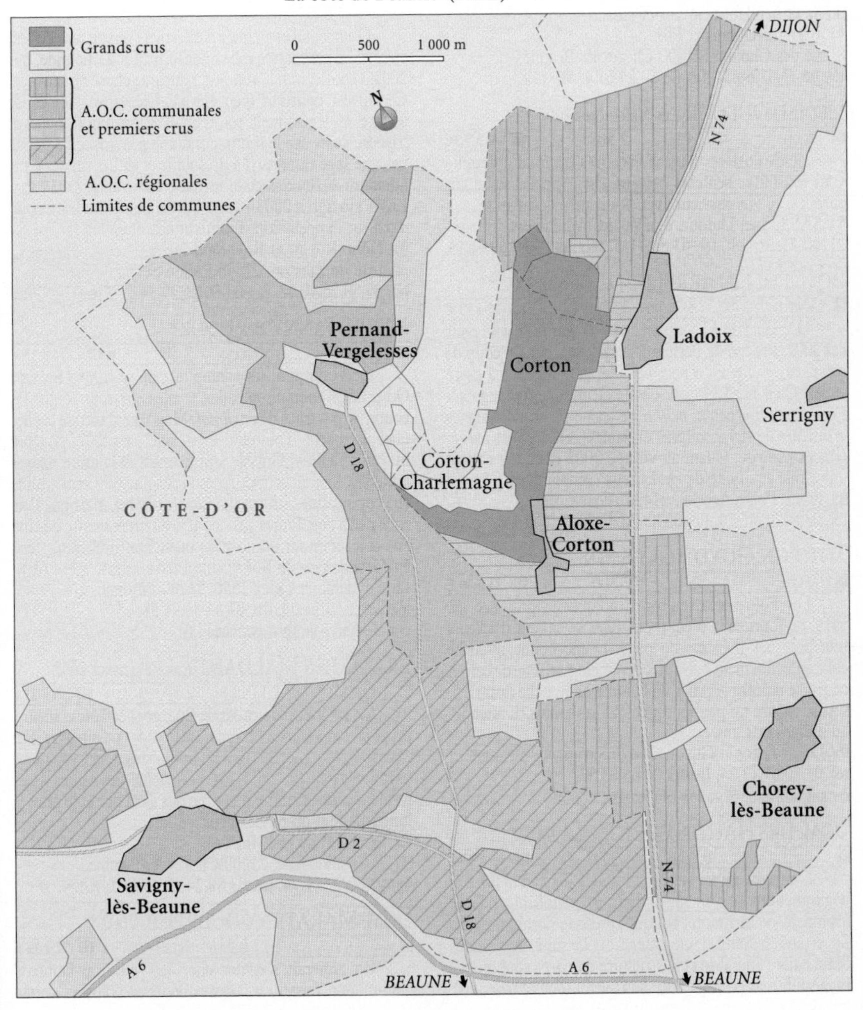

traduit une forte maturité. Une attaque souple se prolonge sur la cerise à l'eau-de-vie et le cacao avant que ne s'impose une texture au grain assez fin. Sous d'autres cieux, on le dirait fils du Soleil.
Doudet-Naudin, 3, rue Henri-Cyrot, BP 1, 21420 Savigny-lès-Beaune, tél. 03.80.21.51.74, fax 03.80.21.50.69, e-mail doudet-naudin@wanadoo.fr r.-v.
Yves Doudet

BERNARD DUBOIS ET FILS Les Brunettes 2002 *

1,54 ha 6 000 15 à 23 €

Ces Brunettes sont bien mignonnes. Le *climat* s'appelle les Brunettes et Planchots, mais il est permis de simplifier. Rappelez-vous, ce fut le coup de cœur de notre édition 2000. Beaucoup de couleur vive dans ce vin dont le bouquet commence à s'exprimer avec fraîcheur et finesse : un boisé tempéré et quelques grains de cassis. Vaillant à l'attaque, ample, encore un peu dur sous l'effet des tanins, il conviendra aux fromages à croûte fleurie dans un an et pendant cinq ans et plus...
Bernard Dubois et Fils, 8, rue des Chobins, 21200 Chorey-lès-Beaune, tél. 06.73.08.68.74, fax 03.80.24.61.43 r.-v.

LIONEL DUFOUR Les Valozières 2003 *

1er cru 0,34 ha 2 500 46 à 76 €

Ces Valozières d'un violacé très profond a de quoi vous satisfaire : senteurs épicées, chair moelleuse, tanins enrobés, ce vin parvient avec bonheur à destination.
SAS Lionel Dufour, 6, allée des Amandiers, 21190 Meursault, tél. 03.80.21.67.02, fax 03.87.69.71.13

DOM. FOLLIN-ARBELET Les Vercots 2002 **

1er cru 1 ha 3 900 15 à 23 €

Domaine de 4 ha seulement et de grande classe pour ces 2002. Proche de Pernand-Vergelesses et... du coup de cœur, ce 1er cru a l'aspect velouté, grenat foncé à liseré violet. Quel nez ! Noyau, cassis et mûre se conjuguent. Fortement charpenté, ce vin ne lésine pas sur les signes extérieurs de richesse (gras et fruit). L'élevage est parfaitement maîtrisé. Quant au **village 2002 rouge**, il obtient une étoile et suscite de chaleureux compliments.
Dom. Follin-Arbelet, 21420 Aloxe-Corton, tél. 03.80.26.46.73, fax 03.80.26.43.32 r.-v.

ANTONIN GUYON Les Fournières 2002

1er cru 1,35 ha 7 500 23 à 30 €

Les Fournières semblent indiquer la présence ici, jadis, de fourneaux à charbon. Elles se situent d'ailleurs tout près des maisons du pays. D'une bonne intensité colorante, finement boisé et légèrement parfumé de cerise, ce vin se montre régulier de l'entrée en bouche jusqu'à la sortie, encore un peu marquée par ses tanins. L'attendre au moins deux ans.
Dom. Antonin Guyon, 21420 Savigny-lès-Beaune, tél. 03.80.67.13.24, fax 03.80.66.85.87, e-mail domaine@guyon-bourgogne.com r.-v.

DOM. DES HAUTES CORNIERES 2002 *

0,7 ha 4 200 15 à 23 €

L'intrigue est ici bien conduite du début à la fin. Les dégustateurs sont pleinement d'accord pour le juger de bel avenir. Robe insistante, bouquet presque floral tant il est fin et subtil. Sans doute attend-on la suite, mais dans l'immédiat l'équilibre et la structure du corps sont amplement suffisants pour garantir son avenir (deux à trois ans).
Chapelle et Fils, Dom. des Hautes-Cornières, 21590 Santenay, tél. 03.80.20.60.09, fax 03.80.20.61.01, e-mail contact@domainechapelle.com t.l.j. sf dim. 9h-12h 14h-17h

DOM. ROBERT ET RAYMOND JACOB 2003 **

1 ha 6 000 15 à 23 €

Gourmand et plein de fruit, voici l'oiseau rare et il est en cage ! Il arbore une robe intense, profonde, limpide, très 2003. Griotte, moka, son nez a quelque chose de sauvage. Ce vin est pourtant bien élevé... Relevée par la cerise confite et légèrement toastée, sa constitution riche et soyeuse laisse sur le sentiment d'une générosité contenue par une sage réserve. Il a du souffle et suffisamment pour atteindre 2010 dans cette forme éblouissante. Le **1er cru Les Valozières 2003 rouge** offre lui aussi un beau coup d'œil sur l'appellation. Il obtient une étoile.
Dom. Robert et Raymond Jacob, hameau de Buisson, 21550 Ladoix-Serrigny, tél. 03.80.26.40.42, fax 03.80.26.49.34 r.-v.

PIERRE JANNY Beloix 2002 *

n.c. 2 500 11 à 15 €

Question pour un champion : où se trouve Beloix ? On a beau compulser l'atlas le plus sûr sous toutes les coutures, pas trace de ce *climat*. Mais il peut bien se cacher quelque part ! Toujours est-il que ce 2002 pourpre moyen brillant et limpide voit le cassis et la mûre relayer la vanille. La fraîcheur de l'attaque évolue vers une certaine chaleur sur une surface tannique présente mais qui s'enrobe peu à peu. Plutôt charmeur, à attendre quatre ou cinq ans et à servir sur un pavé de biche aux airelles.
Grands vins de Bourgogne Pierre Janny, La Condemine, Cidex 1556, 71260 Péronne, tél. 03.85.23.96.20, fax 03.85.36.96.58, e-mail pierre-janny@wanadoo.fr

FRANCOISE MALDANT Les Valozières 2002

1er cru 1,14 ha 2 500 15 à 23 €

Ce 1er cru est un cadet de Bourgogne. Côté couleurs, cela saute aux yeux. Nez fermé, diront les pessimistes. Pas encore ouvert, répliqueront les optimistes. Le jury se range parmi ceux-ci. Ce 2002 a de la mâche, des tanins assez fermes ; cette austérité n'étonne pas à cet âge et le gras, la longueur sont au rendez-vous.
Dom. Françoise Maldant, 24-27, Grande-Rue, 21200 Chorey-lès-Beaune, tél. 03.80.22.11.94, fax 03.80.24.10.40 r.-v.

DOM. MARATRAY-DUBREUIL 2002 *

1,27 ha n.c. 11 à 15 €

On aimerait s'inviter chez les Maratray-Dubreuil autour d'un faisan en cocotte. Velours pourpre, ce vin affiche des arômes assez libérés (cassis, jus de cerise) qui font quelque peu rêver... Sa texture est à la fois ferme et souple, bien pourvue en fruit, corsée sans excès, tannique sans raideur. Finale un peu vive. Beau *village*.

Dom. Maratray-Dubreuil,
5, pl. du Souvenir, 21550 Ladoix-Serrigny,
tél. 03.80.26.41.09, fax 03.80.26.49.07,
e-mail maratray-dubreuil@club-internet.fr
t.l.j. sf dim. 9h-12h 14h-18h

### DOM. DIDIER MEUNEVEAUX 2003

1er cru 0,84 ha 1 500 15 à 23 €

Tendre, il est charnu, soyeux. C'est un style. Il peut paraître un peu superficiel mais à y regarder de plus près la matière est intéressante. En tout cas l'agressivité n'est pas à l'ordre du jour ! Rubis accentué par l'intensité de la lumière, il se contente de quelques effluves (fruits rouges et réglisse). Prêt à la dégustation, pour le canard de préférence à l'entrecôte de charolais.

Didier Meuneveaux, 9, pl. des Brunettes,
21420 Aloxe-Corton, tél. 03.80.26.42.33,
fax 03.80.26.48.60, e-mail tmeuneveaux@club-internet.fr
t.l.j. sf dim. 10h-12h 14h-18h

### DOM. NUDANT La Coutière 2002 *

1er cru 0,79 ha 4 500 23 à 30 €

La Coutière est sur Ladoix, juste en dessous du Corton son voisin. Réputés jadis pour résister aux voyages les plus longs, les vins d'Aloxe ont en effet du coffre et du souffle. Celui-ci pourrait ainsi naviguer au long cours et dépasser le cap Horn. Il brille dans le verre. Il associe à la vanille un joli fruit rouge. Il se montre plein, charnu, capable de perdre la sévérité de ses tanins.

Dom. Nudant, 11, rte de Dijon,
21550 Ladoix-Serrigny, tél. 03.80.26.40.48,
fax 03.80.26.47.13, e-mail domaine.nudant@wanadoo.fr
t.l.j. sf dim. 8h30-12h 14h-18h; sam. sur r.-v.

### PAULANDS Vercots 2002

1er cru n.c. n.c. 23 à 30 €

Maison de négoce et hôtel-restaurant réputé le long de la RN 74. Y a-t-il dans ce vin à boire et à manger ? Discret, il vérifie ses atouts avant d'abattre ses cartes. On l'attendra donc un peu. Pourpre brillant à nuance pivoine, il respire le pain grillé : ses dix-huit mois de fût ne se font pas oublier. Sa relative souplesse, sa pointe d'amertume due aux tanins entrent dans les habitudes des 2002.

Les Paulands, RN 74, 21420 Aloxe-Corton,
tél. 03.80.26.41.05, fax 03.80.26.47.56,
e-mail paulands@wanadoo.fr
t.l.j. 8h-12h 14h-18h
C. Fasquel

### DOM. DU PAVILLON 2002 *

0,52 ha 2 500 23 à 30 €

Le vin du futur. Non, ce n'est pas le titre d'un roman d'anticipation, mais la prévision inspirée par ce vin : il mérite d'avoir le temps de s'ouvrir. Ne croyez pas pour autant qu'il serait fermé comme un escargot l'hiver ! Ses arômes naissants suggèrent le kirsch, la pêche de vigne (qu'on ne trouve plus guère sur pied, hélas !) tandis que le corps apparaît athlétique, souple et puissant. Bien construit, encore assez sévère, ce 2002 peut en effet descendre à la cave pour trois à quatre ans mais tout aussi bien aller tout de suite à l'essentiel. Le Domaine du Pavillon fait partie des vignes et des vins Albert Bichot.

A. Bichot, Dom. du Pavillon,
6 bis, bd Jacques-Copeau, 21200 Beaune,
tél. 03.80.24.37.37, fax 03.80.24.37.38,
e-mail bourgogne@albert-bichot.com

### DOM. RAPET PERE ET FILS 2003 *

3 ha 7 000 15 à 23 €

Si vous rendez visite à cette famille, on vous montrera sûrement le tâte-vin marqué Rapet et daté 1792. Deux siècles plus tard, bon sang ne saurait mentir. Rouge violine, cet aloxe est un enfant au berceau. Le cassis semble agrémenter un nez au demeurant fort jeune. Très démonstratifs, les tanins doivent également acquérir le poli du marbre. La préface laisse cependant espérer un bel ouvrage dans trois ou quatre ans.

Dom. Rapet Père et Fils,
21420 Pernand-Vergelesses,
tél. 03.80.21.59.94, fax 03.80.21.54.01 r.-v.

### REINE PEDAUQUE 2003 *

0,7 ha 1 500 23 à 30 €

La Reine Pédauque est l'œuvre de Pierre André, établi ici depuis 1923, quand il acquit le célèbre restaurant éponyme à Paris en 1937. Reprise il y a quelques années par le Groupe Ballande, elle invite à sa cour un aloxe superbement vêtu et qu'accompagne un léger parfum de fruits à noyau. Petite attention boisée, vivacité lors des présentations, concentration considérable : ce 2003 s'exprime en pesant chacun de ses mots. Un vin de collection, qui aura beaucoup de conversation.

Reine Pédauque, Le Village, 21420 Aloxe-Corton,
tél. 03.80.25.00.00, fax 03.80.26.42.00,
e-mail rpedauque@axnet.fr r.-v.

### DOM. ROSSIGNOL-JEANNIARD 2002 *

0,67 ha 1 800 15 à 23 €

Pour un pot-au-feu du dimanche midi l'hiver 2006. Rubis violacé, il a bonne mine. Son bouquet fait une percée mesurée sur le cassis et la vanille. Gras et puissant, structuré comme il doit l'être, ce vin agrémente sa finale des mêmes arômes. Digne d'un *village* et bien sûr, à ne pas déboucher dès réception de la commande.

Rossignol-Jeanniard, rue de Mont, 21190 Volnay,
tél. 03.80.21.62.43, fax 03.80.21.27.61,
e-mail domaine-rossignol-jeanniard@wanadoo.fr
r.-v.

### DOM. GEORGES ROY ET FILS 2002 *

0,5 ha 2 800 11 à 15 €

N'espérez pas le prendre de court, celui-là ! Il sait valoriser ses dons. Rubis soutenu, il est assez adroit pour montrer concentration et complexité. Au nez s'expriment la griotte à l'eau-de-vie mais aussi l'humus, le sous-bois. La bouche perçoit des sensations analogues derrière une attaque menée tambour battant. Persistance très correcte. Nettement dans la première moitié du peloton.

Dom. Georges Roy et Fils,
20, rue des Moutots, 21200 Chorey-lès-Beaune,
tél. 03.80.22.16.28, fax 03.80.24.76.38 r.-v.

## Pernand-vergelesses

Situé à la réunion de deux vallées, exposé plein sud, le village de Pernand est sans doute le plus « vigneron » de la Côte. Rues

BOURGOGNE

étroites, caves profondes, vignes de coteaux, hommes de grand cœur et vins subtils lui ont fait une solide réputation, à laquelle de vieilles familles bourguignonnes ont largement contribué. On a produit, en 2004, 3 464 hl de vins rouges dont le premier cru le plus réputé, à juste titre, est l'Ile des Vergelesses, tout en finesse ; et aussi d'excellents vins blancs (2 345 hl).

### BOISSEAUX-ESTIVANT Les Vergelesses 2002 *

■ 1er cru 0,3 ha 1 600 30 à 38 €

Avoir Charlemagne sur ses terres et se faire appeler Vergelesses ! Camille Rodier n'en revenait pas, mais quand le choix s'est présenté, les habitants de Pernand n'ont écouté que leur sang républicain... Boisé mais à la robe délurée et au nez arrangeant, sachant tirer profit de son acidité et faisant la part équitable entre fruits rouges et tanins, ce 1er cru peut accompagner les viandes rôties.

Boisseaux-Estivant, 38, fb Saint-Nicolas, BP 107, 21200 Beaune, tél. 03.80.22.26.84, fax 03.80.24.19.73

### BOUCHARD PERE ET FILS 2003

■ n.c. n.c. 11 à 15 €

Le jury en a longuement débattu : d'une atypicité... typique, pour un 2003 il va sans dire, un pernand charnu, tannique, puissant. Il devrait évoluer vers de beaux horizons, traitant l'affaire à grands coups de rabot. Grenat à reflets pourpres, il séduit déjà l'œil ; le nez joue sur le fruit cuit. Le canard braisé aux airelles devrait être dans ses bons sentiments. Pas trop tôt cependant.

Bouchard Père et Fils, Ch. de Beaune, 21200 Beaune, tél. 03.80.24.80.24, fax 03.80.22.55.88, e-mail france@bouchard-pereetfils.com r.-v.

### DOM. CHANSON PERE ET FILS Les Caradeux 2003 *

1er cru 1,89 ha 3 410 15 à 23 €

Pour un poisson mais pas forcément en carême. En sauce, dites-vous ? Homard grillé ? Non, pas de fantaisie. Bar ou cabillaud, parfait. La robe est dorée, appétissante. Le nez tout miel. Son ampleur et son gras n'ont pas fini de nous en raconter au palais. A ranger deux ou trois ans dans une cave de seconde bouche. Affaire beaunoise de négoce-éleveur devenue champenoise (Bollinger).

Dom. Chanson Père et Fils, 10, rue Paul-Chanson, 21200 Beaune, tél. 03.80.25.97.97, fax 03.80.24.17.42, e-mail chanson@vins-chanson.com r.-v.

### DOM. DENIS PERE ET FILS Les Vergelesses 2003 *

■ 1er cru 0,4 ha 1 800 11 à 15 €

Denis Père et Fils ? On devrait dire plutôt Denis Frères, car Roland et Christophe ont aujourd'hui la charge du domaine. Entrés en action le 25 août, les sécateurs, très en avance sur leurs habitudes, ont placé tous les domaines devant des choix délicats. Couleur fauve, nez de baies noires sauvages, puissant mais sans pencher d'un côté ou de l'autre, animé par une pointe de vivacité, le problème a trouvé sa solution. Le fût, encore présent, saura se fondre dans deux ou trois ans. Voir également le **pernand 2003 blanc**, bien réussi et qui obtient haut la main son étoile.

Dom. Denis Père et Fils, chem. des Vignes-Blanches, 21420 Pernand-Vergelesses, tél. 03.80.21.50.91, fax 03.80.26.10.32, e-mail denis.pere-et-fils@wanadoo.fr r.-v.

### DOM. P. DUBREUIL-FONTAINE PERE ET FILS 2003

2,29 ha 8 000 11 à 15 €

On aura beau nous raconter tout ce qu'on veut, c'était quelque chose d'entendre le Piârre verre en main nous raconter son voisin Jacques Copeau, fondateur de la « NRF » et du *Vieux Colombier* ! Il n'est plus là, mais il y a de la suite... Voici un pernand paille mûre, floral, joyeux à l'attaque, légèrement suave, peu acide et sans trop de fût. Peu importe le poisson si la sauce est crémeuse.

Dom. P. Dubreuil-Fontaine, rue Rameau-Lamarosse, 21420 Pernand-Vergelesses, tél. 03.80.21.55.43, fax 03.80.21.51.69, e-mail dubreuil.fontaine@wanadoo.fr t.l.j. sf dim. 9h-12h 14h-18h; sam. 9h-12h; f. semaine du 15 août

### DOM. JEAN FERY ET FILS 2002

■ 1er cru 0,16 ha 2 100 15 à 23 €

Un joli patrimoine viticole de 10 ha dont prend soin le petit-fils du fondateur. Voici son 2002 rubis franc et brillant dont le bouquet balance entre la cerise et la figue fraîche. L'alcool et le fruit s'équilibrent. Ses tanins sont assouplis mais nullement assoupis. Léger et gourmand, un vin bien dans son millésime, sans prétentions excessives.

Dom. Jean Féry et Fils, rue Marey, 21420 Echevronne, tél. 03.80.21.59.60, fax 03.80.21.59.59, e-mail fery.meunier@wanadoo.fr r.-v.

### DOM. JEAN-JACQUES GIRARD Les Belles Filles 2003

1,03 ha 4 100 11 à 15 €

Ce domaine perdure dans la même famille depuis le XVIes. Il propose un vin né d'un *climat* qui s'appelle en réalité « Sous le Bois de Noël et les Belles Filles ». On peut difficilement rencontrer de meilleures marraines à son baptême ! D'un bel or pâle, animé par un parfum léger de fruit mûr, ce vin de structure moyenne mérite cependant d'être cité. A choisir pour des ris de veau.

Dom. Jean-Jacques Girard, 16, rue de Cîteaux, BP 17, 21420 Savigny-lès-Beaune, tél. 03.80.21.56.15, fax 03.80.26.10.08, e-mail jjacquesgirard@aol.com t.l.j. sf dim. 8h-12h 14h-19h

### DOM. PHILIPPE GIRARD Les Belles Filles 2003 *

0,35 ha 2 300 11 à 15 €

Les Belles Filles donnent tout ce qu'elles ont... en fonction de leur millésime. Celles-ci sont assez bien pourvues des avantages de la nature. Jaune entre paille et citron, portant un bouquet de fleurs du printemps, peu puissant mais harmonieux, relativement frais et d'une certaine élégance, un vin à déguster seul, sans attendre, avec ses amis, ou accompagné d'un sandre... avec les mêmes amis.

Philippe Girard, 37, rue du Gal-Leclerc, 21420 Savigny-lès-Beaune, tél. 03.80.21.57.97, fax 03.80.26.14.84 r.-v.

### JACOB-FREREBEAU 2002

■ 0,6 ha 3 000 5 à 8 €

Net, simple, authentique et prometteur, il débute bien dans la vie sous un teint rouge clair, rubis moyen. Le nez

chasse de race ; il oublie peu à peu le fruit pour se vouer à des accents plus mâles, de gibier, et si l'on cherchait encore le fruit : disons la grenade. Sans doute voit-il le bout du chemin dans sa ligne de mire, mais il nous plaît bien.
Jacob-Frèrebeau, 50, Grande-Rue,
21420 Changey-Echevronne, tél. 03.80.21.55.58
r.-v.

DOM. JAFFELIN PERE ET FILS
Creux de la Net 2002

1er cru 0,65 ha 3 090 11 à 15 €

*Climat* penchant vers Savigny. Les reflets de ce vin, d'une tendance pourpre évoluée, annoncent un 1er cru au bouquet discret et subtil : cassis et café. Si son corps est linéaire et léger, il se laisse approcher aussi facilement que Mirandoline dans la pièce que jouaient naguère au village les élèves de Jacques Copeau.
Roger Jaffelin et Fils, 21420 Pernand-Vergelesses,
tél. 03.80.21.52.43, fax 03.80.26.10.39
t.l.j. 9h-12h 14h-19h; dim. sur r.-v.
Y. et P. Jaffelin

DOM. MICHEL JOANNET 2003 **

0,5 ha 1 500 8 à 11 €

Il manque le coup de cœur d'un quart de souffle. Ne le répétez pas, mais il pourrait s'appeler 1er cru. Sa robe paille limpide séduit ; son boisé se teinte de floral et de balsamique. Puis l'attaque joue l'abricot confit. Il est ferme et vif encore mais riche, équilibré, long, intéressant.
Dom. Michel Joannet, Grande-Rue,
21700 Marey-lès-Fussey, tél. et fax 03.80.62.90.58
r.-v.

DOM. LALEURE-PIOT Les Vergelesses 2003 *

1er cru 1,7 ha 5 000 15 à 23 €

Cette cave présente un **pernand village blanc 2003 (11 à 15 €)** qui lui vaut une étoile unanime. Son cousin rouge se situe dans l'esprit du millésime : couleur fuchsia, arômes entreprenants, bouche puissante et serrée, légère pointe de chaleur en finale. Laisser deux à trois ans en cave : un rôti saura le mettre en valeur et réciproquement.
Dom. Laleure-Piot, rue de Pralot,
21420 Pernand-Vergelesses, tél. 03.80.21.52.37,
fax 03.80.21.59.48, e-mail infos@laleure-piot.com
t.l.j. 8h-12h 14h-18h; sam. dim. sur r.-v.
Frédéric Laleure

JEAN-PHILIPPE MARCHAND
Les Terroirs 2003 *

0,5 ha 3 000 11 à 15 €

Les Terroirs ? Ni un lieu-dit, ni un *climat*. Sans doute a-t-on le droit d'étiqueter des noms de fantaisie, mais celui-là n'apprend pas grand-chose... C'est un 2003 encore fermé mais qui s'apprête à donner le meilleur. Encore animal et chaud, il est « complet » ; l'extraction semble maîtrisée ; il va se fondre. A déguster en 2006-2007.
Jean-Philippe Marchand, 4, rue Souvert, BP 41,
21220 Gevrey-Chambertin, tél. 03.80.34.33.60,
fax 03.80.34.12.77, e-mail marchand@axnet.fr
t.l.j. sf dim. lun. 10h-18h30

PIERRE MAREY ET FILS Les Fichots 2003 *

1er cru 0,43 ha 2 300 15 à 23 €

Domaine d'excellente réputation, propriétaire de 10 ha et ici bien dans son appellation. Ce vin en impose par sa puissance et sa longueur. Sa robe est violine ; ses arômes jouent sur les fruits mûrs et le torréfié. L'entrée à dominante vive montre sa jeunesse, puis la bouche s'impose, copieuse, sur des tanins assez souples. Démonstratif comme l'est un pinot noir rentré à la cuverie le 25 août. Le **pernand 2003 blanc (11 à 15 €)** est onctueux, gras et fait pour la blanquette de veau. Il obtient une étoile.
EARL Pierre Marey et Fils, rue Jacques-Copeau,
21420 Pernand-Vergelesses, tél. 03.80.21.51.71,
fax 03.80.26.10.48 r.-v.

PAULANDS Les Fichots 2003 **

1er cru n.c. n.c. 15 à 23 €

D'une merveilleuse concentration, d'une trame follement serrée, c'est une bouteille qui saura être de garde. Disons pour trois à quatre ans. Austère aujourd'hui, foncé, fermé, puissant, un pernand marqué par son millésime, issu d'un 1er cru voisin des Vergelesses.
Les Paulands, RN 74, 21420 Aloxe-Corton,
tél. 03.80.26.41.05, fax 03.80.26.47.56,
e-mail paulands@wanadoo.fr
t.l.j. 8h-12h 14h-18h

BOURGOGNE

DOM. PAVELOT Sous Frétille 2003

1er cru 0,69 ha 2 860 15 à 23 €

Un nom que connaissent bien les anciens lecteurs de *La Bourgogne républicaine*, au temps où l'on croisait dur le fer durant les campagnes électorales ! Mais sans sa mémoire, que serait la Bourgogne ? Sous Frétille (en plein milieu du village, sous l'oratoire si bien illuminé la nuit) est un 1er cru de fraîche date : très convenable et faisant partie du paysage. Or jaune, assez vanillé, celui-ci a besoin de quelques instants d'aération car sa légère amertume monte à cheval sur le gras et sur l'expression du cépage.
EARL Dom. Régis et Luc Pavelot, rue du Paulant,
21420 Pernand-Vergelesses, tél. et fax 03.80.26.13.65,
e-mail earl.pavelot@cerb.cernet.fr r.-v.

DOM. RAPET PERE ET FILS
Ile des Vergelesses 2003 *

1er cru 0,65 ha 3 000 15 à 23 €

La pente favorise cette île à laquelle Jules Verne n'a pas pensé... évocatrice de voyages extraordinaires. Grenat foncé à reflets pourpres, ce millésime offre des arômes qui réunissent la cire et la réglisse. Un grand pas en avant : à l'aération, la framboise montre le bout de son nez. Après une bonne attaque s'impose une structure réaliste. Un vin complet dont le gras s'associe à des tanins bien construits. Trois à cinq ans de garde.
Dom. Rapet Père et Fils,
21420 Pernand-Vergelesses, tél. 03.80.21.59.94,
fax 03.80.21.54.01 r.-v.

DOM. ROLLIN PERE ET FILS 2003 *

1,8 ha 7 000 11 à 15 €

Deux bouteilles estimées. Le **1er cru Sous Frétille 2003 blanc (15 à 23 €)**, une étoile, floral et miellé. Et celle-ci en *village*. Rappelez-vous que le saumon à l'oseille est né de l'imagination des frères Troisgros : voici l'accord tout trouvé ! Paille clair à reflets or, le nez floral, exotique et miellé, lui aussi, se révèle frais et équilibré jusqu'à une finale où se mêlent le gras et des notes beurrées. Une acidité bien en place lui confère un équilibre prometteur.
Rollin Père et Fils, rte des Vergelesses,
21420 Pernand-Vergelesses, tél. 03.80.21.57.31,
fax 03.80.26.10.38, e-mail rollin.pereetfils@wanadoo.fr
r.-v.

NICOLAS ROSSIGNOL 2002 *

■ 0,5 ha 1 800 15 à 23 €

« Qui voit Pernand n'est pas dedans », dit-on dans la région. Car s'il faut marcher pour monter au village, on y est bien récompensé. La palette de couleurs de ce vin va du rose au violet selon l'orientation du verre. Le nez joue dans son millésime mais signe une extraction sensible. On ne serait pas surpris si lui venaient des ardeurs futures. Même physionomie aromatique en rétro-olfaction après une attaque nette et franche, rondement menée. Ses tanins le portent en avant, assurant le potentiel.

Nicolas Rossignol, rue de Mont, 21190 Volnay, tél. 03.80.21.62.43, fax 03.80.21.27.61, e-mail nicolas-rossignol@wanadoo.fr r.-v.

# Corton

La « montagne de Corton » est constituée, du point de vue géologique et donc du point de vue des sols et des types de vins, de différents niveaux. Couronnées par le bois qui pousse sur les calcaires durs du rauracien (oxfordien supérieur), les marnes argoviennes laissent apparaître des terres blanches propices aux vins blancs (sur plusieurs dizaines de mètres). Elles recouvrent la « dalle nacrée » calcaire en plaquettes, avec de nombreuses coquilles d'huîtres de grande dimension, sur laquelle ont évolué des sols bruns propices à la production de vins rouges.

Le nom du lieu-dit est associé à l'appellation corton, qui peut être utilisée en blanc, mais est surtout connue en rouge. Les Bressandes sont produits sur des terres rouges et allient à la puissance la finesse que leur confère le sol. En revanche, dans la partie haute des Renardes, des Languettes et du Clos du Roy, les terres blanches donnent en rouge des vins charpentés qui, en vieillissant, prennent des notes animales, sauvages, que l'on retrouve dans les Mourottes de Ladoix. Le corton est le grand cru le plus important en volume : sur une centaine d'hectares il a produit 3 511 hl en rouge et 138 hl en blanc en 2004.

DOM. D'ARDHUY Renardes 2003 *

■ Gd cru 1 ha 4 000 46 à 76 €

La famille Liogier d'Ardhuy a cédé les maisons Reine Pédauque et Pierre André, mais elle demeure propriétaire d'un domaine de 42 ha particulièrement bien implanté dans le grand cru. Les **Pougets 2003** obtiennent une citation alors que les **Hautes Mourottes rouge 2003** reçoivent une étoile. C'est pourtant les Renardes qui suscitent le plus de compliments. Boisé avec adresse, ce corton évoque le pruneau, le fruit mûr en compote et on sent beaucoup de bonnes choses en réserve. Savoureux et chatoyant, il a le corps pour lui. A laisser vieillir pour un dernier coup de rabot, et on pourra faire appel à lui lors d'une grande occasion (gibier à poil aux fruits rouges).

Dom. d'Ardhuy, Clos des Langres, 21700 Corgoloin, tél. 03.80.62.98.73, fax 03.80.62.95.15, e-mail domaine.d.ardhuy@tiscali.fr r.-v.

M. Liogier d'Ardhuy

JEAN-CLAUDE BELLAND

Clos de la Vigne au Saint 2002 *

■ Gd cru 0,49 ha 2 200 15 à 23 €

Ancienne vigne des chanoines de Saulieu. A Santenay, n'oubliez pas l'église Saint-Jean du XIes. Par son mariage avec une petite-fille Poisot-Latour, Adrien Belland reçut naguère plusieurs belles parcelles sur le coteau de Corton. Son fils Jean-Claude présente sa Vigne au Saint, *climat* aux sols assez argileux qui donnent un vin caractérisé par sa finesse. La robe et le bouquet restent jeunes (légère framboise). Déjà ouvert, ce 2002 peut être servi maintenant. Il offre davantage d'élégance que de structure.

Jean-Claude Belland, 45, Grande-Rue, 21590 Santenay, tél. 03.80.20.61.90, fax 03.80.20.65.60 r.-v.

DOM. CACHAT-OCQUIDANT ET FILS

Clos des Vergennes Monopole 2003 *

■ Gd cru 1,42 ha n.c. 23 à 30 €

En 1937, M. Ocquidant se rend à une vente aux enchères pour acheter une maison. Le prix s'envole et, pour ne pas avoir perdu son temps, il acquiert le monopole du Clos des Vergennes sur 1,42 ha : cette vigne fait depuis la gloire de la famille. « C'est de la Quintonine ! », disait M. Ocquidant, tant son corton a de l'élan. Celui-ci est en effet assez robuste. De nuance sombre, discrètement boisé sur fond de fruits rouges confits, il reste dans le cadre de la surmaturation du millésime. Solide, sans trop de persistance et probablement encore un peu fermé. Un dégustateur propose d'étonner vos convives en le servant avec un foie gras poêlé.

Dom. Cachat-Ocquidant, 3, pl. du Souvenir, 21550 Ladoix-Serrigny, tél. 03.80.26.45.30, fax 03.80.26.48.16 r.-v.

CAPITAIN-GAGNEROT Les Maréchaudes 2003 *

■ Gd cru 0,2 ha 1 000 30 à 38 €

Patrice et Michel ont pris la suite de leur père Roger Capitain, lui-même issu d'une longue lignée vitivinicole à Ladoix. Deux siècles de bouteilles ! Les Maréchaudes sont sur Aloxe juste en dessous des Bressandes sur le coteau. Sous sa robe rouge cerise et grenat, ce vin répartit ses arômes entre le fruit rouge à l'eau-de-vie et le souvenir de ses quinze mois de fût. Vendange dès le 19 août pour un 2003 riche et chaud, de longueur moyenne, à attendre un peu. Le boisé est là mais il ne domine pas la matière.

Capitain-Gagnerot, 38, rte de Dijon, 21550 Ladoix-Serrigny, tél. 03.80.26.41.36, fax 03.80.26.46.29, e-mail contact@capitain-gagnerot.com r.-v.

MAISON CHAMPY 2003

■ Gd cru n.c. 900 30 à 38 €

Voltaire confie, dans une lettre, qu'il offre du beaujolais à ses convives venus de Genève et qu'il boit le corton en cachette... Ne l'imitons surtout pas ! Ce corton rouge carmin, à reflets d'un rose léger, est très bouqueté (confiture de groseilles, épices douces). Ses tanins sont enrobés,

son attaque enlevée. Eglantine sur la fin, il n'est cependant pas des plus longs. Vendange le 26 août.
Maison Champy, 5, rue du Grenier-à-Sel,
21200 Beaune, tél. 03.80.25.09.99, fax 03.80.25.09.95
t.l.j. sf dim. 10h-12h30 14h-18h30; sam. sur r.-v.
Pierre Meurgey

DOM. DES HERITIERS P. CHANSON PERE ET FILS Vergennes 2003 *

Gd cru 0,32 ha 758 + de 76 €

Si les fils de Charlemagne se sont disputé si ardemment l'héritage, c'est qu'il devait rester quelques fûts dans la cave impériale... Quelle couleur ? Tilleul brillant. Le chardonnay se met en quatre pour composer un bouquet complexe fait d'aubépine, de noisette fraîche et de beurre. Réflexion habituelle en 2003 : l'acidité ne réussit pas à capter durablement l'attention. En revanche, les arômes de fruits secs et la persistance du gras, l'impression de croquer du raisin plaident chaleureusement sa cause.
Dom. Chanson Père et Fils, 10, rue Paul-Chanson,
21200 Beaune, tél. 03.80.25.97.97, fax 03.80.24.17.42,
e-mail chanson@vins-chanson.com r.-v.

DOM. CHEVALIER PERE ET FILS Rognet 2003

Gd cru 1,16 ha 3 000 30 à 38 €

Claude Chevalier est depuis peu le président des quelque mille cinq cents viticulteurs de la Côte-d'Or et leur porte-voix. Un corton de Ladoix, réputé pour son caractère solide, charpenté, corsé. Cette bouteille est encore sévère, mais la matière est belle et la bouche va s'ouvrir. Son nez est en phase ascendante autour des fruits rouges. Très belle couleur. A décanter, mais pas avant deux à trois ans.
SCE Chevalier Père et Fils, Buisson,
21550 Ladoix-Serrigny, tél. 03.80.26.46.30,
fax 03.80.26.41.47, e-mail ladoixch@club-internet.fr
r.-v.

DOM. CORNU 2002 *

Gd cru 0,61 ha 3 000 30 à 38 €

Dix-huit mois en fût neuf : ce vin, né de vignes de soixante ans d'âge, ne cache pas son élevage. Sous un rubis prononcé, il vocalise sur un bel éventail aromatique : la confiture de fraises est accompagnée de notes toastées, grillées, de moka et de cuir. Vif sur la langue, il vit en bonne entente avec ses tanins. Trois ou quatre ans de garde.
Dom. Cornu,
rue du Meix-Grenot, 21700 Magny-lès-Villers,
tél. 03.80.62.92.05, fax 03.80.62.72.22 r.-v.

COUVENT DES CORDELIERS Renardes 2003 *

Gd cru n.c. 455 38 à 46 €

Ce couvent beaunois a reçu une nouvelle vocation grâce à André Boisseaux (Patriarche, Château de Meursault, etc.). Le corton Renardes est un vin accrocheur. « Sa solidité en bouche va presque jusqu'à la rugosité », écrit Claude Chapuis. On en tient ici le bon exemple, avec des tanins un peu durs mais qui n'étonnent pas en pareil lieu. Il suffit d'attendre que cela se fonde, d'ici deux à trois ans. Sa nature expansive, sa matière généreuse et sa montée en puissance incitent à le destiner à la venaison. Parfum de fraise écrasée, robe noir violine.
Caves du Couvent des Cordeliers,
rue de l'Hôtel-Dieu, 21200 Beaune, tél. 03.80.25.08.85,
fax 03.80.25.08.21 t.l.j. 9h30-12h 14h-18h

DOM. DUPONT-TISSERANDOT Rognet 2003 **

Gd cru 0,32 ha 900 38 à 46 €

L'une des trois meilleures bouteilles de la dégustation et, s'il n'en restait qu'une, ce serait peut-être bien celle-ci. Bigarreau très foncé, ce Rognet fait claquer le nom de corton comme un étendard au vent (la formule est de Camille Rodier). Nez compoté et vanillé, puis une constitution assez chaude mais équilibrée (vendange le 28 août) et parfaitement représentative d'un millésime bien vinifié. Le fruit rouge confit pousse avec l'acidité une petite pointe en fin de course. De garde.
Dom. Dupont-Tisserandot,
2, pl. des Marronniers, 21220 Gevrey-Chambertin,
tél. 03.80.34.10.50, fax 03.80.58.50.71
t.l.j. 8h30-12h 14h-18h; sam. dim. sur r.-v.
M.-Françoise Guillard Patricia Chevillon

DOM. MICHEL GAY ET FILS Renardes 2003 *

Gd cru 0,21 ha 1 000 23 à 30 €

Parcelle acquise en 1984 et divisée familialement en deux parts égales. Fruits rouges et vanille se partagent un bouquet où l'on devine du potentiel. Bonne attaque sur le fruit mûr à noyau, assez de gras pour ne pas patienter longtemps en cave, des tanins coopératifs, un peu de sécheresse en finale (vendange le 25 août) pour un ensemble généreux digne d'un faisan au salmis dans deux ans.
EARL Dom. Michel Gay et Fils,
1b, rue des Brenôts, 21200 Chorey-lès-Beaune,
tél. 03.80.22.22.73, fax 03.80.22.95.78 r.-v.

DOM. ANNE-MARIE GILLE Les Renardes 2003

Gd cru 0,16 ha 600 30 à 38 €

Léger sans doute, mais il saura accompagner un agneau de pré-salé... Rubis intense et d'une netteté parfaite, il a connu le fût. Pourtant ses arômes suggèrent davantage la groseille que la vanille. Franc, rond, fondu, il porte la marque d'un élevage bien maîtrisé. On le dégustera dans les deux ans en recherchant autre chose qu'un corps de géant.
Dom. Anne-Marie Gille, 34, RN 74,
21700 Comblanchien, tél. 03.80.62.94.13,
fax 03.80.62.99.88, e-mail domaine.gille@wanadoo.fr
r.-v.

ANTONIN GUYON Clos du Roy 2002 *

Gd cru 0,55 ha 2 700 38 à 46 €

Terres rouges dans la partie inférieure, marnes dans la partie supérieure, le Clos du Roi (le y n'est pas indispensable) est souvent salué comme le roi du corton. Celui-ci rouge grenat foncé est bien représentatif : son nez commence à s'allonger (fruits rouges et grillé des dix-huit mois de fût). On rencontre au palais les mêmes familles

d'arômes. Il montre de la persistance et un bon équilibre. Le **Bressandes 2002 (30 à 38 €)** également très réussi est délicieusement complexe et charnu. Deux vins élégants.
Dom. Antonin Guyon, 21420 Savigny-lès-Beaune, tél. 03.80.67.13.24, fax 03.80.66.85.87, e-mail domaine@guyon-bourgogne.com r.-v.

### DOM. LALEURE-PIOT Bressandes 2003 **

Gd cru 0,21 ha 760 38 à 46 €

Laleure-Piot a été à deux doigts de réussir la passe de trois. Coup de cœur en 2001 (millésime 98) et l'an passé en 2005 (2002), il signe des Bressandes fameuses. Un vin qui se sent vraiment très bien dans son appellation. Tout y est et rien ne dépasse. En couleur, en odeur et en saveur, il exprime le charme particulier du millésime : parfums de mûre et de sous-bois, richesse de la concentration, un peu de chaleur ambiante, l'excellente relation qu'entretiennent l'acidité et les tanins. Racé, il durera, n'en doutez pas. **Le Rognet 2003 (30 à 38 €)** est cité. Il devra rester trois ans dans une bonne cave pour s'exprimer.
Dom. Laleure-Piot, rue de Pralot, 21420 Pernand-Vergelesses, tél. 03.80.21.52.37, fax 03.80.21.59.48, e-mail infos@laleure-piot.com t.l.j. 8h-12h 14h-18h; sam. dim. sur r.-v.

### RENE LEQUIN-COLIN Les Languettes 2003 *

Gd cru 0,09 ha 450 23 à 30 €

Deux ouvrées en Languettes, cela paraît peu mais c'est déjà beaucoup. Etre propriétaire en grand cru vous vaut en Bourgogne une haute considération. D'autant que ce 2003 (sols marneux propices au pinot noir comme au chardonnay) vendangé le 19 août se situe parmi les meilleurs. Son regard sombre accompagne un nez plein d'aménité : fruits rouges et vanille (quinze mois de fût). La première bouche est ronde. Les tanins apparaissent ensuite, tandis qu'on évolue vers des notes réglissées. L'équilibre général est assuré. Une bouteille qui devrait réjouir les convives entre 2007 et 2010.
René Lequin-Colin, 10, rue de Lavau, 21590 Santenay, tél. 03.80.20.66.71, fax 03.80.20.66.70, e-mail renelequin@aol.com r.-v.

### DOM. MAILLARD PERE ET FILS
Renardes 2003 *

Gd cru n.c. n.c. 30 à 38 €

Coup de cœur en 2001 pour un corton 98 et en 2003 pour son 2000, ce domaine a eu en 2003 l'honneur insigne d'emplir les verres des membres du G8 réunis à Evian. Quel chemin parcouru depuis la première récolte de Daniel Maillard en 1952 ! Cerise noire à reflets grenat, ces Renardes vibrent de senteurs fruitées (toujours la cerise) et torréfiées. Puissance et richesse : le G8 n'a rien à leur envier. Assurément de grand avenir.
Dom. Maillard Père et Fils, 2, rue Joseph-Bard, 21200 Chorey-lès-Beaune, tél. 03.80.22.10.67, fax 03.80.24.00.42 r.-v.

### DOM. MICHEL MALLARD ET FILS
Le Rognet 2002 *

Gd cru 1,27 ha 6 400 38 à 46 €

Son père travaillait aux carrières de pierre marbrière, nombreuses dans cette partie de la Côte : Michel Mallard apprit le métier avec son grand-père. De bout de vigne en bout de vigne, il a tissé un beau domaine. Puis son fils Patrick l'a rejoint. Ce Rognet est bien construit, équilibré : il a du volume et du corps, et même un certain gras. Son bouquet ? Fruits rouges développés et parfum animal. Cette évolution est normale à cet âge et il tire un bon parti des ressources du millésime. A déboucher dans deux ans.
Dom. Michel Mallard et Fils, 43, rte de Dijon, 21550 Ladoix-Serrigny, tél. 03.80.26.40.64, fax 03.80.26.47.49 r.-v.

### PRINCE FLORENT DE MERODE
Les Bressandes 2003 *

Gd cru 1,1 ha 3 400 30 à 38 €

Successivement Clermont-Montoison, Clermont-Tonnerre et Mérode au sein du même cep généalogique, la terre du château de Serrigny provient en partie de l'ancienne seigneurie d'Aloxe : le plus ancien propriétaire de vignes en corton, bien avant la Révolution ! Si **Les Renardes 2003 (23 à 30 €)**, une étoile, vives en attaque et d'une superbe constitution, feront un beau vin de garde, Les Bressandes du même âge offrent un corton déjà très agréable, tout en finesse, travaillé en souplesse, charmeur et gourmand sur une structure plus légère que le précédent. Arômes de cerise mûre, robe carmin foncé. « De très grande distinction », affirme le jury.
Prince Florent de Mérode, 3, rue du Château, 21550 Ladoix-Serrigny, tél. 03.80.26.40.80, fax 03.80.26.49.37 r.-v.

### LUCIEN MUZARD ET FILS Grèves 2003 *

Gd cru n.c. 600 30 à 38 €

Entre Perrières et Bressandes, sur Aloxe-Corton, les Grèves sont moins connues car on pense souvent au 1er cru beaunois. Cette bouteille montre qu'elles méritent beaucoup d'attention. Noir profond à disque violacé, ce 2003 au nez de cuir un peu sauvage, amande amère, griotte est gras et même onctueux à souhait ; il lui reste à se fondre entièrement, peut-être à acquérir un surcroît de persistance. Comme le disait saint Bernard : « Il faut laisser du temps au temps. » Ici trois à quatre ans au moins.
Lucien Muzard et Fils, 11, rue de la Cour-Verreuil, BP 25, 21590 Santenay, tél. 03.80.20.61.85, fax 03.80.20.66.08, e-mail lucien-muzard-et-fils@wanadoo.fr r.-v.

### DOM. NUDANT Bressandes 2003 *

Gd cru 0,6 ha 2 300 30 à 38 €

Beaucoup de matière douce dans ce 2003 : la couleur pourpre profond, le nez de fruits noirs presque confits, et le palais dense, riche, charnu où le boisé répond à des notes de truffe et de fruits sous-jacentes. Il faudra deux à trois ans pour que les tanins se fondent.
Dom. Nudant, 11, rte de Dijon, 21550 Ladoix-Serrigny, tél. 03.80.26.40.48, fax 03.80.26.47.13, e-mail domaine.nudant@wanadoo.fr t.l.j. sf dim. 8h30-12h 14h-18h; sam. sur r.-v.

### DOM. PARENT Les Renardes 2002 *

Gd cru 0,36 ha 1 500 30 à 38 €

Le corton Renardes fait ici honneur à son nom et il rime avec vin de garde. Rouge violacé comme on s'y attend, il surprend un peu quand on le respire : fruits rouges kirschés, noyau ; ce n'est pas le fréquent bouquet aux notes de gibier. Généreux, souple et distingué, il redevient classique en fin d'une bouche nette et carrée, assez serrée. Il plaît beaucoup mais il faut fuir le désir et écouter la raison : il mérite d'être attendu quelques années.

Dom. Parent, 9, pl. de l'Eglise, 21630 Pommard, tél. 03.80.22.15.08, fax 03.80.24.19.33, e-mail parent-pommard@axnet.fr r.-v.

DOM. DU PAVILLON
Clos des Maréchaudes 2003 ★

| Gd cru | 0,55 ha | 2 700 | 46 à 76 € |
|---|---|---|---|

Le domaine du Pavillon appartient à la maison A. Bichot après avoir été l'un des fleurons du domaine Vergnette de Lamotte. Clos en monopole. Rappelez-vous le secret d'Ali Baba... Un bloc de pierre bloque en effet l'entrée de ce corton rouge profond et brillant. Seules quelques notes de vanille, de mûre s'en échappent et donnent envie d'en savoir plus. Les tanins composent un velours charnu. Agréable en première impression, ce vin va s'ouvrir. Dans quatre à cinq ans, il sera vraiment grand.

A. Bichot, Dom. du Pavillon, 6 bis, bd Jacques-Copeau, 21200 Beaune, tél. 03.80.24.37.37, fax 03.80.24.37.38, e-mail bourgogne@albert-bichot.com

LA POUSSE D'OR Clos du Roi 2003

| Gd cru | 1,45 ha | 3 848 | 30 à 38 € |
|---|---|---|---|

Républicains, les Bourguignons ont toutefois l'âme monarchiste quand il s'agit de leurs vins... Velours cramoisi, le nez fin et fruité, ce Clos du Roi est proche du faîte de son règne. Sa vivacité en attaque ne dure pas et l'audience devient agréable, ponctuée par une petite touche d'amertume.

Dom. de La Pousse d'Or, rue de la Chapelle, 21190 Volnay, tél. 03.80.21.61.33, fax 03.80.21.29.97, e-mail patrick@lapoussedor.fr r.-v.

DOM. PRIN Bressandes 2002 ★

| Gd cru | 0,68 ha | 3 000 | 30 à 38 € |
|---|---|---|---|

Ce vin mérite une authentique volaille de Bresse. En effet, les Bressandes doivent leur nom, dit-on, à cet ancien pays de Bourgogne. Quant à l'aïeul de cette famille, il a quitté sa Bresse natale pour devenir le vigneron de la baronne du Baÿ à Aloxe. Il épousa une fille du village et c'est ainsi que... Robe aimable pour un bouquet original et élégant où les épices, les fruits rouges et les agrumes virevoltent ensemble. L'attaque franche introduit un corps encore sur le raisin, riche en volume et en intensité. A déguster dans deux ou trois ans.

Dom. Prin, 12, rue de Serrigny, Cidex 10, 21550 Ladoix-Serrigny, tél. 03.80.26.45.83, fax 03.80.26.46.16, e-mail domaineprin@yahoo.fr r.-v.

J.-L. Boudrot

DOM. RAPET PERE ET FILS Les Pougets 2003

| Gd cru | n.c. | 1 500 | 30 à 38 € |
|---|---|---|---|

Terre à blancs comme à rouges, le *climat* des Pougets fait partie du corton d'Aloxe. Les Rapet ont construit en 2003 une nouvelle cuverie parfaitement équipée. A l'œil, le pinot noir s'en donne à cœur joie : rouge très profond, d'un noir violacé. Au nez, le raisin mûr rappelle la canicule et c'était la même pour tout le monde. On y trouve aussi de petites notes de cerise et de vanille. L'acidité est faible, les tanins physiquement présents mais pas trop astringents. La bouche est attrayante, ronde et souple.

Dom. Rapet Père et Fils, 21420 Pernand-Vergelesses, tél. 03.80.21.59.94, fax 03.80.21.54.01 r.-v.

PAUL REITZ HOSPICES DE BEAUNE
Vergennes Cuvée Paul Chanson 2001

| Gd cru | n.c. | 608 | + de 76 € |
|---|---|---|---|

La cuvée de corton Vergennes dédiée à Paul Chanson rappelle le nom d'une grande figure du vignoble qui offrit aux Hospices cette parcelle encépagée en chardonnay. Quant à la maison Paul Reitz, elle est familiale depuis près de deux siècles, née d'un foudrier originaire de la Sarre. Ce 2001 (deux pièces de 300 bouteilles achetées 9 400 € chacune) est sélectionné pour son doré intense, son bouquet de citron confit, sa silhouette attachante. A déboucher maintenant. Citons aussi le **corton cuvée Charlotte Dumay 2000 des Hospices (46 à 76 €)** sur un fond framboisé, d'intensité moyenne et parvenu à maturité.

SA Paul Reitz, 122-124, Grande-Rue, 21700 Corgoloin, tél. 03.80.62.98.24, fax 03.80.62.96.83, e-mail maison-paul.reitz@laposte.net r.-v.

DOM. SENARD 2002 ★

| Gd cru | 0,43 ha | 1 300 | 38 à 46 € |
|---|---|---|---|

Chef du protocole de la Confrérie des Chevaliers du Tastevin, fils d'un de ses anciens Grands Maîtres, Philippe Senard maintient le flambeau familial. Il réussit dans les deux couleurs en présentant un **corton Bressandes 2003 rouge (30 à 38 €)** d'une plénitude riche et vineuse (une étoile), ainsi que celui-ci en blanc. Or clair, il s'ouvre sur le fruit et laisse dans le verre vide l'odeur du miel. Son boisé est bien intégré, sa vivacité équilibrée par un gras amplement suffisant. Le jury conseille de l'associer à des écrevisses à la nage ou à un grand poisson. Quant au **Clos de Meix rouge 2003 Monopole (30 à 38 €)**, il obtient également une étoile et devra être attendu deux à cinq ans.

Dom. Senard, 7, rempart Saint-Jean, 21200 Beaune, tél. 03.80.24.21.65, fax 03.80.24.21.44, e-mail office@domainesenard.com r.-v.

# Corton-charlemagne

L'appellation charlemagne, dans laquelle jusqu'en 1948 pouvait entrer l'aligoté, n'est pas utilisée. Le grand cru corton-charlemagne s'étend sur 63 ha et a produit 2 372 hl en 2004, dont la plus grande partie vient des communes de Pernand-Vergelesses et d'Aloxe-Corton. Les vins de cette appellation – dont le nom est dû à l'empereur Charles le Grand qui aurait fait planter des blancs pour ne pas tacher sa barbe – sont d'un bel or vert et atteignent leur plénitude après cinq à dix ans.

PIERRE ANDRE 2003

| Gd cru | 2,5 ha | 9 000 | + de 76 € |
|---|---|---|---|

Les tuiles vernissées du « château jaune » sont devenues l'une des images les plus connues de la Côte, surtout depuis que Pierre André en fit une affiche longtemps présente gare de Lyon à Paris. La maison a été acquise par le groupe Ballande, qui a gardé toutefois cette jolie étiquette. Typé charlemagne sur un mode assez chaud, ce 2003 fleure bon l'écorce d'orange, la fleur blanche. Suave et corpulent, il ne décevra pas les amateurs de chardonnay aux bras assez larges pour ceinturer le globe.

🔑 Pierre André, Ch. de Corton-André,
21420 Aloxe-Corton, tél. 03.80.26.44.25,
fax 03.80.26.43.57, e-mail pandre@axnet.fr ☑ 🍷 🚶 r.-v.

## DOM. BOUCHARD PERE ET FILS 2003 *

| Gd cru | 3,25 ha | n.c. | 46 à 76 € |
|---|---|---|---|

En 1909, la maison Bouchard Père et Fils acheta une parcelle de 6,85 ha de corton et corton-charlemagne, d'un seul tenant. Seuls des chemins de traverse coupent cette vigne au sommet du coteau (plein est). Telle est l'origine de ces 3,25 ha qui font ici partie des bijoux de famille. Jaune pâle à légers reflets verts, associant un boisé bien élevé à des notes de fruits jaunes confits et de miel, encore vif en attaque, ce vin est représentatif de l'appellation et du millésime. Il souffle à la fois le tiède et le frais. Potentiel à mobiliser dans les deux ans. Coup de cœur pour le millésime 2000 en 2004.

🔑 Bouchard Père et Fils, Ch. de Beaune,
21200 Beaune, tél. 03.80.24.80.24, fax 03.80.22.55.88,
e-mail france@bouchard-pereetfils.com 🍷 🚶 r.-v.

## CAPITAIN-GAGNEROT 2002 *

| Gd cru | 0,42 ha | 2 400 | 46 à 76 € |
|---|---|---|---|

D'une rigueur inflexible, Roger Capitain n'avait pas hésité à « déclasser » en aloxe-corton blanc ses corton-charlemagne 72, 74, 75 et encore 77. On devrait toujours se comporter ainsi quand un millésime est faiblard. Celui-ci ne l'est pas. Fortement coloré et d'une brillance intense, il suggère la minéralité, l'angélique... Sa structure resserrée et élégante va s'ouvrir dans les deux à trois ans. Pour le moment, on reste sur une fin de bouche assez stricte.

🔑 Capitain-Gagnerot,
38, rte de Dijon, 21550 Ladoix-Serrigny,
tél. 03.80.26.41.36, fax 03.80.26.46.29,
e-mail contact@capitain-gagnerot.com ☑ 🍷 🚶 r.-v.

## MAISON CHAMPY 2003 *

| Gd cru | n.c. | 3 000 | 46 à 76 € |
|---|---|---|---|

La maison Champy et la famille Meurgey prennent une part active à la mise en valeur du patrimoine culturel de la Bourgogne. Cette bouteille en est la vivante expression. Son léger or vert met en scène un bouquet fleuri, un peu épicé. Sans doute le vin est-il flatté par la qualité de son élevage, mais son acidité agréable, sa richesse raisonnable, son bon gras relèvent de ses qualités propres. Assez tendre.

🔑 Maison Champy, 5, rue du Grenier-à-Sel,
21200 Beaune, tél. 03.80.25.09.99, fax 03.80.25.09.95
☑ 🍷 🚶 t.l.j. sf dim. 10h-12h30 14h-18h30; sam. sur r.-v.
🔑 Pierre Meurgey

## DOM. CHEVALIER 2002

| Gd cru | 0,22 ha | 1 200 | 46 à 76 € |
|---|---|---|---|

Très ciselé en attaque, ce vin réussit assez bien à équilibrer les contraires (acidité et maturité, pureté et complexité). Sa robe est joliment dessinée et colorée. Son parfum ? Un miel un peu boisé. Ne pas y penser avant trois à quatre ans car il lui faut prendre encore de l'âge.

🔑 SCE Chevalier Père et Fils, Buisson,
21550 Ladoix-Serrigny, tél. 03.80.26.46.30,
fax 03.80.26.41.47, e-mail ladoixch@club-internet.fr
☑ 🍷 🚶 r.-v.

## DOM. DOUDET 2003

| Gd cru | n.c. | 2 432 | 46 à 76 € |
|---|---|---|---|

Ah ! ce mystérieux rayon vert qui traverse la robe d'un beau corton-charlemagne ! Inimitable chardonnay bourguignon... Du minéral au végétal, le nez réalise un assez bon équilibre entre le style du millésime et son terroir. Notes de fruits secs. S'achevant sur un petit goût d'amande amère, la bouche exploite au mieux ses atouts pour exprimer un charme discret. Le mieux serait de le servir dans trois ans environ.

🔑 Dom. Doudet, 50, rue de Bourgogne,
21420 Savigny-lès-Beaune, tél. 03.80.21.51.74,
fax 03.80.21.50.69, e-mail doudet-naudin@wanadoo.fr

## CH. GENOT-BOULANGER 2003

| Gd cru | 0,29 ha | 500 | 46 à 76 € |
|---|---|---|---|

Mariage en blanc : la fleur, le fruit sont de cette couleur. Robe verveine. Léger boisé noisette. L'attaque est riche, bien en chair. De l'ampleur et du gras, une vendange très ensoleillée (29 ares récoltés dès le 21 août), mais une acidité correcte. Ce vin dispose de quelques années pour se présenter sous son meilleur jour.

🔑 SCEV Ch. Génot-Boulanger, 25, rue de Cîteaux,
21190 Meursault, tél. 03.80.21.49.20,
fax 03.80.21.49.21, e-mail genotboulanger@wanadoo.fr
☑ 🍷 🚶 r.-v.
🔑 Delaby

## DOM. ROBERT ET RAYMOND JACOB 2003 *

| Gd cru | 1,07 ha | 2 000 | 30 à 38 € |
|---|---|---|---|

Regarder de l'or fondu n'est pas conseillé, même si l'on est orfèvre. Un peu, comme fixer longtemps le soleil en plein midi. Voici pourtant l'image qui s'imprime ! Notez que nous avons affaire à un vin de garde riche, charnu, intense, tout en fruits mûrs, agrumes confits. Les notes de torréfaction (un an de fût) engagent à aérer cette bouteille : dans quatre à cinq ans, elle aura ouvert fenêtres et volets.

🔑 Dom. Robert et Raymond Jacob,
hameau de Buisson, 21550 Ladoix-Serrigny,
tél. 03.80.26.40.42, fax 03.80.26.49.34 ☑ 🍷 r.-v.

## LOUIS JADOT 2000 *

| Gd cru | n.c. | n.c. | 46 à 76 € |
|---|---|---|---|

La maison Louis Jadot fêtera bientôt (en 2009) ses cent cinquante ans. Elle peut mettre cette bouteille de côté pour l'événement. Il s'agit ici du domaine familial : une parcelle acquise en 1913 et aujourd'hui une présence de 1,4 ha au sein du grand cru. Or jaune soutenu, ce 2000 enchante par son ouverture aromatique. L'air ambiant l'aide à s'exprimer sur fond de miel d'acacia. Un de nos dégustateurs gourmands y discerne même le calisson d'Aix ! Sa constitution est relativement légère. On prend plaisir à partager son harmonie, sa petite touche d'amertume sur une longue finale. Pour une cuisine raffinée.

🔑 Maison Louis Jadot, 21, rue Eugène-Spuller,
BP 117, 21203 Beaune Cedex, tél. 03.80.22.10.57,
fax 03.80.22.56.03, e-mail contact@louisjadot.com
🍷 🚶 r.-v.

## DOM. MICHEL JUILLOT 2002 *

| Gd cru | 0,65 ha | 2 500 | 46 à 76 € |
|---|---|---|---|

65 ares en corton-charlemagne, voilà qui illumine la vie ! Et pour longtemps car cette bouteille atteindra d'un bon pas les années 2010. D'un or moyennement soutenu mais animé de beaucoup de reflets, il offre une gamme aromatique complexe et de grande classe : citron, fougère... Il manque peut-être un peu de vivacité, de minéralité en bouche, mais son moelleux procure un contentement qui rend très indulgent. Une vie de pacha.

🔑 Dom. Michel Juillot, 59, Grande-Rue,
71640 Mercurey, tél. et fax 03.85.98.99.89,
e-mail infos@domaine-michel-juillot.fr
☑ Ῑ t.l.j. 9h-19h; groupes sur r.-v.
🔑 Laurent Juillot

### OLIVIER LEFLAIVE 2002 *

Gd cru n.c. 6 000 46 à 76 €

Vin solide et structuré, avec l'élan de sève dont est capable un corton-charlemagne. Robe de printemps à l'éclat pâle, bouquet net et franc (citronné sur fond boisé bien conduit), texture serrée avec une note de fraîcheur persistante. Bonne tenue de route (quatre à cinq ans).
🔑 Olivier Leflaive Frères, pl. du Monument,
21190 Puligny-Montrachet, tél. 03.80.21.37.65,
fax 03.80.21.33.94, e-mail contact@olivier-leflaive.com
☑ Ῑ ⛹ r.-v.

### LOUIS LEQUIN 2002

Gd cru 0,9 ha 540 23 à 30 €

Vignerons depuis le début du XVII^e s., les Lequin ont vu paraître à Santenay un casino... Moins risqué que les jeux d'argent, ce corton-charlemagne est un bon investissement. Elevé en fûts de chêne du Tronçais, dont 50 % sont neufs, ce vin sera à déboucher dans deux ou trois ans pour profiter du capital : fleurs blanches et notes de miel, bouche bien définie, boisé bien conduit.
🔑 Louis Lequin, 1, rue du Pasquier-du-Pont,
21590 Santenay, tél. 03.80.20.63.82, fax 03.80.20.67.14,
e-mail louis.lequin@wanadoo.fr ☑ Ῑ ⛹ r.-v.

### RENE LEQUIN-COLIN 2003 **

Gd cru 0,09 ha 550 38 à 46 €

Charlemagne a beaucoup malmené la Bourgogne, mais au moins lui a-t-il légué ce pur joyau ! L'or et l'émeraude merveilleusement ciselés sous l'éclat du cristal. Le miel, la fleur d'acacia, l'amande grillée vont très bien ensemble. L'attaque est encore un peu sévère et la finale assez vive. Mais les aspects positifs l'emportent largement. Le grand jury lui accorde le prix d'excellence ! Parcelle de 9 a : deux ouvrées seulement, mais quelles ouvrées !
🔑 René Lequin-Colin, 10, rue de Lavau,
21590 Santenay, tél. 03.80.20.66.71, fax 03.80.20.66.70,
e-mail renelequin@aol.com ☑ Ῑ ⛹ r.-v.

### PIERRE MAREY ET FILS 2003 *

Gd cru 0,9 ha 3 000 30 à 38 €

« Pierre Marey considère son métier comme un véritable sacerdoce », écrivait Claude Chapuis dans son ouvrage sur Corton. Cette bouteille vieil or à reflets argentés développe des senteurs légèrement balsamiques puis miellées. Le fût n'est pas envahissant. A ce bon point s'ajoutent une bouche onctueuse et ferme, un gras tempéré par des touches minérales. Millésime aisément identifiable.
🔑 EARL Pierre Marey et Fils,
rue Jacques-Copeau, 21420 Pernand-Vergelesses,
tél. 03.80.21.51.71, fax 03.80.26.10.48 ☑ Ῑ ⛹ r.-v.

### DOM. NUDANT 2003 *

Gd cru 0,15 ha 800 38 à 46 €

Jaune jonquille ? Peut-être pas, mais la couleur est ici soutenue. Le chèvrefeuille, l'amande amère et le miel teintent également son bouquet. Surmaturation classique et « vendanges tardives » si l'on peut dire : le 10 septembre ! La bouche se présente de façon chaleureuse et beurrée (intensité raffermie par l'arôme du coing). Parcelle de 15 a achetée par André Nudant en 1968. Elle était encore en friche... Coup de cœur l'an dernier pour le 2002.
🔑 Dom. Nudant, 11, rte de Dijon,
21550 Ladoix-Serrigny, tél. 03.80.26.40.48,
fax 03.80.26.47.13, e-mail domaine.nudant@wanadoo.fr
☑ Ῑ ⛹ t.l.j. sf dim. 8h30-12h 14h-18h; sam. sur r.-v.

### DOM. PAVELOT 2003 **

Gd cru 0,46 ha 1 800 30 à 38 €

Les chanoines de Saulieu conservaient avec la même piété deux « souvenirs » de Charlemagne : un évangéliaire et cette vigne. On comprend qu'ils en aient pris soin pendant un millénaire ! D'un or vert très pur, à un souffle du coup de cœur, il se dévoile à l'aération : floral et minéral selon l'angle d'approche. Il ne possède pas un corps gras et puissant, mais un cœur équilibré, intense et rayonnant. *Last but not least*, ses arômes ne sont pas dévorés par le fût et demeurent spontanés. Pensez à un homard grillé, en vous rappelant qu'il appréciera d'être carafé.
🔑 EARL Dom. Régis et Luc Pavelot, rue du Paulant,
21420 Pernand-Vergelesses, tél. et fax 03.80.26.13.65,
e-mail earl.pavelot@cerb.cernet.fr ☑ Ῑ ⛹ r.-v.

### DOM. DU PAVILLON 2003

Gd cru 1,09 ha 5 700 + de 76 €

Cette parcelle acquise par la maison Albert Bichot a toute une histoire : 1,1 ha de corton Les Languettes appartenant à la famille Poisot et encépagé en pinot noir. Comme cette parcelle avait droit à l'appellation corton-charlemagne, elle a été replantée en chardonnay (1987). Or soutenu traversé d'un reflet vert, ce vin dévoile lentement son nez fleuri et grillé, sa belle matière et sa rondeur chaleureuse. A attendre un an ou deux. Coup de cœur en 2002 (millésime 99).
🔑 A. Bichot, Dom. du Pavillon,
6 bis, bd Jacques-Copeau, 21200 Beaune,
tél. 03.80.24.37.37, fax 03.80.24.37.38,
e-mail bourgogne@albert-bichot.com

### POULET PERE ET FILS 2002 *

Gd cru n.c. 1 500 + de 76 €

Maison beaunoise devenue nuitonne, Poulet Père et Fils se sent une âme de coq pour défendre bec et ongles ce grand cru. Etincelant et limpide, il séduit le regard avant de solliciter des arômes qui se font un peu attendre (amande, citron), sans chercher l'originalité à tout prix. En guise de mise en jambes, une attaque vive. Elle ne dégénère jamais en agressivité. Sa minéralité et son acidité le rendent assez frais. On pourra sans doute lui fixer rendez-vous d'ici trois à quatre ans. Il sera alors plus ouvert et d'une maturité mieux épanouie.

BOURGOGNE

Poulet Père et Fils,
6, rue de Chaux, BP 4, 21700 Nuits-Saint-Georges,
tél. 03.80.62.43.02, fax 03.80.62.68.02

DOM. RAPET 2003 *

Gd cru 2,5 ha 3 000 38 à 46 €

Lorsque la famille Rapet acheta ses premiers pieds de vigne en corton-charlemagne, juste après la crise phylloxérique, ils étaient plantés en... aligoté (et ce n'était pas rare). Un rayon de soleil éclaire l'or de ce vitrail. Des notes florales se mêlent à un boisé fin. On retrouve les caractères si fréquents en 2003 : acidité naturelle peu marquée, sentiment de chaleur. Cela dit, ce corton-charlemagne a toute sa place ici. Sa rondeur, son gras et son ampleur vivent ensemble dans un très bon équilibre et tiennent longuement la distance. Deux à trois ans de garde.

Dom. Rapet Père et Fils,
21420 Pernand-Vergelesses, tél. 03.80.21.59.94,
fax 03.80.21.54.01 r.-v.

# Savigny-lès-beaune

Savigny est aussi un village vigneron par excellence. L'esprit du terroir y est entretenu, et la confrérie de la Cousinerie de Bourgogne est le symbole de l'hospitalité bourguignonne. Les Cousins jurent d'accueillir leurs convives « bouteilles sur table et cœur sur la main ».

Les vins de Savigny, en dehors du fait qu'ils sont « nourrissants, théologiques et morbifuges », sont souples, tout en finesse, fruités, agréables, jeunes et vieillissent bien. Citons quelques premiers crus comme Aux Clous, Aux Serpentières, Les Hauts Jarrons, les Marconnets, les Narbantons. En 2004, l'AOC a produit 13 524 hl de vin rouge et 1 872 hl de vin blanc.

ARNOUX PERE ET FILS 2003 *

3,74 ha 15 000 11 à 15 €

Aussitôt versé dans le verre, ce 2003 se montre gras et déterminé. Rouge très soutenu mais sans excès, limpide, il a des jambes longues. Une petite note de sous-bois et de fruit assure la prestation d'un nez également sous influence torréfiée. Charnu, il est peut-être un peu trop généreux, chaleureux à l'heure actuelle, mais son potentiel garantit ses vieux jours : sa structure tannique est équilibrée et mûre, ses bases solides présentement carrées.

Arnoux Père et Fils,
rue des Brenôts, 21200 Chorey-lès-Beaune,
tél. 03.80.22.57.98, fax 03.80.22.16.85 r.-v.

CHRISTIAN BELLANG ET FILS 2002 *

0,28 ha 1 500 11 à 15 €

Christophe a rejoint son père Christian il y a quelque dix ans. L'équipe propose un chardonnay 2002 jaune paille soutenu. Riche, intense et complexe, telle est l'impression recueillie au dernier coup de nez. La vivacité de la première bouche s'adoucit bientôt pour devenir très aimable : pas mal de gras et des sensations beurrées, touche boisée en finale, maturité en vue pour un grand poisson.

Christian Bellang et Fils,
2, rue de Mazeray, 21190 Meursault,
tél. 03.80.21.22.61, fax 03.80.21.68.50,
e-mail christophe.bellang@wanadoo.fr r.-v.

CHRISTOPHE BUISSON Le Mouttier Amet 2003 *

n.c. n.c. 11 à 15 €

Christophe Buisson a mis un terme à son activité de courtier en vin pour se consacrer à 100 % à ses vignes (2 ha en 1990, 8 ha aujourd'hui). L'œil se plaît à contempler le rubis de la robe et la finesse des jambes de ce 2003. Au nez, le pinot noir esquisse ses arômes habituels mais il lui faut s'épanouir davantage. Légèrement truffée, la bouche s'appuie sur une structure assez simple, facile, accueillante. Ensemble réussi, bien dans son AOC.

Christophe Buisson,
rue de la Tartebouille, 21190 Saint-Romain,
tél. 03.80.21.63.92, fax 03.80.21.67.03,
e-mail domainechristophebuisson@wanadoo.fr
r.-v.

DOM. CAMUS-BRUCHON ET FILS
Aux Grands Liards Vieilles Vignes 2003 *

1er cru 0,52 ha 2 400 11 à 15 €

Le contact s'établit facilement avec ce vin rouge rubis à reflets brique. Outre le cassis, la verveine et le jasmin semblent s'insinuer dans son bouquet. Fermé au départ, le nez s'ouvre progressivement. Léger, ce vin est assez gracieux et incontestablement rond. Le **1er cru rouge Lavières 2002**, une étoile également, pourra compléter votre choix : il bénéficie de commentaires dans l'ensemble aussi favorables.

Lucien Camus-Bruchon et Fils, Les Cruottes,
16, rue de Chorey, 21420 Savigny-lès-Beaune,
tél. 03.80.21.51.08, fax 03.80.26.10.21 r.-v.

DOM. MARGUERITE CARILLON
Les Lavières 2003 *

1er cru 0,5 ha 2 800 11 à 15 €

« De la belle ouvrage », nous dit un des dégustateurs. Et un autre : « Belle matière ! » On le voit, le baromètre est au beau fixe. La robe est très soignée, le nez plutôt complexe tout en gardant de la fraîcheur (nuances de griotte vanillée). La bouche forme un arrondi expressif, sans excès d'acidité ni de tanins. Bon pour le service !

Dom. Marguerite Carillon, 7, rte de Monthelie,
21190 Meursault, tél. 03.80.21.22.45, fax 03.80.21.28.05

DOM. DENIS CARRE 2003

n.c. n.c. 11 à 15 €

Sous sa robe profonde, sombre à reflets noirs, ce savigny dissimule des arômes singuliers dans les profondeurs de son nez. On y décèle en effet des traces de feuille de vigne, de fruits confits, de cassis... Mais elles ne cachent pas l'essentiel : un tempérament plus rond que carré, sur des notes poivrées et florales. Finale chaleureuse et puissante. Pour des viandes blanches.

Dom. Denis Carré, rue du Puits-Bourret,
21190 Meloisey, tél. 03.80.26.02.21, fax 03.80.26.04.64
r.-v.

MAISON CHAMPY Aux Fourches 2003 *

n.c. 6 600 15 à 23 €

Mémoire vivante de la Bourgogne vitivinicole, la maison Champy (fondée en 1720) prépare actuellement un projet de mise en valeur de ce patrimoine : l'idée d'un

« Archoenosite », d'une fondation à vocation culturelle. Quant à ces Fourches, elles ne sont nullement patibulaires ! Un 2003 bien coloré à reflets violines, très généreux, « de grande classe », écrit même un juré. Son bouquet observe une retenue qui ne l'empêche pas de se montrer déjà subtil. La bouche est cohérente avec le nez, préférant l'aquarelle à la gouache, ponctuée toutefois par une pointe de chaleur sur la fin. Coup de cœur dans l'édition 2000.
Maison Champy, 5, rue du Grenier-à-Sel, 21200 Beaune, tél. 03.80.25.09.99, fax 03.80.25.09.95
t.l.j. sf dim. 10h-12h30 14h-18h30; sam. sur r.-v.
Pierre Meurgey

DOM. CHANSON PERE ET FILS
Dominode 2002 *

1er cru 1,67 ha 8 770 23 à 30 €

Quand la Champagne a l'accent bourguignon... Ici Bollinger. La Dominode (vigne du seigneur) est une appellation particulière au sein des Jarrons. D'un très beau rouge profond, celle-ci chante le fruit noir sur un fond épicé et grillé. Gras, tannique, complet, un peu vif en finale, c'est un 2002 à parfaire en cave. L'attente (deux à trois ans) se justifie pleinement.
Dom. Chanson Père et Fils, 10, rue Paul-Chanson, 21200 Beaune, tél. 03.80.25.97.97, fax 03.80.24.17.42, e-mail chanson@vins-chanson.com r.-v.

LOUIS CHENU PERE ET FILLES 2002

1,32 ha 3 600 8 à 11 €

D'un jaune doré soutenu, ce savigny blanc se présente sous un nez de beurre frais et un boisé encore sensible. Bouche dense et pleine où l'on perçoit une nuance miellée de longueur moyenne. A servir dans deux ans.
Louis Chenu et Filles, 12, rue Joseph-de-Pesquidoux, 21420 Savigny-lès-Beaune, tél. et fax 03.80.26.13.96, e-mail juliette@louischenu.com
t.l.j. 9h-12h 14h-18h

DOM. BRUNO CLAIR La Dominode 2002 **

1er cru 1,71 ha 6 700 30 à 38 €

Une bouteille que l'on appréciera certainement au dîner mensuel des Bourguignons Salés (le club des Bourguignons de Paris) : frère de Bruno Clair, Michel est en effet l'échanson de cette compagnie. Cette Dominode (un grand classique à Savigny) est d'un rubis affirmé. Son nez s'éveille sur des notes de fruits rouges confits. Si la structure est puissante, l'acidité est impeccable et les tanins d'un grain très fin. Assez bonne persistance. A déboucher maintenant ou à attendre un peu : on ne sera pas déçu.
SCEA Dom. Bruno Clair, 5, rue du Vieux-Collège, BP 22, 21160 Marsannay-la-Côte, tél. 03.80.52.28.95, fax 03.80.52.18.14, e-mail brunoclair@wanadoo.fr
r.-v.

CORON PERE ET FILS 2003 *

n.c. 2 000 30 à 38 €

La maison Coron Père et Fils a été acquise par Laurent Max (Nuits-Saint-Georges) après avoir été l'une des marques nuitonnes de la famille Lanvin et dans le passé une maison indépendante à Beaune. Son savigny est un vin plaisir qui sait... se faire désirer. Rouge foncé, il tire sur le noir et compose un cocktail d'arômes bien choisis (framboise, vanille, truffe). Charmant dès l'attaque, il laisse à ses tanins le soin de refuser ce bonheur immédiat pour en attendre un autre, plus grand encore, d'ici douze à seize mois.
Maison Coron Père et Fils, 6, rue de Chaux, BP 4, 21700 Nuits-Saint-Georges, tél. 03.80.62.43.40, fax 03.80.62.68.02

DOM. DOUDET Les Guettes 2003 **

1er cru n.c. 4 100 15 à 23 €

Ce domaine a le monopole du fameux Redrescul. Ce sont Les Guettes qui obtiennent deux étoiles cette année. On n'entre pas ici dans la Côte de Beaune par la petite porte ! Un luxe de couleur (mauve foncé), un merveilleux parfum de framboise qui commence à s'ouvrir et la concentration d'un vin d'avenir. Robuste certes, mais ses larges et fortes épaules lui permettront de durer sans dureté. D'ici deux à trois ans, selon notre pronostic, il sera à point. Sous la signature Doudet-Naudin (maison de négoce également dirigée par Yves Naudin), voyez le **savigny rouge 2003 Vieilles Vignes** cité, et **Les Vermots 2003 blanc**, une étoile.
Dom. Doudet, 50, rue de Bourgogne, 21420 Savigny-lès-Beaune, tél. 03.80.21.51.74, fax 03.80.21.50.69, e-mail doudet-naudin@wanadoo.fr

DOM. JEAN-LUC DUBOIS Les Picotins 2003 *

1,09 ha 2 500 8 à 11 €

Du côté du Levant, le *climat* le plus oriental de l'appellation. Rouge clair, il suggère la groseille, la framboise sur une tonalité de fruits rouges. Tendre et soyeux, expressif et souple, il a les grâces d'un jeune marquis présenté pour la première fois à la cour. Très fin... la viande blanche lui conviendra mieux que la viande rouge.
Dom. Jean-Luc Dubois, 9, rue des Brenôts, 21200 Chorey-lès-Beaune, tél. 03.80.22.28.36, fax 03.80.22.83.08 r.-v.

DOM. DUBOIS D'ORGEVAL
Les Narbantons 2002 *

1er cru 1 ha 2 500 11 à 15 €

Classés historiquement en première cuvée, devenus logiquement 1er cru, les Narbantons constituent souvent (et c'est ici le cas) une bonne synthèse entre la force et la finesse, le feu et la braise. La robe est rouge grenat à reflets fuchsia ; la complexité aromatique de ce vin retient l'attention : la confiture de fraises en première ligne. Ample, étoffé, soutenu par des tanins fort civils, il développe en bouche des arômes fruités plus frais. Un tout petit signe d'évolution ? Peut-être mais en tout cas très agréable et de toute façon à savourer dès à présent.
Dom. Dubois d'Orgeval, 3, rue Joseph-Bard, 21200 Chorey-lès-Beaune, tél. 03.80.24.70.89, fax 03.80.22.45.02, e-mail duboisdorgeval@aol.com
r.-v.

DOM. LIONEL DUFOUR
Les Goudelettes Elevé en fût de chêne 2003 ***

0,46 ha 3 100 38 à 46 €

Ces vins sont issus d'un domaine de superficie modeste (2,70 ha) dont la direction commerciale se situe en Moselle, à Louvigny. C'est un blanc qui arrive cette année en tête des dégustations. Après compétition au sein du premier cercle ! On adore en effet sa robe or pâle et brillant (beaucoup de fraîcheur pour un 2003), son bouquet de noisette et d'acacia, son attaque franche. Au palais un pur délice, un équilibre parfait et un côté friand qui contribue au coup de cœur. *Village* haut de gamme. Notez également sur vos tablettes **Les Lavières 1er cru rouge 2003 (46 à 76 €)**, une étoile, beau potentiel et déjà grandes.

BOURGOGNE

🔑 SAS Lionel Dufour, 6, allée des Amandiers, 21190 Meursault, tél. 03.80.21.67.02, fax 03.87.69.71.13

### FRANCOIS GAY ET FILS 2002 *

■ | 0,69 ha | 4 200 | 🛢 8 à 11 €

Sa robe a de l'éclat. Son nez a besoin d'un peu d'aération pour s'exprimer sur un kirsch léger et élégant. Franc de bouche, ce savigny maintient sa ligne aromatique sur la cerise à l'eau-de-vie. Structuré par des tanins en train de se fondre, il possède du relief. Beau *village*.

🔑 EARL François Gay et Fils, 9, rue des Fiètres, 21200 Chorey-lès-Beaune, tél. 03.80.22.69.58, fax 03.80.24.71.42 ☑ Y ⛹ r.-v.

### DOM. GIBOULOT Les Peuillets 2003

■ 1er cru | 0,4 ha | 850 | 🛢 11 à 15 €

Lorsque l'enfant paraît... Vendangés dès le 21 août, ces Peuillets sont en effet tout jeunes. Mais ils ont de l'ardeur et pas seulement de la fraîcheur. Couleur discrète et naturelle, nez un peu balsamique : ce 2003 doit mûrir encore. Il se laisse néanmoins boire dès maintenant et, sous ses abords suaves, il ne manque pas de fond.

🔑 Jean-Michel Giboulot, 27, rue du Gal-Leclerc, 21420 Savigny-lès-Beaune, tél. 03.80.21.52.30, fax 03.80.26.10.06, e-mail jean-michel.giboulot@wanadoo.fr ☑ r.-v.

### DOM. JEAN-JACQUES GIRARD Les Peuillets 2002 *

■ 1er cru | 0,7 ha | 4 400 | 🛢 15 à 23 €

On sait que les vins de Savigny sont « nourrissants, théologiques et morbifuges ». Celui-ci est d'un rouge profond. Animal, voire original, son nez évolue à l'aération du côté des petits fruits. Ce 2002 se montre vif en entrée de bouche ; ce sentiment s'atténue assez vite grâce à l'aménité de ses tanins. Une certaine chaleur enveloppe le retour épicé d'arômes. Persistance et intensité correctes. Le **village blanc 2003 (11 à 15 €)** obtient la même note pour sa longueur.

🔑 Dom. Jean-Jacques Girard, 16, rue de Cîteaux, BP 17, 21420 Savigny-lès-Beaune, tél. 03.80.21.56.15, fax 03.80.26.10.08, e-mail jjacquesgirard@aol.com ☑ Y ⛹ t.l.j. sf dim. 8h-12h 14h-19h

### DOM. PHILIPPE GIRARD Les Narbantons Vieilles Vignes 2003 *

■ 1er cru | 0,64 ha | 2 400 | 🛢 11 à 15 €

Il est sur un petit nuage, ce Narbantons déjà très plaisant, un peu atypique sans doute mais le millésime l'explique (vendangé le 20 août !). Carmin, cerise léger, ce vin décline des arômes allant du bourgeon de cassis au gibier. Très fruité au palais, il reste sur le cassis, ou la myrtille. Bon support et persistance honnête, dans une démarche légère. Pourquoi atypique ? Parce que ses parfums sont entreprenants.

🔑 Philippe Girard, 37, rue du Gal-Leclerc, 21420 Savigny-lès-Beaune, tél. 03.80.21.57.97, fax 03.80.26.14.84 ☑ Y ⛹ r.-v.

### DOM. A.-F. GROS Clos des Guettes 2003 *

■ 1er cru | 0,67 ha | 3 000 | 🛢 23 à 30 €

2003 a été marqué par une avance de maturité des raisins de vingt jours ! On parle toujours de canicule, on oublie souvent que la vigne fut aussi perturbée par une grave gelée nocturne le 15 avril. La récolte fut inférieure à 40 % par rapport à la production habituelle. Pourpre grenat, ce vin illustre donc un millésime atypique : il a le nez long et fruité. Etoffé, riche en mâche, légèrement boisé, il va à l'essentiel. Il doit cependant s'ouvrir davantage et s'affinera ainsi. On lui fait confiance pour y parvenir. Coup de cœur dans l'édition 2003.

🔑 Dom. A.-F. Gros, La Garelle, 5, Grande-Rue, 21630 Pommard, tél. 03.80.22.61.85, fax 03.80.24.03.16, e-mail af-gros@wanadoo.fr ☑ Y ⛹ r.-v.

### DOM. LES GUETTOTTES 2003 *

■ | 3 ha | 12 000 | 🛢 8 à 11 €

Si l'on décernait le coup de cœur au troisième coup de nez, celui-ci aurait peut-être décroché la timbale. Son bouquet est en effet subtil et délicat, offrant au pruneau d'Agen un merveilleux écho en Côte de Beaune. Il faut compter un à deux ans pour voir la bouche achever ses finitions en rabotant ses tanins et son boisé. Et pour voir se confirmer les qualités d'un corps bien présent. Autre bouteille conseillée : **Aux Clous 1er cru rouge 2003 (11 à 15 €)** ; elle obtient une citation.

🔑 Pierre et Jean-Baptiste Lebreuil, Dom. Les Guettottes, 17, rue Chanson-Maldant, 21420 Savigny-lès-Beaune, tél. 03.80.21.52.95, fax 03.80.26.10.82, e-mail domaine-lebreuil@wanadoo.fr ☑ Y ⛹ t.l.j. 8h-11h30 14h-19h

### DOM. PIERRE GUILLEMOT Les Grands Picotins 2003 *

■ | 0,73 ha | 3 000 | 🛢 11 à 15 €

La robe ? Bien comme il faut. Le bouquet ? Violette, gibier... L'attaque est pétulante, souple et caressante. La longueur aromatique intéressante. Un vin immédiat, pas compliqué, très agréable. Et pourtant... attendez un peu. Ce n'est plus la salade aux foies de volaille qu'il réclamera, mais le poulet Gaston Gérard dont Pierre Guillemot vous dira la recette. **Les Jarrons 1er cru rouge 2003 (15 à 23 €)**, à déguster en 2006, de qualité mais un cran en dessous des Grands Picotins, obtiennent une citation.

🔑 SCE du Dom. Pierre Guillemot, 11, pl. Fournier, BP 18, 21420 Savigny-lès-Beaune, tél. 03.80.21.50.40, fax 03.80.21.59.98 ☑ Y ⛹ r.-v.

### DOM. LUCIEN JACOB 2002 *

■ | 3,7 ha | 17 000 | 🛢 8 à 11 €

L'ancien député de la Côte-d'Or vit à Echevronne, petit village des Hautes-Côtes juste au-dessus de Savigny. Son **savigny-vergelesses rouge 2002, 1er cru (11 à 15 €)** remporte une étoile : rouge violacé, il respire les épices, les fruits mûrs tandis que le gras, la chair tempèrent les ardeurs d'une bouche assez corsée, portée sur la mâche en finale. Le village 2002 plaît également. Très classique à tous égards, sur un mode velouté et d'approche aisée, il semble parti pour un quinquennat serein.

Dom. Lucien Jacob, 21420 Echevronne,
tél. 03.80.21.52.15, fax 03.80.21.55.65,
e-mail lucien-jacob@wanadoo.fr r.-v.

## DOM. PATRICK JACOB-GIRARD
Les Marconnets 2002 ★

■ 1er cru 0,96 ha 4 500 **11 à 15 €**

Les Marconnets étaient considérés au XIX^es. comme l'un des *climats* les plus réputés de la région. Ce 2002 porte une robe grenat fuschia. Ses parfums invitent à la découverte et ne se contentent pas de plaire sur un instant floral. Cassis, prunelle, vanille suivent en bouche ; celle-ci s'emplit bientôt de mâche et s'inscrit dans un volume important. Un vin à laisser vieillir deux ans et à servir sur un filet de canard aux pêches de vigne.

Dom. Patrick Jacob-Girard, 2, rue de Cîteaux,
21420 Savigny-lès-Beaune, tél. 03.80.21.52.29,
fax 03.80.26.19.07, e-mail jacobgir@terre-net.fr
r.-v.

## HUBERT JACOB MAUCLAIR 2003 ★

■ 0,48 ha 2 700 8 à 11 €

« On lèche trois fois ses lèvres et on en dit du bien » : ainsi vantait-on jadis les vins de savigny. Cerise burlat très mûre, net et limpide, celui-ci développe des senteurs de sous-bois, de cuir, mais il n'est pas encore tout à fait ouvert. Nul doute qu'il s'orientera vers la framboise, le cassis : ce domaine en effet se consacre aux petits fruits pour une part importante de son activité. L'acidité est bien présente : elle joue un rôle utile aux côtés de tanins sympathiques. La vivacité en fin de bouche est un élan de jeunesse que l'âge adoucira bientôt.

Hubert Jacob Mauclair, 56, Grande-Rue, Changey,
21420 Echevronne, tél. et fax 03.80.21.57.07
r.-v.

## PIERRE JANNY Futey 2002 ★

■ n.c. 3 000 **11 à 15 €**

Viticulteur en Mâconnais, Pierre Janny a créé parallèlement une affaire de négoce-éleveur. C'est pourquoi nous le rencontrons ici. La robe de ce savigny se positionne sur un grenat profond. Au premier nez le cassis, le caramel prennent l'avantage. Puis à l'aération se manifestent des arômes assez toastés. Petite pointe d'alcool et du gras à l'attaque, des qualités de base (volume, concentration) sont au rendez-vous d'une bouche friande.

Grands vins de Bourgogne Pierre Janny,
La Condemine, Cidex 1556, 71260 Péronne,
tél. 03.85.23.96.20, fax 03.85.36.96.58,
e-mail pierre-janny@wanadoo.fr

## DANIEL LARGEOT 2003 ★★

■ 0,6 ha 3 600 11 à 15 €

Coup de cœur dans le Guide 2002. Cette année-là, aux vendanges justement, le mari rejoignait son épouse au sein du domaine familial. Et l'on coupait les raisins le 24 août ! Grenat à disque lumineux, ce *village* préfère la rondeur à la longueur. Son nez ne se livre pas, mais il consent à fredonner un air de griotte discrètement vanillée. Vineux, souple, soyeux, le corps n'a pas recours au superflu. Déjà agréable et capable de tenir de trois à quatre ans.

Daniel Largeot,
5, rue des Brenôts, 21200 Chorey-lès-Beaune,
tél. 03.80.22.15.10, fax 03.80.22.60.62 r.-v.

## JEAN-LUC MALDANT Vinomélie 2003 ★

0,21 ha 900 **15 à 23 €**

Le contenu de cette bouteille jaune clair à reflets dorés mérite l'attention : son nez évoque le sous-bois et la truffe. Sa constitution bien équilibrée doit lui permettre d'évoluer positivement (trois à quatre ans).

Jean-Luc Maldant,
24 bis, Grande-Rue, 21200 Chorey-lès-Beaune,
tél. 03.80.24.14.15, fax 03.80.24.19.50 r.-v.

## DOM. MICHEL MALLARD ET FILS
Les Serpentières 2002 ★

■ 1er cru 1,1 ha 7 000 **15 à 23 €**

Tiré à quatre épingles, rubis intense et brillant, un 2002 au beau nez fruité (mûre, griotte). La bouche s'offre sans déplaisir et, si l'acidité conserve encore du mordant, ses tanins sont élégants et fondus. Une persistance intéressante ajoute à la qualité, à l'harmonie générale. On peut le goûter dès à présent... ou un peu plus tard.

Dom. Michel Mallard et Fils,
43, rte de Dijon, 21550 Ladoix-Serrigny,
tél. 03.80.26.40.64, fax 03.80.26.47.49 r.-v.

BOURGOGNE

## DOM. MARECHAL-CAILLOT 2003 ★★

■ 2,22 ha 2 500 11 à 15 €

Entre rubis et cerise noire, un *village* aux jambes nombreuses et fines. Il se détache en raison d'un bouquet framboisé particulièrement expressif puis d'un corps consistant et attrayant. Dès l'attaque on sent la plénitude se dessiner. Elle s'appuie sur une texture déjà mûre (tanins enrobés, jolie suite d'arômes tirant sur les fruits rouges). On peut d'ores et déjà s'en satisfaire, sans attendre longtemps. A participé à la finale des coups de cœur... une distinction manquée de peu.

Bernard Maréchal,
10, rte de Chalon, 21200 Bligny-lès-Beaune,
tél. 03.80.21.44.55, fax 03.80.26.88.21,
e-mail marechalcaillot@aol.com r.-v.

## ALBERT MOROT
La Bataillère aux Vergelesses Monopole 2002 ★

■ 1er cru 1,81 ha 10 000 **15 à 23 €**

La Bataillère (le nom provient de la famille Bataille) était considérée par le Dr Lavalle en 1855 comme « la partie la plus parfaite des Vergelesses » et donc la meilleure de toute l'appellation. Monopole de la maison Albert Morot gérée par la famille Choppin de Janvry, c'est en effet un terroir distingué. Cette bouteille en soutient le rang. Rubis intense, vanille et framboise, un vin assez complet et d'une longueur suffisante.

Albert Morot, Ch. de la Creusotte,
20, av. Charles-Jaffelin, 21200 Beaune,
tél. 03.80.22.35.39, fax 03.80.22.47.50,
e-mail albertmorot@aol.com r.-v.

## DOM. PARIGOT PERE ET FILS
Les Peuillets 2003 ★

■ 0,77 ha n.c. **11 à 15 €**

Savez-vous qu'à deux pas de ces Peuillets, le 29 octobre 1970, Georges Pompidou a inauguré l'autoroute Paris-Lyon ? Ce 2003 ne commet cependant pas d'excès de vitesse : sa jeunesse l'empêche de développer tout son potentiel, mais une bonne garde va le faire monter en puissance. Rouge foncé à jambes nombreuses et fines, parfumé à la cerise, il est assez chaud, charnu, généreux en fruits mûrs. Sa structure tannique bien lisse le rend gourmand. Bref, il est sur la bonne voie.

Dom. Parigot Père et Fils, rte de Pommard,
21190 Meloisey, tél. 03.80.26.01.70, fax 03.80.26.04.32
r.-v.

### ALBERT PONNELLE Les Dentellières 2003 *

| | 0,6 ha | 2 400 | 15 à 23 € |
|---|---|---|---|

« Les Dentellières », lit-on sur l'étiquette. Il ne s'agit pas d'un *climat* de savigny mais d'une dénomination de fantaisie. Pourpre à reflets violacés et à disque brillant, le boisé tendre et la fleur au fusil, voilà un 2003 franc et consistant, bien constitué et équilibré de bout en bout. La légère sécheresse due aux tanins aura sans doute disparu à l'heure où vous lirez ces lignes.

Albert Ponnelle, 38, fb Saint-Nicolas, BP 107,
21200 Beaune, tél. 03.80.22.00.05, fax 03.80.24.19.73
t.l.j. sf sam. dim. 8h-12h 14h-18h

### DOM. DU PRIEURE Moutier Amet 2002

| | 0,8 ha | 4 500 | 8 à 11 € |
|---|---|---|---|

Coup de cœur en 2003 pour ses Grands Picotins, ce domaine signe cette fois un Moutier Amet. Par parenthèse, ce nom provient d'une erreur du cadastre au XIXᵉs. car il s'agit du *climat* Moutiers-Ramey, ancien prieuré de Saint-Maurice relevant de l'abbaye du même nom dans le diocèse de Troyes. Heureux prieuré où l'on aimerait chanter matines et où le fils (Stephen) travaille avec son père... Brillant et net, un savigny ouvert sur la framboise et l'épice, rond à l'attaque, puis assez ferme sur ses tanins et de bonne longueur.

Jean-Michel Maurice, Dom. du Prieuré,
23, rte de Beaune, 21420 Savigny-lès-Beaune,
tél. 03.80.21.54.27, fax 03.80.21.59.77,
e-mail maurice.jean-michel@wanadoo.fr
t.l.j. 9h-19h; dim. sur r.-v.

### DOM. RAPET PERE ET FILS 2003 **

| | 1 ha | 2 500 | 11 à 15 € |
|---|---|---|---|

Grand Vin de Bourgogne
Savigny-les-Beaune
APPELLATION SAVIGNY-LES-BEAUNE CONTRÔLÉE
RED BURGUNDY WINE
Mise en bouteille au
Domaine Rapet Père & Fils
PROPRIÉTAIRES-RÉCOLTANTS À PERNAND-VERGELESSES (CÔTE D'OR) FRANCE
ALC 13% BY VOL PRODUCE OF FRANCE 750 ML

L'argile ferrugineuse de cet excellent terroir a donné le meilleur rouge de l'appellation. Coup de cœur bien sûr ! Sa teinte cerise sombre et son éclat introduisent une dégustation enchantée. Bourgeon de cassis, violette : ses arômes offrent de sérieuses promesses. Charnu, il explose avec... délicatesse. Mais on retient surtout l'étonnante richesse d'un corps impérial, pharaonique, babylonien ! A table, un filet de bison lui conviendrait très bien. Et, si vous n'en trouvez pas, contentez-vous d'une pièce de bœuf sauce forestière (salers de préférence).

Dom. Rapet Père et Fils,
21420 Pernand-Vergelesses,
tél. 03.80.21.59.94, fax 03.80.21.54.01 r.-v.

### DOM. JOEL REMY Les Fourneaux 2003 **

| | 1 ha | 3 000 | 11 à 15 € |
|---|---|---|---|

Comme on aime être devant ces Fourneaux ! Un *climat* proche de Pernand ainsi que des Vergelesses. Joël Rémy a repris ce domaine il y a un peu plus de quinze ans, puis la maison Paul Chollet (crémant) en 2003. Il signe un vin figurant dans le peloton de tête de l'appellation. Vermillon intense, le bouquet très intéressant (de la rose aux épices), il attaque tout en souplesse. Fin et discret, il cherche à plaire sans effet de puissance, à convaincre sans excès de raisonnement. Il mise sur la victoire aux points.

Joël Rémy, 4, rue du Paradis,
21200 Sainte-Marie-la-Blanche, tél. 03.80.26.60.80,
fax 03.80.26.53.03, e-mail domaine.remy@wanadoo.fr
t.l.j. sf dim. 8h-12h 14h-18h

### DOM. SEGUIN-MANUEL Goudelettes 2002 *

| | 0,33 ha | 2 300 | 15 à 23 € |
|---|---|---|---|

A bon vin point d'enseigne ? Eh bien ! Non. Notez donc le producteur de ce 2002 blanc d'excellente tenue. Thibaut Marion et ses associés ont repris le domaine Seguin-Manuel en septembre 2004. Or clair, le nez à tendance florale, ce vin un peu vif est doté d'un bon équilibre général. Légèrement boisé et assez chaleureux, il plaira pendant quatre ou cinq ans. Quant au **savigny Lavières rouge 2003, 1er cru**, il obtient une citation.

Dom. Seguin-Manuel, 5, rue Paul-Maldant,
21420 Savigny-lès-Beaune, tél. 03.80.21.50.42,
fax 03.80.21.59.38, e-mail contact@seguin.manuel.com
t.l.j. sf sam. dim. 8h-12h 14h-17h; f. août
Marion

### DOM. FRANCINE ET MARIE-LAURE SERRIGNY La Dominode 2003 *

| 1er cru | 0,52 ha | 1 190 | 11 à 15 € |
|---|---|---|---|

Francine et Marie-Laure Serrigny reprenaient il y a dix ans le domaine familial. Mains de femmes : leur Dominode porte une robe du soir moirée et scintillante et des parfums de mûre et de sous-bois. En bouche, le vin vous prend par le bras de façon simple, cordiale et assez vigoureuse. Sincère ? A coup sûr. Capable de vieillir avec bonheur ? Très probablement. A noter que ce 1er cru est un *climat* au sein des Jarrons, proche de Beaune.

Dom. Marie-Laure et Francine Serrigny,
4, rue Bouteiller, 21420 Savigny-lès-Beaune,
tél. 03.80.26.11.75, fax 03.80.26.14.15 r.-v.

### DOM. DE LA VOUGERAIE Les Marconnets 2002 **

| 1er cru | 1,8 ha | 6 505 | 23 à 30 € |
|---|---|---|---|

Parmi les places d'honneur de notre dégustation, ce Marconnets remarquable est remarqué. Il est vrai que ce cru est rangé depuis toujours au sein des têtes de cuvée (la plupart de nos grands crus actuels). La luminosité de la robe met en valeur un bouquet si agréable (sous-bois, fruits rouges) qu'il donne envie d'aller plus loin. La bouche n'est pas flattée : elle est comblée. Onctueux et velouté, généreux, tendre et conquérant comme on sait l'être en Bourgogne, il attend de pied ferme un pigeon rôti aux figues. La Vougeraie réunit les vignes de la famille Boisset.

Dom. de La Vougeraie,
rue de l'Eglise, 21700 Premeaux-Prissey,
tél. 03.80.62.48.25, fax 03.80.61.25.44,
e-mail vougeraie@domainedelavougeraie.com r.-v.
Famille Boisset

# Chorey-lès-beaune

Situé dans la plaine, en face du cône de déjection de la combe de Bouilland, le village possède quelques lieux-dits voisins de Savigny. On y a produit en 2004, 5 825 hl d'appellation communale rouge et 290 hl de blanc.

## ARNOUX PERE ET FILS Les Confrelins 2003 ★★

■ 1,79 ha 7 500 8 à 11 €

Quand vous empruntez l'échangeur nord de l'autoroute à Beaune, savez-vous que les Confrelins se trouvent tout près ? Et là, on paye volontiers le péage tant son prix est raisonnable, tant sa qualité est considérable. Disons-le simplement, cette bouteille a tout d'une grande. Sa couleur cerise noire, son nez légèrement posé sur les baies de cassis fraîchement cueillies, son attaque riche en panache, on ouvre toutes les portes avec un égal bonheur. Charpenté, élégant et... durable. Arrivée seconde au grand jury des coups de cœur.

Arnoux Père et Fils,
rue des Brenôts, 21200 Chorey-lès-Beaune,
tél. 03.80.22.57.98, fax 03.80.22.16.85 r.-v.

## DOM. LUDOVIC BELIN Les Bons Orès 2003

■ 1 ha 5 000 11 à 15 €

Domaine créé par un policier, Jean Belin, et par une fleuriste, son épouse Marie-Thérèse Rapet. Du demi-hectare en 1999, on est passé à 3,5. Ludovic a pris les commandes. Le rouge est mis ici sur une nuance grenat. Il nous guide sur la piste d'arômes fruités (groseille, cassis surtout). L'enquête rencontre des tanins puissants qui vont bien sûr se mettre à table sur une finale accommodante.

Dom. Ludovic Belin,
Les Combottes, 21420 Pernand-Vergelesses,
tél. 03.80.22.77.51, fax 03.80.22.76.59
t.l.j. sf dim. 9h-12h 14h-20h, f. 15 au 30 août

## DOM. CACHAT-OCQUIDANT ET FILS 2003

■ 1,8 ha 3 000 8 à 11 €

Sur l'étiquette, le parchemin connaît sa leçon : ses quatre coins roulés ont un goût de tradition... Flatteur au départ, un peu court par la suite, un chorey que vous déposerez en cave le temps d'achever son élevage (deux ans par exemple). Il a des reflets rubis et un bouquet déjà mûr au retour de la chasse (animal, gibecière en cuir).

Dom. Cachat-Ocquidant,
3, pl. du Souvenir, 21550 Ladoix-Serrigny,
tél. 03.80.26.45.30, fax 03.80.26.48.16 r.-v.

## CH. DE CHOREY 2002 ★

■ 5 ha 20 000 11 à 15 €

Négoce fondé tout récemment en prolongement du domaine familial (17 ha) et d'une belle demeure bourguignonne. D'une teinte presque noire, ce vin tire par extraction le maximum du millésime : bouquet sur la mûre et encore un peu boisé, bouche charnue et tannique à la fois évoluant vers des sensations de réglisse et de cuir. On pense à une longue cuvaison, à de vieilles vignes, renvoyant la dégustation à plus tard (fin de la décennie).

SARL Benoît Germain,
rue des Moutots, 21200 Chorey-lès-Beaune,
tél. 03.80.24.06.39, fax 03.80.24.77.72 r.-v.

## DOM. JEAN-LUC DUBOIS Clos Margot 2003

■ 3,53 ha 9 000 8 à 11 €

Il y a des vins nés sous une bonne étoile. S'appeler Clos Margot ! D'autant qu'il ne s'agit pas d'une dénomination de fantaisie comme on en voit parfois sur des étiquettes... En dégrafant le corsage de cette Margot, on découvre la rougeur du soleil, un parfum de pays mêlant le sous-bois à l'animal et des ardeurs assez rondes. La finale cependant l'indique clairement : elle ne se donne pas à la première rencontre.

Dom. Jean-Luc Dubois,
9, rue des Brenôts, 21200 Chorey-lès-Beaune,
tél. 03.80.22.28.36, fax 03.80.22.83.08 r.-v.

## SYLVAIN DUSSORT Les Beaumonts 2003 ★

■ n.c. n.c. 11 à 15 €

Les Beaumonts ont été recherchés très tôt par les Hospices de Beaune. Ils s'enfoncent comme un coin entre aloxe et savigny, dont ils partagent certaines qualités. Celui-ci est ce qu'on appelle une jolie bouteille. Au-delà des propos habituels sur la couleur, presque uniforme durant la dégustation, on aimera le grain d'un fruit à maturité, l'attaque pleine d'entrain, la rondeur, l'équilibre ; ce vin gagnera à vieillir un an ou deux.

Sylvain Dussort, 12, rue Charles-Giraud,
21190 Meursault, tél. 03.80.21.27.50,
fax 03.80.21.65.91, e-mail dussvins@aol.com
r.-v.

## DOM. GAY 2002 ★

■ 3,6 ha 11 000 8 à 11 €

Sébastien annonce la quatrième génération sur l'exploitation. Si la couleur de ce 2002 évolue légèrement, ses parfums de violette, de gelée de groseille vont bien ensemble. Dense, assez puissant, il est de stature carrée mais en fin de compte assez soyeux, agréable et disponible pour un blanc de volaille.

EARL Dom. Michel Gay et Fils,
1b, rue des Brenôts, 21200 Chorey-lès-Beaune,
tél. 03.80.22.22.73, fax 03.80.22.95.78 r.-v.

## FRANCOIS GAY ET FILS 2002 ★

■ 2,75 ha 15 000 8 à 11 €

Pourpre violacé pas trop appuyé, il donne évidemment couleur à son affaire. Ses arômes évoquent la vanille et la mûre. Sa constitution assez charnue enveloppe une structure satisfaisante et on sait que les Bourguignons ont le sens de la litote. Goûtez-le avec un cassoulet et vous saurez ce qu'est un bon mariage.

EARL François Gay et Fils,
9, rue des Fiètres, 21200 Chorey-lès-Beaune,
tél. 03.80.22.69.58, fax 03.80.24.71.42 r.-v.

## DOM. GUYON Les Bons Ores 2003 ★

■ 1,87 ha 10 800 11 à 15 €

Aloxe et ladoix ceinturent ce *climat* qui a su se faire un nom. Pourpre noir et brillant, un vin très fin et qui devrait bien évoluer. Les fruits noirs se bousculent pour prendre place (boisé modéré). Honnête et parvenu à sa meilleure expression, il est à servir dans deux ou trois ans.

BOURGOGNE

EARL Dom. Guyon,
11-16, RN 74, 21700 Vosne-Romanée,
tél. 03.80.61.02.46, fax 03.80.62.36.56 r.-v.

### DANIEL LARGEOT Les Beaumonts 2003

■ 2 ha 12 000 8 à 11 €

Ces Beaumonts donnent un vin étoffé, de bonne structure, porté par un fruit bien rouge. Les tanins sont très présents mais il en faut puisqu'ils assurent sa structure, sa longévité. Vous le boirez à la fleur 2008.

Daniel Largeot, 5, rue des Brenôts,
21200 Chorey-lès-Beaune, tél. 03.80.22.15.10,
fax 03.80.22.60.62 r.-v.

### DOM. MARATRAY-DUBREUIL 2002

■ 2 ha 8 600 8 à 11 €

Chorey dispute au chambertin (sans parler d'innombrables vins...) l'honneur d'accompagner le coq. Ce 2002 pourrait faire l'affaire. Indépendamment de son intensité colorante, il retient l'attention du nez grâce à ses arômes boisés sur fond de fruit et de sous-bois. Sa bouche classique qu'excite une pointe de vivacité sur des saveurs confiturées, épicées est ample. Typicité du millésime, mais pas plus de deux ans de garde.

Dom. Maratray-Dubreuil, 5, pl. du Souvenir,
21550 Ladoix-Serrigny, tél. 03.80.26.41.09,
fax 03.80.26.49.07,
e-mail maratray-dubreuil@club-internet.fr
t.l.j. sf dim. 9h-12h 14h-18h

### CATHERINE ET CLAUDE MARECHAL 2002 ★★

■ 1,27 ha 7 000 11 à 15 €

Longueur et concentration font plus que force ni que rage, peut-on dire de cette bouteille en paraphrasant La Fontaine. Si elle ne déborde pas de tanins, son corps est appétissant. On croit croquer dans la cerise noire, tant elle génère une saveur franche et fruitée. Cette cerise noire que l'on a déjà croisée sur son chemin en visitant son nez. Sa robe séduit sur les couleurs du soleil couchant.

EARL Catherine et Claude Maréchal, 6, rte de Chalon, 21200 Bligny-lès-Beaune, tél. 03.80.21.44.37,
fax 03.80.26.85.01, e-mail marechalcc@wanadoo.fr

### GHISLAINE ET BERNARD MARECHAL-CAILLOT Côte de Beaune 2003 ★★

■ 0,8 ha 3 700 11 à 15 €

Chorey a eu du mal à s'imposer tant ses puissants voisins masquaient son nom. Cette bouteille coup de cœur montre à la perfection que cette appellation est tout à fait justifiée. D'une netteté flamboyante, la robe annonce une évolution aromatique intense et subtile jouant autour de la cerise. Elle ménage bien ses effets pour préparer la venue d'une bouche goûteuse à souhait. Tanins, acidité, alcool, toutes les pièces du puzzle ont trouvé leur dessin lisse et soyeux. A déboucher cette année.

Ghislaine et Bernard Maréchal-Caillot, 10, rte de Chalon, 21200 Bligny-lès-Beaune, tél. 03.80.21.44.55,
fax 03.80.26.88.21, e-mail marechalcaillot@aol.com
r.-v.

### DOM. POULLEAU PERE ET FILS 2003

■ 0,45 ha 2 400 8 à 11 €

Chorey avait jadis la réputation d'un « vin médecin ». Il épaulait fréquemment les cuvées un peu pâlottes de ses célèbres voisins. Si de nos jours il se consacre à son propre destin, la bouteille que nous examinons illustre bien ces vertus : intensité de la robe, parfum typé fruits rouges, corps robuste et tannique. Du costaud, capable de vous tourner une vis de pressoir un jour de reconstitution historique. Laissez-le tranquille de douze à dix-huit mois.

Dom. Poulleau Père et Fils, rue du Pied-de-la-Vallée,
21190 Volnay, tél. 03.80.21.26.52, fax 03.80.21.64.03,
e-mail domaine.poulleau@wanadoo.fr r.-v.

### DOM. GEORGES ROY ET FILS 2003 ★★

0,35 ha 2 000 8 à 11 €

Naguère infime, la production du chorey blanc progresse sensiblement en profitant des terroirs les plus favorables. Or clair limpide, en voici un excellent porte-parole. La pêche jaune domine son bouquet au sein d'un fumé bien intégré. Une touche beurrée se fond en bouche. Il a de la fraîcheur et de la profondeur à la fois, ce qu'il faut de gras. Une tourte au saucisson ou un poisson blanc à la crème, ce sont les propositions des dégustateurs...

Dom. Georges Roy et Fils, 20, rue des Moutots,
21200 Chorey-lès-Beaune, tél. 03.80.22.16.28,
fax 03.80.24.76.38 r.-v.

## Beaune

En superficie, l'appellation beaune est l'une des plus importantes de la Côte. Mais Beaune, ville d'environ 20 000 habitants, est aussi et surtout la capitale vitivinicole de la Bourgogne. Siège d'un important négoce, centre d'un nœud autoroutier très important, c'est une des cités les plus touristiques de France. La vente des vins des Hospices est devenue un événement mondial, et représente certainement l'une des ventes de charité les plus illustres.

Les vins, essentiellement rouges, sont pleins de force et de distinction. La situation géographique a permis le classement en premiers crus d'une grande partie du vignoble, et, parmi les plus prestigieux, nous pouvons retenir les Bressandes, le Clos du Roy, les Grèves, les Teurons et les Champimonts. En 2004, les blancs ont atteint 2 365 hl et les rouges 12 182 hl.

### LYCEE VITICOLE DE BEAUNE Les Bressandes 2003 ★★

■ 1er cru 0,76 ha 2 025 15 à 23 €

Un accessit pour **Les Perrières 1er cru rouge 2003** et un prix pour cet excellent Bressandes. D'un rouge violacé et intense, il garde un nez réservé, mais aux arômes distingués et assez frais. L'entrée en bouche est pleine de jeunesse, avec des parfums en embuscade. Sa concentration, son gras accompagnent un beau fond vineux et chaleureux, un bon boisé. A montrer en exemple aux neuf cents élèves de la Viti !

Dom. du Lycée viticole de Beaune, 16, av. Charles-Jaffelin, 21200 Beaune, tél. 03.80.26.35.85, fax 03.80.26.37.68 t.l.j. sf dim. 8h-12h 14h-17h30; sam. 9h-12h

## BOUCHARD AINE ET FILS

Clos du Roi Cuvée Signature 2003 ★

1er cru n.c. 2 790 23 à 30 €

Où ce Clos du Roi passe-t-il sa jeunesse ? En l'hôtel du Conseiller du Roy, l'une des plus belles demeures beaunoises (au bord du boulevard des Remparts). Vêtu de rouge comme un premier président au Parlement de Bourgogne, le nez partagé équitablement entre la confiture de vieux garçon et la vanille, il montre de solides arguments dans son discours. Structure, longueur, potentiel, il proposera durant plusieurs années une intimité attachante. Maison très ancienne, acquise par Jean-Claude Boisset en 1994.

Bouchard Aîné et Fils, hôtel du Conseiller-du-Roy, 4, bd Mal-Foch, 21200 Beaune, tél. 03.80.24.24.00, fax 03.80.24.64.12, e-mail bouchard@bouchard-aine.fr t.l.j. 9h30-11h30 14h-17h30

## BOUCHARD PERE ET FILS

Beaune du Château 2003 ★

1er cru 21 ha n.c. 15 à 23 €

Beaune du Château n'est ni une AOC ni un *climat* classé en 1er cru. Il s'agit d'une vigne (ou de plusieurs vignes aux raisins assemblés) du domaine, et c'est là l'essentiel. A l'œil et au nez, le noir l'emporte : rubis peuplé d'ombre, cassis et myrtille. Puissance, un peu de chaleur, il finit assez ferme sur des tanins bien assis mais qui se laissent caresser. Bouchard Père et Fils appartient au groupe champenois Henriot (comme William Fèvre et Lejay-Lagoute).

Bouchard Père et Fils, Ch. de Beaune, 21200 Beaune, tél. 03.80.24.80.24, fax 03.80.22.55.88, e-mail france@bouchard-pereetfils.com r.-v.

## DOM. DENIS BOUSSEY Prévôles 2003

0,46 ha 2 000 11 à 15 €

« Vin vert, riche Bourgogne », disait-on jadis. De fait, celui-ci a la bouche plus vive que grasse. Mais le péché n'est point mortel et on lui reconnaît une jolie parure rubis foncé. Mi-fruit mi-vanille, son parfum n'est pas désagréable. Structure légère. Ce *climat* se situe en début de coteau, à droite quand on quitte Beaune par la N 74 vers le Sud.

Dom. Denis Boussey, 1, rue du Pied-de-la-Vallée, 21190 Monthélie, tél. 03.80.21.21.23, fax 03.80.21.62.46 t.l.j. sf dim. 8h-12h 13h30-18h30; f. 6-20 août

## DOM. CARRE-COURBIN Reversées 2003

1er cru 0,17 ha 900 11 à 15 €

Rappelez-vous le testament de maître Pathelin dans la farce médiévale : il exige d'être enterré dans une cave « dessous un muid de vin de Beaune ». Le muid est un tonneau ventripotent. Ce 2003 ne recevra pas une mission aussi éternelle. Sa couleur est ample et suffisante. Son bouquet vanillé, d'intensité moyenne peut s'ouvrir davantage. Sans atteindre une concentration considérable – et ceci est bien –, il penche du bon côté.

Dom. Carré-Courbin, 9, rue Celer, 21200 Beaune, tél. 03.80.24.67.62, fax 03.80.24.66.93, e-mail carre.courbin@wanadoo.fr r.-v.

## DOM. CHANSON PERE ET FILS

Clos des Mouches 2003 ★★

1er cru 1,76 ha 2 881 46 à 76 €

Coup de cœur l'année dernière pour un Bressandes, cette maison devenue champenoise (Bollinger) a particulièrement réussi son Clos des Mouches 2003 en chardonnay. Aucun reflet vert ne fait ici défaut. Le miel, l'acacia, l'amande grillée se succèdent sur un fond de minéralité élégante. En bouche, on prend vraiment plaisir à le goûter. Ample, souple et fin, il tient la distance. Le **1er cru Clos des Marconnets 2002 rouge (30 à 38 €)** partage ces lauriers. Riche, épicé, prometteur, il est remarquable.

Dom. Chanson Père et Fils, 10, rue Paul-Chanson, 21200 Beaune, tél. 03.80.25.97.97, fax 03.80.24.17.42, e-mail chanson@vins-chanson.com r.-v.

## DOM. FRANCOIS CHARLES ET FILS

Les Epenottes 2003

1er cru 0,62 ha 2 500 11 à 15 €

Ce viticulteur des Hautes-Côtes-de-Beaune ne pourra que vous conseiller une volaille aux truffes pour escorter cette bouteille. Et pas n'importe quelles truffes : *tuber uncinatum*, la truffe brune de Bourgogne, car il les récolte à ses moments perdus. Allez donc le voir pour en causer. Tannique et vif, ce vin cerise (noire à l'œil, rouge au nez) répartit assez bien ses atouts en bouche mais sa finale nécessite quelque patience.

EARL François Charles et Fils, rue de Pichot, 21190 Nantoux, tél. 03.80.26.01.20, fax 03.80.26.04.84, e-mail charles.francois@terre-net.fr r.-v.

## DOM. DU CHATEAU DE CHOREY

Domaine de Saux 2002 ★

1er cru 2 ha 5 000 15 à 23 €

Affaire de négoce-éleveur née assez récemment, afin de prolonger l'activité du domaine vitivinicole. Quant à ce Domaine de Saux (figurant sur l'étiquette), il s'agit probablement du *climat* Les Saux correctement orthographié ici alors qu'on les appelle souvent, et pour faire noble, « Les Sceaux ». Bref, un 2002 riche en couleur, dont le nez frémit sous un parfum de fraise des bois. Ample, concentré et fruité, il doit encore lisser ses tanins afin d'éviter toute impression de sécheresse. Il y parviendra. Le **1er cru Vignes-Franches 2002 rouge Vieilles Vignes (23 à 30 €)** est lui aussi de bon niveau (une étoile).

SARL Benoît Germain, rue des Moutots, 21200 Chorey-lès-Beaune, tél. 03.80.24.06.39, fax 03.80.24.77.72 r.-v.

## DOM. DU CHATEAU DE MEURSAULT

Cent Vignes 2002

1er cru 1,96 ha 9 000 23 à 30 €

La devise du domaine (*altum alii teneant*) rend difficile tout jugement... Cela signifie en effet : les autres le placent très haut. Sans lui décerner la palme d'or, notre jury le situe cependant à un rang honorable. Rouge aux portes de la nuit, son nez est assez discret au début mais le fruit vient ensuite. Sa bouche est tout d'abord souple et fondue, comme un fleuve tranquille, puis elle devient plus sévère. Elevage à poursuivre en cave durant deux à trois ans. Le Château de Meursault est l'une des nombreuses et riches idées d'André Boisseaux.

🔑 Ch. de Meursault, 21190 Meursault,
tél. 03.80.26.22.75, fax 03.80.26.22.76,
e-mail chateau.meursault@kriter.com
☑ 🍷 🚶 t.l.j. 9h30-12h 14h30-18h

### YVES DARVIOT Longbois 2003 ★★

■ 0,31 ha 1 200 🛢 11 à 15 €

Autant le dire tout de suite, il voit les choses de haut. Il s'agit d'abord d'un *climat* très haut perché. Et puis, il est l'un des meilleurs vins de la dégustation. Rubis brillant, il suggère le cassis, le sous-bois. Sa bouche est équilibrée, consistante et savoureuse. Le **1er cru Les Grèves 2003 rouge (15 à 23 €)** offre une jolie chair de cerise. Il obtient une étoile. Ces deux vins sont nés dans l'une des rares cuveries située à deux pas de la mairie de Beaune.

🔑 Dom. Yves Darviot, 2, pl. Morimont,
21200 Beaune, tél. 03.80.24.74.87, fax 03.80.22.02.89,
e-mail contact@yvesdarviot.com ☑ 🏠 🍷 🚶 r.-v.

### DOM. RODOLPHE DEMOUGEOT
Les Epenotes 2003 ★★

■ n.c. n.c. 🛢 11 à 15 €

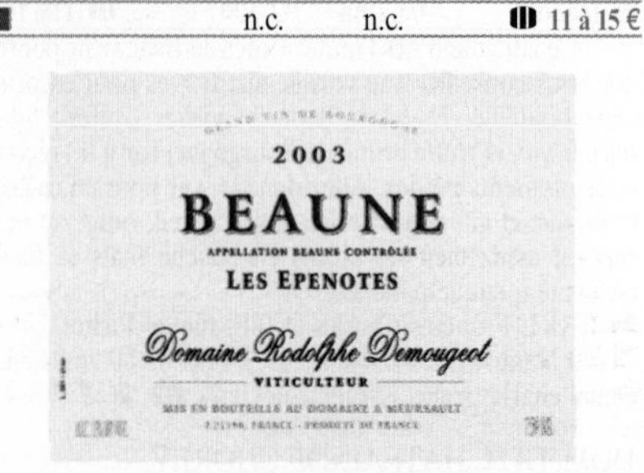


On a attendu le 26 août pour donner le feu vert aux sécateurs, et on a bien fait. Ni trop ni trop peu de maturité pour ces Epenotes 2003 à la robe pourpre très sombre. Si le fût (treize mois) les mettent sur une orbite aussi sûrement que la fusée Ariane, on distingue de là-haut un corps harmonieux, puissant et sensuel. Il n'en finit pas... Une garde de quatre à cinq ans est conseillée tant ce vin paraît serein. En **blanc ? Le Clos Saint-Désiré 2003 (15 à 23 €)** produit la meilleure impression et obtient deux étoiles.

🔑 Dom. Rodolphe Demougeot, 2, rue du
Clos-de-Mazeray, 21190 Meursault, tél. 03.80.21.28.99,
fax 03.80.21.29.18 ☑ 🍷 🚶 r.-v.

### DOM. DESERTAUX-FERRAND
Les Sceaux 2003 ★

■ 1er cru 0,6 ha 2 100 🛢 11 à 15 €

Condamné au billot par son frère le roi d'Angleterre, le duc de Clarence aurait sollicité la faveur d'être plutôt noyé dans un fût de vin de Beaune « pour que ma mort soit sans effort et bonne ». Sans doute n'ira-t-on pas jusqu'à cette extrémité pour goûter ce 2003 bien présenté, mariant en naissance aromatique le fruit confituré et la croûte de pain. Sa bouche franche et discrète bénéficie de notes de violette, de réglisse. Le type même du 1er cru sans artifice. Pour un petit gibier à plumes.

🔑 Dom. Désertaux-Ferrand,
135, Grande-Rue, 21700 Corgoloin,
tél. 03.80.62.98.40, fax 03.80.62.70.32,
e-mail contact@desertaux-ferrand.com ☑ 🏠 🍷 🚶 r.-v.

### DEVEVEY Pertuisots 2003 ★

■ 1er cru 0,51 ha 1 500 🛢 15 à 23 €

Dans les parages des Aigrots, des Sizies, les Pertuisots ne sont pas l'un des 1ers crus les plus connus. Ils méritent pourtant de l'être mieux : voyez ce 2003. Sous sa robe profonde et soutenue, il a le nez bien mûr, assez complexe pour tout dire (fruits confits, légère nuance crayeuse). Son toasté ne masque pas la structure ni le gras. Démarche élégante et discrète, très personnelle.

🔑 Jean-Yves Devevey, rue de Breuil, 71150 Demigny,
tél. 03.85.49.91.11, fax 03.85.49.91.59,
e-mail jydevevey@wanadoo.fr 🍷 🚶 r.-v.

### JOSEPH DROUHIN Clos des Mouches 2003 ★★

■ 1er cru 6,48 ha n.c. 🛢 38 à 46 €

Plusieurs fois coup de cœur dans le passé, l'illustre Clos des Mouches de la maison J. Drouhin vient d'étendre son domaine sur Rully. Le voici en rouge. Il respecte la configuration du millésime par sa couleur appuyée, son bouquet tirant sur la fraise écrasée, mais il met à l'honneur une petite touche minérale. La bouche homogène offre un remarquable volume et une tannicité mesurée. A attendre trois ans. En **blanc, le Clos des Mouches 2002 (46 à 76 €)** est très réussi tant par l'or brillant de sa robe, par son nez aromatique et complexe que par l'équilibre en bouche entre le bois et le fruit. « Sûrement un grand terroir », note un dégustateur.

🔑 Maison Joseph Drouhin, 7, rue d'Enfer,
21200 Beaune, tél. 03.80.24.68.88, fax 03.80.22.43.14,
e-mail maisondrouhin@drouhin.com ☑ 🍷 🚶 r.-v.

### DOM. LUCIEN JACOB Les Cent Vignes 2002 ★

■ 1er cru 0,4 ha 2 100 🛢 11 à 15 €

Si Chantal et Jean-Michel gèrent l'exploitation avec l'aide de Christine, Lucien Jacob reste une figure marquante du vignoble. On doit ainsi à l'ancien député de la Côte-d'Or la renaissance des Hautes-Côtes. D'une teinte violine, ce Cent Vignes évoque la confiture de cerise avant de se déplacer : les tanins et l'acidité sont bien dosés ; les fruits à noyau emplissent le palais. De la constitution solide, il pourra être oublié un peu avant d'accompagner une viande rouge.

🔑 Dom. Lucien Jacob, 21420 Echevronne,
tél. 03.80.21.52.15, fax 03.80.21.55.65,
e-mail lucien-jacob@wanadoo.fr ☑ 🏠 🍷 🚶 r.-v.

### DOM. PIERRE LABET
Clos du Dessus des Marconnets 2003 ★★

□ 1 ha 3 300 🛢 15 à 23 €

La famille Labet se partage entre le château de La Tour au sein du Clos de Vougeot et ses vignes beaunoises, sous la devise *Rara Avis* (l'oiseau rare) que justifie ce chardonnay aux joues dorées. Son nez est déjà bien ouvert et il picore menthol, citron, amande grillée. Une belle matière pour un *village* : densité, chaleur, durée en bouche. On est ici dans le voisinage de Savigny-lès-Beaune.

🔑 Dom. Pierre Labet, Clos de Vougeot,
21640 Vougeot, tél. 03.80.62.86.13, fax 03.80.62.82.72,
e-mail contact@francoislabet.com
☑ 🍷 🚶 t.l.j. sf mar. 10h-18h; groupes sur r.-v.
🔑 François Labet

### DANIEL LARGEOT Les Grèves 2003

■ 1er cru 0,6 ha 2 200 🛢 15 à 23 €

Repris en 2000 par la fille de l'ancien propriétaire, ce domaine de 11 ha propose cette année un vin d'une belle

intensité colorante de ton classique que met en valeur un nez cassissé. L'extraction soutenue se constate au palais, sans nuire toutefois à la sensation charnue qui succède à la douceur, à la fraîcheur de l'entrée en bouche.
Daniel Largeot, 5, rue des Brenôts, 21200 Chorey-lès-Beaune, tél. 03.80.22.15.10, fax 03.80.22.60.62 r.-v.

### DOM. MAILLARD PERE ET FILS 2002 ★

| ■ | n.c. | n.c. | 11 à 15 € |
|---|---|---|---|

Un très beau puits sculpté orne le caveau, mais on laissera cette eau tranquille pour savourer ce *village* nettement au-dessus de la moyenne. Coup de cœur en 1999. Couleur et reflets répondent à ce que l'on attend. Un peu d'aération stimule le bouquet ; à la seconde approche, on sent le cassis. L'entame est fine et si l'arrière-bouche trouve ses limites, elle prend congé avec élégance.
Dom. Maillard Père et Fils, 2, rue Joseph-Bard, 21200 Chorey-lès-Beaune, tél. 03.80.22.10.67, fax 03.80.24.00.42 r.-v.

### DOM. MAZILLY PERE ET FILS Montrevenots 2003 ★★

| ■ 1er cru | 0,45 ha | 2 000 | 11 à 15 € |
|---|---|---|---|

Pommard n'est pas loin. Le coup de cœur non plus puisque ce Montrevenots compte de fermes partisans et arrive second du grand jury des 1er crus. Sans doute présente-t-il une petite note d'amertume, mais on croirait rencontrer Nicolas Rolin en personne tant il montre des signes extérieurs et intérieurs de richesse ! A l'œil, le rubis brille. Au nez, le fruit s'accommode bien d'un je ne sais quoi torréfié. En bouche, il attaque avec panache et développe les qualités de structure, d'arômes, de persistance qu'on attend d'un 1er cru.
Dom. Mazilly Père et Fils, rte de Pommard, 21190 Meloisey, tél. 03.80.26.02.00, fax 03.80.26.03.67 r.-v.

### CHRISTIAN MENAUT 2003 ★

| ■ | 0,85 ha | 3 500 | 8 à 11 € |
|---|---|---|---|

Coup de cœur en 2001 et déjà en 1999, ce viticulteur connaît à l'évidence son sujet. Un peu de fruit, pas trop de fût, l'ensemble est ici équilibré sur un mode léger. Il nous change des 2003 à la carrure d'armoire bressane, d'autant que les tanins sont bien fondus et l'acidité (recherchée dans ce millésime) présente. De plus, sa structure permettra de le servir pendant les deux à cinq prochaines années.
Christian Menaut, rue Chaude, 21190 Nantoux, tél. 03.80.26.07.72, fax 03.80.26.01.53 r.-v.

### ALBERT MOROT Toussaints 2002 ★

| ■ 1er cru | 0,77 ha | 4 500 | 15 à 23 € |
|---|---|---|---|

En 1357, le Martyrologue de Notre-Dame de Beaune évoque les Cent-Vignes *justa vineam omnium sanctorum* (près de la Vigne de tous le saints). Six siècles et demi plus tard, les Toussaints sont toujours les voisins des Cent-Vignes. C'est dire si dans la Côte on n'aime guère le changement ! Il est vrai que ce 2002 porte bien son nom. Pourpre violacé, il possède encore sa robe de jeunesse. Son bouquet s'ouvre sur le cassis, la mûre. Un peu vif à l'attaque, il a tout à fait assimilé son fût et il mise sur le fruit avant de laisser ses tanins s'exprimer un peu. Le **1er cru Les Aigrots rouge 2002** obtiennent également une étoile.
Albert Morot, Ch. de la Creusotte, 20, av. Charles-Jaffelin, 21200 Beaune, tél. 03.80.22.35.39, fax 03.80.22.47.50, e-mail albertmorot@aol.com r.-v.

### DOM. NEWMAN Clos des Avaux 2003 ★★★

| ■ 1er cru | 0,5 ha | 1 200 | 15 à 23 € |
|---|---|---|---|

Ami d'Alexis Lichine, Bob Newman fut naguère l'un des premiers propriétaires américains de vignes bourguignonnes. Son fils Christopher réunifia ensuite le domaine partagé entre plusieurs membres de la famille. Des intérêts dans le bois, le pétrole et... un réel intérêt pour le vin. Le coup de cœur couronne un Clos des Avaux d'une teinte très marquée, agréablement bouqueté (fruits noirs – pruneau – et notes boisées) et qui s'installe au palais avec une aisance déconcertante. Ses tanins respectent le fruit. L'équilibre est parfait et justifie une bonne garde. Du grand art en vinification ! Le **beaune village 2003 (11 à 15 €)**, plus simple, obtient une citation.
Dom. Newman, 29, bd Clemenceau, 21200 Beaune, tél. 03.80.22.80.96, fax 03.80.24.29.14 r.-v.

### DOM. PARENT Les Epenottes 2002 ★

| ■ 1er cru | 1,75 ha | 10 000 | 15 à 23 € |
|---|---|---|---|

Ce vin n'est pas dépaysé dans une cave à Pommard. Les Epenottes marquent en effet la limite entre les deux communes. Grenat dense et luisant, doucement boisé et s'éveillant sur le marc de framboise, ce 2002 est bien droit dans ses bottes, d'une tenue superbe, le retour des arômes jouant sur les fruits rouges : on s'y plaît. Un ancêtre de la famille, le tonnelier Etienne Parent, fut dans la Côte le guide, puis longtemps le fournisseur de Thomas Jefferson.
Dom. Parent, 9, pl. de l'Eglise, 21630 Pommard, tél. 03.80.22.15.08, fax 03.80.24.19.33, e-mail parent-pommard@axnet.fr r.-v.

### DOM. DE LA PERRIERE Les Aigrots 2003

| ■ 1er cru | 0,5 ha | 2 000 | 11 à 15 € |
|---|---|---|---|

A la fortune du pot : cet Aigrots vous reçoit sans faire de cérémonies. La simplicité chaleureuse de son accueil le rend très sympathique. Couleur profonde, nez de fruits rouges, il est souple, tendre et plaisant. La petite touche d'amertume en finale fait ici partie des usages. On ne s'en formalisera pas. A servir maintenant.
Bernard Martenot, rue de la Perrière, 21190 Saint-Romain, tél. et fax 03.80.21.68.97 r.-v.

### DOM. DU PIMONT Montée Rouge 2002 ★

| ■ | 0,93 ha | 5 600 | 15 à 23 € |
|---|---|---|---|

La Montagne de Beaune ! En l'appelant ainsi nos ancêtres jalousaient sant doute le Jura qu'on voit à l'horizon. Classée en *village*, une partie de la Montée Rouge se trouve justement sur les dernières pentes de cet illustre sommet. Elle produit ici un vin puissant qu'anime une pointe de chaleur, mais d'une matière bien soutenue. Sa robe n'est pas très accentuée, son nez gardant la même réserve. Persistance intéressante. Signé par Michel Picard, viticulteur et négociant.

Dom. du Pimont, ch. de Chassagne-Montrachet, 5, rue du Château, 21190 Chassagne-Montrachet, tél. 03.85.87.51.17, fax 03.85.87.51.12, e-mail marketing@m-p.fr
Maison Chandesais

### ALBERT PONNELLE Les Grèves 2002

■ 1er cru 0,18 ha 900 23 à 30 €

Ces Grèves ne dureront pas aussi longtemps que celles de 1968. Heureusement d'ailleurs car ce millésime s'éteignit très vite ! Mais elles pourront attendre deux à trois ans. Rouge grenat, un 2002 dont le nez annonce une maturité déjà importante (compote de prunes). On retient surtout sa bonne mâche où le fruit tempère la force tannique. Longueur moyenne. Le **1er cru Clos du Roi rouge 2002** obtient une citation.

Albert Ponnelle, 38, fb Saint-Nicolas, BP 107, 21200 Beaune, tél. 03.80.22.00.05, fax 03.80.24.19.73
t.l.j. sf sam. dim. 8h-12h 14h-18h

### DOM. JACQUES PRIEUR Champs-Pimont 2002 *

1er cru 1,19 ha 7 600 23 à 30 €

« Les blancs s'offrent ici assez jeunes », écrit Serena Sutcliffe en s'arrêtant à Beaune. Cette bouteille lui donne mille fois raison. Or léger nuancé de vert, un beaune très floral, agrémenté de noisette. Son support citronné propose efficacement son concours à un gras avantageux. Ce qu'on appelle un vin plaisir. Quant au rouge, il est bien représenté par les **Grèves 2002** et **Champs-Pimont 2002** puisque chacun reçoit une étoile. Antonin Rodet veille sur ce domaine acquis à 50 % en 1988 par un groupe de familles de Saône-et-Loire.

Dom. Jacques Prieur, 6, rue des Santenots, 21190 Meursault, tél. 03.80.21.23.85, fax 03.80.21.29.19, e-mail domaine.jprieur@wanadoo.fr
r.-v.

### DOM. RAPET PERE ET FILS Grèves 2002 **

■ 1er cru 0,33 ha 1 500 15 à 23 €

Longues comme un cortège de Bastille à Nation, ces Grèves défilent évidemment derrière le drapeau rouge : un rubis clair légèrement violacé. La framboise et la vanille viennent en tête, puis les gros bataillons des tanins. Des revendications exprimées dès l'attaque, avec des arguments solides (des tanins présents) mais qui vont s'affiner lors des négociations futures. Le fruit est assez vif, l'impression persistante.

Dom. Rapet Père et Fils, 21420 Pernand-Vergelesses, tél. 03.80.21.59.94, fax 03.80.21.54.01 r.-v.

### DOM. JOEL REMY Les Cent Vignes 2003 *

■ 1er cru 0,5 ha n.c. 11 à 15 €

On croirait caresser du regard un velours épais, grenat sombre. Ses arômes vont et viennent, de la vanille aux fruits noirs. On a beaucoup de vin en bouche. Tannique, doté d'une acidité agréable, ce qui est rare pour un 2003, de bonne garde, il se montre capiteux, porté par la passion.

Joël Rémy, 4, rue du Paradis, 21200 Sainte-Marie-la-Blanche, tél. 03.80.26.60.80, fax 03.80.26.53.03, e-mail domaine.remy@wanadoo.fr
t.l.j. sf dim. 8h-12h 14h-18h

### DOM. ROSSIGNOL-TRAPET Teurons 2002 *

■ 1er cru 1,2 ha 6 500 15 à 23 €

Une bouteille de Teurons est en général remarquable par sa chair que l'on déguste à pleine bouche. Il en est ainsi de celle-ci. Sous un carmin limpide, le bouquet commence à s'épanouir sur un léger confit. Costaud comme un porteur posant sa caisse sur l'épaule au moment des vendanges, un vin qui devient bien rond et bien gras, plaisant et pourrait-on dire, complet. A servir pendant quatre ou cinq ans.

Dom. Rossignol-Trapet, 4, rue de la Petite-Issue, 21220 Gevrey-Chambertin, tél. 03.80.51.87.26, fax 03.80.34.31.63, e-mail info@rossignol-trapet.com
r.-v.

### CH. DE LA VELLE
Cuvée Vieille Vigne de Saint Désiré 2003 **

■ 0,5 ha 1 500 11 à 15 €

Domaine fondé il y a tout juste trente ans. Proche du coup de cœur (distinction obtenue en 1999), ce vin de la Montagne Saint-Désiré, sur les hauteurs de Beaune côté Pommard, se présente dans ses plus beaux atours. Une brassée de fruits rouges en forme de bouquet. Une bouche charmante, pourvue en gras, riche en rondeur et qui plaira dès à présent. Deux autres bouteilles : le **1er cru Marconnets 2002 blanc (23 à 30 €)**, et le **village Clos des Monsnières blanc 2003 (15 à 23 €)** obtiennent chacun une étoile.

Bertrand Darviot, 17, rue de la Velle, 21190 Meursault, tél. 03.80.21.22.83, fax 03.80.21.65.60, e-mail chateaudelavelle@darviot.com r.-v.

### THIERRY VIOLOT-GUILLEMARD
Clos des Mouches 2003 *

■ 1er cru 0,25 ha 889 15 à 23 €

Passé en agriculture biologique il y a maintenant cinq ans, ce petit domaine (5 ha) tire un heureux parti de ces quelques ouvrées en Clos des Mouches. Tenir le verre est déjà un plaisir tant ce vin offre de l'éclat. Son nez mérite que l'on se penche sur lui. Fin, il se dessine sur des notes de fruits confits, de café grillé. Une attaque fraîche et soyeuse, un tempérament gras et vineux en milieu de bouche, un fond tannique raisonnable, autant de bonnes raisons de ne pas trop attendre pour s'en faire un ami.

EARL Thierry Violot-Guillemard, 7, rue Sainte-Marguerite, 21630 Pommard, tél. 03.80.22.49.98, fax 03.80.22.94.40, e-mail violot.pommard@cegetel.net
r.-v.

### DOM. VIRELY-ROUGEOT
Monopole Clos de l'Ermitage Saint Désiré 2003 *

■ 0,68 ha 2 708 11 à 15 €

Abandonnée après la crise phylloxérique puis remise en valeur, cette parcelle sur les hauteurs de Beaune, côté Pommard préserve les vestiges d'un ermitage dont le dernier occupant fut assassiné... Ayons une pensée pour lui en dégustant ce vin riche en couleur et en arômes (framboise), friand au sein d'une harmonie très ronde.

Dom. Virely-Rougeot, pl. de l'Europe, 21630 Pommard, tél. 03.80.22.34.34, fax 03.80.22.38.07
t.l.j. 9h30-12h15 13h45-18h30; groupes sur r.-v.

## Côte-de-beaune

A ne pas confondre avec le côte-de-beaune-villages, l'appellation côte-de-beaune ne peut être produite que sur quelques lieux-dits de la Montagne de Beaune. Elle a déclaré 1 114 hl de vin rouge et 537 hl de vin blanc en 2002.

JOSEPH DROUHIN 2003 *

| | 0,5 ha | n.c. | 11 à 15 € |
|---|---|---|---|

D'une saveur fraîche et bien équilibrée, ce vin est conseillé sur une terrine de chevreuil aux noisettes. Sa finesse fruitée porte une pointe de minéralité. Or clair à reflets verts, un 2003 au boisé rigoureusement intégré, très jeune pour son âge, évoluant en bouche vers la pêche et la noisette - oui - à l'aise dans son appellation.
Maison Joseph Drouhin, 7, rue d'Enfer, 21200 Beaune, tél. 03.80.24.68.88, fax 03.80.22.43.14, e-mail maisondrouhin@drouhin.com r.-v.

DOM. NEWMAN La Grande Châtelaine 2003

| ■ | 0,49 ha | 1 800 | 11 à 15 € |
|---|---|---|---|

La Grande Châtelaine est un *climat* qui remonte loin et haut, le long de la route de Bouze. Vous savez bien, la Bique de Bouze qui cornait les passants. Bouquet assez mûr, une entrée de bouche élégante, des tanins très fins pour un 2003, suffisamment acide : c'est léger et insouciant ; on est touché par son charme aérien.
Dom. Newman, 29, bd Clemenceau, 21200 Beaune, tél. 03.80.22.80.96, fax 03.80.24.29.14 r.-v.

## Pommard

C'est l'appellation bourguignonne la plus connue à l'étranger, sans doute en raison de sa facilité de prononciation... Le vignoble de 238 ha a produit 12 170 hl en 2004. L'argovien marneux est ici remplacé par des calcaires tendres, et les vins produits sont solides, tanniques ; ils ont une bonne aptitude à la garde. Les meilleurs climats sont classés en premiers crus, dont les plus connus sont les Rugiens et les Epenots.

MICHEL ARCELAIN Clos Beaudier 2002 **

| ■ | 0,21 ha | 1 200 | 11 à 15 € |
|---|---|---|---|

Cette parcelle achetée il y a un peu plus de vingt ans décroche le coup de cœur sur cent soixante-six vins dégustés ! Rubis clair, ce 2002 offre un joli nez de fruits frais puis confiturés, agrémentés de touches de pain grillé. Tout en finesse dans une main de fer, son corps, son acidité, ses tanins lui offrent un avenir sûr (trois à quatre ans pour atteindre la plénitude). « Il est bien fait », note un fidèle et sévère dégustateur qui vote sans hésiter pour lui.

Michel Arcelain, 9, rue Mareau, 21630 Pommard, tél. et fax 03.80.22.13.50 r.-v.

DOM. GABRIEL BILLARD
Les Vaumuriens 2002 *

| ■ | 0,39 ha | 1 300 | 15 à 23 € |
|---|---|---|---|

« Ferme, coloré, plein de franchise et de bonne conservation » : ainsi le Dr Denis Morelot décrivait-il le vin de pommard au début du XIXes. Associée à Mireille Desmonet, Laurence Jobard dont on connaît les qualités d'œnologue signe cette bouteille familiale qui correspond tout à fait au portrait-robot. D'un beau rubis doté d'un bouquet de confiture de fruits rouges puis de pain frais, ce 2002 a davantage d'ampleur que de longueur tout en montrant une netteté parfaite, un fondu plaisant. L'attendre un peu (deux à trois ans).
Dom. Gabriel Billard, imp. de la Commaraine, 21630 Pommard, tél. 03.80.22.27.82, fax 03.85.49.49.02, e-mail domaine.gabrielbillard@wanadoo.fr r.-v.
L. Tobard et M. Desmonet

DOM. BILLARD-GONNET Pézerolles 2002 *

| ■ 1er cru | 0,5 ha | 2 500 | 15 à 23 € |
|---|---|---|---|

Cette propriété, dans la même famille depuis 1756, compte 10 ha de vigne. A l'œil, ce vin très en beauté affiche des tonalités pourpre soutenu qui indiquent bien leur origine. Le nez parle : des notes de fruits rouges un peu acidulés, du genre groseille. Ses tanins soutiennent un développement assez structuré, auquel une bonne acidité apporte de la fraîcheur et un potentiel qui lui permettra de vieillir en paix. Légèrement austère aujourd'hui, mais racée, cette bouteille est à la hauteur d'un Pézerolles.
Dom. Billard-Gonnet, rte d'Ivry, 21630 Pommard, tél. 03.80.22.17.33, fax 03.80.22.68.92, e-mail billard.gonnet@wanadoo.fr r.-v.

LOUIS BOILLOT Les Chanlins Bas 2003 *

| ■ 1er cru | 0,25 ha | 1 200 | 15 à 23 € |
|---|---|---|---|

On connaît la proverbiale douceur angevine, mais elle n'est pas mal non plus la douceur bourguignonne ! Si la bouche donne ici quelques signes de chaleur, elle est d'un charme spontané, d'un attrait immédiat. D'une douceur extrême en effet, elle invite à jouir d'un lit de fruits rouges... Belle longueur et bonne rémanence. Bien que singulier, le bouquet retient lui aussi l'attention : pâte de coings, pruneau, épices et cassis à le respirer de plus près.
Louis Boillot, rue Saint-Etienne, 21190 Volnay, tél. 03.85.55.28.49, fax 03.85.80.14.62, e-mail louis.boillot@libertysurf.fr r.-v.

BOISSEAUX-ESTIVANT 2003 **

| ■ | 0,57 ha | 3 000 | 30 à 38 € |
|---|---|---|---|

Seul son prix laisse rêveur. Le reste est en effet bien tangible. Rubis profond à reflets brique, ce vin allie élégance et structure sous des arômes framboisés dont on prend plaisir à respirer le fruit. En un mot, il est épatant. La robustesse tannique ne surprend pas, mais elle saura s'arrondir. Il a de sérieuses vertus de garde.

Boisseaux-Estivant, 38, fb Saint-Nicolas, BP 107, 21200 Beaune, tél. 03.80.22.26.84, fax 03.80.24.19.73

## DOM. JEAN-MARC BOULEY
Les Fremiers 2002 ★★

■ 1er cru 0,5 ha 2 500 23 à 30 €

Thomas a rejoint son père en 2002 dans ce domaine familial. Deux de ses grands-grands-pères (comme on dit en Bourgogne) étaient déjà vignerons à Volnay. Et nous n'oublions pas la Grappe d'Or du Guide en 1994. Haut en couleur, des Fremiers au bouquet apparemment monolithique mais qui devient superbe : compote de fruits rouges, nuances épicées, profondeur insondable. D'une lecture charmante et fruitée, ce pommard met la bouche en fête. On lui trouve un côté gourmand accompagnant sa belle performance, faite de puissance raisonnée. Il est arrivé second du grand jury des premiers crus.

Dom. Jean-Marc Bouley, chem. de la Cave, 21190 Volnay, tél. 03.80.21.62.33, fax 03.80.21.64.78, e-mail jeanmarc.bouley@wanadoo.fr r.-v.

## GILLES BRZEZINSKI Elevé en fût de chêne 2003 ★

■ n.c. 2 500 15 à 23 €

Maison de négoce-éleveur fondée en 1868. Marie-Frédérique Pothier épouse en 1987 Gilles Brzezinski, et ainsi se poursuit cette activité. Ce *village* a beaucoup de couleur, grenat très foncé. Nez de cuir, comme un personnage de roman. Cet arôme marque également la bouche. Des tanins puissants ponctuent la fin de dégustation. Bouteille à ouvrir dans trois à cinq ans.

G. Brzezinski, 18, rte d'Autun, 21630 Pommard, tél. 03.80.22.23.99, fax 03.80.22.28.33
t.l.j. sf dim. 9h-12h 14h-18h

## DOM. MARGUERITE CARILLON
Clos de la Platière 2003 ★

■ 1er cru 0,5 ha 2 900 23 à 30 €

Vaste domaine de 25 ha. On hésite... une étoile de plus serait-elle injustifiée pour ce pommard ? L'un de nos jurés invente même un mot pour commenter la robe : « rouge aux confins du noir, très *velourée* ». Pas si mal trouvé ! Le bouquet se partage entre le grillé et des senteurs assez sauvages, animales. Souple de l'attaque au milieu de bouche, appuyé sur des tanins goûteux, correctement fruité et s'achevant sur une note boisée, ce vin n'est pas encore prêt mais prometteur.

Dom. Marguerite Carillon, 7, rte de Monthelie, 21190 Meursault, tél. 03.80.21.22.45, fax 03.80.21.28.05

## DOM. DENIS CARRE Les Charmots 2003 ★★

■ 1er cru n.c. n.c. 23 à 30 €

« Vous êtes le phénix des hôtes de ces vignes », pourrait-on dire à la manière de La Fontaine à ces Charmots, premiers des coups de cœur. Au reste, ce 1er cru réussit particulièrement à Denis Carré, déjà coup de cœur en 2001 et en 2005 ! D'une couleur très intense à notes violines, cette nouvelle édition fleure bon le lilas et la framboise, sous un fût parfaitement maîtrisé. L'apport du boisé est positif au palais, dans un contexte charnu et gras. A mettre absolument de côté jusqu'en 2010. On nous annonce alors « un monstre », et c'est un compliment !

Dom. Denis Carré, rue du Puits-Bourret, 21190 Meloisey, tél. 03.80.26.02.21, fax 03.80.26.04.64 r.-v.

## DOM. CARRE-COURBIN 2003

■ 1,3 ha 6 000 15 à 23 €

Philippe et Maëlle Carré-Courbin présentent ce joli rouge aux accents sombres. Au nez, on évolue du cassis à la confiture de cassis, mais on y distingue aussi des notes empyreumatiques, la pâte d'amandes. Doux en attaque, il repose cependant sur des tanins affairés qui n'ont pas encore aplani complètement le sujet. Ses arômes secondaires plaident sa cause : le mariage de baies sauvages très mûres et d'un léger grillé.

Dom. Carré-Courbin, 9, rue Celer, 21200 Beaune, tél. 03.80.24.67.62, fax 03.80.24.66.93, e-mail carre.courbin@wanadoo.fr r.-v.

## DOM. FRANCOIS CHARLES ET FILS 2003 ★

■ 1 ha 5 000 11 à 15 €

A Nantoux, le clocher de l'église du XVe s. vaut le détour. Tout comme ce domaine : Pascal Charles peut être satisfait de son 2003. Il tapisse bien le palais, respecte une persistance suffisante, et son acidité en finale est un gage d'heureuse conservation. Un vin franc, à la matière bien présente, typé et sans trop de puissance. Son bouquet joue sur le cassis et le sous-bois.

EARL François Charles et Fils, rue de Pichot, 21190 Nantoux, tél. 03.80.26.01.20, fax 03.80.26.04.84, e-mail charles.francois@terre-net.fr r.-v.

## ALAIN COCHE-BIZOUARD La Platière 2003 ★

■ 0,35 ha 1 200 15 à 23 €

En milieu de coteau, ce *climat* septentrional de pommard donne un 2003 à la teinte crépusculaire et au nez assez sauvage, animal, retour de chasse. Charpenté avec élégance, il est sans sécheresse, plutôt rond et gras. Ses tanins bien fondus accompagnent un léger boisé persistant.

Alain Coche-Bizouard, 5, rue de Mazeray, 21190 Meursault, tél. 03.80.21.28.41, fax 03.80.21.22.38, e-mail coche-bizouard@terre-net.fr r.-v.

## DOM. DE COURCEL Croix-Noires 2002 ★

■ 9 ha n.c. 23 à 30 €

Il y a à Pommard une Croix-Blanche et des Croix-Noires. Ici, ces dernières sont grenat profond. Leur bouquet est encore sur la réserve (chocolat et vanille s'apprêtent à donner libre cours à leurs ardeurs). La bouche est assez pleine, les tanins présents sur la finale ; sa bonne acidité devrait favoriser ses lendemains.

Dom. de Courcel, pl. de l'Eglise, 21630 Pommard, tél. 03.80.22.10.64, fax 03.80.24.98.73

## COUVENT DES CORDELIERS
Les Réfènes 2003 ★

■ 1er cru n.c. 987 30 à 38 €

Historiquement on écrit plutôt la Refène. Un *climat* très apprécié, entre le Clos Blanc et le Clos de la Commaraine et dont une partie appartient depuis très longtemps aux Hospices de Beaune. Quant aux Caves des Cordeliers (propriété Boisseaux), elles sont à Beaune voisines de l'hôtel-Dieu. Les présentations étant faites, goûtons ce vin à la robe pourpre fraîche et jeune. Son nez gourmand rappelle la fraise des bois, les épices légères. Plus élégante que longtemps consistante, la bouche fait cependant bonne impression. Vivacité réglissée en finale.

Caves du Couvent des Cordeliers,
rue de l'Hôtel-Dieu, 21200 Beaune, tél. 03.80.25.08.85,
fax 03.80.25.08.21 t.l.j. 9h30-12h 14h-18h

## HENRI DELAGRANGE ET FILS
Les Vaumuriens Hauts 2003 ★

■ n.c. 3 600 15 à 23 €

« Plus que le marbre dur me plaît l'ardoise fine », écrivait Joachim du Bellay. Riche tout en demeurant ronde et souple, cette bouteille à la robe bien nette, au nez légèrement fruité (cassis et cerise) ne commet aucun excès de caractère au sein d'un millésime pourtant souvent assez chaud. On pourra l'associer à un petit gibier. On ne compte plus les générations dans la vigne et dans la famille : Hélène et Didier Delagrange sont maintenant à la barre.

Dom. Henri Delagrange et Fils,
cours François-Blondeau, 21190 Volnay,
tél. 03.80.21.64.12, fax 03.80.21.65.29
r.-v.



La côte de Beaune (Centre-Nord)

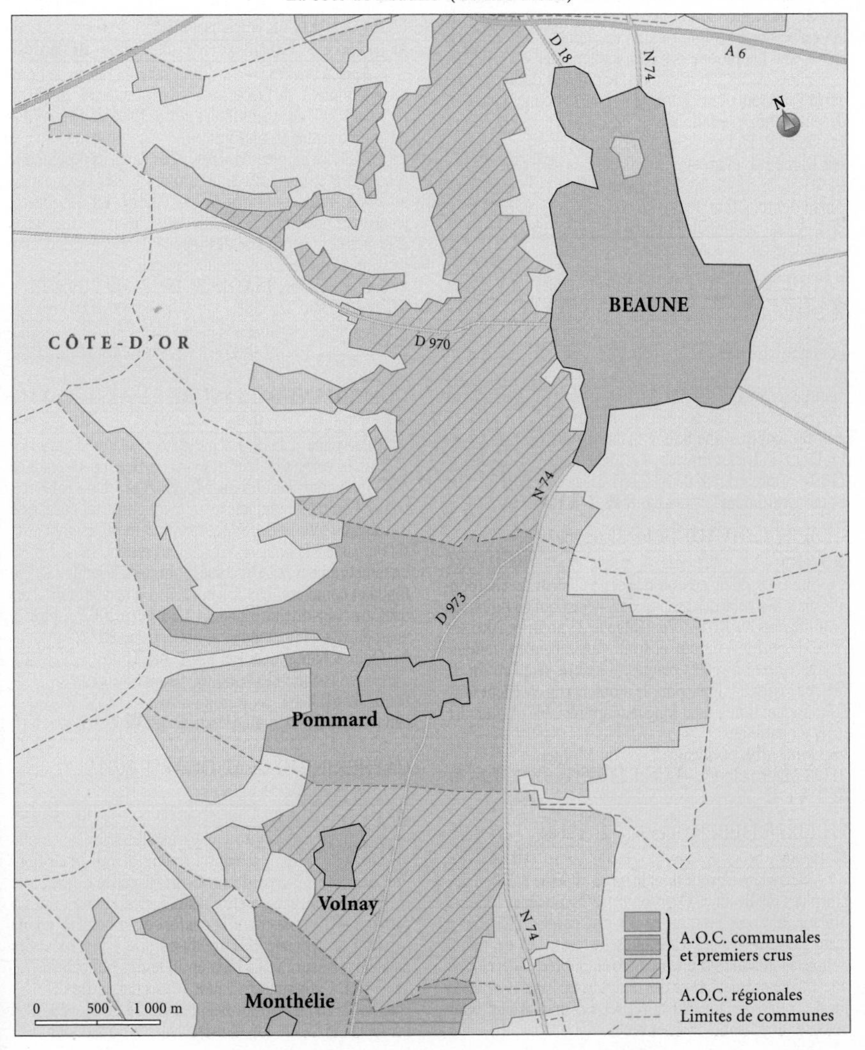

DOM. RODOLPHE DEMOUGEOT
Les Vignots 2003 ★★

■ n.c. n.c. ⅢI 23 à 30 €

Un élevage de quatorze mois en fûts dont 40 % de fûts neufs. Des vignes d'un quart de siècle et pour ce millésime des vendanges le 28 août. D'une nuance pivoine tirant sur le noir, ces Vignots font alterner le grillé et le fruit très mûr. La qualité de la matière fait l'unanimité. Un vin à oublier deux ans dans votre cellier, car il est encore un peu tannique en finale, mais d'une franche et remarquable typicité.

Dom. Rodolphe Demougeot,
2, rue du Clos-de-Mazeray, 21190 Meursault,
tél. 03.80.21.28.99, fax 03.80.21.29.18 r.-v.

DOM. P. DUBREUIL-FONTAINE PERE ET FILS 2002 ★★

■ 0,8 ha 5 300 ⅢI 15 à 23 €

Il ne faut pas être grand clerc pour saisir l'importance de cette bouteille. Ce simple *village* est paré d'une robe de bal cerise noire ; son nez empli de framboise et de fraise séduit tout autant que son allure splendide, ses rondeurs bien choisies, ses pas équilibrés, le piquant discret de son acidité : il a tout pour plaire. Mais il ne se donnera pas tout de suite : il faut le faire vieillir en cave deux ou trois ans.

Dom. P. Dubreuil-Fontaine,
rue Rameau-Lamarosse, 21420 Pernand-Vergelesses,
tél. 03.80.21.55.43, fax 03.80.21.51.69,
e-mail dubreuil.fontaine@wanadoo.fr
t.l.j. sf dim. 9h-12h 14h-18h; sam. 9h-12h;
f. semaine du 15 août

PATRICK GIRARDIN Grands Epenots 2003 ★

■ 1er cru n.c. 600 ⅢI 23 à 30 €

Six cents bouteilles présentées par ce négociant de Pommard. La parure bigarreau de ce vin offre un éclat vif et limpide. Fruits secs, sous-bois, le bouquet est assez marqué. L'attaque ample conduit à une bouche où l'acidité, les tanins et l'alcool forment un ensemble élégant. Un élan contenu par une bonne maîtrise de soi.

Dom. Patrick Girardin, 14, ancienne rte d'Autun,
21630 Pommard, tél. 03.80.22.61.21, fax 03.80.24.29.23,
e-mail girardinpat@wanadoo.fr r.-v.

ALBERT GRIVAULT Clos Blanc 2003 ★

■ 1er cru 0,89 ha 3 900 ⅢI 23 à 30 €

Le Clos Blanc ne doit pas cette couleur au chardonnay mais à la robe des moines de Cîteaux qui en furent les propriétaires au XIIIes. Vendangé le 23 août, ce 2003 est riche de parfums floraux et fruités agréablement fondus. Rouge violacé à reflets bleutés, il assure jusqu'en fin de bouche (assez tannique pour le moment) un excellent suivi aromatique. Bon gras et longueur appréciable. A attendre deux à quatre ans.

Dom. Albert Grivault, 7, pl. du Murger,
21190 Meursault, tél. 03.80.21.23.12, fax 03.80.21.24.70
r.-v.

PHILIPPE HEBERT Les Jarolières 2002

■ 1er cru n.c. 1 200 ⅢI 46 à 76 €

Négociant-éleveur dont le siège est situé à 200 m des Hospices de Beaune. D'un pourpre homogène, franc et brillant, d'aspect soyeux, ce 1er cru enrobe d'un boisé distingué des arômes classiques de cassis et de mûre. Souple à l'attaque sur une matière équilibrée, il développe une longue présence avec des tanins assez lisses. Certes, la fin de course est un peu dure, serrée, mais il faut tenir compte du potentiel ici bien réel (deux à trois ans).

Maison Philippe Hébert, 1, pl. Saint-Jacques,
BP 327, 21200 Beaune, tél. 03.80.22.62.58,
fax 03.80.24.65.72,
e-mail maison.philippe.hebert@wanadoo.fr r.-v.

DOM. HUBER-VERDEREAU 2003

■ 0,4 ha 2 000 ⅢI 15 à 23 €

Démarche bio revendiquée sur ce domaine de 6 ha. Pourquoi garder ce 2003 ? La jeunesse lui va si bien. Brillance limpide, arômes chocolatés, il est émoustillé par un fruité de style cerise, d'une fraîcheur vraiment agréable. Bien sûr, il n'a pas la haute stature du pommard tel qu'on l'imagine souvent. Mais on y prend plaisir.

Dom. Huber-Verdereau, rue de la Cave,
21190 Volnay, tél. 03.80.22.51.50, fax 03.80.22.48.32,
e-mail huber.verdereau@huber-verdereau.com
r.-v.

DOM. LEJEUNE Rugiens 2002 ★

■ 1er cru 0,26 ha 1 300 ⅢI 30 à 38 €

Ancien professeur à la Viti, François Jullien de Pommerol vinifie à sa façon : ses cuves ouvertes en chêne reçoivent 30 % de raisins foulés aux pieds et au-dessus 70 % de grappes entières, macération semi-carbonique, foulage progressif des grappes entières... Ces Rugiens portent une robe claire et nuancent leurs arômes grillés de quelques notes de fruits confiturés (à l'agitation). La bouche est jeune, marquée par le boisé, mais la structure ne faiblit pas et le gras commence à se dessiner. A déboucher d'ici un à deux ans, et à servir avec du chevreuil.

Dom. Lejeune, 1, pl. de l'Eglise, 21630 Pommard,
tél. et fax 03.80.22.90.88,
e-mail domaine-lejeune@wanadoo.fr
t.l.j. 9h-12h 14h-17h, dim. sur r.-v.

DOM. CHANTAL LESCURE Les Vignots 2002 ★★

■ 1 ha 4 500 ⅢI 15 à 23 €

Parvenue à la deuxième place du grand jury des *villages*, la voici, « la fleur des vins du Beaunois » chantée par Guillaume Paradin au Moyen Age ! Une robe resplendissante, un bouquet savamment construit autour de la fraise, du sous-bois, de l'écorce, du café... C'est tout juste si l'on passe à la bouche, tant il nous retient. Là se trouve un tempérament riche et corsé, pommard légendaire, déjà fondu et complexe. Un bon conseil : on le dégustera dans deux ans, sans attendre au-delà. Le **1er cru 2002** inspire lui aussi de vifs compliments : il obtient une étoile.

Dom. Chantal Lescure, 34 A, rue Thurot,
21700 Nuits-Saint-Georges, tél. 03.80.61.16.79,
fax 03.80.61.36.64,
e-mail contact@domaine-lescure.com r.-v.

CATHERINE ET CLAUDE MARECHAL
La Chanière 2002 ★★

■ 0,87 ha 4 000 ⅢI 15 à 23 €

D'un grenat sombre à reflets bleutés, sa brillance jette un éclat vif. La représentation traduit bien l'appellation, presque côté 1er cru. Ouverte sur la cerise épicée, elle réalise un bon accord de l'acidité, des tanins avec un certain moelleux assurant le confort de la bouche. « Une persistance aérienne », nous dit-on. Déjà prêt pour les amateurs, il saura aussi résister au temps qui passe...

EARL Catherine et Claude Maréchal, 6, rte de Chalon, 21200 Bligny-lès-Beaune, tél. 03.80.21.44.37, fax 03.80.26.85.01, e-mail marechalcc@wanadoo.fr

### DOM. MARECHAL-CAILLOT
Vieilles Vignes 2003 *

■ 0,53 ha 2 600 15 à 23 €

Ces Vieilles Vignes ont été plantées il y a cinquante ans. Rubis grenat, ce vin offre tout d'abord une sensation grillée, toastée, puis opte pour la framboise. En effet, il a été élevé douze mois en fûts dont 10 % de bois neuf. Souple à l'attaque, souple en finale, il ne varie pas et garde également le même fruit, sur une petite pointe d'acidité. On fera sa connaissance en 2006 sur une volaille.

Bernard Maréchal, 10, rte de Chalon, 21200 Bligny-lès-Beaune, tél. 03.80.21.44.55, fax 03.80.26.88.21, e-mail marechalcaillot@aol.com r.-v.

### CHRISTIAN MENAUT 2003 *

■ 1,06 ha 4 500 15 à 23 €

On ne peut entrer chez lui sans voir qu'il est riche, ce pommard à la couleur résolue, concentrée. Fruits rouges et vanille : on peut être riche tout en se montrant généreux. Le palais révèle beaucoup de gras dans un style direct et franc, carré. Une petite vivacité n'enlève rien à son attrait. Qualités de garde assurées.

Christian Menaut, rue Chaude, 21190 Nantoux, tél. 03.80.26.07.72, fax 03.80.26.01.53 r.-v.

### DOM. MOISSENET-BONNARD
Les Petits Noizons 2003 *

■ 0,31 ha 1 500 15 à 23 €

Rappelons le coup de cœur obtenu naguère pour un Pézerolles. Ici des Petits Noizons, ce qui signifie en patois bourguignon de petits noisetiers. Vendange tardive pour le millésime pourrait-on dire : le 3 septembre 2003. Sous une robe bien colorée, le nez de ce pommard séduit par un parfum de violette, de sous-bois. La bouche est harmonieuse, consistante, sur un fruit encore primeur et des tanins épicés. L'évolution n'inquiète pas.

Dom. Moissenet-Bonnard, 5, rte d'Autun, 21630 Pommard, tél. 03.80.24.62.34, fax 03.80.22.30.04 r.-v.

### DOM. JEAN MONNIER ET FILS
Epenots Clos de Cîteaux Monopole 2002

■ 1er cru 2,91 ha 4 300 15 à 23 €

Quand il ne veille pas sur la mairie de Meursault ou sur la Paulée, Jean Monnier apporte ses soins attentifs à ses Epenots. N'a-t-il pas le monopole du Clos de Cîteaux au sein de ce *climat* ? *Laborare et orare*, comme le disent aujourd'hui encore les moines de l'abbaye. Lumineux et brillant, le vin met en valeur la fraîcheur et l'expression aromatique du cépage (framboise poivrée). L'extraction est mesurée, sans excès. La finale devra se faire avec une petite garde d'un an.

SCE Dom. Jean Monnier et Fils, 20, rue du 11-Novembre, 21190 Meursault, tél. 03.80.21.22.56, fax 03.80.21.29.65, e-mail contact@domaine-jeanmonnier.com r.-v.

### DOM. PARIGOT PERE ET FILS
Les Vignots 2003 **

■ n.c. n.c. 15 à 23 €

Rouge très prononcé à reflets griotte, ce 2003 a le nez empyreumatique, puis il aborde des rivages enchantés : fraise confite... Corsé mais sans agressivité, évoquant la chaleur du gibier et la mûre écrasée, il parvient sans effort à maturité dans le plus pur style du pays. Le grain fin des tanins ne gâte rien, tant s'en faut ! Pour la garde, le **Clos de la Chanière 1er cru 2003 (23 à 30 €)** est vivement conseillé. Il obtient une étoile.

Dom. Parigot Père et Fils, rte de Pommard, 21190 Meloisey, tél. 03.80.26.01.70, fax 03.80.26.04.32 r.-v.

### DOM. DU PAVILLON
Clos des Ursulines Monopole 2003 *

■ 3,76 ha 16 000 30 à 38 €

A. de Vergnette-Lamotte fut vers 1860 l'une des grandes figures du vin de Bourgogne. Nous nous trouvons ici dans son ancienne propriété, acquise par la maison Albert Bichot. Quant au Clos des Ursulines, il appartenait avant 1789 à cette congrégation beaunoise. Ce 2003 a une superbe couleur rouge sombre. Son boisé encore marqué accompagne des notes de fruits rouges bien mûrs. On ne s'étonnera pas de son maintien assez austère, de sa forte structure tannique : c'est un vrai pommard à conserver deux ou trois ans.

Maison Albert Bichot, 6 bis, bd Jacques-Copeau, 21200 Beaune, tél. 03.80.24.37.37, fax 03.80.24.37.38, e-mail bourgogne@albert-bichot.com



### NICOLAS POTEL Les Arvelets 2002

■ 1er cru 0,19 ha 1 200 23 à 30 €

Au décès de son père Gérard Potel (fondateur du domaine de la Pousse d'Or), Nicolas a pris le relais et s'est spécialisé dans l'activité de négoce-éleveur, vinifiant lui-même. Ce 1er cru s'annonce bien : robe griotte, parfums chocolatés et réglissés. Doté d'une belle charpente, il se montre assez austère à cet âge de sa vie, mais sa présence lui permet de prendre son temps (deux à cinq ans).

Nicolas Potel, 44, rue des Blés, 21700 Nuits-Saint-Georges, tél. 03.80.62.15.45, e-mail nicolas.potel@wanadoo.fr r.-v.

### LA POUSSE D'OR Les Jarolières 2003

■ 1er cru 1,5 ha 2 799 30 à 38 €

Ce *climat* est situé contre Volnay, entre Chanlons et Fremiers. Pourpre cerné de rose, son nez exprime le cassis et d'éparses épices. Souple sans mollesse, il recherche l'élégance par la simplicité et il y réussit. Le fruit est assez généreux, avec une agréable nuance d'abricot sec qu'on trouve parfois en pinot noir. Les tanins cohabitent aimablement avec l'alcool. La garde va l'aguerrir, mais pas au-delà de deux à trois ans selon l'avis dominant.

Dom. de La Pousse d'Or, rue de la Chapelle, 21190 Volnay, tél. 03.80.21.61.33, fax 03.80.21.29.97, e-mail patrick@lapoussedor.fr r.-v.

### MICHEL REBOURGEON Rugiens 2002 *

■ 1er cru 0,17 ha 960 23 à 30 €

A tout seigneur tout honneur : les Rugiens ont été jadis à deux doigts d'accoler leur nom à celui de Pommard. On aurait dit pommard-rugien comme chambolle-musigny. En fin de compte, l'idée n'aboutit pas. Qu'il est agréable d'entendre celui-ci raconter son histoire ! Sa robe est pourpre violacé ; le nez balsamique et un peu évolué (pruneau cuit) vous en dit long ; le corps est étoffé, le boisé prudent, la finale fondante : l'ensemble chaleureux se révèle complexe.

Dom. Michel Rebourgeon, 7, pl. de l'Europe, 21630 Pommard, tél. 03.80.22.22.83, fax 03.80.22.90.64, e-mail michel.rebourgeon@wanadoo.fr r.-v.

NICOLAS ROSSIGNOL Les Jarolières 2002 ★★

■ 1er cru 0,12 ha 600 🛢 38 à 46 €

De vieilles vignes de soixante ans, dix-huit mois de fût, ce pommard pourra accompagner un gibier. Pourpre foncé et brillant à la fois, il nécessite un temps d'aération pour livrer le détail de ses arômes, où il perçoit une dominante florale (lilas). D'un volume très appréciable, c'est un 1er cru à la hauteur de la situation, assez vineux, consistant et typé. Un vrai pommard.

Nicolas Rossignol, rue de Mont, 21190 Volnay, tél. 03.80.21.62.43, fax 03.80.21.27.61, e-mail nicolas-rossignol@wanadoo.fr r.-v.

MARC ROUGEOT-DUPIN Les Rugiens 2003 ★★

■ 1er cru n.c. 1 500 30 à 38 €

Le vinificateur a su tirer le meilleur parti d'une vendange capricieuse et révéler ce millésime extraordinaire. Bravo ! La robe est bien fixée par macération préfermentaire à froid. La myrtille, le cassis mènent cette bouteille par le bout du nez. Le cuir, le pruneau sont adjacents. Le corps réussit à être dense, presque massif, sans impression de lourdeur. Car le pommard, ne l'oublions pas, appelle le gibier, les terrines de haut vol.

Marc Rougeot-Dupin, 6, rue André-Ropiteau, 21190 Meursault, tél. 03.80.21.20.59, fax 03.80.21.66.71, e-mail domaine-rougeot@ola.st r.-v.

DOM. VINCENT SAUVESTRE
Clos de La Platière 2003 ★

■ 3 ha 13 000 23 à 30 €

Le millésime précédent recevait l'an dernier le coup de cœur. Celui-ci trouvera son bonheur au terme d'un séjour de deux à trois ans dans le repos de la cave. Sa teinte très foncée ne bougera pas. Son bouquet tire sur la genne (les peaux de raisin après la vinification), fin et complexe tout à la fois. L'attaque est réussie ; elle s'accompagne de nuances animales, de notes macérées. Les tanins sont présents et demandent à se fondre. « J'aimerais en avoir ! », note un dégustateur qui apprécie sa longueur.

SCEA Dom. Vincent Sauvestre, rte de Monthélie, 21190 Meursault, tél. 03.80.21.22.45, fax 03.80.21.28.05

CHARLES VIENOT 2003 ★

■ n.c. 25 000 23 à 30 €

Charles Viénot est l'un des fleurons de la famille des vins Jean-Claude Boisset. Flaubert rend hommage au pommard dans *Madame Bovary*. « Un vin, écrit-il, qui excite les facultés. » Celui-ci s'y emploiera à merveille. Rouge profond, parfumé à la confiture de mûres discrètement vanillée (avec un côté minéral), on a l'impression que l'on a laissé le vin se faire tout seul alors qu'il s'est sûrement agi d'un suivi permanent. S'effacer devant l'expression originelle du cépage et du terroir, c'est de l'art.

Charles Viénot, 5, quai Dumorey, BP 102, 21703 Nuits-Saint-Georges Cedex, tél. 03.80.62.61.61, fax 03.80.62.61.57

SA Boisset

CHRISTOPHE VIOLOT-GUILLEMARD
Epenots 2003 ★

■ 1er cru 0,25 ha 1 100 23 à 30 €

Victor Hugo voyait dans le pommard, dont il était un amateur éclairé, « le combat du jour et de la nuit ». Violacé sombre, celui-ci détient les lueurs violacées du crépuscule sur la combe où coule l'Avant-Dheune. « Il retient la nuit », comme le dit la chanson. Nez de vendange et de raisin frais, déjà exubérant. Il n'a pas la charpente d'une abbatiale, mais il séduit par un corps soyeux et charnu. C'est toutefois une bouche en deux temps : d'abord ronde puis énergique, créant une belle sensation de tension maîtrisée. Grand, c'est sûr.

Christophe Violot-Guillemard, 7, rue de la Réfène, 21630 Pommard, tél. et fax 03.80.22.03.49, e-mail christophe.violot-guillemard@wanadoo.fr r.-v.

THIERRY VIOLOT-GUILLEMARD
Rugiens 2003 ★★

■ 1er cru 0,45 ha 1 500 30 à 38 €

Entre les deux, mon cœur balance... si ces Rugiens l'emportent, c'est d'une courte tête devant **La Platière 1er cru 2003 (23 à 30 €)**, une étoile. Rubis violacé et intense, il offre un nez qui oscille entre la myrtille et le sous-bois, le cuir même. Un vin d'un toucher élégant, surveillant de près ses tanins, et charpenté sans excès. On l'a compris, il ne force pas sur l'extraction et reflète un état de nature. Typicité remarquable sur un mode délicat. Pour un canard à l'orange...

EARL Thierry Violot-Guillemard, 7, rue Sainte-Marguerite, 21630 Pommard, tél. 03.80.22.49.98, fax 03.80.22.94.40, e-mail violot.pommard@cegetel.net r.-v.

# Volnay

Blotti au creux du coteau, le village de Volnay évoque une jolie carte postale bourguignonne. Moins connue que sa voisine, l'appellation n'a rien à lui envier, et les vins sont tout en finesse ; ils vont de la légèreté des Santenots, situés sur la commune voisine de Meursault, à la solidité et à la vigueur du Clos des Chênes ou des Champans. Nous ne les citerons pas tous ici, de peur d'en oublier... Le Clos des Soixante Ouvrées y est également très connu et donne l'occasion de définir l'ouvrée : quatre ares et vingt-huit centiares, unité de base des terres viticoles, correspondant à la surface travaillée à la pioche par un ouvrier dans sa journée, au Moyen Age.

De nombreux auteurs du siècle dernier ont cité le vin de Volnay. Nous rappellerons le vicomte de Vergnette qui, en 1845, au congrès des Vignerons français, terminait ainsi son savant rapport : « Les vins de Volnay seront encore longtemps comme ils étaient au XIVe s., sous nos ducs, qui y possédaient les vignobles de Caille-du-Roy (Cailleray, devenu Caillerets) : les premiers vins du monde. » Signalons que 8 629 hl de volnay ont été produits en 2004.

DOM. CHARLES ALLEXANT ET FILS
Le Village 2003

■ 0,51 ha 1 450 15 à 23 €

Distillateur ambulant, Charles Allexant a acquis cette vigne en 1957. La première d'une longue série puisque

parti de 0,5 ha il en est aujourd'hui à 13 ha. Le Village de Volnay est un volnay *village* ! L'une des singularités sémantiques de la Bourgogne viti-vinicole. Violine, intense et foncé, ce vin évolue vers le fruit mûr puis il attaque bravement. Aucune aspérité sur la langue : il est lisse, peu tannique en conséquence, relevé par une pointe de kirsch.
Dom. Charles Allexant et Fils, 3, rue du Château, Cissey, 21190 Merceuil, tél. 03.80.26.83.27, fax 03.80.26.84.04, e-mail domaine-allexant@wanadoo.fr r.-v.

### CHRISTIAN BELLANG ET FILS
Clos des Chênes 2002 ★★

■ 1er cru 1,3 ha 900 23 à 30 €

Rouge vermillon léger, vanillé et fruité, il exprime une vinification traditionnelle qui respecte l'esprit du village. Un de nos dégustateurs note sur sa fiche : « On dirait un Clos des Chênes. » Chapeau ! Ouverture élégante pour une symphonie longue et harmonieuse qui s'étire... en dentelle. Retenu pour la finale du coup de cœur. Avec quel fromage l'accompagner ? Brie de Meaux bien sûr. Le volnay n'était-il pas le péché mignon de Bossuet, qu'il dégustait avec des... huîtres ?
Christian Bellang et Fils, 2, rue de Mazeray, 21190 Meursault, tél. 03.80.21.22.61, fax 03.80.21.68.50, e-mail christophe.bellang@wanadoo.fr r.-v.

### DOM. ALBERT BOILLOT 2003 ★

■ 0,37 ha 1 800 11 à 15 €

Installé à la fin du XVIIe s. à Volnay, ce domaine a son siège dans une vieille maison bourguignonne. Vous pourrez préparer à Pâques 2006 la blanquette de veau à l'ancienne qui se mariera parfaitement avec ce vin – qui peut aussi être conservé plusieurs années. Les petits fruits rouges (framboise), les épices, le boisé, l'équilibre du corps et la jolie finale sont bien typés.
SCE du Dom. Albert Boillot, ruelle Saint-Etienne, 21190 Volnay, tél. et fax 03.80.21.61.21, e-mail dom.albert.boillot@wanadoo.fr t.l.j. sf dim. 10h-13h 15h-18h

### LOUIS BOILLOT Carelle sous la Chapelle 2003 ★★

■ 1er cru 0,35 ha 1 800 15 à 23 €

Dans le peloton de tête, il s'inscrit aux places d'honneur. Ce *climat* est situé sous la jolie chapelle de Volnay, dans le secteur des Champans et Caillerets. Pourpre assez clair pour le millésime, il a le nez volubile (cerise noire, léger réglissé, boisé encore présent). La bouche est soignée et l'on retrouve ici les mêmes arômes en rétro-olfaction sur des tanins assez fins. Une pointe de chaleur conclut le tout. Ce qu'on appelait jadis un excellent vin de rôti. De sanglier ? Si vous en avez la chance.
Louis Boillot, rue Saint-Etienne, 21190 Volnay, tél. 03.85.55.28.49, fax 03.85.80.14.62, e-mail louis.boillot@libertysurf.fr r.-v.

### DOM. LUCIEN BOILLOT ET FILS 2002 ★

■ 1,98 ha 7 000 15 à 23 €

Seize mois de fût pour ce vin violacé intense, pourvu de jolis reflets, très flatteur dès l'épreuve du nez : sous-bois, noyau de cerise. Bien typé volnay, il rend compte de son village avec fidélité et élégance. Il ne force pas trop sur les tanins et sa persistance est honorable. Ce qu'on appelle un bon vin de terroir.
Dom. Lucien Boillot, 1, rue du Docteur-Pujo, 21220 Gevrey-Chambertin, tél. 03.80.51.85.61, fax 03.80.58.51.23 r.-v.

### DOM. REYANE ET PASCAL BOULEY 2003

■ 2,8 ha 3 200 15 à 23 €

Situé à côté de l'église de Volnay (XIVe s.), ce domaine propose un volnay de belle couleur. Le fût domine la dégustation de ce vin très jeune, mais les tanins et la matière semblent de qualité. La finale est harmonieuse. Attendre trois à quatre ans que tout se mette en place.
Réyane et Pascal Bouley, pl. de l'Eglise, 21190 Volnay, tél. 03.80.21.61.69, fax 03.80.21.66.44 r.-v.

### DOM. JEAN-MARC BOULEY
Vieilles Vignes 2002 ★★

■ 0,75 ha 4 000 15 à 23 €

Grappe d'or du Guide en 1994, coup de cœur en 2004 pour ses Carelles 2000, Jean-Marc Bouley (sans oublier son fils Thomas) remporte de chaleureux suffrages pour ces Vieilles Vignes en *village*. D'une teinte framboise tirant sur le grenat, ce vin offre un premier nez qui se situe sous le signe du grillé et un deuxième qui se rapproche de la confiture de cerises. Gourmand, charmeur et assez durable en fin de bouche, il ne recherche pas les effets démesurés : plutôt qu'au chêne de la fable il ressemble au roseau. Le **Clos de la Cave 2002** suscite en outre beaucoup d'éloges et obtient une étoile.
Dom. Jean-Marc Bouley, chem. de la Cave, 21190 Volnay, tél. 03.80.21.62.33, fax 03.80.21.64.78, e-mail jeanmarc.bouley@wanadoo.fr r.-v.

### DOM. DU CERBERON Clos des Chênes 2003 ★★

■ 1er cru 0,22 ha 600 23 à 30 €

Cette propriété familiale de superficie modeste (moins de 3 ha) est implantée en plein cœur de Meursault. Médaille d'argent de la dégustation, ce Clos des Chênes se rappelle encore du berceau... de bon chêne dans lequel il fut élevé dix mois. Mais il promet ! Son rubis intense ne nuit pas à sa limpidité ainsi qu'à sa brillance. Le bouquet privilégie le cassis, la myrtille tandis que la bouche puissante et longue affirme un caractère corsé. Mais il y a beaucoup de choses derrière. Il doit grandir encore (un à deux ans au moins).
Dom. du Cerberon, 18, rue de Lattre-de-Tassigny, 21190 Meursault, tél. et fax 03.80.21.65.00, e-mail domaine.cerberon@wanadoo.fr r.-v.
GFA des Belles Côtes

## C. CHARTON FILS 2002 ★

| ■ | 0,3 ha | 1 600 | 30 à 38 € |
|---|---|---|---|

Rouge framboisé à reflets pourpres, son bouquet sympathique assemble les fruits cuits et des notes grillées bien fondues. Tendre et minéral, il cède à un sentiment de puissance sans jamais se départir de sa nature policée. Très respectueux de son appellation, il termine en beauté un parcours délicat et subtil. Joli vin au prix très élevé cependant pour un *village*...

C. Charton Fils, 38, fg Saint-Nicolas, BP 107, 21200 Beaune, tél. 03.80.22.53.33, fax 03.80.24.19.73

## DOM. CYROT-BUTHIAU 2003 ★

| ■ | 0,45 ha | n.c. | 15 à 23 € |
|---|---|---|---|

Il laisse en bouche un joli souvenir ce volnay charmant et riche en fruits rouges. D'un rubis soutenu, il tient bon son boisé qui se limite à quelques notes épicées. On aimera aussi son équilibre global. La matière demande toutefois à arrondir quelques angles. Ce sera l'affaire d'un an ou deux.

Dom. Cyrot-Buthiau, 15, rte d'Autun, 21630 Pommard, tél. 03.80.22.06.56, fax 03.80.24.00.86, e-mail cyrot.buthiau@wanadoo.fr r.-v.

## DOM. HENRI DELAGRANGE ET FILS
Clos des Chênes 2003 ★

| ■ 1er cru | n.c. | 3 000 | 23 à 30 € |
|---|---|---|---|

Didier et Hélène Delagrange ont repris en 2003 ce domaine familial depuis deux cents ans. Velours grenat, ce Clos des Chênes ressemble à une corbeille de fruits, le cassis et la mûre prenant le dessus. Quelques accents animaux complètent le tableau. Le fruit ne se dérobe pas en bouche. Le corps, la mâche ont de l'emprise sans trop appuyer et laissent en finale une impression de fraîcheur. Un grenadin de veau aux morilles fera l'affaire de ce vin à partir de 2007.

Dom. Henri Delagrange et Fils, cours François-Blondeau, 21190 Volnay, tél. 03.80.21.64.12, fax 03.80.21.65.29 r.-v.

## DOM. SEBASTIEN DESCHAMPS
Clos des Chênes 2003

| ■ 1er cru | 0,3 ha | 1 000 | 11 à 15 € |
|---|---|---|---|

Ce volnay donne tout de suite couleur à son affaire. L'extraction apparaît également très poussée de coup de nez en coup de nez sur une matière première à maturité. Le corps est pourtant tout d'abord rond, puis réglissé et large d'épaules. Les conditions du millésime conduisent à un vin chaleureux qu'il faudra attendre un an ou deux.

Sébastien Deschamps, rue du Château-Gaillard, 21190 Monthélie, tél. 03.80.21.29.45
t.l.j. 8h-19h, dim. sur r.-v.

## ALEX GAMBAL
Les Santenots Vieilles Vignes 2003 ★

| ■ 1er cru | 0,41 ha | 1 800 | 23 à 30 € |
|---|---|---|---|

Alex Gambal est venu des Etats-Unis pour prospecter l'or de la Côte-d'Or il y a moins de dix ans et il s'est déjà fait un nom. Avec son complice Fabrice Laronze, son vinificateur et chef de cave, il propose ce Santenots à la robe précieuse. Framboise et moka se partagent le nez. Encore corsé et astringent, évoquant en finale les fruits rouges confits sur un mode flûté, ils vont s'améliorant et ne dédaigneront pas la dinde farcie dans quelques années.

Maison Alex Gambal, 14, bd Jules-Ferry, 21200 Beaune, tél. 03.80.22.75.81, fax 03.80.22.21.66, e-mail alexgambal@wanadoo.fr r.-v.

## JEROME GERBEAULT 2003 ★

| ■ | 0,4 ha | 850 | 11 à 15 € |
|---|---|---|---|

Jérôme Gerbeault a repris le domaine (7,6 ha) lors du départ en retraite de son père en 2002. Son volnay est bien vinifié (aucun abus d'extraction) et de fort bonne qualité. On discerne tour à tour la violette et la framboise sous sa robe violine. Derrière une attaque franche et souple, les tanins conservent de la fraîcheur sans pour autant dresser le dos. Plus élégant que vraiment dense, un volnay classique à marier avec des cailles.

Jérôme Gerbeault, 11, RN 74, 21190 Meursault, tél. 03.80.21.20.39, fax 03.80.21.66.73
t.l.j. sf dim. 8h30-12h 14h-18h30

## BERNARD ET LOUIS GLANTENAY
Les Santenots 2002 ★

| ■ 1er cru | 0,67 ha | 1 500 | 15 à 23 € |
|---|---|---|---|

N'oubliez pas de visiter à Volnay l'église du XIVe s. avec son retable de l'Adoration des mages. Puissants, des Santenots représentatifs de leur appellation et témoignant en outre d'une réelle personnalité. La robe profonde et soutenue plaît à l'œil alors que le nez s'éveille dans un environnement épicé. Un peu sévère, robuste, ayant passé dix-huit mois en fût de chêne, ce vin met du cœur à l'ouvrage et peut passer la barre des trois ans de garde.

SCE Bernard et Louis Glantenay, rue de Vaut, 21190 Volnay, tél. 03.80.21.62.20, fax 03.80.21.67.78
r.-v.

## DOM. GLANTENAY Brouillards 2002 ★

| ■ 1er cru | 1,11 ha | 5 000 | 15 à 23 € |
|---|---|---|---|

Deux 1ers crus très réussis : les **Santenots 2003** et celui-ci. Ils ont des points communs : profondeur de la robe, bouquet suggérant la framboise à l'eau-de-vie, boisé fin, matière très présente. Les tanins sont ici nettement marqués sur fond de fruits noirs. Un gras assez impressionnant et une persistance supérieure à la moyenne.

Dom. Georges Glantenay et Fils, chem. de la Cave, 21190 Volnay, tél. 03.80.21.61.82, fax 03.80.21.68.66
r.-v.

## DOM. HUBER-VERDEREAU
Les Robardelles 2003 ★

| ■ | 0,55 ha | 3 000 | 15 à 23 € |
|---|---|---|---|

Les Robardelles sont un *climat* voisin des Santenots et proche du Cailleret. Il a donc de qui tenir ce volnay né de vignes plantées en 1943 qui porte la marque 2003. L'alcool, les tanins, le gras coexistent mais l'occupation des lieux n'est pas encore tout à fait répartie. Corsé, trop jeune aujourd'hui pour donner sa pleine disponibilité, il porte un nez intéressant et on a obtenu à la cuverie le maximum de couleur.

Dom. Huber-Verdereau, rue de la Cave, 21190 Volnay, tél. 03.80.22.51.50, fax 03.80.22.48.32, e-mail huber.verdereau@huber-verdereau.com
r.-v.

## MARCHE AUX VINS Les Brouillards 2003 ★

| ■ 1er cru | n.c. | 868 | 30 à 38 € |
|---|---|---|---|

Il ne faut pas se fier aux noms de *climats*. Ainsi les Brouillards (côté Pommard) n'ont pas moins de soleil que les autres. Sous l'une des signatures de la famille Boisseaux, ce volnay a le teint bien coloré. Son nez, très sur la réserve, s'ouvre à l'aération (vanille, réglisse, notes empyreumatiques et fruits noirs). Souple à l'attaque, riche en rétro, il est assez chaud, modérément tannique et gourmand.

Marché aux vins, rue Nicolas-Rolin, 21200 Beaune, tél. 03.80.25.08.20, fax 03.80.25.08.21 t.l.j. 9h30-12h 14h-18h

### DOM. RENE MONNIER Clos des Chênes 2003 ★

■ 1er cru 0,74 ha 4 000 15 à 23 €

Si le chêne était sacré chez les Gaulois, les vignerons bourguignons, leurs lointains descendants, l'adorent ou plus simplement l'honorent en élevant leurs vins. Encore faut-il, et même en Clos des Chênes, ne pas en abuser. Cette bouteille rubis sombre, scintillante, offre un bon exemple aromatique d'un fût discret et délectable, relayé à l'aération par un efficace fruit confit. Il se goûte bien grâce à une composition fruitée et structurée. On conseille cependant de lui faire regagner quelques années la cave. Il devrait vieillir admirablement (dans les cinq ans au moins). Pour un gibier à plume ou, si vous avez envie d'étonner vos invités, une oie farcie aux agrumes.

Dom. René Monnier, 6, rue du Dr-Rolland, 21190 Meursault, tél. 03.80.21.29.32, fax 03.80.21.61.79, e-mail j.l.b.vins@wanadoo.fr t.l.j. sf dim. 8h30-12h 14h-18h

M. et Mme Bouillot

### DOM. DE MONTILLE Les Champans 2002

■ 1er cru 0,66 ha 3 000 38 à 46 €

L'un des crus les plus réputés de la Côte de Beaune, proposé par un domaine dont la réputation est fort ancienne. Etienne de Montille a élevé quinze mois en fût ces Champans rubis, mais le boisé n'écrase pas le fruit. Equilibrée, déjà ronde, la bouche est élégante sans être puissante. Une bouteille représentative de son millésime.

Dom. de Montille, 12, rue du Pied-de-la-Vallée, 21190 Volnay, tél. 03.80.21.62.67, fax 03.80.21.67.14, e-mail e.demontille@wanadoo.fr r.-v.

### PIERRE OLIVIER 2002 ★

■ n.c. 7 000 15 à 23 €

Marque faisant partie de la maison Moillard à Nuits. Couleur framboise sombre, porteur de senteurs bien mûres (cuir, sous-bois, café, confiture de fruits rouges), un vin qui ne frime pas. Racé, très honorable en *village*, il démarre en souplesse et ne révèle sa structure que sur la fin. Une petite pointe de kirsch anime la bouche où le moka s'avère récurrent. La chair est aimable, le grain d'une constante finesse.

Pierre Olivier, 2, rue François-Mignotte, 21700 Nuits-Saint-Georges, tél. 03.80.62.42.08, fax 03.80.61.28.13 t.l.j. 10h-18h; f. jan.

### DOM. ANNICK PARENT Frémiets 2002 ★

■ 1er cru n.c. 2 500 23 à 30 €

La famille Parent, illustre dans l'histoire (Etienne fut fournisseur et conseiller de Thomas Jefferson), a scindé ses domaines en deux après la guerre de 1914, celui-ci à Monthélie et l'autre à Pommard. Démarche bio convaincue. Rouge grenat, brillant et limpide, un vin au boisé fin sur des notes de fruits (cerise). La présence tannique est relativement fondue mais elle n'a pas perdu tout son aplomb. Arrière-bouche fine, élégante, faisant pencher la balance du bon côté.

Annick Parent, rue du Château-Gaillard, 21190 Monthélie, tél. et fax 03.80.21.21.98, e-mail annick.parent@wanadoo.fr r.-v.

Jean Parent

### DOM. JEAN PARENT Clos des Chênes 2002 ★

■ 1er cru n.c. 416 23 à 30 €

Bâtiments du XVIIIes., joli colombier, parc 1900, le domaine mérite la visite. D'autant que la cave (sur laquelle veille J.-M. Bouley) contient de belles choses ! Comme ce Clos des Chênes couleur prune... violacé. Sa complexité aromatique s'affirme d'emblée, mais il n'est guère facile de l'analyser. Vanille et fruits noirs se détachent cependant. D'un velours framboisé, la bouche coopère sur une longueur appréciable. Petite note d'amertume en finale signant quinze mois de fût. A déboucher dans deux ou trois ans.

Chantal Parent, rue du Château-Gaillard, 21190 Monthélie, tél. et fax 03.80.21.21.98, e-mail annick.parent@wanadoo.fr r.-v.

### FRANCOIS PARENT Frémiets 2003 ★

■ 1er cru n.c. 600 30 à 38 €

François Parent a saisi l'occasion du millésime 2003 pour entreprendre la culture en biodynamie sur quelques parcelles. Cette pratique inédite aboutit à un vin de belle intensité colorante, ouvert sur le bourgeon de cassis (digne des plus grands parfumeurs de Grasse), puis sur une bouche corsée mais cohérente, agréablement réglissée et un peu chaude en finale. Les tanins déjà bien fondus sont fins. Pour petit gibier ou viande rouge.

François Parent, La Garelle, 5, Grande-Rue, 21630 Pommard, tél. 03.80.22.61.85, fax 03.80.24.03.16, e-mail af-gros@wanadoo.fr r.-v.

### DOM. DU PAVILLON Les Santenots 2002 ★★

■ 1er cru 0,29 ha 1 500 30 à 38 €

Le domaine du Pavillon fondé au XVIIIes. appartient à la maison Albert Bichot. Sa cave, en une seule travée, est la plus vaste de Pommard. Super coup de cœur pour ce vin grenat vermillon au disque profond. La griotte, la framboise, un boisé très mesuré et à sa place : tout appelle à la dégustation. Au palais un vrai régal. On commence par une caresse soyeuse, puis la structure (légèrement tannique) prend forme, se développe et se fond. L'heureux chapon qui fêtera avec lui le prochain Noël !

A. Bichot, Dom. du Pavillon, 6 bis, bd Jacques-Copeau, 21200 Beaune, tél. 03.80.24.37.37, fax 03.80.24.37.38, e-mail bourgogne@albert-bichot.com

DOM. PONSARD-CHEVALIER
Cros Martin 2003 ★★

■ 0,39 ha 1 800 15 à 23 €

Jolie performance de ce 2003 issu d'un *climat* (cros signifie clos) proche de Meursault et des Santenots dans la partie méridionale de l'appellation. Un rude gaillard, corsé, assez sauvage, chaud sous des nuances violacées et un nez de griotte vanillée. Attendez un peu et il sera doux comme un agneau. Mais en cave il vous faudra de temps en temps le caresser du regard, voire le goûter. Ainsi en est-il du mystère du vin.

Dom. Ponsard-Chevalier, 2, Les Tilles, 21590 Santenay, tél. 03.80.20.60.87, fax 03.80.20.61.10, e-mail ponsardchevalier@aol.com r.-v.

DOM. POULLEAU PERE ET FILS 2003

■ 1,63 ha 3 600 11 à 15 €

Le velours pivoine de la robe est difficile à surpasser. Au nez, on sent le kirsch, le marc de raisin. Peu expansif, ce vin adopte volontiers la règle de saint Benoît revue et corrigée par saint Bernard. Cîteaux n'est pas si loin... Il possède cependant de la vigueur et ses tanins un peu sévères vont sans doute devenir plus amènes avec le temps (trois à cinq ans). A servir alors sur une côte de bœuf grillée.

Dom. Poulleau Père et Fils, rue du Pied-de-la-Vallée, 21190 Volnay, tél. 03.80.21.26.52, fax 03.80.21.64.03, e-mail domaine.poulleau@wanadoo.fr r.-v.

LA POUSSE D'OR
Clos de la Bousse d'or Monopole 2003 ★

■ 1er cru 2,14 ha 3 133 30 à 38 €

Il s'agit de l'ancien Domaine Potel qui ne reçut pas le droit de porter le nom du Clos de la Bousse d'Or dont il avait le monopole et dut en changer une lettre... Coup de cœur l'an dernier pour le 2002, il se présente cette fois sous des traits légèrement tuilés. En revanche, ses arômes épicés, nuancés de kirsch, ont tout le tonus voulu. Les fruits confits agrémentent une bouche veloutée. A ouvrir dans les mois qui viennent.

Dom. de La Pousse d'Or, rue de la Chapelle, 21190 Volnay, tél. 03.80.21.61.33, fax 03.80.21.29.97, e-mail patrick@lapoussedor.fr r.-v.

G. PRIEUR Santenots 2002

■ 1er cru n.c. n.c. 23 à 30 €

Grenat à reflets encore jeunes, il marie des arômes divers pour atteindre une certaine complexité. Muscade, fruits à l'eau-de-vie, sous-bois où gambade le gibier. On ne s'ennuie pas, d'autant qu'au palais la myrtille, le cassis sont en appui. Petite astringence mais elle n'influe pas sur le jugement final, car elle disparaîtra après deux à trois ans de bonne cave.

Maison G. Prieur, 21590 Santenay-le-Haut, tél. 03.80.20.60.56, fax 03.80.20.64.31 r.-v.

DOM. REBOURGEON-MURE Caillerets 2003 ★

■ 1er cru 0,32 ha 1 400 15 à 23 €

Si notre mémoire est bonne, ce domaine a déjà reçu quatre fois le coup de cœur, et toujours en Caillerets, dont l'an dernier pour le 2002. Réglissé, le 2003 vendangé dès le 22 août est assez atypique mais intéressant et de style personnel. Pour ceux qui voudront se faire une idée des diverses facettes de ce millésime : il est suffisamment équilibré, joue sur les fruits noirs bien mûrs accompagnés d'une note d'alcool peu tempérée, de bonne longueur. Comme bien des 2003, il ne devrait pas être de longue garde.

Daniel Rebourgeon-Mure, 6 a, Grande-Rue, 21630 Pommard, tél. 03.80.22.75.39, fax 03.80.22.71.00 r.-v.

NICOLAS ROSSIGNOL Cailleret 2002 ★

■ 1er cru 0,35 ha 1 200 30 à 38 €

« Qui n'a pas de vigne en Cailleret ne sait pas ce que vaut le volnay », dit-on ici. Porte-étendard des vins de la commune, il caracole en effet en tête de cuvée. La violette s'en donne à cœur-joie pour célébrer le 2002 : sa couleur et son parfum ont cette nuance sensible. Mâche, tanins, charpente, il demeure carré, serré. Un peu de patience est dès lors conseillé. Les dix-huit mois de fût ont respecté le vin, légèrement réglissé en seconde moitié de bouche.

Nicolas Rossignol, rue de Mont, 21190 Volnay, tél. 03.80.21.62.43, fax 03.80.21.27.61, e-mail nicolas-rossignol@wanadoo.fr r.-v.

DOM. REGIS ROSSIGNOL-CHANGARNIER
2002 ★

■ 1,7 ha 4 000 11 à 15 €

Depuis 1966, Régis Rossignol mène ce domaine. Rubis clair à reflet prune, son volnay arbore un nez frais où le cassis joue le premier rôle, le boisé étant bien fondu. Elégant, fin, agréable, il sera à déboucher dans un an.

Régis Rossignol, rue d'Amour, 21190 Volnay, tél. et fax 03.80.21.61.59 r.-v.

DOM. ROSSIGNOL-FEVRIER PERE ET FILS
2003 ★

■ 1,7 ha 3 000 11 à 15 €

Le 2002 a reçu le coup de cœur l'an passé. La côte de bœuf conviendra à cette nouvelle bouteille de haute extraction (hyper-colorée dans le noir violacé), chaleureuse et épicée d'entrée de jeu, très concentrée en bouche et encore un peu dure, recevant la visite d'arômes secondaires sauvages et de fruits noirs. Costaud et caniculaire ! Une étoile également pour le **volnay 1er cru 2002 (15 à 23 €)**, parfaitement bien élevé, au boisé fondu, aux tanins cependant denses jusque dans une longueur respectable.

EARL Rossignol-Février, rue du Mont, 21190 Volnay, tél. 03.80.21.64.23, fax 03.80.21.67.74, e-mail rossignol-fevrier@wanadoo.fr t.l.j. sf dim. 9h-12h 14h-19h

ROSSIGNOL-JEANNIARD Chevret 2002 ★

■ 1er cru 1,3 ha 3 000 30 à 38 €

Domaine de 11 ha possédant un sixième de ce *climat*. D'une belle rondeur, ce vin d'un style moderne n'en est pas moins tout en finesse, très volnay, en définitive : équilibré, marqué par les fruits rouges accompagnés d'un boisé somme toute élégant, l'ensemble est à la hauteur de la robe intense et brillante.

Rossignol-Jeanniard, rue de Mont, 21190 Volnay, tél. 03.80.21.62.43, fax 03.80.21.27.61, e-mail domaine-rossignol-jeanniard@wanadoo.fr r.-v.

CHRISTOPHE VAUDOISEY Les Caillerets 2003 ★

■ 1er cru n.c. n.c. 23 à 30 €

Vendanges le 25 août d'un raisin très particulier, qui a surpris bien des vignerons, la canicule ayant apporté son lot de difficultés bousculant tous les paramètres de la vinification. Grenat presque noir à reflets bleutés, ce vin sait s'y prendre. On le constate encore au nez (mûre, vanille, réglisse). La matière est là (corps, mâche) mais elle se montre tendre. Evidemment atypique mais il vaut mieux respecter la nature que trop vouloir la rectifier.

Christophe Vaudoisey, pl. de l'Eglise, 21190 Volnay, tél. 03.80.21.20.14, fax 03.80.21.27.80
t.l.j. sf dim. 9h30-12h30 13h30-18h30

# Monthélie

La combe de Saint-Romain sépare les terroirs à rouge des terroirs à blanc ; Monthélie est exposé sur le versant sud de cette combe. Dans ce petit village moins connu que ses voisins, les vins sont d'excellente qualité. 2004 a produit 5 310 hl de vin rouge et 674 hl de vin blanc.

## DOM. DENIS BOUSSEY 2003 ★

0,51 ha 2 400 11 à 15 €

Le visiteur pressé passe rapidement de Volnay à Meursault. Il serait mieux inspiré de grimper jusqu'à ce village pentu, riche de vieilles maisons et de belles caves. Il réserve des trésors de bonté à qui monte jusqu'à lui. Ainsi cette bouteille à la robe légère et dont les arômes prennent le chemin des agrumes vanillés. Le nez laisse parler la bouche avec un certain charme et assez d'équilibre. Peut s'ouvrir davantage d'ici un an. Ce domaine a reçu son premier coup de cœur il y a tout juste dix ans, avec le monthélie blanc 93.

Dom. Denis Boussey, 1, rue du Pied-de-la-Vallée, 21190 Monthélie, tél. 03.80.21.21.23, fax 03.80.21.62.46
t.l.j. sf dim. 8h-12h 13h30-18h30; f. 6-20 août

## ERIC BOUSSEY 2002 ★

0,5 ha 3 000 8 à 11 €

Voici longtemps que la mise en bouteilles à la propriété est pratiquée chez les Boussey. Si le **village 2002 rouge** (franc, encore un peu astringent mais réussi) obtient une citation, son frère en blanc a eu la préférence. Or jaune bien net, floral et minéral à la fois, il est tendre, équilibré, charmeur en un mot. Sa petite vivacité lui va bien. De la personnalité dans l'appellation.

EARL du Dom. Eric Boussey, Grande-Rue, 21190 Monthélie, tél. 03.80.21.60.70, fax 03.80.21.26.12
r.-v.

## DOM. LAURENT BOUSSEY Les Champs Fulliots 2003 ★

1er cru 0,2 ha 950 15 à 23 €

Lorsque l'enfant paraît... Il faudra s'habituer à un nouveau prénom chez les Boussey : Laurent à qui Denis, son père, a confié 3,6 ha comme départ dans la vie. Dans un millésime assez peu favorable aux blancs, il signe un 1er cru d'une teinte classique et élégante. Au nez, il sait s'y prendre et vous enveloppe l'affaire tout en volupté exotique. En bouche, une rétro sur la poire, le coing, complétée par une finale épicée. Une authentique personnalité.

Dom. Laurent Boussey, rue Blondeau, 21190 Monthelie, tél. 03.80.21.28.42 r.-v.

## DOM. CHANGARNIER 2003 ★★

3 ha 5 400 8 à 11 €

Viticulteurs de père en fils depuis douze générations, ils n'ont pas perdu la main : voici la vedette de la dégustation ! Presque noir comme du jais, ce vin confirme son fruit à l'aération. Derrière l'attaque très souple se profile une bouche bien en chair, honnêtement tannique. On parlerait d'une vinification moderne et fortement extraite si le millésime n'expliquait pas cette particularité. Signalés également : le **1er cru Les Champs Fulliot 2003 rouge (11 à 15 €)**, ainsi que le **village 2003 blanc (11 à 15 €)** reçoivent chacun une étoile.

Dom. Changarnier, pl. du Puits, 21190 Monthélie, tél. 03.80.21.22.18, fax 03.80.21.68.21, e-mail changarnier@aol.com
t.l.j. sf dim. 9h-12h 14h-19h

## C. CHARTON En Percherottes 2003 ★

0,3 ha 1 600 23 à 30 €

C. Charton est l'une des marques de la Maison beaunoise Pierre Ponnelle. Elle présente un vin grenat intense, dont le *climat* (En Percherottes) nous est inconnu. Mais les lieux-dits sont si nombreux et si complexes qu'on ne peut les connaître tous. Ses arômes ont besoin d'un peu d'aération pour exprimer les épices douces, les fruits noirs, le marc de raisin ; puis l'équilibre s'installe au palais sans refuser une certaine mâche sur des notes réglissées.

C. Charton Fils, 38, fg Saint-Nicolas, BP 107, 21200 Beaune, tél. 03.80.22.53.33, fax 03.80.24.19.73

## ALAIN COCHE-BIZOUARD Les Duresses 2003 ★

1er cru 0,3 ha 1 200 15 à 23 €

Monthélie se dit Mont'lie. N'allez pas croire pour autant que son vin n'a pas d'accent ! Bien au contraire, il exprime souvent un caractère, une présence. Grenat profond, celui-ci n'est pas très aromatique (cela viendra), mais il a un corps assez nerveux, plein de distinction, impatient de se fondre. Donnons-lui un à deux ans.

Alain Coche-Bizouard, 5, rue de Mazeray, 21190 Meursault, tél. 03.80.21.28.41, fax 03.80.21.22.38, e-mail coche-bizouard@terre-net.fr
r.-v.

## DOM. SEBASTIEN DESCHAMPS 2003

0,74 ha 3 000 8 à 11 €

Jolie robe limpide d'or blanc aux légers reflets verts, ce 2003 est dans le ton. La noix, le miel se mêlent de façon assez complexe à des senteurs de sous-bois, de mousseron comme à Chablis. L'attaque est plutôt marquée par le fût puis la bouche se révèle charpentée : elle mérite un à deux ans de garde, l'impression finale étant confiante.

Sébastien Deschamps, rue du Château-Gaillard, 21190 Monthélie, tél. 03.80.21.29.45
t.l.j. 8h-19h, dim. sur r.-v.

## GUY DUBUET Les Champs-Fulliot 2003 ★★

1er cru 0,39 ha 2 000 11 à 15 €

Réputé le meilleur de l'appellation, le terroir des Champs-Fulliot donne naissance à un vin qui s'apparente à son voisin immédiat : le Cailleret de volnay. On le constate en savourant ce 2003 pourpre-grenat. Ses arômes chantent la mûre, la cerise noire. Quant à son corps, il est riche, onctueux, prêt à passer à table. Le **village 2003 rouge (8 à 11 €)** est souple et d'un accès aisé. Excellente invitation à découvrir le bourgogne, il obtient une étoile.

Guy Dubuet, rue Bonne-Femme, 21190 Monthélie, tél. 03.80.21.26.22, fax 03.80.21.29.79 r.-v.

DOM. DUPONT-FAHN Les Vignes Rondes 2003

■ 1er cru 0,75 ha 6 000 11 à 15 €

*Climat* situé dans le secteur le plus proche de Volnay. Il produit ici un pinot couleur bordeaux. Pour la robe, car le fruit rouge qui parsème le nez est tout à fait bourguignon. En bouche, les tanins demandent à se fondre et musellent les arômes. A considérer comme un bon investissement car il est à conserver quelques années.

Dom. Michel Dupont-Fahn, Les Toisières, 21190 Monthélie, tél. 06.08.51.15.13, fax 03.80.21.21.22 r.-v.

BRUNO FEVRE Sur la Velle 2002 ★

■ 1er cru 0,46 ha 1 200 11 à 15 €

Créé en 1986, ce domaine compte 6 ha. Grenat brillant légèrement violacé, ce 1er cru est assis sur ses convictions : cassis, mûre, le fruit noir sans discussion. Enrobé dans un boisé élégant et fin, la bouche garde ce cap aromatique en s'appuyant sur une charpente sérieuse mais aussi élégante. Vous pourrez garder cette bouteille environ deux ans et puis vous faire plaisir.

Bruno Fèvre, 27, rue de Martray, 21190 Meursault, tél. 03.80.21.63.16 r.-v.

PAUL GARAUDET Les Duresses 2002 ★

■ 1er cru 0,72 ha 3 600 11 à 15 €

En version 2000, cette bouteille a obtenu le plus récent coup de cœur dans l'appellation. Elle offre ici au regard une nuance très sombre, au nez une cerise fraîchement cueillie et encore riche en sève. A l'attaque discrète succède un corps charpenté par des tanins fruités et un sage boisé.

Paul Garaudet, imp. de l'Eglise, 21190 Monthélie, tél. 03.80.21.28.78, fax 03.80.21.66.04 r.-v.

JEROME GERBEAULT 2003 ★

■ 1er cru 0,7 ha 2 350 11 à 15 €

« Le relief, la hauteur et la densité de certains villages de Toscane », ainsi Monthélie apparaît-il à Pierre Poupon, au soleil couchant. Cette sérénité éclaire ici un 1er cru déjà dans le grenat. Peu de nez mais les fruits rouges semblent s'en dégager. De bons tanins, une acidité bien dosée, un terroir ; bref, un bel ensemble vivant et sincère.

Jérôme Gerbeault, 11, RN 74, 21190 Meursault, tél. 03.80.21.20.39, fax 03.80.21.66.73 t.l.j. sf dim. 8h30-12h 14h-18h30

CH. DE MONTHELIE Sur la Velle 2002 ★

■ 3 ha n.c. 15 à 23 €

Les 1ers crus de volnay ne sont guère éloignés de cette vigne. Vermillon profond, son vin présente la framboise et la fraise comme les fruits de son jardin. Epicée et tendue, la bouche rend hommage à son élevage. Son acidité semble lui garantir une certaine tenue dans le temps. Finale assez lisse, un peu réglissée mais n'oubliant pas le cassis. Sur la Velle a valu plusieurs coups de cœur à ce domaine.

Eric de Suremain, Ch. de Monthélie, 21190 Monthélie, tél. 03.80.21.23.32, fax 03.80.21.66.37, e-mail desuremain@wanadoo.fr r.-v.

DOM. ANNICK PARENT Les Duresses 2002 ★

■ 1er cru 0,37 ha 2 000 11 à 15 €

On sait que Monthélie détient une partie des Duresses. Voici un beau vin, né en cuve de bois et d'un pressoir à vis verticale. « Je ne remplace pas le temps par de l'œnologie », dit Annick, héritière d'une des branches de la famille Parent. Rubis moyen, le nez déjà ouvert sur le fruit, ce 2002 montre une certaine rudesse sympathique à l'attaque, puis une constitution ferme et fruitée capable de tenir tête à un canard rôti dans deux à cinq ans. Notez aussi le **1er cru Clos Gauthey 2002 rouge**, une étoile.

Annick Parent, rue du Château-Gaillard, 21190 Monthélie, tél. et fax 03.80.21.21.98, e-mail annick.parent@wanadoo.fr r.-v.

Jean Parent

POULET PERE ET FILS 2002

n.c. 3 000 30 à 38 €

Les blancs passaient ici pour madériser assez tôt. Cette croyance est aujourd'hui sans fondement. Il s'agissait de vinifications anciennes insuffisamment maîtrisées, et nullement d'un décret du destin. Témoin ce chardonnay or doré au jambage fin. Il porte un nez fruité et frais. Tendre et soutenu par une intéressante minéralité, il est à servir maintenant. La maison Poulet, vénérable institution beaunoise fondée au XVIIIes., est devenue nuitonne en 1983, aujourd'hui au sein de la maison Louis Max.

Poulet Père et Fils, 6, rue de Chaux, BP 4, 21700 Nuits-Saint-Georges, tél. 03.80.62.43.02, fax 03.80.62.68.02

PASCAL PRUNIER-BONHEUR Les Vignes rondes 2003

■ 1er cru 0,48 ha 2 000 11 à 15 €

Monthélie s'est toujours consacré à la vigne. On goûte avec plaisir ce vin à la robe grenat et dont le nez prend actuellement son élan. Il est riche en mâche et en tanins, capable de se garder longtemps tant l'assise est solide (petite impression de sécheresse, normale en pareil cas). Pour une viande marinée ou un bœuf bourguignon mijoté depuis la veille... A ouvrir dans trois à cinq ans.

Pascal Prunier-Bonheur, 23, rue des Plantes, 21190 Meursault, tél. 03.80.21.66.56, fax 03.80.21.67.33, e-mail pascal.prunier-bonheur@wanadoo.fr r.-v.

DOM. PRUNIER-DAMY Clos de Ressi 2003 ★

■ 0,58 ha 3 500 8 à 11 €

Clos de Ressi s'appelle au cadastre le Meix de Ressie : on dit au village qu'il aurait appartenu jadis à un châtelain. Ce qui, par parenthèses, fut le cas de beaucoup de vignes... Sa robe conviendrait à un bal au château. Tendre et soyeux, auréolé de vanille et de muscade de part et d'autre du fruit réglissé, c'est un 2003 de constitution plaisante. Son nez évoque le pain chaud grillé.

Philippe Prunier-Damy, rue du Pont-Boillot, 21190 Auxey-Duresses, tél. 03.80.21.60.38, fax 03.80.21.26.64 t.l.j. sf dim. 9h-12h 14h-18h

DOM. MARC ROUGEOT Les Toisières 2003

0,52 ha 1 800 11 à 15 €

Jaune paille et brillant, ses arômes sont choisis : le fruit à chair blanche, l'aubépine, le miel s'invitent joyeusement à la fête. L'attaque assez fraîche est suivie par une sensation plus chaleureuse et une rondeur conforme aux réalités du millésime. A boire maintenant et pendant trois ans. *Climat* côté meursault, les Toisières sont naturellement portées au chardonnay.

Dom. Marc Rougeot, 6, rue André-Ropiteau,
21190 Meursault, tél. 03.80.21.20.59,
fax 03.80.21.66.71, e-mail domaine-rougeot@fr.st
r.-v.

# Auxey-duresses

Auxey (prononcer « aussey ») possède des vignes sur les deux versants. Les premiers crus rouges des Duresses et du Val sont très réputés. Sur le versant « Meursault », on produit d'excellents vins blancs qui, sans avoir la réputation des grandes appellations, sont également fort intéressants. L'appellation a produit, en 2004, 1 904 hl en blanc et 4 310 hl en rouge.

### DOM. BOULARD Les Duresses 2003 *

1er cru 1,75 ha 5 000 11 à 15 €

La famille Bouzereau cultive, vinifie et commercialise le domaine Boulard. Celui-ci comporte près de 2 ha en duresses. On a affaire ici à un vin au caractère entier et passionné. Rougeoyante et noirâtre, sa robe évoque les dernières lueurs du soir. Son bouquet très mûr suggère les fruits rouges confits. Son corps est en pleine puissance. Tannique sans doute, mais d'une maîtrise de bon augure pour l'avenir. A solliciter lors d'un retour de chasse.

Philippe Bouzereau et ses Fils, 15, rue de Mazeray,
21190 Meursault, tél. 03.80.21.20.32,
fax 03.80.21.64.34, e-mail info@domaine-bouzereau.fr
r.-v.

### DOM. BOUZERAND-DUJARDIN 2002 *

0,45 ha 3 000 11 à 15 €

Ce *village* est bon prince plutôt que bon enfant. Or sombre, ayant fondu ses notes grillées au profit de l'aubépine, de l'acacia, il attaque avec ardeur. Sa plénitude au palais est encore torréfiée et compte tenu de son tonus, on ne lui fera pas quitter la cave avant une paire d'années.

Dom. Bouzerand-Dujardin, pl. de l'Eglise,
21190 Monthélie, tél. 03.80.21.20.08,
fax 03.80.21.28.16,
e-mail domaine.bouzerand.dujardin@wanadoo.fr
r.-v.

### CHRISTOPHE BUISSON Les Grandes Vignes 2003

n.c. n.c. 11 à 15 €

Entre pourpre et rubis, le nez tout en fruit (cerise noire, mûre), ce vin est issu d'une vendange effectuée le 25 août : il a fallu le tenir en main. Il attaque avec enthousiasme sans paraître vouloir exploser par la suite. Cela dit, pas mal du tout et pour une consommation actuelle.

Christophe Buisson, rue de la Tartebouille,
21190 Saint-Romain, tél. 03.80.21.63.92,
fax 03.80.21.67.03,
e-mail domainechristophebuisson@wanadoo.fr
r.-v.

### CHRISTIAN CHOLET-PELLETIER Côte de Beaune 2003

0,19 ha 1 000 8 à 11 €

Rubis intense à reflets plus clairs, un vin qui respire le raisin frais dans un décor toasté (bouteille à décanter ou à déboucher un moment avant le repas). Attaque moyenne, néanmoins fine et fruitée. La montée en puissance des tanins est assez considérable et fixe à cet auxey son premier rendez-vous dans trois à cinq ans.

Christian Cholet, 21190 Corcelles-les-Arts,
tél. 03.80.21.47.76 r.-v.

### FABIEN COCHE-BOUILLOT 2002 *

0,25 ha 1 500 11 à 15 €

A l'œil il est tout cousu d'or. Son parfum a quelque chose d'un souvenir d'enfance : noisette, beurre frais, joli grillé... N'est-ce pas le Petit Chaperon rouge ? L'impression boisée s'avère durable, mais elle ne s'oppose ni à la spontanéité de l'attaque ni à l'ampleur de la constitution (surtout en milieu de bouche). A attendre un an environ.

Fabien Coche-Bouillot, 5, rue de Mazeray,
21190 Meursault, tél. 03.80.21.29.91, fax 03.80.21.22.38
r.-v.

### ALAIN ET VINCENT CREUSEFOND Les Duresses 2002 *

1er cru 0,35 ha 2 000 11 à 15 €

Bien typé dans le millésime, certainement de bonne garde sans aller au-delà des quatre ans, un Duresses 2002 d'une teinte rubis, appuyée. Son bois est assez marqué, mais de bon chêne. Ses tanins enrobés ont de la présence et du mordant sur la fin de bouche. Il est plein de vie.

Alain et Vincent Creusefond, rte de Beaune,
21190 Auxey-Duresses, tél. 03.80.21.26.61,
fax 03.80.21.66.42 r.-v.

### DEUX MONTILLE SŒUR ET FRERE La Cannée 2003 **

n.c. 2 000 11 à 15 €

Personnage du film *Mondovino* de Jonathan Nossiter, Alix de Montille a fondé tout récemment sa maison de négoce-éleveur. Ce 2003 est fort bien vinifié. Or pâle, il est net et brillant ; ses accents mentholés, grillés précèdent les agrumes frais. La suite est un long fleuve tranquille ; fraîcheur (fruits exotiques frais), boisé bien maîtrisé et persistance sont remarquables. Le poisson en sauce au beurre blanc qui l'accompagnera peut nager en toute quiétude pendant deux à trois ans.

Maison Deux Montille Sœur et Frère,
21190 Volnay, tél. 03.80.21.62.67, fax 03.80.21.67.14,
e-mail alixdemontille@wanadoo.fr r.-v.

### JEAN-PIERRE DICONNE Vieilles Vignes 2002

1,67 ha 4 500 8 à 11 €

Roulez tambours et sonnez trompettes ! Christophe arrive, la troisième génération au domaine après Paul et Jean-Pierre. Deux mois de cuve, quinze mois de fût (Allier et Vosges, pour les connaisseurs) ont donné ce vin or vert comme il se doit, bien boisé, et qui se tient convenablement en bouche. Finale sans grands prolongements mais sur le fruit. **Les Duresses 1er cru 2002 rouge (11 à 15 €)** légers mais très corrects, obtiennent une citation.

Jean-Pierre Diconne, rue de la Velle,
21190 Auxey-Duresses, tél. 03.80.21.25.60,
fax 03.80.21.26.80 r.-v.

### DOM. RAYMOND DUPONT-FAHN Les Vireux 2003

1 ha 3 000 11 à 15 €

Les Vireux font partie du terroir le plus proche de Meursault : il s'épanouit évidemment en blanc. De jaune paillé à doré, un 2003 aux parfums de beurre et de pâte de coings. La bouche riche en gras et quelque peu complexe, d'une présence appuyée, se révèle persistante sur des notes de fruits exotiques. A boire dans les temps qui viennent.

Dom. Dupont-Fahn,
rue Polaire, 21190 Auxey-Duresses,
tél. 06.14.38.53.21, fax 03.80.21.29.21 r.-v.

## JEAN ET GILLES LAFOUGE

Les Duresses 2003

1er cru 0,48 ha 3 000 11 à 15 €

Auxey était jadis un village de moulins. Les pressoirs les remplacent de nos jours, pour produire par exemple ces **Hautés 2002 blanc (8 à 11 €)**, cités par le jury, un vin jaune pâle, limpide, dont le nez s'accommode de la fraîcheur goûteuse des agrumes. Il porte le boisé né de son année de fût, qui probablement s'atténuera avec le temps. Quant à ces Duresses, d'excellente composition, d'une jolie couleur pourpre, elles affichent un nez nettement fruité, équilibré et long. A ouvrir dans deux ou trois ans.

Dom. Jean et Gilles Lafouge, rue du Dessous,
21190 Auxey-Duresses, tél. 03.80.21.68.17,
fax 03.80.21.60.43 r.-v.

## HENRI LATOUR ET FILS

Les Grands Champs 2003 ★★

1er cru 0,5 ha 1 800 11 à 15 €

Il resplendit comme des escarboucles. Car, si vous l'avez oublié, l'escarboucle est la couleur rouge grenat que l'on rencontre parfois en minéralogie. Ses arômes sont impérieux et communicatifs (nuances chocolatées, fumées, du moins pour le moment). Un vin garni, long en bouche, élégant et fin. Il honore ce millésime extraordinairement précoce. Par ailleurs, le **village 2002 blanc** d'un minéral superbe, obtient une étoile.

Henri Latour et Fils, rte de Beaune,
21190 Auxey-Duresses, tél. 03.80.21.65.49,
fax 03.80.21.63.08, e-mail h.latour.fils@wanadoo.fr
r.-v.

## DOM. MAROSLAVAC-LEGER

Les Bretterins 2002

1er cru 0,27 ha 1 500 11 à 15 €

Ce *climat* tient le milieu entre ceux de Val et des Duresses. Equilibré par nature, il est bien représentatif de l'appellation. D'une nuance cerise noire, voici un 2002 honnêtement bâti dont les tanins sont encore un peu vifs : il devrait vous sourire en 2007 ou 2008.

Roland Maroslavac, Dom. Maroslavac-Léger,
43, Grande-Rue, 21190 Puligny-Montrachet,
tél. 03.80.21.31.23, fax 03.80.21.91.39,
e-mail maroslavac-leger@wanadoo.fr r.-v.

## MORET-NOMINE 2003 ★

n.c. n.c. 8 à 11 €

Le siège du domaine est un hameau pittoresque sur les hauteurs de Savigny. « C'est si bon... » Vous connaissez la chanson que fredonne cet aimable *village*. Jaune or limpide, floral et mentholé, le boisé raisonnable, celui-ci se présente en bouche d'un pied agile, d'un air espiègle. Franc, frais et fruité, il sera ouvert sans regret en 2006.

S. Moret-Nominé, Le Hameau de Barboron,
21420 Savigny-lès-Beaune, tél. 03.80.21.58.35,
fax 03.80.26.10.59 r.-v.

## AGNES ET SEBASTIEN PAQUET 2003 ★

2,5 ha 3 000 11 à 15 €

Domaine né avec le XXIe s. On est loin de toutes ces lignées dont le cep fondateur fit la guerre de Cent Ans. Bienvenue donc à Agnès et Sébastien qui ont tout de même de quoi s'occuper (8 ha). De petits rendements (11 hl/ha) ont donné ce vin qui n'a pas acheté sa robe à la braderie : haute-couture, elle met en valeur un bouquet fait de coing, de chèvrefeuille sur fond grillé. Notes exotiques en bouche et finale chaleureuse. Une étoile également pour le **village rouge 2003 (8 à 11 €)**.

Agnès et Sébastien Paquet, rue du Puits-Bouret,
21190 Meloisey, tél. 03.80.26.07.41, fax 03.80.26.06.41,
e-mail sebpaquet@club-internet.fr r.-v.

## PIGUET-GIRARDIN Les Grands Champs 2003 ★

1er cru 0,15 ha 900 11 à 15 €

Que ne ferait-on pas pour les beaux yeux de cette bouteille qui atteindra son optimum d'ici trois à quatre ans. Sa puissance, son gras, sa chaleur appellent le gibier, la viande en sauce. Ne l'oubliez pas... La robe très soutenue est bien sûr de la partie. Au nez, on sent la fraise percer. Du pommard jusqu'aux maranges, ce domaine veille sur près de vingt appellations.

Dom. Piguet-Girardin, rue du Meix,
21190 Auxey-Duresses, tél. 03.80.21.60.26,
fax 03.80.21.66.61, e-mail piguet.girardin@tiscali.fr
r.-v.

## DOM. JEAN-PIERRE ET LAURENT PRUNIER 2003 ★

1,6 ha 5 000 8 à 11 €

Si vous cherchez Prunier à Auxey-Duresses, vous avez intérêt à connaître le prénom. Car ils sont légion. Jean-Pierre et Laurent dans le cas présent. Net et cristallin, leur *village* blanc sacrifie aux notes boisées si fréquentes dans l'appellation, les associant toutefois à la fleur blanche et au silex. Puis l'attaque est fraîche, franche, le gras apparaissant seulement en fin de bouche et de façon assez convaincante. Notées une étoile, les **Duresses 1er cru rouge 2003 (11 à 15 €)** demandent à s'ouvrir mais vous feront prendre du bon temps, de même que **Le Val 1er cru rouge 2002 (11 à 15 €)**, très réussi également. Signalons que l'étiquette du premier vin est classique alors que les deux autres affichent une désuète représentation de parchemin roulé.

Dom. Jean-Pierre et Laurent Prunier,
rue Traversière, 21190 Auxey-Duresses,
tél. et fax 03.80.21.27.51 r.-v.

## DOM. VINCENT PRUNIER

Les Grands Champs 2003 ★★

1er cru 0,35 ha 1 800 11 à 15 €

Ce 1er cru a déjà reçu le coup de cœur dans l'édition 2001. Rubis foncé et profond, ce 2003 ne laisse pas le fût occuper toute la place : la framboise y prend ses aises.

Rond, il ouvre des perspectives qui ne devraient pas décevoir. Bien calé en bouche, posé sur des tanins déjà fondus, il se montre serein, équilibré. Après tout, et comme le disait Boileau, « On peut être héros sans ravager la terre. » L'**auxey-duresses blanc 2003 (8 à 11 €)** est cité.
Dom. Vincent Prunier, rte de Beaune, 21190 Auxey-Duresses, tél. 03.80.21.27.77, fax 03.80.21.68.87 r.-v.

PRUNIER-DAMY Clos du Val 2003 *

1er cru 0,47 ha 2 500 11 à 15 €

Depuis l'église, parcourez 30 m pour rencontrer cette bouteille. Car en effet ce Clos du Val sort du lot. Intensément coloré, nettement vanillé (cela lui coûte une étoile), il vous attend en bouche de pied ferme. Il est pourtant souple, savoureux, persistant. Opulent ? Presque. Ne pas se précipiter sur la bouteille. Elle a tout le temps, comme on dit en Bourgogne.
Philippe Prunier-Damy, rue du Pont-Boillot, 21190 Auxey-Duresses, tél. 03.80.21.60.38, fax 03.80.21.26.64 t.l.j. sf dim. 9h-12h 14h-18h

DOM. MICHEL PRUNIER ET FILLE
Vieilles Vignes 2003 *

0,35 ha 1 800 15 à 23 €

Si l'installation d'un jeune est souvent difficile de nos jours (en l'absence de vignes familiales), il était encore possible à un vigneron travailleur de constituer un domaine il y a trente à quarante ans. Ainsi Michel Prunier a-t-il commencé sur 1 ha en pleine propriété et il en compte douze maintenant. Estelle l'a rejoint sur l'exploitation. Tous deux signent un 2003 à la robe parfaite. Le nez minéral et grillé introduit un corps pénétré par le citron, le pamplemousse, sur un gras substantiel. Voir aussi le **1er cru 2002 rouge (11 à 15 €)**, riche en personnalité, ainsi que le **village 2002 rouge (8 à 11 €)**. Trois fois une étoile dans la même appellation.
Dom. Michel Prunier et Fille, rte de Beaune, 21190 Auxey-Duresses, tél. 03.80.21.21.05, fax 03.80.21.64.73 r.-v.

PIERRE TAUPENOT En Reugne 2002

1er cru 0,27 ha 1 687 11 à 15 €

En Reugne est un 1er cru mitoyen des Duresses. Vin agréable et déjà prêt. Une macération à froid prolongée explique peut-être ce cassis dominant au cœur du bouquet. La couleur est jolie sur une tonalité sombre. L'entrée en bouche est légère, friande. Vineux et structuré, le corps semble un peu bourru au premier abord mais il devient bientôt très convivial. Réapparition du cassis en finale.
Dom. Pierre Taupenot, rue du Chevrotin, 21190 Saint-Romain, tél. 03.80.21.24.37, fax 03.80.21.68.42 r.-v.

DOM. TAUPENOT-MERME Les Duresses 2003 *

1er cru n.c. 1 200 15 à 23 €

Un pied en Côte de Beaune et l'autre en Côte de Nuits, ce domaine signe ici son premier millésime en Duresses. Et pour un coup d'essai, c'est un coup de maître ou peu s'en faut. Pourpre foncé, le nez de ce vin s'ouvre progressivement sur le grillé et la fraise confite. « J'y suis, j'y reste ! » s'écrie la structure tannique à la manière de Mac-Mahon. Très puissant, ce 2003 doit évoluer favorablement quatre à cinq ans.
Dom. Taupenot-Merme, 33, rte des Grands-Crus, 21220 Morey-Saint-Denis, tél. 03.80.34.35.24, fax 03.80.51.83.41, e-mail domaine.taupenot-merme@wanadoo.fr r.-v.

# Saint-romain

Le vignoble de 135 ha est situé dans une position intermédiaire entre la Côte et les Hautes-Côtes. Les vins de Saint-Romain 1 684 hl en rouge et 2 561 en blanc, sont fruités et gouleyants, et toujours prêts à donner plus qu'ils n'ont promis. Le site est magnifique et mérite une petite excursion.

BERTRAND AMBROISE 2002

n.c. n.c. 8 à 11 €

Bertrand Ambroise pensait devenir berger quand il ressentit pour le vin un vrai coup de foudre. Violine clair, son 2002 rouge se respire agréablement (framboise et grillé). S'il a un rien d'amertume, ce saint-romain ne recherche pas les effets trop démonstratifs. Sa constitution est estimable, sa concentration suffisante.
Maison Bertrand Ambroise, rue de l'Eglise, 21700 Premeaux-Prissey, tél. 03.80.62.30.19, fax 03.80.62.38.69, e-mail bertrand.ambroise@wanadoo.fr r.-v.

DOM. BILLARD Combe Bazin 2003

1 ha 3 000 8 à 11 €

Jaune clair à reflets dorés, cette bouteille fait bonne contenance – au propre comme au figuré. Rose, miel, agrumes confits, accents beurrés, son nez se met en quatre. Déjà agréable, ce vin est frais et dispos. L'acidité ? Bien comme il faut. Bref, c'est maintenant ou jamais. Moins connu que d'autres, ce *climat* est en pleine ascension.
Dom. Billard, rte de Chambéry, 21340 La Rochepot, tél. 03.80.21.87.94, fax 03.80.21.72.17, e-mail billardetfils@aol.com r.-v.

DOM. GABRIEL BOUCHARD Perrière 2003

0,36 ha 1 200 8 à 11 €

Chacun prend son plaisir où il le trouve. N'allons pas le chercher à l'autre bout du monde. Prenons-le ici, au pied de la belle falaise de Saint-Romain. Jaune légèrement paille, le bouquet parcouru par un souffle abricoté, voilà qui sent le raisin bien mûr. S'il a peu d'acidité, millésime oblige, ce vin est long sur un goût de pâte d'amande, et est à ouvrir maintenant. Viticulteur beaunois (ils ne sont pas très nombreux) sur un mini-domaine de 3,49 ha.
Dom. Gabriel Bouchard, 4, rue du Tribunal, 21200 Beaune, tél. 03.80.22.68.63, fax 03.80.24.78.43 r.-v.
Alain Bouchard

CHRISTOPHE BUISSON Sous le Château 2003 *

n.c. n.c. 11 à 15 €

Coup de cœur pour le millésime 2000, voici (toujours en rouge et dans le même *climat*) le 2003 : panache de la robe, fruit se libérant à l'aération, vinification moderne au

résultat plaisant. On le boira sur la fraîcheur, par plaisir. **Sous le Château 2003 blanc**, tout en fleurs blanches et orange confite, inspire des commentaires analogues.
Christophe Buisson, rue de la Tartebouille, 21190 Saint-Romain, tél. 03.80.21.63.92, fax 03.80.21.67.03, e-mail domainechristophebuisson@wanadoo.fr
r.-v.

## DOM. HENRI ET GILLES BUISSON
Sous la Velle 2002

| | 1,62 ha | 10 000 | 11 à 15 € |
|---|---|---|---|

Du travail de vigneron à la tâche jusqu'à la propriété, de la polyculture à la vigne seule, telle est la saga de cette famille durant la seconde moitié du XXᵉs. Etincelant, son chardonnay évoque la mie de pain, le silex et la vanille. En bouche, sa physionomie est assez minérale avec une petite sensation d'amertume. Son acidité peut le faire durer. **Sous Roche rouge 2002** de bonne composition, sincère et tannique, légèrement porté sur l'animal et le cuir obtient la même note.
Dom. Henri et Gilles Buisson, imp. du Clou, 21190 Saint-Romain, tél. 03.80.21.27.91, fax 03.80.21.64.87, e-mail contact@domaine-buisson.com
t.l.j. 8h-12h 13h30-17h30; dim. sur r.-v.

## DOM. DU CLOS SAINTE-MARIE
Sous le Château 2002

| | 0,42 ha | 2 700 | 11 à 15 € |
|---|---|---|---|

Jaune soutenu, son nez de départ est insistant, affichant des notes de pierre à fusil. Sa bouche en revanche garde encore une partie de ses secrets mais il y a là un bon petit gras et un élan de jeunesse. C'est pourquoi on ne l'abandonne pas le long du chemin et on lui fait confiance jusqu'à l'an prochain. Domaine reconstitué à partir de 1952 par Robert Poulet : il avait été délaissé en 1915 à la suite d'un drame, la mort à Verdun des frères jumeaux.
Jean Poulet, Le Clos Sainte-Marie, 21190 Saint-Romain, tél. 03.80.21.21.18, fax 03.80.21.23.90 r.-v.

## DOM. DE LA CREA Sous Roche 2002 *

| | 1,6 ha | 11 000 | 8 à 11 € |
|---|---|---|---|

Dégusté dans les deux couleurs, Sous Roche reçoit des compliments unanimes. Nous avons bien du mal à les départager à la lecture des fiches de nos jurés. Le **Sous Roche rouge 2002** vaut le détour. Quant à sa version blanche, elle attire le regard. Cette robe discrète, très nette, habille un nez fleuri, vanillé certes, mais épaulé d'une pointe minérale. Gras et long, ce vin garde assez de fraîcheur pour atteindre, en pleine forme, la fin 2006.
Dom. de la Créa, Cave de Pommard, 3, rte de Beaune, 21630 Pommard, tél. 03.80.24.99.00, fax 03.80.24.62.42, e-mail cavedepommard@wanadoo.fr
t.l.j. 10h-19h
Cécile Chenu

## DOM. BERNARD DELAGRANGE
Les Poyanges 2002 *

| | 0,58 ha | 4 200 | 15 à 23 € |
|---|---|---|---|

Vaste question : existe-t-il des vins féminins ? Selon nos dégustateurs, celui-ci aurait cette nature, sinon ce caractère. On a envie d'y regoûter, c'est dire ! A l'œil, de belles jambes fines. Un joli parfum de tilleul, de vanille, de noisette accompagne ses gestes. N'attendez pas la ligne haricot vert... Ses formes rondes et suaves rappellent les modèles de Rubens. Du gras, s'il faut le préciser. Et cette bouteille n'est pas encore au bout de sa route. Ici, les caves sont monumentales et valent le détour.
Bernard Delagrange, 10, rue du 11-Novembre, 21190 Meursault, tél. 03.80.21.22.72, fax 03.80.21.68.70
t.l.j. 9h-19h

## DOM. GERMAIN PERE ET FILS 2003 *

| | n.c. | 1 340 | 8 à 11 € |
|---|---|---|---|

Trois bouteilles retiennent notre attention. Deux obtiennent une citation : **Sous Le Château 2002 rouge**, bien fait, marqué par les fruits mûrs et le **village 2003 blanc**, simple et de bon goût. Celle-ci contient un vin flatteur couleur pivoine, au parfum de violette ; les tanins sont trapus mais le temps les rabotera. Car il est de garde (deux à trois ans).
EARL Germain Père et Fils, rue de la Pierre-Ronde, 21190 Saint-Romain, tél. 03.80.21.60.15, fax 03.80.21.67.87, e-mail patrick.germain8@wanadoo.fr
t.l.j. 8h-20h; dim. sur r.-v.

## DOM. DE LA PERRIERE Les Poillanges 2003 *

| | 3,5 ha | 9 000 | 8 à 11 € |
|---|---|---|---|

L'œil est ici ému par un violacé pourpre. Le nez est captivé par des accents de confiture de fraises. La bouche reste fidèle à ce fruit, avec en arrière-plan des tanins encore présents. Si vous aimez le vin à l'ancienne, « en sabots », fondé sur une solide charpente, choisissez **La Perrière 2003 blanc**. Ses arômes d'agrumes confits, d'abricot frais, de pêche de vigne sur fond boisé vous enchanteront. Il obtient une étoile.
Bernard Martenot, rue de la Perrière, 21190 Saint-Romain, tél. et fax 03.80.21.68.97
r.-v.

## VINCENT ET MARIE-CHRISTINE PERRIN
2002 *

| | 1,77 ha | 6 500 | 11 à 15 € |
|---|---|---|---|

On fêtera l'an prochain, en 2007, les soixante ans de l'appellation. Et voici une bouteille à tirer de la cave pour l'occasion ! Son étiquette porte le collier de la Toison d'Or et il est vrai que sa robe s'accorde bien à cet insigne. Au nez, la minéralité l'emporte sur toute autre influence ; elle se fond ensuite dans le fruit. Si ses dimensions sont importantes, c'est pourtant un vin de dentelles qui, à la parution du Guide, séduira plus d'un convive.
Vincent Perrin, 21190 Volnay, tél. 03.80.21.62.18, fax 03.80.21.68.09 r.-v.

## DOM. VINCENT PRUNIER 2003 **

| | 0,82 ha | 4 800 | 8 à 11 € |
|---|---|---|---|

En 1988, le domaine débutait sur 3,5 ha. Il atteint les 12 ha aujourd'hui. Le coup de cœur salue le travail et la recherche de la qualité. Vendanges tardives pourrait-on dire : le 3 septembre... 2003, bien sûr. Intense et lumineuse, la robe introduit joliment cet *Allegro con brio*. Toasté de prime abord, le bouquet évolue vers le fruit tandis que la bouche se tient en équilibre sur le fil. L'influence de l'élevage sous bois est sensible, mais elle n'étouffe pas la concentration du pinot noir tant les tanins sont de soie. Un vin aguichant en diable.

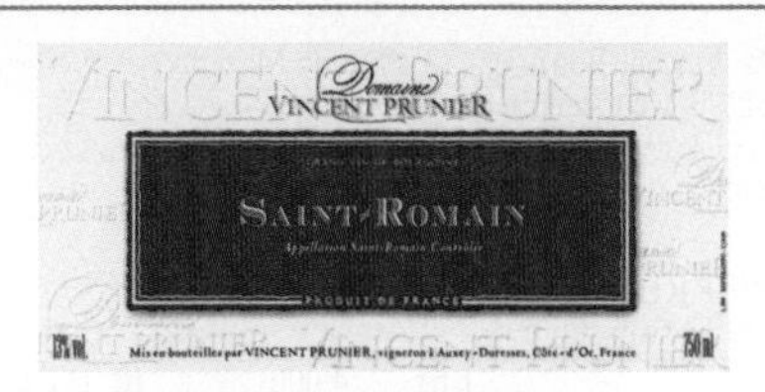


🔑 Dom. Vincent Prunier, rte de Beaune, 21190 Auxey-Duresses, tél. 03.80.21.27.77, fax 03.80.21.68.87 ☑ Y ⛹ r.-v.

### DOM. PASCAL PRUNIER-BONHEUR Sous le Château 2003 *

■ 0,39 ha 1 600 **11 à 15 €**

Pascal Prunier-Bonheur rend une belle copie sur un sujet sans doute classique mais, qui en 2003, n'était pas facile à traiter. La teinte rubis-grenat de ce vin est dense, son bouquet frais et fruité, sa bouche dans la continuité de ces sensations. D'une réelle harmonie, une bouteille à ouvrir dans deux ou trois ans.

🔑 Pascal Prunier-Bonheur, 23, rue des Plantes, 21190 Meursault, tél. 03.80.21.66.56, fax 03.80.21.67.33, e-mail pascal.prunier-bonheur@wanadoo.fr ☑ Y ⛹ r.-v.

### DOM. MARC ROUGEOT Combe Bazin 2003 *

□ 1 ha 1 800 **11 à 15 €**

Or pâle à reflets verts, orné de senteurs d'agrumes qui le parent d'un peu d'exotisme, ce vin bien franc bénéficie d'une tenue en bouche très correcte, avec du gras et une certaine structure : il est bon pour le service.

🔑 Dom. Marc Rougeot, 6, rue André-Ropiteau, 21190 Meursault, tél. 03.80.21.20.59, fax 03.80.21.66.71, e-mail domaine-rougeot@fr.st ☑ Y ⛹ r.-v.

### DOM. TAUPENOT-MERME 2003 *

□ n.c. 1 800 **11 à 15 €**

Si le domaine Taupenot-Merme est établi à Morey, si Denyse est de ce village, Jean Taupenot descendait des hauteurs de Saint-Romain. Ces vignes sont donc issues d'une succession et 2003 en est pour Jean Poulet le premier millésime. Or clair, cette bouteille est très réussie. Vendangés le 1er septembre 2003, ces raisins produisent un vin aux arômes de pêche vanillée. Celui-ci attaque en force et sa vivacité témoigne de son désir de vieillir encore un an. Il sera ensuite parfait.

🔑 Dom. Taupenot-Merme, 33, rte des Grands-Crus, 21220 Morey-Saint-Denis, tél. 03.80.34.35.24, fax 03.80.51.83.41, e-mail domaine.taupenot-merme@wanadoo.fr ☑ Y ⛹ r.-v.

### CHRISTOPHE VIOLOT-GUILLEMARD Sous le Château 2003 *

■ 0,33 ha 2 000 **11 à 15 €**

Un vin qu'on a laissé libre de ses mouvements naturels malgré les caractères très particuliers du millésime. Griotte ? Framboise ? On tourne autour de cela, avec une certaine profondeur aromatique. Si l'expression finale est encore assez tannique et moyennement enveloppée, l'attaque est brillante, la matière intéressante et la structure prometteuse. Trois ans de garde sont conseillés.

🔑 Christophe Violot-Guillemard, 7, rue de la Réfène, 21630 Pommard, tél. et fax 03.80.22.03.49, e-mail christophe.violot-guillemard@wanadoo.fr ☑ Y ⛹ r.-v.

# Meursault

Avec Meursault commence la véritable production de grands vins blancs (21 521 hl en 2004). Certains premiers crus sont mondialement réputés : les Perrières, les Charmes, les Poruzots, les Genevrières, les Gouttes d'Or, etc. Tous allient la subtilité à la force, la fougère à l'amande grillée, l'aptitude à être consommés jeunes aux possibilités de longévité. Meursault est bien la « capitale des vins blancs de Bourgogne ». Notons une petite production de vin rouge (526 hl en 2004).

Les « petits châteaux » qui restent à Meursault sont les témoins d'une opulence ancienne, attestant une notoriété certaine des vins produits. La Paulée, qui a pour origine le repas pris en commun à la fin des vendanges, est une manifestation traditionnelle qui se déroule le troisième jour des « Trois Glorieuses ».

### DOM. ALEXANDRE Les Millerands 2003 *

□ 0,15 ha 1 050 **15 à 23 €**

Ce meursault mérite de vieillir un à deux ans car il est bien structuré. Mais on peut également profiter dès à présent de sa gouleyance. Net, plein de fruit mûr (sans surmaturité marquée) il est assez long. On n'imagine guère mieux en 2003, dans la plupart des cas.

🔑 Dom. Alexandre Père et Fils, pl. de la Mairie, 71150 Remigny, tél. 03.85.87.22.61, fax 03.85.87.29.63, e-mail domalexandre@aol.com ☑ Y r.-v.

### BITOUZET-PRIEUR Charmes 2002 **

□ 1er cru 0,5 ha 3 000 **23 à 30 €**

Les Grecs ne sont pas les seuls à parler d'une bouche harmonieuse. Les Charmes ont eux aussi ce don. Finesse, délicatesse, élégance, leur corps fait ici assaut d'empressement. La queue de paon finale ? Il y manque quelques plumes mais c'est de la belle ouvrage. Robe impeccable et la réussite de cette figure imposée : le bouquet de noisette. Un grand 1er cru, fidèle reflet de son *village*.

🔑 Bitouzet-Prieur, rue de la Combe, 21190 Volnay, tél. 03.80.21.62.13, fax 03.80.21.63.39 ☑ Y ⛹ r.-v.

### DOM. GUY BOCARD Limozin 2002 **

□ 0,46 ha 2 700 **23 à 30 €**

Ne craignez pas un coup de griffes ! Moelleux et caressant à souhait, ce beau chat de race somnole, s'étire et ronronne. En effet, si son acidité est un peu juste, son gras est somptueux. Or doré, offrant à l'œil des jambes intéressantes, il est relativement boisé mais d'une superbe

complexité aromatique (agrumes surtout). Et la longueur n'est pas en reste ! Renouant avec le coup de cœur de nos éditions 1997 et 1995, ce domaine présente également de belles **Genevrières 1er cru 2002 (30 à 38 €)**, une étoile, ainsi que **Les Narvaux village 2002 (23 à 30 €)** proches par leurs deux étoiles de ce Limozin.

Guy Bocard, 4, rue de Mazeray, 21190 Meursault, tél. 03.80.21.26.06, fax 03.80.21.64.92 r.-v.

## DOM. BOUCHARD PERE ET FILS
Les Clous 2003

n.c. n.c. 23 à 30 €

Les Clous font partie des *climats* les plus en vue sur le coteau (vers Puligny). A quelque 350 m d'altitude, ils se situent en effet sur les hauteurs. Ils s'expriment ici avec de la brillance et un nez parfumé : notes de beurre et de fleurs blanches, un rien vanillées. Avec un peu de vivacité, l'ensemble ne manque pas de relief. Comme l'on dit, il est très correct. A servir dans les deux ans.

Bouchard Père et Fils, Ch. de Beaune, 21200 Beaune, tél. 03.80.24.80.24, fax 03.80.22.55.88, e-mail france@bouchard-pereetfils.com r.-v.

## DOM. DENIS BOUSSEY
Clos du Pré de Manche 2003 ★

0,31 ha 1 600 15 à 23 €

Le Pré de Manche se trouve du côté Volnay. Quant à cette demeure, c'est d'ici que la famille Bichot est partie jadis vers de belles aventures. Vous saurez tout quand on vous aura dit qu'en 2003 Laurent, le fils, a reçu 4 ha qu'il exploite et vinifie à son idée. Sur des notes mentholées et d'anis, ce 2003, moelleux et chaud sur fond d'agrumes et d'abricot, est imposant malgré son renfort acide. Une salade de chèvre chaud devrait lui convenir.

Dom. Denis Boussey, 1, rue du Pied-de-la-Vallée, 21190 Monthélie, tél. 03.80.21.21.23, fax 03.80.21.62.46 t.l.j. sf dim. 8h-12h 13h30-18h30; f. 6-20 août

## DOM. VINCENT BOUZEREAU
Goutte d'Or 2003 ★

1er cru 0,2 ha 450 23 à 30 €

Cette Goutte d'Or a obtenu le coup de cœur en l'an 2000. Celle-ci réunit l'or et l'argent et en comble le verre. Après aération, le bouquet se partage entre des nuances d'agrumes, de tilleul et des senteurs boisées (moka, pain grillé). Leur équilibre est respecté. Au palais, l'élevage demeure présent tandis que l'aromatique tourne autour de l'exotique confit (ananas). Des raisins coupés le 4 septembre, ce qui n'était pas particulièrement précoce dans ce millésime. L'avis quasi unanime est de le laisser un à deux ans en repos, sinon plus...

Vincent Bouzereau, 25, rue de Mazeray, 21190 Meursault, tél. 03.80.21.61.08, fax 03.80.21.65.97, e-mail vincent.bouzereau@wanadoo.fr r.-v.

## PIERRE BOUZEREAU-EMONIN
Les Narvaux 2003 ★

1 ha 4 000 15 à 23 €

Or vert, il a déjà le nez ouvert sur le fruit, agréable mais pugnace. Riche, disons opulent, il est tout miel. Sa densité et son gras révèlent davantage une physionomie qu'une structure. Pour qui aime la vivacité de tempérament, il est à servir maintenant. Attendre un peu si l'on souhaite voguer sur une mer plus calme, si l'on préfère le fondu à la fraîcheur. Ces conseils s'appliquent également au **meursault 2003 (23 à 30 €)**, assez proche du précédent.

Pierre Bouzereau-Emonin, 7, rue Labbé, 21190 Meursault, tél. 03.80.21.23.74, fax 03.80.21.24.39 r.-v.

## MICHEL BOUZEREAU ET FILS
Les Grands Charrons 2003

n.c. n.c. 15 à 23 €

Charrons ? La toponymie opte pour des chemins empruntés par les charrettes tirées par des chevaux. Et en effet, on fait ici de fréquentes haltes, s'arrêtant sur le jaune subtil de la robe puis sur des arômes de beurre frais agrémentés de vanille. La bouche nous retient aussi. Assez stable, elle se prolonge honnêtement. On décantera la bouteille : elle a besoin de respirer le bon air. Coup de cœur en 2002 et en 2000.

Michel Bouzereau et Fils, 3, rue de la Planche-Meunière, 21190 Meursault, tél. 03.80.21.20.74, fax 03.80.21.66.41 r.-v.

## HUBERT BOUZEREAU-GRUERE ET FILLES
Charmes 2002 ★

1er cru 0,61 ha 1 200 23 à 30 €

Marie-Laure et Marie-Anne entourent Hubert Bouzereau : 11 ha sur six *villages* répartis en blancs et en rouges, cela fait du travail ! Ce Charmes allume de beaux reflets verdâtres. Le miel d'acacia prend le dessus parmi les arômes, mais il a aussi un nez à noyau penchant vers l'abricot. L'attaque est vineuse sur le fruit mûr, procédant par touches successives et variées : raisins secs, noisette, pierre à fusil. D'une longueur modérée. Quant au **village 2003 (15 à 23 €)**, il est accueillant sur un registre plutôt minéral. Et puis, n'oublions pas le **1er cru Genevrières 2002**. Ils obtiennent une étoile chacun.

Hubert Bouzereau-Gruère et Filles, 22 A, rue de la Velle, 21190 Meursault, tél. 03.80.21.20.05, fax 03.80.21.68.16, e-mail hubert.bouzereau.gruere@libertysurf.fr r.-v.

## DOM. CAILLOT 2002

1 ha 10 000 11 à 15 €

Quelques onces d'or dans la robe. Assez floral sur un léger boisé, un meursault sans longs développements mais qui possède du répondant. Puissant même, il finit bien. On estime qu'il peut encore évoluer pour s'affiner. Cela dit, on le débouchera plutôt dans les temps qui viennent.

Dom. Caillot, 12, rue du Cromin, 21190 Meursault, tél. 03.80.21.21.70, fax 03.80.21.69.58 r.-v.

DOM. DU CHATEAU DE CHOREY
Les Pellans Vieilles Vignes 2003 *

0,5 ha 1 600 15 à 23 €

Affaire de négoce-éleveur fondée en 2004, parallèlement au domaine familial (17 ha). Sous les Charmes et mitoyens de puligny, les Pellans sont en bonne compagnie. Le soleil de 2003 pèse sur ce vin présenté sous une belle robe. Assez boisé, il a du gras, du volume, de la rondeur et une note d'amertume due à ses tanins qui sauront se fondre dans deux ans.

SARL Benoît Germain, rue des Moutots, 21200 Chorey-lès-Beaune, tél. 03.80.24.06.39, fax 03.80.24.77.72 r.-v.

CH. DE CITEAUX Charmes 2003 *

1er cru 0,4 ha 1 500 23 à 30 €

Dès Noël 1098, quelques mois seulement après la fondation du monastère, l'abbaye de Cîteaux recevait du duc de Bourgogne sa première vigne. A Meursault ! Si les moines ne possèdent plus de tels trésors, Philippe Bouzereau en entretient pieusement le souvenir. Paille clair, son Charmes n'a cependant pas le nez contemplatif. Intense, il est à l'image de son millésime : tôt mûri (vendangé le 25 août), puissant et démonstratif. Il garde ce caractère en bouche, signe de constance. A délivrer de la règle du silence d'ici douze à dix-huit mois. Le **domaine Boulard 2002 blanc en meursault Poruzots** est cité.

BOURGOGNE

La côte de Beaune (Centre-Sud)

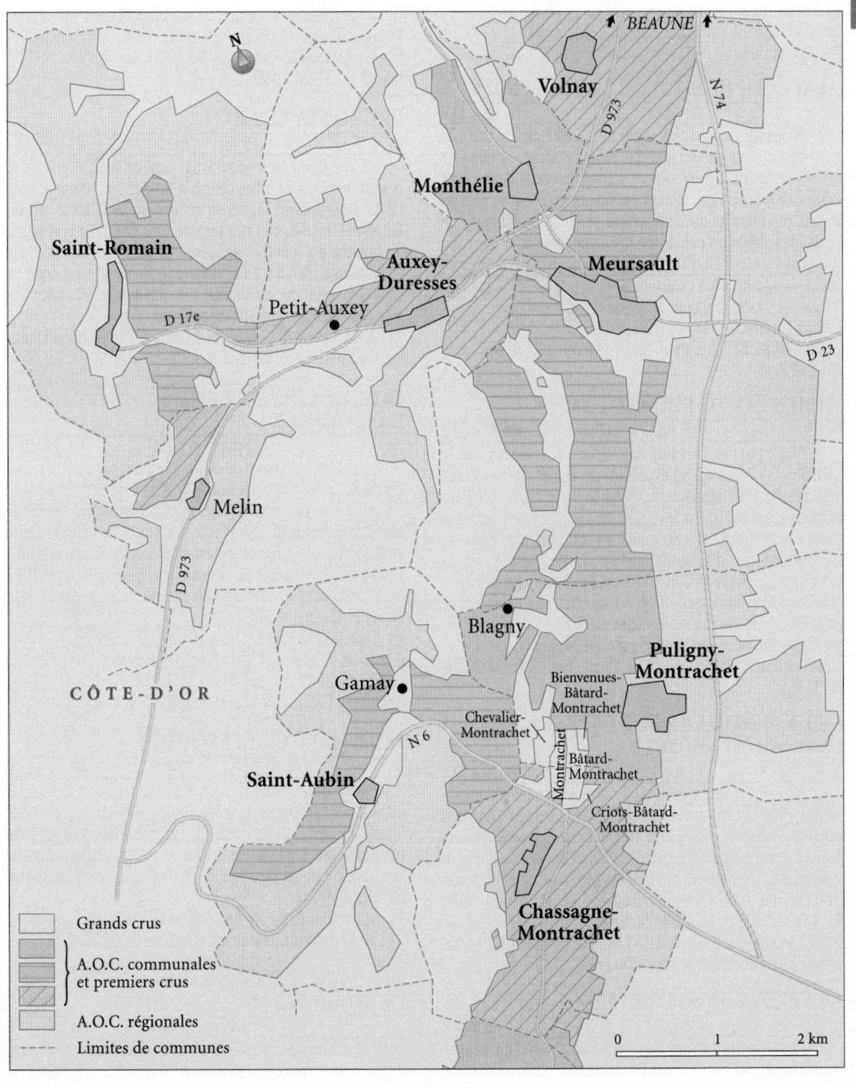

⊶ Philippe Bouzereau, Ch. de Cîteaux, 18-20, rue de Cîteaux, BP 25, 21190 Meursault, tél. 03.80.21.20.32, fax 03.80.21.64.34, e-mail info@domaine-bouzereau.fr ☑ 🍸 r.-v.

### RAOUL CLERGET 2002 *

n.c. 6 000 ▮ **15 à 23 €**

Cette maison a été reprise naguère par la famille Tresch jetant un pont entre l'Alsace et la Bourgogne. Jaune or, un vin encore un peu fermé mais bien réalisé et offrant sans doute du potentiel. Son bouquet se fixe sur le tilleul, la noisette, l'amande fraîche avant d'évoluer vers le miel... ou l'hydromel. L'impression dominante reste assez miellée, signe de maturité. Son gras se minéralise un peu. Bref, le voyage ne manque pas de variété.

⊶ Raoul Clerget, chem. de la Pierre-qui-Vire, 21200 Montagny-lès-Beaune, tél. 03.80.26.37.37, fax 03.80.24.14.81, e-mail contacts@tresch.fr
⊶ Tresch SA

### ALAIN COCHE-BIZOUARD L'Ormeau 2002 *

0,5 ha 3 000 ⦀ **15 à 23 €**

Nous apprécions les **Charmes 2002 en 1er cru (23 à 30 €)**, un vin à garder quelque temps et dont le millésime 1999 eut beaucoup de succès (coup de cœur dans notre édition 2003). L'Ormeau est en village le *climat* le plus au levant, pas très éloigné de l'hôpital de Meursault. Un vin en plein éveil, libérant peu à peu ses arômes assez floraux. Ni lourd ni capiteux, il offre cependant une impression généreuse. L'âge lui sera profitable.

⊶ Alain Coche-Bizouard, 5, rue de Mazeray, 21190 Meursault, tél. 03.80.21.28.41, fax 03.80.21.22.38, e-mail coche-bizouard@terre-net.fr ☑ 🍸 🚶 r.-v.

### FABIEN COCHE-BOUILLOT 2002 **

0,5 ha 3 000 ⦀ 15 à 23 €

Nulle part ailleurs que dans cette partie de la Côte, le chardonnay offre un tel équilibre du sec et du moelleux. Parlant d'égal à égal avec les meilleurs 1ers crus, ce *village* or léger respecte toutes les règles de l'harmonie. Une large palette aromatique va du tilleul à l'ortie blanche dans un environnement d'amande grillée. Cette pureté, on la retrouve au palais. Rien n'est excessif dans la structure tendre et fine, la composition est au contraire assez ronde avec une jolie pointe de vivacité en finale.

⊶ Fabien Coche-Bouillot, 5, rue de Mazeray, 21190 Meursault, tél. 03.80.21.29.91, fax 03.80.21.22.38 ☑ 🍸 🚶 r.-v.

### DEUX MONTILLE SŒUR ET FRERE
Les Grands Charrons 2003 *

n.c. n.c. ⦀ **23 à 30 €**

Alix de Montille était déjà connue. Au générique de *Mondovino*, elle est devenue célèbre. Ses Grands Charrons portent une robe d'un jaune très discret. Leur nez printanier et floral s'accompagne d'un fût raisonnable. Gras et gourmand, légèrement perlant au moment de la dégustation (février 2005), un vin agréable à découvrir fin 2006.

⊶ Maison Deux Montille Sœur et Frère, 21190 Volnay, tél. 03.80.21.62.67, fax 03.80.21.67.14, e-mail alixdemontille@wanadoo.fr ☑ r.-v.

### DEVEVEY Les Vireuils 2003 *

0,5 ha 1 800 ⦀ **15 à 23 €**

Les Vireuils doivent leur nom à un chemin qui tourne subitement, qui vire. Ce vin, en revanche, est droit comme un i. A l'œil, de la présence. Au nez, de la puissance sur des notes de miel, d'amande. En bouche, de la prestance. A l'attaque franche succède un ensemble minéral et gras, représentatif de l'appellation où il tient correctement sa place. Premier millésime dans ce *climat* pour ce négociant également viticulteur (achat et vinification des raisins).

⊶ Jean-Yves Devevey, rue de Breuil, 71150 Demigny, tél. 03.85.49.91.11, fax 03.85.49.91.59, e-mail jydevevey@wanadoo.fr ☑ 🍸 🚶 r.-v.

### JEAN-PIERRE DICONNE Clos des Luchets 2002

0,57 ha 2 900 ▮ ⦀ 🌡 **15 à 23 €**

Paul, Jean-Pierre, Christophe, ainsi va la vie pour ce domaine. Sous un or classique, on commence à distinguer des senteurs florales de type aubépine, chèvrefeuille. L'entrée en bouche flatte le palais. Elle est suivie d'une rétro légèrement végétale. Honorable pour le millésime.

⊶ Jean-Pierre Diconne, rue de la Velle, 21190 Auxey-Duresses, tél. 03.80.21.25.60, fax 03.80.21.26.80 ☑ 🍸 🚶 r.-v.

### BRUNO FEVRE 2003 *

0,15 ha 1 100 ⦀ 11 à 15 €

Créé il y a tout juste vingt ans, ce petit domaine (il couvre cependant 5 ha, ce qui n'est pas rien dans ce coin de la Bourgogne) signe un meursault à la lueur dorée. Citronné, miellé, son nez apparaît fin et même complexe. Sa bouche est à la fois de soie et de dentelle, moelleuse et confortable. Vive ? Pas vraiment, mais il faut bien se rappeler que ce millésime est davantage destiné aux viandes blanches qu'aux coquillages.

⊶ Bruno Fèvre, 27, rue de Martray, 21190 Meursault, tél. 03.80.21.63.16 ☑ 🍸 🚶 r.-v.

### DOM. DE LA GALOPIERE
Les Chevalières 2003 **

0,25 ha 1 200 ⦀ 15 à 23 €

A l'heure du coup de cœur, elle a fait partie du dernier cercle. C'est dire si cette bouteille réunit qualités et vertus ! Sa robe est charmante, son parfum brioché, teinté de noisette grillée et de raisin mûr. Aucune lourdeur : l'acidité est à sa place, le gras entreprenant, la persistance moyenne. Bravo pour le travail. Sans nom de *climat*, le **village 2003** est moelleux et miellé, un peu extraverti mais réussi dans ce style. Il obtient une étoile.

⊶ Gabriel Fournier, Dom. de la Galopière, 6, rue de l'Eglise, 21200 Bligny-lès-Beaune, tél. 03.80.21.46.50, fax 03.80.21.49.93, e-mail c.g.fournier@wanadoo.fr ☑ 🍸 🚶 r.-v.

### DOM. MARC GAUFFROY 2002

0,54 ha 2 400 ⦀ **11 à 15 €**

Paré d'or et de brillants, il se rappelle que la violette a toujours fait partie – selon les auteurs classiques – de l'habit de cour du meursault. Grande fraîcheur et jolie trame fruitée. De la noisette encore... C'est en douceur que le volume emplit la bouche, et de façon limpide que se conclut l'affaire.

⊶ Marc Gauffroy, 4, rue du Pied-de-la-Forêt, 21190 Meursault, tél. et fax 03.80.21.21.09 ☑ 🍸 🚶 r.-v.

### DOM. VINCENT GIRARDIN
Les Narvaux 2003 **

n.c. 3 000 ⦀ 15 à 23 €

Des Narvaux aux Genevrières, du *village* au 1er cru, il n'y a que quelques mètres à descendre. Les deux se

touchent même, d'un doigt mais c'est beaucoup. Doré paille et limpide, ce beau vin s'ouvre sur la menthe (fréquente dans les jardins tout au long de la Côte) et l'amande. La souplesse de l'attaque s'accompagne d'une acidité correcte pour un 2003. Elle lui donne un peu de nervosité. Sa fraîcheur le range dans la catégorie du vin plaisir, à goûter dans l'année ou la suivante.
Vincent Girardin, Caveau des Grands Crus, pl. de la Bascule, 21190 Chassagne-Montrachet, tél. 03.80.21.96.06, fax 03.80.20.81.10 r.-v.

### ALBERT GRIVAULT
Clos des Perrières Monopole 2003 *

1er cru 0,95 ha 5 600 46 à 76 €

Coup de cœur en 2004 et déjà en 1999, le Clos des Perrières (acheté par Albert Grivault en 1879 et demeuré dans la famille) a été vendangé le 23 août 2003. Ce clos est identifié au cadastre sous son nom, au sein des Perrières-Dessous. Il porte ici une robe à l'éclat vif et doré. Comme le vitrail, elle appelle le rayon de soleil. Quelques notes d'eucalyptus, de menthe fraîche enveloppent un nez au boisé discret et bien enrobé. Onctueux, marqué par une touche de chaleur due au millésime, il ne s'éternise pas en fin de bouche.
Dom. Albert Grivault, 7, pl. du Murger, 21190 Meursault, tél. 03.80.21.23.12, fax 03.80.21.24.70 r.-v.
Hér. Bardet-Grivault

### DOM. JOBARD-MOREY Poruzot 2002 *

1er cru 0,51 ha 2 000 15 à 23 €

Pionnière du féminisme, la Bourgogne n'a pas attendu la loi pour reconnaître la place de l'épouse au sein du domaine. Quand il y a des vignes dans la corbeille de la mariée, le domaine porte le nom de la femme accolé à celui de l'époux. D'où Jobard-Morey. Ce Poruzot parvient à pleine maturité. Nettement jaune, il suggère le coing, les agrumes confits. Gras, proche de l'onctueux, persistant, il fait appel à une finale de fleur d'oranger, d'eau de rose. On l'a deviné : il ressemble à un sultan sur ses coussins. A goûter également **Les Tillets 2002**, au profil analogue et en fin de compte réconfortant.
Dom. Jobard-Morey, 1, rue de la Barre, 21190 Meursault, tél. 03.80.21.26.43, fax 03.80.21.60.91 r.-v.

### LABOURE-ROI 2003

n.c. n.c. 15 à 23 €

Mis en bouteilles par Château Labouré-Roi à Meursault, lit-on sur l'étiquette... Cette maison de négoce-éleveur est nuitonne (famille Cottin). Elle produit au demeurant un bon meursault. Doré à reflets argent, il suscite des impressions teintées de miel et de pain grillé. Le décor est un peu exotique, mais on retrouve bientôt un paysage familier et tout en fraîcheur. Sa consistance est celle d'un 1er cru. Durée de garde : dans les trois ans.
Labouré-Roi, rue Lavoisier, 21700 Nuits-Saint-Georges, tél. 03.80.62.64.00, fax 03.80.62.64.10, e-mail vrizet@ufb.fr

### JEAN LATOUR-LABILLE ET FILS
Clos des Meix Chavaux Monopole 2002 *

3,5 ha 14 000 11 à 15 €

Savez-vous que *La Grande Vadrouille* a été tournée à Meursault et que le père du producteur a joué le rôle d'un pompier lors de l'incendie de la Kommandantur (la mairie). Ce *climat* est niché sur le coteau de la route qui mène à Auxey-Duresses, au-dessus de l'agglomération. Son nom viendrait de val, vallée. Au sein du lieu-dit, ce clos de 3,5 ha est un monopole. Paille brillant, il développe un nez d'amande fraîche. Son gras fait bonne impression, et la seconde bouche offre une forte persistance aromatique mariée à une flamme de vivacité. Notez le **1er cru Les Cras 2003 rouge (15 à 23 €)**, une étoile. Coloré, moyennement bouqueté et assez gras, doté d'une jolie finale, il provient d'une vigne proche de Volnay. Cette curiosité, le meursault rouge, fait toujours son effet, si vous voulez épater vos amis.
Dom. Jean Latour-Labille et Fils, 6, rue du 8-Mai, 21190 Meursault, tél. 03.80.21.22.49, fax 03.80.21.67.86, e-mail latourlabillefils@wanadoo.fr r.-v.
Vincent Latour

### DOM. MATROT WITTERSHEIM Blagny 2002

1er cru 1 ha 6 000 23 à 30 €

Glissé entre Meursault et Puligny, le hameau de Blagny est l'un des rares « écarts » subsistant dans la Côte. Ils étaient autrefois nombreux. Il s'agit ici de sa version blanche. Jaune clair avec quelques reflets verts, le nez de fougère au dessin élégant, ce vin est convenable. Son boisé est bien intégré et son petit goût de noisette provient de son terroir. Un peu léger sans doute mais c'est un millésime surtout capable de finesse.
Dom. Matrot Wittersheim, 2, pl. de l'Europe, 21190 Meursault, tél. 03.80.21.21.13, fax 03.80.21.21.14, e-mail matrot.wittersheim@wanadoo.fr r.-v.

### DOM. MICHELOT Charmes 2003

1er cru 1,2 ha 3 200 30 à 38 €

Des Michelot, il y en a un peu partout dans la Côte. Mais comme celui de Meursault, il n'y en a qu'un seul. Son vin ? Jaune clair, le pur éclat. Le nez fleuri. Court en bouche ? C'est vite dit. Et puis goûtez le fruit. N'est-il pas mûr ? De l'alcool ? Eh bien ! oui. Vous ne vous rappelez pas le temps qu'il faisait cet été-là ? Une bouteille dense et minéral lorsqu'on la pousse dans ses retranchements.
Dom. Michelot, 31, rue de la Velle, 21190 Meursault, tél. 03.80.21.23.17, fax 03.80.21.63.62 r.-v.

### BERNARD MILLOT Goutte d'or 2003

1er cru 0,26 ha 893 23 à 30 €

Visitant la Bourgogne en 1787, Thomas Jefferson tomba amoureux de la Goutte d'or et en fit ensuite de fréquentes commandes. Celle-ci se présente sous des traits jaune clair. A l'agitation, la petite note de réduction laisse place à des accents de fruits jaunes et de silex. Fraîcheur et gras, tout est là. D'une constitution solide, d'un tempérament généreux, un vin à laisser de côté pendant quelques années car il promet beaucoup.
EARL Bernard Millot, 27, rue de Mazeray, 21190 Meursault, tél. 03.80.21.20.91, fax 03.80.21.62.50 r.-v.

### DOM. RENE MONNIER Charmes 2003 *

1er cru 1,2 ha 6 000 23 à 30 €

Mettez ensemble cette bouteille bourguignonne et un homard breton. Les présentations seront bientôt faites ! De la couleur, de la puissance aromatique (silex, beurre frais, le récital), de la rondeur et de la chair, une dégustation vraiment aérienne. Ce périple en montgolfière peut durer au moins deux à trois ans.

BOURGOGNE

🔑 Dom. René Monnier, 6, rue du Dr-Rolland,
21190 Meursault, tél. 03.80.21.29.32,
fax 03.80.21.61.79, e-mail j.l.b.vins@wanadoo.fr
☑ Y 🚶 t.l.j. sf dim. 8h30-12h 14h-18h
🔑 M. et Mme Bouillot

## DOM. JEAN MONNIER ET FILS
Les Chevalières 2003 *

| | 0,42 ha | 2 200 | 15 à 23 € |
|---|---|---|---|

Les Chevalières se trouvent sur le haut du pays, quand on monte à Auxey. Elles donnent un *village* à la couleur étincelante. Pain grillé, pamplemousse et raisin mûr, son bouquet est à la fois complexe et fondu. En bouche, on a affaire à un caractère vineux, bien équilibré mais dans les limites du millésime. En **village, le Clos du Cromin 2003**, cité, est un bon meursault classique. On n'en attendait pas moins de la part de M. le Maire.

🔑 SCE Dom. Jean Monnier et Fils,
20, rue du 11-Novembre, 21190 Meursault,
tél. 03.80.21.22.56, fax 03.80.21.29.65,
e-mail contact@domaine-jeanmonnier.com ☑ Y r.-v.

## MORET-NOMINE Les Charmes 2003 **

| | 1er cru | n.c. | n.c. | 15 à 23 € |
|---|---|---|---|---|

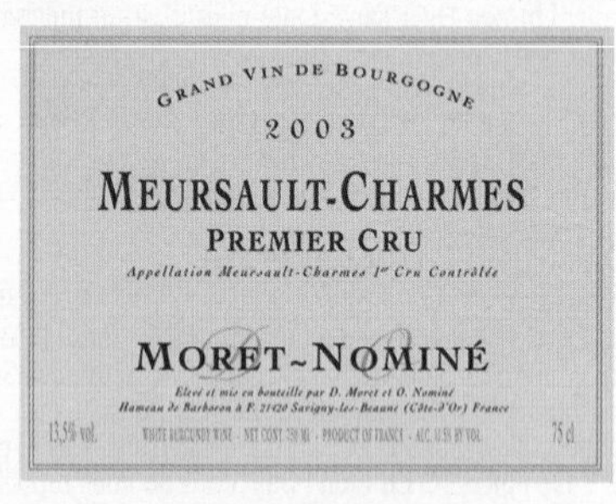


C'est bien simple, il est la beauté même. On ne sait s'il s'agit des Charmes-Dessous ou des Charmes-Dessus, mais la réussite honore le rendez-vous. Paille intense, lumineux et riche en reflets, il possède cet arôme de grappe mûre que signale Camille Rodier comme caractéristique. Sa charpente n'est pas considérable. Il montre en revanche une légèreté bondissante, jeune et fruitée, étonnante tant elle offre de chair. En **village le Cromin 2003** est distingué par une étoile.

🔑 D. Moret et O. Nominé, hameau de Barboron,
21420 Savigny-lès-Beaune, tél. 03.80.21.58.35,
fax 03.80.26.10.59 ☑ 🏠 Y 🚶 r.-v.

## DOM. ALAIN PATRIARCHE
Blagny La Pièce sous Bois 2003 *

| | 1er cru | 0,22 ha | 2 000 | 38 à 46 € |
|---|---|---|---|---|

L'œil est net, jeune, attrayant. Si le boisé vanillé a les coudées franches, l'amande et la noisette ne doivent rien au fût. D'une rondeur sans excès, c'est un 2003 préférant – on lui en sait gré – la finesse à la puissance. Il n'a pas pris de coup de soleil et son harmonie générale se situe dans la bonne moyenne. On le croit assez subtil et équilibré pour atteindre trois à quatre ans.

🔑 Dom. Alain Patriarche, 12, rue des Forges,
21190 Meursault, tél. 03.80.21.24.48,
fax 03.80.21.63.37, e-mail patriarche.alain@wanadoo.fr
☑ Y 🚶 r.-v.

## PATRIARCHE PERE ET FILS 2003 *

| | n.c. | 3 345 | 30 à 38 € |
|---|---|---|---|

Or à reflets verts, bien pur, typé 2003, un meursault signé Patriarche. On ne saurait oublier qu'André Boisseaux redonna tout son lustre au château de ce pays où se déroule chaque année la Paulée. Fruité, charnu, assez long, ce vin plaît d'emblée sans entrer dans un labyrinthe de complexité.

🔑 Patriarche Père et Fils, 5, rue du Collège,
21200 Beaune, tél. 03.80.24.53.01, fax 03.80.24.53.03
☑ Y 🚶 t.l.j. 9h30-11h30 14h-17h30

## DOM. DU PAVILLON Les Charmes 2003 *

| | 1er cru | 1,17 ha | 6 000 | 46 à 76 € |
|---|---|---|---|---|

La plus grande cave en une seule travée à Pommard. Il s'agit de l'un des domaines de la maison Albert Bichot. Jaune à reflets paille, un Charmes au fruit plein de promesses. Encore un peu fermé, son acidité lui permet de considérer avec optimisme l'avenir à trois ou quatre ans.

🔑 A. Bichot, Dom. du Pavillon,
6 bis, bd Jacques-Copeau, 21200 Beaune,
tél. 03.80.24.37.37, fax 03.80.24.37.38,
e-mail bourgogne@albert-bichot.com

## MAX ET ANNE-MARYE PIGUET-CHOUET
Le Pré de Manche 2003

| | 0,4 ha | 2 000 | 15 à 23 € |
|---|---|---|---|

Cette vigne aurait été offerte en cadeau de mariage dans la famille Chouet en...1587. Héritière plus récente, Anne-Marye en est évidemment très fière. Jaune pâle, ce Pré de Manche s'exprime de façon attractive : arômes d'agrumes, bouche bien complète. Le sujet est traité sous forme de nouvelle plutôt que de roman-fleuve. Sa chaleur est tempérée par une certaine acidité, utile bâton de vieillesse ou en tout cas d'âge mûr.

🔑 Max et Anne-Marye Piguet-Chouet, rte de Beaune,
21190 Auxey-Duresses, tél. 03.80.21.25.78,
fax 03.80.21.68.31, e-mail piguet.chouet@wanadoo.fr
☑ Y 🚶 r.-v.

## G. PRIEUR Chevalières 2002

| | n.c. | 3 500 | 23 à 30 € |
|---|---|---|---|

D'un or tendre et limpide, un vin légèrement bouqueté. Entre citron et fleurs blanches. Il fait penser au meursault choisi comme vin de messe par le cardinal de Bernis. « Mon Créateur ne doit pas me voir faire la grimace au moment de la communion », expliquait-il. Le corps est ici assez délicat, net et précis plutôt que complexe. Prêt à passer à table sans vaines confidences.

🔑 G. Prieur, Santenay-le-Haut, 21590 Santenay,
tél. 03.80.21.23.92

## PASCAL PRUNIER-BONHEUR
Les Grands Charrons 2002 *

| | 0,4 ha | 1 800 | 15 à 23 € |
|---|---|---|---|

Riche comme Crésus ? Peut-être pas, mais ce 2002 ne manque pas de ressources. Aimable dès l'approche, il s'enveloppe de gras avec douceur et suavité. Sa petite touche de fraîcheur (une pointe d'acidité) est bonne pour l'équilibre et la conservation. Généreux en parfum, ce vin chante la vanille et le croissant chaud. Sa robe est très classique. Quant au **meursault village 2003**, cité par le jury, offrez-lui des saint-jacques poêlées.

Pascal Prunier-Bonheur, 23, rue des Plantes, 21190 Meursault, tél. 03.80.21.66.56, fax 03.80.21.67.33, e-mail pascal.prunier-bonheur@wanadoo.fr r.-v.

### CAVE PRIVEE D'ANTONIN RODET Perrières 2002 ★

1er cru n.c. 831 46 à 76 €

Antonin Rodet possède un pied bien assuré à Meursault (Domaine J. Prieur). Coup de cœur en 2002 pour des Perrières. Cette persistance, cette longueur sur le floral, ce souffle chaleureux auréolé de notes de pâtisserie et d'épices douces (muscade, vanille, cannelle)... Ah ! oui, vraiment, les Perrières sont souvent ce qui se fait de mieux. Une jolie robe assez soutenue, bouton d'or, ajoute à l'atmosphère aromatique (cire d'abeille, écorce d'orange) un charme particulier. L'attaque est soyeuse, le fond de bouche sérieux. Si l'on osait, on le dirait presque... désaltérant.

Antonin Rodet, 71640 Mercurey, tél. 03.85.98.12.12, fax 03.85.45.25.49, e-mail rodet@rodet.com

### ROPITEAU Les Rougeots 2003 ★★

n.c. 600 23 à 30 €

Fondée en 1848, cette maison appartient depuis 1992 à la famille des Grands Vins Jean-Claude Boisset. « Soyez simple avec art, sublime sans orgueil, agréable sans fard... » Né en milieu de coteau et assez central, ce *village* suit les conseils de Boileau. Doré clair à reflets verts, le bouquet complexe et épicé, il ne manque ni de gras ni d'acidité. Elégance, équilibre, potentiel, rien à redire ! Notez aussi un savoureux **1^er^ cru Perrières 2003 (30 à 38 €)**, une étoile.

Ropiteau Frères, Cour des Hospices, 13, rue du 11-Novembre-1918, 21190 Meursault, tél. 03.80.21.69.20, fax 03.80.21.69.29, e-mail ropiteau@ropiteau.fr t.l.j. 9h-19h

### DOM. ROUGEOT Monatine 2003 ★

3 ha 12 000 15 à 23 €

Sur le piémont, Monatine est un joli nom de *climat*. Mie de pain, beurre frais, amande amère, on ne s'ennuie pas en posant le nez sur ce meursault. Finesse et netteté, on y revient volontiers. Riche et dense, le corps évoque naturellement la surmaturité du millésime. Ses épices sont cependant plaisantes (fût bien dosé) et on trouve tout de même un peu d'acidité. Sans excès de longueur, il apparaît surtout comme un vin très nature, spontané, dépourvu de complaisance avec le « qu'en-dira-t-on ? »

Dom. Marc Rougeot, 6, rue André-Ropiteau, 21190 Meursault, tél. 03.80.21.20.59, fax 03.80.21.66.71, e-mail domaine-rougeot@fr.st r.-v.

### ROUX PERE ET FILS Clos des Poruzots 2003 ★

1er cru 0,25 ha 1 000 30 à 38 €

Roux Père et Fils ? On dira bientôt Père, Fils et Petit-Fils car la nouvelle génération arrive. De quoi s'occuper : 36 ha en Bourgogne et 70 en Languedoc. Pour ce 2003, ce n'est assurément pas un défaut de maturité que l'on déplorera. Canicule oblige ! Même si le fût parle un peu haut, la noisette grillée se mêle à la fleur blanche. D'entrée assez séducteur, ce vin possède un équilibre convaincant et une bonne texture.

Dom. Roux Père et Fils, 21190 Saint-Aubin, tél. 03.80.21.32.92, fax 03.80.21.35.00, e-mail roux.pere.et.fils@wanadoo.fr r.-v.

### DOM. SAINT FIACRE Les Narvaux 2003 ★★

0,36 ha 2 000 15 à 23 €

Le genre de bouteille qui ne passerait pas inaperçue si elle était proposée lors du fabuleux déjeuner de la Paulée de Meursault. A déguster maintenant ou à garder pour une bonne occasion, elle a tout d'un merveilleux *village*. Sa robe si limpide et tendrement dorée, son nez fin et déjà ouvert, l'enveloppe fruitée d'un corps structuré, la jolie texture, l'acidité bien intégrée, tout en effet reflète la maîtrise du millésime.

Aline et Joël Patriarche, Dom. Saint-Fiacre, rue de la Boutière, 21190 Tailly, tél. 03.80.26.84.38, fax 03.80.26.87.97, e-mail domaine.saintfiacre@cab.cernet.fr r.-v.

### DOM. VIRELY-ROUGEOT 2003

1,39 ha 1 183 15 à 23 €

L'aïeul de madame Virely était le régisseur du domaine du Château de Meursault, au début du XX^e^s. Avec un pied à Pommard et l'autre à Meursault, on est ici à l'aise en rouge comme en blanc. Celui-ci se présente jaune assez vif. Son nez complexe évoque un peu les « vendanges tardives » mais il ne faut rien exagérer (le 23 août !)... Minéral, il n'oublie pas la noisette. La bouche ne joue pas les prolongations mais elle est généreuse et apte à vieillir un à deux ans.

Dom. Virely-Rougeot, pl. de l'Europe, 21630 Pommard, tél. 03.80.22.34.34, fax 03.80.22.38.07 t.l.j. 9h30-12h15 13h45-18h30; groupes sur r.-v.

## Blagny

Situé à cheval sur les communes de Meursault et de Puligny-Montrachet, un vignoble homogène s'est développé autour du hameau de Blagny. On y produit des vins rouges remarquables portant l'appellation blagny, mais la plus grande superficie est plantée en chardonnay pour donner, selon la commune, du meursault 1^er^ cru ou du puligny-montrachet 1^er^ cru.

### MATROT WITTERSHEIM La Pièce sous le Bois 2002

1er cru 8 ha 4 800 15 à 23 €

Sous des traits rubis intenses, cette Pièce sous le Bois est en un acte. Le pinot noir s'ouvre légèrement au contact de l'air, quand il occupe le verre. Son volume n'est pas surdimensionné tant en chair qu'en fruit. Mais il faut tenir compte du millésime.

Dom. Matrot Wittersheim, 2, pl. de l'Europe, 21190 Meursault, tél. 03.80.21.21.13, fax 03.80.21.21.14, e-mail matrot.wittersheim@wanadoo.fr r.-v.

BOURGOGNE

# Puligny-montrachet

Centre de gravité des vins blancs de Côte-d'Or, serrée entre ses deux voisines Meursault et Chassagne, cette petite commune tranquille ne fait en surface de vignes que la moitié de meursault, ou les deux tiers de chassagne, mais se console de cette modestie apparente en possédant les plus grands crus blancs de Bourgogne, dont le montrachet, en partage avec Chassagne.

La position géographique de ces grands crus, selon les géologues de l'université de Dijon, correspond à une émergence de l'horizon bathonien, qui leur confère plus de finesse, plus d'harmonie et plus de subtilité aromatique qu'aux vins récoltés sur les marnes avoisinantes. L'AOC a produit 11 869 hl de vin blanc en 2004 sur 200 ha.

Les autres *climats* et premiers crus de la commune exhalent fréquemment des senteurs végétales à nuances résineuses ou terpéniques, qui leur donnent beaucoup de distinction.

### JEAN-LUC AEGERTER Réserve personnelle 2002

| | 0,6 ha | 6 000 | **11 à 15 €** |

Or gris, vert bronze, limpide et scintillant, il ne s'écarte pas des bons usages. Amande grillée, pain toasté, les douze mois de fût restent bien présents. On peut toutefois oublier ce 2002 pendant un an ou deux, laissant son acidité assurer sa maturité. Tendre et friand à l'heure actuelle, il est conseillé sur les coquillages, les saint-jacques.

Jean-Luc Aegerter, 49, rue Henri-Challand,
21700 Nuits-Saint-Georges, tél. 03.80.61.02.88,
fax 03.80.62.37.99, e-mail jean-luc.aegerter@wanadoo.fr
r.-v.

### JEAN-CLAUDE BACHELET Sous le Puits 2002 ★

| 1er cru | 0,23 ha | n.c. | **15 à 23 €** |

Au-dessus des maisons de Blagny, ce Janus peut être puligny 1er cru blanc ou blagny 1er cru rouge. Optant ici pour le chardonnay, il offre au regard ce que Gaston Roupnel appellait « les magiques reflets verdâtres de cet or liquide ». Son bouquet (menthol, herbe verte, fruits secs) ne manque pas de complexité. Sa bouche harmonieuse et riche est complétée par un léger boisé et quelques nuances iodées en finale. Gourmand, un de nos dégustateurs saisit l'occasion pour suggérer la matelote d'anguille comme compagne de voyage.

Jean-Claude Bachelet, 1, rue de la Fontaine,
21190 Saint-Aubin, tél. 03.80.21.31.01,
fax 03.80.21.91.71, e-mail Mail@jcbachelet.com
r.-v.

### BOUCHARD AINE ET FILS
Champ Gain Cuvée Signature 2003 ★★

| 1er cru | n.c. | 4 500 | **38 à 46 €** |

Présenté au grand jury des coups de cœur, ce vin appartient bien aux grands blancs de Bourgogne. Fortement doré et à disque brillant, il anime son bouquet de senteurs minérales et fruitées (mandarine). Comme on le disait autrefois, il y a « beaucoup de spiritueux » : la puissance sans sécheresse, la suavité de la sève. Fin et racé, il a de l'avenir (quatre à cinq ans si l'on veut vraiment le séduire). Acquise par Jean-Claude Boisset, la maison Bouchard Aîné et Fils propose à Beaune un « parcours des cinq sens » méritant la visite.

Bouchard Aîné et Fils, hôtel du Conseiller-du-Roy,
4, bd Mal-Foch, 21200 Beaune, tél. 03.80.24.24.00,
fax 03.80.24.64.12, e-mail bouchard@bouchard-aine.fr
t.l.j. 9h30-11h30 14h-17h30

### GILLES BOUTON La Garenne 2003

| 1er cru | 0,57 ha | 3 200 | **15 à 23 €** |

A deux pas du château de Gamay, Gilles Bouton a choisi pour devise : « le bouton vaut la rose » ! Cette Garenne limpide et brillante, boisée de façon mesurée, légèrement briochée, joue la rondeur et marque une pointe de fermeté dans les derniers instants. Correct pour des raisins vendangés un 25 août et enfants de la canicule.

Gilles Bouton, 24, rue de la Fontenotte,
21190 Saint-Aubin, tél. 03.80.21.32.63,
fax 03.80.21.90.74,
e-mail domaine.bouton.gilles@wanadoo.fr r.-v.

### DOM. HUBERT BOUZEREAU-GRUERE ET FILLES 2003 ★

| | 0,49 ha | 600 | **15 à 23 €** |

La robe possède tous les carats nécessaires. Son bouquet tourne autour de la mie de pain, du grillé. Assez expansive, sa bouche sait se détacher du fût. Des notes suaves sur fond minéral, un tempérament chaleureux : ne serait-il pas réservé et à attendre jusqu'à la fin 2006 ? Marie-Laure et Marie-Anne prennent part à la vie du domaine aux côtés de leur père.

Hubert Bouzereau-Gruère et Filles,
22 A, rue de la Velle, 21190 Meursault,
tél. 03.80.21.20.05, fax 03.80.21.68.16,
e-mail hubert.bouzereau.gruere@libertysurf.fr
r.-v.

### CHANSON 2003 ★

| | n.c. | 1 203 | **30 à 38 €** |

Cette bouteille entre en scène sous une jolie robe transparente qui distrait l'attention. Celle-ci n'est pas longtemps absente car le bouquet s'enveloppe de mystère. Le fût aura-t-il seulement voix au chapitre ? Des arômes fleuris prennent utilement le relais de la noisette grillée. Opulent, voluptueux, 2003 sur toute la ligne, ce vin évoque la douceur, l'apaisement d'un sultan surpris en plein repos.

Dom. Chanson Père et Fils, 10, rue Paul-Chanson,
21200 Beaune, tél. 03.80.25.97.97, fax 03.80.24.17.42,
e-mail chanson@vins-chanson.com r.-v.

### DEUX MONTILLE SŒUR ET FRERE
Les Champs Gains 2003 ★★

| | n.c. | n.c. | **30 à 38 €** |

Or gris à reflets verdâtres, ce Champs Gains (les orthographes sont permissives) enrichit d'un coup de cœur envié la jeune maison d'Alix de Montille créée en 2003. Miel, eucalyptus, cire d'abeille, une calvacade d'arômes choisis et particulièrement envoûtants. Au palais, une merveille d'équilibre, d'harmonie. Ce surcroît de classe domine sans écraser, et respecte la fraîcheur tout en valorisant l'esprit. Si vous croisez cette bouteille, ne détournez pas votre chemin.

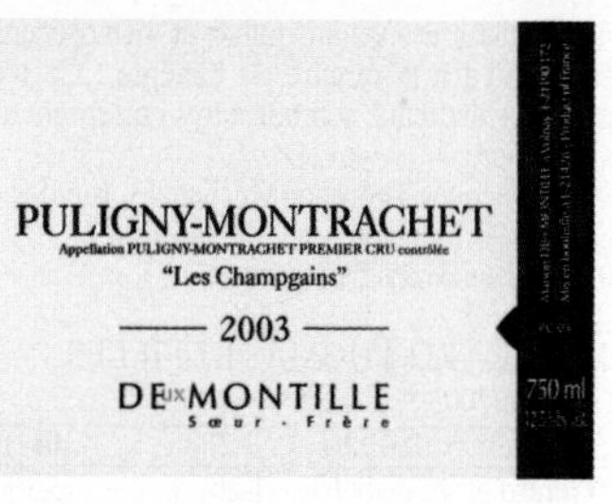

PULIGNY-MONTRACHET
Appellation PULIGNY-MONTRACHET PREMIER CRU contrôlée
"Les Champgains"
2003
DEUX MONTILLE
Sœur · Frère
750 ml


Maison Deux Montille Sœur et Frère, 21190 Volnay, tél. 03.80.21.62.67, fax 03.80.21.67.14, e-mail alixdemontille@wanadoo.fr r.-v.

### JEAN-CHARLES FORNEROT
Les Champs Gains 2002

1er cru 0,5 ha 300 23 à 30 €

Un vin doit-il avoir de l'imagination ? Sans doute puisque l'un des dégustateurs affirme que celui-ci en est dépourvu. Cela ne l'empêche pas d'être réussi, bien dans son appellation. La robe claire et d'intensité moyenne, le nez fin et charmeur, il est beau et persistant dans une configuration monolithique. Cette famille a fourni en 1951-1952 à sir John Salisbury, ancien chef du protocole de la reine d'Angleterre, les plants de son vignoble d'Hambledon (Hampshire).

Jean-Charles Fornerot, 17, rue du Jeu-de-Quilles, 21190 Saint-Aubin, tél. 03.80.21.32.81, fax 03.80.21.97.70 r.-v.

### MAISON LOUIS JADOT La Garenne 2002 ★★

n.c. n.c. 38 à 46 €

Nous nous trouvons près du hameau de Blagny où cohabitent le puligny 1er cru blanc et le blagny 1er cru rouge. A ne pas confondre avec le Clos de la Garenne un peu plus bas sur le coteau. Le foie gras et la truffe escorteront dignement cette grande bouteille, d'un or subtil. Bon sang ne saurait mentir : le miel, le beurre offrent au bouquet une garantie d'origine. Vif à l'ouverture, le ton s'apaise ensuite sur une sève pleine de montant. « Qu'aimable est la vertu que la grâce environne », comme l'écrivait André Chénier.

Maison Louis Jadot, 21, rue Eugène-Spuller, BP 117, 21203 Beaune Cedex, tél. 03.80.22.10.57, fax 03.80.22.56.03, e-mail contact@louisjadot.com r.-v.

### SYLVAIN LANGOUREAU La Garenne 2003 ★

1er cru 0,55 ha 3 000 15 à 23 €

Légèrement or gris – ou or pâle –, ce vin décline des parfums ayant atteint leur maturité (confiture de figue, par exemple). La note de frangipane au palais est équilibrée par une charmante sensation fruitée. On y trouve même un goût de... raisin. Son gras vanillé (sans excès) devient vite imposant mais il ne comporte aucune lourdeur. On rêve d'un coup de fouet, qui n'entre pas dans l'esprit du millésime il est vrai très particulier. A servir maintenant. Après plus d'un siècle d'acquisition de parcelles, le domaine géré aujourd'hui par Sylvain Langoureau atteint 8 ha de vignes. C'est à un compagnon maçon que ce dernier a confié la réfection de ses caves en 1998.

Sylvain Langoureau, hameau de Gamay, 20, rue de la Fontenotte, 21190 Saint-Aubin, tél. et fax 03.80.21.39.99 r.-v.

### LOUIS LATOUR Les Referts 2002 ★

1er cru 0,8 ha 4 000 38 à 46 €

« Je veux qu'on soit sincère », exigeait Alceste. Ce vin l'est assurément. L'or vert est peint d'un doigt léger mais un puligny jeune doit avoir cette robe discrète. Des arômes iodés apparaissent à l'aération. Simple et solide, minéral, il ne s'embarrasse pas de complications et vise tout bonnement à plaire. En y parvenant, il ne prétend pas à une longue garde mais se déclare prêt au service.

Maison Louis Latour, 18, rue des Tonneliers, 21204 Beaune, tél. 03.80.24.81.00, fax 03.80.22.36.21, e-mail louislatour@louislatour.com

### OLIVIER LEFLAIVE Champ Gain 2002 ★★

1er cru n.c. 14 000 38 à 46 €

*Climat* situé juste sous les vignes du hameau de Blagny, en situation assez élevée sur le coteau. D'une teinte encore fraîche et légère, il connaît ses classiques : arômes de miel, d'amande et de pêche. Au palais, il fait quelques ronds de jambe. Pourtant, ne vous y trompez pas, ce vin d'une persistance impressionnante a non seulement du coffre mais encore des réserves. Il ne lui manque qu'une voix pour être coup de cœur !

Olivier Leflaive Frères, pl. du Monument, 21190 Puligny-Montrachet, tél. 03.80.21.37.65, fax 03.80.21.33.94, e-mail contact@olivier-leflaive.com r.-v.

### DOM. MAROSLAVAC-LEGER
Les Combettes 2002 ★

1er cru 0,16 ha 900 23 à 30 €

Petit-fils de Stephen Maroslavac, émigré polonais arrivé en France sans un sou en poche durant les années 1930, Roland se consacre à un domaine de quelque 7 ha. Il réussit un beau « tir groupé » car trois vins passent la barre. Les Combettes ont des amateurs passionnés qui feraient des folies pour ce cru. Donnons-leur donc la préférence en raison aussi de leur délicieuse « mâche briochée », de leur fermeté. Mais **Les Folatières 1er cru 2002** et **en village Les corvées des Vignes 2002 (15 à 23 €)** ont également de solides atouts à faire valoir ; ils obtiennent chacun une étoile.

Roland Maroslavac, Dom. Maroslavac-Léger, 43, Grande-Rue, 21190 Puligny-Montrachet, tél. 03.80.21.31.23, fax 03.80.21.91.39, e-mail maroslavac-leger@wanadoo.fr r.-v.

### DOM. STEPHAN MAROSLAVAC-TREMEAU
Clos du Vieux Château 2003 ★★

0,7 ha 2 000 11 à 15 €

Le millésime 2003 est le premier vinifié et élevé par le régisseur Jérôme Meunier engagé par Stephan Maroslavac juste avant son décès. Belle prestation ! Or vert évidemment, le bouquet minéral fondu dans le brioché, il est riche et généreux. Par les temps qui courent, ce sont des choses à signaler... L'ampleur est moins significative que la finesse et l'acidité peu élevée. S'il est encore un peu secret, attendez-vous à un réveil éclatant de ce vin. Le **1er cru Champs Gains 2003** a lui aussi beaucoup de personnalité. Il obtient une étoile.

EARL Maroslavac-Trémeau, 5, Grande-rue, 21190 Puligny-Montrachet, tél. 03.80.21.30.19, fax 03.80.21.92.84 r.-v.

AURELIE ET CHRISTOPHE MARY
Les Referts 2003

| 1er cru | 0,12 ha | 150 | 15 à 23 € |
|---|---|---|---|

Bel or héraldique avec la petite nuance verte indispensable ici. Citronné, mentholé, le nez est un peu vert. L'attaque est enlevée. Le fruit, le gras, un côté pâte feuilletée très agréable compensent le léger manque d'acidité (défaut de nature dans le millésime). Un fond de bouche assez doux voit l'essor d'arômes végétaux. En profiter dès maintenant. Aurélie et Christophe sont installés dans la plaine beaunoise et sur 3 ha en tout ; ils veillent sur trois ouvrées dans ce *climat* réputé.

Christophe Mary, rue de la Garenne, 21190 Corcelles-les-Arts, tél. et fax 03.80.21.48.98 r.-v.

DOM. RENE MONNIER Les Folatières 2003 *

| 1er cru | 0,83 ha | 5 000 | 23 à 30 € |
|---|---|---|---|

La terre ici est rare et l'on dépense de grands efforts pour éviter l'érosion. Cela en vaut la peine car ces Folatières accomplissent un beau parcours entre l'œil et la bouche. Robe de gala : une soie pâle, très chic. Les fruits jaunes (abricot surtout) font cause commune avec un parfum de pain grillé. Finesse et vivacité sur fond poivré. S'il vous invite à sa table, l'écrivain Jean-Marie Rouart vous servira sans doute un vin de ce domaine qui lui offrit les cent bouteilles du prix de la Paulée de Meursault 1999.

Dom. René Monnier, 6, rue du Dr-Rolland, 21190 Meursault, tél. 03.80.21.29.32, fax 03.80.21.61.79, e-mail j.l.b.vins@wanadoo.fr t.l.j. sf dim. 8h30-12h 14h-18h

PAUL PERNOT ET SES FILS Folatières 2002

| 1er cru | 3 ha | 4 500 | 23 à 30 € |
|---|---|---|---|

D'une sensualité à fleur de terre, les Folatières sont très courtisées. Leur robe est ici d'un bel or ; leur bouquet accrocheur : noisette, pierre à fusil ; leur bouche chaleureuse avec des accents de citronnelle et d'amande. On sent un rien d'impulsivité sous le moelleux des apparences.

EARL Paul Pernot et ses Fils, 7, pl. du Monument, 21190 Puligny-Montrachet, tél. 03.80.21.32.35, fax 03.80.21.94.51 r.-v.

CH. DE PULIGNY-MONTRACHET
Les Folatières 2002 *

| 1er cru | 0,5 ha | 2 800 | 38 à 46 € |
|---|---|---|---|

Etienne de Montille est devenu il y a quelques années le patron de ce domaine créé par des institutionnels : Crédit Foncier de France, groupe Caisse d'Epargne. Cette bouteille est dorée comme un jaunet. Son nez assez évolué évoque la cire d'abeille, les agrumes. Une rétro épicée accompagne un corps puissant, gras, riche. Vin à la façon d'autrefois, marquant une évolution dans les vinifications du château de Puligny.

Ch. de Puligny-Montrachet, 21190 Puligny-Montrachet, tél. 03.80.21.39.14, fax 03.80.21.39.07, e-mail e.demontille@wanadoo.fr r.-v.

Crédit Foncier, Groupe Caisse d'Epargne

DOM. JACQUES THEVENOT-MACHAL
Les Charmes 2003

| | n.c. | 1 100 | 15 à 23 € |
|---|---|---|---|

Les Charmes se situent à la limite de puligny et de meursault. Ils tirent un peu de ce côté. Or clair, ce *village* assez aromatique (fruits jaunes, pain de mie) est marqué par son millésime : acidité faible et richesse en alcool élevée. Sera-t-il à la mesure de l'attente ? Ce n'est pas impossible, s'il atténue son boisé très entreprenant, car il a de la matière.

SCEA Jacques Thévenot-Machal, 13, rue des Forges, 21190 Meursault, tél. 03.80.21.26.27, fax 03.80.21.65.31 r.-v.

DOM. GERARD THOMAS ET FILLES
La Garenne 2003 *

| 1er cru | 0,61 ha | 3 300 | 15 à 23 € |
|---|---|---|---|

Gérard et ses deux filles (Isabelle et Anne-Sophie) se mettent en quatre pour présenter sur les fonts baptismaux, cette Garenne joliment réussie. Sa robe de baptême est telle qu'on l'imagine. Ses parfums font se rencontrer parrain et marraine, fleur et foin coupé. Une bénédiction fraîche et briochée, alliant ensuite le miel et le fruit sec, compose un 2003 vineux, gras et pour conclure la cérémonie très plaisant et plein d'avenir. Les cloches peuvent sonner pour un sandre au beurre blanc.

EARL Dom. Gérard Thomas, 6, rue des Perrières, 21190 Saint-Aubin, tél. 03.80.21.32.57, fax 03.80.21.36.51 r.-v.

# Montrachet, chevalier, bâtard, bienvenues-bâtard, criots-bâtard

La particularité la plus étonnante de ces grands crus est de se faire attendre plus ou moins longtemps avant de manifester dans sa plénitude la qualité exceptionnelle que l'on attend d'eux. Dix ans, c'est le délai accordé au « grand » montrachet pour atteindre sa maturité, cinq ans pour le bâtard et son entourage ; seul le chevalier-montrachet semble manifester plus rapidement une ouverture communicative.

Ces crus d'immense notoriété ne représentent que de très faibles volumes et de toutes petites superficies. Ainsi en est-il du montrachet avec 7,89 ha, du chevalier-montrachet avec 7,62 ha, du bâtard-montrachet avec 11,11 ha, du criots-bâtard-montrachet avec 1,57 ha et du bienvenues-bâtard-montrachet avec 3,73 ha. L'ensemble des grands crus de montrachet a représenté 1 476 hl en 2004.

## Montrachet

DOM. JACQUES PRIEUR 2002 *

| Gd cru | 0,58 ha | 1 500 | + de 76 € |
|---|---|---|---|

Antonin Rodet et les familles Clayeux, Devillard ainsi que Labruyère constituent le partenaire majoritaire du domaine Jacques Prieur (superbe palette de grands crus, dont ces 58 a 63 ca au paradis du chardonnay). Vieil or, ce 2002 est onctueux et sec, ferme et caressant. Toutes les grâces sous un caractère qui ne se laisse pas encore approcher de trop près. Féminin ? Masculin ? Il a plutôt le sexe des anges. Ses vingt mois revêtus de chêne vont se fondre dans un décor assez complexe où le coing et l'abricot surtout figurent au premier plan. Assez gras, plus minéral que miellé, il reste cependant vif.

Dom. Jacques Prieur, 6, rue des Santenots,
21190 Meursault, tél. 03.80.21.23.85,
fax 03.80.21.29.19, e-mail domaine.jprieur@wanadoo.fr
r.-v.

### DOM. DE LA ROMANEE-CONTI 2003 ★★★

Gd cru 0,67 ha n.c. + de 76 €

**83 86 (90) 91 93 97 98 (99) 00 01 (02) (03)**

Le talent du montrachet est de conserver l'acidité et la fraîcheur jusqu'aux limites extrêmes d'une maturité bien accomplie. Vendangés le 31 août, ces raisins ont profité de la canicule sans en souffrir. D'un classicisme absolu, un vin dont la légère vivacité s'efface à l'aération. On garde presque du miel sur les lèvres, tant il en est généreux.

SC du Dom. de la Romanée-Conti,
1, rue Derrière-le-Four, 21700 Vosne-Romanée,
tél. 03.80.62.48.80, fax 03.80.61.05.72

## Chevalier-montrachet

### DOM. BOUCHARD PERE ET FILS 2003 ★★

Gd cru 2,54 ha n.c. + de 76 €

La maison Bouchard Père et Fils possède 12 ha de grands crus dont 2,54 ha ici, le tiers du chevalier-montrachet. Coup de cœur en 2002 pour le millésime 98, Joseph Henriot signe un 2003 particulièrement remarquable. Comme l'écrivait Gaston Roupnel, emplissons-nous d'abord des « magiques reflets verdâtres de cet or liquide ». Cette image nous accompagnera tout au long du voyage. Léger parfum de fruits secs, puis un corps riche et enveloppé. D'une étonnante acidité dans ce millésime pour demeurer vigoureux, ce chevalier tient bien d'aplomb, sans nous enfermer aujourd'hui dans un labyrinthe de complexité ; celle-ci sera au rendez-vous dans deux ou trois ans.

Bouchard Père et Fils, Ch. de Beaune,
21200 Beaune, tél. 03.80.24.80.24, fax 03.80.22.55.88,
e-mail france@bouchard-pereetfils.com r.-v.

### LOUIS LATOUR Les Demoiselles 2002

Gd cru 0,5 ha 3 000 + de 76 €

Filles d'un général beaunois au début du XIX^e s., Adèle et Julie Voillot étaient ces fameuses demoiselles. Quant à la parcelle de 50 a 7 ca, elle a été acquise en 1913 auprès de la veuve de Léonce Bocquet (le restaurateur du château du Clos de Vougeot), par le domaine Louis Latour. Dans une robe or clair de jeune fille, c'est une bouteille adolescente que le fût bride encore. Le réflexe un peu vif, elle attend son prince charmant.

Maison Louis Latour, 18, rue des Tonneliers,
21204 Beaune, tél. 03.80.24.81.00, fax 03.80.22.36.21,
e-mail louislatour@louislatour.com

## Bâtard-montrachet

### DOM. BACHELET-RAMONET 2003

Gd cru 0,52 ha 1 090 46 à 76 €

Deux parcelles en bâtard : 16,75 ares et 39,68 ares, soit un bon demi-ha. Le gendre et la fille de Claude Ramonet (famille Bonnefoy) assurent la succession. Bien limpide et à légers reflets verts, ce 2003 rappelle le fruit frais et vanillé. Son jeune âge le nuance d'une pointe d'amertume qui va s'estomper. Copieux, il est en effet en train de rechercher ses appuis.

Dom. Bachelet-Ramonet,
11, rue du Parterre, 21190 Chassagne-Montrachet,
tél. 03.80.21.32.49, fax 03.80.21.91.41 r.-v.

### DOM. PHILIPPE BRENOT 2002 ★

Gd cru 0,37 ha 900 46 à 76 €

Trois parcelles formant en tout 37,44 ares, appartenant à cette famille depuis plusieurs générations. Après Max Brenot, disparu en 1977, son fils Philippe a repris l'exploitation. Ce bâtard-montrachet or soutenu ne donne pas encore sa plénitude aromatique. En revanche, son attaque est enlevée (finesse et franchise). Il a les reins solides comme le veut l'appellation. Sa persistance est assez impressionnante. A attendre un à deux ans.

Dom. Philippe Brenot, 17, rue de Lavau,
21590 Santenay, tél. 03.80.20.61.27, fax 03.80.20.65.36
r.-v.

### OLIVIER LEFLAIVE 2002 ★

Gd cru n.c. 3 000 + de 76 €

Petite intensité de sa couleur, mais de beaux reflets. Ses arômes sont tout d'abord veloutés sur le bois (quinze mois de fût), puis ils s'affirment avec une certaine délicatesse reposant sur cette fameuse pierre à fusil dont le vin assure la longévité même si l'art de la guerre à évolué... Equilibré, complexe, plus fine que profonde, sa bouche n'est pas avare de son gras.

Olivier Leflaive Frères, pl. du Monument,
21190 Puligny-Montrachet, tél. 03.80.21.37.65,
fax 03.80.21.33.94, e-mail contact@olivier-leflaive.com
r.-v.

### RENE LEQUIN-COLIN 2003 ★

Gd cru 0,12 ha 700 + de 76 €

96 (98) 99 00 01 02 03

Parcelle née de la division à parts égales (un peu plus de 12 ares chacune) d'une vigne entrée dans la famille en 1938, au temps du domaine Lequin-Roussot : chaque fils en a reçu la moitié. Ce bâtard cherche à plaire : il a toute l'élégance d'un « vin de dames ». Il met un peu la puissance de côté pour s'exprimer en finesse sous son or pâle discret. L'élevage est encore présent (joli boisé il est vrai) et tant au nez qu'en bouche, il faut attendre trois à quatre ans l'éveil entier du corps et des arômes. La longueur signe une promesse de plaisir.

René Lequin-Colin, 10, rue de Lavau,
21590 Santenay, tél. 03.80.20.66.71, fax 03.80.20.66.70,
e-mail renelequin@aol.com r.-v.

### DOM. PRIEUR-BRUNET 2002

Gd cru 0,07 ha n.c. + de 76 €

Parcelle de 7,63 ares depuis longtemps dans la famille. Plusieurs générations en tout cas. D'où ce 2002 aux traits or pâle, légèrement floral (aubépine) et honnê-

tement bâti. Son attaque est fraîche, sa minéralité agréable, sa longueur correcte. A ouvrir dans deux ou trois ans car l'acidité reste sensible. C'est un violon, pas un violoncelle.
🔑 Dom. Prieur-Brunet, rue de Narosse, 21590 Santenay, tél. 03.80.20.60.56, fax 03.80.20.64.31, e-mail uny-prieur@prieur-santenay.com ☑ Y 🚶 r.-v.
🔑 Dominique Prieur

# Bienvenues-bâtard-montrachet

### JEAN-CLAUDE BACHELET 2002

Gd cru | 0,94 ha | n.c. | 46 à 76 €

Parcelle acquise en 1960 par les parents de Jean-Claude Bachelet. Ce 2002 paille clair, brillant, bénéficie d'un support efficace d'amande grillée, entouré de notes d'abricot. Il est sans doute jeune et en devenir. Délai de rigueur : deux à trois ans, ce qui devrait lui suffire car son équilibre, encore dominé par le boisé bien mené, est prometteur.
🔑 Jean-Claude Bachelet, 1, rue de la Fontaine, 21190 Saint-Aubin, tél. 03.80.21.31.01, fax 03.80.21.91.71, e-mail Mail@jcbachelet.com ☑ Y 🚶 r.-v.

### LOUIS LATOUR 2002

Gd cru | 0,5 ha | 3 000 | + de 76 €

La Maison Louis Latour possède vingt-huit grands crus bourguignons. Un record. D'une teinte assez marquée, ce bienvenues retient l'attention grâce à un bouquet où le beurré-brioché s'accorde à la fleur blanche. L'acidité est présente dans un contexte ample et rond qui détermine son évolution. Racé et réservé.
🔑 Maison Louis Latour, 18, rue des Tonneliers, 21204 Beaune, tél. 03.80.24.81.00, fax 03.80.22.36.21, e-mail louislatour@louislatour.com

# Criots-bâtard-montrachet

### ROGER BELLAND 2003 *

Gd cru | 0,61 ha | 1 600 | + de 76 €

89 94 |95| 96 |98| |99| |00| 01 02 03

Joseph puis Roger Belland. Parcelle de 61 ares, achetée aux Consorts Marcilly en 1982. Comme elle se situe dans un angle, tous les travaux de la vigne ou presque doivent être effectués à la main. De bonne constitution, ce 2003 devrait pouvoir se garder quelques années. Sa robe or vert brillant est très réussie. Son bouquet mie de pain, évolue sur l'amande grillée, le fruit confit, un élégant boisé. On le juge attrayant, concentré et complexe, doté d'une intéressante rémanence sur le minéral. Vinification soignée (vendange le 27 août).
🔑 Dom. Roger Belland, 3, rue de la Chapelle, BP 13, 21590 Santenay, tél. 03.80.20.60.95, fax 03.80.20.63.93, e-mail belland.roger@wanadoo.fr ☑ Y 🚶 r.-v.

### ALBERT BICHOT 2003

Gd cru | n.c. | 600 | + de 76 €

Il y a des roses qu'il ne faut pas cueillir trop tôt. Celle-ci par exemple. A l'œil, elle est légère et nuancée. Au nez, délicate et d'un joli boisé. Elle sent encore le berceau mais on goûte déjà son moelleux. Sans doute un bel avenir quand elle sera tout à fait éclose. Disons deux à trois ans.
🔑 Maison Albert Bichot, 6 bis, bd Jacques-Copeau, 21200 Beaune, tél. 03.80.24.37.37, fax 03.80.24.37.38, e-mail bourgogne@albert-bichot.com

### OLIVIER LEFLAIVE 2002 *

Gd cru | n.c. | 1 500 | + de 76 €

Comme deux enfants de chœur, le criots et le bienvenues encadrent le bâtard. Comptez sur celui-ci pour agiter la sonnette et verser le vin de messe ! En aube jaune à liseré vert, il embaume les fleurs blanches. Il a glissé dans son bouquet quelques noisettes et amandes. Très éveillé, jeune et vif dans son corps, il doit patienter un peu pour atteindre la maturité.
🔑 Olivier Leflaive Frères, pl. du Monument, 21190 Puligny-Montrachet, tél. 03.80.21.37.65, fax 03.80.21.33.94, e-mail contact@olivier-leflaive.com ☑ Y 🚶 r.-v.

# Chassagne-montrachet

Une nouvelle combe, celle de Saint-Aubin, parcourue par la RN 6, forme à peu près la limite méridionale de la zone des vins blancs, suivie par celle des vins rouges ; les Ruchottes marquent la fin. Les Clos Saint-Jean et Morgeot, vins solides et vigoureux, sont les plus réputés des chassagne. Les blancs représentent 10 478 hl et les rouges 6 321 hl en 2004.

### FRANCOIS D'ALLAINES 2002

| 0,95 ha | 600 | 23 à 30 €

Négociant installé depuis une quinzaine d'années, achetant en raisins depuis 1996. Son 2002 illustre bien l'indéfinissable du mot complexité. Car on le sent ainsi fait. La robe : bien. Le bouquet : teinté de pomme, de calcaire ; la fraîcheur et le poli du marbre de Chassagne. Possédant suffisamment de volume pour soutenir ses prétentions il a sa place ici en raison de sa franche typicité.
🔑 François d'Allaines, La Corvée du Paquier, 71150 Demigny, tél. 03.85.49.90.16, fax 03.85.49.90.19, e-mail francois@dallaines.com ☑ Y r.-v.

### DOM. GUY AMIOT ET FILS
Les Champgains 2002 *

1er cru | 0,4 ha | 2 600 | 15 à 23 €

Arsène Amiot avait du nez. Fondateur du domaine, il avait acheté après la guerre de 1914 sa première vigne en Dents de Chien. Deux ouvrées seulement, mais bientôt classées (jugement de Beaune, 1921) en... montrachet ! Pierre, Guy, Thierry, les générations se succèdent en dorlotant cette poule aux œufs d'or. Ici, un Champgains à la robe discrète et bien brillante. Le minéral prend les choses en main, au nez puis en bouche. Riche et plaisant, typé chassagne, il sera débouché dans les deux ans.
🔑 GAEC Guy Amiot et Fils, 13, rue du Grand-Puits, 21190 Chassagne-Montrachet, tél. 03.80.21.38.62, fax 03.80.21.90.80, e-mail domaine.amiotguyetfils@wanadoo.fr ☑ Y r.-v.

**JEAN-CLAUDE BACHELET** La Boudriotte 2002 ★

■ 1er cru 11,2 ha n.c. 11 à 15 €

Cerise rouge, sa robe est dans la moyenne du millésime. Mi-rouge mi-blanche, la Boudriotte est réputée pour son parfum de kirsch quand elle joue du pinot. On le vérifie ici, l'œil et le nez étant en cohérence. Légère acidité et bonne assise tannique, de la mâche ; la suavité toutefois l'emporte nettement sur la puissance. Ce 2002 dispose d'un potentiel capable de la porter encore en avant. Objectif 2007-2008.

Jean-Claude Bachelet, 1, rue de la Fontaine, 21190 Saint-Aubin, tél. 03.80.21.31.01, fax 03.80.21.91.71, e-mail Mail@jcbachelet.com r.-v.

**DOM. BACHELET-RAMONET PERE ET FILS**
La Grande Montagne Vieilles Vignes 2003 ★

1er cru 0,51 ha 2 400 15 à 23 €

Une grande partie du coteau situé au-dessus du Morgeot, en position élevée, s'appelle la Grande Montagne. C'est un 1er cru partagé avec les Grandes Ruchottes et un lieu-dit authentique mais difficile à imprimer sur une étiquette : Tonton Marcel ! Son or jaune prononcé s'accompagne d'un parfum floral. Frais à l'attaque, il est bien construit, pourvu d'une bonne acidité, méritoire en 2003. Le **village 2003 blanc** plaît bien. Il obtient une étoile.

Dom. Bachelet-Ramonet, 11, rue du Parterre, 21190 Chassagne-Montrachet, tél. 03.80.21.32.49, fax 03.80.21.91.41 r.-v.

**DOM. BACHEY-LEGROS**
Morgeot Vieilles Vignes 2003

1er cru 1,92 ha 2 400 23 à 30 €

Vieilles vignes, vieilles pierres, on a le respect du passé chez les Bachey-Legros. D'un jaune qui a pris très tôt de la densité colorante, ce vin pose le nez sur un socle minéral. Des notes miellées, légèrement boisées s'en échappent. Ample dès l'attaque, important en volume, il a une forte présence du début à la fin. Non pas pesant mais consistant et à servir dès à présent.

Dom. Christiane Bachey-Legros, 12, rue de la Charrière, 21590 Santenay-le-Haut, tél. et fax 03.80.20.64.14, e-mail christiane.bachey-legros@wanadoo.fr r.-v.

**BALLOT-MILLOT** Morgeot 2002 ★

0,6 ha 2 800 23 à 30 €

Philippe Ballot et son fils Charles (arrivé en 2002) font ici quelques infidélités à leur meursault. Ce Morgeot (une principauté au sein de l'appellation) se pare de sérieuses vertus : couleur subtile, arômes du terroir (silex), boisé, puissant. Son palais délicat et fruité (abricot sec) frétille de fraîcheur comme une truite de torrent.

Ballot-Millot et Fils, 9, rue de la Goutte-d'Or, 21190 Meursault, tél. 03.80.21.21.39, fax 03.80.21.65.92, e-mail ballotmillotetfils@hotmail.com r.-v.

**ROGER BELLAND**
Morgeot-Clos Pitois Monopole 2003 ★

■ 1er cru 1,71 ha 6 000 15 à 23 €

Très apprécié au XIXe s. et considéré alors comme l'une des figures de proue de l'appellation, le Clos Pitois est un monopole, à la limite de Santenay. Carmin foncé, ce 2003 se révèle dans toute sa jeunesse. Boisés, ses arômes vont à la cerise confite. La surmaturation du millésime se traduit par des tanins présents aujourd'hui, sans nuire à une certaine élégance dans un contexte un peu sévère. A ouvrir ou à attendre un an.

Dom. Roger Belland, 3, rue de la Chapelle, BP 13, 21590 Santenay, tél. 03.80.20.60.95, fax 03.80.20.63.93, e-mail belland.roger@wanadoo.fr r.-v.

**DOM. CHRISTIAN BERGERET ET FILLE**
2002 ★

0,37 ha n.c. 11 à 15 €

Domaine immémorial. Il est probable que cette famille travaillait déjà la vigne et le vin du temps de Philippe Pot, l'homme de confiance de Charles le Téméraire. Son chassagne a un joli visage jaune paille. Il s'entoure de parfums d'agrumes, un peu exotiques ou du moins méridionaux (citron, pamplemousse). Son attaque cède très vite le pas à un sentiment de gras, à un moelleux animé par une double touche très opportune de minéralité et de vivacité. A déguster maintenant ou plus tard selon votre bon plaisir. Il ouvrira l'appétit en apéritif puis accompagnera vos entrées de poisson ou crustacés nobles.

EARL Dom. Christian Bergeret et Fille, 11, rue des Huiliers, 21340 Nolay, tél. 03.80.21.71.93, fax 03.80.21.85.36 r.-v.

**JEAN-CLAUDE BOISSET** 2003 ★

■ 0,8 ha 1 200 11 à 15 €

La maison Jean-Claude Boisset constitue depuis 2005 avec ses filles la Famille des Grands Vins et Spiritueux (F.G.V.S.). Rouge intense et violacé, le pinot noir manifeste d'emblée un caractère déterminé. Ses parfums de cassis, de cerise noire oubliée sur l'arbre confortent la démarche. S'il est déjà riche en fruits, son corps porte encore une culotte courte. Normal à cet âge. Un vin qu'il faut mettre durant deux ans en cave, afin d'arrondir ses tanins et de le laisser renforcer son gras.

Jean-Claude Boisset, 5, quai Dumorey, 21700 Nuits-Saint-Georges, tél. 03.80.62.61.61, fax 03.80.62.61.72, e-mail jcb@jcboisset.com

**DOM. BORGEOT** 2003

0,6 ha 4 000 15 à 23 €

Or blanc, limpide, il bénéficie d'un nez d'amande fraîche, légèrement floral, discrètement vanillé, présentant une certaine complexité. L'attaque est droite puis le tempérament devient minéral. Dans l'immédiat cette bouteille est vertueuse et assez austère. Attendons mais pas trop.

Dom. Borgeot, rte de Chassagne, 71150 Remigny, tél. 03.85.87.19.92, fax 03.85.87.19.95 r.-v.

**CH. DE LA CHARRIERE**
Les Champs de Morjot 2003 ★

■ 0,43 ha 2 680 8 à 11 €

En *village* Morgeot s'écrit Morjot, allez donc savoir pourquoi... Carminé, ce vin embaume la framboise écrasée. Il emplit la bouche d'une matière appréciable, d'une chair fondante aux tanins fondus jusque dans une finale fruitée légèrement réglissée, élégante. Une dégustatrice rêve d'un mignon de porc sauce au vin...

Yves Girardin, Ch. de la Charrière, 1, rte des Maranges, 21590 Santenay, tél. 03.80.20.64.36, fax 03.80.20.66.32 r.-v.

BOURGOGNE

DOM. DE LA CHOUPETTE 2003

■ 0,21 ha 1 000 11 à 15 €

Des frères jumeaux gèrent le domaine avec l'aide de leur mère. Entrée à la cuverie dès le 20 août 2003, la récolte donne un *village* rouge à la robe classique et légère. Réglisse et cerise burlat forment un couple aromatique bien assorti. Choupette un peu fluette mais évitant sagement les excès de l'extraction, restant dans la bonne mesure (finesse). Conviendra fort bien à un rôti de veau aux légumes printaniers.

EARL Dom. de La Choupette, Gutrin Fils,
2, pl. de la Mairie, 21590 Santenay,
tél. et fax 03.80.20.65.70 t.l.j. 8h-12h 14h-18h
Ph. et J.-C. Gutrin

DOM. COFFINET-DUVERNAY
Les Blanchots 2003

1er cru 0,5 ha 1 200 15 à 23 €

Blanchots du Dessous, village niché contre l'épaule des criots-bâtard-montrachet en grand cru. L'or blanc soutenu habille un nez au grillé très marqué. Ses onze mois de fût marquent un peu son bouquet. L'attaque en bouche laisse pressentir une acidité qui sera positive. Le corps, la structure donnent une impression favorable : vivacité à la prise de contact, présence plus imposante ensuite.

Dom. Coffinet-Duvernay,
7, pl. Saint-Martin, 21190 Chassagne-Montrachet,
tél. 03.80.21.32.12, fax 03.80.21.91.69,
e-mail dom.coffinet.duvernay@cario.fr r.-v.

BERNARD COLIN ET FILS
Les Macherelles 2002 ★

1er cru n.c. n.c. 15 à 23 €

Nous nous trouvons ici côté puligny. Un 1er cru signé par notre coup de cœur 2002 qui a d'ailleurs obtenu vingt-et-une étoiles et trois distinctions suprêmes ces dernières années. Pas mal ! Le fond de l'œil est ici or gris-vert. Le nez est assez vanillé : le fruit jaune doré doit jouer des coudes pour prendre part à la fête. Typicité convaincante, acidité suffisante, longueur moyenne mais fraîche, assez minérale, élégante.

Bernard Colin et Fils, 22, rue Charles-Paquelin,
21190 Chassagne-Montrachet, tél. 03.80.21.92.40,
fax 03.80.21.93.23 t.l.j. 9h-12h 14h-19h; dim. sur r.-v.

DEMESSEY Morgeot 2003 ★

1er cru n.c. 900 30 à 38 €

Pour employer une expression du cru, un vin qui satisfait la bouche. Vous comprenez qu'il n'a pas l'âme d'un lévrier, mais qu'il franchit rapidement l'étape d'une attaque légère pour traiter le sujet avec sérieux et application. Rond sans doute. L'œil et le nez inspirent la sympathie (nuances de fleurs blanches et briochées).

Marc Dumont, Ch. de Messey, 71700 Ozenay,
tél. 03.85.51.33.83, fax 03.85.51.33.82,
e-mail vin@demessey.com
t.l.j. sf sam. dim. 8h-12h 14h-17h

DUPERRIER-ADAM 2002 ★

0,71 ha 2 000 11 à 15 €

Petit domaine établi sur moins de 5 ha. Les tempes gris argenté : on devine le séducteur. Il y a de la lumière dans cette robe ! Le nez ? Un coffre aux trésors : des notes pralinées évoluant vers le menthol et le citron. Bel équilibre entre la jeunesse et la maturité, le calme et l'influx. Large palette de saveurs allant du grillé et du miellé aux agrumes acides. Le tout est rafraîchissant, désaltérant.

SCA Duperrier-Adam, 3, pl. des Noyers,
21190 Chassagne-Montrachet, tél. et fax 03.80.21.31.10
t.l.j. 9h-12h 14h-17h; sam. dim. et août sur r.-v.

ALEX GAMBAL 2003

0,28 ha 1 784 15 à 23 €

Il y avait un Américain à Paris. Il y a maintenant un Américain en Bourgogne et Alex Gambal se développe encore avec, en 2005, l'achat et la rénovation d'une ancienne maison de vin à Beaune. Son chassagne se situe à un niveau correct dans l'appellation. Paille à reflets verts intenses, il hésite encore un peu entre le floral et le grillé. Même décor en bouche : il peut paraître sévère mais son élevage doit se poursuivre deux ans au moins.

Maison Alex Gambal, 14, bd Jules-Ferry,
21200 Beaune, tél. 03.80.22.75.81, fax 03.80.22.21.66,
e-mail alexgambal@wanadoo.fr r.-v.

HENRI DE VILLAMONT Morgeot 2003 ★

1er cru n.c. 657 15 à 23 €

Maison sous pavillon helvétique (le groupe Schenk à Rolle), Henri de Villamont appartient maintenant à la noblesse de la Côte quand bien même ce personnage n'aurait jamais existé. Noblesse de robe : cet or pâle à reflets émeraude. Noblesse des sentiments nourris ici par la pêche et la brioche. Noblesse de naissance car on rencontre au palais la douceur élégante, la richesse épicée, l'esprit vif de l'homme de cour. Ce 2003 mérite toutefois un peu de repos avant de s'exprimer pleinement.

SA Henri de Villamont, 2, rue du Dr-Guyot,
21420 Savigny-lès-Beaune, tél. 03.80.24.70.07,
fax 03.80.22.54.31, e-mail hdv@contact.fr
t.l.j. sf mar. 10h-18h30;
jeu. 14h-18h30; f. 15 nov.-15 mars

GABRIEL ET PAUL JOUARD
Les Chaumées Clos de la Truffière 2003 ★

1er cru 0,85 ha 2 000 15 à 23 €

*Respiciamus atque prospiciamus*, telle pourrait être la devise de ce viticulteur formé à la viti de Beaune car c'est celle du lycée. Regardons en effet derrière nous et devant nous ! Ce vin est néanmoins à savourer dans les temps qui viennent. S'il n'est pas de garde, il permet de goûter sans retard une robe doré pâle mignonne comme tout, un nez assez complexe et la souplesse d'un chardonnay riche et gras. Sixième génération au domaine : beaucoup de monarchies durent moins longtemps...

Dom. Gabriel et Paul Jouard,
3, rue du Petit-Puits, 21190 Chassagne-Montrachet,
tél. 03.80.21.94.73, fax 03.80.21.91.34,
e-mail domgetpauljouard@club-internet.fr r.-v.

MARQUIS DE LAGUICHE 2002 ★★★

n.c. n.c. 38 à 46 €

Du haut du paradis, c'est l'abbé Colin qui va être content ! Avant la maison Joseph Drouin, il fut en effet le régisseur du prestigieux domaine de Laguiche, l'une des rares propriétés bourguignonnes antérieures à la Révolution et demeurées familiales (Clermont-Montoison). A tout seigneur tout honneur : coup de cœur sous son étendard doré clair, il chevauche en tête du cortège des cent onze vins dégustés. Le miel et le fruit assurent une merveilleuse continuité au bouquet, au palais. Une petit pointe de silex aiguise les papilles. Que c'est bon, et si complexe ! Coûteux pour un *village*, mais quand l'excellence confirme la réputation à quels sacrifices ne consentirait-on pas ?

Maison Joseph Drouhin, 7, rue d'Enfer, 21200 Beaune, tél. 03.80.24.68.88, fax 03.80.22.43.14, e-mail maisondrouhin@drouhin.com r.-v.

## DOM. HUBERT LAMY

La Goujonne Vieilles Vignes 2003 ★★

■ 1,7 ha 3 000 15 à 23 €

La famille Lamy fait souche à Saint-Aubin depuis le milieu du XVIIe s. Il n'est donc pas étonnant de lui trouver quelques vignes sur Chassagne. Celles-ci se situent nettement au levant. Un beau rouge grenat foncé habille ce millésime qui s'installe en bouche avec sa mâche et son gras. Ses arômes vont de la burlat à la cerise à l'eau-de-vie. Concentré, assez épais, c'est un vin de pied de côte trop jeune pour être bu maintenant ; choisir dans trois à cinq ans un magret de canard au poivre vert.

Dom. Hubert Lamy, Le Paradis, 21190 Saint-Aubin, tél. 03.80.21.32.55, fax 03.80.21.38.32 r.-v.

Olivier Lamy

## DOM. LAMY-PILLOT 2003 ★

■ 2,25 ha 7 500 11 à 15 €

La Bourgogne viti-vinicole suscite un attachement à la terre assez rare au XXIe s. Songez donc ! Au domaine arrivent successivement une fille, son mari et puis une autre fille et son mari. Il est vrai que sur 19 ha on a de quoi s'occuper. Rouge violacé, le nez cerise fraîche, ce 2003 conserve sa nature de vin jeune. Un souffle assez chaud, une rétro façon groseille, c'est bon à très bon. Ne pas attendre au-delà de fin 2006 pour lui offrir des cailles rôties.

Dom. Lamy-Pillot, 31, rte de Santenay, 21190 Chassagne-Montrachet, tél. 03.80.21.30.52, fax 03.80.21.30.02, e-mail contact@lamypillot.fr r.-v.

## RENE LEQUIN-COLIN Morgeot 2002 ★

■ 1er cru 0,31 ha 1 341 15 à 23 €

La famille s'endetta jadis sur cent ans pour élargir son champ de manœuvre. Elle se félicite aujourd'hui de ces courageux efforts. Rubis violet, son Morgeot ne se cantonne pas dans des arômes vanillés. Il évolue vers le sous-bois et même un peu de fruit. La bouche attaque avec du nerf et n'a nul besoin d'être réveillée par les tanins. Une allusion au noyau de cerise fixe l'attention sur la finale.

René Lequin-Colin, 10, rue de Lavau, 21590 Santenay, tél. 03.80.20.66.71, fax 03.80.20.66.70, e-mail renelequin@aol.com r.-v.

## CH. DE LA MALTROYE

Morgeot Vigne blanche 2003 ★

□ 1er cru 1,06 ha 4 400 23 à 30 €

Coup de cœur en 2005 et déjà (pour ce même vin) en 2004, le château de la Maltroye dispose ici de solides références. Son **1er cru Clos du Château 2003 blanc** chante agréablement l'aubépine et le pamplemousse, mais la fleur est encore en bouton. C'est aussi le cas de cette Vigne blanche en Morgeot. Certes, sa robe est pleine de feu et son bouquet bien ouvert sur des note briochées, d'abricot sec. Son corps un peu resserré attendra cependant deux à trois ans en cave pour se libérer tout à fait. Comme il s'agit seulement du milieu de bouche, comme l'entame est franche et comme la finale se montre délicate, à garder avec confiance. Avec la **Romanée 1er cru blanc 2003 (38 à 46 €)**, ce château obtient sa troisième étoile dans cette appellation.

Ch. de la Maltroye, 16, rue de la Murée, 21190 Chassagne-Montrachet, tél. 03.80.21.32.45, fax 03.80.21.34.54, e-mail chateau.maltroye@wanadoo.fr r.-v.

Jean-Pierre Cournut

## DOM. PATRICK MIOLANE La Canière 2003

□ 1,3 ha 6 000 15 à 23 €

Coup de cœur en 2003 pour ce même *climat* en 99 rouge. Le 2003 se présente cette fois en blanc sous des traits pâles, agréables au regard. Largement fondue, la vanille du fût laisse place à la fleur blanche encore discrète. Bonne attitude en bouche également boisée, selon une physionomie tendre et minérale. Sa droiture apparaîtra dans un an ou deux.

Dom. Patrick Miolane, Derrière chez Edouard, 21190 Saint-Aubin, tél. 03.80.21.31.94, fax 03.80.21.30.62, e-mail domainepatrick.miolane@wanadoo.fr r.-v.

## CAVE DES MOINES 2002

□ n.c. 3 000 23 à 30 €

Cette vénérable maison beaunoise est passée dans le giron de Prosper Maufoux il y a vingt ans. Depuis les années 2000, elle s'attache surtout à la grande distribution. Le caddy accueillera volontiers ce *village* doré sur tranche. Ses arômes ont quelque chose de minéral. Les amateurs éclairés y reconnaîtront peut-être un parfum crayeux. Quant à la bouche, c'est un divan, un lit de repos, onctueux, moelleux... A la limite de la surmaturation mais pour être gras, il est gras !

Naudin-Varrault, 1, pl. du Jet-d'Eau, 21590 Santenay, tél. 03.80.20.60.40, fax 03.80.20.63.26, e-mail maisondesgrandscrus@wanadoo.fr

Robert Fairchild

## DOM. BERNARD MOREAU ET FILS

Les Chenevottes 2003 ★

□ 1er cru n.c. 880 23 à 30 €

Quel rapport entre cette bouteille et la Pyramide du Louvre ? Tout près de ce *climat* (face au montrachet de l'autre côté de la RN 6) se trouve la carrière d'où l'architecte I.M. Peï a tiré 7 600 m² de pierre pour composer le sol de son ouvrage. Ce Chenevottes n'a pourtant pas un caractère de pierre à fusil. Il évoque davantage la vanille, la pêche blanche. Plus élégant que puissant, il parviendra en 2006 à maturité. Voir avec intérêt le **1er cru la Maltroie 2003 blanc** : ample et gras, il possède la touche minérale du chassagne. Il obtient une étoile.

Dom. Bernard Moreau et Fils, 3, rte de Chagny, 21190 Chassagne-Montrachet, tél. 03.80.21.33.70, fax 03.80.21.30.05 r.-v.

DOM. MOREY-COFFINET Blanchots Dessus 2002

| | 1er cru | 0,08 ha | 520 | 23 à 30 € |
|---|---|---|---|---|

Quand on sait que les Blanchots Dessus ont bien failli devenir grand cru à la fin des années 1930 et qu'un chemin les sépare seulement du... montrachet, on y regarde de plus près. Deux ouvrées mais si avantageusement situées pour un 2002 limpide et brillant. Le nez vanillé s'ouvre sur la mie de pain cependant qu'au palais le charme embellit le caractère. Sa longueur est moyenne, son tempérament assez strict.

Dom. Michel Morey-Coffinet, 6, pl. du Grand-Four, 21190 Chassagne-Montrachet, tél. 03.80.21.31.71, fax 03.80.21.90.81, e-mail morey.coffinet@wanadoo.fr r.-v.

LUCIEN MUZARD ET FILS 2003 ★★

| | n.c. | 900 | 15 à 23 € |
|---|---|---|---|

Dans la vigne on ne craint pas les parents âgés. Ainsi cet enfant de vieux ceps ! Certes, il est bien jeune. Mais il est déjà très grand. On ne mettrait pas dans sa robe une once de couleur en plus. La cerise et la vanille s'accordent parfaitement. Quant au palais, il énumère tous les compliments que peut recevoir cette appellation en pinot noir : étoffe, ampleur, velours, richesse généreuse. La race en un mot. Et c'est un *village* pas même un 1er cru !

Lucien Muzard et Fils, 11, rue de la Cour-Verreuil, BP 25, 21590 Santenay, tél. 03.80.20.61.85, fax 03.80.20.66.08, e-mail lucien-muzard-et-fils@wanadoo.fr r.-v.

PIERRE OLIVIER Les Embazées 2002 ★

| | 1er cru | n.c. | 3 800 | 8 à 11 € |
|---|---|---|---|---|

Ce 1er cru borde le finage de Santenay. Or vert d'une tonalité bien marquée, il rappelle la mémoire d'un certain Ambassiacus dont la *villa* gallo-romaine se trouvait ici. Ambassiacus, Embazées... Son bouquet assez démonstratif inspire à nos dégustateurs des souvenirs de poire cuite et de mangue séchée... Noisette et citron sont par la suite plus habituels. L'expression est forte, persistante, entière. Pierre Olivier est un enfant de la maison Moillard.

Pierre Olivier, 2, rue François-Mignotte, 21700 Nuits-Saint-Georges, tél. 03.80.62.42.08, fax 03.80.61.28.13 t.l.j. 10h-18h; f. jan.

PATRIARCHE PERE ET FILS 2003 ★

| | n.c. | 3 752 | 38 à 46 € |
|---|---|---|---|

Reprenant en 1941 la petite maison Patriarche Père et Fils, André Boisseaux (1909-1998) allait en faire le vecteur d'un formidable développement (Kriter, Château de Meursault, acheteur-vedette aux Hospices de Beaune, etc.). Le groupe demeure familial. Son chassagne 2003 se présente sur fond or jaune. Le nez est frais : aubépine, acacia, agrumes. La bouche n'a pas beaucoup de relief lors de l'attaque, mais elle se ressaisit par un mouvement minéral et racé. Rétro citron-pamplemousse. De bonne et heureuse lignée.

Patriarche Père et Fils, 5, rue du Collège, 21200 Beaune, tél. 03.80.24.53.01, fax 03.80.24.53.03 t.l.j. 9h30-11h30 14h-17h30

DOM. MICHEL PICARD Les Chaumées 2002 ★★

| | 1er cru | 0,5 ha | 2 900 | 30 à 38 € |
|---|---|---|---|---|

Voilà des siècles que ces Messieurs de Chagny montent à Chassagne pour y prendre pied. Sans doute les droits seigneuriaux ont-ils disparu, mais Michel Picard illustre cette très ancienne attraction. Il s'est établi au château tout en créant table et chambre d'hôtes. Ces Chaumées (un 1er cru côté Saint-Aubin), grenat sombre, sont très aromatiques et complexes (framboise, sous-bois). La bouche introduit dans sa sérénité comblée une utile pointe d'acidité. A ouvrir ou à garder, selon votre choix.

Maison Michel Picard, 5, rue du Château, 21190 Chassagne-Montrachet, tél. 03.80.21.98.63, fax 03.80.21.97.83, e-mail francine.picard@m-p.fr r.-v.

PIGUET-GIRARDIN Les Morgeots 2003

| | 1er cru | 0,5 ha | 1 500 | 11 à 15 € |
|---|---|---|---|---|

En rouge (comme ici) ou en blanc, le Morgeot comporte beaucoup de variété. Bien structuré, riche de corps et d'esprit, celui-ci porte une robe grenat foncé. L'aération lui est utile : son nez s'ouvre alors sur le sous-bois, la mousse, les épices nées de son élevage en fût. Pain grillé, amande grillée, on reste en bouche sur cette impression mais il y a du vin. Il attaque bien et garde la longueur. A ne pas déboucher avant une bonne année.

Dom. Piguet-Girardin, rue du Meix, 21190 Auxey-Duresses, tél. 03.80.21.60.26, fax 03.80.21.66.61, e-mail piguet.girardin@tiscali.fr r.-v.

PAUL PILLOT La Romanée 2003 ★

| | 1er cru | 0,4 ha | 2 400 | 30 à 38 € |
|---|---|---|---|---|

Mais oui, il existe aussi une Romanée en chassagne-montrachet ! Blanche il va sans dire, remarquablement servie par cette bouteille or vert à reflets gris argent. Très expressive sur des accents toastés, d'épices (muscade), de caramel au lait, elle tempère en bouche l'amande grillée par les fruits jaunes (abricot surtout). De bout en bout un velours suave et mûr déroule sous ses pas le plus doux des tapis. Notez aussi sur vos tablettes le **1er cru Clos Saint-Jean 2002 rouge (15 à 23 €)**, nuance tendre. Chrystelle Pillot a rejoint en 2003 son frère Thierry pour exploiter les 13 ha de leur père.

Paul Pillot, 3, rue du Clos-Saint-Jean, 21190 Chassagne-Montrachet, tél. 03.80.21.31.91, fax 03.80.21.90.92, e-mail paul-pillot@wanadoo.fr r.-v.

MAISON G. PRIEUR Morgeot 2002 ★

| | 1er cru | n.c. | n.c. | 15 à 23 € |
|---|---|---|---|---|

Sous sa robe rubis d'intensité moyenne, le nez est enveloppé. Il rappelle ces soirées familiales et laborieuses où, en Bourgogne, l'on « faisait du bourgeon de cassis » : on préparait les bourgeons à l'intention des parfumeurs et cela procurait un revenu d'appoint. Acidité et tanins ne posent ici aucun problème. Framboisée, la bouche est avenante mais elle peut attendre deux ans.

Maison G. Prieur, 21590 Santenay-le-Haut, tél. 03.80.20.60.56, fax 03.80.20.64.31 r.-v.

DOM. VINCENT PRUNIER 2003 ★

| | 0,25 ha | 1 600 | 11 à 15 € |
|---|---|---|---|

*Veni, vidi, viti*, pourrait dire Vincent Prunier, ancien élève du lycée viticole de Beaune. Il présente une belle cuvée vendangée le 25 août 2003. Et ces dates-là, on n'est pas près de les oublier ! Pourpre carminé, profond et doux comme du velours, l'œil demeure séduit tandis que le nez s'affaire. Cuir, sous-bois et fruits confits, c'est à coup sûr un style. Bien fait, assez complet, il offre une bouche plutôt sévère. Celle-ci va acquérir de la convivialité, mais pas avant deux à trois ans minimum. C'est vite passé...

🔑 Dom. Vincent Prunier,
rte de Beaune, 21190 Auxey-Duresses,
tél. 03.80.21.27.77, fax 03.80.21.68.87 ☑ 🍷 ✋ r.-v.

### CH. DE PULIGNY-MONTRACHET 2002 ★★

▒ 0,9 ha 4 500 ⓘ 23 à 30 €

VÉRITÉ CONTRE TOUT
2002
CHASSAGNE-MONTRACHET
APPELLATION CHASSAGNE-MONTRACHET CONTRÔLÉE
MISE AU DOMAINE
CHÂTEAU DE PULIGNY-MONTRACHET
PROPRIÉTAIRE À PULIGNY-MONTRACHET (CÔTE-D'OR)


Un rayon de soleil dans la nuit des caves : le coup de cœur distingue en effet ce chassagne du plus bel éclat doré. Ses arômes sont de croûte chaude, de mie odorante. Les coups de nez se succédant, on passe à des notes épicées et citronnées. La bouche confirme ces savoureuses sensations. Tombé dans l'escarcelle du Crédit Foncier de France et du groupe des Caisses d'Epargne, ce domaine fut auparavant (et partiellement) la propriété de Roland Thévenin le poète-vigneron puis de la famille chablisienne Laroche associée à des Australiens.
🔑 Ch. de Puligny-Montrachet,
21190 Puligny-Montrachet, tél. 03.80.21.39.14,
fax 03.80.21.39.07, e-mail e.demontille@wanadoo.fr
☑ r.-v.
🔑 Crédit Foncier, Groupe Caisse d'Epargne

### SORINE ET FILS Vieilles Vignes 2003

■ 0,45 ha 2 100 ⓘ 8 à 11 €

Sous le hameau de Morgeot, un terroir de piémont donnant un vin plein de bonhomie. Rustique ? Ce n'est pas un défaut. Sa teinte est plaisante, son bouquet éveillé, sa bouche assez chaude et onctueuse. L'ensemble est flatteur et, tout compte fait, aimable sur un bœuf bourguignon.
🔑 Dom. Sorine et Fils, 4, rue Petit, Le Haut-Village,
21590 Santenay, tél. 06.86.98.04.77, fax 03.80.20.61.65
☑ 🍷 ✋ r.-v.

## Saint-aubin

Saint-Aubin est dans une position topographique voisine des Hautes-Côtes ; mais une partie de la commune joint Chassagne au sud et Puligny et Blagny à l'est. Les Murgers des Dents de Chien, premier cru de saint-aubin, se trouvent même à faible distance des chevalier-montrachet et des Caillerets. Le vignoble s'est un peu développé en rouge (2 431 hl), mais c'est en blanc (6 137 hl) qu'il atteint le meilleur.

### BADER-MIMEUR En Remilly 2002 ★

▒ 1er cru 0,5 ha 3 000 ⓘ 11 à 15 €

Si vous aviez la carte sous les yeux... Remilly est à deux pas du... montrachet. En personne ! La famille Bader-Mimeur possède une partie du château de Chassagne. D'un jaune peu soutenu (c'est aussi bien), un vin dont le bouquet épicé et vanillé n'a pas tout dit. S'il ne dispose pas d'une structure considérable, il est assez rond et minéral, bien fait.
🔑 Bader-Mimeur,
1, chem. du Château, 21190 Chassagne-Montrachet,
tél. 03.80.21.30.22, fax 03.80.21.33.29,
e-mail info@bader-mimeur.com ☑ 🍷 ✋ r.-v.
🔑 Fossier

### ALBERT BICHOT Les Cortons 2002

■ 1er cru n.c. 12 000 ⓘ 15 à 23 €

Créée en 1831, la maison Albert Bichot est dirigée par les descendants du fondateur. Ce saint-aubin est puissant, très frais encore, tant par son nez de fruits rouges que par sa robe grenat intense aux reflets bleutés et noirs. Charnu, plein, charpenté sans excès, il saura accompagner des viandes rôties pendant deux ou trois ans.
🔑 Maison Albert Bichot, 6 bis, bd Jacques-Copeau,
21200 Beaune, tél. 03.80.24.37.37, fax 03.80.24.37.38,
e-mail bourgogne@albert-bichot.com

### DOM. BILLARD Vigne Moingeon 2003

▒ 1er cru 0,67 ha 2 000 ⓘ 11 à 15 €

On pourrait presque évoquer une vendange tardive dans ce millésime car on nous parle du 5 septembre 2003 ! Jaunissant légèrement sur la nuance paille, il montre un petit bout de nez noisette et vanille, discrètement exotique. La bouche s'élargit sur le fruit bien mûr, puis elle devient très suave. Cela s'explique : on a laissé longtemps les raisins sur pied. Choisir un poisson à la crème.
🔑 Dom. Billard, rte de Chambéry, 21340 La Rochepot,
tél. 03.80.21.87.94, fax 03.80.21.72.17, e-mail billardetfils-@aol.com ☑ 🍷 ✋ r.-v.

### DOM. DE BRULLY Les Cortons 2003 ★

▒ 1er cru 1,67 ha 3 000 ⓘ 15 à 23 €

Roux Père et Fils : ici Christian, côté fils. Le long de la route qui mène à Gamay, ce *climat* homonyme du célèbre grand cru fournit un chardonnay qui suit le conseil de La Bruyère : « Ayez, si vous pouvez, un langage simple. » Or blanc, sans complication aromatique, il est aimable et gras. Rétro miellée et bonne longueur finale. A servir dans l'année. Coup de cœur en 2001 pour le millésime 98. Autre vin, propriété de Régis Roux (même adresse, même téléphone), le **1er cru blanc Les Cortons 2003, Domaine de Vallière** obtient une étoile.
🔑 Dom. de Brully, 21190 Saint-Aubin,
tél. 03.80.21.32.92, fax 03.80.21.35.00,
e-mail roux.pere.et.fils@wanadoo.fr
🔑 Christian Roux

### DOM. MARC COLIN ET FILS En Remilly 2003

▒ 1er cru 1,62 ha 6 000 ⓘ 11 à 15 €

*Chi va piano...* On ne s'est pas précipité : des raisins coupés le 1er septembre. Doré sur tranche, un Remilly gentiment floral (aubépine, acacia) et qui ne laisse pas les papilles indifférentes (accents minéraux, poivrés). Un peu vif et pointu, mais l'affaire n'est pas à conclure dans la seconde... Choisir alors un loup grillé au fenouil. Ce même vin millésime 99 eut le coup de cœur en 2002.
🔑 Marc Colin et Fils,
1, rue de la Chatenière, 21190 Saint-Aubin,
tél. 03.80.21.30.43, fax 03.80.21.90.04 ☑ 🍷 r.-v.

## BERNARD COLIN ET FILS En Remilly 2002

| 1er cru | 0,43 ha | n.c. | 11 à 15 € |
|---|---|---|---|

Vingt et une étoiles et trois coups de cœur ces dernières années, dans toutes les appellations du domaine. Eh ! oui, cette cave ressemble à la voie lactée. Son Remilly 2002 se pare d'une tendre couleur. Cette délicatesse, disons cette pudeur, se confirme quand on hume ce bouquet au grillé bien fondu. N'attendez pas un chardonnay très complexe mais plutôt la finesse de l'émotion et toujours ce léger retrait. Il y a ainsi des bouteilles qu'on doit courtiser un brin pour qu'elles se libèrent...

Bernard Colin et Fils, 22, rue Charles-Paquelin, 21190 Chassagne-Montrachet, tél. 03.80.21.92.40, fax 03.80.21.93.23 t.l.j. 9h-12h 14h-19h; dim. sur r.-v.

## L'ECHANSONNERIE
Les Murgers des Dents de Chien 2002

| 1er cru | 1,1 ha | 4 500 | 46 à 76 € |
|---|---|---|---|

On est toujours un peu interloqué de lire sur l'étiquette : l'Echansonnerie de l'Ordre du Goût'Vinage de France... Au-delà du moliéresque, cette bouteille n'est pas indigne de figurer ici. Jaune mordoré, elle fait son âge mais garde du tonus. Sur une tonalité fruitée, raisonnablement boisée, elle reste d'une ampleur et d'une longueur moyennes tout en étant vive et presque fougueuse.

Echansonnerie du Goût Vinage, 6, rte de Moince, 57420 Louvigny, tél. 03.87.69.79.69, fax 03.87.69.71.13

## JEAN-CHARLES FAGOT 2003

| 1er cru | 0,27 ha | 2 000 | 11 à 15 € |
|---|---|---|---|

Une auberge est liée à l'exploitation : on ne se contente pas ici de remplir votre verre. L'assiette suit. Petit domaine (3 ha), petit négoce (une vingtaine de pièces). Petit vin ? Pas du tout ! Doré brillant, il a le nez plaisant à l'invite (vanille et miel). Onctueux, soyeux, son fruit conduit à un dénouement goûteux. Un peu juste en acidité mais ce n'est pas dramatique.

Jean-Charles Fagot, 5, rue de l'Eglise, 21190 Corpeau, tél. 03.80.21.30.24, fax 03.80.21.38.81, e-mail jeancharlesfagot@free.fr r.-v.

## JEAN-CHARLES FORNEROT
La Chatenière 2002 ★

| 1er cru | 0,6 ha | 2 000 | 11 à 15 € |
|---|---|---|---|

*God save... the British wine !* Cette famille a fourni en effet, il y a un demi-siècle, les pieds du vignoble d'Hambledon créé non pas par la reine (comme on le raconte aujourd'hui), mais par son ancien chef du protocole ; elle n'en est pas peu fière ! Quant à cette Chatenière, elle pourrait être présentée à Buckingham Palace. La robe rappelle les joyaux de la Couronne. Les arômes chantent l'églantine, la vanille et le miel. La bouche sait faire la révérence et tenir assez longtemps la pose. Encore un peu sur le fût, ce 2002 sera sûrement au mieux de sa forme à la mi-2006.

Jean-Charles Fornerot, 17, rue du Jeu-de-Quilles, 21190 Saint-Aubin, tél. 03.80.21.32.81, fax 03.80.21.97.70 r.-v.

## MICHEL LAMANTHE 2002

| 1er cru | 0,35 ha | 2 500 | 8 à 11 € |
|---|---|---|---|

Vif et rafraîchissant, un peu rapide mais de bonne tenue, il tire parti d'une touche citronnée. On ne peut rien reprocher à sa couleur or émeraude, ni à la fleur naissante de son bouquet évoquant encore l'amande grillée. Il chardonne suffisamment.

Michel Lamanthe, 21, rue des Perrières, 21190 Saint-Aubin, tél. 03.80.21.33.23, fax 03.80.21.93.96

## HUBERT LAMY Les Frionnes 2003 ★★

| 1er cru | 2,4 ha | 7 000 | 15 à 23 € |
|---|---|---|---|

Il faut savoir que ce domaine familial remonte à 1640. Chapeau bas ! Coup de cœur en 1999, 2001 et 2003, ce domaine réussit l'exploit d'être numéro un tant en **rouge 1er cru Derrière chez Edouard 2003** qu'en blanc. Somptueuses Frionnes en effet. Filé d'or et de soie, le chardonnay sur calcaire mène ici grand train. L'aération révèle des arômes d'orange amère, de pain d'épice, évoluant en retour sur la mie de pain, le pain grillé. Acidité, tanins, tout est au point et se conclut par un gras avenant, caressant l'arrière-bouche. Et complexe s'il vous plaît ! A vous faire tout oublier... Avec **En Rémilly blanc 2003**, vous ne serez pas déçu non plus (une étoile).

Dom. Hubert Lamy, Le Paradis, 21190 Saint-Aubin, tél. 03.80.21.32.55, fax 03.80.21.38.32 r.-v.

Olivier Lamy

## SYLVAIN LANGOUREAU Les Frionnes 2003 ★★

| 1er cru | 0,3 ha | 1 400 | 11 à 15 € |
|---|---|---|---|

Le millésime 96 de Sylvain Langoureau a reçu le coup de cœur trois ans plus tard. Arrivé second du grand jury en blanc, ce vin n'est pas loin du grand pavois. Une robe de lumière, un bouquet fleuri et pur (aubépine, chèvrefeuille), il s'ouvre très bien sur des notes miellées. Au nez comme au palais, on sent le raisin, on le devine. Souple et présent, il met tout son cœur dans l'affaire. Opulente, confortable, la finale est en chaise longue...

Sylvain Langoureau, hameau de Gamay, 20, rue de la Fontenotte, 21190 Saint-Aubin, tél. et fax 03.80.21.39.99 r.-v.

## DOM. LARUE Murgers des Dents de Chien 2003 ★

| 1er cru | 1 ha | 6 000 | 15 à 23 € |
|---|---|---|---|

Les Murgers sont des tas de cailloux réunis au fil des siècles ; les Dents de Chien des parcelles effilées. D'où ce nom et ce site privilégié, tout proche en effet du montrachet et de sa parenté immédiate. Citronnée à reflets verts, la bouteille enveloppe de parfums grillés un nez de fruits confits, d'orange amère. Ronde et structurée, elle a du gras. Le raisin bien mûr assure une finale soutenue. De la grume à grumer !

Dom. Larue, 32, rue de la Chatenière, 21190 Saint-Aubin, tél. 03.80.21.30.74, fax 03.80.21.91.36, e-mail dom.larue@wanadoo.fr r.-v.

DOM. MAROSLAVAC-LEGER
Les Murgers des Dents de Chien 2002 ★

| 1er cru | 0,68 ha | 4 500 | 15 à 23 € |
|---|---|---|---|

Bien constitué mais encore jeune, il porte une robe claire et lumineuse. Fermé tout d'abord sur le pain grillé, son bouquet s'ouvre sur des notes de pain d'épice et de sous-bois humide. Les fruits blancs embellissent une bouche correctement équilibrée (acidité et tanins). Tonique mais à oublier deux ans, pas davantage.
Roland Maroslavac, Dom. Maroslavac-Léger, 43, Grande-Rue, 21190 Puligny-Montrachet, tél. 03.80.21.31.23, fax 03.80.21.91.39, e-mail maroslavac-leger@wanadoo.fr r.-v.

DOM. PATRICK MIOLANE 2003 ★

| | 1,36 ha | 6 600 | 8 à 11 € |
|---|---|---|---|

Le saint-aubin est un vin qu'il faut savoir dénicher. En montant sur les hauteurs de la Côte, on découvre des prix souvent raisonnables pour une qualité analogue à celle de crus plus réputés. Ainsi ce *village* en habit de soie dorée, d'une limpidité extrême. Son nez bien dégagé propose une étape chaleureuse sur des notes briochées. Bon reflet de l'été fabuleux qui l'a mûri, il débute par une attaque riche et épanouie, prend un air noisette en milieu de bouche et disparaît ensuite dans un delta où on le perd de vue.
Dom. Patrick Miolane, Derrière chez Edouard, 21190 Saint-Aubin, tél. 03.80.21.31.94, fax 03.80.21.30.62, e-mail domainepatrick.miolane@wanadoo.fr r.-v.

MICHEL PICARD Le Charmois 2003 ★

| 1er cru | 5,36 ha | 30 000 | 15 à 23 € |
|---|---|---|---|

La maison Michel Picard implantée au château de Chassagne-Montrachet propose une table d'hôte et cinq suites... Quant à ce Charmois, il est voisin de palier des 1ers crus de chassagne ; il en est à la hauteur. Or clair, son bouquet minéral et citronné n'abuse pas du fût. Gras en milieu de bouche, il manifeste une vivacité de jeunesse que tempère une petite pointe de chaleur en finale.
Maison Michel Picard, 5, rue du Château, 21190 Chassagne-Montrachet, tél. 03.80.21.98.63, fax 03.80.21.97.83, e-mail francine.picard@m-p.fr r.-v.

PAUL PILLOT Les Charmois 2003 ★

| 1er cru | 1,23 ha | 3 000 | 11 à 15 € |
|---|---|---|---|

Paul Pillot a succédé à son père en 1968. A leur tour ses enfants Thierry et Chrystelle prennent peu à peu le relais. A l'époque où nous vivons, seule la vigne retient ainsi à la terre et attache un sang à son vin. Gras et opulent, long et puissant, vineux en un mot, ce 2003 à la robe classique arbore des arômes assez originaux (jacinthe sur un fond plus habituel de fleurs blanches, de miel et de vanille). Cet aspect contribue à sa personnalité.
Paul Pillot, 3, rue du Clos-Saint-Jean, 21190 Chassagne-Montrachet, tél. 03.80.21.31.91, fax 03.80.21.90.92, e-mail paul-pillot@wanadoo.fr r.-v.

POULEAU-PONAVOY Les Perrières 2003 ★

| 1er cru | 0,17 ha | 900 | 8 à 11 € |
|---|---|---|---|

Parallèles aux Frionnes et tout près du village, Les Perrières apparaissent ici sous un rubis noir prononcé. Leur nez est porté sur le fruit, puis leur charpente de compagnon annonce le vin de garde qui doit s'ouvrir au vieillissement (un à deux ans). La fraise des bois s'harmonise bien avec un caractère nuancé, assoupli sur la fin.
GAEC Pouleau-Ponavoy, rue Saint-Georges, 21340 La Roche-Pot, tél. 03.80.21.84.36 t.l.j. 9h-19h

BERNARD PRUDHON Les Castets 2002 ★

| 1er cru | 0,64 ha | 1 800 | 8 à 11 € |
|---|---|---|---|

Le 1er cru le plus avancé en direction de La Roche-Pot et des Hautes-Côtes. Ce 2002 se plaît en tenue pourpre grenat à reflets bleutés. L'intensité même. Le boisé reste modéré et n'enferme pas ses arômes naturels, comme la framboise écrasée. « Le caractère, voilà ce qui dure », écrivait Euripide. Charpente, volume, concentration, nous avons affaire à un sacré caractère, ce qui lui permettra de tenir sur ses jambes jusqu'à la fin de la décennie.
Bernard Prudhon, 12, rue du Jeu-de-Quille, 21190 Saint-Aubin, tél. et fax 03.80.21.35.66 r.-v.

HENRI PRUDHON ET FILS
Sur le Sentier du Clou Vieilles Vignes 2002 ★

| 1er cru | 1,15 ha | 6 900 | 8 à 11 € |
|---|---|---|---|

Henri Prudhon, aujourd'hui Gérard, Vincent et Philippe. Ils réussissent un beau tir groupé (trois fois une étoile) en retenant l'attention du jury pour le **1er cru Les Frionnes 2003 rouge, Le Ban en village 2003 blanc** et ce Sentier du Clou 2002 que l'on grimpe à grands pas. Grenat bleuté, embaumant le fruit rouge en compote et l'amande grillée, il n'a pas besoin de précautions oratoires pour attaquer : charnu, souple, élégant, il est très ouvert et d'une harmonie sans défaut. Il y a du plaisir dans cette cave.
Henri Prudhon et Fils, 32, rue des Perrières, 21190 Saint-Aubin, tél. 03.80.21.36.70, fax 03.80.21.91.55 r.-v.
Gérard Prudhon

DOM. VINCENT PRUNIER Les Combes 2003 ★★

| 1er cru | 0,46 ha | 2 600 | 8 à 11 € |
|---|---|---|---|

Les Combes au Sud (leur nom cadastral) suivent la RN 6 du côté Chassagne. Ce saint-aubin déroule pour nous le tapis rouge. Rouge foncé, aux limites du noir, il est encore peu bavard à l'olfaction mais sa bouche explose et pas seulement de promesses. Le fruit, les tanins et le boisé sont en parfaite harmonie. Quelle charpente ! Quelle concentration ! Très typé 2003 quand la réussite salue le millésime, avec un parfum de cerise du meilleur goût, il saura accompagner un gibier (chevreuil).
Dom. Vincent Prunier, rte de Beaune, 21190 Auxey-Duresses, tél. 03.80.21.27.77, fax 03.80.21.68.87 r.-v.

CH. DE PULIGNY-MONTRACHET
En Remilly 2002

| 1er cru | 1,34 ha | 5 000 | 15 à 23 € |
|---|---|---|---|

Boire son capital serait ici déconseillé. Les propriétaires s'appellent en effet Crédit Foncier et Caisse d'Epargne... sous la houlette d'Etienne de Montille. D'une belle brillance, c'est un joli vin, pas trop structuré mais nerveux et racé dont le nez franc est légèrement beurré. La noisette suppléant un peu la grume, le boisé est encore très présent ; cependant il ne faudra pas attendre trop longtemps. **En Remilly rouge 2002** obtient également une citation.

BOURGOGNE

Ch. de Puligny-Montrachet, 21190 Puligny-Montrachet, tél. 03.80.21.39.14, fax 03.80.21.39.07, e-mail e.demontille@wanadoo.fr
r.-v.
Crédit Foncier, Groupe Caisse d'Epargne

# Santenay

Dominé par la montagne des Trois-Croix, le village de Santenay est devenu, grâce à sa « fontaine salée » aux eaux les plus lithinées d'Europe, une ville d'eau réputée... C'est donc un village polyvalent, puisque son terroir produit également d'excellents vins rouges. Les Gravières, la Comme, Beauregard en sont les crus les plus connus. Comme à Chassagne, le vignoble présente la particularité d'être souvent conduit en cordon de Royat, élément qualitatif non négligeable. Enfin, les deux appellations de chassagne et santenay débordent légèrement sur la commune de Remigny, en Saône-et-Loire, où l'on trouve aussi les appellations de cheilly, sampigny et dezize-lès-maranges, maintenant regroupées sous l'appellation maranges. L'AOC santenay a produit, 2 757 hl de vin blanc et 13 023 hl de vin rouge en 2004.

## JEAN-CLAUDE BELLAND
Clos des Gravières 2002 *

1er cru 1,22 ha 8 000 11 à 15 €

Les Hospices d'Autun étaient jadis propriétaires dans les Gravières, chef de file parmi les crus de santenay. De couleur sombre, ce 2002 montre le bout de son nez avant de faire preuve d'un tempérament très costaud : doté d'une solide matière, puissant et riche, il s'assouplira dans le futur car le fruit n'est pas absent. Peut-être aurait-il été plus « santenay » s'il avait connu moins longtemps le fût.

Jean-Claude Belland, 45, Grande-Rue, 21590 Santenay, tél. 03.80.20.61.90, fax 03.80.20.65.60
r.-v.

## ROGER BELLAND Beauregard 2003 **

1er cru 3,22 ha 9 500 15 à 23 €

Beauregard est souvent aux avant-postes au sein des crus du domaine. Coup de cœur pour le 98, puis pour le 2002. Avec un nom pareil, étonnez-vous de l'attrait de la robe ! Au nez, le pruneau succède à la cerise noire dans un contexte qui n'exclut pas la fraîcheur. Opulent, ferme et long, obéissant aux règles de son millésime, il est très bien fait. N'est-ce pas le plus beau des compliments ?

Dom. Roger Belland, 3, rue de la Chapelle, BP 13, 21590 Santenay, tél. 03.80.20.60.95, fax 03.80.20.63.93, e-mail belland.roger@wanadoo.fr r.-v.

## ALBERT BICHOT Clos Rousseau 2002 *

1er cru n.c. 2 100 15 à 23 €

Cerise presque noire, le nez envahissant mais racé (notes fruitées et fumées), il a de la matière comme on dit de nos jours. Un rien de verdeur nuance la fermeté de la bouche. Celle-ci se prolonge par une finale plaisante.

Maison Albert Bichot, 6 bis, bd Jacques-Copeau, 21200 Beaune, tél. 03.80.24.37.37, fax 03.80.24.37.38, e-mail bourgogne@albert-bichot.com

## BOISSEAUX-ESTIVANT La Maladière 2002 *

1er cru 0,2 ha 900 30 à 38 €

Sous des traits vifs et violacés, une Maladière au nez puissant qui mêle le fumé et le fruit avec un soupçon de minéralité. La bouche franche, un peu chaude, offre un corps robuste à la trame serrée. Une certaine astringence s'exprime en finale. A attendre...

Boisseaux-Estivant, 38, fb Saint-Nicolas, BP 107, 21200 Beaune, tél. 03.80.22.26.84, fax 03.80.24.19.73

## DOM. BORGEOT Les Gravières 2003 *

1er cru 1 ha 5 000 11 à 15 €

Les ouvrages classiques placent les Gravières en tête de cuvée. Cette bouteille est à la hauteur de l'appellation et de son rang. Elle ne peut pas mentir sur sa date de naissance tant elle est 2003. Sa couleur prononcée, ses arômes de fruits très mûrs et quelque peu sauvages, l'ampleur et le volume de son corps, sa tanicité, tout confesse en elle le désir de prendre un peu d'âge (deux ans) en manifestant déjà de bonnes dispositions. Ce **1er cru en blanc 2003 (15 à 23 €)** obtient une citation.

Dom. Borgeot, rte de Chassagne, 71150 Remigny, tél. 03.85.87.19.92, fax 03.85.87.19.95 r.-v.

## DOM. MARC BOUTHENET 2003 *

0,72 ha 3 000 8 à 11 €

Depuis 1988 à la tête du domaine familial, Marc Bouthenet pratique l'enherbement. Sous sa robe impeccable, ramassée et intense, ce *village* avoue sans peine ses préférences pour des arômes de cerise burlat et de fraise compotée. Comme c'est fréquemment le cas dans ce millésime, l'attaque est joyeuse et soyeuse, puis les tanins font entendre leur voix : les cuivres succèdent aux cordes. Une légère acidité n'est pas mal venue : elle confère un bon équilibre. Bien typé et à déboucher en 2006.

Dom. Marc Bouthenet, 11, rue Saint-Louis, 71150 Cheilly-lès-Maranges, tél. 03.85.91.16.51, fax 03.85.91.13.52 r.-v.

## DOM. DE BRULLY Grand Clos Rousseau 2002

1er cru 0,67 ha 3 200 15 à 23 €

Il s'agit du domaine familial de la maison Roux Père et Fils. Son Grand Clos Rousseau n'abuse pas de la couleur et on ne le lui reproche pas : l'extraction forcenée n'est pas un modèle à suivre. Le nez encore un peu fermé penche vers le fruit. La bouche n'est pas trop concentrée et se situe dans un autre registre : elle aguiche et flatte la gourmandise, avec succès d'ailleurs.

Dom. de Brully, 21190 Saint-Aubin, tél. 03.80.21.32.92, fax 03.80.21.35.00, e-mail roux.pere.et.fils@wanadoo.fr
Christian Roux

## DOM. MICHEL CAILLOT 2002 **

0,99 ha 6 000 8 à 11 €

Produit sur 99 ares, un chardonnay de santenay franc comme l'or et paré de reflets émeraude. Ses parfums sont minéraux (pierre à fusil) et floraux (acacia) sur fond grillé assez habituel. Nette et arrondie, sa bouche attaque sur le fruit et celui-ci domine bientôt. Sa persistance est rehaussée par une pointe d'acidité bienvenue.

⊶ Dom. Caillot, 12, rue du Cromin, 21190 Meursault, tél. 03.80.21.21.70, fax 03.80.21.69.58 ☑ Y ⛹ r.-v.

## DOM. CAPUANO-FERRERI ET FILS

Comme 2003

1er cru n.c. n.c. 11 à 15 €

Domaine associé au célèbre footballeur Jean-Marc Ferreri, trente-huit sélections en équipe de France et qui apprit à apprécier les vins de Bourgogne auprès de Guy Roux à l'A.J. Auxerre. Et pas mal de sélections aussi dans le Guide au fil des années ! Fraîche et minérale, cette Comme garde ce style durant toute la partie et jusqu'à la troisième mi-temps. Originale pour le millésime.

⊶ Dom. Capuano-Ferreri et Fils, 1, rue de la Croix-Sorine, 21590 Santenay, tél. 03.80.20.64.12, fax 03.80.20.65.75, e-mail john.capuano@wanadoo.fr ☑ ⛹ r.-v.

## FRANCOISE ET DENIS CLAIR Clos Genêt 2003 *

1,2 ha 4 000 11 à 15 €

Tiens, un Clos Genêt ! Cette vigne est très centrale à Santenay, en quittant les maisons du bas pour aller à celles du haut. Les millésimes 99 et 2000 ont tous deux été coups de cœur. Ici la présentation est bonne. Les fruits cuits et les épices se partagent des ardeurs aromatiques assez concentrées. La première bouche est la meilleure, mais ce vin souple et gras bénéficie d'un fort potentiel. Il n'est pas interdit de le déboucher. Pourtant, il gagnera à séjourner deux à trois ans en cave.

⊶ Françoise et Denis Clair, 14, rue de la Chapelle, 21590 Santenay, tél. 03.80.20.61.96, fax 03.80.20.65.19 ☑ Y r.-v.

## DOM. CYROT-BUTHIAU Clos Rousseau 2003

1er cru 0,42 ha 1 500 11 à 15 €

Vendangé le 27 août 2003, un vin à la robe pourpre à reflets de jeunesse. Le nez paraît subtil mais il ne dit pas encore tout ce qu'il a. Les tanins sont présents, plutôt soyeux et assez chaleureux, dépourvus de sécheresse, ce qui est l'un des problèmes fréquents des 2003. Il sait garder sa finesse suffisamment longtemps pour promettre une bonne évolution. A goûter dans deux ans pour voir.

⊶ Dom. Cyrot-Buthiau, 15, rte d'Autun, 21630 Pommard, tél. 03.80.22.06.56, fax 03.80.24.00.86, e-mail cyrot.buthiau@wanadoo.fr ☑ Y r.-v.

## DOM. GUY DUFOULEUR Clos Genêts 2003 **

1,15 ha 4 000 15 à 23 €

Rouge comme le manteau de saint Michel à l'hôtel-Dieu de Beaune, un vin dont le bouquet tient un discours encore discret mais confituré (fruits rouges) et dans lequel un dégustateur anglo-saxon découvre des nuances de grenade et d'écorce d'orange. Tannique mais enrobé, passant de la fraîcheur à un gras volumineux, il possède une vinosité et une charpente qui le rangent dans le groupe de tête des 2003.

⊶ Dom. Guy Dufouleur, 18, rue Thurot, 21700 Nuits-Saint-Georges, tél. et fax 03.80.62.31.00, e-mail gaelle.dufouleur@21700-nuits.com ☑ 🏠 Y t.l.j. sf dim. 10h-18h

## DOM. VINCENT GIRARDIN

Clos de Tavannes 2003 *

1er cru n.c. 3 000 11 à 15 €

On ne compte plus les coups de cœur de Vincent Girardin. En 2002, 2003, 2004 ! Et rien qu'en santenay ! Son Clos de Tavannes 2003 a le visage ouvert sur un jaune clair et brillant. Le verre accueille de belles jambes grasses... Le tempérament du millésime se traduit dès l'approche par une indéniable puissance nuancée par l'aubépine, le silex et le grillé. Inutile de remettre ce plaisir à plus tard : il est impatient de passer à l'acte.

⊶ Vincent Girardin, Caveau des Grands Crus, pl. de la Bascule, 21190 Chassagne-Montrachet, tél. 03.80.21.96.06, fax 03.80.20.81.10 ☑ r.-v.

## JACQUES GIRARDIN

Les Terrasses de Biévaux 2003 **

2,2 ha 13 000 8 à 11 €

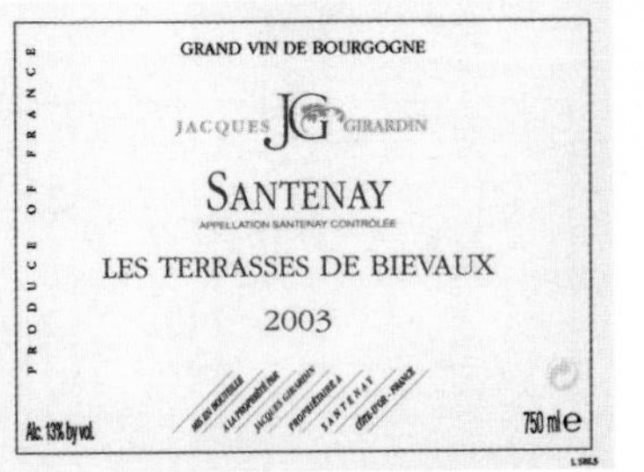

Le maillot jaune des blancs ! Biévaux se situe assez haut sur le coteau, vers Saint-Jean. Les Terrasses ne figurent pas au cadastre mais elles correspondent à une réalité. Or brillant, ce chardonnay respire le fruit mûr, le pamplemousse, la noisette ; il se présente très charnu au palais, d'une belle plénitude jusqu'à sa finale substantielle et goûteuse. Un coup de cœur à un prix très raisonnable. Camille Rodier cite Biévaux comme le terroir de Santenay le plus propice au chardonnay. La preuve en est faite, même en 2003.

⊶ Jacques Girardin, 13, rue de Narosse, 21590 Santenay, tél. 03.80.20.60.12, fax 03.80.20.64.96, e-mail jacques.girardin@wanadoo.fr ☑ 🏠 Y ⛹ r.-v.

## DOM. DES HAUTES-CORNIERES

Beaurepaire 2002 *

1er cru 1,6 ha 9 000 11 à 15 €

Cette bouteille donne un joli récital. Sa robe rouge intense à l'approche brillante occupe toute la scène. Sur des accents de cerise confite, la voix accorde bien l'acidité et les tanins. Elle chante le fruit sur des notes agréables qui restent longtemps. On se croirait à l'Olympia. Rien d'étonnant : André Chapelle, propriétaire de cette vigne, est dans la vie le mari de la chanteuse Nana Mouskouri... Ah ! signalons en **blanc 2002, un Saint-Jean** bien dans son appellation : une citation.

⊶ Chapelle et Fils, Dom. des Hautes-Cornières, 21590 Santenay, tél. 03.80.20.60.09, fax 03.80.20.61.01, e-mail contact@domainechapelle.com ☑ Y ⛹ t.l.j. sf dim. 9h-12h 14h-17h

## DOM. RAYMOND LAUNAY

Clos de Gatsulard Monopole 2003 *

2,97 ha 3 800 11 à 15 €

Sur près de 3 ha dans les hauteurs de Santenay, le Clos de Gatsulard doit largement sa notoriété à Raymond Launay, qui joua un rôle très actif dans les organisations mutualistes agricoles de Bourgogne. Pascal Marchand

veille sur ce Monopole demeuré familial et converti en biodynamie à partir de 2002. Rubis foncé, ce 2003 associe les arômes des fruits noirs (cassis, mûre) et les épices de son élevage. La bouche n'est pas formidablement vigoureuse mais son gras enrobe bien les tanins. Souple et prêt à servir.
EARL Dom. Raymond Launay,
1, rue des Charmots, 21630 Pommard,
tél. 03.80.24.08.03, fax 03.80.24.12.87
t.l.j. 8h30-12h 14h-19h; groupes sur r.-v.

HERVE DE LAVOREILLE
Clos du Haut Village 2002 ★★

| | 0,8 ha | 3 250 | | 8 à 11 € |
|---|---|---|---|---|

« La souche est bonne », proclame la devise de cette famille implantée ici dans la vigne depuis sept générations. Cette souche figure d'ailleurs sur le blason du domaine. Tout cela se vérifie à la dégustation puisque ce vin obtient, en rouge, la première place des *villages*. D'une teinte cerise burlat presque noire, il ajoute un tout petit peu d'amande grillée à la myrtille du pinot. Suave et complexe, il repose sur des tanins très sages. Déjà remarquable, il peut se conserver deux ans au moins à son optimum. Nous avons adoré le **1er cru Clos des Gravières 2003 blanc**, deux étoiles : il conjugue fraîcheur, ampleur et longueur.
Hervé de Lavoreille,
10, rue de la Crée, les Hauts de Santenay,
21590 Santenay, tél. 03.80.20.01.57, fax 03.80.20.66.03,
e-mail delavoreille.herve@wanadoo.fr r.-v.

RENE LEQUIN-COLIN Les Charmes 2002 ★

| | 0,46 ha | 1 224 | | 8 à 11 € |
|---|---|---|---|---|

Charmes du Dessus ou Charmes du Dessous ? Les deux existent mais René Lequin-Colin n'apporte pas la précision sur son étiquette. Sa famille accroît ses vignes depuis la première ouvrée achetée en... 1669. « Du beau travail lors de la cuvaison », note un dégustateur. Pourpre sans outrance, doté d'un bouquet qui gagne encore du terrain (fruits rouges, épices), ce santenay présente une structure consistante mais fondue. Son expression aimable engage à le servir mais il saura attendre l'occasion de plaire à vos invités avec un poulet sauté aux morilles.
René Lequin-Colin, 10, rue de Lavau,
21590 Santenay, tél. 03.80.20.66.71, fax 03.80.20.66.70,
e-mail renelequin@aol.com r.-v.

MARINOT-VERDUN Beauregard 2003 ★

| 1er cru | n.c. | n.c. | | 8 à 11 € |
|---|---|---|---|---|

Ce rubis est encore dans sa gangue mais il pourrait bien vous mettre la bague au doigt. Cassis et mûre reçoivent un appoint vanillé. De belle maturité sans excès d'extraction, les tanins en finale balancés par le fruit, il tient bien debout avec un support de garde intéressant. Prenez rendez-vous d'ici deux à trois ans.
Marinot-Verdun, Cave de Mazenay, Mazenay,
71510 Saint-Sernin-du-Plain, tél. 03.85.49.67.19,
fax 03.85.45.57.21 t.l.j. sf dim. 8h-12h 14h-18h

PROSPER MAUFOUX Les Gravières 2003

| 1er cru | n.c. | 3 000 | | 15 à 23 € |
|---|---|---|---|---|

Proche de ses cent cinquante ans, cette maison de négoce-éleveur fait, à Santenay, partie des meubles. Ses caves sur deux étages sont à elles seules une curiosité. A maturité rapide, ce 2003 rouge limpide et néanmoins profond tire sur les fruits rouges à l'eau-de-vie, l'animal, et se montre très puissant. Représentatif des aptitudes spontanées du millésime caniculaire, il nous rappelle que le santenay est volontiers un vin de chasse.
Prosper Maufoux, 1, pl. du Jet-d'Eau,
21590 Santenay, tél. 03.80.20.60.40, fax 03.80.20.63.26,
e-mail prosper.maufoux@wanadoo.fr
t.l.j. 10h-12h30 14h30-18h30; f. oct.-mars
Robert Fairchild

DOM. MESTRE-MICHELOT Gravières 2003 ★

| 1er cru | 0,41 ha | 1 200 | | 15 à 23 € |
|---|---|---|---|---|

Cave ancienne, chai moderne, il en est souvent ainsi au XXIe s. Sous une robe de ton classique, profonde et qui enveloppe la silhouette, le nez garde sa fraîcheur, sa jeunesse. En bouche, le fruit et les tanins s'harmonisent bien. « Une bonne nature », déclare le jury.
Dom. Mestre-Michelot, 12 bis, rue de Mazeray,
21190 Meursault, tél. 03.80.21.23.17, fax 03.80.20.63.62
t.l.j. sf sam. dim. 8h30-11h30 14h-17h

MESTRE PERE ET FILS La Comme 2002 ★

| 1er cru | 2,01 ha | 5 000 | | 11 à 15 € |
|---|---|---|---|---|

Cerise d'intensité moyenne, une Comme... comme on les aime avec ces parfums de noyau, de framboise, de café qui embellissent le paysage. Tanins et acidité restent dans les limites imparties de sorte que le vin montre sa suavité. Rétroactive et plaisante. Inscrivez également sur vos tablettes le **1er cru Gravières 2002 rouge (15 à 23 €)**, une étoile, capable de tenir ses promesses, ainsi que le **1er cru Beaurepaire blanc 2002**, cité pour sa rondeur fruitée ; à marier avec des cailles rôties aux coings.
Mestre Père et Fils, 12, pl. du Jet-d'Eau, BP 24,
21590 Santenay, tél. 03.80.20.60.11, fax 03.80.20.60.97,
e-mail gilbert.mestre@wanadoo.fr
t.l.j. 10h-13h 14h-18h; f. 24 déc.-2 jan.

MOILLARD 2003 ★

| | n.c. | 5 000 | | 11 à 15 € |
|---|---|---|---|---|

Rubis profond, un vin dont le bouquet est sans extravagance. Simple et de bon goût, sur une dominante cassis, le parfum de la Bourgogne. Tous nos jurés s'accordent à reconnaître la franchise souple et ronde de la démarche. Du corps, de la mâche et, en finale, une attitude tannique un peu austère à cet âge de la vie. Cistercienne en un mot.
SA Moillard, 2, rue François-Mignotte,
21700 Nuits-Saint-Georges, tél. 03.80.62.42.22,
fax 03.80.61.28.13 t.l.j. 10h-18h; f. jan.

MORIN PERE ET FILS 2002 ★

| | n.c. | 25 000 | | 15 à 23 € |
|---|---|---|---|---|

Reprise en 1987 par Jean-Claude Boisset, la maison Morin Père et Fils demeure dans ses caves quai Fleury à Nuits. Ce santenay ne brûle pas les étapes. Pourpre rose, il se révèle à l'aération sur des notes à la fois florales et

terriennes. Il prend en effet le temps de développer son sujet : franc dès l'attaque, solide et équilibré, il est aussi rustique et subtil qu'un valet de Molière. Ce caractère bien trempé a de quoi vieillir deux à trois ans en pleine sécurité.
⊶ Morin Père et Fils, 9, quai Fleury,
21700 Nuits-Saint-Georges, tél. 03.80.61.39.83,
fax 03.80.61.32.72, e-mail cave@morinpere-fils.com
☑ ⛹ t.l.j. 9h-12h 14h-18h; été 9h-19h

## LUCIEN MUZARD ET FILS Gravières 2003 *

■ 1er cru n.c. 1 800 ⦀ 11 à 15 €

Ce Gravières ? Sa couleur crépusculaire voit monter l'aube d'un bouquet fait de mûre et accompagné d'un boisé correct. Généreux en alcool, tirant sur le fruit confit, doté de tanins très présents, il est de plain-pied dans le millésime et on aura plaisir à y revenir. Notez encore le **1er cru Clos Faubard 2002 rouge** et en **village Les Champs Claude 2002 rouge** et **2003 blanc** ; tous obtiennent une étoile.
⊶ Lucien Muzard et Fils,
11, rue de la Cour-Verreuil, BP 25, 21590 Santenay,
tél. 03.80.20.61.85, fax 03.80.20.66.08,
e-mail lucien-muzard-et-fils@wanadoo.fr ☑ Y ⛹ r.-v.

## NAUDIN-TIERCIN La Maladière 2003 **

■ 1er cru n.c. 2 400 15 à 23 €

Si vous avez besoin d'être remis sur pied ou simplement requinqué, cette Maladière vaut toutes les médecines. Pourpre intense, son bouquet ouvrant peu à peu ses

BOURGOGNE

La côte de Beaune (Sud)

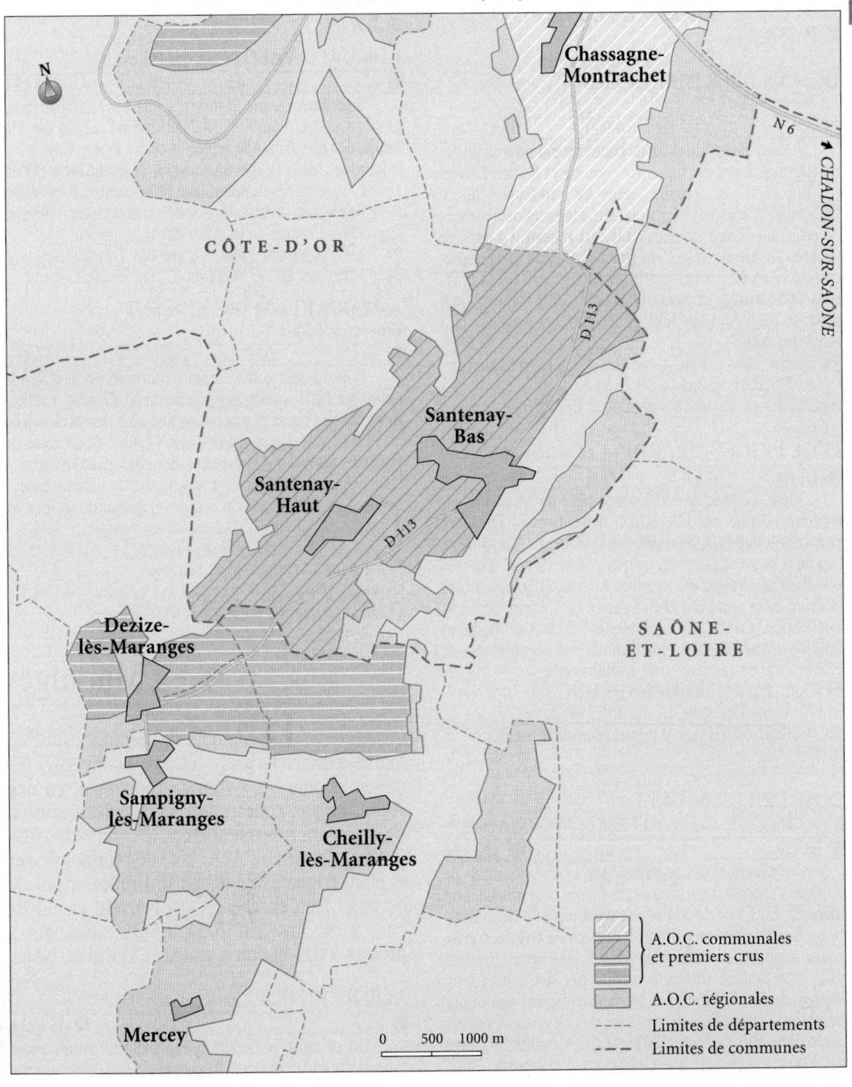

volets sur les épices, le sous-bois, la cerise, elle effectue en bouche un « sans faute ». Attaquant sur des tanins soyeux, elle offre une structure équilibrée, bien complète.
Naudin-Tiercin, av. Charles-de-Gaulle,
21200 Beaune, tél. 03.80.25.91.30, fax 03.80.25.91.29
t.l.j. sf sam. dim. 9h-12h 14h-18h; f. août

### DOM. CLAUDE NOUVEAU 2002 *

1,73 ha 10 000 11 à 15 €

Jaune léger et limpide, ce santenay provient d'une vigne plantée dans du calcaire concassé, juste au-dessus des 1ers crus. Nez expressif (brûlage fin) et jolie texture fondue. Suffisamment de gras. La petite note de sécheresse en fin de partie n'est nullement gênante car on reste sur un sentiment d'harmonie. A ouvrir fin 2006.
EARL Dom. Claude Nouveau, Marchezeuil,
21340 Change, tél. 03.85.91.13.34, fax 03.85.91.10.39
r.-v.

### DOM. OLIVIER PERE ET FILS
Le Biévaux 2003 **

1,7 ha 4 000 11 à 15 €

A deux doigts du coup de cœur, retenu pour la finale, un Biévaux doré pâle signé par Antoine et Rachel Olivier (ils ont repris le domaine après les vendanges 2002). Délicieux, le bouquet s'épanouit sur des notes de beurre et de croissant chaud, de pain grillé et d'abricot. Le passage en bouche est étincelant de fraîcheur. Excellente appréciation, deux étoiles également, pour deux **villages Charmes 2003 rouge** et **Sous la Roche 2003 blanc**. Quel superbe trio ! Ah ! On oubliait : ce Biévaux peut passer à table dès 2006.
Olivier Père et Fils, 5, rue Gaudin, 21590 Santenay,
tél. 03.80.20.61.35, fax 03.80.20.64.82,
e-mail antoine.olivier2@wanadoo.fr r.-v.

### DOM. PIGUET-GIRARDIN La Comme 2003 **

1er cru 1,4 ha 3 000 11 à 15 €

Vigne acquise en 1957 par le père de Mme Piguet, exploitée depuis par elle et son mari. Bravo ! Excellent rapport qualité-prix, d'autant que la bouteille franchira le cap de la bonne espérance (cinq ans de garde sont dans ses possibilités). Vendange presque tardive (1er septembre) pour ce 2003 : un petit chef-d'œuvre de soin apporté à la vinification. Grenat foncé, bouqueté de façon fraîche et limpide (framboise légèrement vanillée), il exprime cépage et terroir avec ampleur, tout en harmonie.
Dom. Piguet-Girardin, rue du Meix,
21190 Auxey-Duresses, tél. 03.80.21.60.26,
fax 03.80.21.66.61, e-mail piguet.girardin@tiscali.fr
r.-v.

### DOM. PRIEUR-BRUNET
Maladière Cuvée Claude La Fleur de Maladière 2002 *

1er cru n.c. n.c. 15 à 23 €

Ce *climat* situé au-dessus du centre thermal de Santenay rappelle qu'ici l'eau et le vin ont toujours fait bon ménage. La Fleur de Maladière n'est pas une dénomination officielle mais celle d'une étiquette renouvelée. Cerise rouge limpide, ce 2002 aux arômes distingués (fruités) offre une bouche droite, soutenue par des tanins bien fermes. La concentration n'est heureusement pas considérable et l'ensemble a du panache, de l'élégance. Coup de cœur dans notre édition 2003 pour sa Comme 99 rouge que l'on retrouve avec une étoile pour le **millésime 2002**.
Dom. Prieur-Brunet, rue de Narosse,
21590 Santenay, tél. 03.80.20.60.56, fax 03.80.20.64.31,
e-mail uny-prieur@prieur-santenay.com r.-v.
Dominique Prieur

### DOM. SAINT-FRANCOIS Vieilles Vignes 2002 **

2 ha 9 582 8 à 11 €

Elégante petite étiquette en hauteur, rare en Bourgogne, très réussie. Grenat vif, ce vin offre un excellent rapport qualité-prix. Cassis, cuir, vanille, ses senteurs sont amples et profondes. Quant à la bouche, elle suit une belle courbe. D'un tracé élégant et sans rupture, elle souligne une matière particulièrement sérieuse. Parmi les meilleurs de la dégustation, ce 2002 est très convaincant et mérite d'être attendu car il est en pleine ascension.
F. Lequin, Dom. Saint-François, 10, rue de Lavau,
21590 Santenay, tél. 03.80.20.66.71, fax 03.80.20.66.70
r.-v.

### ROMUALD VALOT Clos des Hâtes 2002

n.c. 5 720 11 à 15 €

Signalons ce que le jury n'a pu voir : l'étiquette au graphisme nouveau. Ce 2002 affiche à l'œil un carmin bordé de rose. Amande grillée et cerise noire, voilà pour le bouquet, sans négliger un souvenir de prune bleue. D'un abord arrondi, développant une belle texture, il est construit selon une architecture sobre recherchant l'utile et l'agréable. Profitez de la grâce dès cette année.
SARL Romuald Valot, 14, rue des Tonneliers,
21200 Beaune, tél. 03.80.24.84.63, fax 03.80.25.91.29

### A.-MARIE ET J.-MARC VINCENT
Beaurepaire 2003 *

1er cru 0,73 ha 2 100 11 à 15 €

Pour ce même Beaurepaire (un nom prédestiné), le millésime 2001 a reçu le coup de cœur. Grenat à reflets rubis, celui-ci est un peu boisé sur une note très personnelle où l'un de nos dégustateurs hume l'écume de la gelée de groseille. Souvenir de notre enfance chez grand-maman... Riche et encore impulsif, il repose sur de bonnes bases : expression authentique du cépage, élégance du propos. A décanter dans l'immédiat ou à laisser reposer.
Anne-Marie et Jean-Marc Vincent,
3, rue Sainte-Agathe, 21590 Santenay,
tél. et fax 03.80.20.67.37,
e-mail vincent.j-m@wanadoo.fr r.-v.

# Maranges

Le vignoble de maranges situé en Saône-et-Loire (Chailly, Dezize, Sampigny) bénéficie depuis 1989 d'un regroupement en une AOC unique, comportant six premiers crus. Il s'agit de vins rouges et blancs, les premiers ayant droit également à l'AOC côte-de-beaune-villages et étant naguère vendus ainsi. Fruités, ayant du corps et bien charpentés, ils peuvent vieillir de cinq à dix ans. En 2004, l'AOC maranges a produit 7 013 hl de vin rouge et 311 hl en blanc.

### ALBERT BICHOT Clos Roussots 2003 **

1er cru n.c. 8 250 15 à 23 €

On se rallie volontiers à son panache rouge néanmoins profond et brillant. Réglisse ! est son cri de guerre.

Il se déploie avec finesse, bien soutenu par ses tanins qui restent sagement en renfort. Chevaleresque, il saura vous attendre si vous préférez le conserver pendant deux ou trois ans. Rappelons que c'est la sixième génération qui dirige aujourd'hui cette célèbre maison de négoce-éleveur créée en 1831.

Maison Albert Bichot, 6 bis, bd Jacques-Copeau, 21200 Beaune, tél. 03.80.24.37.37, fax 03.80.24.37.38, e-mail bourgogne@albert-bichot.com

## DOM. MARC BOUTHENET
La Fussière 2003 *

■ 1er cru 0,72 ha 3 000 8 à 11 €

Sur Cheilly et Dezize, ce 1er cru couvre en tout 27 ha (y compris le Clos de la Fussière). On trouve à celui-ci de l'agrément. Sa robe tire le maximum du sujet. Poli et discret, son nez d'intensité moyenne se partage entre le fruit et le fût. La bouche est en train de trouver ses repères et son point d'équilibre entre la souplesse et la vivacité. La petite note d'amertume, assez classique, disparaîtra avec quelques mois de garde.

Dom. Marc Bouthenet, 11, rue Saint-Louis, 71150 Cheilly-lès-Maranges, tél. 03.85.91.16.51, fax 03.85.91.13.52 r.-v.

## DOM. BRESSON 2003 *

■ 1,1 ha 3 000 5 à 8 €

Fondée par Pierre Bresson, maire du village en son temps, cette propriété familiale a plus de deux cents ans d'âge, mais elle a vraiment commencé en 1945. Elle présente un *village* pourpre foncé dont les arômes ont un petit côté pivoine pas désagréable du tout. La bouche s'accorde bien au nez, très souple en première impression puis puissante et tannique. A laisser reposer un an ou deux : il n'en sera que meilleur.

Henry Bresson, 6, Le Pont, 71150 Cheilly-lès-Maranges, tél. 03.85.91.15.58, fax 03.85.91.17.37 r.-v.

## DOM. MAURICE CHARLEUX ET FILS
La Fussière 2003 *

■ 1er cru 2 ha 4 000 8 à 11 €

Rejoint en 1999 par son fils Vincent, Maurice Charleux voit son **Clos des Rois 1er cru 2003 rouge** passer la barre (il obtient une étoile) dans une atmosphère où le sous-bois côtoie le boisé ; sa mâche est encore un peu sévère mais il y a quelque chose là-dessous. Et puis cette Fussière très affirmée se montre colorée et florale. Son boisé doit se fondre pour lui permettre de s'exprimer pleinement courant 2006.

Dom. Maurice Charleux et Fils, Petite-Rue, 71150 Dezize-lès-Maranges, tél. 03.85.91.15.15, fax 03.85.91.11.81 r.-v.

## DOM. CHEVROT 2003 *

0,88 ha 3 215 8 à 11 €

Or soutenu, aux abords du jaune paille, ce maranges achève son noviciat boisé pour se révéler tel qu'il est. Au nez, les agrumes se profilent à l'horizon. En bouche, il est affable, assez gras, de sorte qu'une touche de vivacité vient à point et lui donne un coup de fouet. A déboucher en 2006 afin de fêter les deux ans d'Angelo-Daïchi qui annonce la quatrième génération des Chevrot, vignerons qui ont constitué leur domaine en 1930.

Dom. Chevrot et Fils, 19, rte de Couches, 71150 Cheilly-lès-Maranges, tél. 03.85.91.10.55, fax 03.85.91.13.24, e-mail contact@chevrot.fr t.l.j. 9h-17h; dim. sur r.-v.

## DOM. CYROT-BUTHIAU
Les Clos Roussots 2003 **

■ 1er cru 0,42 ha 1 500 11 à 15 €

Généreux sous ses courbes bien arrondies, ces Clos Roussots séduisent d'emblée. Si les tanins s'expriment par la suite, la pulpe du fruit (cassis, mûre) a le temps de faire valoir ses droits. Pourpre sombre, assez bouquetés (mêmes fruits noirs), ils ont un solide « fond de verre ». On leur donne trois à cinq ans de longévité heureuse. Ils sont d'ailleurs arrivés second du grand jury des premiers crus.

Dom. Cyrot-Buthiau, 15, rte d'Autun, 21630 Pommard, tél. 03.80.22.06.56, fax 03.80.24.00.86, e-mail cyrot.buthiau@wanadoo.fr r.-v.

BOURGOGNE

## VINCENT GIRARDIN La Fussière 2003 *

■ 1er cru n.c. 8 000 11 à 15 €

On approche petit à petit des vingt ans de l'appellation communale qui a permis au maranges de voler de ses propres ailes. Il le mérite. Ainsi ce pinot noir qui s'installe en bouche et y reste. Vif mais dépourvu de toute sécheresse, il va bien se développer. La robe est très belle, le bouquet de fruits mûrs et de sous-bois. Coup de cœur en 1996 pour ne rien oublier.

Caveau des Grands Crus, pl. de la Bascule, 21190 Chassagne-Montrachet, tél. 03.80.21.96.06 r.-v.

Vincent Girardin

## CH. DE MERCEY Les Clos Roussots 2002 **

■ 1er cru 4,22 ha 12 066 11 à 15 €

Si vous aimez les romans d'Henri Vincenot, vous aurez un faible pour cette bouteille. L'écrivain bourguignon était d'ailleurs un habitué des Maranges où il situe l'action d'un de ses livres. Ce vin vinifié par Nadine Gublin affiche un teint couperosé comme on en croise au marché, un parfum de cerise qui pactise avec le grillé, une attaque franche, de la tenue en bouche et des tanins en réserve. Propriété Maupoil, ce domaine a été acquis il y a quelques années par la maison Antonin Rodet.

Ch. de Mercey, Dom. Rodet, 71150 Cheilly-lès-Maranges, tél. 03.85.91.13.19, fax 03.85.91.16.28 r.-v.

## LUCIEN MUZARD ET FILS 2003 **

■ n.c. 1 800 8 à 11 €

Rubis noir, couleur d'encre, sa robe ne dissimule cependant pas ses atouts. Des arômes tournant autour de la groseille, de la chair de cerise. Si le corps ne fait pas de la figuration, si la mâche emplit la bouche, si les tanins le sollicitent un peu, le fruit équilibre cette pleine puissance et le gras l'humanise.

Lucien Muzard et Fils, 11, rue de la Cour-Verreuil, BP 25, 21590 Santenay, tél. 03.80.20.61.85, fax 03.80.20.66.08, e-mail lucien-muzard-et-fils@wanadoo.fr r.-v.

## PAGNOTTA PERE ET FILS La Fussière 2003

■ 1er cru 1,5 ha 7 500 8 à 11 €

Né en 1977 sur l'appellation rully puis diversifié sur mercurey, bouzeron et maranges (jusqu'aux 18 ha actuels),

ce domaine signe ici une Fussière sans excès de corps mais généreuse de ses dons. D'une teinte intense et lumineuse, elle n'abuse pas de la vanille et sait jouer le fruit rouge. Assez ronde et dans la moyenne du millésime.
Dom. Pagnotta, 1, rue de Chaudenay, 71150 Chagny, tél. 03.85.87.22.08, fax 03.85.87.03.22, e-mail domaine.pagnotta@wanadoo.fr r.-v.

### CHRISTIAN PERRAULT La Fussière 2003

■ 1er cru 1,33 ha 5 850 8 à 11 €

Exploitation créée par un ancien bouilleur de cru, Joseph Perrault, reprise en 1968 par Christian pour atteindre aujourd'hui les 12 ha. Comme on dit en Bourgogne, « ça fait déjà ! » Un vin à servir maintenant qui vous sourit déjà... Limpide et tirant sur la fraise, il a discipliné ses tanins. Il séduit par son gras et tant pis pour la mode des tailles minces, on le dit féminin !
Christian Perrault, rue de l'Ecole, 71150 Dezize-lès-Maranges, tél. 03.85.91.15.83, fax 03.85.91.13.58 r.-v.

### DOM. PONSARD-CHEVALIER
Clos Roussot 2003 ★★★

■ 1er cru 0,84 ha 3 000 8 à 11 €

Voilà une bonne adresse ! Ce Clos Roussot sort grand vainqueur du tournoi. Sa robe velours grenat lui sied à merveille. Corbeille de fruits et nuances torréfiées, son bouquet montre qu'on peut tout à la fois être généreux et subtil. Solide et séveux, riche sans ostentation, il bénéficie d'une bonne constitution. On le juge capable de tenir toutes ses promesses (dans les trois ans environ).
Dom. Ponsard-Chevalier, 2, Les Tilles, 21590 Santenay, tél. 03.80.20.60.87, fax 03.80.20.61.10, e-mail ponsardchevalier@aol.com r.-v.

### BERNARD REGNAUDOT Clos des Rois 2003 ★

■ 1er cru 1 ha 3 000 8 à 11 €

Bonne fête ! Bernard Regnaudot célèbre en 2006 ses trente ans à la tête du domaine. Son Clos des Rois ne manque pas de couronne : coup de cœur déjà en 2003 et aussi l'an dernier. Celui-ci porte encore la robe du sacre. Il ouvre son nez avec parcimonie. D'une texture serrée, il domine ses tanins et, sur des notes réglissées et de fruits noirs, montre de la souplesse ponctuée par une petite touche boisée qui va se fondre. Ne l'oubliez pas : le roi n'attend pas.
Bernard Regnaudot, rte de Nolay, 71150 Dezize-lès-Maranges, tél. et fax 03.85.91.14.90 r.-v.

### JEAN-CLAUDE REGNAUDOT ET FILS
Les Clos Roussots 2003 ★

■ 1er cru 0,52 ha 1 500 8 à 11 €

Tenant le milieu entre le rouge et le grenat, il opère lentement sa mutation évoluant du café (arômes torréfiés) au fruit. En bouche, il est comme les piliers du cellier du Clos-Vougeot : monolithique. Taillé d'un seul coup de main dans une matière profonde. Un potentiel réel conduit à lui faire confiance. Didier Regnaudot a pris le relais de son père, Jean-Claude, désormais à la retraite.
Jean-Claude Regnaudot et Fils, Grande-Rue, 71150 Dezize-lès-Maranges, tél. 03.85.91.15.95, fax 03.85.91.16.45 r.-v.

### DOM. SAINT-ANTOINE DES ECHARDS
Le clos des Loyères 2003

■ 1er cru 0,35 ha 1 200 8 à 11 €

Installé il y a tout juste vingt ans, Franck Guérin a créé avec Marie-Christine le domaine Saint-Antoine des Echards. Rubis violacé, leur Clos des Loyères (sur Sampigny dans la suite des Clos Roussots) dispose d'une certaine complexité aromatique griottée, animale, épicée. Sa structure légère ne manque pas de charme. Ce 2003 échappe aux pesanteurs du millésime.
Franck Guérin, Dom. Saint-Antoine des Echards, rue de Santenay, 21340 Change, tél. 03.85.91.10.40, fax 03.85.91.17.29, e-mail domaine@st-antoine.fr r.-v.

### MICHEL SARRAZIN ET FILS
Côte de Beaune 2003 ★

■ 1,7 ha 9 400 8 à 11 €

De père en fils depuis 1671. Tout bouge et tout change autour d'elle, mais la Bourgogne reste stable. Il est vrai que la vigne est une culture pérenne ! Ce maranges au sang rouge foncé marie convenablement le boisé et le fruit (cassis, myrtille). En bouche, l'empreinte est assez persistante et épicée, un *village* très valable sur un mode léger. Coup de cœur en 2000 pour un 97.
Dom. Michel Sarrazin et Fils, Charnailles, 71640 Jambles, tél. 03.85.44.30.57, fax 03.85.44.31.22, e-mail sarrazin2@wanadoo.fr
t.l.j. 9h-19h; dim. 9h-12h

### SORINE ET FILS Clos Roussot 2003

■ 1er cru 0,75 ha 3 500 8 à 11 €

Sa robe ? Pas de surextraction, c'est le rouge cerise que l'on aime bien. Le fût n'a pas encore libéré ses arômes spontanés. L'attaque est sympathique. Les tanins ? Conviviaux. La structure ? Correcte sans ouvrir énormément les bras. A servir dans l'année.
Dom. Sorine et Fils, 4, rue Petit, Le Haut-Village, 21590 Santenay, tél. 06.86.98.04.77, fax 03.80.20.61.65 r.-v.

# Côte-de-beaune-villages

A ne pas confondre avec l'appellation côte-de-nuits-villages qui possède une aire de production particulière, l'appellation côte-de-beaune-villages n'est en elle-même pas délimitée. C'est une appellation de substitution pour tous les vins rouges des appellations communales de la Côte de Beaune, à l'exception des beaune, aloxe-corton, pommard et volnay.

### DOM. BOUCHARD PERE ET FILS 2003 *

■ n.c. n.c. 11 à 15 €

Bouchard Père et Fils... L'institution est à ce point beaunoise que son acquisition par Joseph Henriot en 1995 n'a en rien changé cet état d'esprit. Rouge feu, habilement bouqueté (fruits rouges en confiture), un vin dense, assez chaud, au grain rustique, équilibré en tout sans exagération. Pour une viande grillée.

Bouchard Père et Fils, Ch. de Beaune, 21200 Beaune, tél. 03.80.24.80.24, fax 03.80.22.55.88, e-mail france@bouchard-pereetfils.com r.-v.

### DOM. GUY-PIERRE JEAN ET FILS 2003

■ 0,38 ha 1 500 11 à 15 €

Fabrice et Thierry ont repris le domaine familial en 1991. Ce vin demande à s'épanouir et il en a les moyens (un à deux ans). Sombre de couleur, un peu confit, animal à l'aération, il possède assez de matière pour dominer ses tanins. Quelques accents de cuir se mêlent à une finale de bonne constitution.

Dom. Guy-Pierre Jean et Fils, rue des Caillettes, 21420 Aloxe-Corton, tél. 03.80.26.44.72, fax 03.80.26.45.36, e-mail domaine.guy-pierre.jean@wanadoo.fr r.-v.

### MAISON JOULIE 2003

■ n.c. 150 000 8 à 11 €

Le décolleté de l'étiquette fait quelque peu rêver... Ce 2003 s'ouvre sur une gorge profonde, rougie par le bon soleil bourguignon. Ses arômes penchent pour le végétal, le pruneau : accord classique pour un vin puissant, vif d'allure, d'une longueur correcte. Ses tanins vieilliront bien un peu. Maison récente fondée en 2004.

Maison Joulié et Associés, 10, av. Charles-Jaffelin, 21200 Beaune, tél. 03.80.22.06.20, fax 03.80.22.91.99, e-mail joulie@maisonjoulie.com

### ANTONIN RODET 2003 *

■ n.c. 12 466 11 à 15 €

Noir d'encre ou peu s'en faut, un côte-de-beaune-villages tout aussi atypique que son millésime. Son bouquet laisse supposer des baies de cassis écrasées. Même tonalité aromatique en bouche : le fruit noir est son fil rouge. Sa concentration n'atténue nullement la rondeur de son approche. Très technique si l'on veut, mais pour vinifier aussi bien en 2003 il fallait également de l'inspiration.

Antonin Rodet, 71640 Mercurey, tél. 03.85.98.12.12, fax 03.85.45.25.49, e-mail rodet@rodet.com

## La Côte chalonnaise

# Bourgogne-côte-chalonnaise

Située entre Chagny et Saint-Gengoux-le-National (Saône-et-Loire), la Côte chalonnaise possède une identité, reconnue à juste titre. Née le 27 février 1990, l'AOC bourgogne-côte-chalonnaise a donné 19 928 hl en rouge, et 7 931 hl en blanc en 2004. Selon la méthode appliquée déjà dans les Hautes-Côtes, un agrément résultant d'une seconde dégustation complète la dégustation obligatoire qui a lieu partout.

### LA BUXYNOISE 2003 **

■ 60 ha 45 000 5 à 8 €

Si cette coopérative déclare se nourrir d'idées simples, ses vins ne manquent pas de complexité quand ils sortent du lot. L'exemple ? Le voici. Cerise rouge à reflets violacés, il a bien résisté à la canicule tout en sachant en retirer le côté positif. Derrière le fruit rouge et les épices, l'animal sort du bois. L'entrée en bouche est plutôt vive, puis les tanins s'affirment assez déliés et bien fondus. On peut se faire plaisir en levant ce verre dès à présent ou on peut attendre un peu (il devrait bien évoluer). Sous la marque **Blason de Bourgogne en blanc 2003**, les Vignerons de Buxy ont produit un vin fin et élégant qui obtient une étoile, tout comme le **Domaine des Pierres Blanches rouge 2002 (8 à 11 €)**.

SICA Les Vignerons réunis à Buxy, 2, rte de Châlon, 71390 Buxy, tél. 03.85.92.03.03, fax 03.85.92.08.06, e-mail labuxynoise@cave-buxy.fr t.l.j. sf dim. 9h-12h 14h-18h30; groupes sur r.-v.

### DANIEL DAVANTURE ET FILS 2002 *

■ 1 ha 6 000 5 à 8 €

A Saint-Désert, n'oubliez pas de regarder l'église néogothique, située à 600 m de cette cave. Tiens, un 2002 ! Rouge grenat : de la robe, il en a. Son bouquet n'est pas particulièrement volubile. Sa bouche en revanche exprime une matière riche et composée. Les tanins, le gras constituent une mâche savoureuse et bien équilibrée. On peut encore l'oublier une bonne année en cave.

Daniel Davanture et Fils, rue de la Montée, Cidex 1548, 71390 Saint-Désert, tél. 03.85.47.90.42, fax 03.85.47.95.57 r.-v.

GAEC des Murgers

### DOM. DE L'EVECHE 2003 **

□ 1 ha 5 000 5 à 8 €

En témoignage de gratitude, le domaine ne manquera pas d'offrir cette bouteille remarquable à l'évêque d'Autun. On se trouve en effet aux alentours du coup de cœur (deuxième au grand jury). Jaune pâle à reflets verts, partagé entre la vigueur des agrumes et l'appel de la minéralité, il conserve en bouche ces bons arômes. Franc à l'attaque, d'une vivacité fraîche et présente, ce 2003 gras et bien rembourré sera prêt à la parution du Guide.

EARL Henri et Vincent Joussier, Dom. de l'Evêché, 71640 Saint-Denis-de-Vaux, tél. 03.85.44.30.43, fax 03.85.44.54.42 t.l.j. 8h-12h 14h-18h; dim. sur r.-v.; f. 20-30 août

### DOM. FERREY MONTANGERAND

Cuvée 3 Générations 2003 *

■ 18 ha 15 000 5 à 8 €

Cette famille vigneronne a repris en 2004 un domaine de 17 ha sur Givry et Mercurey, portant le total à 34 ha. Rouge sang, ce 2003 montre un bout de nez monoexpressif : le fruit rouge enfant. Il conserve ce goût agréable et

juteux, marié à un certain boisé, tout au long de la visite que guide la surmaturation typée 2003. Les tanins ont du coffre. Profitez-en dès à présent.
🔑 EARL Ferrey Montangerand, 71390 Saules, tél. 03.85.44.02.33, fax 03.85.44.07.76 ☑ Y ♟ r.-v.

### DOM. MICHEL GOUBARD ET FILS
Mont-Avril 2003

■ 10 ha 60 000 5 à 8 €

Mont-Avril est certainement le *climat* de la Côte chalonnaise possédant les plus belles lettres de noblesse. Au XVIII[e]s., Courtépée en faisait déjà l'éloge. Pourpre très foncé, ce vin embaume la mûre sauvage. Dense et volumineux, il vous attend de pied ferme.
🔑 Dom. Michel Goubard et Fils, Bassevelle, 71390 Saint-Désert, tél. 03.85.47.91.06, fax 03.85.47.98.12, e-mail earl.goubard@wanadoo.fr ☑ Y ♟ t.l.j. 8h-12h 14h-19h; dim. sur r.-v.

### DOM. GOUFFIER Clos de Petite Combe 2003 ★

■ 0,53 ha 3 000 8 à 11 €

Rubis assez soutenu, il est d'une présence raffinée. Au kirsch et à la fraise des bois s'ajoute de façon plus originale la noix. En bouche, le gras contrôle la situation. Il ne laisse pas la bride sur le cou à l'acidité alors que les tanins vivent leur vie la bride sur le cou ! La petite touche d'amertume est sans doute due à l'élevage sous bois. L'ensemble a quelque chose d'un primeur. La jeunesse, comme dans la chanson d'Aznavour.
🔑 Dom. Gouffier, 11, Grande-Rue, 71150 Fontaines, tél. 03.85.91.49.66, fax 03.85.91.46.98, e-mail jerome.gouffier@cegetel.net ☑ Y ♟ r.-v.

### JEAN-HERVE JONNIER 2003

■ 4 ha 4 300 5 à 8 €

A Chassey-le-Camp, on pioche les vignes avec beaucoup d'attention. On trouve en effet dans la terre les restes d'une civilisation néolithique (de 3200 à 2000 av. J.-C.) appelée justement « chasséenne ». Tout le monde y est donc un peu archéologue... et bon vigneron. Offrant une bouche pleine et gouleyante, ce vin est à servir maintenant : jambes fines sur robe intense, bouquet invitant pour l'occasion la framboise, la mie de pain, quelques pincées d'épices. Finale assez chaude.
🔑 Jean-Hervé Jonnier, Bercully, 71150 Chassey-le-Camp, tél. 03.85.87.21.90, fax 03.85.87.23.63 ☑ Y ♟ r.-v.

### ALBERT SOUNIT 2003 ★★

□ n.c. 3 300 8 à 11 €

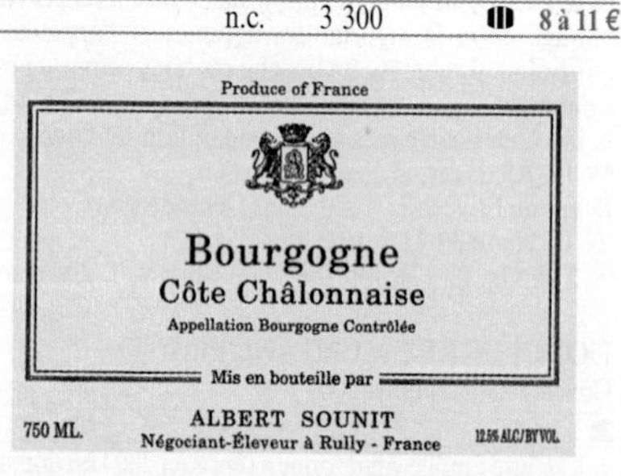


A marquer d'une pierre blanche, le meilleur côte-chalonnaise de la dégustation. Or limpide à reflets verts, il connaît les usages. Ses quelques mois de fût n'ont nullement entamé la franchise d'un bouquet fait de fruits secs. Equilibré sur le fruit, gras et assez long, il a été vendangé le 14 août ! « Mauvaise herbe est précoce et croît avant le temps », écrivait Casimir Delavigne. Eh bien ! Il se trompait, si l'on en juge par cette bouteille proposée par une vieille maison de négoce de Rully reprise en 1993 par K. Kjellerup auparavant son importateur au Danemark.
🔑 Albert Sounit, 5, pl. du Champ-de-Foire, 71150 Rully, tél. 03.85.87.20.71, fax 03.85.87.09.71, e-mail albert.sounit@wanadoo.fr ☑ Y ♟ r.-v.

### MARTIAL ET FLORENCE THEVENOT 2003 ★

■ 2 ha 2 400 5 à 8 €

Au nord de la Saône-et-Loire, Aluze a fait partie des innombrables prétendants au site d'Alésia. On fait d'ailleurs volontiers le siège de cette bouteille à la couleur plaisante : une robe peu profonde, plus aguichante que concentrée. Le nez est également attrayant (fruité et grillé). Par une démarche souple, aromatique et élégante, ce 2003 vendangé relativement tard (30 août) a su déjouer les embûches de l'année.
🔑 Florence et Martial Thévenot, 4, rue du Champ-de-l'Orme, 71510 Aluze, tél. 03.85.45.18.43, fax 03.85.45.09.98, e-mail thevenot.martial@free.fr ☑ Y ♟ r.-v.

### VENOT La Corvée Elevé en fût de chêne 2003 ★

■ 1,5 ha 10 000 5 à 8 €

Notre coup de cœur en 2003 pour son pinot noir 99. La réussite est à nouveau au rendez-vous. D'une teinte franche et profonde, la cerise montmorency (à confiture) habite le palais, tandis que le silex est un peu présent au nez. L'attaque ne manque pas de corps. Très concentré et long, atypique évidemment, il dispose de deux à trois ans pour lisser ses tanins.
🔑 GAEC Venot, La Corvée, 71390 Moroges, tél. 03.85.47.94.02, fax 03.85.47.99.96 ☑ Y ♟ r.-v.

# Bouzeron

Petit village situé entre Chagny et Rully, Bouzeron est de longue date réputé pour ses vins d'aligoté. Cette variété occupe la plus grande partie du vignoble communal, soit 62 ha environ. Planté sur des coteaux d'orientation est-sud-est, sur des sols à forte proportion calcaire, ce cépage à l'origine de vins blancs vifs s'exprime particulièrement bien, donnant naissance à des vins complexes et d'une « rondeur pointue ». Les vignerons du lieu, après avoir obtenu l'appellation bourgogne aligoté bouzeron en 1979, ont réussi à hisser l'aire de production au rang d'AOC communale. La production a été de 2 743 hl sur 57 ha revendiqués en 2004.

### JOCELYNE CHAUSSIN La Fortune 2003 ★

□ 0,74 ha 2 400 5 à 8 €

La vigne vient ici d'unir son destin à celui du jambon persillé. Il y a pire comme ménage ! La Fortune guide d'ailleurs les pas de ce bouzeron : quel joli nom de *climat*.

Or léger et lumineux, ce millésime a le nez volubile, depuis le citron jusqu'au silex en passant par l'abricot sec. Encore un peu turbulent lors de notre dégustation (il s'est sûrement assagi depuis), il est gourmand. Domaine de poche sur 1,33 ha dont la moitié pour ce vin.

Jocelyne Chaussin, 3, rue des Dames, 71150 Bouzeron, tél. 03.85.87.09.01, fax 03.85.46.40.40, e-mail jeanlouis.chaussin@francetelecom.com
r.-v.

### DOM. DE LA CROIX JACQUELET 2002

2,32 ha 12 408 5 à 8 €

L'œil est cristallin, d'un éclat vif et doré. Le nez odorant, floral, miellé : il chardonne un peu ! La bouche aligote davantage, avec ce rien de vivacité qui donne envie de s'y tremper. Franchise et fraîcheur tout au long du corps. Expressif, il est produit par un domaine très présent en Côte chalonnaise (mercurey) et créé par une famille nuitonne (Faiveley).

Dom. de La Croix Jacquelet, Cidex 892, 71640 Mercurey, tél. 03.85.45.12.23, fax 03.85.45.26.42
r.-v.

### DOM. PATRICK GUILLOT 2003

1,52 ha 900 5 à 8 €

Le millésime 99 grimpa en 2002 sur la plus haute marche du podium en décrochant un coup de cœur. Celui-ci n'atteint pas ce sommet – la dégustation a montré la difficulté de faire un vrai aligoté sous la canicule – mais il a le charme du pays. Il danse sur ses sabots vernis. Empruntant sa robe au chardonnay, il développe des arômes de verveine, de tilleul, un peu citronnés. Il n'a rien cependant d'une tisane... Correct et à servir maintenant.

Dom. Patrick Guillot, 9 A, rue de Vaugeailles, 71640 Mercurey, tél. 03.85.45.27.40, fax 03.85.45.28.57
r.-v.

### DOM. A. ET P. DE VILLAINE 2003 ★

10 ha 23 000 8 à 11 €

L'appellation fêtera l'an prochain ses dix ans. Elle s'est imposée comme une « communale » à part entière. Témoin ce 2003 vendangé un 23 août. Or paille pâle, il livre ses arômes dès le premier nez. Lesquels ? La fleur blanche, le buis sont les plus explicites. Rapidement équilibré, cet aligoté prêt au service s'appuie sur une structure solide et un gras avantageux. Il s'agit du jardin secret de Pamela et Aubert de Villaine (La Romanée-Conti), créé de toutes pièces depuis 1973 et certifié bio en 1997.

GFA Dom. A. et P. de Villaine, 2, rue de la Fontaine, 71150 Bouzeron, tél. 03.85.91.20.50, fax 03.85.87.04.10, e-mail dom.devillaine@wanadoo.fr r.-v.

## Rully

La Côte chalonnaise assure la transition entre le vignoble de Côte-d'Or et celui du Mâconnais. L'appellation rully déborde de sa commune d'origine sur celle de Chagny, petite capitale gastronomique. On y produit plus de vins blancs (11 449 hl) que de vins rouges (6 250 hl en 2004). Nés sur le jurassique supérieur, ils sont aimables et généralement de bonne garde. Certains lieux-dits classés en 1er cru ont déjà accédé à la notoriété.

### DOM. CHRISTIAN BELLEVILLE
Les Chauchoux 2003 ★

5,56 ha 24 800 11 à 15 €

On a eu raison de remplacer ici les saules par des pieds de vigne (le nom débonnaire du lieu-dit évoque en effet la présence de ces arbres). La version blanche de ces Chauchoux a reçu le coup de cœur en l'an 2000. La version rouge retient cette fois notre attention. L'œil est tout de suite comblé. Le nez doit patienter un peu : il se manifeste à l'aération. Un corps simple, fondu, assez chaleureux en finale, plaisant et sans complication.

Dom. Christian Belleville, 1, rue des Bordes, 71150 Rully, tél. 03.85.91.06.00, fax 03.85.91.06.01
t.l.j. 8h-12h 13h30-18h; f. jan.

### JEAN-CLAUDE ET ANNA BRELIERE
Les Margotés 2003 ★

1er cru 2 ha 8 000 11 à 15 €

Il y a des rencontres qui ne passent pas inaperçues, notamment quand la fin de bouche vous poursuit d'une insistance fruitée. La robe est légère et limpide ; elle se parfume à la mirabelle, ou à la poire. Le contact est ensuite tendre et direct, d'autant qu'une silhouette ronde donne envie d'aller plus loin. C'est tout juste si elle garde le souvenir de son fût. Mais n'est-elle pas déjà mariée ? Oui, et bien fondue.

Jean-Claude Brelière, 1, pl. de l'Eglise, 71150 Rully, tél. 03.85.91.22.01, fax 03.85.87.20.64, e-mail domainebreliere@wanadoo.fr r.-v.

### DOM. DE LA BRESSANDE 2003 ★

1er cru n.c. 18 266 11 à 15 €

Intense et profonde, la robe engage à découvrir ce vin au nez de fruits rouges confiturés, dont la bouche est riche, fruitée elle aussi, et reposant sur des tanins fondus, soyeux, persistants.

Duvergey-Taboureau, 6, rue des Santenots, 21190 Meursault, tél. 03.80.21.63.00, fax 03.80.21.29.19

### DOM. MICHEL BRIDAY 2003 ★

3 ha 8 500 11 à 15 €

Dès le XVIIIe s., et selon l'abbé Courtépée, le vin de Grésigny bénéficiait d'une réputation élevée. Le **1er cru Grésigny 2003 blanc** proposé par ce producteur confirme ce renom en obtenant une citation. On mettra en avant ce « simple *village* » porteur de toutes les grâces. Un vrai rully d'un or étincelant. Floral (acacia) et fruité (pamplemousse), son nez présente une belle palette aromatique tandis qu'au palais la richesse et le gras vous reçoivent avec faste.

EARL Stéphane Briday, Dom. Michel Briday, 31, Grande-Rue, 71150 Rully, tél. 03.85.87.07.90, fax 03.85.91.25.68, e-mail stephane.briday@wanadoo.fr
t.l.j. 9h-12h 15h-18h; sam. dim. sur r.-v.

### DOM. DU CH. DE DAVENAY Rabourcé 2002

1er cru 0,5 ha 900 11 à 15 €

Négociant-éleveur, Michel Picard a acquis plusieurs domaines. Le premier fut celui du château de Davenay en 1986. Soit 16,5 ha, une cave voûtée du XIIe s. et en cas

de besoin un four à pain. Le bouquet de ce Rabourcé or vert, or gris, réussit à surprendre par un savant mélange de menthe et de compote d'abricots. Fringant, un peu nerveux, il chevauche avec une belle allure jusqu'à une finale un peu fugace mais fraîche et fruitée.
Maison Michel Picard, 5, rue du Château, 21190 Chassagne-Montrachet, tél. 03.80.21.98.63, fax 03.80.21.97.83, e-mail francine.picard@m-p.fr r.-v.

### JOSEPH DROUHIN 2003 *

■ n.c. n.c. 11 à 15 €

Bourguignonne jusqu'au bout des lèvres mais familialement présente en Oregon, la maison J. Drouhin a obtenu un coup de cœur en rully il y a quelques années. Celui-ci a le teint très sombre. Complexe, mêlant le fruit rouge confituré aux épices, le nez demande à s'ouvrir davantage. Une nuance de violette semble également se dessiner. Dans un environnement tannique d'une grande élégance, ce vin en train de s'enrober mérite de passer quelque temps en cave avant d'être servi sur un gibier.
Maison Joseph Drouhin, 7, rue d'Enfer, 21200 Beaune, tél. 03.80.24.68.88, fax 03.80.22.43.14, e-mail maisondrouhin@drouhin.com r.-v.

### DUFOULEUR PERE ET FILS 2002 *

n.c. 5 000 8 à 11 €

Outre le **1er cru Meix Cadot 2002 blanc (11 à 15 €)** classique et à laisser vieillir un peu (un à deux ans), ce *village* qui brille comme un louis. Fleurs blanches et agrumes composent un bouquet de bon goût. On le carafera avec profit. Sa structure souple, sa rétro sur la pêche, sa persistance délicatement vanillée procurent un plaisir sans artifice. Dans combien de temps l'ouvrir ? Le temps de le dire.
Dufouleur Père et Fils, 17, rue Thurot, 21700 Nuits-Saint-Georges, tél. 03.80.61.21.21, fax 03.80.61.10.65, e-mail dufouleur@dufouleur.com t.l.j. 9h-19h

### RAYMOND DUREUIL-JANTHIAL 2002

■ 0,97 ha 6 000 11 à 15 €

Petit domaine de 5,2 ha et vieille famille, dont les résultats sont homogènes. L'une des dernières étiquettes « parchemin à bords roulés ». Brillance, arômes d'épices et de fruits mûrs, un peu de vivacité en bouche, dans l'ensemble un vin franc et honnête. Citons encore le **rully Vieilles Vignes 2002 rouge** bon pour la garde, voire de longue garde.
Raymond Dureuil-Janthial, rue de la Buisserolle, 71150 Rully, tél. 03.85.87.02.37, fax 03.85.87.00.24 r.-v.

### VINCENT DUREUIL-JANTHIAL Les Margotés 2003 **

1er cru 0,82 ha 3 900 11 à 15 €

Le coup de cœur, Vincent Dureuil-Janthial l'a déjà obtenu dans le Guide 2001 et le 2005, les deux fois en rouge. D'un léger or gris peuplé des fameux reflets verts, ce chardonnay témoigne de l'égale réussite des blancs. Bouquet odorant sur le fruit, encore un peu masqué par le pain grillé venu du fût ; sa structure est bien travaillée tant en finesse qu'en maturité, longue et aromatique : à ouvrir dès que son boisé sera tout à fait rentré dans le rang. Autre excellente bouteille, le **1er cru Meix Cadot 2003 blanc** à carafer, sera prêt pour Noël.

Vincent Dureuil-Janthial, rue de la Buisserolle, 71150 Rully, tél. 03.85.87.26.32, fax 03.85.87.15.01, e-mail vincent.dureuil@wanadoo.fr r.-v.

### DUVERNAY PERE ET FILS Rabourcé 2003 *

1er cru 4,5 ha n.c. 8 à 11 €

Un demi-hectare en 1973, 15 ha de nos jours. Qui donc disait qu'on ne peut plus créer un domaine en Bourgogne ? Ce Rabourcé est à déboucher durant les mois qui viennent et on y prendra du plaisir. Jaune citron brillant, il associe l'abricot et l'amande grillée. Onctueux, copieux, il a beaucoup de plénitude. Notez en outre **Les Champs Cloux en 1er cru 2003 rouge** : même maturité précoce dans un souffle puissant, même note.
GFA Duvernay Père et Fils, 4, rue de l'Hôpital, 71150 Rully, tél. 03.85.87.04.69, fax 03.85.87.09.17 t.l.j. sf dim. 8h-12h 13h30-18h30

### FAIVELEY Les Villeranges 2002 **

■ 4,8 ha 27 000 11 à 15 €

Erwan Faiveley vient de succéder à François son père, lui-même fils et petit-fils de Grands Maîtres de la Confrérie des Chevaliers du Tastevin. Son rully rubis intense illumine le regard. On en a d'ailleurs parlé au moment du coup de cœur, de même que de ses tanins à grains fins laissant le corps libre de ses mouvements. Souple, relativement léger mais dans son appellation et son millésime, il est fait pour plaire.
Bourgognes Faiveley, 8, rue du Tribourg, 21701 Nuits-Saint-Georges Cedex, tél. 03.80.61.04.55, fax 03.80.62.33.37, e-mail bourgognes@bourgognes-faiveley.com r.-v.
Erwan Faiveley

### DOM. DE LA FOLIE En Chaponnière 2002

■ 0,99 ha 5 000 8 à 11 €

C'était le domaine d'Etienne-Jules Marey, l'inventeur de la chronophotographie. Il ne manquait jamais de veiller sur ses vendanges. La tradition se poursuit dans la même famille. D'une couleur vive, claire, ce vin affiche un nez qui a atteint la maturité, dans un élan puissant et plutôt complexe. Ses tanins sont encore sensibles, mais il ne déshonore nullement son millésime et reste dans le cadre de l'appellation *village*.
Dom. de la Folie, 71150 Chagny, tél. 03.85.87.18.59, fax 03.85.87.03.53, e-mail domaine.de.la.folie@wanadoo.fr t.l.j. 9h-12h 13h30-18h30
Noël Bouton

### CHRISTOPHE GRANDMOUGIN ET FILS La Fosse 2002 *

■ 1er cru 1 ha 5 000 11 à 15 €

Typé pinot, typé rully, il n'a pas besoin de papiers d'identité pour se faire connaître. Un beau rouge brillant

Le Chalonnais et le Mâconnais

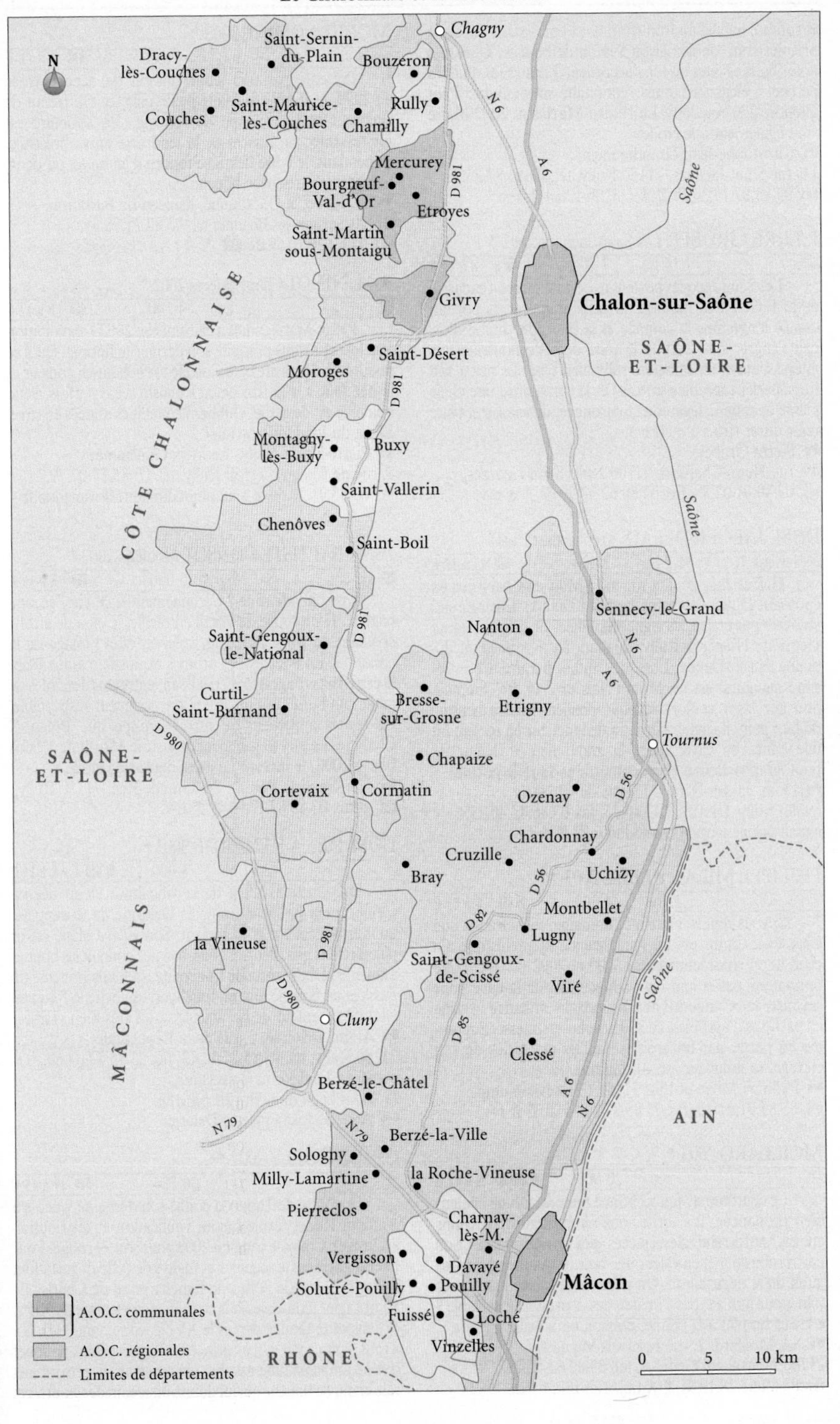

Chagny
Dracy-lès-Couches
Saint-Sernin-du-Plain
Bouzeron
Rully
Couches
Saint-Maurice-lès-Couches
Chamilly
Mercurey
Bourgneuf-Val-d'Or
Etroyes
Saint-Martin sous-Montaigu
Givry
Chalon-sur-Saône
Saint-Désert
Moroges
Montagny-lès-Buxy
Buxy
Saint-Vallerin
Chenôves
Saint-Boil
CÔTE CHALONNAISE
SAÔNE-ET-LOIRE
Sennecy-le-Grand
Nanton
Saint-Gengoux-le-National
Curtil-Saint-Burnand
Bresse-sur-Grosne
Etrigny
Tournus
Chapaize
Cortevaix
Cormatin
Ozenay
Chardonnay
Cruzille
Uchizy
Bray
Montbellet
Lugny
la Vineuse
Saint-Gengoux-de-Scissé
Viré
Cluny
Clessé
MÂCONNAIS
Berzé-le-Châtel
AIN
Berzé-la-Ville
Sologny
Milly-Lamartine
la Roche-Vineuse
Pierreclos
Charnay-lès-M.
Vergisson
Davayé
Solutré-Pouilly
Pouilly
Mâcon
Fuissé
Loché
Vinzelles
RHÔNE
N6
A6
D 981
D 980
D 56
D 82
D 85
N 79
Saône
A.O.C. communales
A.O.C. régionales
Limites de départements
0 5 10 km

et sombre habille un fruit (framboise) persistant depuis le premier coup de nez jusqu'à la fin de bouche. Quelques notes épicées dues au fût s'accordent à toutes les qualités perçues : élégance, tonus, continuité aromatique. Peut attendre 2007 ou 2008. Le **1er cru Marissou 2002 blanc** vaut également une étoile.

Christophe-Jean Grandmougin, 11, rue Saint-Jacques, 71150 Rully, tél. 03.85.87.23.79, fax 03.85.87.17.34 t.l.j. 9h-12h 14h-19h

## PIERRE GRUBER Les Saint Jacques 2002 *

1,14 ha 7 500 8 à 11 €

Les Saint Jacques portent-ils ce nom ou celui cadastré de la Folie ? Peu importe au demeurant car ils portent depuis longtemps la coquille et la bourdon. Jaune d'or, paille mûre, ainsi voit-on la robe de cette bouteille très intéressante et au caractère rully bien typé. Le nez a son franc-parler (agrumes surtout) et le corps offre une chair pleine et entière, légèrement citronnée, délicieuse et bâtie pour durer (trois à quatre ans).

Pierre Gruber, 49, rue Henri-Challand, 21700 Nuits-Saint-Georges, tél. 03.80.61.02.88, fax 03.80.62.37.99 r.-v.

## DOM. JAEGER-DEFAIX Mont-Palais 2003

1er cru 1,2 ha 2 500 11 à 15 €

Hélène Jaeger a fait son nid à Milly-en-Chablisien en épousant Didier (domaine Bernard Defaix). Elle reprend en outre par étapes les vignes familiales de sa grand-tante Henriette Niepce à Rully, donnant ici naissance au domaine Jaeger-Defaix. Lorsque l'enfant paraît... Ce millésime inaugural est un Mont-Palais or clair très limpide. Son nez léger et floral évoque l'œillet. Tendre comme du bon pain, il gagnera un brin de longueur en patientant une année en cave. Alors la grand-mère d'Hélène, la photographe Janine Niepce pourra en faire le portrait.

Dom. Jaeger-Defaix, 17, rue du Château, 89800 Milly, tél. 03.86.42.40.75, fax 03.86.42.40.28, e-mail helene.jaeger@wanadoo.fr r.-v.

## PHILIPPE MILAN ET FILS 2003 *

1,22 ha 4 200 8 à 11 €

Si vous rendez visite à ce domaine, sachez aussi que Chassey-le-Camp est un haut lieu de la préhistoire (la civilisation chasséenne entre 3000 et 2002 av. J.-C.). Ne remontons pas si loin mais simplement de la cave pour savourer le bel aujourd'hui. D'une jolie brillance et riche en parfums d'agrumes, ce 2003 évolue en finesse. Supportée en partie par les arômes vanillés et toastés de son élevage, sa longueur est satisfaisante.

Philippe Milan et Fils, 71150 Chassey-le-Camp, tél. 03.85.91.21.38, fax 03.85.87.00.85 r.-v.

## MOILLARD 2003 *

n.c. 20 000 8 à 11 €

Le chardonnay fait ici bonne mesure. D'une couleur bien prononcée, il s'abrite sous un éventail de parfums choisis : notes minérales, épicées, déjà un peu miellées. Son corps robuste met en valeur une bouche qui prend du gras au fil de la dégustation. On aimerait le suivre mais après tout pourquoi ne pas l'inviter dès à présent à sa table ? Choisir un plat à la crème, poisson ou volaille.

SA Moillard, 2, rue François-Mignotte, 21700 Nuits-Saint-Georges, tél. 03.80.62.42.22, fax 03.80.61.28.13 t.l.j. 10h-18h; f. jan.

## MORET-NOMINE 2003 *

n.c. n.c. 5 à 8 €

Présenté par une jeune maison de négoce créée en 1999, et habillé de jaune paille pâle, ce vin frémit de fraîcheur et s'enveloppe de rondeur. La structure est intéressante : on ressent de la tendresse en sa présence. Cependant, le boisé devra se fondre d'ici un an ou deux, libérant une très belle bouche.

D. Moret et O. Nominé, hameau de Barboron, 21420 Savigny-lès-Beaune, tél. 03.80.21.58.35, fax 03.80.26.10.59 r.-v.

## P.-M. NINOT Chaponnières 2002 *

0,8 ha 4 500 8 à 11 €

Pierre-Marie Ninot a transmis en 2003 l'exploitation à sa fille et il nous présente son dernier millésime. Qu'il se rassure ! Le pourpre et le violet le tirent haut en couleur et le nez joue sur la fraîcheur. Robuste, vive parfois, cette bouteille est de garde. Oubliez-la quelques années en cave. Elle a du fond, du potentiel.

Pierre-Marie Ninot, Le Meix Guillaume, 2, rue de Chagny, 71150 Rully, tél. 03.85.87.07.79, fax 03.85.91.28.56, e-mail ninot.domaine@wanadoo.fr r.-v.

## JEAN-BAPTISTE PONSOT Moulène 2003 *

1er cru 0,97 ha 5 000 8 à 11 €

Une pintade rôtie ? Certainement si ce vin l'accompagne... D'un rouge de vitrail ensoleillé, le clou de girofle épaulant un fruité assez fin, voici en effet l'image de la tentation. En bouche, des arômes explosifs maintiennent le cap (fruits rouges) tout en laissant entrevoir des notes de gibier, un boisé bien intégré et une longueur respectable. Ce *climat* appartient au même groupe que Préau et Chapître. Le jury a également dégusté le **Moulène 1er cru blanc 2003**, le jugeant lui aussi digne de l'étoile.

Jean-Baptiste Ponsot, 26, Grande-Rue, 71150 Rully, tél. et fax 03.85.87.17.90 r.-v.

## DOM. DE LA RENARDE 2003 *

12,17 ha 8 000 8 à 11 €

Ses fonctions d'élu de la viticulture et du négoce n'empêchent pas Jean-François Delorme de se rappeler qu'il est viticulteur et négociant. Son *village* blanc est or pâle à reflets gris. Beurré, grillé, son nez connaît les bonnes manières. D'une certaine minéralité, sa finale ponctue un passage en bouche tout en fraîcheur, qui évite le fréquent effet de pesanteur de la canicule : c'est très bien vinifié.

André Delorme, 2, rue de la République, 71150 Rully, tél. 03.85.87.10.12, fax 03.85.87.04.60, e-mail andre-delorme@wanadoo.fr t.l.j. sf dim. 9h-12h 14h-18h

Anne et Jean-François Delorme

## CH. DE RULLY 2002 **

n.c. 86 784 11 à 15 €

Le comte de Ternay a confié son domaine viticole à Antonin Rodet (exploitation, vinification et distribution exclusive). Coup de cœur en 2003 pour son 99 rouge. Pour fêter dignement le seigneur et maître de cette dégustation, il faudra sortir de l'office le fameux verre de Charles de Saint-Ligier (conservé dans ce château-forteresse du XIIe s. et dans cette famille depuis le XVIe s., contenant 3 l !). Il y a tout dans ce vin. Un or princier, un merveilleux bouquet (pêche, ananas), une attaque éblouissante, la rétro minérale en fin de bouche qui lui donne un regain de vitalité, cet

équilibre de funambule, non, rien de rien, il ne lui manque rien. Quant au **1er cru La Bressande blanc 2002 (15 à 23 €)**, il obtient une étoile pour sa puissance aromatique, sa fraîcheur et son boisé parfaitement maîtrisé.
Dom. de la Bressande, 71640 Mercurey, tél. 03.85.98.12.12, fax 03.85.45.25.49

### ALBERT SOUNIT Saint Jacques 2003 *

0,7 ha 3 600 11 à 15 €

Coup de cœur l'année dernière pour un Grésigny, cette maison fondée en 1851 par Flavien Jeunet, reprise durant les années 1930 par la famille Sounit, appartient depuis 1993 à son importateur danois K. Kjellerup. Le **1er cru La Pucelle 2003** obtient une citation. C'est un nom flatteur certes et joliment marchand ; la commission d'experts mise ici à l'œuvre durant les années 1980 observa toutefois que ce lieu-dit s'appelait en réalité la Crée. Ce qui n'est pas déshonorant ! *Light golden*, diraient les Anglais de la robe à reflets or de la cuvée Saint Jacques. Légers arômes exotiques mêlés aux notes toastées du fût. Beaucoup de consistance comme souvent les 2003. Digne d'un sandre à la crème.
Albert Sounit, 5, pl. du Champ-de-Foire, 71150 Rully, tél. 03.85.87.20.71, fax 03.85.87.09.71, e-mail albert.sounit@wanadoo.fr r.-v.

### DOM. ROLAND SOUNIT
Meix Cadot Elevé et vieilli en fût de chêne 2003

1er cru 0,8 ha 4 500 11 à 15 €

Le Meix Cadot fait partie des 1ers crus situés sur le « coteau du château ». Celui-ci a trouvé des partisans au sein du jury, jugeant la robe légère mais agréable, le nez discret mais fin, la jeunesse méritante. Un même jugement est porté sur le **village blanc 2003 La Bergerie (8 à 11 €)**.
SCEA Dom. Roland Sounit, rte de Monthélie, 21190 Meursault, tél. 03.80.21.22.45, fax 03.80.21.28.05

### ERIC DE SUREMAIN 2002

1er cru 2,5 ha n.c. 11 à 15 €

De Suremain : ce nom se décline tant en Côte de Beaune qu'en Côte chalonnaise. Noblesse oblige, les cuves sont en bois ! Issu sans doute de plusieurs *climats*, ce 1er cru est léger comme l'air franc et vif d'un matin de printemps. Ses parfums évoluent vers le miel, la cire d'abeille (besoin d'un temps d'aération) avec une pointe heureuse de pierre à fusil, assez habituelle en rully.
Eric de Suremain, Ch. de Monthélie, 21190 Monthélie, tél. 03.80.21.23.32, fax 03.80.21.66.37, e-mail desuremain@wanadoo.fr r.-v.

### CHARLES VIENOT 2003

n.c. 45 000 11 à 15 €

Paille à reflets dorés, son bouquet trouve de la fraîcheur à l'aération. L'ananas lui apporte un petit côté exotique. Gras sans être lourd, il exprime la densité du millésime dans un contexte assez suave. Très discrètement vanillé (on apprécie cette réserve), il a ce qu'on appelle « une bonne suite ».
Charles Viénot, 5, quai Dumorey, BP 102, 21703 Nuits-Saint-Georges Cedex, tél. 03.80.62.61.61, fax 03.80.62.61.57
SA Boisset

# Mercurey

Mercurey, situé à 12 km au nord-ouest de Chalon-sur-Saône, en bordure de la route Chagny-Cluny, jouxte au sud le vignoble de Rully. C'est l'appellation communale la plus importante en volume de la Côte chalonnaise : 24 334 hl de vins rouges et 3 673 hl en blanc en 2002. Elle s'étend sur trois communes : Mercurey, Saint-Martin-sous-Montaigu et Bourgneuf-Val-d'Or.

Quelques lieux-dits tels Champ Martin, Clos des Barrault ou encore Clos l'Evêque bénéficient de la dénomination « premier cru ». Les vins sont en général solides, voire un peu rustiques mais d'une bonne aptitude au vieillissement.

BOURGOGNE

### DOM. CAPUANO-JOHN Clos du Paradis 2003 *

1er cru n.c. n.c. 11 à 15 €

John Capuano a repris le domaine en 1999. Clos du Paradis... Peut-on rêver mieux ? Terrestre, il va sans dire, car les sculpteurs du roman bourguignon ne représentaient pas Eve avec une golden mais avec une grappe de raisin. Violacé aux confins du noir, il évoque le pruneau cuit et vanillé. Rond de fruits, équilibré en tanins, il est d'une franchise propre à sa jeunesse. Si l'on vise le paradis céleste, un petit temps de purgatoire semble souhaitable.
Dom. Capuano-John, 14, rue Chauchien, 21590 Santenay, tél. 03.80.20.68.04, fax 03.80.20.65.75, e-mail john.capuano@wanadoo.fr r.-v.

### CH. DE CHAMIREY Les Ruelles 2002 **

1er cru n.c. 4 167 15 à 23 €

Il se passait beaucoup de choses jadis au pied des lits, dans ce qu'on appelait les ruelles. Dans celles-ci aussi se produit presque... un coup de cœur. Peint par un maître, un grand mercurey aux arômes secondaires délicieusement confits. Sans doute n'a-t-il pas encore déposé son armure, mais quelle stature ! Quelle belle constitution ! Et quand il s'ouvrira tout à fait... Ce domaine familial honore ainsi la figure du marquis de Jouennes d'Herville (Antonin Rodet). Il a reçu la plus haute distinction en 2003 et en 2005. On visitera avec profit le **1er cru La Mission blanc 2002** ainsi que les **villages rouge** et **blanc 2002**, qui obtiennent chacun une étoile.
Dom. du Château de Chamirey, BP 5, 71640 Mercurey, tél. et fax 03.85.45.21.61
B. Devillard

### DOM. DE LA CROIX JACQUELET
La Perrière 2002

2,3 ha 13 882 11 à 15 €

La maison J. Faiveley a constitué un vaste domaine en mercurey. Sa Perrière 2002 fait l'élégante dans sa robe cerise à reflets mauves. Joli parfum ma foi ! Fait de fraise écrasée, il lui offre un nez très friand. Velouté, moelleux pourrait-on dire, son corps s'allonge sans s'alanguir. Typé, tant millésime qu'appellation.

Dom. de La Croix Jacquelet, Cidex 892, 71640 Mercurey, tél. 03.85.45.12.23, fax 03.85.45.26.42 r.-v.

CH. D'ETROYES Les Velley 2002

1er cru 1,39 ha 3 700 11 à 15 €

Francs comme l'or dont ils ornent leur robe, **Les Ormeaux 2003 blanc (8 à 11 €)**, cités, placent les fruits jaunes à l'avant-scène. En revanche le **1er cru Clos l'Evêque 2003 rouge** obtient une étoile, tout comme ces Velley pourpre intense à reflets violines dont le nez, lui aussi très jeune, se montre fruité et épicé. Bien structuré par des tanins de qualité, ce joli vin saura attendre.

Dom. Maurice Protheau et Fils, SCEA Ch. d'Etroyes, 71640 Mercurey, tél. 03.85.45.10.84, fax 03.85.45.26.05, e-mail contact@domaine.protheau-mercurey.fr t.l.j. sf dim. 8h-12h 14h-19h

DOM. DE L'EUROPE Les Chazeaux 2003 *

1 ha 5 000 8 à 11 €

« La peinture est une poésie qui se voit », disait Léonard de Vinci. Mieux encore, ici elle se voit et elle se boit, grâce à l'heureuse rencontre d'une artiste belge et d'un vigneron bourguignon. Depuis 1995, on les retrouve chaque année dans le Guide. Leur domaine miniature (2,5 ha) produit un vin cerise noire qui doit, pour s'élever tout à fait, jeter par-dessus bord une partie de son boisé. Dense, un peu rustique, il n'en est pas moins gourmand. En **village la cuvée Vieilles Vignes 2003 rouge** est féminine en diable. Comme quoi ! Elle obtient également une étoile, ainsi que **Les Closeaux 2003 rouge**.

Chantal Côte et Guy Cinquin, Dom. de l'Europe, 7, rue du Clos Rond, 71640 Mercurey, tél. 06.08.04.28.12, fax 03.85.45.23.82, e-mail cote.cinquin@wanadoo.fr r.-v.

DOM. DE L'EVECHE Les Ormeaux 2003 *

1 ha 3 500 5 à 8 €

Ce n'est pas tous les jours que l'on déguste chez Monseigneur. Rouge à reflets violets, ce mercurey affiche sa jeunesse. Epices et petits fruits signent un nez des plus classiques. La cerise entre plus tard dans ce décor boisé. L'alcool, l'acidité et les tanins se mettent assez vite d'accord sur une note d'amertume fréquente en pinot noir. Comme le tout est harmonieux, on peut penser qu'une garde de durée moyenne (deux à quatre ans) éveillera sa complexité. Il accompagnera une côte de bœuf grillée. **Les Murgers rouge 2003** obtiennent une citation.

EARL Henri et Vincent Joussier, Dom. de l'Evêché, 71640 Saint-Denis-de-Vaux, tél. 03.85.44.30.43, fax 03.85.44.54.42 t.l.j. 8h-12h 14h-18h; dim. sur r.-v.; f. 20-30 août

DOM. STEPHANE GADAN Vieilles Vignes 2003 *

0,6 ha 2 100 11 à 15 €

A 500 m de l'église médiévale de Touches, ce domaine fête ses dix ans. La fabrication de tracteurs enjambeurs a conduit ici à la viticulture. Ces Vieilles Vignes ? La couleur est bien marquée et le nez odorant (fruits rouges, fin boisé et sous-bois). En bouche, une certaine chaleur se manifeste mais la souplesse de l'attaque, l'équilibre et la bonne matière en font une bouteille attrayante en *village*.

Stéphane Gadan, 1, rue de Touches, 71640 Mercurey, tél. 03.85.45.09.61, fax 03.85.98.04.85, e-mail gadan.stephane@tiscali.fr r.-v.

DOM. PHILIPPE GARREY Vieilles Vignes 2003 *

0,7 ha n.c. 11 à 15 €

Domaine repris en 2000 et rénové depuis. Grenat plein de flamme, cette cuvée opte pour le cassis légèrement vanillé au nez puis au palais. Celui-ci se présente de façon tendre et franche, avec une acidité précieuse et un peu de dureté tannique en seconde partie, qui disparaîtra avec deux ou trois ans de garde. Ne pas perdre de vue, en outre, le **1er cru La Chassière 2003 rouge**, qui obtient également une étoile.

Dom. Philippe Garrey, le Bourg, 71640 Saint-Martin-sous-Montaigu, tél. 03.85.45.23.20, fax 03.85.45.15.94, e-mail d-pg@wanadoo.fr r.-v.

DOM. GOUFFIER Champs-Martin 2002

1er cru 0,25 ha 1 500 11 à 15 €

Si vous faites halte dans cette cave, ne manquez pas de voir les cinq lavoirs de la commune... Le terroir des Champs-Martin, réputés pour leur style délicat : des sols caillouteux, nés de roches décomposées en de fines particules. Pourpre moyen éclairci sur le bord du disque, ce 2002 s'entoure d'une senteur de cassis sur un discret fond boisé. Sa fraîcheur ragaillardit une texture assez légère. Les tanins paraissent en réserve. On conseille toutefois de ne pas les attendre pour lever son verre.

Dom. Gouffier, 11, Grande-Rue, 71150 Fontaines, tél. 03.85.91.49.66, fax 03.85.91.46.98, e-mail jerome.gouffier@cegetel.net r.-v.

DOM. DE LA GRANGERIE Clos Paradis 2003 *

1er cru 0,82 ha 5 400 15 à 23 €

Le soleil ne se couche presque jamais sur ce domaine de plus de 55 ha (groupe Michel Picard), tant il est étendu. On est ici sur les anciennes terres de la famille des Montaigu, mais rassurez-vous il n'y a aucun Capulet dans les parages. Jaune doré, un chardonnay faisant part égale entre le fruit exotique et la pierre à fusil. L'enrobé de bouche, intéressant, met l'accent en rétro sur la figue. Il n'y a pas énormément de gras mais on peut passer tout de suite aux hors-d'œuvre, la bouteille est prête.

Dom. de la Grangerie, 71640 Saint-Martin-sous-Montaigu, tél. 03.85.87.51.17, fax 03.85.87.51.12, e-mail marketing@m-p.fr

Maison Chandesais

DOM. PATRICK GUILLOT Clos des Montaigu 2003 *

1er cru 1,3 ha 5 500 8 à 11 €

Encre carminée, ainsi le voit-on. Corbeille de fraises, ainsi le hume-t-on. Tendre puis un peu vif mais restant charnu, ainsi le goûte-t-on. Une belle longueur accompagne sa complexité naissante. Ce vin négocie bien le style « trop » des 2003 et on pourra le tirer de la cave dans deux à trois ans sans le moindre doute. Le **1er cru Les Veley 2003 rouge** un cran en dessous est cependant digne de figurer ici, de même que le **village 2003 blanc**.

Dom. Patrick Guillot, 9 A, rue de Vaugeailles, 71640 Mercurey, tél. 03.85.45.27.40, fax 03.85.45.28.57 r.-v.

## JEANNIN-NALTET PERE ET FILS
Clos des Grands Voyens Monopole 2002

■ 1er cru 4,91 ha 28 000 **11 à 15 €**

Sur près de 5 ha, ce 1er cru monopole fournit plus de la moitié des bouteilles du domaine. C'est donc un cheval de bataille. En robe grenat, il s'ouvre sur les fruits rouges en compote, la pivoine, l'encens... L'entame est assez charnue, souple et il en est ainsi du reste. Rappelons que le même vin millésime 99 reçut le coup de cœur en 2003.

Jeannin-Naltet Père et Fils, 4, rue de Jamproyes, 71640 Mercurey, tél. 03.85.45.13.83, fax 03.85.45.18.24, e-mail jeannin-naltet-pere-et-fils@wanadoo.fr
r.-v.

## DOM. EMILE JUILLOT Les Combins 2003 *

■ 1er cru 0,92 ha 4 000 **11 à 15 €**

Nathalie et Jean-Claude Theulot veillent depuis vingt ans sur le domaine créé par leurs grands-parents. Il a cependant doublé de superficie, se fixant raisonnablement à 11,5 ha. D'une couleur violine appuyée mais cependant limpide, ce 2003 réussit à contourner les obstacles du surmûri. Déjà fondu, son fût n'excède pas la mesure. En bouche, l'entrée en matière est persuasive et le temps saura discipliner la vigueur de sa structure. Le **1er cru Champs-Martin 2003 rouge** possède globalement des qualités identiques, tout comme le **1er cru La Cailloute 2003 blanc**... ou **rouge** (tous cités). Quel tir groupé !

Nathalie et Jean-Claude Theulot, 4, rue de Mercurey, 71640 Mercurey, tél. 03.85.45.13.87, fax 03.85.45.28.07, e-mail e.juillot.theulot@wanadoo.fr
t.l.j. 8h-12h 13h30-18h; sam. dim. sur r.-v.

## DOM. MICHEL JUILLOT Clos des Barraults 2003 *

■ 1er cru 2,3 ha 18 000 **15 à 23 €**

Sous-sol primaire, une marne assez profonde, on est au pays des mercurey rouges les plus costauds et structurés. Celui-ci est carmin vif à liseré violine : une couleur pimpante. Le fût puis les tanins encadrent le cassis qui parvient à s'exprimer. De bonne constitution, ce 2003 évite l'excès de concentration par extraction : il se montre déjà gourmand mais vieillira tranquillement.

Dom. Michel Juillot, 59, Grande-Rue, 71640 Mercurey, tél. et fax 03.85.98.99.89, e-mail infos@domaine-michel-juillot.fr
t.l.j. 9h-19h; groupes sur r.-v.
Laurent Juillot

## HERITIERS LAMY Clos des Montaigus 2002

■ 1er cru 1 ha 1 600 **8 à 11 €**

Dans la même famille depuis deux cent cinquante ans ! Sur ces 5,5 ha gérés à Saint-Martin-sous-Montaigu et à Boulogne-Billancourt (toute la production en vente directe), le fameux Clos des Montaigus s'étend ici sur 1 ha. Rouge grenat à reflets légèrement évolués, un 2002 au parfum de griotte. Il compense sa vivacité par la fraîcheur en bouche. Peu de corps en fonction du millésime, mais de la cohérence. A servir pendant deux ou trois ans sur une viande blanche.

Les Héritiers Lamy, 103, rue de Sèvres, 92100 Boulogne-Billancourt, tél. 06.89.95.15.81, fax 01.46.04.46.57, e-mail blamy@lesheritierslamy.com r.-v.

## DOM. LORENZON
Champs Martin Cuvée Carline 2003 **

■ 1er cru 0,5 ha 2 000 **15 à 23 €**

Cette cuvée ne passe jamais inaperçue. Coup de cœur en 2002, elle figure cette année encore dans le premier cercle. Au premier coup d'œil, on la devine éclatante de santé. Au deuxième coup de nez, la cerise et plus discrètement la vanille prennent la direction des opérations. Au troisième coup de langue, on est en présence d'une matière riche et souple, savoureuse. Approchant ce niveau de qualité, le **village 2003 rouge (11 à 15 €)** vous laissera de bons souvenirs : il obtient une étoile.

Dom. Bruno Lorenzon, 14, rue du Reu, 71640 Mercurey, tél. 03.85.45.13.51, fax 03.85.45.15.52
r.-v.

## DOM. DE LA MADONE Les Ormeaux 2003 *

1,7 ha 11 000 8 à 11 €

Cette Madone ne se fait pas prier ! Elle est d'un jaune léger un peu doré, couleur d'aquarelle. Bouquet floral, discret, sensible. Si son corps est pur esprit, il est délicat, teinté de miel, d'une élégance rare. Tout en nuance, on l'a compris. Ne faites cependant pas trop de neuvaines devant cette bouteille : elle est impatiente de vous faire partager ses grâces.

SARL Dom. de La Madone, 7, rte de Monthélie, 21190 Meursault, tél. 03.80.21.22.45, fax 03.80.21.28.05

## JEAN MARECHAL Cuvée Prestige 2003

■ 1er cru 2,6 ha 9 800 **11 à 15 €**

Robe fuchsia, bouquet mi-cassis mi-vanille, il entre dans le vif du sujet avec la volonté de ne rien dissimuler, de ne rien laisser de côté. Une sensation douce-amère, originale et bien tournée, émane d'un corps tannique. Celui-ci prend ses marques : il a encore de la distance à parcourir. Quant au **1er cru Clos L'Evêque 2003 rouge** (une étoile) son mandement atteindra les fidèles vers 2010.

Dom. Jean Maréchal, 20, Grande-Rue, 71640 Mercurey, tél. 03.85.45.11.29, fax 03.85.45.18.52, e-mail domainejmarechal@free.fr r.-v.

## DOM. L. MENAND PERE ET FILS
Clos des Combins 2003

1er cru 0,6 ha 4 000 **11 à 15 €**

Jaune paille, son nez est déjà copieusement garni, franc, et à forte emprise minérale. Dans ce pays si actif depuis la préhistoire, on ne s'étonne pas de trouver du silex en vendangeant. La bouche est ample, fluide, restant sur l'expression du bouquet et d'une acidité plaisante qui excite les papilles. De quelque côté qu'on se tourne, c'est la féminité. Très chaleureuse sur la fin, cette bouteille n'attend pas un rendez-vous lointain.

Dom. L. Menand, Clos des Combins, 71640 Mercurey, tél. 03.85.45.19.19, fax 03.85.45.10.23
r.-v.

## MUGNIER PERE ET FILS
Les Champs Martin 2002 *

1er cru n.c. 900 **11 à 15 €**

Jaune pâle à reflets gris, il ne manque pas de nez et il le porte bien dans le type de son appellation : bourgeon de cassis, groseille, noisette grillée, beaucoup de présence. L'avantage des 2002 sur nombre de 2003, c'est qu'ils ont le pied léger, aucun effet de surmaturation. L'éclat de silex et le citron égayent un corps délicat. Peut-être une petite

BOURGOGNE

tendance oxydative, mais de toute façon il n'a guère envie de lanterner en cave, p'tiote ou non. « Pour les poissons nobles », conseille le jury.

EARL la P'tiote Cave, Valotte, 71150 Chassey-le-Camp, tél. 03.85.87.15.21, fax 03.85.87.28.08 r.-v.

## PICARD PERE ET FILS Les Croichots 2003

■ 1er cru 0,52 ha 2 800 11 à 15 €

« Savez-vous ce qu'est une caresse ? demandait Colette. Buvez un verre de mercurey. » Fraîche au regard, pourpre à reflets rubis, cette bouteille saupoudre de vanille la fraise et la framboise. Après une belle attaque, la bouche progresse sur un fruit généreux. La finale réserve une petite sensation de chaleur, à mettre sur le compte de la générosité du millésime. Riche en roches de décomposition, ce terroir est ici l'un de ceux qui réalisent les rouges les plus fins.

Bernard Picard, GAEC du Dom. des Vignes-sous-les-Ouches, 5, rue des Vignes-sous-les-Ouches, 71510 Aluze, tél. 03.85.45.16.34, fax 03.85.45.15.91 r.-v.

## FRANCOIS RAQUILLET Les Puillets 2003 ★★

■ 1er cru 1,37 ha 6 000 11 à 15 €

Deux belles bouteilles dans cette cave : le **1er cru Les Naugues 2003 rouge**, cité, encore assez tannique et à laisser reposer ; et cet autre 1er cru dans le même millésime et la même couleur. Robe de choix, impressionnante de profondeur violacée. Nez correctement fruité. Tanins fermes ? Certes, mais le mercurey s'exprime souvent par une main de fer sous un gant de velours. On trouve ici ce caractère sur un mode gourmand.

François Raquillet, 19, rue de Jamproyes, 71640 Mercurey, tél. 03.85.45.14.61, fax 03.85.45.28.05 r.-v.

## OLIVIER RAQUILLET Les Vellées 2003 ★★

■ 1er cru 0,85 ha 5 000 8 à 11 €

On a un peu attendu pour vendanger (28 août), et on a bien fait. En effet, il s'agit d'un vin très bien construit, qui a manqué d'un doigt le coup de cœur. Pivoine foncé, brillant, il affiche un bouquet prometteur qui laisse toute sa place au fruit ; il équilibre parfaitement son acidité et ses tanins. Une jolie rétro portée sur la mûre ajoute à la qualité remarquable de la vinification. Les Vellées (on écrit aussi les Velley) sont l'un des *climats* reposant sur la marne profonde, ce qui garantit généralement leur charpente.

Olivier Raquillet, 125, Grande-Rue, 71640 Mercurey, tél. 03.85.45.18.38, fax 03.85.45.20.35 r.-v.

## CH. DE SANTENAY 2003 ★

5,5 ha 27 300 8 à 11 €

Sur les terres de Philippe le Hardi, le Crédit agricole mène ici la vie de château, l'affaire ayant été reprise en 1997 dans le cadre de Grands Crus Investissements : 94 ha de vignes, dont une importante superficie en mercurey. Brillant de son or discret et distingué, embaumant la fleur blanche et la vanille, un chardonnay gras et coulant, la bouche un peu abricotée et prolongée par une finale persistante.

Ch. de Santenay, 1, rue du Château, BP 18, 21590 Santenay, tél. 03.80.20.61.87, fax 03.80.20.63.66, e-mail contact@chateau-de-santenay.com r.-v.

## ALBERT SOUNIT Le Fourneau 2003 ★

1er cru 0,3 ha 1 200 11 à 15 €

Le Fourneau ? On rencontre également ce nom parmi les *climats* de gevrey, de savigny et il semble faire allusion à une très ancienne métallurgie (les minerais de fer sont abondants dans le vignoble). Un vin jaune pâle à reflets gris-vert né d'une vendange du 19 août. Puissant dans tous les sens du terme, il explose au nez puis en bouche (arômes grillés et exotiques, acidité correcte, longueur affinée sur le minéral). On débouchera cette bouteille dans les deux ans.

Albert Sounit, 5, pl. du Champ-de-Foire, 71150 Rully, tél. 03.85.87.20.71, fax 03.85.87.09.71, e-mail albert.sounit@wanadoo.fr r.-v.

## DOM. TUPINIER BAUTISTA En Sazenay 2003 ★★

■ 1er cru 1,14 ha 5 000 11 à 15 €

Produit de France · Product of France
GRAND VIN DE BOURGOGNE
2003
Mercurey 1er Cru
Appellation Mercurey 1er Cru Contrôlée
En Sazenay
750 ml · 13 % alc./vol.
Mis en bouteilles au Domaine par
E.A.R.L Domaine TUPINIER - BAUTISTA Propriétaire-Récoltant à TOUCHES 71640 MERCUREY

Elle a tout d'une grande cette bouteille qui s'offre le coup de cœur ! Sous sa robe rouge sombre tirant sur le violet, un nez plus complexe qu'intense entreprend de distiller les petits fruits. Au palais, elle se libère dès l'attaque avec de l'élan, puis elle enveloppe d'un gras très riche une structure qui la joue fine. Un arrière-goût de confiture de cerises achève de séduire : le mercurey dans ses meilleurs jours. En **blanc le 1er cru En Sazenay 2003** est ce qu'il vous faut si vous aimez la minéralité. Il obtient également deux étoiles.

EARL Tupinier-Bautista, Touches, 71640 Mercurey, tél. 03.85.45.26.38, fax 03.85.45.27.99, e-mail tupinier.bautista@wanadoo.fr r.-v.

## A. ET P. DE VILLAINE Les Montots 2003 ★★

■ 1,86 ha 6 900 11 à 15 €

A. ET P. DE VILLAINE
Propriétaires à Bouzeron
Mercurey
Les Montots
Appellation Mercurey Contrôlée
RECOLTE
2003
Mis en bouteilles au Domaine
12,5% vol. · Product of France · e 75 cl

Il nous rappelle l'*Inachevée* de Schubert. Elle n'a que deux mouvements et elle est une merveille. De même ce 2003, qui promet d'ici quelques années un superbe troisième mouvement. « Vraiment sublime », note un dégustateur. Numéro un du grand jury pour l'appellation,

coup de cœur évidemment, sa teinte très soutenue abrite un bouquet où resplendit le fruit noir. Racé, velouté, montant progressivement en puissance jusqu'à la fin de bouche en queue de paon, ce vin est issu du domaine créé par Pamela et Aubert de Villaine. Doit-on signaler qu'il est, par ailleurs si l'on peut dire, le cogérant du domaine de la Romanée-Conti...
GFA Dom. A. et P. de Villaine,
2, rue de la Fontaine, 71150 Bouzeron,
tél. 03.85.91.20.50, fax 03.85.87.04.10,
e-mail dom.devillaine@wanadoo.fr r.-v.

# Givry

A 6 km au sud de Mercurey, cette petite bourgade typiquement bourguignonne est riche en monuments historiques. Le givry rouge, la production principale (11 125 hl en 2004), aurait été le vin préféré d'Henri IV. Mais le blanc (2 494 hl) intéresse aussi. Les prix sont très abordables. L'appellation s'étend principalement sur la commune de Givry, mais « déborde » légèrement sur Jambles et Dracy-le-Fort.

## GUILLEMETTE ET XAVIER BESSON

Les Grands Prétans 2003 ★★

1er cru 1,5 ha 5 000 11 à 15 €

Il faut ici visiter les belles caves du XVIIes. Coup de cœur l'an dernier, ces Grands Prétans offrent un excellent vin d'approche de l'appellation si vous ne la connaissez pas encore. Rappelez-vous le mot de Churchill : « Faites simple, je me contenterai du meilleur. » Ce givry sans trop de complexité, mais bien intense à l'œil, suggérant la fraise confite et très riche en bouche sur une note de Zan (réglisse pour nos lecteurs les plus jeunes...). Le **Haut Colombier 2003 rouge (8 à 11 €)** en *village* obtient une étoile.
Guillemette et Xavier Besson,
9, rue des Bois-Chevaux, 71640 Givry,
tél. 03.85.44.42.44, fax 03.85.94.88.21 r.-v.

## RENE BOURGEON Clos de la Brulée 2003

n.c. n.c. 5 à 8 €

Sous sa robe limpide, or doré si l'on peut dire, le nez se montre tout d'abord sous un jour assez vif : l'éclat du silex. Puis à l'aération, ce givry évolue vers les agrumes, le fruit exotique. Un soupçon de chaleur en milieu de bouche ne l'empêche pas de se montrer jeune et frais, un peu espiègle, attaché davantage au bonheur de l'instant qu'à de longues ardeurs.
GAEC René Bourgeon, 2, rue du Chapitre,
71640 Jambles, tél. 03.85.44.35.85, fax 03.85.44.57.80
r.-v.

## DOM. CHOFFLET-VALDENAIRE

Clos Jus 2003 ★

1er cru 1 ha 3 000 11 à 15 €

Le Clos Jus fait en 1er cru tout l'honneur de Dracy-le-Fort, l'un des villages qui ont l'appellation en partage. Brillant, limpide, riche en reflets, ce vin donne envie de rester sur ses parfums de violette, de cacao et de cuir. Opulent, velouté, il attaque en beauté et poursuit dans la rondeur. Ne pas tourner indéfiniment autour de cette bouteille... Débouchez-la donc.
Dom. Chofflet-Valdenaire, Russilly, 71640 Givry,
tél. 03.85.44.34.78, fax 03.85.44.45.25,
e-mail chofflet.valdenaire@wanadoo.fr r.-v.

## DOM. DU CLOS SALOMON

Clos Salomon Monopole 2003 ★

1er cru 7 ha 26 000 11 à 15 €

7 ha sur les 8,5 ha que compte ce domaine : le Clos Salomon est son cheval de bataille. Il lui a d'ailleurs valu le coup de cœur pour le millésime 2002. Rouge grenat, ce 2003 s'ouvre à l'aération sur les fruits noirs, l'empyreumatique, le caramel. Bien concentré, encore un peu sévère, il a du caractère, une pointe de vivacité, pas mal de longueur. Salomon avant sa rencontre avec la reine de Saba : à suivre...
Clos Salomon, 16, rue du Clos-Salomon,
71640 Givry, tél. 03.85.44.32.24, fax 03.85.44.49.79
t.l.j. sf dim. 9h-12h 14h-19h
Du Gardin-Perrotto

## DOM. DANJEAN-BERTHOUX

Clos du Cras Long 2003

1er cru 0,99 ha 5 500 5 à 8 €

Voici des décennies que les vignerons de l'appellation communiquent autour d'Henri IV alors que rien ne prouve ni ne laisse penser qu'il ait jamais bu une goutte de ce vin. Il est vrai que ce roi très populaire accorde volontiers son patronage à ce vin empourpré jusqu'au violet. La vanille et le bourgeon de cassis se donnent la réplique. Un peu dur et austère à cet âge, plein de fruit cependant, il est assez représentatif d'un 1er cru.
Pascal Danjean-Berthoux, Le Moulin Neuf,
71640 Jambles, tél. 03.85.44.54.74, fax 03.85.44.33.46
r.-v.

## DANIEL DAVANTURE ET FILS 2003 ★

0,47 ha 2 300 5 à 8 €

Noisette, beurre et pain grillé, voici le Petit Chaperon blanc. Il fait route dans le bois tout en préservant ses arômes naturels. Les joues dorées, il tient bien sur ses jambes. Douceur et plénitude relevées par un coup de vent vif qui est le bienvenu. Déjà très agréable, son gras accompagnera le saumon frais à l'oseille (invention chalonnaise, que l'on doit à Pierre Troisgros).
Daniel Davanture et Fils,
rue de la Montée, Cidex 1548, 71390 Saint-Désert,
tél. 03.85.47.90.42, fax 03.85.47.95.57 r.-v.
GAEC des Murgers

## DELIANCE FRERES Clos de la Marole 2003

1er cru 1,7 ha 11 500 8 à 11 €

Sur un domaine de 15 ha est né ce vin à la robe sombre à reflets mauves. Violette et confiture de mûres s'expriment au nez ; fin et pourtant presque capiteux, il se révèle puissant mais pas trop, riche sans être dispendieux, mis en beauté par une excellente fin de bouche. Il fait réfléchir : « On aime en discuter », confie un juré.
Dom. Deliance, Le Buet, 71640 Dracy-le-Fort,
tél. 03.85.44.40.59, fax 03.85.44.36.13 r.-v.

## PROPRIETE DESVIGNES La Grande Berge 2003

1er cru 1,7 ha 6 500 8 à 11 €

On le comprend d'emblée, on n'a pas affaire à un extrémiste : pourpre moyen, posant le pain grillé sur l'un

des plateaux de la balance et la framboise écrasée sur l'autre, il maintient en bouche cette tonalité aromatique. Souple, mais encore un peu astringent, il s'accordera au brie de Meaux, voire au brillat-savarin. Assez complet sur un mode mesuré, il ne fera pas un vin de vieille garde.
Propriété Desvignes, 36, rue de Jambles, Poncey, 71640 Givry, tél. 03.85.44.51.23, fax 03.85.44.43.53
r.-v.

DIDIER ERKER Les Bois Chevaux 2003 *

1er cru 1 ha 3 000 8 à 11 €

Deux bouteilles retenues, chacune avec une étoile : **En Chenèvre, village 2003 blanc (5 à 8 €)** au nez très pur et à l'acidité intéressante dans ce millésime, ainsi que celui-ci. Rubis à disque violine, il partage équitablement son bouquet entre la groseille, l'épice de l'élevage et la minéralité. Franc à l'attaque, réussissant à maîtriser la vivacité, il règle assez heureusement les difficultés du problème.
Didier Erker, 7 bis, bd Saint-Martin, 71640 Givry, tél. et fax 03.85.44.39.62, e-mail erker@givry.net
t.l.j. sf dim. 8h30-20h

DOM. DE LA FERTE 2002

n.c. 9 586 11 à 15 €

Le baron Arnould Thénard a confié à Bertrand Devillard l'exploitation de ce domaine viticole en Côte chalonnaise. Le coup de cœur 2003 figure parmi les titres de la famille. *Beatrice ad vitam aeternam puella erit*, lit-on sur l'étiquette. Béatrice resta jeune fille pour la vie éternelle... C'est bien le moins si l'on sait que La Ferté fut en 1113 l'une des quatre premières filles de l'abbaye de Cîteaux. Robe d'évêque, nez où le bois l'emporte, bouche assez chaude et goût de bourgogne traditionnel. Quant au **1er cru rouge Servoisine 2002**, il obtient la même note.
Dom. Devillard, Dom. de La Ferté, BP 5, 71640 Mercurey, tél. et fax 03.85.45.21.61
Arnould Thénard

CHRISTOPHE GONOT La Putin 2003

0,35 ha 1 400 8 à 11 €

Installé au hameau de Russilly, sur les hauteurs de Givry, ce domaine sympathique sait qu'il aura toujours un petit succès avec ce *climat* qui porte son nom sans complexe ! Or blanc à reflets légèrement jaunes, il respire les agrumes, les épices dans un environnement minéral. En bouche, il prend le frais. Nul besoin d'être docteur en œnologie pour l'apprécier car il est franc, droit et léger.
Christophe Gonot, Russilly, 71640 Givry, tél. 06.08.68.95.00, fax 03.85.44.43.38 r.-v.

DOM. MICHEL GOUBARD ET FILS
La Grande Berge 2003 *

1er cru 2,6 ha 18 000 8 à 11 €

On utilise parfois de gros ventilateurs pour combattre la gelée dans les vignes. La famille Goubard fait fort : il s'agit ici d'un vrai moulin à vent ! En manière de lettre de ce moulin, un vin pourpre profond dont les arômes s'enchaînent bien : confiture de fraises, réglisse, grillé. Le fruit est croquant sur des tanins encore légèrement astringents. Riche en bouche, épicé en finale, il est plutôt doux de caractère. Il sera excellent sur un fromage à croûte fleurie dans deux à quatre ans.
Dom. Michel Goubard et Fils, Bassevelle, 71390 Saint-Désert, tél. 03.85.47.91.06, fax 03.85.47.98.12, e-mail earl.goubard@wanadoo.fr
t.l.j. 8h-12h 14h-19h; dim. sur r.-v.

DOM. DE LA GRANGERIE 2003

2,51 ha 14 900 11 à 15 €

S'étendant sur 55 ha de vignes, ce domaine appartient à la maison E. Chandesais, elle-même propriété de la maison Michel Picard. Excellente présentation. Bouquet bien intense : ce 2003 développe surtout des arômes de fruits frais mariés au grillé du fût. De structure moyenne, il s'appuie sur des tanins serrés mais assez fins, persistants.
Dom. de la Grangerie, 71640 Saint-Martin-sous-Montaigu, tél. 03.85.87.51.17, fax 03.85.87.51.12, e-mail marketing@m-p.fr
Maison Chandesais

DOM. MASSE PERE ET FILS
Clos de la Brulée 2003 *

2 ha 9 000 11 à 15 €

Quel rapport existe-t-il entre ce vin et le corindon ? Le rubis, pardi, en minéralogie à tout le moins ! Prune mûre, pruneau cuit, son bouquet présente déjà des arômes de maturité. Bonne attaque tannique dans une structure fruitée et concentrée. Bien typé dans le millésime. A attendre entre deux et quatre ans avant de le servir sur un gibier.
Dom. Masse Père et Fils, Theurey, 71640 Barizey, tél. et fax 03.85.44.36.73 r.-v.

DOM. DES MOIROTS 2002

0,97 ha 4 000 8 à 11 €

*L'année dernière à Marienbad*, si vous avez vu le film : cette bouteille rubis sombre à reflets légèrement orangés, au bouquet de roses fanées, à la bouche discrète et presque rêveuse exprime une nostalgie délicate que le temps conserve et embellit. De garde évidemment (deux ans).
Lucien et Christophe Denizot, Dom. des Moirots, 14, rue des Moirots, 71390 Bissey-sous-Cruchaud, tél. 03.85.92.16.93, fax 03.85.92.09.42, e-mail lucien.denizot@wanadoo.fr r.-v.

DOM. MOUTON Les Grands Prétans 2003 **

1er cru 0,32 ha 1 500 11 à 15 €

N'eût été le boisé au parfum dominant, ce vin eût pu prétendre au coup de cœur. On dispose ainsi d'une belle robe dense et colorée, d'un bouquet où le noyau de cerise aimerait trouver toute sa place, d'une matière raffinée et d'une carrure aux proportions remarquables, d'une finale en point d'orgue. On est vraiment en présence d'un 1er cru. Il faut pourtant attendre que le fût veuille bien accepter de partager un peu. L'âge le permet en général.
SCEA Dom. Mouton, 6, rue de l'Orcène, Poncey, 71640 Givry, tél. 03.85.44.37.99, fax 03.85.44.48.19, e-mail domaine-mouton@vin-givry.com r.-v.

GERARD ET LAURENT PARIZE
Les Grandes Vignes 2003 *

1er cru 1,6 ha 9 300 8 à 11 €

Trois coups de cœur depuis notre édition 2000 pour cette seule appellation ! Accueilli récemment par le domaine, le saint Vincent du pays était en de bonnes mains. Quant à ces Grandes Vignes, elles nous apparaissent chaudes en couleur et puissantes au nez (intensité mûre-myrtille). L'attaque est assez aimable. Messieurs les tanins, tirez les premiers ! Certes, ils le font mais sans forcer sur l'assaut. Assez riche, ce 2003 doit poursuivre sa route jusqu'aux années 2010. Le **Clos les Grandes Vignes 2003 blanc** obtient la même note.

Gérard et Laurent Parize, 18, rue des Faussillons, 71640 Givry, tél. 03.85.44.38.60, fax 03.85.44.43.54, e-mail laurent.parize@wanadoo.fr t.l.j. 9h-19h

### DOM. PIGNERET FILS 2003 *

| | 2,5 ha | 14 000 | | 5 à 8 € |
|---|---|---|---|---|

Eric et Joseph Pigneret ont pris complètement le relais de leur père en 2003, et ont créé une nouvelle cuverie en 2004. Le visage du bon roi Henri vous y invite sur l'étiquette : ralliez-vous à mon panache... rouge ! Ventre-bleu, ce givry a de quoi inspirer quelques infidélités envers le jurançon... Rubis foncé tout en fraîcheur, il a le nez long et complexe du confesseur royal : fraise confite, cannelle, vanille. Malgré des tanins serrés et une pointe d'alcool, son charme est indéniable.

Dom. Pigneret Fils, Vingelles, 71390 Moroges, tél. 03.85.47.15.10, fax 03.85.47.15.12, e-mail domaine.pigneret@wanadoo.fr r.-v.

### DOM. RAGOT Champ Pourot 2003

| | 1,57 ha | 9 000 | | 5 à 8 € |
|---|---|---|---|---|

Nicolas Ragot a rejoint le domaine en 2002 et la sixième génération est lancée ! Dans une robe jaune pâle légèrement dorée à reflets verts, ce millésime offre un bouquet de fleur d'acacia. Flatteur à l'attaque, convaincant par la suite, il est né un 19 août 2003. Des pièges du millésime, il se sort assez bien. A ouvrir en 2006-2007.

Dom. Jean-Paul Ragot, 4, rue de l'Ecole, Poncey, 71640 Givry, tél. 03.85.44.35.67, fax 03.85.44.38.84, e-mail vin@domaine-ragot.com r.-v.

### MICHEL SARRAZIN ET FILS Les Grands Prétants 2003 **

| 1er cru | 1,3 ha | 7 600 | | 8 à 11 € |
|---|---|---|---|---|

On prête à Henri IV une passion pour le givry. Nul doute qu'il aurait aimé apporter cette bouteille en s'invitant à la table d'un de ses sujets un dimanche de poule au pot ! Déjà coup de cœur par cinq fois en givry, depuis la première édition du Guide, le domaine l'obtient à nouveau. Pourpre profond, le nez légèrement fruité, un 1er cru très gourmand. Il respecte son millésime (vendangé le 18 août !). L'acidité, la tannicité, le moelleux s'équilibrent à merveille pour envahir le palais d'un gras soyeux. Et ce n'est pas tout : le jury a estimé que les **Champs Lalot en village 2003 rouge** se situent au même degré de qualité et lui offrent la première place dans le grand jury des givry *village*. En dehors de ces deux brillants coups de cœur, le **1er cru 2003 blanc** a mérité lui aussi deux étoiles. Un domaine à découvrir absolument.

Dom. Michel Sarrazin et Fils, Charnailles, 71640 Jambles, tél. 03.85.44.30.57, fax 03.85.44.31.22, e-mail sarrazin2@wanadoo.fr t.l.j. 9h-19h; dim. 9h-12h

### DOM. JEAN TATRAUX ET FILS Clos Jus 2003

| 1er cru | 0,25 ha | 1 400 | | 8 à 11 € |
|---|---|---|---|---|

Un vin cerise noire au fruit très odorant. A garder pour le mariage de votre fille si elle est encore au jardin d'enfants, car son boisé assez sensible doit absolument se fondre. On devine cependant les fruits noirs bien mûrs : « Des raisins pleins de soleil », note un dégustateur.

Dom. Jean Tatraux et Fils, 20, rue de l'Orcène, Poncey, 71640 Givry, tél. 03.85.44.36.89, fax 03.85.44.59.43 r.-v.

### DOM. THENARD Les Bois Chevaux 2002

| 1er cru | 7,66 ha | 42 000 | | 5 à 8 € |
|---|---|---|---|---|

Un givry à la robe brillante, rubis, et au nez peu ouvert laissant percer des notes de fruits rouges et d'épices. La bouche reste dans le ton du millésime, assez légère mais marquée par les tanins du fût qui devront se fondre.

Dom. Thénard, 7, rue de l'Hôtel-de-Ville, 71640 Givry, tél. 03.85.44.31.36, fax 03.85.44.47.83 r.-v.

### DOM. DE LA VERNOISE 2002

| | 2,6 ha | 6 000 | | 5 à 8 € |
|---|---|---|---|---|

Propriété (6 ha) de la famille Pelletier depuis plus d'un siècle, Henri s'associant à son gendre Luc Hibon en 2001. Rouge très violacé, ce *village* garde beaucoup de présence pour le millésime. Les fruits noirs ont au nez la partie belle sur fond chocolaté. Velouté et franc, légèrement végétal, son corps est chaud et très consistant. Abondance de matière et équilibre prometteur.

EARL Pelletier-Hibon, La Vernoise, Poncey, 71640 Givry, tél. et fax 03.85.44.38.82 r.-v.

# Montagny

Entièrement voué aux vins blancs, Montagny, village le plus méridional de la région, annonce déjà le Mâconnais. L'appellation peut être produite sur quatre communes : Montagny, Buxy, Saint-Vallerin et Jully-lès-Buxy. Plusieurs premiers crus : les Coères, les Burnins, les Platières... sont délimités sur la commune de Montagny. Les vins produits sont assez subtils, avec des arômes d'agrumes et une touche de minéralité. D'une bonne garde, ces vins mériteraient d'être mieux connus. La production a atteint 17 965 hl en 2004.

### DOM. ARNOUX PERE ET FILS Les Bonnevaux 2002 *

| 1er cru | 0,4 ha | 2 500 | | 5 à 8 € |
|---|---|---|---|---|

Il conserve au palais tous les arômes ressentis un peu plus tôt : le miel, la pierre à fusil, le foin coupé. La minéralité surtout, qui constitue la ligne de mire de ce montagny jaune pâle, peu boisé fort heureusement, pur et cristallin comme l'eau de source... en Bourgogne.

🔑 Dom. Arnoux Père et Fils, 7, rue du Lavoir, 71390 Buxy, tél. 03.85.92.11.06, fax 03.85.92.19.28, e-mail laurent.arnoux@club-internet.fr ☑ Y ⚲ r.-v.

## JEAN-BAPTISTE BEJOT 2003 *

| | n.c. | n.c. | | 8 à 11 € |
|---|---|---|---|---|

La Maison J.-B. Béjot a repris récemment la Maison Chartron et Trébuchet. Son montagny apporte, selon le proverbe du pays « haleine fraîche et idées claires ». Jaune léger, il est très jeune, très fleur blanche et fruits secs, doté d'une bonne acidité. Un peu mode, c'est-à-dire nettement boisé mais digne d'un rôti de veau Orloff.

🔑 SA Jean-Baptiste Béjot, 21190 Meursault, tél. 03.80.21.22.45, fax 03.80.21.28.05

## DOM. JEAN-PIERRE BERTHENET Les Platières 2003 *

| | 1er cru | 1,4 ha | 7 000 | | 5 à 8 € |
|---|---|---|---|---|---|

Jean-Pierre Berthenet a quitté la cave coopérative après le millésime 2001. Première vinification l'année suivante et une étoile au Guide... Qu'est-ce qu'une vie sinon la succession d'événements comme ceux-ci ? Cette fois-ci les Platières ont la préférence du jury. Or vert intense, ce vin demande à être aéré avant de prendre son envol porté par des arômes de groseille, de fleurs blanches et de légers agrumes. De prime abord, sa bouche est bien en chair, puis elle devient coulante, friande. Voir aussi le **1er cru Vieilles Vignes 2003 (8 à 11 €)** joliment boisé en finale. Pour une poularde en vessie.

🔑 Dom. Jean-Pierre Berthenet, Le Bourg, 71390 Montagny-les-Buxy, tél. 03.85.92.17.06, fax 03.85.92.06.98, e-mail domaine.berthenet@free.fr ☑ Y ⚲ r.-v.

## CH. DE CARY POTET Les Bassets 2003 *

| | 4 ha | 15 000 | | 5 à 8 € |
|---|---|---|---|---|

Etiquette en rénovation, nous dit-on. On aimait bien l'ancienne pourtant, sa vue panoramique du château si pittoresque de Cary Potet. Ce Bassets ressemble plutôt à un cocker ou à un épagneul ! Sans doute un peu court en finale mais son poil est d'un bel or soutenu, son flair résolument d'aubépine et de beurre. Pas de surprise en bouche avec cette attaque charmante, cette synthèse très typée de l'acidité et du gras. Le **1er cru Les Burnins 2003 (11 à 15 €)** obtient une étoile.

🔑 Charles et Pierre du Besset, Ch. de Cary Potet, rte de Chenevelles, 71390 Buxy, tél. 03.85.92.14.48, fax 03.85.92.11.88, e-mail cary-potet@wanadoo.fr ☑ Y ⚲ r.-v.

## DOM. FEUILLAT-JUILLOT Les Coeres 2003 *

| | 1er cru | 4 ha | 20 000 | | 8 à 11 € |
|---|---|---|---|---|---|

Né de l'association de Maurice Bertrand et de Françoise Feuillat-Juillot (fille de viticulteurs à Mercurey), le domaine a été acquis par cette dernière. Jaune soutenu, ce 2003 ne manque pas de caractère. Les agrumes et la vanille occupent son nez sans intention de le quitter. Avec ses notes d'amande amère en rétro, de miel en finale, il s'appuie sur un gras prééminent, appelant de tous ses vœux le poisson en sauce.

🔑 Dom. Feuillat-Juillot, BP 13, 71390 Montagny, tél. 03.85.92.03.71, fax 03.85.92.19.21, e-mail domaine-feuillat-juillot@yahoo.fr ☑ Y ⚲ t.l.j. 9h-12h 14h-18h30, f. 15-31 août

## DOM. LE GREGOIRE Les Varignys Elevé en fût de chêne 2002

| | 0,42 ha | 2 500 | | 8 à 11 € |
|---|---|---|---|---|

Montagny célèbrera en 2006 les soixante-dix ans de son appellation instituée en 1936. Si les 1ers crus occupent une large place du vignoble, les règles de 1991 ont précisé leur nature et celle des *villages*. Celui-ci par exemple, dont on se félicite. Limpide et brillant, parfumé à l'aubépine et aux fruits jaunes, il parle avec bonheur l'accent du pays. Il trouve un équilibre entre vivacité de l'esprit, gras du corps et chaleur finale. Le **1er cru Cuvée de l'Elégante 2002** mérite d'être salué par une citation.

🔑 Dom. Le Grégoire, 71460 Culles-Les-Roches, tél. 03.85.44.01.90, fax 01.85.44.08.61 ☑ Y ⚲ r.-v.

🔑 Tournier-Gautier

## DOM. DE LA MADONE Les Bouchots 2003 *

| | 1er cru | 2 ha | 8 500 | | 11 à 15 € |
|---|---|---|---|---|---|

En robe claire, suggérant au nez le zeste de citron, ce 1er cru invite à une bien agréable dégustation. Sa minéralité le rend ferme et aiguisé, accompagnée d'un boisé léger, parfaitement maîtrisé.

🔑 SARL Dom. de La Madone, 7, rte de Monthélie, 21190 Meursault, tél. 03.80.21.22.45, fax 03.80.21.28.05

## DOM. MICHEL-ANDREOTTI Les Guignottes 2003 **

| | 1er cru | 2,2 ha | 12 000 | | 5 à 8 € |
|---|---|---|---|---|---|

André Frénaud, poète français du XXe s., trempait souvent sa plume dans un verre de montagny. Celui-ci l'aurait inspiré, car il chante l'herbe des prés, le lys sous l'or de sa robe brodée de vert. Gras et ample, vineux, il a bon fond et il pourra atteindre 2007 ou 2008. Un rien de complexité lui permettra d'accompagner une poularde de Bresse à la crème. Ce domaine, né à l'aube du XXe s., est dirigé depuis 1993 par la fille et le gendre de B. Michel.

🔑 Arlette et Philippe Andreotti, Dom. Michel-Andreotti, Les Guignottes, 71390 Saint-Vallerin, tél. 03.85.92.11.16, fax 03.85.92.09.60, e-mail philippe.andreotti@freesbee.fr ☑ Y ⚲ r.-v.

🔑 B. Michel

## DOM. DES MOIROTS Le Vieux Château 2003 *

| | 1er cru | 3,58 ha | 12 000 | | 11 à 15 € |
|---|---|---|---|---|---|

La fondation du Domaine des Moirots a coïncidé avec l'arrivée de Christophe Denizot. Un nom bien bourguignon. Henri Vincenot l'a choisi pour les personnages de plusieurs de ses romans. Ce 2003 n'avait pas encore pris toutes ses marques, lors de notre dégustation, mais c'est chose faite aujourd'hui. Son potentiel lui permettra d'atterrir sur la table en 2006. Rond, suave même, et d'un boisé discret mais persistant, il saura accompagner un poisson cuisiné avec une sauce au vin blanc.

🔑 Lucien et Christophe Denizot, Dom. des Moirots, 14, rue des Moirots, 71390 Bissey-sous-Cruchaud, tél. 03.85.92.16.93, fax 03.85.92.09.42, e-mail lucien.denizot@wanadoo.fr ☑ Y ⚲ r.-v.

## DOM. NOEL PERRIN Les Las 2002

| | 1er cru | 0,2 ha | 1 000 | | 8 à 11 € |
|---|---|---|---|---|---|

Ce *climat* apparaît rarement sur une étiquette. Il tient cependant son rang, comme on le constate ici. Sous des traits jaunes à reflets or, il récite un compliment aromatique assez diversifié, allant du citron au silex. Volumineux et gras à l'attaque, il manifeste une certaine vigueur en

milieu de bouche et en finale. A servir ou à attendre ? A dire vrai, on hésite, et si on hésite, c'est qu'on a tourné et retourné la question.
Dom. Noël Perrin, 71460 Culles-les-Roches, tél. 03.85.44.04.25, e-mail perrinnoel@wanadoo.fr
r.-v.

DOM. DE LA RENARDE La Cabotte 2003 ★

3,86 ha 2 000 8 à 11 €

L'étiquette porte « La Cabotte », il ne s'agit pas d'un *climat* de Montagny, mais de cabanes en pierre sèche construites jadis dans le vignoble pour ranger des outils, faire le casse-croûte ou rencontrer sa belle. Assez vif pour un 2003, un vin franc et léger, doré vert et floral. L'un des rares 2003 qui pourrait accompagner des fruits de mer.
André Delorme, 2, rue de la République, 71150 Rully, tél. 03.85.87.10.12, fax 03.85.87.04.60, e-mail andre-delorme@wanadoo.fr
t.l.j. sf dim. 9h-12h 14h-18h
Anne et Jean-François Delorme

CH. DE LA SAULE 2003 ★

1er cru 7 ha 30 000 11 à 15 €

Ce 1er cru n'a peut-être pas une structure considérable, mais il est bien construit. Or pâle, partagé entre les agrumes et les fleurs blanches, c'est un vrai montagny. L'alcool et l'acidité se montrent conciliants. Ils offrent à une matière assez moelleuse la possibilité de s'exprimer longuement.
Alain Roy, Ch. de La Saule, 71390 Montagny, tél. 03.85.92.11.83, fax 03.85.92.08.12 r.-v.

LA TOUR ROUGE 2003 ★

1er cru 78 ha 95 000 8 à 11 €

La cave coopérative de Buxy a pris une grande extension, gérant aujourd'hui un millier d'hectares dont 78 pour ce vin. La Tour Rouge est l'un des ouvrages subsistants des anciennes fortifications du bourg. Jaune clair, ouvert sur le chèvrefeuille, ce vin frais sera parfait en 2006. Gourmand, il réussit à sculpter un certain relief en milieu de bouche. Dans l'important caveau de dégustation et vente de la Buxynoise, goûtez également le **montagny Vieilles Vignes 2003**, très réussi. Il en vaut la peine...
SICA Les Vignerons réunis à Buxy, 2, rte de Châlon, 71390 Buxy, tél. 03.85.92.03.03, fax 03.85.92.08.06, e-mail labuxynoise@cave-buxy.fr
t.l.j. sf dim. 9h-12h 14h-18h30; groupes sur r.-v.

## Le Mâconnais

# Mâcon, mâcon supérieur et mâcon-villages

Les appellations mâcon, mâcon supérieur ou mâcon suivi de la commune d'origine sont utilisées pour les vins rouges, rosés et blancs. Les vins blancs peuvent s'appeler aussi mâcon-villages. L'aire de production est relativement vaste et, de la région de Tournus jusqu'aux environs de Mâcon, la diversité des situations se traduit par une grande variété dans la production. Celle-ci a atteint 34 281 hl en rouge et 196 139 en blanc.

Le secteur de Lugny, Chardonnay et Viré, propice à la production de vins blancs légers et agréables, est le plus connu. C'est d'ailleurs dans ce secteur que la production s'est développée.



# Mâcon

DOM. ABELANET-LANEYRIE
Chaintré Clos Colette 2003 ★★

0,3 ha 858 8 à 11 €

Une belle couleur sombre attire l'œil. Le nez, encore discret, est empreint d'arômes de merrain tandis que la bouche, jugée « plus pinot que gamay », subjugue. « Equilibrée, savoureuse, impressionnante, ambitieuse... », voilà les qualificatifs notés par le jury, sous le charme. Et c'est là que cela se complique. A partir de la récolte 2005, à la demande de l'ensemble des producteurs de l'AOC mâcon, il ne sera plus possible de produire un mâcon rouge associé à un nom géographique à partir du cépage pinot noir : seul le gamay est retenu dans le nouveau décret. C'est donc la première année d'existence pour cette magnifique cuvée Colette mais aussi l'avant-dernière en mâcon Chaintré. On espère la retrouver sous l'appellation mâcon rouge.
Dom. Abélanet-Laneyrie, Eric Abélanet, Les Buissonnats, 71570 Chaintré, tél. 03.85.35.61.95, fax 03.85.35.66.43, e-mail ericabel@club-internet.fr
r.-v.

DOM. ARCELIN La Roche-Vineuse
Vieilles Vignes Elevé en fût de chêne 2003

1 ha 3 000 8 à 11 €

Adrien Arcelin, archéologue érudit, découvre en 1866 le site préhistorique de Solutré. En 1884, il quitte la propriété familiale sise à Fuissé pour s'installer à La Roche-Vineuse sur ce domaine appartenant à son beau-père. Aujourd'hui, c'est Eric Arcelin, l'un de ses descendants, qui dirige l'exploitation. Il propose un blanc orné d'une jolie dorure. La palette aromatique est un heureux mariage d'arômes minéraux, de pâte d'amandes et de noisette. Bien campé en bouche, ce vin est rond et vif à la fois, avec une légère amertume finale qui devrait s'estomper au fil du temps.

⊶ Eric Arcelin, Les Touziers,
71960 La Roche-Vineuse, tél. 03.85.36.61.38,
fax 03.85.37.75.49, e-mail eric.arcelin@club-internet.fr
☑ Y ⚲ r.-v.

## DOM. DU BICHERON
Péronne Elevé en fût de chêne 2003 ★

| | 1 ha | 2 000 | | 5 à 8 € |
|---|---|---|---|---|

Le village de Péronne situé au nord-ouest de Mâcon possède quelques jolis coteaux à dominante argilo-calcaire. Ces raisins ont donné un jus qui a été élevé un an en fût de chêne. Le vin en garde l'empreinte, notamment à l'olfaction, où l'on retrouve l'eucalyptus et la vanille, associés à d'agréables notes de banane mûre. Rond dès l'attaque, le palais se distingue par une ample structure dans laquelle la présence boisée s'intègre parfaitement. « Une finale épicée et fraîche », conclut un dégustateur. Un vin qui pourra s'épanouir encore deux à trois ans. Une citation pour le **mâcon Péronne 2003 (3 à 5 €)**, à servir à l'apéritif. Il n'a pas connu le fût.

⊶ GAEC Rousset, Dom. du Bicheron,
Saint-Pierre-de-Lanques, 71260 Péronne,
tél. 03.85.36.94.53, fax 03.85.36.99.80 ☑ Y ⚲ r.-v.

## CH. DE LA BRUYERE
Igé Vieilles Vignes Elevé en fût de chêne 2003 ★

| | 1,4 ha | 6 500 | | 5 à 8 € |
|---|---|---|---|---|

Issu de vignes sexagénaires plantées sur les coteaux argilo-calcaires du Mâconnais, ce vin à la robe or pâle offre des senteurs boisées intenses mêlées à de subtiles notes fruitées, encore en retrait. En revanche, la bouche se révèle équilibrée, ronde, avec un mariage bois-vin très réussi. Agréable dès aujourd'hui, ce 2003 pourra néanmoins séjourner deux à trois ans dans votre cave.

⊶ Paul-Henry Borie, GFA de la Bruyère,
Ch. de La Bruyère, 71960 Igé, tél. 03.85.33.30.72,
fax 03.85.33.40.65, e-mail mph.borie@wanadoo.fr
☑ ⚲ t.l.j. 8h-12h 14h-18h30

## DOM. LES BRUYERES Pierreclos 2004

| ■ | 11 ha | 15 000 | | 3 à 5 € |
|---|---|---|---|---|

La famille Lapalus cultive la vigne à Pierreclos depuis 1937. En 2000, à l'arrivée du fils Christophe, elle a entrepris de grands travaux, notamment la construction d'un cuvage ultramoderne. Elle présente ce 2004 rouge rubis brillant. Intenses, les impressions olfactives évoquent les fruits rouges mais également la banane. Modeste dans sa construction tannique, ce vin est frais, gouleyant et agréable dès aujourd'hui.

⊶ Maurice Lapalus et Fils, Dom. Les Bruyères,
71960 Pierreclos, tél. 03.85.35.71.90, fax 03.85.35.71.79,
e-mail lapalus.maurice@wanadoo.fr ☑ Y ⚲ r.-v.

## GEORGES BURRIER Fuissé 2003

| | 1,3 ha | 8 600 | | 3 à 5 € |
|---|---|---|---|---|

Le raisin a été récolté manuellement à la fin août, certainement très mûr. Le vin a ensuite été élevé durant neuf mois, pour 30 % en fût de chêne. D'une couleur dorée assez intense, il arbore des notes fines et agréables de fruits confits et de vanille et un équilibre plaisant avec une pointe de minéralité. Le boisé est déjà bien fondu. Une jolie bouteille à servir fraîche sur une terrine de poisson.

⊶ Georges Burrier, Le Plan, 71960 Fuissé,
tél. 03.85.32.90.07, fax 03.85.35.66.04,
e-mail georges.burrier@wanadoo.fr
☑ Y ⚲ t.l.j. sf dim. 9h-12h 14h-18h; f. 1er-15 août

## CH. DE CHAINTRE Chaintré 2003 ★

| | 0,44 ha | 2 700 | | 5 à 8 € |
|---|---|---|---|---|

Ce terroir de Chaintré situé en bas de coteau est principalement composé d'argile et de calcaire, mais la présence de nombreuses pierres le prédispose à la production de vins de qualité. Celui-ci présente une robe pâle à reflets encore verts et un nez fin de fruits secs (raisins de Corinthe) et de fleurs blanches. Après une mise en bouche agréable, la dégustation se poursuit sur une matière ample et généreuse aux saveurs fruitées intenses et d'une bonne vivacité en finale. Terroir et maturité semblent être les clés de la réussite de cette bouteille à déguster d'ici un an.

⊶ Fabrice Larochette, Les Robées, 71570 Chaintré,
tél. et fax 03.85.32.90.78,
e-mail fabrice.larochette@wanadoo.fr ☑ Y ⚲ r.-v.

## CH. DE CHASSELAS
Chasselas Vieilles Vignes 2003 ★★

| ■ | 0,24 ha | 2 000 | | 5 à 8 € |
|---|---|---|---|---|

Issue du cépage gamay implanté sur le bas du coteau argileux de Chasselas, cette cuvée est présentée par une étiquette contemporaine, au format original. Sa robe est cerise mûre, avec de jolis reflets rubis. Les parfums, très frais pour un 2003, évoquent une corbeille de petits fruits rouges. Une attaque généreuse introduit une bouche bien structurée par des tanins soyeux et ronds. Un très beau travail : le vigneron a su tirer profit de ce soleil intense, sans en subir les conséquences néfastes.

⊶ Ch. Chasselas, 71570 Chasselas, tél. 03.85.35.12.01,
fax 03.85.35.14.38, e-mail chateauchasselas@aol.com
☑ 🏠 Y ⚲ t.l.j. 10h-12h 14h-18h
⊶ Veyron La Croix

## DOM. DE LA COMBE DE BRAY Bray 2000

| ■ | 4 ha | 3 000 | | 8 à 11 € |
|---|---|---|---|---|

Sur le coteau orienté à l'ouest, dominant la cité médiévale de Cluny se niche Bray, village authentique du Mâconnais, qui vaut vraiment le détour. A 200 m de l'église du XIes., vous trouverez Henri Lafarge. Vigneron expérimenté, il est attaché aux vendanges manuelles et aux élevages longs. Ce 2000 arrive aujourd'hui à son apogée. Il possède une jolie robe rouge foncé et de légers reflets orangés d'évolution. Son bouquet révèle des notes animales mais garde des fragrances fruitées. Le palais, aux tanins assouplis et au fruité encore présent, suggère de servir cette bouteille cet hiver sur une pintade rôtie.

⊶ Henri Lafarge, EARL Dom. de La Combe de Bray,
le Bourg, 71250 Bray, tél. 03.85.50.02.18,
fax 03.85.50.05.37, e-mail henri.lafarge@wanadoo.fr
☑ Y r.-v.

## DOM. DE LA CONDEMINE 2003

| ■ | 0,25 ha | 1 500 | 5 à 8 € |
|---|---|---|---|

Véronique et Pierre Janny ont racheté en 1982 ce domaine à l'état d'abandon. Grâce à des vendanges manuelles et à une vinification particulièrement soignée, ils ont obtenu un vin séduisant. La robe rouge profond de ce 2003 annonce un bouquet intense de fruits confits et de réglisse, nuancé de notes brûlées. Les tanins déjà fondus, la bouche ronde et chaleureuse invitent à servir ce vin dès aujourd'hui.

⊶ Pierre et Véronique Janny, La Condemine,
Cidex 1556, 71260 Péronne, tél. 03.85.23.96.20,
fax 03.85.36.96.58, e-mail pierre-janny@wanadoo.fr

DOM. CORDIER PERE ET FILS
Aux Bois d'Allier 2003 ★★

1,66 ha 9 000 8 à 11 €

Fréquemment mentionnée dans le Guide aussi bien pour les vins de sa propriété que pour ses sélections de négoce, la famille Cordier s'est fait une spécialité de l'élevage en fût. Cette simple cuvée de mâcon ne déroge pas à la tradition familiale. Sous un jaune doré intense, le bouquet brioché et toasté cède la place à une matière dense et volumineuse qui bénéficie d'une bonne persistance du grillé. Le boisé doit encore s'intégrer à l'ensemble pour conforter l'harmonie de ce vin.

Dom. Cordier Père et Fils, 71960 Fuissé, tél. 03.85.35.62.89, fax 03.85.35.64.01, e-mail domaine.cordier@wanadoo.fr r.-v.

DOM. DES CRAIS Fuissé Les Combettes 2004 ★

0,2 ha 1 000 5 à 8 €

Jean-Luc Tissier, qui conduit depuis 1983 sa propriété de 9,50 ha à Leynes et à Fuissé, a parfaitement réussi ce mâcon digne de cette appellation. De la robe or vert brillant s'échappent de discrets arômes de fleurs blanches typiques du chardonnay. Puis le vin livre sa matière puissante et équilibrée aux douces saveurs de poire william. Agréable et d'une bonne tenue, ce 2004 sera apprécié après un ou deux ans de garde.

Jean-Luc Tissier, Les Pasquiers, 71570 Leynes, tél. 03.85.35.10.31, fax 03.85.35.13.04, e-mail domainedescrais@wanadoo.fr r.-v.

DOM. DE LA CROIX SENAILLET 2003 ★

3,5 ha 16 000 5 à 8 €

Situé sur les hauteurs de Davayé d'où l'on jouit d'un beau panorama, ce domaine de 23 ha est dirigé par Richard et Stéphane Martin depuis 1990. Ils proposent un simple mâcon blanc élevé avec intelligence. Pimpante dans sa robe jaune soleil, cette cuvée révèle au nez d'intenses senteurs de fleurs blanches, de miel et de fruits jaunes. Bien dans le type de l'appellation, la bouche est fraîche, gourmande et s'achève par des notes acidulées agréables. Un joli vin qui peut déjà se boire, à l'apéritif ou en accompagnement d'une viande blanche rôtie.

Richard et Stéphane Martin, Dom. de La Croix Senaillet, En Coland, 71960 Davayé, tél. 03.85.35.82.83, fax 03.85.35.87.22, e-mail domainedelacroixsenaillet@club-internet.fr r.-v.

DEMESSEY
Cruzille Les Avoueries Elevé en fût de chêne 2003 ★★

n.c. 13 000 8 à 11 €

Ce négociant sélectionne rigoureusement les raisins qu'il élève. Cette cuvée en est la preuve ; fréquemment mentionnée dans le Guide, elle n'est pas loin ici du coup de cœur. D'un bel or brillant s'échappent de complexes parfums de truffe et de vanille mêlés à de subtiles notes grillées. Bien constituée, d'un remarquable équilibre entre le bois et le vin qui lui confère complexité et harmonie, la bouche est riche et racée. Une excellente bouteille déjà prête, mais qui peut être conservée trois à cinq ans.

Marc Dumont, Ch. de Messey, 71700 Ozenay, tél. 03.85.51.33.83, fax 03.85.51.33.82, e-mail vin@demessey.com t.l.j. sf sam. dim. 8h-12h 14h-17h

DOM. ELOY Pierreclos 2003

1,5 ha 7 000 3 à 5 €

Le gamay est bien à sa place sur les coteaux pentus de Pierreclos, à dominante argilo-calcaire. Ce vin rouge cerise, vendangé le 24 août et élevé six mois en cuve, est à l'image d'une corbeille de fruits rouges : chatoyant et aromatique. Sa bouche possède des tanins un tantinet rustiques, équilibrés par une rondeur chaleureuse. Une note de fruits surmûris ajoute encore du caractère à ce vin, qui est à consommer dès à présent.

Jean-Yves Eloy, Le Plan, 71960 Fuissé, tél. 03.85.35.67.03, fax 03.85.35.67.07 r.-v.

DOM. FERRAND Solutré-Pouilly 2003 ★

n.c. 1 200 5 à 8 €

D'une belle couleur jaune d'or à reflets verts s'échappent de délicats effluves fleuris (aubépine, acacia) et gourmands (confiserie, pâtisserie). Soutenu par une bonne vivacité, le palais, subtil et fin, offre une finale savoureuse aux nuances de mandarine. Ce vin élégant ne semble pas avoir souffert des chaleurs estivales !

Nadine Ferrand, 71960 Solutré-Pouilly, tél. 06.09.05.19.74, fax 03.85.35.88.01, e-mail ferrand.nadine@club-internet.fr r.-v.

DOM. DE LA FEUILLARDE Prissé 2004

1,7 ha 12 000 5 à 8 €

Implanté sur les pentes accueillantes du vignoble mâconnais, ce domaine de 17 ha bénéficie d'une admirable situation ; il est exposé sud-sud-est à 250 m d'altitude. Ici le cépage roi est le chardonnay, mais une petite place est cependant laissée au gamay. Frais à l'œil dans sa livrée rubis, ce 2004 l'est également au palais grâce à une légèreté de structure. Ses arômes de fruits rouges et de bonbon acidulé le rendent plaisant dès aujourd'hui.

Lucien Thomas, Dom. de La Feuillarde, 71960 Prissé, tél. 03.85.34.54.45, fax 03.85.34.31.50, e-mail contact@domaine-feuillarde.com t.l.j. 8h-12h30 13h30-19h

DOM. FICHET
Igé Terroir de la Cra Cuvée Prestige 2003 ★★★

1 ha 6 500 11 à 15 €

Vendangés, à la limite de la surmaturité, les raisins dorés ont subi un pressurage très doux. La fermentation et l'élevage sur lies fines ont eu lieu dans des pièces (fûts de 228 l) de bois neuf, avec un bâtonnage fréquent. Après un an aux petits soins, cette cuvée se présente dans sa somptueuse robe cousue d'or. Le nez intense dévoile d'élégants arômes de pêche et d'abricot subtilement associés à des notes de vanille et d'écorce d'orange confite. En bouche, le gras et la rondeur sont remarquables, typiques du chardonnay né sur un sol formé de craie (La Cra). Persistant, onctueux, le vin évoque la confiserie ; des notes mentholées très fraîches soulignent sa longue persistance. Du grand art que l'on pourra savourer dans un an ou deux autour de mets délicats, tels une volaille de Bresse à la crème ou un poisson noble. Le **mâcon Igé blanc La Crépillionne 2004 (5 à 8 €)**, aux arômes floraux et légèrement muscatés, obtient une étoile. Enfin, le **mâcon rosé 2004 (3 à 5 €)** obtient une citation (pour des brochettes de poulet à l'indienne).

Pierre-Yves et Olivier Fichet, Dom. Fichet, Le Martoret, 71960 Igé, tél. 03.85.33.30.46, fax 03.85.33.44.45, e-mail contact@domaine-fichet.com t.l.j. 8h-19h, dim. sur r.-v.

## DOM. GUEUGNON-REMOND Charnay 2003 *

6 ha 5 000 5 à 8 €

Face aux deux roches se dresse fièrement le coteau ouest de Charnay-lès-Mâcon d'où est issu ce vin. Limpide et brillant jaune clair à reflets verts, ce 2003 développe à l'olfaction des notes fines et fruitées rappelant le bonbon acidulé. Etonnamment fraîche pour le millésime, la bouche se révèle subtile et élégante. Très intéressante par sa légèreté, son fruit et sa simplicité, cette bouteille est « à boire sans soif à l'apéritif », conseille un juré. Avec modération tout de même...

Dom. Gueugnon-Remond, 117, chem. de la Cave, 71850 Charnay-lès-Mâcon, tél. 03.85.29.23.88, fax 03.85.20.20.72, e-mail vinsgueugnonremond@free.fr r.-v.

J.-C. Rémond

## DOM. MARC JAMBON ET FILS Pierreclos Cuvée Fût de chêne 2003 **

1,5 ha 3 600 5 à 8 €

Appartenant à la famille Jambon depuis 1750, ce domaine est aujourd'hui entre les mains de Pierre-Antoine. Son mâcon rouge, issu du cépage gamay, exhale un bouquet fondu, où la cerise et la fraise se mêlent à d'agréables nuances empyreumatiques. La bouche ronde et riche reste appétissante, et les tanins présents sont déjà assouplis. Un beau travail d'élevage en fût qui respecte le fruit du cépage et le terroir. Une bouteille apte à un vieillissement de quatre à cinq ans. Une étoile a été attribuée à la **cuvée classique 2003**, vin plaisant, tendre et sans manières.

Dom. Marc Jambon et Fils, La Roche, 71960 Pierreclos, tél. 03.85.35.73.15, fax 03.85.35.75.62, e-mail marc.jambon@wanadoo.fr r.-v.

## DOM. JAMBON ET FILS Pierreclos Vendanges de la Saint-Martin 2003 **

0,5 ha 1 200 11 à 15 €

Jugé atypique de son appellation mais remarquable par l'intensité du plaisir qu'il procure (et n'est-ce pas là l'essentiel !), ce 2003 recueille tous les suffrages. Récoltés tardivement, des raisins en état de surmaturité ont donné une robe jaune d'or à reflets ambrés, des arômes intenses de miel, d'abricot confit et d'écorce d'orange. Moelleux dès l'attaque (il possède 80 g/l de sucres résiduels), ce vin développe cependant une vivacité agréable et une structure puissante. Une grande bouteille à réserver aux amateurs avides de nouvelles sensations. Une étoile est décernée au **mâcon Pierreclos blanc cuvée fût de chêne 2003 (de 5 à 8 €)** au registre plus classique.

Dom. Marc Jambon et Fils, La Roche, 71960 Pierreclos, tél. 03.85.35.73.15, fax 03.85.35.75.62, e-mail marc.jambon@wanadoo.fr r.-v.

## E. LORON ET FILS 2004 *

n.c. 20 000 5 à 8 €

La sélection rubis limpide de ce négociant livre de parfums frais et typés du cépage gamay, tels les fruits rouges et la violette. L'attaque vigoureuse, suivie de sensations fraîches, presque acidulées, lui confère de la gouleyance. Vin léger, caractéristique de son appellation et du millésime 2004. On le consommera dans sa prime jeunesse sur de la charcuterie.

Ets Loron et Fils, Pontanevaux, 71570 La Chapelle-de-Guinchay, tél. 03.85.36.81.20, fax 03.85.33.83.19, e-mail vinloron@loron.fr

## CAVE DE LUGNY Péronne En Chassigny 2004

8,5 ha 78 000 5 à 8 €

Une cuvée qui semble posséder toutes les caractéristiques pour bien vieillir. Habillée d'or pâle à légers reflets verts, elle évoque, à l'olfaction, les fleurs blanches et les fruits mûrs. Une légère pointe de perlant anime l'attaque, puis la bouche se développe sur une structure linéaire mais équilibrée. De puissants arômes de pomme verte et de fruits confits marquent la finale de ce vin que l'on réservera à un poisson en sauce.

SCV Cave de Lugny, rue des Charmes, BP 6, 71260 Lugny, tél. 03.85.33.22.85, fax 03.85.33.26.46, e-mail commercial@cave-lugny.com r.-v.

## DOM. NICOLAS MAILLET Verzé Contre le chemin blanc 2003 *

0,3 ha 1 800 5 à 8 €

Classé dans la catégorie « espoir » depuis son installation dans la région en 1999, ce jeune vigneron acquiert au fil des ans une renommée méritée. S'il est cité pour son **mâcon Verzé 2003** simple et bien fait, sa cuvée, Contre le chemin blanc, recueille une étoile. Brillant, tirant sur l'or, ce vin offre un nez délicat, mélange subtil de fleurs blanches et de fruits exotiques, associé à une douce note de crème à la vanille. L'attaque souple introduit une matière opulente et généreuse, bien équilibrée par une acidité lui conférant de la fraîcheur et de la légèreté. Cet ensemble aérien accompagnera un poulet aux morilles.

Dom. Nicolas Maillet, La Cure, 71960 Verzé, tél. et fax 03.85.33.46.76, e-mail a.ries@free.fr r.-v.

## LES ESSENTIELLES DE MANCEY Mancey Vieilles Vignes 2003 **

n.c. 8 000 5 à 8 €

Un vin né dans un village dominant le val de Saône. Le vignoble jouxte les prairies où broutent encore quelques chèvres. Profond par sa couleur, ce 2003 l'est aussi par son bouquet plein de caractère où l'on trouve des notes de fruits mûrs et de sous-bois. Puissant et concentré, il est équilibré par une solide charpente tannique et semble promis à un bel avenir. Cette petite cave coopérative du Mâconnais ne cesse de nous étonner par la qualité de sa production.

Cave des vignerons de Mancey, BP 100, RN 6, 71700 Tournus, tél. 03.85.51.00.83, fax 03.85.51.71.20 t.l.j. 8h-12h 14h-18h

DOM. DE MONTERRAIN Serrières 2004 ★★

■ 6 ha 45 000 ▮ 5 à 8 €

En empruntant le GR 76 qui traverse le bucolique Val lamartinien, vous pourrez faire une halte chez Martine et Patrick Ferret. Ainsi, vous découvrirez ce mâcon Serrières 2004 de teinte cerise et d'une remarquable complexité aromatique : fruits rouges (cassis, bigarreau) sur un fond floral. Rond et puissant, il emplit la bouche d'une matière savoureuse, née d'un noble terroir. Un vin sympathique et convivial, à l'image de ses concepteurs. Sélectionné avec une étoile, le **Clos de Monterrain mâcon blanc 2004 (8 à 11 €)** est très agréable. Vous choisirez un fromage de chèvre pour l'accompagner - pourquoi pas un petit mâconnais produit sur l'exploitation ?

Patrick et Martine Ferret,
Dom. de Monterrain, Les Monterrains,
71960 Serrières, tél. 03.85.35.73.47, fax 03.85.35.75.36,
e-mail domaine.de.monterrain@wanadoo.fr
r.-v.

DOM. DE NAISSE

Laizé Vieilles Vignes Elevé en fût de chêne 2004 ★

■ 0,37 ha 3 000 3 à 5 €

On ne peut que regretter le caractère confidentiel de ce vin. Sa robe, d'une belle couleur sombre, est aussi séduisante que sa palette aromatique, où les fruits rouges s'allient harmonieusement à la minéralité. Rond, mûr, soyeux et long, le palais est agréable et laisse le dégustateur sur une impression d'équilibre et d'harmonie. A ouvrir dans un an ou deux pour accompagner une pièce de charolais grillée.

Guy Béranger, Dom. de Naisse, 71870 Laizé,
tél. et fax 03.85.36.91.79,
e-mail guyberanger@club-internet.fr r.-v.

DOM. ALAIN NORMAND

La Roche Vineuse Vieilles Vignes 2002 ★★

1 ha 5 000 5 à 8 €

Originaire du centre de la France, Alain Normand s'est installé dans la région en 1993, après avoir épousé une Mâconnaise. Il propose un excellent 2002, prêt à boire. L'âge des vignes (soixante ans) et la richesse de la vendange permettent de révéler pleinement l'expression de son grand terroir à dominante argilo-calcaire. A l'ouverture, des notes léguées par l'élevage en fût dominent puis elles laissent place à des sensations fruitées et minérales. Ample et équilibrée, la matière s'étire longuement jusqu'à une finale fraîche et veloutée.

Alain Normand,
chem. de la Grange-du-Dîme, 71960 La Roche-Vineuse,
tél. 03.85.36.61.69, fax 03.85.51.60.97,
e-mail domaine.alain.normand@wanadoo.fr r.-v.

PASCAL PAUGET Prety 2003 ★

■ 0,75 ha 1 500 8 à 11 €

Lors de votre périple de découverte de l'art roman en Bourgogne du Sud, n'hésitez pas à faire une halte dans la ville de Tournus, car, outre sa célèbre abbaye, vous y trouverez de nombreux restaurants gastronomiques et aussi ce vigneron. Travaillant en lutte raisonnée, il élabore des vins à forte personnalité. Ce 2003 ne déroge pas à la règle, dans sa robe rouge profond. Il offre un nez intense joliment boisé, le fruité étant associé à des notes animales. Ample et ronde, la bouche est opulente mais structurée par des tanins soyeux. Ce vin de grande prestance pourra vieillir encore deux à trois ans. Le **mâcon Tournus 2003 (5 à 8 €)** est cité, ainsi que le **mâcon Prety blanc 2003**, ample, suave, rehaussé de fines notes miellées.

Pascal Pauget, La Croisette, 71700 Tournus,
tél. 03.85.32.53.15, fax 03.85.51.72.67 r.-v.

DOM. DE LA PIERRE DES DAMES

Serrières Le Bois saint 2003 ★★

■ 1,5 ha 3 200 5 à 8 €

Jean-Michel Aubinel est l'un de ces hommes convertis aux grands vins du Mâconnais et convaincus de leur avenir. Associé à Marie-Thérèse Canard et à un jeune vigneron, Vincent Nectoux, il propose cette cuvée à la robe soutenue. Réservé mais élégant, le nez offre un savant cocktail aromatique mêlant des notes issues de l'élevage en fût aux nuances du gamay mûr. Ample dès l'attaque, la bouche se montre équilibrée ; la noblesse du fruit et les tanins fins en font un vin racé et ambitieux. A boire d'ici deux à trois ans.

Dom. de la Pierre des Dames, Mouhy,
71960 Prissé, tél. et fax 03.85.20.21.43 r.-v.
J.-M. Aubinel, V. Nectoux, M.-T. Canard

DOM. DES PONCETYS Davayé Tradition 2003

■ 3,8 ha 17 000 3 à 5 €

Datant du XVIIIes., le corps de ferme de ce domaine, propriété du lycée viticole de Davayé, possède une charpente et une cave voûtée remarquables. D'une couleur rubis clair, le nez ouvert sur des senteurs fines et élégantes de fruits frais mêlées à des notes animales, ce vin léger mais agréable est à servir dès maintenant sur une viande grillée.

Dom. des Poncetys,
Lycée viticole de Mâcon Davayé, 71960 Davayé,
tél. 03.85.33.56.20, fax 03.85.35.86.34,
e-mail domaineponcetys@macon-davaye.com
t.l.j. 9h-12h 14h-17h30, sam. et dim. sur r.-v.

DOM. RENAUD Solutré 2004 ★

75 ha 6 900 5 à 8 €

Cette propriété, située dans la partie méridionale du vignoble mâconnais, propose toujours des vins de haute tenue élaborés selon les traditions locales. Issue de raisins récoltés à la main fin septembre, cette cuvée affiche une couleur or à reflets lumineux. Fins et fleuris sont les arômes dominants au nez, tandis que la bouche se révèle grasse, suave et équilibrée, témoignant de la richesse des raisins. A servir dès cet hiver avec des crustacés !

EARL Pascal et Mireille Renaud, Pouilly,
71960 Solutré-Pouilly, tél. 03.85.35.84.62,
fax 03.85.35.87.42 r.-v.

DOM. DE ROCHEBIN Azé 2003

■ 5 ha 15 000 3 à 5 €

Des notes de cerise bien mûre et de framboise dans un écrin pourpre sont les premiers atouts de cette cuvée à petit prix. Assez pleine, elle développe un fruité et une vivacité qui laissent une bouche fraîche. Un vin plaisir, à boire frais.

Dom. de Rochebin, 71260 Azé,
tél. 03.85.33.33.37, fax 03.85.33.34.00 r.-v.
Marillier

BOURGOGNE

**R. ET G. SALLET**
Uchizy Clos des Ravières 2003 ★★★
1 ha 7 800 5 à 8 €

2003
MACON-UCHIZY
APPELLATION MÂCON UCHIZY CONTRÔLÉE
CLOS DES RAVIERES
ALC 13% BY VOL 750 ML
Mis en Bouteille au Domaine
R&G. Sallet
PROPRIETAIRES - RECOLTANTS A 71700 UCHIZY - FRANCE
PRODUCT OF FRANCE

Vigneron exemplaire, tant pour son approche des terroirs que pour son savoir-faire en matière d'élevage, Raphaël Sallet a accompli un parcours sans faute sur ce difficile millésime 2003. Ce Clos des Ravières habillé d'or brille de mille feux. Une palette aromatique complexe alliant le grillé à la vanille, l'écorce d'orange à des notes fruitées (pêche et abricot) laisse un fond de verre magnifique. Le palais riche et souple à la fois conjugue une charpente puissante et une élégance hors du commun. Un grand de l'appellation. Quant au **mâcon chardonnay 2003**, il est remarquable par ses arômes de fruits mûrs, de pâtisserie et son excellent équilibre.
Raphaël Sallet,
rte de Chardonnay, 71700 Uchizy,
tél. 03.85.40.50.45, fax 03.85.40.59.86,
e-mail earlsallet@club-internet.fr r.-v.

**HERVE SANTE**
La Roche-Vineuse Vignoble de Somméré 2003 ★★
0,7 ha 3 000 3 à 5 €

Autour du hameau de Somméré, typiquement mâconnais par son architecture, s'étale un vignoble à dominante argilo-calcaire où le gamay a parfois des difficultés à s'épanouir. Ce ne fut pas le cas avec ce mâcon qui a tiré de ce terroir particulier une fraîcheur bienvenue en 2003. Habillé d'une robe grenat profond à reflets cerise, il exhale des parfums fruités (bigarreau, framboise) associés à des notes minérales. La bouche homogène, restée un peu austère, possède une solide matière qui demande à vieillir.
Hervé Santé, Somméré, 71960 La Roche-Vineuse,
tél. 03.85.37.80.57, fax 03.85.37.64.13,
e-mail domaine.sante@wanadoo.fr
t.l.j. 8h-12h 14h-19h

**DOM. LA SOUFRANDISE** Fuissé Le Ronté 2003 ★
1 ha 7 000 8 à 11 €

Le cuvage et la maison de maître de ce domaine furent construits par un chef de bataillon de la garde de Napoléon en lieu et place de l'ancienne léproserie du village, d'où son nom : domaine de la Soufrandise. Les jeunes vignes à l'origine de ce vin ont dû aussi souffrir de la chaleur caniculaire de l'été 2003. Cette cuvée or jaune et vineuse à l'œil n'en est pas moins réussie : elle s'ouvre sur des nuances de fruits mûrs (pêche et abricot) et sur des notes de pain de mie et de pâtisserie. Sa pureté, sa richesse bien équilibrée par une pointe acidulée emplissent la bouche jusque dans une finale longue et puissante. Un vin opulent destiné aux plats riches (poisson ou volaille en sauce) de Noël.
Françoise et Nicolas Melin,
EARL Dom. la Soufrandise, 71960 Fuissé,
tél. 03.85.35.64.04, fax 03.85.35.65.57,
e-mail la-soufrandise@wanadoo.fr r.-v.

**GERALD ET PHILIBERT TALMARD**
Chardonnay Cuvée Joseph Talmard 2003
8 ha 72 600 3 à 5 €

Voici un mâcon fort harmonieux dans sa robe jaune clair aux légers reflets dorés. Il s'épanouit dans un registre fleuri, déclinant l'acacia, le chèvrefeuille et l'aubépine. D'attaque franche, il se montre élégant et fruité, d'un équilibre sympathique entre la poire et les fruits secs. Le jury a apprécié sa franchise et sa simplicité qui en font un bon vin d'apéritif.
EARL Gérald et Philibert Talmard, rue des Fosses, 71700 Uchizy, tél. 03.85.40.53.18, fax 03.85.40.53.52,
e-mail gerald.talmard@wanadoo.fr r.-v.

**LES TEPPES MARIUS 2004**
22 ha 100 000 5 à 8 €

Fréquemment mentionnée dans le Guide, cette cuvée des Teppes Marius séduit par sa robe rouge franc et léger. A la première approche, le nez présente quelques notes de réduction, qui à l'aération disparaissent immédiatement pour laisser la place aux arômes typés du cépage : fruits rouges, fleurs violettes et pointe d'épices. Fruitée et croquante, la bouche est agréable, gouleyante. Un vin à consommer dès maintenant en le carafant.
Collin-Bourisset, rue de la Gare,
71680 Crèches-sur-Saône, tél. 03.85.36.57.25,
fax 03.85.37.15.38, e-mail france@collinbourisset.com
r.-v.

**CELINE ET LAURENT TRIPOZ**
Vinzelles Les Morandes 2003
0,63 ha 4 500 5 à 8 €

Respect de la vendange par pressurage pneumatique, respect du parcellaire grâce à une cuverie adaptée... Le **mâcon Loché Les Chênes 2003 élevé en fût de chêne** et le **mâcon Loché 2003**, aux arômes primaires, sont cités, tout comme ce Vinzelles or blanc, aux senteurs de pêche de vigne et d'acacia. Le palais est souple, solidement structuré, avec une finale acidulée vivifiante.
Céline et Laurent Tripoz, pl. de la Mairie, Loché, 71000 Mâcon, tél. 03.85.35.66.09, fax 03.85.35.64.23,
e-mail cltripoz@free.fr r.-v.

**DIDIER TRIPOZ** Clos des Tournons 2004 ★★
2 ha 10 000 5 à 8 €

A l'ouest de Mâcon, sur les coteaux dominant la vallée de la Saône, le vignoble de Didier Tripoz couvre 10 ha. Son Clos des Tournons étonne d'emblée par sa couleur pourpre violacé, par son expression aromatique intense qui évoque la réglisse et les fruits noirs. Après une attaque puissante, le palais rond et plein montre une présence tannique peu commune à l'appellation. Un grand vin, original dans sa structure et promis à un bel avenir.
Didier Tripoz, 450, chem. des Tournons,
71850 Charnay-lès-Mâcon, tél. 03.85.34.14.52,
fax 03.85.20.24.99, e-mail didier.tripoz@wanadoo.fr
r.-v.

**PIERRE VESSIGAUD** Charnay Bois Maréchal 2003
0,5 ha 2 500 8 à 11 €

A voir, au bout du village de Pouilly, un petit château avec ses mâchicoulis et meurtrières datant de 1515. Autre

raison de vous rendre dans cette région, les vins de Pierre Vessigaud, dont ce mâcon Charnay du caniculaire millésime 2003. D'un or profond à reflets bronze, il développe des arômes tertiaires et typés de fruits secs et d'anis étoilé. Une attaque ample, grasse et généreuse puis une finale un peu courte en font un vin facile à boire à l'automne prochain. A servir sur un plat épicé, un tajine par exemple.
Dom. Pierre Vessigaud, Pouilly,
71960 Solutré-Pouilly, tél. 03.85.35.81.18,
fax 03.85.35.84.29 t.l.j. sf dim. 9h-12h 14h-18h

# Mâcon supérieur rouge

PAUL BEAUDET Terres rouges 2004 *

n.c. 20 000 3 à 5 €

Cette cuvée tire son nom de la couleur de son sol d'origine : les sables granitiques. Rouge est aussi sa robe de couleur bien soutenue. Du verre s'échappent des effluves à dominante fruitée. Fraîche et typée à l'attaque, la bouche se montre souple, ronde et gouleyante. Un vin à petit prix qui accompagnera parfaitement un mâchon improvisé entre amis.
Paul Beaudet, rue Paul-Beaudet,
71570 Pontanevaux, tél. 03.85.36.72.76,
fax 03.85.36.72.02, e-mail contact@paulbeaudet.com
t.l.j. sf sam. dim. 8h-12h 13h30-17h; f. août

DOM. DES CHENEVIERES
Les Sillons Longs 2003 **

1,2 ha 4 550 3 à 5 €

Cette exploitation viticole créée en 1858 a pour mot d'ordre l'amélioration de l'outil de travail. Ce mâcon reflète cet état d'esprit : récoltés précocement, le 16 août 2003, les raisins sains et mûrs ont donné, grâce au savoir-faire de Nicolas Lenoir, ce vin remarquable, rubis profond à reflets pourpres. Son nez évoque les petits fruits rouges et les confitures de fin d'été, alors que la bouche transporte dans un tourbillon soyeux, ample et onctueux. Les dégustateurs ont été impressionnés par l'élégance et la finesse de cette cuvée. Un domaine qui a su profiter pleinement de ce millésime ensoleillé pour livrer un grand vin à petit prix.
Dom. des Chenevières,
71260 Saint-Maurice-de-Satonnay, tél. 03.85.33.31.27,
fax 03.85.33.31.71 t.l.j. 9h-12h 14h-19h
Lenoir

FRANCOIS PAQUET Les Pontiers Tradition 2004

n.c. n.c. 5 à 8 €

D'un rouge rubis pâle mais brillant, cette cuvée révèle des parfums fruités et floraux intenses mêlés à des notes d'épices caractéristiques du gamay. Des tanins légers et fondus ainsi qu'une bonne mâche en finale en font un vin respectable, à servir sur une assiette de charcuterie.
François Paquet,
Le Pont-des-Samsons, 69430 Quincié-en-Beaujolais,
tél. 04.74.69.09.60, fax 04.74.69.09.28

CAVE DU PERE TIENNE Elevé en fût 2003 **

3,3 ha 13 500 5 à 8 €

Issus de vignes plantées sur sols siliceux et argilo-calcaires, les raisins ont été cueillis manuellement, le 27 août 2003. Elevé en tonneaux durant dix mois, ce vin revêt une robe rouge vermillon soutenu. Son nez ouvert offre des arômes évoquant la réglisse, le sous-bois et les fruits confits, tandis que le palais ample et rond fait la part belle aux tanins, bien fondus cependant. « Bel exemple d'équilibre », conclut un dégustateur. Une bouteille qui pourra se boire dès cet automne ou patienter quelques années au fond de votre cave. Agnès et Eric Panay deviennent une valeur sûre du Mâconnais.
Eric Panay, Cave du Père Tienne,
La Place, 71960 Sologny,
tél. 03.85.37.78.05, fax 03.85.37.75.95,
e-mail caveduperetienne@wanadoo.fr
t.l.j. 8h-19h

RONGIER ET FILS 2003 *

1 ha 3 000 5 à 8 €

Une cuvée produite à partir de vignes de gamay cinquantenaires plantées sur sol granitique. Ce 2003 possède un bouquet intense et charmeur marqué par les fruits rouges confiturés et l'amande fraîche, auxquels viennent s'ajouter quelques notes de fumé. La structure en bouche est en harmonie avec le nez. Le gras, l'opulence et la longueur promettent une garde de deux à trois ans.
EARL Claudius Rongier et Fils, rue du Mur,
71260 Clessé, tél. 03.85.36.98.02, fax 03.85.36.94.05
r.-v.

# Mâcon-villages

1821 L'AUTHENTIQUE
Chardonnay Vieilles Vignes Fût de chêne 2004

1,5 ha 13 000 5 à 8 €

Limpide, d'une très belle couleur or à reflets vert tendre, ce 2004 présente un nez expressif, ne masquant pas son origine boisée. On retrouve des arômes vanillés et grillés au palais, associés à une vivacité prometteuse. Typé, mais encore sous l'emprise du fût, ce vin devrait s'arrondir dans deux à trois ans. Réservez-le pour une volaille de Bresse à la crème.
Collin-Bourisset, rue de la Gare,
71680 Crèches-sur-Saône, tél. 03.85.36.57.25,
fax 03.85.37.15.38, e-mail france@collinbourisset.com
r.-v.

DOM. D'AZENAY Fleur d'Azenay 2003

10 ha 35 000 3 à 5 €

A la sortie du village d'Azé en direction de Péronne, vous trouverez sur votre gauche le chai ultramoderne de ce domaine appartenant à Georges Blanc, le célèbre chef. Il produit depuis maintenant vingt ans des vins blancs de haute tenue comme ce Fleur d'Azenay. Paré d'une robe brillante à reflets d'or, ce 2003 mêle au nez les fleurs blanches et la citronnelle à des notes plus mûres de pâte de coings. Fine, élégante et complexe, la bouche s'achève sur une note de pomme granny très fraîche. Plaisante dès cet automne, cette bouteille appréciera des cuisses de grenouilles sautées comme dans les Dombes.

Georges Blanc, Dom. d'Azenay, 71260 Azé,
tél. et fax 03.85.33.37.93,
e-mail georgesblanc@relaischateaux.com r.-v.

## CAVE DES VIGNERONS DE BUXY
Clos du Mont-Rachet 2003

5,92 ha 55 000 5 à 8 €

Créée durant la crise de 1929, la cave poursuit son développement. Sa démarche ? Valoriser le savoir-faire du vigneron et l'impliquer dans son fonctionnement. Issue des terroirs les plus septentrionaux de l'appellation, sur lesquels le chardonnay s'épanouit pleinement (surtout en année chaude), cette cuvée est réussie. Des arômes de fleurs blanches, de miel et d'herbe fraîche émanent de ce vin jaune citron à reflets verts. Concentrée, la bouche repose sur une structure équilibrée dont l'acidité et la rondeur se marient parfaitement. Une finale vive autorise encore quelques mois de garde.

SICA Les Vignerons réunis à Buxy,
2, rte de Châlon, 71390 Buxy, tél. 03.85.92.03.03,
fax 03.85.92.08.06, e-mail labuxynoise@cave-buxy.fr
t.l.j. sf dim. 9h-12h 14h-18h30; groupes sur r.-v.

## DOM. DES CHENEVIERES
Les Poncemeugnes 2003

0,7 ha 2 600 5 à 8 €

Né sur les meilleurs coteaux de ce domaine de 36 ha, ce chardonnay arbore une couleur jaune d'or à reflets verts, tandis que se décline une large palette d'arômes floraux et fruités (chèvrefeuille, amande fraîche, verveine). Franche, la bouche est tout aussi printanière, avec de longues notes d'agrumes qui lui confèrent une finale fraîche. Le compagnon d'un fromage de chèvre local.

Dom. des Chenevières,
71260 Saint-Maurice-de-Satonnay, tél. 03.85.33.31.27,
fax 03.85.33.31.71 t.l.j. 9h-12h 14h-19h
Lenoir

## DOM. DE CHERVIN
Burgy Cuvée Tradition 2002 ★★

1,8 ha 12 000 8 à 11 €

Pittoresque village accroché aux collines du Mâconnais, Burgy bénéficie d'une situation idéale pour la production de grands vins blancs. Albert Goyard et son fils Bruno travaillent dans le respect des traditions locales : labours des vignes, vendanges manuelles, pas de levurage... Ils proposent ce vin habillé d'or intense et profond, au nez dominé par des notes fruitées un brin surmûries, que l'on retrouve en bouche. Après une belle attaque, le palais révèle des arômes de rose et d'abricot ainsi qu'une structure hors du commun. Harmonieuse dès aujourd'hui, cette bouteille aimera une poire au roquefort.

Goyard et Fils, Dom. de Chervin, 71260 Burgy,
tél. 03.85.33.22.07, fax 03.85.33.00.49,
e-mail domaine-de-chervin@club-internet.fr
t.l.j. 9h-19h; dim. sur r.-v.

## CLOS DE PISE 2003

8 ha 30 000 5 à 8 €

8 ha de chardonnay quarantenaires composent ce Clos de Pise à dominante argilo-calcaire. Ceux-ci ont donné ce vin brillant à la robe or pâle, aux nuances aromatiques intéressantes alliant le citron à des arômes plus doux comme la poire william. D'un bel équilibre, le palais est frais et fruité. Un bon mâcon-villages, simple et printanier, qui pourra s'apprécier dès cet automne.

Cave de Prissé-Sologny-Verzé, Les Grandes-Vignes,
71960 Prissé, tél. 03.85.37.88.06, fax 03.85.37.61.76,
e-mail cave.prisse@cavedeprisse.com r.-v.

## COLLOVRAY-TERRIER Tradition 2004 ★

10 ha 80 000 5 à 8 €

Une robe or plutôt soutenu. Un nez intense, franc et complexe, fait d'arômes fruités suivis de notes fumées délicates. La bouche longue, bien structurée et soutenue par une fraîcheur séduisante, laisse une finale gourmande. « Vin riche et d'une certaine classe pour séduire vos hôtes », conclut un dégustateur.

Collovray et Terrier, Vins des Personnets,
71960 Davayé, tél. 03.85.35.86.51, fax 03.85.35.86.12,
e-mail vinsdespersonnets@club-internet.fr r.-v.

## CHRISTOPHE CORDIER Les Pugettes 2003

0,5 ha 3 000 8 à 11 €

Christophe Cordier a créé récemment une petite structure de négoce, lui permettant d'élargir sa gamme de vins. Trois d'entre eux ont retenu l'attention des jurés, notamment par la forte empreinte boisée qu'ils laissent en bouche. Ce mâcon-villages Les Pugettes est un vin à conseiller aux amateurs d'arômes de bois et de vanille. Le **mâcon Fuissé** et le **mâcon Milly-Lamartine 2003 (11 à 15 €)**, également élevés en fût, demandent encore une à deux années pour s'épanouir pleinement. On retrouve dans ces trois cuvées la signature de la maison Cordier qui a depuis longtemps fait ses preuves.

Christophe Cordier, 71960 Fuissé,
tél. 03.85.35.62.89, fax 03.85.35.64.01,
e-mail domaine-cordier@wanadoo.fr r.-v.

## DOM. DE LA DENANTE 2003

1,5 ha 5 000 5 à 8 €

Investi de nombreuses responsabilités syndicales, Robert Martin fait partie de ceux qui, bénévolement, donnent du temps et de l'énergie aux causes viticoles. Il est de surcroît un excellent vigneron. D'une belle couleur jaune vif, son millésime 2003 montre un nez intense et élégant déclinant la fougère, les agrumes puis des notes minérales. En bouche, on perçoit la citronnelle et la menthe fraîche sur une structure équilibrée. Joli vin qui accompagnera un plateau de fruits de mer.

Robert Martin, Les Gravières, 71960 Davayé,
tél. 03.85.35.82.88, fax 03.85.35.86.71
t.l.j. 9h-20h

## DOM. DENUZILLER Solutré 2003

0,8 ha 6 000 3 à 5 €

Jouissant d'un panorama exceptionnel, le domaine Denuziller est situé sur la route touristique grimpant à la Roche de Solutré. Alors n'hésitez pas à vous y arrêter, l'accueil y est des plus chaleureux. Vous aurez peut-être l'occasion de déguster ce 2003 à l'allure étincelante. Printaniers et fringants, ses arômes évoquent les fleurs blanches et les fruits frais. Equilibrée et précise, la bouche étonne par sa fraîcheur. Un vin de soif par excellence, à consommer dans sa jeunesse.

Dom. Denuziller, le bourg, 71960 Solutré-Pouilly,
tél. 03.85.35.80.77, fax 03.85.35.83.38
t.l.j. 8h30-12h 13h-19h

## PIERRE DUPOND Les Vallères 2004 *

n.c. 20 000 5 à 8 €

Plusieurs dégustateurs suggèrent de marier ce mâcon-villages 2004 à un plateau de fruits de mer en raison d'une vivacité encore mordante mais rafraîchissante. Cristallin à l'œil, ce vin présente des notes de poire william et de citron. Rond et friand, le palais se montre acidulé mais flatteur. Une jolie sélection présentée par un négociant du Beaujolais.

Pierre Dupond, 235, rue de Thizy, BP 79,
69653 Villefranche-sur-Saône Cedex,
tél. 04.74.65.24.32, fax 04.74.68.04.14,
e-mail pierre.dupond@pierredupond.com

## P. FERRAUD ET FILS 2004

n.c. n.c. 5 à 8 €

Pierre Ferraud, négociant du Beaujolais, est très exigeant dans ses sélections de cuvées. Jaune pâle à reflets nacrés, celle-ci livre d'emblée d'intenses arômes primaires évoquant la poire croquante et la pomme verte. Franche dès l'attaque, la bouche se révèle savamment équilibrée entre l'acidité et le gras. Vin jeune, plaisant en l'état, à déguster à l'apéritif.

Pierre Ferraud et Fils, 31, rue du Mal-Foch,
69220 Belleville-sur-Saône, tél. 04.74.06.47.60,
fax 04.74.66.05.50, e-mail ferraud@ferraud.com
t.l.j. sf sam. dim. 8h-12h 14h-17h

## DOM. EMILIAN GILLET 2001

4 ha 24 000 11 à 15 €

Récoltée manuellement le 6 octobre 2001, cette cuvée a ensuite été élevée durant dix-huit mois avec toute la patience et la passion dont fait preuve ce vigneron hors pair qu'est Jean Thévenet. La robe est profonde, d'un or soutenu. Les arômes d'une grande finesse égrènent des notes de fruits confits, de pâte de coings et de miel d'acacia. Tout en équilibre et en rondeur, la bouche développe des saveurs harmonieuses d'écorce d'orange confite. L'un des jurés suggère de servir ce vin sur un nougat glacé.

SCV Emilian Gillet, Quintaine cidex 654,
71260 Clessé, tél. 03.85.36.94.03, fax 03.85.36.99.25,
e-mail info@domainegillet.com r.-v.
Gautier Thévenet

## DOM. GIROUD 2003 *

2,1 ha 14 000 5 à 8 €

Des vignes de chardonnay d'une quinzaine d'années plantées sur sol argilo-calcaire ont donné ce 2003 jaune d'or à reflets encore verts. D'intenses arômes de fleurs (lilas) dominent la palette aromatique, mais l'on sent poindre quelques notes fruitées. Equilibré, frais et gras, ce vin laisse en fin de bouche un zeste d'amertume agréable. A boire dans deux à trois ans avec une volaille de Bresse ou un poisson à la crème. La même note a été attribuée au **mâcon Uchizy 2003** : il joue dans un registre plus mûr, où coing et abricot confit donnent la réplique au miel d'acacia. Gras et harmonieux, il est à boire dès cet automne.

Eric et Catherine Giroud, EARL des Tilles,
Le Quart, 71700 Uchizy, tél. et fax 03.85.40.52.24,
e-mail les-tilles@freesurf.fr r.-v.

BOURGOGNE

## DOM. GONON 2003 *

1,5 ha 10 000 5 à 8 €

Etabli dans l'un des villages les plus pittoresques du Mâconnais, ce petit domaine familial de 12 ha s'attache à produire des vins blancs de belle facture. Celui-ci, vêtu d'or vert, exprime certains caractères de son lieu d'origine : des notes fleuries, une nuance chaude miellée et vanillée ainsi qu'une légère touche minérale. Bien construit, il est charnu mais élégant ; on retrouve en bouche les arômes de fleurs blanches mêlés à de l'amande fraîche. Un mâcon-villages racé, pour accompagner une viande blanche.

Dom. Gonon, 71960 Vergisson, tél. 03.85.37.78.42,
fax 03.85.37.77.14, e-mail domgonon@aol.com
r.-v.

## SYLVIE ET GILLES GUERRIN
Vergisson La Roche 2003 **

0,5 ha 4 000 5 à 8 €

Gilles Guerrin obtient un coup de cœur pour ce magnifique mâcon-villages or pâle aux reflets vert clair. Le jury a apprécié l'élégance fruitée du nez associée à de subtiles senteurs épicées. La bouche ample et puissante traduit bien l'aptitude du chardonnay à produire de grands vins blancs sur ce terroir du Mâconnais, surtout après un élevage en fût si brillamment réussi. Un beau flacon, qu'il serait sage de mettre à l'abri des convoitises quelques années, tant ses possibilités d'évolution sont grandes... si vous avez la patience de l'attendre.

Gilles Guerrin, La Truche, 71960 Vergisson,
tél. 03.85.35.80.38, fax 03.85.35.87.07 r.-v.

## DOM. DE LALANDE Chaintré 2003 **

0,8 ha 5 000 5 à 8 €

Installé depuis 1982, Dominique Cornin est sorti de la coopérative locale en 1993 et, depuis, il n'a cessé de progresser aussi bien dans le travail de la vigne (vente de sa machine à vendanger en 1998, passage en biodynamie en 2004) que dans l'élevage des vins (construction d'une nouvelle cuverie). Il est un exemple de reconversion réussie de la viticulture intensive à la production de vins de caractère, fortement liés à leur terroir. Une démarche qui se révèle économiquement rentable. A travers ce 2003 doré, on distingue des arômes fins et purs de fleurs blanches et de fruits frais. Après une attaque franche, la bouche s'assouplit dans un drapé velouté et élégant. A choisir pour une sole grillée.

Dominique Cornin, chem. du Roy-de-Croix, 71570 Chaintré, tél. et fax 03.85.37.43.58, e-mail dominique@cornin.net r.-v.

## DOM. DE LANQUES Péronne Fût de chêne 2003 *

2 ha 1 500 3 à 5 €

Ce domaine familial situé à Péronne, dans la partie occidentale du vignoble Mâconnais, a élevé cette cuvée six mois en fût de chêne. Le mariage du bois et du vin est particulièrement harmonieux. Dès l'approche, ce vin charme par sa palette aromatique complexe : fruits confits, miel, brioche et coing. Sa bouche souple à l'attaque évolue avec beaucoup de gras et perdure longuement sur des notes de surmaturité. Un ensemble goûteux et agréable, à boire dès aujourd'hui sur un fromage affiné.

GAEC Papillon, Saint-Pierre-de-Lanques, 71260 Péronne, tél. 03.85.23.95.70, fax 03.85.23.95.74, e-mail earl.papillon@free.fr t.l.j. 8h-12h 14h-19h

## DOM. ROGER LUQUET Les Mulots 2003 **

6,5 ha 45 000 5 à 8 €

On prend les mêmes... et on recommence ! Après un coup de cœur pour le millésime 2000, il faut admettre l'évidence : la plantation du chardonnay sur les coteaux de Cortevaix en 1991 se révèle une réussite étincelante. Le 2003 séduit par son bouquet aux mille senteurs : poire, noix de coco, citronnelle et fleurs blanches. Très délicat, il est néanmoins puissant et charnu. Sa finale à la fois miellée et mentholée emplit la bouche d'une sensation agréable. Ne vous privez pas de cette palette aromatique hors du commun, servez ce vin dès aujourd'hui.

Dom. Roger Luquet, 71960 Fuissé, tél. 03.85.35.60.91, fax 03.85.35.60.12, e-mail domaine-roger.luquet@club-internet.fr t.l.j. sf dim. 8h-19h

## LES ESSENTIELLES DE MANCEY Vieilles Vignes 2003

n.c. 12 000 5 à 8 €

A quelques kilomètres de la cité de Tournus, découvrez ce petit village qui a gardé des allures d'antan. Groupés au sein de la cave coopérative, les vignerons de Mancey proposent un mâcon-villages 2003 harmonieux et surtout très aromatique. On décèle au nez des fragrances fleuries, des notes d'abricot, d'agrumes et même de zeste d'orange. Après une attaque assez droite, la bouche s'étire longuement et rondement pour finir sur des notes très fraîches d'anis. Vin davantage sur la fraîcheur que sur la puissance que l'on réservera à un petit chèvre frais.

Cave des vignerons de Mancey, BP 100, RN 6, 71700 Tournus, tél. 03.85.51.00.83, fax 03.85.51.71.20 t.l.j. 8h-12h 14h-18h

## CH. DE MIRANDE 2004

n.c. 20 000 5 à 8 €

Cette cuvée signée Loron est produite sur la commune de Montbellet. Sa teinte d'or soutenu s'anime de lumineux reflets. Ses arômes intenses montent en puissance, à la fois floraux et fruités, évocateurs de chèvrefeuille, de litchi et de poire. La bouche est ronde, équilibrée par une trame acide et présente des caractères mentholés très frais en finale. A déboucher dans l'année.

Ets Loron et Fils, Pontanevaux, 71570 La Chapelle-de-Guinchay, tél. 03.85.36.81.20, fax 03.85.33.83.19, e-mail vinloron@loron.fr

## DOM. DE NAISSE Vieilles Vignes 2004 *

0,8 ha 7 000 3 à 5 €

Guy Béranger a racheté en 1980 cette propriété composée d'un corps de ferme en pierre typique de la région entouré des 12 ha de vignes. L'une des plus vieilles d'entres elles, plantée en chardonnay en 1935, a donné ce vin jaune soutenu aux reflets cuivrés. Le nez est marqué par les fruits (poire, pêche de vigne) et les fleurs avec une pointe minérale en fond de verre. L'attaque est souple et fruitée. La bouche tendre est à la fois gouleyante et aromatique. Très typée mâcon, cette bouteille accompagnera un fromage frais ou un poisson.

Guy Béranger, Dom. de Naisse, 71870 Laizé, tél. et fax 03.85.36.91.79, e-mail guyberanger@club-internet.fr r.-v.

## DOM. DES PERELLES 2004 **

2,35 ha 17 000 5 à 8 €

Le terroir de cette partie du Mâconnais se partage entre sols granitiques sur lesquels s'épanouit le gamay et sols argileux, berceau du chardonnay et de ce mâcon-villages. D'un or à reflets gris perle, ce 2004 laisse filtrer des senteurs de fruits exotiques et de fleurs blanches. La bouche est riche et équilibrée, prometteuse d'une longue garde. La finale s'étire jusqu'à sept caudalies. Très typé mâcon, ce vin riche et frais à la fois accompagnera magnifiquement un fromage de chèvre sec du Mâconnais.

EARL Jean-Yves Larochette, Les Pérelles, 71570 Chânes, tél. 03.85.37.41.47, fax 03.85.37.15.25, e-mail jylarochette3@aol.com r.-v.

## CAVE DU PERE TIENNE 2002

0,8 ha 7 000 3 à 5 €

Ce domaine a souvent été retenu pour ses vins rouges de caractère. Cette année, il se distingue également grâce à ce 2002 jaune d'or à reflets bronze, aux parfums complexes de fruits mûrs et de coing, relevés par des nuances vanillées. L'attaque franche, progressive, est suivie d'impressions amples et charnues. Un vin plaisir à savourer dès aujourd'hui avec un poisson fin, ou à garder une à deux années pour l'associer à des plats plus typés.

Eric Panay, Cave du Père Tienne, La Place, 71960 Sologny, tél. 03.85.37.78.05, fax 03.85.37.75.95, e-mail caveduperetienne@wanadoo.fr t.l.j. 8h-19h

## PASCAL ROLLET Solutré-Pouilly 2004

1,43 ha 13 000 5 à 8 €

Fils d'agriculteur du Charollais, Pascal Rollet s'est installé dans les contrées mâconnaises en 1987, sans vraiment connaître le métier, et il a créé ce vignoble. Depuis, il est passé maître en la matière, surtout au travail de la vigne : labour, confusion sexuelle, taille courte... Il propose un vin de très jeunes vignes, avenant dans sa robe pâle, or vert. Le nez assez développé évoque les fleurs blanches associées aux notes minérales du calcaire de Solutré. La bouche affirme un bon équilibre entre le gras et l'acidité. Léger et aérien, ce 2004 est à boire sur un plateau de fruits de mer.

🔑 Pascal Rollet, hameau de Pouilly,
71960 Solutré-Pouilly, tél. 03.85.35.81.51,
fax 03.85.35.86.43, e-mail rolletpouilly@wanadoo.fr
▼ T ✝ t.l.j. 8h-19h; f. du 15-30 jui.

### DOM. DE RUERE 2003 *

| | 1 ha | 3 500 | | 3 à 5 € |
|---|---|---|---|---|

Didier Eloy exploite 16 ha autour de Pierreclos et de son majestueux château. Sur l'étiquette du mâcon-villages figurent les bâtiments du domaine pourvu d'une magnifique cave voûtée. D'un or pâle à reflets verts, ce 2003 mêle au nez des arômes primaires de fleurs blanches et d'amande. Le palais gourmand se distingue par une bonne vivacité et une fraîcheur qui donnent une agréable sensation de légèreté. Une jolie bouteille qui pourra être bue dès cet automne à l'apéritif.

🔑 Didier Eloy, Ruère, 71960 Pierreclos,
tél. et fax 03.85.35.76.65 ▼ T r.-v.

### DOM. SAINTE-BARBE Les Tilles 2003 *

| | n.c. | 3 200 | | 5 à 8 € |
|---|---|---|---|---|

Installé à Viré où il exploite un vignoble uniquement planté de chardonnay, ancré dans des sols à dominante calcaire, Jean-Marie Chaland s'attache à produire des vins de terroir, à forte expression, ne lésinant pas sur le travail à la vigne (labours, enherbement, vendanges manuelles...). Marquée par la minéralité de son origine, sa cuvée Les Tilles, brillante à reflets or, révèle néanmoins une complexité aromatique intéressante, alliant les fleurs aux agrumes. Elle vous ravira par son équilibre en bouche (si difficile à obtenir en 2003) et par sa persistance réglissée. Un vin harmonieux et typé à réserver à des mets de caractère : poulet aux écrevisses, lotte à l'américaine...

🔑 Jean-Marie Chaland, En Chapotin, 71260 Viré,
tél. 03.85.33.96.72, fax 03.85.33.15.58,
e-mail chazellesdom@aol.com ▼ 🏠 T ✝ t.l.j. 8h-19h

### DOM. THIBERT PERE ET FILS Fuissé 2003 *

| | 4 ha | 28 000 | | 8 à 11 € |
|---|---|---|---|---|

On ne présente plus ce domaine réputé pour la qualité de ses vins blancs. Celui-ci ne déroge pas à cette règle. Lors de la dégustation, il se trouvait encore un peu sur la réserve, mais le jury lui a reconnu tous les atouts pour devenir un « grand ». D'un or soutenu, la robe séduit d'emblée. On distingue à l'aération de fines notes de fleurs blanches et d'agrumes. Franc dès l'attaque, le palais se révèle structuré et équilibré et s'achève tout en douceur sur de savoureux arômes fruités.

🔑 Dom. Thibert Père et Fils, au bourg, 71960 Fuissé,
tél. 03.85.27.02.66, fax 03.85.35.66.21,
e-mail domthibe@club-internet.fr ▼ T ✝ r.-v.

### CAVE DE LA VIGNE BLANCHE 2003

| | 76 ha | 33 000 | | 5 à 8 € |
|---|---|---|---|---|

Une belle réalisation, dans un millésime difficile, des vignerons de Clessé, associés dans cette cave coopérative à taille humaine. Brillant d'un or clair, ce vin possède une palette aromatique complexe où les fleurs blanches et le fenouil s'associent à la minéralité du secteur de Clessé. Après une attaque franche, la bouche se révèle équilibrée, ronde avec des saveurs finales rappelant la noix de coco. Un ensemble plaisant à consommer dans l'année à venir.

🔑 Cave Coop. de Clessé, rte de la Vigne-Blanche,
71260 Clessé, tél. 03.85.36.93.88, fax 03.85.36.97.49,
e-mail cavecooperative.vigneblanche@wanadoo.fr
▼ T ✝ r.-v.

# Viré-clessé

Appellation communale née le 4 novembre 1998, viré-clessé a de solides ambitions en matière de vins blancs. La délimitation porte sur 552 ha dont les quatre cinquièmes sont actuellement plantés ; ils ont produit 22 711 hl en 2004. Les dénominations mâcon-viré et mâcon-clessé ont disparu avec le millésime 2002.



### PAUL BOUTINOT Réserve personnelle 2003 **

| | 1,66 ha | 12 195 | | 8 à 11 € |
|---|---|---|---|---|

Sélection des raisins sur pieds, vendange manuelle, pressurage méticuleux, fermentation sans levurage en fût de chêne neuf, mise en bouteilles fin 2004. Ce négociant qui exporte 98 % de sa production n'a pas lésiné sur les moyens pour élaborer ce viré-clessé remarquable. Celui-ci ravit d'abord par sa couleur franche, d'un or lumineux à reflets bronze. Le nez intense et complexe développe des notes de caramel, de vanille, puis évolue sur des nuances fraîches évoquant la verveine et le tilleul. La bouche aimable et riche révèle des saveurs fruitées de pêche blanche et d'ananas confit. Un vin sans nul doute issu de vendanges mûres et de qualité, et dont l'élevage a été bien maîtrisé ; il saura traverser le temps.

🔑 Boutinot, La Roche, 71570 Saint-Vérand,
tél. 03.85.23.05.40, fax 03.85.23.09.55 T r.-v.

### DOM. DES CHAZELLES Le Creusseromme 2003 *

| | 0,3 ha | 1 300 | | 8 à 11 € |
|---|---|---|---|---|

Cette cuvée Le Creusseromme trouve son origine dans des vignes âgées de quarante ans implantées sur sol argilo-calcaire. Ses notes de citronnelle, de pulpe de pamplemousse et de pomme verte, sa robe or vert annoncent une bouche fraîche. Celle-ci, assez vive, décline des saveurs minérales, puis à nouveau des nuances d'agrumes. Un vin de terroir qu'il faut absolument laisser évoluer. La cuvée **Vieilles Vignes 2002** se montre aimable dès aujourd'hui grâce à sa richesse aromatique alliant fruits très mûrs et noisette, à sa rondeur et à sa puissance. Elle est citée.

🔑 Jean-Noël Chaland, rue de la Grappe-d'Or,
71260 Viré, tél. 03.85.33.11.18, fax 03.85.33.15.58,
e-mail chazellesdom@aol.com
▼ 🏠 T ✝ t.l.j. 8h-12h 14h-18h

### MARIELLE ET ROBERT MARIN
Le Clos du Château 2003

| | 2,5 ha | 1 200 | | 5 à 8 € |
|---|---|---|---|---|

La robe dorée est intense et brille de reflets anis. Le nez, discret mais élégant, offre des notes minérales dans un environnement de miel et de fruits mûrs. La bouche, présente et dense, finit sur une saveur fruitée agréable. Un 2003 plaisant qui sera très prochainement prêt à boire. Pourquoi pas sur un foie gras ?

🔑 Robert et Marielle Marin, rte de la Vigne-Blanche,
71260 Clessé, tél. 03.85.36.95.92, fax 03.85.36.93.07
▼ T r.-v.

### DOM. MICHEL Tradition 2003 **

| | 8 ha | 45 000 | | 11 à 15 € |
|---|---|---|---|---|

Culture traditionnelle des vignes avec labours réguliers, taille courte, pas d'utilisation d'engrais chimiques, vendange manuelle à maturité optimale, élevage sur lies fines d'un an... voilà la recette qu'utilisent les Michel depuis de nombreuses années pour élaborer des vins racés de grande qualité. Ce 2003 ne déroge pas à la règle, malgré la particularité du millésime très (trop) ensoleillé ; les vignes si bien choyées ont pu donner naissance à des raisins dorés parfaitement équilibrés. A l'œil, de nombreux reflets gris perle illuminent la robe dorée. Le nez, subtil et complexe, évoque les épices (safran, cannelle), les petites fleurs blanches (acacia, aubépine) dans un environnement miellé. Rond, velouté et ample, le palais offre des saveurs de pêche blanche autour d'une structure fondue. Un modèle de l'appellation.

Dom. René Michel et ses Fils, Cray, 71260 Clessé, tél. 03.85.36.94.27, fax 03.85.36.99.63 r.-v.

RIJCKAERT Les Vercherres Vieilles Vignes 2003

0,6 ha 3 000 11 à 15 €

Jean Rijckaert, installé aux confins du Beaujolais et du Mâconnais, exploite entre autres 60 a de vignes cinquantenaires aux Vercherres, *climat* de Viré. Il laboure ses sols, vendange manuellement en cagette et vinifie en fût sans levurage ni enzymage, tout cela afin de laisser s'exprimer le terroir. Une démarche plutôt concluante, même si ce 2003 demande encore du temps pour s'harmoniser. La vanille, le camphre et des arômes toastés dominent le nez, mais la bouche se révèle ample, fraîche et bien équilibrée. Une longue finale minérale lui donne du caractère. Un vin racé à marier dans trois à cinq ans à un plat riche.

Jean Rijckaert, Correaux, 71570 Leynes, tél. et fax 03.85.35.15.09 r.-v.

DOM. DE ROALLY Tradition 2002

1,5 ha 9 000 8 à 11 €

Henri Goyard, vigneron hors pair du Mâconnais, a cessé son activité en 2001 et a confié sa propriété à un autre vigneron non moins célèbre, Jean Thévenet. Cette cuvée reste fidèle à l'expression des arômes de fruits mûrs et aux notes de cire d'abeille qui caractérisent le domaine de Roally, dont le terroir est marqué par le calcaire. Bien équilibrée, mais encore un peu austère, elle devra attendre.

SCEA de Roally, Quintaine Cidex 654, 71260 Clessé, tél. 03.85.36.94.03, fax 03.85.36.99.25, e-mail thevenetgautier@wanadoo.fr r.-v.

Thévenet

RONGIER ET FILS 2003

9 ha 10 000 5 à 8 €

Installé au cœur du village de Clessé, si caractéristique par la couleur de sa pierre, blanche comme de la craie, ce domaine s'étend sur 10 ha. Il propose un 2003 doré à reflets verts, au nez intense de fruits mûrs (mangue et ananas) souligné de notes fumées. Le palais est souple et équilibré avec du gras et une matière dense. On y retrouve des arômes empyreumatiques. La finale apparaît un rien amère mais reste agréable. Un vin original, au caractère bien trempé.

EARL Claudius Rongier et Fils, rue du Mur, 71260 Clessé, tél. 03.85.36.98.02, fax 03.85.36.94.05 r.-v.

DOM. SAINTE-BARBE Thurissey 2003 *

0,52 ha 2 500 8 à 11 €

Une vigne presque centenaire, travaillée en biodynamie par un jeune vigneron, a donné un viré-clessé à fort potentiel. Au nez, ce vin élevé dix mois en fût est encore marqué par le bois, même si l'on décèle en fond des arômes de fleurs blanches comme l'acacia et l'aubépine, et des nuances de citronnelle. En bouche, il est vif à l'attaque, mais il possède une mâche qui lui permettra une bonne évolution dans le temps. Vous l'aurez compris, c'est un grand qui a besoin de temps pour s'épanouir (deux à trois ans).

Jean-Marie Chaland, En Chapotin, 71260 Viré, tél. 03.85.33.96.72, fax 03.85.33.15.58, e-mail chazellesdom@aol.com t.l.j. 8h-19h

LA CAVE DE LA VIGNE BLANCHE 2003

47 ha 33 000 8 à 11 €

Voici deux jolis vins dignes d'avoir une place dans votre cave. Le premier, aux arômes intenses de fleurs blanches et de fruits exotiques, enchante le palais par sa vivacité et sa fraîcheur. Charmeur et gouleyant, il est à boire avec un fromage de tête au casse-croûte. La cave de Clessé propose également une cuvée **Vieilles Vignes 2003**, citée par le jury pour sa puissance et son harmonie et qui trouvera sa place lors d'un repas de fête.

Cave Coop. de Clessé, rte de la Vigne-Blanche, 71260 Clessé, tél. 03.85.36.93.88, fax 03.85.36.97.49, e-mail cavecooperative.vigneblanche@wanadoo.fr r.-v.

CAVE DE VIRE Viré d'Or 2003 *

2,5 ha 10 000 15 à 23 €

Cette cuvée est le fruit de l'esprit coopératif qui règne dans cette cave : des vignerons volontaires ont réservé chacun 10 a des plus vieilles vignes de leur exploitation qu'ils ont vendangées manuellement. Puis Jean-Claude Janin, le maître de chai, a porté une attention particulière à cette cuvée, élevée en fût avec une filtration légère. Voici le résultat : d'un or vert pâle très brillant s'échappent de nombreux effluves fruités (pêche blanche, abricot, citron vert) qui laissent ensuite la place aux fruits secs et au miel. L'équilibre en bouche est atteint et penche vers une suavité typique des 2003. La finale est marquée par des notes minérales qui signent son origine.

SCA Cave de Viré, En Vercheron, Cidex 2129, 71260 Viré, tél. 03.85.32.25.50, fax 03.85.32.25.55, e-mail cavedevire@wanadoo.fr r.-v.

# Pouilly-fuissé

Le profil des roches de Solutré et de Vergisson s'avance dans le ciel comme la proue de deux navires ; à leur pied, le vignoble le plus prestigieux du Mâconnais, celui de pouilly-fuissé, se développe sur les communes de Fuissé, Solutré-Pouilly, Vergisson, et Chaintré. La production a atteint 44 096 hl en 2004.

Les vins de Pouilly ont acquis une très grande notoriété, notamment à l'exportation, et leurs prix ont toujours été en compétition avec ceux des chablis. Ils sont vifs, pleins de sève et parfumés. Lorsqu'ils sont élevés en fût de chêne, ils acquièrent en vieillissant des arômes caractéristiques d'amande grillée ou de noisette.

BRET BROTHERS La Roche 2003 ★

| | 0,5 ha | 2 350 | 15 à 23 € |
|---|---|---|---|

Le *climat* La Roche, situé à Vergisson, est considéré comme l'un des meilleurs terroirs de l'appellation. Ce coteau calcaire, orienté à l'est, donne aux vins une extraordinaire minéralité, caractéristique des grands vins blancs du Mâconnais. Et sur ce millésime 2003 si méditerranéen, cette minéralité s'avère essentielle car elle apporte une fraîcheur bienvenue. Cette cuvée habillée d'or enchante dès le premier regard. Les caractères aromatiques sont intenses et complexes : boisé puis fruit mûr et enfin une note miellée. Derrière une attaque acidulée, on retrouve le boisé bien intégré mêlé à la minéralité. Un vin d'avenir à déguster dans trois ou quatre ans. Même note et mêmes impressions plaisantes pour le **Carementrant 2003**.

SARL Bret Brothers, La Soufrandière,
71680 Vinzelles, tél. et fax 03.85.35.67.72,
e-mail lasoufrandiere@libertysurf.fr r.-v.

DOM. DU CAPUCIN 2003 ★

| | 2 ha | 1 500 | 11 à 15 € |
|---|---|---|---|

Belle propriété ayant appartenu au capucin Luillier, auteur des *Noëls Mâconnais*, aujourd'hui conduite par une jeune femme, Chloé Bayon. Elle propose un vin ayant fière allure dans sa robe dorée à reflets anis. Son bouquet aussi puissant que complexe, évoque le miel, le pain grillé, la pomme reinette, avec de fines touches minérales. Sa concentration se retrouve au palais : souple, bien structuré et légèrement acidulé, il est agréable jusque dans sa persistance aromatique. Un ensemble qui pourra déjà se boire cet hiver. La **cuvée 2003 élevé en fût de chêne (15 à 23 €)** est citée pour son potentiel mais elle demande quelques années pour s'affiner.

Chloé Bayon, Le Plan, Manoir du Plan,
71960 Fuissé, tél. et fax 03.85.35.87.74,
e-mail domaineducapucin@yahoo.fr r.-v.

DOM. DE LA CHAPELLE Vieilles Vignes 2003 ★

| | 2,2 ha | 9 000 | 11 à 15 € |
|---|---|---|---|

Au début du XX^e s., ce domaine était considéré comme incontournable dans l'appellation pouilly-fuissé. Au fil du temps et des différents propriétaires, son aura a pâli. Aujourd'hui Pascal Rollet veille à retrouver cette notoriété d'antan, notamment en conservant les vieilles vignes. Cette cuvée confirme le bien-fondé d'une telle démarche : jaune d'or à reflets citron, elle offre un nez intense et agréable de chocolat blanc et d'abricot sec, mêlés à des notes minérales et épicées. La bouche est équilibrée, le boisé de l'élevage s'étant déjà bien fondu dans la matière dense du vin. Une légère sensation acidulée termine la dégustation dans la fraîcheur. Du très beau travail.

Pascal Rollet, hameau de Pouilly,
71960 Solutré-Pouilly, tél. 03.85.35.81.51,
fax 03.85.35.86.43, e-mail rolletpouilly@wanadoo.fr
t.l.j. 8h-19h; f. du 15-30 jui.
Claude Gondard

PHILIPPE CHARMOND 2003

| | 2 ha | 2 000 | 11 à 15 € |
|---|---|---|---|

Pendant une dizaine d'années, Philippe Charmond a produit des vins très classiques destinés au commerce de gros. Depuis 2001, il a changé son fusil d'épaule et aborde un nouveau marché : la vente de bouteille ; son objectif : l'élaboration de vins de terroir, à forte identité. Grâce à de précieux conseils prodigués par des domaines réputés, il est en passe d'y parvenir. Ce 2003 or vert intense possède un nez complexe où se mêlent de nombreux arômes ; on reconnaît la verveine, le tilleul et la vanille. Après une attaque fruitée, la bouche charnue développe une bonne structure jusqu'à la finale citronnée et fraîche. Un vin d'avenir et un domaine à suivre.

Philippe Charmond, Le Repostère, 71960 Vergisson,
tél. et fax 03.85.35.87.98 r.-v.

DOM. DE LA COLLONGE
Les Champs Vieilles Vignes 2003 ★★

| | 0,64 ha | 3 000 | 11 à 15 € |
|---|---|---|---|

Au cœur du vignoble de pouilly-fuissé, Gilles Noblet gère scrupuleusement et sans bruit ses 14 ha de vignes de chardonnay. Ce 2003 a séduit avec sa robe jaune d'or à reflets brillants, son nez intense de beurre frais, de poire très mûre, de pêche blanche dans un environnement minéral fort agréable. Velouté et racé en bouche, il finit sur une note de pierre à fusil d'une grande pureté. Un vin charmeur et élégant qui s'accordera à une volaille de Bresse à la crème.

Gilles Noblet, Dom. de La Collonge, 71960 Fuissé,
tél. 03.85.35.63.02, fax 03.85.35.67.70,
e-mail gillesnoblet@wanadoo.fr r.-v.

COLLOVRAY ET TERRIER
Plénitude de bonté 2003 ★

| | 1 ha | 5 000 | 15 à 23 € |
|---|---|---|---|

Cette sélection jaune d'or a gardé les magnifiques reflets de sa jeunesse, couleur citron vert. Les parfums, particulièrement complexes, marient les notes de surmaturation (abricot sec) avec quelques nuances boisées. Riche et ample, la bouche apparaît puissante, ce qui ne l'empêche pas de faire preuve d'élégance. Un vin aromatique, bien équilibré, qui saura s'associer à des mets forts en goût tel que le fromage d'Epoisses.

Collovray et Terrier, Vins des Personnets,
71960 Davayé, tél. 03.85.35.86.51, fax 03.85.35.86.12,
e-mail vinsdespersonnets@club-internet.fr r.-v.

DOM. CORSIN Aux Chailloux 2003 ★

| | 0,68 ha | 2 300 | 15 à 23 € |
|---|---|---|---|

Davayé, charmant petit village situé juste à côté de Solutré, abrite notamment le lycée viticole dans lequel de nombreux vignerons de la région et d'ailleurs ont appris leur métier. C'est aussi le siège de l'exploitation de ce domaine réputé pour ses vins blancs. Cette cuvée Aux Chailloux issue d'un terroir pourtant précoce n'a pas trop souffert de l'été 2003. Profond et brillant dans le verre, ce vin libère d'élégants arômes de fleurs blanches, de brioche et de vanille, un rien boisés. Au palais, on découvre des saveurs de fruits mûrs, ainsi qu'un bel équilibre gras-acidité, gage d'une bonne aptitude au vieillissement.

Dom. Corsin, Les Plantes, 71960 Davayé,
tél. 03.85.35.83.69, fax 03.85.35.86.64,
e-mail jjcorsin@domaine-corsin.com
t.l.j. sf dim. 8h-12h 13h30-18h30

DOM. MICHEL DELORME Sur la Roche 2003 ★★

| | 0,56 ha | 3 000 | 8 à 11 € |
|---|---|---|---|

Vergisson est la commune de l'aire d'appellation la plus haute en altitude et la plus tardive. Sur un millésime caniculaire comme 2003, ce qui fait parfois figure d'inconvénient est devenu un avantage considérable, comme le prouvent ces deux vins. Les **Vieilles Vignes 2003 (11 à 15 €)** sont étoilées pour leur structure ample, ronde et sans lourdeur. Sur la Roche est plébiscité pour sa char-

BOURGOGNE

pente, digne de son rang, mais également pour son origine. Il doit cependant s'affiner au nez puisque le boisé est encore présent parmi quelques discrètes notes de fruits blancs. Un grand vin en devenir, à conserver plusieurs années.

Dom. Michel Delorme, le bourg, 71960 Vergisson, tél. et fax 03.85.35.84.50, e-mail micheldelorme@club-internet.fr r.-v.

## DOM. DENUZILLER Prestige 2003 *

0,5 ha 3 000 8 à 11 €

A la tête du domaine familial depuis 1986, Gilles et Joël Denuziller exploitent 14 ha de vignes. Une fois de plus, ils montrent leur talent à travers un pouilly-fuissé issu du terroir de Solutré. Ce vin à l'allure jaune paille développe des arômes de fruits frais presque fermentaires comme le raisin à bonne maturité. Nette et assez élégante, la bouche se montre légère et fraîche, avec une finale rappelant la minéralité du terroir argilo-calcaire. Charmant dès aujourd'hui, ce 2003 doit être savouré cet automne sur un poisson ou des crustacés.

Dom. Denuziller, le bourg, 71960 Solutré-Pouilly, tél. 03.85.35.80.77, fax 03.85.35.83.38 t.l.j. 8h30-12h 13h-19h

## GEORGES DUBŒUF Elevé en fût de chêne 2003

n.c. 18 000 8 à 11 €

La maison Georges Dubœuf a sélectionné ce 2003 typé de son millésime, flatteur par sa couleur jaune d'or intense. Le nez comme la bouche sont encore sous l'emprise du chêne dans lequel ce vin a été élevé. Pain grillé et toasté s'acoquinent avec des arômes plus frais de citron. La finale, à l'image de ce millésime, s'achève sur des notes miellées chaleureuses. Un ensemble de bonne tonalité, qui saura plaire dans un an en accompagnement d'une volaille.

SA Les Vins Georges Dubœuf, La Gare, 71570 Romanèche-Thorins, tél. 03.85.35.34.20, fax 03.85.35.34.25, e-mail gduboeuf@duboeuf.com t.l.j. 9h-18h au Hameau-en-Beaujolais; f. 1er-14 jan.

## PIERRE DUPOND 2003 *

n.c. 10 000 11 à 15 €

Cette maison de négoce du Beaujolais a sélectionné ce 2003 jaune intense aux reflets brillants. Au nez, on distingue de discrètes notes florales et miellées ainsi que des nuances de fruits secs. Après une attaque nette, la bouche apparaît riche, d'une belle ampleur avec une finale expressive sur de douces notes de miel et de pamplemousse. Un vin harmonieux que l'on appréciera dès maintenant.

Pierre Dupond, 235, rue de Thizy, BP 79, 69653 Villefranche-sur-Saône Cedex, tél. 04.74.65.24.32, fax 04.74.68.04.14, e-mail pierre.dupond@pierredupond.com

## DOM. ELOY Vieilles Vignes 2003 *

n.c. 8 000 8 à 11 €

Lumineuse et dorée à l'œil, cette cuvée issue de vignes cinquantenaires offre un nez expressif qui mêle les agrumes aux fleurs blanches et la pierre à fusil au miel. L'attaque est fraîche et agréable, la finesse d'expression du fruit bien mise en valeur dans une bouche équilibrée et minérale. On retrouve en finale des saveurs de fruits exotiques qui permettront une association réussie avec une viande blanche à la sauce aigre-douce.

Jean-Yves Eloy, Le Plan, 71960 Fuissé, tél. 03.85.35.67.03, fax 03.85.35.67.07 r.-v.

## ERIC FOREST La Côte 2002 ***

0,54 ha 2 100 11 à 15 €

A la tête de ce petit domaine de 2,5 ha, Eric Forest, en digne héritier de son père et de son grand-père, s'applique à produire des vins de haute qualité, qui s'expriment pleinement après quelques années. C'est le cas de cette cuvée qui a enthousiasmé le jury. Ce 2002 brille de mille feux dans son habit de lumière à reflets bronze, et de nombreuses larmes s'écoulent le long du verre. Des senteurs de raisin mûr et d'aubépine composent le bouquet dans une enveloppe boisée délicate. Le gras, l'acidité et la matière cohabitent harmonieusement et la finale s'étire longuement sur des notes minérales superbes. Un vin riche, bien construit qu'il faudra attendre trois à quatre ans avant de le servir avec une poularde de Bresse aux morilles.

Eric Forest, Le Martelet, 71960 Vergisson, tél. 06.22.41.42.55, fax 03.85.35.88.67, e-mail eric-forest@fr.st r.-v.

## MICHEL FOREST Sur la Roche 2003 **

0,4 ha 1 400 11 à 15 €

Michel Forest est un excellent vigneron et il confirme encore cette année son talent avec cette cuvée. Ce 2003, tout doré, dispense des arômes de vanille, de verveine, de caramel au lait et de pain grillé assortis d'un caractère pierre à fusil, minéral, nuances qui se prolongent dans une bouche ample et riche. Quelques effluves boisés et fumés traversent la dégustation mais avec finesse et discrétion. Un joli mariage vin-chêne, qui saura vous enchanter durant trois à quatre années servi sur une viande blanche.

Michel Forest, Les Crays, 71960 Vergisson, tél. 03.85.35.84.79, fax 03.85.35.86.14 r.-v.

## CH. FUISSE Les Brûlés 2003 **

0,7 ha 4 000 15 à 23 €

Deux vins de style différent de ce domaine mythique ont attiré l'attention des jurés sans qu'ils puissent vraiment déterminer leur préféré. A vous donc de faire votre choix. Ces Brûlés, dorés à reflets verts, développent un nez intense de confiserie et d'ananas frais soutenu par des notes de merrain. Très rond, plein et aromatiquement intéressant, ce vin est un modèle du millésime 2003. La cuvée **Vieilles Vignes 2003 (23 à 30 €)** offre des arômes de mie de pain, de fournil et de fleurs blanches tandis que sa bouche est fraîche et équilibrée. Plus féminine que la précédente et moins puissante, elle séduira les amateurs de vins fins et élégants. Il en reste 20 000 bouteilles...

Famille Vincent, Ch. de Fuissé, 71960 Fuissé, tél. 03.85.35.61.44, fax 03.85.35.67.34, e-mail domaine@chateau-fuisse.fr t.l.j. 8h-12h 13h30-17h30; sam. et dim. sur r.-v.

## DOM. DES GERBEAUX
Vieilles Vignes Terroirs de Pouilly-Fuissé 2003 *

2 ha 7 000 8 à 11 €

Quarante-cinq parcelles de vignes de chardonnay, de sols et d'expositions différents, composent les 7 ha du domaine de Béatrice et Jean-Michel Drouin. Certaines sont assemblées pour la complexité qu'elles apportent au vin ; c'est le cas dans cette cuvée, issue de ceps cinquantenaires du hameau de Pouilly et de la commune de Fuissé. Parée d'une robe jaune bouton d'or lumineuse, elle offre à l'olfaction d'intenses notes florales mêlées à des arômes de poire et de pêche. On retrouve en bouche ces saveurs fruitées associées à un support riche et plaisant. Un vin à boire dans l'année sur un poisson au beurre blanc.

Jean-Michel Drouin, Dom. des Gerbeaux, 71960 Solutré-Pouilly, tél. 03.85.35.80.17, fax 03.85.35.87.12 r.-v.

DOM. GONON Vieilles Vignes 2003 ★★

4,7 ha 20 000 8 à 11 €

Issu de vignes cinquantenaires, ce pouilly-fuissé fait preuve de typicité et de beaucoup de fraîcheur pour un 2003. Le nez, expressif et puissant, (une vraie corbeille de fruits), témoigne de la maturité du raisin. La bouche, tout aussi agréable, laisse une impression d'opulence grâce à des notes de poire mûre, mais également une sensation de fraîcheur grâce à sa finale minérale. Charnu mais équilibré, très fruité, ce vin traduit bien le cépage. Il devra être attendu encore deux ou trois ans avant d'être marié à une blanquette de veau.

Dom. Gonon, 71960 Vergisson, tél. 03.85.37.78.42, fax 03.85.37.77.14, e-mail domgonon@aol.com r.-v.

DOM. JEANDEAU Les Prouges 2003 ★★

1,8 ha 3 400 15 à 23 €

Jeune vigneron à Fuissé sur la propriété familiale de 3,5 ha, Denis Jeandeau revendique des convictions écologiques. C'est donc tout naturellement qu'il a converti son vignoble en culture biologique puis, récemment, en biodynamie. Son credo, respect du sol et de la plante, permet l'obtention de vins de terroir, tels ces Prouges. D'un or pâle à reflets verts s'échappent de fines notes de fruits à noyau et de pain grillé. Après une attaque franche, la bouche se développe, équilibrée et linéaire, dans un prolongement aromatique pur et racé. Très caractéristique d'un pouilly-fuissé ancré dans son expression de terroir, ce 2003 peut déjà être bu mais il gagnera à être conservé quelques années : il en a le potentiel.

Dom. Jeandeau, Les Prouges, 71960 Fuissé, tél. et fax 03.85.29.20.46 r.-v.

ROGER LASSARAT Clos de France 2003

0,8 ha 4 800 11 à 15 €

L'incontournable Roger Lassarat, vigneron jovial du Mâconnais, élabore avec passion, millésime après millésime, de grands vins blancs issus du cépage chardonnay. Il faut dire qu'en plus de son talent et de son expérience, il jouit de certains des plus beaux terroirs de Vergisson. Il propose cette cuvée d'un jaune d'or intense, au nez légèrement grillé et fruité. Vif à l'attaque, le palais se révèle rond avec une intensité boisée encore importante. Un vin à attendre deux ou trois ans avant de le servir sur des escargots à la bourguignonne.

Roger Lassarat, Le Martelet, 71960 Vergisson, tél. 03.85.35.84.28, fax 03.85.35.86.73, e-mail info@roger-lassarat.com r.-v.

CH. DE LAVERNETTE Cuvée Jean-Jacques de Boissieu Elevé en fût de chêne 2003 ★

1,5 ha 5 000 11 à 15 €

Jean-Jacques de Boissieu, né en 1736, était fils d'un médecin lyonnais. Autorisé par sa famille à « monter » à Paris pour y dessiner et graver, il fréquenta Greuze et Soufflot. Elégance et précision étaient les qualités principales de cet artiste qui connut de son vivant la renommée. Cette cuvée élaborée par un de ses descendants lui rend hommage et on retrouve, sur l'étiquette, un de ses dessins représentant un tonnelier en cave. Or brillant, ce vin exhale des arômes puissants de fruits exotiques, de miel et de beurre frais. Il emplit le palais de gras et de rondeur, il est délicat, tout en étant puissant, et s'affirme en finale comme un beau représentant de l'appellation.

Bertrand de Boissieu, Ch. de Lavernette, 71570 Leynes, tél. 03.85.35.63.21, fax 03.85.35.67.32, e-mail chateau@lavernette.com t.l.j. 10h-12h 14h-18h

DOM. ROGER LUQUET Vieilles Vignes 2003 ★

0,75 ha 4 000 11 à 15 €

Un grand millésime, un grand terroir, du chardonnay parfaitement mûr, une vinification et un élevage en fût ont donné naissance à ce vin de teinte or gris, au nez à la fois puissant et fin de fleurs blanches, accompagné d'un léger grillé, de nuances de fruits cuits et d'une touche minérale. Ronde et charnue en première impression, la bouche se distingue ensuite par une présence de tanins réglissés qui laissent une bouche fraîche. Massif, plaisant, ce 2003 est à attendre un ou deux ans. On le servira avec un rouget grillé. A noter également, une citation pour le **pouilly-fuissé 2003** qui trouvera sa place à l'apéritif.

Dom. Roger Luquet, 71960 Fuissé, tél. 03.85.35.60.91, fax 03.85.35.60.12, e-mail domaine-roger.luquet@club-internet.fr t.l.j. sf dim. 8h-19h

DOM. MATHIAS Tradition 2003 ★

3 ha 12 000 11 à 15 €

Vinifié et élevé en fût, mais seulement pendant six mois, ce pouilly-fuissé est d'une facture très classique. Légèrement doré, il s'ouvre discrètement sur des nuances florales rappelant l'aubépine et le tilleul, puis quelques notes mentholées apparaissent après aération. La bouche se révèle fraîche, fruitée sur un fond équilibré. Un vin que l'on appréciera dans un avenir proche sur un mets délicat tel que des noix de Saint-Jacques à l'embeurrée de pommes et d'endives.

Béatrice et Gilles Mathias, Dom. Mathias, rue Saint-Vincent, 71570 Chaintré, tél. 03.85.27.00.50, fax 03.85.27.00.52, e-mail domaine-mathias@wanadoo.fr r.-v.

DOM. DANIEL POLLIER Vieilles Vignes 2003 ★

2 ha 13 300 8 à 11 €

Ce vin né de ceps d'âge respectable (un demi-siècle) a été élevé en partie en fût de chêne après avoir été récolté le 20 août 2003. Sa robe jaune paille s'anime de reflets vert brillant. Déjà très ouvert, le nez livre quelques fragrances florales (genêt, violette et églantine), ainsi que des notes d'agrumes à peine mûrs. Aromatique dès l'attaque, le palais se montre puissant et presque chaud en milieu de dégustation. Une finale minérale et acidulée lui confère une belle longueur et de la fraîcheur. On pourra servir ce vin au cours d'un repas de fête dans un an ou deux.

EARL Dom. Daniel Pollier, 71960 Fuissé, tél. et fax 03.85.35.66.85, e-mail domaine.daniel.pollier@club-internet.fr t.l.j. 9h-12h 13h30-18h30

ALBERT PONNELLE Vieilles Vignes 2003 ★★

0,3 ha 1 800 15 à 23 €

Un négociant beaunois propose cette remarquable cuvée, à la robe pimpante, d'une couleur or vert, au nez frais et épanoui où la minéralité a la part belle mais bien secondée par des notes fleuries agréables. Moelleux à l'attaque, le palais se montre équilibré, ample, dans un

BOURGOGNE

environnement boisé fondu. On retrouve en finale la minéralité des terroirs calcaires d'où est probablement issu ce vin. Une bouteille à réserver aux grandes occasions dans quatre à cinq ans.

Albert Ponnelle, 38, fb Saint-Nicolas, BP 107, 21200 Beaune, tél. 03.80.22.00.05, fax 03.80.24.19.73 t.l.j. sf sam. dim. 8h-12h 14h-18h

## CAVE DE PRISSE Terres secrètes 2003 *

n.c. 8 000 8 à 11 €

Belle allure pour ce 2003 à la robe dorée, limpide et brillante. Son nez, déjà très ouvert, évoque la poire, l'amande, les fleurs blanches mais également la vanille. Son attaque franche et nette révèle très vite une bonne structure, équilibrée et persistante. Un joli grain de chardonnay que l'on pourra servir avec une truite aux amandes. « Nous éprouvons déjà beaucoup de plaisir à la dégustation de ce vin, mais son potentiel permettra de nouvelles sensations d'ici trois à quatre années », conclut le jury.

Cave de Prissé-Sologny-Verzé, Les Grandes-Vignes, 71960 Prissé, tél. 03.85.37.88.06, fax 03.85.37.61.76, e-mail cave.prisse@cavedeprisse.com r.-v.

## MICHEL REY La Maréchaude 2003 *

0,62 ha 1 200 15 à 23 €

Ce domaine étend ses 6 ha de vignes sur les sols calcaires de Fuissé et de Vergisson. Michel Rey, à sa tête depuis 1988, propose des vins de haute expression comme cette Maréchaude. Elle a eu chaud cette année-là, mais récoltée le 20 août, elle a donné un joli vin doré, au bouquet intense qui associe les fruits mûrs à des notes boisées agréables, et qui suscite l'envie de goûter. La bouche est la bienvenue : elle a du volume, de la chair, ainsi qu'un équilibre qui la porte longuement vers une finale acidulée. Très belle harmonie.

Michel Rey, Le Repostère, 71960 Vergisson, tél. 03.85.35.85.78, fax 03.85.35.87.91, e-mail michel.rey19@wanadoo.fr r.-v.

Burrier

## PIERRE-EMMANUEL SANGOUARD 2003

0,36 ha 1 700 11 à 15 €

Originaire de Lyon, Pierre-Emmanuel Sangouard a repris la propriété de son grand-père en 1997, après avoir fréquenté le lycée viticole de Davayé tout proche. 36 a de chardonnay planté sur sols argilo-calcaires ont donné cette cuvée confidentielle à la robe doré soutenu. Un panier de fruits mûrs et exotiques compose le nez, assorti de nuances de miel et de cannelle. L'attaque est très grasse et souple, à l'image des vins de ce millésime chaud. A boire dans l'année – pourquoi pas au dessert ?

Pierre-Emmanuel Sangouard, La Maison bleue, 71960 Vergisson, tél. 03.85.35.89.45, fax 03.85.35.89.73, e-mail pekty@wanadoo.fr r.-v.

## DOM. DES SANSONNETS 2003 **

n.c. 5 000 8 à 11 €

Jacques Charlet est une marque d'un célèbre négociant en vins blancs de la région. Elle propose une très jolie gamme de vins du Mâconnais et du Beaujolais, et le pouilly-fuissé est l'un de ses fleurons. La robe de ce 2003 est or pâle brillant ; ses arômes intenses rappellent l'ananas, le miel et les fleurs blanches. Souple et rond en attaque, ce vin est d'une parfaite harmonie en bouche et sa finale pamplemousse lui confère de la fraîcheur. Il sera particulièrement apprécié d'ici un à deux ans servi avec les plats aux saveurs exotiques.

Jacques Charlet, 71570 La Chapelle-de-Guinchay, tél. 03.85.36.82.41, fax 03.85.33.83.19

## JACQUES ET NATHALIE SAUMAIZE La Roche 2003

n.c. 2 000 11 à 15 €

Encore un vin issu du *climat* de La Roche à Vergisson, secteur qui, par son exposition et son sol, a bien résisté aux chaleurs caniculaires de la mi-août 2003. Vendangé le 18 août, puis élevé en fût durant dix mois, ce pouilly-fuissé revêt une robe jaune d'or à reflets verts. L'élevage sous bois lui a légué d'intenses arômes de fruits secs (amande, noisette) et des nuances beurrées et vanillées. Frais et rond, il manifeste une bonne ampleur en bouche mais il développe en finale une légère amertume. Une bouteille à attendre un à deux ans.

Jacques et Nathalie Saumaize, Les Bruyères, 71960 Vergisson, tél. 03.85.35.82.14, fax 03.85.35.87.00, e-mail nathalie.saumaize@wanadoo.fr r.-v.

## DOM. SAUMAIZE-MICHELIN Pentacrine 2003 *

0,7 ha 3 000 11 à 15 €

Le hasard fait parfois bien les choses : les Saumaize ont investi dans une climatisation de la cave au printemps 2003 ; autre précaution prise, en cet été caniculaire, une récolte manuelle en petites caisses effectuée de 6 h 30 à 13 h pour éviter tout échauffement de la vendange. Ces attentions démontrent bien l'intérêt et la passion qu'ils portent à leur métier de vigneron et il en découle deux bouteilles très réussies. **Les Ronchevats 2003**, au nez intense de fleurs blanches, d'amandes et de vanille, se développent harmonieusement en bouche jusqu'à une finale longue et élégante. La cuvée Pentacrine 2003, dans un registre aromatique complexe qui associe le fruit aux épices, enchante le palais par sa densité.

Roger et Christine Saumaize, Dom. Saumaize-Michelin, Le Martelet, 71960 Vergisson, tél. 03.85.35.84.05, fax 03.85.35.86.77, e-mail saumaize-michelin@wanadoo.fr r.-v.

## DOM. JEAN-PIERRE SEVE Aux Chailloux Elevé en fût de chêne 2003 *

1,19 ha 8 000 8 à 11 €

De la cave de Jean-Pierre Sève, on jouit d'une magnifique vue panoramique sur la vallée de la Saône. Et dans notre dos s'élève, altière, la Roche de Solutré. Vous l'aurez compris, l'environnement est plaisant, mais les vins le sont également. Voyez celui-ci : d'une robe légèrement dorée s'échappent quelques notes discrètes de fruits mûrs, enrobées de nuances empyreumatiques (grillé, boisé, réglisse). Ces dernières, dues à un élevage de neuf mois en fût de chêne, sont encore très présentes au palais mais elles permettent tout de même l'expression du terroir d'origine. La cuvée **Vieilles Vignes 2003 (11 à 15 €)** est citée.

Jean-Pierre Sève, le bourg, 71960 Solutré-Pouilly, tél. 03.85.35.80.19, fax 03.85.35.80.58, e-mail domaine.jean-pierre_seve@libertysurf.fr r.-v.

## DOM. LA SOUFRANDISE Levrouté 2002 *

1 ha 2 300 15 à 23 €

A l'origine de ce pouilly-fuissé, une méthode de vinification qui sort des sentiers battus : les raisins levroutés, c'est-à-dire atteints de pourriture noble, sont cueillis tardivement puis vinifiés longuement. L'élevage s'effectue

sous bois durant douze mois puis en cuve pendant quinze mois, mais il ne permet pourtant pas la fermentation de l'ensemble des sucres et il reste 10 g/l de sucres résiduels. Or intense à l'œil, ce 2002 offre un nez fait de fleurs blanches, de grillé et de notes de coing. Ample en attaque, le vin dévoile du gras dans une structure dense. La finale est marquée par des nuances moelleuses et citronnées qui permettront un accord parfait avec une cuisine indienne. Les **Vieilles Vignes 2003 (11 à 15 €)** sont citées ; elles jouent dans un registre plus classique.
Françoise et Nicolas Melin,
EARL Dom. La Soufrandise, 71960 Fuissé,
tél. 03.85.35.64.04, fax 03.85.35.65.57,
e-mail la-soufrandise@wanadoo.fr r.-v.

DOM. THIBERT PERE ET FILS
Vignes blanches 2003 *

1,11 ha 7 000 15 à 23 €

« Tout simplement superbe » pour certains jurés et « encore dominée par le bois » pour les autres, cette cuvée a fait débat au sein du jury. Tout le monde s'accorde sur sa couleur jaune paille à reflet vieil or brillant et son nez dominé par l'intensité boisée. En revanche, les avis sont partagés pour la bouche ; les uns concluent : « le fût s'efface derrière la structure du vin (rond, riche, vif...) et le palais finit sur une minéralité citronnée des plus belles » et les autres révèlent une « présence importante du bois qui ne domine pas tout à fait le vin ». Deux écoles s'affrontent. Pour mieux comprendre, rendez-vous à Fuissé, au domaine Thibert, un des domaines phares du Mâconnais. L'accueil y est charmant et les vins de très haut niveau.
Dom. Thibert Père et Fils, au bourg, 71960 Fuissé,
tél. 03.85.27.02.66, fax 03.85.35.66.21,
e-mail domthibe@club-internet.fr r.-v.

CHANTAL ET DOMINIQUE VAUPRE
Vieilles Vignes 2002 *

0,3 ha 2 300 11 à 15 €

Au pied de la Roche de Solutré, vous trouverez ce domaine familial qui possède l'une des plus belles caves voûtées de la région. D'une longueur totale de 25 m, elle a jadis été creusée directement dans la pierre calcaire de Solutré. C'est dans ce monument que repose paisiblement cette cuvée Vieilles Vignes 2002. Vêtue d'or vert limpide et brillant, elle offre un nez subtil où la minéralité du sol danse avec les notes de raisins mûrs. Franc et plein, le palais souligne la noble origine de ce vin et son magnifique terroir. Un vin classique pour accompagner une lotte ou une rascasse.
Dominique Vaupré, le bourg, 71960 Solutré-Pouilly,
tél. 03.85.35.85.67, fax 03.85.35.86.63 r.-v.

DOM. DES VIEILLES PIERRES
Les Crays Vieilles Vignes 2002 ***

0,7 ha 4 200 11 à 15 €

Les Crays, *climat* mythique de Vergisson, est constitué de sols très calcaires ; son exposition au sud est propice à une excellente maturité du raisin. Ces Vieilles Vignes se montrent à la hauteur de sa réputation. La robe est éclatante de reflets dorés ; le nez élégant, complexe laisse s'exprimer la vanille, la noisette grillée. La bouche dense et concentrée révèle des saveurs de fruits mûrs jusque dans une finale persistante. Un potentiel énorme pour les trois à cinq prochaines années. Une étoile brille dans les cieux de **La Roche Vieilles Vignes 2002**, distinguant sa finesse et sa minéralité.
Jean-Jacques Litaud, Les Nembrets,
71960 Vergisson, tél. 03.85.35.85.69, fax 03.85.35.86.26,
e-mail jean-jacques.litaud@wanadoo.fr r.-v.

CH. VITALLIS 2003 *

0,5 ha 5 000 8 à 11 €

D'un jaune aux légers reflets bruns, ce vin laisse percer des parfums de fleurs blanches, de tilleul, d'aubépine dans un environnement fruité. La bouche structurée et ronde mêle le miel, la résine de pin et la pêche de vigne. Fin et long en bouche, ce vin est apte à quelques années de garde. Une bouteille signée Denis Dutron, héritier d'une lignée de vignerons établis à Fuissé depuis 1835.
EARL Denis Dutron, le bourg, 71960 Fuissé,
tél. 03.85.35.64.42, fax 03.85.35.66.47,
e-mail denis.dutron@wanadoo.fr r.-v.



# Pouilly-loché et pouilly-vinzelles

Beaucoup moins connues que leur voisine, ces petites appellations situées sur les communes de Loché et Vinzelles produisent des vins de même nature que le pouilly-fuissé, avec peut-être un peu moins de corps. En 2004, la production a atteint 1 926 hl en loché et 2 933 hl en vinzelles, uniquement en vins blancs.

# Pouilly-loché

BRET BROTHERS La Colonge 2003 *

0,26 ha 1 750 11 à 15 €

Reprise en 2000 par deux frères œnologues, la propriété de la Soufrandière est également, depuis 2001, le siège de la société de négoce qu'ils ont créée. Composé de chardonnay de trente-cinq ans, ce vin revêt une robe intense et brillante, bouton d'or. Le bouquet libère des arômes torréfiés de bon bois sur des notes minérales et d'amande grillée. La bouche est équilibrée, structurée par une matière dense qui persiste en finale sur des saveurs truffées et mentholées. Dans les deux à trois prochaines années, ce millésime sera parfait pour accompagner des noix de Saint-Jacques poêlées.
SARL Bret Brothers, La Soufrandière,
71680 Vinzelles, tél. et fax 03.85.35.67.72,
e-mail lasoufrandiere@libertysurf.fr r.-v.

DOM. CORDIER PERE ET FILS 2003 **

0,5 ha 2 400 8 à 11 €

« J'achète ! » s'exclame un juré en fin de dégustation. L'ensemble du jury a été conquis par ce 2003 à la robe jaune paille profonde, au nez intense à dominante boisée, autour duquel dansent quelques effluves de fruits confits, d'aubépine et d'amande grillée. On retrouve dans un palais ample, riche et puissant ce caractère de l'élevage en fût, accompagné de savoureuses notes de pain d'épice. La finale, d'une belle longueur, est encore sous l'influence du chêne. De la matière et de la structure.

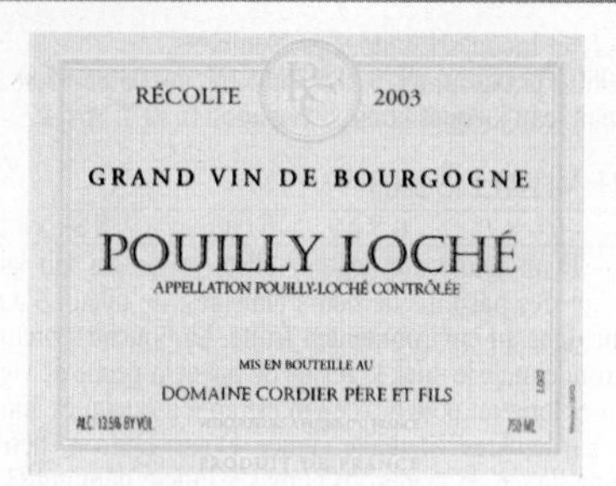

RÉCOLTE 2003
GRAND VIN DE BOURGOGNE
POUILLY LOCHÉ
APPELLATION POUILLY-LOCHÉ CONTRÔLÉE
MIS EN BOUTEILLE AU
DOMAINE CORDIER PÈRE ET FILS


Dom. Cordier Père et Fils, 71960 Fuissé, tél. 03.85.35.62.89, fax 03.85.35.64.01, e-mail domaine.cordier@wanadoo.fr r.-v.

## ALAIN DELAYE Les Mûres 2003

0,32 ha 2 500 8 à 11 €

L'abbé Courtépée, dans sa célèbre et érudite *Description générale et particulière du Duché de Bourgogne*, écrite vers 1760, cite le *climat* des Mûres, lieu-dit envahi de ronces. Sous une robe or vif se manifeste ici un bouquet puissant, composé de boisé, de fleurs blanches et de fruits mûrs, témoins d'une belle maturité du raisin. L'équilibre en bouche est respecté et la finale offre une nuance beurrée agréable.

Alain Delaye, Les Mûres, 429, rte de Fuissé, 71000 Loché, tél. et fax 03.85.35.61.63, e-mail michele.delaye@wanadoo.fr t.l.j. 9h-11h30 13h30-17h30

## CAVE DES GRANDS CRUS BLANCS 2003 *

13,46 ha 100 000 5 à 8 €

La cave de Vinzelles mène son petit bonhomme de chemin, tout en conservant son indépendance. Elle vinifie séparément le fruit de certains terroirs, tel **les Mûres 2003** au terroir argilo-calcaire, un vin cité pour sa palette aromatique complexe de poivre, de rose et de citron dans une bouche souple mais légèrement austère. Quant à ce 2003, c'est un pouilly-loché classique, d'une couleur dorée intense. Il exhale des senteurs multiples de fleurs blanches mêlées à des notes grillées – la canicule – et minérales – typiques de l'appellation. La bouche, dans le prolongement aromatique du nez, propose un équilibre intéressant entre fraîcheur et rondeur.

Cave des Grands Crus Blancs, 71680 Vinzelles, tél. 03.85.27.05.70, fax 03.85.27.05.71, e-mail contact@cavevinzellesloche.com t.l.j. 9h-12h30 13h30-18h30

# Pouilly-vinzelles

## DOM. CLOS DES ROCS 2003 *

2,5 ha 15 000 8 à 11 €

Ce vignoble de 7,20 ha, récemment repris par Olivier Giroux, propose un pouilly-vinzelles jaune soutenu aux reflets dorés. Le nez, qui nécessite une petite aération à l'ouverture, joue dans un registre classique : amande fraîche, fleurs blanches, accompagnées de notes végétales et de cire d'abeille ; la bouche, elle, s'offre pleinement dès l'attaque, puis se révèle équilibrée et concentrée, tandis que sa finale est rafraîchissante. Un beau vin, à décanter.

Olivier Giroux, SCEA Vignoble du Clos des Rocs, Les Molards, 71960 Fuissé, tél. 03.85.35.63.64, fax 03.85.32.90.08 r.-v.

## CH. DE LOCHE 2003

n.c. n.c. 15 à 23 €

Coup de cœur l'an dernier pour cette cuvée, la maison Jadot ne réitère pas l'exploit cette année, tant la canicule 2003 aura, semble-t-il, éprouvé les vignes des secteurs de Loché et de Vinzelles, si précoces habituellement. Cette cuvée donne malgré tout satisfaction au jury, mais elle demande du temps. Sa robe est lumineuse et son nez laisse percer quelques notes d'amande fraîche. Le palais rond et concentré développe d'intenses arômes de grillé, empreinte laissée par le millésime.

Maison Louis Jadot, 21, rue Eugène-Spuller, BP 117, 21203 Beaune Cedex, tél. 03.80.22.10.57, fax 03.80.22.56.03, e-mail contact@louisjadot.com r.-v.

## DOM. THIBERT PERE ET FILS Les Longeays 2003

2 ha 13 000 8 à 11 €

René Thibert, secondé par ses enfants, est vigneron à Fuissé mais il possède une parcelle sur pouilly-vinzelles, aux Longeays, l'un des meilleurs terroirs de l'appellation, réputé pour donner des vins bien constitués. Il en est ainsi de celui-ci, mais avec beaucoup de mesure. D'un or pâle à l'œil, ce 2003 affiche un nez boisé, avec en fond, quelques fines notes fumées, vanillées et des nuances de noisette. Après une attaque fraîche, presque acidulée, on retrouve le boisé – certes fondu, mais le vin paraît tout de même en retrait. A attendre une à deux années.

Dom. Thibert Père et Fils, au bourg, 71960 Fuissé, tél. 03.85.27.02.66, fax 03.85.35.66.21, e-mail domthibe@club-internet.fr r.-v.

# Saint-véran

Réservée aux vins blancs produits sur huit communes de la Saône-et-Loire, saint-véran a été reconnue en 1971. La production (41 945 hl en 2004) peut être située dans la hiérarchie entre le pouilly et les mâcons suivis d'un nom de village. Ces vins sont légers, élégants, fruités, et accompagnent à merveille les débuts de repas.

Produite surtout sur des terroirs calcaires, l'appellation constitue la limite sud du Mâconnais.

## DOM. DE BEAUREGARD 2003

7 ha 20 000 5 à 8 €

Fondée en 1948 par les descendants de Joseph Deshaires, propriétaires du château de Beauregard, cette petite structure de négoce a pour mission de compléter la gamme des vins proposé par le château en sélectionnant des raisins et des vins auprès d'autres très bons vignerons, toujours dans la recherche permanente des plus belles expressions du terroir. Ce saint-véran 2003 à la robe jaune

d'or fleure la noisette, l'amande grillée et la vanille. La bouche se montre chaleureuse, ronde, assez consistante, avec une empreinte boisée encore présente. Cette bouteille s'appréciera mieux dans deux à trois ans.
Joseph Deshaires, Beauregard, 71960 Fuissé, tél. 03.85.35.60.76, fax 03.85.35.66.04 r.-v.
Famille Burrier

## BLASON DE BOURGOGNE 2004 *

173 ha 300 000 5 à 8 €

La signature Blason de Bourgogne est donnée aux vins issus des sélections d'appellations produites par des caves coopératives adhérentes au GIE. Agréable à l'œil, dans sa parure jaune à reflets vert pâle, et élégant dans son expression aromatique où l'acacia domine, ce 2004 de la cave de Prissé possède un palais ample et floral qui laisse une savoureuse fin de bouche. De bonne garde, il mérite d'être attendu deux à trois ans.
Blasons de Bourgogne, rue du Serein, 89800 Chablis, tél. 03.86.42.88.34, fax 03.86.42.83.75, e-mail blasons@blasonsdebourgogne.fr

## CH. CHASSELAS Le Clos 2003

0,8 ha 2 780 5 à 8 €

Ce magnifique château datant des XIV^e et XVIII^es., flanqué de trois tours principales, se dresse fièrement au cœur du village de Chasselas. Repris en 1999 par deux esthètes amoureux d'art et de culture, il sert d'écrin somptueux à des manifestations sur le thème des arts et du vin. Ajoutez à tout cela une rénovation du cuvage qui a permis dès cette année la distinction de ces deux cuvées. Ce Clos, aux délicats parfums de poivre et de fruits mûrs, offre une bouche suave mais structurée, que l'on associera dès cet automne à un fromage de chèvre sec. La cuvée **Premium 2003 (11 à 15 €)**, encore sous l'emprise du bois, aura besoin de deux à trois ans pour se révéler pleinement.
Ch. Chasselas, 71570 Chasselas, tél. 03.85.35.12.01, fax 03.85.35.14.38, e-mail chateauchasselas@aol.com
t.l.j. 10h-12h 14h-18h
Veyron la Croix

## DOM. CHATAIGNERAIE-LABORIER 2003

1 ha 5 000 5 à 8 €

Gilles Morat, à la tête de cette petite propriété de 5 ha depuis 1997, s'attache à produire des raisins en respectant l'environnement. C'est aujourd'hui essentiel, et il s'avère que ces méthodes, notamment de travail du sol, sont propices à l'élaboration de vins à forte personnalité. C'est le cas de cette cuvée 2003 qui a séduit le jury par son aspect limpide à reflets d'or, par son nez ouvert de fruits mûrs, d'iris et de violette, accompagnés de notes minérales. Rond et frais à la fois, le palais est harmonieux et s'achève sur une note réglissée bienvenue. L'ensemble est encore austère à ce jour, mais possède déjà du caractère et de l'élégance. Un domaine à suivre.
Gilles Morat, Dom. Châtaigneraie-Laborier, Les Bruyères, 71960 Vergisson, tél. 03.85.35.85.51, fax 03.85.35.82.42, e-mail gil.morat@wanadoo.fr
r.-v.

## COLLOVRAY ET TERRIER Tradition 2004 **

10 ha 80 000 5 à 8 €

Négociants, Jean-Luc Terrier et Christian Collovray exploitent également un domaine de 35 ha à Davayé. Ils proposent une sélection de saint-véran encore jeune, d'un jaune franc à reflets verts sur fond doré. Printaniers, les arômes rappellent les fleurs blanches, le tilleul et les fruits blancs. Après une attaque ample, la bouche développe des arômes d'ananas très appétissants et une finale persistante et élégante. A servir sur un poisson grillé.
Collovray et Terrier, Vins des Personnets, 71960 Davayé, tél. 03.85.35.86.51, fax 03.85.35.86.12, e-mail vinsdespersonnets@club-internet.fr r.-v.

## DOM. CORSIN Tirage précoce 2003 *

2,4 ha 18 000 5 à 8 €

Coup de cœur pour la cuvée 2002 élevée en fût de chêne l'an passé, le domaine Corsin propose un **2003 (8 à 11 €)** cité pour sa structure mais encore sous l'emprise du bois. En revanche, la cuvée Tirage précoce séduit par sa robe couleur blé d'or et par son nez intense et complexe de mandarine, de pamplemousse et de fleurs blanches. L'attaque est fraîche, portée sur les agrumes, puis le gras se développe pour donner une finale ample et profonde. Très frais, ce vin peut être bu aujourd'hui mais il tiendra deux ou trois ans.
Dom. Corsin, Les Plantes, 71960 Davayé, tél. 03.85.35.83.69, fax 03.85.35.86.64, e-mail jjcorsin@domaine-corsin.com
t.l.j. sf dim. 8h-12h 13h30-18h30

## DOM. DES CRAIS Les Crais Vieilles Vignes 2003 *

0,5 ha 3 000 8 à 11 €

Un domaine de 10 ha environ, établi à l'entrée de Leynes, joli village situé aux confins du Mâconnais et du Beaujolais. Née de ceps âgés de plus d'un demi-siècle, sa cuvée Vieilles Vignes, revêtue d'une parure brillante à reflets argent, est dominée par des notes de fruits mûrs (compote) et de vanille qui se prolongent en bouche. Elégant, frais et ample, le palais se montre gourmand et savoureux. Une belle surprise pour ce millésime 2003 qui excellera d'ici un à deux ans sur une sole à l'oseille.
Jean-Luc Tissier, Les Pasquiers, 71570 Leynes, tél. 03.85.35.10.31, fax 03.85.35.13.04, e-mail domainedescrais@wanadoo.fr r.-v.

## DOM. DE LA CROIX SENAILLET La Grande Bruyère 2003

1,5 ha 6 000 8 à 11 €

Richard Martin, qui préside aux destinées de l'appellation, présente avec son frère Stéphane un saint-véran à la robe jaune d'or lumineux et qui s'ouvre sur des notes de fruits compotés et de clémentine. En bouche, ce vin ample et riche évolue sur des notes minérales jusque dans une finale marquée par le millésime. Il pourrait accompagner un fromage charolais affiné.
Richard et Stéphane Martin, Dom. de La Croix Senaillet, En Coland, 71960 Davayé, tél. 03.85.35.82.83, fax 03.85.35.87.22, e-mail domainedelacroixsenaillet@club-internet.fr
r.-v.

## DOM. DES DEUX ROCHES Les Cras 2003 *

1,17 ha 5 000 15 à 23 €

2005 marque l'anniversaire de la création de ce domaine, qui en vingt ans a su conquérir une renommée internationale. Cette cuvée Les Cras 2003 pourra trouver une bonne place sur la table de fête. Revêtue d'une robe jaune d'or brillante, elle révèle au nez des arômes de foin coupé, de pêche blanche et de beurre frais. Après une attaque franche et nerveuse, la bouche se montre riche, puissante et concentrée. Un vin un tantinet sophistiqué

mais qui possède une excellente structure. A boire dans deux à trois ans avec une poularde de Bresse à la crème. Une citation pour **Les Terres noires 2003 (8 à 11 €)**.
Dom. des Deux Roches, 71960 Davayé, tél. 03.85.35.86.51, fax 03.85.35.86.12 r.-v.

## DOM. DE FUSSIACUS 2003 ★★

1,1 ha 9 500 8 à 11 €

Il n'est pas surprenant de retrouver Jean-Paul Paquet à ce niveau : c'est un spécialiste des vins blancs et dans un millésime difficile comme 2003, l'excellence de son travail et de son savoir-faire fait la différence. Ce vin puissant et typé rappelle les fruits mûrs, la confiserie et l'écorce d'orange. Sa structure ronde souligne son caractère friand et gouleyant rehaussé en finale de notes minérales pures. Flatteuse et élégante, cette bouteille pourra être servie d'ici deux à trois ans sur un foie gras.
Jean-Paul Paquet, 71960 Fuissé, tél. 03.85.27.01.06, fax 03.85.27.01.07, e-mail fussiacus@wanadoo.fr
r.-v.

## DOM. GAILLARD 2003

3 ha 3 700 5 à 8 €

Issu d'une parcelle implantée sur des sols argilo-calcaires et récoltée manuellement fin août, ce vin or brillant et lumineux exhale des arômes floraux et minéraux tout en finesse. Pleine de vivacité et de fraîcheur, la bouche se place dans un registre peu classique pour le millésime 2003, mais ô combien plaisant. A déboucher à Noël prochain sur un feuilleté d'escargots.
Roger Gaillard, Les Plantes, 71960 Davayé, tél. 03.85.35.83.31, fax 03.85.35.80.81, e-mail domaine.gaillard@wanadoo.fr r.-v.

## SYLVIE ET GILLES GUERRIN
Cuvée Prestige 2003

1,5 ha 8 000 5 à 8 €

Implantée sur un sol à dominante argilo-calcaire, cette vigne septuagénaire, vendangée le 23 août 2003, n'a semble-t-il pas trop souffert de la canicule. Elle a fourni à Sylvie et Gilles Guerrin des raisins dorés et mûrs qu'ils ont su magnifier par un savant élevage boisé. Encore un peu dominant en bouche, le fût s'est bien fondu pour donner un nez flatteur et tout en nuances de café, de fruits et de caramel. Une bouteille à attendre deux à trois ans.
Gilles Guerrin, La Truche, 71960 Vergisson, tél. 03.85.35.80.38, fax 03.85.35.87.07 r.-v.

## PIERRE JANNY Merloix 2004 ★★

n.c. n.c. 5 à 8 €

Coup de cœur avec le millésime 2001, ce petit négociant (par la taille) ne se trompe pas dans ses sélections. Cette cuvée Merloix fait bonne impression avec ses arômes de fleurs blanches, d'agrumes et d'ananas. La bouche, légère et aérienne, retrouve un caractère bien trempé dans une finale ample et savoureuse. A partager dès cet automne et à servir avec un poulet aux écrevisses.
Grands vins de Bourgogne Pierre Janny, La Condemine, Cidex 1556, 71260 Péronne, tél. 03.85.23.96.20, fax 03.85.36.96.58, e-mail pierre-janny@wanadoo.fr

## BERNARD LAPIERRE 2003 ★★

0,5 ha 3 000 5 à 8 €

Vigneron à Solutré, Bernard Lapierre figure au nombre de ces viticulteurs qui, dans la discrétion et l'humilité, offrent des vins de grande qualité tel ce saint-véran. Or limpide à l'œil, ce 2003 développe un nez miellé typique de ce millésime, agrémenté de notes de fruits confits. Riche et onctueuse, la bouche se donne sans retenue, complexe. Une touche minérale soutient le fruit et une bonne vivacité finale achève la dégustation. Une grande bouteille dans une année difficile pour les vins blancs.
Bernard Lapierre, au bourg, 71960 Solutré-Pouilly, tél. 03.85.35.81.12, fax 03.85.35.87.47 r.-v.

## FABRICE LAROCHETTE La Grande Vigne 2003

0,48 ha 1 800 5 à 8 €

Dix ans cette année que Fabrice Larochette et son père René (aujourd'hui retraité) sont sortis du système coopératif pour tenter l'aventure de la cave particulière. Cette cuvée 2003, typée de son millésime, donne toute satisfaction. Le terroir argilo-calcaire d'origine lui a donné sa finesse odorante, son fruité flatteur et ses arômes de fleurs blanches. Le palais se montre souple, équilibré et la finale s'agrémente de saveurs d'ananas rafraîchissantes. Déjà prêt, ce vin peut se garder trois à cinq ans.
Fabrice Larochette, Les Robées, 71570 Chaintré, tél. et fax 03.85.32.90.78, e-mail fabrice.larochette@wanadoo.fr r.-v.

## DOM. ROGER LUQUET La Grande Bruyère 2003

1,4 ha 9 000 8 à 11 €

C'est en famille que ce domaine est géré : Patrick, le fils, s'occupe de la commercialisation, Thierry, le gendre, est responsable des 24 ha de vignes et Christine, la fille, a en charge la partie administrative ; Roger Luquet, le fondateur, garde un œil attentif sur l'ensemble de son domaine créé de toutes pièces en 1966. Cette bouteille habillée d'or révèle un bouquet intense et agréable d'agrumes, de pêche et de fleurs blanches. Tendre, frais (pour un 2003), le palais se montre rond ; des arômes de fruits mûrs et de silex complètent une plaisante finale réglissée. Un beau vin à servir sur des filets de sole.
Dom. Roger Luquet, 71960 Fuissé, tél. 03.85.35.60.91, fax 03.85.35.60.12, e-mail domaine-roger.luquet@club-internet.fr
t.l.j. sf dim. 8h-19h

## DOM. DES MAILLETTES Grande Réserve 2003 ★

0,7 ha 5 000 8 à 11 €

Successeur d'une longue lignée de vignerons, Guy Saumaize exploite 10 ha de vignes sur les coteaux des deux Roches (Solutré et Vergisson). Il peut être satisfait de ce saint-véran, tant la difficulté était au rendez-vous en cette année caniculaire. Récolté le 30 août, élevé en fût durant dix mois, ce 2003 se présente aujourd'hui paré d'une robe dorée brillante. Ses arômes, d'abord boisés, glissent vers la frangipane et les fruits mûrs. Structurée, puissante et épicée, la bouche se montre finalement équilibrée. Un vin à servir sur un poulet de Bresse à la crème et aux morilles.
Guy Saumaize, Les Maillettes, 71960 Davayé, tél. 03.85.35.82.65, fax 03.85.35.86.69, e-mail guy.saumaize.maillette@wanadoo.fr r.-v.

## DOM. LA MAISON
Les Condemines Vieilles Vignes 2003 ★

0,9 ha 4 000 5 à 8 €

Le domaine de la Maison est situé au cœur du village de Leynes, dans la partie méridionale de l'appellation. Il compte aujourd'hui 13 ha, mais seuls 90 a de vignes sexagénaires entrent dans la composition de cette cuvée.

Elevée six mois en cuve, celle-ci affiche une robe jaune d'or limpide et brillante et libère des arômes de fruits et de fleurs avec une agréable touche muscatée. Tout aussi aromatique, la bouche se montre racée et, chose surprenante pour un 2003, équilibrée. « A boire en toutes occasions », suggère un dégustateur.

🔑 Jean Chagny, Dom. La Maison, au bourg, 71570 Leynes, tél. 03.85.35.10.16, fax 03.85.35.12.09, e-mail domaine.la.maison@free.fr ☑ 🍷 🚶 t.l.j. 10h-19h

## DOM. DU PARADIS 2003 ★

5,85 ha 28 000 ■ 5 à 8 €

Issue de vignes presque trentenaires, cette cuvée séduit par sa parure dorée à reflets cuivrés par son nez surprenant de rose et de fruit de la Passion. La bouche, tout aussi agréable, laisse une impression d'opulence grâce aux notes finales de fruits confits. Harmonieux dès aujourd'hui, ce vin accompagnera d'ici un an ou deux un fromage affiné. A noter, une citation pour la cuvée principale **saint-véran 2003** – 100 000 bouteilles – jugée classique mais de bonne facture.

🔑 Cave de Prissé-Sologny-Verzé, Les Grandes-Vignes, 71960 Prissé, tél. 03.85.37.88.06, fax 03.85.37.61.76, e-mail cave.prisse@cavedeprisse.com ☑ 🍷 🚶 r.-v.

## DOM. DE LA PIERRE DES DAMES 2003 ★

0,82 ha 5 600 🛢 5 à 8 €

Récolté le 17 août, tôt le matin mais déjà sous un soleil de plomb, ce saint-véran ne paraît pourtant pas avoir souffert des conditions climatiques extrêmes de ce millésime 2003. Elevé huit mois en fût de chêne, il semble avoir tiré de ce passage sous bois la quintessence de son terroir. Habillé d'une robe dorée intense et parfumé de notes fruitées (abricot et rhubarbe), il a enchanté le jury par son palais riche, puissant et équilibré. Un vin de caractère promis à un bel avenir (trois à cinq ans).

🔑 Dom. de la Pierre des Dames, Mouhy, 71960 Prissé, tél. et fax 03.85.20.21.43 ☑ 🍷 🚶 r.-v.

🔑 M.-T. Canard, J.-M. Aubinel, V. Nectoux

## DOM. DES PONCETYS Cuvée Terroir 2003 ★

1 ha 6 500 ■ 5 à 8 €

Créé au XVII^e s., ce domaine appartint à une famille de la noblesse mâconnaise avant de devenir en 1963 un lycée à vocation principalement viticole. Il propose une cuvée Terroir or jaune étincelant, aux arômes fleuris élégants. Ce vin est gourmand grâce à son fruité en bouche, et bien balancé par une acidité bienvenue en 2003. Sa finale est délicate et fraîche. A servir dans deux ans sur un poisson grillé. Une citation pour le **Tradition 2003**, floral et chaleureux.

🔑 Lycée viticole de Mâcon-Davayé, Dom. des Poncetys, 71960 Davayé, tél. 03.85.33.56.22, fax 03.85.35.86.34, e-mail domaineponcetys@macon-davaye.com ☑ 🍷 🚶 t.l.j. 9h-12h 14h-17h30; sam. dim. sur r.-v.

## PASCAL RENOUD-GRAPPIN 2003

2,6 ha 5 000 ■ 8 à 11 €

A la tête d'un domaine de 7 ha depuis 1996, Edwige et Pascal Renoud-Grappin ont réussi le pari difficile de se faire un nom dans le monde du vin. Ils proposent un saint-véran de belle facture, jaune d'or à reflets verts, aux senteurs agréables de fleurs (aubépine, acacia, lilas) et de mirabelle. Le fruit s'exprime également en bouche sur une jolie matière équilibrée par une vivacité rare dans les 2003. Elégant et gourmand, ce vin pourra être servi dès cet automne sur un fromage de chèvre frais.

🔑 Pascal Renoud-Grappin, Les Plantes, 71960 Davayé, tél. 03.85.35.81.35, fax 03.85.35.87.82 ☑ 🍷 🚶 r.-v.

## MICHEL REY A Lessard 2003

0,53 ha 1 500 🛢 5 à 8 €

Le domaine de Michel Rey est situé au cœur du village de Vergisson. Ce dernier, connu pour sa célèbre Roche, offre un point de vue magnifique sur les coteaux du Mâconnais, la vallée de la Saône et, par temps clair, il est même possible d'apercevoir le massif enneigé du Mont-Blanc. Cette cuvée se distingue par une robe doré soutenu, une expression aromatique mêlant fleurs d'acacia, notes empyreumatiques discrètes et fruits exotiques frais. Boisée, elle garde en bouche une belle minéralité jusqu'à la finale acidulée très fraîche pour un 2003. Un bon vin pour l'année, à garder encore deux à trois ans avant de le servir frais à l'apéritif.

🔑 Michel Rey, Le Repostère, 71960 Vergisson, tél. 03.85.35.85.78, fax 03.85.35.87.91, e-mail michel.rey19@wanadoo.fr ☑ 🍷 r.-v.

🔑 Burrier

## JACQUES ET NATHALIE SAUMAIZE Poncetys 2003

0,8 ha 3 000 🛢 8 à 11 €

Bien implantée dans son sol argileux et grâce au travail du sol réalisé par Jacques Saumaize, cette vigne de soixante ans a certainement mieux réagi que d'autres à l'été caniculaire de 2003. Récoltée précocement, elle a donné un moût de belle composition qui a été vinifié et élevé en fût de chêne durant dix mois. Ce vin présente aujourd'hui une couleur jaune pâle, limpide et brillante. Le nez mêle des arômes délicats de fumée, de tilleul et de miel. Une petite pointe acidulée apparaît dans une bouche ronde, encore marquée par le bois. A attendre deux à trois ans.

🔑 Jacques et Nathalie Saumaize, Les Bruyères, 71960 Vergisson, tél. 03.85.35.82.14, fax 03.85.35.87.00, e-mail nathalie.saumaize@wanadoo.fr ☑ 🍷 🚶 r.-v.

## DOM. SAUMAIZE-MICHELIN Les Crèches 2003

n.c. 4 000 🛢 8 à 11 €

Un millésime servi par la chance : c'est en avril 2003 que fut installée la climatisation au domaine. Mais la qualité des vins produits ici n'est pas uniquement due au fait du hasard, mais bien au labeur et à la passion que mettent Christine et Roger Saumaize dans leur travail quotidien. Ils proposent deux vins réussis mais encore sous l'emprise du bois : ces Crèches, aux notes fleuries et à la bouche structurée, et **Les Vieilles Vignes 2003** aux arômes de fruits secs et de pain grillé. Ces deux cuvées nécessitent deux à trois années de vieillissement au fond d'une bonne cave pour atteindre leur plénitude.

🔑 Roger et Christine Saumaize, Dom. Saumaize-Michelin, Le Martelet, 71960 Vergisson, tél. 03.85.35.84.05, fax 03.85.35.86.77, e-mail saumaize-michelin@wanadoo.fr ☑ 🍷 🚶 r.-v.

## DOM. THIBERT PERE ET FILS Les Belouzes 2003 ★

0,11 ha 900 🛢 8 à 11 €

Ce domaine a un réel savoir-faire en matière de vins blancs. Ses propriétaires ont récemment construit un

nouveau cuvage au cœur du village et acquis des parcelles de vignes, notamment en pouilly-vinzelles et en saint-véran. C'est dans cette dernière parcelle que René Thibert et ses enfants ont récolté les précieuses grappes de chardonnay permettant d'élaborer cette cuvée aux reflets dorés. La palette aromatique complexe développe des arômes de vanille, de café grillé et de fruits mûrs. Une réelle intensité s'exprime également en bouche, doublée d'une certaine finesse. Un joli vin à servir d'ici deux à trois ans.
Dom. Thibert Père et Fils, au bourg, 71960 Fuissé,
tél. 03.85.27.02.66, fax 03.85.35.66.21,
e-mail domthibe@club-internet.fr ☑ Y ☆ r.-v.

DOM. DES VALANGES Les Cras 2003 *

1,15 ha 7 500 8 à 11 €

Vinifié pour 50 % en cuves thermorégulées et pour 50 % en fût de chêne pendant neuf mois, ce saint-véran jaune paille à reflets verts offre des parfums délicats de fruits mûrs et de buis bien soutenus par une pointe minérale très fraîche. Une même complexité marque la bouche, même si l'alcool encore dominant vient quelque peu jouer les trouble-fête. Un à deux ans de garde suffiront à l'assagir. Dans un autre registre, la cuvée **Hors classe 2003** obtient une citation pour ses fragrances d'ananas et de citronnelle mêlées aux notes empyreumatiques de l'élevage sous bois.
Michel Paquet, Dom. des Valanges, 71960 Davayé,
tél. 03.85.35.85.03, fax 03.85.35.86.67,
e-mail domaine-des-valanges@wanadoo.fr ☑ Y ☆ r.-v.

VERGET Hauts de Leynes 2002

n.c. 32 000 8 à 11 €

D'origine belge, Jean-Marie Guffens a choisi le Mâconnais comme terre d'adoption et a choyé les terroirs et vins de Bourgogne comme ses propres fils. 90 % des vins sélectionnés par ce prestigieux négociant sont exportés à travers le monde ; ils ont contribué à la connaissance de cette contrée trop souvent oubliée de la Bourgogne. Ce 2002, à la robe biscotte, offre un nez enjôleur de beurre frais et de fruits jaunes. La bouche présente un superbe équilibre entre une acidité bien présente mais adoucie par une suavité probablement due à une vendange mûre à point. Un vin plaisir, bon ambassadeur de l'appellation.
SA Verget, le bourg, 71960 Sologny,
tél. 03.85.51.66.00, fax 03.85.51.66.09,
e-mail verget@dial.oleane.com
☑ t.l.j. sf sam. dim. 8h30-12h 13h30-17h30; f. 15-31 juill.

DOM. DES VIEILLES PIERRES
Les Pommards 2003 *

1 ha 7 000 5 à 8 €

Ce superbe domaine, niché au pied de la Roche de Vergisson, était autrefois propriété d'une congrégation religieuse. Depuis quatre générations, il est aux mains de la famille Litaud, qui excelle dans la production de vins blancs, comme le montrent deux 2003 jugés très réussis. Cette cuvée Les Pommards a la préférence du jury pour sa robe jaune lumineuse, son nez citronné de bonbon acidulé mêlé de notes d'écorce d'orange confite. L'attaque se révèle friande, puis la bouche développe une ampleur et une fraîcheur agréables et peu communes dans ce millésime. La cuvée **Vieilles Vignes 2003** est retenue pour ses arômes de fruits confits et sa bouche vanillée.
Jean-Jacques Litaud,
Les Nembrets, 71960 Vergisson,
tél. 03.85.35.85.69, fax 03.85.35.86.26,
e-mail jean-jacques.litaud@wanadoo.fr ☑ Y ☆ r.-v.

# LA CHAMPAGNE

# LA CHAMPAGNE

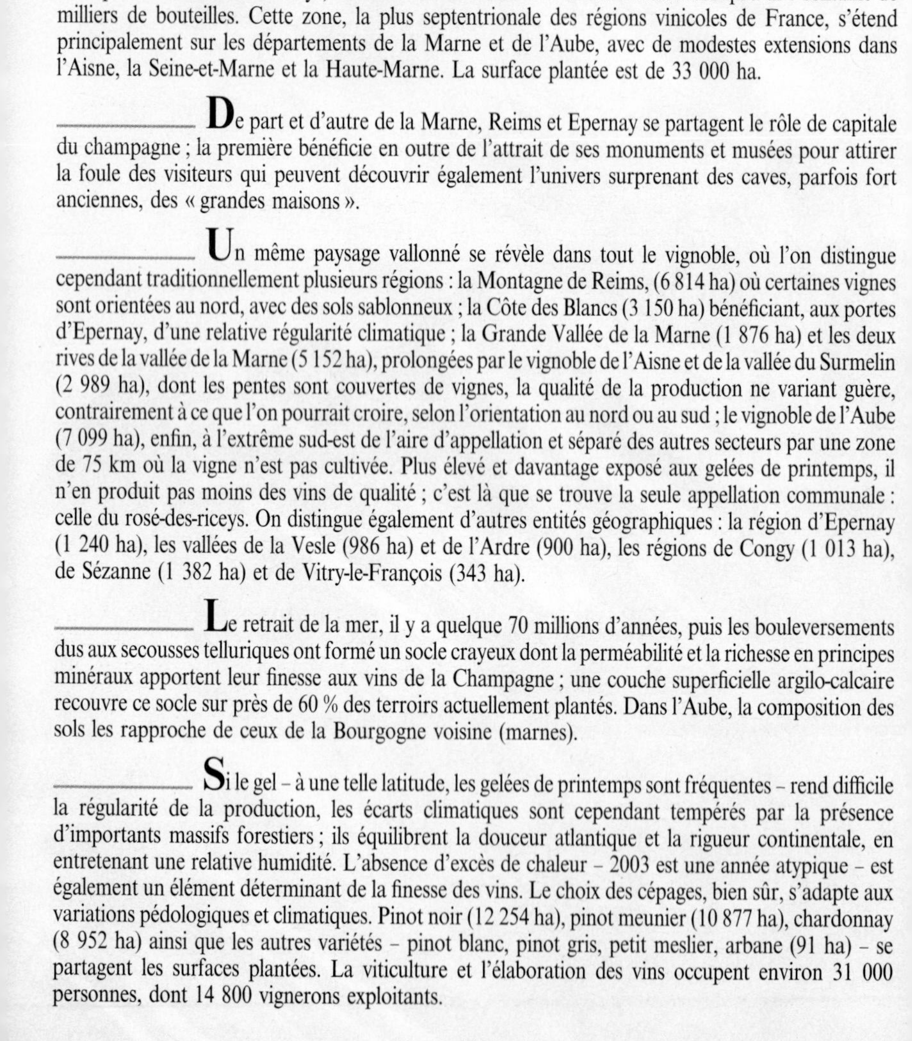

**V**in des rois et des princes devenu celui de toutes les fêtes, le champagne s'auréole de la gloire et du prestige de porter dans le monde entier l'élégance et la séduction françaises. Son illustre réputation, il la doit autant à son histoire qu'à ses traits spécifiques qui font que, pour beaucoup, il n'est vin de Champagne que le champagne ; ce n'est pourtant pas si simple...

**E**n effet, la région champenoise, située à moins de 200 km au nord-est de Paris, constitue l'aire délimitée de trois appellations d'origine contrôlée : le champagne, les coteaux champenois et le rosé-des-riceys, les deux dernières AOC ne donnant naissance qu'à une centaine de milliers de bouteilles. Cette zone, la plus septentrionale des régions vinicoles de France, s'étend principalement sur les départements de la Marne et de l'Aube, avec de modestes extensions dans l'Aisne, la Seine-et-Marne et la Haute-Marne. La surface plantée est de 33 000 ha.

**D**e part et d'autre de la Marne, Reims et Epernay se partagent le rôle de capitale du champagne ; la première bénéficie en outre de l'attrait de ses monuments et musées pour attirer la foule des visiteurs qui peuvent découvrir également l'univers surprenant des caves, parfois fort anciennes, des « grandes maisons ».

**U**n même paysage vallonné se révèle dans tout le vignoble, où l'on distingue cependant traditionnellement plusieurs régions : la Montagne de Reims, (6 814 ha) où certaines vignes sont orientées au nord, avec des sols sablonneux ; la Côte des Blancs (3 150 ha) bénéficiant, aux portes d'Epernay, d'une relative régularité climatique ; la Grande Vallée de la Marne (1 876 ha) et les deux rives de la vallée de la Marne (5 152 ha), prolongées par le vignoble de l'Aisne et de la vallée du Surmelin (2 989 ha), dont les pentes sont couvertes de vignes, la qualité de la production ne variant guère, contrairement à ce que l'on pourrait croire, selon l'orientation au nord ou au sud ; le vignoble de l'Aube (7 099 ha), enfin, à l'extrême sud-est de l'aire d'appellation et séparé des autres secteurs par une zone de 75 km où la vigne n'est pas cultivée. Plus élevé et davantage exposé aux gelées de printemps, il n'en produit pas moins des vins de qualité ; c'est là que se trouve la seule appellation communale : celle du rosé-des-riceys. On distingue également d'autres entités géographiques : la région d'Epernay (1 240 ha), les vallées de la Vesle (986 ha) et de l'Ardre (900 ha), les régions de Congy (1 013 ha), de Sézanne (1 382 ha) et de Vitry-le-François (343 ha).

**L**e retrait de la mer, il y a quelque 70 millions d'années, puis les bouleversements dus aux secousses telluriques ont formé un socle crayeux dont la perméabilité et la richesse en principes minéraux apportent leur finesse aux vins de la Champagne ; une couche superficielle argilo-calcaire recouvre ce socle sur près de 60 % des terroirs actuellement plantés. Dans l'Aube, la composition des sols les rapproche de ceux de la Bourgogne voisine (marnes).

**S**i le gel – à une telle latitude, les gelées de printemps sont fréquentes – rend difficile la régularité de la production, les écarts climatiques sont cependant tempérés par la présence d'importants massifs forestiers ; ils équilibrent la douceur atlantique et la rigueur continentale, en entretenant une relative humidité. L'absence d'excès de chaleur – 2003 est une année atypique – est également un élément déterminant de la finesse des vins. Le choix des cépages, bien sûr, s'adapte aux variations pédologiques et climatiques. Pinot noir (12 254 ha), pinot meunier (10 877 ha), chardonnay (8 952 ha) ainsi que les autres variétés – pinot blanc, pinot gris, petit meslier, arbane (91 ha) – se partagent les surfaces plantées. La viticulture et l'élaboration des vins occupent environ 31 000 personnes, dont 14 800 vignerons exploitants.

L'élaboration particulière du champagne sur plusieurs années (en moyenne trois ans et beaucoup plus pour les millésimés) oblige à un stockage supérieur à 1 milliard de bouteilles. Selon le CFCE, l'exportation du champagne (1,667 milliard d'euros, soit + 6,5 % par rapport aux valeurs de 2002) représente une part importante du chiffre d'affaires des exportations françaises de vin.

On fait du vin en Champagne au moins depuis l'invasion romaine. Il fut blanc, puis rouge et enfin gris, c'est-à-dire blanc ou presque, issu de pressurage de raisins noirs. Déjà, il avait la fâcheuse habitude de « bouillonner dans ses vaisseaux », c'est-à-dire de mousser dans les tonneaux. Ce fut sans doute en Angleterre que l'on inventa la mise en bouteilles systématique de ces vins instables qui, jusqu'en 1700 environ, étaient livrés en fût ; cela eut pour effet de permettre au gaz carbonique de se dissoudre dans le vin : le vin effervescent était né. Procureur de l'abbaye de Hautvillers et technicien avant la lettre, dom Pérignon produira dans son abbaye les meilleurs vins ; c'est aussi lui qui les vendra le plus cher...



En 1728, le conseil du roi autorise le transport du vin en bouteilles ; un an plus tard, la première maison de vin de négoce est fondée : Ruinart. D'autres suivront (Moët en 1743), mais c'est au XIXᵉ s. que la plupart des grandes maisons se créent ou s'affirment. En 1804, Mme Clicquot lance le premier champagne rosé, et, dès 1830, apparaissent les premières étiquettes collées sur les bouteilles. A partir de 1860, Mme Pommery boit des « bruts », tandis que, vers 1870, sont proposés les premiers champagnes millésimés. Raymond Abelé invente, en 1884, le banc de dégorgement à la glace, avant que le phylloxéra puis les deux guerres ne ravagent les vignobles. Depuis 1945, les fûts de bois ont cédé la place, le plus souvent, aux cuves en acier inoxydable, dégorgement et finition sont automatisés, alors que le remuage lui-même se mécanise.

Une grande partie des vignerons champenois appartient aujourd'hui à la catégorie des producteurs de raisins : ce sont les « vendeurs au kilo ». Ils cèdent tout ou partie de leur production aux grandes marques qui vinifient, élaborent et commercialisent. Cette pratique a conduit l'Interprofession à proposer – les lois de la concurrence interdisent de fixer un prix obligé – un prix recommandé des raisins et à attribuer à chaque commune une cotation en fonction de la qualité de sa production : c'est l'échelle des crus. Les vins issus des communes viticoles sont classés dans une échelle des crus, apparue dès la fin du XIXᵉs. Cotés 100 %, ils ont droit au titre de « grand cru », ceux cotés de 99 à 90 % bénéficient de la mention « premier cru », la cotation des autres s'échelonne de 89 à 80 %. Le prix des raisins varie selon le pourcentage communal. Le rendement maximum à l'hectare est modulé chaque année, alors que 160 kg de raisins ne permettent pas d'obtenir plus d'un hectolitre de moût apte à être vinifié en champagne.

## Champagne

La singularité du champagne apparaît dès les vendanges. La machine à vendanger est interdite ; toute la cueillette est manuelle car il est essentiel que les baies (grains) de raisin parviennent en parfait état au lieu de pressurage. Pour cela, on remplace les hottes par de petits paniers, afin que le raisin ne soit pas écrasé. Il a fallu aussi créer des centres de pressurage disséminés au cœur du vignoble afin de raccourcir le temps de transport du raisin. Pourquoi tous ces soins ? Parce que le champagne étant un vin blanc issu en majeure partie d'un raisin noir – les pinots –, il convient que le jus incolore ne soit pas taché au contact de l'extérieur de la peau.

Le pressurage, lui, doit se faire sans délai et permettre de recueillir successivement et séparément le jus issu des zones concentriques du grain ; d'où la forme particulière des pressoirs traditionnels champenois : on y entasse le raisin sur une vaste surface mais à une faible hauteur, pour ne pas abîmer les baies et pour faciliter la circulation du jus ; la vendange n'est jamais éraflée.

Le pressurage est sévèrement réglementé. On compte 1 929 centres de pressurage, et chacun doit recevoir un agrément pour avoir le droit de fonctionner. De 4 000 kg de raisins, on ne peut extraire que 25,5 hl de moût. Cette unité s'appelle un marc. Le pressurage est fractionné entre la cuvée (20,5 hl) et la taille (5 hl).

## La Champagne

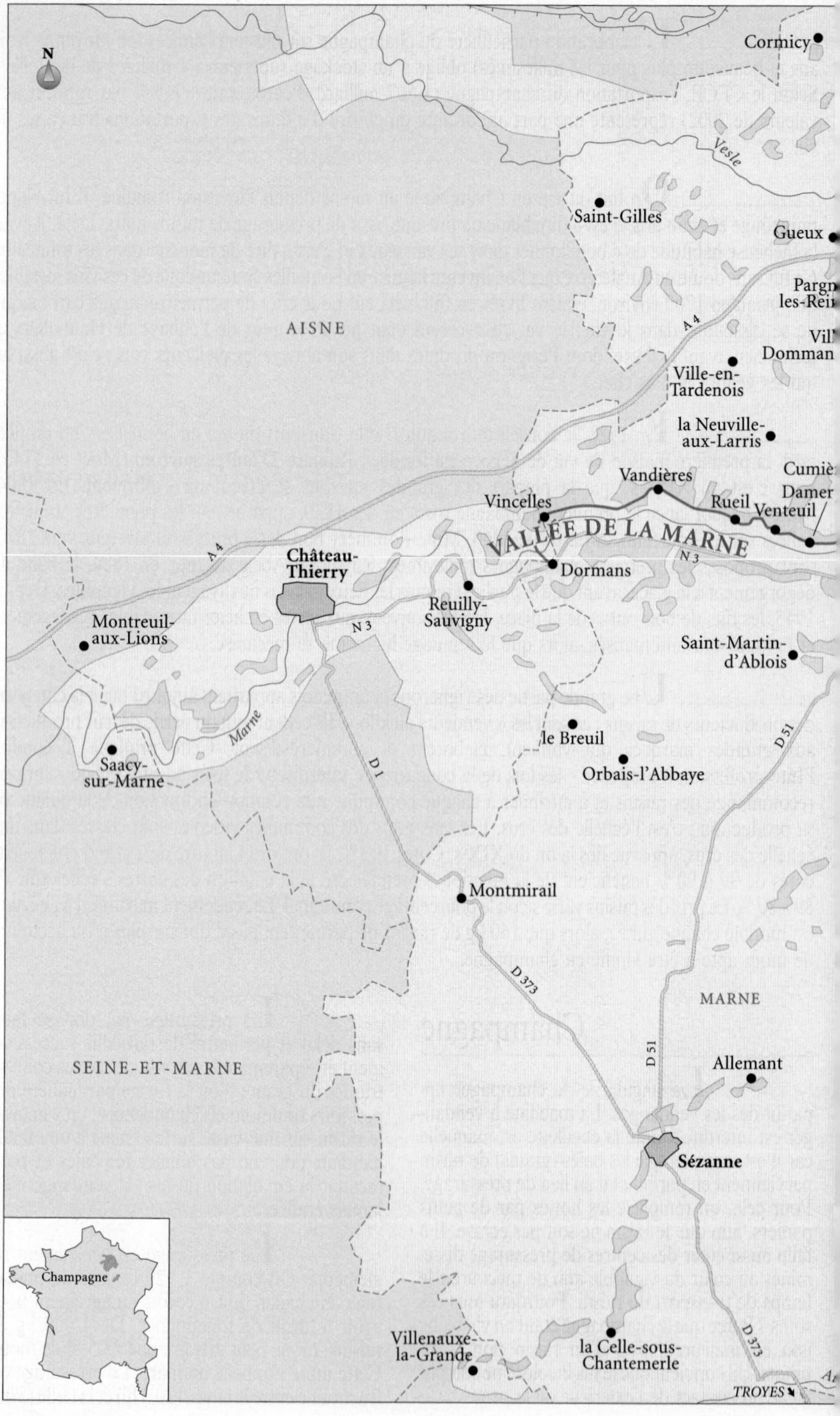

N
Cormicy
Vesle
Saint-Gilles
Gueux
Pargn
les-Rei
AISNE
A 4
Vil
Domman
Ville-en-
Tardenois
la Neuville-
aux-Larris
Cumiè
Vandières
Damer
Vincelles
Rueil
Venteuil
VALLÉE DE LA MARNE
N 3
A 4
Château-
Thierry
Dormans
Reuilly-
Sauvigny
Montreuil-
aux-Lions
N 3
Saint-Martin-
d'Ablois
Marne
le Breuil
D 51
Saacy-
sur-Marne
D 1
Orbais-l'Abbaye
Montmirail
D 373
MARNE
D 51
SEINE-ET-MARNE
Allemant
Sézanne
Champagne
Villenauxe-
la-Grande
la Celle-sous-
Chantemerle
D 373
TROYES

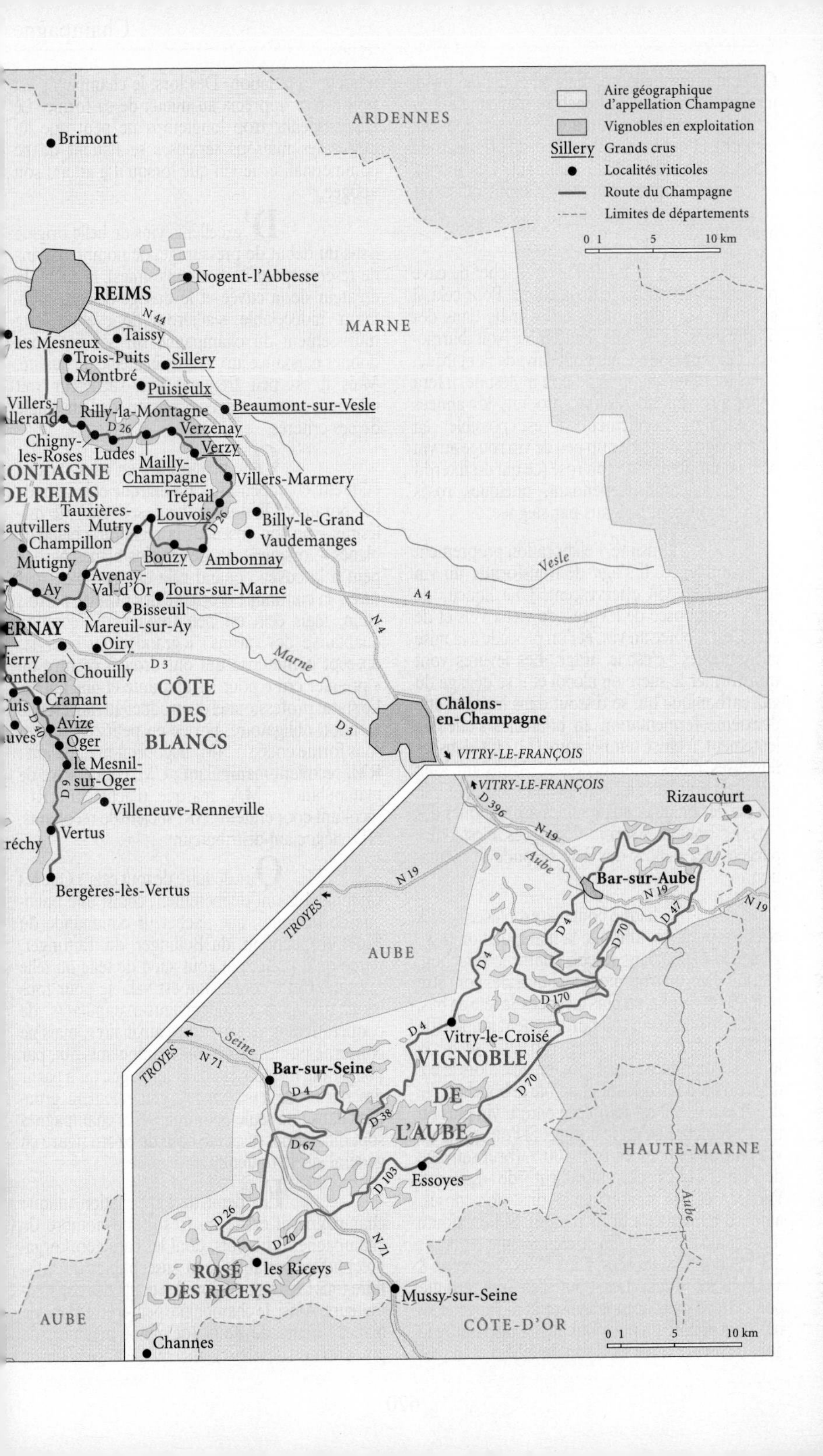

Aire géographique d'appellation Champagne
Vignobles en exploitation
Sillery Grands crus
Localités viticoles
Route du Champagne
Limites de départements
0 1 5 10 km
ARDENNES
MARNE
Brimont
REIMS
Nogent-l'Abbesse
N 44
les Mesneux
Taissy
Trois-Puits
Sillery
Montbré
Puisieulx
Rilly-la-Montagne
Beaumont-sur-Vesle
D 26
Verzenay
Chigny-les-Roses
Ludes
Verzy
Mailly-Champagne
Villers-Marmery
Trépail
Tauxières-Mutry
Louvois
Billy-le-Grand
Vaudemanges
Champillon
Mutigny
Bouzy
Ambonnay
Avenay-Val-d'Or
Ay
Tours-sur-Marne
Bisseuil
Mareuil-sur-Ay
Vesle
A 4
N 4
Oiry
Marne
Chouilly
D 3
CÔTE DES BLANCS
Cramant
Avize
Oger
le Mesnil-sur-Oger
D 40
D 9
Villeneuve-Renneville
Vertus
Bergères-lès-Vertus
Châlons-en-Champagne
VITRY-LE-FRANÇOIS
VITRY-LE-FRANÇOIS
D 396
N 19
Rizaucourt
Aube
Bar-sur-Aube
N 19
TROYES
D 4
D 47
D 70
AUBE
D 4
D 170
Vitry-le-Croisé
D 4
TROYES
Seine
N 71
Bar-sur-Seine
VIGNOBLE DE L'AUBE
D 70
D 4
D 38
D 67
HAUTE-MARNE
Essoyes
D 103
Aube
D 26
D 70
N 71
ROSÉ DES RICEYS
les Riceys
Mussy-sur-Seine
AUBE
CÔTE-D'OR
Channes
0 1 5 10 km

On peut presser encore, mais on obtient alors un jus sans intérêt qui ne bénéficie d'aucune appellation, la « rebêche » (on a « bêché » à nouveau le marc), et qui est destiné à la distillerie. Plus on pressure, plus la qualité s'affaiblit. Les moûts, acheminés par camion au cuvier, sont vinifiés très classiquement comme tous les vins blancs, avec beaucoup de soin.

A la fin de l'hiver, le chef de cave procède à l'assemblage de la cuvée. Pour cela, il goûte les vins disponibles et les mêle dans des proportions telles que l'ensemble soit harmonieux et corresponde au goût suivi de la marque. S'il élabore un champagne non millésimé, il fera appel aux vins de réserve, produits les années précédentes. Légalement, il est possible, en Champagne, d'ajouter un peu de vin rouge au vin blanc pour obtenir un ton rosé (ce qui est interdit partout ailleurs). Cependant, quelques rosés champenois sont obtenus par saignée.

Ensuite, l'élaboration proprement dite commence. Il s'agit de transformer un vin tranquille en vin effervescent. Une liqueur de tirage, composée de levures, de vieux vins et de sucre, est ajoutée au vin, et l'on procède à la mise en bouteilles : c'est le tirage. Les levures vont transformer le sucre en alcool et il se dégage du gaz carbonique qui se dissout dans le vin. Cette deuxième fermentation en bouteilles s'effectue lentement, à basse température (11 °C), dans les fameuses caves champenoises. Après un long vieillissement sur lies, qui est indispensable à la finesse des bulles et aux qualités aromatiques des vins, les bouteilles seront dégorgées, c'est-à-dire purgées des dépôts dus à la seconde fermentation.

Chaque bouteille est placée sur les célèbres pupitres, afin que la manipulation fasse glisser le dépôt dans le col, contre le bouchon. Durant deux ou trois mois, les bouteilles vont être remuées et de plus en plus inclinées, la tête en bas, jusqu'à ce que le vin soit parfaitement limpide (le remuage automatique en gyropalette se développe). Pour chasser le dépôt, on gèle alors le col dans un bain réfrigérant et on ôte le bouchon ; le dépôt expulsé, il est remplacé par un vin plus ou moins édulcoré : c'est le dosage. Si l'on ajoute du vin pur, on obtient un brut 100 % (brut sauvage de Piper-Heidsieck, ultra-brut de Laurent-Perrier, et les champagnes dits non dosés, aujourd'hui appelés bruts nature). Si l'on ajoute très peu de liqueur (1 %), le champagne est brut ; 2 à 5 % donnent les secs, 5 à 8 % les demi-secs, 8 à 15 % les doux. Les bouteilles sont ensuite poignettées pour homogénéiser le mélange et se reposent encore un peu pour laisser disparaître le goût de levure. Puis elles sont habillées et livrées à la consommation. Dès lors, le champagne est prêt à être apprécié au mieux de sa forme. Le laisser vieillir trop longtemps ne peut que lui nuire : les maisons sérieuses se flattent de ne commercialiser le vin que lorsqu'il a atteint son apogée.

D'excellents vins de belle origine issus du début de pressurage, de nombreux vins de réserve (pour les non-millésimés), le talent du créateur de la cuvée et le dosage discret, minimum, indécelable, s'allieront donc à un long mûrissement du champagne sur ses lies pour donner naissance aux vins de la meilleure qualité. Mais il est peu fréquent que l'acheteur soit informé, du moins avec précision, de l'ensemble de ces critères.

Que peut-on lire en effet sur une étiquette champenoise ? La marque et le nom de l'élaborateur ; le dosage (brut, sec, etc.) ; le millésime – ou son absence ; la mention « blanc de blancs » lorsque seuls des raisins blancs participent à la cuvée ; quand cela est possible – cas rare – la commune d'origine des raisins ; parfois enfin, mais cela est peu fréquent, la cotation qualitative des raisins : « grand cru » pour les dix-sept communes qui ont droit à ce titre ou « premier cru » pour les quarante et une autres. Le statut professionnel du producteur, lui, est une mention obligatoire, portée en petits caractères sous forme codée : NM, négociant-manipulant ; RM, récoltant-manipulant ; CM, coopérative de manipulation ; MA, marque d'acheteur ; RC, récoltant-coopérateur ; SR, société de récoltants, ND, négociant-distributeur.

Que déduire de tout cela ? Que les Champenois ont délibérément choisi une politique de marque ; que l'acheteur commande du Moët et Chandon, du Bollinger, du Taittinger, parce qu'il préfère le goût suivi de telle ou telle marque. Cette conclusion est valable pour tous les champagnes de négociants-manipulants, de coopératives et des marques auxiliaires, mais ne concerne pas les récoltants-manipulants qui, par obligation, n'élaborent de champagne qu'à partir des raisins de leurs vignes, généralement groupées dans une seule commune. Ces champagnes sont dits monocrus, et le nom de ce cru figure en général sur l'étiquette.

En dépit de l'appellation unique champagne, il existe un très grand nombre de champagnes différents, dont les caractères organoleptiques variables sont susceptibles de satisfaire tous les usages et tous les goûts des consommateurs. Ainsi, le champagne peut-il être blanc de blancs ; blanc de noirs (de pinot meunier, de pinot noir ou des deux) ; issu du mélange blanc de blancs/blanc de noirs, dans toutes les proportions imaginables ; d'un seul cru ou de plusieurs ; originaire d'un grand cru, d'un premier cru ou de communes de moindre prestige ; millésimé ou non (les non-millésimés peuvent être composés de vins jeunes, ou faire appel à plus ou moins de vins de réserve ; parfois ils sont le produit de l'assemblage d'années millésimées) ; non dosé ou dosé très variablement ; mûri brièvement ou longuement sur ses lies ; dégorgé depuis un temps plus ou moins long ; blanc ou rosé (rosé obtenu par mélange ou par saignée)... La plupart de ces éléments pouvant se combiner entre eux, il existe donc une infinité de champagnes. Quel que soit son type, on s'accorde à penser que le meilleur est celui qui a mûri le plus longtemps sur ses lies (cinq à dix ans), consommé dans les six mois suivant son dégorgement.

En fonction de ce qui précède, on s'explique mieux que le prix des bouteilles puisse varier de un à huit, et qu'il existe des hauts de gamme ou des cuvées spéciales. Il est malheureusement certain que, dans les grandes marques, les champagnes les moins chers sont les moins intéressants. En revanche, la grande différence de prix qui sépare la gamme intermédiaire (millésimés) de la plus élevée ne traduit pas toujours rigoureusement un saut qualitatif.

Le champagne se boit entre 7 et 9 °C, frais pour les blancs de blancs et les champagnes jeunes, moins rafraîchi pour les millésimés et les champagnes vineux. Outre la bouteille classique de 75 cl, le champagne est proposé en quart, demi, magnum (2 bout.), jéroboam (4 bout.), mathusalem (8 bout.), salmanazar (12 bout.)... La bouteille sera refroidie progressivement par immersion dans un seau à champagne contenant de l'eau et de la glace. Pour la déboucher, enlever ensemble muselet et habillage. Si le bouchon tend à être expulsé par la pression, on le laissera venir avec habillage et muselet. Lorsque le bouchon résiste, on le maintient d'une main alors que l'on fait tourner la bouteille de l'autre. Le bouchon est extrait lentement, sans bruit, sans décompression brutale.

Le champagne ne doit pas être servi dans des coupes, mais dans des verres de cristal, étroits et élancés, secs, non refroidis par des glaçons, exempts de toute trace de détergent qui tuerait les bulles et la mousse. Il se boit aussi bien en apéritif qu'avec les entrées et les poissons maigres. Les vins vineux, à majorité blancs de noirs, et les grands millésimés sont souvent servis avec les viandes en sauce. Au dessert et avec les mets sucrés, on boira un demi-sec plutôt qu'un brut, le sucre renforçant trop la sensibilité du palais aux structures acides.

Les derniers millésimes : 1982, grand millésime complet ; 1983, droit, sans artifices ; 1984 n'est pas un millésime, n'en parlons pas ; 1985, grandes bouteilles ; 1986, qualité moyenne, rarement millésimé ; 1987, un mauvais souvenir ; 1988, 1989, 1990, trois belles années à savourer ; 1991 : faible, généralement non millésimé ; 1992, 1993, 1994 : années moyennes ; quelques grandes maisons ont millésimé 92 ou 93 ; 1995 : la meilleure année depuis 1990 ; 1996 : grande année millésimée ; 1997 : rarement millésimé ; 1998 : bon millésime ; 1999 : parfois millésimé ; 2000 : surtout connu pour ses trois zéros.

## HENRI ABELE Soirées parisiennes 1999 ★★

● n.c. n.c. 23 à 30 €

Cette marque discrète est pourtant fort ancienne : elle remonte à 1757. Elle a en outre marqué l'histoire du champagne puisqu'on lui doit l'invention du dégorgement par réfrigération du goulot. En 1985, elle est passée dans l'orbite du groupe catalan Freixenet, le plus gros producteur de vins effervescents. Mi-blancs mi-noirs (les deux pinots à parts égales), cette cuvée attire par sa complexité : fleurs blanches, notes grillées, tabac, nuances beurrées, briochées et fruitées se bousculent au nez. Elle brille aussi par sa richesse, son ampleur et surtout par sa persistance. Le **Brut traditionnel**, issu des trois cépages champenois à parts égales, est cité pour son élégance ; la cuvée **Rencontre 96 (38 à 46 €)**, née de 47 % de chardonnay, 29 % de meunier et 24 % de pinot noir reçoit la même note pour sa souplesse et ses arômes balsamiques. (NM)

Henri Abelé, 50, rue de Sillery, 51100 Reims,
tél. 03.26.87.79.80, fax 03.26.87.79.81

## AGRAPART ET FILS Blanc de blancs Terroirs

● Gd cru 8 ha 15 000 15 à 23 €

Ce domaine, fondé en 1894 par l'arrière-grand-père des propriétaires actuels, a recours au cheval pour le travail du sol. Il dispose de 62 parcelles en Côte des Blancs. Le chardonnay domine sa production. Ce blanc de blancs assemble un tiers de vins de 1999 vieillis en barrique et deux tiers de 2000. C'est un champagne équilibré, à l'attaque souple, idéalement dosé (5 g/l). Assemblage d'un tiers de vins de la récolte 2000 passés en fût et deux tiers de 2001, le **rosé 1er cru Les Demoiselles** est également cité. Lui aussi doit presque tout au chardonnay : il ne comprend que 7 % de vin rouge, pour la couleur. Structuré, complexe et fin, il évoque la cerise à l'eau-de-vie. (RM)

Agrapart et Fils, 57, av. Jean-Jaurès, 51190 Avize,
tél. 03.26.57.51.38, fax 03.26.57.05.06,
e-mail champagne.agrapart@wanadoo.fr r.-v.

## ROBERT ALLAIT

● 1 ha 8 000 11 à 15 €

La quatrième génération exploite ce vignoble de 11,5 ha réparti dans six communes de la vallée de la Marne. Son rosé assemble 60 % de meunier de la récolte 2001, 30 % de chardonnay de la récolte 2002 et 10 % de pinot noir de cette même année, vinifié en rouge. Pâle dans le verre, expressif au nez, il séduit par sa fraîcheur et son fruité. (RM)

🔑 Régis Robert,
6, rue du Parc, 51700 Villers-sous-Châtillon,
tél. 03.26.58.37.23, fax 03.26.58.39.26,
e-mail champagne.allait@wanadoo.fr ☑ Y ✝ r.-v.

## DE L'ARGENTAINE

● n.c. n.c. 11 à 15 €

Elaboré par la coopérative de Vandières (vallée de la Marne), ce rosé assemble les années 2001 à 2003. Il est largement dominé par les raisins noirs : 52 % de pinot noir, 13 % de meunier, 17 % de vin rouge pour seulement 18 % de chardonnay. Sa robe est assez soutenue et ses arômes évoquent la fraise et la framboise. (CM)

🔑 Coopérative vinicole l'Union Vandières, Champagne de l'Argentaine, Cidex 318, 51700 Vandières, tél. 03.26.58.68.68, fax 03.26.58.68.69, e-mail delargentaine@wanadoo.fr ☑ Y ✝ r.-v.

## JEAN-ANTOINE ARISTON *

● 2 ha 6 000 11 à 15 €

Ce domaine est implanté à Brouillet, sur le circuit des églises romanes de la vallée de l'Ardre. Il dispose de 6,5 ha de vignes. Né des années 2000 à 2002, son rosé doit tout aux raisins noirs, assemblant les deux pinots à parts égales. Un joli cordon persistant monte dans sa robe saumonée. D'une simplicité de bon aloi, un champagne franc et direct. (RM)

🔑 Jean-Antoine Ariston, 4, rue Haute, 51170 Brouillet, tél. 03.26.97.47.02, fax 03.26.97.49.75, e-mail champagne-ariston@wanadoo.fr ☑ Y ✝ r.-v.

## MICHEL ARNOULD ET FILS Tradition

○ Gd cru 5 ha 40 000 11 à 15 €

La famille Arnould est établie de longue date dans la Montagne de Reims. Elle exploite 12 ha autour de Verzenay, commune classée en grand cru. Pur pinot noir, ce champagne assemble les années 2000 et 2001. Il est expressif, fruité, brioché, rond et assez long. Quant au **grand cru cuvée Carte d'or (15 à 23 €)**, il naît de la vendange 2000 et marie à parts égales pinot noir et chardonnay. Ses arômes de fruits mûrs, son attaque vive et sa longueur lui valent également une citation. (RM)

🔑 Michel Arnould et Fils, 28, rue de Mailly, 51360 Verzenay, tél. 03.26.49.40.06, fax 03.26.49.44.61, e-mail info@champagne-michel-arnould.com
☑ Y ✝ t.l.j. sf dim. 9h-12h 14h-16h30

## AUBRY DE HUMBERT 1998 *

○ 1er cru n.c. 5 000 23 à 30 €

Cette cuvée spéciale rend hommage à Aubry de Humbert, archevêque de Reims, qui posa la première pierre de la cathédrale. Assemblage des trois cépages champenois à parts égales, elle apparaît chaleureuse, ample et charnue à l'attaque, offre un fruité complexe et laisse une impression de fraîcheur. (RM)

🔑 SCEV Champagne L. Aubry Fils, 4-6, Grande-Rue, 51390 Jouy-lès-Reims, tél. 03.26.49.20.07, fax 03.26.49.75.27 ☑ Y ✝ r.-v.
🔑 Aubry frères

## CH. DE L'AUCHE Tradition

○ n.c. 70 000 11 à 15 €

Fondée en 1961, la coopérative de Janvry commercialise ses vins depuis le début des années 1970. Elle vinifie les vendanges de 130 ha. Née des récoltes de 2000 à 2002, sa cuvée Tradition est un blanc de noirs dominé par le meunier (85 %). Sa palette aromatique mêle les fleurs et les agrumes et son dosage est généreux. Les mêmes années sont à l'origine d'un **rosé** issu des trois cépages champenois à parts presque égales. Sa robe aguichante, son nez fruité et épicé et son côté léger en font un vin d'apéritif à boire sous la tonnelle. (CM)

🔑 Ch. de l'Auche, rue de Germigny, 51390 Janvry, tél. 03.26.03.63.40, fax 03.26.03.66.93, e-mail info@champagne-de-lauche.com ☑ Y ✝ r.-v.

## AUTREAU-LASNOT Prestige 2000 *

○ 1,2 ha 5 800 11 à 15 €

Vignerons depuis le début des années 1930 à Venteuil (vallée de la Marne), les Autréau agrandissent peu à peu leur domaine, qui s'étend aujourd'hui sur 12 ha. Les deux fils de Gérard assurent la relève. Le brut rosé et la cuvée Prestige millésimée semblent abonnés au Guide. Mariage à parts égales de chardonnay et de pinot noir, ce 2000 laisse monter une bulle fine et abondante dans sa robe or pâle ; il fait bonne impression par sa finesse aromatique, fruitée et florale. Equilibré, vif et long, il pourra accompagner un repas. Le **rosé** est issu des récoltes de 1999 à 2001 et assemble 60 % de raisins noirs (40 % de pinot noir) au chardonnay. Il obtient la même note pour sa mousse fine, sa robe saumonée intense, sa rondeur vineuse et son fruité. (RM)

🔑 Autréau-Lasnot, 6, rue du Château, 51480 Venteuil, tél. 03.26.58.49.35, fax 03.26.58.65.44, e-mail info@champagne-autreau-lasnot.com
☑ Y ✝ t.l.j. 9h-12h 13h30-18h; dim. matin sur r.-v.

## A. BAGNOST Cuvée de réserve

○ 1er cru 1,9 ha 15 000 11 à 15 €

Arnaud Bagnost est la structure de négoce créée en 2000 par la famille Bagnost de Pierry en complément de son exploitation viticole. Sa Cuvée de réserve, née de la vendange 2002, assemble à parts égales les trois cépages champenois. On lui trouve un fruité frais et, en bouche, des arômes de pomme et de coing. Un ensemble net et équilibré. Citée, la **cuvée Tradition** marie 60 % de chardonnay et 40 % de pinot noir récoltés en 2001. Un court passage par le bois a été détecté par les dégustateurs qui soulignent aussi ses arômes miellés, signe d'évolution. (NM)

🔑 SARL Arnaud Bagnost, 24, rue du Gal-de-Gaulle, 51530 Pierry, tél. 03.26.54.10.59, fax 03.26.55.67.17, e-mail marie_astrid@club-internet.fr
☑ Y ✝ t.l.j. sf dim. 9h-12h 14h-17h

## BAGNOST PERE ET FILS Cuvée Prestige *

○ 1er cru 1,9 ha 15 000 11 à 15 €

Située au pied des coteaux de Pierry, près d'Epernay, cette propriété familiale dispose de 8 ha en 1er cru. Dans sa cuvée Prestige, le chardonnay joue le rôle principal (70 %), complété par le pinot noir. Les raisins proviennent de l'année 2002. Un champagne qui séduit par sa complexité (fruits frais et fruits secs, miel et coing) et par son équilibre. Née de la vendange 2001, mi-blancs mi-noirs (les deux pinots à égalité), la **Cuvée de réserve** obtient la même note pour ses riches arômes de mirabelle, de fruits blancs et de fleurs, pour sa rondeur et sa générosité. (RM)

🔑 EARL Claude Bagnost, 30, rue du Gal-de-Gaulle, 51530 Pierry, tél. 03.26.54.04.22, fax 03.26.55.67.17
☑ Y ✝ t.l.j. sf dim. 9h-12h 14h-17h

## ALAIN BAILLY ★

● 4 ha 3 832 11 à 15 €

Le champagne porte le nom du père de Franck Bailly, qui est devenu récoltant-manipulant en 1962. Le fils est à la tête de 12 ha environ, répartis en de multiples parcelles – pas moins de quatre-vingts. C'est la récolte de 2000, assemblée aux deux vendanges précédentes, qui est à l'origine de ce rosé dominé par les pinots (90 % dont 55 % de meunier). Un peu fugace et discret, ce champagne n'en laisse pas moins une impression d'harmonie. Quant à la cuvée **Tradition**, issue des mêmes années, elle doit elle aussi beaucoup aux raisins noirs, en particulier au meunier (75 %). Elle est ronde, ample, empyreumatique, légèrement évoluée. (RM)

Alain Bailly,
3, rue du Tambour, 51170 Serzy-et-Prin,
tél. 03.26.97.41.58, fax 03.26.97.44.53,
e-mail champagne.bailly@wanadoo.fr r.-v.
Franck Bailly

## CHRISTIAN BANNIERE Tradition ★

Gd cru 2 ha 12 000 11 à 15 €

A l'origine simples apporteurs de raisins, les Bannière se sont faits récoltants-manipulants en 1948. Leur domaine est situé à Bouzy, célèbre commune classée en grand cru. Le pinot noir, qui tient la vedette dans le village, entre à 80 % dans cette cuvée Tradition, complété par le chardonnay. Une robe d'or soutenu annonce un bouquet puissant, que confirme une bouche vineuse, aromatique et persistante. (RM)

Christian Bannière, 5, rue Yvonnet, 51150 Bouzy,
tél. 03.26.57.08.15, fax 03.26.59.35.02 r.-v.

## PAUL BARA Comtesse Marie de France 1996 ★★

Gd cru 1 ha 5 500 23 à 30 €

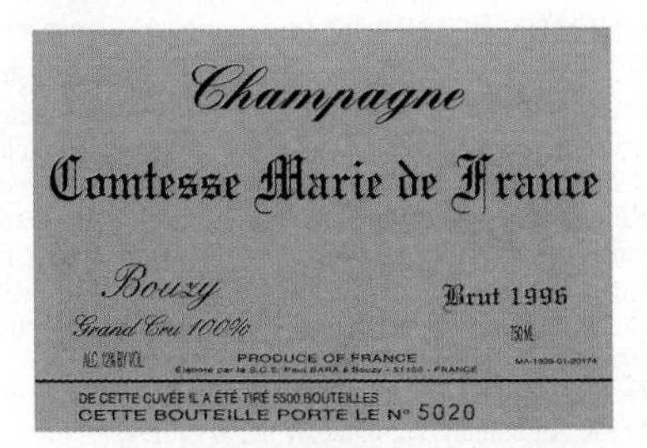


Etablis de longue date à Bouzy, les Bara disposent de 11 ha dans ce grand cru du flanc sud de la Montagne de Reims, ce qui leur permet de figurer régulièrement dans le Guide. Le pinot noir, très réputé dans la commune, compose cette cuvée haut de gamme jaune pâle à reflets or. Avec son nez riche et complexe, mêlant gelée de coings, notes fruitées, et sa bouche d'un remarquable équilibre, fraîche, ronde et pleine, elle trouvera sa place lors d'un repas raffiné. Le **Spécial Club 2000** assemble 30 % de chardonnay au pinot noir. Sa minéralité, sa finesse et sa fraîcheur lui valent une étoile. Enfin, le **99 (15 à 23 €)** doit presque tout aux noirs (90 %). Droit, fin, vif et un rien sévère, il est cité. (RM)

Paul Bara, 4, rue Yvonnet, 51150 Bouzy,
tél. 03.26.57.00.50, fax 03.26.57.81.24
Famille Bara

## BARBIER-LOUVET Tradition

1er cru 1,3 ha 12 000 11 à 15 €

Cette exploitation familiale dispose de près de 7 ha. Elle est implantée à Tauxières, non loin de Bouzy. Ce sont des pinots noirs issus de cette dernière commune qui composent à 90 % cette cuvée, complétés par du chardonnay. L'assemblage comprend 60 % de raisins de la récolte 2002 et 40 % de vins de réserve des deux années précédentes. On retrouve le fruité du pinot dans ce champagne nerveux, adouci par un dosage perceptible. (RM)

EARL Barbier-Louvet,
8, rue de Louvois, 51150 Tauxières-Mutry,
tél. 03.26.57.04.79, fax 03.26.52.60.18,
e-mail champ.barbier.louvet.monsite@wanadoo.fr
r.-v.

## BARDOUX PERE ET FILS 1997 ★

3 ha 1 768 15 à 23 €

Les Bardoux sont vignerons à Villedommange depuis plus de trois siècles. Ils vivent de l'exploitation de quelque 4 ha de vignes répartis en dix-huit parcelles et accueillent les touristes en gîte rural. Les visiteurs pourront découvrir ici la partie ouest de la Montagne, d'où l'on domine Reims et la plaine, et acquérir d'estimables champagnes comme ce 97. Assemblage de 60 % de chardonnay et de 40 % des deux pinots à parts égales, il est vif et long. Même note pour la **Cuvée de l'an 2000**, née des trois cépages champenois à parts égales et des récoltes 1996 et 1997, complétées par des vins de réserve. Sa palette aromatique briochée et fruitée, son caractère fondu et rond sont appréciés. Enfin, le **Traditionnel (11 à 15 €)** est cité ; il assemble les années 2000 à 2002 et des vins de réserve. Le meunier (57 %, complété par 6 % de pinot noir et 37 % de chardonnay) lui donne un fruité intense et complexe et un palais gras. (RM)

Pascal Bardoux,
5-7, rue Saint-Vincent, 51390 Villedommange,
tél. 03.26.49.25.35, fax 03.26.49.23.15,
e-mail contact@champagne-bardoux.com
r.-v.

## E. BARNAUT Authentique

● Gd cru n.c. n.c. 15 à 23 €

Cette exploitation familiale d'une quinzaine d'hectares, conduite depuis 1986 par Philippe Secondé, commercialise son propre champagne depuis 1874. Ses cuvées figurent régulièrement dans le Guide. Ce rosé est composé à 90 % de pinot noir, assemblé à du chardonnay. De teinte saumonée à reflets tuilés, il exprime un fruité fraise-cassis caractéristique du cépage et fait preuve d'une grande vivacité. (RM)

Philippe Secondé, 2, rue Gambetta, BP 19,
51150 Bouzy, tél. 03.26.57.01.54, fax 03.26.57.09.97,
e-mail contact@champagne-barnaut.com r.-v.

## ROGER BARNIER
Cuvée Blanche Grande Cuvée 1997 ★

0,5 ha 4 500 15 à 23 €

Frédéric Berthelot est établi à Villevenard, village situé au sud de la Côte des Blancs, en direction du Sézannais. Il exploite 7,5 ha de vignes. Il propose un blanc de blancs or vert à bulles fines, mêlant au nez agrumes, notes végétales (fougère), minérales et épicées. Au palais, ce champagne est frais, voire nerveux. Pourquoi ne pas l'essayer sur des sushis ou du poisson mariné ? (RM)

Roger Barnier,
1, rue Marais-Saint-Gond, 51270 Villevenard,
tél. 03.26.52.82.77, fax 03.26.52.81.09 r.-v.
Berthelot

## BARON ALBERT *

2,5 ha 13 680 11 à 15 €

Baron Albert, alias Albert Baron. Cet héritier d'une lignée de viticulteurs établis de longue date dans la vallée de la Marne, près de Château-Thierry, se lance dans l'élaboration du champagne et crée sa marque en 1946. Aujourd'hui, l'exploitation ne compte pas moins de 35 ha ; les caves ont été creusées par le fondateur de la maison et son fils. Cette année, c'est une cuvée de rosé qui se démarque. Issue des années 1999 à 2001, elle est dominée par le pinot meunier (55 %), complété par un soupçon de pinot noir (5 %) et du chardonnay. Comme les autres champagnes Baron Albert, elle ne fait pas sa fermentation malolactique, ce qui contribue à sa nervosité et à sa fraîcheur fruitée. (NM)

Baron Albert, 1, rue des Chaillots,
Grand-Porteron, 02310 Charly-sur-Marne,
tél. 03.23.82.02.65, fax 03.23.82.02.44,
e-mail champagnebaronalbert@wanadoo.fr r.-v.

## BARON-FUENTE Esprit *

n.c. n.c. 15 à 23 €

Fondée par une autre famille Baron de Charly-sur-Marne, la marque a vu le jour en 1967. La maison dispose d'un vaste vignoble (70 ha) et de caves récemment rénovées. Sa cuvée Esprit provient des trois cépages champenois à parts presque égales. Son nez fin, son attaque franche, ses arômes d'agrumes et de mirabelle, son palais équilibré, frais et long, en font un joli vin d'apéritif. Dans la gamme **Grands Cépages, la Cuvée chardonnay (23 à 30 €)** séduit par son attaque vive, son ampleur et son équilibre. Elle obtient elle aussi une étoile, alors que la **Grande Réserve (11 à 15 €)** est citée pour sa bouche agréable et ses arômes de torréfaction. (NM)

Baron-Fuenté,
21, av. Fernand-Drouet, 02310 Charly-sur-Marne,
tél. 03.23.82.01.97, fax 03.23.82.12.00,
e-mail champagne.baron-fuente@wanadoo.fr
t.l.j. sf dim. 7h30-18h30

## BAUCHET PERE ET FILS Réserve *

1er cru 2 ha 20 000 11 à 15 €

Installés à Bisseuil, en amont d'Epernay, les frères Bauchet sont à la tête d'un domaine fondé en 1960, et qui s'étend aujourd'hui sur 37 ha. Cette année, c'est la cuvée Réserve qui se distingue. Assemblant 60 % de chardonnay et 40 % de pinot noir, elle séduit par ses arômes de fleurs et d'agrumes, par son ampleur et sa longueur. (RM)

Sté Bauchet Frères, rue de la Crayère,
51150 Bisseuil, tél. 03.26.58.92.12, fax 03.26.58.94.74,
e-mail bauchet.champagne@wanadoo.fr r.-v.

## BAUGET-JOUETTE

0,75 ha 6 000 23 à 30 €

Viticulteurs et négociants, les Bauget disposent de caves à Epernay et d'un vignoble de 14,5 ha répartis en trente et une parcelles disséminées dans sept villages proches de la ville. Issu des années 2001 et 2002, leur rosé assemble 55 % de chardonnay, 30 % de pinot meunier et 15 % de pinot noir. Au nez comme en bouche, la fraise et la framboise s'y marient avec finesse et harmonie. (NM)

Bauget-Jouette, 1, rue Champfleury, BP 271,
51200 Epernay, tél. 03.26.54.44.05, fax 03.26.55.37.99,
e-mail champagne.bauget@wanadoo.fr r.-v.

## ANDRE BEAUFORT 1994 *

Gd cru n.c. 8 000 23 à 30 €

Les vins André Beaufort sont vinifiés par Jacques Beaufort (voir ci-dessous). Ce dernier a proposé un 94, millésime difficile. Le pinot noir (80 %), complété par le chardonnay, domine ce champagne. Avec ses arômes évolués de pruneau et de fruits confits, c'est un vin de caractère, à réserver aux amateurs. (RM)

Jacques Beaufort,
1, rue de Vaudemange, 51150 Ambonnay,
tél. 03.26.57.01.50, fax 03.26.52.83.50 r.-v.

## JACQUES BEAUFORT 2000 **

10 ha n.c. 23 à 30 €

Jacques Beaufort figure au nombre des pionniers de l'agrobiologie en Champagne : il est passé à ce mode de culture dès 1970. Etabli à Ambonnay, commune classée en grand cru, le domaine figure régulièrement en bonne place dans le Guide. C'est encore le cas cette année avec deux champagnes jugés remarquables. Tous deux, vinifiés au château de Polisy, privilégient le pinot noir (80 % pour 20 % de chardonnay). Ils ont aussi en commun de séjourner en partie en barrique. Le premier, un brut 2000, est complexe, ample, harmonieux et long, avec des arômes de pêche ; le second, un **demi-sec 90 (30 à 38 €)**, offre un nez riche où se mêlent le miel, la pâte de coings, l'encaustique et le camphre. Ces arômes se prolongent dans un palais plein et long. Un vin à marier au foie gras ou à des plats sucrés-salés. (RM)

Jacques Beaufort,
1, rue de Vaudemange, 51150 Ambonnay,
tél. 03.26.57.01.50, fax 03.26.52.83.50 r.-v.

## QUENTIN BEAUFORT Demi-sec Réserve 1988 *

n.c. 1 200 23 à 30 €

Les Beaufort se suivent et se ressemblent : même vocation pour l'agriculture biologique, même goût pour les demi-secs. C'est au tour de Quentin de signer cette Réserve, un blanc de noirs (pinot noir) d'un grand millésime. Complexe et évolué par ses arômes, ce champagne intéresse par son équilibre réussi entre le côté miellé et la fraîcheur. « Une curiosité pour amateurs », pour reprendre la formule d'un dégustateur. (RM)

Quentin Beaufort, 1, rue Vaudemange,
51150 Ambonnay, tél. 03.26.37.01.50 r.-v.

## BEAUMONT DES CRAYERES
Fleur de prestige 1998 *

8 ha 60 000 15 à 23 €

Constituée en 1955 par des vignerons d'Epernay, cette coopérative vinifie les récoltes de 85 ha et rassemble plus de 250 adhérents dont certains ne possèdent que quelques ares. Sa production est exportée à 70 %. Mi-blancs mi-noirs (40 % de pinot noir), ce 98 séduit par ses arômes de sous-bois, de pain grillé, d'agrumes, et surtout par sa franchise, sa fraîcheur, son élégance et sa finesse. Il pourra accompagner un repas. Quant à la **cuvée Nostalgie 97 (23 à 30 €)**, qui privilégie le chardonnay (70 % pour 30 % de pinot noir), c'est un vin au fruité intense et complexe, puissant, souple, gras et dosé, qui conviendra lui aussi pour la table. Assez évolué, il est cité. (CM)

🗝 Beaumont des Crayères, BP 1030, 51318 Epernay Cedex, tél. 03.26.55.29.40, fax 03.26.54.26.30, e-mail contact@champagne-beaumont.com ☒ Y 🚶 r.-v.

## FRANCOISE BEDEL

● 5,94 ha n.c. ▮ 15 à 23 €

Cette exploitation de la vallée de la Marne se convertit à la biodynamie depuis 1998. Elle signe un brut qui doit presque tout au pinot meunier, puisque l'assemblage ne comprend que 4 % de chardonnay. Un champagne qui a retenu l'attention par ses arômes d'amande fraîche, sa finesse et sa persistance. Fortement marquée elle aussi par le meunier (84 %), la cuvée **Entre ciel et terre (23 à 30 €)**, issue de la récolte de 1998, est habillée d'une étiquette colorée pleine de coccinelles et d'astres, aux couleurs de la biodynamie. Equilibrée et évoluée, elle est citée. (RM)

🗝 SARL Françoise Bedel, 71, Grande-Rue, 02310 Crouttes-sur-Marne, tél. 03.23.82.15.80, fax 03.23.82.11.49, e-mail chfbedel@champagne-francoise-bedel.fr ☒ Y 🚶 r.-v.

## BERECHE ET FILS Blanc de blancs *

● 0,8 ha 3 000 ▮ 15 à 23 €

Etablie dans le vignoble de la Montagne de Reims, cette exploitation familiale élabore son champagne depuis 1889 et dispose aujourd'hui de 9 ha. Jean-Pierre Bérèche est un vinificateur dont le talent a été reconnu maintes fois dans le Guide. Assemblage des années 1999 à 2001, son blanc de blancs ne fait pas sa fermentation malolactique. Il est équilibré, rond et long. La cuvée **Reflet d'antan (23 à 30 €)**, coup de cœur l'an dernier, est citée. Sa vinification est toujours aussi travaillée (élevage sous bois, pas de fermentation malolactique, tirage sous liège) ; sa composition n'a pas varié : les trois cépages champenois à parts égales. Seules changent les années d'assemblage : 1999 à 2001. Le boisé, qui contribue à son équilibre, est perceptible et surprend un dégustateur. (RM)

🗝 Bereche et Fils, Le Craon-de-Ludes, BP 18, 51500 Ludes, tél. 03.26.61.13.28, fax 03.26.61.14.14, e-mail info@champagne-bereche-et-fils.com ☒ Y 🚶 r.-v.

## F. BERGERONNEAU-MARION 1998 *

● 1er cru 0,6 ha 4 500 ▮ 23 à 30 €

Installé à Villedommange, au nord-ouest de la Montagne de Reims, Florent Bergeronneau a repris l'exploitation familiale en 1982. Après un blanc de blancs l'an dernier, il propose un blanc de noirs né des deux pinots. Avec son nez de fruits confits et de mirabelle, sa bouche gourmande, souple et miellée, ce 98 vit un apogée heureux. On le servira à table cet hiver. (RM)

🗝 Florent Bergeronneau, 22, rue de la Prévôté, 51390 Villedommange, tél. 03.26.49.75.26, fax 03.26.49.20.85 ☒ Y 🚶 t.l.j. 8h-12h30 13h-20h

## CH. BERTHELOT Carte noire

● Gd cru n.c. n.c. ▮ 11 à 15 €

Christian Berthelot cultive à peine 2 ha, mais ses vignes sont implantées à Avize, commune de la Côte des Blancs classée en grand cru. Elles engendrent des vins régulièrement sélectionnés dans le Guide. Des vins issus du chardonnay, même si l'étiquette ne l'indique pas toujours. Pour cette Carte noire, les années 2000 et 2001 sont mises à contribution. Expressif au nez, ce champagne associe le chèvrefeuille et le coing, arômes que l'on retrouve dans une bouche souple à l'attaque et équilibrée. (RM)

🗝 Christian Berthelot, 32, rue Ernest-Valle, 51190 Avize, tél. 03.26.57.58.99, fax 03.26.51.87.26 ☒ Y 🚶 r.-v.

## BESSERAT DE BELLEFON

Blanc de blancs Cuvée des Moines

● n.c. n.c. ▮🌡 23 à 30 €

Cette maison de négoce, fondée il y a un siècle et demi, a été reprise au début des années 1990 par Marne et Champagne, aujourd'hui Groupe Lanson international. Deux tiers de raisins noirs (45 % de meunier et 20 % de pinot noir) et un tiers de blancs sont assemblés dans cette cuvée des Moines florale et vanillée, agréablement persistante et sensiblement dosée. (NM)

🗝 Besserat de Bellefon, 19, av. de Champagne, 51200 Epernay, tél. 03.26.78.50.50, fax 03.26.78.50.99, e-mail info@besseratdebellefon.com ☒

🗝 Groupe Lanson international

## BILLECART-SALMON

Cuvée Elisabeth Salmon 1996 *

● n.c. n.c. + de 76 €

Fondée en 1818 par Nicolas-François Billecart et Elisabeth Salmon, cette maison est demeurée dans la famille. Elle est toujours établie à Mareuil-sur-Aÿ, a gardé son jardin à la française, ses pressoirs et ses fûts tout en s'équipant d'une cuverie moderne. Ses champagnes jouissent d'une belle réputation, confirmée par de nombreuses sélections dans le Guide, en particulier les rosés. Le rosé sans année fut coup de cœur l'an passé. Voici dans la même couleur une cuvée spéciale d'un grand millésime. Un peu évoluée au nez, elle est tout en finesse, tout en nervosité et tout en persistance. (NM)

🗝 Billecart-Salmon, 40, rue Carnot, 51160 Mareuil-sur-Aÿ, tél. 03.26.52.60.22, fax 03.26.52.64.88, e-mail billecart@champagne-billecart.fr ☒ Y 🚶 r.-v.

## BINET Elite **

● n.c. n.c. ▮ 15 à 23 €

Cette maison, créée en 1849 à Reims, a connu de nombreux propriétaires, dont Piper-Heidsieck, Germain, de Rilly-la-Montagne, Frey puis Prin. Les champagnes portent le nom du fondateur. Né de 60 % de pinots (40 % de pinot noir) et de 40 % de chardonnay, le brut Elite est fin au nez, miellé en bouche, avec des notes compotées. Puissant, rond et long, c'est un champagne de repas. Les noirs et les blancs figurent dans la même proportion dans le **92 (23 à 30 €)**, mais le meunier est absent. Or soutenu, ce millésimé offre des arômes intenses et torréfiés assez évolués et son dosage est perceptible. Un champagne d'amateurs, qui obtient une étoile. (NM)

🗝 Binet, 31, rue de Reims, 51500 Rilly-la-Montagne, tél. 03.26.53.54.55, fax 03.26.53.54.56, e-mail info@champagne-binet.com

🗝 Daniel Prin

## H. BLIN ET CIE

● 2 ha 11 000 ▮ 15 à 23 €

Henri Blin réunit vingt-huit autres viticulteurs en 1947 pour fonder la coopérative qui porte aujourd'hui son nom. La cave regroupe actuellement une centaine d'adhérents et vinifie le produit de 120 ha. Elle est située dans la vallée de la Marne, ce qui explique l'importance du pinot meunier dans ses assemblages. Ce cépage vinifié en blanc représente ainsi 80 % de ce rosé, auquel 20 % de vin rouge né des deux pinots donne sa couleur. Le champagne provient des années 1999 et 2000. Sa teinte est soutenue, son attaque souple, son fruité affirmé. Les récoltes 2000 et 2001 sont à l'origine de la cuvée **Tradition**, qui marie 80 % de meunier au chardonnay. Discrète au nez, elle est légère en bouche mais équilibrée. (CM)

H. Blin et Cie, 5, rue de Verdun, 51700 Vincelles, tél. 03.26.58.20.04, fax 03.26.58.29.67, e-mail contact@champagne-blin.com r.-v.

## R. BLIN ET FILS Grande Tradition

n.c. n.c. **11 à 15 €**

Cette exploitation familiale de 11 ha est implantée dans les coteaux de Saint-Thierry, au nord-ouest de Reims. Sa cuvée Grande Tradition est issue de 90 % de chardonnay et de 10 % de pinot noir récoltés en 2000 et 2001. De couleur paille, elle mêle des notes grillées et des parfums de fruits mûrs et confits. Un champagne équilibré et charmeur. Dans la cuvée **Sélection**, également citée, on retrouve les même cépages et les mêmes proportions (90-10 %), mais c'est le pinot noir qui tient la vedette et le vin provient des années 2001 et 2002. Or soutenu, ce brut exprime des parfums de fleurs blanches et révèle en bouche une douceur liée au dosage. (RM)

R. Blin et Fils, 11, rue du Point-du-Jour, 51140 Trigny, tél. 03.26.03.10.97, fax 03.26.03.19.63, e-mail contact@champagne-blin-et-fils.fr
t.l.j. sf dim. 9h-12h 14h-18h; f. 15-31 août

## BLONDEL Blanc de blancs

1er cru 5 ha 8 000 **15 à 23 €**

Le domaine a été constitué en 1904 mais ne s'est lancé dans l'élaboration du champagne que dans les années 1980, avec la quatrième génération. Il dispose de 9,5 ha de vignes d'un seul tenant dans la Montagne de Reims. Issu des vendanges de 1999 et 2000, son blanc de blancs affiche une robe or vert et mêle au nez des notes minérales et des nuances de fruits blancs très mûrs, un peu confits. Frais à l'attaque, c'est un champagne vineux et élégant. (NM)

Blondel, Dom. des Monts-Fournois, 51500 Ludes, tél. 03.26.03.43.92, fax 03.26.03.44.10, e-mail contact@champagneblondel.com
t.l.j. 9h-12h 14h-19h

## BOIZEL Joyau de France 1995 *

n.c. 50 000 **38 à 46 €**

L'histoire et la muséologie peuvent mener au champagne, quand on descend d'Auguste Boizel, fondateur en 1834 de cette maison d'Epernay. Telle est la formation d'Evelyne Roques-Boizel, qui a rejoint avec son mari l'entreprise familiale en 1973, riche de l'expérience des cinq générations précédentes. En 1994, l'affaire s'est associée au groupe PBI (BCC aujourd'hui). Joyau de France est la cuvée spéciale de Boizel, créée en 1961, une grande année. Issu d'un autre grand millésime, ce 95 assemble 45 % de chardonnay et 55 % de pinot noir. Les vins ont séjourné en fût sans boiser pour autant ce champagne qui se montre grillé, puissant et riche. Cité par le jury, le **Grand Vintage 98 (23 à 30 €)** assemble chardonnay et pinot noir dans les mêmes proportions que le précédent. Il est brioché et frais. (NM)

Boizel, 46, av. de Champagne, 51200 Epernay, tél. 03.26.55.21.51, fax 03.26.54.31.83, e-mail boizelinfo@boizel.fr
BCC

## BOLLINGER RD 1995 **

n.c. n.c. **+ de 76 €**

Créée en 1829, Bollinger demeure une maison familiale, dirigée avec brio par les descendants du fondateur. Son dynamisme ne se dément pas puisque, cette année, Bollinger prend le contrôle d'Ayala, une marque ancienne du même village d'Aÿ. Les quatre cinquièmes des raisins proviennent de grands et 1ers crus. Une partie de ces vins sont vinifiés en fût de chêne, cru par cru. Des vins de réserve entrent à hauteur de 5 à 10 % dans l'assemblage ; ils sont conservés sous légère prise de mousse en magnum : un cas unique en Champagne... et ailleurs. Le RD 95 marie 63 % de pinot noir au chardonnay issus principalement de grands crus et élevés en petits fûts. Sa palette aromatique associe des notes empyreumatiques, florales et fruitées (fruits blancs) ; équilibré, vif et mûr, c'est un champagne de connaisseurs. Le **Special Cuvée (30 à 38 €)** est un Bollinger d'initiation, assemblage de pinot noir (60 %), de chardonnay (25 %) et d'un peu de pinot meunier (15 %). Fruité (fruits blancs et jaunes), brioché et grillé au nez, très équilibré et vineux, il obtient une étoile ; il accompagnera poisson et viande blanche en sauce. (NM)

Bollinger, 16, rue Jules-Lobet, 51160 Aÿ, tél. 03.26.53.33.66, fax 03.26.54.85.59 r.-v.

## BONNAIRE *

n.c. n.c. **15 à 23 €**

Fondée dans les années 1930 autour de Cramant, cette exploitation familiale s'est beaucoup développée. Elle dispose de 22 ha en Côte des Blancs et de 13 ha en vallée de la Marne. De couleur saumon à reflets vieil or, son rosé se montre épicé et un rien iodé au nez. C'est surtout en bouche qu'il séduit : franc, vif et fruité à l'attaque, il associe rondeur et fraîcheur. (RM)

Bonnaire, 120, rue d'Epernay, 51530 Cramant, tél. 03.26.57.50.85, fax 03.26.57.59.17, e-mail info@champagne-bonnaire.com
t.l.j. 9h-12h 14h-17h; sam. dim. sur r.-v.; f. août

## ALEXANDRE BONNET Blanc de noirs **

n.c. 250 000 **11 à 15 €**

Depuis 1998, le groupe BCC préside aux destinées de cette maison fondée en 1932 aux Riceys, un des villages les plus connus du vignoble aubois. La société possède plus de 40 ha. Son blanc de noirs marie 80 % de pinot noir et 20 % de meunier. Au nez, il unit les fleurs et les fruits rouges. Sa complexité, sa finesse et sa fraîcheur sont fort appréciées. Quant à la **Grande Réserve**, elle doit presque tout aux raisins noirs (70 % de pinot noir et 20 % de meunier). Son fruité de pêche, sa rondeur et une certaine longueur lui valent d'être citée. (NM)

Alexandre Bonnet, 138, rue du Gal-de-Gaulle, 10340 Les Riceys, tél. 03.25.29.30.93, fax 03.25.29.38.65, e-mail info@alexandrebonnet.com
r.-v.
BCC

## BONNET-GILMERT
Blanc de blancs Cuvée de réserve 1998 **

Gd cru n.c. 2 000 **11 à 15 €**

Denis Bonnet a pris la suite d'une lignée de vignerons sur le domaine fondé il y a un siècle à Oger, petit village fleuri au cœur de la Côte des Blancs. Il vinifie évidemment du champagne blanc de blancs, tel ce millésime fort

complimenté. Or cuivré à l'œil, intense au nez sur des notes toastées et briochées, ce 98 est équilibré, gras et chaleureux. Une excellente harmonie. Le **blanc de blancs grand cru** sans année assemble les récoltes 2000 et 2001. Il a la pâleur, les reflets verts et la fraîcheur pour l'heure assez nerveuse de la jeunesse. De la finesse et du potentiel. (RM)
Bonnet-Gilmert, 16, rue de la Côte, 51190 Oger,
tél. 03.26.59.49.47, fax 03.26.59.00.17,
e-mail denisbonnet@free.fr r.-v.

## BONNET-PONSON Cuvée spéciale 1997 *

1,5 ha 6 000 11 à 15 €

En Champagne, les mariages enrichissent les assemblages. Celui de Roger-André Bonnet avec Mlle Ponson est à l'origine du champagne maison, lancé en 1862. Cyril Bonnet étudie l'œnologie avant de prendre en main l'exploitation viticole créée il y a un siècle et demi. Le domaine dispose aujourd'hui de 10 ha répartis dans six communes de la Montagne de Reims. Sa Cuvée spéciale 97 est composée aux quatre cinquièmes de chardonnay, complété par le pinot noir. Les vins passent par le bois et sont bâtonnés, ce qui les rend gras et complexes. Epicé, légèrement évolué, ce champagne fait preuve d'une belle ampleur ; il accompagnera un repas. Quant au **Vintage 1er cru 99**, né des trois cépages champenois, il est fruité, rond et long : une citation. (RM)
Bonnet-Ponson, 20, rue du Sourd, 51500 Chamery,
tél. 03.26.97.65.40, fax 03.26.97.67.11,
e-mail champagne.bonnet.ponson@wanadoo.fr
r.-v.

## FRANCK BONVILLE Blanc de blancs 2000

Gd cru n.c. n.c. **15 à 23 €**

Cette propriété, établie à Avize en Côte des Blancs, a naturellement les blancs de blancs pour spécialité. Celui-ci est né du millésime 2000, une année dont la réputation dépasse les potentialités. Marqué par les fruits confits avec des notes minérales en bouche, il est puissant et long. (RM)
Franck Bonville, 9, rue Pasteur, 51190 Avize,
tél. 03.26.57.52.30, fax 03.26.57.59.90,
e-mail franck-bonville@wanadoo.fr
t.l.j. 8h-12h 14h-17h; sam. dim. sur r.-v.

## BOUCHE PERE ET FILS Blanc de blancs

2 ha 20 000 **15 à 23 €**

Fondée il y a soixante ans, cette maison de Pierry, près d'Epernay, dispose de 30 ha de vignes. Son blanc de blancs non millésimé provient des années 2000 à 2002. Sa palette aromatique associe notes minérales et torréfiées. Vif à l'attaque, le palais est gras et long. (NM)
Bouché Père et Fils, 10, rue du Gal-de-Gaulle,
51530 Pierry, tél. 03.26.54.12.44, fax 03.26.55.07.02
t.l.j. sf dim. 8h-12h 14h-17h30

## RAYMOND BOULARD Petraea XCVII-MM *

2 ha 3 000 **23 à 30 €**

Forte d'un vignoble de plus de 10 ha, cette maison a développé une activité de négoce. Elle figure régulièrement dans le Guide, parfois aux meilleures places. Sa cuvée Petraea est dominée par les raisins noirs (80 % dont 60 % de pinot noir) et assemble les années 1997 à 2000. Sa principale caractéristique, le long séjour des vins en fût, n'est pas passée inaperçue des dégustateurs, qui relèvent, à côté de notes de fruits exotiques, ses puissants arômes de caramel au lait et de boisé vanillé, tant au nez qu'en bouche. Un champagne équilibré et long, qui peut attendre. Issu des récoltes de 1999 à 2002, le **grand cru Mailly-Champagne** privilégie encore davantage les noirs (90 % de pinot noir) et se montre rond et puissant. Il est cité. (NM)
Raymond Boulard et Fils,
1, rue du Tambour, 51480 La Neuville-aux-Larris,
tél. 03.26.58.12.08, fax 03.26.61.54.92,
e-mail contact@champagne-boulard.fr r.-v.

## JEAN-PAUL BOULONNAIS Réserve *

1er cru 5 ha 5 000 **15 à 23 €**

Fidèles au rendez-vous du Guide, les Boulonnais complètent l'exploitation de leurs 5 ha de vignes par une activité de négoce. Ils sont établis à Vertus, coquet village fleuri de la Côte des Blancs. Née des années 2000 et 2001, leur Réserve doit tout au chardonnay. Avec sa robe d'or aux reflets verts, son bouquet frais d'agrumes, son palais équilibré, vif à l'attaque et plus doux en finale, elle offre une belle harmonie. Provenant des mêmes années, la cuvée **Tradition 1er cru (11 à 15 €)** marie au chardonnay 20 % de pinot noir. Elle est citée pour la finesse de ses arômes et sa charpente. (NM)
Jean-Paul Boulonnais, 14, rue de l'Abbaye,
51130 Vertus, tél. 03.26.52.23.41, fax 03.26.52.27.55
r.-v.

## BOURDAIRE-GALLOIS **

0,5 ha 1 800 **11 à 15 €**

Première étoile dans le Guide l'an dernier pour cette exploitation (3 ha dans le massif de Saint-Thierry) qui apportait jusqu'à 2001 sa récolte à la coopérative. Elle confirme cette année son savoir-faire avec deux champagnes nés des années 2002 et 2003. Le préféré est le rosé, auquel certains dégustateurs auraient bien donné un coup de cœur. Issu exclusivement de pinot meunier et coloré par 18 % de vin rouge, il s'habille d'une robe saumonée aux nuances orangées et parcourue d'un cordon persistant. Fruité et plaisant au nez, harmonieux en bouche, il offre une finale élégante qui « donne envie d'y regoûter ». La cuvée **Tradition** doit elle aussi tout au meunier. Ses arômes d'amande douce, son équilibre et sa longueur lui valent une étoile. (RM)
David Bourdaire, 15, rue Haute, 51220 Pouillon,
tél. 03.26.03.02.42, fax 03.26.03.03.09,
e-mail bourdaire-gallois@cder.fr r.-v.

## EDMOND BOURDELAT 1996

5 ha n.c. **15 à 23 €**

Bruno et Sandrine Bourdelat exploitent depuis neuf ans les 5 ha du domaine familial situé sur les coteaux au sud d'Epernay. Leur champagne porte le nom du père de Bruno, fondateur de la propriété. Ce 96, mi-noirs mi-blancs, affirme certains caractères du millésime : on y trouve des arômes évolués, grillés et une grande vivacité en bouche. On fera sauter le bouchon rapidement. (RM)
Edmond Bourdelat, Bruno et Sandrine Bourdelat,
13, rue du Château, 51530 Brugny,
tél. 03.26.59.95.25, fax 03.26.59.05.16,
e-mail champagne.bourdelat.edmond@wanadoo.fr
r.-v.

## R. BOURDELOIS 2000

n.c. 8 000 **15 à 23 €**

Implanté à Dizy, en face d'Epernay, ce vignoble de près de 6 ha, constitué en 1901, est maintenant dirigé par

CHAMPAGNE

l'arrière-arrière-petite-fille du fondateur. Il propose un 2000 mi-blancs mi-noirs (30 % de pinot noir). Discret et floral au nez, frais et simple, ce champagne trouvera sa place à l'apéritif. (RM)

Raymond Bourdelois, 737, av. du Gal-Leclerc, 51530 Dizy, tél. 03.26.55.23.34, fax 03.26.55.29.81
r.-v.

## BOURGEOIS Cuvée de l'Ecu Chardonnay 1999 ★★

n.c. n.c. 15 à 23 €

Les Bourgeois exploitent un vignoble de 10 ha dans la vallée de la Marne. Ils ont opté en 1987 pour le statut de négociant. Michel Bourgeois vinifie avec talent des champagnes fort remarqués par les jurys Hachette ces dernières années (deux coups de cœur en trois ans). Ces vins ne font pas leur fermentation malolactique. Cette cuvée de l'Ecu séduit les dégustateurs par son nez mûr, miellé et par sa bouche complexe et élégante, vive et citronnée. De la même maison, un **rosé de saignée** né des deux pinots est cité. Un champagne pâle à l'œil, aussi rond que fruité. (NM)

Bourgeois, 43, Grande-Rue, 02310 Crouttes-sur-Marne, tél. 03.23.82.15.71, fax 03.23.82.55.11, e-mail champagne-bourgeois@wanadoo.fr
t.l.j. sf dim. 9h-12h 13h30-18h

## BOURGEOIS-BOULONNAIS Tradition

1er cru n.c. n.c. 11 à 15 €

Ce vignoble de 5,5 ha est entièrement implanté à Vertus, commune de la Côte des Blancs classée en 1er cru. Aussi le chardonnay tient-il toujours le premier rôle. Complété par le pinot noir, il entre ainsi à hauteur de 85 % dans cette cuvée Tradition, et lui apporte ses fines notes florales et fruitées et sa légèreté. Sa souplesse et sa fraîcheur destinent cette bouteille à l'apéritif. Le **blanc de blancs 1er cru** est également cité. Avec son nez frais et séducteur mêlant les fleurs et les agrumes, sa bouche vive et jeune, c'est un classique. (RM)

Bourgeois-Boulonnais, 8, rue de l'Abbaye, 51130 Vertus, tél. 03.26.52.26.73, fax 03.26.52.06.55, e-mail bourgeoi@hexanet.fr r.-v.

## CH. DE BOURSAULT Cuvée Prestige ★

n.c. 4 000 15 à 23 €

Ce domaine viticole de 15 ha, implanté sur un mamelon crayeux dominant la vallée de la Marne, est commandé par un château néo-Renaissance que fit construire Mme Vve Clicquot entre 1843 et 1848. Il a été acquis en 1929 par la famille Fringhian qui a développé le vignoble au détriment du parc. Le pinot noir et le chardonnay, des grandes années 1995 et 1996, contribuent à parts égales à cette cuvée Prestige au nez complexe et confit, évoluée mais intense et charmeuse. Issue des années 1998 à 2000, la cuvée **Tradition** assemble 43 % de chardonnay et 57 % des deux pinots à parts sensiblement égales. Intense au nez comme en bouche, fruitée, miellée et beurrée, elle obtient elle aussi une étoile. (NM)

Ch. de Boursault, 2, rue Maurice-Gilbert, 51480 Boursault, tél. 03.26.58.42.21, fax 03.26.58.66.12, e-mail info@champagnechateau.com r.-v.

## BOUTILLEZ-GUER 1996 ★

1er cru 0,1 ha 1 100 15 à 23 €

Si le pinot noir prospère dans maintes communes de la Montagne de Reims, ce vignoble possède aussi quelques terroirs favorables aux raisins blancs. Le village de Villers-Marmery est ainsi célèbre pour ses chardonnays au caractère bien trempé. Les Boutillez-Guer y sont établis depuis cinq siècles et commercialisent leurs champagnes depuis 1995. Ce millésimé est un blanc de blancs. Son nez brioché et évolué, son palais frais, voire nerveux, le rapprochent d'autres 96. Citée par le jury, la cuvée **Tradition (11 à 15 €)** est aussi un pur chardonnay, assemblage des années 2000 à 2002. Un vin fruité, ample et long. (RM)

Boutillez-Guer, 38, rue Pasteur, 51380 Villers-Marmery, tél. 03.26.97.91.38, fax 03.26.97.94.95 r.-v.

## G. BOUTILLEZ-VIGNON Blanc de blancs

1er cru 1 ha 3 000 15 à 23 €

Au temps où Sully exaltait labourages et pâturages, les Boutillez cultivaient déjà la vigne à Villers-Marmery. Ils sont plusieurs branches à perpétuer la tradition viticole dans le village. Gérard et Colette exploitent 5 ha et proposent leur champagne depuis trente ans. Issu des années 1997 et 1998, leur blanc de blancs sans année a connu la barrique. Brioché, fruité et toasté au nez, il est puissant, riche en saveurs de pêche et de poire, équilibré et assez long. (RM)

G. Boutillez-Vignon, 26, rue Pasteur, 51380 Villers-Marmery, tél. 03.26.97.95.87, e-mail boutillez-vignon@wanadoo.fr
t.l.j. 10h-12h 14h-18h; sam. dim. sur r.-v.; f. 15 août-5 sep.

## L. ET F. BOYER Chouilly ★★

Gd cru 2 ha 10 000 11 à 15 €

Fondée en 1959, cette propriété familiale a été reprise en 1994 par Lydie et Francis Boyer qui ont lancé un champagne à leur nom. Leur vignoble de 6 ha s'étend autour de Chouilly et dans la vallée de la Marne. Le grand cru de la Côte des Blancs est à l'origine de ce blanc de blancs qui assemble les années 2001 et 2002. Jaune pâle à reflets verts, ce champagne offre un nez vif et séduisant dominé par les agrumes. Des notes confites et grillées viennent compléter sa palette au palais. Franc, intense, frais et long, ce vin fera un excellent apéritif. Provenant des mêmes années, la cuvée **Tradition** est mi-blancs mi-noirs (avec 30 % de pinot meunier). Miellée et briochée, puis marquée en bouche par des notes persistantes de crème caramel, riche et ample, elle obtient une étoile. (RM)

L. et F. Boyer, 27, rue Dom-Pérignon, 51530 Chouilly, tél. 03.26.55.41.06, fax 03.26.55.01.78, e-mail francis.boyer@free.fr r.-v.

## BRATEAU-MOREAUX

4,3 ha 34 988 11 à 15 €

Dominique Brateau représente la quatrième génération sur ce domaine. Il dispose d'un vignoble de 6,3 ha implanté dans la vallée de la Marne, du côté de Leuvrigny, commune où sont produits les meilleurs pinots meuniers. Ce cépage compose ce brut sans année issu des récoltes de 2001 et 2002. Or pâle dans le verre, ce champagne libère des parfums de fruits blancs et de fleurs. Des notes d'amande et d'agrumes apparaissent dans une bouche souple à l'attaque et de bonne ampleur. (RM)

Dominique Brateau, 12, rue Douchy, 51700 Leuvrigny, tél. 03.26.58.00.99, fax 03.26.52.83.61
r.-v.

### BERNARD BREMONT 1998 *

| Gd cru | 1 ha | 3 120 | 15 à 23 € |
|---|---|---|---|

Voilà près de quarante ans que Bernard Bremont a lancé son champagne. Il est établi à Ambonnay, grand cru au sud-est de la Montagne de Reims. Son 98 naît de 60 % de pinot noir et de 40 % de chardonnay. Jaune d'or brillant, il exprime des parfums intenses et complexes de pain d'épice, d'amande et de fruits confits. Ample et généreux en bouche, il révèle des notes confiturées qui persistent longuement. Un champagne riche et puissant, tout indiqué pour le repas. (RM)

SCE Bernard Brémont,
1, rue de Reims, 51150 Ambonnay,
tél. 03.26.57.01.65, fax 03.26.57.80.65 r.-v.

### BRESSION-SALMON Prestige *

| | 0,3 ha | 2 657 | 11 à 15 € |
|---|---|---|---|

Depuis 1994, ce domaine de 4 ha s'est retiré de la coopérative. Il présente une cuvée spéciale dominée par le chardonnay (90 % de l'assemblage pour 10 % de meunier). Complexe, fruité et floral au nez, souple à l'attaque et long, ce champagne exprime des arômes d'agrumes. On le servira à l'apéritif ou avec du poisson. Né des vendanges de 2001 et 2002, le **rosé** marie 55 % de pinot meunier au chardonnay. De couleur saumon clair, il offre un nez discret mais élégant et une bouche au fruité persistant de cerise. Il est cité. (RM)

EARL Bression-Salmon, 8, rue Saint-Antoine,
51270 Etoges, tél. 03.26.59.34.51, fax 03.26.59.36.30
r.-v.

### BRICE Aÿ **

| Gd cru | n.c. | n.c. | 23 à 30 € |
|---|---|---|---|

Jean-Paul Brice a créé en 1994 une maison de négoce spécialisée dans l'élaboration de grands crus vinifiés séparément et vendus sous leurs noms. Ses champagnes ne font pas leur fermentation malolactique. Ils ont été plus d'une fois remarqués par le Guide. C'est encore le cas cette année avec ce vin d'Aÿ, assemblage de 90 % de pinot noir et de 10 % de chardonnay. De couleur vieil or, il s'annonce par des parfums abricotés et vanillés. Fruité en bouche, il est harmonieux, élégant et long. Le **Cramant**, un blanc de blancs évidemment, obtient une étoile pour son nez de fruits secs, de miel et de pain grillé, pour son attaque vive, sa fraîcheur minérale et son harmonie onctueuse. Quant au **Verzenay**, qui marie 75 % de pinot noir au chardonnay, il est cité. C'est un champagne épicé, fin et nerveux. (NM)

Brice, 22, rue Gambetta, 51150 Bouzy,
tél. 03.26.52.06.60, fax 03.26.57.05.07,
e-mail champagnebrice@wanadoo.fr r.-v.

### LOUISE BRISON 2000

| | 2,3 ha | 21 500 | 11 à 15 € |
|---|---|---|---|

Ce champagne porte le nom de la grand-mère des Brulez, qui est à l'origine de l'exploitation. Situé dans la Côte des Bars (Aube), le domaine dispose aujourd'hui d'environ 13 ha. Ce 2000 est le produit d'une vinification soignée. Le chardonnay (50 % de l'assemblage) est élevé en pièce de bois, le pinot noir en cuve. Les vins ne font pas leur fermentation malolactique. Fin et floral au nez, ce champagne se montre frais dès l'attaque. En bouche, il évolue sur une vivacité citronnée fort élégante. Jeune, il peut attendre un an ou deux. (RM)

GAEC Brulez, hameau du Grand Mallet,
10360 Noé-les-Mallets, tél. 03.25.29.62.58,
fax 03.25.38.68.82, e-mail champagne@louise-brison.fr
r.-v.

### BROCHET-HERVIEUX Brut extra

| 1er cru | n.c. | 95 000 | 11 à 15 € |
|---|---|---|---|

Cette marque résulte de l'union de deux familles vigneronnes en 1944. Situé à Ecueil près de Reims, le domaine (15 ha) reçut la visite d'un créateur de bulles célèbre, Hergé. Son Brut extra privilégie les raisins noirs (85 % dont 78 % de pinot noir) et provient des récoltes de 1999 et 2000. Il apparaît intense à toutes les étapes de la dégustation : intense est sa robe jaune, intense son fruité, tant au nez qu'en bouche. (RM)

Brochet-Hervieux, 12, rue de Villers-aux-Nœuds,
51500 Ecueil, tél. 03.26.49.77.44, fax 03.26.49.77.17
r.-v.

### ANDRE BROCHOT Grande Réserve 1999 *

| | 0,5 ha | 2 438 | 15 à 23 € |
|---|---|---|---|

Fondé en 1949, ce domaine est situé sur les coteaux sud d'Epernay, entre cette ville et la Côte des Blancs. Il est conduit depuis 1980 par Francis Brochot. Ce vigneron est attaché aux labours et pratique la lutte intégrée. Assemblage à parts égales de meunier et de chardonnay, ce 99 or pâle à reflets verts apparaît printanier au nez, jeune, frais, très vif. Il est sans doute faiblement dosé, rien ne farde la vérité du vin. Il peut attendre. La **Cuvée 2000 (11 à 15 €)** est un blanc de noirs de pinot meunier. Intense au nez, marquée par les fruits blancs, elle est ample en bouche, évoluée pour le millésime. Elle recueille une citation. (RM)

Francis Brochot, 21, rue de Champagne,
51530 Vinay, tél. et fax 03.26.59.91.39 r.-v.

### M. BRUGNON

| | 3 ha | 20 000 | 11 à 15 € |
|---|---|---|---|

Ce champagne a été lancé après guerre par le grand-père d'Alain Brugnon qui a pris les rênes du domaine en 1986. Etablie à Ecueil, tout près de Reims, la propriété dispose de 7,5 ha de vignes. Les trois cépages champenois collaborent à ce champagne né des vendanges de 2000 à 2002. Les noirs prédominent (70 % dont 50 % de pinot noir). Bien ouvert au nez, souple à l'attaque, équilibré mais plutôt fugace, c'est un brut sans année classique. (RM)

Alain Brugnon, 1, rue Brûlée, 51500 Ecueil,
tél. 03.26.49.25.95, fax 03.26.49.76.56,
e-mail brugnon@cder.fr r.-v.

### EDOUARD BRUN & CIE Réserve

| 1er cru | n.c. | 50 000 | 15 à 23 € |
|---|---|---|---|

Créée en 1898 à Aÿ, cette maison de négoce est restée familiale. Elle a acquis en 1979 un vignoble de 7 ha autour d'Aÿ et dans la Montagne de Reims. Les champagnes portent le nom du fondateur, fils d'un tonnelier. Issue des années 1999 à 2001, la Réserve assemble 80 % de pinot noir au chardonnay. Discrète mais agréable au nez, elle apparaît équilibrée, puissante et persistante. Quant au brut **René Brun (11 à 15 €)**, il marie dans les mêmes proportions les noirs et les blancs, mais c'est le pinot meunier qui domine (60 %). Les récoltes 2000 et 2001 sont mises à contribution. Un champagne équilibré et léger, cité par le jury. (NM)

⊶ Edouard Brun et Cie, 14, rue Marcel-Mailly, BP 11, 51160 Aÿ, tél. 03.26.55.20.11, fax 03.26.51.94.29, e-mail contact@champagne-edouard-brun.fr ☑ Ⲧ ⺮ r.-v.
⊶ Delescot

## CHRISTIAN BUSIN Cuvée d'Uzès Tradition

Gd cru 0,8 ha 2 664 ▮ 15 à 23 €

C'est Luc Busin qui dirige depuis 1997 ce domaine familial qui s'étend sur 6 ha autour de Verzenay, commune de la Montagne de Reims classée en grand cru. Complété par le chardonnay, le pinot noir compose les trois quarts de cette cuvée Tradition, assemblage des années 1996 à 1998. C'est un champagne beurré et toasté, vineux et gras. Cité également, le **rosé grand cru** doit tout au pinot noir, vendangé en 2000 et 2001. Avec ses arômes de fruits rouges, il « pinote » au nez comme en bouche. Il est rond, avec un dosage sensible. (RM)
⊶ Christian Busin, Les Celliers d'Uzès, 33, rue Thiers, 51360 Verzenay, tél. 03.26.49.40.94, fax 03.26.49.44.19, e-mail champagnebusin@aol.com ☑ 🏠 Ⲧ ⺮ r.-v.

## JACQUES BUSIN Réserve 1998

Gd cru 1,2 ha 8 000 ▮ 15 à 23 €

Créé en 1900, ce domaine s'étend sur quatre grands crus, Verzenay, Verzy, Ambonnay et Sillery. On le retrouve une fois de plus dans cette édition, avec ce 98, assemblage de 60 % de pinot noir et de 40 % de chardonnay. Ce vin se singularise au nez par des effluves iodés et des senteurs végétales. Un champagne de caractère, onctueux et équilibré. Issue des mêmes cépages, mariés dans les mêmes proportions mais récoltés en 2000 et 2001, citée également, la **Carte d'or (11 à 15 €)** est plus classique. C'est un vin puissant, presque massif, beurré et fort dosé. (RM)
⊶ Jacques Busin, 17, rue Thiers, 51360 Verzenay, tél. 03.26.49.40.36, fax 03.26.49.81.11, e-mail jacques-busin@wanadoo.fr ☑ Ⲧ ⺮ r.-v.

## GUY CADEL Grande Réserve

2 ha 8 000 ▮🌡 11 à 15 €

Etablis à Mardeuil près d'Epernay, les Thiébault sont vignerons depuis le XIX^e s. et font du champagne depuis les années 1960. Ils exploitent 10 ha de vignes. Leur Grande Réserve est issue de la récolte de 2000. Il s'agit presque d'un blanc de blancs, puisqu'on ne compte que 5 % de pinot meunier à côté du chardonnay. D'une grande jeunesse, ce champagne apparaît encore fermé au nez. Sa bouche franche à l'attaque, équilibrée, fraîche et persistante laisse entrevoir un potentiel intéressant. (RM)
⊶ Philippe Thiébault, 13, rue Jean-Jaurès, 51530 Mardeuil, tél. 03.26.55.24.59, fax 03.26.55.25.83, e-mail philippe.thiebault2@wanadoo.fr ☑ Ⲧ ⺮ r.-v.

## PIERRE CALLOT Clos Jacquin *

Gd cru 0,07 ha n.c. ▥ 38 à 46 €

En 1955, Pierre Callot se lance dans la manipulation. Il est l'héritier d'une lignée de vignerons qui remonte à la fin du XVIII^e s. Le vignoble de 6 ha a été acheté à Piper-Heidsieck en 1970. L'étiquette de ce Clos Jacquin indique « Avize grand cru » : autant dire « blanc de blancs » puisque cette commune est située dans la Côte des Blancs. Deux grandes années (1995 et 1996) sont associées dans ce champagne élevé dans le bois. Floral et minéral au nez, c'est un vin plein, équilibré et frais. (RM)
⊶ Pierre Callot et Fils, 100, av. Jean-Jaurès, 51190 Avize, tél. 03.26.57.51.57, fax 03.26.57.99.15 ☑ ⺮ r.-v.

## CANARD-DUCHENE

n.c. 1 000 000 15 à 23 €

Cette maison a été fondée en 1868 par Victor Canard et sa femme Léonie Duchêne. Elle a été achetée en 2003 par Alain Thiénot, mais son siège est toujours à Ludes, dans la Montagne de Reims. Son brut sans année assemble 80 % des deux pinots à parts égales et 20 % de chardonnay ; 20 % de vins de réserve entrent dans sa composition. De couleur doré soutenu, c'est un vin mûr et généreusement dosé. Le champagne de prestige de la maison, la **Grande Cuvée Charles VII rosé (23 à 30 €)**, marie au chardonnay 60 % de pinot noir et 10 % de meunier (dont 15 % de vin rouge). Ses arômes complexes, miellés et fruités, sa bouche équilibrée lui valent également d'être citée. (NM)
⊶ Canard-Duchêne, 1, rue Edmond-Canard, 51500 Ludes, tél. 03.26.61.10.96, fax 03.26.61.13.90, e-mail info@canard-duchene.fr
☑ Ⲧ ⺮ t.l.j. sf dim. 10h-18h; f. janv. à mars
⊶ Alain Thiénot

## JEAN-YVES DE CARLINI 1999

Gd cru 3 ha 3 500 ▮ 15 à 23 €

Installé dans une maison champenoise typique datant de 1868, Jean-Yves de Carlini a pris les rênes du domaine familial en 1970. Il dispose de 6,50 ha de vignes autour de Verzenay, célèbre grand cru de la Montagne de Reims. Mi-blancs mi-noirs (pinot noir), son 99 est frais, fin et floral au nez, puissant au palais. Il atteint son apogée. Citée également, la **cuvée Montgolfière blanc de noirs (11 à 15 €)** doit tout au pinot noir. Assemblage de quatre vendanges (1999 à 2002), elle exprime des parfums de fruits surmûris ou en compote. Franche à l'attaque, elle laisse une impression de vinosité. (RM)
⊶ Jean-Yves de Carlini, 13, rue de Mailly, 51360 Verzenay, tél. 03.26.49.43.91, fax 03.26.49.46.46 ☑ Ⲧ ⺮ r.-v.

## VICOMTE DE CASTELLANE Croix rouge **

10 ha 100 000 ▮🌡 15 à 23 €

Célèbre marque d'Epernay créée en 1895 par le vicomte Florens de Castellane, reprise par la famille Meraud. Elle est aujourd'hui sous le contrôle de Laurent-Perrier. La croix rouge qui orne les étiquettes rappelle le drapeau des Régiments de Champagne ; elle figure sur ce rosé issu des trois cépages champenois des années 1999-2000, pâle, plein de fruits, rond et long. Des mêmes années et des mêmes cépages est issu le brut **Croix rouge** frais et beurré. Les dégustateurs lui accordent une étoile et citent le **Commodore 1998 (30 à 38 €)**, célèbre cuvée spéciale lancée en 1968 avec le millésime 1961, plus noirs que blancs (60/40), empyreumatique et élégante. (NM)
⊶ de Castellane, 63, av. de Champagne, 51200 Epernay, tél. 03.26.51.19.19, fax 03.26.54.24.81 ☑ Ⲧ ⺮ t.l.j. 10h-12h 14h-18h

## DE CASTELNAU **

n.c. 100 000 ▮🌡 15 à 23 €

Marque lancée en 1916, reprise par une coopérative rémoise fondée en 1962 dont les adhérents possèdent 825 ha de vignes. Le brut, issu des trois cépages champenois, passe tout près du coup de cœur pour sa fraîcheur minérale et sa finale longue et élégante. Une étoile pour le

**blanc de blancs 97**, aux notes d'agrumes et de pain d'épice, acidulée mais équilibrée. Le **96** est cité. Mi-noirs mi-blancs, cette cuvée est légère pour ce millésime ; elle est vive. (CM)
CRVC, 5, rue Gosset, 51100 Reims, tél. 03.26.77.89.00, fax 03.26.77.89.01

## CATTIER

1er cru | n.c. | 350 000 | 15 à 23 €

Forte d'un vignoble assez étendu (20 ha aujourd'hui), constitué à partir du XVIIIᵉs., la famille Cattier a lancé sa marque en 1920. Elle propose un brut sans année associant 75 % des deux pinots (dont 40 % de meunier) et 25 % de chardonnay. C'est un champagne classique, ample et persistant. Le **Clos du Moulin 1er cru (38 à 46 €)** est cité également. Il provient de l'un des rares clos champenois, qui appartint à l'un des premiers négociants de Reims, par ailleurs officier de Louis XV. Mi-blancs mi-noirs (pinot noir), il libère des notes épicées et mentholées et conjugue finesse et fraîcheur. (NM)
Cattier, 6-11, rue Dom-Pérignon, 51500 Chigny-les-Roses, tél. 03.26.03.42.11, fax 03.26.03.43.13, e-mail champagne@cattier.com
r.-v.

## CLAUDE CAZALS Extra-brut Cuvée vive ★★

Gd cru | 0,5 ha | 3 000 | 15 à 23 €

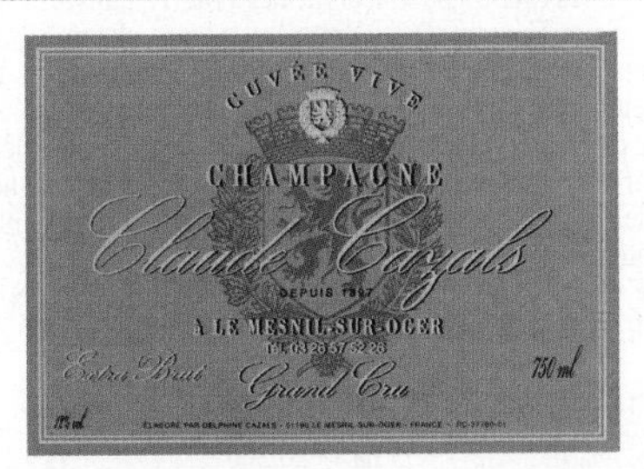


En 1897, Ernest Cazals, tonnelier originaire de l'Hérault, vient s'installer au Mesnil-sur-Oger, en Côte des Blancs. Lui succèdent Olivier, Claude puis Delphine, à la tête depuis 1996 des 9 ha de l'exploitation familiale. Sa Cuvée vive, issue de la vendange de 1998, est un extra-brut, c'est-à-dire un champagne non dosé, ou fort peu. C'est un archétype de blanc de blancs au nez de fleurs blanches tout en finesse, au palais frais, élégant, aromatique et complexe, avec des nuances de pêche, d'agrumes et d'épices (poivre). On pensera à lui pour accompagner huîtres, caviar ou filets de poisson. (RC)
Claude Cazals, 28, rue du Grand-Mont, 51190 Le Mesnil-sur-Oger, tél. 03.26.57.52.26, fax 03.26.57.78.43, e-mail cazals.delphine@wanadoo.fr r.-v.
Delphine Cazals

## CHARLES DE CAZANOVE Stradivarius ★★

n.c. | n.c. | 23 à 30 €

Créée en 1811, cette maison a été longtemps gérée par la famille des fondateurs ; elle vient de changer de mains et de quitter Epernay pour Reims. Fleuron de sa gamme, la cuvée Stradivarius est composée aux deux tiers de chardonnay. Sa robe jaune doré s'anime de bulles fines. Son nez complexe mêle des notes minérales, florales, miellées et biscuitées. Vif à l'attaque, puissant, très équilibré et élégant, le palais persiste longuement sur des nuances épicées. On pourra servir cette bouteille avec des coquilles Saint-Jacques. Deux autres champagnes obtiennent chacun une étoile : le **rosé (15 à 23 €)**, de couleur soutenue, aussi fruité au nez qu'en bouche, équilibré et qui pourra accompagner le repas ; et le **demi-sec (15 à 23 €)**, fin, complexe, et d'un bel équilibre sucre-acidité. (NM)
Charles de Cazanove, 17, rue des Créneaux, 51100 Reims, tél. 03.26.88.53.86, fax 03.26.54.41.52
t.l.j. 10h-19h

## CHANOINE Tsarine 1999 ★★

1er cru | n.c. | 8 400 | 30 à 38 €

Fondée en 1730, cette maison est la deuxième de Champagne par son ancienneté. Elle a été ressuscitée par le groupe BCC. Logée dans une originale bouteille torsadée, la cuvée Tsarine, en rosé 99, est issue des trois cépages champenois, avec une proportion importante (53 %) de meunier. Fine, élégante et longue, elle fait dire à un membre du jury : « On ne le déguste pas, on le savoure ». Une remarquable vinification. Le **Chanoine 95 (15 à 23 €)**, un blanc de blancs, obtient une étoile. Beurré et brioché avec des nuances de café, il est rond, bien équilibré, complexe et mûr. Le **Vintage 98 (15 à 23 €)** assemble 55 % de pinot et 45 % de chardonnay. Brioché et miellé, puissant, il révèle un dosage sensible ; il est cité, comme le **1er cru (15 à 23 €)**, mariage de deux tiers de pinot et d'un tiers de chardonnay, un champagne jeune et nerveux. (NM)
Chanoine Frères, allée du Vignoble, 51100 Reims, tél. 03.26.36.61.60, fax 03.26.36.66.62, e-mail chanoine-freres@wanadoo.fr

## CHAPUY Tradition ★

n.c. | 4 500 | 15 à 23 €

Fondateur de la maison en 1952, Serge Chapuy a été maire d'Oger, village de la Côte des Blancs, pendant dix-huit ans. Un Chapuy avait d'ailleurs occupé la même fonction à la Révolution. A la tête de la société depuis 1981, Arnold Chapuy dispose d'un vignoble de 6,5 ha. Il propose un rosé né de 65 % de chardonnay et de 35 % de pinot noir, dont 16 % vinifié en rouge. Dominé par la framboise, c'est un champagne plein de jeunesse. Le jury a par ailleurs cité la cuvée **Carte noire Tradition** (67 % de chardonnay et 33 % de pinot noir) et la **Carte verte Tradition Réserve blanc de blancs grand cru**. Issues toutes deux des années 1998 à 2001, elles sont équilibrées et persistantes. (NM)
SA Chapuy, 8 bis, rue de Flavigny, 51190 Oger, tél. 03.26.57.51.30, fax 03.26.57.59.25, e-mail champagne.chapuy@web-agri.fr r.-v.

## ROLAND CHARDIN Blanc de noirs

4,5 ha | 21 200 | 11 à 15 €

Voilà trente-cinq ans que Roland Chardin a constitué un domaine viticole dans l'Aube, près des Riceys. Il dispose de 7 ha de vignes. Né des récoltes de 2000 et de 2001, son brut est un blanc de noirs de pur pinot noir. Floral au nez, il est vineux en bouche, rond, bien structuré et mûr. (RM)
SCEA Chardin Père et Fils, 25, rue de l'Eglise, 10340 Avirey-Lingey, tél. 03.25.29.33.90, fax 03.25.29.14.01 r.-v.

## CHARDONNET ET FILS Réserve ★

0,5 ha | 2 000 | 11 à 15 €

Des Chardonnet de la Côte des Blancs ! Le vignoble, constitué à la fin des années 1950, se répartit entre Avize,

Cramant, Chouilly et la vallée de la Marne. Les raisins blancs entrent à hauteur de 70 % dans la cuvée Réserve, complétés par le pinot noir. Assemblage des années 1996 à 1998, c'est un champagne puissant, vineux et long. Quant au **blanc de blancs**, il exprime des arômes assez évolués d'agrumes confits et de coing. Gras, rond, généreusement dosé, il pourra être servi au repas, avec du poisson. (RM)
Yvette Chardonnet, 7, rue de l'Abattoir,
51190 Avize, tél. 03.26.57.91.73, fax 03.26.57.84.46
r.-v.

## GUY CHARLEMAGNE
Blanc de blancs Cuvée Mesnillésime 1999 *

Gd cru 2 ha 15 000 23 à 30 €

Les Charlemagne sont récoltants-manipulants depuis plus de cinquante ans et vignerons dans la Côte des Blancs depuis 1892. Ils exploitent une quinzaine d'hectares. La cuvée Mesnillésime a séjourné six mois dans le bois. Complexe et élégante, elle ne manque pas de caractère. Le **blanc de blancs 99 grand cru cuvée Charlemagne (15 à 23 €)** est discret au nez, frais, bien équilibré et harmonieux. Il obtient lui aussi une étoile. (RM)
Guy Charlemagne, 4, rue de La Brèche-d'Oger,
BP 15, 51190 Le Mesnil-sur-Oger,
tél. 03.26.57.52.98, fax 03.26.57.97.81,
e-mail info@champagne-guy-charlemagne.com
r.-v.
Philippe Charlemagne

## CHARLIER ET FILS Carte noire *

n.c. n.c. 11 à 15 €

Les Charlier exploitent 14 ha dans la vallée de la Marne. Leurs vins passent par le bois, comme cette Carte noire née des trois cépages champenois mais qui laisse au pinot meunier le premier rôle (60 %). Jaune soutenu aux nuances ambrées, puissante au nez comme en bouche, avec des senteurs confites qui se prolongent au palais, elle révèle des vendanges parfaitement mûres. (RM)
Charlier et Fils,
4, rue des Pervenches, 51700 Montigny-sous-Châtillon,
tél. 03.26.58.35.18, fax 03.26.58.02.31,
e-mail champagne.charlier@wanadoo.fr r.-v.

## J. CHARPENTIER Réserve **

n.c. 40 000 11 à 15 €

Les Charpentier exploitent une douzaine d'hectares dans la vallée de la Marne. Coup de cœur dans l'édition 2004, leur Réserve est une fois de plus très remarquée. C'est un blanc de noirs dominé par le pinot meunier (80 %), classique, équilibré, fin, qui atteint son apogée. Sa palette aromatique associe les fruits rouges et les fruits secs. La cuvée **Pierre-Henri (15 à 23 €)** est un autre blanc de noirs, mais de pur meunier. Elle passe par le bois. Son fruité compoté et confit (figue, abricot sec) nuancé de touches de noix traduit un vin mûr, qui est cité. La cuvée **Prestige (11 à 15 €)** obtient la même note. Assemblage de 80 % de pinots (dont 60 % de pinot noir) et de 20 % de chardonnay, c'est un champagne puissant, assez simple mais droit. (RM)
J. Charpentier,
88, rue de Reuil, 51700 Villers-sous-Châtillon,
tél. 03.26.58.05.78, fax 03.26.58.36.59,
e-mail champagnejcharpentier@wanadoo.fr
t.l.j. 9h-12h 14h-17h, dim. sur r.-v.

## JEAN-MARC ET CELINE CHARPENTIER
Réserve *

2 ha 10 000 15 à 23 €

L'ancêtre des Charpentier était à la fois vigneron et maître de poste dans la vallée de la Marne. La huitième génération suit en quelque sorte ses traces : elle associe à son exploitation viticole (10 ha) des activités touristiques et accueille les visiteurs dans des bâtiments construits par les compagnons du tour de France. Le pinot meunier domine dans ce brut Réserve (70 %), complété par le pinot noir (10 %) et le chardonnay. Les raisins, récoltés en 2000 et 2001, ont donné un vin confit, rond et ample. Deux autres champagnes, qui privilégient également le meunier, ont été cités : le **rosé** (80 % de meunier et 20 % de chardonnay des années 1999 et 2000) et la **cuvée Prestige Terre d'émotions** (50 % de meunier, 10 % de pinot noir et 40 % de chardonnay des années 1998 et 1999). Tous deux sont souples et fruités. (RC)
Jean-Marc et Céline Charpentier,
11, rte de Paris, 02310 Charly-sur-Marne,
tél. 03.23.82.10.72, fax 03.23.82.31.80,
e-mail jean-marc@champagne-charpentier.com
r.-v.

## CHARTOGNE-TAILLET Fiacre Tête de cuvée *

n.c. n.c. 15 à 23 €

Les Chartogne sont enracinés à Merfy, dans le massif de Saint-Thierry, où les premières vignes champenoises ont été implantées. Ils exploitent un domaine de 11 ha. Leur cuvée Fiacre naît de 60 % de chardonnay et de 40 % de pinot noir. Elle assemble des raisins de 1999 complétés par des vins de réserve de 1996. Miellée et élégante au nez, elle exprime en bouche des notes de prune. Un ensemble équilibré et plein de jeunesse. (RM)
Chartogne-Taillet, 37-39, Grande-Rue, 51220 Merfy,
tél. 03.26.03.10.17, fax 03.26.03.19.15 r.-v.

## CHASSENAY D'ARCE Blanc de blancs 1997 *

3 ha 20 300 15 à 23 €

Cette marque d'une union de producteurs tire son nom de l'Arce, petit cours d'eau qui irrigue ce secteur de la Côte des Bars, dans l'Aube. Fondée en 1956, la coopérative regroupe aujourd'hui 130 adhérents qui exploitent 310 ha. Son blanc de blancs 97 – un millésime difficile – est resté jeune. Il est frais et élégant. La cuvée **Confidences** recueille une citation. C'est un blanc de noirs des années 1996 à 1998. Amande, noisette et pamplemousse composent la palette aromatique de ce champagne léger et franc, qui trouvera sa place à l'apéritif. (CM)
Chassenay d'Arce, 11, rue du Pressoir,
10110 Ville-sur-Arce, tél. 03.25.38.30.70,
fax 03.25.38.79.17, e-mail champagne@chassenay.com
t.l.j. sf sam. dim. 9h-12h 14h-17h30; f. 1er -8 jan.

## CHAUDRON ET FILS Grande Réserve *

n.c. n.c. 11 à 15 €

Les Chaudron se sont établis en 1820 à Verzenay, dans la Montagne de Reims. Le pinot noir domine dans leur Grande Réserve (65 %). Il est complété par un soupçon de meunier (5 %) et 30 % de chardonnay. Son fruité fin et vif rappelant la groseille, son corps léger destinent ce champagne à l'apéritif. Quant au **rosé**, il fait la part belle au chardonnay (70 %, pour 30 % de pinot noir). Expressif et puissant, il mêle la cerise et le pruneau. Il est cité. (NM)

🔑 Chaudron, 2, rue de Beaumont, 51360 Verzenay, tél. 03.26.50.08.68, fax 03.26.50.08.71, e-mail champagnechaudron@wanadoo.fr
☑ Y 🚶 t.l.j. sf sam. dim. 9h-12h 14h-17h; f. août

A. CHAUVET Grand Rosé

● 1 ha 8 500 **15 à 23 €**

Fondée au milieu du XIX^e s. cette maison de négoce a son siège à Tours-sur-Marne, à l'est d'Epernay. Elle dispose de 10 ha de vignes. Né des années 1999 à 2001, son Grand Rosé privilégie le chardonnay (75 %), récolté principalement en 2001. S'y ajoutent 25 % de pinot noir vendangé en 2000, dont 10 % de vin de Bouzy vinifié en rouge. Un champagne équilibré, à son apogée : on fera sauter le bouchon sans tarder. Cité également, le **blanc de blancs 96 (23 à 30 €)** est assez complexe et équilibré. Avec sa grande vivacité et ses arômes déjà évolués, il porte la marque de son millésime. (NM)
🔑 Chauvet, 41, av. de Champagne, 51150 Tours-sur-Marne, tél. 03.26.58.92.37, fax 03.26.58.96.31, e-mail champagnechauvet@yahoo.fr
☑ Y 🚶 r.-v.
🔑 Famille Paillard-Chauvet

HENRI CHAUVET ★★

● 0,7 ha 5 000 ▮ **11 à 15 €**

C'est l'arrière-grand-père de Damien Chauvet, pépiniériste, qui a fondé l'exploitation dans la Montagne de Reims. Ce dernier est à la tête de 8 ha de vignes. Pinot noir (70 %) et chardonnay se conjuguent dans ce rosé au fruité délicat et complexe de fraise et de framboise. Son acidité fine lui confère fraîcheur et équilibre. Une réelle harmonie. Une étoile encore pour le **blanc de noirs**, dominé par le pinot noir (90 %) et issu des années 2001 et 2002. Fleurs, fruits et tabac blond composent la palette aromatique de ce champagne vivifié par une touche citronnée. (RM)
🔑 Damien Chauvet, 6, rue de la Liberté, 51500 Rilly-la-Montagne, tél. 03.26.03.42.69, fax 03.26.03.45.14, e-mail contact@champagne-chauvet.com ☑ Y 🚶 r.-v.

MARC CHAUVET ★

○ 1er cru 6 ha 50 000 ▮🌡 **11 à 15 €**

Enracinés à Rilly-la-Montagne, les Chauvet sont les héritiers d'une lignée de vignerons remontant au début du XVI^e s. C'est Clotilde qui officie au chai. Le brut sans année de l'exploitation assemble à parts égales les trois cépages champenois. C'est un champagne classique, rond, équilibré et persistant, aux arômes d'agrumes. Mi-blancs mi-noirs (pinot noir), la cuvée **Sélection** est citée pour son attaque vive, son fruité et son équilibre. (RM)
🔑 SCEV Marc Chauvet, 3, rue de la Liberté, 51500 Rilly-la-Montagne, tél. 03.26.03.42.71, fax 03.26.03.42.38, e-mail chauvet@cder.fr
☑ Y 🚶 t.l.j. 8h30-18h ; sam. dim. sur r.-v.

ANDRE CHEMIN 2000 ★

○ 1er cru 0,5 ha 7 800 ▮ **15 à 23 €**

Ce champagne porte le nom du fondateur de l'exploitation, laquelle remonte à 1948. La troisième génération s'est installée en 1997 sur les 6,50 ha du domaine, implanté dans la Montagne de Reims. Son 2000 assemble deux tiers de pinot noir et un tiers de chardonnay. Floral, équilibré et fin, il est aussi agréable au nez qu'en bouche. (RM)
🔑 Jean-Luc Chemin, 3, rue de Châtillon, 51500 Sacy, tél. 03.26.49.22.42, fax 03.26.49.74.89, e-mail sebastian.chemin@wanadoo.fr ☑ Y 🚶 r.-v.

ARNAUD DE CHEURLIN Réserve

○ 2,1 ha n.c. ▮ **11 à 15 €**

Etabli à Celles-sur-Ource, dans l'Aube, ce récoltant-manipulant a créé son domaine en 1981. Le pinot noir domine cette Réserve (75 %), complété par le chardonnay. Or jaune dans le verre, évoluée, cette cuvée exprime un fruité puissant et compoté, évoquant la surmaturation. (RM)
🔑 Arnaud de Cheurlin, 58, Grande-Rue, 10110 Celles-sur-Ource, tél. 03.25.38.53.90, fax 03.25.38.58.07 ☑ Y r.-v.

GASTON CHIQUET Tradition

○ 12 ha 110 000 ▮🌡 **11 à 15 €**

En 1746, Nicolas Chiquet planta son premier cep. En 1919, Fernand et Gaston Chiquet créent leur maison de négoce, dirigée aujourd'hui par les descendants de Gaston. La société possède un vignoble de plus de 22 ha, sur les territoires de Dizy, Aÿ, Mareuil-sur-Aÿ et Hautvillers. Issue des récoltes de 2000 et 2001, sa cuvée Tradition privilégie les raisins noirs (45 % de meunier, 20 % de pinot noir, 35 % de chardonnay). Elle est un peu légère et fugace, mais son fruité confit et son élégance lui valent d'être retenue. Cité également, le millésimé **Or 98 (15 à 23 €)** assemble 60 % de pinot noir et 40 % de chardonnay. Il offre d'intéressants parfums de miel, de prune et de fruits blancs que l'on retrouve dans une bouche ronde aux nuances beurrées. (RM)
🔑 Gaston Chiquet, 912, av. du Gal-Leclerc, 51530 Dizy, tél. 03.26.55.22.02, fax 03.26.51.83.81, e-mail info@gastonchiquet.com ☑ Y 🚶 r.-v.

CHRISTOPHE Carte verte

○ 8 ha 60 000 **8 à 11 €**

Située dans le village fleuri de Colombé-le-Sec (Aube), cette exploitation est récente puisqu'elle a été créée en 1970. Le domaine s'étend sur 11 ha. La Carte verte donne le premier rôle au pinot noir, qui représente 80 % de l'assemblage, complété par le chardonnay. Née de la récolte 2003, elle présente une robe or pâle à reflets verts et se montre discrète au nez. En bouche, elle révèle une belle structure, ample et vineuse. A attendre. (RM)
🔑 SCEV Champagne Christophe, rue Saint-Antoine, 10200 Colombé-le-Sec, tél. 03.25.27.18.38, fax 03.25.27.27.45, e-mail champagne-christophe@wanadoo.fr ☑ Y 🚶 r.-v.
🔑 Nicolo

CHARLES CLEMENT ★★

○ n.c. 15 000 ▮🌡 **11 à 15 €**

Cette coopérative auboise, créée en 1956, porte le nom de son fondateur. Elle vinifie les vendanges de 166 ha. Elle propose cette cuvée, un brut sans année, aux arômes d'amande, à la bouche souple et ronde, équilibrée, élégante et justement dosée ; c'est un ensemble fort harmonieux. (CM)
🔑 Sté coopérative vinicole de Colombé-le-Sec, rue Saint-Antoine, 10200 Colombé-le-Sec, tél. 03.25.92.50.71, fax 03.25.92.50.79
☑ Y t.l.j. 8h-12h 13h30-17h30; dim. ouv. 15 juin au 1^er sept.

### J. CLEMENT Prestige **

| | 1 ha | 5 000 | 11 à 15 € |
|---|---|---|---|

Installés dans la vallée de la Marne, ces récoltants-manipulants ont remarquablement réussi leur cuvée de prestige née de la vendange de 1999. Complété par le pinot noir, le chardonnay entre à hauteur de 70 % dans ce champagne au nez complexe et fin, mêlant la violette, la réglisse et la mûre. En bouche, ce vin séduit par sa bonne structure, sa rondeur et sa fraîcheur. Quant à la cuvée **Réserve**, elle assemble 70 % de meunier, 20 % de pinot noir et 10 % de chardonnay récoltés en 1999 et 2000. Son nez d'amande, de noyau de cerise et de mangue, son palais frais, équilibré et franc de goût lui valent une étoile. (RM)

EARL Clément Bauchet, 1, rue de l'Avenir, 51480 Revil, tél. 03.26.58.00.08, fax 03.26.57.10.64 r.-v.

### CLEMENT ET FILS

| | 5,5 ha | 3 000 | 11 à 15 € |
|---|---|---|---|

Etablis à Congy, entre la Côte des Blancs et le Sézannais, les Clément exploitent un vignoble de 5,5 ha fondé après la Seconde Guerre mondiale. Assemblant les années 2001 et 2002, leur rosé associe 60 % de chardonnay, 30 % de meunier et 10 % de pinot noir. Discret et fin au nez, aromatique en bouche, il est léger, équilibré, judicieusement dosé. (RM)

Clément et Fils, 15, rue des Prés, 51270 Congy, tél. 03.26.59.31.19, fax 03.26.59.22.63, e-mail champagne.clement@wanadoo.fr r.-v.

### PAUL CLOUET *

| Gd cru | 3 ha | n.c. | 15 à 23 € |
|---|---|---|---|

Cette exploitation familiale a son siège dans le célèbre village de Bouzy. Elle obtient une fois de plus une étoile grâce à ce grand cru au nez intense et complexe, fait de fleurs blanches et de fruits blancs, et au palais ample et généreux. (RM)

Paul Clouet, 10, rue Jeanne-d'Arc, 51150 Bouzy, tél. 03.26.57.07.31, fax 03.26.52.64.65 t.l.j. 9h-12h 14h-17h; sam. dim. sur r.-v.; f. août

### COLIN Cuvée Alliance

| | 4 ha | 25 000 | 11 à 15 € |
|---|---|---|---|

Un ancêtre cultivait déjà la vigne en 1829. Héritiers de cette longue lignée, Richard et Romain Colin se sont installés en 1997 sur le domaine familial (8,5 ha) implanté à Vertus, en Côte des Blancs. Ils ont décidé de quitter la coopérative pour devenir récoltants-manipulants. Leur cuvée Alliance met à l'honneur le chardonnay (85 %), complété par les deux pinots. Les raisins ont été vendangés en 2001 et 2002. Avec son nez discret de pâtisserie, de brioche et de fruits secs et sa bouche tout en dentelle, c'est un champagne aérien. (RM)

Colin, 101, av. du Gal-de-Gaulle, 51130 Vertus, tél. 03.26.58.86.32, fax 03.26.51.69.79, e-mail info@champagne-colin.com r.-v.

### COLLARD-CHARDELLE 1986 *

| | n.c. | 10 000 | 23 à 30 € |
|---|---|---|---|

Chez les Collard, chaque génération lance sa marque. Voici la troisième, créée en 1974 et alimentée par la production d'un vignoble de plus de 8 ha situé dans la vallée de la Marne. Agé d'une vingtaine d'années, ce champagne or soutenu est dominé par les raisins noirs. Equilibré et long, il a gardé de la fraîcheur, mais ses arômes évolués évoquant les fruits secs le destinent aux amateurs de vieux champagnes. La **cuvée Prestige (15 à 23 €)** naît des années 1998 à 2000 et privilégie elle aussi les raisins noirs (50 % de meunier, 25 % de pinot noir, 25 % de chardonnay). Elle a séjourné dix-huit mois en foudre. Evoluée aussi, ronde, mûre et persistante, elle est citée. (RM)

Collard-Chardelle, 68, rue de Reuil, 51700 Villers-sous-Châtillon, tél. 03.26.58.00.50, fax 03.26.58.34.76 r.-v.

### COLLARD-PICARD Cuvée Prestige

| | n.c. | 25 000 | 15 à 23 € |
|---|---|---|---|

Cette autre branche de la famille Collard exploite 7 ha dans la vallée de la Marne. Elle propose un brut sans année né des vendanges de 1998 à 2000. Les raisins noirs (meunier 50 %, pinot noir 25 %) dominent l'assemblage de ce champagne dont les vins de base ont été élevés un an en foudre. Son fruité complexe, associant des notes exotiques, de l'abricot, de l'alcool de mirabelle, du fruit sec à un léger boisé, sa bouche intense lui donnent le caractère qui convient à une cuvée spéciale. (RM)

Collard-Picard, 61, rue du Château, 51700 Villers-sous-Châtillon, tél. 03.26.52.36.93, fax 03.26.59.90.82, e-mail champcp51@aol.com r.-v.

### RAOUL COLLET Carte d'or 1996 *

| | 10 ha | 80 000 | 15 à 23 € |
|---|---|---|---|

Cette marque honore le nom de Raoul Collet qui, le premier en Champagne, fonda en 1921 une « société de producteurs ». Implantée à Aÿ, la coopérative regroupe 400 adhérents qui travaillent 450 ha de vignes. Mi-blancs mi-noirs (pinot noir), ce 96 libère au nez des parfums agréables et évolués, fruités, briochés et grillés. Les agrumes s'invitent dans une bouche nerveuse et harmonieuse. La **Carte noire (11 à 15 €)** fait la part belle aux raisins noirs qui composent 90 % de l'assemblage (65 % de meunier). Elle naît de la vendange 2001. Un peu fugace, discrètement fruité, c'est un champagne gras et gourmand : une citation. (CM)

Raoul Collet, 14, bd Pasteur, 51160 Aÿ, tél. 03.26.55.15.88, fax 03.26.54.02.40, e-mail info@champagne-raoul-collet.com

### RENE COLLET Empreinte de terroir

| | 1,2 ha | 10 267 | 11 à 15 € |
|---|---|---|---|

Héritier d'une famille de viticulteurs, René Collet a constitué son domaine à partir des années 1970 en plantant des parcelles de ses propriétés. Mi-blancs mi-noirs (pinot noir), son Empreinte de terroir provient de la récolte 2002. Discret mais complexe au nez, ce vin mêle les fruits blancs, la frangipane et l'acacia. Il est élégant, équilibré et justement dosé. (RM)

EARL René Collet, 6, ruelle de Louche, 51120 Fontaine-Denis, tél. 03.26.80.22.48, fax 03.26.80.29.34 r.-v.

### CHARLES COLLIN Cuvée Extra brut *

| | n.c. | 1 500 | 23 à 30 € |
|---|---|---|---|

Conçu en 1952, le centre de pressurage de Fontette, dans l'Aube, est à l'origine de cette coopérative qui vinifie les récoltes de 300 ha. Composé aux deux tiers de pinot noir, son **96 (15 à 23 €)** est fin, harmonieux et élégant : il obtient une étoile. Pinot noir (67 %) et chardonnay, vendangés en 1999, entrent dans cette cuvée Extra brut aux arômes de brioche et de pain grillé ; un champagne équilibré et long. (CM)

Charles Collin, 27, rue des Pressoirs, 10360 Fontette, tél. 03.25.38.31.00, fax 03.25.38.31.07, e-mail champagne-charles-collin@wanadoo.fr
r.-v.

### COLLON Cuvée de réserve ★

2 ha 12 000 11 à 15 €

En 1970, Michel Collon a pris la suite de son père, André Collon, qui fut dans les années 1930 l'un des premiers viticulteurs de l'Aube à élaborer lui-même son champagne. Cette Cuvée de réserve fait la part belle au pinot noir qui compose 85 % de l'assemblage. Les raisins ont été récoltés en 2000, 2001 et 2002. Floral, fruité et épicé au nez, ce champagne apparaît un peu fugace, mais il est équilibré et d'une agréable légèreté. (RM)

Michel Collon, 27, Grande-Rue, 10110 Landreville, tél. et fax 03.25.38.53.04, e-mail champ.collon@wanadoo.fr
t.l.j. sf dim. 9h-12h 15h-17h

### PHILIPPE COPIN Demi-sec ★

n.c. n.c. 11 à 15 €

Le nez évoque le praliné et la noisette. On retrouve les fruits secs dans un palais riche, ample, équilibré et long. Un champagne de caractère. (RC)

Philippe Copin, 11, rue Principale, 51700 Vandières, tél. 03.26.52.67.29, fax 03.26.52.18.23, e-mail champagne.copinphilippe@wanadoo.fr
r.-v.

### JACQUES COPINET Blanc de blancs ★

1,5 ha 15 000 11 à 15 €

Création de Jacques Copinet en 1975, cette exploitation située à 20 km de Sézanne et de Provins s'étend sur 8 ha. Son blanc de blancs naît des années 1999 à 2001. Ses arômes citronnés et mentholés, son attaque nerveuse lui donnent un air de jeunesse. Blanc de blancs également, la **cuvée Marie-Etienne 99 (15 à 23 €)** obtient elle aussi une étoile pour son fruité fin, son attaque vive, son bon dosage, son équilibre et sa persistance. (RM)

Jacques Copinet, 11, rue de l'Ormeau, 51260 Montgenost, tél. 03.26.80.49.14, fax 03.26.80.44.61, e-mail info@champagne-copinet.com r.-v.

### STEPHANE COQUILLETTE 2000

2 ha 18 681 15 à 23 €

Etablie à Chouilly, dans la Côte des Blancs, la famille Coquillette exploite 6 ha de vignes. Elle propose un 2000 assemblant deux tiers de pinot noir et un tiers de chardonnay. Un champagne discret, élégant et floral au nez, équilibré au palais mais généreusement dosé. (RM)

Stéphane Coquillette, 15, rue des Ecoles, 51530 Chouilly, tél. 03.26.51.74.12, fax 03.26.54.90.97
r.-v.

### CORDEUIL PERE ET FILS
Cuvée des fondateurs Réserve

n.c. 5 000 11 à 15 €

Installés dans l'Aube, les Cordeuil ont reconstitué leur vignoble dans les années 1950 et lancé leur champagne en 1974. Mi-blancs mi noirs (pinot noir), la Cuvée des fondateurs provient des années 1999 et 2000. Elle est citée pour son bouquet discrètement floral (iris, verveine), ses arômes de fruits exotiques, son équilibre et sa fraîcheur. (RM)

EARL Cordeuil Père et Fils, 2, rue de Fontette, 10360 Noé-les-Mallets, tél. et fax 03.25.29.65.37
r.-v.

### ALAIN COUVREUR
Cuvée de réserve Blanc de noirs ★

3,5 ha 14 000 11 à 15 €

Alain Couvreur a pris la suite de six générations de tonneliers et de vignerons. Son blanc de noirs privilégie le pinot noir (80 %) et assemble les années 1996 à 1998. Le nez est vineux, un rien évolué, avec des notes de figue et d'abricot, de fruits secs ou confits et de miel. La bouche est équilibrée, dense et longue. On y retrouve les fruits confits avec des nuances de prune. Une belle vinification. Sous une étiquette **David Couvreur Cuvée de réserve**, un blanc de noirs assemble 60 % de pinot noir et 40 % de pinot meunier des années 1992 et 1993. Evolué au nez, il évoque les fruits à l'alcool. Compoté au palais, puissant, il révèle une maturité épanouie et obtient une étoile. (RM)

EARL Alain Couvreur, 18, Grande-Rue, 51140 Prouilly, tél. 03.26.48.58.95, fax 03.26.48.26.29
r.-v.

### DOMINIQUE CRETE ET FILS Bulles blanches ★

Gd cru 0,75 ha 4 000 11 à 15 €

Installés au sud d'Epernay, les Crété exploitent 7 ha de vignes. Ils élaborent leur champagne depuis une dizaine d'années. Leur cuvée Bulles blanches provient évidemment du chardonnay, récolté en 2001 et 2002. Fine, fruitée, florale et printanière au nez, elle est ronde et fraîche en bouche. Un classique. Les raisins blancs dominent également la cuvée **Sélection**, où entrent aussi 15 % de pinot meunier. L'assemblage comprend les mêmes années que le précédent. Franc et fin au nez, discrètement floral, c'est un champagne rond et long, qui obtient également une étoile. Quant à la **Réserve**, issue des années 2000 à 2002, elle privilégie le meunier (75 %), complété par le chardonnay. C'est un vin simple mais agréable par ses arômes floraux et sa fraîcheur. Il est cité. (RM)

Dominique Crété et Fils, 99, rue des Prieurés, 51530 Moussy, tél. 03.26.54.52.10, fax 03.26.52.79.93
r.-v.

### CUPERLY Grande Réserve ★

n.c. 50 000 11 à 15 €

Maison de négoce fondée en 1845 par Auguste Cuperly. Robert, son fils, constitue un vignoble autour de Verzy, dans la Montagne de Reims. Lui succèdent Jean et aujourd'hui Gérard Cuperly. Cette cuvée comprend un tiers de vins de réserve vieillis en fût et assemble 60 % de pinot noir à 40 % de chardonnay. Elle est empyreumatique, fine et équilibrée. Une étoile encore pour la **cuvée Prestige blanc de noirs (15 à 23 €)** issue de pur pinot noir récolté en 1998 et 1999 et élevée douze mois en fût. Boisé et mentholé au nez, c'est un champagne frais, complexe et équilibré, qui devrait encore se bonifier avec le temps. Provenant des mêmes années que le précédent, la **cuvée Prestige blanc de blancs (15 à 23 €)** apparaît boisée et fruitée. Elle est citée. (NM)

Cuperly, 2, rue de l'Ancienne-Eglise, 51380 Verzy, tél. 03.26.97.92.42, e-mail champagne.cuperly@wanadoo.fr r.-v.

## COMTE AUDOIN DE DAMPIERRE
Grand Vintage 1996 *

n.c. 10 000 **23 à 30 €**

Audouin de Dampierre fait élaborer des champagnes haut de gamme. Le 96 est deux fois plus noirs que blancs. Les dégustateurs ont apprécié les notes fumées, celles de cire, de fruits blancs, ainsi que l'élégance et la longueur de cette cuvée. (NM)

Comte Audoin de Dampierre, 3, pl. Boisseau, 51140 Chenay, tél. 03.26.03.11.13, fax 03.26.03.18.05, e-mail champagne.dampierre@wanadoo.fr r.-v.

## PAUL DANGIN ET FILS
Tradition Cuvée élaborée en fût de chêne *

1 ha 6 317 **11 à 15 €**

Depuis plus d'un siècle, cette famille cultive la vigne. C'est en 1947 qu'elle crée sa marque ; elle dispose d'un vignoble de 35 ha. L'étiquette évoque le bois ; elle ne dit pas que ce champagne est un blanc de blancs. Les raisins ont été vendangés en 2000 et 2001. A travers les arômes vanillés, toastés et les notes de pain beurré, cépage et élevage s'expriment avec souplesse et agrément. La cuvée **Prestige 2000** naît de 40 % de pinot noir et de 60 % de chardonnay ; elle est florale, élégante et équilibrée, et obtient elle aussi une étoile. (NM)

SARL Paul Dangin et Fils, 11, rue du Pont, 10110 Celles-sur-Ource, tél. 03.25.38.50.27, fax 03.25.38.58.08 r.-v.

## JACQUES DEFRANCE 1999

n.c. 3 000 **15 à 23 €**

Ce producteur des Riceys (du rosé éponyme, entre autres), dont la marque a vu le jour en 1973, exploite un vignoble qui s'étend sur 10 ha. Le 99 est quatre fois plus noirs que blancs. L'or de la robe masque un reflet rose ; le fruité rouge est présent. C'est donc un champagne qui pinote. (RM)

Jacques Defrance, 28, rue de la Plante, 10340 Les Riceys, tél. 03.25.29.32.20, fax 03.25.29.77.83, e-mail champagne-jacques-defrance@wanadoo.fr r.-v.

## DELABARRE Tradition

2,5 ha 20 000 **11 à 15 €**

Depuis 1920, la famille Delabarre exploite des vignes sur la côte sud de la vallée de la Marne, dans le village de Vandières dont l'église comporte un porche du XII^e^s. Christiane Delabarre dispose d'un vignoble de 6 ha. A 5 % près, ce vin est un blanc de noirs (meunier 70 %) des années 2000 et 2001. C'est un champagne d'apéritif au fruité aimable, gentiment équilibré. (RM)

Christiane Delabarre, 26, rue de Châtillon, 51700 Vandières, tél. 03.26.58.02.65, fax 03.26.57.10.94, e-mail delabarre.christiane@wanadoo.fr r.-v.

## DELAHAIE Cuvée Prestige

n.c. 10 000 **11 à 15 €**

Une marque de négoce d'Epernay assez discrète car ses bouteilles sont rares. Pourtant cette cuvée Prestige est superbement présentée avec son élégante étiquette transparente blanche et or. Dans cette bouteille, la cuvée comprend autant de pinot noir que de chardonnay complétés par 10 % de pinot meunier. La vinosité apportée par le pinot est manifeste, la rondeur et l'équilibre également. (NM)

Jacques Brochet, Champagne Delahaie, allée de la Côte-des-Blancs, 51200 Epernay, tél. 03.26.54.08.74, fax 03.26.54.34.45, e-mail champagne.delahaie@wanadoo.fr r.-v.

## DELAMOTTE

n.c. n.c. **15 à 23 €**

L'une des plus anciennes maisons de Champagne créée par François Delamotte en 1760 au Mesnil-sur-Oger dans ses locaux actuels, contigus du Champagne Sabon ; ces deux marques appartiennent à Laurent-Perrier. Les trois cépages champenois (dont 50 % de chardonnay) des années 1999 à 2001 sont au service d'un champagne apéritif, équilibré, frais, dosé. Le **blanc de blancs (23 à 30 €)** est également cité. Dans le même esprit que le précédent, il affirme sa finesse. (NM)

Delamotte, 7, rue de la Brèche-d'Oger, 51190 Le Mesnil-sur-Oger, tél. 03.26.57.51.65, fax 03.26.57.79.29, e-mail champagne@salondelamotte.com r.-v.

## ANDRE DELAUNOIS Cuvée royale *

1er cru 2 ha 17 000 **11 à 15 €**

Emmanuel Delaunois était vigneron. Dans les années 1920, il se lance dans la manipulation. Ses descendants exploitent près de 8 ha dans la Montagne de Reims. Les trois cépages champenois des années 2000 à 2002 et 20 % de vins de réserve se retrouvent dans cette cuvée jaune d'or, dotée d'un nez intense. Ronde et fraîche, elle conviendra à l'apéritif. Une étoile est attribuée également à la **Cuvée sublime 1^er^ cru** qui fait appel à davantage de vins de réserve (40 %) pour compléter un vin de base de 1999, 2001 et 2002. Corpulence et finesse la destinent à la table. Lorsque vous irez à Rilly-la-Montagne, n'oubliez pas d'entrer dans l'église du XII^e^s. dont les stalles représentent les travaux de la vigne. (RM)

André Delaunois, 17, rue Roger-Salengro, BP 42, 51500 Rilly-la-Montagne, tél. 03.26.03.42.87, fax 03.26.03.45.40, e-mail champagne.a.delaunois@wanadoo.fr r.-v.

## DELAVENNE PERE ET FILS Cuvée de réserve *

Gd cru 4 ha 15 000 **11 à 15 €**

Marque lancée en 1977 exploitant 8,5 ha dans la commune de Bouzy (grand cru). La Cuvée de réserve comprend du pinot noir et du chardonnay (60/40) des années 1998 et 1999. Les dégustateurs y découvrent une touche beurrée, briochée et un fruité rouge et blanc. Or pâle à reflets verts, elle est équilibrée, harmonieuse et longue. La **Cuvée rose** est citée ; mi-blancs mi-noirs, y compris 12 % de Bouzy rouge pour la teinter, elle est fruitée et corpulente. (RM)

Delavenne Père et Fils, 6, rue de Tours, 51150 Bouzy, tél. 03.26.57.02.04, fax 03.26.58.82.93 t.l.j. 10h-12h 15h-18h; f. 15 août au10 sep.

## DELOUVIN-NOWACK Carte d'or *

5 ha 40 000 **11 à 15 €**

Tonneliers et vignerons depuis le XVI^e^s, les Delouvin ont commencé à élaborer leur champagne dans les années 1930. Ils exploitent aujourd'hui un vignoble de 6,5 ha. Le Carte d'or est un blanc de noirs de pinot meunier des années 2001 et 2002. Son bouquet discret de pâte d'amandes et son fruité précèdent des saveurs fines et vives. Structuré et long, justement dosé, il pourrait être servi sur des huîtres chaudes. L'**Extra Sélection 99 (15 à 23 €)** assemble 60 % de chardonnay au pinot meunier. C'est un champagne rond, équilibré, généreusement dosé. (RM)

🔑 Delouvin-Nowack, 29, rue Principale, 51700 Vandières, tél. 03.26.58.02.70, fax 03.26.57.10.11, e-mail info@champagne-delouvin-nowack.com
r.-v.
🔑 Bertrand Delouvin

MICHEL DEMIERE Tradition *

3 ha 20 000 11 à 15 €

Constitué à la fois par un héritage, un achat et une location de vignes par un vigneron de Trépail, le vignoble s'étend sur 6 ha. Son Tradition est mi-noirs mi-blancs, issu de raisins vendangés en 2002. Il est très clair dans le verre. Son nez de beurre et d'amande annonce un fruité frais, fin, élégant ; le dosage est sensible et la longueur très honorable. (RM)

🔑 SCEV Michel Demière, 2, allée du Jardinot, 51380 Trépail, tél. 03.26.57.06.23, fax 03.26.57.83.04
r.-v.

DEMILLY DE BAERE Cuvée Réserve 1999 *

0,5 ha 3 000 11 à 15 €

En 1975, Gérard Demilly achète un vignoble de 12 ha et crée sa marque. Le 99, issu des trois cépages champenois, se montre floral, mais on y perçoit des notes de tabac et de café. Gras, complexe, il est plus puissant que fin : un champagne de caractère. La **cuvée Carte d'or**, dans laquelle les raisins noirs sont majoritaires (75 %), née des vendanges des années 2001 et 2002, est citée pour son ampleur et son équilibre classique. (NM)

🔑 Gérard Demilly, Dom. de La Verrerie, rue du Château, 10200 Bligny, tél. 03.25.27.44.81, fax 03.25.27.45.02, e-mail champagne-demilly@barsuraube.net
t.l.j. sf lun. 14h-19h; sam. 10h-12h; dim. sur r.-v.

GASTON DERICBOURG Cuvée de réserve *

2 ha 20 000 15 à 23 €

La marque et les vignes ont été reprises en 1955 par le champagne Henri Mandois. Les trois cépages champenois se marient dans cette Cuvée de réserve briochée, équilibrée et vigoureuse. (NM)

🔑 Gaston Dericbourg, 66, rue du Gal-de-Gaulle, BP 9, 51530 Pierry, tél. 03.26.54.03.18, fax 03.26.51.53.66
r.-v.
🔑 Mandois

DEROT-DELUGNY 2000 *

1 ha 8 000 11 à 15 €

Les grands-parents de l'exploitant actuel ont vendu leurs premières bouteilles en 1929. Ils construisaient aussi des charrues vigneronnes... Aujourd'hui le vignoble s'étend sur 12 ha et la cave est creusée dans la colline. Le 2000 est mi-noirs mi-blancs. Or pâle, beurré, brioché, il se montre frais et ample. (RM)

🔑 François Dérot, 15, Grande-Rue, 02310 Crouttes-sur-Marne, tél. 03.23.82.18.18, fax 03.23.82.08.78 r.-v.

DEROUILLAT
Blanc de blancs Cuvée réservée L'Esprit *

1er cru 1 ha 10 000 11 à 15 €

Domaine et marque familiale repris en 1981 par Luc Dérouillat. Ce blanc de blancs des années 2000 à 2002, aux arômes d'agrumes et de rose sauvage, se révèle rond et long. La mousse fine et le cordon intense sont du plus bel effet. (RM)

🔑 Luc Dérouillat, 23, rue des Chapelles, 51530 Monthelon, tél. 03.26.59.76.54, fax 03.26.59.77.27, e-mail champagne.derouillat@wanadoo.fr r.-v.

MICHEL DERVIN Cuvée MD *

4 ha 30 000 11 à 15 €

Cuchery, c'est une église romane et un parc des aulnes. Michel Dervin y possède une exploitation de 4,5 ha et a lancé sa marque en 1983. Sa cuvée MD est un blanc de noirs des deux pinots (75 % de meunier) des années 1997-1998 et 2000-2001. Ce vin ne fait pas sa fermentation malolactique. Les agrumes et la pomme se marient avec finesse et persistance. Ce champagne équilibré et long peut être de garde. (NM)

🔑 Michel Dervin, rte de Belval, 51480 Cuchery, tél. 03.26.58.15.22, fax 03.26.58.11.12, e-mail dervin.michel@wanadoo.fr r.-v.

DESBORDES-AMIAUD *

1er cru n.c. n.c. 15 à 23 €

Récoltant-manipulant exploitant un vignoble de 9 ha à Ecueil, non loin de Reims. Son rosé de noirs habillé de rose saumon se montre fruité et puissant. Sans doute est-ce l'apport du vin rouge qui est à l'origine de cette puissance. Ce champagne n'en est pas moins long et très agréable. (RM)

🔑 Marie-Christine Desbordes, 2, rue de Villers-aux-Nœuds, 51500 Ecueil, tél. 03.26.49.77.58, fax 03.26.49.27.34 r.-v.

CHARLES DESFOURS Blanc de blancs

1,5 ha 15 000 11 à 15 €

Deuxième marque, créée en 1975 par le Champagne Jacques Copinet. Ce blanc de blancs, des années 1999 à 2001, présente au nez et en bouche des signes d'évolution. Le fruité confit ne nuit cependant pas à la fraîcheur de ce champagne structuré et équilibré. (RM)

🔑 Jacques Copinet, 11, rue de l'Ormeau, 51260 Montgenost, tél. 03.26.80.49.14, fax 03.26.80.44.61, e-mail info@champagne-copinet.com r.-v.

A. DESMOULINS ET CIE Grande Cuvée

n.c. n.c. 23 à 30 €

Cette maison de négoce d'Epernay produit depuis de longues années cette Grande Cuvée, un brut sans année dont les notes fruitées et miellées s'équilibrent avec simplicité en bouche. Un apéritif de bonne persistance. (NM)

🔑 A. Desmoulins et Cie, 44, av. Foch, BP 10, 51201 Epernay Cedex, tél. 03.26.54.24.24, fax 03.26.54.26.15 r.-v.

PAUL DETHUNE *

Gd cru 1 ha 4 000 15 à 23 €

Ambonnay, bourg médiéval, donne à voir une église du XII[e]s. C'est là qu'est le siège de cette propriété fondée il y a un siècle et demi disposant d'un vignoble de 7 ha. Son rosé est issu de 80 % de pinot noir complété par le chardonnay. Le vin passe six mois dans le bois. Le cordon fin traverse une robe fuschia élégante entourant un corps équilibré. Les saveurs de fruits rouges se doublent avec originalité d'une touche d'amande. (RM)

🔑 Paul Déthune, 2, rue du Moulin, 51150 Ambonnay, tél. 03.26.57.01.88, fax 03.26.57.09.31, e-mail info@champagne-dethune.com r.-v.

CUVEE WILLIAM DEUTZ 1996 ★★★

● n.c. 60 000 ▮ + de 76 €

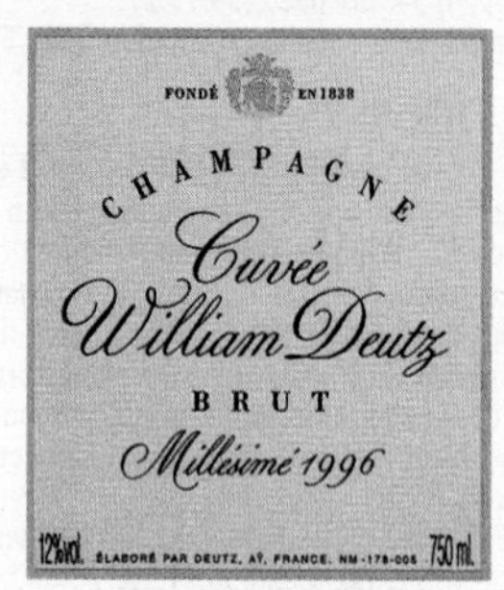


Célèbre maison d'Aÿ fondée en 1838, reprise par Roederer en 1993. La cuvée William Deutz 96 remporte tous les suffrages pour ses notes fumées, beurrées et de fruits confits, pour ses saveurs fraîches, de brioche et de noisette, pour sa finesse, son élégance et sa charpente. Un coup de cœur trois étoiles ! Deux étoiles pour la même **cuvée William Deutz 96 en rosé**, équilibrée, onctueuse, suave. Enfin deux étoiles encore pour le **blanc de blancs 98 Amour de Deutz**, grillé, aux saveurs de brioche et de noisette, très long, à son apogée. Le chef de cave, Michel Davesne, réussit là un exploit rare dans le Guide. (NM)

Deutz, 16, rue Jeanson, 51160 Aÿ-Champagne, tél. 03.26.56.94.00, fax 03.26.56.94.13 r.-v.

PIERRE DOMI Cuvée spéciale ★★

● 0,5 ha 2 640 ▮ 15 à 23 €

Le village de Grauves est entouré de vignes et de bois. Cette exploitation viticole créée par Pierre Domi en 1947 est conduite aujourd'hui par ses petits-enfants Thierry et Stéphane. La Cuvée spéciale n'assemble que des vins de chardonnay, essentiellement de l'année 2000. C'est pour cela que le nez explose de fleurs blanches et de fruits blancs. La bouche est très équilibrée, ronde et généreuse. (RM)

Pierre Domi, 8, Grande-Rue, 51190 Grauves, tél. 03.26.59.71.03, fax 03.26.52.86.91, e-mail champagnedomipierre@wanadoo.fr r.-v.

DOM PERIGNON 1996 ★★★

● n.c. n.c. ▮ + de 76 €

Le groupe géant du champagne trouve son origine dans la fondation de la maison Moët en 1743. La cuvée spéciale élaborée sous les auspices du « père du champagne » est l'un de ses fleurons. Elle assemble pinot noir et chardonnay des meilleures années. Que la plus grande maison de champagne produise l'un des plus grands champagnes n'étonne personne. Le Dom Perignon 96 confirme sa rare qualité et sa jeunesse inaltérable, ce qui n'est pas le cas de tous les 96. Sa vivacité, sa minéralité et son harmonie ont séduit une fois de plus les dégustateurs de cette coûteuse cuvée de prestige. (NM)

Moët et Chandon, 20, av. de Champagne, BP 140, 51333 Epernay Cedex, tél. 03.26.51.20.00, fax 03.26.51.20.24 t.l.j. 9h30-11h30 14h-16h30; groupes sur r.-v.

DOM RUINART 1990 ★

● n.c. n.c. ▮ + de 76 €

La plus ancienne maison de négoce, fondée en 1729 par Nicolas Ruinart, neveux de Dom Thierry Ruinart, condisciple de Dom Pérignon. Depuis 1963, Moët et Chandon (LVMH) a pris le contrôle de Ruinart. Le haut de gamme rosé est un rosé de quinze ans d'âge, ce qui est exceptionnel. C'est un blanc de blancs coloré par 17 % de vin rouge de Verzy et Verzenay. Les dégustateurs sont à la fois étonnés et subjugués. Mariage parfait d'évolution et de fraîcheur. Un grand vin pour amateur. Une citation pour l'autre **rosé de Ruinart (46 à 76 €)**, un sans année, 45 % chardonnay, 55 % pinot noir. Il est élaboré en majorité à partir de la vendange 2000 complétée par 20 % de vins de réserve des deux années précédentes. Son registre est celui des fruits rouges ; vineux, vanillé, il pourra accompagner un carpaccio de bœuf. (NM)

Ruinart, 4, rue des Crayères, BP 85, 51053 Reims Cedex, tél. 03.26.77.51.51, fax 03.26.77.51.00, e-mail jpmoulin@ruinart.com r.-v.

DOQUET-JEANMAIRE Blanc de blancs Tradition ★

● 1er cru 5,5 ha 46 000 ▮ 11 à 15 €

En 1974, Michel Doquet et Nicole Jeanmaire créent un domaine de plus de 10 ha, repris en 2004 par Pascal Doquet. La cuvée Tradition est un blanc de blancs des années 1998 à 2000, les vins de réserve interviennent pour 40 %. Des arômes floraux d'aubépine précèdent une bouche équilibrée et persistante. Un autre **blanc de blancs Carte d'or**, des mêmes années mais comportant plus de vins de réserve (46 %), très proche du précédent, obtient la même note. (SR)

Doquet-Jeanmaire, 44, chem. du Moulin-de-la-Cense-Bizet, 51130 Vertus, tél. 03.26.52.16.50, fax 03.26.59.36.71, e-mail info@champagne-doquet-jeanmaire.com r.-v.
Pascal Doquet

DIDIER DOUE Prestige ★

● 1 ha 4 000 ▮ 11 à 15 €

Didier Doué a créé son vignoble de Montgueux en 1976 et se consacre à l'élaboration de ses champagnes depuis 1985. La commune de Montgueux, proche de Troyes, est connue pour la qualité de ses chardonnays ; ils sont majoritaires (60 %) dans ce Prestige assemblant à égalité deux belles années : 1996 et 1998. Un champagne complexe (aubépine, miel, tilleul), élégant, ample et persistant. Le **blanc de blancs 98 (15 à 23 €)** obtient une étoile pour son charme miellé, ses notes de fruits confits et son harmonie ample qui le destine à la table. (RM)

Didier Doué, 3, voie des Vignes, 10300 Montgueux, tél. 03.25.79.44.33, fax 03.25.79.40.04 r.-v.

ETIENNE DOUE Cuvée Prestige 1997 ★

● 0,5 ha 2 500 ▮ 15 à 23 €

Nous sommes toujours à Montgueux, toujours chez des Doué, mais cette fois chez Etienne. C'est en 1972 qu'il crée son vignoble de 5,5 ha et c'est en 1997 qu'il lance sa marque. Son Prestige est un blanc de blancs (l'étiquette ne l'annonce pas) puissant, miellé et frais, tout en fruits exotiques et abricot. Pour apéritif ou dessert. (RM)

Etienne Doué, 11, rte de Troyes, 10300 Montgueux, tél. 03.25.74.84.41, fax 03.25.79.00.47 r.-v.

DOYARD-MAHE

● 1er cru n.c. n.c. ▮ 15 à 23 €

Maurice Doyard – père de Philippe, auteur de ce rosé – a été un personnage très important en Champagne puisqu'il fut le cofondateur du Comité interprofessionnel

du vin de champagne (CIVC). Le vignoble s'étend sur 6 ha à Vertus, au sud de la Côte des Blancs. C'est pour cela que ce rosé est un blanc de blancs, teinté par 12 % de vin rouge. Il passe six mois en fût. Sa robe rose soutenu annonce la finesse des arômes de fraises des bois. La bouche équilibrée attend un gratin de fruits rouges. (RC)
Philippe Doyard-Mahé, Moulin d'Argensole, 51130 Vertus, tél. 03.26.52.23.85, fax 03.26.59.36.69, e-mail champagne.doyard.mahe@hexanet.fr
t.l.j. sf dim. 10h-12h 14h-18h; f. 20 déc.-5 jan.

## DRAPPIER Blanc de blancs *

n.c. 25 000 15 à 23 €

Maison de négoce, propriétaire en propre d'une cinquantaine d'hectares, sise à Urville dans l'Aube et fondée il y a plus d'un siècle. Ce blanc de blancs a atteint son apogée : le brioché et le grillé sont présents, tant au nez qu'en bouche. Sa générosité et sa rondeur en font un champagne de table. La **Carte d'or** se compose essentiellement de pinots (85 %) ; elle est citée pour ses arômes de cuir, de tabac et pour sa bouche complexe. (NM)
Drappier, rue des Vignes, 10200 Urville, tél. 03.25.27.40.15, fax 03.25.27.41.19, e-mail info@champagne-drappier.com
t.l.j. sf dim. 8h-12h 14h-18h

## DRIANT-VALENTIN

1er cru 2 ha 16 000 11 à 15 €

Domaine de 5,5 ha créé en 1924, qui élabore son champagne depuis 1972. Ce brut sans année est issu de chardonnay et de pinot noir (60/40). Son attaque vive, ses arômes floraux soutenus par une belle nervosité contribuent à sa longueur en bouche. Le **millésimé 95 (15 à 23 €)**, dominé par le chardonnay (80 %), a ravi les dégustateurs pour son équilibre, son fruité et sa fraîcheur. (RM)
Jacques Driant, 4, imp. de la Ferme, 51190 Grauves, tél. 03.26.59.72.26, fax 03.26.59.76.55, e-mail champagne.driant-valentin@laposte.net
r.-v.

## DROUILLY LV Tradition *

0,7 ha 7 000 11 à 15 €

En 1996, Vincent Drouilly reprend l'exploitation familiale de 8 ha et se lance dans la champagnisation. La cuvée Tradition fait honneur au pinot noir (80 % de l'année 2000) ; elle est réglissée, anisée, harmonieuse et persistante. (RM)
Vincent Drouilly, 1, rte de Chacenay, 10360 Noé-les-Mallets, tél. 03.25.29.65.35, fax 03.25.38.25.30, e-mail champagnedlv@wanadoo.fr
r.-v.

## CLAUDE DUBOIS

2 ha n.c. 11 à 15 €

Claude Dubois est le petit-fils d'Edmond qui fut surnommé le Rédempteur de la Champagne à la suite de son attitude durant la période noire de 1911. Son vignoble s'étend sur 7 ha. Ce brut à base de 90 % de pinots (dont 60 % de pinot meunier) assemble des vins élevés un an en foudre. Il est puissant, rond et frais. Citée également, la **cuvée Les Almanachs, Grande Réserve (15 à 23 €)** est un blanc de noirs floral et nerveux. « Un vrai champagne de début d'automne », écrit un dégustateur. (RM)
P. et F. Dubois, EARL du Rédempteur, rte d'Arty, 51480 Venteuil, tél. 03.26.58.48.37, fax 03.26.58.63.46, e-mail redempteur@wanadoo.fr
t.l.j. 9h-12h 13h30-17h30; sam. dim. sur r.-v.
Claude Dubois

## GERARD DUBOIS Blanc de blancs Réserve **

2 ha 10 000 11 à 15 €

Il y a eu Paul Dubois, puis Jean et enfin Gérard qui lance sa propre marque en 1975 et dont le vignoble de 6 ha s'étend principalement dans la Côte des Blancs, ainsi que dans l'Aube et dans la vallée de la Marne. Ce blanc de blancs de l'année 1998 ne fait pas sa fermentation malolactique ; ses arômes d'agrumes, de noisette et de vanille précèdent une bouche généreuse... généreusement dosée ! Une étoile pour un autre **blanc de blancs 95 (15 à 23 €)** dont l'équilibre entre fraîcheur, vinosité et acidité séduit. Et encore une étoile pour la cuvée **Tradition**, issue des trois cépages champenois des années 1999-2000, au fruité charnu et frais ; elle est dosée. (RM)
Gérard Dubois, 67, rue Ernest-Vallé, 51190 Avize, tél. 03.26.57.58.60, fax 03.26.57.41.94 r.-v.

## HERVE DUBOIS Blanc de blancs Réserve *

Gd cru 2,5 ha 4 000 11 à 15 €

A la tête de sa propriété de 4,5 ha depuis 1980, Hervé Dubois vinifie du grand cru, dont cette cuvée Réserve qui n'a pas fait sa fermentation malolactique. Elle fait songer à la pêche, à la brioche, avec intensité, finesse et élégance. (RM)
Hervé Dubois, 67, rue Ernest-Vallé, 51190 Avize, tél. 03.26.57.52.45, fax 03.26.57.99.26 r.-v.

## J. DUMANGIN FILS

1er cru 0,5 ha 5 000 15 à 23 €

Marque de négoce de Chigny-les-Roses lancée en 1968 par Jacky Dumangin qui est toujours aux commandes et exploite un vignoble de plus de 5 ha. Ce rosé couleur brique claire est mi-noirs mi-blancs. Il a atteint son apogée avec ses notes de fruits cuits encore vives, compensées par un dosage sensible. (NM)
J. Dumangin Fils, 3, rue de Rilly, BP 23, 51500 Chigny-les-Roses, tél. 03.26.03.46.34, fax 03.26.03.45.61, e-mail info@champagne-dumangin.fr r.-v.

## DUMENIL Cuvée Prestige

1,5 ha 14 270 15 à 23 €

Créé il y a plus d'un demi-siècle, ce vignoble couvre une dizaine d'hectares du côté de Chigny-les-Roses, un village qui doit beaucoup à madame Pommery qui l'habitait. Beaucoup de chardonnay et 20 % des pinots noir et meunier composent la cuvée Prestige, classique, d'une belle ampleur. Elle ne gagnera rien à être attendue. (RM)
Duménil, rue des Vignes, 51500 Chigny-les-Roses, tél. 03.26.03.44.48, fax 03.26.03.45.25, e-mail info@champagne-dumenil.com r.-v.

## R. DUMONT ET FILS *

22 ha 110 000 11 à 15 €

Très ancien vignoble familial de 22 ha. Dans les années 1970, des chais modernes furent créés afin de champagniser sur le domaine. Ce brut issu essentiellement de pinots (85 %) fait appel aux vins de 1997 à 2001 ; il est ample et son fruité est riche. Le **demi-sec**, avec presque autant de pinots (80 %), se voit attribuer une étoile par des dégustateurs qui lui reconnaissent une qualité rare : une élégante finesse aérienne, car les demi-secs sont très souvent alourdis par le sucre (ici 90 g/l.). (RM)

R. Dumont et Fils, rue de Champagne, 10200 Champignol-lez-Mondeville, tél. 03.25.27.45.95, fax 03.25.27.45.97, e-mail rdumontetfils@wanadoo.fr r.-v.

## DUVAL-LEROY Fleur de champagne

n.c. 1 500 000 15 à 23 €

Fondée en 1859, cette marque 100 % familiale est la plus importante de la Côte des Blancs (et de loin !). Autre caractéristique : elle dispose d'un très vaste vignoble (170 ha). Elle est dirigée depuis 1991 par une femme d'une grande énergie : Carol Duval. Ce brut Fleur de champagne est trois fois plus noirs que blancs ; il est rond, souple, léger, destiné à l'apéritif. Le **96 Fleur de champagne (23 à 30 €)**, à l'inverse du précédent, privilégie le chardonnay (70 %). Cette cuvée n'échappe pas au « paradoxe des 96 » qui cumulent fraîcheur et évolution. (NM)

Duval-Leroy, 69, av. de Bammental, 51130 Vertus, tél. 03.26.52.10.75, fax 03.26.52.37.10, e-mail champagne@duval-leroy.com r.-v.

## CHARLES ELLNER Réserve

1er cru 9 ha 20 000 15 à 23 €

Les Ellner ont été récoltants-manipulants jusqu'en 1972 et ont constitué un important vignoble de 54 ha. L'essor de l'entreprise les a conduits à prendre le statut de négociant. La Réserve, 70 % de pinot noir et 30 % de chardonnay récoltés en 1999, est équilibrée et fondue. La cuvée **Prestige 98** issue des mêmes cépages offre des arômes de fleurs blanches et de citronnelle. Elle est sensiblement dosée et obtient une citation, de même que le **rosé**, un rosé de saignée (100 % pinot noir) de 1999, élevé huit mois dans le bois. Il présente une robe soutenue. Sa corpulence le destine à la table. (NM)

Charles Ellner, 6, rue Côte-Legris, BP 223, 51207 Epernay Cedex, tél. 03.26.55.60.25, fax 03.26.51.54.00, e-mail info@champagne-ellner.com r.-v.

## CHRISTIAN ETIENNE Tradition *

6 ha 25 000 8 à 11 €

Ce domaine de L'Espérance est situé dans l'Aube. Depuis 1990, il dispose de 9,4 ha et élabore ses propres champagnes. La cuvée Tradition est élaborée à partir de cépages noirs (85 %) des années 2000 et 2001. Elle comprend 15 % de vins de réserve élevés en pièces pendant un an. Un cordon persistant anime sa robe d'or. Groseille, petits fruits rouges, agrumes contribuent à sa fraîcheur élégante. La cuvée **Prestige (11 à 15 €)** mérite une étoile ; elle est mi-noirs mi-blancs et c'est un « pur » 96, minéral, frais et nerveux. (RM)

Christian Etienne, EARL Dom. de L'Espérance, 12, rue de la Fontaine, 10200 Meurville, tél. 03.25.27.46.66, fax 03.25.27.45.84 r.-v.

## JEAN-MARIE ETIENNE

1er cru 3,1 ha 25 000 11 à 15 €

Jean-Marie Etienne crée la marque en 1958 : ses fils Daniel et Pascal élaborent depuis une vingtaine d'années le champagne maison. Les trois cépages champenois des années 2000 pour 70 % et 1998-1999 pour le reste collaborent à ce brut 1er cru discret et fin, tout en petits fruits rouges. (RM)

Jean-Marie Etienne, 33, rue Louis-Dupont, 51480 Cumières, tél. 03.26.51.66.62, fax 03.26.55.04.65 r.-v.

## EUSTACHE DESCHAMPS Rosé de saignée *

n.c. 5 000 11 à 15 €

La coopérative La Vigneronne de Vertus a choisi « Eustache Deschamps » comme marque de son champagne, en hommage à ce grand poète (1344-1404) natif de Vertus et auteur du premier art poétique français, *l'Art de dictier et de faire ballades*. Les vins portant cette marque ne font pas leur fermentation malolactique. Ce rosé de saignée – cuvaison courte de pinot noir – habillé de rose soutenu, a de délicieux arômes de merise, d'airelle et de confiserie. (CM.)

Coopérative La Vigneronne - Eustache Deschamps, 38, av. Bammental, 51130 Vertus, tél. 03.26.52.18.95, fax 03.26.58.39.47, e-mail coop.lavigneronne@wanadoo.fr r.-v.

## FRANCOIS FAGOT Cuvée Virginie

n.c. n.c. 11 à 15 €

Exploitant un vignoble de 7 ha du côté de Rilly-la-Montagne, cette marque propose une cuvée Virginie fraîche, élégante, fruitée et brève. Elle se compose de 55 % de chardonnay et de 45 % de pinot noir des années 1999 à 2001. (NM)

SARL François Fagot, 26, rue Gambetta, 51500 Rilly-la-Montagne, tél. 03.26.03.42.56, fax 03.26.03.41.19, e-mail info@champagne-francois-fagot.com r.-v.

## MICHEL FAGOT Royal brut 1998

1 ha n.c. 15 à 23 €

Un ancêtre fut pépiniériste en 1850. En 1901, Michel Fagot constitue un vignoble aujourd'hui conduit par son fils Olivier. Les vignes s'étendent sur 16 ha dans la Montagne de Reims. Ce Royal brut est mi-noirs mi-blancs ; son fruité confit et souple lui donne de la longueur. (RM)

Michel Fagot, 6, rue de Chigny, 51500 Rilly-la-Montagne, tél. 03.26.03.40.03, fax 03.26.03.45.08 t.l.j. sf sam. dim. 8h30-12h 13h30-17h30

## FALLET-DART 1998 *

6 ha 19 680 15 à 23 €

Ce récoltant-manipulant dispose d'un vignoble de 18 ha à Drachy près de Charly-sur-Marne. Ce 98 naît de deux parts de pinot noir pour trois de chardonnay. A l'olfaction s'expriment fruits mûrs et fleurs séchées. En bouche, après une attaque ample, s'imposent la complexité, la finesse et la persistance. (RM)

Fallet-Dart, 2, rue des Clos-du-Mont, Drachy, 02310 Charly-sur-Marne, tél. 03.23.82.01.73, fax 03.23.82.19.15 r.-v.

## FANIEL-FILAINE Réserve Carte verte

n.c. n.c. 11 à 15 €

Depuis la fin du XVII[e]s., les Filaine sont vignerons. En 1992 Jean-Louis Faniel et Patricia Filaine se marient... Le vignoble s'étend sur 5,5 ha dans la vallée de la Marne. La Réserve est mi-blancs mi-noirs (les deux pinots) de l'année 2000. C'est un champagne ample, dominé par les fruits confits, de bonne persistance. (NM)

J.-L. Faniel-Filaine, 77, rue Paul-Douce, 51480 Damery, tél. 03.26.58.62.67, fax 03.26.58.03.26, e-mail champagne-faniel.filaine@wanadoo.fr
r.-v.

LUDOVIC FAUVET Fût de chêne

Gd cru 0,25 ha 2 000 15 à 23 €

Ludovic Fauvet reprend en 1991 un vignoble de plus de 2 ha à Ambonnay (grand cru) et lance sa marque en 2001. Sa cuvée mi-noirs mi-blancs de 2002 passe huit mois en fût. Elle est légèrement boisée, onctueuse et équilibrée. (RM)

Ludovic Fauvet, 5, rue d'Epernay, 51150 Ambonnay, tél. 03.26.57.09.44, fax 03.26.58.40.35 r.-v.

SERGE FAYE Réserve *

1er cru 0,8 ha 5 000 15 à 23 €

En 1984 Serge Faÿe reprend le domaine de 5 ha créé par son père. Cette cuvée Réserve comporte 80 % de pinot noir et du chardonnay des années 2000 et 2001. Les fleurs blanches sont cependant très présentes dans ce vin généreux et structuré par le pinot. La **cuvée La Louve 2000 (23 à 30 €)**, mi-noirs mi-blancs, affiche un nez discrètement épicé et une bouche fraîche et vineuse. Elle est citée. (RM)

Serge Faÿe, 2 bis, rue André-Lenôtre, 51150 Louvois, tél. 03.26.57.81.66, fax 03.26.59.45.12
r.-v.

FENEUIL-POINTILLART Cuvée Louis 1998

1er cru 0,3 ha 2 500 15 à 23 €

Les deux familles Feneuil et Pointillart sont connues à Chamery (Montagne de Reims) depuis le XVII[e]s. Aujourd'hui le vignoble de Daniel Feneuil couvre 7,5 ha. Ce 98 est mi-blancs mi-noirs (pinot meunier) et ne fait pas sa fermentation malolactique. Puissant, tout en fruits confits et fruits secs, il attaque souplement et développe en bouche des saveurs harmonieuses. (RM)

Feneuil-Pointillart, 21, rue du Jard, 51500 Chamery, tél. 03.26.97.62.35, fax 03.26.97.67.70, e-mail champagne.fp@wanadoo.fr r.-v.
Daniel Feneuil

NICOLAS FEUILLATTE
Cuvée Palme d'or millésimée 1996 *

n.c. n.c. 46 à 76 €

Marque développée depuis 1986 par l'énorme centre vinicole de Chouilly, qui vinifie la production de 2 100 ha ! La cuvée Palme d'or du grand millésime 96 est composée d'autant de pinot noir que de chardonnay. Elle est ronde, souple, délicate, soyeuse. Sont citées : la **Réserve particulière (15 à 23 €)** et la **Cuvée spéciale 98 (15 à 23 €)**, toutes deux issues des trois cépages champenois ; la première fraîche et longue, la seconde équilibrée, vive et élégante. (CM)

Nicolas Feuillatte, Centre vinicole champagne, BP 210, Chouilly, 51206 Epernay, tél. 03.26.59.55.50, fax 03.26.59.55.82
t.l.j. sf sam. dim. 10h-12h15 14h-17h15

DANY FEVRE Cuvée Isabelle *

0,8 ha 1 200 11 à 15 €

Le champagne Dany Fèvre exploite un vignoble de 6 ha du côté de Ville-sur-Arce. La cuvée Isabelle est issue de trois fois plus de noirs que de blancs ; l'année 2000 est complétée par du 1999, 1998 et 1997. Un fruité léger et une touche de café précèdent une bouche qui finit promptement. Le **rosé** est cité. Il est issu de pinot noir des années 1999 à 2002, harmonieux, frais et équilibré. (RM)

Dany Fèvre, 8, rue Benoit, 10110 Ville-sur-Arce, tél. 03.25.38.76.63, fax 03.25.38.78.52, e-mail champagne.fevre@wanadoo.fr r.-v.

BERNARD FIGUET Cuvée de réserve *

4 ha 30 000 11 à 15 €

Ce domaine élabore lui-même des champagnes depuis 1946. Eric Figuet conduit depuis 1992 ce vignoble de 10,5 ha situé dans l'Aisne. La Cuvée de réserve est mi-blancs mi-noirs (les deux pinots) de l'année 2001. Un champagne à la mousse fine, au nez de fleurs et de fruits mûrs, équilibré, léger et persistant, à vocation apéritive. (RM)

Bernard Figuet, 144, rte Nationale, 02310 Saulchery, tél. 03.23.70.16.32, fax 03.23.70.17.22
r.-v.
Eric Figuet

ALEXANDRE FILAINE Cuvée Confidence **

0,5 ha 3 100 15 à 23 €

Les grands-parents de Fabrice Gass s'appelaient Emmanuel Filaine et Marcelle Alexandre, d'où la marque Alexandre Filaine en leur honneur. Le champagne le plus spécial de ce Guide suscite un coup de cœur. La composition de la cuvée est banale : les trois cépages champenois de l'année 2000. La vinification est très particulière : les vins fermentent en barrique de bois local (acacia) ; soutirés trois fois, ils ne sont pas filtrés, ne passent pas par le froid et sont tirés sous liège. Bouquet de pain d'épice, d'amande, de miel, de café, de moka, de fruits confits et de boisé ; bouche équilibrée, harmonieuse, onctueuse et de grande persistance. Ce champagne doit accompagner un repas fin. Malheureusement sa production est limitée. (RM)

Fabrice Gass, 17, rue Poincaré, 51480 Damery, tél. 03.26.58.88.39, e-mail fgass@wanadoo.fr
r.-v.

FLEURY PERE ET FILS Doux 1997 **

1,5 ha 5 000 23 à 30 €

C'est en 1929 que Robert Fleury lance la marque Fleury. Depuis 1989, Jean-Pierre conduit son vignoble de 13 ha en biodynamie. Cette édition est la vingt et unième du Guide et c'est la première fois qu'un champagne doux obtient un coup de cœur. Avec un blanc de blancs (l'étiquette ne le dit pas) du millésime 97 qui n'a pas une immense réputation. Ce vin d'une forte acidité (6,1 g/l) est dosé à 58,7 g/l de sucre ! On y découvre l'abricot, l'ananas, la mangue, les fruits confits, le caramel au lait, une richesse complexe, puissante et longue. Le **1997 brut (15 à 23 €)**

obtient deux étoiles. Issu de noirs (80 %), il présente une acidité nettement plus faible que le précédent (pinot) : 4,9 g/l. Les dégustateurs soulignent sa délicatesse, sa subtilité, sa souplesse, sa légèreté, son équilibre en dentelle. Le **rosé (15 à 23 €)**, un rosé de saignée obtenu par une courte macération avant pressurage, est cité. Il est habillé de rose-rouge, les fruits rouges sont très présents, avec rondeur et persistance. (NM)

Fleury, 43, Grande-Rue, 10250 Courteron,
tél. 03.25.38.20.28, fax 03.25.38.24.65,
e-mail champagne-fleury@wanadoo.fr ☑ Y ⚲ r.-v.

## G. FLUTEAU Carte rubis ★★

● 1 ha 10 000 11 à 15 €

Annoncé dans le Guide 2005, Thierry Fluteau a quitté le négoce pour rejoindre le clan des récoltants-manipulants : désormais seuls les raisins de son vignoble participeront aux cuvées, tel ce pinot noir, seul cépage exploité dans ce rosé de saignée (macération courte). Carte rubis dont le fruité associé aux épices douces et la finale équilibrée tirant sur le cassis séduisent les dégustateurs. La **Carte blanche**, un blanc de noirs des années 2001-2002, est citée pour la vivacité de ses arômes d'agrumes. (RM)

EARL Thierry Fluteau, 5, rue de la Nation,
10250 Gyé-sur-Seine, tél. 03.25.38.20.02,
fax 03.25.38.24.84 ☑ Y ⚲ r.-v.

## JEAN FORGET Tradition

○ 1er cru 1 ha 3 000 11 à 15 €

Le récoltant-manipulant de Ludes (Montagne de Reims) propose une cuvée Tradition 1er cru issue des trois cépages champenois en proportions égales, dont la puissance vineuse et la complexité lui valent une citation. (RM)

Christian Forget, 2, rue Nationale, 51500 Ludes,
tél. et fax 03.26.61.81.96,
e-mail champagnejforget@aol.com ☑ Y r.-v.

## FORGET-CHAUVET Blanc de blancs 1999

○ 0,8 ha 3 000 11 à 15 €

Vignoble familial d'une dizaine d'hectares développé en cinq générations dans la Montagne de Reims. Ce blanc de blancs aux arômes intéressants de coing mentholé se montre vif, frais et jeune. Il a une vocation apéritive. (RM)

SCEV Forget-Chauvet, 1, rue Victor-Hugo,
51500 Ludes, tél. 03.26.61.11.73, fax 03.26.61.11.95,
e-mail forget.chauvet@wanadoo.fr ☑ Y ⚲ r.-v.

## FORGET-CHEMIN Carte blanche ★

○ 12 ha 60 000 11 à 15 €

Thierry Forget est œnologue ; il dirige depuis 1988 le champagne Forget-Chemin dont le vignoble couvre une douzaine d'hectares composés de soixante parcelles réparties sur dix crus. Le Carte blanche naît des trois cépages champenois en parts égales des années 2000 à 2002 ; le nez s'ouvre lentement et la souplesse ne cache pas la vivacité. Le **rosé** obtient une étoile également. C'est un 1er cru brut rosé coloré, généreux, charpenté, sans lourdeur. Cité, le **1999 Spécial Club (15 à 23 €)** mi-blancs mi-noirs (pinot meunier) aux arômes de fruits jaunes délicats est encore plein de jeunesse. (RM)

Forget-Chemin, 15, rue Victor-Hugo, 51500 Ludes,
tél. 03.26.61.12.17, fax 03.26.61.14.51,
e-mail champagne.forget-chemin@voila.fr ☑ Y ⚲ r.-v.

## FOURNAISE-THIBAUT 1998 ★★

○ 3 ha 4 000 11 à 15 €

Daniel Fournaise a élaboré ce 98 avec autant de pinot noir que de chardonnay ; il est élégant et complexe ; ses arômes d'amande et de noisette le destinent à l'apéritif. Le **blanc de blancs 97** attaque vivement mais sa fraîcheur harmonieuse lui vaut une étoile. (RM)

Daniel Fournaise,
2, rue des Boucheries, 51700 Châtillon-sur-Marne,
tél. 03.26.58.06.44, fax 03.26.51.60.91,
e-mail champagne.fournaise.thibaut@wanadoo.fr
☑ Y ⚲ r.-v.

## TH. FOURNIER Cuvée spéciale ★

○ 0,1 ha 1 000 15 à 23 €

En 1983, Thierry Fournier reprend le vignoble de 4 ha de Festigny créé par ses grands-parents. Depuis, il l'a porté à 10,5 ha par des achats dans quatre communes de la vallée de la Marne. La Cuvée spéciale (80 % de chardonnay) assemble des vins de 1996 à 1999. Elle est empyreumatique, épicée, longue et complexe. En revanche, la **Cuvée de réserve (11 à 15 €)** est principalement issue de cépages noirs (70 % dont 50 % de pinot meunier) ; ses arômes briochés et sa bouche grasse lui valent d'être citée. (RM)

Thierry Fournier, 8, rue du Moulin, Neuville,
51700 Festigny, tél. 03.26.58.04.23, fax 03.26.58.09.91,
e-mail thierry.fournier7@wanadoo.fr ☑ Y ⚲ r.-v.

## PHILIPPE FOURRIER Cuvée millésimée 1999 ★

○ 1,5 ha n.c. 15 à 23 €

Philippe Fourrier exploite depuis 1981 un vignoble de 11 ha. Son 99, mi-noirs mi-blancs, floral, vif et ample, a une certaine originalité. On sent que le vin peut donner encore plus dans quelques mois. Il conviendra à l'apéritif. (NM)

Philippe Fourrier, rte de Bar-sur-Aube,
10200 Baroville, tél. 03.25.27.13.44, fax 03.25.27.12.49,
e-mail champagne.fourrier@wanadoo.fr ☑ Y ⚲ r.-v.

## FRANCOIS-BROSSOLETTE Tradition ★

○ 8 ha 39 900 11 à 15 €

Un vignoble de 12 ha, une structure familiale, et cette jolie cuvée Tradition composée de trois quarts de raisins noirs, un quart de chardonnay, des années 2000 à 2002. Une belle mousse persistante, un nez empyreumatique, une attaque vive, puis un bon équilibre caractérisent ce champagne bien structuré. (RM)

François-Brossolette, 42, Grande-Rue, 10110 Polisy,
tél. 03.25.38.57.17, fax 03.25.38.51.56,
e-mail francois-brossolette@wanadoo.fr ☑ Y ⚲ r.-v.

## GABRIEL FRESNE Réserve ★

○ 4 ha 5 000 11 à 15 €

C'est à partir de 1965 que Gabriel Fresne constitue son vignoble, plantant et restaurant de vieilles vignes. Ses premières ventes en bouteilles datent de 1971. Sa fille, Corinne, après une maîtrise de sciences économiques, reprend le flambeau en 2000. La Réserve, née de 1999 épaulée par 30 % de 1998, associe 60 % de pinot meunier au chardonnay. Des arômes évolués de figue et de miel précèdent la rondeur mûre de la bouche. La **Tradition** (80 % de raisins noirs dont 70 % de pinot meunier), issue des années 2000 et 2001, est citée pour sa puissance vineuse. (RM)

Gabriel Fresne, 7, rte Nationale, 51530 Brugny-Vaudancourt, tél. 03.26.59.98.09, fax 03.26.58.49.02, e-mail gafresne@club-internet.fr
t.l.j. sf dim. 9h-12h 14h-18h30; f. 15 août-2 sep.
Corinne Fresne

## FRESNET-JUILLET

Gd cru | 1 ha | 5 000 | 11 à 15 €

Exploitant un vignoble de 8 ha, les Fresnet ont creusé des caves jusqu'à 12 m de profondeur, avec patience, pendant plusieurs années. Ce brut sans année (2000, 2002, 2003) est un rosé de noirs coloré par 12 % de Verzy rouge. Ses arômes framboisés s'accorderont aux petits plats exotiques. Le **Spécial Club 1er cru 95 (15 à 23 €)** naît de l'assemblage de 60 % de chardonnay de Bisseuil et de pinot noir de Mailly-Champagne et de Verzy. L'abricot, les fruits compotés ou confits donnent complexité et fraîcheur à ce champagne de table. (NM)

Fresnet-Juillet, 10, rue de Beaumont, 51380 Verzy, tél. 03.26.97.93.40, fax 03.26.97.92.55, e-mail info@champagne-fresnetjuillet.fr r.-v.

## MICHEL FURDYNA Prestige 1999 ★

1 ha | 5 310 | 15 à 23 €

Michel Furdyna a constitué un vignoble de 8 ha. Le pinot noir est majoritaire (70 %) dans sa cuvée Prestige épicée, réglissée, mentholée, vive et fraîche. Sont cités : la **Carte blanche (11 à 15 €)** associant les années 2002-2003 et le **rosé (11 à 15 €)** ; le premier est constitué principalement de raisins noirs (80 %), chardonnay et le rare pinot blanc se partageant le solde ; il est apprécié pour sa fraîcheur d'agrumes. Le second, un rosé de noirs, se révèle équilibré et vineux. (RM)

Michel Furdyna, 13, rue du Trot, 10110 Celles-sur-Ource, tél. 03.25.38.54.20, fax 03.25.38.25.63 r.-v.

## G. DE BARFONTARC Blanc de noirs ★

n.c. | 15 700 | 11 à 15 €

Marque lancée en 1964 par la coopérative de Baroville (Aube) qui vinifie les vendanges de 90 ha de vignes. Issu de l'année 2002, ce blanc de noirs (100 % pinot noir) est fruité, souple et long. Un ensemble flatteur. (CM)

G. de Barfontarc, rte de Bar-sur-Aube, 10200 Baroville, tél. 03.25.27.07.09, fax 03.25.27.23.00
t.l.j. sf dim. 9h-12h 13h30-17h30

## GAIDOZ-FORGET Cuvée Carte d'or ★

7 ha | 60 000 | 11 à 15 €

Ce viticulteur de Ludes (Montagne de Reims) vinifie cette Carte d'or dans laquelle 80 % de pinot meunier et 10 % de pinot noir sont complétés par le chardonnay. Cet assemblage des années 2001 et 2002 a séduit les dégustateurs par l'or intense de sa robe, teinté d'un léger rose, par sa puissance et sa vinosité. Un champagne de table (gibier à plume). Sous la marque **Luc Gaidoz**, la **Grande Réserve (15 à 23 €)**, issue des années 1996 et 1997 et composée à 75 % de raisins noirs, obtient une citation. Un champagne minéral, confituré (coing), vif et judicieusement dosé. (RM)

Gaidoz-Forget, 1, rue Carnot, 51500 Ludes, tél. 03.26.61.13.03, fax 03.26.61.11.65, e-mail info@champagne-gaidoz-forget.com r.-v.

## GALLIMARD PERE ET FILS
Cuvée Prestige 1999 ★

10 ha | 11 000 | 11 à 15 €

Les Gallimard sont vignerons aux Riceys depuis plus d'un siècle et demi et cultivent un vignoble de 10 ha. Cette cuvée habillée d'or cuivré est citronnée, tant au nez qu'en bouche ; onctuosité et fraîcheur dominent le palais jusque dans une finale longue et agréable. La **Grande Réserve chardonnay** de la vendange 2000 est citée pour sa fraîcheur et son équilibre. (NM)

Gallimard Père et Fils, 18-20, rue Gaston-Cheq, Le Magny, 10340 Les Riceys, tél. 03.25.29.32.44, fax 03.25.38.55.20 r.-v.

## CH. GARDET & CO Selected Reserve ★

1 ha | 10 000 | 15 à 23 €

Cette maison de négoce créée par Charles Gardet en 1895 exploite un vignoble de 7 ha dans la Montagne de Reims. Les dégustateurs attribuent une étoile à deux champagnes. Cette Selected Reserve issue des années 1999 et 2000 et des trois cépages champenois est élevée en foudre pendant deux ans. Or intense, ce champagne affiche un nez de pain grillé et d'abricot. Rond, ample et légèrement boisé, il conviendra à une viande blanche. Le **rosé 1er cru Charles Gardet (23 à 30 €)** est un rosé de saignée des deux pinots récoltés en 2002. Très coloré, rond et puissant. Un dégustateur écrit : « Plus proche d'un vin rouge que d'un champagne ». (NM)

Georges Gardet, 13, rue Georges-Legros, 51500 Chigny-les-Roses, tél. 03.26.03.42.03, fax 03.26.03.43.95, e-mail info@champagne-gardet.com
r.-v.

## BERNARD GAUCHER Carte d'or

4 ha | 40 000 | 11 à 15 €

Bernard Gaucher exploite un vignoble de 10,5 ha à Arconville, dans l'Aube. Sa cuvée Carte d'or comporte quatre fois plus de pinot noir que de chardonnay, des raisins récoltés en 2000 et 2001 ; elle est habillée d'une robe pâle, parfaite illustration de sa discrétion et de sa finesse. (RM)

Bernard Gaucher, Grande-Rue, 10200 Arconville, tél. 03.25.27.87.31, fax 03.25.27.85.84, e-mail bernardgaucher@wanadoo.fr r.-v.

## GAUDINAT-BOIVIN 2000 ★

0,2 ha | 1 560 | 11 à 15 €

Festigny, village fleuri de la vallée de la Marne, donne à voir une église du XIIe s. Cette maison, fondée en 1970, y exploite un vignoble de 5 ha. 70 % de chardonnay et 30 % des deux pinots se marient dans ce millésime 2000 brioché, vanillé, rond et puissant. (RM)

EARL Gaudinat-Boivin, 6, rue des Vignes, Le Mesnil-le-Huttier, 51700 Festigny, tél. 03.26.58.01.52, fax 03.26.58.97.46, e-mail ch.gaudinat.boivin@wanadoo.fr r.-v.

CHAMPAGNE

GAUTHIER Grande Réserve Demi-sec ★

● n.c. n.c. 11 à 15 €

Charles-Alexandre Gauthier crée sa maison en 1858. Cette marque a été reprise par le groupe Marne et Champagne, devenu Lanson international. La **Grande Réserve rosé (15 à 23 €)** assemble 56 % de pinot noir, 20 % de pinot meunier et 24 % de chardonnay. Elle est très pâle (ce n'est pas un défaut, au contraire) ; ses arômes de fraise sont d'une grande finesse. La **Grande Réserve 98 (15 à 23 €)** est citée. Elle est mi-noirs mi-blancs, citronnée et persistante. Quant à cette cuvée Grande Réserve demi-sec (85 % de noirs) aux saveurs de pâte de coings, elle atteint un parfait équilibre sucre-acidité. (NM)

Lanson international, 22, rue Maurice-Cerveaux, 51200 Epernay, tél. 03.26.78.50.50, fax 03.26.78.50.52 r.-v.

MICHEL GENET ★

● 0,4 ha 3 000 15 à 23 €

Michel Genet a créé son exploitation en 1965. Ses fils Vincent et Antoine lui succèdent en 1991 et cultivent un vignoble de 8 ha dans la Côte des Blancs. Ce rosé est un blanc de blancs coloré par 9 % de vin rouge, des vins des années 2000, 2001 et 2002. Les dégustateurs louent sa finesse au nez et en bouche, son équilibre et la perfection de son dosage. (RM)

Michel Genet, 22, rue des Partelaines, 51530 Chouilly, tél. 03.26.55.40.51, fax 03.26.59.16.92, e-mail champagne.genet.michel@wanadoo.fr r.-v.

Vincent et Antoine Genet

RENE GEOFFROY Rosé de saignée 2002 ★★

● 1er cru 1,5 ha 14 000 15 à 23 €

Vignerons depuis le XVIIe s., les Geoffroy ont commencé à élaborer leur champagne à la fin de la Seconde Guerre mondiale. Leur vignoble de 13,5 ha est situé à Cumières et dans les communes avoisinantes. Ce rosé est un rosé de saignée (courte macération) de pinot noir de l'année 2002. Sa teinte est intense, ses arômes fins rappellent le kirsch et ses saveurs complexes le jus de cerise. La cuvée **Volupté 1er cru (23 à 30 €)**, 75 % de raisins blancs, 25 % de raisins noirs de l'année 2000, intense, complexe, persistante, obtient une étoile. (RM)

René Geoffroy, 150, rue du Bois-des-Jots, 51480 Cumières, tél. 03.26.55.32.31, fax 03.26.54.66.50, e-mail info@champagne-geoffroy.com r.-v.

PIERRE GERBAIS Tradition ★

● 6,2 ha 50 000 11 à 15 €

Maison de négoce fondée en 1960, disposant de près de 14 ha de vigne dans la région de Celles-sur-Ource (Aube). La Tradition, de l'année 2001, privilégie les noirs (85 %). Le nez est élégant et fruité, la bouche équilibrée, ronde et épicée. Un champagne de table. Deux vins sont cités : la **Cuvée de réserve**, 30 % pinot et 70 % chardonnay de l'année 2001, et la **cuvée Prestige (15 à 23 €)**, 90 % de chardonnay, du même millésime. Deux champagnes convenant à l'apéritif, marqués par le chardonnay qui apporte finesse et élégance. Deux vins jeunes, frais, sans complexité. (NM)

Pierre Gerbais, 13, rue du Pont, BP 17, 10110 Celles-sur-Ource, tél. 03.25.38.51.29, fax 03.25.38.55.17, e-mail champ.gerbais@wanadoo.fr r.-v.

JEAN GIMONNET Réserve ★

● 1er cru 2 ha 15 000 11 à 15 €

Les Gimonnet sont nombreux à Cuis : le prénom est aussi important que le nom. Jean Gimonnet propose une Cuvée de réserve dont le bouquet original rappelle les herbes aromatiques. En bouche, cette fraîcheur aromatique se perpétue avec une touche de noisette et d'amande. Sont cités, la **Réserve** et le **blanc de blancs 1er cru**, la première proche du précédent, moins fine, plus vineuse et plus dosée, le second plus complexe au nez qu'en bouche, franc et droit. (RM)

Jean Gimonnet, 16, rue Jean-Mermoz, 51530 Cuis, tél. 03.26.59.78.39, fax 03.26.51.05.07 r.-v.

PIERRE GIMONNET ET FILS Fleuron 1999 ★

● 1er cru n.c. 56 000 15 à 23 €

Les Gimonnet s'implantent à Cuis vers 1750. Pierre Gimonnet fonde sa maison dans l'entre-deux-guerres, son fils et ses petits-fils deviennent des spécialistes du blanc de blancs. Ils sont aidés en cela par un important vignoble (25 ha) dans la Côte des Blancs. Le Fleuron 99, originaire de Cramant, Chouilly et Cuis est épicé, équilibré, encore jeune. L'**extra-brut 1er cru Oenophile 98 blanc de blancs** attaque vivement, une vivacité qui peut surprendre. « Un beau vin, droit, pur, un peu austère », écrit un dégustateur. (RM)

SA Pierre Gimonnet et Fils, 1, rue de la République, 51530 Cuis, tél. 03.26.59.78.70, fax 03.26.59.79.84, e-mail info@champagne-gimonnet.com t.l.j. sf dim. 8h30-12h 14h-17h30; sam. mat. sur r.-v.; f. 15-31 août

GIMONNET-GONET Tradition

● 2,5 ha 20 000 11 à 15 €

Cette marque, portant deux noms célèbres dans la Côte des Blancs, est née en 1990. Elle dispose d'un vignoble de 12,5 ha. La cuvée Tradition est mi-noirs, mi-blancs. C'est un champagne fruité (coing), souple, sensuel, qui a de l'avenir. (RM)

Gimonnet-Gonet, Le Bas-des-Auges, BP 35, 51190 Le Mesnil-sur-Oger, tél. 03.26.57.51.44, fax 03.26.58.00.03, e-mail charlanne.gimonnet@wanadoo.fr r.-v.

GIMONNET-OGER Blanc de blancs 1998 ★

● 1er cru 0,5 ha 4 000 15 à 23 €

Ce blanc de blancs 98 est tout aussi représentatif de ce millésime que de son cépage avec ses arômes de fleurs et d'agrumes et sa bouche fraîche en même temps que crémeuse et fruitée (coing). Tout cela est parfaitement harmonieux. (RM)

Gimonnet-Oger, 7, rue Jean-Mermoz, 51530 Cuis, tél. 03.26.59.86.50, e-mail champagne.gimonnet-oger@wanadoo.fr r.-v.

J.-Luc Gimonnet

BERNARD GIRARDIN Cuvée de réserve ★

● 1 ha 5 000 11 à 15 €

Sandrine Brites-Girardin a succédé à son père en 1998 ; ce dernier avait créé sa marque en 1971 et constitué un vignoble. Le chardonnay représente 55 % de la Cuvée de réserve ; la vendange de 2000 est mise à contribution, épaulée par 10 % de vins de réserve des années 1998 et 1999. Ce champagne donne l'impression de raisins très mûrs par sa puissance et ses notes miellées. Cette plénitude est contrebalancée par une vivacité de bon aloi en milieu de bouche. Signalons l'étiquette originale et réussie que les musiciens aimeront. (RM)

Sandrine Britès-Girardin, Champagne Bernard Girardin, 14, Grande-Rue, 51530 Mancy,
tél. 03.26.59.70.78, fax 03.26.59.02.02,
e-mail info@champagne-bgirardin.com r.-v.

## GERVAIS GOBILLARD Blanc de blancs

2,5 ha 20 000 11 à 15 €

Il y a tout juste cinquante ans, Jean-Marie Gobillard créait sa marque et exploitait un vignoble de 25 ha. Ses fils ont repris le flambeau en 1982. Voici leur blanc de blancs des années 2001 et 2002, dans lequel arômes et saveurs citronnés jouent le premier rôle, ce qui contribue à sa vivacité, à sa fraîcheur, à sa jeunesse. (NM)

Champagne J.-M. Gobillard et Fils,
38, rue de l'Eglise, 51160 Hautvillers,
tél. 03.26.51.00.24, fax 03.26.51.00.18,
e-mail champagne-gobillard@wanadoo.fr r.-v.

## PIERRE GOBILLARD Réserve *

1er cru 1 ha 8 000 11 à 15 €

Pierre Gobillard et aujourd'hui Hervé et Florence Gobillard se flattent, ainsi qu'ils le proclament sur une étiquette, de leur qualité de propriétaire-récoltant à Hautvillers, berceau du champagne où vécut le moine Dom Pérignon (1638-1715). Leur vignoble s'étend sur 7 ha. La Réserve, de 1999, est mi-noirs mi-blancs. Ses arômes empyreumatiques et complexes s'expriment avec élégance et persistance. Le **brut 1er cru de 2001** et qui fait appel aux trois cépages champenois est cité pour sa minéralité et sa rondeur. (RM)

Pierre Gobillard,
341, rue des Côtes-de-l'Héry, 51160 Hautvillers,
tél. 03.26.59.45.66, fax 03.26.52.04.43,
e-mail champagne-pierre.gobillard@wanadoo.fr
r.-v.

## GODME PERE ET FILS Blanc de noirs

Gd cru 3 ha 20 000 15 à 23 €

Le vignoble s'étend sur 11,5 ha dans des grands crus et premiers crus de la Montagne de Reims, cultivés soit en lutte raisonnée soit selon les méthodes de la biodynamie. Ce blanc de noirs a séjourné six mois dans le bois ; il est vineux, ample et sa finale se prolonge agréablement *mezza voce*. (RM)

Godmé Père et Fils, 10, rue de Verzy,
51360 Verzenay, tél. 03.26.49.48.70, fax 03.26.49.45.30,
e-mail contact@champagne-godme.fr r.-v.

## PAUL GOERG Tradition *

1er cru 90 ha 100 000 11 à 15 €

Champagne élaboré par la coopérative La Goutte d'Or de Vertus. Elle a été fondée en 1950, mais n'a lancé sa marque qu'en 1984. Les vignobles de ses adhérents couvrent près de 120 ha. La cuvée Tradition – chardonnay (60 %), pinot noir (40 %) des années 1999, 2000 et 2001 – présente un fruité d'amande fraîche et de fruits cuits. Elle est équilibrée : ce qu'elle gagne en suavité, elle le perd en mordant. (CM)

Paul Goerg, 30, rue du Gal-Leclerc, BP 10,
51130 Vertus, tél. 03.26.52.15.31, fax 03.26.52.23.96,
e-mail info@champagne-goerg.com r.-v.

## PHILIPPE GONET
Blanc de blancs Spécial Club 2000 *

Gd cru 1 ha 5 000 23 à 30 €

La septième génération de Gonet a repris en 2001 cette exploitation disposant d'un vignoble de 19 ha au Mesnil-sur-Oger, dans le Sézannais et dans l'Aube. Le Spécial Club 2000 est un blanc de blancs du Mesnil-sur-Oger à l'attaque franche, structuré, puissant et persistant. Le **brut blanc de blancs grand cru 2000 (15 à 23 €)** est très proche du précédent et reçoit la même notation (une étoile). On y trouve agrumes, amande, brioche, beurre avec une touche de fumée. Le champagne étiqueté **Pierre Cellier Cuvée de prestige (11 à 15 €)**, des années 2001-2002, issu des trois cépages champenois, frais, léger et bref, obtient une citation. (RM)

Philippe Gonet,
1, rue de la Brèche-d'Oger, 51190 Le Mesnil-sur-Oger,
tél. 03.26.57.53.47, fax 03.26.57.51.03,
e-mail chantal@champagne-philippe-gonet.com
r.-v.

## GONET MEDEVILLE Tradition **

1er cru 3 ha 25 000 11 à 15 €

Marque lancée en 2000 née de l'union – au propre et au figuré – de la Champagne et du Bordelais (du Sauternais serait plus précis) de Xavier Gonet et de Julie Médeville. Ces jeunes époux exploitent un vignoble de 7 ha. La cuvée Tradition, issue de 70 % de chardonnay et des deux pinots des années 2000 à 2002, est très appréciée par les dégustateurs pour son fruité exubérant, pour sa rondeur vineuse, pour sa puissance transcendée par son élégance. (RM)

Gonet-Médeville, 1, ch. de la Cavotte,
51150 Bisseuil, tél. 03.26.57.75.60,
e-mail gonet-medeville@wanadoo.fr r.-v.

## GONET-SULCOVA Blanc de blancs 1999

1 ha 10 000 15 à 23 €

Mademoiselle Sulcova épousa Vincent Gonet et ils fondèrent leur marque en 1985, forte du vignoble de 15 ha constitué par le père de Vincent, Charles Gonet. Un vignoble composé essentiellement de blancs (80 %) d'où est originaire ce blanc de blancs tout en fleurs blanches et agrumes. Il est équilibré et aimable. Le **rosé**, un rosé de noirs, pâle, à l'attaque souple, doit sa légèreté à un corps aérien. Il est cité également. (RM)

Gonet-Sulcova, 13, rue Henri-Martin,
51200 Epernay, tél. 03.26.54.37.63, fax 03.26.54.87.73,
e-mail gonet-sulcova@wanadoo.fr r.-v.

## GOSSET Grand Millésime 1999 **

n.c. 200 000 46 à 76 €

Dès la fin du XVIe s., Pierre Gosset fait commerce de son vin. Quatorze générations se succèdent, élaborent du vin, puis du champagne. En 1994, les Gosset cèdent leur marque au Cognac Frapin, présidé par Béatrice Cointreau. Le Grand Millésime assemble un peu plus de chardonnay (56 %) que de pinots. Une bulle très fine traverse l'or dans le verre, couronné d'une mousse élégante. Remarquablement aromatique, un vin très équilibré, corpulent et pourtant délicat. La cuvée **Celebris 95 (46 à 76 €)**, composée d'un peu plus de noirs que de blancs, olfactivement complexe et empyreumatique, est fine et évoluée en bouche. Elle fut coup de cœur l'an dernier. Elle ne devrait plus être attendue. (NM)

⊶ Gosset, 69, rue Jules-Blondeau, BP 7, 51160 Aÿ, tél. 03.26.56.99.56, fax 03.26.51.55.88, e-mail info@champagne-gosset.com ☑ ⫪ r.-v.

## GOUSSARD ET DAUPHIN Prestige

● 2 ha 5 700 ■ 11 à 15 €

Domaine récent de 7 ha et marque lancée en 1990. Le brut Prestige, des années 1998 à 2000, est issu de 40 % de pinot noir et de 60 % de chardonnay. Des arômes de fleurs blanches, une attaque franche, une bouche ronde et une finale fruitée le destinent à l'apéritif. La **Cuvée Grand millésime 98 (15 à 23 €)** est citée. Cépages et proportions sont identiques à ceux du brut Prestige. Les arômes d'amande fraîche précèdent les saveurs fraîches d'une finale harmonieuse. (RM)

⊶ Goussard et Dauphin, GAEC du Val de Sarce, 2, chem. Saint-Vincent, 10340 Avirey-Lingey, tél. 03.25.29.30.03, fax 03.25.29.85.96, e-mail goussard.dauphin@wanadoo.fr ☑ ⫪ ⛹ r.-v.

## HENRI GOUTORBE Aÿ Special Club 1998

● Gd cru 5 ha 10 000 15 à 23 €

Avant guerre, Emile Goutorbe crée une pépinière ; après guerre, Henri Goutorbe lance sa marque et exploite un vignoble de 20 ha. Le Special Club 98 contient trois fois plus de noirs que de blancs ; ses arômes sont fruités (fruits blancs, fruits confits), ses saveurs nettes mais brèves. (RM)

⊶ SARL Goutorbe Père et Fils, 9, bis rue Jeanson, 51160 Aÿ, tél. 03.26.55.21.70, fax 03.26.54.85.11, e-mail info@champagne-henri-goutorbe.com ☑ ⫪ ⛹ r.-v.

## ALFRED GRATIEN Cuvée Paradis ★★

● n.c. n.c. ▥ 46 à 76 €

C'est en 2000 que le groupe allemand Henkell-Sohnlein reprend cette maison créée en 1864. On y pratique une vinification rare, les vins étant élevés huit mois en pièces champenoises, de petits fûts de 205 l. La cuvée Paradis rose assemble 58 % de chardonnay aux deux pinots. Elle frôle le coup de cœur : boisée, briochée, balsamique, elle est parfaite avec un délicieux arôme de fraise. « A apprécier sans modération sur tous les plats », écrit un dégustateur. L'éditeur corrige : avec mesure... Issu des trois cépages champenois, le **brut sans année (23 à 30 €)**, citronné, beurré, équilibré, obtient une citation. (NM)

⊶ Alfred Gratien, 30, rue Maurice-Cerveaux, 51200 Epernay, tél. 03.26.54.38.20, fax 03.26.54.53.44, e-mail contact@alfredgratien.com ☑ ⫪ ⛹ r.-v.

## JM GREMILLET Brut Sélection ★

● n.c. 100 000 ■ 11 à 15 €

Cette marque familiale créée au début des années 1970 exporte aujourd'hui 80 % de sa production. Elle dispose d'un vignoble de 25 ha dans la région des Riceys (Aube). La cuvée Sélection assemble les années 2001 à 2003 et 70 % de pinot noir à 30 % de chardonnay. Des arômes empyreumatiques et des notes de cire d'abeille précèdent une bouche puissante et élégante. « Un champagne flatteur », note le jury. Le **rosé**, un rosé de noirs des années 2001 à 2003, est cité pour son fruité complexe et fin. (NM)

⊶ Jean-Michel Gremillet, rte de Bagneux, 10110 Balnot-sur-Laignes, tél. 03.25.29.37.91, fax 03.25.29.30.69, e-mail champagne.jm.gremillet@wanadoo.fr ☑ ⫪ ⛹ r.-v.

## GRUET ★

● n.c. 27 671 ■ 11 à 15 €

Buxeuil, ses lavoirs, son église du XVIe s., et ses vignobles des bords de Seine. Cette maison se distingue en exposant sur sa façade un tonneau de 8,50 m de diamètre. Elle exploite une dizaine d'hectares. Son rosé assemble 50 % de pinot noir, 35 % de chardonnay et 15 % de vin rouge, les raisins ayant été vendangés en 2002. On y découvre les épices, la grenadine ; on apprécie sa rondeur et sa persistance. La **Grande Réserve** (75 % pinot noir assemblé au chardonnay) obtient une citation pour son agréable fruité. (NM)

⊶ SARL Champagne Gruet, 48, Grande-Rue, 10110 Buxeuil, tél. 03.25.38.54.94, fax 03.25.38.51.84, e-mail champagne-gruet@wanadoo.fr ☑ ⫪ ⛹ t.l.j. 8h30-12h 14h-18h; sam. dim. sur r.-v., f. 15-22 août

## MAURICE GRUMIER Blanc de blancs

● 0,5 ha 4 000 ■ 11 à 15 €

En 1928, Armand Grumier vinifie pour la première fois sa récolte. C'est le début de l'aventure familiale aujourd'hui poursuivie par Guy et Fabien Grumier. Ils disposent d'un vignoble de 8 ha dans la vallée de la Marne. Ce blanc de blancs des années 1999 à 2001 est citronné, miellé ; son attaque nette et sa finesse acidulée le destinent à l'apéritif. (RM)

⊶ Champagne Maurice Grumier, 13, rte d'Arty, 51480 Venteuil, tél. 03.26.58.48.10, fax 03.26.58.66.08, e-mail champagnegrumier@wanadoo.fr ☑ ⫪ ⛹ t.l.j. 9h-12h 13h30-18h30 sf dim. 9h-12h

⊶ Guy et Fabien Grumier

## P. GUERRE ET FILS Prestige 2000

● 1,5 ha 9 081 ■ 15 à 23 €

Depuis les années 1950, cette famille établie de longue date dans le vignoble de la vallée de la Marne élabore son propre champagne sur un vignoble de 8 ha. Ce 2000 naît du mariage de 60 % de pinot noir et de 40 % de chardonnay. Or soutenu, il est miellé, beurré, équilibré ; certes fugace, il reste agréable. (RM)

⊶ Michel Guerre, 3, rue de Champagne, 51480 Venteuil, tél. 03.26.58.62.72, fax 03.26.58.64.06 ☑ ⫪ ⛹ t.l.j. sf dim. 9h-11h30 14h-17h

## ROMAIN GUISTEL Tradition ★

● Gd cru 4 ha 40 000 ■ 11 à 15 €

Appartenant à une lignée de vignerons établie au lendemain de la Révolution française, Romain et Richard Guistel exploitent un vignoble de 5 ha dans la vallée de la Marne. Leur **millésimé 2000 grand cru (15 à 23 €)** a reçu un coup de cœur dans la précédente édition. Il ne démérite pas et les dégustateurs louent son nez fruité brioché complexe et qui a pris une tendance liquoreuse, sa bouche équilibrée et vineuse. Quant à ce brut Tradition, c'est un blanc de noirs de pinot meunier. Des saveurs de pomme, de coing et de fruits rouges se développent en bouche. Celle-ci, d'une bonne tenue, est franche et équilibrée. (NM)

⊶ Romain Guistel, 1, Rempart de l'Ouest, 51480 Damery, tél. 03.26.58.40.40, fax 03.26.52.04.28, e-mail r.guistel@wanadoo.fr ☑ ⫪ ⛹ r.-v.

## HARLIN Grand Chardonnay ★

● 1er cru 1 ha 3 500 15 à 23 €

Cette maison, élaborée par la SARL Chauvet, possède un vignoble d'une dizaine d'hectares. Son **Grand**

**Rosé** obtient une étoile pour sa fraîcheur et sa vinosité. Quant à ce Grand Chardonnay, né des vendanges 2001 (69 %) et 2000 (31 %), il est empyreumatique, minéral ; une pointe mentholée accompagne une note légère de fruits confits. Bien structuré en bouche, il reste dans le registre apporté par le cépage et s'ouvre au fur et à mesure de la dégustation. Sa puissance le voue à l'accompagnement de viande blanche. (NM)

Harlin,
41, av. de Champagne, 51150 Tours-sur-Marne,
tél. 03.26.51.88.95, fax 03.26.58.96.31,
e-mail champagneharlin@wanadoo.fr r.-v.
Famille Paillard

## HARLIN PERE ET FILS Prestige 2000

2 ha 3 000 15 à 23 €

A 500 m de ce domaine, la halte nautique de bord de Marne ne manque pas de charme. Ce récoltant-manipulant exploite un vignoble de 8,5 ha. Deux parts de chardonnay pour trois de pinot noir se marient dans le brut Prestige 2000, un vin d'une grande jeunesse, vineux et long. (RM)

Harlin Père et Fils, 8, rue de la Fontaine,
Port-à-Binson, 51700 Mareuil-le-Port,
tél. 03.26.58.34.38, fax 03.26.58.63.78
t.l.j. sf dim. 9h-12h 14h-18h; f. 10-31 août

## HATON ET FILS Cuvée Prestige *

n.c. 6 000 11 à 15 €

Exploitation créée en 1890 en bord de Marne, toujours familiale. Philippe Haton vinifie cette cuvée Prestige comportant autant de pinot meunier que de chardonnay. Un beau cordon de mousse traverse l'or de la robe, puis elle se révèle minérale, équilibrée, fraîche et longue. (NM)

Haton et Fils, 3, rue Jean-Mermoz, 51480 Damery,
tél. 03.26.58.41.11, fax 03.26.58.45.98,
e-mail contact@champagnehatonetfils.com r.-v.

## LUDOVIC HATTE Réserve

3 ha 8 000 11 à 15 €

Marque créée en 1979 disposant d'un vignoble de 10 ha sur quatre grands crus. Le siège est situé à 500 m du musée de la Vigne de Verzenay. Née des vendanges de 2000 et 2001, issue de pinot noir (70 %) et de chardonnay, cette Réserve se montre souple, équilibrée, sensiblement dosée. (RM)

Ludovic Hatté, 3, rue Thiers, 51360 Verzenay,
tél. 03.26.49.43.94, fax 03.26.49.81.96 r.-v.

## MARC HEBRART Blanc de blancs *

1er cru 1 ha n.c. 11 à 15 €

Exploitation créée en 1962 par Marc Hébrart, gérée aujourd'hui par son fils Jean-Paul, disposant d'un vignoble de qualité divisé en soixante-cinq parcelles réparties sur trois grands crus et quatre premiers crus. Le blanc de blancs, tout en fleurs blanches et notes beurrées, est rond, long et gourmand. (RM)

EARL Champagne Hébrart,
18-20, rue du Pont, 51160 Mareuil-sur-Aÿ,
tél. 03.26.52.60.75, fax 03.26.52.92.64
t.l.j. sf dim. 9h-12h 13h30-19h

## CHARLES HEIDSIECK Brut Réserve *

n.c. n.c. 23 à 30 €

Les crayères gallo-romaines rémoises accueillent les champagnes de cette maison créée en 1851, reprise en 1985 par le groupe Rémy-Cointreau. Ce vin « sans année » est mis en cave en 2000. Un système très intelligent inventé par un grand œnologue, Daniel Thibault, et repris par Régis Camus, malheureusement peu compris par le consommateur car il n'est pas simple. Ce vin a donc passé cinq ans en cave avant d'être mis sur le marché. Faisant appel aux trois cépages champenois en parts égales, il est flatteur, plein, rond et structuré. Une étoile encore pour deux champagnes : le **95 (38 à 46 €)** pinot noir/chardonnay (70/30) et le fameux **blanc de blancs des Millénaires, 1995 (+ de 76 €)** ; le premier : « un feu d'artifice tout en délicatesse », note un dégustateur, le second : « brioché et beurré ». (NM)

Charles Heidsieck, 4, bd Henry-Vasnier,
51100 Reims, tél. 03.26.84.43.50, fax 03.26.84.43.86
r.-v.
Rémy-Cointreau

## HEIDSIECK & CO MONOPOLE Blue Top *

n.c. n.c. 15 à 23 €

Maison fondée en 1834 par Henri-Louis Walbaum, neveu de Florens-Louis Heidsieck, lorsque les trois associés de la maison Heidsieck durent se séparer. Elle appartient aujourd'hui à P.-F. Vranken. Le Blue Top contient quatre fois plus de noirs que de blancs. Le fruité et le floral se disputent ce vin vif et complexe d'une superbe couleur. (NM)

Vranken, 5, pl. du Gal-Govraud, 51100 Reims,
tél. 03.26.61.62.63, fax 03.26.61.61.88

## P. HENIN **

2,23 ha n.c. 11 à 15 €

Vignoble familial créé en 1935 et repris en 1989 par Pascal Henin. Ce rosé est un rosé de saignée de pinot noir ; de teinte tuilée foncée, il se montre complexe, avec des notes de tabac et de fruits rouges. Elégant et fin, il est d'une remarquable longueur en bouche. (RM)

Pascal Henin, 22, rue Jules Lobet, 51160 Aÿ,
tél. 03.26.54.61.50, fax 03.26.51.69.25,
e-mail champagne.henin.pascal@hexanet.fr r.-v.

## HENRIOT Cuvée des Enchanteleurs 1990 **

110 ha 40 000 + de 76 €

Grande marque rémoise fondée en 1808 par une ancêtre de Joseph Henriot qui a agrandi son empire en Bourgogne. Coup de cœur dans le précédent Guide, pour son millésime 89, la cuvée des Enchanteleurs 90 réitère l'exploit : les dégustateurs lui décernent à nouveau un coup de cœur et tous lui accordent deux étoiles pour la finesse de ses arômes vanillés, miellés et floraux et pour sa bouche fraîche, complexe et équilibrée. Enchanteleur est un terme champenois désignant les manieurs de tonneaux. Deux champagnes sont cités : le **brut Souverain (23 à 30 €)** et

le **brut millésimé 96 (30 à 38 €)**, tous deux nés de chardonnay et de pinot noir ; le premier discret et brioché, le second incisif et long. (NM)
🔑 Henriot, 81, rue Coquebert, 51100 Reims, tél. 03.26.89.53.00, fax 03.26.89.53.10

## PAUL HERARD Blanc de noirs

● 9 ha n.c. **11 à 15 €**

Les Hérard se succèdent à la tête de cette marque fondée en 1925 et dont le vignoble s'étend sur 9 ha. Ce blanc de pinot noir des années 2001 et 2002, or pâle dans le verre, joue sur les fruits rouges frais et les fruits rouges à l'eau-de-vie. Il est bien typé blanc de noirs et persiste en bouche. (NM)
🔑 Paul Hérard,
33, Grande-Rue, 10250 Neuville-sur-Seine,
tél. 03.25.38.20.14, fax 03.25.38.25.05
Y ✦ t.l.j. sf dim. 8h-12h 14h-18h; f. 15-31 août

## DIDIER HERBERT Mailly-Champagne *

● Gd cru 2 ha n.c. **11 à 15 €**

Appartenant à la troisième génération installée à Rilly-la-Montagne, Didier Herbert dispose en propre d'un vignoble de 7 ha et achète, pour son activité de négociant, des raisins nés sur des terroirs classés en 1er cru. Ce brut des années 2002 et 2003 – 65 % pinot noir et 35 % chardonnay – a séduit par ses arômes très frais d'agrumes et par la fraîcheur de sa bouche. La cuvée **Platinium 2000 (15 à 23 €)** composée de deux parts de pinot noir pour trois de chardonnay joue sur les fleurs blanches et la noisette ; grasse et équilibrée, elle sera parfaite à l'apéritif. Elle reçoit une étoile alors que le **rosé**, assemblage des années 2001-2002 et issu des trois cépages champenois, est cité pour sa puissance fruitée. (NM)
🔑 Didier Herbert, 32, rue de Reims,
51500 Rilly-la-Montagne, tél. 03.26.03.41.53,
fax 03.26.03.44.64, e-mail infos@champagneherbert.fr
☑ Y ✦ r.-v.

## HEUCQ PERE ET FILS Tradition *

● 3,8 ha 35 000 **11 à 15 €**

André Heucq élabore lui-même ses vins. Ses trois champagnes obtiennent tous une étoile et se situent dans la même gamme de prix (11 à 15 €). Les deux premiers naissent des deux pinots : cette Tradition des années 2000 et 2001, structurée et puissante, vineuse et gourmande à souhait, agréable de l'attaque à la longue finale ; le second, un **rosé** saumon lumineux, souple et au fruité confit ; et le troisième, la **cuvée Prestige**, quatre fois plus de noirs que de blancs, des années 1999 et 2000, élevée douze mois sous bois, dont le fruité vineux et les arômes de confiture de fruits rouges persistent longuement. (RM)
🔑 André Heucq, 6, rue Eugène-Moussé, 51700 Cuisles, tél. 03.26.58.10.08, fax 03.26.58.12.00 ☑ Y ✦ r.-v.

## L'HOSTE PERE ET FILS Tradition

● 8 ha n.c. **11 à 15 €**

Le chardonnay est très présent (90 %) dans ce champagne de la vendange 2001 ; l'or pâle traversé de reflets verts et d'une mousse fine est caractéristique du cépage dominant ; le nez également, avec ses notes fruitées (prune). Equilibré et frais, un ensemble bien adapté à l'heure apéritive. (NM)
🔑 L'Hoste Père et Fils, rue Vavray, 51300 Bassuet, tél. 03.26.73.94.43, fax 03.26.73.97.21
☑ Y ✦ t.l.j. sf dim. 8h-12h 13h-18h

## M. HOSTOMME ET SES FILS *

● Gd cru 1,5 ha 15 000 **11 à 15 €**

Avec 65 % de ses champagnes commercialisés dans toute l'Europe, cette maison propriétaire de 11 ha de vigne dans la Côte des Blancs et dans la vallée de la Marne produit 150 000 bouteilles par an. Son rosé est particulièrement réussi. Les deux pinots y collaborent à égalité, c'est donc un rosé de noirs. Arômes et saveurs de fruits noirs – de cassis entre autres – s'expriment vivement dans ce champagne de début de repas. (NM)
🔑 Laurent Hostomme, 5, rue de l'Allée,
51530 Chouilly, tél. 03.26.55.40.79, fax 03.26.55.08.55,
e-mail champagne.hostomme@wanadoo.fr
☑ Y ✦ t.l.j. sf dim. 9h-12h 14h-17h30, sam. sur r.-v.

## HUGUENOT TASSIN Millésimé 2000 *

● 1,5 ha 5 000 **15 à 23 €**

Dans la région de Celles-sur-Ource, Benoît Huguenot cultive son vignoble de 6 ha. Son 2000, d'une composition originale, assemble trois cépages à parts égales : le chardonnay, le pinot blanc et le pinot noir. On leur doit des arômes de sous-bois, de pain grillé et des notes balsamiques. Souplesse et nervosité assurent son équilibre. Autre composition originale, celle de la cuvée **Tradition (11 à 15 €)**, issue de 60 % de pinot noir associé à 40 % de pinot blanc ; elle est citée pour ses touches fumées, mentholées et de fruits confits, ainsi que pour sa complexité nerveuse pleine de charme. (RM)
🔑 Benoît Huguenot, 4, rue du Val-Lune,
10110 Celles-sur-Ource, tél. 03.25.38.54.49,
fax 03.25.38.50.40 ☑ Y ✦ r.-v.

## ERIC ISSELEE Blanc de blancs 2000 *

● Gd cru 0,75 ha 6 000 **11 à 15 €**

Eric Isselée exploite un vignoble familial situé principalement à Cramant, grand cru de la Côte des Blancs. Ce champagne, né de chardonnay vendangé en 2000, or pâle et traversé de bulles fines, chardonne avec des arômes complexes de fruits exotiques ; il exprime toute sa complexité en bouche, dans le même registre ; équilibré et long, il accompagnera des poissons en sauce. La **Cuvée des Grappes d'or**, un autre blanc de blancs vinifié à partir de raisins ramassés en 2001, est citée pour ses notes de fleurs blanches et ses saveurs citronnées. N'oubliez pas, si vous passez par là, de parcourir 3 km pour découvrir l'église de Cuis, des XIe et XIIes. (NM)
🔑 EARL Eric Isselée, 350, rue des Grappes-d'Or,
51530 Cramant, tél. 03.26.57.54.96, fax 03.26.53.91.76,
e-mail champagneissele.e@wanadoo.fr
☑ 🏠 Y ✦ t.l.j. 9h30-19h

## JACQUART Tradition **

● n.c. 1 200 000 **15 à 23 €**

Marque fondée en 1896, reprise en 1962 par une union de coopératives regroupant six cents vignerons propriétaires de 800 ha de vignes. Ce brut Tradition naît des trois cépages champenois à parts égales ; il est discret mais élégant, frais, équilibré et de bonne longueur. La **cuvée Allegra 99 (23 à 30 €)** obtient une étoile pour sa finesse et son équilibre, qualités qu'elle doit à 45 % de chardonnay et à 55 % de pinot noir. Les fruits de mer la flatteront. (CM)
🔑 Jacquart et Associés Distribution, 6, rue de Mars,
51057 Reims, tél. 03.26.07.88.40, fax 03.26.07.12.07,
e-mail jacquart@jad.fr

CAMILLE JACQUET Excellence Blanc de blancs ★★

Gd cru 5 ha 35 000 11 à 15 €

Cette marque, créée en 2001, appartient au Champagne Jean Pernet du Mesnil-sur-Oger : le champagne lui-même est vinifié à Chavot-Courcourt. C'est compliqué mais parfaitement règlementaire. La cuvée Excellence naît de chardonnay récolté en 2001 et 2002. Ce grand cru éveille l'enthousiasme ; les dégustateurs louent sa complexité, sa puissance, son attaque, son équilibre et sa longueur. Un archétype de blanc de blancs, un coup de cœur évident. La cuvée **Grande Réserve** obtient une étoile. C'est un champagne issu principalement de raisins noirs (90 %) des années 2001 et 2002. Son équilibre, sa vivacité et sa rondeur justifient cette distinction. (NM)

Camille Jacquet,
3, Le Pont-de-Bois, 51530 Chavot-Courcourt,
tél. 03.26.57.54.24, fax 03.26.57.96.98,
e-mail champagne.pernet@wanadoo.fr r.-v.

JACQUINET-DUMEZ Les Caprices de Diane ★

1er cru 0,5 ha 3 500 15 à 23 €

Olivier Jacquinet cultive un vignoble de 7 ha créé en 1935. Il dispose de pièces (de chêne) dans lesquelles le vin est élevé six moix. Ainsi est vinifiée cette cuvée comportant 70 % de pinot noir et 30 % de chardonnay des années 1998 et 1999. Elle est puissante, franche, ronde, riche ; on retrouve des nuances boisées qui savent s'effacer devant le pinot. « Très bonne bouteille », conclut un dégustateur. (RM)

Jacquinet-Dumez,
26, rue de Reims, 51370 Les Mesneux,
tél. 03.26.36.25.25, fax 03.26.36.58.92,
e-mail jacquinet-dumez@wanadoo.fr r.-v.

CHRISTOPHE JANISSON Séduction 2000 ★

Gd cru 0,4 ha 3 000 11 à 15 €

Ici, vous êtes à 2 km du phare de Verzenay... ou de son moulin. A la tête du domaine depuis 1984, ce viticulteur de Mailly-Champagne (grand cru) propose un brut Séduction 2000 presque totalement issu de pinot noir (90 %) qui ne fait pas sa fermentation malolactique. Il est or brillant soutenu, épicé, toasté mais aussi fruité, ample, velouté et persistant. (RM)

Christophe Janisson,
20, rue Kellermann, 51500 Mailly-Champagne,
tél. 03.26.49.46.82, fax 03.26.83.16.54,
e-mail christophe.janisson@libertysurf.fr r.-v.

PHILIPPE JANISSON Cuvée Prestige ★★

1er cru 4 ha 10 000 15 à 23 €

Installé depuis 1969 sur le domaine familial, Philippe Janisson crée sa marque en 1984. La cuvée Prestige comporte 40 % de pinot noir pour 60 % de chardonnay. Les vendanges de 2000 à 2002 sont mises à contribution. C'est un champagne or pâle à la mousse fine et élégante, floral, souple, onctueux, équilibré et surtout harmonieux. Il déliera les conversations. La **Grande Réserve**, mi-noirs mi-blancs de 1999 et 2000, tout en agrumes et fruits mûrs, puissante et longue, obtient deux étoiles alors que la **cuvée Tradition (11 à 15 €)** en reçoit une ; ses trois cépages champenois en parts égales (2001 et 2002) apportent une légèreté florale et ronde. L'apéritif lui convient. (NM)

Philippe Janisson, 17, rue Gougelet,
51500 Chigny-les-Roses, tél. 03.26.03.46.93,
fax 03.26.03.49.00, e-mail champagne@janisson.fr
r.-v.

JANISSON-BARADON ET FILS Sélection

6 ha 31 000 11 à 15 €

Cette marque créée en 1922 porte les noms de ses fondateurs. Les quatrième et cinquième générations de Janisson exploitent le vignoble de 9 ha situé à Epernay. Le brut Sélection, mi-noirs mi-blancs des années 2000 à 2002, est dominé par les agrumes. Sa finale est vive. Citée encore, la **Cuvée Prestige Georges Baradon 99 (23 à 30 €)**, née de l'assemblage de 30 % de pinot noir et de chardonnay, est fruitée et équilibrée. (RM)

SCEV Janisson-Baradon et Fils,
2, rue des Vignerons, 51200 Epernay,
tél. 03.26.54.45.85,
e-mail info@champagne-janisson.com r.-v.

JANISSON ET FILS Cuvée spéciale Prestige

1,5 ha 7 000 15 à 23 €

En 1923, le grand-père de l'exploitant actuel commence à vendre son champagne. Le domaine, aujourd'hui, dispose d'un vignoble de 8,5 ha. Le chardonnay et le pinot noir se partagent à parts égales cette Cuvée spéciale ; sa puissance, sa richesse, sa complexité ont intéressé les dégustateurs. On peut la servir en apéritif, accompagnée de jambon de Sardaigne. (NM)

Janisson et Fils, 6 bis, rue de la Procession,
51360 Verzenay, tél. 03.26.49.40.19, fax 03.26.49.43.58,
e-mail champagne@janisson.com r.-v.

JEAN DE LA FONTAINE Cuvée Prestige ★★

1,5 ha 10 000 11 à 15 €

Autre marque du champagne Baron Albert, baptisée en hommage au poète né à Château-Thierry, à 15 km de Charly-sur-Marne. Comme les champagnes Baron Albert, les vins ne font pas leur fermentation malolactique. Assemblage de 85 % de pinot meunier et de 15 % de chardonnay récoltés en 2000 et 2001, cette cuvée Prestige est louée pour la finesse de ses parfums d'acacia et l'élégance de sa bouche miellée : une remarquable harmonie. Quant au **2000**, il privilégie le chardonnay (80 %), complété par les deux pinots. Ses arômes de fleurs et de pêche blanche, son équilibre nerveux en font un champagne d'apéritif. Il est cité. (NM)

Jean de La Fontaine, 1, rue des Chaillots,
Grand Porteron, 02310 Charly-sur-Marne,
tél. 03.23.82.02.65, fax 03.23.82.02.44,
e-mail champagnebaronalbert@wanadoo.fr r.-v.

JEANMAIRE Elysée ★

n.c. 80 000 15 à 23 €

Fondée par André Jeanmaire, viticulteur à Avize, cette maison fut reprise en 1982 par les frères Trouillard avant d'entrer dans le patrimoine de Laurent-Perrier en

2004. Le brut Elysée a séduit par sa puissance, par son ampleur, par son côté empyreumatique et sa finale riche. Une citation pour la **Cuvée Brut**, le cheval de bataille de la marque, issue des trois cépages champenois, pour ses arômes épicés et floraux et pour son élégance discrète. (NM)

Jeanmaire, Ch. Malakoff, 3, rue Malakoff, 51200 Epernay, tél. 03.26.59.50.10, fax 03.26.54.78.52, e-mail contact@chateau-malakoff.com

## JEAUNAUX-ROBIN Grande Tradition ★

0,5 ha 3 000 11 à 15 €

Exploitation créée de toute pièce en 1964 dans une région périphérique proche du Petit Morin. Le vignoble s'étend sur 5,5 ha. La Grande Tradition favorise les raisins noirs (90 % dont 60 % de pinot meunier) et provient des années 2000 et 2001 ; elle est briochée, confiturée, ronde et de bonne longueur. La **Sélection** (60 % de pinot meunier, 30 % de pinot noir et 10 % de chardonnay des années 2001 et 2002) est certes discrète et simple mais agréable. Elle est citée. (RM)

Michel Jeaunaux, 1, rue de Bannay, 51270 Talus-Saint-Prix, tél. 03.26.52.80.73, fax 03.26.51.63.78, e-mail cjeaunaux@ifrance.com r.-v.

## ABEL JOBART Sélection ★

4 ha 18 700 11 à 15 €

En 2002, les trois fils d'Abel Jobart prennent les commandes de ce vignoble situé dans la zone périphérique de la vallée de l'Ardre, vallée connue pour ses églises romanes. La Sélection élaborée par Odette Jobart est un blanc de pinot meunier des années 2001 et 2002. C'est un champagne au nez de petits fruits noirs épicés, avec une pointe mentholée, souple en bouche où la rondeur fruitée est très agréable. Un champagne d'apéritif. (RM)

GAEC Jobart et Fils, 4, rue de la Sous-Préfecture, 51170 Sarcy, tél. 03.26.61.89.89, fax 03.26.61.89.90, e-mail contact@champagne-abeljobart.com r.-v.

## RENE JOLLY Blanc de noirs

8 ha 20 000 11 à 15 €

De 1737 à nos jours, les Jolly ont constitué un vignoble de 11 ha à Landreville, dans la Côte des Bars (Aube). Deux champagnes sont cités, tous deux des années 1999 à 2001 : le blanc de noirs, né du seul pinot noir, affiche un nez puissant, fruité avec une note de moka. Il allie vivacité et ampleur. Le **blanc de blancs** aux notes grillées, de fruits secs et de viennoiserie est souple et onctueux. (RM)

René Jolly, 10, rue de la Gare, 10110 Landreville, tél. 03.25.38.50.91, fax 03.25.38.30.51, e-mail contact@jollychamp.com r.-v.

## JOLY-CHAMPAGNE ★

6 ha 35 000 11 à 15 €

Avant guerre, les Joly créent un vignoble sur les rives de la Marne. Vingt ans plus tard, ils lancent leur marque. Les dégustateurs attribuent une étoile aux trois champagnes suivants : ce brut, étiquette noire, né du seul pinot meunier, la **Cuvée spéciale** avec plus de blancs (70 %) que de noirs (30 %), des années 2000 à 2002, et le **brut Elégance**, un blanc de noirs issu des deux pinots, des années 2001 et 2002. Le premier est brillant, parcouru par une effervescence élégante ; il est riche en arômes de fruits rouges et très long en bouche ; le second, bien typé « blanc », est minéral, et le troisième, empyreumatique, rond et complexe. (RM)

Joly-Champagne, 16, rte de Paris, 51700 Troissy, tél. 03.26.52.70.28, fax 03.26.52.97.93, e-mail info@champagne-joly-champagne.com t.l.j. sf dim. 8h-12h 14h-18h; f. août

## BERTRAND JOREZ Tradition ★

1er cru n.c. n.c. 11 à 15 €

Cette Tradition et le **brut rosé** obtiennent tous deux une étoile. La première est née de la vendange 2001 et de 60 % des deux pinots (48 % de meunier) complétés par le chardonnay. Elle offre des notes de pain d'épice dans une bouche ronde et longue. Le second assemble dans des proportions proches les trois cépages champenois récoltés en 2002. Il est discrètement fruité (fruits rouges) et de bonne longueur. (RC)

EARL Bertrand Jorez, 13, rue de Reims, BP 21, 51500 Ludes, tél. 03.26.04.51.64, fax 03.26.61.14.96, e-mail bertrand.jorez@wanadoo.fr r.-v.

## ALEXANDRE KOWAL

0,3 ha 2 500 11 à 15 €

Alexandre Kowal a repris l'exploitation de ses grands-parents en 1998. Il propose un brut rosé intensément saumon, au nez discret de groseille, frais et équilibré en bouche. (RM)

Alexandre Kowal, 17, rue du Moulin, 51260 Montgenost, tél. 06.07.41.12.01, fax 03.26.80.44.61 r.-v.

## KRUG 1990 ★★

n.c. n.c. + de 76 €

Célèbre producteur rémois de champagnes haut de gamme et champion des coups de cœur du Guide Hachette puisqu'en vingt ans il en a reçu vingt-six ! Tous les champagnes Krug sont vinifiés en « petits fûts ». Ce 90 comprend 37 % de chardonnay, 40 % de pinot noir et 23 % de pinot meunier. Ce vin âgé de plus de quinze ans est à son apogée ; sa richesse est grande, son équilibre parfait, sa longueur remarquable et son harmonie sublime. Coup de cœur évident et donc unanime. Deux étoiles pour le **Krug rosé**, issu des trois cépages champenois et qui doit sa teinte à un vin rouge d'Aÿ : un champagne intense, complexe et boisé. Deux étoiles encore pour le **81 Krug Collection**. La bouteille dégustée portait le n° 1568. Mi-blancs mi-noirs (dont 19 % de pinot meunier), cette cuvée élégante, mûre et néanmoins fraîche est un « vin pour œnophile », selon un dégustateur. Une étoile enfin pour le **Clos du Mesnil 92**, un blanc de blancs de caractère, au nez riche, dont la vive acidité est compensée par le dosage. (NM)

🔑 Krug Vins fins de Champagne, 5, rue Coquebert, 51100 Reims, tél. 03.26.84.44.20, fax 03.26.84.44.49, e-mail krug@krug.fr ✱ r.-v.

MICHEL LABBE ET FILS Carte blanche ★

| 1er cru | 8 ha | 30 000 | 11 à 15 € |
|---|---|---|---|

Village fleuri, église, maisons de vignerons, Chamery vaut le détour. Et ce champagne également ! Associant 10 % de chardonnay aux deux cépages noirs, le meunier (15 %) et le pinot noir (75 %), cette Carte blanche est en fait très « noirs ». Elle ne fait pas de fermentation malolactique. Le nez le confirme, jouant sur les fruits rouges, avec toutefois une note de coing. En bouche, le floral et le minéral se joignent aux senteurs précédentes, au service de la finesse. (RM)

🔑 Michel Labbé et Fils, 5, chem. du Hasat, 51500 Chamery, tél. 03.26.97.65.45, fax 03.26.97.67.42 ☑ Y ✱ r.-v.

🔑 Didier Labbé

LACROIX 1998 ★★

| | 2 ha | 14 000 | 15 à 23 € |
|---|---|---|---|

Jean Lacroix exploite un vignoble de 11 ha dans la vallée de la Marne depuis 1968. Son 98, mi-blancs mi-noirs (les deux pinots), plaît beaucoup aux dégustateurs qui vantent la finesse de son fruité légèrement confit, son charme et surtout son équilibre parfait. Ils aimeraient le goûter en savourant un bar de ligne. (RM)

🔑 Jean Lacroix, 14, rue des Genêts, 51700 Montigny-sous-Châtillon, tél. 03.26.58.35.17, fax 03.26.58.36.39 ☑ 🏠 Y ✱ t.l.j. 9h-12h 14h-18h

LACROIX-TRIAULAIRE ET FILS 2000

| | 7,35 ha | 4 096 | 11 à 15 € |
|---|---|---|---|

En 1972, les Lacroix créent à Merrey-sur-Arce un vignoble de 7 ha ; ils lancent leur marque quatorze ans plus tard. Les trois cépages habituels s'associent dans ce rosé saumoné, tuilé, qui doit toute sa séduction aux arômes de fraise des bois. (RM)

🔑 Lacroix-Triaulaire, 4, rue de La Motte, 10110 Merrey-sur-Arce, tél. 03.25.29.83.59, fax 03.25.29.63.44 ☑ Y ✱ r.-v.

VIGNOBLE LACULLE Brut premier

| | 5,88 ha | 56 900 | 11 à 15 € |
|---|---|---|---|

Depuis la Révolution française, les Laculle sont vignerons à Chervey, dans la paisible vallée de l'Arce (Aube). En 2000, ils créent leur marque afin de valoriser la production de leur vignoble de 11 ha. Elaboré par Moutard-Diligent, leur Brut premier est un blanc de noirs issu de la récolte de 2002. Les fleurs blanches envahissent ce champagne vif dont quelques dégustateurs pensent qu'il est très récemment dosé. (NM)

🔑 Vignoble Laculle, 1, rue du Vieux Château, 10110 Chervey, tél. 03.25.38.78.17, fax 03.25.38.59.82

CHARLES LAFITTE Cuvée spéciale

| | n.c. | n.c. | 15 à 23 € |
|---|---|---|---|

Maison de négoce lancée en 1983 par P.A. Vranken, devenue en 2003 successeur de la maison George Goulet qui, en 1834, abandonna la laine pour le champagne. Encore un champagne associant 50 % de chardonnay aux deux pinots et dont la complexité discrète est soulignée par un bel équilibre. (NM)

🔑 Charles Lafitte, Champ Rouen, 51150 Tours-sur-Marne, tél. 03.26.61.62.63, fax 03.26.61.61.28

🔑 P.F. Vranken

BENOIT LAHAYE Rosé de macération ★

| | 0,5 ha | 2 000 | 11 à 15 € |
|---|---|---|---|

Exploitation et marque créées dans l'entre-deux-guerres et disposant d'un vignoble de 4,5 ha du côté de Bouzy. Ainsi que le précise l'étiquette, ce rosé doit sa teinte à une macération courte : c'est donc fatalement un rosé de noirs. Ce « sans année », né des vendanges de 2001 et de 2002, est un rosé rouge plein de fruit. Les dégustateurs l'estiment atypique mais le désignent comme un vin de plaisir. (RM)

🔑 EARL Benoît Lahaye, 33, rue Jeanne-d'Arc, 51150 Bouzy, tél. 03.26.57.03.05, fax 03.26.52.79.94, e-mail lahaye.benoit@wanadoo.fr ☑ Y ✱ r.-v.

LAHERTE FRERES
Blanc de blancs La Pierre de la justice

| 1er cru | 0,75 ha | 6 000 | 11 à 15 € |
|---|---|---|---|

Avec aujourd'hui 8,6 ha de vigne, cette maison propose ici deux cuvées. La première, la Pierre de la justice, est issue d'une seule vigne située dans un lieu-dit portant ce nom, dans la commune de Vertus, au cœur de la Côte des Blancs. Ce blanc de blancs des années 1999 et 2000 est simple, souple et très généreusement dosé. Le **Prestige 99 (15 à 23 €)** est composé à 85 % de chardonnay, saupoudré de 15 % de pinot meunier. Ces vins passent par le bois, y compris du bois neuf, pour donner un champagne de caractère, fumé, épicé, balsamique. Pour amateurs avertis. (NM)

🔑 Laherte Frères, 3, rue des Jardins, 51530 Chavot-Courcourt, tél. 03.26.54.32.09, fax 03.26.51.54.77, e-mail champagne.laherte.freres@wanadoo.fr ☑ 🏠 Y ✱ r.-v.

LAMIABLE Extra-brut

| Gd cru | 5,7 ha | 10 000 | 11 à 15 € |
|---|---|---|---|

A l'est d'Epernay, sur la D1, Tours-sur-Marne abrite le siège de ce récoltant-manipulant dont deux champagnes ont été cités par le jury. L'extra-brut naît de 70 % de pinot noir et de 30 % de chardonnay des années 2000 à 2002. C'est un champagne aux bulles légères, blond, fin, nerveux, très agréable. Le **Spécial Club 99 (15 à 23 €)** est issu des mêmes cépages mais en proportions inverses. Il est équilibré et a atteint son apogée. (RM)

🔑 Jean-Pierre Lamiable, 8, rue de Condé, 51150 Tours-sur-Marne, tél. 03.26.58.92.69, fax 03.26.58.76.67, e-mail lamiable@champagnelamiable.com ☑ Y ✱ r.-v.

JEAN-JACQUES LAMOUREUX Réserve

| | 5 ha | 40 815 | 11 à 15 € |
|---|---|---|---|

Fêtant ses vingt ans de viticulture en 2005, Jean-Jacques Lamoureux a créé son vignoble (11 ha) en 1978. Il est également producteur de rosé-des-riceys. Les raisins noirs (83 %) de pinot noir l'emportent dans cette Réserve classique, fruitée, vineuse, équilibrée, de teinte soutenue. Le **brut rosé**, un assemblage semblable au précédent, fait songer à la fraise, à la framboise, au cassis, voire à la groseille. Il est typé. (RM)

EARL Jean-Jacques Lamoureux,
27 bis, rue du Gal-de-Gaulle, 10340 Les Riceys,
tél. 03.25.29.11.55, fax 03.25.29.69.22
t.l.j. sf dim. 9h-12h 14h-18h

LANCELOT FILS
Blanc de blancs Cuvée spéciale Cramant 1999 *

Gd cru n.c. 5 000 15 à 23 €

Claude Lancelot dispose de 5 ha dans la Côte des Blancs. Son Cramant, biscuité, avec des notes de poire et fruits secs, laisse en bouche des saveurs de fruits blancs. Sous l'étiquette **Claude Lancelot brut (11 à 15 €)**, ce producteur propose un autre blanc de blancs (l'étiquette ne le dit pas) des années 2000 et 2001, marqué par les agrumes, floral et intensivement dosé. Il est cité. (RM)

Lancelot-Goussard, 30, rue Vallé, 51190 Avize,
tél. 03.26.57.94.68, fax 03.26.57.79.02,
e-mail nadinelancelot@hotmail.com r.-v.
Claude Lancelot

LANCELOT-PIENNE
Blanc de blancs Cuvée Marie Lancelot 1996 *

Gd cru 1 ha 2 500 15 à 23 €

Le domaine, créé par Albert Lancelot en 1967, est dirigé par son fils, l'œnologue Gilles Lancelot, depuis 1997. La cuvée Marie Lancelot est aujourd'hui structurée, vineuse, fruitée et longue (RM)

Lancelot-Pienne, 1, allée de la Forêt,
51530 Cramant, tél. 03.26.57.55.74, fax 03.26.57.53.02,
e-mail champagne@lancelot.fr r.-v.

YVES LANCELOT-WANNER
Blanc de blancs 1996 *

Gd cru 0,3 ha 3 000 15 à 23 €

L'Allemagne, la Belgique, le Luxembourg et l'Italie se partagent avec la France la production d'Yves Lancelot. Son millésime 96 est élégant, floral (violette) et fruité (fruits blancs et agrumes). Son dosage généreux compense l'acidité bien connue de ce millésime. (RM)

Yves Lancelot, 155, rue de la Garenne,
51530 Cramant, tél. 03.26.57.58.95, fax 03.26.57.00.30
r.-v.

LANSON Noble Cuvée

5 ha 25 000 38 à 46 €

Cuvée de prestige de cette très ancienne marque fondée en 1760, reprise par le groupe Marne et Champagne. Cette Noble Cuvée est née des années 1998 à 2000 et de 62 % chardonnay (associé au pinot noir). Le vin ne fait pas sa fermentation malolactique, comme toujours chez Lanson. Est-ce l'origine de son élégance ? « Les papilles sont aiguisées », écrit un dégustateur. (RM)

Champagne Lanson, 12, bd Lundy, 51100 Reims,
tél. 03.26.78.50.50, fax 03.26.78.50.99,
e-mail info@lanson.fr r.-v.

GUY LARMANDIER *

1er cru 3,14 ha 25 000 11 à 15 €

1977 voit la création par Guy Larmandier de cette marque qui appartient toujours à sa famille, l'une des plus connues de la Côte des Blancs et dont le vignoble compte 9 ha. Depuis sa disparition, sa femme Colette et ses enfants poursuivent la production, et proposent deux champagnes qui obtiennent chacun une étoile. Le 1er cru, assemblage de chardonnay et de pinot noir, aux arômes citronnés, beurrés, accompagnés d'une note de tabac, trouve complexité et équilibre. Le **Cramant grand cru 98 (15 à 23 €)** est évidemment un blanc de blancs ; il est empyreumatique, souple et frais. (RM)

EARL Guy Larmandier, 30, rue du Gal-Koenig,
51130 Vertus, tél. 03.26.52.12.41, fax 03.26.52.19.38
r.-v.
Colette et François Larmandier

LARMANDIER-BERNIER Terre de Vertus *

1er cru 4 ha 10 000 15 à 23 €

Philippe Larmandier et Elisabeth Bernier ont créé leur marque en 1972. Aujourd'hui, leur fils Pierre cultive un vignoble de 11 ha dans la Côte des Blancs. Il croit à la biodynamie et élève ses vins en fût. La Terre de Vertus démontre la qualité d'un champagne non dosé, net, pur, floral, frais. Le **1er cru**, blanc de blancs élevé sept mois dans le bois, issu des années 2000 à 2002, est un vin vineux et frais, équilibré et fruité. Il reçoit une étoile. Le **1er cru 98 (23 à 30 €)**, blanc de blancs également, a lui aussi été élevé sept mois dans le bois. Il est cité pour sa matière évoluée qui a atteint son apogée. (RM)

Larmandier-Bernier, 43, rue du 28-Août,
51130 Vertus, tél. 03.26.52.13.24, fax 03.26.52.21.00,
e-mail larmandier@terre-net.fr r.-v.

LARMANDIER PERE ET FILS
Spécial club Chardonnay 1998 *

Gd cru n.c. 4 000 23 à 30 €

Françoise Gimonnet-Larmandier et ses deux fils, Olivier et Didier, perpétuent une tradition familiale remontant aux années 1870. Leur Spécial club s'apprécie d'emblée par l'élégante effervescence qui traverse l'or dans le verre. Il est empyreumatique, rond, onctueux ; les fruits cuits emportent la finale... La **Cuvée blanc de blancs 1er cru (15 à 23 €)**, des années 1999 à 2002, est citée pour ses arômes de poire et sa légèreté. Quant au cheval de bataille de la maison, le **Perlé de Larmandier blanc de blancs 1er cru 2000 (15 à 23 €)**, il reste frais et séduisant. (RM)

Larmandier Père et Fils, BP 4, 51530 Cramant,
tél. 03.26.57.52.19, fax 03.26.59.79.84,
e-mail champagne.larmandier@wanadoo.fr r.-v.
SA Pierre Gimonnet et Fils

JEAN LARREY Sélection blanc de blancs

1,5 ha 13 000 11 à 15 €

Dans cette cuvée qui assemble des raisins des années 1999 à 2001, on retrouve les caractères du chardonnay : les fleurs blanches, les notes citronnées, la complexité, le gras, l'équilibre. La cuvée **Marie Charlotte blanc de blancs 99 (15 à 23 €)** est également citée. Fougère, épices, menthe et sous-bois s'expriment dans un champagne dont le dosage est perceptible. (RM)

Jacques Copinet,
11, rue de l'Ormeau, 51260 Montgenost,
tél. 03.26.80.49.14, fax 03.26.80.44.61,
e-mail info@champagne-copinet.com r.-v.

MAURICE LASSALLE Grande Réserve

1er cru 1 ha 10 000 11 à 15 €

Vous connaissez certainement le parc naturel régional de la Montagne de Reims et ses célèbres faux de Verzy. A 7 km, vous trouverez ce vigneron, dont les 7,5 ha de vigne sont répartis entre trois villages classés 1er cru. Sa Grande Réserve issue des vendanges de 2002 et de 2001 naît de l'assemblage de pinot meunier complété par 25 %

de pinot noir et 25 % de chardonnay. Elle porte une robe qui « fait l'œil » ; son nez discret annonce une bouche légère et équilibrée. (RM)
Maurice Lassalle, 24, rue Georges-Legros, 51500 Chigny-les-Roses, tél. 03.26.03.42.20, fax 03.26.03.45.96, e-mail reception@champagne-maurice-lassalle.com r.-v.
Eric Lasalle

## PIERRE LAUNAY

11,4 ha 25 000 11 à 15 €

Nous sommes ici dans le Sézannais, à quelques kilomètres du château de Montmort. Ce brut des années 2000 et 2001 est né de 50 % de chardonnay et de 50 % de pinot noir. Il présente une bouche charpentée mais ronde, presque douce, empyreumatique. (RM)
Pierre Launay, 11, rue Saint-Antoine, 51120 Barbonne-Fayel, tél. 03.26.80.20.03, fax 03.26.42.73.01, e-mail champagne.pierre.launay@wanadoo.fr
r.-v.

## LEON LAUNOIS Blanc de blancs Blue Prestige *

Gd cru n.c. n.c. 15 à 23 €

Un blanc de blancs proposé par une des marques du Champagne Charles Mignon d'Epernay et qui étonne. Un dégustateur écrit : « surprenant, intéressant (nouveau concept) » ; pour un autre, ce champagne est « classique : complexe, gouleyant, riche, bien fondu, de grande finesse ». (NM)
Léon Launois et Cie, 6, rue Joliot-Curie, 51200 Epernay, tél. 03.26.58.33.33, fax 03.26.51.54.10
r.-v.
Mignon

## LAUNOIS PERE ET FILS Veuve Clémence Chardonnay

Gd cru 2,5 ha 20 000 11 à 15 €

Domaine créé en 1872, s'étendant sur une vingtaine d'hectares. Au siège de l'exploitation, en plein cœur du village du Mesnil-sur-Oger, on peut visiter un musée consacré au vin. Un peu bref, ce blanc de blancs apparaît évolué avec ses arômes de coing mêlés d'amande verte et de poire. (RM)
Launois Père et Fils, 2, av. Eugène-Guillaume, 51190 Le Mesnil-sur-Oger, tél. 03.26.57.50.15
r.-v.

## LAURENT-GABRIEL Spécial rosé

1er cru 0,3 ha 1 700 11 à 15 €

Daniel Laurent dirige cette marque fondée en 1982. Son rosé est un rosé de pinot noir, récolté en 1998. Dans une robe assez soutenue, ses arômes et ses saveurs tendent vers l'évolution, le fruité confituré, le fruit confit, avec puissance et persistance. Il est bien structuré par une belle matière. (RM)
EARL Laurent-Gabriel, 2, rue des Remparts, 51160 Avenay-Val-d'Or, tél. 03.26.52.32.69, fax 03.26.59.92.08, e-mail champagne.laurent-gabriel@wanadoo.fr
r.-v.

## LAURENT-PERRIER Grand Siècle **

n.c. n.c. + de 76 €

La marque est ancienne (1812) mais elle doit tout à Bernard de Nonancourt. Aujourd'hui, elle contrôle Delamotte, Salon, Castellane, Jeanmaire, Oudinot... La cuvée Grand Siècle, dont le nom a été choisi par le général de Gaulle, est mi-noirs mi-blancs. Ce champagne des grandes occasions (coûteux) est incisif, nerveux, frais, moderne. Son équilibre est exemplaire et le destine aussi bien à l'apéritif qu'à l'accompagnement des repas fins. Une citation pour le **brut LP (23 à 30 €)** qui privilégie légèrement les raisins noirs ; discret, direct, il est marqué par des saveurs d'agrumes. (NM)
Laurent-Perrier, Dom. Laurent-Perrier, 51150 Tours-sur-Marne, tél. 03.26.58.91.22, fax 03.26.58.77.29 r.-v.

## ALAIN LEBOEUF Réserve **

1,9 ha 5 800 11 à 15 €

Marcel Lebœuf, suivi par son fils Claude puis par son petit-fils Alain, ont vinifié et vinifient du champagne à Colombé-la-Fosse dans l'Aube. Le vignoble s'étend sur près de 7 ha. Ce brut sans année est un blanc de blancs (l'étiquette ne l'annonce pas), né des millésimes 2001 et 2002 ; il est très apprécié par les dégustateurs qui louent sa minéralité et sa complexité, sa fraîcheur, sa finesse et sa palette aromatique ; il est d'une grande élégance. La cuvée **Séduction 2000 (15 à 23 €)** est issue de pinot noir (55 %) et de chardonnay. Equilibrée et gourmande, elle est citée. (RM)
Alain Lebœuf, 1, rue du Moulin, 10200 Colombé-la-Fosse, tél. 03.25.27.11.26, fax 03.25.27.17.23 r.-v.

## PAUL LEBRUN Blanc de blancs Carte d'or *

6,5 ha 50 000 11 à 15 €

Implantés dans la Côte des Blancs, les Lebrun exploitent un vignoble de 16 ha complanté de chardonnay. D'où la production de blanc de blancs, tels ces deux champagnes retenus par le jury. La Carte d'or, issue de raisins des années 1999-2000, évoque la poire, l'abricot, les agrumes, le pain grillé. Après une attaque franche, le citron et les notes empyreumatiques dominent un vin au dosage parfait, équilibré et long. La **Grande Réserve blanc de blancs 98** est citée pour son élégance. (NM)
SA Vignier-Lebrun, 35, rue Nestor-Gaunel, 51530 Cramant, tél. 03.26.57.54.88, fax 03.26.57.90.02, e-mail champagne.vignier-lebrun@wanadoo.fr
r.-v.

## ALBERT LE BRUN Vieille France *

n.c. n.c. 15 à 23 €

De 1860 à 1998, les Le Brun ont gouverné leur marque. Après deux changements de mains, la Holding Lombard (Cazanove) l'a intégrée au groupe en sauvegardant la marque et la fameuse bouteille trapue, copie de celle peinte par Nicolas Lancret dans le *Déjeuner de jambon* (musée de Chantilly). Le rosé Vieille France – 60 % de pinot noir, 30 % chardonnay, teinté par 10 % de vin rouge – est très vineux ; c'est un rosé de table. Sont cités la cuvée **Vieille France 98** et le **brut**, tous deux issus pour les deux tiers de pinot noir ; deux champagnes généreux qu'il ne faut plus attendre, particulièrement le 98. (NM)
Charles de Cazanove, 17, rue des Créneaux, 51100 Reims, tél. 03.26.88.53.86, fax 03.26.54.41.52
t.l.j. 10h-19h

## LE BRUN DE NEUVILLE Cuvée Sélection

n.c. 40 000 15 à 23 €

Cette coopérative du sud du département de la Marne (Bethon) porte le nom d'un de ses fondateurs

(1963). Ses cent cinquante adhérents possèdent 150 ha de vignes. La Sélection, association de pinot noir et de chardonnay, est épicée et marquée par une saveur d'écorce de noix. Onctueuse et évoluée, elle est à réserver à des amateurs avertis. (CM)

Le Brun de Neuville, rte de Chantemerle, 51260 Bethon, tél. 03.26.80.48.43, fax 03.26.80.43.28, e-mail lebrundeneuville@wanadoo.fr r.-v.

## LE BRUN SERVENAY Réserve

1 ha 10 000 11 à 15 €

Installés à Avize, sur la place de l'ancien marché, en plein cœur de la Côte des Blancs, les Le Brun Servenay proposent une cuvée Réserve davantage marquée par les raisins blancs (55 % de chardonnay) que noirs (les deux pinots) et issue des années 1999 à 2002. Un champagne subtil, long, miellé, qui se distingue par une touche végétale. (RM)

SCEV Le Brun-Servenay, 14, pl. Léon-Bourgeois, 51190 Avize, tél. 03.26.57.52.75, fax 03.26.57.02.71
t.l.j. 9h-12h 14h-17h; f. août
Patrick Le Brun

## LECLAIRE-GASPARD
Avize Blanc de blancs Carte d'or

Gd cru 1 ha 2 000 15 à 23 €

Ce récoltant-manipulant dispose d'un vignoble de près de 6 ha, y compris à Avize, d'où sont originaires les chardonnays de cette Carte d'or. Ce blanc de blancs, assez vineux, beurré, brioché, miellé, vanillé possède une acidité rafraîchissante. (RM)

Dom. des Champagnes Leclaire, 26, rue Sadi-Carnot, 51160 Mareuil-sur-Aÿ, tél. 03.26.52.88.65, fax 03.26.58.87.71, e-mail champagne.leclaire.thiefaine@wanadoo.fr
r.-v.

## LECLERC-BRIANT Cuvée de réserve ★

2 ha 15 000 23 à 30 €

En 1664, les Leclerc étaient vignerons à Aÿ. En 1872, Louis Leclerc commercialise ses premières bouteilles. Il est donc l'un des premiers viticulteurs à le faire. Pascal Leclerc, son descendant, cultive un vignoble de 30 ha dans lequel il a isolé des parcelles, nommées et faisant l'objet de vinifications séparées. Ces champagnes constituent la collection des Authentiques, telle que la cuvée **Les Chèvres pierreuses 1er cru** issue des trois cépages champenois. Ce champagne miellé, beurré, fin et flatteur est cité. Quant à cette Cuvée de réserve, assemblage de 70 % de pinot noir et de 30 % de chardonnay des années 1998 à 2000, c'est un « vin gourmand pour les gourmets » écrit un dégustateur. Riche, complexe, long, aromatique, il se fera apprécier d'une poularde à la crème. (NM)

Leclerc-Briant, 67, rue Chaude-Ruelle, BP 108, 51204 Epernay Cedex, tél. 03.26.54.45.33, fax 03.26.54.49.59, e-mail plb@leclercbriant.com
t.l.j. 9h-11h30 13h30-17h30; sam. dim. sur r.-v.; f. 5-25 août
Pascal Leclerc-Briant

## LECLERC-MONDET Tradition

6 ha 40 000 11 à 15 €

Maison créée en 1952 exploitant un vignoble de 9 ha. La cuvée Tradition sollicite les trois cépages champenois, des années 2000 et 2001 ; ses arômes de fruits blancs et de pâte d'abricots annoncent une bouche mûre mais qui reste fraîche. Elle se mariera avec un saumon en gelée de champagne ou avec des coquilles Saint-Jacques. (RM)

Leclerc-Mondet, 5, rue Beethoven, 02850 Chassins, tél. 03.23.70.23.39, fax 03.23.70.10.59
t.l.j. 9h-12h 14h-19h, dim. 9h-12h

## LECLERE-POINTILLART Sélection ★

1er cru 6,5 ha 15 000 11 à 15 €

Vignoble de 8 ha créé en 1950. Le brut Sélection, des années 2000 à 2002, est composé de quatre fois plus de noirs que de blancs ; sa rondeur puissante et fruitée le destine à la table. Le **1er cru 97 (15 à 23 €)**, mi-noirs mi-blancs, s'impose aux amateurs de champagnes évolués. Epicé, compoté, miellé, il est structuré et long. Il reçoit une étoile. (RM)

Patrice Leclère, 3, Grande-Rue, 51500 Ecueil, tél. 03.26.49.77.47, fax 03.26.49.27.46, e-mail leclpoint@aol.com
t.l.j. sf dim. 9h-12h 13h30-18h

## XAVIER LECONTE Cuvée Prestige

2,5 ha 8 000 11 à 15 €

Depuis 1910, quatre générations ont constitué un vignoble de 10 ha et une exploitation moderne. Le Prestige est un blanc de noirs issu de raisins des deux pinots (pinot noir 70 %) vendangés en 2000. Vineux, équilibré, plus puissant que fin, il ne cache pas qu'il a passé un an sous bois par sa finale torréfiée longue et plaisante. Le nez, lui, exprime les fruits rouges. (RM)

Xavier Leconte, 7, rue des Berceaux, Boucquigny, 51700 Troissy, tél. 03.26.52.73.59, fax 03.26.52.71.81, e-mail xavier.leconte@wanadoo.fr r.-v.

## LEGOUGE-COPIN 1998 ★

4,5 ha 1 600 11 à 15 €

Serge Copin a lancé sa marque en 1962, marque que sa fille Jocelyne et son époux Jean-Marc Legouge reprennent et transforment en 1992 en Legouge-Copin. Le vignoble de 4,5 ha est situé dans la commune de Vandières (et une parcelle à Bar-sur-Aube). Né de 80 % de pinot noir et de 20 % de chardonnay, ce millésime est floral, frais, équilibré, agréable. A servir à l'apéritif avec des toasts de foie gras poivré sur du pain de campagne grillé. (RM)

Legouge-Copin, 6, rue de l'Abbé-Bernard, 51700 Verneuil, tél. 03.26.52.96.89, fax 03.26.51.85.62, e-mail legouge-copin@free.fr r.-v.

## ERIC LEGRAND Cuvée Prestige

n.c. 7 000 11 à 15 €

Le champagne des feux d'artifice comme le laisse entendre l'étiquette très colorée. Eric Legrand reprend la propriété familiale de 7 ha et fonde sa marque en 1982. Cette cuvée Prestige est un blanc de blancs – ce que n'annonce pas l'étiquette – issu des récoltes de 2000 et de 2002. Le vin est léger, mais équilibré, marqué par une touche de fleurs blanches et d'agrumes. La bouche est très agréable et persistante. (RM)

Eric Legrand, 39, Grande-Rue, 10110 Celles-sur-Ource, tél. 03.25.38.55.07, fax 03.25.38.56.84, e-mail champagne.legrand@wanadoo.fr
t.l.j. 9h-12h30 14h-17h30, dim. sur r.-v.; f. 31 juil.-1er sept.

PIERRE LEGRAS Blanc de blancs ★★

Gd cru 4 ha 40 000 11 à 15 €

Pierre Legras, ancêtre né en 1662, était vigneron à Chouilly. Cette marque très récente disposant d'un vignoble de 8 ha est aujourd'hui dirigée par Vincent Legras. Son blanc de blancs de 1999 est floral, puis les arômes évoluent sur la fougère, le sous-bois et la cire d'abeille. La bouche est généreuse. A ouvrir lorsque vos amis arrivent à l'improviste. (NM)

Pierre Legras, 28, rue Saint-Chamand, 51530 Chouilly, tél. 03.26.56.30.97, fax 03.26.56.30.98, e-mail pierre.legras@wanadoo.fr r.-v.

LEGRAS ET HAAS Blanc de blancs ★

Gd cru 12 ha 20 000 15 à 23 €

Les Legras étaient déjà vignerons lors de la Révolution française. Aujourd'hui, ils cultivent un important vignoble (30 ha) et élaborent des champagnes, plutôt des blancs de blancs, tel ce grand cru issu des vendanges de 1998, de 2000 et de 2002, minéral, rond, fin, miellé, typé chardonnay. On vous propose un accord gourmand original : une goujonnette de filets de sole aux artichauts. (NM)

Legras et Haas, 7, Grande-Rue, 51530 Chouilly, tél. 03.26.54.92.90, fax 03.26.55.16.78, e-mail legras-haas@wanadoo.fr r.-v.

FERNAND LEMAIRE 2000

1er cru 1 ha 7 800 15 à 23 €

A cinq minutes de l'abbaye d'Hautvillers, ce domaine s'étend sur plus de 6 ha. Le 2000 associe les deux pinots à parts égales à 50 % de chardonnay. Le nez puissant d'agrumes et de pain grillé est plaisant. Après une attaque franche, la bouche se montre brève mais équilibrée. (RM)

Fernand Lemaire, 88, rue des Buttes, BP 1, 51160 Hautvillers, tél. 03.26.59.40.44, fax 03.26.51.88.97, e-mail fernand.lemaire1@libertysurf.fr r.-v.

Frédéric Lemaire

HENRI LEMAIRE

1 ha 3 000 11 à 15 €

Les vignobles Henri Lemaire sont situés sur les coteaux de Damery et de Cumières. Leur rosé est un rosé de noirs des deux pinots, des années 2001 et 2002 ; discret, le nez joue sur la fraise, la pomme verte et le bonbon anglais. L'attaque est franche, l'équilibre atteint. La **Vieille Réserve** assemble des raisins de 2002 et de 2003, avec quatre fois plus de noirs (pinot meunier) que de blancs. Sa légèreté florale et fine la destine à l'apéritif. (RM)

SCEV Lemaire-Fourny, 13, rue Raymond-Poincaré, 51480 Damery, tél. 03.26.53.83.12, fax 03.26.59.01.14, e-mail champagne-lemairefourny@wanadoo.fr t.l.j. 9h-12h 14h-18h; sam. dim. sur r.-v.; f. août

Nathalie et Pascal Guillemont

R.C. LEMAIRE Cuvée Trianon

1er cru 4 ha 40 000 11 à 15 €

Depuis sept ans, Gilles Tournant n'a pas utilisé d'acaricide ni aucun insecticide. Il pratique l'enherbement. La cuvée Trianon assemble deux tiers de raisins de 2001 avec un tiers de raisins de 2002 ; 40 % de chardonnay avec 60 % de pinot noir. Les vins n'ont pas fait leur fermentation malolactique. Ce champagne brille dans le verre, traversé d'une bulle fine. La bouche est bien tournée. Le nez se montre discret, les arômes d'agrumes contribuent à sa fraîcheur. Le **1er cru 98 (15 à 23 €)**, blanc de blancs, élevé neuf mois dans le bois, est complexe... et boisé. (RM)

Gilles Tournant, rue de la Glacière, 51700 Villers-sous-Châtillon, tél. 03.26.58.36.79, fax 03.26.58.39.28, e-mail tournant@club-internet.fr r.-v.

LEMAIRE-RASSELET Cuvée Tradition ★

8 ha 4 000 11 à 15 €

Françoise Lemaire a repris le domaine en 1996 et pratique l'enherbement des vignes. La cuvée Tradition est née de 70 % de pinot meunier, 15 % de pinot noir et de 15 % de chardonnay, tous du millésime 1999. Frais, rond, vineux, ce champagne a atteint son apogée. (RM)

EARL Lemaire-Rasselet, 5, rue de la Croix-Saint-Jean, Villesaint, 51480 Boursault, tél. 03.26.58.44.85, fax 03.26.58.09.47, e-mail champ.lemaire.rasselet@wanadoo.fr r.-v.

AR LENOBLE Blanc de blancs 1996 ★

Gd cru 4 ha 35 000 23 à 30 €

Maison fondée en 1920 et disposant d'un excellent vignoble, en particulier dans la commune de Chouilly, classée grand cru. Ce blanc de blancs, d'un grand millésime, est arrivé à maturité, tant au nez qu'en bouche ; puissant, équilibré, il est harmonieux. (NM)

AR Lenoble, 35, rue Paul-Douce, 51480 Damery, tél. 03.26.58.42.60, fax 03.26.58.65.57, e-mail contact@champagne-lenoble.com r.-v.

Malassagne

ABEL LEPITRE Idéale cuvée ★

n.c. n.c. 15 à 23 €

Abel Lepitre crée en 1924, à Ludes, sa maison. Il meurt en captivité ; son fils Jacques lui succède avec brio. Aujourd'hui, le groupe BCC a pris le contrôle de cette marque. L'Idéale cuvée, issue des trois cépages champenois à parts égales, est évoluée, équilibrée avec rondeur. Son apogée est atteinte. La **cuvée 134 Réserve spéciale blanc de blancs (30 à 38 €)** fut créée par Jacques Lepitre pour le prince André de Bourbon Parme. Un haut de gamme des meilleurs chardonnays. Un champagne d'amateur, destiné à celui qui recherche des arômes secondaires, complexes et riches. (NM)

Abel Lepitre, allée du Vignoble, 51100 Reims, tél. 03.26.36.61.60, fax 03.26.36.66.62

Ph. Baijot

PAUL LEREDDE 1999 ★

0,8 ha 4 500 11 à 15 €

Entre 1920 et 1960, les Leredde sont coopérateurs. En 1960, ils décident d'élaborer leurs champagnes eux-mêmes et perfectionnent les chais. Le 99, mi-blancs mi-noirs (pinot meunier), est complexe, épicé, brioché et frais. Il semble disposer d'un bon potentiel de garde. (RM)

Paul Leredde, 49, rue de Bezu, 02310 Crouttes-sur-Marne, tél. 03.23.82.09.41, fax 03.23.82.00.22, e-mail contact@champagne-paul-leredde.com r.-v.

LETE-VAUTRAIN Traditionnel

6,8 ha 45 000 11 à 15 €

Cette exploitation familiale comprend un vignoble de près de 8 ha planté sur la côte 204 où eut lieu la deuxième

bataille de la Marne (1918). Le Traditionnel est composé de 80 % de raisins noirs, dont 60 % de pinot meunier, des années 2001 et 2002. Très jeune, floral, nerveux, il sera servi à l'apéritif. La **Grande Réserve**, avec 60 % de pinot meunier, est issue des vendanges des années 1999 et 2000 ; elle est citée. (RM)
Lété-Vautrain, 11, rue Semars, hameau de Courteau, 02400 Château-Thierry, tél. 03.23.83.05.38, fax 03.23.83.87.45, e-mail lete.vautr@quid-info.fr
t.l.j. sf dim. 8h30-12h30 13h30-19h

## LIEBART-REGNIER ★★

9 ha 47 000 11 à 15 €

La commune de Baslieux pratique la confusion sexuelle. Soyez sans crainte : il s'agit de faire perdre la tête... aux insectes nuisibles ! Cela participe des principes de la lutte raisonnée. Laurent Liébart propose un remarquable brut qui doit presque tout aux raisins noirs (90 % dont 75 % de pinot meunier) des années 2001 et 2002. Souplesse et acidité s'équilibrent et la rondeur des agrumes en fait un vin de plaisir. (RM)
Liébart-Régnier, 6, rue Saint-Vincent, 51700 Baslieux-sous-Châtillon, tél. 03.26.58.11.60, fax 03.26.52.34.60, e-mail info@champagne-liebart-regnier.com r.-v.

## LOCRET-LACHAUD Cuvée spéciale ★★

1er cru n.c. n.c. 11 à 15 €

Maison située au Point du Jour et dont l'histoire remonte à 1620. Aujourd'hui, Philippe Locret est aidé par sa fille Charlotte. Cette cuvée, teintée par 17 % de vin rouge, est issue des trois cépages champenois à parts égales, des années 2001 et 2002. Les dégustateurs louent son attaque, ses arômes riches et nuancés, son ampleur et sa longueur. Une étoile pour le **1er cru** également né des trois cépages champenois, de la récolte 2001 et pour 5 % de celle de 2000. C'est un vin brioché, grillé, droit et équilibré. Le **1er cru 99 (15 à 23 €)**, mi-blancs mi-noirs, est cité pour ses arômes de pêche et de prune. (RM)
Locret-Lachaud, 40, rue Saint-Vincent, 51160 Hautvillers, tél. 03.26.59.40.20, fax 03.26.59.40.92, e-mail champagne.locret.lachaud@wanadoo.fr
r.-v.
Locret

## LOMBARD ET CIE ★

n.c. n.c. 15 à 23 €

Maison de négoce fondée en 1925 à Epernay, proposant un brut issu des trois cépages champenois, les pinots dominant le chardonnay. C'est un champagne discret aux arômes complexes et fins de fruits blancs, bien dosé, en un mot harmonieux. (NM)
Lombard et Cie, 1, rue des Cotelles, 51200 Epernay, tél. 03.26.59.57.40, fax 03.26.54.16.38, e-mail info@champagne-lombard.com

## JACQUES LORENT Cuvée Tradition

10 ha 80 000 15 à 23 €

Marque de la coopérative Beaumont des Crayères d'Epernay, comptant deux cent cinquante adhérents qui cultivent un ensemble de petites parcelles formant 80 ha de vignes. La cuvée Tradition assemble 25 % de chardonnay, 60 % de pinot meunier et 15 % de pinot noir. Les arômes sont exotiques, assez originaux. La bouche se montre équilibrée et longue. Choisissez des ris de veau aux morilles, sauce champagne. (CM)
Jacques Lorent, 64, rue de la Liberté, 51530 Mardeuil, tél. 03.26.55.29.40, fax 03.26.54.26.30
r.-v.

## GERARD LORIOT Sélection ★

1,2 ha 9 500 11 à 15 €

Cuverie et pressoir ont été construits en 2001. Gérard Loriot a repris l'exploitation familiale en 1981 et cultive un vignoble de 7,5 ha. La Sélection, mi-blancs mi-noirs (pinot meunier), est née des vendanges de 2001. Elle est équilibrée, fruitée, presque confiturée, ronde et dosée. (RM)
Gérard Loriot, rue Saint-Vincent, Le Mesnil-le-Huttier, 51700 Festigny, tél. 03.26.58.35.32, fax 03.26.51.93.71 r.-v.

## MICHEL LORIOT Réserve

4 ha 33 900 11 à 15 €

De vieilles machines agricoles sont exposées chez Michel Loriot. De sa propriété, on jouit d'une vue remarquable sur les coteaux couverts de vignes. Ce brut Réserve, blanc de noirs, se compose de pinot meunier vendangé en 2002 et de vins de réserve de 2000 et de 2001. Réglissé, mentholé, miellé, bien équilibré, c'est un champagne de caractère, puissant et harmonieux. (RM)
Michel Loriot, 13, rue de Bel-Air, 51700 Festigny, tél. 03.26.58.34.01, fax 03.26.58.03.98, e-mail info@champagne-michelloriot.com r.-v.

## JOSEPH LORIOT-PAGEL Carte d'or ★★

4 ha 30 000 11 à 15 €

En 1980, Joseph Loriot reprend l'exploitation familiale dont le vignoble comprend quatre crus de la vallée de la Marne. Il épouse Odile Pagel qui apporte deux grands crus de la Côte des Blancs : Avize et Cramant. La marque Joseph Loriot-Pagel est née, son vignoble couvre aujourd'hui 8,25 ha. La Carte d'or comprend 80 % de pinot meunier et autant de pinot noir que de chardonnay des années 1999 à 2002. Elle est équilibrée, fine, longue. Un dégustateur écrit : « du velours, voire de la soie ». Deux champagnes sont cités : le **blanc de blancs 99 (15 à 23 €)**, direct, mentholé-citronné et le **rosé (15 à 23 €)** dominé par le pinot meunier (72 %) des années 1999 à 2002. Un rosé de charme aux arômes de fraise confite, vineux. (RM)
Joseph Loriot, 33, rue de la République, 51700 Festigny, tél. 03.26.58.33.53, fax 03.26.58.05.37
r.-v.

## YVES LOUVET Cuvée de réserve ★

1 ha 6 000 11 à 15 €

Yves Louvet a repris cette propriété de 7 ha en 1970. Sa Cuvée de réserve comprend 75 % de pinot noir, complété par du chardonnay de l'année 1998. Un champagne riche, ferme à l'attaque et de belle persistance. Un dégustateur aimerait le goûter sur « quelques fromages », mais ne précise pas lesquels. (RM)
Yves Louvet, 21, rue du Poncet, 51150 Tauxières-Mutry, tél. 03.26.57.03.27, fax 03.26.57.67.77 r.-v.

## PHILIPPE DE LOZEY Réserve

12 ha 16 000 15 à 23 €

Marque de négoce de Celles-sur-Ource, élaborée par Daniel Cheurlin. Le brut Réserve naît de 70 % de pinot complété par du chardonnay. On y découvre la mirabelle, la mûre et les épices. La bouche est chaleureuse, presque corsée tout en gardant une certaine finesse. Le **97**, issu de pinot noir (60 %) et de chardonnay (40 %), floral et brioché, structuré par une fraîche acidité est persistant. Il est cité. (NM)

🔑 de Lozey, 72, Grande-Rue, 10110 Celles-sur-Ource, tél. 03.25.38.51.34, fax 03.25.38.54.80, e-mail delozey@champagne-delozey.com ☑ Y r.-v.
🔑 Ph. Cheurlin

## MACQUART-LORETTE Cuvée de réserve ★

1er cru 4,8 ha 13 600 **11 à 15 €**

Monsieur Macquart a épousé Mademoiselle Lorette et, en 1975, ils ont fondé leur marque et exploitent un vignoble de près de 5 ha. La Cuvée de réserve – dominée par les noirs (85 %) de l'année 2002 – s'illustre par son classicisme, son fruité puissant et sa rondeur. Le **brut chardonnay 1er cru**, évidement un blanc de blancs, de la vendange 2001, est encore sur sa réserve mais obtient une étoile. Le **Tradition 1er cru** est cité : c'est un blanc de noirs de 2002, qui se révèle droit et finit joliment sur le fruit. (RM)

🔑 André Macquart, 6, chem. des Glaises, 51500 Ecueil, tél. 03.26.49.74.42, fax 03.26.49.77.42, e-mail contact@champagne-macquart.fr ☑ Y r.-v.

## M. MAILLART Réserve 1996 ★★

1er cru 1,8 ha 15 000 **15 à 23 €**

Situé du côté d'Ecueil, commune classée 1er cru, ce vignoble est ancien alors que la marque a été créée en 1965. Le brut Réserve est mi-noirs mi-blancs. Quelques dégustateurs lui accordent trois étoiles ! Sa vivacité, son ampleur, sa puissance, sa fraîcheur lui donnent de la tenue... et une note globale de deux étoiles ! C'est un 96 qui peut encore vieillir, mais pourquoi attendre davantage le plaisir qu'il donne ? (RM)

🔑 SCEV M. Maillart, 11, rue de Villers, 51500 Ecueil, tél. 03.26.49.77.89, fax 03.26.49.24.79, e-mail champagnemaillart@tiscali.fr ☑ Y ⚘ r.-v.

## MAILLY GRAND CRU Réserve

Gd cru n.c. 300 000 **23 à 30 €**

Une coopérative « communautaire » puisqu'elle n'accueille que des vignerons dont les vignes sont situées dans la commune de Mailly-Champagne. Avec deux conséquences : tous les champagnes sont « grand cru » et le pinot meunier est banni. Trois champagnes sont cités qui comprennent tous 25 % de chardonnay pour 75 % de pinot noir. Le brut Réserve, souple, structuré, minéral, a atteint son apogée. Le second, le **98**, est caractérisé par l'amande, le miel et une rondeur équilibrée. Le troisième, un haut de gamme, la **cuvée Les Echansons 96 (46 à 76 €)**, complexe et puissant, est un champagne de repas. (CM)

🔑 Mailly Grand Cru, 28, rue de la Libération, 51500 Mailly-Champagne, tél. 03.26.49.41.10, fax 03.26.49.42.27, e-mail contact@champagne-mailly.com ☑ Y ⚘ r.-v.

## MALARD Tradition 2000 ★

Gd cru n.c. 50 000 **15 à 23 €**

Marque récente (1996) d'un producteur qui fait carrière en Champagne. Le brut comporte quatre fois plus de raisins noirs que de blancs. Or jaune dans le verre, il est à la fois puissant et vif, équilibré et long. Le **millésime 2000**, mi-noirs mi-blancs, élégant et floral, attaque souplement, ce que souligne un généreux dosage. (NM)

🔑 Jean-Louis Malard, 67, av. de Champagne, 51200 Epernay, tél. 03.26.57.77.24, fax 03.26.52.75.54, e-mail nathaliepehmay@wanadoo.fr

## B. MALLOL-GANTOIS Blanc de blancs

Gd cru n.c. 15 000 **11 à 15 €**

En 1981, Gantois-Oyance disparaît et B. Mallol-Gantois apparaît. Bernard Mallol a la chance d'exploiter un vignoble de 6,8 ha, exclusivement implanté dans deux communes classées grand cru, Cramant et Chouilly. Le brut, né pour un tiers de raisins de 1998 et pour le reste de raisins de 1999, s'impose élégamment par ses arômes d'abricot, d'amande verte, de fruits secs et de brioche. La **Grande Réserve blanc de blancs grand cru**, issue aux deux tiers de 1998 et pour un tiers de 1999, est marquée par les fruits blancs, le beurré, le grillé ; c'est un vin que son dosage ne farde pas. (RM)

🔑 Bernard Mallol, 290, rue du Gal-de-Gaulle, 51530 Cramant, tél. 03.26.57.96.14, fax 03.26.59.22.57, e-mail greg.mallol@wanadoo.fr ☑ Y ⚘ r.-v.

## HENRI MANDOIS Cuvée de réserve ★

12 ha 50 000 **15 à 23 €**

En cinq générations, les Mandois ont constitué un important vignoble de 34 ha. Ils disposent d'une cave située sous l'église de Pierry et sans nul doute bénéficient de la protection du moine Oudart qui y repose depuis plus de trois siècles. La Cuvée de réserve est issue des trois cépages champenois, le chardonnay représentant 40 % de l'assemblage. Elle est animée d'un cordon persistant et d'une mousse fine couronnant une robe pâle à reflets verts. Elle se montre florale, fraîche, équilibrée. L'attaque est souple et l'ensemble élégant. (NM)

🔑 Henri Mandois, 66, rue du Gal-de-Gaulle, BP 9, 51530 Pierry, tél. 03.26.54.03.18, fax 03.26.51.53.66, e-mail info@champagne-mandois.fr ☑ Y ⚘ r.-v.

## CUVEE DU MANOIR ★★

0,5 ha 5 000 **15 à 23 €**

Vignoble de 2,5 ha, proche du célèbre château de Boursault. Ce brut rosé est un rosé de noirs, composé des deux pinots, dominé avec puissance et finesse par un fruité complexe. Franc, équilibré, en un mot remarquable. (RM)

🔑 Hervé Le Gallais, 2, rue Maurice Gilbert, 51480 Boursault, tél. et fax 03.26.58.94.55 ☑ Y ⚘ r.-v.

## TRADITION DE MANSARD

n.c. n.c. **15 à 23 €**

Cette maison de négoce d'Epernay propose deux champagnes cités : ce Tradition et le **1er cru** ; tous deux sont issus de pinot noir et de chardonnay. Ils sont équilibrés, fruités (fruits cuits, fruits confits), de bonne persistance. (NM)

🔑 Mansard-Baillet, 14, rue Chaude-Ruelle, 51200 Epernay, tél. 03.26.54.18.55, fax 03.26.51.99.50 Y ⚘ r.-v.

## PATRICE MARC

0,4 ha 4 025 **11 à 15 €**

Patrice Marc dispose d'un vignoble dont l'âge moyen est de trente ans. Son rosé naît des trois cépages champenois, dont beaucoup de pinot meunier (50 %), des années 2001 et 2002. La teinte est communiquée par l'adjonction d'un vin rouge de 2002. La robe est soutenue, parcourue

CHAMPAGNE

par un joli cordon de bulles fines. Le nez fait songer aux bonbons acidulés et la bouche s'impose par son fruité. (RM)

Patrice Marc, 1, rue du Creux-Chemin,
51480 Fleury-la-Rivière, tél. 03.26.58.46.88,
fax 03.26.59.48.21, e-mail champagne-marc@orange.fr
r.-v.

A. MARGAINE Cuvée traditionnelle *

| 1er cru | 5 ha | 51 000 | 11 à 15 € |
|---|---|---|---|

Depuis Gaston Margaine, en 1910, André, Bernard et enfin Armand se sont succédé à la tête du vignoble de 6 ha dans la Montagne de Reims. La Cuvée traditionnelle est à majorité de chardonnay (90 %) ; l'année 2001 est complétée par 44 % de vins de 1997, 1998 et 1999. Ce vin brille par l'or vert de sa robe, par sa finesse, sa vinosité et son ampleur. Le dosage est perceptible mais ne nuit en rien à son équilibre. Un champagne d'apéritif qui pourra ensuite accompagner un grand poisson blanc en sauce. (RM)

A. Margaine,
3, av. de Champagne, 51380 Villers-Marmery,
tél. 03.26.97.92.13, fax 03.26.97.97.45,
e-mail champagne-margaine@terre-net.fr r.-v.

MARGUET-BONNERAVE *

| Gd cru | 3,8 ha | n.c. | 11 à 15 € |
|---|---|---|---|

Benoît Marguet exploite un vignoble (14 ha) de grande qualité puisqu'il est situé dans trois grands crus : Ambonnay, Bouzy et Mailly. Autre caractéristique de cette marque : consacrer le tiers de sa production au rosé. Celui-ci comprend deux parts de pinot noir pour trois de chardonnay, élevés partiellement dans le bois. Ce rosé des années 2000 à 2002 est habillé de rose-rouge ; il a du caractère, de la structure, de la finesse et de la persistance. (RM)

Marguet-Bonnerave,
14, rue de Bouzy, 51150 Ambonnay,
tél. 03.26.57.01.08, fax 03.26.57.09.98,
e-mail benoit@champagne-bonnerave.com r.-v.

MARIE STUART Cuvée de la Reine *

| | n.c. | 20 000 | 15 à 23 € |
|---|---|---|---|

Marque créée en 1867, reprise en 1994 par Alain Thiénot, qui depuis a lancé sa propre marque et qui contrôle Joseph Perrier et Canard-Duchêne ; il produit également des bordeaux et des vins du Languedoc. La cuvée de la Reine fait honneur au chardonnay (90 %). Miel, coing, fruits secs composent une symphonie complexe. Un champagne pour table raffinée. Deux champagnes, le **rosé** et le **brut**, sont cités. Ils exploitent les trois cépages champenois. Le premier, au corps imposant, peut accompagner une viande. Le second, brioché, balsamique et puissant, est généreusement dosé ; peut-être conviendrait-il à un dessert ? (NM)

Marie Stuart, Chez Champagne Thiénot,
4, rue Joseph-Cugnot, 51500 Taissy,
tél. 03.26.57.84.00, fax 03.26.52.75.54
Alain Thiénot

MARQUIS DE POMEREUIL
Cuvée des Fondateurs *

| | n.c. | 10 000 | 11 à 15 € |
|---|---|---|---|

La coopérative des Riceys, fondée en 1922, réunit cinquante et un adhérents propriétaires de 88 ha de vignoble. Elle vinifie du rosé-des-riceys – excellent – et du champagne, dont la cuvée des Fondateurs, qui assemble 75 % de chardonnay à 25 % de pinot noir, des années 1996 et 1997. De beaux reflets dans une robe pâle ; des notes de coing, de brioche, de fruits confits ; une bouche ample et longue. (CM)

Marquis de Pomereuil,
rte de Gyé, 10340 Les Riceys,
tél. 03.25.29.32.24, fax 03.25.38.59.86,
e-mail marquis.de.pomereuil@hexanet.fr
t.l.j. sf dim. 8h30-12h 14h-18h

MARQUIS DE SADE *

| | n.c. | 35 000 | 15 à 23 € |
|---|---|---|---|

Michel Gonet, également propriétaire dans le Bordelais (Château Lesparre), est le plus important récoltant-manipulant de la Côte des Blancs (38 ha). Sous la marque Marquis de Sade, il propose un rosé de pinot noir des années 2001 et 2002 aux arômes de petits fruits noirs, aussi équilibré que fin. Sous la même marque, la **Cuvée spéciale Marquis de Sade 98** est un blanc de blancs – ce que ne dit pas l'étiquette. Evolué, vineux, complexe et puissant, ce vin est doté d'un fort caractère. A citer encore, un champagne étiqueté **Michel Gonet brut Réserve (11 à 15 €)**, mi-noirs mi-blancs, des années 2001 et 2002, qui attaque vivement et dont la finale réglissée persiste longuement. (RM)

SCEV Michel Gonet, 196, av. Jean-Jaurès,
51190 Avize, tél. 03.26.57.50.56, fax 03.26.57.91.98,
e-mail champagne.gonet@clubadsl.fr
t.l.j. 9h-12h 14h-18h;
sam. dim. sur r.-v.; f. août

MARTEAUX-GUYARD Réserve *

| | 3 ha | 30 000 | 11 à 15 € |
|---|---|---|---|

Joël Marteaux reprend les vignes familiales en 1968. Il élabore son propre champagne depuis 1996. Cette Réserve assemble les vendanges des années 2000 à 2002 ; 60 % de pinot meunier et 25 % de pinot noir sont complétés par 15 % de chardonnay. D'une teinte classique et soutenue, ce champagne offre une jolie mousse et des notes de beurre et de noisette. Il est plein, rond et long. Le **Prestige**, issu des trois cépages champenois des années 1999 à 2001, est assez proche du précédent, avec une touche d'agrumes mûrs et beaucoup de finesse. Il obtient également une étoile. (RM)

Joël Marteaux, 63, Grande-Rue, 02400 Bonneil,
tél. 03.23.82.90.04, fax 03.23.82.05.69 r.-v.

G. H. MARTEL & Cº Cuvée prestige **

| | n.c. | n.c. | 15 à 23 € |
|---|---|---|---|

La famille Rapeneau exploite avec succès de nombreuses marques dont, depuis 1970, le Champagne G.H. Martel, fondé à Epernay en 1869. Ce brut sans année a atteint son apogée, il faut le servir et apprécier son équilibre, sa nervosité, son harmonie riche et vanillée. Sa rondeur et sa longueur en font le champagne de toutes les occasions. Les dégustateurs ont distingué la **cuvée Victoire 95**, empyreumatique, structurée, généreuse, complexe et longue. (NM)

G.H. Martel,
69, av. de Champagne, BP 1011, 51318 Epernay Cedex,
tél. 03.26.51.06.33, fax 03.26.54.41.52, e-mail contact@champagnemartel.com

C. Rapeneau

## DENIS MARX Grande Réserve ★★

n.c. 15 000 11 à 15 €

En 1973, Denis Marx reprend l'exploitation familiale et le vignoble de 10 ha réparti sur sept communes, soit sept terroirs. Cette Grande Réserve comprend 70 % des deux pinots - dont 50 % de pinot meunier - et 30 % de chardonnay. Au nez complexe de pâte de coings, de miel, de verveine mentholée succède une bouche dans le même esprit, avec une grande puissance aromatique, de la matière et de la persistance. Coup de cœur immédiat, digne d'un bar au champagne. Deux champagnes obtiennent une étoile : le **rosé**, un rosé de noirs des deux pinots, et le **98** issu de 60 % de chardonnay et des deux pinots. Le rosé - coloré - se révèle empyreumatique et souple ; le 98, marqué par le miel, le coing, est un vin gourmand et gras. (RM)

Denis Marx, 31, rue de la Chapelle, Cerseuil,
51700 Mareuil-le-Port, tél. 03.26.52.71.96,
fax 03.26.52.72.65 r.-v.

## MASSE PERE ET FILS ★★

5 ha 25 000 15 à 23 €

Autre marque du Champagne Lanson qui, comme cette dernière, élabore ses champagnes en bloquant la fermentation malolactique. Les raisins noirs sont à l'honneur dans ce rosé (80 % dont 65 % de pinot noir) à la couleur très pâle traversée de bulles fines et élégantes. Il est biscuité, fruité, fin et long. Une étoile est attribuée au **99** qui fait appel aux trois cépages champenois à parts égales ; il est jugé intense, rond et harmonieux. (NM)

Champagne Lanson, 12, bd Lundy, 51100 Reims,
tél. 03.26.78.50.50, fax 03.26.78.50.99,
e-mail info@lanson.fr r.-v.

Mora

## THIERRY MASSIN Prestige ★

n.c. 7 700 11 à 15 €

Thierry et Dominique Massin, frère et sœur, ont développé leur vignoble et lancé leur marque en 1977. Le Prestige assemble 70 % de pinot noir au chardonnay des années 2001 et 2002 : il est corpulent avec des notes de fruits confits, ce qui ne l'empêche pas d'être élégant. Une citation est attribuée à la cuvée **Réserve** qui associe le chardonnay à 85 % de pinot noir des années 2000 à 2002. La bouche est fine et délicate. (RM)

Thierry Massin,
6, rte des Deux-Bar, 10110 Ville-sur-Arce,
tél. 03.25.38.74.01, fax 03.25.38.79.10
t.l.j. sf dim. 9h-12h 13h30-18h30; sam. sur r.-v.

## REMY MASSIN ET FILS Réserve ★

3 ha 14 000 11 à 15 €

Une histoire de famille : Aristide Massin plante les premiers ceps, son fils constitue le vignoble, son petit-fils Rémy lance sa marque en 1974 et dès 1981 son arrière-petit-fils Sylvère élabore les cuvées. Ce brut Réserve issu de 70 % de pinot noir et de 30 % de chardonnay sait se présenter : de couleur or, il est traversé de bulles fines et persistantes et ses arômes jouent davantage sur le cépage blanc (pâte d'amandes et fleurs blanches). Un vin souple à la finale agréable. Deux autres champagnes obtiennent une étoile, le **97 (15 à 23 €)** assemblage de pinot noir (40 %) et de chardonnay (60 %) et la **cuvée Prestige (15 à 23 €)**, mi-noirs mi-blancs des récoltes 2000 à 2002 ; le premier est équilibré et léger, le second rond et élégant. (RM)

Rémy Massin et Fils, 34, Grande-Rue,
10110 Ville-sur-Arce, tél. 03.25.38.74.09,
fax 03.25.38.77.67, e-mail remy.massin.fils@wanadoo.fr
t.l.j. 9h-12h 13h30-18h; sam. dim. sur r.-v.

## LOUIS MASSING Blanc de blancs ★

Gd cru 5 ha 45 000 **15 à 23 €**

Propriété familiale de 11 ha menant une activité de négociant. Ce blanc de blancs, issu de la vendange de 2002, complexe au nez et en bouche, est très complimenté : « un beau vin », conclut un dégustateur ; un autre écrit : « il me plaît », ou encore « belle cuvée d'apéritif ». Il est tout en agrumes et en fruits blancs, bien dosé, équilibré. La finale ajoute une pointe briochée aux arômes perçus au nez. Le **grand cru Excellence élaboré en fût de chêne (23 à 30 €)** est cité. Ce vin, né de la récolte de 2001, a été élevé neuf mois dans le bois, mais il n'en est pas marqué. Il est charnu et gourmand. (NM)

SA Deregard-Massing, La Haie Maria, RD 9,
51190 Avize, tél. 03.26.57.52.92, fax 03.26.57.78.23,
e-mail champagne.louismassing@wanadoo.fr
t.l.j. sf sam. dim. 9h-12h 14h-16h30

## SERGE MATHIEU ★★

2 ha 8 000 11 à 15 €

En 1776, Jean Mathieu acquiert une vigne à Avirey - non loin des Riceys. Exactement deux siècles plus tard, Serge Mathieu, à la tête de son vignoble de 11 ha, vinifie ses premières bouteilles. Son rosé, un rosé de noirs de pinot noir de la vendange 2002, offre un fruité rouge et une finale longue et nette. « Un vin harmonieux pour viande blanche », conclut un dégustateur. Est cité le **99 (15 à 23 €)**, 70 % de pinot noir et 30 % de chardonnay, riche et puissant. (RM)

Serge Mathieu,
6, rue des Vignes, 10340 Avirey-Lingey,
tél. 03.25.29.32.58, fax 03.25.29.11.57,
e-mail information@champagne-serge-mathieu.fr
t.l.j. sf sam. dim. 9h-12h 13h30-17h30; f. 15-31 août

CHAMPAGNE

MATHIEU-PRINCET Blanc de noirs

1er cru 0,6 ha 3 000 **11 à 15 €**

Ce récoltant-manipulant de Grauves, village situé non loin d'Epernay, propose un blanc de noirs de pinot noir des années 2000 et 2002. Frais, rond et équilibré, c'est un champagne de repas. (RM)

Mathieu-Princet, 16, rue Bruyère, 51190 Grauves, tél. 03.26.59.73.72, fax 03.26.59.77.75, e-mail mathieu.princet@cder.fr r.-v.

GUY MEA

1er cru 4 ha n.c. **15 à 23 €**

Le champagne Guy Méa est vinifié à Louvois, une commune classée 1er cru bien connue pour son château. Les dégustateurs ont retenu un brut 1er cru issu de 65 % de pinot noir et de 35 % de chardonnay de l'année 2002, assistés de vins de réserve de 2000 et de 2001. Sa couleur est limpide, son nez aux notes de fruits à l'eau-de-vie est évolué. Son palais est léger, souple, harmonieux. (RM)

Guy Méa, SCE La Voie des Loups, 2, rue de l'Eglise, 51150 Louvois, tél. et fax 03.26.57.03.42 r.-v.

MEDOT Centenaire royal Millennium 2000 *

n.c. n.c. **15 à 23 €**

Le Champagne Médot, fondé en 1899, est connu des champagnophiles pour une étrange raison : il possède une vigne enserrée de murs, donc un clos (le Clos des Chaulins). Depuis quelques années, cette maison est contrôlée par la holding Lombard. Le chardonnay est majoritaire dans cette cuvée Centenaire royal très appréciée en Angleterre. On peut la définir par les mots suivants : finesse, équilibre, fraîcheur. Autre étoile pour le **blanc de blancs 1er cru Confidence 96** marqué par les paradoxes de ce millésime : évolué et pourtant jeune, onctueux et dur, puissant et fin... (NM)

Médot, 41, rue Alsace-Lorraine, 51100 Reims, tél. 03.26.59.57.40, fax 03.26.54.16.38 r.-v.

LE MESNIL Blanc de blancs *

n.c. n.c. 11 à 15 €

UPR, lisez Union des propriétaires-récoltants : tel est le nom d'une petite coopérative sise au Mesnil-sur-Oger, créée avant la guerre et qui vinifie la production de 150 ha de vigne. Sa marque, lancée en 1975, est tout simplement « Le Mesnil ». Ce blanc de blancs de 2000 complété par 15 % de vins de réserve de 1999 est frais, minéral et élégant. Le **blanc de blancs Sublime 98 (15 à 23 €)** obtient, lui aussi, une étoile ; il est élégant, empyreumatique et de belle longueur. (CM)

Union des propriétaires-récoltants, 19, rue Charpentier-Laurain, 51190 Le Mesnil-sur-Oger, tél. 03.26.57.53.23, fax 03.26.57.79.54, e-mail upr-lemesnil@wanadoo.fr r.-v.

J. B. MICHEL Cuvée Clément 1999 *

0,7 ha 3 800 **15 à 23 €**

Bruno Michel, fils de José, exploite trente-cinq parcelles de vignes réparties sur 15 ha. Il vinifie la cuvée Clément, un blanc de pinot meunier ; la robe paille brillante est « sympathique », note un dégustateur, le nez fin de poire sucrée et de fleurs blanches est complexe, « avec un léger côté brioché ». Equilibré, ce champagne pourra accompagner un rôti de veau comme en rêve un dégustateur. (RM)

Bruno Michel, 4, allée de la Vieille-Ferme, 51530 Pierry, tél. 03.26.55.10.54, fax 03.26.54.75.77, e-mail champagne.j.b.michel@cder.fr r.-v.

JEAN MICHEL Cuvée spéciale 2000 *

n.c. 6 000 **15 à 23 €**

Jean Michel, dont la famille est vigneronne depuis 1847, pratique la lutte raisonnée et l'enherbement des vignes qu'il possède dans neuf crus différents. Sa Cuvée spéciale 2000 est davantage marquée par les raisins noirs (55 % de pinot meunier) que par les blancs. Aussi son nez est-il tout de poire et de fruits confits ; sa bouche, franche et ronde, aromatique, n'est pas en reste ; « c'est du plaisir », écrit un dégustateur. Le **2000 cuvée Les Mulottes 1er cru (11 à 15 €)** est cité. C'est un blanc de blancs (l'étiquette ne l'annonce pas) élevé dix mois dans le bois. Il est empyreumatique, souple et dosé. (RM)

Jean Michel, 15, rue Jean-Jaurès, 51530 Moussy, tél. 03.26.54.03.33, fax 03.26.51.62.66 r.-v.

PAUL MICHEL

Blanc de blancs Cuvée Prestige 1996 *

4 ha 8 000 **15 à 23 €**

Cuis, situé non loin d'Epernay, donne à voir une église du XIIe s. On y trouve aussi des propriétés familiales, telle celle-ci disposant d'un vignoble de 18 ha. Son 96, d'une agréable légèreté aromatique (chèvrefeuille), se révèle également fruité (agrumes) avec une pointe de café. Il est fondu en bouche. Un champagne assagi. (RM)

Paul Michel, 20, Grande-Rue, 51530 Cuis, tél. 03.26.59.79.77, fax 03.26.59.72.12 t.l.j. sf sam. dim. 9h-12h 14h-17h; f. août

GUY MICHEL ET FILS Cuvée pure 1995 **

2 ha 5 000 15 à 23 €

Le Champagne Guy Michel réalise une performance extraordinaire : un coup de cœur pour le 95, trois étoiles pour le **82 (23 à 30 €)** et deux étoiles pour le **Tradition 89** – trois champagnes millésimés, trois millésimes différents. Le 95 suscite l'enthousiasme : « superbe, vin remarquable, très bien, attaque parfaite, structuré, noisette, amande, beurre, rondeur, puissance... » – coup de cœur unanime. Le 82 étonne car, en dépit de son évolution (plus de vingt ans !), l'élégance du millésime est intacte. Grand champagne épicé pour circonstances exceptionnelles. Le 89 mature, équilibré, souple, complexe et vif est un vin de connaisseurs. (RM)

SCEV Guy Michel et Fils, 54, rue Léon-Bourgeois, 51530 Pierry, tél. 03.26.54.03.17, fax 03.26.58.15.84 r.-v.

## CHARLES MIGNON
Blanc de blancs Tête de cuvée ★★

1er cru | n.c. | n.c. | 15 à 23 €

Le champagne Charles Mignon exploite de nombreuses marques : Charles Mignon, Comte de Marne, Louis Tollet. Ce blanc de blancs or clair est complexe, équilibré, ample et souple. Son fruité est élégant. Le **blanc de blancs Fiévet Comte de Marne Grande Cuvée**, aux arômes d'agrumes et de violette, élégant en bouche, est alourdi par le dosage, mais mérite son étoile. La **cuvée Prestige 1er cru Louis Tollet (11 à 15 €)** au bouquet original (exotique, miellé et mie de pain) donne en bouche le sentiment de l'équilibre. Elle obtient une étoile. (NM)

Charles Mignon, 7, rue Joliot-Curie, 51200 Epernay, tél. 03.26.58.33.33, fax 03.26.51.54.10, e-mail bmignon@champagne-mignon.fr r.-v.

## PIERRE MIGNON Cuvée de Madame 1996 ★

1,5 ha | 10 000 | **15 à 23 €**

Si vous êtes placomusophile – collectionneur de plaques de muselets –, vous serez intéressé par la gamme de Pierre Mignon, qui en a créé de différentes pour chaque cuvée. La cuvée de Madame comporte 60 % de chardonnay et 40 % de pinots – dont 30 % de pinot meunier. On y trouve du foin séché, de la complexité florale puis des notes d'amande et de miel vanillé. Le **rosé brut Prestige**, 65 % de pinot meunier, 15 % de pinot noir et 20 % de chardonnay, est fruité et de bonne longueur. Il est cité. (NM)

Pierre Mignon, 5, rue des Grappes-d'Or, 51210 Le Breuil, tél. 03.26.59.22.03, fax 03.26.59.26.74, e-mail p.mignon@voila.fr
t.l.j. 9h30-12h 13h30-18h30; sam. dim. sur r.-v.

## MILAN
Blanc de blancs Cuvée Symphorine Sélection 1998

n.c. | 2 000 | **15 à 23 €**

Depuis cent quarante ans, les Milan sont installés dans le joli village fleuri d'Oger, dont l'église est classée. Ils ouvrent parfois une table d'hôte... occasion de convier vos amis. Alors composez avec eux le menu qui accompagnera cette cuvée Sélection citronnée, quelque peu exotique, qui demeure vive et équilibrée. (NM)

Milan, 6, rue d'Avize, 51190 Oger, tél. 03.26.57.50.09, fax 03.26.57.78.47, e-mail info@champagne-milan.com r.-v.
Henry-Pol Milan

## PIERRE MONCUIT Blanc de blancs 1995 ★★

Gd cru | 5 ha | 12 000 | **23 à 30 €**

Nicole Moncuit élabore des champagnes dont 40 % sont exportés dans l'Union européenne, mais aussi au Japon, aux Etats-Unis et en Australie. Etonnant ce 95 dont on ne connaît pas la date de dégorgement. Ce blanc de blancs a développé des potentialités. La mousse est légère dans l'or de la robe. Les arômes riches et puissants sont marqués par une noble évolution. Le palais s'affirme par sa charpente, sa rondeur, sa puissance. Un style, une harmonie. (RM)

Pierre Moncuit, 11, rue Persault-Maheu, 51190 Le Mesnil-sur-Oger, tél. 03.26.57.52.65, fax 03.26.57.97.89, e-mail contact@pierre-moncuit.fr r.-v.

## ROBERT MONCUIT Blanc de blancs Extra brut ★★

Gd cru | 0,5 ha | 4 000 | 11 à 15 €

La création de ce vignoble remonte à l'année 1890 ; les vignes s'étalent exclusivement sur la commune du Mesnil-sur-Oger et couvrent 8 ha. Cet Extra brut naît des années 1999 et 2000. C'est le champagne des évidences. L'évidence de la fraîcheur, l'évidence des arômes floraux miellés et aériens, celle des saveurs équilibrées et épicées. Le coup de cœur de la pureté. Une étoile pour le **blanc de blancs 2000 (15 à 23 €)** ; le cadet du champagne précédent, dans le même esprit, avec juvénilité. (RM)

Robert Moncuit, 2, pl. de la Gare, 51190 Le Mesnil-sur-Oger, tél. 03.26.57.52.71, fax 03.26.57.74.14, e-mail contact@champagnerobertmoncuit.com
r.-v.
Françoise Amillet

## MONDET Grande Réserve ★

7 ha | 65 000 | 11 à 15 €

200 m de caves à 20 m sous terre : c'est tout le charme des visites champenoises. Cette Grande Réserve privilégie les raisins noirs (85 % dont 70 % de pinot meunier) et comprend un cinquième de vins de réserve des années 1999 et 1998. Une partie des vins passe par le bois. L'or dans le verre est « parfaitement typé champagne », note un dégustateur. Pour tous, fruité et minéralité s'équilibrent harmonieusement. La **cuvée Fût de chêne (15 à 23 €)** sollicite dans les mêmes proportions les trois cépages champenois de la vendange de 2001 élevés six mois dans le chêne neuf. Un champagne original, légèrement boisé au nez et en bouche, fruité, équilibré et long. Il est cité. (NM)

Francis Mondet, 2, rue Dom-Pérignon, 51480 Cormoyeux, tél. 03.26.58.64.15, fax 03.26.58.44.00, e-mail champagne.mondet@cder.fr
r.-v.

## MONMARTHE Carte blanche

1er cru | 11 ha | 100 000 | **11 à 15 €**

Les Monmarthe sont vignerons à Ludes (Montagne de Reims) depuis 1737. En 1990, Jean-Guy a pris la tête du vignoble de 17 ha. Or profond, la cuvée Carte blanche comporte autant de pinot noir que de pinot meunier et 20 % de chardonnay de 2002. Les arômes de pain d'épice, les saveurs fruitées soulignées par le dosage contribuent à la vocation apéritive de ce champagne. Le **98 1er cru (15 à 23 €)**, assemblage de 40 % de pinot et de 60 % de chardonnay, est cité pour son équilibre et sa vivacité franche. (RM)

Jean-Guy Monmarthe, 38, rue Victor-Hugo, 51500 Ludes, tél. 03.26.61.10.99, fax 03.26.61.12.67, e-mail champagne-monmarthe@wanadoo.fr r.-v.

## MONTAUDON 1999

● 12 ha 50 000 15 à 23 €

Maison familiale rémoise fondée en 1891 où vous découvrirez un vendangeoir du XVII[e]s. Elle est aussi partenaire de nombreuses manifestations cinématographiques ou sportives. Le millésime 99, mi-noirs mi-blancs, dévoile des arômes de pain grillé beurré, de fruits confits, de minéralité ainsi qu'une touche d'évolution. (NM)

Montaudon,
6, rue Ponsardin, BP 2742, 51061 Reims Cedex,
tél. 03.26.79.01.01, fax 03.26.47.88.82,
e-mail info@champagnemontaudon.com r.-v.

## DANIEL MOREAU Blanc de noirs Carte noire

● 5 ha 35 000 11 à 15 €

Depuis 1875, les Moreau sont vignerons. Leur vignoble de 6,5 ha est dans la vallée de la Marne. La cuvée Carte noire est un blanc de noirs des deux pinots, des années 2001 et 2002. Florale et fruitée (petits fruits rouges), elle est vive, équilibrée et plaisante. La **cuvée Authentique (15 à 23 €)**, un blanc de noirs de pinot noir de 1998, est un champagne vineux, musclé et équilibré. (RM)

Daniel Moreau, rte de Verneuil, Cidex 318,
51700 Vandières, tél. 03.26.58.01.64, fax 03.26.58.15.64
r.-v.

## RONALD MOREAU Blanc de blancs *

● 1 ha 3 000 11 à 15 €

Chouilly est une commune classée grand cru. Ronald Moreau y exploite un vignoble familial. Il propose un blanc de blancs au caractère affirmé et typé : or vert limpide, floral et fruité (fruits blancs et citron), brioché, il est vif, long, élégant. (RM)

Ronald Moreau, 14 bis, rue du Moulin,
51530 Chouilly, tél. 03.26.59.77.28 r.-v.

## MOREL PERE ET FILS Réserve

● 4 ha 20 000 11 à 15 €

Pendant des années les Morel ne produisaient que du rosé-des-riceys. Désormais, ils élaborent du champagne, dont ce brut Réserve, assemblant des raisins de quatre années (1998 à 2001) et qui fait honneur au pinot noir (90 %). Limpide et traversé de bulles fines, il offre un nez de poire cuite et de fruits confits. Il est rond et équilibré. (RM)

Morel Père et Fils, 93, rue du Gal-de-Gaulle,
10340 Les Riceys, tél. 03.25.29.10.88,
fax 03.25.29.66.72, e-mail morel.pereetfils@wanadoo.fr
r.-v.
Pascal Morel

## PIERRE MORLET Grande Réserve *

● 1er cru 0,69 ha 6 000 11 à 15 €

Avenay-Val-d'Or est situé non loin du grand cru Aÿ. Ce rosé de pinot noir des années 1999 à 2001, rose pâle, est intense, rond, très présent en bouche avec un dosage sensible. Les fruits rouges dominent la dégustation. Le **brut Grande Réserve 1er cru blanc**, qui assemble 75 % de pinot noir à 25 % de chardonnay des récoltes de 1999 à 2001, est cité alors que le **1[er] cru 99**, pinot noir (65 %) et chardonnay (35 %), obtient une étoile. Le premier, évolué, léger, fruité, est « un vin de soif », selon un dégustateur ; le second, marqué par l'abricot sec, le menthol, la vanille, est soyeux et raffiné. (NM)

Pierre Morlet, 7, rue Paulin-Paris,
51160 Avenay-Val-d'Or, tél. 03.26.52.32.32,
fax 03.26.59.77.13 r.-v.

## CORINNE MOUTARD Tradition *

● n.c. n.c. 11 à 15 €

Les Moutard sont bien connus dans l'Aube ; Corinne Moutard a décidé de lancer sa propre marque en 1998. Les raisins noirs dominent (70 %) dans la cuvée Tradition. Celle-ci se montre minérale, briochée, ronde et équilibrée. Son effervescence est vive, la mousse abondante, dans une robe « or doré », limpide. (NM)

Corinne Moutard, 51, Grande-Rue, 10110 Polisy,
tél. 03.25.38.52.47, fax 03.25.29.37.46,
e-mail champagnecorinnemoutard@wanadoo.fr
r.-v.

## MOUTARDIER Carte d'or

● 23 ha 200 000 11 à 15 €

Cette maison familiale a été fondée en 1926 au Breuil dans la vallée du Surmelin, dont la situation est propice au pinot meunier, cépage qui a les faveurs des Moutardier. On en trouve 90 % dans cette Carte d'or (et 10 % de chardonnay) dont les touches confites contribuent à la générosité et à l'ampleur de la bouche. Un champagne d'après-midi. (NM)

Jean Moutardier, chem. des Ruelles,
51210 Le Breuil, tél. 03.26.59.21.09, fax 03.26.59.21.25,
e-mail moutardi@ebc.net r.-v.

## MOUTARD PERE ET FILS
Cuvée des 6 cépages 2000 **

● 1 ha 6 200 30 à 38 €

En 1642 commence l'aventure vigneronne des Moutard. Dans l'Aube déjà. En 1927 apparaissent les premières bouteilles du champagne Moutard. Aujourd'hui, le vignoble se développe sur 21 ha. Aux trois cépages habituels sont joints trois cépages rares autorisés : le pinot blanc, le petit meslier et l'arbane. Six parts égales au service d'une cuvée exceptionnelle qui a connu le bois. Que de points forts ! L'élégance florale, la matière fine, l'équilibre entre le boisé discret et la fraîcheur... « Trop bien pour être commenté », précise un dégustateur. Un coup de cœur enthousiasmant. Deux étoiles pour le **rosé Prestige (15 à 23 €)**, pinot noir (55 %) et chardonnay (45 %), pâle, exotique, vineux et long. Une étoile pour le **brut Réserve blanc de blancs (11 à 15 €)** citronné, floral et équilibré. (NM)

Moutard-Diligent, 6, rue des Ponts, BP 1,
10110 Buxeuil, tél. 03.25.38.50.73, fax 03.25.38.57.72,
e-mail champagne.moutard@wanadoo.fr
t.l.j. sf dim. 9h-12h 14h-18h

## PH. MOUZON-LEROUX Prestige 1997 *

Gd cru | n.c. | 6 500 | 15 à 23 €

Depuis 1776, en neuf générations, les Mouzon ont constitué un vignoble de près de 11 ha et ont lancé leur marque en 1938. Le Prestige 97, issu de chardonnay (60 %) et de pinot (40 %), au nez légèrement évolué, propose une bouche fruitée (figue), corpulente, sensiblement dosée. La **Grande Réserve grand cru (11 à 15 €)**, qui assemble 75 % de pinot noir à 25 % de chardonnay des années 1999 à 2002, est citée pour ses arômes empyreumatiques. (NM)

EARL Mouzon-Leroux, 16, rue Basse-des-Carrières, 51380 Verzy, tél. 03.26.97.96.68, fax 03.26.97.97.67, e-mail champagne-mouzon-leroux@wanadoo.fr
r.-v.

## MUMM & CIE

Gd cru | 13 ha | 135 000 | 30 à 38 €

Mumm, maison rémoise fondée en 1827, a changé de mains à plusieurs reprises et vient, alors que nous mettons sous presse, d'intégrer le groupe Pernod-Ricard. Depuis 2001, un Mumm grand cru est proposé, issu de 48 % de chardonnay pour 52 % de pinot noir et des années 1997-1998 ; ses arômes font songer au caramel au lait alors que ses saveurs complexes se prolongent longuement. (NM)

G.-H. Mumm, 29, rue du Champ-de-Mars, 51100 Reims, tél. 03.26.49.59.69, fax 03.26.40.46.13, e-mail mumm@mumm.fr r.-v.

## NOWACK Carte d'or *

5 ha | 28 000 | 11 à 15 €

Les Nowack sont récoltants-manipulants depuis un siècle à Vandières, dans la vallée de la Marne. Ils sont établis au cœur du village dans un ensemble de bâtiments dans lesquels ils ont aménagé un gîte. Vignes et vergers les entourent. La cuvée Carte d'or comprend 20 % de chardonnay et autant de pinot noir que de pinot meunier de l'année 2000. C'est un champagne dont l'or brille. Il est droit, simple, frais : pour l'apéritif. La **Carte d'or rosé** est citée. Ce rosé de noirs, également des deux pinots et du millésime 2000, est pâle, fruité, léger. (RM)

Frédéric Nowack, 10, rue Bailly, 51700 Vandières, tél. 03.26.58.02.69, fax 03.26.58.39.62, e-mail champagne.nowack@wanadoo.fr
t.l.j. 9h-12h 14h-18h; dim. 9h-12h; f. 1 sem. en fév.

## OLIVIER PERE ET FILS *

9,15 ha | 3 000 | 11 à 15 €

Ce récoltant-manipulant de Trélou-sur-Marne exploite un vignoble de 9 ha. Son rosé est un rosé de noirs des deux pinots, issu des années 2001 et 2002. On y découvre la fraise et la framboise, une minéralité presque camphrée et un excellent équilibre. La **Grande Réserve**, élaborée à partir de récoltes de 2000 et de 2001 est issue des trois cépages champenois. Fraîche, fruitée (agrumes, fruits cuits), de bonne persistance, elle obtient une étoile alors que le **98** est cité. Ce dernier, né de l'assemblage d'autant de raisins blancs que de raisins noirs, est toasté, brioché, citronné et rond. (RM)

Olivier Père et Fils, 2, rue Kennedy, 02850 Trélou-sur-Marne, tél. 03.23.70.25.96, fax 03.23.70.02.56 r.-v.

## LUCIEN ORBAN Carte d'or *

0,5 ha | 3 000 | 11 à 15 €

Exploitation familiale dont le vignoble s'étend sur 6 ha. Hervé Orban a repris en 1991 la marque lancée par son père trente-sept ans auparavant. Ici vous trouverez un gîte rural (cinq personnes). La cuvée Carte d'or est un rosé de noirs (90 % de pinot meunier) saumon pâle, au nez de grenadine, tout en finesse. La bouche expressive, ronde et équilibrée se prêtera à l'apéritif. (RM)

Hervé Orban, 8, rue du Gal-de-Gaulle, 51700 Cuisles, tél. 03.26.58.16.11, fax 03.26.52.84.82, e-mail herve.orban@wanadoo.fr r.-v.

## OUDINOT Cuvée brut

n.c. | 900 000 | 15 à 23 €

Depuis 2004, le groupe Laurent-Perrier contrôle cette marque fondée en 1889. Le chardonnay, majoritaire, a été assemblé au pinot pour donner cette Cuvée brut. Le brioché voisine avec la bergamote. La bouche est charnue ; c'est un champagne de repas. (NM)

Oudinot, Ch. Malakoff, 3, rue Malakoff, 51207 Epernay, tél. 03.26.59.50.10, fax 03.26.54.78.52, e-mail contact@chateau-malakoff.com

## BRUNO PAILLARD Première Cuvée *

n.c. | n.c. | 30 à 38 €

En 1981, Bruno Paillard a créé sa maison, spécialisée dans le brut haut de gamme. La date de dégorgement est indiquée sur toutes les bouteilles. La Première Cuvée rosée fait appel à 85 % de pinot noir et 15 % de chardonnay. Robe pâle et distinguée, nez discret, tout en finesse, bouche de charme fraîche et équilibrée. La cuvée de prestige **NPU 90 (Nec Plus Ultra, plus de 76 €)**, champagne aussi blancs que noirs, est élevée en petits fûts. Une grande bouteille à réserver aux amateurs avertis, séduits par un vin complexe, boisé et évolué. Elle obtient une étoile. (NM)

Bruno Paillard, av. de Champagne, 51100 Reims, tél. 03.26.36.20.22, fax 03.26.36.57.72, e-mail brunopaillard@aol.com r.-v.

## PALMER ET CO

n.c. | n.c. | 15 à 23 €

Ce groupement de producteurs, créé par sept viticulteurs à Avize en 1947, s'est énormément développé puisqu'il compte aujourd'hui trois cents vignerons possédant quelque 380 ha. Depuis 1959, la coopérative est rémoise. Le brut, composé d'autant de raisins noirs que de blancs, crémeux, harmonieux, frais, un peu bref, sera excellent à l'apéritif. (CM)

Palmer et Co, 67, rue Jacquart, 51100 Reims, tél. 03.26.07.35.07, fax 03.26.07.45.24 r.-v.

## PANNIER Egérie Rosé de saignée *

n.c. | 5 880 | 38 à 46 €

Ici le cadre est exceptionnel : les tailleurs de pierre du Moyen Age ont gravé leur nom dans les caves d'où ils extrayaient les pierres qui donnèrent naissance aux monuments de la région. Aujourd'hui, c'est là que sont vinifiés et élevés les raisins récoltés sur 600 ha. La cuvée spéciale Egérie – coûteuse – est un rosé de saignée qui rend les dégustateurs diserts : « sa souplesse et sa douceur, c'est du velours, puis il explose longuement ». Le **blanc de noirs 98 (23 à 30 €)** honore les pinots noirs (90 %) ; il rappelle les fruits confits, le miel, le tabac blond, les fleurs séchées. Il est vineux et convient au repas. (CM)

⊶ SCVM Covama,
25, rue Roger-Catillon, BP 55, 02400 Château-Thierry,
tél. 03.23.69.51.30, fax 03.23.69.51.31,
e-mail champagnepannier@champagnepannier.com
▣ Ꮖ ⛹ r.-v.

## PAQUES ET FILS Carte or ★★

● 1er cru 6 ha 50 000 ▮ 11 à 15 €

Philippe Paques est depuis dix ans le maître d'œuvre de cette exploitation familiale créée il y a un siècle. Sa Carte or est dominée par les raisins noirs (80 % dont 50 % de pinot meunier) des années 2001 et 2002. Une effervescence élégante dans un or clair brillant, un nez de fleurs blanches et de fruits secs, une bouche ample dont la finale est miellée : une promesse de plaisir. La **cuvée Aurore 1er cru**, un blanc de blancs des récoltes de 1997 et 1998, vineux, puissant, un peu évolué, obtient une citation. (RM)

⊶ Paques et Fils, 1, rue Valmy,
51500 Rilly-la-Montagne, tél. 03.26.03.42.53,
fax 03.26.03.40.29, e-mail phil.paques@wanadoo.fr
▣ Ꮖ ⛹ r.-v.

## FRANCK PASCAL Cuvée Prestige 1996 ★

● 0,6 ha 7 415 ▮ 23 à 30 €

Franck Pascal, ingénieur, a repris cette propriété en 1994 et la cultive en biodynamie. Le 96 naît des trois cépages champenois à parts égales. Il est empyreumatique, équilibré mais nerveux, avec une finale d'agrumes. Le **Sélection** est cité, il est également issu des trois cépages champenois récoltés durant une dizaine d'années et n'est pas dosé. Puissant, équilibré, son corps le destine au début du repas. (RM)

⊶ Franck Pascal, 1 bis, rue Valentine-Regnier,
51700 Baslieux-sous-Châtillon, tél. 03.26.51.89.80,
fax 03.26.51.88.98, e-mail franck.pascal@wanadoo.fr
▣ r.-v.

## PASCAL-DELETTE ET FILS
Cuvée de réserve 2001 ★

● 5,7 ha 59 271 ▮ 11 à 15 €

Yves Pascal a deux fils qui prendront la relève lorsque le temps sera venu. Depuis 1975, il dispose d'un vignoble dans la vallée de la Marne. Cette Réserve est un blanc de noirs des deux pinots (70 % de meunier). Une mousse abondante dans un or pâle éclatant, un nez de fruits secs et de pain grillé, une bouche harmonieuse au dosage perceptible. Un champagne d'apéritif ou de poisson. (RM)

⊶ Pascal-Delette, 48, rue Valentine-Régnier,
51700 Baslieux-sous-Châtillon, tél. 03.26.58.11.35,
fax 03.26.57.11.93 ▣ 🏠 Ꮖ ⛹ t.l.j. 8h-12h 14h-19h

## CHRISTIAN PATIS Tradition ★

● 3 ha 30 000 ▮ 11 à 15 €

Ce champagne est issu d'un vignoble de la Montagne de Reims, créé en 1972, perché à flanc de coteau au-dessus du village de Sermiers. Cette cuvée, élaborée à partir des vendanges de 2001, est intense, vineuse, de bonne longueur. (RM)

⊶ Christian Patis, 19, rue du Pré-des-Bourgs,
Montaneuf, 51500 Sermiers, tél. 03.26.97.60.05,
fax 03.26.97.61.94 ▣ Ꮖ ⛹ t.l.j. 10h-19h

## JEAN PERNET Tradition ★

● 7 ha 45 000 ▮ 11 à 15 €

Autre marque du Champagne Camille Jacquet. Le brut Tradition est élaboré à Chavot-Courcourt avec des vins de 2002 et du vin de réserve de 2001. Issu d'une majorité de raisins noirs (90 % dont 60 % de pinot noir), il est équilibré, léger, classique, fait pour l'apéritif. (NM)

⊶ Jean Pernet,
6, rue de la Brèche-d'Oger, 51190 Le Mesnil-sur-Oger,
tél. 03.26.57.54.24, fax 03.26.57.96.98 ▣ Ꮖ ⛹ r.-v.
⊶ Christophe et Frédéric Pernet

## PERNET-LEBRUN Cuvée Authentick 1999 ★★

● 12,26 ha 2 130 ▮ 15 à 23 €

Installée depuis un siècle dans la région d'Epernay, la famille Pernet-Lebrun cultive 12 ha de vigne. La cuvée Authentick naît des trois cépages champenois à parts égales ; or pâle, elle est fraîche, toastée, équilibrée, élégante. Le **rosé (11 à 15 €)** fait appel à 70 % de raisins noirs (dont 60 % de pinot meunier) et 30 % de raisins blancs de 2002 et 2003. Il est cité pour son fruité-fumé et surtout pour sa fraîcheur. (RM)

⊶ Pernet-Lebrun, Ancien Moulin, 51530 Mancy,
tél. 03.26.59.71.63, fax 03.26.57.10.42 ▣ Ꮖ ⛹ r.-v.

## JOSEPH PERRIER Cuvée Joséphine 1995 ★

● n.c. n.c. ▮ + de 76 €

L'une des rares – sinon la dernière – maison de champagne de Chalons-en-Champagne. Ancienne (1825), elle est aujourd'hui contrôlée par Alain Thiénot. La cuvée Joséphine 95 – cuvée de prestige de la marque – est pratiquement mi-blancs mi-noirs. Elle a atteint son apogée, son fruité intense et rond lui donne toute sa place au cours d'un repas. La **Cuvée royale rosé (30 à 38 €)**, trois quarts de noirs et un quart de blancs, colorée au vin de Cumières, convient elle aussi au repas par sa générosité fruitée. (NM)

⊶ SA Joseph Perrier, 69, av. de Paris, BP 31,
51000 Châlons-en-Champagne, tél. 03.26.68.29.51,
fax 03.26.70.57.16, e-mail contact@josephperrier.fr
▣ Ꮖ ⛹ r.-v.

## PERRIER-JOUET Grand Brut ★

● 280 ha 2 858 000 ▮ 23 à 30 €

Célèbre maison sparnacienne fondée en 1811 et qui, depuis de nombreuses années, a partie liée avec Mumm. Le Grand Brut est le cheval de bataille de Perrier-Jouët, les trois cépages champenois de l'année 2001 s'y marient, épaulés de vins de réserve. Un brut sans année classique et fin. Rappelons la **Belle Epoque 96 (plus de 76 €)** dans sa superbe bouteille Gallée, coup de cœur l'an dernier. (NM)

⊶ Perrier-Jouët, 28, av. de Champagne,
51200 Epernay, tél. 03.26.53.38.00, fax 03.26.54.54.55,
e-mail info@perrier-jouet.fr
▣ Ꮖ ⛹ t.l.j. sf sam. dim. 9h-11h15 14h-16h15;
groupes sur r.-v.

## GASTON PERRIN

● 4,6 ha 35 000 ▮ 15 à 23 €

Cette marque lancée par Gaston Perrin en 1957 a été reprise en 1991 par Annie et Jackie Illis. Le chardonnay (20 %) complète le pinot noir (10 %) et le pinot meunier (70 %) de l'année 2003, ainsi que des vins de réserve de 2000 à 2002. L'attaque est franche et rondeur, fraîcheur et longueur font la qualité de ce champagne. (RM)

⊶ Gaston Perrin, 5, rue de la République,
51700 Festigny, tél. 03.26.59.48.49, fax 03.26.57.12.09,
e-mail jackie.illis@wanadoo.fr ▣ Ꮖ ⛹ r.-v.
⊶ Jackie et Annie Illis

PIERRE PETERS Blanc de blancs Perle du Mesnil ★

| Gd cru | 2,5 ha | 10 080 | 11 à 15 € |
|---|---|---|---|

Vignoble plus que centenaire repris par Pierre Peters en 1940, aujourd'hui conduit par François Peters qui dispose de 17,5 ha. Cette Perle du Mesnil a du succès. Son équilibre et sa typicité blanc de blancs séduisent, de même que sa complexité et sa persistance. (RM)
Pierre Peters,
26, rue des Lombards, 51190 Le Mesnil-sur-Oger,
tél. 03.26.57.50.32, fax 03.26.57.97.71,
e-mail champagne-peters@wanadoo.fr r.-v.

PETITJEAN-PIENNE Blanc de blancs ★

| Gd cru | 1,8 ha | 18 166 | 11 à 15 € |
|---|---|---|---|

Récoltant-manipulant de Cramant tout naturellement spécialiste du blanc de blancs, tel ce grand cru né des vendanges de 2001, aux arômes briochés, beurrés, miellés et fruités (mandarine). La fraîcheur l'emporte dans un palais gras et rond. (RM)
Denis Petitjean, 4, allée des Bouleaux,
51530 Cramant, tél. 03.26.57.58.26, fax 03.26.57.00.68,
e-mail petitjean.pienne@wanadoo.fr
ven. sam. dim. 9h-18h

MAURICE PHILIPPART ★

| 1er cru | 2 ha | 3 209 | 11 à 15 € |
|---|---|---|---|

Apéritif ou salade de fruits ? Ce rosé sera un bon compagnon de la seconde, mais saura délier les conversations du premier. Il est né de cépages noirs – dont 60 % de meunier. Mousse fine et persistante, nez complexe et élégant, bouche riche et fruitée. (RM)
Maurice Philippart, 16, rue de Rilly,
51500 Chigny-les-Roses, tél. 03.26.03.42.44,
fax 03.26.03.46.05, e-mail philippart.f@wanadoo.fr
t.l.j. sf sam. dim. 9h-11h30 14h-17h30; f. août

PHILIPPONNAT Clos des Goisses 1992 ★★★

| 1er cru | 5 ha | 12 108 | + de 76 € |
|---|---|---|---|

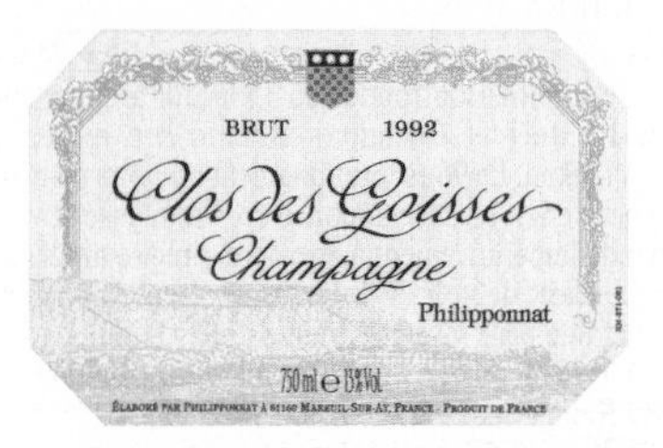


Déjà en 1522, les Philipponnat sont vignerons à Aÿ. Au XXe s., ils créent leur maison et en 1935 acquièrent le Clos des Goisses (5,28 ha), très incliné (30 %), planté de 65 % de pinot noir et de 35 % de chardonnay. Après un coup de cœur avec le millésime 91, ils obtiennent cette distinction avec le 92 qui, est élevé six mois dans le bois, fermentation malolactique bloquée. C'est un champagne de table riche, complexe, épicé, vanillé, boisé, long, équilibré, « superbe »... La **Réserve rosé (23 à 30 €)**, composée de trois fois plus de raisins noirs que de blancs, des années 2000 à 2002, est citée pour sa fraîcheur élégante. (NM)
Philipponnat,
13, rue du Pont, 51160 Mareuil-sur-Aÿ,
tél. 03.26.56.93.00, fax 03.26.56.93.18 r.-v.

PHILIZOT ET FILS Numéro 2 ★

| | n.c. | 15 000 | 15 à 23 € |
|---|---|---|---|

Elaborant leurs champagnes depuis trois ans, les Philizot ont depuis été sélectionnés dans chaque édition du Guide. Un exploit. Leur gamme se diversifie. Il existe une cuvée Numéro 1, 100 % chardonnay, une cuvée Numéro 3 issue des trois cépages champenois. Le jury a goûté ce Numéro 2, un blanc de noirs des deux pinots à parts égales des années 1998 et 1999. L'or se teinte d'ambre. Le nez est frais, agréable, alors que la bouche est ronde, jouant sur le fruit confit. Cette bouteille a atteint son apogée. Quant à la cuvée **Alquente** du millésime 98, elle obtient la même note. (NM)
Philizot, 49, Grande-Rue, 51480 Reuil,
tél. et fax 03.26.51.02.96,
e-mail champagne.philizot.fils@wanadoo.fr
t.l.j. 10h-20h

CORINNE PICARD

| | 4 ha | 30 000 | 11 à 15 € |
|---|---|---|---|

Depuis 1988, Corinne Picard, fille de Jacques Picard, créateur en 1950 du champagne Jacques Picard, élabore des champagnes qui font la part belle au chardonnay. Ce brut des années 1999 à 2004 marie 70 % de chardonnay à 30 % de pinot meunier. Son nez est expressif (fruits cuits, fruits à noyau) alors qu'en bouche agrumes et épices sont perceptibles. (RM)
SCEV Jacques Picard, 12, rue de Luxembourg,
51420 Berru, tél. 03.26.03.22.46, fax 03.26.03.26.03
r.-v.

PICARD ET BOYER Cuvée Tradition ★

| | 2 ha | n.c. | 11 à 15 € |
|---|---|---|---|

Sur ce domaine on trouve une vigne plantée en 1928, toujours en production. Cette cuvée Tradition est un blanc de noirs de pinot meunier qui passe quatre mois dans le bois. Caramel, noisette, agrumes confits composent un bouquet complexe. Ces arômes se retrouvent dans une bouche équilibrée et longue. (RM)
SCEV Picard et Boyer, chem. de Vrilly,
51100 Reims, tél. 03.26.85.11.69, fax 03.26.82.60.88,
e-mail antoine.picard@wanadoo.fr r.-v.
A. Picard

PIERREL Les Traditions

| 1er cru | 10 ha | n.c. | 15 à 23 € |
|---|---|---|---|

Sous diverses marques, Dominique Pierrel, négociant d'Epernay, propose des champagnes présentés avec originalité. Ce brut est un blanc de blancs, ce que l'étiquette ne dit pas. Il est floral, équilibré, léger et... dosé. (NM)
SA Pierrel et Associés, 26, rue Henri-Dunant,
51200 Epernay, tél. 03.26.51.00.90, fax 03.26.51.69.40,
e-mail champagne@pierrel.fr r.-v.
Dominique Pierrel

PIERSON-CUVELIER ★

| Gd cru | 2,2 ha | 4 000 | 11 à 15 € |
|---|---|---|---|

Fondé en 1901 et toujours conduit par les descendants du producteur, ce vignoble couvre 9 ha. Ce rosé de noirs des années 1998 à 2000 bénéficie d'une vinification complexe associant un peu de rosé de saignée, 9 % de vin rouge de Bouzy et une cuvée de pinot noir. Il est coloré ; son fruité est en cours d'évolution tandis que sa fraîcheur contribue à son élégance. (RM)

CHAMPAGNE

🔑 Pierson-Cuvelier, 4, rue de Verzy, 51150 Louvois, tél. 03.26.57.03.72, fax 03.26.51.83.84
t.l.j. 9h-12h 14h-18h; dim. sur r.-v.; f. 15-30 août

## PIERSON WHITAKER ★★

| 1er cru | n.c. | 3 000 | 15 à 23 € |
|---|---|---|---|

Cette marque de négoce d'Avize produit des champagnes 1er cru, dont ce rosé mi-blancs mi-noirs (y compris 14 % de vin rouge), saumon foncé, ample, onctueux, souple et harmonieux. (NM)

🔑 Pierson Whitaker, 14, rue d'Oger, 51190 Avize, tél. 03.26.57.77.04, fax 03.26.57.97.97, e-mail champagnepiersonwhitaker@club-internet.fr
t.l.j. sf dim. 8h-18h

## PIPER-HEIDSIECK ★

| | n.c. | n.c. | 15 à 23 € |
|---|---|---|---|

Après l'éclatement de la maison créée par Florens Louis Heidsieck en 1785, une branche de la famille fonda celle-ci qui a changé plusieurs fois de mains. Elle est aujourd'hui contrôlée par le groupe Rémy-Cointreau. Ce brut sans année assemble de nombreux crus, 15 % de vins de réserve et les trois cépages champenois – les noirs l'emportant avec 85 %. Un champagne plein de jeunesse, frais, vif, pulpeux. Egalement fort intéressante par son bouquet, la cuvée spéciale **Rare (plus de 76 €)**, dominée par le chardonnay (70 %), se montre puissante et complexe. Elle obtient une étoile. (RM)

🔑 Piper-Heidsieck, 51, bd Henry-Vasnier, 51100 Reims, tél. 03.26.84.43.00, fax 03.26.84.43.49
r.-v.
🔑 Rémy-Cointreau

## PLOYEZ-JACQUEMART
L. d'Harbonville Vinifié en fût de chêne 1995 ★

| 1er cru | 0,8 ha | 5 000 | 46 à 76 € |
|---|---|---|---|

En 1930, Marcel Ployez et Yvonne Jacquemart fondent leur maison que leurs descendants administrent en appliquant des méthodes traditionnelles. Cette cuvée spéciale met en valeur 70 % de chardonnay, les deux pinots se partageant le solde. Le vin est élevé six mois dans le bois. C'est un beau 95, frais, fin, élégant, équilibré, qui a bien évolué. (NM)

🔑 Ployez-Jacquemart, 8, rue Astoin, 51500 Ludes, tél. 03.26.61.11.87, fax 03.26.61.12.20, e-mail ployez-jacquemart@wanadoo.fr r.-v.

## POINTILLART ET FILS 1999 ★

| 1er cru | 50 ha | 4 000 | 15 à 23 € |
|---|---|---|---|

Au cœur du village d'Ecueil se trouve le caveau de dégustation de cette exploitation familiale, dont le vignoble couvre 6 ha dans cette région proche de Reims. Le 99 assemble 40 % de chardonnay au pinot noir. On y découvre les fleurs d'acacia, des notes de miel, une composition équilibrée et persistante. La **cuvée Rencontre**, issue des années 1997 et 1998, mi-noirs mi-blancs, est citée pour ses arômes de tabac, de citron, de miel ainsi que pour sa vivacité et sa longueur. (RM)

🔑 Pointillart et Fils, 10, Grande-Rue, 51500 Ecueil, tél. 03.26.49.74.95, fax 03.26.49.75.02, e-mail anthony@champagnepointillartetfils.com
r.-v.

## POISSINET-ASCAS Cuvée Carte d'or 1999

| | 8,2 ha | 4 000 | 11 à 15 € |
|---|---|---|---|

Le Champagne Poissinet-Ascas, fondé dans les années 1960, dispose d'un vignoble de plus de 8 ha. La Carte d'or fait appel aux trois cépages champenois ; ronde, elle présente des saveurs de griotte et sa finale est agréable. (RM)

🔑 Poissinet-Ascas, 8, rue du Pont, 51480 Cuchery, tél. 03.26.58.12.93, fax 03.26.52.03.55, e-mail regis.poissinet@wanadoo.fr r.-v.

## GASTON POITTEVIN

| 1er cru | 2,5 ha | 16 000 | 11 à 15 € |
|---|---|---|---|

Au cœur de la vallée de la Marne, ce producteur dispose d'un vignoble de près de 6 ha. Son brut 1er cru est dominé par les raisins noirs : 85 % des deux pinots sont associés à 15 % de chardonnay des années 1998 à 2000. Trois mots caractérisent ce vin : miel, pain d'épice, équilibre. (RM)

🔑 Gaston Poittevin, 129, rue Louis-Dupont, 51480 Cumières, tél. 03.26.55.38.37, fax 03.26.54.30.89
r.-v.

## POL ROGER Extra Cuvée de réserve 1998 ★★

| | n.c. | n.c. | 46 à 76 € |
|---|---|---|---|

Qui ne connaît la marque de champagne préférée de Winston Churchill, fondée en 1849 par Pol Roger ? Celui qui disait « je me contente du meilleur », aurait volontiers bu ce rosé 98, mi-blancs mi-noirs (y compris 15 % de vin rouge), au bouquet tendre et fruité, frais et long. Un dégustateur précise : « de loin le meilleur goûté de la matinée ». Le **brut Vintage 98 (30 à 38 €)**, avec un peu plus de raisins noirs (60 %) que blancs (40 %), obtient une étoile pour la franchise de son attaque et sa structure équilibrée. Le **brut Réserve (23 à 30 €)** est cité. Il est issu des trois cépages champenois, chacun participant pour un tiers à cette cuvée vive et légère convenant à l'apéritif. (NM)

🔑 SA Pol Roger, 1, rue Henri-Lelarge, 51200 Epernay, tél. 03.26.59.58.00, fax 03.26.55.25.70, e-mail polroger@polroger.fr r.-v.

## POMMERY 1996

| Gd cru | 30 ha | n.c. | 23 à 30 € |
|---|---|---|---|

Célèbre maison fondée en 1836 qui a appartenu à LVMH (Moët et Chandon) avant d'être reprise par P.-F. Vranken. Le 96 est pratiquement mi-noirs mi-blancs. Une belle effervescence annonce un vin intense et vif qui demande impérativement à être aéré, précise un dégustateur. Le **blanc de noirs Wintertime** présente un caractère fruité et une belle vivacité. Même note. (NM)

🔑 SA Pommery, 5, pl. du Gal-Gouraud, BP 1049, 51689 Reims Cedex 2, tél. 03.26.61.62.63, fax 03.26.61.61.60, e-mail tgasco@vrankenpommery.fr
r.-v.
🔑 Vranken

## POTEL-PRIEUX Grande Réserve ★

| | 4,5 ha | 38 000 | 11 à 15 € |
|---|---|---|---|

Charles Potel, en 1640, était vigneron à Venteuil. François Potel, de nos jours, est vigneron, toujours à Venteuil, où il cultive un vignoble de 6 ha. Sa Grande Réserve est issue des trois cépages champenois à parts égales, des années 1996 à 2002. Un champagne de repas équilibré, fruité (agrumes), rond et long. (RM)

🔑 Potel-Prieux, 10, rue de Champagne, 51480 Venteuil, tél. 03.26.58.48.59, fax 03.26.58.68.11
r.-v.

## N. POTIE Tradition

● 3 ha 20 000 ▮ 11 à 15 €

Une ferme traditionnelle très fleurie l'été vous invite à découvrir cette exploitation familiale créée en 1959 et s'étendant sur plus de 5 ha. La Tradition doit presque tout au chardonnay (80 %) et assemble la récolte de 2002 à 50 % de vins de réserve des années 1982 à 2001. Elle est ronde et miellée ; la perception du sucre est renforcée par un dosage abondant. (RM)

N. Potié, 6, rue de Reims, 51150 Condé-sur-Marne, tél. 03.26.67.99.08, fax 03.26.64.13.27, e-mail champotie@aol.com r.-v.

## ROGER POUILLON ET FILS Le Brut Vigneron

● 1er cru n.c. 4 500 ▮ 11 à 15 €

Marque créée en 1947 par Roger Pouillon. En 1998, son petit-fils Fabrice fait équipe avec son père, James Pouillon, à la tête d'un vignoble de 7 ha comprenant deux grands crus et trois 1ers crus. Le Brut Vigneron, issu des récoltes des années 1999 à 2001, est mi-noirs mi-blancs. Aux arômes et aux saveurs de fruits cuits s'ajoutent en bouche les fleurs blanches et la poire confite. Sur un dessert peu sucré, vous apprécierez ce vin équilibré et harmonieux. (RM)

Roger Pouillon et Fils, 3, rue de la Couple, 51160 Mareuil-sur-Aÿ, tél. 03.26.52.60.08, fax 03.26.59.49.83, e-mail contact@champagne-pouillon.com r.-v.

## POUL-JUSTINE Tradition ★

● 1er cru 8,3 ha 30 000 11 à 15 €

1955 voit le mariage des enfants de Pierre Justine et d'André Poul. Le nom de la marque était tout trouvé. Aujourd'hui, Michel Poul cultive un vignoble de plus de 8 ha. Sa Tradition, mi-noirs mi-blancs des années 1993 à 2000, empryreumatique, épicée et fraîche a atteint son apogée. La cuvée **Eternel (23 à 30 €)**, élaborée à partir de quatre fois plus de raisins noirs que de blancs, est citée pour son charme et son équilibre. (RM)

EARL Poul-Justine, 6, rue Gambetta, 51160 Avenay-Val-d'Or, tél. 03.26.52.32.58, fax 03.26.52.65.92 r.-v.

Michel Poul

## PRESTIGE DES SACRES Réserve spéciale

● n.c. 75 000 11 à 15 €

Coopérative établie depuis 1961 à Janvry, non loin de Reims, dont les adhérents détiennent 130 ha de vigne. La Réserve spéciale est issue des trois cépages champenois à parts égales. C'est un brut sans année typique, équilibré, frais, pour un apéritif servi dans le jardin. (CM)

Prestige des Sacres, rue de Germigny, 51390 Janvry, tél. 03.26.03.63.40, fax 03.26.03.66.93, e-mail info@champagne-prestige-des-sacres.com r.-v.

## YANNICK PREVOTEAU La Perle des Treilles ★

● 1 ha 7 000 ▮ 11 à 15 €

Eric et Yannick Prévoteau cultivent un vignoble d'une dizaine d'hectares. La Perle des Treilles naît d'un assemblage classique de 60 % de pinot noir complété par le chardonnay. Les raisins ont été cueillis en 2000 et en 2001. On y découvre un fruité onctueux de pâte de fruits et de fruits confits, une bouche ample et complexe. Le **2000 (15 à 23 €)** est un blanc de blancs, ce que l'étiquette n'annonce pas. Le nez est discret mais la bouche équilibrée révèle des notes d'agrumes. (RM)

EARL Prévoteau Père et Fils, 4 bis, av. de Champagne, 51480 Damery, tél. 03.26.58.41.65, fax 03.26.58.61.05, e-mail yannick.prevoteau@wanadoo.fr t.l.j. sf dim. 8h-12h 13h30-19h

## PREVOTEAU-PERRIER Adrienne Lecouvreur ★★

● n.c. 20 000 15 à 23 €

Cette cuvée porte le nom d'une tragédienne célèbre, au XVIIIe s. Adrienne Lecouvreur, née à Damery et dont la maison natale appartient aux Prévoteau. La cuvée, mi-noirs mi-blancs, élaborée à partir de vendanges des années 1998 à 2000, est fine, équilibrée, charpentée. Sa légèreté convient à l'apéritif. La **Grande Réserve (11 à 15 €)**, également des années 1998 à 2000, issue des trois cépages champenois à parts égales, obtient une étoile pour sa vivacité citronnée et sa longueur, alors que le **rosé (11 à 15 €)**, 85 % de raisins noirs des deux pinots et teinté par du vin rouge des années 2000 à 2002, est cité. Un rosé pâle, calme, dosé. (NM)

Prévoteau-Perrier, 15, rue André-Maginot, 51480 Damery, tél. 03.26.58.41.56, fax 03.26.58.65.88 r.-v.

P. Prévoteau et C. Boudard

## PRIN PERE ET FILS Blanc de blancs 6e Sens ★★

● n.c. n.c. 30 à 38 €

Cette maison de négoce fondée en 1977 vinifie ses vins de la façon la plus traditionnelle avec fermentation malolactique. Le 6e Sens fleure classiquement les fruits à chair blanche et plus originalement la mangue, arômes que l'on retrouve dans une bouche ample et longue. Le **blanc de blancs 95 (23 à 30 €)** et le **brut rosé**, un rosé de noirs, obtiennent tous deux une étoile. Le premier pour sa volumineuse bouche miellée, le second pour sa rondeur complexe et élégante. (NM)

Prin Père et Fils, 28, rue Ernest-Vallé, 51190 Avize, tél. 03.26.53.54.55, fax 03.26.53.54.56, e-mail info@champagne-prin.com r.-v.

## QUATRESOLS-GAUTHIER 2000

● 1er cru 1,5 ha 3 700 ▮ 11 à 15 €

Régis Quatresols, depuis 1978, cultive ses 12 ha de vigne, avec lesquels son grand-père, dès 1928, produisit ses premières bouteilles de champagne. Ce rosé est un rosé de noirs. Sa teinte orangé soutenu annonce un bouquet de sous-bois légèrement évolué et une bouche framboisée confiturée qui a atteint son apogée. A servir sur une volaille. (RM)

Régis Quatresols, 4, rue de Reims, 51500 Ludes, tél. 03.26.61.10.13, fax 03.26.61.11.52, e-mail regis.quatresols@wanadoo.fr r.-v.

## SERGE RAFFLIN Cuvée Prestige 2000 ★★

● n.c. n.c. 15 à 23 €

Denis Rafflin a reçu un coup de cœur l'an dernier pour son Extra Réserve. Il n'en est pas loin cette année avec ce millésime. La petite étiquette de ce très élégant 2000 n'est pas classique, contrairement à la composition de sa cuvée Prestige où le pinot noir (44 %) complète le chardonnay. L'or à reflets verts est traversé d'une fine effervescence. Menthe et fleurs blanches donnent de la complexité à cette cuvée expressive et soyeuse. Le **rosé**, presque exclusivement élaboré à partir de raisins noirs (92 % des deux pinots), quelque peu évolué comme le montrent les arômes de coing et de fruits confits, est de bonne longueur. (RM)

🔑 Denis Rafflin, 1a, rue de Chigny, BP 25,
51500 Ludes, tél. 03.26.61.12.84, fax 03.26.61.14.07,
e-mail champagnesergerafflin@wanadoo.fr ☑ Y ⛹ r.-v.

## DIDIER RAIMOND Tradition

| ○ | 1,9 ha | 7 500 | 11 à 15 € |
|---|---|---|---|

Œnologue, Didier Raimond cultive un vignoble de 6 ha dans la région d'Epernay. Une partie de ses vins (20 %) passe en fût. Sa Tradition, composée pour les deux tiers par des raisins blancs et pour un tiers par des raisins noirs des années 1999 à 2001, affiche une couleur fraîche traversée par un remarquable cordon. Le nez est épicé, la bouche élégante et longue. (RM)

🔑 Didier Raimond, 39, rue des Petits-Prés,
51200 Epernay, tél. et fax 03.26.54.51.70,
e-mail champagnedidier.raimond@wanadoo.fr
☑ Y ⛹ r.-v.

## EUGENE RALLE E.R.

| ○ Gd cru | 0,3 ha | 2 500 | 15 à 23 € |
|---|---|---|---|

Propriété familiale dont le vignoble s'étend dans la commune de Verzenay, sur la Montagne de Reims, classée grand cru. Le pinot noir (70 %) domine le chardonnay (30 %) dans cette cuvée spéciale E.R. puissante au nez et en bouche, sans doute trop jeune et très dosée. La petite étiquette bleue fait preuve d'originalité. (NM)

🔑 Eugène Ralle, 1, rue Gambetta, 51360 Verzenay,
tél. 03.26.49.40.12, fax 03.26.49.44.40,
e-mail arnould-ralle@wanadoo.fr ☑ Y ⛹ r.-v.

## ERNEST RAPENEAU Sélection

| ○ | n.c. | n.c. | 11 à 15 € |
|---|---|---|---|

Marque de négoce d'Epernay de la maison G.H. Martel and Co appartenant au groupe Rapeneau. Jaune d'or, ce champagne offre au nez une touche exotique ; en bouche, il affirme équilibre et nervosité. (NM)

🔑 La Maison du Champagne, 51200 Epernay,
tél. 03.26.51.06.33, fax 03.26.54.41.52

## BERNARD REMY ★

| ○ Gd cru | n.c. | 3 000 | 11 à 15 € |
|---|---|---|---|

En 1968, Bernard Remy crée son vignoble qui s'étend aujourd'hui sur 9,5 ha. Son brut grand cru est un blanc de blancs – ce que l'étiquette n'annonce pas – des années 2000 et 2001. Pourtant le cépage s'exprime par la robe or vert, la finesse des fleurs blanches et une élégance vive. Le **rosé**, 70 % de pinot noir et 5 % de meunier complétés par le chardonnay, est issu des années 2002 et 2003. Tout en fraise et en framboise et tout en souplesse, il obtient une citation. (NM)

🔑 Bernard Remy, 19, rue des Auges, 51120 Allemant,
tél. 03.26.80.60.34, fax 03.26.80.37.18,
e-mail info@champagnebernardremy.com ☑ Y ⛹ r.-v.

## VINCENT RENOIR Réserve ★★

| ○ Gd cru | 0,5 ha | 4 000 | 11 à 15 € |
|---|---|---|---|

Chaque génération a marqué de son nom sa présence sur ce vignoble de 5 ha. La maison Bouy-Nicolas est devenue Renoir-Bouy et enfin Vincent Renoir en 1983. Les vignes sont situées du côté de Verzy (grand cru). Grand cru comme cette Réserve mi-noirs mi-blancs des récoltes de 1998 et 1999. Or pâle à reflets nacrés, entourée d'un joli collier de bulles fines, agréable et flatteuse au nez par ses notes de miel, de fruits à l'alcool, elle se montre épanouie, fraîche et puissante. La **Tradition grand cru**, composée de deux parts de pinot noir pour trois de chardonnay des années 1999 et 2000, est citée pour son élégance, sa vinosité et sa fraîcheur. (RM)

🔑 Vincent Renoir, 19, rue de la Gare, 51380 Verzy,
tél. 03.26.97.95.59, fax 03.26.97.94.67,
e-mail vincent.renoir@wanadoo.fr ☑ Y ⛹ r.-v.

## MICHEL ROCOURT Blanc de blancs ★★

| ○ 1er cru | n.c. | 35 000 | 11 à 15 € |
|---|---|---|---|

Ce récoltant-manipulant du Mesnil-sur-Oger, installé depuis trente-cinq ans, propose un brut 1er cru qui est un blanc de blancs (2001-2002) bien que cela ne soit pas indiqué par l'étiquette. C'est un champagne net, précis, frais, minéral, pointu, long, sobre, pour cocktail raffiné. Un coup de cœur pour un brut sans année modèle. Le **blanc de blancs 96 (15 à 23 €)** aux notes de citronnelle, de miel d'acacia et de figue, obtient une étoile pour ses saveurs légèrement beurrées, sa fraîcheur et sa longueur. (RM)

🔑 EARL Michel Rocourt, 1, rue des Zalieux,
51190 Le Mesnil-sur-Oger, tél. 03.26.57.94.99,
fax 03.26.57.78.33, e-mail rocourt@cariot.fr ☑ Y ⛹ r.-v.

## ERIC RODEZ Empreinte de terroir 1996 ★

| ○ Gd cru | n.c. | n.c. | 38 à 46 € |
|---|---|---|---|

Eric Rodez a déjà deux coups de cœur à son actif : Ambonnay, commune classée grand cru, est exemplaire pour ses pinots noirs. L'Empreinte de terroir en l'occurence s'applique au chardonnay, car ce vin est un blanc de blancs. Il est vinifié en fût et ne fait pas sa fermentation malolactique. C'est donc un champagne boisé, mais il est fondu, charnel et rond. D'ailleurs, il séduit d'emblée par sa couleur soutenue et brillante, et par ses arômes élégants où le miel répond à la minéralité et aux notes florales. Le **blanc de blancs (15 à 23 €)** sans année est cité. Quatre cinquièmes des vins passent par le bois et deux tiers des vins ne font pas leur « malo ». Ce champagne de repas est long, équilibré, évolué, brioché et léger. (RM)

🔑 Eric Rodez, 4, rue de Isse, 51150 Ambonnay,
tél. 03.26.57.04.93, fax 03.26.57.02.15,
e-mail c.rodez@champagne-rodez.fr ☑ Y ⛹ r.-v.

## LOUIS ROEDERER Brut Premier ★

| ○ | n.c. | n.c. | 23 à 30 € |
|---|---|---|---|

Célèbre pour sa cuvée Cristal depuis le XIXe s., cette maison rémoise a été fondée en 1776 ; elle est toujours propriété de la famille fondatrice et exploite un important et beau vignoble de 200 ha. Le Brut Premier se compose d'un tiers de raisins blancs et de deux tiers de raisins noirs ainsi que de 8 % de vins de réserve. Ses notes florales lui assurent fraîcheur et générosité. C'est un brut sans année complet. Le **millésimé 1997**, 70 % de pinot noir et 30 % de chardonnay, obtient lui aussi une étoile pour son équilibre et son élégance. (NM)

🔑 Louis Roederer, 21, bd Lundy, 51100 Reims,
tél. 03.26.40.42.11, fax 03.26.61.40.35,
e-mail com@champagne-roederer.com

## ALFRED ROTHSCHILD & CIE ★★

● n.c. n.c. 15 à 23 €

Marque créée en 1858, reprise un siècle plus tard par le groupe Marne et Champagne qui devait reprendre également Lanson en 1991. Le brut rosé, 76 % des deux pinots et 24 % de chardonnay, porte une robe pâle et délicate, une délicatesse qui se confirme au nez et en bouche. « Ce n'est que du plaisir », avoue un dégustateur. Le **98**, mi-noirs mi-blancs, est cité pour son nez discrètement beurré, sa finesse, sa structure ; le dosage est perceptible. (NM)

🔑 Lanson international, 22, rue Maurice-Cerveaux,
51200 Epernay, tél. 03.26.78.50.50, fax 03.26.78.50.52
r.-v.

## ROUILLERE FILS 2001

● n.c. 1 000 11 à 15 €

Ce rosé est un rosé de noirs des deux pinots, complexe. Fine et persistante, la mousse couronne une robe saumon. Un champagne fruité et fumé, aux arômes de tabac blond. Un résultat convaincant pour des raisins vendangés en 2001. (RM)

🔑 Hervé Rouillère, 5, rue du Vieux-Moulin,
51700 Baslieux-sous-Châtillon, tél. et fax 03.26.58.15.26,
e-mail champagne.rouillere@wanadoo.fr
r.-v.

## JACQUES ROUSSEAUX

● Gd cru 0,5 ha 4 000 11 à 15 €

1968 aura été une année riche en événements... et en création de marques en Champagne ! C'est encore le cas avec ce domaine familial qui élabore ses cuvées depuis cette date. En 2001, Céline et Eric Rousseaux ont repris le vignoble de 8 ha situé à Verzenay. Le rosé est un rosé de noirs de 2002. Couleur framboise, il affiche un fruité rouge très prononcé, un bon équilibre et une longueur fort honorable. Le brut **Cuvée de réserve**, des années 2000 à 2002, privilégie le pinot noir (70 %) ; c'est un champagne facile, frais et suave. (RM)

🔑 Jacques Rousseaux, 5, rue de Puisieulx,
51360 Verzenay, tél. 03.26.49.42.73, fax 03.26.49.40.72,
e-mail champagne.jacques.rousseaux@cder.fr
r.-v.

## OLIVIER ROUSSEAUX Cuvée Prestige ★

● Gd cru 0,1 ha 1 000 11 à 15 €

Olivier Rousseaux a repris le vignoble familial de 3,3 ha en 1985, alors qu'il n'avait que dix-neuf ans. Vingt ans après, cette cuvée Prestige signe un bel anniversaire ! Chardonnay et pinot noir à parts égales donnent un champagne aux bulles fines traversant un or soutenu. Le nez est marqué par le fruit mûr (pêche jaune), les agrumes. Quant à la bouche, elle est ronde, mentholée et fraîche. (RM)

🔑 Olivier Rousseaux, 21, rue de Mailly,
51360 Verzenay, tél. 03.26.49.40.50, fax 03.26.49.45.32,
e-mail orousseaux@wanadoo.fr r.-v.

## ROUSSEAUX-BATTEUX Cuvée R.B. ★★

● 0,3 ha 3 000 15 à 23 €

Denis Rousseaux a le privilège de cultiver 3,4 ha de vigne sur la Montagne de Reims à Verzenay, commune classée grand cru. Sa cuvée R.B. associe le chardonnay à 75 % de pinot noir de l'année 2000, complétée par la récolte de 1999. Elle se définit par une complexité qui va des fleurs aux fruits confits, avec ampleur et générosité. La cuvée **Prestige**, mi-noirs mi-blancs, issue de la vendange de 2000, est citée. (RM)

🔑 Rousseaux-Batteux, 17, rue de Mailly,
51360 Verzenay, tél. 03.26.49.81.81, fax 03.26.49.48.49,
e-mail rousseaux.batteux@wanadoo.fr r.-v.

## ROUSSEAUX-FRESNET ★

● 5,6 ha 1 000 15 à 23 €

Jean-Brice Rousseaux-Fresnet cultive un vignoble de 5,6 ha du côté de Verzenay (grand cru). Son rosé fait honneur aux pinots noirs (70 %), les 30 % restant se partagent à égalité entre le chardonnay et le vin rouge destiné à colorer la robe saumonée soutenue. Ce vin miellé, fruité et caramélisé est persistant. (RM)

🔑 Jean-Brice Rousseaux-Fresnet, 45, rue Chanzy,
BP 12, 51360 Verzenay, tél. 03.26.49.45.66,
fax 03.26.49.40.09 r.-v.

## LE ROYAL COTEAU ★

○ 6 ha 60 000 11 à 15 €

Cette petite coopérative de Grauves, fondée en 1948, regroupe cent soixante-quinze adhérents qui possèdent 60 ha de vignes. Le brut naît de l'assemblage des trois cépages champenois à parts égales ; il est empyreumatique, à la fois floral et fruité (agrumes), rond, de bonne longueur. La **Grande Réserve blanc de blancs** obtient aussi une étoile... Agrumes, brioche, noisette et amande s'équilibrent et persistent longuement. La cuvée étiquetée **De Roualles Spéciale Réserve**, mi-blancs mi-noirs, est citée ; sa fraîcheur est amoindrie par le dosage, mais elle offre une délicieuse et complexe corbeille fruitée, avec un soupçon de miel. (CM)

🔑 Le Royal Coteau, 11, rue de la Coopérative,
51190 Grauves, tél. 03.26.59.71.12, fax 03.26.59.77.66
r.-v.

## ROYER PERE ET FILS Cuvée de réserve

○ 14 ha 125 000 11 à 15 €

Installée depuis quarante-cinq ans au cœur de la Côte des Bars, la famille Royer propose cette Cuvée de réserve, 75 % de pinot noir et 25 % de chardonnay, souple, corpulente et élégante. La **cuvée Prestige**, blanc de blancs des années 2001 et 2002, est florale, légère, mentholée, fine et longue. (RM)

🔑 Royer Père et Fils, 120, Grande-Rue, BP 6,
10110 Landreville, tél. 03.25.38.52.16,
fax 03.25.38.37.17, e-mail infos@champagne-royer.com
r.-v.

## RUFFIN ET FILS Cuvée Roséanne ★

● 1,5 ha 13 000 15 à 23 €

Marque fondée en 1947 par Jean Ruffin, rejoint par son fils Dominique (1973) et son petit-fils (1995), et disposant d'un vignoble de 11 ha. Le rosé des années 2001 et 2002, mi-blancs mi-noirs (dont 13 % de vin rouge), a du caractère : d'une couleur intense, il développe d'harmonieux arômes de fraise et de framboise. Bien élaboré, il peut accompagner une cuisine exotique. Deux blancs de blancs sont cités, la cuvée **Chardonnay d'or** issue des récoltes de 2001 et de 2002, et cette même cuvée **millésimée 99**, deux champagnes frais et équilibrés, le dosage du 99 ne passant pas inaperçu. (NM)

🔑 Ruffin et Fils, 20, Grande-Rue, 51270 Etoges,
tél. 03.26.59.30.14, fax 03.26.59.34.96,
e-mail contact@champagnes-ruffin.com
☑ Y ✱ t.l.j. sf sam. dim. 8h-12h 14h-17h; f. nov.-mars

**RENE RUTAT** Blanc de blancs

| 1er cru | n.c. | 37 000 | 11 à 15 € |
|---|---|---|---|

On nous dit qu'il faut aller à Vertus pour écouter l'orgue baroque allemand de Bernard Aubertin de 1995 dans l'église romane dédiée à saint Martin. Un concert sera l'occasion de découvrir ce village viticole. Succédant en 1985 à son père, Michel Rutat y cultive un vignoble de 6 ha. Le blanc de blancs, issu des années 2001 et 2002, attaque très vivement, puis se développe avec ampleur et persistance. Bien typés, ses arômes jouent sur les agrumes et la fleur d'acacia. (RM)

🔑 René Rutat, 27, av. du Gal-de-Gaulle, 51130 Vertus,
tél. 03.26.52.14.79, fax 03.26.52.97.36,
e-mail champagne-rutat@wanadoo.fr ☑ Y ✱ r.-v.
🔑 Michel Rutat

**LOUIS DE SACY** Grand Soir 1999 ★

| Gd cru | 12 ha | 10 000 | 23 à 30 € |
|---|---|---|---|

Depuis 1633, les Sacy ont constitué un vignoble de 25 ha. Une grande logique préside à la vinification du Grand Soir : 60 % de pinot noir élevé sous bois, 10 % de pinot meunier de cuve, et 30 % de chardonnay de la Côte des Blancs. Ce champagne rond et charnu est boisé, sensiblement dosé. Le **grand cru rosé** est un rosé de noirs typé, avec sa touche d'agrumes mentholés. Il obtient une citation. (NM)

🔑 Louis de Sacy, 6, rue de Verzenay, 51380 Verzy,
tél. 03.26.97.91.13, fax 03.26.97.94.25,
e-mail contact@champagne-louis-de-sacy.fr ☑ Y ✱ r.-v.

**SAINT-CHAMANT** Blanc de blancs Carte or ★

| | n.c. | 15 639 | 15 à 23 € |
|---|---|---|---|

Christian Coquillette dispose de 11,5 ha de vigne. Le jury a regoûté le **96** qui exprime toutes les particularités du millésime : nez d'agrumes confits légèrement évolué, bouche incisive, finesse et traces d'évolution. Quant à cet autre blanc de blancs Carte or, né de la vendange 1999, il est traversé par un beau cordon doré. L'harmonie règne entre le nez et la bouche. Celle-ci, volumineuse, longue, gourmande avec des notes grillées, beurrées et de cire d'abeille, est très élégante. (RM)

🔑 Christian Coquillette, Saint-Chamant,
50, av. Paul-Chandon, 51200 Epernay,
tél. 03.26.54.38.09, fax 03.26.54.96.55 ☑ r.-v.

**DE SAINT-GALL**
Blanc de blancs Cuvée Orpale 1995 ★★

| Gd cru | n.c. | 60 000 | 38 à 46 € |
|---|---|---|---|

Finaliste l'an dernier, confirmé par le grand jury cette année, ce 95 reste un grand champagne. Il est élaboré par une union de coopératives qui regroupe plus de mille huit cent adhérents et 1 200 ha de vignes. Une partie de cette énorme production est commercialisée sous la marque De Saint-Gall, la cuvée de prestige étant cette cuvée Orpale, toujours millésimée, toujours blanc de blancs grand cru, toujours mûre et ignorant toujours le bois. L'Orpale 95 réalise une prouesse : associer la fraîcheur et l'évolution. C'est un champagne complet, fin, riche et élégant. Un coup de cœur de classe. Le **rosé grand cru (30 à 38 €)** est un rosé de noirs issu d'une macération de quinze heures, charpenté et corsé. Il obtient une étoile. (CM)

🔑 Union Champagne, 7, rue Pasteur, 51190 Avize,
tél. 03.26.57.94.22, fax 03.26.57.57.98,
e-mail info@union-champagne.fr ☑

**SALMON** Sélection Montgolfière ★

| | 8 ha | 15 000 | 15 à 23 € |
|---|---|---|---|

Une famille de vignerons de la vallée de l'Ardre, non loin de Reims, un vignoble de plus de 10 ha. Sur l'étiquette de cette Sélection est dessinée une montgolfière. C'est un blanc de noirs de pinot meunier des années 2000 et 2001. On y découvre des arômes de café (moka) et de fruits confits ; la bouche est équilibrée et évoluée. Deux champagnes sont cités : le **rosé** de noirs de pinot meunier (2001-2002) et le **2000**, issu de 70 % de pinot meunier et de 30 % de chardonnay. Le premier est rond, complexe, destiné à la table ; le second, léger et jeune, présente un dosage perceptible. (RM)

🔑 EARL Salmon, 21-23, rue du Capitaine-Chesnais,
51170 Chaumuzy, tél. 03.26.61.82.36,
fax 03.26.61.80.24 ☑ Y ✱ r.-v.

**CHRISTELLE SALOMON** Tradition ★

| | n.c. | n.c. | 11 à 15 € |
|---|---|---|---|

Premier champagne de cette nouvelle marque créée en 2004 par Christelle Salomon, appartenant à une famille de vignerons de Vandières. Son vignoble s'étend sur moins de 2 ha. Sa cuvée Tradition est un blanc de noirs de pinot meunier des années 1998 et 1999, légèrement évoluée au nez et en bouche. Ses arômes torréfiés et son équilibre sont plaisants. (RM)

🔑 Christelle Salomon, 7, rue Principale,
51700 Vandières, tél. 03.26.53.18.55 ☑ Y ✱ r.-v.

**DENIS SALOMON** Réserve

| | n.c. | 7 654 | 11 à 15 € |
|---|---|---|---|

C'est derrière des remparts du XI^e s. que vous serez accueilli par Denis Salomon, propriétaire de vignoble à Vandières, sur la rive droite de la vallée de la Marne. Sa Réserve naît de pinot meunier (70 %) et de chardonnay (30 %) de 1999 et 2000. Une touche d'évolution étoffe les arômes torréfiés de ce champagne classique. (RM)

🔑 Denis Salomon, 5, rue Principale, 51700 Vandières,
tél. 03.26.58.05.77, fax 03.26.58.00.25,
e-mail info@champagne-salomon.com ☑ Y ✱ r.-v.

**SALON** Blanc de blancs 1995 ★★★

| | n.c. | 45 000 | + de 76 € |
|---|---|---|---|

S'il y a une marque légendaire, c'est Salon, créée en 1911 par Aimé Salon, aujourd'hui contrôlée par le groupe Laurent-Perrier. Cette maison n'élabore que des champagnes millésimés, issus exclusivement de chardonnay du Mesnil-sur-Oger ; ceux-ci ne sont commercialisés qu'après huit à douze ans de garde. Le 95 est un modèle. Ses arômes de brioche et de fruits noirs cuits, mêlés à des notes de caramel au lait offrent une approche délicieuse,

puis la bouche s'impose, équilibrée, d'une grande persistance et, le plus important, élégante. Un classicisme couronné par un coup de cœur. (NM)

Salon,
5, rue de la Brèche-d'Oger, 51190 Le Mesnil-sur-Oger,
tél. 03.26.57.51.65, fax 03.26.57.79.29,
e-mail champagne@salondelamotte.com r.-v.

### SANCHEZ-LE GUEDARD Grande Réserve

4 ha 14 650 11 à 15 €

Bernard Le Guédard a créé son vignoble d'environ 5 ha à la force du poignet. Cette aventure débute en 1953. Trente ans plus tard, il transmet son exploitation à sa fille et à son gendre. La Grande Réserve est un blanc de noirs des deux pinots (80 % pinot noir) des années 1999 et 2000 : un peu d'épices, un peu de fruits et un bon équilibre caractérisent ce brut sans année. Le **rosé** est un rosé de pinot noir de la vendange 2002, cuvé une trentaine d'heures. Rose vif et brillant, parfumé de fraise et de menthol, miellé, il est équilibré. (RM)

Sanchez-Le Guédard, 106, rue Gaston-Poittevin,
51480 Cumières, tél. et fax 03.26.51.66.39 r.-v.
José Sanchez

### SANGER

n.c. n.c. 11 à 15 €

Cette petite coopérative, presque un club, créée en 1952, est constituée par les anciens élèves du lycée viticole d'Avize. Ce brut fait appel aux trois cépages champenois à parts égales. Il est équilibré et assez élégant ; son dosage sensible lui permettra d'accompagner un foie gras. (CM)

Coopérative des Anciens, Lycée viticole,
51190 Avize, tél. 03.26.57.79.79, fax 03.26.57.78.58
t.l.j. sf sam. dim. 8h-12h 14h-18h

### FRANCOIS SECONDE 2000

Gd cru 0,4 ha 2 500 15 à 23 €

François Secondé, vigneron à Sillery, village classé grand cru où les récoltants-manipulants sont rares, cultive son vignoble de 5 ha depuis 1976. Ce 2000 est l'un des rares blancs de blancs originaires de Sillery. Or pâle, il affiche de jolies notes minérales et d'aubépine, puis en bouche, il se montre complexe, équilibré et long. Le **brut grand cru (11 à 15 €)** comporte 70 % de pinot noir et 30 % de chardonnay des années 1999 à 2001. C'est un champagne qui porte haut, qui attaque vivement et prend de la rondeur. (RM)

François Secondé, 6, rue des Galipes, 51500 Sillery,
tél. 03.26.49.16.67, fax 03.26.49.11.55 r.-v.

### CRISTIAN SENEZ Carte verte

2 ha 75 855 11 à 15 €

Fontette est proche d'Essoyes où repose Auguste Renoir ; ne manquez pas de parcourir les 7 km qui les séparent pour découvrir le vignoble de 30 ha de Cristian Senez et cette Carte verte née de la vendange de 2002, assemblant à parts égales le chardonnay et le pinot noir. Un champagne or vert, équilibré et frais, dont les arômes appartiennent au registre floral. (NM)

Cristian Senez, 6, Grande-Rue, 10360 Fontette,
tél. 03.25.29.60.62, fax 03.25.29.64.63,
e-mail contact@champagne-senez.com r.-v.

### SERVEAUX FILS Carte noire *

4 ha 19 500 11 à 15 €

A Passy-sur-Marne, on peut voir quelques vestiges du château médiéval. Depuis 1993, Pascal Serveaux conduit un vignoble de 12 ha. Sa Carte noire, des années 2001 et 2002, est un vin très élégant, structuré, gras et persistant. Le **blanc de blancs**, des années 2000 et 2001, manque un peu de longueur, mais il est empyreumatique et équilibré. Il est cité. (RM)

Pascal Serveaux, 2, rue de Champagne,
02850 Passy-sur-Marne, tél. 03.23.70.35.65,
fax 03.23.70.15.99, e-mail serveaux.p@wanadoo.fr
r.-v.



### GABRIEL SIMON Réserve

Gd cru n.c. 100 000 15 à 23 €

Ce groupement de producteurs propose un brut Réserve grand cru qui assemble 75 % de pinot noir à 25 % de chardonnay. Quelques nuances d'évolution sont perceptibles au nez et en bouche, puis un fruité mûr se développe en finale. (CM)

Cave des vignerons de la Montagne de Reims,
BP 1, 51500 Mailly-Champagne,
tél. 03.26.49.41.10, fax 03.26.49.42.27

### SOUTIRAN *

Gd cru 5 ha 45 000 15 à 23 €

Fondée par Alain Soutiran, cette maison est dirigée depuis 1990 par sa fille Valérie Renaux. Ce grand cru est composé de 60 % de pinot noir et de 40 % de chardonnay ; il est assisté par 30 % de vins de réserve. Une partie est élevée sous bois. Empyreumatique, rond, charnu, intense, c'est un champagne de repas. (NM)

A. Soutiran, 12, rue Saint-Vincent,
51150 Ambonnay, tél. 03.26.57.07.87,
fax 03.26.57.81.74, e-mail info@soutiran.com
t.l.j. sf dim. 8h30-12h 13h30-18h

### PATRICK SOUTIRAN Blanc de blancs *

1er cru 3 ha 3 000 15 à 23 €

Ambonnay donne à voir son église Saint-Réole avec sa nef charpentée du XII[e]s. et sa tour-clocher. Patrick Soutiran y exploite le vignoble familial depuis une trentaine d'années. Ce blanc de blancs, originaire de la commune, également très connue pour ses pinots noirs, est né des vendanges de 2001 et de 2002. Cet Ambonnay blanc – une rareté – est construit, équilibré, élégant et long. « Bien travaillé », note un dégustateur. (RM)

Patrick Soutiran, 3, rue des Crayères,
51150 Ambonnay, tél. 03.26.53.85.94,
fax 03.26.57.81.87, e-mail patrick.soutiran@wanadoo.fr
r.-v.

### STEPHANE ET FILS Grande Réserve *

6,5 ha 5 000 11 à 15 €

A partir de 1907, Auguste Foin constitue parcelle par parcelle un vignoble qui atteint aujourd'hui 6,5 ha et qui est cultivé par Xavier Foin, son arrière-petit-fils. Le brut

Grande Réserve est pratiquement un blanc de noirs des deux pinots des années 1999 et 2000, le chardonnay ne représentant que 5 % de l'assemblage. Curieux champagne : les dégustateurs souhaiteraient qu'il fût carafé car il s'améliore en cours de dégustation. Ses arômes légèrement évolués mais subtils et sa longueur contribuent à son charme. (RM)

EARL Stéphane et Fils, 1, pl. Berry, 51480 Boursault, tél. 03.26.58.40.81, fax 03.26.51.03.79, e-mail champ.stephane@wanadoo.fr r.-v.

Xavier Foin

### ARNAUD TABOURIN Cuvée or ★★

0,25 ha 1 626 15 à 23 €

Arnaud Tabourin est à la tête d'un vignoble de 6 ha aux Riceys et à Vertus. C'est en 1994, qu'il reprend la propriété familiale, créée en 1920. L'étiquette ne l'annonce pas, mais la Cuvée or est un blanc de blancs de l'année 2000 qui a séjourné dix mois dans le bois. Un brut sans année remarquable par sa finesse, son fondu, son léger boisé, sa complexité et son élégance. Un dégustateur précise : « Vin de garde et d'œnophile ». (RM)

Arnaud Tabourin, 3, rue du Sénateur-Lesaché, 10340 Les Riceys, tél. 03.25.38.60.76, fax 03.25.29.74.33, e-mail champarno@aol.com r.-v.

### TAITTINGER
Comtes de Champagne Blanc de blancs 1995 ★★

n.c. n.c. + de 76 €

En 1987, Taittinger créait le domaine Carneros, dans la première appellation d'origine de la Napa Valley et de Sonoma. Une aventure américaine à la hauteur des ambitions du groupe. A l'heure où nous mettons sous presse, Taittinger, coté en bourse depuis janvier, vient d'être vendu à un fonds de pension américain. Fondé en 1734 sous le nom de Fourneaux, devenu Taittinger en 1932, le groupe exploite 260 ha. La cuvée Comtes de Champagne passe, très parcimonieusement (5 %), par le bois. Il ne s'agit pas de « boiser » mais de contribuer à la complexité de ce vin tout d'élégance et de fraîcheur, tout de finesse et d'équilibre, réservé à des instants raffinés. La **Réserve (23 à 30 €)** comprend autant de pinot noir que de chardonnay et un cinquième de pinot meunier des années 1999 à 2001 ; on y découvre le fruit confit et un excellent équilibre. (NM)

Taittinger, 9, pl. Saint-Nicaise, 51100 Reims, tél. 03.26.85.45.35, fax 03.26.50.14.30 r.-v.

### TANNEUX-MAHY

0,4 ha 4 000 11 à 15 €

L'auteur de cette cuvée, Jacques Tanneux, a repris ce domaine de 7 ha en 1987. Son rosé, obtenu par macération courte de pinot meunier (95 %), porte une robe carmin ; il est vineux, équilibré ; « j'aime bien », note un dégustateur averti. (RM)

Jacques Tanneux, 7, rue Jean-Jaurès, 51530 Mardeuil, tél. 03.26.55.24.57, fax 03.26.52.84.59 r.-v.

### EMMANUEL TASSIN Blanc de blancs Cuvée perlée

0,5 ha 2 000 11 à 15 €

Le grand-père du propriétaire actuel a livré ses premières bouteilles en 1930. En 1987, Emmanuel Tassin lance sa propre marque et exploite 7 ha. Ce vin est un blanc de blancs, mais assez particulier puisqu'il ne comporte que 50 % de chardonnay ! La seconde moitié est issue de pinot blanc. Tous les raisins ont été récoltés en 2001. Ce champagne brioché et beurré présente une légère trace d'évolution qui se traduit par une saveur de noir. Léger et de bonne longueur, il accompagnera de fins desserts fruités. (RM)

Emmanuel Tassin, 104, Grande-Rue, 10110 Celles-sur-Ource, tél. 03.25.38.59.44, fax 03.25.29.94.59 r.-v.

### J. DE TELMONT Grande Réserve ★

n.c. 1 000 000 11 à 15 €

Vignoble créé avant la Grande Guerre, marque lancée en 1952 : on produit ici une vaste gamme de champagnes à partir de 32 ha de vignes et d'achats, car J. de Telmont est une maison de négoce. Cette Grande Réserve naît des trois cépages champenois, chacun pour un tiers de la cuvée, des raisins des années 1999 et 2002. Un vin franc, net, brioché, fruité et équilibré. La **cuvée Grand Couronnement 98, blanc de blancs (23 à 30 €)**, issue de trois grands crus, est citée pour sa souplesse, ses notes grillées-fumées et son harmonie. (NM)

J. de Telmont, 1, av. de Champagne, 51480 Damery, tél. 03.26.58.40.33, fax 03.26.58.63.93, e-mail commercial@champagne-de-telmont.com r.-v.

### V. TESTULAT ★

2 ha 15 000 11 à 15 €

Depuis 1862, les Testulat exploitent leur vignoble qui s'étend aujourd'hui sur 17 ha. Le rosé brut, des années 2001 et 2002, est un rosé de noirs des deux pinots à parts égales. Sa jeunesse pourrait être son seul défaut, car il est charnu et puissant, paré d'une couleur saumon séductrice, traversée de fines bulles. Un bon classique. (NM)

V. Testulat, 23, rue Léger-Bertin, 51201 Epernay, tél. 03.26.54.10.65, fax 03.26.54.61.18, e-mail vtestulat@champagne-testulat.com r.-v.

### JACKY THERREY Cuvée spéciale ★★

1 ha 8 000 11 à 15 €

Coup de cœur l'an dernier, Jacky Therrey ne démérite pas ! Voyez ses deux étoiles ici, ainsi que celles de la cuvée François. Il a implanté son vignoble de 5,5 ha dans la commune de Montgueux, un îlot viticole non loin de Troyes, connu pour ses chardonnays. C'est pour cela qu'on en trouve en très forte proportion (90 %) dans cette Cuvée spéciale de l'année 2002. C'est encore pour cela que la **cuvée François 2000 (15 à 23 €)** ne comporte que du chardonnay. Deux champagnes très proches : élégance de la robe, finesse du collier de bulles, équilibre, rondeur, richesse aromatique, longueur. « Le plaisir est là », précise un dégustateur. Il ne manquait à la Cuvée spéciale qu'une voix au grand jury pour être coup de cœur. Une étoile est attribuée au **rosé**, 100 % pinot noir, aux notes de pain d'épice, miellé et puissant. (RM)

Jacky Therrey, 8, rte de Montgueux, La Grange-au-Rez, 10300 Montgueux, tél. 03.25.70.30.87, fax 03.25.70.30.84, e-mail therrey.eric@wanadoo.fr t.l.j. sf dim. 9h-12h 14h-19h

### THEVENET-DELOUVIN Réserve

1 ha 9 000 11 à 15 €

Voici un vin qui réunit les raisins de la rive gauche et de la rive droite de la vallée de la Marne, des vendanges 2000 et 2001. Le brut Réserve, trois fois plus noirs que blancs (60 % de pinot meunier), offre une jolie « collerette blanche sur fond or », un nez floral, une bouche vive mais équilibrée, complexe. A décanter. (RM)

Thévenet-Delouvin, 28, rue Bruslard,
51700 Passy-Grigny, tél. 03.26.52.91.64,
fax 03.26.52.97.63, e-mail xavier.thevenet@wanadoo.fr
r.-v.

## GUY THIBAUT ★★

Gd cru | 2 ha | 12 000 | 11 à 15 €

Vignoble créé par Guy Thibaut en 1955 à Verzenay (grand cru) au lieu-dit les « Grands Noirs ». En 1990, ses enfants reprennent le domaine. Ce brut grand cru assemble 80 % de pinot noir au chardonnay, nés du millésime 2002. Il ne reçoit que des compliments. Les mots qui reviennent le plus souvent sont « fleurs blanches, finesse, élégance... », ou encore : « ce vin me parle... ». La pureté est simple, elle vaut un coup de cœur. (RM)

Guy Thibaut, rue de Beaumont, 51360 Verzenay,
tél. 03.26.08.41.30, fax 03.26.49.42.16,
e-mail info@champagne-thibaut-guy.com r.-v.

## ALAIN THIENOT Grande Cuvée 1996 ★★

n.c. | n.c. | 46 à 76 €

Alain Thiénot a créé sa marque, mais il a également repris les champagnes Marie Stuart, Joseph Perrier, Canard-Duchêne. Le haut de gamme de la marque Alain Thiénot est cette Grande Cuvée, 55 % de pinot noir et 45 % de chardonnay. Les dégustateurs vantent sa complexité, sa fraîcheur, sa subtilité et son élégance. Le **brut rosé 99 (23 à 30 €)** fait appel aux trois cépages champenois ; l'apport de couleur est assuré par 7 % de vin rouge d'Aÿ ; sa robe est légère, son corps aussi. Son fruité et sa souplesse séduisent. Cela lui vaut une citation. (NM)

Alain Thiénot, 4, rue Joseph-Cugnot, 51500 Taissy,
tél. 03.26.77.50.10, fax 03.26.77.50.19,
e-mail infos@thienot.com r.-v.

## J.-M. TISSIER Apollon 2000 ★★

n.c. | 1 580 | 15 à 23 €

Diogène Tissier, son fils Jean-Marie – créateur de la marque –, et depuis 1993 son petit-fils, Jacques Tissier, se sont succédé à la tête du vignoble familial. Souvenez-vous, l'an dernier d'un Apollon 96 trois étoiles, note la plus rare dans le Guide. Eh bien, cette fois c'est un coup de cœur. La cuvée Apollon 2000 assemble 40 % de pinot meunier au chardonnay ; elle suscite l'enthousiasme pour sa complexité miellée et florale, sa délicatesse toastée, ses arômes de fruits secs et sa minéralité, arômes confirmés en bouche où l'équilibre et l'harmonie sont parfaits. Coup de cœur fatal ! Trois autres cuvées obtiennent une étoile : la **Tradition (11 à 15 €)**, la **Réserve (11 à 15 €)** et le **rosé (11 à 15 €)**. Le principe des assemblages est toujours le même : 40 à 50 % de chardonnay, 40 à 50 % de pinot meunier et 10 % de pinot noir. Les commentaires sont flatteurs : « vin réussi, vin de charme, simple mais gourmand ». Cherchez bien vite Chavot-Courcourt sur la carte – au sud d'Epernay – et courez-y... (RM)

Jacques Tissier,
9, rue du Gal-Leclerc, 51530 Chavot-Courcourt,
tél. 03.26.54.17.47, fax 03.26.59.01.43,
e-mail champagnejm.tissier@wanadoo.fr r.-v.

## DIOGENE TISSIER ET FILS 2000 ★

0,6 ha | 5 500 | 15 à 23 €

En 1931, à Courcourt, dans la commune de Chavot proche d'Epernay, Diogène Tissier fonde sa maison. En 1998, ses petits-enfants reprennent marque et vignoble (9 ha). Le millésime 2000, mi-noirs mi-blancs, fait songer au miel et à la cire d'abeilles. Equilibré et frais, il est élégant et pourra accompagner salade de fruits ou sablé aux poires. Le **rosé** mérite d'être cité. 60 % de raisins blancs et 40 % de noirs pour ce champagne rose vif, teinté par 12 % de vin rouge, et qui assemble les années 2001 et 2002. Son attaque est nette, son fruité droit. (NM)

Diogène Tissier et fils, 10, rue du Gal-Leclerc,
51530 Chavot-Courcourt, tél. 03.26.54.32.47,
fax 03.26.54.32.48, e-mail diogenetissier@hexanet.fr
r.-v.

## MICHEL TIXIER Cuvée réservée ★

0,5 ha | 3 000 | 11 à 15 €

Benoît Tixier conduit le domaine familial depuis 1998. Son brut rosé des années 1999 et 2000, rose orangé, aux arômes légèrement évolués demeure néanmoins vif, équilibré, agréable. La cuvée **Suprême 98 1er cru (15 à 23 €)**, issue des trois cépages champenois à parts égales, obtient une citation. Elle offre un fruité très mûr qui précède une attaque nette prolongée par une bouche nerveuse, pure et longue. (RM)

Benoît Tixier,
8, rue des Vignes, 51500 Chigny-les-Roses,
tél. 03.26.03.42.61, fax 03.26.03.41.80,
e-mail champ.michel.tixier@wanadoo.fr r.-v.

## ANDRE TIXIER ET FILS
Réserve des Grandes Années

1 ha | 5 000 | 11 à 15 €

Patrice Tixier a repris le domaine familial en 1986 : 5 ha répartis en vingt-quatre parcelles sur quatre crus de la Montagne de Reims. Son rosé est un rosé de noirs des deux pinots de l'an 2000 à la robe fortement saumonée. Empyreumatique, avec un fruité rappelant la confiture de fraises, il peut accompagner un repas. (RM)

Patrice Tixier,
19, rue des Carrières, 51500 Chigny-les-Roses,
tél. 03.24.03.44.62, fax 03.26.03.44.43,
e-mail champagne-andre-tixier@wanadoo.fr r.-v.

### G. TRIBAUT Blanc de blancs de réserve ★

n.c. 5 000 15 à 23 €

Les premières vignes de Gaston Tribaut datent de 1935. Depuis, ses deux fils ont lancé la marque en 1976 et ses petits-enfants ont rejoint l'exploitation en 1992. Le blanc de blancs des années 1999 et 2000, empyreumatique et néanmoins frais, est équilibré ; fraîcheur et évolution se retrouvent en bouche. Lorsque vous irez à Hautvillers, pensez à regarder les cent trente enseignes en fer forgé qui ornent les façades : elles racontent l'histoire des métiers de ce village situé au cœur du parc régional de la Montagne de Reims. (RM)

G. Tribaut,
88, rue d'Eguisheim, BP 5, 51160 Hautvillers,
tél. 03.26.59.40.57, fax 03.26.59.43.74,
e-mail champagne.tribaut@wanadoo.fr
t.l.j. 9h-12h 14h-18h

### TRIBAUT-SCHLŒSSER Tradition ★★

15,82 ha 400 000 11 à 15 €

Le village de Romery est situé à 2 km d'Hautvillers. Vous aimerez ce champagne né de cette marque de négoce disposant d'un vignoble de 16 ha. La Tradition associe autant de pinot noir que de pinot meunier complétés par 30 % de chardonnay. L'effervescence est vive dans ce vin or clair et brillant ; le nez est intense, fruité ; la bouche est puissante, fine et longue. La **cuvée René (15 à 23 €)**, issue de chardonnay (60 %) et de pinot noir (40 %), très souple et peu acide est légère et longue. (NM)

Tribaut-Schlœsser, 21, rue Saint-Vincent,
51480 Romery, tél. 03.26.58.64.21, fax 03.26.58.44.08,
e-mail tribaut.romery@wanadoo.fr
t.l.j. sf sam. dim. 8h30-12h 13h30-17h30

### TRICHET-DIDIER ★

Gd cru 0,25 ha 2 000 11 à 15 €

C'est la grand-mère de Pierre Trichet qui planta les premiers pieds de vignes en 1950. Lui-même compléta ce vignoble par une activité de négoce en 1999. Il propose sa cuvée grand cru des années 1999 et 2000 exclusivement composée de pinot noir. Un champagne rond, équilibré, harmonieux et élégant. (NM)

Pierre Trichet, 11, rue du Petit-Trois-Puits,
51500 Trois-Puits, tél. 03.26.82.64.10,
fax 03.26.97.80.99, e-mail trichet-didier@terre-net.fr
t.l.j. 8h-12h 13h30-18h

### ALFRED TRITANT 1999 ★

Gd cru 3 ha 3 000 15 à 23 €

Ici, le remuage des bouteilles sur pupitres reste d'actualité... et c'est à voir car beaucoup sont passés au remuage automatique par gyropalette... Créé en 1930, ce domaine dispose d'un petit vignoble situé à Bouzy, classé grand cru. Deux champagnes obtiennent une étoile : la **cuvée Prestige grand cru (11 à 15 €)**, 65 % de pinot noir et 35 % de chardonnay des années 1999 et 2000, et ce 99 d'une composition identique. Le premier, aux arômes de coing et d'agrumes, est fin et un peu bref. Le second, floral mais toujours fruité (fruits rouges), est équilibré, puissant, nerveux et long. (RM)

Alfred Tritant, 23, rue de Tours, 51150 Bouzy,
tél. 03.26.57.01.16, fax 03.26.58.49.56,
e-mail champagne-tritant@wanadoo.fr
t.l.j. 9h-12h 14h-17h, sam. et dim. sur r.-v.

### JEAN VALENTIN ET FILS Sélection ★★

1er cru 1 ha 9 000 11 à 15 €

Constituée en 1922 par Jane Roualet, la propriété compte 6 ha de vignes dans la Montagne de Reims. Elle est dirigée depuis une dizaine d'années par Gilles Valentin, le petit-fils de la fondatrice. Issu des années 1998 à 2000, son brut Sélection est dominé par les cépages noirs : 40 % de meunier et 30 % de pinot noir pour 30 % de chardonnay. Il affiche une robe jaune d'or dans laquelle monte un joli cordon. Expressif et élégant au nez, il mêle le beurre frais, la brioche toastée, les fleurs blanches et les fruits confits. Fondu et harmonieux au palais, c'est un séducteur. Une étoile pour le **1er cru 99**, un assemblage où les pinots l'emportent d'une courte tête (45 % de pinot noir, 10 % de meunier) : un champagne fruité et grillé, rond, vineux et généreux. Quant au **blanc de blancs Saint-Avertin**, provenant des récoltes 1999 et 2000, il est cité pour sa longueur. (RM)

Jean Valentin et Fils, EARL les Coteaux Valentin,
9, rue Saint-Rémi, 51500 Sacy, tél. 03.26.49.21.91,
fax 03.26.49.27.68, e-mail givalentin@wanadoo.fr
t.l.j. sf dim. 8h-12h30 14h-18h30;
sam. sur r.-v.; f. août

### VARNIER-FANNIERE

0,3 ha 2 500 15 à 23 €

Créé en 1860, ce domaine a commercialisé ses premières bouteilles en 1950. Son vignoble s'étend sur des crus prestigieux de la Côte des Blancs, tels que Cramant, Avize ou Oger. Le chardonnay l'emporte dans ses cuvées, même dans ce rosé, né des récoltes 2002 et 2003, où il représente 85 %. Un peu de vin rouge lui donne sa couleur. Sa robe est pâle, son fruité acidulé de groseille, de fraise et de clémentine annonce une attaque vive et fraîche. (RM)

Varnier-Fannière, 23, rempart du Midi,
51190 Avize, tél. 03.26.57.53.36, fax 03.26.57.17.07,
e-mail contact@varnier-fanniere.com r.-v.

### VAUTRAIN-PAULET Carte blanche ★

1er cru 6 ha 25 000 11 à 15 €

Cette famille de vignerons exploite 11 ha de vignes autour de Dizy, près d'Epernay et d'Aÿ. Sa cuvée Carte blanche montre un joli cordon. Expressive au nez, épicée et poivrée, elle séduit par son équilibre, sa finesse et son dosage juste. (RM)

Vautrain-Paulet, 195, rue du Colonel-Fabien,
51530 Dizy, tél. 03.26.55.24.16, fax 03.26.51.97.42
r.-v.

### F. VAUVERSIN Blanc de blancs Réserve ★

Gd cru 0,2 ha 1 500 15 à 23 €

Les Vauversin sont vignerons depuis 1640 et commercialisent du champagne depuis 1930. Leur vignoble n'est pas des plus vastes (3 ha), mais il s'étend autour d'Oger, grand cru de la Côte des Blancs. Leur blanc de blancs, qui doit tout à la récolte 2001, libère des senteurs d'agrumes, de fleurs et de pain grillé caractéristiques du cépage. Souple à l'attaque, il fait preuve ensuite d'une grande rondeur soulignée par un dosage généreux. (RM)

F. Vauversin, 9 bis, rue de Flavigny, 51190 Oger,
tél. 03.26.57.51.01, fax 03.26.51.64.44,
e-mail bruno.vauversin@wanadoo.fr r.-v.

### RENE VAZART Blanc de blancs Réserve ★

Gd cru 1 ha 4 000 11 à 15 €

Cette petite propriété familiale possède 1 ha de vignes bien situées autour de Chouilly, grand cru de la Côte des

Blancs. Nicole Vazart signe un blanc de blancs provenant des années 1998 et 1999. Il n'a pas fait sa fermentation malolactique et libère d'élégants parfums citronnés et floraux. Vif et long, il apparaît également jeune. (RM)
René Vazart, 29, rue des Bergers, 51530 Chouilly, tél. et fax 03.26.54.22.45 r.-v.

## VAZART-COQUART

Blanc de blancs Grand Bouquet 2000 ★★

Gd cru | 2 ha | 5 000 | 15 à 23 €

Jean-Pierre Vazart a pris en 1995 la succession de son père et de son grand-père qui avaient lancé leur champagne dans les années 1950. Il exploite 11 ha de vignes autour de Chouilly, grand cru de la Côte des Blancs. Son Grand Bouquet doit tout au chardonnay et possède toutes les qualités des blancs de blancs : les arômes frais de fruits à chair blanche, l'équilibre, l'élégance et la persistance. (RM)
Vazart-Coquart, 6, rue des Partelaines, 51530 Chouilly, tél. 03.26.55.40.04, fax 03.26.55.15.94, e-mail vazart@cder.fr r.-v.

## JEAN VELUT 1997

0,5 ha | 3 000 | 11 à 15 €

Ce vignoble aubois s'étend autour de Montgueux, à l'ouest de Troyes. Il a été constitué au cours de la décennie 1970 et la famille Velut s'est lancée dans la manipulation quelques années plus tard. Ce 97 est dominé par le chardonnay (70 %), complété par le pinot noir. Les raisins blancs lui ont légué vivacité, fraîcheur et des arômes d'agrumes et d'abricot. Le **blanc de blancs Cuvée spéciale** associe les années 1998 à 2000. Il affirme son originalité en ajoutant aux arômes de fleurs blanches des touches mentholées et anisées. Elégant et frais, il trouvera sa place à l'apéritif ; il est cité, tout comme la cuvée **Tradition**, très marquée elle aussi par les raisins blancs (87 %). Cette fois, elle assemble les récoltes 1999, 2000 et 2002 et attire l'attention par son nez fruité (pêche, coing, fruits confits) et épicé (cannelle). Sa fraîcheur la destine à l'apéritif. (RM)
EARL Velut, 9, rue du Moulin, 10300 Montgueux, tél. 03.25.74.83.31, fax 03.25.74.17.25, e-mail champ.velut@wanadoo.fr r.-v.

## DE VENOGE 1995 ★★

n.c. | 40 000 | 30 à 38 €

Cas unique en Champagne, cette maison créée en 1837 a été fondée par un Suisse, Henri-Marc de Venoge, qui doit son patronyme à une rivière qui se jette dans le lac Léman. Elle dispose d'un vaste vignoble de 115 ha. Son 95 assemble 85 % des deux pinots (70 % de pinot noir) au chardonnay. Un champagne bien représentatif de cette grande année. Doré dans le verre, aromatique, équilibré, puissant et structuré, il a atteint son apogée. Le **blanc de blancs 98** obtient une étoile pour sa maturité idéale, son palais charnu et sa longue finale beurrée. Quant à la cuvée **Sélect Cordon bleu (23 à 30 €)** – la marque en a été déposée en 1864 –, elle associe 75 % de raisins noirs (50 % de pinot noir) au chardonnay et comprend 20 % de vins de réserve. Empyreumatique, chaleureuse et charmeuse, elle est citée. (NM)
de Venoge, 46, av. de Champagne, 51200 Epernay, tél. 03.26.53.34.34, fax 03.26.53.34.35, e-mail infos@champagnedevenoge.com

## J.-L. VERGNON Blanc de blancs ★

Gd cru | 5,26 ha | 40 000 | 15 à 23 €

Cette exploitation reprise dans les années 1950 par la famille Vergnon a son siège au Mesnil-sur-Oger, célèbre grand cru de la Côte des Blancs. Aussi les quelque 5 ha du domaine ne produisent-ils que des blancs de blancs. Le style maison ? Des vins peu dosés et qui ne font pas leur fermentation malolactique. Ce grand cru (étiquette blanche) assemble les années 1998 et 2001. Il est jeune, vif et frais, discret au nez et opulent en bouche. Il est dosé à 6 g/l alors que l'**Extra-brut grand cru**, cité par le jury, ne l'est qu'à 3 g et montre toute la fraîcheur du chardonnay, avec des arômes citronnés, accompagnés d'une touche de miel d'acacia. Equilibré et long, il pourra être servi avec du poisson cru. (RM)
J.-L. Vergnon, 1, Grande-Rue, 51190 Le Mesnil-sur-Oger, tél. 03.26.57.53.86, fax 03.26.52.07.06, e-mail contact@champagne-jl-vergnon.com
t.l.j. sf sam. dim. 8h-12h 13h30-18h

## GEORGES VESSELLE ★

Gd cru | 11 ha | 100 000 | 15 à 23 €

Georges Vesselle, qui a succédé à son père en 1951, a beaucoup agrandi l'exploitation, qui est passée de 4 à 17,5 ha. Il a été maire de Bouzy pendant vingt-cinq ans. Ici, on est en terre de pinot noir, et ce cépage, complété par le chardonnay, représente 90 % de son brut grand cru, un vin issu des récoltes de 2000 et 2001. Il est aromatique (fruits rouges), harmonieux, et allie finesse et vinosité. On pourra le déboucher à l'apéritif et le finir sur un plat en sauce. Une étoile encore pour la **cuvée Juline**, cuvée spéciale à l'étiquette multicolore. Un champagne complexe (fruits secs, abricot, pâte d'amandes), rond, équilibré et frais. (NM)
Georges Vesselle, 16, rue des Postes, 51150 Bouzy, tél. 03.26.57.00.15, fax 03.26.57.09.20, e-mail contact@champagne-vesselle.fr
t.l.j. sf sam. dim. 9h-12h 14h-17h

## JEAN VESSELLE Cuvée Le Petit Clos 1995 ★★

Gd cru | n.c. | 612 | 46 à 76 €

Les Vesselle sont nombreux à Bouzy, d'où l'importance du prénom. Fulgence Vesselle s'est lancé dans la mise en bouteilles dès 1896. C'était le grand-père de Jean Vesselle, lui-même père de Delphine qui a pris sa succession en 1995 et à laquelle on doit ce Petit Clos. Un clos réellement petit (8,22 a) et complanté de pinot noir, à l'origine de cette cuvée confiturée, fraîche et harmonieuse. Son faible dosage (4 g/l) souligne sa pureté. Quant au brut **œil de perdrix (15 à 23 €)**, il s'agit d'une vieille tradition des vignerons champenois remise au goût du jour par Jean Vesselle : il est issu de pinots noirs très mûrs qui « tachent » le moût, donnant au vin une teinte presque rosée. Il met principalement à contribution l'année 2001, assistée par 15 % de vins de réserve. Sa complexité, son équilibre et sa corpulence lui valent une étoile.(RM)
Jean Vesselle, 4, rue Victor-Hugo, 51150 Bouzy, tél. 03.26.57.01.55, fax 03.26.57.06.95, e-mail champagne.jean.vesselle@wanadoo.fr
r.-v.

## MAURICE VESSELLE

Gd cru | 0,7 ha | 5 000 | 15 à 23 €

Cette exploitation reprise en 1955 par Maurice Vesselle est exclusivement située à Bouzy, en grand cru. Issu de la récolte de 2002, son rosé doit tout au pinot noir. Il a été obtenu par courte macération et sans fermentation malolactique. Il en résulte un champagne bien rose, rond, au fruité souligné par un dosage généreux. (RM)

🔑 Maurice Vesselle, 2, rue Yvonnet, 51150 Bouzy, tél. 03.26.57.00.81, fax 03.26.57.83.08, e-mail champagne.vesselle@wanadoo.fr
☑ Y t.l.j. 10h-12h 14h-18h

### VEUVE A. DEVAUX Grande Réserve ★

● n.c. n.c. ■ 🌡 15 à 23 €

Marque créée en 1846 à Epernay par Jules et Auguste Devaux. Elle a été relancée en 1987 par l'Union Auboise dont les adhérents possèdent 1 400 ha de vignes. La Grande Réserve qui présente une superbe effervescence associe 61 % de pinot noir au chardonnay (39 %) des années 1997 à 2000 et des vins de réserve logés en foudre. Aux arômes riches et complexes de brioche, de cire et de fruits jaunes succède une bouche souple, onctueuse et persistante. (CM)

🔑 Union Auboise, Champagne Devaux, Dom. de Villeneuve, 10110 Bar-sur-Seine, tél. 03.25.38.30.65, fax 03.25.29.73.21, e-mail info@champagne-devaux.fr ☑ Y ⛹ r.-v.

### VEUVE CLICQUOT PONSARDIN Réserve 1998 ★★

● n.c. n.c. 38 à 46 €

Fondée en 1772, cette maison rémoise tire son nom de la célèbre veuve qui l'a développée au siècle dernier. Elle dispose d'un vaste vignoble (382 ha). La société fut la première à commercialiser du champagne rosé, qui demeure l'une de ses spécialités. Celui-ci assemble environ deux tiers de pinots (58 % de pinot noir, dont 16 % vinifiés en rouge) et un tiers de chardonnay – une proportion habituelle dans cette maison. Les éloges des dégustateurs confirment le savoir-faire de Veuve Clicquot en matière de rosé : tous admirent sa robe saumonée, son nez riche, toasté, beurré et vineux, sa « splendide rétro-olfaction » marquée par les fruits exotiques et une touche minérale, son palais gras, puissant et frais, sa longueur. Un rosé de repas, que l'on appréciera du homard au dessert. Une étoile pour **La Grande Dame 96 (plus de 76 €)**, d'une fraîcheur étonnante, puissante, fine et persistante. Une citation pour le **98 sec Rich Réserve** au fruité de prune et d'abricot, et qui allie vivacité et douceur. (NM)

🔑 Veuve Clicquot Ponsardin, 12, rue du Temple, 51054 Reims Cedex, tél. 03.26.89.54.40, fax 03.26.40.60.17 ☑ Y ⛹ r.-v.

### VEUVE DOUSSOT

● 0,5 ha n.c. 11 à 15 €

Marque créée en 1974 en hommage à Ernestine Doussot, femme de caractère qui vécut de longues années au service du vin. L'exploitation, située dans la Côte des Bars, est aujourd'hui conduite par son arrière-petit-fils, Stéphane Joly. Pur pinot noir, son rosé assemble des blancs de noirs et du vin rouge. S'il s'enfuit un peu vite, le jury a remarqué sa teinte très affirmée, ses arômes fruités puissants et son palais plein. (RM)

🔑 SCEV des Monts de Noé, 1, rue de Chatet, 10360 Noé-les-Mallets, tél. 03.25.29.60.61, fax 03.25.29.11.78, e-mail champagne.veuve.doussot@wanadoo.fr
☑ Y ⛹ r.-v.
🔑 Joly

### VEUVE ELEONORE Cuvée E. ★

○ Gd cru 1,5 ha 15 000 ■ 🌡 11 à 15 €

Bernard, puis Didier Dzieciuck, récoltants-manipulants, commercialisent leurs champagnes sous la marque commune Veuve Eléonore. Ils exploitent un vignoble de plus de 13 ha dans la Côte des Blancs. La cuvée E. est un blanc de blancs des années 1999 et 2000 ; sa forte structure supporte un fruité mûr et puissant. La **Grande Réserve**, un autre blanc de blancs des mêmes années, obtient une étoile ; ce grand cru est dans l'esprit du précédent. (RM.)

🔑 Bernard Dzieciuck, 11, rue Margot, 51190 Le Mesnil-sur-Oger, tél. 03.26.57.50.49, fax 03.26.59.17.72, e-mail veuve.eleonore@cder.fr
☑ Y ⛹ t.l.j. 8h-20h, f. août

### VEUVE MAITRE GEOFFROY Grand Rosé ★

● 1er cru n.c. 12 000 ■ 🛢 15 à 23 €

Créée en 1878, cette petite exploitation familiale a obtenu une étoile pour chacun des deux champagnes retenus : ce Grand Rosé, assemblage classique (60 % de pinot noir, 40 % de chardonnay issus de l'année 2002), et le **chardonnay Cuvée Prestige**, un blanc de blancs de la récolte 2000. Les deux vins ont séjourné sept mois en fût. Un élevage qui a légué au rosé un nez légèrement boisé, où le café et la noisette s'associent à la fraise. Une bouteille fraîche et facile pour l'apéritif. Quant au blanc de blancs, c'est l'amande fraîche qui domine sa palette. Un vin harmonieux et assez long. (RM)

🔑 SA Veuve Maître-Geoffroy, 116, rue Gaston-Poittevin, 51480 Cumières, tél. 03.26.55.29.87, fax 03.26.51.85.77, e-mail th.maitre.@wanadoo.fr ☑ Y r.-v.

### VEUVE MAURICE LEPITRE Cuvée Héritage

○ 1er cru 0,6 ha 2 500 ■ 🌡 15 à 23 €

Ce champagne né dans la Montagne de Reims porte le nom de la veuve du fondateur de l'exploitation, créée en 1905. Il s'agit d'un assemblage classique de 60 % des deux pinots (40 % de pinot noir) et de 40 % de chardonnay. Les raisins proviennent de la récolte de 2000, avec des vins de réserve de 1999. Fleurs blanches et citron se marient jusque dans une finale vive et jeune. (RM)

🔑 Veuve Maurice Lepitre, 26, rue de Reims, 51500 Rilly-la-Montagne, tél. 03.26.03.40.27, fax 03.26.03.45.76, e-mail mlepitre@free.fr ☑ Y ⛹ r.-v.

### MARCEL VEZIEN Sélection ★

○ n.c. 12 000 ■ 15 à 23 €

Cette exploitation auboise d'une quinzaine d'hectares a été fondée par Marcel Vézien en 1958. Elle est aujourd'hui dirigée par son fils Jean-Pierre. Assemblage des années 2000 et 2001, sa cuvée Sélection privilégie les raisins noirs (80 % de pinot noir). Sa palette aromatique, très agréable, mêle la pêche-abricot bien mûre et les fleurs blanches. Elle est ample, tendre et harmonieuse. Prove-

nant des mêmes années, le **blanc de blancs (11 à 15 €)** est cité pour l'élégance de ses parfums floraux et mentholés. (NM)
Marcel Vézien et Fils,
68, Grande-Rue, 10110 Celles-sur-Ource,
tél. 03.25.38.50.22, fax 03.25.38.56.09,
e-mail contact@champagne-vezien.com
t.l.j. 8h-18h, sam. dim. sur r.-v.;
f. du 15 au 31 août

## FLORENT VIARD Blanc de blancs *

1er cru 0,8 ha 5 000 11 à 15 €

Florent Viard a constitué en 1994 un petit vignoble de 2,5 ha de chardonnay et de pinot noir implanté autour de Vertus, à l'extrémité de la Côte des Blancs. Son blanc de blancs, issu des années 1999 à 2001, est intense, rond et structuré, avec des parfums de fleurs blanches, de miel et de fruits. La **Cuvée Prestige 1er cru 98 (15 à 23 €)** fait la part belle au chardonnay (85 %). Elle est citée pour ses arômes de tilleul, de pain grillé et de fruits confits. Une citation encore pour la cuvée **Tradition 1er cru** qui provient des années 1999 à 2001 et assemble 60 % de chardonnay au pinot noir. Un vin expressif, à la fois vif et rond. (RC)
EARL Florent Viard, 35, av. Saint-Vincent,
51130 Vertus, tél. 03.26.51.60.82, fax 03.26.59.36.66
r.-v.

## VILMART ET CIE Grand Cellier d'or 1999

1er cru 0,8 ha 7 000 23 à 30 €

Fondée en 1890, cette exploitation s'étend sur 11 ha au pied de la Montagne de Reims. Elle pratique une vinification traditionnelle en pièce de chêne. Ce 99 a ainsi séjourné dix mois dans le bois. Il assemble 80 % de chardonnay au pinot noir. Il est harmonieux et équilibré, mais l'élevage lui a légué un boisé diversement apprécié. A réserver aux amateurs de ce style de champagne. (RM)
Vilmart et Cie,
5, rue des Gravières, 51500 Rilly-la-Montagne,
tél. 03.26.03.40.01, fax 03.26.03.46.57,
e-mail laurent.champs@champagnevilmart.fr
r.-v.
Laurent Champs

## VINCENT D'ASTREE Réserve

1er cru n.c. 15 000 11 à 15 €

En 2006, les Celliers de Pierry, groupement de producteurs, fêteront leur cinquantième anniversaire. Ils vinifient 90 ha de vignes. Sous la marque Vincent d'Astrée, ils proposent une cuvée Réserve assemblant 60 % de chardonnay et 40 % de pinot noir des années 1998 et 1999. Un champagne équilibré et ample, qui conviendra pour l'apéritif. (CM)
Vincent d'Astrée, 1, rue Carnot, BP 27,
51530 Pierry, tél. 03.26.54.03.23, fax 03.26.54.66.33,
e-mail celliers@vincentdastree.com r.-v.

## VINCENT-LAMOUREUX Réserve *

0,5 ha 4 000 11 à 15 €

Sylviane et Jean-Michel Lamoureux ont lancé leur marque Vincent-Lamoureux en 1988 dans le superbe village des Riceys, qui donne à voir trois églises Renaissance. Leur Réserve, associant à parts égales le pinot noir et le chardonnay des années 1998 à 2000, se caractérise par sa fraîcheur, son fruité, le velouté de sa bouche, son équilibre et sa longueur. Le **rosé**, rosé de macération de pinot noir (100 %) de 2002 porte une robe intense. Ses arômes, qui vont de la cerise à la framboise en passant par l'orange sanguine, se retrouvent dans une bouche vive. Original et intéressant, il obtient une étoile. (RM)
Vincent-Lamoureux,
2, rue du Sénateur-Lesaché, 10340 Les Riceys,
tél. 03.25.29.39.32, fax 03.25.29.80.30,
e-mail lamoureux-vincent@wanadoo.fr r.-v.

## A. VIOT & FILS

4,7 ha 49 850 11 à 15 €

Fondée aux lendemains de la Première Guerre mondiale, cette propriété auboise est dirigée par la quatrième génération. Deux tiers de raisins noirs et un tiers de blancs sont assemblés dans ce brut né de la récolte 2000 complétée par 20 % de vins de réserve de 1999. Au nez comme en bouche, ce champagne fait penser au coing. Des impressions fruitées soulignées par le dosage. (RM)
A. Viot et fils, 59, Grande-Rue,
10200 Colombé-la-Fosse, tél. 03.25.27.02.07,
fax 03.25.27.77.70, e-mail champagneviot@aol.com
t.l.j. sf dim. 8h30-18h

## VOIRIN-DESMOULINS Réserve **

n.c. 8 000 11 à 15 €

Cette exploitation familiale créée en 1960 s'étend sur 9 ha. Elle a été reprise en 1997 par la fille des fondateurs. Mi-blancs mi-noirs (pinot noir), sa cuvée Réserve provient des années 2000 et 2001. Ronde, puissante et expressive, elle mêle la noix et les agrumes au nez comme en bouche. La cuvée **Tradition** (une étoile) assemble elle aussi les raisins noirs et blancs à égalité, mais l'assemblage comprend 20 % de meunier et les raisins ont été cueillis en 2001 et 2002. C'est un champagne de repas, généreux, confituré et plein. (RM)
Voirin-Desmoulins, 24, rue des Partelaines,
51530 Chouilly, tél. 03.26.54.50.30, fax 03.26.52.87.87,
e-mail champagne-voirin.desmoulins@wanadoo.fr
r.-v.

## VOIRIN-JUMEL Blanc de blancs

1er cru 2 ha 16 000 11 à 15 €

Les vignes de l'exploitation (11 ha) s'étendent au pied du domaine. Celui-ci est implanté à Cramant, dans la Côte des Blancs, et ce brut, issu des années 2002 et 2003, doit tout au chardonnay. Il séduit par son nez où se mêlent l'aubépine, les agrumes, le caramel et une touche minérale. Son attaque fraîche et sa bouche veloutée donnent également satisfaction. (RM)
Voirin-Jumel, 555, rue de la Libération,
51530 Cramant, tél. 03.26.57.55.82, fax 03.26.57.56.29,
e-mail info@champagne-voirin-jumel.com
r.-v.

## VOLLEREAUX Cuvée Célébration 1999 *

n.c. n.c. 15 à 23 €

Descendant de vignerons installés à Pierry et à Moussy depuis 1805, Victor Vollereaux a fondé sa maison en 1923. Celle-ci dispose d'un important vignoble : 40 ha. Le chardonnay l'emporte dans ce 99 (60 %, complétés par les deux pinots à parts égales). Discret mais fin au nez, ce champagne est équilibré, floral et frais. Le **rosé de saignée**, né d'une courte macération de pinot noir récolté en 2002, est cité pour sa robe rose intense et pour sa vinosité. (NM)

CHAMPAGNE

Vollereaux, 48, rue Léon-Bourgeois, BP 4, 51530 Pierry, tél. 03.26.54.03.05, fax 03.26.54.88.36, e-mail champagne.vollereauxsa@wanadoo.fr t.l.j. 10h30-12h 15h-18h; dim. 10h30-12h

### VRANKEN Demoiselle *

n.c. n.c. **15 à 23 €**

Paul-François Vranken a fondé sa maison et lancé sa marque en 1976. Quant à la marque Demoiselle, créée en 1985, elle loge dans des bouteilles élégantes des assemblages dominés par le chardonnay. C'est le cas de ce rosé (85 % de blancs) de teinte pâle, discret au nez mais d'une grande finesse, net à l'attaque, équilibré et harmonieux. La **Demoiselle Grande Cuvée** associe 60 % de chardonnay aux deux pinots (30 % de pinot noir). Minérale, légère et fine, elle obtient une étoile. Quant au **Grande Réserve 2000**, assemblage des trois cépages champenois à parts sensiblement égales, il est puissant et gras, fruité et épicé. Il est cité. (NM)

Vranken, 5, pl. Gal-Gouraud, 51100 Reims, tél. 03.26.61.62.63, fax 03.26.61.61.88 r.-v.

### ALAIN WARIS ET FILS Blanc de blancs

1 ha n.c. **11 à 15 €**

Une marque lancée en 1997 et un domaine familial de 6 ha, implanté à Avize dans la Côte des Blancs. Ce blanc de blancs est né en 2001. Au nez, il reste sur sa réserve tout en laissant percer de fins arômes mentholés et floraux. Frais à l'attaque, ample et citronné, c'est un classique. Provenant de la même année que le précédent, la cuvée **Tradition** est mi-blancs mi-noirs (pinot noir). Ample au nez comme en bouche, elle se signale par une robe aux nuances ambrées qui « fait l'œil ». Elle est citée. (RM)

Odile Waris, 4, rue Pasteur, 51190 Avize, tél. 03.26.57.87.35 t.l.j. sf dim. 9h-12h 14h-18h

### WARIS-LARMANDIER Blanc de blancs *

Gd cru 1,5 ha 12 000 **11 à 15 €**

Marie-Hélène Waris dirige l'exploitation depuis la disparition de son mari, Vincent, en 2000. Le vignoble s'étend sur 5,5 ha autour d'Avize, en pleine Côte des Blancs. Ce blanc de blancs associe les années 2001 et 2002. Son nez discret libère des effluves de fleurs blanches. Sa bouche est structurée, nerveuse et longue. Une étoile encore pour deux autres champagnes : le **rosé**, dominé par les raisins blancs (75 % de chardonnay et un soupçon de pinot blanc pour moins de 25 % de pinot noir), jeune, frais et élégant ; et le **blanc de blancs grand cru 99 (15 à 23 €)**, floral, miellé et mentholé, rond et souple. (RM)

Marie-Hélène Waris-Larmandier, 608, rempart du Nord, 51190 Avize, tél. 03.26.57.79.05, fax 03.26.52.79.52, e-mail earlwarislarmandier@terre-net.fr r.-v.

# Coteaux-champenois

Appelés vins nature de Champagne, ils devinrent AOC en 1974 et prirent le nom de coteaux-champenois. Tranquilles, ils sont rouges, plus rarement rosés ; on boira les blancs avec respect et curiosité historique, en songeant qu'ils sont la survivance de temps anciens, antérieurs à la naissance du champagne. Comme lui, ils peuvent naître de raisins noirs vinifiés en blanc (blanc de noirs), de raisins blancs (blanc de blancs) ou encore d'assemblages.

Le coteaux-champenois rouge le plus connu porte le nom de la célèbre commune de Bouzy (grand cru de pinot noir). Dans cette commune, on peut admirer l'un des deux vignobles les plus étranges au monde (l'autre est situé à Aÿ) : un vaste panneau indique « vieilles vignes françaises préphylloxériques » ; on ne les distinguerait pas des autres si elles n'étaient conduites en foule, selon une technique immémoriale abandonnée partout ailleurs. Tous les travaux sont exécutés artisanalement, à l'aide d'outils anciens. C'est la maison Bollinger qui entretient ce joyau destiné à l'élaboration du champagne le plus rare et le plus cher.

Les coteaux-champenois se boivent jeunes, à 7-8 °C et avec les plats convenant aux vins très secs pour les blancs, à 9-10 °C et avec des mets légers (viandes blanches et... huîtres) pour les rouges que l'on pourra, pour quelques années exceptionnelles, laisser vieillir.

### PAUL BARA Bouzy 1999 *

Gd cru 3 ha 6 000 **15 à 23 €**

Le Bouzy rouge est le plus célèbre des coteaux-champenois, car c'est une des communes les mieux exposées au soleil. Celui-ci est fortement coloré ; ses arômes de fruits mûrs pinotent ; sa bouche est souple : on y redécouvre les fruits mûrs, voire confits. Ce vin a atteint son apogée.

Paul Bara, 4, rue Yvonnet, 51150 Bouzy, tél. 03.26.57.00.50, fax 03.26.57.81.24

### HERBERT BEAUFORT Bouzy 2000 *

2 ha 4 500 **15 à 23 €**

Installée depuis deux cents ans à Bouzy, la famille Beaufort y vinifie du rouge. Ce 2000, qui passe dix-huit mois dans le bois, est très bien habillé. Légèrement boisé, frais, équilibré et gourmand, il offre tout ce que l'on peut attendre d'un coteaux-champenois. Un dégustateur écrit qu'il attend une volaille de ferme...

Herbert Beaufort, 32, rue de Tours-sur-Marne, 51150 Bouzy, tél. 03.26.57.01.34, fax 03.26.57.09.08, e-mail beaufort-herbert@wanadoo.fr t.l.j. 9h-12h 14h-17h; f. dim. de Pâques aux vendanges

### ROGER COULON ET FILS Vrigny 1998 *

0,25 ha 1 000 **15 à 23 €**

Eric Coulon précise sur l'étiquette de son Vrigny rouge « pinot meunier ». Il a vinifié ce vin en sélectionnant les pinots meuniers les plus vieux, plantés en 1924 et il a prolongé l'élevage en fût jusqu'à quatre ans. On dit parfois que ce cépage vieillit rapidement, or aucun dégustateur ne signale le moindre vieillissement dans ce vin fruité, vanillé, joyeux et rond.

🗝 Roger Coulon, 12, rue de la Vigne-du-Roy,
51390 Vrigny, tél. 03.26.03.61.65, fax 03.26.03.43.68,
e-mail contact@champagne-coulon.com ☑ 🍷 🚶 r.-v.
🗝 Eric Coulon

### DOM. DEHOURS

Mareuil-le-Port Elevé en fût de chêne 2002 *

| 0,3 ha | 1 130 | 15 à 23 € |
|---|---|---|

L'un des rares coteaux-champenois blancs, élevé quinze mois en fût et ne faisant pas de fermentation malolactique. Au nez, le boisé est nettement perceptible ; en bouche, le vanillé rappelle l'influence du bois. Ce vin minéral, quelque peu exotique, convient à l'accompagnement des poissons de roche.

🗝 Dehours et Fils,
2, rue de la Chapelle, Cerseuil, 51700 Mareuil-le-Port,
tél. 03.26.52.71.75, fax 03.26.52.73.83,
e-mail champagne.dehours@wanadoo.fr ☑ 🍷 🚶 r.-v.

### FRESNET-BAUDOT

Sillery 1999

| Gd cru | n.c. | 1 000 | 11 à 15 € |
|---|---|---|---|

Sillery est une commune classée grand cru ; elle a eu une grande réputation dans le passé, à l'époque de la « tisane de Sillery ». Ce 99 est élevé neuf mois dans le bois ; au nez paraissent les petits fruits rouges compotés. En bouche, il se montre épicé, tannique. Le boisé, aujourd'hui très présent, doit se fondre.

🗝 Fresnet-Baudot, 9, rue de Puisieulx, 51500 Sillery,
tél. 03.26.49.11.74, fax 03.26.49.10.72,
e-mail courrier@champagne-fresnet.fr ☑ 🍷 🚶 r.-v.

### GOSSET-BRABANT

Aÿ

| Gd cru | 0,5 ha | 1 200 | 15 à 23 € |
|---|---|---|---|

Aÿ est une prestigieuse commune classée grand cru dont la réputation est très ancienne, antérieure à l'invention du champagne. Ce vin rouge sombre et violacé est élevé douze mois dans le bois. La griotte l'emporte au nez et le palais se révèle rond et harmonieux.

🗝 Gosset-Brabant, 23, bd du Mal-Delattre-de-Tassigny,
51160 Aÿ, tél. 03.26.55.17.42, fax 03.26.54.31.33,
e-mail gosset-brabant@wanadoo.fr ☑ 🍷 🚶 r.-v.

### MARC HEBRART

Mareuil rouge

| 1er cru | 0,35 ha | n.c. | 11 à 15 € |
|---|---|---|---|

En 1997, Jean-Paul Hébrart a pris en mains le vignoble de son père dans ce village dont le château est une ancienne propriété du maréchal Lannes. On ne vous demandera pas de citer les batailles napoléoniennes auxquelles ce dernier participa. On ne fera que vous recommander ce coteaux-champenois très puissant, au nez de myrtille et de mûre. Ample et généreux, le vin devra être décanté. « Rouge de cœur et de corps », note un œnologue.

🗝 EARL Champagne Hébrart,
18-20, rue du Pont, 51160 Mareuil-sur-Aÿ,
tél. 03.26.52.60.75, fax 03.26.52.92.64
☑ 🍷 🚶 t.l.j. sf dim. 9h-12h 13h30-19h

### DIDIER HERBERT

Pinot noir Barrique

| 1er cru | 0,2 ha | 1 000 | 11 à 15 € |
|---|---|---|---|

Ce pinot noir n'est pas millésimé car il est le produit de vins de 2001 et de 2002 bénéficiant d'un élevage de douze mois. Sa robe grenat pourpre est engageante, son nez complexe évoque la fougère et la mûre, alors qu'en bouche il s'avère concentré et riche. Il devra encore attendre un an ou deux que ses tanins se fondent.

🗝 Didier Herbert, 32, rue de Reims,
51500 Rilly-la-Montagne, tél. 03.26.03.41.53,
fax 03.26.03.44.64, e-mail infos@champagneherbert.fr
☑ 🍷 🚶 r.-v.

### PH. MOUZON-LEROUX

Verzy *

| Gd cru | 0,6 ha | 900 | 8 à 11 € |
|---|---|---|---|

Verzy est une commune classée grand cru, située sur la Montagne de Reims. Avec sa voisine Verzenay, elle confère une forte personnalité aux vins qui en sont issus. Ce Verzy rouge n'est pas millésimé car il naît de l'assemblage de vins des années 1999, 2000 et 2001. Citons un dégustateur qui a très bien noté cette bouteille : « Du fruit, de la longueur, un beau vin rouge avec cette petite acidité champenoise, féminin à souhait. »

🗝 EARL Mouzon-Leroux, 16, rue Basse-des-Carrières,
51380 Verzy, tél. 03.26.97.96.68, fax 03.26.97.97.67,
e-mail champagne-mouzon-leroux@wanadoo.fr
☑ 🍷 🚶 r.-v.

### TARLANT

Œuilly 1996

| 0,2 ha | 1 500 | 15 à 23 € |
|---|---|---|

Œuilly est une commune de la vallée de la Marne proche d'Epernay. L'Œuilly rouge est issu des deux pinots (dont 80 % de pinot noir) ; il est élevé dix-huit mois dans le bois et le nez de pruneau et de fruits cuits traduit la pleine maturité du vin, maturité que l'on retrouve en bouche dont les tanins parfaitement mûrs assurent la rondeur. Un coteaux-champenois harmonieux, à servir dès à présent.

🗝 Tarlant, 51480 Œuilly, tél. 03.26.58.30.60,
fax 03.26.58.37.31, e-mail champagne@tarlant.com
☑ 🏠 🍷 🚶 t.l.j. sf dim. 10h30-12h 14h-17h; f. jan.

### JEAN VESSELLE

Bouzy 1999 *

| Gd cru | 1 ha | 4 500 | 15 à 23 € |
|---|---|---|---|

Le Bouzy rouge de Jean Vesselle était réputé. Depuis une dizaine d'années, Delphine, sa fille, poursuit la production de ce vin toujours aussi recherché depuis quatre siècles au moins. Les pinots noirs, triés, macèrent à froid puis fermentent à 31 °C avant d'être élevés en cuve trois ans. Ce 99, aux arômes de sous-bois, de cerise avec une touche végétale, est harmonieux, épicé et frais. Il est prêt pour un petit gibier.

🗝 Jean Vesselle, 4, rue Victor-Hugo, 51150 Bouzy,
tél. 03.26.57.01.55, fax 03.26.57.06.95,
e-mail champagne.jean.vesselle@wanadoo.fr
☑ 🍷 🚶 r.-v.

## Rosé-des-riceys

Les trois villages des Riceys (Haut, Haute-Rive et Bas) sont situés à l'extrême sud de l'Aube, non loin de Bar-sur-Seine. La commune des Riceys accueille les trois appellations : champagne, coteaux-champenois et rosé-des-riceys. Ce dernier est un vin tranquille, d'une grande rareté et d'une grande qualité, l'un des meilleurs rosés de France. C'est un vin que buvait déjà Louis XIV : il aurait été apporté à Versailles par les canats, spécialistes réalisant les fondations du château, originaires des Riceys.

Ce rosé est issu de la vinification par macération courte de pinot noir, dont le degré alcoolique naturel ne peut être inférieur à 10 °. Il faut interrompre la macération – saigner la cuve – à l'instant précis où apparaît le « goût des Riceys » qui, sinon, disparaît. Ne sont labellisés que les rosés marqués par ce goût spécial. Elevé en cuve, le rosé-des-riceys se boit jeune, à 8-9 °C ; élevé en pièce, il attendra entre trois et dix ans, et on le servira alors à 10-12 °C pendant le repas. Jeune, il se boira à l'apéritif ou au début du repas.

## ALEXANDRE BONNET 1999 *

■ 1,8 ha 14 768 **15 à 23 €**

La maison Alexandre Bonnet est, depuis de longues années, la plus grande productrice de rosé-des-riceys. Ce 99 est rose-orangé tuilé. Son bouquet fait songer aux senteurs d'automne. En bouche, le noyau de cerise et des notes poivrées assurent sa persistance. A marier sans attendre avec un chaource.

Alexandre Bonnet, 138, rue du Gal-de-Gaulle, 10340 Les Riceys, tél. 03.25.29.30.93, fax 03.25.29.38.65, e-mail info@alexandrebonnet.com r.-v.

BCC

## M. CHEVROLAT 2003 *

■ 0,3 ha 1 000 **8 à 11 €**

Ce 2003 est le premier rosé-des-riceys produit par Michel Chevrolat. Cette première est une réussite. En témoigne l'étoile obtenue grâce à la typicité de ce vin, à ses notes de cerise et d'épices et à sa fraîcheur.

EARL Michel Chevrolat, 12, Croix de Mission, 10340 Les Riceys, tél. 03.25.29.99.64, fax 03.25.29.75.24 r.-v.

## GUY DE FOREZ 2002

■ n.c. 3 700 **11 à 15 €**

Un rosé-des-riceys qui a passé trois mois en cuve et six mois dans le bois. Les dégustateurs sont sensibles à la touche d'évolution au nez et en bouche de ce rosé brillant, rond, à la minéralité agréable.

SCEA du Val du Cel, 32 bis, rue du Gal-Leclerc, 10340 Les Riceys, tél. 03.25.29.98.73, fax 03.25.38.23.01 r.-v.

## OLIVIER HORIOT En Valingrain 2003 **

■ 0,6 ha 3 200 **11 à 15 €**

Olivier Horiot est un nouveau venu dans le petit groupe de producteurs de rosé-des-riceys puisque sa première vinification date de 2000. Perfectionniste, il a à cœur l'origine des raisins – ne pas mélanger différents terroirs des riceys – la vinification, et mène avec précision les élevages sans collage ni filtration. Aussi fin que complexe, ce 2003 fait songer aux fraises, aux framboises, aux cerises et aux épices. Ampleur, finesse et harmonie lui valent ses deux étoiles. Une citation pour le **En Barmont 2003** élevé douze mois en cuve et douze mois en fût – comme le vin précédent. Souple, rond, vanillé, avec des notes de fruits rouges, il est très (trop ?) jeune. Rappelons que son aîné, le Barmont 2002, obtint le coup de cœur l'an dernier.

Olivier Horiot, 25, rue de Bise, 10340 Les Riceys, tél. 03.25.29.32.16, fax 03.25.29.17.99, e-mail champagne.horiot@libertysurf.fr r.-v.

## MARQUIS DE POMEREUIL 2000 *

■ 0,75 ha 7 000 **11 à 15 €**

Il y a une coopérative aux Riceys : elle existe depuis 1922. Sous la marque Marquis de Pomereuil, elle livre du rosé-des-riceys, dont ce 2000 élevé quatre mois en cuve et trois mois en fût, de teinte soutenue, structuré, gras et poivré. La finale est très agréable. A servir dès cet automne sur une fricassée de Saint-Jacques.

Marquis de Pomereuil, rte de Gyé, 10340 Les Riceys, tél. 03.25.29.32.24, fax 03.25.38.59.86, e-mail marquis.de.pomereuil@hexanet.fr t.l.j. sf dim. 8h30-12h 14h-18h

## MOREL PERE ET FILS 2000 *

■ 2 ha 10 000 **11 à 15 €**

Les trois agglomérations des Riceys renferment chacune une église intéressante du XVI[e]s. : à Ricey-Bas, flamboyante ; à Ricey-Haute-Rive, au chevet élégant ; à Ricey-Haut, composée de deux édifices. Un week-end s'impose. Pascal Morel occupe une maison de pierre du XVIII[e]s. Elevé douze mois en fût de chêne, son rosé couleur saumon offre un nez mêlant les fruits rouges à une note fumée. D'une belle fraîcheur, la bouche est ronde, harmonieuse, longue, parfaitement typée et fraîche.

Morel Père et Fils, 93, rue du Gal-de-Gaulle, 10340 Les Riceys, tél. 03.25.29.10.88, fax 03.25.29.66.72, e-mail morel.pereetfils@wanadoo.fr r.-v.

## MORIZE PERE ET FILS 2000

■ 0,6 ha 5 387 **11 à 15 €**

Les Morize vous accueilleront dans des caves du XII[e]s. Ils produisent du rosé-des-riceys élevé dix-huit mois en cuve. Celui-ci se présente dans une robe rosé, saumoné-orangé. Ses arômes de sous-bois et d'épices, presque exotiques, et ses saveurs de mirabelle, de pêche et, à nouveau, de fruits exotiques sont agréables.

Morize Père et Fils, 122, rue du Gal-de-Gaulle, 10340 Les Riceys, tél. 03.25.29.30.02, fax 03.25.38.20.22 r.-v.

## VINCENT-LAMOUREUX 2002 *

■ 0,5 ha 3 000 **8 à 11 €**

Sylviane et Jean-Michel Lamoureux vinifient, depuis une quinzaine d'années, du rosé-des-riceys. Ce 2002 a été élevé six mois en cuve et trois mois en fût. Son nez de fruits cuits et de pruneau précède une bouche de pêche et de groseille, ronde et structurée. Les trois dégustateurs sont unanimes à vanter sa parfaite typicité.

Vincent-Lamoureux, 2, rue du Sénateur-Lesaché, 10340 Les Riceys, tél. 03.25.29.39.32, fax 03.25.29.80.30, e-mail lamoureux-vincent@wanadoo.fr r.-v.

LE JURA, LA SAVOIE
ET LE BUGEY

# LE JURA, LA SAVOIE ET LE BUGEY

## Le Jura

Faisant le pendant de celui de la haute Bourgogne, de l'autre côté de la vallée de la Saône, ce vignoble occupe les pentes qui descendent du premier plateau des monts du Jura vers la plaine, selon une bande nord-sud traversant tout le département, depuis la région de Salins-les-Bains jusqu'à celle de Saint-Amour. Ces pentes, beaucoup plus dispersées et irrégulières que celles de la Côte-d'Or, se répartissent sous toutes les expositions, mais ce ne sont que les plus favorables qui portent des vignes, à une altitude se situant entre 250 et 400 m. Le vignoble couvre 1 883 ha sur lesquels ont été produits, en 2004, environ 113 000 hl.

Nettement continental, le climat voit ses caractères accusés par l'orientation générale en façade ouest et par les traits spécifiques du relief jurassien, notamment l'existence des « reculées » ; les hivers sont très rudes et les étés très irréguliers, mais avec souvent beaucoup de journées chaudes. La vendange s'effectue pendant une période assez longue, se prolongeant parfois jusqu'à novembre en raison des différences de précocité qui existent entre les cépages. Les sols sont en majorité issus du trias et du lias, surtout dans la partie nord, ainsi que des calcaires qui les surmontent, surtout dans le sud du département. Les cépages locaux sont parfaitement adaptés à ces terrains argileux et sont capables de réaliser une remarquable qualité spécifique. Ils nécessitent toutefois un mode de conduite assez élevé au-dessus du sol, pour éloigner le raisin d'une humidité parfois néfaste à l'automne. C'est la taille dite « en courgées », longs bois arqués que l'on retrouve sur les sols semblables du Mâconnais. La culture de la vigne est ici très ancienne : elle remonte au moins au début de l'ère chrétienne si l'on en croit les textes de Pline ; et il est sûr que le vin du Jura, qu'appréciait tout particulièrement Henri IV, était fort en vogue dès le Moyen Age.

Pleine de charme, la vieille cité d'Arbois, si paisible, est la capitale de ce vignoble ; on y évoque le souvenir de Pasteur qui, après y avoir passé sa jeunesse, y revint souvent. C'est là, de la vigne à la maison familiale, qu'il mena ses travaux sur les fermentations, si précieux pour la science œnologique ; ils devaient, entre autres, aboutir à la découverte de la « pasteurisation ».

Des cépages locaux voisinent avec d'autres, issus de la Bourgogne. L'un d'entre eux, le poulsard (ou ploussard), est propre aux premières marches des monts du Jura ; il n'a été cultivé, semble-t-il, que dans le Revermont, ensemble géographique incluant également le vignoble du Bugey, où il porte le nom de mècle. Ce très joli raisin à gros grains oblongs, délicieusement parfumé, à pellicule fine peu colorée, contient peu de tanin. C'est le cépage type des vins rosés, qui sont en fait vinifiés ici le plus souvent comme des rouges. Le trousseau, autre cépage local, est en revanche riche en couleur et en tanin, et c'est lui qui donne les vins rouges classiques très caractéristiques des appellations d'origine du Jura. Le pinot noir, venu de la Bourgogne, lui est souvent associé en petites proportions pour l'élaboration des vins rouges. Il a par ailleurs un avenir important pour la vinification de vins blancs de noirs destinés à des assemblages avec le blanc de blancs, pour élaborer des mousseux de qualité. Le chardonnay, comme en Bourgogne, réussit ici parfaitement sur les terres argileuses, où il apporte aux vins blancs leur bouquet inégalable. Le savagnin, cépage blanc local, cultivé sur les marnes les plus ingrates, donne, après plus de six ans d'élevage spécial dans des fûts en vidange, le magnifique vin jaune de très grande classe. Le vin de paille est également l'une des grandes productions du Jura.

La région paraît spécialement favorable à l'obtention d'un type d'excellents mousseux de belle classe, issus, comme on l'a dit, d'un assemblage de blanc de noirs (pinot) et de blanc de blancs (chardonnay). Ces mousseux sont de grande qualité, depuis que les vignerons ont compris qu'il fallait les élaborer avec des raisins d'un niveau de maturité assurant la fraîcheur nécessaire.

Les vins blancs et rouges sont de style classique, mais, du fait semble-t-il d'une attraction pour le vin jaune, on cherche à leur donner un caractère très évolué, presque oxydé. Il y a un demi-siècle, il existait même des vins rouges de plus de cent ans, mais on est maintenant revenu à des évolutions plus normales.

Le rosé, quant à lui, est en fait un vin rouge peu coloré et peu tannique, qui se rapproche souvent plus du rouge que du rosé des autres vignobles. De ce fait, il est apte à un certain vieillissement. Il ira très bien sur les mets assez légers, les vrais rouges – surtout issus de trousseau – étant réservés aux mets puissants. Le blanc a les usages habituels, viandes blanches et poissons ; s'il est vieux, il sera un bon partenaire du fromage de comté. Le vin jaune excelle sur le comté mais aussi sur le roquefort et sur certains plats difficiles à accorder aux vins tels le canard à l'orange ou les préparations en sauce américaine.

## Arbois

La plus connue des appellations d'origine du Jura s'applique à tous les types de vins produits sur douze communes de la région d'Arbois, soit environ 840 ha ; la production a atteint 45 546 hl en 2004, dont 24 998 hl de rouges et rosés, 20 104 hl de blancs ou jaunes, 444 hl de vins de paille. Il faut rappeler l'importance des marnes triasiques dans cette zone, et la qualité toute particulière des « rosés » de poulsard qui sont issus des sols correspondants.

### FRUITIERE VINICOLE D'ARBOIS
Chardonnay 2003

■ 75 ha 2 000 000 ◐ 5 à 8 €

Il y a cent ans, en 1906, vingt-six vignerons créaient cette cave coopérative. Elément incontournable du patrimoine arboisien, la Fruitière diffuse ses vins ici et ailleurs et contribue au développement du vignoble. Ce blanc 2003 constitue un élégant ambassadeur de l'appellation, fin au nez, avec ses notes florales, minérales et beurrées. Sa bouche ronde et fraîche en fait un vin de tonnelle.

Fruitière vinicole d'Arbois, 2, rue des Fossés, 39600 Arbois, tél. 03.84.66.11.67, fax 03.84.37.48.80
t.l.j. 9h30-19h;f. oct.-juin

### CAVEAU DE BACCHUS
Réserve du Caveau Cuvée des géologues 2003

■ 0,5 ha 4 000 ◐ 8 à 11 €

Si les géologues ont toujours leur cuvée comme étoile au Caveau de Bacchus, les météorologues ont perdu leur latin en cette année 2003. Un peu désorientés aussi par la robe très légère de ce millésime, les dégustateurs ont aimé le nez typé, aux notes animales assez évoluées qui se prolongeaient jusqu'en bouche. Un vin prêt à boire.

Lucien Aviet et Fils, Caveau de Bacchus, 39600 Montigny-lès-Arsures, tél. et fax 03.84.66.11.02
r.-v.

### PAUL BENOIT ET FILS Pupillin La Loge 2003

■ 1 ha 2 000 ◐ 15 à 23 €

Il faut venir à Pupillin non seulement pour ses vins mais aussi pour le belvédère que ce charmant village offre sur le vignoble. Elaborée uniquement à partir de savagnin, cette cuvée distille au nez quelques notes légères de fleurs blanches. Beaucoup plus affirmée en bouche, elle montre un caractère vif et dégage puissamment ses arômes d'agrumes et de fruits exotiques.

Paul Benoit et Fils, La Chenevière, rue du Chardonnay, 39600 Pupillin, tél. 03.84.37.43.72, fax 03.84.66.24.61 t.l.j. 9h-12h 13h30-19h

### COLETTE ET CLAUDE BULABOIS
Vin jaune 1997

■ 3,5 ha 900 ◐ 23 à 30 €

Installé au début des années 1970, Claude Bulabois a été coopérateur jusqu'au milieu des années 1990. Le vin jaune né de cette indépendance ne craint pas de sortir dans sa belle robe d'or. Un nez chaud où les nuances de fruits secs sont portées par des notes alcooleuses. Très solide en bouche, cette bouteille demande à être attendue pour que les accents d'une vinification qualifiée d'« ambitieuse » se fondent.

Claude et Colette Bulabois, 1, Petite-Rue, 39600 Villette-lès-Arbois, tél. et fax 03.84.66.01.93
t.l.j. 17h-19h30

### CH. DE CHAVANES
Chardonnay Sauvagny 2002 ★★

■ 0,55 ha 2 500 ◐ 8 à 11 €

C'est en 2001 qu'a été créé le domaine, par plantations de vignes dans le clos du château et achat d'anciennes parcelles. Jaune pâle aux reflets verts, ce blanc offre toute la fraîcheur du printemps dans un nez minéral. La bouche est boisée mais avec raffinement. Un élégant équilibre s'en dégage. Très travaillé, jouant à fond l'harmonie, c'est un vin à déguster pour lui-même, à l'apéritif. Très technique lui aussi, le **rouge Tradition 2003** reçoit une citation : jolie structure, joli fruit, mais le boisé masque son origine.

Ch. de Chavanes, Saint-Laurent, 39600 Montigny-lès-Arsures, tél. 03.84.37.47.95, fax 03.84.37.47.65, e-mail francois.dechavanes@wanadoo.fr
r.-v.

### JOSEPH DORBON
Chardonnay Vieilles Vignes 2002 ★

■ 0,7 ha 3 500 ◐ 5 à 8 €

De vieilles vignes de chardonnay, vendangées à la main, ont donné un vin au nez typé, qui n'a qu'une envie, celle de nous faire partager ses notes d'agrumes, de pomme cuite au four et de miel. Avec une telle richesse, on s'attendrait à une bouche plutôt dans le registre du gras. Que nenni. Sa grande fraîcheur persiste et signe jusque dans une finale acidulée. Ce 2002 mérite d'attendre deux à trois ans pour gagner en harmonie. Le vin **rouge issu de trousseau Vieilles Vignes 2002** est cité pour son nez de griotte ; c'est le côté animal qui devient dominant au sein d'une bouche solide.

⊶ Joseph Dorbon, pl. de la Liberté, 39600 Vadans, tél. et fax 03.84.37.47.93 ☑ Y ⚲ t.l.j. 10h-19h

DANIEL DUGOIS Vin jaune 1997 ★★

▫ 1,4 ha 2 000 ◘ 23 à 30 €

Cette propriété a déjà obtenu un coup de cœur par le passé pour son vin jaune à l'effigie d'Henri IV. Comme il ne faut jamais trop rester sur les acquis, ce remarquable 97 ne peut que nous réjouir. Habillé d'une très belle robe vieil or, cet arbois nous séduit au nez, non par son intensité mais par sa noblesse et sa complexité : la noix fraîche est bien sûr présente, mais les épices, le cacao, le miel et les fruits secs sont autant de variations répétées longuement. Puissant en bouche, il est d'une grande distinction avec juste ce qu'il faut de réserve pour nous inviter à l'attendre dix à quinze ans. Un vin droit et racé où la vivacité cache encore une ampleur qui ne demande qu'à se développer. « Un arbois riche dans toute sa rigueur », commente un dégustateur, la rigueur étant ici le point de départ d'une voie que l'on ne peut imaginer que royale.

⊶ Daniel Dugois, 4, rue de la Mirode, 39600 Les Arsures, tél. 03.84.66.03.41, fax 03.84.37.44.59 ☑ ⌂ Y ⚲ r.-v.

DOM. MARTIN FAUDOT Chardonnay 2003 ★

▫ 4 ha 3 000 ▮◘ 8 à 11 €

Après six mois de cuve et douze mois de fût, ce vin jaune pâle aux reflets or arrive à nous avec un nez très frais, floral et discrètement mentholé. La fraîcheur reste de mise en bouche. L'acidité tempère dans un bel équilibre une matière riche, empreinte de toute la chaleur de 2003. Pour l'apéritif avec des toasts de fromage de chèvre frais. Le **rouge 2003 pinot noir** reçoit également une étoile. Il est encore dans sa jeunesse, avec toute la force des tanins, mais on présage une belle évolution.

⊶ Dom. Martin Faudot, 1, rue Bardenet, 39600 Mesnay, tél. 03.84.66.29.97, fax 03.84.66.29.84, e-mail info@domaine-martin.fr ☑ Y ⚲ r.-v.

SYLVAIN FAUDOT Chardonnay 2003

▫ 0,6 ha 1 500 ◘ 5 à 8 €

Les dégustateurs sont comme autant d'abeilles dans la ruche autour de ce vin. Ils y ont butiné, l'un du miel, l'autre de la cire, un troisième des odeurs d'opercules de cadres de ruche. Une convergence d'appréciations, au-delà des nuances, que l'on observe aussi dans les commentaires sur la bouche qualifiée de chaude. Une grande richesse donc, qui pourrait supporter des plats épicés.

⊶ Sylvain Faudot, 13, rte de Salins, 39600 Saint-Cyr-Montmalin, tél. et fax 03.84.37.41.03 ☑ Y ⚲ r.-v.

RAPHAEL FUMEY ET ADELINE CHATELAIN

Trousseau 2002 ★

■ 0,8 ha 3 500 ▮◘ 5 à 8 €

Le fruité nous accueille au nez avec un côté fraise élégant. Si la matière n'est pas très épaisse en bouche, l'équilibre, la souplesse et le fruité donnent une certaine harmonie à un vin facile à boire, plaisant. Il accompagnera des charcuteries. Le **blanc 2002 chardonnay** aura été préalablement servi en apéritif. Cité pour sa belle fraîcheur, il plaît également par son côté aromatique guilleret qui fait appel aux tons de fruits exotiques, d'agrumes et de pomme verte.

⊶ Raphaël Fumey et Adeline Chatelain, quartier Saint-Laurent, 39600 Montigny-lès-Arsures, tél. et fax 03.84.66.27.84 ☑ Y r.-v.

MICHEL GAHIER Savagnin 2000

▫ 0,5 ha 1 000 ◘ 11 à 15 €

Ce vin pur savagnin a presque des accents de vin jaune. Frais, le nez est entre pomme et noix. Une fraîcheur que l'on va suivre jusqu'en fin de dégustation dans une bouche qui ne manque pas de finesse. Sa structure nous invite à l'attendre un peu. Les recettes au fromage fondu lui iront bien.

⊶ Michel Gahier, pl. de l'Eglise, 39600 Montigny-lès-Arsures, tél. et fax 03.84.66.17.63, e-mail michel.gahier@free.fr ☑ Y ⚲ r.-v.

DOM. LIGIER PERE ET FILS

Les Mille et Une Nuits... 2000

▫ 1,5 ha 6 000 ◘ 8 à 11 €

Créé en 1986, ce domaine compte aujourd'hui 10 ha. Une cuvée chardonnay et savagnin, fermentée en cuve puis élevée trois ans sous voile en fût. D'intensité moyenne, le nez s'ouvre sur la pomme, les fruits secs et des notes de brioche au levain. La bouche est encore vive : attendons donc encore mille et un jours avant de déguster Les Mille et Une Nuits.

⊶ Dom. Ligier Père et Fils, 56, rue de Pupillin, 39600 Arbois, tél. 03.84.66.28.06, fax 03.84.66.24.38, e-mail ligier@netcourrier.com ☑ Y ⚲ r.-v.

FREDERIC LORNET

Trousseau des Dames 2003 ★★★

■ 0,8 ha 3 000 ◘ 8 à 11 €

On est ici au cœur des meilleures terres à trousseau. Celui-ci porte une robe rouge aux reflets pourpres à violacés. D'une éclatante intensité, le nez est très caractéristique : cassis et framboise côtoient des notes de gibier. Avec une rondeur mise en valeur par le fruité, la bouche se fait friande et gourmande. Une pincée d'épices, une touche animale et voilà que le fruit en vient presque à chanter au palais. On est sous le charme, mais quoi de plus normal pour un vin des Dames ! L'**arbois Naturé 2002 blanc** est cité. Le naturé, c'est le petit nom du savagnin en terre d'Arbois, qui a été élevé ici en foudre régulièrement ouillé. Il est fin et aromatique, et il faut en profiter tout de suite.

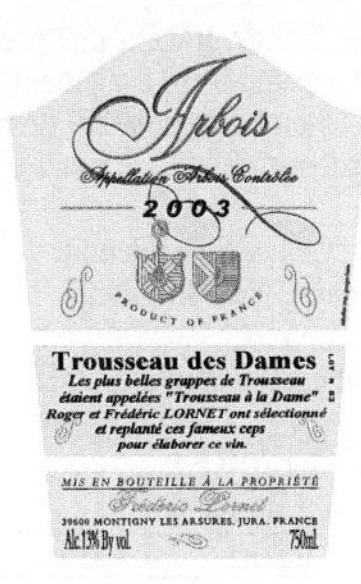


Frédéric Lornet, L'Abbaye,
39600 Montigny-lès-Arsures,
tél. 03.84.37.45.10, fax 03.84.37.40.17,
e-mail frederic.lornet@club-internet.fr
t.l.j. 9h-12h 14h-19h

## DOM. OVERNOY-CRINQUAND
Ploussard Pupillin 2003

■ 0,65 ha 2 000 5 à 8 €

Mickaël Crinquand est à la tête du domaine Overnoy-Crinquand depuis 2004. Cette propriété, dont les vins sont issus de raisins de l'agriculture biologique, propose un rouge pur ploussard d'une couleur légèrement tuilée. L'attaque en bouche est fraîche, rappelant la cerise à l'eau-de-vie. Structuré, riche, c'est un vin qui peut être bu dès à présent.

Mickaël Crinquand, chem. des Vignes,
39600 Pupillin, tél. 03.84.66.01.45
t.l.j. 9h-12h 13h30-19h

## DESIRE PETIT Pupillin Vin de paille 2001 *

1,06 ha 2 160 23 à 30 €

En 1989, les deux fils de Désiré Petit, Marcel et Gérard, construisent un chai de 2 500 m² à la sortie du village. Ce 2001 ? Une robe de vin de paille comme on les aime : ambrée aux reflets cuivrés. Le nez d'une bonne intensité sur les fruits secs, le miel, les fruits confits et la vanille annonce une bouche de qualité, riche et agréable. Un dégustateur propose de le boire avant de dormir, avec du pain d'épice... Bonne nuit !

Dom. Désiré Petit, rue du Ploussard,
39600 Pupillin, tél. 03.84.66.01.20, fax 03.84.66.26.59,
e-mail domaine-desire-petit@wanadoo.fr r.-v.
Gérard et Marcel Petit

## DOM. DE LA PINTE Trousseau 2002

■ 1,2 ha 4 500 11 à 15 €

On aperçoit le domaine de la RN 83 quand on arrive par le sud, quelques kilomètres avant Arbois. C'est dans ces grandes bâtisses qu'a été vinifié et élevé ce 2002 pur trousseau qui lui aussi sait se faire voir. Le rouge rubis s'impose à l'œil. Le vin est tout aussi intense au nez, entre notes fruitées et animales ; sa solidité ne se dément pas en bouche.

Dom. de la Pinte, rte de Lyon, 39600 Arbois,
tél. 03.84.66.06.47, fax 03.84.66.24.58,
e-mail accueil@lapinte.fr
t.l.j. 9h-12h 14h-18h; groupes sur r.-v.

## JACQUES PUFFENEY
Trousseau Cuvée les Bérangères 2003 **

■ 0,8 ha 4 000 11 à 15 €

Une robe rouge aux reflets violets. Le nez assez intense de fraise cuite, de petits fruits rouges, tend vers des notes plus animales. Avec la même trame aromatique, la bouche puissante et charnue est néanmoins équilibrée. Même s'il donne envie de le boire tout de suite, rien n'empêche de garder ce vin encore cinq ans. D'une nature fruitée aujourd'hui, il évoluera alors vers des tons de gibier. Sanglier ou chevreuil seront de toute façon de la partie. 2003 avec ses vendanges d'août a produit des vins uniques, tel ce vin de **poulsard 2003 rouge (8 à 11 €)** qui est très réussi. Habituellement plus rosée, la robe de celui-ci est rouge avec même des reflets noirs ! Le fruit rouge se fait intense au nez, alors que la bouche, toujours orientée vers le fruit, est forte de tanins très présents mais heureusement assez ronds. Une solidité quelque peu atypique mais l'effet millésime est patent.

Jacques Puffeney, quartier Saint-Laurent,
39600 Montigny-lès-Arsures,
tél. 03.84.66.10.89, fax 03.84.66.08.36,
e-mail jacques.puffeney@wanadoo.fr r.-v.

## LA CAVE DE LA REINE JEANNE
Chardonnay 2003 *

n.c. 28 000 8 à 11 €

Les vins de cette entreprise de négoce local ont été vinifiés pour moitié en cuve et pour moitié en fût, avec bâtonnage. La robe est pâle, couleur citron. Une odeur d'iode se dégage du nez, associée à des notes minérales et fruitées. Le palais se révèle équilibré, entre gras et touches acidulées, avec une impression finale de fraîcheur intense : une fin de bouche « bord de mer », comme le dit un dégustateur. Certains trouveront peut-être que les embruns viennent un peu trop lécher les côtes jurassiennes desquelles la mer s'est retirée depuis longtemps, mais tous

**Le Jura**

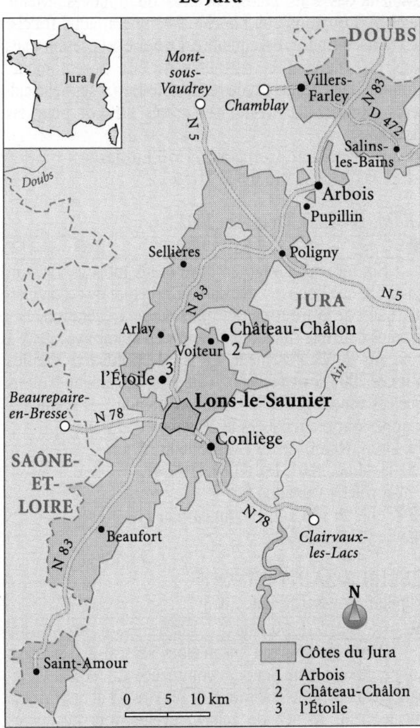

considèrent ce vin agréable et élégant. D'aucuns viendraient à douter de l'accord naturel avec coquillages et crustacés.
🔑 Le Cellier des Tiercelines, 54, Grande-Rue, 39600 Arbois, tél. 03.84.66.08.27, fax 03.84.66.25.08
🔑 Bénédicte et Stéphane Tissot

### XAVIER REVERCHON 2003 *

■ 0,45 ha 950 5 à 8 €

Xavier Reverchon, installé à Poligny, produit essentiellement des vins d'AOC côtes-du-jura, mais aussi un peu d'arbois. Son caveau est situé à 100 m de l'église de Monthiers-Vieillard ; ne manquez pas les statues polychromes de l'école bourguignonne. Ce rouge pur poulsard habillé d'une robe rubis présente beaucoup de fraîcheur au nez grâce au fruit. La bouche, chaleureuse, constitue une belle expression du cépage. Vin rouge léger ou rosé solide ? C'est toujours le paradoxe des rouges jurassiens issus de poulsard, mais qu'importe la classification pourvu qu'on ait l'ivresse... en toute modération bien sûr.
🔑 Xavier Reverchon, 2, rue du Clos, 39800 Poligny, tél. 03.84.37.02.58, fax 03.84.37.00.58, e-mail reverchon.vinsjura@libertysurf.fr r.-v.

### RIJCKAERT
Chardonnay En Chante-Merle Vieilles Vignes 2003 **

0,9 ha 5 100 11 à 15 €

De l'or en bouteille. Décidément, Jean Rijckaert connaît la partition des blancs. Son arbois est dans la même lignée que son côtes-du-jura issu du même cépage roi, le chardonnay, puisqu'il est arrivé en bonne position au grand jury de l'AOC arbois. La finesse du nez n'a d'égale que son intensité : les notes de fleurs blanches et de tilleul côtoient des tons boisés, beurrés ou briochés. Même registre aromatique en bouche avec une attaque fraîche ouvrant sur un très bel équilibre. Le boisé est présent mais sans être agressif et surtout sans être hégémonique. Comme dans beaucoup de régions, le Jura a ses héliciculteurs. Rendez-leur visite, cet arbois est fait pour les escargots.
🔑 Jean Rijckaert, Correaux, 71570 Leynes, tél. et fax 03.85.35.15.09 r.-v.

### DOM. ROLET Trousseau 2003 *

■ 2 ha 12 000 8 à 11 €

Six mois d'élevage en cuve et six mois en fût : un équilibre que l'on retrouve dans la structure de ce vin bien marqué par le trousseau et qui s'ouvre à l'aération. Les arômes de fruits rouges devraient s'épanouir avec deux à cinq ans de vieillissement. Le vin de **poulsard Vieilles Vignes 2003 rouge** est cité. A attendre également. Notons que ces vendanges 2003 n'ont pas attendu : les premières grappes ont été récoltées le 20 août !
🔑 Dom. Rolet, rte de Dole, 39600 Arbois, tél. 03.84.66.00.05, fax 03.84.37.47.41, e-mail rolet@wanadoo.fr
t.l.j. 9h-12h 14h-19h au caveau 11, rue de l'Hôtel-de-Ville

### CELLIER SAINT-BENOIT
Pupillin Ploussard Feule 2003 *

■ 0,5 ha 1 866 5 à 8 €

Alors qu'il livrait jusqu'alors ses raisins en cave coopérative, Denis Benoit a commencé en 2003 la vinification et la commercialisation de ses vins. D'abord orienté sur le fruit, le nez de celui-ci évolue vers des notes empyreumatiques. Solide grâce à une présence tannique affirmée, c'est un vin qui offre également de la fraîcheur. Le **rouge 2003**, assemblage de 80 % de pinot noir et de 20 % de poulsard, est cité. Riche et tannique, il devra attendre.
🔑 Denis Benoit, Cellier Saint-Benoit, rue du Chardonnay, 39600 Pupillin, tél. et fax 03.84.66.06.07, e-mail celliersaintbenoit@wanadoo.fr r.-v.

### DOM. DE SAINT-PIERRE
Chardonnay Cuvée Camille 2003

0,8 ha 4 300 5 à 8 €

Une cuvée or blanc aux reflets verts qui offre un nez d'une grande pureté : abricot, pêche blanche et pomme se mêlent dans un très agréable élan. Légère, la bouche demande à s'ouvrir. Un peu plus cher, **(8 à 11 €), Les Brûlées 2003 blanc** reçoivent également une citation. Elaboré aussi à partir de chardonnay, c'est un vin sur le fruit.
🔑 Hubert et Renaud Moyne, Dom. de Saint-Pierre, rue du Moulin, 39600 Mathenay, tél. 03.84.73.97.23, fax 03.84.37.59.48 r.-v.

### DOM. ANDRE ET MIREILLE TISSOT
Savagnin 2000 *

2,5 ha 8 000 15 à 23 €

En quarante ans, ce domaine est passé de 33 a à 33 ha. De quel pourcentage ont progressé les surfaces de ce vigneron ? Le temps que vos enfants répondent à la question, dégustez ce vin d'or qui, aération aidant, offre un nez de plus en plus marqué par l'amande sèche et la noix. S'il n'est pas très long, il finit agréablement sur la noix. On peut déjà le boire, et le fromage sera un allié de choix. Signalons que Stéphane Tissot adopte les méthodes de l'agrobiologie.
🔑 André et Mireille Tissot, 39600 Montigny-lès-Arsures, tél. 03.84.66.08.27, fax 03.84.66.25.08, e-mail stephane.tissot.arbois@wanadoo.fr r.-v.
🔑 Stéphane Tissot

### JACQUES TISSOT Vin jaune 1996

2 ha 5 000 23 à 30 €

On va fêter cette année les soixante-dix ans de l'AOC arbois, une des premières appellations françaises. Il y a tout juste dix ans naissait ce vin jaune au nez qui offre une belle typicité sur la noix et les épices. Rond et puissant en bouche, il est prêt à boire.
🔑 Dom. Jacques Tissot, 39, rue de Courcelles, 39600 Arbois, tél. 03.84.66.14.27, fax 03.84.66.24.88, e-mail courrier@domaine-jacques-tissot.fr
r.-v.

### JEAN-LOUIS TISSOT Réserve 2002 **

1 ha 6 000 5 à 8 €

Une Réserve qui n'a pas le tempérament réservé : sa couleur vieil or vous met déjà devant une belle personnalité. Aucune agressivité mais une sacrée puissance dans son nez de pomme blette, de miel et d'amande. Avec une acidité qui lui donne à la fois du tonus et de la longueur, la bouche se décline dans le gras, la rondeur et la richesse : si ce 2002 est très agréable à boire, sa constitution en fait aussi un vin de garde. Une autre production de la maison Tissot peut être aussi mise en cave un certain temps, c'est le **vin jaune 97 (23 à 30 €)**, une étoile, doté d'un beau potentiel aromatique.

Jean-Louis Tissot, Vauxelles,
39600 Montigny-lès-Arsures,
tél. 03.84.66.13.08, fax 03.84.66.08.09,
e-mail jean.louis.tissot.vigneron.arbois@wanadoo.fr
t.l.j. sf dim. 9h-12h 14h-18h

DOM. DE LA TOURNELLE
Trousseau des Corvées 2003 *

| | 1 ha | 3 300 | 8 à 11 € |
|---|---|---|---|

Sans avoir vraisemblablement franchi le pas vers la certification, Evelyne et Pascal Clairet se disent très inspirés par l'agrobiologie dans leurs pratiques culturales. Ce vin de trousseau est fort coloré : une intensité que l'on retrouve également dans un nez qui fait appel tant aux petits fruits rouges qu'aux notes animales ou boisées. L'attaque en bouche est vive mais le développement se fait dans la rondeur d'une belle charpente où le fruité a encore toute sa place. Les impatients pourront ouvrir dès à présent cette bouteille et les autres pourront aussi la contempler, mais pas plus de cinq ans, avant de la savourer.

Evelyne et Pascal Clairet, 5, Petite-Place,
39600 Arbois, tél. 03.84.66.25.76, fax 03.84.66.27.15,
e-mail domainedelatournelle@wanadoo.fr
t.l.j. sf dim. 10h-12h 14h30-19h30;
jan.-fév. sur r.-v.

REMI TREUVEY
Trousseau Cuvée Les Corvées 2003

| | 0,9 ha | 1 200 | 5 à 8 € |
|---|---|---|---|

C'est en 2003 que Rémi Treuvey a repris l'exploitation orientée vers la vigne mais aussi les céréales. Un premier vin d'un rouge intense qui offre un nez de petits fruits rouges bien mûrs soulignés d'une légère nuance boisée. Encore un peu austère, il demande trois à cinq ans pour s'arrondir.

Rémi Treuvey, 20, Petite-Rue,
39600 Villette-les-Arbois, tél. et fax 03.84.66.14.51,
e-mail remi.treuvey@wanadoo.fr r.-v.

GERARD VILLET Chardonnay 2002 *

| | 1,5 ha | 1 000 | 5 à 8 € |
|---|---|---|---|

Viticulteur en agriculture biologique depuis dix ans, Gérard Villet a repris les vignes de son beau-père il y a une bonne quinzaine d'années. Typé, même s'il n'est pas très intense, le nez de cet arbois est dominé par des notes de pomme et de champignon. Flatteur par sa fraîcheur, il constitue l'antichambre d'une bouche ronde mais équilibrée qui continue à jouer dans le registre de la pomme reinette. « Un vin d'amateur », écrit un dégustateur. Vraisemblablement une bonne école pour apprécier les vins jurassiens dits « typés ».

Gérard Villet, 16, rue de Pupillin, 39600 Arbois,
tél. et fax 03.84.37.40.98,
e-mail domainevillet@cegetel-net r.-v.

# Château-chalon

Le plus prestigieux des vins du Jura, produit sur 39 ha, est exclusivement du vin jaune, le célèbre vin de voile élaboré selon des règles strictes. Le raisin est récolté dans un site remarquable, sur les marnes noires du lias ; les falaises, au-dessus desquelles est établi le vieux village, le surplombent. La production est limitée mais a atteint, en 2004, 1 455 hl ; la mise en vente s'effectue six ans et trois mois après la vendange. Il est à noter que, dans un souci de qualité, les producteurs eux-mêmes ont refusé l'agrément en AOC pour les récoltes de 1974, 1980, 1984 et 2001.

BAUD 1997 **

| | 1,8 ha | 5 000 | 23 à 30 € |
|---|---|---|---|

Quand la plupart des gens parlent d'un élevage de six ans en fût pour le château-chalon, les Baud donnent soixante-quinze mois. Cela ne change pas grand-chose à l'affaire mais permet, sous un angle mensuel, de mesurer tout le temps nécessaire à l'élaboration de ce superbe vin. Beaucoup de puissance au nez sur la noix verte, et des notes mentholées fugaces qui confèrent une impression de fraîcheur. Généreux en matière mais équilibré, il est également très riche sur le plan aromatique. Sa bouche ample, chaude et épicée lui permettra d'accompagner plats à la crème et fromages à forte carrure.

Dom. Baud Père et Fils, rte de Voiteur,
39210 Le Vernois, tél. 03.84.25.31.41,
fax 03.84.25.30.09, e-mail abaud@domainebaud.com
t.l.j. sf dim. 9h-12h 14h-18h

CELLIER DE BELLEVUE 1997 **

| | 0,5 ha | 1 200 | 23 à 30 € |
|---|---|---|---|

Plus de la moitié du domaine est plantée en savagnin. Ce cépage donne naissance à des côtes-du-jura blancs, des vins de paille mais aussi à des château-chalon. Celui-ci est jaune d'or brillant. Au nez, on passe d'odeurs de levure et de pain grillé à des notes plus épicées. C'est un vin très complet qui nous attend en bouche : une puissance et une richesse presque mâles que l'acidité vient équilibrer dans une belle fraîcheur. La palette aromatique est à la hauteur de la structure : les tons de pomme verte et d'épices sont adoucis par les nuances de miel et de figue. L'apogée se situera dans une dizaine d'années pour ce joli vin qui devrait passer le cap des trente à cinquante ans. C'est donc aussi un beau cadeau pour les générations futures.

Daniel Crédoz, Cellier de Bellevue,
rte des Granges, 39210 Menétru-le-Vignoble,
tél. 03.84.85.26.98, fax 03.84.44.62.41,
e-mail cellier-de-bellevue@wanadoo.fr
t.l.j. sf dim. 10h-12h30 15h-19h

DOM. BERTHET-BONDET 1998 **

| | 5 ha | 8 000 | 23 à 30 € |
|---|---|---|---|

Jean Berthet-Bondet est l'un des quelques viticulteurs de l'appellation qui habitent et ont leurs caves dans le village même de Château-Chalon. Si les vins méritent plus qu'un détour, le site aussi. Le nez de ce 1998 présente un très beau crescendo sur la noix, le cacao et des notes minérales d'une grande finesse. Avec l'aération, le boisé arrive. La bouche suit parfaitement le nez : beaucoup d'élégance et de longueur. La vivacité naturelle est là, mais à sa place, au sein d'un vin particulièrement cohérent. Si le chercheur d'originalité risque de rester un peu sur sa faim, l'amateur de vin représentatif sera ravi.

JURA

🔑 Dom. Berthet-Bondet,
rue de La Tour, 39210 Château-Chalon,
tél. 03.84.44.60.48, fax 03.84.44.61.13,
e-mail domaine.berthet.bondet@wanadoo.fr ☑ Y ⛹ r.-v.

### PHILIPPE BUTIN 1998

■ 0,16 ha 1 000 ⏺ 23 à 30 €

Dans cette exploitation familiale, le château-chalon trouve toute sa place à côté de vins jaunes en AOC côtes-du-jura et de la gamme complète de vins de l'appellation. Une robe d'or clair habille ce millésime. Le nez, finement boisé, s'ouvre à l'aération sur des notes de pomme, de cacao et de noix. Vin rectiligne et rassurant, la vivacité soutenant une belle matière.

🔑 Philippe Butin, 21, rue de La Combe,
39210 Lavigny, tél. 03.84.25.36.26, fax 03.84.25.39.18,
e-mail ph.butin@wanadoo.fr ☑ Y ⛹ r.-v.

### CAVEAU DU TERROIR 1997 **

■ 1 ha 2 500 ⏺ 23 à 30 €

Les deuxièmes samedi et dimanche de juin, c'est portes ouvertes au caveau du Terroir. Une occasion pour découvrir un vin qui est lui aussi toutes portes ouvertes, ce qui est plutôt rare pour un jeune vin jaune. Accueilli par une belle odeur de noix verte au nez, accompagnée d'une petite nuance citronnée, on passe à une bouche d'abord vive puis sur l'alcool. L'évolution se fait dans la richesse et l'ampleur avec noix et amande comme guides. Un très beau vin qui peut être apprécié dès maintenant mais qui tiendra une dizaine d'années.

🔑 Philippe Peltier, rue Fontaine,
39210 Menétru-le-Vignoble, tél. et fax 03.84.85.26.67
☑ Y ⛹ t.l.j. 9h-12h 14h-19h; dim. sur r.-v.

### DENIS CHEVASSU 1997

■ 0,5 ha 2 000 ⏺ 23 à 30 €

Dans certaines exploitations, et c'est le cas ici, on peut voir un tonneau dont une des faces est vitrée. A but pédagogique, ce fût permet de mieux comprendre la magie du vin jaune et de son voile. Celui-ci est encore sur la réserve au nez, et vif en bouche. Puissant mais pas encore mûr, il demande à être attendu cinq à dix ans. Vous pourrez alors le marier à un sauté de poulet au curry.

🔑 Denis Chevassu, Granges Bernard,
39210 Menétru-le-Vignoble, tél. et fax 03.84.85.23.67
☑ Y ⛹ t.l.j. 10h-12h30 14h-19h30

### DOM. GENELETTI 1995 *

■ 0,15 ha 900 ⏺ 23 à 30 €

Avec seulement 15 ares dans l'appellation, Michel Geneletti et son fils produisent un beau château-chalon qui évolue bien en bouche. Après une bonne attaque, la puissance arrive avec toute la finesse aromatique souhaitée : la pomme reinette, l'amande sèche et le citron vert forment une réelle complexité. Un vin à la fois structuré et fin, auquel il manque seulement... dix à trente ans de vieillissement pour parfaire ses qualités.

🔑 Dom. Geneletti et Fils, 373, rue de l'Eglise,
39570 L'Etoile, tél. 03.84.47.46.25, fax 03.84.47.38.18
☑ Y ⛹ r.-v.

### DOM. GRAND FRERES En Beaumont 1998 *

■ 0,7 ha 3 200 ⏺ 30 à 38 €

Le premier château-chalon de cette cave nous était présenté l'an dernier et décrochait immédiatement un coup de cœur. Le 98 n'obtient pas cette distinction mais s'avère tout de même très réussi. Frais et fin au nez, il offre une attaque assez mordante en bouche qui n'est pas anormale pour un vin jeune de ce type, encore peu loquace pour l'instant. Le vieillissement devrait lui tremper le caractère.

🔑 Dom. Grand Frères, 139, rue du Savagnin,
39230 Passenans, tél. 03.84.85.28.88,
fax 03.84.44.67.47, e-mail grandfreres@wanadoo.fr
☑ 🏠 Y ⛹ t.l.j. 9h-12h 14h-18h;
f. sam. dim. en jan., fév. et mars

### FRANCK GUIGNERET 1997

■ 0,37 ha 1 000 ⏺ 23 à 30 €

Vigneron depuis une bonne dizaine d'années, Franck Guigneret a « roulé sa bosse » ailleurs que dans le domaine viticole avant de s'installer sur le nid d'aigle de Château-Chalon, lui amateur de rapaces. Son millésime 97 est puissant, assez chaud aussi, avec un boisé qui demande à se fondre.

🔑 Franck Guigneret, rue des Chèvres,
39210 Château-Chalon, tél. 03.84.44.67.97,
fax 03.84.44.69.20, e-mail savagnin@aol.com
☑ Y ⛹ r.-v.

### JEAN MACLE 1997 ***

■ 4 ha 2 000 ⏺ 23 à 30 €

Si vous ne pouvez entendre Jean Macle parler de Château-Chalon, vin et village confondus (il fut maire et président du syndicat viticole), écoutez son vin. La robe jaune pâle raconte déjà les vendanges d'octobre tandis que le nez, sur la truffe, les épices, le menthol et la tourbe, ouvre des sentiers desquels on ne veut s'échapper, allant toujours plus loin, feignant même d'arriver en Ecosse tant l'analogie aromatique rappellerait presque certains whiskies ! La bouche est magique : « ça change toujours » dit un dégustateur, « on passe du raisin de Corinthe à l'amertume de la morille ». Encore vive, on la devine plus douce dans quelques années. La croûte aux champignons sera le plat de référence pour ce coup de cœur unanime du grand jury.

🔑 Dom. Macle,
rue de la Roche, 39210 Château-Chalon,
tél. 03.84.85.21.85, fax 03.84.85.27.38 ☑ Y ⛹ r.-v.

### JEAN-LUC MOUILLARD 1997

■ 0,2 ha 1 600 ⏺ 23 à 30 €

Une belle approche jaune à reflets verts. Avec un fond boisé et des notes de pain d'épice, le nez exprime des nuances de noix très verte donnant une grande impression de fraîcheur. Le développement aromatique en bouche s'appuie sur une structure un peu austère, mais le vieillis-

sement et un morceau de vieux fromage à pâte pressée cuite type comté ou beaufort devraient le rendre plus aimable.
🔑 Jean-Luc Mouillard, rue du Parron, 39230 Mantry, tél. 03.84.25.94.30, fax 03.84.25.97.29, e-mail jean-luc.mouillard@wanadoo.fr ☑ 🏠 🍷 ⚲ r.-v.

**DOM. DE LA PINTE 1997 ★**

| | 0,4 ha | 1 050 | 30 à 38 € |
|---|---|---|---|

Ne cherchez pas le domaine sur le secteur de Château-Chalon : si les vignes y sont bien implantées, les vins sont vinifiés, élevés et vendus à Arbois, à plusieurs dizaines de kilomètres. La robe vieil or de ce 97 va plaire aux œnophiles antiquaires. D'une agréable intensité, le nez s'ouvre petit à petit sur les agrumes, la pomme et les épices. La bouche évolue dans l'ampleur et la richesse avec une bonne longueur. A attendre cinq à dix ans.
🔑 Dom. de la Pinte, rte de Lyon, 39600 Arbois, tél. 03.84.66.06.47, fax 03.84.66.24.58, e-mail accueil@lapinte.fr
☑ 🏠 🍷 ⚲ t.l.j. 9h-12h 14h-18h; groupes sur r.-v.

**FRUITIERE VINICOLE DE VOITEUR 1997 ★★**

| | 13 ha | 15 000 | 23 à 30 € |
|---|---|---|---|

La coopérative de Voiteur se trouve sur la route qui va à Baume-lès-Messieurs, sur la droite à la sortie du village. « L'œil éveille l'appétence », écrit un dégustateur à propos de la robe jaune dorée de ce château-chalon au nez délicat. La noix fraîche, des tons floraux, une pointe minérale, tout est dentelle. La bouche est dans le même registre, ronde mais fraîche, offrant toute la finesse attendue d'un château-chalon. Amateurs de puissance, vous risquez d'être déçus mais découvreurs de plaisirs délicats, vous allez être comblés. Un vin à boire seul, pour lui-même, à l'apéritif.
🔑 Fruitière vinicole de Voiteur, 60, rue de Nevy-sur-Seille, 39210 Voiteur, tél. 03.84.85.21.29, fax 03.84.85.27.67, e-mail voiteur@fruitiere-vinicole-voiteur.fr
☑ 🍷 ⚲ t.l.j. 8h30-12h 13h30-18h

# Côtes-du-jura

L'appellation englobe toute la zone du vignoble de vins fins. En 2004, la surface en production est de 516 ha et a donné 28 085 hl (19 681 hl en vins blancs ou jaunes, 8 116 hl en rouges et rosés, 288 hl en vins de paille).

**DOM. BADOZ Vin de paille 2001 ★**

| | 1 ha | n.c. | 15 à 23 € |
|---|---|---|---|

Vendangées le 27 septembre 2001, les grappes de chardonnay, de savagnin et de poulsard ont été pressées le 18 janvier 2002. Une belle couleur ambrée de vin de paille est toujours un plaisir de l'œil. Intense, presque austère pour certains, le nez est solide dans ses accents de fruits confits (raisin, pruneau, agrumes). La puissance s'affirme aussi en bouche, mais le calme revient après la tempête : délicat, charmant, agréable, tels sont les qualificatifs employés par le jury, désormais comblé. L'ensemble, de facture classique, mérite des compliments compte tenu de la difficulté du millésime. Tarte à l'orange ou tarte tatin seront les bienvenues. (Bouteilles de 37,5 cl.)
🔑 Benoît Badoz, 3, av. de la Gare, 39800 Poligny, tél. 03.84.37.11.85, fax 03.84.37.11.18, e-mail infos@badoz.fr ☑ 🍷 ⚲ t.l.j. 8h-12h 14h-20h

**BAUD Ancestral 2003**

| ■ | 1,8 ha | 8 000 | 5 à 8 € |
|---|---|---|---|

La cuvée Ancestral est composée de 70 % de trousseau et de 30 % de pinot noir. Un assemblage taillé pour la garde. Fruits mûrs, vanille et cassis forment un beau nez, dans un mariage discret mais délicat. L'attaque est vive, soutenue par une pointe de gaz, puis la bouche s'ouvre sur de jolies notes fruitées. Ce 2003 devra toutefois attendre un peu, deux ans environ, pour gagner en harmonie.
🔑 Dom. Baud Père et Fils, rte de Voiteur, 39210 Le Vernois, tél. 03.84.25.31.41, fax 03.84.25.30.09, e-mail abaud@domainebaud.com
☑ 🍷 ⚲ t.l.j. sf dim. 9h-12h 14h-18h

**CELLIER DE BELLEVUE**
**Clos Bacchus Savagnin 2002 ★**

| | 0,5 ha | 2 600 | 15 à 23 € |
|---|---|---|---|

Le Clos Bacchus, vous le verrez dans le vallon du vignoble de Château-Chalon, grâce à sa maisonnette vigneronne installée au beau milieu des vignes et sur laquelle le nom de la propriété est inscrit en grosses lettres. Issue de savagnin ouillé, cette cuvée, élevée en fût neuf de 228 l pendant vingt-quatre mois, porte la marque de cet élevage. Un vin de qualité, équilibré et apte au vieillissement mais qui fait la part belle à l'expression du fût. La **cuvée rouge 2003 (5 à 8 €)** née du seul pinot noir reçoit, elle aussi, une étoile. Présentant un peu de réduction le jour de la dégustation, c'est un vin qui va « se faire ». Il a de la charpente : l'équilibre et l'harmonie sont au rendez-vous.
🔑 Daniel Crédoz, Cellier de Bellevue, rte des Granges, 39210 Menétru-le-Vignoble, tél. 03.84.85.26.98, fax 03.84.44.62.41, e-mail cellier-de-bellevue@wanadoo.fr
☑ 🍷 ⚲ t.l.j. sf dim. 10h-12h30 15h-19h

**JOEL BOILLEY Vin jaune 1998**

| | 2 ha | 3 200 | 15 à 23 € |
|---|---|---|---|

Installé en 1987, Joël Boilley a repris de jeunes vignes en métayage. Le nez de ce vin jaune, légèrement camphré, s'ouvre après aération et avec intensité sur la noix sèche, l'amande et la pomme mûre. Un bel équilibre s'installe en bouche entre alcool et acidité, tandis que la noix, les épices et les fruits secs se développent. Un classique.
🔑 Joël Boilley, 18, rue Marius-Pieyre, 39100 Dôle, tél. 03.84.82.46.70, fax 03.84.72.70.90 ☑ 🍷 ⚲ r.-v.

**ANDRE BONNOT Pinot noir 2000 ★**

| ■ | n.c. | 6 500 | 3 à 5 € |
|---|---|---|---|

Cette société de négoce a été créée en 1936 par Xavier Bonnot, reprise et développée par André Bonnot en 1952, puis par ses enfants à partir de 1990. Une robe rubis et une nuance orangée pour ce côtes-du-jura pur pinot noir. Un beau nez de framboise à l'eau-de-vie, de cerise et d'autres fruits rouges, juste relevé d'une note de gibier. La charpente solide mais ronde s'ouvre sur la fraîcheur de la cerise. Bien équilibré, ce vin est long et harmonieux. Pour un repas de fête un dimanche à la campagne.

André Bonnot,
75, rte du Revermont, 39230 Saint-Lothain,
tél. 03.84.37.10.89, fax 03.84.37.10.64
t.l.j. sf sam. dim. lun. 8h-12h 14h-18h30

## DANIEL BROCARD Vin jaune 1997

0,4 ha 800 23 à 30 €

Juste huit cents bouteilles d'un vin jaune doré, limpide et brillant. Cruel peut être le gel du printemps pour les vignes. Intense, le nez développe des arômes francs et nets de fruits secs et de pâte d'amandes. Vif à l'attaque, long en bouche, c'est incontestablement un vin de bonne garde.

Daniel Brocard, 7, rue de l'Eglise,
39570 Pannessières, tél. 03.84.43.04.67,
fax 03.84.86.28.99 t.l.j. 8h-20h

## PHILIPPE BUTIN Vin jaune 1998 **

0,5 ha 2 800 15 à 23 €

Robe jaune et brillante. On attend un nez discret, mais il s'ouvre vite à l'aération sur des notes de noix et de cacao. Encore vif en bouche, ce vin jaune est dans le type de ceux qui demandent du temps pour s'apprivoiser puis se confier. En cherchant bien, les épices (poivre, curry) et la noisette sont déjà là et attendent pour exploser sur un gâteau au chocolat. Patience les gourmands, son heure viendra. Plus accessible et déjà bon à boire, le **rouge pur poulsard 2003 (5 à 8 €)** obtient une citation : très poulsard à l'œil et au nez, c'est un bon compromis entre le fruit d'un rosé et la structure d'un rouge.

Philippe Butin, 21, rue de La Combe,
39210 Lavigny, tél. 03.84.25.36.26, fax 03.84.25.39.18,
e-mail ph.butin@wanadoo.fr r.-v.

## CAVEAU DES BYARDS Trousseau 2003

0,9 ha 4 000 5 à 8 €

Des vendanges au cœur de l'été et un vin qui, comme le dit un dégustateur, a survécu à la chaleur de 2003. La robe est tout de même déjà évoluée. D'abord plutôt fermé, voire neutre, le nez s'ouvre à l'agitation et libère des notes complexes, animales, des nuances de fruit charnu bien mûr et de pêche rouge. Une impression de chaleur... toujours. Vineux, solide mais équilibré, c'est un côtes-du-jura qui vous rappellera une année hors du commun. Une richesse que l'on retrouve aussi avec le **chardonnay 2003 La Gryphée (8 à 11 €)** qui reçoit également une citation : on l'apprécie plus ou moins, mais l'homme ne domine pas encore la météo... et c'est tant mieux.

Caveau des Byards, 39210 Le Vernois,
tél. 03.84.25.33.52, fax 03.84.25.38.02,
e-mail info@caveau.des.byards.fr r.-v.

## MARCEL CABELIER Vin jaune 1998 *

20 ha 20 000 15 à 23 €

Si le premier nez est discret, l'aération va permettre un fort développement aromatique sur la noix, la pâte d'amandes et le fruit bien mûr. Puissance et complexité sont finalement bien au rendez-vous. L'acidité est soutenue en bouche, mais c'est un vin jaune plaisant où la noix s'étend dans une belle finesse. A servir avec du comté ou, pourquoi pas, avec un dessert au chocolat.

Compagnie des Grands Vins du Jura,
rte de Champagnole, 39570 Crançot,
tél. 03.84.87.61.30, fax 03.84.48.21.36
t.l.j. sf dim. 9h-12h 14h-18h

## LES CHAIS DU VIEUX BOURG
BB1.2 Chardonnay Elevé en fût de chêne 2003

1,12 ha 2 000 8 à 11 €

2003, premier millésime pour Ludwig Bindernagel et canicule à la clef. Dans ces conditions, ce vin de chardonnay, vinifié classiquement, c'est-à-dire avec ouillage pour obtenir un vin plutôt floral, s'en sort plutôt bien. Le nez oscille entre le minéral, la vanille, la réglisse et la croûte de pain. Une appétissante introduction pour arriver à une bouche où la réglisse règne en maître. Un peu monolithique mais agréable.

Ludwig Bindernagel, Les Chais du Vieux Bourg,
rue du Vieux-Bourg, 39140 Arlay, tél. 06.14.36.25.26
r.-v.

## CELLIER DES CHARTREUX 2003 *

1 ha 3 500 8 à 11 €

Au domaine Pignier, ancienne propriété monastique, on n'est pas que contemplatif. Avec une remise en cause régulière des pratiques culturales à la vigne, les trois associés familiaux s'essaient depuis 2002 à la biodynamie. Avec sa robe très claire, ce côtes-du-jura pur chardonnay joue la carte de l'élégance tant au nez qu'en bouche. Bien vinifié, avec un côté féminin presque atypique pour un 2003, c'est un vin pour le plaisir immédiat, celui procuré par la minéralité ciselée. Du côté des rouges, le **trousseau 2003** est très réussi lui aussi. Après un bouquet complexe où ressortent des notes de fruits rouges en macération alcoolique et une petite nuance animale de fond, s'ouvre une bouche souple et harmonieuse. Une bonne bouteille en perspective.

Dom. Pignier, Cellier des Chartreux,
39570 Montaigu, tél. 03.84.24.24.30, fax 03.84.47.46.00,
e-mail pignier-vignerons@wanadoo.fr
t.l.j. sf dim. 9h-12h 14h-19h

## MARIE ET DENIS CHEVASSU Chardonnay 2002

2 ha 3 000 5 à 8 €

Dans la précédente édition du Guide, cette cuvée de pur chardonnay dans son millésime 2000 avait décroché un coup de cœur. La version 2002 s'annonce curieusement un peu animale au nez. La bouche fine et équilibrée s'avère élégante mais « bourguignonne » plus qu'elle ne « jurase ».

Denis Chevassu, Granges Bernard,
39210 Menétru-le-Vignoble, tél. et fax 03.84.85.23.67
t.l.j. 10h-12h30 14h-19h30

## ELISABETH ET BERNARD CLERC 2003

1 ha 1 500 5 à 8 €

Cet assemblage, issu essentiellement de chardonnay (80 %) mais aussi de savagnin (20 %), est ce qu'il est convenu d'appeler un bon vin. A la fois floral, vanillé et épicé au nez, il affiche un caractère jura de bon aloi dans une bouche fine, équilibrée et persistante. Poisson en sauce ou viande blanche sauront lui faire honneur, mais la solution du casse-croûte de dix heures n'est pas à exclure.

Elisabeth et Bernard Clerc, rue de Recanoz,
39230 Mantry, tél. 03.84.85.58.37 t.l.j. 8h30-21h

## CLOS DES GRIVES Vin jaune 1998 **

1 ha 2 300 23 à 30 €

Un cinquième des vignes de la propriété est consacré au vin jaune. La rencontre au nez se fait dans l'intensité mais aussi dans la finesse : noix, noisette et chocolat noir s'affichent avec franchise. Dans le même élan aromatique,

complété par quelques notes épicées et torréfiées, la bouche attaque avec puissance. Equilibré, ce vin déjà ouvert est prêt mais il peut attendre.
Claude Charbonnier, Clos des Grives, 204, Grande-Rue, 39570 Chille, tél. 03.84.47.23.78, fax 03.84.47.29.27 r.-v.

### DOM. JEAN-CLAUDE CREDOZ Savagnin 2000 ★

1,8 ha 4 000 8 à 11 €

Il n'est pas certain que vous puissiez compter sur la présence des chèvres pour vous guider jusqu'à la rue éponyme située à Château-Chalon, mais ce merveilleux site n'est pas si grand que cela pour s'y perdre. Notez que le caveau est ouvert toute l'année, même les jours fériés. Ouvert, ce vin pur savagnin l'est aussi. Avec une dominante de fleurs blanches, son nez typé et fin précède une bouche équilibrée et aromatique. Déjà bon à boire mais peut aussi attendre.
Dom. Jean-Claude Crédoz, rue des Chèvres, 39210 Château-Chalon, tél. 03.84.44.64.91, fax 03.84.44.98.76, e-mail domjccredoz@aol.com t.l.j. 8h-12h 13h30-19h

### RICHARD DELAY Pinot noir 2003 ★

1,8 ha 4 000 5 à 8 €

Richard Delay est un opiniâtre défenseur de ce secteur du Jura dénommé le Sud-Revermont, partie du vignoble située entre Saint-Amour, à ne pas confondre avec le Saint-Amour du Beaujolais, et Lons-le-Saunier. Il y produit un vin pur pinot noir, rubis violacé, qui ne dément pas les efforts de son propriétaire. Le nez est un intéressant mariage de réglisse, de cassis et d'épices. En bouche, l'élégance est aussi de mise, tant sur le plan aromatique qu'au niveau de la structure, à la fois très présente mais offrant une belle souplesse. La côte de bœuf s'impose. En **blanc, la cuvée Gustave 2001 (8 à 11 €)**, assemblage de 60 % de savagnin et de 40 % de chardonnay, obtient, elle aussi, une étoile. Elégance, équilibre et finesse aromatique sont également au rendez-vous. Les deux vins sont déjà bons à boire.
Richard Delay, 37, rue du Château, 39570 Gevingey, tél. 03.84.47.46.78, fax 03.84.43.26.75, e-mail delay@freesurf.fr r.-v.

### FLEUR DE MARNE La Bardette 2001 ★★

0,6 ha 1 200 11 à 15 €

Cette cuvée provient de vieilles vignes de chardonnay et a été élevée en fût pendant dix-huit mois. Jaune clair, elle emplit le nez de douces nuances de fleurs blanches et de pêche qui viennent et reviennent dans un élégant ballet aromatique. Aucune rupture en bouche où la noisette et la vanille accompagnent cette danse au sein d'une structure fraîche, soutenue par une pointe de gaz. Tout cela est plein de jeunesse et d'équilibre. Autre cuvée, **Fleur de Chardonnay 2002 (8 à 11 €)** a été considérée comme très réussie. Discret au nez, ce vin solide en bouche demande du temps pour s'épanouir. Ce sera un bel ambassadeur dans les cinq à dix ans à venir.
Alain Labet, pl. du Village, 39190 Rotalier, tél. 03.84.25.11.13, fax 03.84.25.06.75 r.-v.

### FLOR La Loue 2003 ★★

3 ha 12 000 11 à 15 €

Presque diaphane, ce côtes-du-jura est pourtant bien présent. Au nez d'abord où il développe des nuances réglissées riches et harmonieuses. En bouche ensuite, où ampleur et souplesse sont de mise. Des notes vanillées évoluées rappellent la crème pâtissière, tandis que la réglisse est toujours en action. Voilà un grand vin, bien représentatif. Un dégustateur écrit qu'il est « bien dans son corps, dans sa tête et son millésime. » C'est tout ce que l'on peut souhaiter à ceux qui le boiront, pour un anniversaire par exemple, avec des saint-jacques poêlées.
Luc et Sylvie Boilley, rte de Domblans, 39210 Saint-Germain-des-Arlay, tél. 03.84.44.97.33, e-mail boilley.fremiot@wanadoo.fr r.-v.

### DOM. GANEVAT Vin de paille 2000 ★★

0,3 ha 800 15 à 23 €

Entre ambre et roux, la robe de ce vin de paille attire irrésistiblement. Avenant, le nez l'est tout autant avec ses nuances intenses et classiques de fruits secs et confits, d'orange et de caramel. Un petit côté oxydatif et noisette grillée en sus. La bouche est d'une grande richesse, « un monstre de rondeur et de puissance », dit même un dégustateur ! Fruits confits, raisin de Corinthe, chocolat, pain d'épice : quelle complexité aromatique ! C'est un vin de tête-à-tête pour gourmands impatients. (Bouteilles de 37,5 cl.) La **cuvée Julien 2003 (8 à 11 €)**, pur pinot noir, est citée. Friand, voire vif, c'est un 2003 atypique.
Dom. Ganevat, La Combe, 39190 Rotalier, tél. et fax 03.84.25.02.69 r.-v.

### GRAND FRERES Sélection 2003 ★★

2 ha 8 000 8 à 11 €

La nouvelle cuverie totalement en inox et thermorégulée n'a été construite qu'en 2004. De la régulation des températures, il en fut question en cette année 2003 caniculaire où les vendanges ont commencé le 20 août pour le vin que nous avons dégusté ! Loin de nous refroidir, ce côtes-du-jura a plutôt le sens de l'équilibre. L'harmonie qui s'en dégage nous plonge dans la quasi-béatitude. Prenez ce nez de petits fruits rouges compotés, cette bouche où chaleur et vivacité se répondent et où framboise, cassis et cerise rivalisent en finesse. Rien que du bonheur ! A boire tout de suite pour capter l'insouciance de la jeunesse ou dans deux ans pour savourer la plénitude de l'âge mûr.
Dom. Grand Frères, 139, rue du Savagnin, 39230 Passenans, tél. 03.84.85.28.88, fax 03.84.44.67.47, e-mail grandfreres@wanadoo.fr t.l.j. 9h-12h 14h-18h; f. sam. dim. en jan., fév. et mars

### CH. GREA Pinot noir 2003 ★★★

1,4 ha 7 000 5 à 8 €

Vinifié en cuve inox et élevé en foudre de 30 hl, ce vin pur pinot noir n'a pas bénéficié des nouveaux aménagements effectués en 2004 avec la construction d'une cuverie moderne. Cela ne l'empêche pas de tenir le haut du pavé. Rouge violacé, il est d'une impeccable présentation. Fermé au premier nez, ce qui invite à le carafer, il développe à l'aération des touches de mûre, de cassis, d'épices et de vanille dans une belle puissance. Beaucoup de matière en bouche, où raisin frais et fruits rouges mûrs s'associent dans un équilibre entre puissance et rondeur. Des tanins sont vecteurs de belle garde. Si vous avez des amis chasseurs, faites-vous inviter à l'automne et... apportez la bouteille.
Nicolas Caire, 14, rte de Froideville, 39190 Sainte-Agnès, tél. 06.81.83.67.80, fax 03.84.25.05.47 r.-v.

JURA

### CAVEAU DES JACOBINS Chardonnay 2001 *

10 ha 17 000 5 à 8 €

Ce vin a été vinifié dans les chais « modernes » de cette petite coopérative, alors que pendant plus de quatre-vingts ans, toutes les opérations étaient effectuées dans une église du XIIIe s., déclarée bien national à la Révolution et mise à la disposition des vignerons dès la création de la fruitière en 1907. Aujourd'hui, c'est encore dans ce lieu que vous pourrez déguster ce côtes-du-jura pur chardonnay élevé six mois en cuve et dix-huit mois en fût. Derrière une robe jaune d'or aux reflets verts se cache un nez d'amande grillée, de miel et de vanille. La matière en bouche est bien mise en valeur par un taux d'acidité juste comme il faut. Probablement issu d'une belle vendange, ce vin bien équilibré est à point. Il faut le boire.

Caveau des Jacobins, rue Nicolas-Appert, 39800 Poligny, tél. 03.84.37.01.37, fax 03.84.37.30.47
r.-v.

### CLAUDE ET CEDRIC JOLY Vin de paille 2000

1 ha 3 000 15 à 23 €

Le premier vin de paille du millénaire chez les Joly affiche une belle robe ambrée. Le nez est encore timide mais de bonne facture. Des notes de pruneau, de caramel et de chocolat ne peuvent que nous inviter à poursuivre la dégustation. Pour le coup, la bouche se trouve dans une position de puissance : beaucoup de richesse, ce qui ravira les amateurs de vins amples, « forts en matière ». Une tarte aux abricots sur le coup des seize heures devrait être un bon prétexte pour ouvrir cette petite bouteille de 37,5 cl. Le **côtes-du-jura pur chardonnay 2002 (5 à 8 €)** est également cité. Marqué par le bois, il joue dans le registre de la puissance.

EARL Claude et Cédric Joly, chem. des Patarattes, 39190 Rotalier, tél. 03.84.25.04.14, fax 03.84.25.14.48
r.-v.

### LA MAISON DE ROSE Saugeot 2003 **

0,5 ha 2 500 5 à 8 €

Dominique Grand, autrefois associé à ses frères au sein du GAEC Grand, poursuit sa route de manière indépendante au sein de la Maison de Rose. Avec ce vin pur chardonnay, on peut effectivement voir la vie... en rose. S'il est discret au nez, il n'en est pas moins agréable, et puis la bouche vient vite nous conforter dans une vision très positive. Beaucoup d'ampleur et de profondeur. Le fruit mûr, la mirabelle et la prune sont là comme des indices de surmaturation, jeu de piste olfactif qui nous mène tout droit vers 2003, année caniculaire. Crustacés, langouste et poissons seront les bienvenus, tout comme une volaille... Le **vin de paille 2001 (15 à 23 €)** est cité. Uniquement produit à base de cépages blancs, c'est un vin distingué mais peu typique. (Bouteilles de 37,5 cl.)

Dominique Grand, La Maison de Rose, 8, rue de l'Eglise, 39230 Saint-Lothain, tél. et fax 03.84.37.01.32 r.-v.

### DOM. MOREL-THIBAUT Vin de paille 2001 ***

1,5 ha 4 500 15 à 23 €

Jean-Luc Morel aux vignes, Michel Thibaut en cave : une répartition des rôles orchestrée pour une célèbre musique, celle des coups de cœur. Ce domaine a reçu les honneurs du Guide plusieurs fois pour son vin de paille, notamment dans le millésime 1998. Le 2001 figurera désormais au palmarès. Issu d'un assemblage de chardonnay, poulsard et savagnin, il séduit dès la première rencontre : l'œil est irrésistiblement attiré par une robe ambrée aux reflets cuivrés. Hésitant presque à quitter cet univers visuel, le dégustateur est happé par un nez au profil aromatique envoûtant : l'abricot sec joue avec les fruits confits ou la confiture de mirabelles. Vient la plénitude de la bouche, avec sa structure ample où l'équilibre entre sucre, alcool et acidité est parfait. Des tons chauds de pruneau confit, de chocolat et de caramel nous entraînent dans la gourmandise absolue. Remarquable est aussi le **vin jaune 98**, bien équilibré mais dans un registre aromatique bien sûr différent. Essayez donc celui-ci avec une escalope à la crème et le vin de paille sur une tarte tatin. De quoi voir les étoiles de plus près.

Dom. Morel-Thibaut, 8, rue Coittier, 39800 Poligny, tél. et fax 03.84.37.07.61
t.l.j. 15h-19h; dim. 10h-12h

### JEAN-LUC MOUILLARD Savagnin 2001

0,6 ha 4 000 8 à 11 €

Jean-Luc Mouillard est un jeune viticulteur qui s'est installé d'abord à Nevy-sur-Seille puis maintenant à Mantry, de l'autre côté de la RN 83 qui longe le vignoble du nord au sud. Des chambres d'hôte sur la propriété vous permettront de prendre le temps de découvrir le pays et ses vins, dont ce côtes-du-jura pur savagnin, vinifié en cuve puis vieilli trois ans en fût. Puissant au nez avec ses nuances de noisette, d'amande et de marc cuit, il est encore très vif et demande à vieillir. Attendez donc impérativement deux à trois ans.

Jean-Luc Mouillard, rue du Parron, 39230 Mantry, tél. 03.84.25.94.30, fax 03.84.25.97.29, e-mail jean-luc.mouillard@wanadoo.fr r.-v.

### PAILLARD-CHEVASSU
Le Clos de Péria Chardonnay 1999 *

0,25 ha 600 5 à 8 €

Amateurs de golf, il y a un terrain très proche, mais sans doute vaudra-t-il mieux jouer avant la dégustation qu'après. Ce vin de chardonnay a été élevé trois ans en fût. Le nez plaisant, sur des notes de miel et de fleurs blanches, est déjà mûr. La bouche dans sa rondeur, reflet d'un vin de soleil, apporte des arômes de vanille et de fleur d'acacia, du gras, de l'équilibre et de la persistance : il faut l'apprécier sans attendre, avant que l'astre lumineux ne se couche.

Joseph Paillard-Chevassu, 8, rue Traversière, 39570 Vernantois, tél. et fax 03.84.47.18.43 r.-v.

### DOM. DE LA PETITE MARNE Trousseau 2003 *

0,8 ha 2 000 5 à 8 €

Jean Noir a planté ses premières vignes en 1974, mais le GAEC de la Petite Marne a été coopérateur jusqu'en 2003. Parti du caveau des Jacobins, le GAEC s'est lancé dans la vinification individuelle et la commercialisation en

direct. Un premier vin de trousseau très réussi : les odeurs de sous-bois, de violette, de fruits rouges montent au nez tandis qu'après une attaque harmonieuse, la bouche développe un fruité agréable dans une structure où les tanins sont présents mais légers. Déjà évolué, il est bon à boire.
Noir Frères, Dom. de la Petite Marne,
39800 Poligny, tél. 06.83.33.88.74, fax 03.84.37.20.32
r.-v.

## XAVIER REVERCHON Les Trouillots 2001

| | 0,65 ha | 3 400 | | 5 à 8 € |
|---|---|---|---|---|

La ville de Poligny est non seulement connue pour ses vins, mais aussi pour le fromage de Comté, ce qui explique la présence d'une école de laiterie située à deux pas de la maison Reverchon. Xavier représente la quatrième génération de vignerons dans la famille. Jaune pâle, cette cuvée chardonne bien au nez, entre fleurs blanches et touches minérales. Bien né, c'est un vin encore vif, qu'il convient d'attendre pour l'apprécier pleinement.
Xavier Reverchon, 2, rue du Clos, 39800 Poligny,
tél. 03.84.37.02.58, fax 03.84.37.00.58,
e-mail reverchon.vinsjura@libertysurf.fr r.-v.

## PIERRE RICHARD Vin jaune 1997 ★★★

| | 1 ha | 1 500 | | 23 à 30 € |
|---|---|---|---|---|

Le monde est bien fait : le Jura jouxte la Bresse, haut lieu du poulet mais aussi, et on le sait moins, de la crème fraîche. Tout est là, à vos pieds, pour préparer la fameuse recette du poulet au vin jaune et... aux morilles qui, elles aussi, poussent dans les forêts franc-comtoises. Une robe d'or habille ce vin jaune qui ne perd pas de temps pour nous emporter dans un tourbillon olfactif puissant où sonnent la noix, le caramel, les notes torréfiées mais aussi quelques pointes lactiques. On va retrouver ces dernières à l'attaque en bouche, puis la noix sèche et le torréfié prennent le dessus dans une belle longueur. De la puissance, de la richesse, mais aussi de l'équilibre. Si le poulet doit être frais, pour le vin jaune, prenez un millésime plus ancien : ce 97 doit encore attendre. Le **côtes-du-jura 2003 pur trousseau (8 à 11 €)** obtient une étoile pour sa fraîcheur et son fruité.
Pierre Richard, rue Florentine, 39210 Le Vernois,
tél. 03.84.25.33.27, fax 03.84.25.36.13 r.-v.

## RIJCKAERT Les Sarres Chardonnay 2003 ★★

| | 1 ha | 5 900 | | 8 à 11 € |
|---|---|---|---|---|

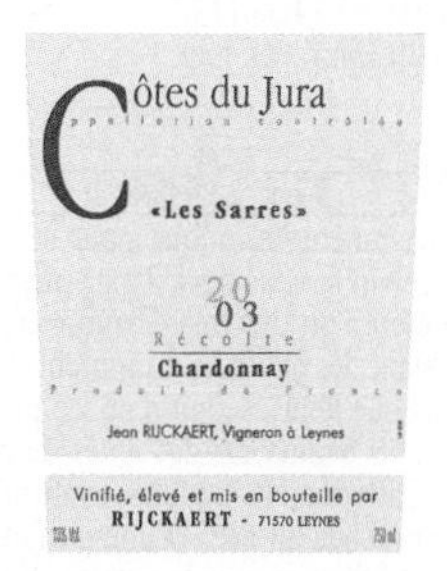


Anglais, Américains, Hollandais, Belges et autres Japonais vont se l'arracher, ce côtes-du-jura pur chardonnay. Il faut dire que 85 % de la production de ce vigneron-négociant part à l'exportation. Ça chardonne pas mal au nez, entre fleurs blanches, réglisse et un petit côté anisé. Net, riche, profond, fondu, élégant, plein, complet : les adjectifs fusent pour qualifier ce vin. On retiendra le grand talent du vinificateur. Homard, sole ou saint-jacques sauront mettre en valeur cette cuvée.
Jean Rijckaert, Correaux, 71570 Leynes,
tél. et fax 03.85.35.15.09 r.-v.

## DOM. BRUNO ROBELIN Pinot noir 2003 ★★★

| | 1 ha | 3 000 | | 11 à 15 € |
|---|---|---|---|---|

C'est ce qui s'appelle entrer par la grande porte au Guide Hachette. Bruno Robelin, à la tête de la propriété depuis le début des années 1980, signe là un solide vin de pinot noir, élevé douze mois en fût, d'un rouge profond presque noir aux reflets violacés. Le nez puissant, racé, nous amène épices, fruits rouges et touches boisées. L'attaque en bouche est onctueuse, très mûre. Les tanins sont présents mais veloutés. Le boisé a encore tendance à marquer le fruit dans ses élans vanillés. Un grand vin, où l'on sent une certaine volonté de maîtrise technologique, qui est assez bien résumé par un dégustateur : « un beau pinot du Jura à la bourguignonne ». Coq au vin recommandé. Egalement marquée par le bois, la **cuvée Tradition blanc 2000 (5 à 8 €)**, pur chardonnay, reçoit une citation.
Bruno Robelin, rue des Creux, 39210 Le Vernois,
tél. 03.84.25.37.96, fax 03.84.25.38.56
t.l.j. sf dim. 8h-12h 14h-19h

## DOM. DE SAVAGNY Vin Jaune 1998 ★★★

| | 1 ha | 3 000 | | 15 à 23 € |
|---|---|---|---|---|

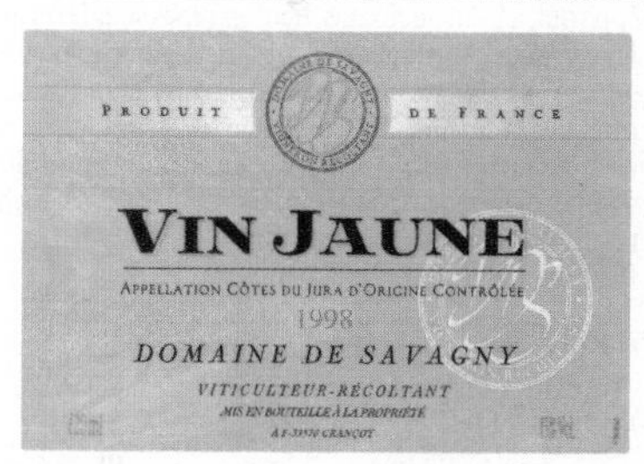


Le domaine de Savagny a été acquis par la Compagnie des Grands Vins du Jura, établie tout à fait au bord du premier plateau jurassien, à Crançot. Dans une robe... jaune citron, ce vin... jaune offre un nez franc et intense d'agrumes confits, de noix verte et d'épices. En bouche, la noix reste bien marquée mais dans la finesse. Equilibre et longueur, tout y est pour en faire un vin racé que l'on peut apprécier dès maintenant ou dans dix ans et plus. Beau vin aussi que le **côtes-du-jura rouge 2002 (5 à 8 €)**. Très réussi, c'est un assemblage des trois cépages rouges jurassiens où le fruité intense s'exprime au sein d'une matière qui demande encore à évoluer.
Dom. de Savagny, rte de Champagnole,
39570 Crançot, tél. 03.84.87.61.30, fax 03.84.48.21.36
t.l.j. sf dim. 9h-12h 14h-18h

## CH. DE SELLIERES Savagnin 1999 ★★

| | 0,61 ha | 3 930 | | 11 à 15 € |
|---|---|---|---|---|

Hervé et Stéphane Pernet sont à la tête de la propriété depuis 2002. L'âge moyen des vignes est de quinze ans, ce qui n'empêche pas ce vin pur savagnin d'attirer les faveurs du jury. D'un beau jaune aux reflets verts, il plaît tout de suite avec son nez de noisette légèrement vanillé, loin de la brutalité de certains vins jaunes issus de ce cépage toutefois réputé. Il y a encore de l'acidité mais qui sert une impression de fraîcheur et fait valoir une persistance aromatique partagée entre fruits secs et agrumes. Appelé à un bel avenir, ce 99 peut également être apprécié tout de suite. S'offrant dans une belle robe rouge cerise, le **côtes-du-jura 2002 pur pinot (5 à 8 €)** obtient une citation, jouant sur l'équilibre et l'harmonie.

EURL Ch. de Sellières, rue des Grangettes, 39570 Perrigny, tél. 03.84.86.11.11, fax 03.84.86.11.12, e-mail jura.boissons@wanadoo.fr

Hervé et Stéphane Pernet

### DOM. DU TAUSSON 2003

2 ha 6 000 5 à 8 €

Un vin élevé quatre mois en cuve et six mois en fût, qui affiche une belle couleur rubis. Tous les dégustateurs sont unanimes : épices et bourgeon de cassis sont les traits dominants de ce rouge frais et souple en bouche. Il est prêt à boire.

Jean-François Michel, Dom. du Tausson, rue des Sauges, 39140 Ruffey-sur-Seille, tél. 03.84.85.00.18, fax 03.84.44.49.65

t.l.j. 9h-18h30; dim. 9h-12h; dim. a.-m. sur r.-v.

### CAVEAU DU TERROIR Chardonnay 2003 *

2 ha 6 000 5 à 8 €

Chez les Peltier, trois générations de vignerons veillent chacune à leur manière au devenir de la vigne et du vin, et c'est ainsi de père en fils depuis 1938. C'est Philippe qui, à trente-deux ans, tient les rênes sous le regard de Jean-Claude, soixante-trois ans, et de Pierre, quatre-vingt-onze ans. Avec cette attention de tous les instants, le chardonnay a donné un vin jaune d'or qui offre au dégustateur un nez oscillant entre coing et notes minérales. Harmonie, profondeur, richesse : les qualités de la bouche sont à la hauteur des espérances olfactives.

Philippe Peltier, rue Fontaine, 39210 Menétru-le-Vignoble, tél. et fax 03.84.85.26.67

t.l.j. 9h-12h 14h-19h; dim. sur r.-v.

### DOM. DU TOURILLON Vin jaune 1997 *

n.c. n.c. 23 à 30 €

Une nouvelle entrée dans le Guide pour cette propriété dont le vignoble a été créé au début des années 1970. Dominique Poitou propose un vin jaune tout d'or vêtu, qui s'annonce au nez en toute discrétion puis s'ouvre par la suite. Flatteur en bouche, ce 97 est très accessible par sa souplesse et son équilibre. Amande amère et noix fraîche accueillent le dégustateur en toute franchise et simplicité. Un vin prêt à déboucher pour l'apéritif et à servir avec un morceau de comté pas trop affiné. Toujours issu du seul cépage savagnin, le **côtes-du-jura 2001 (8 à 11 €)** est citée. On retrouve une trame plaisante, tout en équilibre. Un vin prêt à boire lui aussi.

Dominique Poitou, 58, rte du Revermont, 39230 Saint-Lothain, tél. et fax 03.84.37.32.86

t.l.j. sf lun. 10h-13h 15h-19h

### FRUITIERE VINICOLE DE VOITEUR Vin jaune 1997

2 ha 9 000 15 à 23 €

« A boire chambré » : c'est la préconisation fort judicieuse que vous pourrez voir sur l'étiquette de ce vin jaune. Aussi bizarre que cela puisse paraître au néophyte, c'est la règle qu'il faut appliquer pour ce type très particulier de vin blanc. Chambré donc, on appréciera un nez léger mais tout en finesse, entre pâte d'amandes et notes plus végétales. De la légèreté également en bouche. La Fruitière de Voiteur a produit un vin de **chardonnay vieilli un an en fût de chêne 2002 (5 à 8 €)** qui reçoit également une citation pour son côté minéral affirmé.

Fruitière vinicole de Voiteur, 60, rue de Nevy-sur-Seille, 39210 Voiteur, tél. 03.84.85.21.29, fax 03.84.85.27.67, e-mail voiteur@fruitiere-vinicole-voiteur.fr

t.l.j. 8h30-12h 13h30-18h

# Crémant-du-jura

Reconnue par décret du 9 octobre 1995, l'AOC crémant-du-jura s'applique à des mousseux élaborés selon les règles strictes des crémants, à partir de raisins récoltés à l'intérieur de l'aire de production de l'AOC côtes-du-jura. Les cépages rouges autorisés sont le poulsard (ou ploussard), le pinot noir appelé localement gros noirien, le pinot gris et le trousseau ; les cépages blancs sont le savagnin (appelé localement naturé), le chardonnay (appelé melon d'Arbois ou gamay blanc). Notez qu'en 2004 ont été déclarés 31 315 hl de crémant.

### FRUITIERE VINICOLE D'ARBOIS 2002

20 ha 150 000 5 à 8 €

La Fruitière vinicole d'Arbois possède cinq caveaux de dégustation-vente : deux dans son fief d'Arbois et trois dans la grande région, à Arc et Senans, la Billaude et Belfort. Les propriétaires du château Béthanie, siège social et commercial de la Fruitière, peuvent être fiers de ce qu'ils vendent, comme le prouvent les crémants 2000 et 2001, coups de cœur dans les précédentes éditions du Guide. Le 2002 est bien dans le type, affichant une belle fraîcheur.

Fruitière vinicole d'Arbois, 2, rue des Fossés, 39600 Arbois, tél. 03.84.66.11.67, fax 03.84.37.48.80

t.l.j. 9h30-19h;f. oct.-juin

### BAUD **

3 ha 15 000 5 à 8 €

Un moyen mnémotechnique pour se souvenir des références de ce vin si vous deviez, par mégarde, oublier votre guide préféré : un très très « baud » crémant. Dans une robe d'or blanc, les bulles fines montent et s'échappent du verre, tandis que le nez séduit d'abord par ses tons de pomme cuite, puis évolue sur des notes de pain d'épice. Agréable dès l'attaque, la bouche confirme la palette aromatique approchée au nez. D'une parfaite harmonie, c'est un crémant fait avec grande rigueur. Il ne faut pas y chercher l'originalité mais y voir plutôt une remarquable représentation de l'appellation.

Dom. Baud Père et Fils, rte de Voiteur, 39210 Le Vernois, tél. 03.84.25.31.41, fax 03.84.25.30.09, e-mail abaud@domainebaud.com

t.l.j. sf dim. 9h-12h 14h-18h

### CAVEAU DES BYARDS 2002

● 11 ha 26 000 5 à 8 €

Des bulles très fines dans une effervescence soutenue : c'est un brut qui n'est pas timide. En revanche le nez ne se montre pas très intense mais offre de jolis tons fruités, comme la pêche ou la pomme verte. Les bulles forment une belle vivacité, agréable en bouche.

Caveau des Byards, 39210 Le Vernois,
tél. 03.84.25.33.52, fax 03.84.25.38.02,
e-mail info@caveau.des.byards.fr r.-v.

### MARCEL CABELIER

● n.c. 200 000 5 à 8 €

La Compagnie des Grands Vins du Jura, c'est quelque cent cinquante vignerons qui apportent leurs raisins vinifiés dans un village situé sur une des routes qui mène du Jura à la Suisse. Pourrait-on dire justement qu'il a un caractère helvétique ce crémant ? Un vin d'apéritif.

Compagnie des Grands Vins du Jura,
rte de Champagnole, 39570 Crançot,
tél. 03.84.87.61.30, fax 03.84.48.21.36
t.l.j. sf dim. 9h-12h 14h-18h

### DENIS ET MARIE CHEVASSU **

● 0,3 ha 1 500 5 à 8 €

Seulement 3 km séparent Château-Chalon de Menétru-le-Vignoble et du crémant des Chevassu. Un blanc de blancs en pleine forme qui lâche ses bulles à l'assaut du monde dans un renouvellement qui paraît presque éternel. Qualifié de complet, le nez, d'abord beurré, devient fruité, avec des notes de pomme, de moisson et de cassis. En parfaite corrélation, la bouche propose un très beau cheminement aromatique fondé sur le fruité. « Il donne envie d'en boire », résume un dégustateur qui prononce là une parole très sage.

Denis Chevassu, Granges Bernard,
39210 Menétru-le-Vignoble, tél. et fax 03.84.85.23.67
t.l.j. 10h-12h30 14h-19h30

### DOM. GENELETTI Prestige **

● 2 ha 20 000 5 à 8 €

Il fut un temps où l'on produisait de « l'étoile mousseux » sur ce terroir de l'Etoile si réputé pour ses vins effervescents. L'avènement du crémant-du-jura n'a fait que conforter cette production ancestrale. Une belle mousse assez persistante traverse celui-ci, dont le nez s'ouvre d'abord sur des tons beurrés puis sur des notes de champignon, de vanille et de grillé. Ce côté empyreumatique va d'ailleurs se décliner sous toutes ses formes, du toasté au brûlé en passant par le fumé. La bouche charpentée est riche de touches exotiques telles que la mangue très mûre ou la papaye. Ce vin peut se déguster pour lui seul mais aussi supporter l'association de plats principaux de la même gamme aromatique.

Dom. Geneletti et Fils, 373, rue de l'Eglise,
39570 L'Etoile, tél. 03.84.47.46.25, fax 03.84.47.38.18
r.-v.

### JEAN MACLE 2002 **

● 2 ha 12 000 5 à 8 €

La maison est réputée pour son château-chalon. Visiblement, les bulles sont une autre corde à son arc dans un registre bien différent, tant pour ce qui est de la vinification que du type de vin obtenu. Ici l'exotisme est roi au nez, avec la mangue que seules les notes d'agrumes osent perturber. Cette signature aromatique perdure dans une bouche acidulée et élégante. C'est bien sûr un vin d'apéritif.

Dom. Macle, rue de la Roche,
39210 Château-Chalon,
tél. 03.84.85.21.85, fax 03.84.85.27.38 r.-v.

### JEAN-LUC MOUILLARD 2002

● 0,4 ha 3 000 5 à 8 €

Jean-Luc Mouillard produit dans ses caves du XVI^e^s. toutes les appellations du Jura, sauf l'arbois qui manque encore à sa vaste palette de vins. Son crémant-du-jura élaboré à partir de chardonnay se présente dans une robe très pâle, traversée par une bulle légère et vive. Il est plein de jeunesse.

Jean-Luc Mouillard, rue du Parron, 39230 Mantry,
tél. 03.84.25.94.30, fax 03.84.25.97.29,
e-mail jean-luc.mouillard@wanadoo.fr r.-v.

### AUGUSTE PIROU

● n.c. 12 000 8 à 11 €

La gamme des vins de la marque est proposée dans les grandes et moyennes surfaces. Le nez présente ici une belle pureté aromatique sur fond de pomme reinette. Riche en gaz, ce crémant est qualifié d'universel par le jury ; il peut être servi tant à l'apéritif qu'au repas ou au dessert. Dans ce dernier cas, on privilégiera des desserts à base de fruits.

Auguste Pirou, les Caves Royales, 39600 Arbois,
tél. 03.84.66.42.70, fax 03.84.66.42.42,
e-mail info@auguste-pirou.fr

### MARCEL POUX 2000 *

● n.c. 4 000 8 à 11 €

Issu d'une famille de vignerons, Marcel Poux fut un homme politique arboisien. A sa mort, la marque fut commercialisée par la société Henri Maire qui la réserve au réseau des restaurateurs. Dans une robe jaune paille, les bulles montent lentement mais de manière persistante. Ce blanc de blancs présente un nez vineux qui présage tout à fait la suite de la dégustation, à savoir une bouche ample et structurée. Malgré cette imposante charpente, la finale se fait sur la fraîcheur.

Marcel Poux, 39600 Arbois,
tél. 03.84.66.42.56, fax 03.84.37.42.42

### LA CAVE DE LA REINE JEANNE 2003 *

● n.c. 10 000 5 à 8 €

Bénédicte et Stéphane Tissot présentent un vin très « travaillé » où l'on sent la patte du vinificateur. Au nez, la poire blette forme la base d'un fruité mûr et agréable. La bouche, riche, ajoute à la poire des arômes de réglisse. Assez dosé, ce crémant n'est pas des plus légers, mais trouvera des amateurs.

Le Cellier des Tiercelines, 54, Grande-Rue,
39600 Arbois, tél. 03.84.66.08.27, fax 03.84.66.25.08
Bénédicte et Stéphane Tissot

### LA RENARDIERE 2002 *

● 0,5 ha 3 000 5 à 8 €

L'apéritif, c'est le moment de discussion privilégié. Débouchez donc ce crémant cinq à dix minutes avant de le servir et prenez le temps d'échanger, il n'en sera que meilleur. Il évolue en effet beaucoup après ouverture. Fermé au départ, le nez s'épanouit sur des notes beurrées, puis sur des tons de framboise. Il en est de même pour la bouche qui, dans une belle vinosité, offre une très agréable compagnie.

Jean-Michel Petit, rue du Chardonnay, 39600 Pupillin, tél. 03.84.66.25.10, fax 03.84.66.25.70, e-mail renardiere@libertysurf.fr
t.l.j. sf dim. 9h-12h 13h30-19h

XAVIER REVERCHON 2002 **

1,1 ha 5 650 5 à 8 €

A la devise « A Dieu plaise Poligny », cet assemblage de chardonnay (80 %) et de pinot noir (20 %) répond magnifiquement. Dans une robe très pâle, un cordon de petites bulles monte à la surface du verre, formant une collerette. Le nez affiche des notes florales expressives et un fruité délicat. L'attaque en bouche se fait sur la fraîcheur avec des tons d'agrumes et de pomme verte, puis vient une agréable vinosité s'étendant sur le brioché et les fruits mûrs. L'équilibre est parfait et la finesse remarquable. Un très bel apéritif en perspective.

Xavier Reverchon, 2, rue du Clos, 39800 Poligny, tél. 03.84.37.02.58, fax 03.84.37.00.58, e-mail reverchon.vinsjura@libertysurf.fr r.-v.

ROLET Cuvée Cœur de chardonnay 2001 *

2 ha 12 000 8 à 11 €

L'effervescence n'est pas très importante mais la bulle est fine. Dans le droit fil, le nez est assez discret mais fin et net, avec un sympathique fruité à la clé. La bouche se révèle douce au départ, puis devient acidulée, donnant une impression de montée en puissance pas désagréable du tout. Dans sa finale citronnée, c'est un crémant qui fait preuve d'une belle complexité.

Dom. Rolet, rte de Dole, 39600 Arbois, tél. 03.84.66.00.05, fax 03.84.37.47.41, e-mail rolet@wanadoo.fr
t.l.j. 9h-12h 14h-19h au caveau 11, rue de l'Hôtel-de-Ville

CELLIER SAINT-BENOIT *

0,4 ha 2 000 5 à 8 €

Denis Benoit a aménagé l'ancienne ferme familiale en cuverie et caves, ce qui lui permet désormais de passer du stade de viticulteur au stade de vinificateur-metteur en marché. Avec une effervescence fine et persistante, ce crémant offre un nez très floral. Une dégustatrice parle d'un « parfum de femme charmant ». La bouche, sur le fruit mûr, donne l'impression d'une matière travaillée avec grande rigueur, tout en délicatesse et subtilité. Une élégance unanimement appréciée.

Denis Benoit, Cellier Saint-Benoit, rue du Chardonnay, 39600 Pupillin, tél. et fax 03.84.66.06.07, e-mail celliersaintbenoit@wanadoo.fr r.-v.

ANDRE ET MIREILLE TISSOT 2003 **

2 ha 6 500 8 à 11 €

Issu de jeunes vignes de chardonnay (50 %) et de pinot noir (50 %), ce crémant est remarquable. L'effervescence est soutenue : un mince cordon de bulles fines persiste dans une belle robe jaune pâle. D'abord floral, le nez délicat et expressif se tourne vers le fruité. Tout en dentelle, la bouche s'exprime dans une grande pureté. La subtilité des touches florales ne trouve d'égale que l'élégance de la pomme verte. A l'instar du bouquet des feux d'artifice, la finale clôt une brillante dégustation.

André et Mireille Tissot, 39600 Montigny-lès-Arsures, tél. 03.84.66.08.27, fax 03.84.66.25.08, e-mail stephane.tissot.arbois@wanadoo.fr r.-v.
Stéphane Tissot

JACQUES TISSOT *

0,75 ha 3 000 5 à 8 €

Le détenteur du coup de cœur crémant-du-jura de l'édition 2004 du Guide signe là un vin de la même veine. La bulle est fugace mais quelle personnalité ! Une générosité qui trouve déjà écho dans un nez puissant et subtil, autant floral que fruité. Fraîche et aromatique, la bouche est aussi ronde et puissante, avec ce qu'il est convenu d'appeler une certaine vinosité. C'est un crémant qui ne passe pas inaperçu.

Dom. Jacques Tissot, 39, rue de Courcelles, 39600 Arbois, tél. 03.84.66.14.27, fax 03.84.66.24.88, e-mail courrier@domaine-jacques-tissot.fr
r.-v.

FRUITIERE VINICOLE DE VOITEUR *

6 ha 48 000 5 à 8 €

Au pied du vignoble de Château-Chalon, la Fruitière vinicole de Voiteur signe un crémant-du-jura d'accès beaucoup plus facile que les vins jaunes, spécialité de cette coopérative. Framboise, fleurs blanches et pain d'épice : le nez est d'une belle fraîcheur. La bouche ajoute la violette à la gamme aromatique. Fin et équilibré, c'est un crémant qui va s'ouvrir. Attendre mi-2006.

Fruitière vinicole de Voiteur, 60, rue de Nevy-sur-Seille, 39210 Voiteur, tél. 03.84.85.21.29, fax 03.84.85.27.67, e-mail voiteur@fruitiere-vinicole-voiteur.fr
t.l.j. 8h30-12h 13h30-18h

# L'étoile

Le village doit son nom à des fossiles, segments de tiges d'encrines (échinodermes en forme de fleurs), petites étoiles à cinq branches. Son vignoble (61 ha) a produit 3 478 hl de vins blancs, jaunes, de paille et mousseux en 2004.

CH. L'ETOILE Vin jaune 1997 ★★

2 ha 5 000 23 à 30 €

Si ce vin jaune brille comme une étoile par sa robe, il est tout en discrétion au nez jusqu'à ce que l'aération vienne mettre au jour de belles notes de noix. Point de puissance en bouche non plus, juste une longueur qui se perd dans les caudalies. Il faut impérativement l'attendre. La force n'est pas son atout, mais il a une capacité de séduction par la finesse qui est unanimement saluée. La **Cuvée des ceps d'or 2002 (8 à 11 €)** est également remarquable. Le nez est plutôt sur l'amande et le fruit sec. Très typée l'étoile, la bouche est à la fois massive et équilibrée. Le minéral côtoie la noisette dans une structure franche qui affiche une réelle présence.

G. Vandelle et Fils, GAEC Ch. de L'Etoile, 994, rue Bouillod, 39570 L'Etoile, tél. 03.84.47.33.07, fax 03.84.24.93.52, e-mail info@chateau-etoile.com r.-v.

DOM. GENELETTI 2002 ★

1,5 ha 10 000 5 à 8 €

Le moins que l'on puisse dire c'est que cet étoile inspire : bois de rose, églantine, bonbon anglais, fruits, herbe mouillée, mousse, café froid, noix fraîche ; la palette aromatique étonne. La bouche est plutôt courte, mais elle est équilibrée et harmonieuse. Un joli vin qu'un dégustateur qualifie « d'un poil commercial ». C'est juste un poil. Autre **blanc, en 2003, Au Desaire** reçoit une citation. Dans une intensité moyenne, le nez oscille entre notes d'amande, de pomme écrasée et autres fruits très mûrs. Avec de l'acidité mais sans déséquilibre aucun, le vin développe une impression chaleureuse en finale ; les tons de pomme verte disparaissent au profit de l'amande ou des épices. Déjà prête à boire, cette bouteille sera plutôt à l'aise à l'apéritif.

Dom. Geneletti et Fils, 373, rue de l'Eglise, 39570 L'Etoile, tél. 03.84.47.46.25, fax 03.84.47.38.18 r.-v.

DOM. DE MONTBOURGEAU Savagnin 2000 ★★

1,1 ha 3 000 11 à 15 €

Dans cette propriété, Nicole Deriaux représente la troisième génération de la famille Gros. La quatrième se profile, nous dit-on, et fait des projets. En devenir aussi, ce beau vin de savagnin qui est encore fermé au nez, mais dont on sent cependant le potentiel aromatique. L'acidité est intense ; elle n'est cependant pas perçue comme agressive car elle soutient une belle matière. Ce n'est pas forcément le canon de l'appellation, mais c'est un vin qui met bien en valeur le cépage. Soyons patients et attendons la valeur des années. Le **vin jaune 1997 (23 à 30 €)**, une étoile, est vif et structuré, son atout majeur est l'élégance. Là aussi, la garde est assurée et même nécessaire.

Dom. de Montbourgeau, 53, rue de Montbourgeau, 39570 L'Etoile, tél. 03.84.47.32.96, fax 03.84.24.41.44, e-mail domaine.montbourgeau@wanadoo.fr r.-v.

Jean Gros

CH. DE PERSANGES Vin de paille 2001 ★★

0,5 ha 2 000 15 à 23 €

Les cépages blancs (chardonnay et savagnin) sont majoritaires dans l'assemblage de ce vin de paille couleur cognac. Mais rien à voir avec la célèbre eau-de-vie. Le nez de pâte de coing est d'une belle fraîcheur. La bouche, très typique, offre rondeur, complexité et équilibre. On y retrouve des notes de cacao, mais aussi un fond preignant de raisins passerillés – les arômes de grappes qui sèchent longuement sur la paille ou sur des claies avant d'être pressurées. Un vin d'amis, au pied de la cheminée. Dans un tout autre registre, le **vin jaune 1997 (23 à 30 €)** est cité.

Ch. de Persanges, 1516, rte de Saint-Didier, 39570 L'Etoile, tél. et fax 03.84.47.46.56 t.l.j. sf dim. lun 9h30-12h 14h30-19h

Lionel-Marie d'Arc

DOM. PHILIPPE VANDELLE Vin jaune 1997 ★★

4 ha 6 000 15 à 23 €

A l'aération se développe un nez de noix, d'amande et de cacao très typique. L'attaque est vive, mais c'est un vrai vin jaune que diable ! De ceux qui tiennent et qui savent aussi se tenir : finesse et élégance ne sont pas de reste dans une longueur honorable. Un joli vin qui attend un fromage de Comté vieux. Le **blanc Tradition 2002 (5 à 8 €)** est cité pour un beau nez d'amande, de noisette et de noix qui cherchent à rivaliser avec des notes plus douces de pêche et d'abricot. Marquée par l'évolution, la bouche offre une finale citronnée.

Dom. Philippe Vandelle, 186, rue Bouillod, 39570 L'Etoile, tél. 03.84.86.49.57, fax 03.84.86.49.58, e-mail info@vinsphilippevandelle.com t.l.j. sf dim. 9h-12h 14h-19h

# Vins de liqueur du Jura

## Macvin-du-jura

Tirant probablement son origine d'une recette des abbesses de l'abbaye de Château-Chalon, le macvin – anciennement maquevin ou marc-vin – a été reconnu en AOC 1991. C'est en 1976 que la Société de Viticulture engagea pour la première fois une démarche de reconnaissance en AOC pour ce produit très original. L'enquête fut longue. En effet, au cours du temps, le macvin, d'abord vin cuit additionné d'aromates ou d'épices, est devenu mistelle, élaboré à partir du moût concentré par la chaleur (cuit), puis vin de liqueur muté soit au marc, soit à l'eau-de-vie de vin de Franche-Comté. La méthode la plus courante a été finalement retenue ; il s'agit pour l'AOC d'un vin de liqueur mettant en œuvre du moût ayant subi un tout léger départ en fermentation, muté avec l'eau-de-vie de marc de Franche-Comté à appellation d'origine, issue de la même exploitation que les moûts. Le moût doit provenir des cépages et de l'aire de production ouvrant droit à l'AOC. L'eau-de-vie doit être « rassise », c'est-à-dire vieillie en fût de chêne pendant dix-huit mois au moins.

Après cette ultime association qui se fait sans filtration, le macvin doit « reposer » pendant un an en fût de chêne, puisque sa commercialisation ne peut se faire avant le 1er octobre de l'année suivant la récolte.

La production, en évolution, se situe à 2 805 hl en 2004 (sur 43 ha). C'est un apéritif d'amateur qui rappelle les produits jurassiens à forte influence du terroir.

### BERNARD FRERES Vieilli 4 ans en fût de chêne ★★

n.c. 900 11 à 15 €

Après un coup de cœur l'an dernier, les frères Bernard proposent cette année un très beau macvin à la couleur ambrée dont le nez complexe affiche des arômes déjà très fondus, signe d'un élevage long. Moelleuse, la bouche est orientée vers le sucré mais le jury ne lui en tient pas rigueur, tant l'impression générale est bonne. Il faudra simplement le servir très très frais avec une glace à la vanille, par exemple.

Bernard Frères, 15, rue Principale, 39570 Gevingey, tél. 03.84.47.33.99, e-mail claudebernard@freesurf.fr r.-v.

### CAVEAU DES BYARDS ★★★

0,5 ha 7 000 11 à 15 €

La petite coopérative sait faire de grandes choses. Avec sa nature florale et ses penchants fruités, le nez de ce macvin oscille entre fleur d'acacia et fruits confits ou fruits secs. Ample sans trop de sucrosité, la bouche sait préserver la puissance mais aussi la fraîcheur avec la présence du marc. Ceux qui voudraient un peu plus de douceur attendront quelques années, les autres pourront déjà le savourer avec un melon.

Caveau des Byards, 39210 Le Vernois, tél. 03.84.25.33.52, fax 03.84.25.38.02, e-mail info@caveau.des.byards.fr r.-v.

### MARIE ET DENIS CHEVASSU ★

n.c. 1 000 11 à 15 €

Si la commune de Menétru-le-Vignoble a le privilège d'avoir une partie de son territoire située dans l'aire de l'AOC château-chalon, on sait aussi y produire un joli macvin couleur bouton d'or. Le nez est tendre, bien fondu. Equilibrée, la bouche laisse une impression harmonieuse qui se révèle plutôt à l'apéritif qu'au dessert.

Denis Chevassu, Granges Bernard, 39210 Menétru-le-Vignoble, tél. et fax 03.84.85.23.67 t.l.j. 10h-12h30 14h-19h30

### CLOS DES GRIVES ★

n.c. 1 500 11 à 15 €

La commune de Chille jouxte Lons-le-Saunier, préfecture du Jura. C'est là qu'a été élaboré ce macvin couleur or. Son nez est encore fermé mais laisse poindre quelques notes de fruits secs. La bouche ronde et harmonieuse est bien fondue. Des tons fruités, soulignés d'un trait de boisé, persistent agréablement. Pour le dessert ou l'apéritif, comme il vous plaira.

Claude Charbonnier, Clos des Grives, 204, Grande-Rue, 39570 Chille, tél. 03.84.47.23.78, fax 03.84.47.29.27 r.-v.

### RICHARD DELAY ★★★

0,4 ha 1 100 11 à 15 €

Couleur bouton d'or, ce macvin sait charmer le monde avec son nez de miel et de fleur d'acacia discrètement souligné d'un trait de grillé. La bouche étoffée est dans la même lignée : fondue, elle est le fruit d'une alliance parfaite entre alcool, sucre et acidité. Des tons évolués de miel et de fruits confits prolongent une œuvre de séduction à laquelle nul ne pourra se soustraire. Le sud du vignoble a de quoi être fier.

Richard Delay, 37, rue du Château, 39570 Gevingey, tél. 03.84.47.46.78, fax 03.84.43.26.75, e-mail delay@freesurf.fr r.-v.

### DANIEL DUGOIS ★★

1 ha n.c. 11 à 15 €

Dans cette même édition du Guide, vous constaterez que le vin jaune de Daniel Dugois reçoit un coup de cœur. Un autre jury, celui du macvin, a classé troisième ce vin couleur paille qui, entre puissance et complexité, offre un nez royal. Epices, fruits confits, fruits secs et tons chocolatés tourbillonnent. La bouche suave est tout en nuance. Dans un superbe équilibre, le marc s'est bien marié mais n'a pas renoncé à montrer tout son caractère face aux notes caramélisées. Il fallait bien un sacré séducteur pour honorer le bon roi Henri IV, figure tutélaire de la maison ! Avec une tarte aux abricots, pour une rencontre galante en fin d'après-midi ?

Daniel Dugois, 4, rue de la Mirode, 39600 Les Arsures, tél. 03.84.66.03.41, fax 03.84.37.44.59 r.-v.

### DOM. MARTIN FAUDOT ★

0,8 ha 4 000 15 à 23 €

Le domaine est à Mesnay et le caveau vous attend à Arbois, sous les arcades. Si la robe de ce macvin est très claire, le reste de la dégustation nous met en face d'un produit qui n'est pas sans relief. Le nez intense marie fruits confits et marc. La bouche chaude révèle le vieux marc qui demande à se fondre, mais l'abricot ou la pêche sont déjà là en toute élégance. Ce vin puissant demande un peu de vieillissement.

Dom. Martin Faudot, 1, rue Bardenet,
39600 Mesnay, tél. 03.84.66.29.97, fax 03.84.66.29.84,
e-mail info@domaine-martin.fr r.-v.

## DOM. GENELETTI *

| | 0,25 ha | 3 000 | 11 à 15 € |
|---|---|---|---|

On n'attendait pas moins qu'une belle robe brillante pour un macvin issu de l'Etoile. Avec un marc présent en toute discrétion, le nez libère des notes grillées et vanillées d'une grande douceur. Sans aucune agressivité, la bouche offre persistance et fraîcheur. Raisins surmûris, noix sèche et figue sèche s'expriment dans une matière totalement fondue. Un très beau macvin qu'on pourra inviter à l'apéritif, en entrée avec un foie gras, au repas avec un magret aux figues ou au dessert avec une glace aux noix. Et vous résisteriez encore ?

Dom. Geneletti et Fils, 373, rue de l'Eglise,
39570 L'Etoile, tél. 03.84.47.46.25, fax 03.84.47.38.18
r.-v.

## CH. GREA ***

| | 0,6 ha | 3 000 | 11 à 15 € |
|---|---|---|---|

Au château Gréa, la vigne est présente depuis 1679. Les guerres et les autres invasions de phylloxéra n'ont pu détrôner des productions patrimoniales telles que le macvin. Celui-ci se pare d'une robe ambrée. Le vieux marc est bien là au nez mais totalement fondu, partageant la place avec des notes d'abricot et de fruits confits. En bouche également, le marc sait être présent sans dominer. L'attaque est souple, moelleuse et équilibrée. L'impression d'harmonie et de finesse domine tout au long de la dégustation de ce superbe macvin. Pour l'accompagner, il est suggéré de prendre une partie de la bouteille afin de flamber des figues rôties. La vie de château est à la portée de tous.

Nicolas Caire, 14, rte de Froideville,
39190 Sainte-Agnès, tél. 06.81.83.67.80,
fax 03.84.25.05.47 r.-v.

## ALAIN LABET *

| | n.c. | 400 | 15 à 23 € |
|---|---|---|---|

Jaune doré, ce macvin joue la carte de la subtilité. Si le nez n'est pas d'une grande intensité, sa complexité est appréciée par le jury qui relève des nuances de fruits secs, de chocolat, de café et d'épices. La bouche très ample est bien fondue.

Alain Labet, pl. du Village, 39190 Rotalier,
tél. 03.84.25.11.13, fax 03.84.25.06.75 r.-v.

## HENRI MAIRE

| | n.c. | 13 000 | 23 à 30 € |
|---|---|---|---|

Un macvin jaune doré très soutenu, issu de moût provenant pour moitié de chardonnay et pour moitié de savagnin. Le nez distille des nuances de pomme au four. Ample, la bouche offre un fruité persistant et plaisant, dans un bon équilibre sucre-alcool-acidité.

Henri Maire, Ch. Boichailles, 39600 Arbois,
tél. 03.84.66.12.34, fax 03.84.66.42.42,
e-mail info@henri-maire.fr r.-v.

## LA MAISON DE ROSE

| | 0,2 ha | 1 000 | 8 à 11 € |
|---|---|---|---|

Vous trouverez encore dans le Jura quelques hommes qui se prénomment Lothain. Dominique Grand produit donc à Saint-Lothain un macvin d'allure brillante dans sa robe d'or. Le nez de fruits secs précède une bouche moelleuse dans laquelle l'alcool marque son empreinte.

Dominique Grand, La Maison de Rose,
8, rue de l'Eglise, 39230 Saint-Lothain,
tél. et fax 03.84.37.01.32 r.-v.

## LA MAISON DU VIGNERON *

| | n.c. | n.c. | 15 à 23 € |
|---|---|---|---|

On pourra trouver ce macvin élaboré par une société de négoce à la Maison du Vigneron, magasin situé en plein centre de la ville de Lons-le-Saunier, sous les arcades. Puissant, le nez de ce macvin est sur le fruit décliné sous toutes ses formes : sec, exotique... La bouche continue sur le même registre aromatique dans une belle rondeur. C'est incontestablement un vin pour le dessert.

Compagnie des Grands Vins du Jura,
rte de Champagnole, 39570 Crançot,
tél. 03.84.87.61.30, fax 03.84.48.21.36
t.l.j. sf dim. 9h-12h 14h-18h

## DOM. DE MONTBOURGEAU *

| | 0,5 ha | n.c. | 11 à 15 € |
|---|---|---|---|

On arrive dans le domaine de Montbourgeau par une allée de tilleuls. Une entrée élégante, comme celle à laquelle nous convie ce macvin au nez d'abord fruité, puis sur le marc. Dans une belle harmonie, la bouche continue dans un registre de fruits. La structure est présente, le marc bien équilibré avec le côté sucré.

Dom. de Montbourgeau, 53, rue de Montbourgeau,
39570 L'Etoile, tél. 03.84.47.32.96, fax 03.84.24.41.44,
e-mail domaine.montbourgeau@wanadoo.fr r.-v.
Jean Gros

## CH. DE PERSANGES

| | n.c. | 2 000 | 11 à 15 € |
|---|---|---|---|

Sur le vignoble de l'Etoile, comme dans le reste du Jura, on produit du macvin. Celui-ci, dans sa robe d'or vert, possède un nez intense, fin et net. Le marc y est dominant, tout comme en bouche, avec cependant une certaine souplesse pour cette dernière.

Ch. de Persanges, 1516, rte de Saint-Didier,
39570 L'Etoile, tél. et fax 03.84.47.46.56
t.l.j. sf dim. lun 9h30-12h 14h30-19h
Lionel-Marie d'Arc

## DOM. PIGNIER

| | 1 ha | 4 500 | 11 à 15 € |
|---|---|---|---|

Un macvin qui peut vieillir à l'ombre de caves gothiques, ce n'est pas si courant. La légèreté et le fruité semblent le caractériser de bout en bout. Robe claire, nez fondu et net, bouche harmonieuse et fraîche : c'est un vin qui mettra en valeur un dessert frais.

Dom. Pignier, Cellier des Chartreux,
39570 Montaigu, tél. 03.84.24.24.30, fax 03.84.47.46.00,
e-mail pignier-vignerons@wanadoo.fr
t.l.j. sf dim. 9h-12h 14h-19h

## DOM. DE LA PINTE *

| | 2 ha | 3 000 | 15 à 23 € |
|---|---|---|---|

Le savagnin, cépage emblématique du domaine, est à la base de la composition de ce macvin jaune doré. Intense, le nez ne peut nous faire oublier que le marc a ici toute sa place. La bouche est moelleuse avec de jolis tons de raisin sec, de raisin confit et d'abricot, pour finir sur une note vanillée. Un macvin solide mais agréable proposé par un domaine en agriculture biologique depuis 1999.

Dom. de la Pinte, rte de Lyon, 39600 Arbois, tél. 03.84.66.06.47, fax 03.84.66.24.58, e-mail accueil@lapinte.fr
t.l.j. 9h-12h 14h-18h; groupes sur r.-v.

## FRUITIERE VINICOLE DE PUPILLIN

2 ha 16 000 11 à 15 €

Dans cette coopérative bientôt centenaire, les équipements les plus modernes côtoient de vieilles caves. Ce macvin à la robe rosée et aux reflets d'or rouge affiche une belle brillance. Le nez tire presque vers des tons de poulsard, avec ses accents de petits fruits rouges ou de prune. Tout en rondeur, la bouche penche plutôt du côté doux et sucré.

Fruitière vinicole de Pupillin, rue du Ploussard, 39600 Pupillin, tél. 03.84.66.12.88, fax 03.84.37.47.16, e-mail fvp39@wanadoo.fr r.-v.

## DOM. DE LA RENARDIERE *

0,5 ha 2 500 11 à 15 €

C'est au moment où Jean-Michel Petit s'est installé que le macvin a été consacré en AOC. Tous deux poursuivent leur chemin dans une alliance symbiotique. En témoigne ce macvin tout d'or vêtu. Le nez développe des notes de fruits secs mais aussi de miel ou de fleur d'acacia. Encore un peu marquée par l'alcool, la bouche demande à vieillir. Etiquette originale assez réussie.

Jean-Michel Petit, rue du Chardonnay, 39600 Pupillin, tél. 03.84.66.25.10, fax 03.84.66.25.70, e-mail renardiere@libertysurf.fr
t.l.j. sf dim. 9h-12h 13h30-19h

## PIERRE RICHARD *

0,5 ha 2 000 11 à 15 €

Les acteurs de cinéma investissent quelquefois dans le vignoble, mais ce Pierre Richard là n'est pas du tout dans le Septième Art. Il exerce à temps complet un métier qui sert aussi le rêve, celui de vigneron. Etonnant ce nez de gentiane et à la tonalité herbacée. La bouche ronde et souple est tout en harmonie. Cet excellent macvin sera parfait avec un sorbet.

Pierre Richard, rue Florentine, 39210 Le Vernois, tél. 03.84.25.33.27, fax 03.84.25.36.13 r.-v.

## CH. DE SELLIERES ***

0,32 ha 2 530 11 à 15 €

Reprise récemment, cette propriété fait une entrée fracassante dans le Guide avec ce coup de cœur. Le moût de chardonnay muté à l'eau-de-vie a donné un macvin d'une couleur or foncé. Intense, le nez libère des arômes déjà évolués de fruits secs. La bouche à la fois pleine et moelleuse sait être aussi charnue et fraîche. Un équilibre dans la structure qui a son pendant dans la palette aromatique où abricot et pruneau côtoient des tons plus frais d'anis. Du velours sans lourdeur qui caresse le palais, pour un plaisir non dissimulé.

EURL Ch. de Sellières, rue des Grangettes, 39570 Perrigny, tél. 03.84.86.11.11, fax 03.84.86.11.12, e-mail jura.boissons@wanadoo.fr
Hervé et Stéphane Pernet

## DOM. DU TOURILLON

n.c. 1 800 11 à 15 €

C'est à Saint-Lothain qu'a eu lieu en 2005 la Percée du vin jaune, événement majeur du vignoble jurassien. Avec un autre produit, Dominique Poitou rappelle toute la palette des vins que le Jura offre au consommateur avide de découvertes. Celui-ci propose un voyage olfactif dans le domaine chaud et puissant des épices. La bouche marquée par un marc de bonne qualité est solide. Pour les amateurs de puissance.

Dominique Poitou, 58, rte du Revermont, 39230 Saint-Lothain, tél. et fax 03.84.37.32.86
t.l.j. sf lun. 10h-13h 15h-19h

## DOM. DE LA TOURNELLE **

0,5 ha 3 500 11 à 15 €

On trouvera Pascal Clairet en plein cœur de la petite ville d'Arbois. Au centre de vos envies, ce macvin couleur or, marqué au nez par le raisin mûr et les fruits secs. On en mangerait presque, mais c'est qu'il faut le boire ce breuvage souple et moelleux à cœur ! L'alcool est bien fondu et toute la finesse des fruits confits, de l'abricot au raisin surmûri, ressort au sein d'une bouche bien équilibrée. L'apéritif lui convient parfaitement.

Evelyne et Pascal Clairet, 5, Petite-Place, 39600 Arbois, tél. 03.84.66.25.76, fax 03.84.66.27.15, e-mail domainedelatournelle@wanadoo.fr
t.l.j. sf dim. 10h-12h 14h30-19h30; jan.-fév. sur r.-v.

## GERARD VILLET **

0,5 ha 2 300 11 à 15 €

De couleur jaune très soutenue, ce macvin né de l'agriculture biologique fait honneur à la fois à l'appellation et à ce mode de production. Le marc se fait sentir au nez mais sans excès, complété par des notes de grillé et de fruits secs. Equilibré entre sucre, alcool et acidité, c'est un macvin harmonieux en bouche, long, puissant en même temps que délicat.

Gérard Villet, 16, rue de Pupillin, 39600 Arbois, tél. et fax 03.84.37.40.98, e-mail domainevillet@cegetel-net r.-v.

# La Savoie

Du lac Léman à la vallée de l'Isère, dans les deux départements de la Savoie et de la Haute-Savoie, le vignoble occupe les basses pentes favorables des Alpes. En constante extension (2 002 ha en 2004), il produit bon an mal an environ 140 000 hl. Il forme une mosaïque complexe au gré des différentes vallées dans lesquelles il est établi en îlots plus ou moins importants. Cette diversité géographique se retrouve dans les variantes climatiques, les caractères montagnards étant accentués par le relief ou tempérés par le voisinage des lacs Léman et du Bourget.

Vin-de-savoie et roussette-de-savoie sont les appellations régionales, utilisées dans toutes les zones ; elles peuvent être suivies de la mention d'un cru, mais ne s'appliquent alors en général qu'à des vins tranquilles, uniquement blancs pour les roussettes. Les vins des secteurs de Crépy et de Seyssel ont droit chacun à leur propre appellation.

Les cépages, du fait de la grande dispersion du vignoble, sont assez nombreux mais, en réalité, un certain nombre n'existent qu'en très faible quantité : le pinot et le chardonnay, notamment. Quatre blancs et deux noirs sont les principaux, en même temps que ceux qui donnent des vins originaux spécifiques. Le gamay, importé du Beaujolais voisin après la crise phylloxérique, est celui des vins frais et légers, à consommer dans l'année. La mondeuse, cépage local, donne des vins rouges bien charpentés, notamment à Arbin, dont elle est la variété exclusive ; c'était, avant le phylloxéra, le cépage le plus important de la Savoie ; il est souhaitable qu'elle reprenne sa place, car ses vins sont de belle qualité et ont beaucoup de caractère. La jacquère est le cépage blanc le plus répandu ; elle donne des vins blancs frais et légers, à consommer jeunes. L'altesse est un cépage très fin, typiquement savoyard, celui des vins blancs vendus sous le nom de roussette-de-savoie. La roussanne, portant le nom local de bergeron, donne également des vins blancs de haute qualité, spécialement à Chignin, avec le chignin-bergeron. Enfin, le chasselas, présent sur les rives du lac Léman, est utilisé dans la partie haut-savoyarde de l'AOC.

SAVOIE

## Crépy

Comme sur toute la rive du lac Léman, c'est le chasselas qui est planté dans le vignoble de Crépy (75 ha en 2004) ; il est le cépage unique. Il a donné 4 900 hl de vin blanc léger en 2004. Cette petite région a obtenu l'AOC en 1948.

LA GOUTTE D'OR Réserve 2004 *

30 ha 200 000 5 à 8 €

Si le chasselas prospère sur les rives du lac Léman, ce domaine familial y est pour quelque chose, puisque Léon et Louis Mercier, respectivement grand-père et père de Claude, ont œuvré à l'accession du crépy en AOC. L'exploitation, installée dans d'anciens bâtiments monastiques, compte 39 ha de vignes. Atypique, le millésime 2004 porte néanmoins un certain potentiel. Il s'exprime ici dans un vin au nez intense, beurré et miellé – des arômes qui traduisent une légère évolution. Cette impression se confirme en bouche, sans nuire à l'agrément de cette bouteille ample et assez longue, qui devrait s'entendre avec du beaufort. Quant à la **Goutte d'or cuvée des Fondateurs 2003**, elle reflète pleinement cette année caniculaire, avec son corps très rond aux nuances de miel et de noix. Elle est citée.

Claude Mercier,
Dom. de La Grande Cave, Ballaison, 74140 Douvaine,
tél. 04.50.94.01.23, fax 04.50.94.19.86,
e-mail clmercier74@aol.com
t.l.j. 8h-12h 13h30-18h30

## Vin-de-savoie

Le vignoble donnant droit à l'appellation vin-de-savoie est installé le plus souvent sur les anciennes moraines glaciaires ou sur les éboulis, ce qui, joint à la dispersion géographique, conduit à une diversité souvent consacrée par l'adjonction d'une dénomination locale à celle de l'appellation régionale. Au bord du Léman, c'est, comme sur la rive suisse, le chasselas qui, à Marin, Ripaille, Marignan, donne des vins blancs légers, à boire jeunes, et que l'on élabore souvent perlants. Les autres zones ont des cépages différents et, selon la vocation des sols, produisent des vins blancs ou des vins rouges. On trouve ainsi, du nord au sud, Ayze, au bord de l'Arve, avec des vins blancs pétillants ou mousseux, puis, au bord du lac du Bourget (et au sud de l'appellation seyssel), la Chautagne, dont les vins rouges en particulier ont un caractère affirmé. Au sud de Chambéry, les bords du mont Granier recèlent des vins blancs frais, comme l'apremont et le cru des Abymes, vignoble établi sur le site d'un effondrement qui, en 1248, fit des milliers de victimes. En face, Monterminod, envahi par l'urbanisation, a malgré tout conservé un vignoble qui donne des vins remarquables ; il est suivi de ceux de Saint-Jeoire-Prieuré, de l'autre côté de Challes-les-Eaux, puis de Chignin, dont le bergeron qui a une renommée parfaitement justifiée. En remontant l'Isère par la rive droite, les pentes sud-est sont occupées par les crus de Montmélian, Arbin, Cruet et Saint-Jean-de-la-Porte.

Cette région très touristique produit 125 300 hl dont 82 000 hl de blanc en 2004. Les vin-de-savoie sont surtout consommés dans leur jeunesse, sur place, avec un marché où la demande dépasse parfois l'offre. Les vin-de-savoie blancs vont bien sur les produits des lacs ou de la mer, et les rouges issus de gamay s'accordent avec beaucoup de mets. Il est cependant dommage de consommer jeunes les vins rouges de mondeuse, qui ont besoin de plusieurs années pour s'épanouir et s'assouplir : ces bouteilles de haut niveau conviendront aux plats puissants, au gibier, à l'excellente tomme de Savoie et au fameux reblochon.

### DOM. BELLUARD Le Feu 2003 *

3 ha 10 000 **11 à 15 €**

Ce 2003 est de la même veine que le 2002 noté une étoile l'an passé. Il prouve, s'il en était besoin, que les Belluard savent parfaitement révéler le potentiel aromatique du cépage gringet. Complet, il offre une couleur jaune doré chatoyante, puis un nez de miel et une bouche marquée par le coing et les agrumes de manière très persistante. Servez-le à l'apéritif dès à présent car il a atteint sa plénitude.

Dom. Belluard, Les Chenevaz, 74130 Ayze, tél. 04.50.97.05.63, fax 04.50.25.79.66
t.l.j. sf dim. 9h-12h 14h-18h

### RENE ET BEATRICE BERNARD
Apremont Vieilles Vignes 2003 *

0,5 ha 2 000 5 à 8 €

Une micro-cuvée issue des vieilles vignes de la propriété familiale qui compte au total 7 ha. C'est une réussite, à en juger par le doux bouquet de fleurs blanches qui chatouille le nez, puis par la bouche équilibrée, foisonnant de notes fruitées de type mirabelle. Harmonieux, ce vin pourra accompagner une cassolette de cuisses de grenouilles.

René et Béatrice Bernard, Le Cellier du Palais, 73190 Apremont, tél. 04.79.28.33.30, fax 04.79.28.28.61
t.l.j. 9h-12h 14h-19h

### DOM. G. BLANC ET FILS Gamay 2004

0,5 ha 4 600 **3 à 5 €**

Gilbert Blanc était vigneron depuis seize ans déjà quand il a créé ce domaine avec son fils Willy en 1996. Tous deux ont élaboré un vin de terroir : un gamay qui mêle une intéressante note animale à sa palette de fruits rouges. Fruité et léger, ce 2004 sera prêt à passer à table à la sortie du Guide. L'époque se prêtera encore à des grillades au jardin. La **roussette-de-savoie 2004 (5 à 8 €)**, jaune pâle à reflets verts et très florale, est citée également.

Dom. Gilbert Blanc et Fils, chem. de Revaison, 73190 Saint-Baldoph, tél. et fax 04.79.28.36.90
t.l.j. sf mar. dim. 9h-12h 15h-19h

### BLARD ET FILS
Pinot noir Cuvée Pierre Emile 2004 *

0,15 ha 1 500 5 à 8 €

Le pinot le plus en vue cette année a été élaboré par Jean-Noël Blard. Issu de jeunes vignes prometteuses, il n'a donné qu'un petit nombre de bouteilles. Faites vite, il n'y en aura pas pour tout le monde et c'est bien dommage au vu de son excellente harmonie : un nez élégant et typé de griotte, une matière équilibrée, toute empreinte de cerise. Une fois les bouteilles acquises, vous pourrez les laisser tranquillement s'arrondir une petite année.

Dom. Blard et Fils, Le Darbé, 73800 Les Marches, tél. et fax 04.79.28.01.35 r.-v.

### PIERRE BONIFACE
Apremont Prestige des rocailles 2004 *

7 ha 120 000 5 à 8 €

La cuvée Prestige de Pierre Boniface gagne du galon dans le millésime 2004, après avoir été citée en 2003. Il s'en exhale d'intenses parfums exotiques qui laissent augurer d'élégantes sensations en bouche. Il en est ainsi, en effet, puisque le vin se développe avec équilibre sur une ligne florale. Il sera à son aise aux côtés de crustacés. Les **Abymes Les Rocailles 2004** sont cités pour la finesse de leurs arômes minéraux et floraux.

Pierre Boniface, Les Rocailles, Saint-André, 73800 Les Marches, tél. 04.79.28.14.50, fax 04.79.28.16.82 r.-v.

### DOM. G. & G. BOUVET
Chignin-Bergeron Sainte-Dominique 2003

1,92 ha 9 000 **8 à 11 €**

Delphine et Frédéric Garanjoud ont repris en 2003 ce domaine créé par une famille de pépiniéristes en 1991. On imagine aisément la diversité des cépages cultivés sur ces fins éboulis argilo-calcaires. Des premières vendanges réussies, réalisées en trois tries successives dans un millésime aussi singulier. Le vin décline des notes grillées – millésime oblige – et se montre chaleureux en bouche.

Dom. G. et G. Bouvet, Le Villard, 73250 Fréterive, tél. 04.79.28.54.11, fax 04.79.28.51.97, e-mail contact@domaine-bouvet.com
t.l.j. 8h30-12h30 13h30-18h; sam. dim. sur r.-v.
D. et F. Garanjoud

## JEAN CAVAILLE

Apremont Jacquère Vieilles Vignes 2004

n.c. 7 000 8 à 11 €

Au bord du canal de Savières, qui relie le lac du Bourget au Rhône, Jean Cavaillé possède des vignes trentenaires de jacquère qui ont produit ce 2004 au nez intense d'amande, puis à la bouche ronde, riche de flaveurs de mirabelle. Réservez cette bouteille à un poulet poché sauce suprême.

Jean Cavaillé, PAE Les Combaruches, 73100 Aix-les-Bains, tél. 04.79.61.04.90, fax 04.79.88.34.87, e-mail cavaille@cavaille.com t.l.j. 10h-12h 14h-19h; f. oct.-mai

## CAVE DE CHAUTAGNE

Chautagne Gamay 2004 ★

30 ha 200 000 3 à 5 €

La coopérative de Ruffieux, l'une des quatre communes autorisées à produire le cru Chautagne, démontre ici ses compétences dans la vinification du gamay. Son dernier-né s'habille de pourpre profond, signe que le petit a du caractère. On en trouve confirmation dans le bouquet très animal, puis dans la matière charpentée et puissamment aromatique. Les tanins sont encore austères, mais ils se seront amadoués d'ici 2008, au moment d'ouvrir cette bouteille sur une viande rouge en sauce.

Cave de Chautagne, Saumont, 73310 Ruffieux, tél. 04.79.54.27.12, fax 04.79.54.51.37, e-mail info@cave-de-chautagne.com r.-v.

## CHEVALLIER-BERNARD Jongieux Gamay 2004

2,5 ha 20 000 5 à 8 €

Dans leur toute nouvelle cave de vinification, Chantal et Jean-Pierre Bernard ont élaboré deux vins jugés réussis. Ce Jongieux de gamay a de l'étoffe. Encore sauvage au palais, il révèle des arômes prometteurs de fruits rouges nuancés d'épices. Une année d'attente lui permettra d'atteindre l'harmonie. Citée également, la **roussette-de-**

**La Savoie**

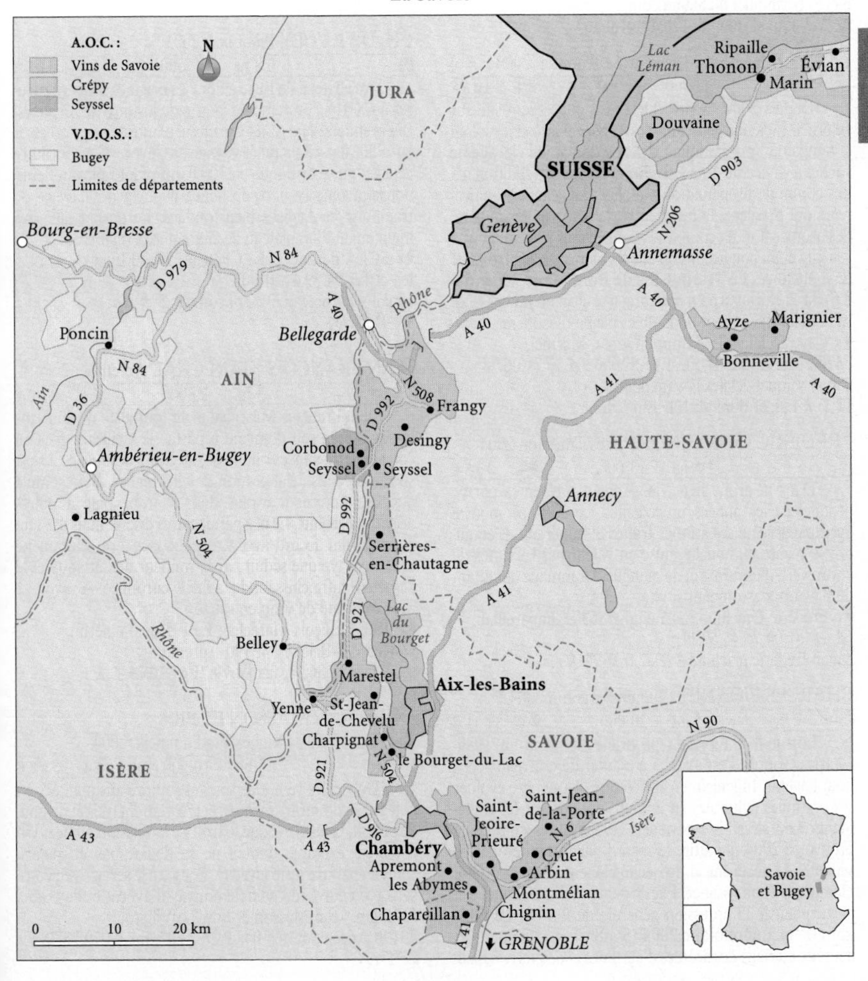

savoie **Marestel 2004 (8 à 11 €)** a bénéficié d'un élevage sur lies fines : elle présente un nez élégant et offre une bouche souple, marquée par la cire d'abeille.
EARL Chevallier-Bernard, Le Haut, 73170 Jongieux, tél. 04.79.36.86.90 r.-v.
Chantal et Jean-Pierre Bernard

DOM. LA COMBE DES GRAND'VIGNES Chignin-Bergeron 2004 ★

3,2 ha 25 000 5 à 8 €

La canicule de 2003 avait eu raison des ceps plantés trois ans plus tôt par Denis et Didier Berthollier sur les coteaux à forte pente, exposés plein sud. Heureusement, les années se suivent et ne se ressemblent pas. Cette jeune et jolie roussanne use de tous ses charmes pour séduire : de légers parfums de nectarine confite, une pointe de perlant, une certaine rondeur. Un Chignin-Bergeron prêt à se marier avec une côte de veau à la crème.
Denis et Didier Berthollier, Dom. La Combe des Grand'Vignes, Le Viviers, 73800 Chignin, tél. 04.79.28.11.75, fax 04.79.28.16.22, e-mail berthollier@chignin.com
t.l.j. sf dim. 9h-12h 14h-18h30

CAVE DELALEX Marin Cuvée Tradition 2004

6 ha 40 000 3 à 5 €

Depuis 2004, la cave Delalex a ouvert son site sur Internet. La jeune génération est passée par là et il est loin le temps où l'on pratiquait dans ce domaine l'élevage de vaches à lait à côté de la viticulture. La cuvée Tradition n'a pas connu de fermentation malolactique, car ses vinificateurs ont privilégié la fraîcheur et le fruité de sa matière. Ses arômes floraux complexes contribuent également à sa réussite et au bon accord qu'elle formera avec un fromage d'Abondance. Le **Marin Clos de Pont blanc 2004 (5 à 8 €)** est cité lui aussi pour son caractère élégant de chasselas, sa bouche légèrement perlante et pleine d'exotisme.
Cave Delalex, La Grappe Dorée, Marinel, 74200 Marin, tél. 04.50.71.45.82, fax 04.50.71.06.74, e-mail samuel.delalex@wanadoo.fr
t.l.j. sf dim. 9h-12h 14h-19h

FREDERIC GIACHINO Abymes Tradition 2004

1,5 ha 13 000 3 à 5 €

Dans la droite ligne des Abymes présentés par ce producteur les années précédentes, ce 2004 se montre agréable grâce à ses arômes fruités et minéraux. L'équilibre se réalise en bouche, mise en valeur par les notes de citron vert, d'agrumes et de mangue. Dommage qu'autant de flaveurs s'estompent si vite.
Frédéric Giachino, La Palud, 38530 Chapareillan, tél. et fax 04.76.45.57.11, e-mail frederic.giachino@tele2.fr r.-v.

CHARLES GONNET Chignin-Bergeron 2004 ★

2,5 ha 20 000 8 à 11 €

Lorsqu'il a repris la propriété familiale en 1989, Charles Gonnet s'est attaché à planter de nouveaux ceps pour l'avenir. Ingénieur en agriculture, il a su faire évoluer ses pratiques culturales en limitant notamment les traitements sanitaires. L'expérience est payante, comme le prouve ce 2004 qui attire le regard par sa teinte or. Des senteurs de nectarine et de pêche blanche invitent à faire plus ample connaissance. Elles trouvent écho en bouche et participent de l'impression générale de finesse. Le **Chignin de jacquère blanc 2004 (5 à 8 €)** est cité pour son heureux mariage des arômes d'agrumes et de pierre à fusil.
Charles Gonnet, Chef-lieu, 73800 Chignin, tél. 04.79.28.09.89, fax 04.79.71.55.91, e-mail charles.gonnet@wanadoo.fr

DOM. DE L'IDYLLE Arbin Mondeuse 2004 ★

2,5 ha 12 000 5 à 8 €

Si vous recherchez une bouteille pour découvrir le cru Arbin, celle-ci est tout indiquée. Pourpre intense, elle décline des arômes concentrés d'épices et de fleurs (violette) qui se prolongent volontiers en bouche, aux côtés des fruits. Les tanins ont beau se manifester, ils ne vous veulent aucun mal tant ils sont soyeux. Ils garantissent en outre une bonne tenue pour les deux ans à venir. Le vin-de-savoie **rouge Mondeuse 2004** mérite d'être cité pour sa typicité et son équilibre. L'idylle n'est pas près de s'arrêter entre ce domaine et la mondeuse...
Philippe et François Tiollier, Dom. de l'Idylle, Saint-Laurent, 73800 Cruet, tél. 04.79.84.30.58, fax 04.79.65.26.26
t.l.j. sf mar. jeu. dim. 10h-12h15 15h-18h; f. 20 sept.-10 oct.

CH. DE LUCEY Pinot noir 2003 ★

0,8 ha 2 500 5 à 8 €

Au château de Lucey, dont les origines sont antérieures au XIIIe s., on remonte la grande histoire des cépages. Les premiers plants d'altesse furent plantés sur ces terrasses en 1350 ; ils avaient fait le voyage de Chypre. C'est un autre cépage qui se distingue en 2003 : un pinot noir qui fleure bon la pivoine avant de décliner en bouche des flaveurs de framboise et d'épices bien fondues. Le parfait allié dès maintenant d'un plateau de charcuteries régionales.
SCEA de Lucey, Le Château, 73170 Lucey, tél. et fax 04.79.44.01.00, e-mail sceachateau73@aol.com r.-v.
Defforey

JEAN-FRANCOIS MARECHAL Apremont 2004 ★

3 ha 25 000 3 à 5 €

Jean-François Maréchal avait tout juste dix-huit ans lorsqu'il créa son domaine à partir de vieilles vignes en coteau. Seize années ont passé, au cours desquelles il s'est spécialisé dans l'élaboration de vins blancs. Bel exemple que cet Apremont exquis dans sa robe pâle à reflets argentés brillants. Le nez paraît certes discret mais il est fin et en parfait accord avec le cépage jacquère. La bouche tout aussi typique séduit par la rondeur de l'attaque et le caractère rafraîchissant de la finale citronnée. A savourer avec un sauté de veau en sauce.
Jean-François Maréchal, Le P'Tiou Vigneron, Coteau des Belettes, 73190 Apremont, tél. 04.79.28.36.23, fax 04.79.71.67.10 r.-v.

DOM. JEAN MASSON ET FILS
Apremont Vieilles Vignes Traditionnelle 2004

1,5 ha 10 000 5 à 8 €

De vieilles vignes de soixante-quinze ans plantées en coteau ont donné naissance à cet Apremont frais et juvénil. Expressif, celui-ci évoque le fruit de la Passion au nez. Un caractère exotique dont il ne se départ pas au palais, soutenu par une juste vivacité. Pensez à le servir avec votre salade d'endive, de pamplemousse, d'avocat et de crabe.
Dom. Jean Masson et Fils, Le Villard, 73190 Apremont, tél. 04.79.28.23.02, fax 04.79.28.38.79
r.-v.

### JEAN PERRIER ET FILS

Apremont Cuvée Gastronomie 2004 ★

10 ha 30 000 3 à 5 €

Qu'appelle-t-on cuvée Gastronomie en Savoie ? Un vin comme celui-ci, capable de plaire de l'apéritif au dessert, en passant par le plateau de fromages de la région. Jaune paille brillant, il offre les caractères aromatiques typiques du cépage jacquère. Des fleurs et des agrumes qui persistent en bouche grâce à une vivacité mesurée. Un Apremont friand.

Jean Perrier et Fils, Saint-André, 73800 Les Marches, tél. 04.79.28.11.45, fax 04.79.28.09.91, e-mail vperrier@vins-perrier.com r.-v.

### DOM. PERRIER PERE ET FILS

Chignin-Bergeron 2004

3 ha 25 000 5 à 8 €

Les vignes de ce domaine couvrent 35 ha et se répartissent en quatre-vingt-huit parcelles dans une circonférence de 10 km autour de la cave. La roussanne se montre chaleureuse en 2004. Ses accents d'abricot mûr et de fruits secs (amande grillée) ne trompent pas. Opposez-lui des plats de résistance qui sauront l'amadouer.

Dom. Perrier Père et Fils, Saint-André, 73800 Les Marches, tél. 04.79.28.11.45, fax 04.79.28.09.91 t.l.j. 9h-12h 14h-17h30

### LA CAVE DU PRIEURE Jongieux Gamay 2004

10 ha 80 000 3 à 5 €

Attendez un an ou deux avant de déboucher cette bouteille. Ce gamay a les épaules carrées et doit arrondir ses tanins. Il n'en est pas moins réussi, car il fait preuve de franchise et possède suffisamment de matière pour bien évoluer. La **roussette-de-savoie Marestel 2004** est citée également pour ses arômes grillés et sa rondeur flatteuse.

Raymond Barlet et Fils, La Cave du Prieuré, 73170 Jongieux, tél. 04.79.44.02.22, fax 04.79.44.03.07, e-mail caveduprieure@wanadoo.fr t.l.j. sf dim. 14h-19h

### ANDRE ET MICHEL QUENARD

Chignin Mondeuse Vieilles Vignes 2004 ★

1 ha 8 000 8 à 11 €

Une mondeuse florale, très ouverte sur les parfums de violette. Du fruité ? Le cassis se glisse dans le bouquet pour y apporter la note souhaitée. La bouche, tout aussi expressive, favorise ce fruit et se développe avec souplesse jusqu'à une honorable finale.

André et Michel Quénard, Torméry, 73800 Chignin, tél. 04.79.28.12.75, fax 04.79.28.19.36, e-mail amquenard@aol.com r.-v.

### JEAN-PIERRE ET JEAN-FRANCOIS QUENARD

Chignin-Bergeron Vieilles Vignes 2004 ★★

0,8 ha 5 600 8 à 11 €

Jean-François Quénard, œnologue, dirige depuis dix-huit ans ce domaine de 14,5 ha situé au pied des tours médiévales de Chignin. Il a suivi les traces de son père, ainsi que de ses ancêtres vignerons à Chignin depuis le XVII^e s. Il ne faudra pas trop hésiter devant ce 2004, car les quantités produites sont modestes pour une qualité remarquable. Typique du cépage, le vin exhale des fragrances fines d'abricot sec et de fruits exotiques (mangue) qui trouvent un long écho dans la chair ronde et suave. Oublié quelques années en cave, il pourrait trouver bonne compagnie dans un foie gras. Le **Chignin Anne de la Biguerne blanc 2004 (5 à 8 €)** est cité pour sa palette aromatique originale.

Dom. J.-Pierre et J.-François Quénard, caveau de la Tour-Villard, 73800 Chignin, tél. 04.79.28.08.29, fax 04.79.28.18.92 r.-v.

### PASCAL ET ANNICK QUENARD

Chignin-Bergeron Cuvée Noé 2004 ★★

0,65 ha 3 500 11 à 15 €

Pascal et Annick Quénard sont à la tête d'un domaine de 6 ha au milieu du parc naturel des Bauges. Les tours médiévales de Chignin semblent veiller sur les vignes. Influence favorable, à en juger cette cuvée aux arômes fruités (nectarine) et empyreumatiques d'une rare intensité. La bouche élégante et équilibrée s'estompe avec subtilité en finale. Un Chignin-Bergeron qui sera à son avantage aux côtés d'une truite aux amandes.

Dom. Pascal et Annick Quénard, Le Villard, 73800 Chignin, tél. 04.79.28.09.01, fax 04.79.28.13.53, e-mail pascal.quenard.vin@wanadoo.fr r.-v.

### PHILIPPE RAVIER Abymes 2004 ★

5,5 ha 50 000 3 à 5 €

Déjà remarqué dans le Guide par le passé grâce à ses Chignin-Bergeron, Philippe Ravier se distingue cette année par des Abymes volontiers flatteurs. Les notes florales cèdent place en bouche à une ligne minérale et fruitée qui apporte de la complexité à ce vin équilibré. Les crustacés y trouveront un allié.

Philippe Ravier, Lèche, 73800 Myans, tél. et fax 04.79.28.17.75 r.-v.

### BERNARD ET CHRISTOPHE RICHEL

Apremont Vieilles Vignes 2004

n.c. n.c. 5 à 8 €

Les fromages doux de la région trouveront accord avec cet Apremont aux notes de fruits légèrement acidulés, rappelant la pomme, les agrumes, l'ananas et le fruit de la Passion. La légèreté et la finesse en font le charme immédiat. Il est des instants où les bonheurs simples sont les plus recherchés.

Bernard et Christophe Richel, rte de Fontaine-Lamée, 73190 Saint-Baldoph, tél. 06.80.20.75.94, fax 04.79.28.36.55, e-mail vins.richel@wanadoo.fr r.-v.

### DOM. SAINT-GERMAIN

Mondeuse Le Pied de la Barme 2004 ★

0,7 ha 4 500 5 à 8 €

Nous avions souligné l'an passé la régularité des vins de ce domaine. Ce n'était pas une vaine remarque, puisqu'un nouveau millésime se distingue par sa qualité. Une mondeuse au caractère bien trempé, dont les arômes encore discrets sont l'annonce d'une complexité future. La matière ronde trouve un équilibre sans faille et se prolonge durablement. Il suffira de patienter quelques années pour apprécier cette bouteille avec un plateau de fromages de Savoie. La **roussette-de-savoie 2004** est citée pour son nez de pamplemousse et sa bouche légèrement perlante et fraîche, aux sémillantes notes de mandarine. Vous la servirez à l'apéritif.

Dom. Saint-Germain, rte du Col-du-Frêne, 73250 Saint-Pierre-d'Albigny, tél. et fax 04.79.28.61.68 r.-v.

### CH. LA TOUR DE MARIGNAN
Marignan Perlant 2003 *

3 ha 8 000 5 à 8 €

Entre Genève et Evian, ce château médiéval commande les 5 ha de vignes aujourd'hui conduites en agriculture biologique. Est-ce dans la cave du XIIe s. que ce vin a vieilli huit mois en foudre ? « Un chasselas boisé est une curiosité », indique un dégustateur, mais il suffira d'attendre deux ans pour que les composantes florales et minérales ressortent dans cette palette actuellement vanillée, grillée et torréfiée. Avoir su conserver de la fraîcheur en bouche dans ce millésime chaud relève déjà du tour de force. Le **Château La Tour de Marignan Vieilli en fût de chêne blanc 2003 (11 à 15 €)**, dont l'élevage a duré quatre mois de plus, est cité.

Bernard et Olivier Canelli-Suchet,
Ch. La Tour de Marignan, 74140 Sciez,
tél. 04.50.72.70.30, fax 04.50.72.36.02
t.l.j. 9h30-19h30; groupes sur r.-v.

### LE CELLIER DES TOURS Chignin Pinot noir 2004

1 ha 9 000 5 à 8 €

Les fils de René Quénard ont su récolter les étoiles aussi bien que le bergeron ou le pinot noir les années précédentes. Le 2004 ne démérite pas car, sous une teinte rubis, il exprime bien les caractères du cépage : discrets effluves de cerise, attaque souple et fruité soutenu. Tout juste présente-t-il une pointe d'austérité. Laissez-lui un peu de temps.

Les Fils de René Quénard, Les Tours-Le Villard,
73800 Chignin, tél. 04.79.28.01.15, fax 04.79.28.18.98,
e-mail fils.rene.quenard@wanadoo.fr r.-v.

### LES FILS DE CHARLES TROSSET
Arbin Mondeuse 2004

4 ha 30 000 5 à 8 €

Les fils de Charles Trosset ont pris la direction du domaine en 2000. La mondeuse avait fait la renommée de leur père et valu à l'exploitation deux coups de cœur. Ce 2004 a été vinifié sans que la vendange ait été égrappée. Cela donne un vin à la couleur profonde ; épices et notes de moka ne laissent pas encore s'exprimer le fruit. La bouche est cependant aromatique, bien construite mais légère.

SCEA Les Fils de Charles Trosset,
chem. des Moulins, 73800 Arbin,
tél. et fax 04.79.84.30.99 r.-v.

### ADRIEN VACHER
Abymes La Sasson Réserve gastronomique 2004

2,2 ha 20 000 3 à 5 €

A une dizaine de kilomètres de Chambéry, cette maison familiale de négoce-éleveur produit des vins régulièrement retenus dans le Guide. Cette Réserve gastronomique se singularise par son caractère exotique : des arômes d'agrumes, de citron vert et d'ananas, doublés de notes minérales qui se déroulent tout au long de la dégustation et laissent une sensation de grande fraîcheur. L'**Apremont La Sasson Réserve gastronomique 2004**, de même profil, est également cité.

Maison Adrien Vacher, Z.A. plan Cumin,
73800 Les Marches, tél. 04.79.28.11.48,
fax 04.79.28.09.26, e-mail vacher.adrien@wanadoo.fr
t.l.j. sf sam. dim. 8h-12h 14h-18h

### DOM. DE VERONNET Chautagne 2004 *

2,75 ha 24 000 3 à 5 €

Ce domaine demeure une valeur sûre quand on aime les vins rouges de Chautagne. Après sa mondeuse 2003 retenue l'an passé, c'est au tour du gamay de briller dans le Guide. Tout disposé à passer à table, il a hérité du caractère du cépage et du terroir. Des arômes de compote de fruits rouges marquent le nez, tandis que la bouche légère s'agrémente d'une pointe de gingembre et de pain d'épice en finale.

Alain Bosson, Dom. de Veronnet,
73310 Serrières-en-Chautagne, tél. et fax 04.79.63.73.11
r.-v.

### LE VIGNERON SAVOYARD Apremont 2004

38,43 ha n.c. 5 à 8 €

Créée en 1966, la cave coopérative d'Apremont vinifie le fruit de la cinquantaine d'hectares de ses sept adhérents. Elle propose une jacquère appréciée pour son intensité aromatique. Après les notes de fleurs blanches perçues au nez, les flaveurs d'agrumes soulignent la bouche pleine et franche d'une légère touche acidulée. Ce vin sera en harmonie avec un plateau de fruits de mer.

Le Vigneron Savoyard, rte du Crozet,
73190 Apremont, tél. 04.79.28.33.23, fax 04.79.28.26.17
t.l.j. sf dim. 8h-12h 14h-18h

### CH. DE LA VIOLETTE Gamay 2004

1,4 ha 12 000 5 à 8 €

Un gamay qui pourrait être l'illustration d'une leçon sur les caractères des cépages. D'une jolie couleur pourpre limpide, il livre des senteurs de fruits rouges, de poivre et autres épices relevées. L'attaque est vive, mais le vin s'arrondit bientôt, profitant d'arômes de cerise burlat pour être sympathique au dégustateur. Quoi de plus naturel que d'ouvrir cette bouteille avec des grillades ?

Charles-Henri Gayet,
Ch. de La Violette, 73800 Les Marches,
tél. 04.79.28.13.30, fax 04.79.28.09.26
t.l.j. sf dim. 9h-12h 15h-18h30

### DOM. JEAN VULLIEN ET FILS
Chignin-Bergeron 2004 *

4 ha 35 000 5 à 8 €

Il y a trois ans, Jean Vullien et ses fils, David et Olivier, ont étendu leur domaine à 25 ha en allant cultiver les pentes de Montmélian. Forts de trois vins étoilés l'an passé, ils gardent cette année leur belle place dans la sélection grâce à cette roussanne jaune or, franche, ample et équilibrée. Celle-ci séduit d'emblée par la puissance de ses arômes d'abricot, d'agrumes, de fruits exotiques, et fait preuve d'une typicité irréprochable. Un poisson de lac comme le lavaret sera son meilleur allié. La **roussette-de-savoie 2004** obtient une étoile à son tour pour ses arômes frais et son harmonie au palais.

EARL Jean Vullien et Fils, La Grande Roue,
73250 Fréterive, tél. 04.79.28.61.58, fax 04.79.28.69.37,
e-mail jeanvullien@wanadoo.fr
t.l.j. sf dim. 9h-12h 14h-18h30; sam. 9h-12h

# Roussette-de-savoie

Issue du seul cépage altesse (depuis le nouveau décret du 18 mars 1998), la roussette-de-savoie se trouve essentiellement à Frangy, le long de la rivière des Usses, à Monthoux et à Marestel, au bord du lac du Bourget. L'usage qui veut que l'on serve jeunes les roussettes de ce cru est regrettable, puisque, bien épanouies avec l'âge, elles font merveille avec des préparations de poisson ou de viandes blanches ; ce sont elles qui accompagnent le beaufort local. 11 250 hl ont été produits en 2004.

### JEAN-NOEL BLARD 2003 ★★

0,4 ha 3 300 5 à 8 €

Jean-Noël Blard se revendique « artisan vigneron ». Un artisan talentueux, puisque d'une toute jeune vigne il a tiré une roussette qui fait l'unanimité. Le nez complexe et fin évoque le miel, la cire d'abeille et le sous-bois. Net, riche et rond, le palais révèle une grande matière. Harmonieux dès à présent, ce 2003 possède suffisamment de fraîcheur pour plaire quatre ou cinq ans.

Dom. Blard et Fils, Le Darbé, 73800 Les Marches, tél. et fax 04.79.28.01.35 r.-v.

### GILBERT BOUCHEZ 2004 ★

1,1 ha 6 000 **5 à 8 €**

Alors que 2004 n'a rien eu de caniculaire, Gilbert Bouchez en a tiré un vin présentant des caractères proches du millésime précédent. Assez discrète mais d'une grande finesse au nez, cette roussette mêle des senteurs miellées et des notes de fruits mûrs et de coing. Fraîche et fruitée, l'attaque sémillante est pleine de séduction et la finale se montre assez longue. Une belle harmonie.

Gilbert Bouchez, Saint-Laurent, 73800 Cruet, tél. 04.79.84.30.91, fax 04.79.84.30.50 r.-v.

### FRANCOIS ET ERIC CARREL La Mareté 2004 ★

1,6 ha 5 000 **5 à 8 €**

Ce domaine familial de 12 ha propose une roussette limpide à reflets dorés intenses. Des notes beurrées se manifestent au nez, rejointes par les fruits secs et le miel au palais. La structure riche et équilibrée soutient durablement l'expression aromatique de ce vin prometteur. Réservez-le à des poissons en sauce. La roussette-de-savoie **cuvée Théa 2003 (11 à 15 €)** est citée, de même que le **vin-de-savoie blanc Jongieux 2004 (3 à 5 €)**, finement floral.

François et Eric Carrel, GAEC de la Rosière, 73170 Jongieux, tél. 04.79.44.03.73, fax 04.79.44.02.20 t.l.j. sf dim. 8h-12h 14h-19h

### DOM. EUGENE CARREL ET FILS 2004 ★

1,5 ha 8 000 **5 à 8 €**

Cette exploitation dispose de 22 ha de vignes. Or pâle dans le verre, sa roussette montre un joli perlant et présente un nez floral, miellé et abricoté. Ces arômes se prolongent dans une bouche franche à l'attaque et d'une belle ampleur. Une bouteille typique et expressive, à servir avec des crustacés en sauce. La roussette-de-savoie **Marestel 2004 (8 à 11 €)**, intense, puissante et longue, obtient la même note.

Dom. Eugène Carrel et Fils, Le Haut, 73170 Jongieux, tél. 04.79.44.00.20, fax 04.79.44.03.06 r.-v.

### VINCENT COURLET Frangy 2004

n.c. 15 000 **3 à 5 €**

1968 n'est pas une année historique pour le vin, mais elle marque le modeste début de ce domaine familial. Trente ans plus tard, Vincent Courlet succède à son père et exploite son vignoble en lutte intégrée. Frangy est un excellent cru pour la roussette-de-savoie et celle-ci donne toute satisfaction avec sa robe jaune pâle limpide et son nez mêlant les fruits exotiques et la cire d'abeille. Solide, dominée par des impressions de gras, la bouche finit sur une pointe d'amertume qui devrait s'estomper avec le temps. Prêt à accompagner une fondue savoyarde ou un poisson du lac, ce vin pourra s'affiner quelques années.

Vincent Courlet, 133, rue Basse, 74270 Frangy, tél. 04.50.44.75.01, fax 04.50.32.24.10 r.-v.

### DOM. DUPASQUIER Marestel 2003 ★★

3,6 ha 9 000 **8 à 11 €**

Etabli à Jongieux, à l'ouest du lac du Bourget, ce domaine possède des parcelles à Marestel, l'un des terrains de prédilection de la roussette. Celle-ci offre une remarquable expression de son terroir et de son millésime. Puissante et complexe au nez, elle libère des fragrances évoluées de fruits confits et de raisin de Corinthe. En bouche, elle révèle, par des notes grillées rappelant les fruits secs, le caractère de surmaturité de l'année et un séjour d'un an dans le bois. Distinguée, structurée et ample, une altesse royale ! Déjà pleine de charisme, elle régnera plusieurs années.

EARL Dom. Dupasquier, Aimavigne, 73170 Jongieux, tél. 04.79.44.02.23, fax 04.79.44.03.56 r.-v.

DOM. GENOUX Elevé en fût de chêne 2004

0,8 ha 2 000 5 à 8 €

Cette vieille famille savoyarde s'est installée en 2001 au château de Mérande. On retrouve sa roussette, élevée pour partie sur lies fines en barrique de chêne. De qualité comparable au millésime précédent, ce 2004 est plus expressif et développe une gamme aromatique épicée. Sa riche matière, soutenue par une bonne acidité, n'est pas trop écrasée par le côté boisé, même si l'élevage rend cette bouteille plutôt atypique. Un ensemble équilibré à déboucher dans un an.

GAEC Dom. Genoux, Ch. de Mérande, 73800 Arbin, tél. 06.83.15.05.88, fax 04.79.65.24.32, e-mail domainegenoux@wanadoo.fr r.-v.

DOM. JEAN-PIERRE ET PHILIPPE GRISARD 2004

1,25 ha 10 000 5 à 8 €

A la tête de 15 ha de vignes, Jean-Pierre et Philippe Grisard sont attachés aux cépages traditionnels de la région. Leur 2004 ne suscite qu'une réserve : il est plutôt fugace. Mais son nez puissant et élégant de fleurs et d'agrumes, sa bouche fraîche et nette aux arômes de fruits exotiques lui valent de figurer ici. Pour découvrir la roussette-de-savoie.

Jean-Pierre et Philippe Grisard, Chef-lieu, 73250 Fréterive, tél. 04.79.28.54.09, fax 04.79.71.41.36, e-mail gaecgrisard@aol.com
t.l.j. sf dim. 8h-12h 13h30-18h30

EDMOND JACQUIN ET FILS Marestel 2004

2,1 ha 17 200 8 à 11 €

Coup de cœur en vin-de-savoie Mondeuse 2003, cette exploitation propose un **vin-de-savoie rouge mondeuse 2004 (5 à 8 €)** qui est cité pour son caractère typique et ses bons tanins, et qui devra attendre. Citée elle aussi, sa roussette-de-savoie du cru Marestel est florale au nez, tandis que la bouche assez longue exprime plutôt les fruits confits.

GAEC Edmond Jacquin et Fils, 73170 Jongieux, tél. 04.79.44.02.35, fax 04.79.44.03.05, e-mail jacquin4@wanadoo.fr
t.l.j. 9h-12h 15h-19h

DOM. E. MASSON 2004

11 ha 100 000 3 à 5 €

Petite structure, cette coopérative exporte 80 % de sa production. Sa roussette-de-savoie est une bonne ambassadrice de l'appellation avec son nez charmeur, fruité et sa bouche franche et équilibrée, aux arômes de fruits blancs (poire et pêche). Elle s'accordera avec des coquilles Saint-Jacques poêlées ou une viande blanche, à moins qu'on ne préfère la servir à l'apéritif ou avec du fromage.

Les Vignerons des Terroirs, rte de Myans-le Clos Réserve, 73190 Apremont, tél. 04.79.28.33.29, fax 04.79.28.20.68, e-mail viallet-vins@wanadoo.fr
t.l.j. sf sam. dim. 8h-12h 14h-18h
E. Masson

CH. DE MONTERMINOD 2003 ★★

5,3 ha 10 000 5 à 8 €

Cette maison de négoce fait honneur à la Savoie en commercialisant cette roussette du cru Monterminod, parfaite expression du millésime de la canicule. Or soutenu et limpide, ce 2003 affiche déjà son intensité dans le verre. Cette présence se confirme au nez, tout de cire et de miel. Ces notes miellées se prolongent en bouche, agrémentées de nuances de fruits confits. Gras, riche et long, ce vin devrait bien s'entendre avec un homard.

Jean Perrier et Fils, Saint-André, 73800 Les Marches, tél. 04.79.28.11.45, fax 04.79.28.09.91, e-mail vperrier@vins-perrier.com
r.-v.

DOM. DE ROUZAN 2003 ★

0,25 ha 2 000 5 à 8 €

Denis Fortin a pris la suite de son beau-père en 1991 et s'attache à agrandir et à rénover les chais. Il a réussi à conserver de la fraîcheur à ce 2003 qui affiche une robe dorée. Au nez, ce vin séduit par sa complexité : on y trouve du miel, des fruits secs, du coing, avec une dominante de truffe et de sous-bois. Ce registre aromatique se prolonge dans une bouche équilibrée. Bien représentative de son millésime, cette roussette pourra même accompagner un dessert chocolaté.

Denis Fortin, 152, chem. de la Mairie, 73190 Saint-Baldoph, tél. 04.79.28.25.58, fax 04.79.28.21.63, e-mail denis.fortin@wanadoo.fr
r.-v.

# Seyssel

Cette AOC est élaborée, pour ses vins tranquilles, à base du seul cépage altesse. Les quelques vignes de molette qui subsistent à Seyssel entrent dans les vins mousseux de l'AOC, en association avec l'altesse ; ceux-ci sont commercialisés trois ans après leur prise de mousse. Ces cépages locaux donnent un bouquet et une finesse spécifiques aux vins de Seyssel, où l'on reconnaît notamment la violette. L'aire d'appellation couvre environ 75 ha pour 3 000 hl.

LA TACCONNIERE Altesse 2004

15 ha 70 000 5 à 8 €

Les Mollex, propriétaires du plus grand domaine viticole de Seyssel, s'attachent à cette petite AOC de bonne notoriété. L'altesse (ou roussette) a passé ici huit mois en foudre de chêne pour donner ce 2004, or limpide, floral et légèrement fumé. Sa matière est fine et équilibrée, de bonne longueur. Un omble chevalier, poisson du lac, fera l'affaire ; et si vous n'en trouvez pas, choisissez des filets de perche.

Dom. Maison Mollex, Corbonod, 161, pl. de l'Eglise, 01420 Seyssel, tél. 04.50.56.12.20, fax 04.50.56.17.29 r.-v.

# Le Bugey

## Bugey AOVDQS

Dans le département de l'Ain, le vignoble du Bugey occupe les basses pentes des monts du Jura, dans l'extrême sud du Revermont, depuis le niveau de Bourg-en-Bresse jusqu'à Ambérieu-en-Bugey, ainsi que celles qui, de Seyssel à Lagnieu, descendent sur la rive droite du Rhône. Autrefois important, il est aujourd'hui réduit et dispersé sur 498 ha. En 2004, 32 500 hl ont été déclarés.

Il est établi le plus souvent sur des éboulis calcaires de pentes assez fortes. L'encépagement reflète la situation de carrefour de la région : en rouge, le poulsard jurassien – limité à l'assemblage des effervescents de Cerdon – y voisine avec la mondeuse savoyarde et le pinot et le gamay de Bourgogne ; de même, en blanc, la jacquère et l'altesse sont en concurrence avec le chardonnay – majoritaire – et l'aligoté, sans oublier la molette, cépage local surtout utilisé dans l'élaboration des vins mousseux.

### MAISON ANGELOT Mondeuse 2004

■ 1,08 ha 10 200 5 à 8 €

Créé en 1970, ce domaine a été repris dans les années 1980 par la deuxième génération, qui exploite 23 ha de vignes. Comme l'an passé, c'est la mondeuse de la propriété qui a été retenue. D'un rouge grenat intense, ce 2004 libère d'intenses et séduisantes notes réglissées. S'il manque un peu de matière, sa bouche tendre et équilibrée, son fruité de cassis et son retour réglissé sont pleins d'agrément. On l'appréciera dans les deux ans.

GAEC Maison Angelot, Au bourg,
01300 Marignieu, tél. 04.79.42.18.84,
fax 04.79.42.13.61, e-mail maison.angelot@proveis.com
r.-v.

### DOM. DE BEL-AIR Mondeuse 2004 *

■ 0,5 ha 1 800 5 à 8 €

Un vignoble de 7 ha restructuré dans les années 1980 par Antoine Riboud, alors P-DG de BSN, et Gaby Gardoni. La famille Gardoni régit toujours le domaine. Ce 2004 est la première récolte d'une parcelle pentue de mondeuse, puisque les ceps n'en sont qu'à la quatrième feuille. Pour ne pas trop épuiser les vignes, on a pratiqué une importante vendange en vert qui n'a laissé sur pied que 30 % du volume potentiel. Le résultat est là : le nez, d'abord fermé, ne tarde pas à dévoiler son côté épicé et végétal. On retrouve les épices, assorties de notes réglissées, dans une bouche imposante aux tanins arrondis. Prête à servir et offrant d'intéressantes possibilités de garde, cette bouteille est tout indiquée pour un coq au vin. De la même exploitation, le **blanc chardonnay cuvée Milvendre 2004** garde d'un séjour en fût des notes boisées et vanillées bien fondues. Ronde et miellée, elle est citée.

Dom. de Bel-Air, rue Albert-Ferier, 01350 Culoz,
tél. 04.79.87.04.20, fax 04.79.87.18.23,
e-mail cellierbelair@aol.com
t.l.j. 9h-12h 15h-19h; dim. 9h-12h
Valérie Glaizal

### CAVEAU SYLVAIN BOIS Chardonnay 2004 *

0,97 ha 9 900 3 à 5 €

En 2001, Sylvain Bois a hérité des vignes (1,2 ha) de son grand-père. Il a planté et porté l'exploitation à près de 4,5 ha. 2004 est la première année où il est à même de valoriser 100 % de la surface. Deux vins blancs témoignent du potentiel du domaine et de son savoir-faire. Ce chardonnay flatte par son nez expressif, fait de fleurs et de fruits exotiques. Tout aussi éloquent au palais, complexe et rond, il est délicieusement beurré. Il est prêt à accompagner des cuisses de grenouilles. Quant au **blanc altesse Coteau de Chambon 2004**, c'est la première récolte d'une jeune vigne (quatre ans). Il est cité pour sa palette florale et miellée typique de la roussette.

Sylvain Bois, Les Mortiers, 01350 Béon,
tél. et fax 04.79.87.23.26
t.l.j. sf dim. 9h-12h 14h-18h30

### NATHALIE ET PASCAL BONNOD-LACOUR Cerdon Méthode ancestrale Vieilles Vignes 2004 *

● 0,32 ha 3 300 5 à 8 €

Installé en 1996 sur l'exploitation familiale créée en 1930, Pascal Bonnod-Lacour tire de ses 2,7 ha des vins effervescents. Né de très vieux ceps de gamay plantés à la création du domaine, ce Cerdon a convaincu les dégustateurs. Vêtu d'une robe tuilée, il s'annonce par un nez sympathique, tout en fruits rouges, harmonieusement prolongé par une bouche qui monte en puissance, bien structurée par une bonne acidité. Une bouteille idéale pour un apéritif sous la tonnelle.

Bonnod-Lacour, Cornelle,
01640 Boyeux-Saint-Jérome, tél. et fax 04.74.36.87.28
t.l.j. 8h-12h 14h-20h

### LE CAVEAU BUGISTE Roussette de Virieu 2003 **

1,2 ha 6 000 8 à 11 €

A 50 m de l'église médiévale de Vongnes, coquet village fleuri, le Caveau bugiste accueille les visiteurs dans une maison ancienne dotée d'un petit musée des traditions vigneronnes. Cette exploitation, qui a développé une activité de négoce, dispose de 42 ha de vignes. Mais c'est une petite parcelle qui est à l'origine de ce vin très remarqué : 1,20 ha, tout ce qui reste de cette roussette de Virieu. Ce cru, qui s'étendait sur 50 ha après la guerre, a failli disparaître et le Caveau s'efforce de le sauvegarder. Gageons que les éloges du jury donneront envie aux amateurs de le découvrir. Pour partie élevé en fût, ce 2003 explose au nez, plein d'arômes de fruits blancs et de miel. Le palais fondu, vanillé et miellé prolonge le plaisir. Ce vin, qui a frôlé le coup de cœur, tiendra bien sa place à l'apéritif. Tout aussi bien vinifié, le **blanc chardonnay Vieilles Vignes 2004 (5 à 8 €)** obtient une étoile pour son nez typique et sa bouche charmeuse.

🔑 Le Caveau bugiste, Chef-lieu, 01350 Vongnes, tél. 04.79.87.92.32, fax 04.79.87.91.11
☑ 🏠 🍷 🚶 t.l.j. 9h-12h 14h-19h

### P. CHARLIN Montagnieu 2003

● 2,63 ha 18 200 **5 à 8 €**

Le 2002 avait été jugé remarquable ; le 2003 a souffert des effets de la canicule mais n'en reste pas moins fort engageant avec sa robe or pâle à reflets verts animée d'un cordon persistant et ses intenses parfums de chèvrefeuille. Bien équilibré en bouche, il est marqué par des arômes de brioche. Sa finale fruitée en fait un vin d'apéritif flatteur.

🔑 Patrick Charlin, Le Richenard, 01680 Groslée, tél. 04.74.39.73.54, fax 04.74.39.75.16 ☑ 🏠 🍷 r.-v.

### CLOS DE LA BIERLE
Cerdon Méthode ancestrale 2004 ★★

● 6 ha 67 800 5 à 8 €

Au XIXᵉs., les propriétaires du Clos de la Bierle, médecins, produisaient une boisson légère et fruitée à base de raisins fermentés, qui, disait-on, faisait merveille contre la « noirceur de l'esprit ». Sans héritiers, ils vendirent le domaine à l'Etat qui le revendit à Thierry Troccon en 1985. Son Cerdon, modèle du genre, se passera de la caution de la Faculté, mais les dégustateurs du Guide, qui l'ont goûté à l'aveugle, le recommandent chaudement. Rose vif à l'œil, ce vin exprime un fruité frais évoquant le pressoir. La framboise s'exprime au nez et marque l'attaque, accompagnée de notes grillées, tandis que la finale rappelle le coing. Un ensemble enjôleur, à servir à l'apéritif ou au dessert, avec galettes au sucre, sorbets et desserts aux fruits.

🔑 Thierry Troccon, Leymiat, 01450 Poncin, tél. 04.74.37.23.66, fax 04.74.37.30.03
☑ 🍷 t.l.j. 9h-12h 14h-19h

### MAISON DUPORT
Bancet Chardonnay Vieilles Vignes 2004

▒ 2 ha 17 000 🍾 **3 à 5 €**

A la suite de plusieurs générations, les Duport cultivent la vigne à Groslée. Leur domaine s'étend sur 9 ha. Cette cuvée de chardonnay attire l'attention du jury par son nez très ouvert ; le 2004 a un net côté amylique : banane, bonbon anglais et même fraise Tagada ! Un peu moins loquace, la bouche reste fruitée et séduit par sa fraîcheur. Un vin d'apéritif.

🔑 Maison Denis et Yves Duport, Huilieu, 01680 Groslée, tél. et fax 04.74.39.74.33, e-mail maison.duport@wanadoo.fr
☑ 🏠 🍷 🚶 t.l.j. sf dim. 8h-12h 14h-18h

### DUPORT ET DUMAS Chardonnay 2004 ★★

▒ 3,06 ha 12 500 🍾 5 à 8 €

Cette maison s'est illustrée ces dernières années en rouge : sa mondeuse a obtenu deux coups de cœur dans les millésimes 1999 et 2001. Elle ne néglige pas pour autant ses blancs, témoin ce chardonnay qui a fait l'unanimité. Floral, fruité (coing), miellé, épicé, son nez captive. La bouche, ronde et harmonieuse, va crescendo, d'abord fruitée puis épicée, et se prolonge en une finale qui semble interminable. Le nec plus ultra dans ce style.

🔑 SARL Duport-Dumas, Pont-Bancet, 01680 Groslée, tél. 04.74.39.75.19, fax 04.74.39.70.05 ☑ 🍷 🚶 r.-v.

### LINGOT-MARTIN
Cerdon Méthode ancestrale Cuvée sélectionnée 2004 ★

● 1,5 ha 15 000 🍾 5 à 8 €

Cerdon, ses gorges pittoresques, son musée de la Cuivrerie, et bien sûr son effervescent original, où l'alcool se fait léger. Les familles Lingot et Martin, associées depuis 1970, travaillent à la prospérité de cette spécialité locale ; elles disposent de 15 ha de vignes en coteau et achètent les récoltes de 5 à 6 ha. Deux vins sont retenus avec la même note ; cette Cuvée sélectionnée, au nez de fruits rouges frais, vive et d'une belle présence en bouche (« on en redemande », conclut un dégustateur) ; et la **cuvée Classic demi-sec** : 30 000 bouteilles d'un vin fruité et épicé. Une bouteille solide et de caractère, qui accompagnera un dessert, par exemple la galette au sucre du Bugey.

🔑 Cellier Lingot-Martin, Grande-Rue, 01450 Cerdon, tél. 04.74.39.97.77, fax 04.74.39.94.55, e-mail lingot-martin@vinsdubugey.net
☑ 🍷 🚶 t.l.j. 8h-12h 14h-18h

### DOM. MONIN Manicle 2004

■ 1 ha 4 000 🛢 **8 à 11 €**

Installée dans une demeure ancienne, la famille Monin cultive ces terres du Bugey depuis plus de trois siècles. Ses vins ont été très remarqués ces dernières années. Elle propose un pinot noir qui ne peut cacher son séjour de sept mois en barrique. Le chêne inscrit sa marque par des notes torréfiées et réglissées. Bien fondu, il témoigne d'une bonne vinification mais masque un peu le fruité du cépage et la typicité du vin. Une bouteille agréable, à servir dès maintenant avec une viande en sauce.

🔑 Dom. Monin, 01350 Vongnes, tél. 04.79.87.92.33, fax 04.79.87.93.25, e-mail info@domaine-monin.fr
☑ 🏛 🏠 🍷 t.l.j. 9h-12h 14h-19h

### FRANCK PEILLOT Montagnieu Altesse 2004 ★

▒ 2,08 ha 7 500 🍾 **5 à 8 €**

Créé en 1900, le domaine, à l'origine exploité en polyculture, s'est spécialisé en viticulture dans les années 1960. Franck Peillot est à sa tête depuis dix ans. Malgré le succès commercial du Montagnieu mousseux, la propriété a toujours mis en valeur sa production de vins tranquilles à base d'altesse. Ce 2004 en offre un exemple très réussi, avec son nez exotique d'ananas et de mangue, sa bouche équilibrée et longue, agrémentée d'arômes de noisette. Il aimera un pavé de saumon à l'oseille. Quant au **blanc Montagnieu Méthode traditionnelle 2002**, assemblage d'altesse (70 %) et de chardonnay, il n'est pas négligé pour autant. Ses fragrances florales (rose, violette), son côté vif et jovial au palais et sa finale charmeuse rappelant les framboises au sirop lui valent également une étoile.

Franck Peillot, Au village, 01470 Montagnieu,
tél. 04.74.36.71.56, fax 04.74.36.14.12,
e-mail franckpeillot@aol.com r.-v.

## P. PERDRIX

Cuvée Robert Perdrix Méthode traditionnelle 2002 ★★

0,2 ha 1 842 8 à 11 €

Depuis 1999, Philippe Perdrix exploite seul le domaine créé avec son père en 1985. Il met en valeur avec savoir-faire ses 3,5 ha de vignes, puisque pas moins de trois cuvées ont été retenues par le jury. Née de chardonnay, cette cuvée Robert Perdrix a tiré grand profit d'un élevage de trente-six mois. Au nez comme en bouche, elle développe des arômes complexes : notes fruitées (poire, mirabelle), briochées et de noisette. Sa finesse et sa fraîcheur en font un très beau vin d'apéritif. Issue du même cépage, la cuvée principale, le **Domaine de Villeneuve Montagnieu 2002 (5 à 8 €)**, a été élevée vingt-quatre mois. Agréable, florale et fruitée, elle est un peu alourdie par un dosage généreux : une citation. Même note en vin tranquille pour le **Domaine de Villeneuve roussette 2004 (5 à 8 €)** au nez floral, printanier, et à la bouche ronde.

Maison Perdrix, Dom. de Villeneuve,
01300 Saint-Benoit, tél. et fax 04.74.39.74.24,
e-mail vin.philippeperdrix@wanadoo.fr r.-v.

## MAURICE QUINARD Gamay Vieilles Vignes 2004

2,2 ha 15 000 3 à 5 €

Trois générations se côtoient sur cette exploitation constituée dans les années 1970 et qui compte près de 13 ha de vignes. Comme l'an dernier, son gamay Vieilles Vignes est cité. La franchise de son nez de fruits rouges séduit. La suite est plus légère, un peu fugace mais agréable. Le type même du vin gouleyant à emporter pour un pique-nique ou à déboucher lors d'un repas simple, un saucisson de Lyon et des pommes de terre en robe des champs, par exemple.

Maurice Quinard, Au bourg,
01300 Massignieu-de-Rives, tél. 04.79.42.10.18,
fax 04.79.42.12.84, e-mail qjacqueli@aol.com
r.-v.

## ELIE ET ALAIN RENARDAT-FACHE

Cerdon Méthode ancestrale Réserve 2004 ★★

2 ha 16 637 5 à 8 €

Cinq générations se sont succédé sur ce domaine qui fait son retour dans le Guide avec cet excellent Cerdon, candidat au coup de cœur. Assemblage de gamay et de poulsard à parts égales, ce vin affiche une superbe robe rose vif typique de l'appellation, animée d'une mousse persistante. Le nez tout en finesse fait lui aussi bonne impression, et la bouche révèle une très belle harmonie. Franche à l'attaque, souple et ample, elle offre des arômes flatteurs de fraise des bois et de mûre confite. Une symphonie en terroir majeur. Le **Cerdon Méthode ancestrale 2004** cuvée principale fait la part plus belle au gamay. Il est cité.

SARL Alain Renardat-Fache, Le Village,
01450 Mérignat, tél. 04.74.39.97.19, fax 04.74.39.93.39
r.-v.

## DOM. DE SOLEYANE Le Lièvre d'automne 2004 ★

1 ha 5 600 5 à 8 €

Jeunes œnologues, Marie-Eliane et Olivier Lelièvre, aidés de vignerons retraités, ont reconstitué ce domaine de 6 ha, situé à proximité de Chambéry. Pur chardonnay, ce Lièvre d'automne est leur premier millésime et respire la santé ! Mêlant raisin, abricot et noisette, il séduit par sa complexité. Sa belle matière est soutenue par une élégante vivacité qui lui confère une bonne structure. Un ensemble harmonieux et frais à servir sur des quenelles de poisson ou une volaille de Bresse.

Olivier Lelièvre, Le Chenay, 01300 Parves,
tél. et fax 04.79.81.32.58,
e-mail domainedesoleyane@wanadoo.fr r.-v.

## THIERRY TISSOT Mataret Altesse 2004 ★

0,95 ha 6 000 5 à 8 €

Thierry Tissot, œnologue, s'est installé en 2001 sur l'exploitation familiale fondée à la fin du XIX^e s. Il a rénové la cave de vinification et replanté le coteau du Mataret, longtemps laissé à l'abandon en raison de son caractère très morcelé et pentu. Voici la première vendange de jeunes vignes de roussette : elle a donné un vin jaune paille au nez intense, exotique et miellé. Rond et gras, le palais garde une certaine fraîcheur. Un ensemble prometteur, à essayer avec une omelette aux cèpes. Cité comme dans le millésime précédent, le **gamay 2004 (3 à 5 €)**, friand et léger, est bien dans le type.

Thierry Tissot, quai du Buizin,
01150 Vaux-en-Bugey, tél. 06.81.14.02.17,
fax 04.74.35.80.55, e-mail thierrytissot@hotmail.com
r.-v.

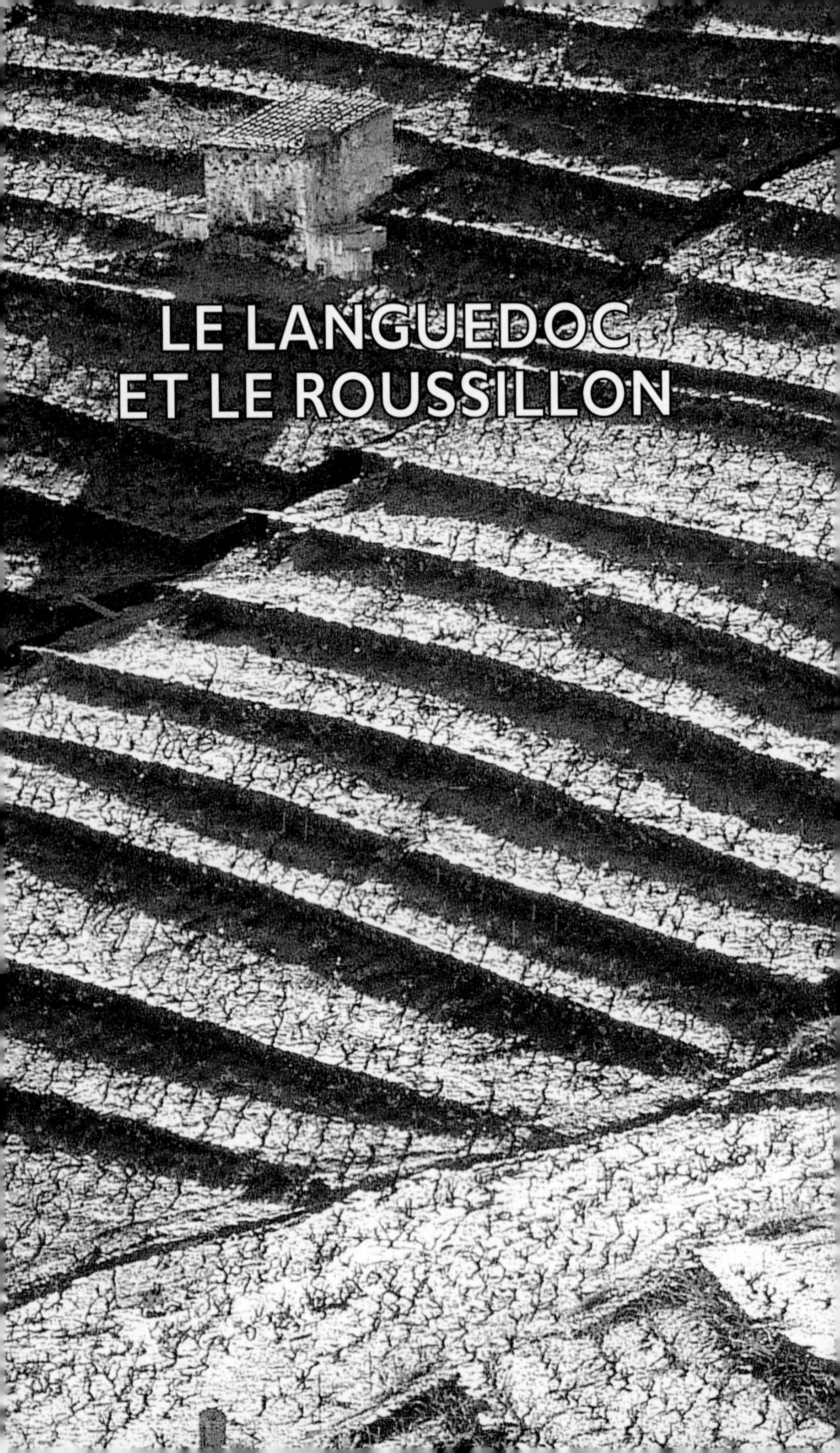
LE LANGUEDOC
ET LE ROUSSILLON

# LE LANGUEDOC ET LE ROUSSILLON

Entre la bordure méridionale du Massif central et les régions orientales des Pyrénées, c'est une mosaïque de vignobles et une large palette de vins qui s'offrent à travers quatre départements côtiers : le Gard, l'Hérault, l'Aude, les Pyrénées-Orientales, grand cirque de collines aux pentes parfois raides se succédant jusqu'à la mer, constituant quatre zones successives : la plus haute, formée de régions montagneuses, notamment de terrains anciens du Massif central ; la deuxième, région des soubergues (coteaux pierreux) et des garrigues, la partie la plus ancienne du vignoble ; la troisième, la plaine alluviale assez bien abritée présentant quelques coteaux peu élevés (200 m) ; et la quatrième, zone littorale formée de plages basses et d'étangs dont les récents aménagements ont fait l'une des régions de vacances les plus dynamiques d'Europe. Ici encore, c'est aux Grecs que l'on doit sans doute l'implantation de la vigne, dès le VIII$^{e}$s. av. J.-C., au voisinage des points de pénétration et d'échanges. Avec les Romains, le vignoble se développa rapidement et concurrença même le vignoble romain, si bien qu'en l'an 92 l'empereur Domitien ordonna l'arrachage de la moitié des surfaces plantées ! La culture de la vigne resta alors une spécificité de la Narbonnaise pendant deux siècles. En 270, Probus redonna au vignoble du Languedoc-Roussillon un nouveau départ, en annulant les décrets de 92. Celui-ci se maintint sous les Wisigoths, puis dépérit lorsque les Sarrasins intervinrent dans la région. Le début du IX$^{e}$s. marqua une renaissance du vignoble, dans laquelle l'Eglise joua un rôle important grâce à ses monastères et à ses abbayes. La vigne est alors placée surtout sur les coteaux, les terres de plaine étant réservées aux cultures vivrières.

Le commerce du vin s'étendit surtout aux XIV$^{e}$ et XV$^{e}$s., de nouvelles technologies voyant le jour, tandis que les exploitations se multipliaient. Aux XVI$^{e}$ et XVII$^{e}$s. se développa aussi la fabrication des eaux-de-vie.

Aux XVII$^{e}$ et XVIII$^{e}$s., l'essor économique de la région passe par la création du port de Sète, l'ouverture du canal des Deux Mers, la réfection de la voie romaine, le développement des manufactures de tissage de draps et de soieries. Il donne une nouvelle impulsion à la viticulture. Facilitée par les nouvelles infrastructures de transport, l'exportation du vin et des eaux-de-vie est encouragée.

On assiste alors au développement d'un nouveau vignoble de plaine, et l'on voit apparaître dès cette période la notion de terroir viticole, où les vins liquoreux occupent déjà une grande place. La création du chemin de fer, entre les années 1850 et 1880, diminue les distances et assure l'ouverture de nouveaux marchés dont les besoins seront satisfaits par l'abondante production de vignobles reconstitués après la crise du phylloxéra.

Grâce à ses terroirs situés sur les coteaux, dans le Gard, l'Hérault, le Minervois, les Corbières et le Roussillon, un vignoble planté de cépages traditionnels (voisin des vignobles qui avaient fait la gloire du Languedoc-Roussillon au siècle précédent) va se développer à partir des années 1950. Un grand nombre de vins deviennent alors AOVDQS et AOC, tandis que l'on constate une orientation vers une viticulture de qualité.

Les différentes zones de production du Languedoc-Roussillon se trouvent dans des situations très variées quant à l'altitude, à la proximité de la mer, à l'établissement en terrasses ou en coteaux, aux sols et aux terroirs.

Les sols et les terroirs peuvent être ainsi des schistes de massifs primaires comme à Banyuls, à Maury, en Corbières, en Minervois et à Saint-Chinian ; des grès du lias et du trias alternant souvent avec des marnes comme en Corbières et à Saint-Jean-de-Blaquière ; des terrasses et cailloux roulés du quaternaire, excellent terroir à vignes comme à Rivesaltes, Val-d'Orbieu, Caunes-Minervois, dans la Méjanelle ou les Costières de Nîmes ; des terrains calcaires à cailloutis souvent en pente ou situés sur des plateaux, comme en Roussillon, en Corbières, en Minervois ; ou, dans les coteaux du Languedoc, des terrains d'alluvions récentes (sans oublier les arènes granitiques et gneiss des Albères et Fenouillèdes).

Le climat méditerranéen assure l'unité du Languedoc-Roussillon, climat fait parfois de contraintes et de violence. C'est en effet la région la plus chaude de France (moyenne annuelle voisine de 14 ° C, avec des températures pouvant dépasser 30 ° C en juillet et en août) ; les pluies sont rares, irrégulières et mal réparties. La belle saison connaît toujours un manque d'eau important du 15 mai au 15 août. Dans beaucoup d'endroits du Languedoc-Roussillon, seule la culture de la vigne et de l'olivier est possible. Il tombe 350 mm d'eau au Barcarès, la localité la moins arrosée de France. Mais la quantité d'eau peut varier du simple au triple suivant l'endroit (400 mm au bord de la mer, 1 200 mm sur les massifs montagneux). Les vents viennent renforcer la sécheresse du climat lorsqu'ils soufflent de la terre (mistral, cers, tramontane) ; au contraire, les vents provenant de la mer modèrent les effets de la chaleur et apportent une humidité bénéfique à la vigne.

Le réseau hydrographique est particulièrement dense ; on compte une vingtaine de rivières, souvent transformées en torrents après les orages, souvent à sec à certaines périodes de sécheresse. Elles ont contribué à l'établissement du relief et des terroirs depuis la Vallée du Rhône jusqu'à la Têt, dans les Pyrénées-Orientales.

Sols et climat constituent un environnement très favorable à la vigne en Languedoc-Roussillon, ce qui explique qu'y soient localisées près de 40 % de la production nationale, dont annuellement environ 2 700 000 hl en AOC et 30 000 hl en AOVDQS.

Dans le vignoble de vins de table, on constate depuis 1950 une évolution de l'encépagement : régression très importante de l'aramon, cépage de vins de table légers planté au XIX$^{e}$s., au profit des cépages traditionnels du Languedoc-Roussillon (carignan, cinsault, grenache noir, syrah et mourvèdre) ; et implantation d'autres cépages plus aromatiques (cabernet-sauvignon, cabernet franc, merlot et chardonnay).

Dans le vignoble de vins fins, les cépages rouges sont le carignan qui apporte au vin structure, tenue et couleur ; le grenache, cépage sensible à la coulure, qui donne au vin sa chaleur, participe au bouquet mais s'oxyde facilement lors du vieillissement ; la syrah, cépage de qualité, qui apporte ses tanins et un arôme se développant avec le temps ; le mourvèdre, qui vieillit bien et donne des vins élégants, résistants à l'oxydation ; le cinsault enfin, qui, cultivé en terrain pauvre, donne un vin souple présentant un fruité agréable et surtout entrant dans l'assemblage des vins rosés.

Les blancs sont produits à base de grenache blanc pour les vins tranquilles, de picpoul, de bourboulenc, de macabeu, de clairette – donnant une certaine chaleur mais madérisant assez rapidement. Depuis peu, marsanne, roussanne et vermentino agrémentent cette production. Pour les vins effervescents, on fait appel au mauzac, au chardonnay et au chenin.

# Le Languedoc

## Blanquette-de-limoux

Ce sont les moines de l'abbaye Saint-Hilaire, commune proche de Limoux, qui, découvrant que leurs vins repartaient en fermentation, ont été les premiers élaborateurs de blanquette-de-limoux. Trois cépages sont utilisés pour son élaboration : le mauzac (90 % minimum), le chenin et le chardonnay, ces deux derniers cépages étant introduits à la place de la clairette et apportant à la blanquette acidité et finesse aromatique.

La blanquette-de-limoux est élaborée suivant la méthode de fermentation en bouteille et se présente sous dosages brut, demi-sec ou doux.

### ALAIN CAVAILLES 2003 ★

● 4 ha 10 000 5 à 8 €

Arrivé en 1999 dans la région, Alain Cavaillès s'installe à Magrie en plein cœur de l'appellation et se fait remarquer dès le début par un coup de cœur dans le millésime 2000. Nous le retrouvons à nouveau avec ce millésime 2003 à la robe brillante, au nez intense et complexe où le fruité (pomme cuite) s'allie au floral (tilleul). Harmonieux, ample et franc, doté d'une finale fraîche et plaisante, un vin impatient de s'exprimer.

Alain Cavaillès,
chem. d'Alon, 11300 Magrie,
tél. 04.68.31.66.14, fax 04.68.31.11.01,
e-mail cavailles.alain@wanadoo.fr r.-v.

### PIERRE CHANAU Grande Réserve 2003 ★★★

● n.c. 100 000 5 à 8 €

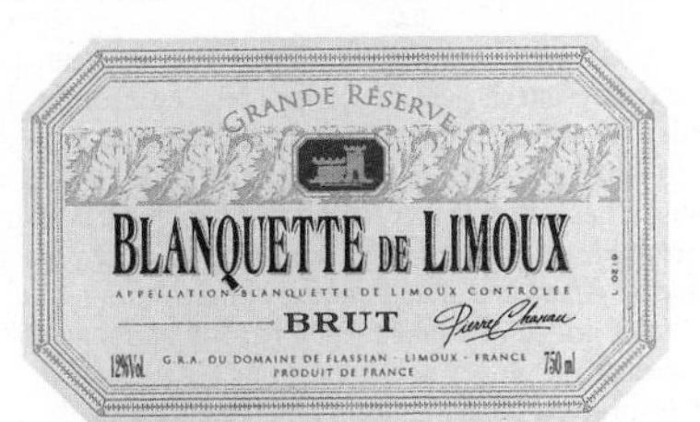


Voilà un coup de cœur élu à l'unanimité du grand jury. Il va faire plaisir à la famille Antech car c'est elle qui a élaboré, pour Auchan, cette cuvée Grande Réserve signée Pierre Chanau. Par ses habits d'or et de lumière, ses arômes intenses de coing et de brioche agrémentés d'une touche florale, cette blanquette s'impose d'emblée. La bouche fraîche et onctueuse ne déçoit pas ; elle donne une sensation de plénitude. Plaisir assuré. Vous ne trouverez bien sûr cette cuvée que sous l'enseigne Auchan. En revanche, au domaine Antech, vous pourrez choisir la cuvée **Jean Lafon 2003** qui obtient une étoile.

Georges et Roger Antech, Dom. de Flassian,
11300 Limoux, tél. 04.68.31.15.88, fax 04.68.31.71.61,
e-mail courriers@antech-limoux.com
t.l.j. sf sam. dim. 8h-12h 14h-18h

### DOM. DELMAS 2001 ★★

● 6 ha 33 250 5 à 8 €

C'est à deux pas de la superbe église fortifiée du XIII^e s. d'Antugnac que Bernard Delmas élabore des vins haut de gamme, de plus en plus souvent mentionnés dans le Guide. Avec l'aide efficace de son épouse Marlène, il connaît un réel succès à l'étranger, où il exporte 80 % de sa production. Cette blanquette aux arômes fruités de pomme verte étonne et séduit d'entrée par son bel équilibre, sa bouche ample et savoureuse, sa longue persistance aromatique.

Bernard Delmas,
11, rte de Couiza, 11190 Antugnac,
tél. 04.68.74.21.02, fax 04.68.74.19.90 r.-v.

### DIAPHANE Grande Cuvée 2002 ★

● n.c. 150 000 8 à 11 €

Depuis sa création, la manifestation Toques et Clochers, dont le principal acteur est la cave coopérative, a permis de restaurer une quinzaine de clochers des villages alentours. Cette cuvée a été remarquée cette année grâce à sa robe limpide, brillant de reflets verts, à son nez fruité d'abricot complété par des notes florales légèrement beurrées. Elle se montre en bouche ample, fraîche, d'une remarquable maturité. La longue finale légèrement épicée livre un vin dans sa plénitude.

Aimery-Sieur d'Arques, av. de Carcassonne, BP 30,
11300 Limoux, tél. 04.68.74.63.00, fax 04.68.74.63.12
t.l.j. 9h30-12h30 14h-18h

### DOM. DE FOURN Carte noire 2001

● 5 ha 25 000 8 à 11 €

Ce charmant domaine limouxin, propriété familiale depuis 1938, s'est doté d'un nouveau caveau de dégustation pour y proposer cette blanquette-de-limoux 2001. Revêtue d'une robe jaune aux reflets verts, elle affiche de délicats parfums floraux ; la bouche est vive et bien équilibrée. Destiné à un apéritif accompagné de biscuits poivrés de Limoux.

GFA Robert, Dom. de Fourn, 11300 Pieusse,
tél. 04.68.31.15.03, fax 04.68.31.77.65,
e-mail robert.blanquette@wanadoo.fr r.-v.

### DOM. ROSIER Cuvée Jean-Philippe 2003 ★★

● 10 ha 56 000 3 à 5 €

Situé à la limite de la culture de la vigne, près de la ligne de partage des eaux, en terroir océanique, le domaine viticole de Michel Rosier produit régulièrement des vins de haut de gamme. L'effervescence vive de cette cuvée signe un 2003 impulsif. Accompagnée de notes de fleurs blanches capiteuses, la bouche est nette et bien équilibrée, avec une finale persistante et fraîche. C'est l'élégance même. A réserver pour les apéritifs.

Dom. Rosier, rue Farman,
11300 Limoux, tél. 04.68.31.48.38 r.-v.

# Blanquette méthode ancestrale

AOC à part entière, la blanquette méthode ancestrale reste un produit confidentiel. Le principe d'élaboration réside dans une seule fermentation en bouteille. Aujourd'hui, les techniques modernes permettent d'élaborer un vin peu alcoolisé (autour de 6 %vol.), doux, provenant du seul cépage mauzac.

## DAME D'ARQUES Tradition

● n.c. 30 000 5 à 8 €

Le moine de Saint-Hilaire qui, en 1531, découvrit la méthode pour élaborer des vins effervescents, n'aurait certainement pas résisté aux charmes de cette Dame d'Arques. On distingue du vert dans la robe or pâle et des arômes subtils de fruits frais et d'agrumes. La bouche suave et généreuse se termine par des notes miellées. Cette blanquette est conseillée sur une tarte Tatin. Egalement retenue, la cuvée **Suave et fruité 2003** sous la marque Aimery.

Aimery-Sieur d'Arques, av. de Carcassonne, BP 30, 11300 Limoux, tél. 04.68.74.63.00, fax 04.68.74.63.12 t.l.j. 9h30-12h30 14h-18h

## LA MAURETTE Doux 2003 ★★

● 3,25 ha 1 500 5 à 8 €

Si vous passez à Rennes-le-Château à la recherche de l'hypothétique trésor de l'abbé Saunière, ne manquez pas de vous rendre au domaine de la Maurette où un autre trésor vous attend. Cette blanquette méthode ancestrale (type doux) est très typique de l'appellation avec ses arômes de pomme qui se retrouvent en bouche, rehaussés d'une touche d'écorce d'orange et de poire. L'équilibre sucre-acidité est parfait. A consommer sur un gâteau au chocolat ou des crêpes suzette.

Tricoire et Thoreau, La Maurette, 11190 Serres, tél. et fax 04.68.69.81.06 t.l.j. 9h-12h 14h-18h

## PRIMA PERLA 2003 ★

● 5 ha 30 000 5 à 8 €

Ce domaine fut créé en 1928 sur les terres des moines de l'abbaye de Saint-Hilaire. Il compte aujourd'hui 65 ha. C'est donc sur le vignoble qui vit naître le premier effervescent au monde qu'a été élaborée cette cuvée en suivant une méthode qui se perpétue depuis le XVI[e]s. Jaune doré, elle offre un nez complexe et caractéristique de l'appellation (coing et pomme). Son bel équilibre sucre-acidité en fait un produit agréable.

Vignobles Vergnes, Dom. de Martinolles, 11250 Saint-Hilaire, tél. 04.68.69.41.93, fax 04.68.69.45.97, e-mail martinolles@wanadoo.fr t.l.j. sf sam. dim. 8h-12h 13h30-18h30; groupes sur r.-v.

## ROBERT 2003

● 3 ha 10 000 8 à 11 €

Durant les années 1950, la famille Robert utilisait une *moustadouïre*, sorte de pétrin en bois dans lequel on foulait la vendange aux pieds pour en extraire le jus. Actuellement celle-ci trône au milieu du nouveau caveau de réception, face au massif de la Malepère. L'effervescence est ici discrète ; la robe d'un jaune soutenu annonce des arômes de pâte de coing et de mirabelle. La bouche est ronde et bien équilibrée.

GFA Robert, Dom. de Fourn, 11300 Pieusse, tél. 04.68.31.15.03, fax 04.68.31.77.65, e-mail robert.blanquette@wanadoo.fr r.-v.

# Crémant-de-limoux

Reconnu par le décret du 21 août 1990, le crémant-de-limoux n'en est pas pour autant peu expérimenté. En effet, les conditions de production de la blanquette étaient déjà très strictes. Les Limouxins n'ont eu aucune difficulté à adopter la rigueur de l'élaboration du crémant.

Depuis déjà quelques années s'affinaient dans les chais des cuvées issues de subtils mariages entre la personnalité et la typicité du mauzac, l'élégance et la rondeur du chardonnay, la jeunesse et la fraîcheur du chenin.

## ANTECH Grande Cuvée 2003

● n.c. 32 400 5 à 8 €

C'est avec beaucoup de sérieux et de rigueur que Françoise Antech gère depuis peu les destinées du domaine. Ce crémant nouvelle formule à base de 50 % de chardonnay, de 40 % de chenin et de 10 % de mauzac ne pouvait pas laisser le jury insensible. Bien que très jeune, il réjouit le nez par ses notes de pain grillé et de pomme reinette. Après une attaque souple et fraîche, on retrouve les notes grillées. La finale séduit par son harmonie et sa longueur.

Georges et Roger Antech, Dom. de Flassian, 11300 Limoux, tél. 04.68.31.15.88, fax 04.68.31.71.61, e-mail courriers@antech-limoux.com t.l.j. sf sam. dim. 8h-12h 14h-18h

## DOM. B & B BOUCHE ★

● 3 ha 10 000 5 à 8 €

Champenois, Bruno et Bernadette Bouché pratiquent la culture raisonnée. Leur crémant se distingue par sa richesse et sa complexité. Sa robe or tendre aux reflets verts laisse deviner de délicats arômes de pêche, de fleur miellée et d'acacia. Toasté en bouche avec beaucoup de fraîcheur et de vivacité, il est fait pour l'apéritif.

Dom. Bernadette et Bruno Bouché,
Les Chais du Soleil, 6, av. de Limoux,
11300 La Digne-d'Aval,
tél. 06.08.70.04.63, fax 04.68.31.64.95,
e-mail bruno-bouche@wanadoo.fr r.-v.

DELMAS 2001 ★

n.c. 40 000 5 à 8 €

L'église d'Antugnac est un intéressant monument datant du Moyen Age. Elle est dédiée à saint André, dont la fête est l'occasion de la célébration de la vigne. On est en effet en pays limouxin, qui domine la vallée du Croux. Ce crémant 2001, issu de raisins cultivés en agriculture biologique, offre au regard une jolie teinte limpide aux reflets verts. Il exhale un bouquet printanier d'aubépine et de genêt. D'un bon équilibre en bouche, il se montre gras avec une certaine nervosité en finale.

Bernard Delmas,
11, rte de Couiza, 11190 Antugnac,
tél. 04.68.74.21.02, fax 04.68.74.19.90 r.-v.

IMPERIAL GUINOT Brut Tendre ★★

9 ha 35 000 8 à 11 €

La maison Guinot, l'une des plus anciennes du Limouxin, possède trois domaines dont un situé sur un ancien oppidum gallo-romain. Ce crémant Impérial porte bien son nom puisqu'il vient d'obtenir la distinction suprême. La mousse est fine et persistante. Les arômes harmonieux jouent sur la fleur d'acacia, le genêt et la noisette. Le corps est ample, élégant, gras et envoûtant par ses notes de coing et d'abricot. A découvrir à l'apéritif ou sur un poisson en sauce.

Maison Guinot, 3, av. Chemin-de-Ronde,
11300 Limoux, tél. 04.68.31.01.33, fax 04.68.31.60.05,
e-mail guinot@cremant.fr t.l.j. 9h-12h 14h-17h

MICHEL OLIVIER Tête de cuvée 2003 ★

3 ha 28 000 5 à 8 €

Michel Rosier est à la tête d'une trentaine d'hectares depuis vingt-trois ans. C'est un habitué du Guide dans lequel on le retrouve chaque année avec ses différentes cuvées. Celle-ci est habillée d'or traversé de reflets verts. Le nez est fin, avec une prédominance de fleurs blanches. La bouche est harmonieuse : les agrumes et la poire williams se fondent pour donner une touche beurrée en finale.

Dom. Rosier, rue Farman, 11300 Limoux,
tél. 04.68.31.48.38 r.-v.

SIEUR D'ARQUES Cuvée précieuse

500 ha n.c. 8 à 11 €

Présente dans quarante pays à travers le monde, cette coopérative a engagé ses techniciens et œnologues sur la voie de l'exigence. Dans ce crémant, l'effervescence est très présente, fine et délicate. Le nez surprend par ses senteurs de grillé que l'on retrouve en bouche avec une note d'agrumes en finale. A boire dès à présent.

Aimery-Sieur d'Arques, av. de Carcassonne, BP 30,
11300 Limoux, tél. 04.68.74.63.00, fax 04.68.74.63.12
t.l.j. 9h30-12h30 14h-18h

# Limoux

L'appellation limoux nature reconnue en 1938 désignait en réalité le vin de base destiné à l'élaboration de l'appellation blanquette-de-limoux et toutes les maisons de négoce en commercialisaient quelque peu.

En 1981, cette AOC s'est vu interdire, au grand regret des producteurs, l'utilisation du terme *nature* et elle est devenue limoux. Resté à 100 % mauzac, le limoux a décliné lentement, les vins de base de la blanquette-de-limoux étant alors élaborés avec du chenin, du chardonnay et du mauzac.

Cette appellation renaît depuis l'intégration, pour la première fois à la récolte 1992, des cépages chenin et chardonnay, le mauzac restant toutefois obligatoire. Une particularité : la fermentation et l'élevage jusqu'au 1er mai, à réaliser obligatoirement en fût de chêne. La dynamique équipe limouxine voit ainsi ses efforts récompensés.

Depuis 2004, l'AOC produit des vins rouges à partir des cépages atlantiques cabernet, merlot et cot et des cépages méditerranéens.

DOM. ASTRUC Réserve L.R.T. d. A 2003 ★

2,1 ha 12 000 5 à 8 €

Remarqué plusieurs fois pour son limoux blanc, le domaine Astruc vient de prouver qu'en rouge, il est tout aussi talentueux. Ce 2003 est paré d'une somptueuse robe pourpre intense. Les arômes sont très marqués par des notes balsamiques et empyreumatiques. La bouche révèle une intéressante matière tannique, un fort bon équilibre, de la longueur. On sent une réelle maîtrise de l'élevage en barrique. A servir en accompagnement d'une fricassée limouxine.

SARL Dom. Astruc,
20, av. du Chardonnay, 11300 Malras,
tél. 04.68.31.13.26, fax 04.68.31.72.11,
e-mail info@domaineastruc.com r.-v.
Jean-Claude Mas

LE CHEMIN DE MARTIN 2003 ★★

n.c. 18 000 8 à 11 €

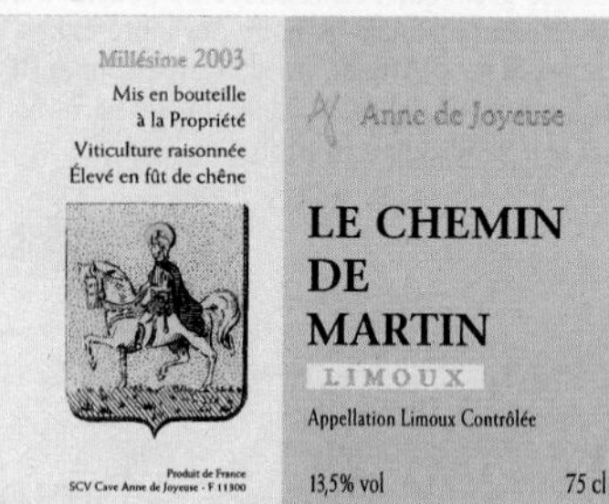


Créée en 1929, cette coopérative d'une capacité de 160 000 hl a produit pendant longtemps des vins ordinaires. Sa reconversion dans les vins fins a été spectaculaire. En 2000, elle est la première cave certifiée Agriconfiance du grand bassin méditerranéen. Depuis, elle ne cesse de se distinguer dans de nombreuses manifestations. Le jury a plébiscité cette cuvée Le Chemin de Martin en blanc. L'or est lumineux, le bouquet révèle une remarquable palette aromatique de fruits exotiques, de fleurs jaunes et une touche de merrain vanillé. Bien structurée, complète, riche d'une matière de qualité, cette bouteille a du corps et de l'esprit. Les cuvées **Chemin de Martin rouge 2003** et **Tunique Pourpre 2003 (5 à 8 €)** obtiennent toutes les deux une étoile.

Cave Anne de Joyeuse, 41, av. Charles-de-Gaulle, 11300 Limoux, tél. 04.68.74.79.40, fax 04.68.74.79.49 t.l.j. 9h-12h30 15h-19h

COLLOVRAY ET TERRIER La Bergerie 2003 ★

0,7 ha 4 500 11 à 15 €

Jean-Luc Terrier et Christian Collovray ont acheté ici le château d'Antugnac sans rien renier de leur propriété mâconnaise, le domaine des Deux Roches. Dans la vallée de l'Aude, le chardonnay a trouvé un de ses terroirs de prédilection et donne des produits de grande tenue. Très typé limoux, ce 2003 jaune paille diffuse un parfum doux et suave de fleur, de miel et d'agrumes. Riche, charnu et bien équilibré, il se termine par des notes grillées. Pour un saumon en papillotte. Retenu également avec une étoile, le limoux blanc **Château d'Antugnac 2003 Les Gravas (15 à 23 €)** se tiendra bien à table avec des noix de Saint-Jacques.

Collovray et Terrier, Vins des Personnets, 71960 Davayé, tél. 03.85.35.86.51, fax 03.85.35.86.12, e-mail vinsdespersonnets@club-internet.fr r.-v.

PRIMO PALATUM Mythologia 2003 ★★

2 ha 900 11 à 15 €

Pour élaborer un grand vin, Xavier Copel a trouvé la solution. Il suffit de sélectionner d'excellentes parcelles de vigne de la région et de mettre toutes ses compétences dans la vinification et l'élevage. Le résultat est à nouveau remarquable. Cette petite cuvée or pâle aux senteurs complexes d'agrumes, assorties de notes minérales et grillées, est agréable, ample en bouche. Très beau mariage du vin et du merrain vanillé des barriques. A failli obtenir un coup de cœur...

Xavier Copel, Primo Palatum, 1, Cirette, 33190 Morizès, tél. 05.56.71.39.39, fax 05.56.71.39.40, e-mail xavier-copel@primo-palatum.com r.-v.

CH. RIVES-BLANQUES Dédicace 2003 ★★

1,3 ha 6 000 5 à 8 €

L'un des sommets enneigés des Pyrénées a donné son nom à ce domaine situé à 350 m d'altitude. Trois cuvées portent ce nom en AOC limoux : l'une à 85 % de mauzac, l'autre à 85 % de chardonnay et la troisième issue de chenin. C'est cette dernière, Dédicace, qui a obtenu le meilleur accueil. Parée d'une robe jaune pâle limpide, elle offre un bouquet fin et agréable de fruits exotiques rehaussé d'une touche légèrement boisée et minérale. La bouche ample et généreuse témoigne d'un mariage parfait du fruit et de la barrique. Egalement retenue, la **cuvée de l'Odyssée 2003**, à base de chardonnay, obtient une étoile.

Jan et Caryl Panman, Dom. Rives-Blanques, 11300 Cépie, tél. et fax 04.68.31.43.20, e-mail rives-blanques@wanadoo.fr r.-v.

# Cabardès

Les vins des Côtes de Cabardès et de l'Orbiel proviennent de terroirs situés au nord de Carcassonne et à l'ouest du Minervois. Le vignoble s'étend sur 592 ha et dix-huit communes. Il a produit 15 633 hl de vins rouges et rosés en 2004 sur une superficie déclarée de 314 ha, associant les cépages méditerranéens et atlantiques. Ces vins d'appellation sont assez différents des autres vins du Languedoc-Roussillon : produits dans la région la plus occidentale, ils subissent davantage l'influence océanique. C'est pourquoi les cépages autorisés comprennent le merlot et le cabernet-sauvignon à côté du grenache noir et de la syrah.

DOM. DE CABROL Cuvée Vent est 2002 ★★★

7 ha 15 000 11 à 15 €

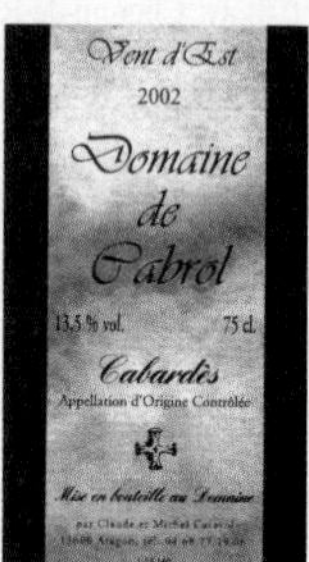


Claude Carayol est bien le phare de cette appellation en recevant cette année encore le coup de cœur. Sa rigueur met en valeur un terroir d'exception ; ce vigneron sait attendre la lente maturation des raisins. Nul besoin dans ce cas d'élever dans du bois ; c'est la quintessence du fruit qui s'exprime. Le vin est riche et puissant avec des arômes

étonnants de réglisse sur fond d'épices, de cannelle. Sa richesse aromatique accompagne toute la dégustation. Sa grande longueur participe à son charme.
Claude Carayol, Dom. de Cabrol, 11600 Aragon, tél. 04.68.77.19.06, fax 04.68.77.54.90, e-mail domaine.de.cabrol@tiscali.fr r.-v.

CELLIER DES COTES DU TRAPEL
Cuvée Prestige 2003 **

n.c. 2 304 8 à 11 €

Une petite production très bien maîtrisée par cette structure coopérative située aux portes de Carcassonne et qui mérite le détour. Ce vin est d'une agréable couleur rubis. Le nez de fruits rouges rappelle la griotte. Construit sur l'élégance et d'une belle complexité, ce 2003 est à mettre sur la table dans les tout prochains mois.
SCAV Cellier Côtes du Trapel, 2, av. de la Moulinasse, 11600 Villegailhenc, tél. et fax 04.68.77.10.79 r.-v.

CH. JOUCLARY 2004 **

n.c. 8 000 3 à 5 €

L'une des valeurs sûres du cabardès : deux générations, Robert Gianesini et son fils, contribuent à mettre en valeur ce domaine. Cette année, c'est le rosé qui a été particulièrement remarqué. Sa robe saumon est d'une superbe brillance. Très aromatique, le nez offre un mariage complexe de fruits jaunes et de fleurs blanches. L'équilibre est parfait en bouche.
EARL Gianesini, Ch. Jouclary, 11600 Conques-sur-Orbiel, tél. 04.68.77.10.02, fax 04.68.77.00.21 r.-v.

DOM. LOUPIA Tradition 2003 *

2 ha 2 600 5 à 8 €

Fait surprenant, ce domaine en culture biologique depuis près de trente ans se transmet de père en fille depuis cinq générations. Il se signale cette année par ce vin rouge à la robe profonde. Le nez est explosif, mêlant violette et mûre sauvage. La jolie bouche au boisé vanillé repose sur un tanin encore présent. Une bouteille à attendre, digne d'un gibier.
Nathalie et Philippe Pons, Les Albarels, 11610 Pennautier, tél. 04.68.24.91.77, fax 04.68.24.81.61, e-mail domaineloupia@wanadoo.fr t.l.j. sf dim. 10h30-12h30 17h30-19h30

CH. DE PENNAUTIER
L'Esprit de Pennautier 2002 **

5,5 ha 36 000 **15 à 23 €**

Ce grand domaine viticole, chargé d'histoire et qui compta Molière parmi ses hôtes illustres, est un habitué du Guide. Comme toujours, l'Esprit de Pennautier est particulièrement puissant, résultat d'une sélection rigoureuse. L'élevage en barrique neuve apporte d'intenses notes de torréfaction et un tanin encore très présent. Il conviendra d'attendre ce vin afin qu'il atteigne toute sa plénitude. A signaler, le **Château de Pennautier rouge (3 à 5 €)** qui obtient une étoile.
Vignobles de Lorgeril, Ch. de Pennautier, BP 4, 11610 Pennautier, tél. 04.68.72.65.29, fax 04.68.72.65.84 t.l.j. sf dim. 10h-18h

PRIEURE DU FONT JUVENAL
Le Sauvage 2002 ***

2 ha 4 700 **15 à 23 €**

Coup de maître pour une première présentation. Georges Casadesus, comme avant pour son métier de pépiniériste, a mis toute sa rigueur et son amour du vin à reconstruire ce domaine familial, ancienne dépendance de l'abbaye de Lagrasse. Cette cuvée de couleur pourpre offre un nez finement boisé et fruité. La bouche est ample et complexe, de grande longueur, avec un rappel de fruits très mûrs. Une superbe bouteille.
Georges et Colette Casadesus, rte de Mazanet, 11600 Conques-sur-Orbiel, tél. et fax 04.68.77.13.31 r.-v.

CH. SESQUIERES Le Chêne 2003

3 ha 5 000 **5 à 8 €**

Très joli domaine en limite de garrigue sur les hauteurs du Cabardès. La maturation y est lente, gage de finesse et d'élégance. Le vin paraît dans une jolie robe aux reflets de jeunesse. Le nez est complexe, la bouche souple et suave. Une bouteille prête à accompagner un magret grillé.
EARL Sesquières, rte de Montolieu, 11170 Alzonne, tél. 04.68.76.00.12, fax 04.68.76.92.77, e-mail lagouttegerard@wanadoo.fr r.-v.
Gérard Lagoutte

CH. VENTENAC Le Carla 2003 **

8 ha 53 000 3 à 5 €

Alain Maurel est mentionné chaque année dans ce Guide ; il sait allier, avec talent, modernité et tradition. La griffe du vigneron est bien présente dans ce vin rouge caractérisé par la finesse et l'élégance. Le nez riche et fruité offre une note florale qui rappelle la pivoine. Bien équilibrée, la bouche affiche un tanin fondu. Joli produit. Retenez également le **Ventenac rosé 2004**.
SARL Vignobles Alain Maurel, 1, pl. du Château, 11610 Ventenac, tél. 04.68.24.93.42, fax 04.68.24.81.16 t.l.j. sf dim. 8h-12h 14h-18h

LANGUEDOC

# Clairette-de-bellegarde

Reconnue AOC en 1949, la clairette-de-bellegarde est produite dans la partie sud-est des Costières de Nîmes, dans une petite région comprise entre Beaucaire et Saint-Gilles, et entre Arles et Nîmes, sur des sols rouges caillouteux. Produite à partir du cépage clairette, elle présente un bouquet caractéristique. En 2004, 2 088 hl de vin ont été produits.

MAS CARLOT Cuvée Tradition 2004 *

6 ha 35 000 3 à 5 €

Un vieux mas du XVIII^e s., une maison de maître du XIX^e s., une chapelle et des vignes, acquis par Paul Blanc en 1986. Sa fille, œnologue, a pris la direction du domaine en 1998. Cette clairette est fidèle au rendez-vous du Guide. Derrière une robe attrayante aux reflets verts intenses et brillants, le nez apparaît fin et élégant, avec des arômes floraux (fleur d'oranger), une touche de minéralité et enfin une nuance briochée. Même si l'attaque est fraîche, l'équilibre repose sur la rondeur et la volupté. Finale harmonieuse.

🔑 Nathalie Blanc-Marès, Mas Carlot, rte de Redessan, 30127 Bellegarde, tél. 04.66.01.11.83, fax 04.66.01.62.74, e-mail mascarlot@aol.com
☑ 🍷 🚶 t.l.j. sf sam. dim. 8h-12h 14h-17h

# Clairette-du-languedoc

Les vignes du cépage clairette sont cultivées sur 60 ha déclarés en 2004 dans huit communes de la vallée moyenne de l'Hérault et ont produit 2 537 hl. Après vinification à basse température avec le minimum d'oxydation, on obtient un vin blanc généreux, à la robe jaune soutenu. Il peut être sec, demi-sec ou moelleux. En vieillissant, il acquiert un goût de rancio qui plaît à certains consommateurs. Il s'allie bien à la bourride sétoise et à la baudroie à l'américaine.

### CH. LA CONDAMINE BERTRAND 2004 *

▢ 5 ha 15 000 🍾 5 à 8 €

Entre Bernard Jany et la clairette, c'est une longue histoire qui se confirme aujourd'hui avec ce 2004 très clair, fortement typé au nez par les agrumes. L'attaque est

**Le Languedoc**

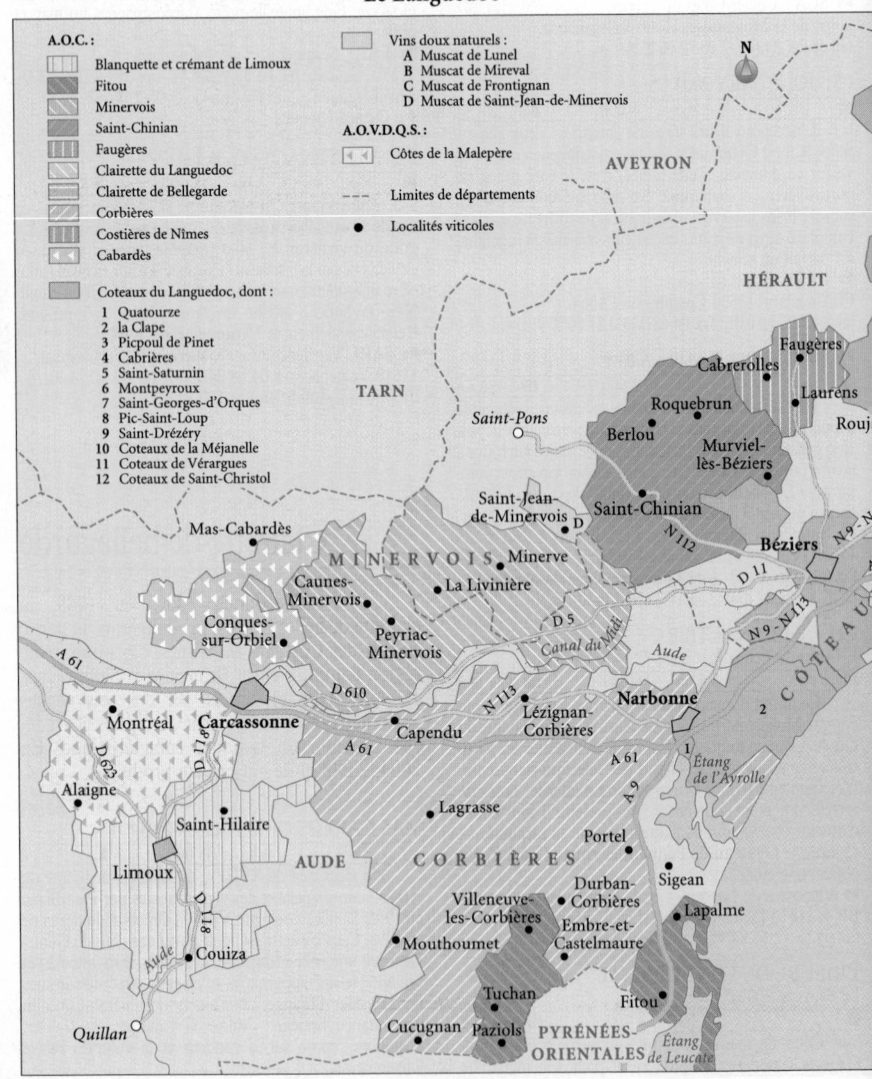

ronde, la finale onctueuse, et pourtant la fraîcheur n'est pas absente. De cette même cave, le **coteaux-du-languedoc Tradition rouge 2003** mérite bien une citation.

B. Jany, Ch. La Condamine Bertrand,
RN 9, 34230 Paulhan,
tél. 04.67.25.27.96, fax 04.67.25.07.55,
e-mail contact@condamine-bertrand.com
r.-v.

## DOM. DE L'EGLANTIER Adissan sec 2004 ★

10 ha 70 000 3 à 5 €

La cave d'Adissan vinifie deux types de clairette. Le jury cite l'**Adissan moelleux 2004** pour sa robe bien dorée, ses jolis arômes de fruits confits et sa sucrosité délicate. Ce blanc sec, quant à lui, a une couleur très pâle, des arômes d'agrumes, une bouche équilibrée, fraîche et moderne. Une très fine touche d'amertume bien caractéristique du cépage structure le palais en finale.

La Clairette d'Adissan, 34230 Adissan,
tél. 04.67.25.01.07, fax 04.67.25.37.76,
e-mail clairette-adissan@wanadoo.fr r.-v.

## LES HAUTS DE SAINT-ROME
Cabrières Moelleux 2004 ★★

10 ha 35 000 3 à 5 €

A Cabrières, l'expression du terroir n'est pas une question de couleur : le **coteaux-du-languedoc Champs des Cistes rouge 2002 (15 à 23 €)** affirme son caractère

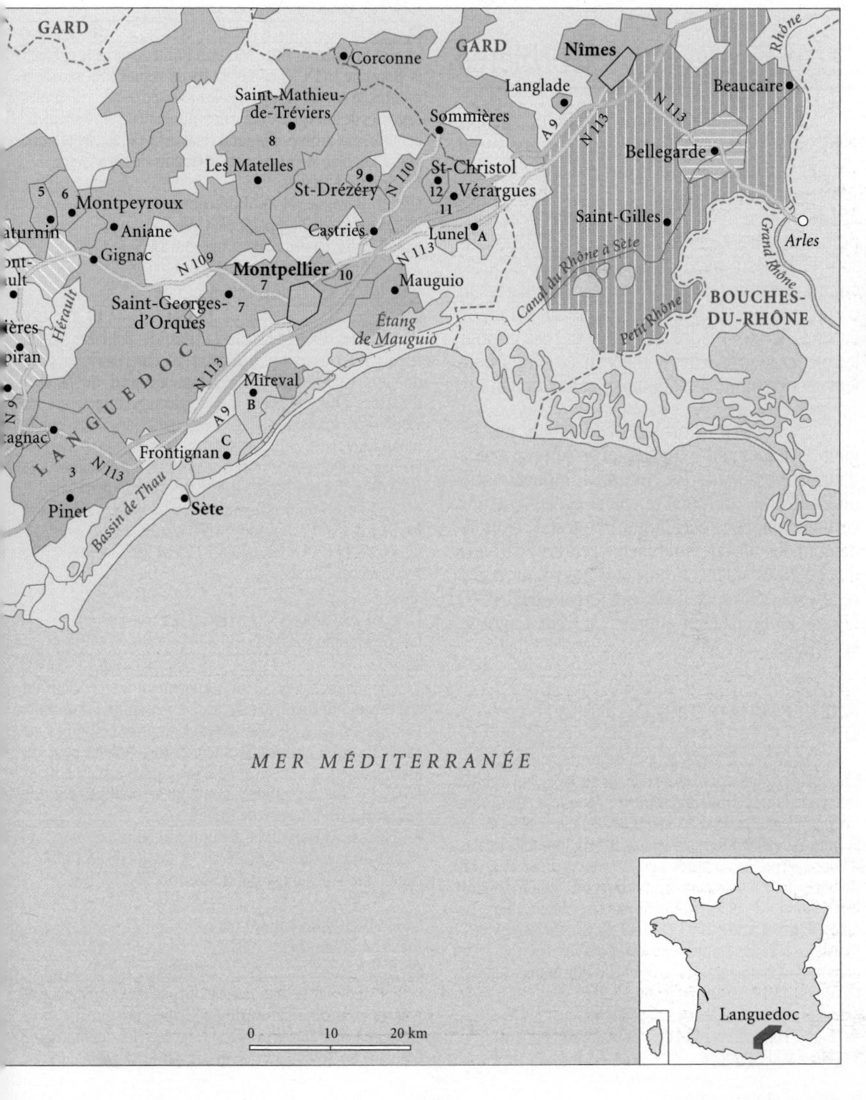

attachant de vin de schistes et reçoit une belle étoile. Quant à ce moelleux, élégant dans sa robe pâle, c'est un régal. Comme si l'on croquait dans un fruit tant les arômes de pêche, de poire, d'agrumes, accompagnés de notes de miel sont intenses. Le palais est onctueux tout en restant frais. Vu le prix raisonnable de cette bouteille, ne vous privez pas d'égayer vos desserts.
SCA Les Vignerons de Cabrières,
Caves de l'Estabel, rte de Roujan, 34800 Cabrières,
tél. 04.67.88.91.60, fax 04.67.88.00.15,
e-mail sca.cabrieres@wanadoo.fr
t.l.j. 9h-12h 14h-18h

# Corbières

Les corbières, VDQS depuis 1951, sont passés AOC en 1985. L'appellation s'étend sur plus de 12 515 ha, sur quatre-vingt-sept communes, pour une production de 551 000 hl en 2004. Ce sont des vins généreux, puisqu'ils titrent entre 11 ° et 13 ° d'alcool. Ils sont élaborés à partir d'assemblage de cépages comportant un maximum de 60 % de carignan complétés par le grenache noir, la syrah, le cinsault, le mourvèdre, en rouge et rosé et pour les blancs le grenache, le maccabeo, le bourboulenc, la marsanne, la roussanne et le vermentino.

Les Corbières constituent une région typiquement viticole, et n'offrent guère d'autres possibilités de culture. L'influence méditerranéenne dominante, mais également une certaine influence océanique à l'ouest, le cloisonnement des sites par un relief accentué, l'extrême diversité des sols, conduisent aujourd'hui à une réflexion sur les spécificités des terroirs de l'AOC, notamment ceux de Boutenac, Durban, Lagrasse et Sigean.

## ABBAYE DE FONTFROIDE 2003 ★★

■ 7 ha 5 800 5 à 8 €

Les 26 ha de cette propriété jouxtent l'abbaye de Fontfroide, fondée par les cisterciens au XIe s., qui a gardé son magnifique cloître représenté sur l'étiquette. Le terrain sablo-argileux, les cépages syrah (40 %), grenache (40 %) et carignan (20 %) donnent ici un vin remarquable. Le nez d'abord fermé laisse après agitation s'exprimer tout son potentiel (essentiellement fruits rouges et notes mentholées). Un vin de plaisir soutenu par de solides tanins. La **cuvée Cum Laude 2003 (8 à 11 €)** obtient une étoile.
SCEA Ch. de Saint-Julien de Septime,
abbaye de Fontfroide, RD 13, 11100 Narbonne,
tél. 04.68.45.11.08, fax 04.68.45.18.31,
e-mail vin@fontfroide.com
t.l.j. 10h-12h30 14h-18h; f. nov.-mars
Nicolas d'Andoque

## DOM. DE LA BAQUIERE Caprice 2003 ★

■ 2,4 ha 8 000 **11 à 15 €**

Situé non loin des tours de la cité de Carcassonne, à l'extrémité ouest de l'appellation, le domaine de La Baquière et ses 13 ha de vignes bénéficient des influences océaniques. Le millésime 2003 est en grande partie issu de syrah complétée par 10 % de grenache. Marqué par la confiture, les fruits confits, la garrigue, le nez est des plus agréables. En bouche, le gras et la sucrosité donnent un allant plein de vivacité. Cette bouteille est à déguster avec un bon cassoulet de Castelnaudary.
Frédéric Corpel, Dom. de La Baquière,
2, rue du Mont-Alaric, 11800 Fontiés-d'Aude,
tél. 04.68.78.98.49, fax 04.68.78.91.17,
e-mail frederic.corpel@wanadoo.fr r.-v.

## CH. LA BARONNE Las Vals 2003 ★

■ 8 ha 6 600 **30 à 38 €**

A mi-chemin entre Moux et Fontcouverte, le château la Baronne (XIXe s.) et ses 95 ha de vignes font face à la montagne Alaric. La syrah et le mourvèdre cultivés sur des terrasses de fines graves calcaires donnent un vin de couleur sombre, aux arômes allant du cassis à la vanille, à l'attaque plaisante, bien structuré par des tanins fins et soyeux.
Suzette Lignères,
Ch. La Baronne, 11700 Fontcouverte,
tél. 04.68.43.90.20, fax 04.68.43.96.73,
e-mail info@chateaulabaronne.com r.-v.

## CH. LA BASTIDE L'Optimée 2003 ★

■ 4 ha 19 000 **11 à 15 €**

Les vignes du château La Bastide, cultivées sur un terroir de terrasses argilo-calcaire du quaternaire, parsemé de gros galets roulés, s'étendent au pied de la tour d'Escales (XIIe s.). Issus d'une sélection minutieuse de vieux ceps (moyenne d'âge : cinquante ans) aux rendements faibles (35 hl/ha), la syrah et le grenache (ce dernier en plus faible proportion) ont produit un corbières à la robe rouge foncé intense, au nez très ouvert de menthol et d'iode, d'une grande puissance. Il est à boire maintenant.
SCEA Ch. La Bastide, 11200 Escales,
tél. 04.68.27.08.47, fax 04.68.27.26.81 r.-v.
Guilhem Durand

## CH. BEAUREGARD MIROUZE Cuvée Tradition 2004 ★

■ 1,75 ha 9 000 **5 à 8 €**

Un vignoble de 50 ha parfaitement intégré dans un site exceptionnellement sauvage, le massif de Fontfroide. Les vignes sont de véritables clairières entourées de garrigues et de pinèdes. Des teintes rose brillant pour cet assemblage de grenache et de syrah à parts égales. Un nez floral. Le côté frais apparaît en bouche, souligné par une belle rondeur. Un rosé de grillades.
Nicolas Mirouze, Ch. Beauregard Mirouze,
11200 Bizanet, tél. 04.68.45.19.35, fax 04.68.45.10.07,
e-mail info@beauregard-mirouze.com r.-v.

## CH. LE BOUIS Cuvée Arthur Elevé en fût de chêne 2003 ★★

■ 2 ha 4 000 **11 à 15 €**

Perché sur les hauteurs de Gruissan, entre pinède et mer au pied des falaises de La Clape, tout proche de la chapelle Notre-Dame des Auzils, protectrice des marins, le domaine Le Bouïs a produit un vin que les dégustateurs ont

plébiscité. Composé de syrah (majoritaire) et de grenache, il porte une robe sombre et profonde. Le nez est complexe, puissant, boisé et fumé, et se prolonge longuement en bouche où la matière se révèle dense et chaleureuse. Ne pas oublier la cuvée **K rouge 2003**, une étoile.
De Kerouartz, SCEA Ch. Le Bouïs,
rte Bleue, 11430 Gruissan,
tél. 04.68.75.25.25, fax 04.68.75.25.26,
e-mail chateau-le-bouis@wanadoo.fr r.-v.

CH. CAMBRIEL Cuvée Prestige 2003 *

0,8 ha 2 400 5 à 8 €

Viticulteurs depuis 1981, les Cambriel conduisent un domaine de 41 ha. Ce 2003 associe la syrah, le grenache et le carignan ; il se révèle vif en bouche. Des notes de grillé apparaissent en finale et ce n'est pas du tout désagréable.
GAEC Les Vignobles Cambriel,
65, av. Saint-Marc, 11200 Ornaisons,
tél. 04.68.27.43.08, fax 04.68.27.59.36,
e-mail christophe.cambriel@wanadoo.fr
t.l.j. 9h-12h 16h-19h; dim. sur r.-v.

CASTELMAURE Grande Cuvée 2003 *

65 ha 50 000 8 à 11 €

Après la fameuse Cuvée n° 3 remarquée dans les millésimes 1999, 2000 et 2002, les vignerons de la cave coopérative de Castelmaure ont mis en œuvre tout leur savoir-faire et leur amour du terroir pour réaliser cette Grande Cuvée 2003, de belle facture dans sa robe sombre. Le nez intense nous rappelle les neuf mois d'élevage en fût. Des tanins souples et fondus, une note de fraise écrasée et une finale réglissée, voilà ce que l'on perçoit en bouche.
SCV Castelmaure,
4, rte des Cannelles, 11360 Embres-et-Castelmaure,
tél. 04.68.45.91.83, fax 04.68.45.83.56 r.-v.

CH. CAUMONT SAINT-PAUL
Cuvée Prestige 2003 *

18,65 ha 100 000 3 à 5 €

Un domaine connu depuis l'époque romaine ; un château brûlé à la Révolution française. Le Grand Caumont est devenu essentiellement viticole au XVIII[e]s. Il a été acheté en 1906 par Louis Rigal, producteur de la marque de roquefort. Il est transmis à son fils Louis, dont la femme Françoise prend en main le domaine en 1983. Ce millésime au nez expressif et fin (bourgeon de cassis et cuir) réjouit le palais de ses arômes réglissés et fruités soutenus par une structure équilibrée et ronde.
SARL FLB Rigal,
Ch. du Grand Caumont, 11200 Lézignan-Corbières,
tél. 04.68.27.10.81, fax 04.68.27.54.59,
e-mail chateau.grand.caumont@wanadoo.fr r.-v.

DELICATESSE DE CHARLES CROS
Elevé en fût de chêne 2003 *

3,6 ha 18 000 5 à 8 €

Créée en 1988, pour le centenaire de la mort de Charles Cros, natif de Fabrezan, qui inventa avec Edison le phonographe, cette cuvée de la coopérative de Fabrezan est constituée de deux cépages (syrah 70 % et carignan 30 %). Elle porte bien son nom ; en effet tout est délicatesse dans ce vin, la couleur, le nez fruité, la bouche, où tout au long de la dégustation on perçoit des arômes de fruits rouges soutenus par des tanins souples venant se fondre dans une finale des plus agréables.
Cellier Charles Cros, 11200 Fabrezan,
tél. 04.68.43.61.18, fax 04.68.43.51.88,
e-mail cel-cros@club-internet.fr r.-v.

CLOS CANOS Tradition 2003 *

5 ha 13 000 5 à 8 €

Une chapelle du XII[e]s. a donné son nom à ce domaine. Issu de vieilles vignes (soixante-dix ans) de carignan (60 %) et de grenache noir (40 %), ce 2003 est intéressant. D'une robe grenat émane un petit parfum de cassis et de truffe. En bouche, c'est la fraîcheur qui domine dans un mélange d'épices et d'alcool. Tout participe à un parfait équilibre.
Pierre Galinier,
Dom. de Canos, 11200 Luc-sur-Orbieu,
tél. 04.68.27.00.06, fax 04.68.27.61.08,
e-mail chateau-canos@wanadoo.fr r.-v.

DOM. DES DEUX ANES Fontanilles 2003 *

7,5 ha 30 000 5 à 8 €

Venu du Mâconnais en l'an 2000, M. Terrier a trouvé à Peyriac-de-Mer son bonheur : 20 ha de vignes au milieu des étangs et de la garrigue, une cave neuve, des cuves ouvertes pour effectuer le pigeage et une cuve en bois tronconique de 30 hl pour la vinification et l'élevage. Une couleur soutenue et profonde annonce un nez intense qui rappelle les fruits rouges et les épices. En bouche, c'est la matière qui prime : charpenté, concentré, un vin à boire sur un civet de sanglier.
Magali et Dominique Terrier, Dom. des Deux Anes,
rte de Sainte-Eugénie, 11440 Peyriac-de-Mer,
tél. 04.68.41.67.79, fax 04.68.41.61.33,
e-mail mag-terrier@wanadoo.fr r.-v.

CH. LA DOMEQUE 2003 **

n.c. 115 500 3 à 5 €

Un magnifique 2003 ! Pour réussir cette cuvée, Frédéric Roger associe aux traditionnels grenache, mourvèdre et syrah du carignan et du cinsault : cela donne une robe particulièrement réussie, un nez complexe aux nuances de fruits et de bois. Quant à la bouche, elle est épanouie, souple et équilibrée. Il faut mentionner aussi le **Château La Domèque 2004 blanc**, une étoile.
GAEC Roger et Fils,
Ch. La Domèque, 11200 Canet-d'Aude,
tél. 04.68.27.84.50, fax 04.68.27.84.51,
e-mail frederic@chateau-la-domeque.com
r.-v.

L'EXCELLENCE DE L'ANCIEN COMTE
Vinifié en fût de chêne 2004 *

10 ha 15 000 5 à 8 €

Le terroir de Durban possède l'un des meilleurs potentiels qualitatifs de l'appellation. Dès 1951 on pro-

duisait ici des corbières supérieurs en VDQS. Les vignerons de la coopérative ont redoublé d'efforts ; ils sélectionnent les meilleures parcelles pour élaborer ce rosé corail à reflets orange. Le nez est fin et intense. La bouche, après une attaque franche, se révèle grasse et longue, très équilibrée. Un vin fort agréable.
Les Vignerons du Mont Tauch, 11350 Tuchan, tél. 04.68.45.41.08, fax 04.68.45.45.29, e-mail contact@mont-tauch.com
t.l.j. sf sam. dim. 9h-12h 14h-18h

### CH. FABRE GASPARETS
Cuvée 1651 Elevé en fût de chêne 2003 *

| 4 ha | 20 000 | 5 à 8 € |
|---|---|---|

1651, c'est l'année de création de cette propriété qui compte actuellement 150 ha de vignes conduites en lutte intégrée. Les quatre cépages de l'appellation – mourvèdre, syrah, grenache, carignan – produisent la cuvée 1651 qui se distingue une nouvelle fois par sa couleur grenat sombre aux reflets rubis, son nez puissant et plaisant de garrigue et d'épices en harmonie avec une bouche structurée, équilibrée et ronde.
Louis Fabre, Ch. de Luc, 11200 Luc-sur-Orbieu, tél. 04.68.27.10.80, fax 04.68.27.38.19, e-mail chateauluc@aol.com
t.l.j. sf dim. 8h-12h 14h-17h

### CH. FONTARECHE
Pierre Mignard Elevé en fût de chêne 2003 *

| 13 ha | 10 000 | 5 à 8 € |
|---|---|---|

Ancienne propriété des archevêques de Narbonne, achetée au début du XVII^e s. par la famille Mignard dont deux membres furent peintres sous le règne de Louis XIV. Issu d'une sélection de vieilles vignes (mourvèdre 40 %, carignan 30 %, grenache noir 20 % et syrah 10 %), riche en fruits surmûris, ce millésime légèrement fumé attaque avec franchise. Servie par un bon équilibre, la bouche offre des sensations de gras et des tanins fondus. A découvrir dès aujourd'hui.
J. de Lamy, SCEA Ch. Fontarèche, Canet-d'Aude, 11200 Lézignan-Corbières, tél. 04.68.27.10.01, fax 04.68.27.48.15, e-mail domaine.de.lamy@wanadoo.fr r.-v.

### DOM. DE FONTSAINTE Gris de gris 2004 *

| 12 ha | 72 000 | 5 à 8 € |
|---|---|---|

« Bon terroir ne saurait mentir » et Boutenac se distingue une nouvelle fois, grâce à la famille Laboucarié. Trente jours de fermentation à 18 °C ont été nécessaires pour obtenir ce gris de gris issu de quatre cépages : grenache noir majoritaire assorti de cinsault, carignan et syrah. Ce rosé est plein d'attraits : une robe orangée brillante, limpide ; un nez intense, fruité ; une bouche fraîche, tout en souplesse, qui ne laisse pas indifférent.
SEP Bruno et Christiane Laboucarié, Dom. de Fontsainte, 11200 Boutenac, tél. 04.68.27.07.63, fax 04.68.27.62.01 r.-v.

### CH. GAUBERT CAVAYE
Elevé en fût de chêne 2003 **

| n.c. | n.c. | 5 à 8 € |
|---|---|---|

Ce domaine est situé à l'extrémité ouest de l'appellation, dans une zone relativement fraîche. Gilles Cavayé a su apprécier l'importance du terroir (marne argilo-calcaire) et du climat plus océanique pour vinifier seulement deux cépages (syrah, grenache) élevés en barrique. Des reflets violacés signent la jeunesse de ce vin au nez complexe et intense, de fruits noirs et d'épices. La bouche est ample et soyeuse, dense et équilibrée, avec des tanins fort serrés mais très fins.
Gilles Cavayé, EARL Dom. Gaubert, 11220 Arquettes-en-Val, tél. et fax 04.68.24.04.49, e-mail gillescavaye@aol.com r.-v.

### CH. GAUSSAN-KOZINE Anna 2003 *

| 3 ha | 5 300 | 8 à 11 € |
|---|---|---|

Située entre deux abbayes (Fontfroide et Gaussan), cette ancienne terre du monastère de Gaussan (dépendance de l'abbaye de Fontfroide) est desservie par une allée de platanes qui sépare la vigne des oliviers ; le vignoble de 16 ha est organisé autour du chai et de la demeure et abrité par le parc de l'abbaye de Gaussan. Ce 2003 est une belle réussite. Des arômes puissants et complexes accompagnent toute la dégustation. Après une attaque franche, le palais se montre équilibré, soutenu par des tanins doux et soyeux. Syrah et carignan à petits rendements (35 hl/ha) sont ici cultivés sur un terroir de grès rose.
Marc et Danielle Kozine, Dom. Gaussan-Kozine, 11200 Bizanet, tél. et fax 04.68.45.18.07, e-mail gaussan-kozine@wanadoo.fr r.-v.

### CH. DE GRAFFAN Elevé en fût de chêne 2003 **

| 1,15 ha | 5 000 | 8 à 11 € |
|---|---|---|

Cette dynamique cave coopérative, nichée au cœur des Corbières, propose sa cuvée Château de Graffan, parée d'une belle couleur pourpre. Son nez puissant fait découvrir des arômes de fruits cuits et de confiture. La bouche est à la fois ample et bien équilibrée. Malgré un élevage en fût de douze mois, le bois reste très discret et participe à une finale des plus harmonieuses. Le **Château Tour Donat rouge 2003**, une étoile, est retenu pour son attaque franche et ses tanins fins.
Cellier de Graffan, av. des Vignerons, 11200 Ferrals-les-Corbières, tél. 04.68.27.83.80, fax 04.68.27.83.84, e-mail scav.ferrals@wanadoo.fr r.-v.

### DOM. DU GRAND ARC
Veillée d'équinoxe 2004 **

| 1,7 ha | 8 000 | 3 à 5 € |
|---|---|---|

Ce viticulteur est installé depuis 1995 sur une exploitation de 14 ha, au pied du château cathare de Queribus. Le grenache blanc (80 %) et le macabéo (20 %), implantés sur des terroirs argilo-calcaires, donnent un vin cristallin aux reflets verts, au nez puissant et fin de fleurs blanches (acacia) et de pomme verte. La bouche n'est pas en reste et l'on y retrouve une dominante florale servie par un bon équilibre et une finale tout en longueur. Dans le même esprit, la **cuvée des Quarante rouge 2003 (5 à 8 €)** et la cuvée **En sol majeur rouge 2003 (8 à 11 €)** obtiennent une étoile chacune.
Dom. du Grand Arc, Le Devez, 11350 Cucugnan, tél. et fax 04.68.45.01.03, e-mail info@grand-arc.com r.-v.
Bruno Schenck

### DOM. DU GRAND CRES 2003 **

| 2 ha | 4 800 | 8 à 11 € |
|---|---|---|

La famille Leferrer, installée depuis 1989 à Ferrals, village typique des Corbières en bordure d'Orbiel, fait décourir son vin blanc. Issu essentiellement du cépage roussanne vinifié en macération pelliculaire, de couleur paille brillant, ce 2003 exhale un parfum flatteur, complexe et soutenu, d'une grande élégance. D'un développement aromatique exceptionnel, il séduit jusqu'à la finale longue et acidulée. A servir sur une lotte au safran ou sur un millefeuille d'aubergine au crabe...

Pascaline et Hervé Leferrer,
40, av. de la Mer, 11200 Ferrals-les-Corbières,
tél. 04.68.43.69.08, fax 04.68.43.58.99,
e-mail grand.cres@wanadoo.fr r.-v.

DOM. DE LA GRANGE 2003 **

3,25 ha 15 000 5 à 8 €

Cet assemblage de carignan, de syrah et de grenache noir, cépages cultivés sur les schistes des hautes Corbières, apparaît dans une robe rubis aux reflets violacés. Au nez, le pain d'épice joue le premier rôle. En bouche se révèlent des arômes de sous-bois dans un équilibre et une élégance qui se prolongent longuement. Soutenu par des tanins fondus, un vrai vin de vigneron : à garder.

Les Maîtres Vignerons de Cascastel,
Grand-Rue, 11360 Cascastel, tél. 04.68.45.91.74,
fax 04.68.45.82.70, e-mail info@cascastel.com
t.l.j. sf sam. dim. 8h-12h 14h-18h

CUVEE GUILHEM DE MALACOSTE 2004 *

15 ha 10 000 3 à 5 €

Sous le nom de Cellier Joseph Delteil se cache la cave coopérative de Serviès-en-Val située dans le Val de Dagne, à l'ouest de l'appellation, au pied des hautes Corbières. Des viticulteurs attachés à la qualité vous feront découvrir ce rosé 2004 à la robe rose clair, limpide et brillante. Le nez intense choisit le registre de la figue et des fruits secs. La bouche, plaisante et ronde, offre une finale des plus agréables.

Cellier Joseph Delteil,
1, rue Joseph-Delteil, 11220 Serviès-en-Val,
tél. 04.68.24.08.74, fax 04.68.24.01.37 r.-v.

CH. DE L'HORTE Grande Réserve 2002 **

n.c. n.c. 11 à 15 €

Jean-Pierre Biard a repris en 1989 ce domaine créé en 1755. Il est à la tête de 28 ha. Elevé douze mois en fût, ce vin porte une robe sombre et profonde. Le nez est dominé par l'élevage et des notes de sous-bois ; mais au palais, rondeur, gras et richesse le rendent très attrayant. Le boisé aujourd'hui très présent va s'atténuer avec le temps.

Jean-Pierre Biard, Ch. de L'Horte,
11700 Montbrun-des-Corbières,
tél. 04.68.43.91.70, fax 04.68.43.95.36,
e-mail horte@wanadoo.fr r.-v.

CH. DE L'ILLE Cuvée Angélique 2003 *

4 ha 10 000 5 à 8 €

Bâti sur une antique *villa* romaine dans une presqu'île entourée par les étangs de Bages et de Sigean, le château de l'Ille est une propriété de 40 ha essentiellement classée en corbières. Le millésime 2003, constitué de trois cépages (syrah, grenache et mourvèdre), montre une belle couleur rouge vif. Le nez est floral ; la bouche, soutenue par un bel équilibre général, est franche et agréable.

Ch. de L'Ille, 11440 Peyriac-de-Mer,
tél. 04.68.41.05.96, fax 04.68.42.81.73,
e-mail chateau-de-lille@wanadoo.fr r.-v.

DOM. DE LONGUEROCHE Cuvée Aurélie 2002 *

2 ha 10 000 8 à 11 €

Au cœur des Corbières, le domaine de Longueroche doit son nom aux barres rocheuses surplombant les 25 ha de vignes conduites en culture raisonnée. Ce 2002, élaboré à partir de quatre cépages (syrah, grenache, carignan, mourvèdre), devrait bien se marier avec un lièvre à la broche dès aujourd'hui car, sous sa robe rouge brillant, il révèle une bonne structure ainsi que des tanins fondus et soyeux.

Roger Bertrand, Dom. de Longueroche,
11200 Saint-André-de-Roquelongue,
tél. 06.75.22.85.51, fax 04.68.32.22.43,
e-mail contact@rogerbertrand.fr r.-v.

RESERVE DU CH. MANSENOBLE
Cuvée Marie-Annick 2003 **

17 ha 6 500 15 à 23 €

Niché au pied de la montagne d'Alaric, sur des terrains argilo-calcaires, ce château est la propriété d'un grand amateur de vins, venu de Belgique il y a douze ans. On garde en mémoire son coup de cœur pour la Réserve 2001. Cet assemblage de syrah (50 %), grenache (20 %), mourvèdre (20 %) et carignan (10 %) affiche fièrement une robe cerise burlat brillant, et se répand en arômes d'épices et de poivron. La bouche est volumineuse, équilibrée, soutenue ; en un mot parfaitement maîtrisée. Quant à la cuvée **Réserve rouge 2003 (11 à 15 €)**, elle obtient une étoile.

Guido Jansegers, Ch. Mansenoble, 11700 Moux,
tél. 04.68.43.93.39, fax 04.68.43.97.21,
e-mail mansenoble@wanadoo.fr
t.l.j. 9h30-11h30 14h30-17h30;
sam. dim. sur r.-v.

CH. MEUNIER SAINT-LOUIS 2004 **

5 ha 15 500 5 à 8 €

Le château Meunier Saint-Louis se distingue cette année par son vin blanc assemblant quatre cépages ; le grenache blanc, majoritaire, est cultivé sur des terrasses de galets roulés. Friand, de couleur paille aux reflets verts, ce 2004 a de délicieux parfums de fruits exotiques. Elégant et gras, il offre une finale légèrement acidulée. On n'oublie pas le corbières **A Capella rouge 2003 (11 à 15 €)**, noté une étoile. Le boisé présent laisse place à des arômes de fruits rouges. Un corbières tout en finesse.

Ph. Pasquier-Meunier, Saint-Louis, 11200 Boutenac,
tél. 04.68.27.09.69, fax 04.68.27.53.34,
e-mail info@pasquier-meunier.com r.-v.

CH. LES OLLIEUX 2003 *

14 ha 60 000 5 à 8 €

C'est sur le terrain des oliviers, aujourd'hui château des Ollieux, que fut fondée la première abbaye cistercienne de femmes. Ce vin est particulièrement intéressant par la présence de 45 % de carignan complétés par 25 % de syrah, 20 % de grenache et 10 % de mourvèdre. Bien élevé, il se mariera avec toutes les viandes rouges.

François-Xavier Surbezy,
Ch. Les Ollieux, D 613, 11200 Montséret,
tél. 04.68.43.32.61, fax 04.68.43.30.78,
e-mail contact@chateaulesollieux.com
t.l.j. 8h-17h (20h en été); f. 20 déc.-2 jan.

CH. OLLIEUX ROMANIS Cuvée Prestige 2003 **

1,45 ha 6 000 8 à 11 €

Sur des argiles rouges méditerranéennes sont nées roussanne et marsanne assemblées ici à parts égales.

LANGUEDOC

Remarquable, la robe séduit d'emblée, tout comme le nez explosif auquel l'élevage en fût a apporté une petite touche de vanille. La bouche, grasse, volumineuse, en parfaite harmonie avec le boisé, est très longue.

Jacqueline Bories,
Ch. Ollieux Romanis, TM 13, 11200 Montséret,
tél. 04.68.43.35.20, fax 04.68.43.35.45,
e-mail ollieuxromanis@hotmail.com r.-v.

### CH. PECH-LATT Sélection Vieilles Vignes 2003 *

2,2 ha 10 000 5 à 8 €

Ces vieilles vignes avaient aussi obtenu une étoile pour le millésime 2002. A l'inverse de la récolte précédente, la couleur de ce 2003 est pourpre intense et brillant. Le nez est puissant et la bouche affiche une base tannique bien présente accompagnée d'un léger boisé, qui révèle un bel élevage en barrique. Finale longue et agréable.

SC Ch. Pech-Latt, 11220 Lagrasse,
tél. 04.68.58.11.40, fax 04.68.58.11.41,
e-mail chateau.pechlatt@louis-max.fr
t.l.j. sf sam. dim. 8h-12h 13h-17h
Laurent Max

### CH. PRIEURE DE BUBAS Clos Bubas 2003 *

1 ha 2 000 15 à 23 €

Si vous aimez les promenades dans les endroits sauvages, le château Prieuré de Bubas vous comblera d'aise. Situé en pleine garrigue, il est protégé par le massif de l'Alaric. L'exploitation de 37 ha est en bordure des chemins de randonnée. La concentration et le bois semblent être la religion de ce vin où le café et les épices viennent se mêler à la fête. Il faudra patienter encore quelques années pour que tout s'harmonise.

Olivier Durand-Roger,
Dom. de Bubas, 11700 Comigne,
tél. 04.68.79.18.48, fax 04.68.79.18.55,
e-mail odr01@wanadoo.fr t.l.j. 8h-20h

### PRIEURE SAINTE-MARIE D'ALBAS Clos de Cassis Elevé en fût de chêne 2003 **

4 ha 12 000 8 à 11 €

Propriété de Gisèle et Louis Gaubert depuis 1985. On trouve à partir du XIIIe s. des écrits sur les terres d'Albas, qui, en 1777, sont rattachées à l'abbaye de Lagrasse. Que dire de ce remarquable 2003 ? Robe violacée. Nez de petits fruits rouges et de grillé. A la fois structuré et souple, complexe, il s'accompagne d'un boisé léger.

Gisèle et Jean-Louis Galibert,
Prieuré Sainte-Marie-d'Albas, 11700 Moux,
tél. 04.68.79.09.64, fax 04.68.79.28.39 r.-v.

### DOM. PY Antoine 2003 *

5 ha 5 000 5 à 8 €

Jean-Pierre Py a su mettre en valeur depuis 2003 ce domaine de 29 ha situé sur la N 113, reliant Narbonne à Carcassonne et à la Montagne Alaric. Le choix d'une vinification traditionnelle sans égrappage et d'un passage en barrique de huit mois paraît judicieux pour ce 2003 élaboré à partir de syrah et de grenache à parts égales. Le vin présente une couleur foncée, presque violacée ; ses arômes de violette et de fruits rouges se manifestent intensément. La bouche apparaît gouleyante. La finale de fruits et d'épices est des plus convaincantes.

Jean-Pierre Py, 131, av. des Corbières,
11700 Douzens, tél. et fax 04.68.79.21.53,
e-mail py.jeanpierre@wanadoo.fr r.-v.

### CH. DU ROC Prestige La Grange 2004 **

1,29 ha 5 000 3 à 5 €

Le château du Roc revient cette année avec un vin blanc magnifique assemblant, à parts égales, le vermentino, la marsanne et le grenache blanc. Cela donne ici un vin limpide, cristallin, de couleur jaune pâle aux reflets verts, aux arômes de fleurs blanches et de pomme verte. Ce qui le caractérise, c'est une harmonie générale fabuleuse. Mélange de rondeur, d'ampleur, de structure... Le tout se terminant en apothéose.

Jacques Bacou, Ch. du Roc, 11700 Montbrun,
tél. 04.68.32.84.84, fax 04.68.32.84.85,
e-mail jacques-bacou@wanadoo.fr
t.l.j. 9h-12h 14h-18h

### CH. ROMILHAC Les Terrasses 2003 **

2,2 ha 8 000 8 à 11 €

Ce petit domaine de 9,5 ha situé aux portes de Narbonne a été complètement réaménagé en 1992. Coup de cœur avec son 2001, il est à nouveau distingué mais cette fois-ci avec un 2003 : c'est dire si Elie Bouvier persévère. D'abord discret, le nez s'épanouit en une palette de fruits rouges à l'alcool. Elégance, charpente, fraîcheur et équilibre se conjuguent pour donner cette cuvée enchanteresse.

Nadia et Elie Bouvier, Ch. de Romilhac, chem. des Geyssières, 11100 Narbonne, tél. et fax 04.68.41.59.67
r.-v.

### ROQUE SESTIERE Carte blanche 2003 *

1,5 ha 8 000 5 à 8 €

Présent sur trois communes, le domaine Roque Sestière a fait sa révolution en 2003 : réduction de la superficie en vigne (de 26 ha à 12 ha) et politique du « tout en bouteilles ». Politique qui porte ses fruits. Bi-cépages syrah-carignan, ce 2003 ouvre un large éventail aromatique qui va de la confiture au caramel. En bouche, c'est la puissance qui perce, soutenue par des tanins présents.

EARL Roland Lagarde, Roque Sestière,
8, rue des Etangs, 11200 Luc-sur-Orbieu,
tél. 04.68.27.18.00, fax 04.68.27.04.18 r.-v.

### CH. LA SABINE Juni Perus 2002 **

3,4 ha 10 000 8 à 11 €

A mi-chemin de l'abbaye de Fontfroide et de la cité de Carcassonne, ce château tient son nom de l'arbre *Juniperus Sabina*, présent sur le lieu-dit depuis l'Antiquité romaine. Cette cuvée se compose de syrah et de carignan à parts égales, cépages qui lui donnent cette couleur noire à reflets violacés, ces senteurs complexes de fruits et d'épices, cette structure puissante mais soyeuse qui s'épanouit en tanins ronds sur des notes de caramel. A conserver entre un et deux ans.

🔑 Bernard Mallent, Ch. La Sabine,
11220 Saint-Laurent-de-la-Cabrerisse,
tél. 04.68.44.09.64, fax 04.68.44.09.05,
e-mail lasabine@wanadoo.fr ☑ 🍷 🚶 t.l.j. 9h-19h

## CH. SAINTE-LUCIE D'AUSSOU 2003 ★★

■ 3,3 ha 20 000 🛢 8 à 11 €

Créé en 1869 sur le site gallo-romain de la *villa* Major, ce domaine de 39 ha est situé sur l'un des plus fameux terroirs des Corbières, celui de Boutenac, qui a obtenu en 2005 l'appellation du même nom. Grenache, carignan et syrah montrent un tempérament généreux et apportent à ce millésime 2003 des parfums de fruits à l'alcool. Chaud sans être brûlant, gourmand sur le fruit, il affiche des arômes de fruits surmûris et repose sur des tanins doux. C'est par ces qualités qu'il charme le dégustateur.

🔑 Jean-Paul Serres, SCEA Ch. Sainte-Lucie d'Aussou,
11200 Boutenac, tél. 04.68.45.12.35, fax 05.61.58.13.83,
e-mail serres.jeanpaul@wanadoo.fr ☑ 🍷 🚶 r.-v.

## CH. SAINT-ESTEVE Elevé en fût de chêne 2002 ★★

■ n.c. 100 000 🛢 3 à 5 €

Sur ses 22 ha, ce producteur s'est fait un nom sans renier celui de son grand-père, le célèbre aventurier écrivain Henri de Monfreid. Nous jugions l'an dernier sa cuvée Altaïr ; cette année c'est la cuvée principale élevée en fût de chêne pendant un an qui prend le relais. Ce vin pourpre à reflets violacés, au nez complexe de fruits rouges mûrs, d'épices et de torréfaction offre une bouche volumineuse, structurée et soutenue par des tanins ronds et serrés. Il se gardera encore pendant au moins deux ans.

🔑 Eric Latham,
Ch. Saint-Estève, 11200 Villesseques-Corbières,
tél. 04.68.43.32.34, fax 04.68.43.75.63,
e-mail contact@saint-esteve.com ☑ 🍷 🚶 t.l.j. 10h-18h

## CH. SAINT-JAMES 2004 ★★

□ 7 ha 30 000 3 à 5 €

C'est à L'Etang des Colombes que vous pourrez déguster ce vin blanc issu de quatre cépages. Brillant, limpide, traversé de reflets verts, il enchante par ses arômes de fleurs blanches, de sureau, de pomme verte que l'on retrouve dans une bouche équilibrée, complétée par le litchi et par une note muscatée très agréable. Fondu, gras, long, doté d'une remarquable finale, il attend de passer sur votre table. A boire.

🔑 Christophe Gualco, Ch. Saint-James, 11200 Névian,
tél. 04.68.27.00.03, fax 04.68.27.24.63

## CH. DE SERAME 2003 ★

■ 12 ha 80 000 🛢 5 à 8 €

Ce grand domaine de 270 ha en bordure nord de l'appellation, proche du canal du Midi, met un soin tout particulier dans le mode de vinification de ses vins. Les trois cépages – syrah, grenache noir, carignan – cultivés sur des terroirs essentiellement composés de galets roulés sont cueillis à la main et transportés en cagette à la cave. D'une couleur cerise, ce 2003 affiche un nez puissant et complexe. En bouche, les arômes de fruits et de grillé sont soutenus par une structure intéressante et un boisé présent. Il mérite du sanglier braisé dans deux ou trois ans.

🔑 SAS Ch. de Sérame, 11200 Lézignan-Corbières,
tél. 04.68.27.59.00, fax 04.68.27.59.01,
e-mail serame@wanadoo.fr ☑ 🍷 🚶 r.-v.

## DOM. SERRES-MAZARD A Petit-Jules 2004 ★★★

□ n.c. n.c. 🛢 5 à 8 €

Jean-Pierre Mazard et son vin blanc exceptionnel, assemblage de grenache blanc, macabeu et marsanne. Le climat tardif de Talairan permet ici d'obtenir un vin de couleur paille verte brillant, très aromatique (vanille, fruits confits, toast chaud). La bouche ronde, riche et puissante révèle des notes de grillé et de fumé caractéristiques d'un élevage sous bois. Très longue finale se développant à l'infini. Un grand seigneur à prix doux, à réserver pour les grandes occasions. La **cuvée Annie rouge 2002 (15 à 23 €)** – 20 % de vieux carignan et 80 % de syrah – reçoit une étoile.

🔑 Annie et Jean-Pierre Mazard, Dom. Serres-Mazard,
11220 Talairan, tél. 04.68.44.02.22, fax 04.68.44.08.47
☑ 🏠 🍷 🚶 8h-19h été; hiver sur r.-v.

## CUVEE SEXTANT 2003 ★

■ 100 ha 40 000 **11 à 15 €**

Les efforts payent pour la cave coopérative d'Ornaisons : une nouvelle fois retenue, la cuvée Sextant est le fruit d'une sélection rigoureuse de carignan et de syrah à parts égales, vinifiée en macération carbonique et vieillie en fût. La robe est grenat à reflets violacés. Le nez très fondu et complexe semble presque évolué. Le palais est équilibré, riche et harmonieux ; des notes grillées discrètes et des saveurs d'épices emplissent la bouche.

🔑 Vignerons du Mont Ténarel d'Octaviana,
53, av. des Corbières, 11200 Ornaisons,
tél. 04.68.27.09.76, fax 04.68.27.58.15,
e-mail info@cuveesextant.com ☑ 🍷 r.-v.

## THESAURUS 2003 ★

■ n.c. 24 000 🛢 **8 à 11 €**

Vieilli dans les galeries d'une ancienne mine de plâtre, que l'on peut apercevoir sur l'étiquette de la bouteille, le Thesaurus est un vin concentré, puissant, à la robe très soutenue mais brillante ; au nez, des notes de grillé et d'épices se mêlent aux fruits rouges. Un vin plein mais qui mérite d'être gardé quelques années pour que le bois s'atténue.

🔑 Caves Rocbères, 11490 Portel-des-Corbières,
tél. 04.68.48.28.05, fax 04.68.48.45.92 ☑ 🍷 🚶 r.-v.

## CH. VAUGELAS Cuvée Prestige 2003 ★★

■ 30 ha 150 000 🛢 5 à 8 €

Les dominicains ont créé ce domaine en 1604 avant de s'établir à l'abbaye de Lagrasse. Reprise en 2000 par la famille Bonfils, la propriété compte 120 ha. La cuvée Prestige est le fruit d'un travail minutieux, tant au vignoble

qu'à la cave (macération carbonique, cuvaison longue). Le 2003 est plébiscité par les dégustateurs. Gras et charnu, concentré et structuré, il dévoile des arômes de réglisse et de fruits noirs. La cuvée **Le Prieuré Elevé en fût de chêne 2003 rouge (8 à 11 €)** remporte également deux étoiles pour son gras et ses tanins fondus.
SA Ch. de Vaugelas, 11200 Camplong-d'Aude, tél. 04.68.43.68.41, e-mail chateauvaugelas@wanadoo.fr t.l.j. sf sam. dim. 8h-12h 14h-18h
Bonfils

### CH. VEREDUS 2003 *

4,2 ha 6 000 5 à 8 €

Marie Teisserenc est revenue depuis 1998 sur cet ancien relais de poste situé sur le passage de la voie romaine *via Aquilania*, où elle a créé la ligne Château Veredus. Ce domaine de 100 ha cultive sur des terrains argilo-calcaires les quatre cépages de l'appellation (carignan, syrah, grenache noir, mourvèdre) vendangés manuellement. Ceux-ci ont donné un vin très réussi et prêt à être dégusté.
Marie Teisserenc, Ch. Veredus, 11200 Cruscades, tél. 04.68.27.10.80, fax 04.68.27.38.19, e-mail chateauluc@aol.com
t.l.j. 9h-12h 14h-18h; sam. dim. sur r.-v.

### CH. DU VIEUX PARC 2003 *

8 ha 40 000 8 à 11 €

Nouvelle distinction pour ce domaine de 55 ha situé aux portes de Lézignan, pratiquant la lutte raisonnée (respect du vignoble et du terroir). On retrouve Louis Panis avec ce millésime 2003 aux arômes complexes d'épices et de fleurs ; la garrigue et la vanille s'unissent en bouche dans un ensemble tout en rondeur et en harmonie.
Louis Panis, av. des Vignerons, 11200 Conilhac-Corbières, tél. 04.68.27.47.44, fax 04.68.27.38.29, e-mail louis.panis@wanadoo.fr r.-v.

### LE BLANC DE VILLEMAJOU Vinifié en barrique 2003 **

6 ha 35 000 8 à 11 €

Propriétaire des 110 ha de vignes du domaine Villemajou situé à Saint-André-de-Roquelongue, Gérard Bertrand est une nouvelle fois distingué pour son vin blanc vinifié en barrique. A base des quatre cépages – marsanne, roussanne, bourboulenc et macabeu – jouant à parts égales, ce corbières présente une robe paille mûre et un nez d'une grande complexité où la vanille et le fruité se marient à merveille. Sans aucune agressivité, la bouche est grasse et tout en rondeur. A boire avec une coquille Saint-Jacques à la crème.
Gérard Bertrand, Ch. L'Hospitalet, BP 20409, 11104 Narbonne Cedex, tél. 04.68.45.36.00, fax 04.68.45.27.17, e-mail vins@gerard-bertrand.com r.-v.

### CH. VILLEROUGE LA CREMADE 2003

4 ha 16 000 3 à 5 €

Situé aux abords de la D 611 reliant Fontfroide et Lagrasse, le village de Villerouge-la-Crémade est dominé par un château en ruine dont il ne reste qu'un mur ; cela donne une impression de décor de théâtre, tant il est vrai qu'un seul mur livré aux attaques du vent et des intempéries ne peut plus guère faire valoir le prestige qui pouvait être le sien quelques siècles plus tôt. L'assemblage de carignan-grenache-syrah a donné naissance ici à un vin de couleur violette, chaleureux, franc et loyal.
Ch. Villerouge-la-Crémade, 1, chem. de Thézan, Villerouge-la-Crémade, 11200 Fabrezan, tél. 04.68.43.59.70, fax 04.68.43.59.72, e-mail chateauvlc@wanadoo.fr r.-v.

# Costières-de-nîmes

Ce sont 25 000 ha de terrains de cailloutis du villafranchien classés en AOC ; 12 000 ha sont actuellement plantés dans ce périmètre dont 4 350 ont été déclarés en 2004. Les vins rouges, rosés ou blancs sont élaborés dans un vignoble établi sur les pentes ensoleillées de coteaux constitués de cailloux roulés, dans un quadrilatère délimité par Meynes, Vauvert, Saint-Gilles et Beaucaire, au sud-est de Nîmes, au nord de la Camargue. 217 562 hl de vin ont été agréés en 2004 sous l'appellation costières-de-nîmes (dont 8 023 hl de blanc), produits sur le territoire de vingt-quatre communes. Les cépages autorisés en rouge sont le carignan, le cinsault, le grenache noir, le mourvèdre et la syrah ; en blanc, ce sont la clairette, la marsanne, la roussanne et le rolle. Les rosés s'associent aux charcuteries des Cévennes, les blancs se marient fort bien aux coquillages et aux poissons de la Méditerranée et les rouges, chaleureux et corsés, préfèrent les viandes grillées. Une route des Vins parcourt cette région au départ de Nîmes.

### CH. BEAUBOIS Elégance 2003 **

4 ha 15 000 8 à 11 €

Située en bordure de la Costière, cette propriété jouxte la Camargue avec les étangs à ses pieds. Cet assemblage de roussanne et de grenache blanc se présente dans une robe jaune paille aux reflets dorés. Le nez intense et complexe, bien que tardant un peu à se révéler, développe à l'aération des arômes de citronnelle, de citron confit, d'épices douces et des notes de grillé, ainsi qu'une touche d'ananas en rétro-olfaction. Gras et puissant, sans perdre de son harmonie, ce vin affiche un beau volume et beaucoup de persistance. Il peut être bu dès à présent ou attendu un à deux ans. La cuvée **Elégance rouge 2003** est tendre, soyeuse, équilibrée. Quant au **Domaine La Roche rouge 2004 (3 à 5 €)**, moitié syrah, moitié grenache noir, il a de la chair et du fruit. Tous deux obtiennent une étoile.
SCEA Ch. Beaubois, 30640 Franquevaux, tél. 04.66.73.30.59, fax 04.66.73.33.02, e-mail fannyboyer@chateau-beaubois.com
t.l.j. sf dim. 8h-12h 14h-18h
Boyer

### CH. BELLE-COSTE Cuvée Saint-Marc 2004

20 ha 15 000 5 à 8 €

Sur ce domaine, la famille du Tremblay entretient une superbe collection d'iris que le visiteur peut découvrir au

printemps. Le jury s'est laissé séduire par ce rosé à la couleur tonique : un rose rehaussé d'une pointe de vermillon. Le nez exhale un bouquet harmonieux de fleurs blanches et de fruits de printemps. Gourmand, le palais offre un équilibre très correct.
Bertrand du Tremblay, Ch. de Belle-Coste, 30132 Caissargues, tél. 04.66.20.26.48, fax 04.66.20.16.90, e-mail dutremblay@belle-coste.com t.l.j. sf dim. 9h-12h 14h-18h

## CH. BOLCHET Cuvée Léonore 2004 ★★

1 ha 6 000 5 à 8 €

Dans la famille depuis 1900, le château Bolchet voit passer la cinquième génération de vignerons. Ces derniers ont élaboré un rosé remarquable de fraîcheur et de jeunesse. La robe est d'un beau rose tendre ; le nez fruité et féminin de fleurs blanches et de fraise des bois précède une bouche équilibrée ; une rétro-olfaction florale et citronnée et de la rondeur confèrent beaucoup d'harmonie à l'ensemble. Un vin à croquer.
Béatrice Becamel, Ch. Bolchet, 30132 Caissargues, tél. 04.66.38.05.65, fax 04.66.20.33.77, e-mail vin.chateau.bolchet@wanadoo.fr r.-v.

## MAS DES BRESSADES
Cuvée Excellence Elevé en barrique de chêne 2004 ★

2 ha 10 000 8 à 11 €

Un chai à barrique semi-enterré a accueilli pendant cinq mois cette cuvée où le grenache blanc (20 %) complète la roussanne. La robe jaune or se pare de reflets brillants. Les arômes puissants sont encore marqués par l'élevage (vanille) avec une touche de citronnelle, mais la bouche présente déjà beaucoup de rondeur et une finale longue et nette. On pourra attendre un an ou deux que cette bouteille atteigne sa maturité.
Cyril Marès, Le Grand Plagnol, 30129 Manduel, tél. 04.66.01.66.00, fax 04.66.01.80.20, e-mail masdesbressades@aol.com r.-v.

## DOM. CABANIS Cuvée Excellence 2003 ★★

1,5 ha 4 000 11 à 15 €

Ce domaine conduit en agriculture biologique présente cette année encore d'excellents produits. Sa cuvée Excellence est remarquable par sa robe sombre qui témoigne d'une belle extraction et annonce la concentration des arômes d'olive noire confite et de torréfaction. Bien équilibrée en bouche, chaleureuse et réglissée en finale, elle peut encore attendre trois à quatre ans les amateurs.
Jean-Paul Cabanis, Mas Madagascar, 30640 Beauvoisin, tél. 04.66.88.78.33, fax 04.66.88.41.73, e-mail domaine.cabanis@free.fr r.-v.

## CH. DE CAMPUGET
Tradition de Campuget 2004 ★

9 ha 50 000 5 à 8 €

Valeur sûre de l'appellation, coup de cœur l'an dernier, le château Campuget voit sa gamme Tradition de Campuget particulièrement appréciée par le jury. Ce 2004 arrive en bonne place pour son élégance, sa finesse, sa fraîcheur et sa robe pâle et brillante. Ses arômes de jasmin et d'agrumes, sa fraîcheur acidulée, son équilibre délicat en font un vin idéal pour l'apéritif ou les coquillages. La **Cuvée Tradition rouge 2004** et le **rosé 2004** sont cités.
Ch. de Campuget, RD 403, 30129 Manduel, tél. 04.66.20.20.15, fax 04.66.20.60.57, e-mail campuget@wanadoo.fr r.-v.
Dalle

## MAS CARLOT Cuvée Tradition 2004 ★★

4,15 ha 22 000 3 à 5 €

Déjà renommé au début du siècle dernier, le Mas Carlot est tout aussi connu des lecteurs du Guide. Nathalie Blanc-Marès, qui le dirige depuis 1998 a élaboré ce très beau vin à la robe grenat nuancée de pourpre. La puissance olfactive est surprenante : le nez joue tout d'abord sur des senteurs de fleurs (iris) et de fruits noirs, puis s'ouvre sur les épices et la réglisse. Après une attaque douce et charnue, le palais explose sur des notes de sous-bois et de myrtille fraîche jusque dans une longue finale. L'équilibre de la structure repose sur des tanins enrobés mais fermes qui permettront d'attendre cette bouteille trois à quatre ans. Un vin à carafer avant de le servir sur un gigot d'agneau moelleux. Du même producteur, le **Château Paul blanc 2004 blanc (5 à 8 €)** obtient une étoile.
Nathalie Blanc-Marès, Mas Carlot, rte de Redessan, 30127 Bellegarde, tél. 04.66.01.11.83, fax 04.66.01.62.74, e-mail mascarlot@aol.com t.l.j. sf sam. dim. 8h-12h 14h-17h

## DOM. DE DONADILLE
Cuvée de l'école Elevé en fût de chêne 2003 ★★

n.c. 1 500 5 à 8 €

Intense et profonde, la robe s'orne de reflets violines. Si le premier nez exprime le caractère délicatement vanillé du bois, agrémenté d'une note de caramel blond, le fruité, élégant, n'est pas absent. La bouche est ample, les tanins sont bien présents ; la finale complexe évoque la girofle, le poivre noir et le fruit. Le jury a particulièrement apprécié la maîtrise de l'élevage et la finesse du boisé de cette cuvée limitée du lycée agricole. A attendre deux à quatre ans.
Lycée agricole de Nîmes, Dom. de Donadille, av. Yves-Cazeaux, 30230 Rodilhan, tél. et fax 04.66.20.67.68 mar. à sam. 13h30-17h30, sam. 9h-12h

## DOM. GARA DE PAILLE 2003

3 ha 20 000 3 à 5 €

Rouge foncé pourpre à reflets brillants et profonds, ce vin offre un nez intense et une bouche où se retrouvent des notes de pomme de pin et de résine. Equilibré par des tanins fermes, il se révèle franc et bien méditerranéen.
Cellier des Vestiges romains, 30230 Bouillargues, tél. 04.66.20.14.79, fax 04.66.20.13.04, e-mail celvestrom@aol.com r.-v.

## CH. GRANDE CASSAGNE Hippolyte 2003 ★

1,5 ha 10 000 8 à 11 €

Hippolyte Dardé, fondateur du domaine en 1887, a donné son nom à cette cuvée jaune d'or soutenu à reflets verts. Si le nez est moyennement intense, il n'en est pas moins complexe : fleurs blanches, citronnelle, vanille... En bouche, s'ajoutent des notes épicées de girofle et de santal. La bouche ronde et fraîche à la fois, nous invite à passer à table.
Dardé Fils, Ch. Grande Cassagne, 30800 Saint-Gilles, tél. et fax 04.66.87.32.90 t.l.j. sf dim. 9h-12h 14h-18h

LANGUEDOC

DOM. DU GRAND MAS 2004 *

■ 14 ha 93 000 3 à 5 €

Ce costières, né d'un partenariat réussi entre négoce et vigneron et d'une sélection parcellaire, offre une couleur d'un rouge intense. Complexe et agréable, le nez révèle d'abord des notes de griotte et de petits fruits noirs, puis des arômes de réglisse et d'olive noire que l'on retrouve en bouche avec intensité. Ses tanins fondus en font un vin élégant et concentré à découvrir dès maintenant.

SARL R & D Vins, Ch. Saint-Maurice, RN 580, L'Ardoise, 30290 Laudun, tél. 04.66.82.96.59, fax 04.66.82.96.58, e-mail dauvergne@wanadoo.fr

Pierre Goudet

CH. GUIOT 2004 *

■ 40 ha 100 000 3 à 5 €

Grande étape sur la route du Chemin de Compostelle, Saint-Gilles a conservé de son abbatiale une façade exceptionnelle. A 10 km se situe ce domaine sélectionné pour deux cuvées. Celle-ci, joli rosé soutenu aux reflets violacés, affiche un nez élégant de petits fruits rouges où la framboise domine. L'attaque est belle, puis l'on découvre beaucoup de gras et de générosité en bouche. Un vin bien équilibré et de belle tenue. **Numa rouge 2003 (5 à 8 €)**, obtient également une étoile.

François Cornut, GFA Dom. de Guiot, 30800 Saint-Gilles, tél. 04.66.73.30.86, fax 04.66.73.32.09 r.-v.

HAUT COQUILLON Elevé en fût de chêne 2003 *

■ 2 ha 12 000 5 à 8 €

A la limite sud du territoire des costières-de-nîmes et à la porte de la Petite Camargue, la cave coopérative de Gallician est ancrée dans son terroir. Le jury a sélectionné cette cuvée dont l'élevage en fût (douze mois) se montre parfaitement réussi. Entourant sa robe rouge intense, des parfums de sous-bois et de petites fleurs sauvages (violette) se mêlent harmonieusement au caractère boisé (vanille et notes de torréfaction). La bouche se revèle ample et équilibrée, avec des tanins bien présents et serrés jusque dans la finale évoquant le pruneau et les fruits à l'alcool.

SCA Cave Pilote de Gallician, av. des Costières, 30600 Gallician, tél. 04.66.73.31.65, fax 04.66.73.34.95, e-mail cavegallician@wanadoo.fr r.-v.

DOM. DU HAUT PLATEAU 2003 *

■ 10 ha 60 000 3 à 5 €

Tout dans ce vin respire la Méditerranée et la Camargue jusque sur l'étiquette où s'ébrouent de magnifiques chevaux sauvages. Le vin ? Une robe grenat aux reflets violets profonds, des arômes de violette et de fruits mûrs au premier nez, puis, après une attaque franche, une bouche, ample et généreuse, aux notes de cassis. L'équilibre est réalisé sur des tanins souples et intéressants.

Denis Fournier, Dom. du Haut Plateau, 30129 Manduel, tél. 04.66.20.31.78, fax 04.66.20.20.53 t.l.j. sf dim. 9h-12h 16h-19h

LA JASSE DU PIN 2004 **

■ 7 ha 50 000 3 à 5 €

Ce costières apparaît dans une très belle robe jaune tilleul aux reflets vert pâle. Le nez explose de senteurs de fruits frais, agrumes ou fruits exotiques (ananas et papaye) et rappelle le sucre d'orge. Un équilibre parfait existe entre acidité (sans agressivité), rondeur et alcool maîtrisé. La finale longue et harmonieuse mêle notes de glycine et de jasmin. La **Jasse du Pin rouge 2004** obtient une étoile ; fruits noirs et épices jouent avec la violette sur une structure puissante aux tanins bien enrobés. L'attendre deux ou trois ans.

Vignobles Michel Gassier, Mas de Nages, 30132 Caissargues, tél. 04.66.38.44.30, fax 04.66.38.44.21, e-mail m.gassier@michelgassier.com r.-v.

LES VIGNERONS DE JONQUIERES Tradition 2004 **

■ n.c. n.c. 3 à 5 €

Située à la limite est des Corbières, la coopérative de Jonquières Saint-Vincent a depuis longtemps misé sur la rigueur, tant dans les vignes par la sélection des parcelles qu'en cave grâce à des équipements et des méthodes de vinification modernes. Le résultat est là : un rosé coup de cœur ! Toute la palette des cépages méridionaux (syrah, grenache, cinsault et même une pointe de mourvèdre) contribue à la complexité, à la finesse et à l'harmonie de ce vin à la robe rose clair, nuancée de reflets bleutés. L'intensité des arômes floraux (rose) et fruités (pêche blanche et fraise) s'appuie sur une bouche où le gras et la puissance s'équilibrent en une longue finale. Jolie personnalité. Un vin gourmand, idéal en accompagnement d'un menu exotique parfumé au gingembre. La cave propose par ailleurs un **Domaine du Vieux Mazet rouge 2003** cité pour son classicisme.

SCA Les Vignerons de Jonquières, 20, rue de Nîmes, 30300 Jonquières-Saint-Vincent, tél. 04.66.74.50.07, fax 04.66.74.49.40, e-mail celliers.jonquieres@wanadoo.fr t.l.j. sf dim. 9h-12h30 14h-18h

CH. LAMARGUE 2004 *

■ 3 ha 20 000 3 à 5 €

Ce rosé très pâle, légèrement saumoné, se distingue par un nez intense, mêlant fleurs blanches et pêche. Un bel équilibre caractérise une bouche dont la rondeur lui donne un côté velouté jusque dans une longue finale. Une réelle finesse.

SC Dom. de Lamargue, rte de Vauvert, 30800 Saint-Gilles, tél. 04.66.87.31.87, fax 04.66.87.41.87, e-mail domaine-de-lamargue@wanadoo.fr t.l.j. sf sam. dim. 8h-12h 14h-18h

Campari SPA

CH. MAS NEUF Tradition 2004 *

■ 30 ha 170 000 5 à 8 €

Ancien relais situé sur la route des étangs, ce Mas Neuf se trouve au cœur de la Petite Camargue, sur des terres chaudes et caillouteuses. Ce 2004 à la robe d'un

rouge sombre offre des arômes concentrés. Au nez, on perçoit des notes de garrigue, alors que la violette et la réglisse dominent une bouche très structurée et puissante. La finale est longue et agréable.
Ch. Mas Neuf, 30600 Gallician, tél. 04.66.73.33.23, fax 04.66.73.33.49, e-mail cru2000@wanadoo.fr
t.l.j. sf sam. dim. 9h-18h, ven. 17h

## MOULIN D'EOLE 2004 *

5 ha 20 000 5 à 8 €

La robe jaune pâle aux reflets brillants annonce la délicatesse du nez où se présentent une première note florale, puis des parfums plus vifs, tels la menthe, la verveine ou le citron. La bouche équilibrée laisse une impression de fraîcheur et de fruits exotiques. La cuvée **Grand Grès rouge 2004** obtient une citation. Elle joue sur les fruits noirs et les épices, sur des tanins très présents qui devraient se fondre au cours des deux ou trois prochaines années.
SCA Les Vignerons de Beauvoisin,
Cave des Grands Grès,
av. de la Gare, 30640 Beauvoisin,
tél. 04.66.01.37.14, fax 04.66.01.85.73,
e-mail vignerons.beauvoisin@costieres.com
t.l.j. sf dim. 9h-12h 15h-18h

## CH. MOURGUES DU GRES

Terre d'Argence 2004 **

5 ha 20 000 8 à 11 €

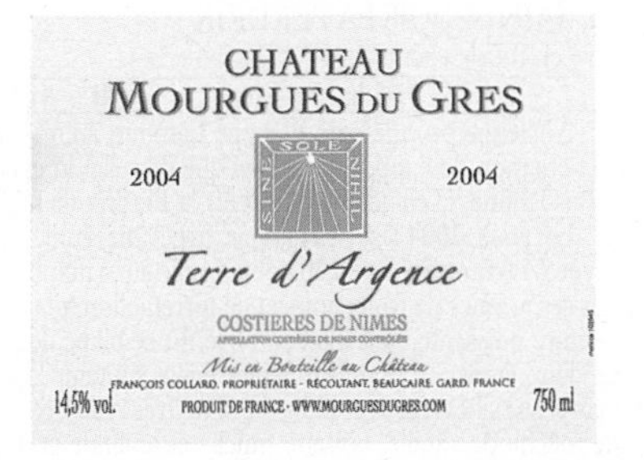


A plusieurs reprises coup de cœur, le château Mourgues du Grès, situé à l'extrémité orientale des Costières sur un terroir tourné vers le Petit Rhône et la Camargue, est une valeur sûre de l'appellation. Le jury à l'unanimité le distingue cette année encore. Sa couleur sombre aux reflets violines annonce la richesse et la complexité des arômes : bourgeon de cassis, mûre, épices, olive noire et une touche de cacao. La concentration de la bouche, dans un ensemble très bien équilibré et d'une longueur remarquable, assurera à cette bouteille une belle garde (deux à quatre ans). Les tanins fins et soyeux soulignent son élégance et permettent de l'apprécier aussi dès à présent. Les **Galets roses 2004 (5 à 8 €)**, **Les Capitelles de Mourgues rouge 2003 (11 à 15 €)** et le **Château La Tour de Béraud rouge 2004 (3 à 5 €)** obtiennent chacun une étoile.
François Collard, Ch. Mourgues du Grès,
rte de Bellegarde, 30300 Beaucaire,
tél. 04.66.59.46.10, fax 04.66.59.34.21,
e-mail mourguesdugres@wanadoo.fr r.-v.

## CH. DE NAGES Réserve 2004 **

20 ha 150 000 5 à 8 €

Coup de cœur l'an dernier pour cette même cuvée dans le millésime 2003, ce château, fort de ses 100 ha, est une valeur sûre. En témoigne ce 2004 d'un rouge intense à reflets violets. Le nez est puissant et complexe. Aux fruits et aux épices s'ajoutent la réglisse et la violette ainsi qu'une note chocolatée. Des tanins soyeux et beaucoup de gras confèrent à l'ensemble une grande harmonie.
EARL Roger Gassier,
Ch. de Nages, chem. des Canaux, 30132 Caissargues,
tél. 04.66.38.44.20, fax 04.66.38.44.21,
e-mail info@chateaudenages.com r.-v.

## NOBLE GRESS Elevé en fût de chêne 2003 **

3,5 ha 18 000 5 à 8 €

Complexité des arômes, intensité et finesse caractérisent ce vin à la robe d'un rouge profond et brillant. De la truffe, de la vanille, du café, de la cannelle, des fruits cuits et du cuir sont autant de notes olfactives portées en bouche par un équilibre parfait, de l'ampleur et des tanins fins et de qualité. Produit également par la coopérative de Vauvert, le **Domaine de la Miravine rosé 2004 (3 à 5 €)** est cité.
SCA Cave des vignerons de Vauvert,
12, rue Ausselon, 30600 Vauvert,
tél. 04.66.88.20.31, fax 04.66.88.35.09,
e-mail cavedesvigneronsdevauvert@wanadoo.fr
r.-v.

## DOM. DE LA PATIENCE

Vieilli en fût de chêne 2003 **

5 ha 6 000 5 à 8 €

Acquis en 1999 et regroupé avec une autre propriété familiale, ce domaine compte 44 ha. Dans une robe grenat aux reflets violets, sa cuvée boisée offre un nez intense et complexe de fruits noirs très mûrs associés à des notes de confiture de prunes et de cerises. En bouche, après une attaque franche, on appréciera les tanins fins et bien dosés ainsi que la rondeur jusqu'à la finale suave et agréable. Un bien joli vin.
EARL Dom. de la Patience, chem. de Marguerittes, 30320 Bezouce, tél. 04.66.75.95.94, fax 04.66.37.40.99, e-mail domaine-patience@tele2.fr
t.l.j. sf dim. lun. 8h-12h 14h-18h
Christophe Aguilar

## DOM. DU PERE GUILLOT 2004 *

5,5 ha 40 000 3 à 5 €

Bien que composé à 70 % de grenache, ce rosé possède une couleur cerise très soutenue aux reflets violets. Très plaisant au nez, agrémenté d'arômes de fruits rouges (fraise gariguette) bien mûrs, il présente un agréable équilibre en bouche avec du volume, du gras et une belle longueur. Du même producteur, le **Château Grand Bourry rouge 2003 (5 à 8 €)** obtient une étoile.
Dom. du Père Guillot, rte du Pont-des-Tourradons, 30740 Le Cailar, tél. 04.66.88.69.60, fax 04.66.88.69.61, e-mail laurent.guillot3@wanadoo.fr r.-v.

## DOM. DU PETIT ROMAIN

Grande Réserve Vieilles Vignes 2003 *

3 ha 18 000 5 à 8 €

Syrah et grenache à parts égales composent cette Grande Réserve rubis à reflets violets et aux arômes complexes de fruits noirs et d'épices, le côté poivré prenant le dessus. L'attaque est douce, presque sucrée, puis les tanins s'imposent mais sans agressivité. Un vin complexe et harmonieux.

SCA Costières et Soleil, rue Emile-Bilhau, 30510 Générac, tél. 04.66.01.31.31, fax 04.66.01.38.85, e-mail bernardnurit@costieresetsoleil.fr
t.l.j. sf dim. lun. 10h-12h30 15h30-19h

### LE PIGEONNIER 2004 *

3 ha 10 000 3 à 5 €

D'une belle couleur vive et cristalline aux reflets légèrement bleutés, ce rosé, typiquement méditerranéen par son assemblage de cépages, exhale des arômes floraux et fruités – pêche blanche, fraise Tagada et bonbon anglais. La groseille persiste longtemps. Equilibré et frais en bouche, ce vin sera servi sur des tapas de fruits de mer.

SCA des Grands Vins de Pazac, 30840 Meynes, tél. 04.66.57.59.95, fax 04.66.57.57.63, e-mail cavedepazac@aol.com
t.l.j. sf dim. 8h-12h 14h-18h

### DOM. DE POULVAREL 2004 *

4,5 ha 3 000 5 à 8 €

Ce très beau vin à la robe rose pâle et aux notes tendres et délicates de rose, de chèvrefeuille et de glycine, à la bouche fraîche et fruitée, ronde et équilibrée, ouvre la porte du Guide à ce nouveau vigneron des costières-de-nîmes. Le **rouge 2004** est également réussi : arômes de fruits noirs (cassis) et d'épices, attaque douce et structure équilibrée, finale chaleureuse. Une bouteille de facture classique et très agréable, à conseiller aux nouveaux amateurs.

Pascal Glas, 30, rue des Bourgades, 30210 Sernhac, tél. et fax 04.66.37.08.05 r.-v.

### CH. ROUBAUD Cuvée Prestige 2004

5 ha 10 000 5 à 8 €

Valeur classique et constante de l'appellation, le château Roubaud propose un joli vin blanc agréable, où le fruit vert domine : citron vert, pamplemousse, accompagnés de verveine. L'attaque fraîche s'efface au profit de la rondeur portée par des notes florales. Le **rosé Cuvée Prestige 2004** a également été cité pour ses arômes de griotte et sa fraîcheur.

SCEA Vignobles Molinier, Ch. Roubaud, Gallician, 30600 Vauvert, tél. 04.66.73.30.64, fax 04.66.73.34.13, e-mail contact@chateau-roubaud.fr
t.l.j. sf dim. 9h-12h 14h-17h30; sam. sur r.-v.

### CH. SAINT-ALBAN 2003 *

n.c. 35 000 - de 3 €

D'un excellent rapport qualité-prix, ce vin présenté par un négociant développe sous une robe sombre des arômes caractéristiques de fruits noirs (myrtille) que l'on retrouve en rétro-olfaction. L'attaque se montre franche et pleine. L'équilibre est dominé par une impression chaleureuse. A apprécier dès à présent.

La Compagnie rhodanienne, chem. Neuf, 30210 Castillon-du-Gard, tél. 04.66.37.49.50, fax 04.66.37.49.51, e-mail cie.rhodanienne@wanadoo.fr r.-v.

### CH. SAINT-BENEZET Les Hauts de Coste-Rives 2004

24 ha 158 800 3 à 5 €

Réalisé à partir d'un assemblage à parts égales de grenache noir et de syrah, ce vin rouge à la robe grenat se montre élégant et flatteur. Le premier nez, fin et frais, fait d'épices, de menthol et de térébinthe laisse place en bouche à des parfums intenses de fruits rouges (cerise) accompagnés de notes d'amande grillée et de noyau. Doux à l'attaque, tapissé de tanins souples et enrobés, le palais séduit par sa finale torréfiée. A découvrir dès à présent, cette bouteille pourra également attendre deux à trois ans.

SCEA Saint-Bénézet, Dom. Saint-Bénézet, 30800 Saint-Gilles, tél. 04.66.70.17.45, fax 04.66.70.05.11 r.-v.
Bosse-Platière et Soulairac

### CH. SAINT-CYRGUES Cuvée Amérique 2003 **

3 ha 12 000 8 à 11 €

Citoyens helvétiques, Evelyne et Guy de Mercurio ont choisi les Costières en 1991. Situé à 3 km de Saint-Gilles, leur domaine atteint 38 ha. Si la cuvée principale **Château Saint-Cyrgues rouge 2003 (5 à 8 €)** obtient une étoile, cette Amérique emporte l'adhésion du jury, séduit par sa robe très sombre, presque noire, aux reflets grenat. Complexe, le joli nez est marqué par les fruits mûrs avec en rétro-olfaction des notes de cade, de laurier-sauce et de fumée. La bouche généreuse et pleine repose sur des tanins riches et puissants. Fruitée, la finale se révèle légèrement sucrée. Un grand vin en devenir.

SCEA de Mercurio, Ch. Saint-Cyrgues, rte de Montpellier, 30800 Saint-Gilles, tél. 04.66.87.31.72, fax 04.66.87.70.76, e-mail saintcyrgues@wanadoo.fr r.-v.

### CH. SAINT-LOUIS LA PERDRIX Elevé en fût de chêne 2003 **

0,05 ha 3 000 5 à 8 €

Ancienne propriété de Philippe Lamour, à l'origine de la création de l'appellation ainsi que de celle du canal du Bas-Rhône, le château Saint-Louis la Perdrix ne faillit pas. Le **rosé 2004** est sélectionné avec une étoile ; la **Cuvée Marianne rouge 2003** obtient elle aussi une étoile pour ses arômes de fruits noirs et de torréfaction, pour sa structure puissante mais bien enrobée. Et ce blanc décroche deux étoiles ; la couleur jaune paille soutenu laisse augurer sa richesse et sa complexité olfactives : miel, coing, une touche de vanille, noisette fraîche et amande grillée, pain d'épice. L'ensemble joue sur la finesse et la fraîcheur, en harmonie avec une texture douce et un équilibre parfait. A boire avant que ses fabuleux arômes n'évoluent !

Ch. Saint-Louis la Perdrix, rte de Manduel, 30127 Bellegarde, tél. 04.66.01.13.58, fax 04.66.01.17.03, e-mail cb@chateau-saint-louis.com
t.l.j. sf sam. dim. 10h-12h 14h-18h

### TERRE DES CHARDONS Marginal 2004 *

2,5 ha 8 400 8 à 11 €

Jérôme Chardon s'est établi en 1999 sur ce jeune domaine qu'il conduit depuis 2002 en biodynamie. Ce vin affiche une robe rouge profond et son nez distille avec parcimonie encore des notes de fruits rouges mûrs et compotés, d'épices et de sous-bois. L'équilibre en bouche, bâti autour de tanins soyeux, s'articule sur la rondeur et une belle longueur. Cet ensemble au fort potentiel s'exprimera au mieux d'ici deux à trois ans, accompagné de viande rouge ou de gibier.

Jérôme Chardon, EARL Terre des Chardons, Mas Sainte-Marie des Costières, 30127 Bellegarde, tél. 04.66.70.02.51, fax 04.66.70.07.28, e-mail tdchardons@yahoo.fr
t.l.j. 8h-12h 13h-19h

**CH. DES TOURELLES** La Cour des glycines 2004

■ 3 ha 15 000 ■ 5 à 8 €

Sur ce domaine viticole chargé d'histoire puisqu'il est situé à l'emplacement d'un site archéologique du premier siècle, la famille Durand élabore des vins « romains » selon des pratiques et dans une cave reconstituée à l'identique de l'époque gallo-romaine. Une curiosité très instructive à ne pas manquer ! Ce millésime 2004 de la Cour des glycines est promis à un bel avenir (attendre trois à quatre ans) grâce à sa robe foncée, à son nez concentré de fruits noirs et de cachou et à ses tanins très fermes encore dominés par l'élevage en fût.

Hervé et Guilhem Durand, Ch. des Tourelles, 4294, rte de Bellegarde, 30300 Beaucaire, tél. 04.66.59.19.72, fax 04.66.59.50.80, e-mail tourelles@tourelles.com r.-v.

**CH. DE VALCOMBE** Prestige 2004 ★

■ n.c. 40 000 5 à 8 €

Vaste domaine de 72 ha, Valcombe appartient à la famille de Dominique Ricome depuis trois cents ans. On se souvient que la cuvée Garance 2001 obtint un coup de cœur. Celle-ci n'est pas mal non plus dans sa superbe robe violine foncé. Les arômes, prometteurs et concentrés, apparaissent encore un peu fermés au nez, mais s'expriment déjà bien en bouche (fruits mûrs, violette, réglisse, avec un côté minéral en finale). La structure est bonne : les tanins vont s'arrondir avec un peu de garde. Un vin intéressant et complexe.

EARL Vignobles Dominique Ricome, Ch. de Valcombe, 30510 Générac, tél. 04.66.01.32.20, fax 04.66.01.92.24, e-mail valcombe@wanadoo.fr t.l.j. sf dim. 10h-12h 14h-18h

**CH. PHILIPPE DE VESSIERE** 2004 ★

■ 3 ha 15 000 3 à 5 €

Nous avons là un rosé très clair, au nez agréable et fin, de type floral. En bouche, sa rondeur et une touche de gaz carbonique lui confèrent un bel équilibre. La finale est longue et agréable. Un vin élégant à servir sans tarder, tout comme le **blanc 2004 (5 à 8 €)**, frais et fruité dans sa robe or pâle aux reflets verts, et qui reçoit lui aussi une étoile.

Philippe Teulon, Dom. Vessière, rte de Montpellier, 30800 Saint-Gilles, tél. 04.66.73.30.66, fax 04.66.73.33.04, e-mail chateauvessiere@aol.fr r.-v.

**CH. VIRGILE** 2004 ★★

■ 2 ha 12 000 3 à 5 €

Situé au cœur du Parc régional de Camargue, ce mas provençal est conduit par Serge et Thierry Baret. Sous une robe rose fuchsia aux reflets violets, leur rosé se montre harmonieux. Le nez s'égaye d'odeurs de fruits frais, pêche puis groseille et framboise, avec une pointe amylique. Sa fraîcheur et son volume confèrent à ce vin un équilibre parfait. A essayer sur une brandade de morue.

EARL Dom. de Virgile, rte du Pont-des-Tourradons, D 104 km14, 30600 Gallician, tél. 04.66.73.32.97, e-mail domaine-virgile@wanadoo.fr t.l.j. sf dim. 8h-12h 14h-19h

Baret

# Coteaux-du-languedoc

Cent soixante-huit communes, dont cinq dans l'Aude et dix-neuf dans le Gard, les autres étant dans l'Hérault, constituent un ensemble de terroirs disséminés en Languedoc, dans la zone des coteaux et des garrigues s'étendant de Narbonne à Nîmes, du pied de la Montagne Noire et des Cévennes à la mer Méditerranée. Ces terroirs spécialisés plus particulièrement dans le vin rouge et rosé produisent des AOC coteaux-du-languedoc, appellation d'origine contrôlée depuis 1985, à laquelle peuvent être ajoutées des dénominations particulières en rouge et rosé : la Clape et Quatourze dans l'Aude, Cabrières, Grès de Montpellier, Terrasses du Larzac, Montpeyroux, Saint-Saturnin, Pic Saint-Loup, Saint-Georges-d'Orques, la Méjanelle, Saint-Drézéry, Saint-Christol et les coteaux de Vérargues dans l'Hérault ; ainsi que deux dénominations en blanc : la Clape et Picpoul-de-Pinet. Toutes sont issues des vins renommés dans les siècles passés.

Les coteaux-du-languedoc ont produit 65 000 hl de vin blanc sur 1 461 ha et 343 283 hl de rouge et de rosé sur 7 611 ha en 2004. Six cépages dominent la production des vins rouges : carignan et cinsault (limités à 40 %) complétés par grenache noir, lladoner, mourvèdre et syrah ; grenache blanc, clairette et bourboulenc dominent en blanc, avec le piquepoul, la marsanne et la roussanne.

**ABBAYE DE VALMAGNE**
Cuvée de Turenne 2002 ★

■ 16 ha 200 000 11 à 15 €

Histoire et vignoble se conjuguent à l'abbaye de Valmagne depuis plus de huit siècles. L'église abbatiale – véritable cathédrale par ses proportions (24 m sous voûte) et son cloître aux baies cintrées, aux colonnettes jumelées –, les foudres gigantesques occupant les bas-côtés, tout justifie une visite prolongée. Le charme opère également grâce à ce millésime à la robe intense et aux reflets bleutés. Il révèle son originalité à travers des notes animales, des nuances de fruits cuits et de sous-bois. Sa mâche et son équilibre où s'allient fraîcheur et moelleux en font un vin à attendre.

Philippe d'Allaines, Abbaye de Valmagne, 34560 Villeveyrac, tél. 04.67.78.06.09, fax 04.67.78.02.50 r.-v.

**CH. ALTEIRAC** Chantefleur 2003 ★

■ 2 ha 4 000 5 à 8 €

Loiras, situé non loin d'Usclas-du-Bosc (église Saint-Gilles du XII[e]s.), a dû voir bien des pèlerins de Compostelle. Depuis cinq cents ans dans la même famille, ce domaine de 25 ha propose un vin tout en rondeur et douceur. La robe d'un grenat tendre entoure des arômes d'épices douces. L'ensemble, simple et gourmand, pourra accompagner lapin aux herbes ou volaille à la broche.

J.-P. et F. Alteirac, 8, rte de Lodève,
34700 Loiras-du-Bosc, tél. et fax 04.67.44.72.77,
e-mail a.florent@tiscali.fr r.-v.

## DOM. D'ARCHIMBAUD
Saint-Saturnin La Robe de pourpre 2003 ★

| 6 ha | 5 000 | 11 à 15 € |

Le nom de cette cuvée ne trompe pas : d'un rouge intense et sombre, ce vin rappelle son milieu d'origine, la garrigue. Riches et complexes, les arômes d'épices, de laurier, de résine et de fruits compotés sont bien le reflet du millésime. Ample et chaleureuse, contruite sur des tanins puissants encore jeunes, la bouche se montre à la hauteur de son AOC. Tajine ou agneau au thym conviendront à cette bouteille.

SCEA Dom. d'Archimbaud,
12, av. du Quai, 34725 Saint-Saturnin-de-Lucian,
tél. et fax 04.67.96.65.35,
e-mail domainearchimbaud@voila.fr r.-v.
Cabanes

## CH. L'ARGENTIER Prestige 2003

| 1,9 ha | 8 200 | 8 à 11 € |

Place à la finesse avec ce vin de couleur légère et qui rappelle au nez les fruits rouges et les épices. Equilibré et sans excès, bien caractéristique du millésime 2003 par sa chaleur en fin de bouche, il accompagnera dès maintenant les grillades aux sarments de vigne.

SCEA du Mas Rouge,
rte de Petit-Gallargues, 30250 Sommières,
tél. et fax 04.66.80.98.66,
e-mail chateauargentier@hotmail.fr
t.l.j. sf dim. 10h-13h 15h-19h

## DOM. ARNAL 2003

| 10 ha | 6 000 | 5 à 8 € |

Langlade, déjà réputée au XIXᵉs. pour ses vins, a été la première commune du Gard à rejoindre l'AOC coteaux-du-languedoc. Tout en gardant un air de famille, ce vin a choisi l'élégance et la rondeur : une robe rubis d'intensité modérée, des arômes d'eucalyptus, de réglisse et de fruits compotés, une bouche gourmande ; à boire dès maintenant.

SCEA Dom. Arnal, 251, chem. des Aires,
30980 Langlade, tél. 04.66.81.31.37, fax 04.66.81.83.08
t.l.j. sf dim. 9h-12h 14h-19h

## DOM. D'AUPILHAC
Montpeyroux Les Cocalières 2003 ★

| 6 ha | 8 000 | 15 à 23 € |

Le talent de Sylvain Fadat s'exerce sur le terroir de Cocalières, gagné sur la garrigue, à 350 m d'altitude, et travaillé en biodynamie : mourvèdre et grenache à parts égales partagent avec 40 % de syrah l'assemblage de cette cuvée parée d'une robe resplendissante aux reflets violacés. Une riche palette aromatique de menthol, d'épices, de fruits cuits et de pâte de coings réjouit le nez. La bouche est ample, marquée à la fois par une fraîcheur caramélisée et une sucrosité qui tempèrent des tanins encore présents. A apprécier sur un magret de canard aux figues.

Sylvain Fadat, Dom. d'Aupilhac,
28, rue du Plô, 34150 Montpeyroux,
tél. 04.67.96.61.19, fax 04.67.96.67.24,
e-mail aupilhac@aupilhac.com r.-v.

## MAS D'AUZIERES Le Bois de Périé 2003 ★★

| 3,65 ha | 5 000 | 11 à 15 € |

Coup de projecteur sur le premier millésime d'Irène Tolleret : ses deux vins présentés (rouge 2003) entrent dans le Guide avec deux étoiles chacun. **Les Eclats (8 à 11 €)**, complexes et racés, ont déjà atteint une rondeur délicieuse tandis que ce Bois de Périé s'affiche plus dense. Tout en lui est remarquable : sa robe violine, ses parfums de fleurs, de tabac, de cacao et de vanille, le grain de ses tanins, le soyeux de sa bouche. Ce vin se gardera plusieurs années, mais aurez-vous la patience d'attendre ?

Mas d'Auzières, rte de Saint-Mathieu,
34820 Guzargues,
tél. 06.25.45.16.60, fax 04.67.85.39.54,
e-mail irene@auzieres.com r.-v.
Irène Tolleret

## MAS DE LA BARBEN Les Lauzières 2003 ★

| 17,35 ha | 72 000 | 8 à 11 € |

Barben, en provençal, signifie petit genévrier sauvage ; cet arbuste est très présent dans la garrigue environnante. Deux cuvées 2003 reçoivent chacune une étoile : **Les Sabines rouge (11 à 15 €)** est un vin concentré, élevé en fût, qui promet de s'épanouir dans les années à venir. Quant à cette cuvée à la robe profonde, elle aussi, sa chair et sa complexité aromatique en font un délice dès maintenant : notes d'eucalyptus, de tapenade et de fruits confits ; bouche ronde et capiteuse ; tanins enrobés n'écrasant pas le moelleux... Ce vin s'imposera sur des mets épicés.

Marcel Hermann, Mas de La Barben,
rte de Sauve, 30900 Nîmes, tél. 04.66.81.15.88,
fax 04.66.63.80.43, e-mail masdelabarben@wanadoo.fr
t.l.j. sf dim. 10h-12h 14h-19h

## MAS DE BAYLE
Grès de Montpellier Cuvée Odon 2003 ★

| 1 ha | 6 000 | 5 à 8 € |

Odon, arrière grand-père de Céline Michelon, négociant, achète ce domaine en 1907. La jeune femme avait présenté son premier millésime aux jurés du Guide 2004. Elle avait obtenu deux étoiles. Le jury a été sensible à la typicité Grès de Montpellier qui se dessine dans celui-ci. Une robe sombre à reflets violines entoure un nez enthousiasmant de résine, de fruits confiturés et de pain brûlé. La bouche, généreuse et chaude, révèle des tanins fondus. Cette bouteille peut dès cet hiver accompagner une daube ou du gibier.

Céline Michelon, Mas de Bayle,
34560 Villeveyrac, tél. et fax 04.67.78.06.11,
e-mail contact@masdebayle.com r.-v.

## CH. DE BEAULIEU Lion de pourpre 2003

| 0,5 ha | 2 066 | 8 à 11 € |

Ce château médiéval rénové par Le Nôtre et les architectes du Roi-Soleil accueillit la cour lors de la tenue des Etats généraux du Languedoc. Cette cuvée aurait honoré leur table avec sa robe de velours grenat, ses arômes de violette, d'épices et de sous-bois. Après une attaque tout en finesse, sa bouche affiche un bon équilibre entre les tanins et l'ampleur. Le boisé est encore un peu trop prononcé, mais le temps va faire son travail.

Georges de Ginestous, baron de La Liquisse,
pl. de l'Eglise, 34160 Beaulieu,
tél. 04.67.86.45.45, fax 04.67.86.44.44,
e-mail contact@ginestous.com r.-v.

## HUGUES DE BEAUVIGNAC
Picpoul de Pinet 2004 ★

| | n.c. | 400 000 | | 3 à 5 € |
|---|---|---|---|---|

Pas moins de 400 000 cols pour cette classique cuvée de la cave Les Costières qui regroupe aujourd'hui les caves coopératives de Pomerols et de Castelnau-de-Guers. Voici un vin à la robe pâle, au nez délicatement citronné, à la bouche vive et fruitée. L'arête acide en fin de dégustation se mariera avec les coquillages de l'étang de Thau. A noter aussi, le **Picpoul de Pinet Saint-Peyre 2004**, cité par le jury.

Cave Coop. Les Costières de Pomerols, av. de Florensac, 34810 Pomerols, tél. 04.67.77.01.59, fax 04.67.77.77.21, e-mail info@cave-pomerols.com
t.l.j. sf dim. 8h30-12h 14h-18h

## LA CHAPELLE DE BEBIAN 2004 ★

| | 3 ha | 9 000 | | 8 à 11 € |
|---|---|---|---|---|

Au prieuré de Saint-Jean-de-Bébian, le vignoble était déjà implanté en 1152. Cette continuité témoigne bien de l'intérêt de ce terroir qui, malgré la jeunesse des vignes de roussanne, a donné ici naissance à ce joli blanc. Sa robe dorée est ravissante, son nez subtil : des fleurs, de l'anis, du miel. La bouche ronde offre un soupçon de fraîcheur et beaucoup de finesse. Ce vin sera le compagnon parfait d'un loup grillé au fenouil.

Prieuré de Saint-Jean-de-Bébian, rte de Nizas, 34120 Pézenas, tél. 04.67.98.13.60, fax 04.67.98.22.24, e-mail bebian@wanadoo.fr r.-v.

## LES BOISSIERES 2002 ★

| | 2 ha | 5 000 | | 15 à 23 € |
|---|---|---|---|---|

Charme et finesse caractérisent cette cuvée qui tire son nom et sa typicité de son terroir argilo-calcaire entouré de garrigue. Son nez se développe sur des notes empyreumatiques de camphre, de menthol et sur un fruité très mûr. Dès cette année, on appréciera sa sucrosité, son équilibre et le grain délicat de ses tanins.

Dom. Alain Chabanon, chem. de Saint-Etienne, 34150 Lagamas, tél. 04.67.57.84.64, fax 04.67.57.84.65, e-mail alainchabanon@free.fr
mer. sam. 9h30-12h30

## CH. BOUISSET La Clape Cuvée Amelha 2003 ★

| | 1 ha | 6 600 | | 8 à 11 € |
|---|---|---|---|---|

Une étoile pour la **cuvée Eugénie rouge 2003** et pour ce vin bien typique de La Clape dans sa robe sombre, et qui dévoile des arômes de fruits noirs, de noix et de fumé. Derrière la première bouche ronde et ample se profile une jolie matière bien fondue. Un rable de lapereau farci pourra l'accompagner.

Christophe Barbier, EURL Constantine, Ch. Bouisset, 11560 Cabanes-de-Fleury, tél. et fax 04.68.33.60.13 r.-v.

## MAS BRUGUIERE
Pic Saint-Loup L'Arbouse 2003 ★

| | 5 ha | 40 000 | | 5 à 8 € |
|---|---|---|---|---|

Ici, les vignes de grenache et de syrah s'enracinent sur les éboulis du pic Saint-Loup et de l'Hortus. Deux mots définissent cette cuvée : finesse et gourmandise. On aime la robe grenat pimpante, la corbeille de fruits rouges au nez, la bouche souple et enrobée, la finale délicatement fraîche. Ce serait dommage d'attendre.

Mas Bruguière, 34270 Valflaunès, tél. et fax 04.67.55.20.97
t.l.j. sf dim. 10h-12h 15h-19h

## MAS BRUNET Elevé en fût de chêne 2003 ★

| | 0,72 ha | 3 800 | | 8 à 11 € |
|---|---|---|---|---|

La finesse des vins blancs issus de la partie la plus orientale des Terrasses du Larzac est maintenant prouvée. Pour un millésime aussi chaud que 2003, nous retrouvons derrière la splendide robe dorée des notes anisées – presque mentholées – qui font valoir par contraste des arômes d'agrumes confits et de grillé. Gras et plein mais sans lourdeur, le vin se prolonge langoureusement sur une touche de cire.

GAEC du Dom. de Brunet, rte de Saint-Jean-de-Buèges, 34380 Causse-de-la-Selle, tél. 04.67.73.10.57, fax 04.67.73.12.89, e-mail domainebrunet@tiscali.fr r.-v.
Coulet

## CUVEE NOEL CALMEL Saint-Saturnin 2002 ★

| | n.c. | 10 800 | | 11 à 15 € |
|---|---|---|---|---|

Noël Calmel, l'ancien président charismatique de la cave de Saint-Saturnin, n'aurait pas à rougir de cette cuvée qui porte son nom. De la belle ouvrage qui conjugue race et ampleur : une robe d'une profondeur à s'y perdre, un nez complexe, puissant, mêlant fruité et notes de sous-bois. L'équilibre en bouche sur la rondeur, des arômes épicés et une bonne matière permettent d'apprécier cette bouteille dès aujourd'hui ou dans deux à trois ans. A citer, la **cuvée Albane rouge 2003 (3 à 5 €)** aux arômes d'épices et de fruits, et d'une fine élégance.

Les Vins de Saint-Saturnin, av. Noël-Calmel, 34725 Saint-Saturnin-de-Lucian, tél. 04.67.96.61.52, fax 04.67.88.60.13, e-mail contact@vins-saint-saturnin.com r.-v.

## CH. CAPITOUL La Clape Rocaille 2002 ★

| | 7 ha | 20 000 | | 8 à 11 € |
|---|---|---|---|---|

Rocaille : un nom de cuvée bien familier à nos lecteurs. Cette année ne fait pas exception : le **rouge 2003** mérite sa citation. Quant au blanc, il étonne par la belle complexité qu'il a développée durant deux années de garde. Robe dorée, nez de sous-bois, de fruits confits et de cire, bouche ample et chaleureuse : ce vin aura assez de puissance pour une volaille à la crème.

Charles Mock, Ch. Capitoul, rte de Gruissan, 11100 Narbonne, tél. 04.68.49.23.30, fax 04.68.49.55.71, e-mail contact@chateau-capitoul.com
t.l.j. 9h-19h

## DOM. CASTAN
Terroir du Lias Elevé en fût de chêne 2003 ★

| | 2 ha | 3 000 | | 5 à 8 € |
|---|---|---|---|---|

Deux cuvées très réussies en 2003, malgré la canicule de l'été. Celle-ci, avec sa robe profonde, son nez de garrigue et de fruits à l'alcool, sa bouche chaleureuse et ses tanins fondus, accompagnera sans difficulté du gibier. La cuvée **Les Terres rouges, rouge (3 à 5 €)** est citée et conviendra pour un gigot d'agneau.

Dom. André Castan, av, Jean-Jaurès, 34370 Cazouls-lès-Béziers, tél. et fax 04.67.93.54.45, e-mail domandrecastan@aol.com
t.l.j. sf dim. 10h-12h 16h30-19h30

LANGUEDOC

CH. DE CAZENEUVE
Pic Saint-Loup Le Roc des Mates 2003 ★★
■ 10 ha 20 000 15 à 23 €

Coup de cœur pour le millésime 2001, ce vin conjugue puissance et velours ; il est décidément irrésistible. Il entre en scène dans une robe presque noire et fascine par ses arômes de noix muscade, de fruits noirs compotés et de torréfaction. La bouche charpentée et suave se prolonge sur des notes de réglisse et de boisé très discret. L'un des dégustateurs conseille de carafer cette bouteille et rêve d'une côte de bœuf braisée avec de vraies frites...

André Leenhardt, Dom. de Cazeneuve, 34270 Lauret, tél. 04.67.59.07.49, fax 04.67.59.06.91, e-mail andre.leenhardt@wanadoo.fr r.-v.

DOM. CHEMIN DES OLIVETTES 2004 ★
■ 18 ha 110 000 5 à 8 €

Au cœur du parc du Haut-Languedoc dans la vallée de l'Orb, le merveilleux village de Roquebrun a donné son nom à une appellation communale. Cette cave dynamique vinifie 480 ha. Avec succès, comme en témoignent ces deux vins. Celui-ci est rouge sombre, doté d'un nez riche de senteurs de fruits mûrs et de fumé. La bouche a une structure irréprochable. Le **Château Roquebrun blanc 2004 (8 à 11 €)** obtient également une étoile. Le nez libère des notes d'agrumes, d'abricot, de miel et de fruits secs. Deux jolies bouteilles à laisser sagement s'épanouir un an ou deux.

Cave Les Vins de Roquebrun, av. des Orangers, 34460 Roquebrun, tél. 04.67.89.64.35, fax 04.67.89.57.93, e-mail info@cave-roquebrun.fr r.-v.

DOM. CLAVEL La Méjanelle Les Garrigues 2003 ★
■ 17 ha 80 000 5 à 8 €

C'est en 1986 que Pierre Clavel crée ce domaine aux portes de Montpellier. On sait que Rabelais venait ici, alors qu'il était étudiant en médecine, chercher les plantes médicinales des prescriptions du XVIes. A la portée de toutes les bourses, ce vin peut être servi au quotidien sur des mets simples de belle saison – légumes farcis, saucisse aux herbes et brochettes à la braise de sarments. Mais sa simplicité n'est qu'apparente : belle robe grenat, large palette aromatique (épices, poivre, notes de garrigue, confiture de fruits, cuir). Ce 2003 a du tonus, un beau grain de tanins, une jolie rondeur et une certaine fraîcheur en finale.

Pierre Clavel, Mas de Perié, 34820 Assas, tél. 04.99.62.06.13, fax 04.99.62.06.14, e-mail info@vins-clavel.fr
t.l.j. sf dim. 14h-19h

CLOS DES BENEDICTINS 2003 ★
3,5 ha 16 000 8 à 11 €

Depuis le début du XIIes. la vigne est présente à La Roque. 2003 a dû être l'un des millésimes les plus chauds, et pourtant, la vivacité et l'harmonie sont ici au rendez-vous. La robe affiche de beaux reflets verts, le nez rappelle les agrumes (citron vert et pamplemousse), la bouche est fraîche, sans manquer de rondeur. Pour une poêlée de Saint-Jacques.

Ch. La Roque, 34270 Fontanes, tél. 04.67.55.34.47, fax 04.67.55.10.18
t.l.j. sf dim. 9h-12h 14h-18h
Boutin

CLOS MARIE Pic Saint-Loup Manon 2003 ★
2 ha 6 000 11 à 15 €

Si l'on propose ce vin sur des queues de langoustines sautées à l'huile d'olive et au curry, c'est que l'on a affaire à un blanc de caractère avec sa robe bien dorée et ses arômes complexes de grillé et d'abricot confit. En bouche, le volume s'impose, sans lourdeur, et la finale délicatement fraîche s'ouvre sur des notes de fleurs et d'agrumes confits. Dans un an ou deux, ce 2003 vous étonnera peut-être encore.

Christophe Peyrus et Françoise Julien, Clos Marie, 34270 Lauret, tél. 04.67.59.06.96, fax 04.67.59.08.56 r.-v.

CH. LA CLOTTE-FONTANE
Mouton La Clotte 2003
■ 1,2 ha 4 000 11 à 15 €

Construit sur les ruines d'une *villa* romaine, ce château remanié au XVIIIes. a traversé les siècles. Ce vin n'a pas peur du temps lui non plus. Aujourd'hui, ses notes de boisé et de fumé le maquillent un peu, mais sa rondeur en bouche, sa structure et sa bonne persistance aromatique laissent présager un bel avenir. Patience.

Maryline Pagès, Ch. La Clotte-Fontane, rte de Lecques, 30250 Salinelles, tél. 04.66.80.06.09, fax 04.66.80.42.60, e-mail clotte@club-internet.fr r.-v.

CONQUETES 2001 ★
■ 2 ha 6 666 8 à 11 €

Conquêtes est né du travail long et patient d'un vigneron champenois installé en terre d'Aniane depuis 1996. Ph. Ellner a complètement compris son terroir, et laisse l'élevage agir pour proposer une cuvée prête à boire. D'un rubis rutilant, ce vin charme par son fruité complexe associé aux épices. On retrouve au palais ces arômes qui, mariés à la rondeur des tanins soyeux, lui confèrent son élégance.

Sylvie et Philippe Ellner, chem. des Conquêtes, 34150 Aniane, tél. et fax 04.67.57.35.99, e-mail ellner.philippe@neuf.fr r.-v.

MAS CONSCIENCE L'As 2003
■ 5,5 ha 12 000 15 à 23 €

Sur ce nouveau domaine, Laurent et Geneviève Vidal ont bâti une cave tout en pierre du Gard, à 1 km du pont du Diable qui garde l'entrée des gorges de l'Hérault. Sur leur terroir d'éboulis calcaires, au pied du Causse, ils ont élaboré un vin de soleil, bien typique du millésime 2003 : le nez chaleureux marqué par les épices et la bouche gourmande d'une belle sucrosité lui confèrent son caractère capiteux.

Geneviève et Laurent Vidal, Mas Conscience, rte de Montpeyroux, 34150 Saint-Jean-de-Fos, tél. et fax 04.67.57.77.42, e-mail mas.conscience@cegetel.net r.-v.

DOM. DE LA COSTE Saint-Christol 2004
9 ha 19 500 5 à 8 €

C'est cette année le rosé de Luc Moynier qui a retenu l'attention du jury : sa robe pâle et saumonée, son nez charmant de fruits écrasés ou confits, sa bouche ronde et tout de même vive en font une gourmandise bien délicate.

🔑 Luc et Elisabeth Moynier, Dom. de La Coste, 34400 Saint-Christol, tél. 04.67.86.02.10, fax 04.67.86.07.71, e-mail luc.moynier@wanadoo.fr ☑ 🍷 🚶 t.l.j. 9h-12h30 13h30-19h

## DOM. COSTON Las Garigoles 2003 ★

■ 1,2 ha 4 500 15 à 23 €

Ce vin d'un noir velouté et profond, au nez puissant de café moka et de petits fruits noirs, permet de retrouver le soleil du millésime 2003 à travers des arômes fruités très mûrs (figue, pruneau, cassis). Il est particulièrement charnu, et la qualité de ses tanins lui confère une bonne aptitude à la garde.

🔑 Marie-Thérèse et Joseph Coston, 3, rte de Montpellier, 34150 Puéchabon, tél. 04.67.57.48.96, fax 04.67.57.65.40, e-mail domainecoston@yahoo.fr ☑ 🍷 🚶 r.-v.

## LES COTEAUX DU PIC
Pic Saint-Loup Sélection 2003

■ n.c. 95 000 5 à 8 €

Près de 100 000 cols de cette cuvée sont embouteillés par la coopérative des Coteaux du Pic, l'un des piliers du pic Saint-Loup. Le jury a noté la bonne intensité de la robe et des arômes (fruits rouges). Equilibré et déjà fondu en bouche, ce vin accompagnera, avec la discrétion requise, un cochon de lait à la broche.

🔑 SCA Les Coteaux du Pic, 140, av. des Coteaux-de-Montferrand, 34270 Saint-Mathieu-de-Tréviers, tél. 04.67.55.81.19, fax 04.67.55.81.20, e-mail cave@coteaux-du-pic.com ☑ 🍷 t.l.j. sf dim. 8h30-12h 14h-18h

## DOM. LA CROIX CHAPTAL
Cuvée Charles Elevé en fût de chêne 2002 ★

■ 5 ha 20 000 11 à 15 €

Issu d'un terroir de galets et de graves venant des lits fossiles de l'Hérault et de la Lergue, ce vin reflète bien la quête d'authenticité de Charles Pacaud, qui revendique sur son étiquette le statut d'artisan vigneron. La robe de ce 2002 est pourpre aux reflets orangés. En le dégustant, on se retrouve au printemps, quand les plantes de garrigue s'épanouissent : au nez comme en bouche, c'est un florilège de thym, romarin, genévrier cade, assortis d'épices, de poivre noir et de moka. On appréciera l'élégance de la bouche aux tanins fins mais présents, en particulier sur un navarin d'agneau. On citera aussi la **clairette-du-languedoc Vieilles Vignes blanc sec 2004 (5 à 8 €)** pour ses arômes de fruits secs et surtout pour sa bouche équilibrée entre la fraîcheur et le fruité.

🔑 Pacaud-Chaptal, Dom. La Croix Chaptal, hameau de Cambous, 34725 Saint-André-de-Sangonis, tél. 06.82.16.77.82, fax 04.67.16.09.36, e-mail lacroixchaptal@wanadoo.fr ☑ 🍷 🚶 r.-v.

🔑 Charles Pacaud

## DOM. DE DAURION Les Poètes 2002

■ 4 ha 20 000 3 à 5 €

La diversité des sols (villafranchiens et volcaniques) doit contribuer à la complexité aromatique de ce 2002. Si la robe rubis est assez légère, le nez montre une belle intensité avec du fruit confit, des épices. En bouche, les notes fruitées prennent le dessus et contribuent au charme et à la finesse de ce vin équilibré, fondu et tout à fait prêt.

🔑 SCEA Dom. de Daurion, 34720 Caux, tél. et fax 04.67.98.47.36, e-mail roch@daurion.com ☑ 🍷 🚶 r.-v.

🔑 Henri Collet

## DOM. DU DAUSSO Complaisance 2003 ★

■ 1 ha 3 800 11 à 15 €

D'un pourpre intense, ce vin témoigne de la canicule qui régna en 2003, aussi bien au nez qu'en bouche : au bouquet puissant d'olive, d'épices et de fruits noirs confits répond un palais où domine une impression de plénitude liée à une maturité poussée. La sucrosité et les tanins enrobés mais épicés engagent à le servir lors des repas d'hiver.

🔑 Jean-Christophe Tsakonas, Dom. du Dausso, rte de Brignac, 34800 Ceyras, tél. 06.09.76.35.73, fax 04.67.57.99.85, e-mail valerie@domainedudausso.fr ☑ 🍷 🚶 r.-v.

🔑 V. Cabanes et J.-C. Tsakonas

## CH. DE LA DEVEZE MONNIER 2003 ★

■ 3 ha 4 000 5 à 8 €

Dans un site très ancien où trône une tour médiévale, le vignoble s'étend en bordure de bois et de garrigue. Ce terroir particulier donne un vin au bouquet fruité (cassis, mirabelle au sirop, myrtille) et à la bouche gourmande : sa sucrosité alliée à une certaine fraîcheur et sa structure tannique affirmée lui confèrent l'équilibre. A apprécier dès maintenant. Une citation pour le **blanc 2003 (8 à 11 €)**, pour son équilibre et sa fraîcheur.

🔑 SCEA du Dom. de la Devèze, 34190 Montoulieu, tél. 04.67.73.70.21, fax 04.67.73.32.40, e-mail domaine@deveze.com ☑ 🏠 🍷 🚶 r.-v.

🔑 Damais

## DEVOIS DES AGNEAUX D'AUMELAS
Elevé en fût de chêne 2003 ★

■ 37,5 ha 200 000 5 à 8 €

Dans ce lieu sauvage et désertique, des éoliennes perchées depuis peu sur les crêtes environnantes dominent le vignoble. Si votre curiosité vous mène à ce paysage remodelé, goûtez cette cuvée couleur cerise noire qui exhale des parfums de violette, de grillé et de mûre. Rond à l'attaque, ce 2003 montre des tanins au grain fin qui assureront sa garde durant deux années au moins.

🔑 Elisabeth et Brigitte Jeanjean, Mas Valoussière, 34230 Aumelas, tél. 04.67.78.37.44, fax 04.67.78.37.46

## DOM. DEVOIS DU CLAUS
Pic Saint-Loup Elevé en fût de chêne 2003 ★

■ 1,6 ha 4 000 8 à 11 €

Depuis son entrée dans le Guide avec le millésime 1999, André Gély propose des vins de forte personnalité. Ce 2003 est bien dans la lignée avec sa robe profonde, son nez d'épices, de confiture de framboises et de sous-bois, sa bouche dense et solide. Un peu désavantagé aujourd'hui par la fougue et la puissance de sa jeunesse, ce vin n'a pas dit son dernier mot.

🔑 André Gély, GAEC Devois du Claus, 38, rue du Porche, 34270 Saint-Mathieu-de-Tréviers, tél. 04.67.55.29.37, fax 04.67.55.06.86 ☑ 🍷 🚶 r.-v.

## DOM. DE LA DOURBIE Mala Coste 2003

■ 4,5 ha 11 500 11 à 15 €

La famille Serin est arrivée en 2003 au domaine de la Dourbie. Son premier millésime est très tendre : une robe

LANGUEDOC

rubis, un nez de ciste et d'épices, une attaque douce et des tanins fins. Ce 2003 pourra accompagner une épaule d'agneau dès maintenant.
Bernard Serin, Dom. de la Dourbie, 34800 Canet, tél. 04.67.44.45.82, fax 04.67.44.47.84, e-mail info@ladourbie.fr
t.l.j. 10h-12h30 13h30-17h

LE MAS DE L'ECRITURE Les Pensées... 2002

6,4 ha 15 200 **15 à 23 €**

Comme l'indique le nom du domaine et de la cuvée, la littérature et la poésie sont très présentes dans la vie du vigneron et sur les murs des bâtiments. Pascal Fulla présente ici un vin tout en finesse, paré d'une robe grenat et marqué par des notes de sous-bois, de baies rouges et de pain grillé. Sa belle souplesse permet d'apprécier cette bouteille dès cet hiver.
Pascal Fulla, Mas de L'Ecriture, rue de la Font-du-Loup, 34725 Jonquières, tél. 04.99.57.61.54, fax 04.99.57.61.55, e-mail pascal-fulla@wanadoo.fr r.-v.

CH. DE L'ENGARRAN Saint-Georges d'Orques Cuvée Quetton Saint-Georges 2003 ★

6 ha n.c. **15 à 23 €**

Celui qui connaît ce château du XVIII^e s. classé Monument historique n'oublie pas les superbes cariatides de la façade avec leurs pampres de vignes. On les retrouve sur l'étiquette de cette belle bouteille. De couleur pourpre, le vin dévoile sans attendre des notes d'épices, de fruits macérés, d'olive noire et une touche boisée élégante. En bouche, le gras est bien là, au côté de tanins structurés. L'ensemble gagnera encore à attendre. Le **rosé 2004 (5 à 8 €)**, classique et très friand, est cité.
SCEA du Ch. de L'Engarran, 34880 Laverune, tél. 04.67.47.00.02, fax 04.67.27.87.89, e-mail lengarran@wanadoo.fr t.l.j. 10h-19h
Grill

ERMITAGE DU PIC SAINT-LOUP Cuvée Sainte-Agnès 2003 ★★

6 ha 13 000 8 à 11 €

Cinq cépages, des vignes âgées d'un quart de siècle, un élevage en fût bien maîtrisé, et voici ce vin blanc de très belle facture, né sur les calcaires du pic Saint-Loup. D'abord, un doré étincelant, puis tout un enchaînement d'arômes : la vanille succède aux épices, aux fruits mûrs et au boisé. La bouche est volumineuse, majestueuse. Un style gastronomique pour accompagner un homard ou une bourride de baudroie.
Ravaille, GAEC Ermitage du Pic Saint-Loup, 34270 Saint-Mathieu-de-Tréviers, tél. 04.67.55.20.15, fax 04.67.55.23.49
t.l.j. 9h-12h 14h-18h, dim. sur r.-v.

CH. L'EUZIERE Pic Saint-Loup Les Escarboucles 2003

6 ha 7 000 **11 à 15 €**

Pas d'exubérance dans ce Pic Saint-Loup, mais l'ensemble est classique et gourmand : robe grenat, nez de fruits rouges vanillés et de café torréfié, matière délicate laissant place à une finale chaleureuse. Parions tout de même qu'il pourra être attendu deux à trois années.
Michel et Marcelle Causse, GAEC de L'Euzière, ancien chem. d'Anduze, 34270 Fontanès, tél. et fax 04.67.55.21.41 r.-v.

DOM. FAURMARIE Les Mathilles 2003 ★★

4 ha 12 000 5 à 8 €

Quand tout a déjà été dit du talent de Christian Faure, il faut laisser la place aux vins. Ce Mathilles 2003 avec ses deux étoiles dévoile une grande personnalité pour un rapport qualité-prix imbattable : d'un grenat intense, il ravit le nez et les papilles par sa richesse, son moelleux, ses notes balsamiques, ses arômes de tapenade, de truffe et d'épices. Il est intense, frais, enrobé : que demander de plus ? Une étoile est attribuée à la cuvée **Reliure 2002 rouge (11 à 15 €)** aux notes fumées, boisées et aux arômes de garrigue, à boire ou à attendre, selon votre goût.
Christian Faure, rue du Mistral, 34160 Galargues, tél. 06.16.12.23.95, fax 04.67.86.87.26, e-mail domaine.faurmarie@free.fr r.-v.

MAS FELIX Montpeyroux 2003 ★

2,3 ha 11 000 5 à 8 €

Deux cuvées vinifiées par deux femmes et qui ont comme un air de famille. Ce Mas Félix assemble les cinq cépages de l'appellation. Doté d'une robe profonde, il a un nez gourmand, intense, de violette, de réglisse, de fruits compotés et de cuir. La bouche, à la fois puissante et suave, repose sur des tanins bien enrobés. Une citation pour le **Domaine Boisantin Montpeyroux Le Grand Champ rouge 2002 (11 à 15 €)** dont les arômes confits de fruits noirs et de réglisse se retrouvent au nez comme en bouche. Ce vin harmonieux sera prêt à la sortie du Guide.
SARL Les Domaines de la Solane, 1, chem. des Faysses, 34150 Montpeyroux, tél. 04.67.96.61.37, fax 04.67.96.63.20, e-mail la.solane@wanadoo.fr r.-v.
Famille Giner

CH. DE FLAUGERGUES Cuvée Sommelière 2003 ★

10 ha 65 000 **8 à 11 €**

On va à Flaugergues pour son cadre : un magnifique château – folie – du début du XVIII^e s. avec son escalier monumental et ses jardins, situé au cœur de la ville de Montpellier. On va aussi à Flaugergues pour la qualité de ses vins, régulièrement mentionnés dans nos pages. La Sommelière, c'est une cuvée de repas, facile à marier. Elle est originale par ses senteurs balsamiques, résineuses, fumées, assorties de cerise confite. Charnue, ample et structurée, elle bénéficie d'un potentiel de garde de trois à cinq ans.
Henri de Colbert, Ch. de Flaugergues, 1744, av. Albert-Einstein, 34000 Montpellier, tél. 04.99.52.66.37, fax 04.99.52.66.44, e-mail colbert@flaugergues.com r.-v.

MAS DE FOURNEL Pic Saint-Loup Cuvée Pierre 2003 ★★

3 ha 4 500 **15 à 23 €**

Le mot *fournel* signifie « four à pain ». Il évoque le temps où chacun pétrissait son pain. Il est vrai que ce domaine date du XIV^e s. Sa **Cuvée classique 2003 (8 à 11 €)** obtient une étoile et cette cuvée Pierre qui monte encore en intensité est couronnée de deux étoiles. En admirant la robe pourpre de velours, on imagine déjà la richesse du nez avant que ne se déploient ses effluves de cade, de chocolat, de poivre et de sous-bois. Concentré, puissant et bien construit, ce vin ne manque pas de finesse, ce qui n'enlève rien à son caractère.

Gérard Jeanjean, SCEA Mas de Fournel,
34270 Valflaunès, tél. 04.67.55.22.12, fax 04.67.55.70.43
t.l.j. 9h-19h

RENE GENIEYS 2003 *

| | 1,7 ha | 4 000 | | 11 à 15 € |
|---|---|---|---|---|

En plein cœur du terroir de Pézenas, les sols de villafranchien et le climat chaud du millésime 2003 ont permis à ce vin grenat profond de développer des senteurs de pain toasté, de fruits confiturés et d'épices. La vanille apparaît sans tarder et la bouche attaque tout en douceur. Tanins fondus, boisé intégré, l'harmonie ne fait pas défaut dans une bouche de facture assez classique.

René Genieys, GAEC Le Fesq,
rte de Caux, 34120 Pézenas,
tél. et fax 04.67.90.79.22 r.-v.

MAS GOURDOU Pic Saint-Loup Le Pas du Loup Elevé en fût de chêne 2003 *

| | 3 ha | 8 000 | | 5 à 8 € |
|---|---|---|---|---|

Equilibre et élégance sont les deux caractéristiques de ce vin. Sombre en couleur, il livre au nez des arômes de fruits rouges bien mûrs (framboise) et de garrigue. Derrière la rondeur, ses tanins assurent un bon maintien en bouche mais ne l'empêchent pas d'être déjà prêt.

Jocelyne Thérond, Mas Gourdou,
34270 Valflaunès, tél. et fax 04.67.55.30.45,
e-mail jtherond@masgourdou.com
t.l.j. sf dim. 18h-20h, sam. 10h-12h 16h-20h

DOM. LES GRANDES COSTES Grandes Costes 2002 **

| | 1 ha | 2 000 | | 11 à 15 € |
|---|---|---|---|---|

Pour élaborer ce 2002 – millésime très difficile – Jean-Christophe Granier a éliminé par tri la moitié de la récolte dédiée à la vinification de cette cuvée. L'intensité et la finesse du vin couronnent cet effort. La robe affiche une grande profondeur, le nez une remarquable complexité : cade, confiture, violette... On pourrait presque parler d'un palais de dentelle, tant il est élégant et soyeux, et de surcroît méditerranéen. Un simple lièvre rôti le mettrait en valeur, note une dégustatrice.

Jean-Christophe Granier, 2, rte du Moulin-à-Vent,
34270 Vacquières, tél. et fax 04.67.59.27.42,
e-mail jcgranier@grandes-costes.com r.-v.

DOM. LA GRANGETTE Picpoul de Pinet L'Enfant terrible 2004 *

| | 5 ha | 15 000 | | 3 à 5 € |
|---|---|---|---|---|

Une belle halte à mi-chemin entre Pézenas et la Méditerranée. L'Enfant terrible affiche du caractère mais aussi de l'élégance : de beaux reflets verts, un fruité bien affirmé (agrumes, fruits exotiques), un équilibre vif et plein. Le compagnon des huîtres de Bouzigues.

SCEA La Grangette Sainte-Rose,
Dom. La Grangette, 34120 Castelnau-de-Guers,
tél. 04.67.98.13.56, fax 04.67.90.79.36,
e-mail info@domainelagrangette.com r.-v.
H. et M. Moret

MAS GRANIER Les Grès 2003 *

| | 4,5 ha | 12 000 | | 8 à 11 € |
|---|---|---|---|---|

Entre Nîmes et Montpellier, sur les Terres de Sommières, le Mas Granier met bien en valeur ses terroirs d'appellation contrôlée. Voyez ce 2003 : la couleur pourpre s'impose dans le verre. Puis c'est au tour des arômes : du thym, du pain grillé et des griottes à l'eau-de-vie qui se croquent avec gourmandise. La bouche bien ronde à l'attaque dévoile vite une structure tannique de qualité, garante de la longévité de ce vin.

EARL Granier, Mas Montel, Cidex 1110,
30250 Aspères, tél. 04.66.80.01.21, fax 04.66.80.01.87
t.l.j. sf dim. 9h-12h 14h-19h

DOM. DE GRANOUPIAC Les Cresses 2003 *

| | 5 ha | 10 000 | | 11 à 15 € |
|---|---|---|---|---|

Puissant, charpenté, ce vin est né sur le terroir des Terrasses du Larzac, abrité par un bois qui a résisté au défrichement du XIXe s. Sa robe violine intense annonce un nez complexe, mêlant harmonieusement les senteurs de garrigue – myrte, thym –, les fruits rouges et le poivre noir. Il donnera sa mesure d'ici deux à trois ans et accompagnera des plats en sauce, grâce à sa vivacité et à sa structure affirmée.

Claude et Marie-Claude Flavard,
Dom. de Granoupiac, 34725 Saint-André-de-Sangonis,
tél. 04.67.57.58.28, fax 04.67.57.95.83,
e-mail cflavard@infonie.fr r.-v.

LA GRAVETTE 2004 *

| | 15 ha | 80 000 | | 3 à 5 € |
|---|---|---|---|---|

Sur la route des Cévennes, porte septentrionale du pic Saint-Loup, le terroir de gravettes de Corconne a toujours été réputé pour la finesse de ses rosés. Ce 2004 en est une belle démonstration : robe vive, fruits délicats et touches fleuries au nez, bouche gourmande à la fois vive et ronde. La **cuvée Pic Saint-Loup Vignes Hautes rouge 2003 (8 à 11 €)**, ample et mûre, est citée ; elle accompagnera un civet de lièvre.

La Gravette de Corconne, 30260 Corconne,
tél. 04.66.77.32.75, fax 04.66.77.13.56,
e-mail la.gravette@wanadoo.fr
t.l.j. 8h-12h 14h-18h

DOM. DES GRECAUX Terrae Solis 2002 *

| | 4,5 ha | 10 000 | | 11 à 15 € |
|---|---|---|---|---|

Un vin prêt à boire : d'une belle couleur rouge brique foncé, il explose dans un bouquet de fruits noirs, de cuir, de garrigue et d'épices. La bouche, marquée par les épices douces, est gouleyante, avec des tanins fins. A consommer avec un poisson en sauce ou une viande grillée accompagnée d'herbes du Midi.

Isabelle et Alain Caujolle-Gazet,
Dom. des Grécaux, 4, av. du Monument,
34150 Saint-Jean-de-Fos, tél. et fax 04.67.57.38.83,
e-mail caujolle@club-internet.fr t.l.j. 8h-20h

CH. GRES SAINT-PAUL Grès de Montpellier Antonin 2003 **

| | 10 ha | 40 000 | | 8 à 11 € |
|---|---|---|---|---|

Chaque année, la cuvée Antonin recueille les suffrages du jury ; ce millésime grenat profond ne démérite pas. Il vous emmène dans un pays merveilleux d'odeurs : c'est comme si vous ouvriez un placard à épices sur fond de confiture et de zan. En bouche, les tanins sont délicieusement soyeux, la finale se montre ample et presque fraîche, d'une grande élégance. Dans une autre gamme, commercialisée par le domaine, la cuvée **Grange Philippe rouge 2002 (5 à 8 €)**, charmeuse et prête à boire, vaut bien d'être citée.

⊶ Jean-Philippe Servière, GFA Grès Saint-Paul, rte de Restinclières, 34400 Lunel, tél. 04.67.71.27.90, fax 04.67.71.73.76, e-mail contact@gres-saint-paul.com
☑ Y ⚘ t.l.j. sf dim. 9h-13h 15h-19h

LA CAVE DE GRUISSAN La Clape 2004

| ■ | 1 ha | 6 600 | ■ | 3 à 5 € |
|---|---|---|---|---|

Dans ce petit village du bord de mer lié depuis toujours à la pêche, ce rosé est en pays conquis. Sur une tranche de thon grillé de la Méditerranée, c'est ce qu'il faut : une robe vive et franche, des arômes de fruits rouges frais et confiturés, une bouche équilibrée et bien présente, subtilement fleurie en finale.

⊶ SCV La Cave de Gruissan, 1, bd de la Corderie, 11430 Gruissan, tél. 04.68.49.01.17, fax 04.68.49.34.99, e-mail cavedegruissan@wanadoo.fr ☑ Y r.-v.

DOM. GUINAND
Saint-Christol Cuvée Vieilles Vignes 2004 *

| ■ | 5 ha | 20 000 | ■ | 5 à 8 € |
|---|---|---|---|---|

Un rosé tout en délicatesse : une robe pastel douce, une jolie intensité florale au nez soutenue par des notes de fruits à chair blanche, une bouche équilibrée, ronde et de belle longueur. Vous en redemanderez. Vous pouvez aussi vous laisser tenter par le **Saint-Christol Grande Cuvée rouge 2003 (11 à 15 €)**, cité, tout en sachant qu'il s'épanouira dans l'avenir.

⊶ GAEC Dom. Guinand, 36, rue de l'Epargne, 34400 Saint-Christol, tél. 04.67.86.85.55, fax 04.67.86.07.59, e-mail domaineguinand@saint-christol.com
☑ Y ⚘ t.l.j. sf dim. 10h-12h 15h-18h

MAS HAUT-BUIS Costa Caoude 2002

| ■ | n.c. | 10 000 | ■ ⓘ | 15 à 23 € |
|---|---|---|---|---|

D'un vignoble travaillé en agriculture biologique, situé à près de 300 m d'altitude, Olivier Jeantet a sélectionné pour cette cuvée des parcelles exposées au sud, d'où son nom. La robe d'un beau grenat brillant et les arômes fruités, accessibles, attisent la gourmandise. La bouche ronde et enrobée, fruitée, accompagnera dès cet automne, les viandes de tous les jours, grillées ou braisées.

⊶ Olivier Jeantet, rte de Saint-Maurice, 34520 La Vacquerie, tél. 06.13.16.35.47, fax 04.67.44.12.13, e-mail mashautbuis@wanadoo.fr ☑ Y ⚘ r.-v.

L'ESPRIT DU HAUT-LIROU
Pic Saint-Loup 2003 *

| ■ | 5 ha | 9 800 | 23 à 30 € |
|---|---|---|---|

Saint-Jean-de-Cuculles : quel nom enchanteur ! Autrefois pays de moutons, il produit aujourd'hui du vin que l'on élève avec soin. Il en est ainsi de celui-ci dont la robe sombre à reflets violacés annonce des arômes de fruits frais et de sous-bois ; la bouche élégante et bien structurée a besoin d'un peu de temps pour que le boisé se fonde.

⊶ J.-P. Rambier, Dom. Haut-Lirou, 34270 Saint-Jean-de-Cuculles, tél. 04.67.55.38.50, fax 04.67.55.38.49, e-mail domaine.haut-lirou@mnet.fr
☑ Y ⚘ t.l.j. sf dim. 9h-12h30 14h30-18h30; en été o. dim.

DOM. DE L'HORTUS
Pic Saint-Loup Grande Cuvée 2002 *

| ■ | 9,3 ha | 45 900 | ⓘ | 11 à 15 € |
|---|---|---|---|---|

Au cœur d'un site classé entre le pic Saint-Loup et les falaises de l'Hortus, le chai de vinification et d'élevage tout en bois respecte la beauté du paysage. Dans la région, Jean Orliac a été l'un des pionniers du mourvèdre, cépage que l'on retrouve à plus de 50 % dans cette cuvée. La robe grenat est engageante. Viennent alors des arômes de fruits compotés, de vanille, de cacao. Les tanins élégants, la belle finesse et le gras rendent ce vin harmonieux dès maintenant.

⊶ Jean Orliac, Dom. de L'Hortus, 34270 Valflaunès, tél. 04.67.55.31.20, fax 04.67.55.38.03, e-mail domaine-hortus@wanadoo.fr
☑ Y ⚘ t.l.j. sf dim. 8h-18h, sam sur r.-v.

CH. L'HOSPITALET La Clape 2002 **

| ■ | 10 ha | 40 000 | ⓘ | 8 à 11 € |
|---|---|---|---|---|

Cette construction moderne bien intégrée dans le paysage de la Clape offre aux visiteurs gîte, restaurant, musée et atelier de dégustation. Les vins y reflètent parfaitement la tradition du terroir. **La Réserve rouge 2002** reçoit une étoile tandis que cette cuvée, appelée Grand Vin par son producteur, porte bien son nom. Poupre, elle étincelle dans le verre. Le nez égrène des notes poivrées, vanillées, grillées. La puissance est domptée et la structure tout en élégance conseille un heureux mariage avec de l'agneau à l'ail confit.

⊶ Gérard Bertrand, Ch. L'Hospitalet, BP 20409, 11104 Narbonne Cedex, tél. 04.68.45.36.00, fax 04.68.45.27.17, e-mail vins@gerard-bertrand.com ☑ ⌂ Y ⚘ r.-v.

CH. DES HOSPITALIERS 2004 *

| ■ | n.c. | n.c. | ■ | 3 à 5 € |
|---|---|---|---|---|

Sur la lancée des Hospitaliers de l'ordre de Malte qui créèrent au XIIe s. un vignoble à Saint-Christol, les Martin-Pierrat viennent de construire une nouvelle cave de vinification et d'élevage tout en pierre. Et voici le dernier né : un vin à la robe éclatante, au nez floral, et très charmeur en bouche, sans pour autant manquer de matière. Pour un cabillaud au fenouil.

⊶ SCEA Ch. des Hospitaliers, 923, av. Boutonnet, 34400 Saint-Christol, tél. 04.67.86.03.50, fax 04.67.86.90.02, e-mail martin-pierrat@wanadoo.fr ☑ Y ⚘ t.l.j. 9h-19h
⊶ Martin-Pierrat

LA JASSE CASTEL Les Intillières 2003

| ■ | 2 ha | 6 000 | ■ | 5 à 8 € |
|---|---|---|---|---|

Ce vin, avec ses tanins fondus, est à boire dès maintenant pour apprécier la finesse de ses arômes floraux qui complètent une bouche ronde et délicate due au cinsault, marié à la syrah et au grenache. Il accompagnera grillades et magrets, si on le sert légèrement frais.

⊶ Pascale Marcillaud, 3 bis, rue des Ecoles, 34150 Montpeyroux, tél. et fax 04.67.88.65.27
☑ Y ⚘ r.-v.

DOM. VIRGILE JOLY Saturne 2003 *

| ■ | 2,5 ha | 8 000 | ■ | 11 à 15 € |
|---|---|---|---|---|

Entre mairie et église, ce domaine est installé sur la place du village. Le talent de Virgile Joly n'a d'égal que sa modestie ; jeune vigneron, il sait garder les « fondamentaux » : son travail sur le terroir est sans concession. Le résultat, c'est cette cuvée à la robe rouge clair, au bouquet frais de fruit exotiques (litchi), de cassis et de camphre. La bouche est comblée par l'alliance de la richesse aromatique – eucalyptus, menthol, fruité et minéralité – et des tanins de qualité, qui donnent à ce vin une touche d'originalité.

Dom. Virgile Joly,
22, rue du Portail, 34725 Saint-Saturnin-de-Lucian,
tél. et fax 04.67.44.52.21,
e-mail virgilejoly@wanadoo.fr r.-v.

DOM. JORDY Tentation 2002

2 ha 5 000 8 à 11 €

Laissez-vous tenter dès cet automne par cette cuvée dont les reflets légèrement orangés annoncent l'âge. Son fruité compoté au nez, son équilibre et sa simplicité lui permettent une réelle polyvalence gastronomique.

Frédéric Jordy, Loiras, 9, rte de Salelles,
34700 Le Bosc, tél. 04.67.44.70.30, fax 04.67.44.76.54,
e-mail frederic.jordy@wanadoo.fr
t.l.j. sf dim. 8h-20h

LA LIGNEE JULIEN 2003 *

n.c. n.c. 11 à 15 €

Chez les Julien, le vin est une affaire de famille : les deux frères, férus d'agriculture biologique, cultivent avec soin un vignoble entouré de garrigue. Leur vin est d'ailleurs typiquement méditerranéen : une couleur pourpre sombre, des arômes expressifs de fruits confits, de laurier et d'épices, que l'on retrouve tout au long de la dégustation, alliés à une structure tannique encore jeune. A attendre deux à trois ans.

Julien Frères, Mas de Janiny,
21, pl. de la Pradette, 34230 Saint-Bauzille-de-la-Sylve,
tél. 04.67.57.96.70, fax 04.67.57.96.77,
e-mail julien-thierry@wanadoo.fr r.-v.

CH. DE LANCYRE Grande Cuvée 2003 *

1,8 ha 3 500 11 à 15 €

La marsanne et la roussanne se marient à ravir dans ce vin bien doré, très attirant à l'œil. Au nez, le grillé se mêle au miel, aux fruits secs et aux fleurs séchées. Le gras et l'ampleur typent la bouche qui sera à la hauteur face à un poisson en sauce même un peu épicée.

SCEA Ch. de Lancyre, Lancyre, 34270 Valflaunès,
tél. 04.67.55.32.74, fax 04.67.55.23.84,
e-mail chateaudelancyre@wanadoo.fr r.-v.
Durand et Valentin

CH. LANGLADE Prestige 2004

1 ha 1 500 8 à 11 €

80 % de roussanne, 20 % de grenache blanc, sept mois de fût : dans sa robe pâle, ce vin se montre gourmand et attachant avec ses touches de fleurs blanches et de fruits exotiques. La bouche, équilibrée et harmonieuse, permettra à ce 2004 d'accompagner avec discrétion un loup grillé.

Cadène Frères, Ch. Langlade, chem. des Aires,
30980 Langlade, tél. et fax 04.66.81.30.22,
e-mail michel.cadene@neuf.fr r.-v.

CH. DE LASCAUX Les Pierres d'argent 2003 *

8 ha 12 000 11 à 15 €

Ces Pierres d'argent d'un doré resplendissant ont été élevées avec soin et patience. Les touches boisées encore reconnaissables au nez se mêlent au miel, à la cire et à la vanille. La bouche dense cumule rondeur et vivacité. C'est un vin qui réserve encore de belles surprises dans l'avenir.

Jean-Benoît Cavalier,
pl. de l'Eglise, 34270 Vacquières, tél. 04.67.59.00.08,
fax 04.67.59.06.06, e-mail JB.cavalier@wanadoo.fr
t.l.j. sf dim. 10h-12h 14h-19h

DOM. DES LAURIERS Picpoul de Pinet 2004 *

9,5 ha 40 000 3 à 5 €

Pâle à reflets verts, ce vin s'ouvre progressivement. Les fines notes de miel et d'agrumes s'intensifient en bouche ; chaleureuse, celle-ci est soutenue par une finale bien vive. Choisir un plateau de coquillages.

Marc Cabrol, Dom. des Lauriers,
15, rte de Pézenas, 34120 Castelnau-de-Guers,
tél. 04.67.98.18.20, fax 04.67.98.96.49,
e-mail cabrol.marc@wanadoo.fr r.-v.

CH. LAVABRE Pic Saint-Loup 2003 *

2,5 ha 12 000 11 à 15 €

Ce domaine, entouré de garrigue et de hautes falaises, est soucieux de l'environnement. Des haies ont été plantées durant l'hiver pour préserver la biodiversité. Pas moins de trois cépages se conjuguent dans la cuvée **Les Demoiselles de Lavabre rouge 2003 (8 à 11 €)**, qui obtient une citation, et dans ce Pic Saint-Loup de couleur pourpre. Les fruits rouges se mêlent aux notes de grillé et au boisé qui mérite de se fondre encore un peu. Gras, équilibré et élégant, ce vin devrait atteindre sa plénitude d'ici deux à trois ans.

Dom. de Lavabre, 34270 Claret, tél. 04.67.59.02.25,
fax 04.67.59.02.39, e-mail olivier.lavabre@wanadoo.fr
t.l.j. sf dim. 16h-19h; sam. 9h-15h
Bridel

DOM. LEYRIS MAZIERE Les Pouges 2003 *

5 ha 6 500 11 à 15 €

Pour cette cuvée, les raisins sont ramassés en cagettes. Leur intégrité est soigneusement respectée tout au long de la vinification, ce qui permet de pousser loin les concentrations. Le résultat ? Une grande profondeur de robe et une complexité aromatique singulière : notes balsamiques, clou de girofle et autres épices, sous-bois. Beaucoup d'extraits et de matière en bouche ainsi que des notes boisées qui demandent à s'adoucir. Un vin à réserver à des connaisseurs et à attendre deux à quatre ans si vous en avez la patience.

Gilles Leyris, Dom. Leyris-Mazière,
chem. des Pouges, 30260 Cannes-et-Clairan,
tél. et fax 04.66.93.05.98,
e-mail gilles.leyris@libertysurf.fr r.-v.

MAS LUMEN Prélude 2003 *

n.c. 6 600 8 à 11 €

Pascal Perret est photographe. Il est aussi œnophile. En 2001, il choisit de s'installer à Gabian sur ce domaine dont les vignes occupent 6 ha. Ce vin, né sur un terroir de schistes, affiche sa jeunesse dans sa robe noire encore violacée. Fruits compotés, grillé, épices donnent son caractère au nez. Sa matière dense en bouche – encore un peu ferme – et sa bonne persistance aromatique annoncent un épanouissement dans les trois ans à venir.

Pascal Perret, 21, rue de l'Argenterie,
34320 Gabian, tél. 04.67.90.13.66, fax 04.67.90.13.70,
e-mail maslumen@wanadoo.fr r.-v.

CH. MANDAGOT
Montpeyroux Grande Réserve 2003 *

48 ha 20 000 8 à 11 €

L'un des fils de Jean-François Vallat l'a rejoint sur ce domaine qu'il conduit depuis 1978. Très représentative du terroir de Montpeyroux, cette Grande Réserve, de couleur violette, affiche une réelle complexité au nez, avec ses

LANGUEDOC

arômes de fruits cuits et de pruneau, complétés par du zeste d'orange confite. La bouche ample équilibre le moelleux et l'acidité. La qualité de ses tanins, chaleureux et épicés, permettra à ce vin d'accompagner les daubes de bœuf et de sanglier.
Vignoble Jean-François Vallat,
Dom. Les Thérons, 34150 Montpeyroux,
tél. 04.67.96.64.06, fax 04.67.96.67.63,
e-mail vignoble.vallat@tiscali.fr r.-v.

## MARCIANICUS Grès de Montpellier 2003 *

■ 15 ha 30 000 5 à 8 €

Les vignerons de Saint-Geniès-des-Mourgues ont mis en commun leur savoir-faire pour offrir aux palais exigeants deux vins de belle facture. Marcianicus 2003 et **Insania 2002 (8 à 11 €)** sont issus de parcelles bien identifiées en Grès de Montpellier. Marcianicus, d'un rouge foncé, est marqué par des senteurs de sous-bois et de fruits à noyau. Il présente un très bel équilibre en bouche avec une attaque ample, des tanins bien fondus et une fraîcheur intéressante pour le millésime. A choisir dès maintenant pour vos rôtis de bœuf. Insania, qui gagnera à rester dans votre cave quelque temps, joue quant à lui dans un registre plus épicé, mais sa présence tout en subtilité, douceur et équilibre lui permettra d'accompagner les plats cuisinés.
Cave des Coteaux de Montpellier, rte des Carrières, BP 13, 34160 Saint-Geniès-des-Mourgues,
tél. 04.67.86.21.99, fax 04.67.86.22.65,
e-mail coteauxdemontpellier@wanadoo.fr r.-v.

## MAS DE MARTIN Cuvée Cinarca 2003 *

■ 6 ha 17 000 11 à 15 €

Coup de cœur l'an dernier, le Mas de Martin a convaincu à nouveau le jury avec cette cuvée qui réunit le classicisme du fût et l'originalité du terroir : robe pourpre intense, nez expressif de fruits noirs, de poivre et d'épices douces, bouche de belle vivacité sur un support boisé et vanillé, d'une ampleur suffisante pour équilibrer les tanins. Voici un vin bien élevé qui saura se tenir à table.
Christian Mocci, Dom. Mas de Martin,
rte de Carnas, 34160 Saint-Bauzille-de-Montmel,
tél. et fax 04.67.86.98.82,
e-mail masdemartin@wanadoo.fr
t.l.j. 10h-12h 14h-19h

## CH. PAUL MAS
Clos des Mûres Elevé en fût de chêne 2003 *

■ 6,8 ha 45 372 8 à 11 €

C'est une famille de vignerons depuis plus de cent ans, dont la propriété – le château de Conas – est plus que millénaire, qui vinifie et élève cette cuvée raffinée à la robe pourpre profond. Les arômes d'épices et de sous-bois, les tanins fermes et charnus mariés à des saveurs minérales, des nuances de cachou et de résine ont du caractère. Une bouteille à servir sur une volaille truffée, dans deux à cinq ans, lorsqu'elle sera à son apogée.
Dom. Paul Mas, Ch. de Conas, 34120 Pézenas,
tél. 04.67.90.16.10, fax 04.67.98.00.60,
e-mail info@paulmas.com r.-v.

## CH. LES MAZES La Méjanelle Cuvée 1811 2003

■ 2,4 ha 2 800 8 à 11 €

Sur ce terroir millénaire, les Bouchet débutent à peine puisqu'ils se sont installés en 2002. Voici l'une de leurs premières cuvées : robe grenat, nez de fruits rouges, de pain toasté et de vanille, bouche ronde à l'attaque. Les tanins encore un peu jeunes sont bien perceptibles en finale et semblent convenir pour une côte de bœuf grillée.
Bernard et Dorothée Bouchet,
Ch. Les Mazes, 34130 Saint-Aunès,
tél. et fax 04.67.72.60.10, e-mail b-bouchet@wanadoo.fr
t.l.j. sf dim. 9h-20h

## MAS DE LA MEILLADE
Montpeyroux Les Combals 2002 **

■ 2 ha 3 000 8 à 11 €

Le terroir argilo-calcaire de Montpeyroux, qui s'exprime ici à travers quatre cépages de l'appellation – syrah, grenache, mourvèdre et carignan –, paraît dans ce millésime. Si la robe porte des reflets d'évolution, ce vin séduit par son bouquet complexe de fraise, de framboise et de garrigue. La gourmandise de la bouche, chaleureuse et ample, où se mêlent épices, fruits et réglisse, est accentuée par la qualité soyeuse des tanins. Puissance et finesse ne s'y contredisent pas. A boire ou à attendre.
Bruno Salze,
51, rue La Meillade, 34150 Montpeyroux,
tél. et fax 04.67.96.61.72 r.-v.

## DOM. MIRABEL Pic Saint-Loup Les Eclats 2003 *

■ 2 ha 5 200 11 à 15 €

C'est en 2002 que les frères Feuillade décident de bâtir leur chai de vinification et d'élevage. La réussite ne se fait pas attendre : nous voici devant une robe profonde, des arômes de fruits à noyau, de poivre et de sous-bois, des tanins serrés qui ne masquent pas la rondeur et la sucrosité de la bouche. Et pourquoi ne pas servir ce 2003 sur un cuissot de sanglier – l'une de ces bêtes qui ravagent les vignes ?
Feuillade, Dom. Mirabel, 30260 Brouzet-les-Quissac,
tél. et fax 04.66.77.48.88 r.-v.

## CH. MIRE L'ETANG
La Clape Cuvée des ducs de Fleury
Elevé en fût de chêne 2003 **

■ 7 ha 25 000 8 à 11 €

Depuis de nombreuses années, Mire l'Etang n'a cessé de figurer parmi les grands domaines de l'AOC. Ce coup de cœur n'est donc pas un hasard. Le jury a été sous le charme de la robe violine, de la riche palette d'arômes où la tapenade se mêle aux épices et aux fruits noirs. La bouche s'impose, volumineuse et pourtant élégante, avec des tanins serrés, une sucrosité délicieuse. Ce vin superbe aujourd'hui saura attendre. Quant à la **cuvée Corail rosé 2004 (5 à 8 €)**, c'est une friandise. Elle obtient une étoile.
Ch. Mire L'Etang, 11560 Fleury-d'Aude,
tél. 04.68.33.62.84, fax 04.68.33.99.30 r.-v.

DOM. MON MOUREL La Bruguière 2003 *

■ 1,2 ha 4 000 8 à 11 €

Deuxième millésime pour Jérémie Costal et une étoile cette année. Il est vrai que l'on ne reste pas indifférent à la robe profonde de ce 2003, à ses arômes presque entêtants de garrigue et de réglisse, à sa bouche chaleureuse et charnue. Les tanins sont néanmoins là pour veiller à l'équilibre. On devine que les raisins devaient être bien mûrs, comme ceux de la **clairette-du-languedoc moelleux 2003**, une étoile aussi, qui ravira les amateurs de liquoreux.

Jérémie Costal, rte de Péret, 34800 Aspiran, tél. 06.15.40.47.09, fax 04.67.44.69.83 r.-v.

CAVE DE MONTPEYROUX
Montpeyroux Cuvée Or 2004

■ 33,13 ha 30 000 3 à 5 €

Ici, les vignes humanisent un paysage presque minéral, et l'on est étonné de découvrir autant de tendresse dans le verre : une robe bien brillante, des arômes de fruits rouges, de la rondeur et de la souplesse en bouche. Un compagnon idéal pour tout un repas d'été.

La Cave de Montpeyroux, 5, pl. François-Villon, 34150 Montpeyroux, tél. 04.67.96.61.08, fax 04.67.88.60.91, e-mail cave@montpeyroux.com t.l.j. 9h-12h 14h-18h

DOM. MORIN-LANGARAN
Picpoul de Pinet 2004 **

4 ha 26 000 3 à 5 €

Si le **Picpoul de Pinet étiquette blanche 2004** a reçu une étoile, cette bouteille à étiquette noire a davantage séduit le jury par sa robe pâle et brillante, ses arômes d'acacia mariés subtilement à des notes d'agrumes. Franc et fin en bouche, persistant et généreux, ce vin offre une finale rafraîchissante, bien caractéristique d'un Picpoul de Pinet. Coquillages et poissons grillés se le disputeront.

Morin, Dom. Morin-Langaran, 34140 Mèze, tél. 04.67.43.71.76, fax 04.67.43.77.24, e-mail morin-langaran@tiscali.fr t.l.j. sf dim. 10h-12h 14h-18h

MORTIES Pic Saint-Loup Jamais content 2002 ***

■ 5 ha 15 000 11 à 15 €

Inouï, le palmarès de Mortiès : ses trois vins sont proposés au grand jury des coups de cœur ! Deux brillantes étoiles honorent le **Mortiès Pic Saint-Loup rouge 2003 (8 à 11 €)** ample et complexe, ainsi que le **blanc 2003 (8 à 11 €)** remarquable par ses arômes (genêt et abricot sec) et par son onctuosité en bouche. Quant au Jamais content, c'est le bonheur : une robe sombre entre grenat et violine, une farandole d'arômes où se succèdent cacao, fruits noirs, poivre, une pointe de cuir et de boisé délicat. Puis l'on enchaîne sur des tanins racés, la pureté de son fruit, le soyeux et la puissance en bouche. La typicité du terroir n'exclut pas une grande élégance.

GAEC du Mas de Mortiès, 34270 Saint-Jean-de-Cuculles, tél. et fax 04.67.55.11.12, e-mail contact@morties.com r.-v.

CH. DES MOUCHERES
Pic Saint-Loup L'Estelou 2003

■ 0,75 ha 4 000 5 à 8 €

Bien soigné dans sa robe grenat très brillante, ce vin sent bon le cassis, la violette avec une pointe de menthol. Dense et fine à la fois, la bouche presque aérienne développe elle aussi une belle intensité aromatique.

SCEA Jean-Philippe Teissèdre, hameau de la Vieille, 34270 Saint-Mathieu-de-Tréviers, tél. et fax 04.67.55.20.17, e-mail chateaudesmoucheres@free.fr t.l.j. 10h-19h

J DE NEFFIESE 2003 *

■ 0,4 ha 1 700 8 à 11 €

C'est un partenariat entre la société créée par une œnologue, Michèle Trévoux, qui vinifie de petites cuvées dans plusieurs terroirs du Languedoc, et, ici, la coopérative des Vignerons de Neffiés, qui a donné le jour à ce vin grenat, au nez mariant la compote de fruits rouges vanillée à des notes minérales et à un boisé fin et fumé. En bouche, ce 2003 montre équilibre et ampleur ; sa finale suffisamment structurée lui assurera une certaine garde.

Délit d'Initiés, Mas de Renard, 34570 Pignan, tél. 06.17.83.03.08, fax 04.67.47.24.83, e-mail michele.tastavy@wanadoo.fr r.-v.

CH. DE LA NEGLY La Clape La Falaise 2003 *

■ 8 ha 41 500 11 à 15 €

Située sur le versant maritime de la Clape, la Négly a été reprise en 1992 par son propriétaire actuel qui a remis en état le vignoble et construit un chai de vieillissement. Une valeur sûre, cette cuvée dont les deux millésimes précédents ont été bien notés dans le Guide. La robe du 2003 est profonde et l'on retrouve au nez les notes d'épices et de fruits cuits au côté cette année de la cerise confite. Une finale chaleureuse succède à la rondeur de l'attaque. Le gras et les tanins robustes permettront à cette bouteille de faire face à un civet de sanglier.

Jean Paux-Rosset, SCEA Ch. de la Négly, 11560 Fleury-d'Aude, tél. 04.68.32.36.28, fax 04.68.32.10.69, e-mail lanegly@wanadoo.fr t.l.j. 9h-12h 14h-17h; f. sam. dim. en hiver

DOM. LE NOUVEAU MONDE
Brame Reille 2001 *

■ 1 ha 2 400 11 à 15 €

Sur les terrasses villafranchiennes qui surplombent la mer, les vignes ne manquent pas de soleil. Ce 2001 en est la preuve : une robe encore sombre et subtilement brune, un nez de fruits mûrs, de sous-bois, de cuir et de réglisse, une bouche pleine et soyeuse. Puissant mais bien assagi par l'élevage, il s'accordera avec une daube de sanglier.

SCEA Gauch, Dom. Le Nouveau Monde, 34350 Vendres, tél. 04.67.37.33.68, fax 04.67.37.58.15, e-mail domaine-lenouveaumonde@wanadoo.fr r.-v.

NOVI 2003 ★★★

■ 17,99 ha 13 500 15 à 23 €

Dans ce coin du Languedoc, où se conjuguent soleil, terroir, pins et garrigue, il est un superbe mas entouré de son vignoble : le vin est à l'unisson de ce lieu magique, à boire dès aujourd'hui ou à attendre, ce qui est l'apanage des grands. La robe, d'un grenat profond, ne fait qu'attiser la curiosité. Puissance et richesse des senteurs – essence de pin, garrigue, fruits des bois, caramel – réjouissent le nez. La gourmandise est comblée par l'intensité, l'équilibre et la pérennité en bouche. Et de l'apéritif au fromage, vous déclinerez cette bouteille en de nombreux accords parfaits.

SAS Saint-Jean du Noviciat,
Mas du Novi, rte de Villeveyrac, 34530 Montagnac,
tél. et fax 04.67.24.07.32,
e-mail masdunovi@wanadoo.fr t.l.j. 9h-19h

L'ORMARINE
Picpoul de Pinet Cuvée Prestige 2004 ★

n.c. n.c. 3 à 5 €

Trois cents vignerons apportent ici leur vendange. Le Picpoul de Pinet est la grande tradition de ce terroir. Au côté de la classique **Carte Noire 2004**, une étoile également, la cuvée Prestige gagne la confiance du jury : l'or pâle de la robe se mêle aux reflets verts ; le nez de citron confit et de fleurs blanches, la bouche bien vive sont caractéristiques du Picpoul de Pinet mais aussi du millésime 2004.

Cave de L'Ormarine,
13, av. du Picpoul, 34850 Pinet,
tél. 04.67.77.03.10, fax 04.67.77.77.23 r.-v.

CH. PECH-CELEYRAN La Clape Tradition 2004 ★

2,5 ha 13 000 5 à 8 €

Appartenant à la famille Saint-Exupéry depuis quatre générations, cette propriété est chargée d'histoire. Le chai aux foudres de chêne centenaires était la salle de jeu d'Henri de Toulouse-Lautrec. Ce vin, quant à lui, n'a pas besoin d'attendre pour se faire aimer avec sa robe dorée, son nez de fruits compotés et d'épices douces, sa bouche bien équilibrée et élégante.

Jacques de Saint-Exupéry,
Ch. Pech-Céleyran, 11110 Salles-d'Aude,
tél. 04.68.33.50.04, fax 04.68.33.36.12,
e-mail saint-exupery@pech-celeyran.com
t.l.j. 9h-12h30 13h30-19h30

CH. PECH REDON La Clape L'Epervier 2003 ★

■ 10 ha 30 000 5 à 8 €

Site classé, le massif de la Clape, entre Narbonne et Méditerranée, est admirable et mérite d'être parcouru. Les 42 ha de Pech Redon participent à son charme. Les reflets violets de la robe témoignent de la jeunesse de ce vin. Le nez est intensément confituré, grillé, avec des notes de noix. Concentrés en bouche, encore un peu austères, les tanins demandent un peu de temps pour s'adoucir. Quant à la cuvée **La Centaurée 2001 rouge (11 à 15 €)**, citée, elle offre le moelleux et la générosité de son millésime.

Christophe Bousquet, Ch. Pech Redon,
rte de Gruissan, 11100 Narbonne,
tél. 04.68.90.41.22, fax 04.68.65.11.48,
e-mail chateaupechredon@wanadoo.fr
t.l.j. sf dim. 10h-12h 14h-19h

DOM. DU PECH ROME Opulens 2003 ★★

■ 2,3 ha 7 000 11 à 15 €

Le jury avait beaucoup aimé les deux précédents millésimes ; le voici subjugué par ce 2003, par sa robe noire profonde, ses arômes puissants d'épices, de confiture de fruits rouges, de figue sèche. Puissance et matière définissent la bouche tandis qu'une pointe de fraîcheur ajoute une subtilité délicieuse. Pour un gibier sauce grand veneur dès aujourd'hui ou dans trois ans, si vous résistez à l'envie de déboucher cette bouteille.

SCEA Remparts de Neffiès,
17, montée des Remparts, 34320 Neffiès,
tél. et fax 04.67.59.42.05,
e-mail pechromevin@wanadoo.fr r.-v.
Pascal Blondel

PLAN DE L'OM Miéjour 2002 ★

■ 4 ha 8 000 11 à 15 €

Pharmacien de formation, marin de transition et vigneron par passion : Joël Foucou s'est installé ici en 1987. Cette cuvée affiche la typicité du terroir de Saint-Jean-de-la-Blaquière, d'où il est issu. Le grenache, majoritaire, donne un ensemble chaleureux aux notes d'épices, de cacao, de fruits à l'alcool et de garrigue. Vin de séduction et non de puissance, il mérite deux à trois ans de garde, mais certains l'aimeront déjà.

Joël Foucou, Mas Plan de l'OM,
chem. de la Charité, 34700 Saint-Jean-de-la-Blaquière,
tél. et fax 04.67.10.91.25,
e-mail plan-de-lom@wanadoo.fr r.-v.

DOM. DU POUJOL Grès de Montpellier 2003

■ 1 ha 2 125 23 à 30 €

Une *English touch* dans un terroir de garrigue ; c'est cette cuvée, à l'étiquette originale, qui fête dignement une dixième vinification de ce domaine. Idéal pour accompagner des viandes rouges en sauce, ce vin décline au nez comme en bouche notes animales, fruitées et épicées (poivre et girofle). Ayez la patience d'attendre deux à cinq ans pour apprécier à sa juste valeur sa structure tannique de qualité mais encore présente ; ou alors décantez le vin. Sa couleur en sera plus éclatante encore.

EARL Dom. du Poujol,
rte de Grabels, 34570 Vailhauquès,
tél. 04.67.84.47.57, fax 04.67.84.43.50,
e-mail cripps.poujol@wanadoo.fr r.-v.
Cripps

PRIEURE SAINT-HIPPOLYTE 2004 ★★

50 ha 150 000 3 à 5 €

Ce rosé ? Coloré et séducteur comme un beau fard à joues : des nuances fuchsia dans la robe, un nez explosif (cassis, violette, caramel), une bouche joyeuse, ronde et

enveloppante. Quant au **Château Mazers rouge 2003 (5 à 8 €)**, il se montre plus discret mais il reçoit tout de même une étoile de bel éclat.
Cave coop. La Fontesole, bd Jules-Ferry, 34320 Fontès, tél. 04.67.25.14.25, fax 04.67.25.30.66, e-mail la.fontesole@wanadoo.fr
t.l.j. sf dim. 8h-12h 14h-18h

## DOM. DE LA PROSE
Saint-Georges d'Orques Grande Cuvée 2002 *

■ 1 ha 2 000 15 à 23 €

Toute proche de l'abbaye du Vignogoul, abbaye cistercienne de femmes fondée au XIIe s., la cave se niche sur le haut d'un coteau de telle sorte que l'on peut voir la mer. Ce vin exprime bien le caractère méditerranéen avec sa robe pourpre, ses arômes de fruits confits, de tapenade, de fleurs séchées, tandis que l'élevage se perçoit derrière les notes boisées. L'ampleur, la puissance et le soutien tannique lui permettront de tenir tête à un canard aux olives.
GAEC de Mortillet, Dom. de la Prose, 34570 Pignan, tél. 04.67.03.08.30, fax 04.67.03.48.70
t.l.j. sf dim. 9h-18h30

## CH. PUECH-HAUT Tête de cuvée 2003 *

18 ha 32 000 23 à 30 €

Les vins de Puech-Haut, vaste domaine de 110 ha créé en 1980, demandent du temps pour atteindre leur apogée. Ce 2003 en est un bel exemple : une robe or pâle, un nez très expressif de pain grillé, de fleurs blanches et de vanille, une bouche volumineuse, s'étirant sur une finale boisée. Il a un bel avenir devant lui.
Gérard Bru, Ch. Puech-Haut, 2250, rte de Teyran, 34160 Saint-Drézéry, tél. 04.67.86.93.70, fax 04.67.86.94.07, e-mail chateau-puech-haut@wanadoo.fr r.-v.

## DOM. LES QUATRE PILAS
Saint-Georges d'Orques 2002 *

■ 3 ha 12 000 8 à 11 €

C'est dans un terroir caillouteux autrefois occupé par la garrigue, à 10 km à peine au nord de Montpellier, que ce vin s'est forgé sa personnalité. Des reflets encore violets, un nez complexe de thym, de sous-bois et de réglisse, une plénitude en bouche : fondu, bien équilibré entre le boisé et les fruits mûrs, il est dans un bon âge maintenant pour être dégusté. Vous apprécierez aussi la délicatesse du fruit du **rosé 2004 (5 à 8 €)**, une étoile également.
Joseph Bousquet, chem. de Pignan, 34570 Murviel-lès-Montpellier, tél. et fax 04.67.47.89.32 r.-v.

## DOM. REINE-JULIETTE
Picpoul de Pinet Terres rouges 2004 **

10 ha 15 000 3 à 5 €

La cuvée **Domaine Guillemarine blanc 2004** reçoit une étoile. Celle-ci la devance cette année. Il faut reconnaître que sa brillance, ses arômes complexes de pamplemousse et de fruits exotiques, sa finale vive et délicate en font un Picpoul de Pinet intense et festif.
EARL Alliés, 4, av. de Florensac, 34810 Pomerols, tél. 04.67.24.78.77, fax 04.67.27.78.77
t.l.j. sf dim. 10h-12h 16h-18h

## DOM. ROCAUDY Tour de magie 2003 **

■ 4 ha 5 000 11 à 15 €

La cuvée Tour de magie, deux étoiles l'an passé pour un premier millésime, est encore à l'honneur cette année. Venant de Moselle, la famille Oury a tout de suite su tirer le meilleur d'un terroir complexe de schiste, de basalte et de calcaire. Ce vin joue dans l'intensité, tant dans la robe d'un grenat presque noir que dans la puissance des arômes d'épices (vanille), de fruits mûrs et de chocolat. Le jury est conquis à la mise en bouche par l'harmonie d'ensemble : élégance des tanins, longueur. A boire dès maintenant ou dans quatre à cinq ans.
EARL Pascal Oury, 6, rue Bouscarel, 34320 Vailhan, tél. 04.67.24.18.92, e-mail rocaudy.vins@wanadoo.fr r.-v.

## CH. ROUQUETTE-SUR-MER
La Clape Le Clos de la Tour 2003 **

■ 2,5 ha 3 500 30 à 38 €

Situées sur les falaises de bord de mer de la Clape, les vignes profitent ici des brises estivales. Est-ce là le secret de la finesse de cette cuvée 2003 qui a frôlé le coup de cœur ? Sa robe profonde laisse place à un nez de garrigue, de noix muscade, de fruits rouges mûrs. Puissant et fondu, suave et harmonieux, un vrai vin de terroir, tout comme la cuvée **Henry Lapierre rouge 2003 (11 à 15 €)**, une étoile.
Jacques Boscary, rte Bleue, 11100 Narbonne-Plage, tél. 04.68.65.68.65, fax 04.68.65.68.68, e-mail bureau@chateaurouquette.com
t.l.j. 10h-12h 14h30-18h30

## DOM. SAINT-ANDRIEU
Montpeyroux Vallongue 2003 *

■ 3 ha 12 000 5 à 8 €

Fêtant en 2005 les dix ans de la création de leur marque, les Giner pratiquent la vinification parcellaire. Dans la lignée de la cuvée Vallongue 2002, ce nouveau millésime, d'une couleur grenat pimpante, aux senteurs de cade et de menthol mariés aux épices douces et au cacao, attaque en rondeur, puis la bouche se développe sur le poivre et la réglisse. Elle repose sur une matière encore ferme qui se bonifiera si vous avez la patience d'attendre trois à quatre ans.
Renée-Marie et Charles Giner, 1, chem. des Faysses, 34150 Montpeyroux, tél. 04.67.96.61.37, fax 04.67.96.63.20, e-mail st.andrieu@wanadoo.fr r.-v.

## SAINT-FELIS 2002 *

■ 5 ha 20 000 11 à 15 €

Les discrètes nuances brunes de la robe sont les premiers signes de maturité de ce vin. Au côté des notes de fruits noirs et de vanille, voilà du thym et du laurier, senteurs très caractéristiques du terroir des Terrasses du Larzac. Plein et fondu en bouche, ce vin aura un grand succès dès à présent sur un rable de lapereau farci. Il serait dommage que vous ne croquiez pas aussi dans le fruit du **rosé Saint-Jacques 2004 (3 à 5 €)**, distingué par une étoile également.
SCA Vignerons de Saint-Félix-de-Lodez, 21, av. Marcelin-Albert, 34725 Saint-Félix-de-Lodez, tél. 04.67.96.60.61, fax 04.67.88.61.77, e-mail info@vignerons-saintfelix.com r.-v.

## DOM. SAINT-FELIX DE VETULA
Pic Saint-Loup 2003

■ 8 ha 40 000 3 à 5 €

Dans ce petit hameau proche de Claret, les Florac récoltent des miels aux odeurs enivrantes et des raisins à bonne maturité, comme en témoigne ce 2003 avec sa robe

LANGUEDOC

pourpre et ses arômes de pain d'épice, de cade et de fruits à l'eau-de-vie. Rond, voire chaleureux, voilà un vin aux tanins fondus qui s'apprécie dès maintenant.
⊶ Christian Florac, Dom. de Villeneuve, 34270 Claret, tél. 04.67.88.80.00, fax 04.67.96.65.67

## LES VIGNERONS DE SAINT-FELIX SAINT-JEAN Cuvée des Oliviers 2004 ★★

■ 6 ha 6 000 ■ 3 à 5 €

Terre pourpre et schiste sombre ; vignes et oliviers en terrasses ; tout un décor pour encadrer ce rosé vif en couleur qui fleure bon la cerise, la pêche et la fleur de sureau. Il y a unanimité pour vanter sa rondeur, son équilibre et sa longue persistance fruitée. Elaborée par cette cave mais commercialisée par les Vignerons Catalans (Perpignan), la cuvée **Excellence du Bosc 2003 rouge élevé en fût (5 à 8 €)** obtient une étoile. Il faudra l'attendre.
⊶ Les Vignerons de Saint-Jean-de-la-Blaquière, 34700 Saint-Jean-de-la-Blaquière, tél. 04.67.44.90.40, fax 04.67.44.90.42, e-mail cave.sjb@wanadoo.fr ☑ ⫪ r.-v.

## CH. SAINT-JEAN D'AUMIERES 2003

■ 4,87 ha 17 000 ■ ⏀ ♁ 8 à 11 €

Sur la colline de Gignac, vieux village viticole aux monuments intéressants, se dresse l'église Notre-Dame-de-Grâce, en face de laquelle a été conçu au XVIII[e]s. un remarquable chemin de croix. Pour son troisième millésime, Paul Tori est encore au rendez-vous du Guide, avec un vin bien sympathique, d'un rouge brillant. Ce 2003 a une belle tenue au nez comme en bouche où dominent des arômes de fraise bien mûre et des tanins dont l'enrobage devrait s'affiner d'ici deux à trois ans.
⊶ Ch. Saint-Jean d'Aumières, rte de Montpellier, 34150 Gignac, tél. 04.67.57.23.49, fax 04.67.57.46.30, e-mail paul@aumieres.com
☑ ⫪ ⛹ t.l.j. sf dim. 9h-12h 15h-18h
⊶ Paul Tori

## DOM. SAINT-JEAN DE L'ARBOUSIER 2003 ★

■ 6,72 ha 27 000 ■ 5 à 8 €

Ancienne propriété des Templiers située à 5 km du château de Castries, ce domaine offre un vin issu de raisins bien mûrs, comme le laisse supposer le nez de confiture, de mûre et de cannelle. La robe est d'un grenat soutenu, les tanins soyeux, le volume assez ample. Inutile d'attendre.
⊶ EARL Dom. Saint-Jean de l'Arbousier, 34160 Castries, tél. 04.67.87.04.13, fax 04.67.70.15.18 ☑ ⫪ ⛹ r.-v.
⊶ Viguier

## CH. SAINT-MARTIN DE LA GARRIGUE Bronzinelle 2003 ★

■ 13,4 ha 75 000 ⏀ 8 à 11 €

A Saint-Martin de la Garrigue, le talent passe par toutes les couleurs ; le **blanc 2003** obtient une étoile grâce à ses belles notes fleuries et à son palais ample et vif, tandis que ce vin rouge, pourpre bleuté, déploie sa complexité tout au long de la dégustation : notes balsamiques et fruitées au nez, attaque généreuse en bouche sur fond de vanille, tanins au grain fin. Encore un peu jeune peut-être, un vin bien élevé qui vous laisse le choix pour l'apprécier : aujourd'hui ou dans deux ans.
⊶ SCEA Saint-Martin de la Garrigue, Ch. Saint-Martin de la Garrigue, 34530 Montagnac, tél. 04.67.24.00.40, fax 04.67.24.16.15, e-mail jezabalia@stmartingarrigue.com ☑ ⫪ ⛹ r.-v.
⊶ Guida Umberto

## SAINT-MARTIN DU CRES 2002

■ 1 ha 5 000 ■ ♁ 5 à 8 €

C'est sur des terrasses villafranchiennes au sud de la ville de Béziers qu'est implanté le vignoble d'appellation contrôlée. Le millésime présenté est bien mûr comme le montrent sa robe pourpre discrètement brune et ses arômes de sous-bois et de fruits à noyau. Fondu et rond, il est prêt.
⊶ SCAV Les Caves de Béziers, 3, rte de Pézenas, 34500 Béziers, tél. 04.67.31.27.23, fax 04.67.31.06.98, e-mail lescavesdebeziers@wanadoo.fr
☑ ⫪ t.l.j. sf dim. 9h-12h 14h-18h30

## CH. DE SAINT-PREIGNAN 2003

■ 10 ha 66 500 ■ ⏀ 3 à 5 €

Si l'on cherche un vin à boire dans l'instant, ce Château de Saint-Preignan est tout conseillé : robe grenat brillante, arômes de fruits au sirop et de muscade, souplesse et structure discrète en bouche. Facile mais bien agréable.
⊶ Jean-Claude Pastor, Ch. de Saint-Preignan, 34480 Pouzolles, tél. 04.67.24.67.96, e-mail jpastor@exco.fr ☑ ⫪ ⛹ r.-v.

## CH. DE SAINT-SERIES 2003 ★★

■ 9 ha 40 000 ■ ♁ 5 à 8 €

Cette famille bourguignonne, installée ici depuis 1998, met en évidence la typicité languedocienne du terroir. Vous admirerez la robe pourpre de ce vin et serez vite conquis par ses arômes de fruits rouges, de cannelle et de grillé. La structure est remarquable : la bouche s'affirme par son gras, sa rondeur et par sa finale très épicée. Aujourd'hui ou dans deux ans, vous aimerez cette bouteille de caractère.
⊶ Ch. de Saint-Sériès, 34400 Saint-Sériès, tél. 03.80.21.32.92, fax 03.80.21.35.00, e-mail roux.pere.et.fils@wanadoo.fr ☑ ⫪ r.-v.
⊶ Famille Roux

## LA SAUVAGEONNE Pica Broca 2003 ★★

■ 8 ha 28 000 ■ ⏀ ♁ 8 à 11 €

Sur les terrasses accrochées au versant sud du Larzac, les vignes s'enracinent dans les schistes. La typicité de ce vin est indéniable, tant par sa robe pourpre violacé que par son nez minéral évoluant sur des notes de garrigue, de poivre et de fruits noirs. La bouche, structurée et onctueuse, laisse poindre une touche de fraîcheur bien caractéristique d'un terroir d'altitude (plus de 250 m) et que l'on retrouvera dans le **rosé 2004 Les Arbousiers (5 à 8 €)**, une étoile.
⊶ Dom. de La Sauvageonne, rte de Saint-Privat, 34700 Saint-Jean-de-la-Blaquière, tél. 04.67.44.71.74, fax 04.67.44.71.02, e-mail la-sauvageonne@wanadoo.fr ☑ ⫪ ⛹ r.-v.
⊶ Gavincrisfield

## MAS DE LA SERANNE Antonin et Louis 2002 ★★

■ 1 ha 2 800 ⏀ 15 à 23 €

Grappe d'argent du Guide 2005, Jean-Pierre Venture, installé depuis 1998 dans son village natal, s'est

profondément engagé dans la démarche des coteaux-du-languedoc vers une production de qualité. Il a une « obligation de réussite » ! Son 2002 répond à cette exigence ; il est arrivé en très bonne place dans le grand jury des coups de cœur, le manquant de peu. Ce vin revêt une robe d'un grenat intense. Il décline sa forte personnalité à travers des arômes sauvages, de fumé, de cuir, de clou de girofle, de fruits et de fleurs séchées. La qualité de l'équilibre en bouche, où moelleux, acidité et tanins se conjuguent, lui permet d'accompagner une côte de bœuf ou du sanglier.
Isabelle et Jean-Pierre Venture, rte de Puechabon, 34150 Aniane, tél. et fax 04.67.57.37.99, e-mail mas.seranne@wanadoo.fr
t.l.j. sf dim. 10h30-12h 15h30-19h

MAS DU SOLEILLA La Clape Les Bartelles 2003 ★★

2 ha 8 000 11 à 15 €

Peter Wildbolz s'est installé en 2002 sur le magnifique vignoble de La Clape. Deuxième millésime, deuxième sélection avec cette cuvée gorgée de soleil qui paraît dans une robe profonde. Le nez concentré (grillé, girofle, touches boisées) annonce une matière dense mais fondue, signant la remarquable maîtrise de l'élevage dans le respect du terroir.
Peter Wildbolz, SCEA Mas du Soleilla, rte de Narbonne-Plage, 11100 Narbonne, tél. 04.68.45.24.80, fax 04.68.45.25.32, e-mail vins@mas-du-soleilla.com t.l.j. 8h-20h

LES SOULS 2003 ★

2,5 ha 2 500 23 à 30 €

La synergie de frères jumeaux, l'un œnologue, l'autre vigneron, installés sur les derniers contreforts du Larzac, à 350 m d'altitude. Ce joli vin, d'un grenat profond, encore un peu ténébreux, présente une belle intensité aromatique marquée par les épices, la menthe et quelques notes animales. Doté d'une imposante matière, il emplit le palais et se montre assez persistant. Il accompagnera un gigot d'agneau, du Larzac bien sûr !
Roland Alméras, 325, chem. de Roquegude, 34700 Soubès, tél. 04.67.44.21.56 r.-v.

DOM. STELLA NOVA Cuvée Les Pléiades 2003 ★★

2,5 ha 6 000 11 à 15 €

En 2002, Philippe Richy crée son domaine et achète plusieurs parcelles qu'il choisit pour la qualité du terroir. Il faut croire que la sélection fut bonne, vu la puissance et la typicité de ce vin : une robe bien profonde avec une pointe de châtain, une riche gamme d'arômes jouant sur les fruits rouges et la garrigue avant de se prolonger sur la figue et les épices ; et enfin, une belle liaison entre le gras et la solide structure tannique. Ce 2003 a encore quelques années devant lui.
Philippe Richy, Dom. Stella Nova, av. de Fontès, 34720 Caux, tél. 04.67.00.10.76, fax 04.67.25.35.28, e-mail stellanova@wanadoo.fr r.-v.

CH. TAURUS-MONTEL
Pic Saint-Loup Tradition 2004 ★

1 ha 4 500 5 à 8 €

Un environnement sauvage pour un vin tout en finesse : une robe pâle discrètement saumonée, de la pêche et des fleurs au nez, une bouche soignée, vive et ronde à la fois. Un accord subtil sur une caillette aux herbes.
SCEA Ch. Montel, 1, rue du Devès, 34820 Teyran, tél. 04.67.70.20.32, fax 04.67.70.92.03, e-mail contact@chateau-montel.com r.-v.

TERRE MEGERE
Grès de Montpellier Les Dolomies 2003 ★

5 ha 15 000 5 à 8 €

Cette cuvée est issue d'un terroir perdu au milieu de la garrigue, difficile, et que Michel Moreau a su dompter pour en tirer un vin de belle facture : d'un rubis éclatant, ce 2003 présente un nez gourmand de fruits rouges, de coing et de laurier. Elégant, racé, enrobé, c'est un vin de convivialité, à apprécier dès maintenant en famille ou entre amis.
Michel Moreau, Dom. de Terre Mégère, 10, rue Jeu-de-Tambourin, 34660 Cournonsec, tél. 04.67.85.42.85, fax 04.67.85.25.12
t.l.j. sf dim. 15h-19h, sam. 9h-12h30

MAS THELEME Carpe diem 2003

1,8 ha 4 430 8 à 11 €

Fabienne et Alain Bruguière ont relu l'œuvre de François Rabelais en vieux français pour mieux connaître l'abbaye de Thélème, nom dont ils se sont inspirés pour baptiser leur domaine. Voici un vin à partager entre amis dans la bonne humeur : une robe grenat d'intensité modérée, un nez dominé par les fruits rouges frais, une bouche fraîche, un tantinet coquine, bien placée sur la rondeur malgré des tanins encore un peu fougueux mais qui ne gâchent en rien le plaisir.
Fabienne et Alain Bruguière, rte de Cazeneuve, 34270 Lauret, tél. et fax 04.67.59.53.97 r.-v.

DOM. LA TOUR PENEDESSES
Les Volcans 2003 ★

4,33 ha 17 300 11 à 15 €

Alexandre Fouque, d'abord œnologue en Champagne, a choisi le Languedoc et ce terroir de laves basaltiques pour sculpter ses propres vins. Derrière la robe sombre et le nez minéral et fumé, la structure et la matière prédominent ici en bouche. Un moelleux généreux vient parfaire l'ensemble qui se prolonge sur des notes de myrtille et de vanille. Dans deux ans, ce vin aura encore beaucoup à dire.
Dom. La Tour Penedesses, 2, rue Droite, 34600 Faugères, tél. 04.67.95.17.21, fax 04.67.95.44.03, e-mail domainedelatourpenedesses@yahoo.fr
t.l.j. sf dim. 9h-12h30 14h-19h; f. 20 déc.-7 jan.
Alexandre Fouque

DOM. DES TREMIERES
Longueur de temps 2002 ★

n.c. 3 500 11 à 15 €

Une étoile bien brillante pour deux vins de ce domaine : le **rosé Allégresse 2004 (5 à 8 €)**, parfumé comme un panier de fruits en début d'été, et ce rouge de couleur pourpre, au nez de cuir, de réglisse et de vanille et à la bouche, ample et fondue, d'une persistance épicée. Une bouteille proche de sa pleine maturité.
Bernadette et Alain Rouquette, Dom. des Tremières, 34800 Nébian, tél. 04.67.96.38.05, fax 04.67.96.34.83 r.-v.

DOM. DE TREPALOUP Les Costes 2003

3,6 ha 3 000 5 à 8 €

Voici un nouveau domaine qui entre dans le Guide. Son vin est bien sympathique, avec ses reflets à peine

bleutés, ses arômes de cannelle, de cuir et de cassis. Soyeux en bouche, déjà fondu, il développe une sucrosité qui flattera une grillade de taureau de Camargue.
Rémi et Laurent Vandôme,
EARL Dom. de Trépaloup, rue du Moulin-d'Huile,
30260 Saint-Clément, tél. 04.66.77.48.39,
fax 04.66.77.55.21, e-mail trepaloup@tiscali.fr
mer. ven. et sam. 17h-19h30

### CH. VAILLE Cuvée Passion 2003 *

3 ha 10 000 5 à 8 €

A 3 km de ce domaine, le lac Salagou, né d'un barrage dont la mise en eau eut lieu à la fin des années 1960, offre de nombreuses promenades. Créé en 1860, ce cru de 15 ha propose un « vrai » vin issu d'un terroir particulier, terres rouges ou pelites. On y retrouve au nez la garrigue qui cerne les vignes, une belle minéralité et des senteurs fruitées. Sa générosité s'exprime surtout en bouche où, après une attaque soyeuse, le thym et le cade se mêlent au silex. Les tanins sont encore si fermes qu'il est conseillé de les laisser se fondre deux à trois ans.
Fulcran Vaillé,
1, rue Marguerite, 34700 Salelles-du-Bosc,
tél. 04.67.44.71.98, fax 04.67.44.73.11
t.l.j. 10h15-18h; f. 15-30 jan.

### CH. DE VALCYRE BENEZECH
Pic Saint-Loup 2004 *

6 ha 9 000 5 à 8 €

Dans ce rosé, le jury a été sensible à la couleur pastel tendre de la robe, au fruité délicat du nez (fruits rouges, pêche). La bouche, ronde et charmante, se termine sur une pointe de vivacité bien caractéristique du millésime.
SARL Benezech-Gaffinel, Ch. de Valcyre,
34270 Valflaunès, tél. et fax 04.67.55.28.99
t.l.j. sf lun. 10h-12h30 16h-19h30

### VERMEIL DU CRES Rosé Marine 2004 *

5,02 ha 30 000 3 à 5 €

Ce rosé est né sur des coteaux orientés au sud, à 3 km de la Méditerranée. La robe est vive, le nez rappelle le cassis et la framboise. Quant à la bouche, friande et équilibrée, elle se prolonge agréablement sur des notes fruitées.
SCAV Les Vignerons de Sérignan,
av. Roger-Audoux, 34410 Sérignan, tél. 04.67.32.23.26,
fax 04.67.32.59.66 t.l.j. sf dim. 9h-12h 15h-18h

### CH. LA VERNEDE Vinifié en fût de chêne 2003 *

1 ha 1 800 8 à 11 €

Bâti sur un site romain et entouré d'un parc agréable, ce domaine fait découvrir ce blanc de caractère. Avec sa robe aux reflets or et verts, il s'exprime sans timidité : des notes florales, du grillé, des fruits confits. La bouche est généreuse, suave même. Son gras lui permettra d'accompagner une rouille languedocienne.
Jean-Marc Ribet,
GFA La Vernède, 34440 Nissan-lez-Ensérune,
tél. 04.67.37.00.30, fax 04.67.37.60.11
t.l.j. sf sam. dim. 9h-12h 14h-19h

### LES VERRIERES Clos des Soutyères 2004 **

3,25 ha 13 400 11 à 15 €

C'est une entrée tonitruante pour le premier millésime de ce producteur qui, avec son œnologue Olivier Groux, a su vinifier, dans des cuves de petit volume, ce vin associant 10 % de carignan à la syrah (70 %) et au grenache. Encore très jeune lors de la dégustation du 24 mars 2005, ce 2004 est de couleur pourpre bleuté, tirant sur le noir. Le jury a été essentiellement séduit par sa richesse aromatique – fruits noirs, caramel, réglisse et épices – présente aussi bien au nez qu'en bouche. L'équilibre est remarquable et la finale, d'une bonne longueur, annonce des lendemains encore plus enchanteurs.
Walter Pizzaferri,
SCEA Les Verrières de Montagnac,
5, rue Charles-Camichel, 34530 Montagnac,
tél. 06.75.85.72.39, fax 04.67.89.68.82,
e-mail wpizzaferri@verrieresdemontagnac.com
r.-v.

### DOM. DE LA VIEILLE
Pic Saint-Loup Le Sang du Wisigoth 2003 *

2,05 ha 6 000 5 à 8 €

La découverte d'un cimetière wisigoth sur le domaine est à l'origine du nom de cette cuvée. On pourrait s'attendre à un vin austère et viril, et l'on goûte une cuvée très gourmande : une robe grenat bien brillante, un nez charmeur (cerise, vanille, fleurs de garrigue), une bouche délicatement fraîche, structurée mais sans excès. Parfait pour un gigot d'agneau aux herbes, mais vous pouvez aussi choisir la **cuvée classique 2003**, qui mérite bien son étoile avec ses senteurs de violette et de zan.
Guy Ratier, Dom. de la Vieille,
34270 Saint-Mathieu-de-Tréviers,
tél. et fax 04.67.55.35.17,
e-mail domainedelavieille@wanadoo.fr
t.l.j. sf dim. 18h-20h

### VILLA SYMPOSIA L'Equilibre 2003 *

10 ha 13 000 11 à 15 €

Quand des Bordelais se prennent de passion pour les terroirs du Languedoc, ils se donnent les moyens de réussir – et cela, dès leur installation en 2003, en partenariat avec Eric Prissette. La robe est d'un pourpre intense. Le nez, discret au départ, s'épanouit sur des arômes de fruits rouges et de poivre blanc. Au palais, ce vin d'un très beau volume présente une structure tannique puissante. Idéalement, il se mariera à la viande d'agneau – ragoût aux navets de Pardailhan ou tajine. Il faut le carafer ou l'attendre trois à cinq ans.
Alain et Annie Fleurot,
chem. de Saint-Georges, 34800 Aspiran,
tél. 06.26.38.42.17, fax 04.67.44.09.03 r.-v.

### DOM. ZUMBAUM-TOMASI
Pic Saint-Loup Clos Maginiai 2003 **

3,84 ha 11 000 11 à 15 €

Ce domaine applique les règles de l'agriculture biologique et effectue les labours avec des chevaux de trait. Est-ce la raison pour laquelle tout est puissant dans ce vin ? Sa robe violine, son nez expressif de grillé, de poivre et de griotte à l'eau-de-vie, sa forte concentration en bouche et cette persistance qui n'en finit plus. Il mérite que vous le gardiez deux à trois ans.
Dom. Zumbaum-Tomasi,
rue Cagarel, 34270 Claret,
tél. 04.67.55.78.77, fax 04.67.02.82.84
t.l.j. 9h-12h 14h-18h

# Faugères

Les vins de Faugères sont des vins AOC depuis 1982, comme les saint-chinian leurs voisins. La région de production, qui comporte sept communes situées au nord de Pézenas et de Béziers et au sud de Bédarieux, a produit 79 029 hl en 2004 sur près 1 929 ha de vin. Les vignobles sont plantés sur des coteaux à forte pente, d'altitude relativement élevée (250 m), dans les premiers contreforts schisteux peu fertiles des Cévennes. Produit à partir de grenache, syrah, mourvèdre, carignan et cinsault, le faugères est un vin bien coloré, pourpre, capiteux, aux arômes de garrigue et de fruits rouges. Depuis 2004, l'AOC peut produire des vins blancs. 326 hl ont été déclarés dans le millésime 2004 pour une superficie de 13,96 ha.

### ABBAYE SYLVA PLANA La Closeraie 2003 *

■ n.c. 60 000 ▮ 8 à 11 €

Au milieu des vignes du domaine se dresse une abbaye du XII^e s., où des moines produisaient déjà du vin autrefois. La cuvée La Closeraie 2003 révèle à la fois des odeurs de fleurs séchées et des effluves de nature empyreumatique. La bouche possède les caractéristiques du vin plaisir : structure moyenne, tanins fondus, finale harmonieuse. A servir sur une salade de chèvre chaud.

SCEA Bouchard-Guy,
3, rue de Fraïsse, 34290 Alignan-du-Vent,
tél. 04.67.24.91.67, fax 04.67.24.94.21,
e-mail info@vignoblesbouchard.com r.-v.

### CH. DES ADOUZES Plô de figues 2003 **

■ 3 ha 13 333 15 à 23 €

Si vous passez par Roquessels, arrêtez-vous chez Jean-Claude Estève qui vous recevra avec simplicité et vous invitera à déguster d'excellents faugères. Tout d'abord, ce Plô de figues aux arômes intenses, à la fois floraux (lis et pivoine) et fruités (mûre, cassis), au corps souple et charmeur. Ce vin atypique ne devrait pas vous laisser insensible. Ensuite goûtez donc le **Château des Adouzes rouge 2003 (5 à 8 €)**, à base de grenache et de syrah, retenu avec une étoile. Après un nez de fruits confits, la bouche fraîche et fruitée donne une bonne idée de ce qu'est un « vin plaisir ».

Jean-Claude Estève,
2, Tras du Castel, 34320 Roquessels, tél. 04.67.90.24.11,
fax 04.67.90.12.74, e-mail adouzes@tiscali.fr
t.l.j. 9h30-12h 14h-19h

### DOM. DE L'AUSTER 2003 **

■ 10 ha 25 000 ▮ 3 à 5 €

En attribuant le coup de cœur au domaine de l'Auster, les dégustateurs ont fait preuve d'un grand sens du contrepied à l'heure où les jurys recherchent concentration, puissance et garde. Ce vin, commercialisé par AVF Signatures du Sud, révèle au nez des arômes d'épices douces et de cacao. La bouche soyeuse, élégante et délicate a laissé le jury sous le charme. En outre, le rapport qualité-prix est imbattable.

AVF Signatures du Sud, chem. de la Planque,
34800 Ceyras, tél. 04.67.44.90.50, fax 04.67.44.90.51,
e-mail signatures.sud@wanadoo.fr

### MAS DES CAPITELLES Sélection 2003

■ 3 ha 14 000 ▮ 5 à 8 €

La cave, située à l'entrée du village de Faugères, date de 1999 et doit son nom aux nombreuses capitelles, petits abris de pierres sèches, que l'on découvre sur le domaine et aux alentours. Sa Sélection 2003 possède une belle puissance aromatique marquée par le cassis. Un vin au potentiel intéressant qu'il faudra savoir attendre trois ou quatre ans et carafer.

GAEC Jean Lauge et Fils,
Mas des Capitelles, 34600 Faugères,
tél. 04.67.23.10.20, fax 04.67.95.78.32 r.-v.

### CECILIA 2003

■ 20 ha 95 000 3 à 5 €

Deux étoiles dans la précédente édition du Guide, la cuvée Cécilia est plus modeste dans le millésime 2003. Serait-elle trop marquée par son élevage de douze mois en fût ? Certainement de l'avis de deux dégustateurs. Cependant, elle possède un nez intéressant de fruits compotés et vanillés. Après une attaque ronde sur les fruits rouges, la bouche se fait plus austère en finale, durcie par le bois. Elle devrait s'adoucir avec le temps. Pour les amateurs de boisé.

Jeanjean, BP 1, 34725 Saint-Félix-de-Lodez,
tél. 04.67.88.81.93, fax 04.67.88.80.62

### CH. CHENAIE Les Douves 2003 **

■ 7 ha 22 000 8 à 11 €

Distinguée dans la précédente édition par deux étoiles pour la cuvée Loblivia 2001, la famille Chabbert brille encore cette année mais avec la cuvée Les Douves qui avait déjà obtenu un coup de cœur pour le millésime 2000 (Guide 2003). Décidément chez les Chabbert, le hasard n'a pas sa place ! Habillé d'une robe rouge profond, ce 2003 libère des arômes complexes de réglisse, d'épices et de fruits cuits. Ronde et charnue en attaque, la bouche enveloppe ensuite des tanins déjà soyeux et prépare à une longue persistance aromatique. Du très beau travail.

EARL André Chabbert et Fils,
Ch. Chenaie, 34600 Caussiniojouls,
tél. 04.67.95.48.10, fax 04.67.95.44.98 r.-v.

### CH. DES ESTANILLES Grande Cuvée 2003 **

■ 5 ha 15 000 15 à 23 €

Michel Louison a créé sa propriété viticole de 35 ha de toutes pièces, vignoble et cave compris. Cet homme infatigable et curieux de tout, aidé de sa femme Monique et de sa fille Sophie, est un des symboles de la réussite dans

l'appellation faugères. Encore une fois, sa production a été proposée au jury des coups de cœur. Cette Grande Cuvée se caractérise par des arômes de garrigue et d'épices douces, par une bouche ronde et charnue où la réglisse et le fumé persistent en finale. Du même producteur, le **coteaux-du-languedoc Château des Estanilles blanc 2003 (8 à 11 €)** obtient une étoile. Ce vin élaboré à base de marsanne offre une belle rondeur et des arômes vanillés.
EARL Michel Louison,
Ch. des Estanilles, Lentheric, 34480 Cabrerolles,
tél. 04.67.90.29.25, fax 04.67.90.10.99,
e-mail earl.louison@wordonline.fr r.-v.

## DOM. DU FRAISSE 2004 *

4,75 ha 27 000 5 à 8 €

Deux étoiles dans l'édition 2005 pour ce même vin : Jacques Pons aurait-il trouvé la formule magique pour élaborer de bons rosés ? Une couleur saumonée, un nez complexe, toasté, à la fois sur les fleurs blanches et les fruits exotiques, une bouche fraîche, pleine et persistante : ce faugères séduira plus d'un amateur. Débouchez-le par une chaude nuit d'été pour accompagner des gambas braisées.
Jacques Pons, 1 bis, rue du Chemin-de-Ronde,
34480 Autignac, tél. 04.67.90.23.40, fax 04.67.90.10.20,
e-mail domfraisse@aol.com r.-v.

## MAS GABINELE 2003 *

5 ha 13 000 15 à 23 €

Coup de cœur de l'édition 2004. Issu d'un encépagement traditionnel, ce vin a passé quatorze mois en fût. Pour ce millésime, il fallait un élevage adapté. Un nez d'épices et de petits fruits rouges précède une bouche souple à l'attaque mais quelque peu austère en finale. Quant à la cuvée **Rarissime rouge 2003 (23 à 30 €)**, c'est un vin épicé à fort potentiel, qui n'atteindra sa pleine maturité que dans quatre ou cinq ans.
Thierry Rodriguez,
hameau de Veyran, 34490 Causses-et-Veyran,
tél. 04.67.89.71.72, fax 04.67.89.70.69,
e-mail throdriguez@wanadoo.fr r.-v.

## CH. GREZAN Les Schistes dorés 2003

1,5 ha 4 500 15 à 23 €

Un assemblage de syrah et de mourvèdre de trente ans est à l'origine de cette cuvée Les Schistes dorés. Sa dégustation a suscité le débat. Certains regrettent l'empreinte trop grande de l'élevage en fût malgré une belle matière. D'autres estiment que ce caractère austère s'estompera avec le temps. Pour les amateurs de vins boisés.
Ch. Grézan, 34480 Laurens, tél. 04.67.90.27.46,
fax 04.67.90.29.01, e-mail chateau-grezan@wanadoo.fr
t.l.j. 9h30-12h 14h-18h30; dim. 14h-18h30
Fardel et Pujol

## CH. DE LA LIQUIERE Vieilles Vignes 2003 ***

16 ha 70 000 8 à 11 €

Aujourd'hui la troisième génération de Vidal, représentée par François, sa sœur Sophie et son mari Laurent Dumoulin, tous deux œnologues et passionnés par leur terroir, défend avec brio les couleurs de la famille. En témoigne cette cuvée Vieilles Vignes, synonyme de distinction, qui est la seule de l'appellation à avoir obtenu trois étoiles. Au nez, des effluves de thé, d'épices et d'eucalyptus. En bouche, une structure soyeuse qui supporte des tanins fondus. La finale est qualifiée de subtile par les dégustateurs. De l'élégance, encore de l'élégance.
Ch. de La Liquière, La Liquière, 34480 Cabrerolles,
tél. 04.67.90.29.20, fax 04.67.90.10.00,
e-mail info@chateaulaliquiere.com
t.l.j. sf sam. dim. 9h-12h 14h30-18h30
Vidal-Dumoulin

## MOULIN DE CIFFRE Eole 2003 **

3 ha 10 000 11 à 15 €

Coup de cœur de la précédente édition du Guide, ce viticulteur, d'origine bordelaise, installé sur le domaine depuis 1998, confirme qu'il n'a rien d'un touriste en quête d'exotisme. Sa cuvée Eole a été encore une fois très bien accueillie par le jury. La robe sombre, mûre écrasée, laisse diffuser des arômes intenses de cacao, de moka et de torréfaction. La bouche ronde et charnue se montre presque fraîche, les tanins apparaissent charmeurs et la finale épicée. Cette bouteille sera à son apogée dans deux à trois ans. Retenue avec une étoile, la cuvée **élevée en fût de chêne 2003 rouge (8 à 11 €)**, est de garde.
Lesineau, SARL Ch. Moulin de Ciffre,
34480 Autignac, tél. 04.67.90.11.45, fax 04.67.90.12.05,
e-mail info@moulindeciffre.com
t.l.j. sf dim. 10h-12h 16h-19h; sam. sur r.-v.

## MAS OLIVIER Grande Réserve
Elevé en fût de chêne 2004 *

160 ha 600 000 3 à 5 €

Un classique de la cave coopérative, au sens noble du terme. Régulièrement sélectionné, ce domaine obtient comme l'an dernier une étoile, grâce à ce faugères au nez original de cade et de menthol, aux tanins fins et élégants et à la finale équilibrée et persistante. Un vin plaisir à consommer dans les deux ans, accompagné d'un canard aux olives, suggère un dégustateur. Egalement retenu avec une étoile, le **blanc 2004 Terrasses du Rieutor (8 à 11 €)** séduit par son caractère floral mais surtout par sa rondeur parfaite le rendant presque consistant. Il devrait pouvoir affronter un poisson en sauce.
Cave coop. de Faugères,
Mas Olivier, 34600 Faugères,
tél. 04.67.95.08.80, fax 04.67.95.14.67 r.-v.

## DOM. OLLIER-TAILLEFER
Castel Fossibus 2003 **

2,5 ha 9 000 8 à 11 €

Dans la famille Ollier, les rôles sont bien définis : Luc s'occupe du vignoble et de la cave et sa sœur Françoise de la partie commerciale et administrative. Cela fonctionne très bien comme en témoigne la cuvée Castel Fossibus, passée très près du coup de cœur. Aux effluves de cannelle et de fruits confits succèdent en bouche des notes de café torréfié et d'épices douces, bien soutenues par un volume d'une grande ampleur et par une finale opulente et riche. Du très beau travail.
Dom. Ollier-Taillefer, rte de Gabian, 34320 Fos,
tél. 04.67.90.24.59, fax 04.67.90.12.15,
e-mail ollier.taillefer@wanadoo.fr r.-v.
Luc et Françoise Ollier

## DOM. DE L'ORT D'AMOREL
Elevé en fût de chêne 2003 *

10 ha 50 264 5 à 8 €

La cave coopérative de Laurens, qui date de 1938, vinifie aujourd'hui plus de 1 600 ha de vigne dont 700 ha pour la seule appellation faugères. Huit mois d'élevage en fût ont été suffisants pour ce millésime où la syrah

représente 50 % de l'assemblage. La robe est profonde, les arômes se révèlent épicés et finement boisés, la bouche gourmande possède d'agréables tanins. Une rétro-olfaction de cacao et d'épices douces relève la finale et contribue à classer cette bouteille parmi les belles réussites du millésime. A essayer sur un gigot de broutard présalé.
Maîtres vignerons du Faugerois,
chem. de la Murelle, 34480 Laurens, tél. 04.67.90.28.23,
fax 04.67.90.25.47, e-mail vigneronsdelaurens@free.fr
t.l.j. 9h-12h 14h-18h

### CH. DES PEYREGRANDES
Marie Laurencie 2003 *

| | 3 ha | 10 000 | 8 à 11 € |
|---|---|---|---|

Marie Boudal a hérité de son père la passion de son terroir et de Peyregrandes et elle le prouve. Deux étoiles dans la précédente édition, et aujourd'hui deux vins retenus. La cuvée Marie Laurencie est la mieux notée avec son nez de fruits rouges compotés. Après une attaque souple, la bouche révèle des saveurs de réglisse et des tanins doux. Un faugères typique. La cuvée **Prestige rouge 2003** s'appuie sur le fruit et offre des tanins fondus dans une bonne harmonie générale. Elle est citée.
Marie Boudal,
11, chem. de l'Aire, 34320 Roquessels,
tél. 04.67.90.15.00, fax 04.67.90.15.60,
e-mail chateaudespeyregrandes@wanadoo.fr
t.l.j. sf dim. 13h30-18h

### DOM. DES PRES-LASSES Le Castel Viel 2003

| | 6,5 ha | 18 500 | 15 à 23 € |
|---|---|---|---|

En 1999, deux amis d'enfance, passionnés de vin, décident de devenir vignerons dans le Faugérois. Aujourd'hui, pour la troisième année consécutive, leur cuvée Le Castel Viel a été retenue par le jury. Marquée par ses treize mois d'élevage en fût, elle offre encore un côté sauvage, mais comme la base est d'excellente facture, elle sera parfaite dans trois ou quatre ans.
Feigel et Ribeton, 5, rue de L'Amour,
34480 Autignac, tél. et fax 04.67.90.21.19,
e-mail denis.feigel@wanadoo.fr r.-v.

### DOM. RAYMOND ROQUE Cuvée Nature 2003

| | 4 ha | 15 000 | 5 à 8 € |
|---|---|---|---|

Cet adepte de l'agriculture biologique cultive avec soin ses 38 ha de vignes implantés sur des terrasses abritées qui bénéficient d'un ensoleillement parfait. Sa cuvée Nature se révèle délicate, déjà bien évoluée, avec des arômes de cerise à l'eau-de-vie. Elle se caractérise par sa finesse et par son dynamisme en bouche. Un vin léger, à servir dans l'année sur une viande blanche.
Dom. Raymond Roque,
pl. du Château, 34480 Cabrerolles,
tél. 04.67.90.24.74, fax 04.67.90.14.56,
e-mail roqueraymond@wanadoo.fr r.-v.

### DOM. VALAMBELLE L'Angolet 2004 **

| | n.c. | 5 000 | 3 à 5 € |
|---|---|---|---|

Dans la précédente édition du Guide, pour sa première vinification, la famille Abbal avait obtenu une étoile. Restait à confirmer ce savoir-faire. C'est chose faite cette année avec une étoile pour la cuvée **L'Angolet rouge 2004 (5 à 8 €)**, un vin épicé, structuré et généreux en bouche qui devra s'assagir au fil des années ; et surtout avec deux étoiles pour cette même cuvée en rosé. La douceur des arômes et l'ampleur de la bouche en font une excellente bouteille. Un domaine à suivre...
Famille Abbal, GAEC Dom. de Valinière,
25, av. de la Gare, 34480 Laurens,
tél. et fax 04.67.90.12.12, e-mail m.abbal@tiscali.fr
t.l.j. 9h-12h 15h-19h

# Fitou

L'appellation fitou, la plus ancienne AOC rouge du Languedoc-Roussillon (1948), est située dans la zone méditerranéenne de l'aire des corbières avec à l'est le fitou maritime qui borde l'étang de Leucate et à l'ouest le fitou de l'intérieur à l'abri du mont Tauch ; elle s'étend sur neuf communes qui ont également le droit de produire les vins doux naturels rivesaltes et muscat-de-rivesaltes. La production est de l'ordre de 90 000 hl en rouge en 2004. Le carignan trouve ici son terroir de prédilection. Il peut être complété par le grenache noir, le mourvèdre et la syrah. C'est un vin d'une belle couleur rubis foncé qui compte au minimum 12 ° d'alcool et dont l'élevage dure au moins neuf mois.



### DOM. DE LA BEGOU 2003

| | 14,54 ha | 78 000 | 5 à 8 € |
|---|---|---|---|

Dans ces terres du haut fitou où le maquis se dispute la vigne, l'homme a su gérer la place de chacun pour accompagner de cueillette et de chasse le fruit du travail du vigneron. Sur fond de cigale et de murmure de ruisseau. Ce vin de belle intensité est tout entier sur le fruit rouge frais : la cerise est omniprésente en bouche, accompagnée de tanins de qualité. Un fitou alliant fruité et souplesse, prêt à servir avec des charcuteries.
Les Maîtres Vignerons de Cascastel,
Grand-Rue, 11360 Cascastel, tél. 04.68.45.91.74,
fax 04.68.45.82.70, e-mail info@cascastel.com
t.l.j. sf sam. dim. 8h-12h 14h-18h

### DOM. BERTRAND-BERGE
Cuvée Jean Sirven 2003 ***

| | 3 ha | 3 500 | 30 à 38 € |
|---|---|---|---|

Qui détrônera Jérôme Bertrand-Bergé ? Et quel est son secret pour « truster » à ce point les coups de cœur du Guide ? Une nouvelle fois, voilà ce vigneron calme et discret bardé d'étoiles à faire pâlir un général russe ! Voyez ce vin au regard noir, soutenu, au nez profond de fruits confiturés, dominé encore par un boisé enjôleur. Mais c'est en bouche que le fruit occupe l'espace, sous la note épicée et grillée de l'élevage. Beaucoup d'ampleur, de présence et d'harmonie. A noter également, la **Cuvée ancestrale 2003 élevée en fût de chêne (8 à 11 €)**, des plus typiques, qui obtient une étoile.

Dom. Bertrand-Bergé, av. du Roussillon,
11350 Paziols, tél. 04.68.45.41.73, fax 04.68.45.03.94,
e-mail bertrand-berge@wanadoo.fr
t.l.j. 9h-12h 14h-18h30
Jérôme Bertrand

## CARTE OR Elevé en fût de chêne 2003

■ 42,86 ha 240 000 5 à 8 €

Elaboré par la Cave de Cascastel, ce vin fait les beaux jours du Club des Vignerons. A travers lui, on retrouve ce brin de folie des hommes qui en ces lieux disputent la terre au maquis et aux sangliers. Il y a d'ailleurs des deux dans ce millésime, une touche sauvage et une note de minéralité qui accompagnent le bon équilibre entre fruité et boisé. Un 2003 aux tanins réglissés encore présents, à la finale d'une belle fraîcheur, légèrement mentholée.

Le Club des Vignerons, Dom. de Mermian,
34300 Agde, tél. 04.67.94.48.73, fax 04.67.94.36.33,
e-mail info@cascastel.com t.l.j. 8h-12h 14h-19h

## DAME DE CEZELLY Cap 42° 2003

■ n.c. 7 000 8 à 11 €

Leucate, pour le plus grand nombre, c'est le soleil, la mer, l'été, la plage... les vacances ! Pour d'autres, c'est, l'automne venu, les balades sur le plateau entre les murets de pierres sèches et l'odeur des vendanges avant de déguster des huîtres ou un civet. Qu'en est-il de cette Dame de Cézelly ? Le boisé fin et vanillé masque, à l'approche, le fruit rouge qui se dévoile plus tard, en bouche, avant de céder le pas à de solides tanins. Ceux-ci devraient se fondre dans un an et permettre d'apprécier ce vin sur une grillade estivale.

Cave coop. Leucate et Quintillan, av. Francis-Vals,
11370 Leucate, tél. 04.68.40.01.31, fax 04.68.40.08.90,
e-mail cave-leucate@wanadoo.fr r.-v.

## CH. CHAMP DES SŒURS La Tina 2003

■ 4 ha 3 000 8 à 11 €

Installé depuis peu, L. Maynadier a souhaité se réaliser à travers ce métier. Son sérieux lui a déjà permis de conquérir le marché export pour un tiers de sa production. Avec ce 2003, c'est toujours une belle image du fitou qui est donnée. Robe rouge profond, senteurs de fruits mûrs et d'épices, belle harmonie en bouche, notes de garrigue, fruit préservé, tanin présent, matière... Du fitou à servir dès à présent.

Ch. Champ des Sœurs, 10, av. des Corbières,
11510 Fitou, tél. et fax 04.68.45.66.74 r.-v.
Maynadier

## CLOS DES CAMUZEILLES La Grangette 2003

■ 1 ha 5 000 15 à 23 €

Reprise des vignes familiales, achat de parcelles, du chai et du matériel, il a fallu beaucoup de courage et de volonté à Laurent Tibes qui, depuis 2000, vole de ses propres ailes avec l'enthousiasme, l'incertitude, la remise en cause qui sont le lot de tous ceux qui font ce métier. Carignan et grenache se sont prêtés pour partie à l'élevage sous bois et l'on retrouve cette dualité fruité-boisé évoluant sur des notes fumées et des nuances d'eau-de-vie de fruit tout au long de la dégustation. La structure est plaisante, le tanin soyeux, la finale relevée ; tout destine ce vin à des grillades de viande rouge.

Laurent Tibes, Clos des Camuzeilles,
quai de la Berre, 11360 Cascastel, tél. 04.68.45.86.75,
fax 04.68.45.85.93, e-mail ltibes@club-internet.fr
r.-v.
Laurent Tibes

## CH. DES ERLES 2003

■ 12,4 ha 46 601 30 à 38 €

Nombreux sont ceux qui tombent amoureux des paysages et des terroirs des hautes Corbières. Pour certains cela reste un souvenir, pour d'autres, qui décident de s'implanter, un avenir. Tel est le cas de la famille Lurton qui s'exprime au travers de ce beau fitou, à l'approche sombre, dense, et aux senteurs de maquis et d'un joli boisé. Un vin ample, élégant, où force et finesse s'allient, marqué par le fruit confituré et encore sous l'emprise du bois. A ouvrir dans un an ou deux sur un civet de sanglier ou un autre gibier du pays.

SA Jacques et François Lurton,
Dom. de Poumeyrade, 33870 Vayres,
tél. 05.57.55.12.12, fax 05.57.55.12.13,
e-mail jflurton@jflurton.com

## DOM. LA GARRIGO 2003 *

■ 3 ha 5 000 11 à 15 €

Spécialité : vieilles vignes, autour de cent ans. Installé depuis peu sur 8 ha, Christian Coteill s'est attaché aux vieux ceps qu'il cultive sans le revendiquer en biodynamie. Ce 2003, qui constitue sa deuxième récolte sur les garrigues situées au-dessus du château d'Aguilar, a surpris par sa profondeur. Sombre, jouant sur la cerise noire et les épices, c'est un vin d'extraction, charnu, puissant, encore en pleine force. Une structure qui le destine au gibier ou au fromage.

Christian Coteill, 10, rue des Condomines,
11510 Fitou, tél. 04.68.45.00.45 r.-v.

## L'IMPOSSIBLE 2003

■ 15 ha 30 000 5 à 8 €

L'harmonie est, pour le vin des terroirs méditerranéens, liée à l'art de l'assemblage des carignan, grenache, mourvèdre et autre syrah. La recherche d'extraction et de matière se traduit pour ce 2003 par des notes de sous-bois, de fruits compotés et une touche de venaison. La bouche est agréable, bien équilibrée : le fruit y est charnu. Un vin qui demande à s'ouvrir et à s'épanouir dans le verre.

Vignerons et Passions,
BP 1, 34725 Saint-Félix-de-Lodez, tél. 04.67.88.45.75,
fax 04.67.88.45.79, e-mail caveau@vignerons-passions.fr
t.l.j. sf dim. 9h-12h30 14h-19h

## DOM. LEPAUMIER 2003

■ 3 ha n.c. 3 à 5 €

Le vieux village de Fitou s'étire en serpentant le long de sa rue principale. Là, blotties les unes contre les autres, les vieilles bâtisses de calcaire blanc se renvoient le soleil pour mieux protéger et garantir la sage évolution des vins de Fitounie. En voici un de tradition, associant grenache

et carignan, aux senteurs sauvages de garrigue et de venaison. Il surprend par son attaque vive, fraîche, sur le fruit mûr où percent des notes de cuir et de sous-bois du meilleur effet. De beaux tanins lui permettent à la fois et d'être déjà prêt et d'être assuré d'une bonne garde.
Fernand Lepaumier, 12, rue de l'Eglise, 11510 Fitou, tél. et fax 04.68.45.73.41
t.l.j. 9h-12h30 14h-19h30

DOM. LERYS Elevé en fût de chêne 2003 ★★★

■ 5 ha 10 000 8 à 11 €

Il est de ces hommes qui ne font pas de bruit mais qui avancent avec un charisme tranquille ; le souci de servir a porté Alain Izard à la tête du village. Son vin ? La couleur sombre ne trompe pas : voici un fitou généreux, structuré, ample, réglissé, empyreumatique, avec cette note animale que signe le schiste. Ajoutez à cela un très beau fondu, un tanin velouté : c'est du plaisir garanti aujourd'hui et durant deux à trois ans. Appréciées également, la cuvée **Tradition 2003 (5 à 8 €)** et la **cuvée Prestige 2003 (5 à 8 €)**, obtiennent toutes deux une étoile pour leur fruité et leur richesse tannique.
Alain Izard, chem. de Pech-de-Grill, 11360 Villeneuve-les-Corbières, tél. 04.68.45.95.47, fax 04.68.45.86.11, e-mail domlerys@aol.com
t.l.j. 10h-20h (18h en hiver)

DOM. MAYNADIER

Cuvée de l'ancêtre Elevé en fût de chêne 2003 ★★

■ 4 ha 2 003 5 à 8 €

Né de vieux carignan et de grenache noir, et d'un élevage de douze mois sous bois, voici un fitou traditionnel. A l'accueil, un rouge profond et un nez un peu pris par le bois, mais de belle qualité. Puis la bouche devient plaisir ; ample, elle dispose d'une bonne ossature et d'arômes réglissés. Prévoir un accord avec viande rouge ou gibier.
Dom. Maynadier, RN 9, 11510 Fitou, tél. 04.68.45.63.11, fax 04.68.45.60.94
t.l.j. 9h-19h été; 9h-12h 14h-18h hiver

DOM. LES MILLE VIGNES

Les Vendangeurs de la violette 2003 ★

■ 1 ha n.c. 30 à 38 €

Parti de mille pieds de vignes en 1979 et aujourd'hui à la tête de 8 ha, J. Guérin continue à regarder ce métier comme un plaisir en recherchant le sien et celui des autres, vendangeurs ou consommateurs. Epice, vanille, mûre : la recherche d'un vin d'expression est aussi dans la robe pourpre très profond. En bouche, on sent un vin en devenir doté de matière, d'une charpente, de gras, de fruit et enrobé par le bois. Présent et riche, ce 2003 demande à être attendu un à deux ans avant d'être servi sur un canard ou une viande rouge.
J. et G. Guérin, Dom. Les Mille Vignes, 24, av. Saint-Pancrace, 11480 La Palme, tél. et fax 04.68.48.57.14 r.-v.

CH. DE NOUVELLES Cuvée Cantorel 2003 ★★

■ 4 ha 10 000 8 à 11 €

Comme dirait Cabrel, « bonnes nouvelles » pour celui qui choisira ce fitou, venu d'un terroir perdu dans les Corbières au-delà du col d'Extrême. C'est tout dire ! Mais y aller, c'est mieux sentir encore l'osmose du cep, de l'homme et du terroir. L'approche, ici, est fraîche et soutenue. Le nez de fruits mûrs et d'épices sur une touche originale de ciste impressionne par son intensité. Ample, fruité, équilibré, avec un très beau grain de tanin, c'est le fitou plaisir, prêt à être consommé. Beau travail de vigneron également pour la **cuvée Gabrielle 2003 (11 à 15 €)**, citée.
SCEA R. Daurat-Fort, Ch. de Nouvelles, 11350 Tuchan, tél. 04.68.45.40.03, fax 04.68.45.49.21, e-mail daurat-fort@terre-net.fr
t.l.j. 8h30-11h45 14h-18h, sam. dim. sur r.-v.
J. Daurat-Fort

DOM. DE LA ROCHELIERRE

Cuvée Privilège Elevé en fût de chêne 2003

■ 6,5 ha 30 000 8 à 11 €

Le vieux village de Fitou semble glisser doucement du dernier contrefort des Corbières vers l'étang, attaché à sa rue principale. Là, les maison serrées au coude à coude semblent s'arc-bouter pour mieux cacher les trésors vignerons. Goûtez au Privilège ! Le vin joue sur la rondeur et la souplesse en bouche avec des notes de torréfaction et de pruneau. L'ensemble, entouré de tanins soyeux, donne un vin à boire pour un plaisir immédiat, contrairement à la **Noblesse du temps 2003 (15 à 25 €)** citée pour son boisé et son avenir.
Jean-Marie Fabre, Dom. de la Rochelierre, 17, rue du Vigné, 11510 Fitou, tél. et fax 04.68.45.70.52
t.l.j. 9h-12h 14h-19h; f. nov. à mars le mat.

SAINT-PANCRACE 2003 ★★

■ 10,5 ha 35 000 8 à 11 €

La Palme, c'est le calme d'un village adossé aux Corbières, tourné vers le soleil et ouvert sur l'étang qui lui fournit les anguilles si appréciées de la boulinade. Ce 2003 ? Le rouge est soutenu, profond. Le vanillé de la barrique prend, au nez, le pas sur le fruit. Celui-ci cependant apparaît charnu en bouche. L'ensemble reste présent, solide. Un vin en devenir à ouvrir dès 2006 sur du gibier ou un pavé de bœuf.
SCA Les Vignerons de La Palme, 37, av. de la Mer, 11480 La Palme, tél. 04.68.48.15.17, fax 04.68.48.56.85, e-mail geoffroylapalme@voila.fr r.-v.

VIEUX CLOCHER Réserve 2003 ★★

■ 25 ha 150 000 3 à 5 €

En pointe dans le domaine technique, la cave n'a pas fini de surprendre avec un projet de chai complémentaire. L'outil est déjà remarquable et le souci qualitatif est présent dès la plantation, grâce à un accompagnement du vigneron. Voici une cuvée appréciée pour la mise en avant du fruit sans élevage sous bois. Le nez y gagne en finesse autour de notes de cassis et de framboise. La bouche se montre souple, élégante, très fruitée, enjôleuse, structurée en finale sur un tanin de bon augure. Ont été cités par ailleurs, la cuvée **Exception 2003 élevée en fût de chêne (11 à 15 €)** et le **Prieuré du Château de Ségure, Vieilles Vignes (5 à 8 €)**.
Les Vignerons du Mont Tauch, 11350 Tuchan, tél. 04.68.45.41.08, fax 04.68.45.45.29, e-mail contact@mont-tauch.com
t.l.j. sf sam. dim. 9h-12h 14h-18h

CH. WIALA Sélection Elevé en fût de chêne 2003 ★

■ 7 ha 7 000 5 à 8 €

Devenir vigneron : un rêve devenu réalité à l'orée du XXIe s. Depuis, ces producteurs sont régulièrement sélectionnés dans le Guide et arborent désormais avec fierté leur première étoile, fruit de la reconnaissance de leurs

LANGUEDOC

pairs. Vanille, griotte, amande grillée dominent un vin qui se révèle présent, puissant, épicé, révélant une rencontre très réussie du fruit et du fût de chêne. Un compagnon prêt pour viande cuisinée, gibier ou fromage.

SCEA Seubert, rue de la Gare, 11350 Tuchan, tél. 04.68.45.49.49, fax 04.68.45.92.13, e-mail vins@chateau-wiala.com t.l.j. 16h-20h

# Minervois

Le minervois, vin AOC, est produit sur soixante et une communes, dont quarante-cinq dans l'Aude et seize dans l'Hérault. Cette région plutôt calcaire, aux collines douces et au revers exposé au sud, protégée des vents froids par la Montagne Noire, produit des vins blancs, rosés et rouges : ces derniers représentent 95 % de la production ; en tout 173 000 hl en 2004 dans les trois couleurs sur près de 5 000 ha.

Le vignoble du Minervois est sillonné de routes séduisantes ; un itinéraire fléché constitue la route des Vins, bordée de nombreux caveaux de dégustation. Un site célèbre dans l'histoire du Languedoc celui de l'antique cité de Minerve, où eut lieu un acte décisif de la tragédie cathare, de nombreuses petites chapelles romanes et les intéressantes églises de Rieux et de Caune sont les atouts touristiques de la région.

### CH. D'AGEL In extremis 2003

■ 3 ha 8 000 15 à 23 €

Cette place forte reprise en 2003 par Thierry Rodriguez n'a pas tardé à monter aux créneaux... Premières joutes et déjà parmi les sélectionnés du Guide ! Après quinze mois en fût, le vin affirme la noblesse grillée et vanillée de son élevage. Ample à l'attaque, il se montre volumineux en bouche. La cerise au kirsch vient titiller chaleureusement la finale. Une bouteille de grande garde.

Thierry Rodriguez, Ch. d'Agel, 1, rue de la Fontaine, 34210 Agel, tél. 04.67.89.71.72, fax 04.67.89.70.69, e-mail throdriguez@wanadoo.fr r.-v.

### ALBERT DE SAINT-PHAR 2003 ★

■ 2 ha 12 000 5 à 8 €

La robe intense et soutenue est le prélude d'une dégustation que l'on sent prometteuse et subtile par les accents de rose, de cannelle et de vanille qui s'en échappent. Tout en rondeur et en délicatesse, cette bouteille ajoute encore le soyeux d'un fruit à chair blanche sur une finale gorgée de soleil. Qualifié de « féminin » par un dégustateur, c'est le vin plaisir par nature. Il est jeune et déjà prêt.

Les Vignerons de Pouzols-Minervois, 11120 Pouzols-Minervois, tél. 04.68.46.13.76, fax 04.68.46.33.95, e-mail lesvigneronsdepouzols@wanadoo.fr t.l.j. 9h-12h 14h-18h

### CH. BASSANEL Les Hauts de Bassanel 2003

■ 2 ha 5 000 8 à 11 €

Nul doute que Nicolas Laverny a su prendre de la hauteur pour extraire cette cuvée des argilo-calcaires du domaine. Densité, puissance, chaleur sont les caractéristiques de ce 2003. Bien accompagné de notes grillées et torréfiées, ce vin de garde s'exprimera dans quatre ou cinq ans sur une viande en sauce ou des plats épicés.

Jean Vezon, SCEA Ch. Bassanel, 34210 Olonzac, tél. 04.68.27.27.00, fax 04.68.27.84.60, e-mail contact@bassanel.com t.l.j. 9h-12h 14h-18h, sam. dim. et groupes sur r.-v.

### DOM. DE BLAYAC Clos du Pigeonnier 2003 ★

■ 20 ha 10 000 5 à 8 €

Sorti directement de son clos et du pigeonnier du XVIII[e]s., ce vin ne s'enfuit pas à tire d'aile mais virevolte en bouche autour d'épices poivrées et de petits fruits rouges. Bien apprivoisé par dix-huit mois d'élevage, il a conservé sa puissance et gagné en souplesse et en harmonie. Quelques tanins vanillés migrent en finale et laissent présager un bel avenir.

Stéphane Blayac, Vialanove, 34210 La Caunette, tél. 04.68.91.25.40, fax 04.68.91.80.63, e-mail earldomaineblayac@wanadoo.fr t.l.j. 8h-20h, dim. sur r.-v.

### DOM. BORIE DE MAUREL Cuvée Sylla 2003 ★★

■ 1,9 ha 10 000 15 à 23 €

Michel Escande s'est installé en 1989 et n'a cessé de plaider pour son appellation. Aujourd'hui son fils Gabriel le rejoint. Les années se suivent et rien n'altère ce joyau qui chaque année offre un rubis brillant, autour de mille notes de fruits mûrs, enchassé de truffe et serti de vanille et d'épices poivrées. Toujours aussi riche et capiteux, d'une élégance caractéristique et d'une longueur infinie en bouche, ce vin complexe et envoûtant est, on l'aura compris, un véritable travail d'orfèvre.

GAEC Michel Escande, rue de la Sallele, 34210 Félines-Minervois, tél. 04.68.91.68.58, fax 04.68.91.63.92, e-mail boriedemaurel@wanadoo.fr t.l.j. sf sam. dim. 9h-12h 15h-18h

### LES HAUTS DE CH. BORIE NEUVE 2002 ★

■ 1 ha 2 500 8 à 11 €

Les terroirs de grès sont propices à l'épanouissement des grands vins rouges. Le talent de Thierry Combéléran se reconnaîtra dans cette cuvée sculptée dans la matière. Cette bouteille présente un corps de rêve autour de tanins de belle noblesse, de parfums d'épices poivrées, de fruits à l'eau-de-vie. Tel un athlète, elle affirme sa puissance et finit en beauté.

SCEA Ch. Borie-Neuve, 11800 Badens, tél. 04.68.79.28.62, fax 04.68.79.05.06, e-mail contact@chateauborieneuve.com r.-v.

Thierry Combéléran

### DOM. LE CAZAL Le Pas de Zarat 2003 ★

■ 8 ha 6 000 11 à 15 €

Coup de cœur l'an dernier pour cette même cuvée dans le millésime 2002, Zarat le berger intrépide est passé

à la postérité. Pierre Derroja, désormais appelé le « papa de Zarat », propose un 2003 aux senteurs intenses de framboise, d'épices et de pain grillé. L'attaque est souple, la bouche bien enrobée ensuite par un boisé structuré et dominant. De fait, les fruits et les épices restent encore timides sous une chaleur bouillonnante. Ce vin a la prestance et la persistance d'un grand ; il doit canaliser sa jeunesse pour être au sommet dans deux ans.
Claude et Martine Derroja,
Dom. Le Cazal, 34210 La Caunette,
tél. et fax 04.68.91.62.53,
e-mail info@lecazal.com r.-v.

## DOM. CAZELLES-VERDIER
Elevé en fût de chêne 2003 *

| | 8 ha | 18 000 | | 3 à 5 € |
|---|---|---|---|---|

Le vignoble de Cazelles est un terroir d'altitude, implanté sur des éclats calcaires. Ce 2003 séduit par ses arômes complexes, grillés et minéraux, saupoudrés de belles épices poivrées. Plaisant, délicat et rond, il exprime toute la finesse de ses origines, hauts lieux où la maturité sait attendre pour livrer des vins harmonieux. Une bouteille originale et de belle facture. La cuvée **Courtès rouge 2002 (8 à 11 €)** obtient la même note.
Jean-Paul Verdier,
Dom. Cazelles-Verdier, 34210 Aigues-Vives,
tél. et fax 04.68.91.15.81,
e-mail jallain@vignerons-mediterranee.fr

## CH. DES CHANOINES 2004 **

| | 1 ha | n.c. | | 5 à 8 € |
|---|---|---|---|---|

Chose exceptionnelle en minervois, voici un rosé qui a affronté au second tour, sans timidité, les rouges du grand jury. Ce vin est le digne reflet du vigneron : franc, droit, équilibré et généreux. Parfaite composition florale, corbeille gorgée de fruits rouges, il allie élégance et complexité avec ampleur et persistance. Assurément une bouteille qui ralliera beaucoup de suffrages, cet automne, sur des grillades.
Alain Giniès,
Le Plo du Moulin, 11160 Villeneuve-Minervois,
tél. 04.68.26.13.61, fax 04.68.26.11.28,
e-mail chateau.des.chanoines@wanadoo.fr
t.l.j. 9h-19h

## CH. COUPE-ROSES Frémillant 2004 *

| | 3 ha | 14 000 | | 5 à 8 € |
|---|---|---|---|---|

Fidèles au rendez-vous, ces vignerons sympathiques proposent leur Frémillant délicieusement perlé sur des arômes de fleurs blanches. L'attaque est emplie de fraise pilée, acidulée. Le vin s'adoucit ensuite, avec rondeur et légèreté, et laisse apparaître en finale un caractère méridional affirmé, corsé et chaleureux. D'une belle harmonie, il accompagnera vos réunions amicales.
Françoise Frissant, Ch. Coupe Roses,
rue de la Poterie, 34210 La Caunette,
tél. 04.68.91.21.95, fax 04.68.91.11.73,
e-mail coupe-roses@wanadoo.fr
t.l.j. 8h30-12h30 14h-18h

## DOM. CROS Les Aspres 2002 ***

| | 2 ha | 5 000 | | 15 à 23 € |
|---|---|---|---|---|

Non seulement Pierre Cros décroche la lune, mais il a aussi la tête dans les étoiles ! Car si Les Aspres obtiennent

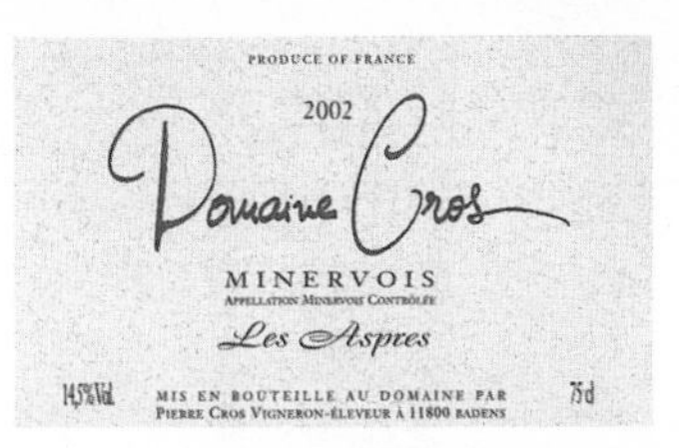


la distinction suprême, les **Vieilles Vignes 2003 (8 à 11 €)**, éclatantes de vigueur et de caractère, sont aussi sur orbite. Qualifié de « grand vin du sud » par les dégustateurs, ce 2002 apparaît soutenu, concentré et chaleureux. Bien dressés par le fût, ses arômes atteignent les sommets : cannelle, poivre, vanille épaulent cassis, framboise et autre violette. Cette palette harmonieuse et riche s'exprime sur une trame dense et équilibrée qui en dit long sur l'avenir de cette bouteille.
Dom. Pierre Cros,
20, rue du Minervois, 11800 Badens,
tél. 04.68.79.21.82, fax 04.68.79.24.03 r.-v.

## CAVE DU CRUS DU HAUT-MINERVOIS
Cuvée Image 2003

| | 2,5 ha | 13 330 | | 8 à 11 € |
|---|---|---|---|---|

Ce vin-là n'est pas une image mais bien une réalité intense, brillante et soutenue. Le nez n'est pas sage comme... mais exubérant de vanille, de grillé et de cassis. Communicatifs, ces arômes chahutent rondement dès l'attaque en bouche, taquinent les tanins et viennent se poser délicatement sur une finale enrobée et également fraîche. Recommandé sur un magret de canard.
SCV Crus du Haut-Minervois, 34210 Azillanet,
tél. 04.68.91.22.61, fax 04.68.91.19.46,
e-mail les3blasons@wanadoo.fr
t.l.j. 8h30-12h30 14h30-18h30

## CH. DU DONJON Cuvée Prestige 2003 *

| | 5 ha | 25 000 | | 8 à 11 € |
|---|---|---|---|---|

« Pour que notre passion devienne votre plaisir ». Avec le fleuron du château, la devise de Jean Panis trouve ici son aboutissement. Un élevage de grande tenue a donné ce vin où vanille fondue et fruits confits naviguent en symbiose au palais. Ce minervois évolue en douceur et en finesse, et ses tanins parfaitement polis mais généreux sont les garants d'une grande plénitude finale et d'une garde certaine.
Jean Panis, Ch. du Donjon, 11600 Bagnoles,
tél. 04.68.77.18.33, fax 04.68.72.21.17,
e-mail jean.panis@wanadoo.fr r.-v.

## DOM. ENTRETAN Cuvée Polère 2003 ***

| | 0,88 ha | 4 224 | | 8 à 11 € |
|---|---|---|---|---|

Voici des petits nouveaux que rien n'arrête ! Une deuxième participation : un deuxième coup de cœur ! Cette Polère réchauffe les sens par sa richesse aromatique. Explosives, les notes de cassis et de cerise macérée montrent la qualité de l'élevage, tout comme les arômes de cuir, délicatement vanillés et relevés d'épices. Velouté et d'une belle élégance tannique, ce vin à la robe intense développe une puissance qui enchantera vos convives des années durant. Il peut également être à la hauteur d'un grand événement immédiat.

LANGUEDOC

🔑 GAEC J.-C. et D. Plantade,
rue des Alizés, 11200 Roubia,
tél. et fax 04.68.43.25.16,
e-mail jean.plantade@wanadoo.fr ☑ 🍷 🚶 r.-v.

### CH. DE FAUZAN La Balme 2003 ★★

■ 2 ha 3 500 5 à 8 €

Si une balme est une grotte en dialecte celte, cette cuvée ne sort pas des ténèbres mais d'un terroir d'altitude et met en lumière le talent de ce jeune vigneron. Brillant, vif et d'un pourpre profond, ce vin ressemble, dans le verre, à un pur-sang. Sa puissance épicée précède d'intenses arômes de fruits confits. L'attaque ample ouvre la voie à une structure enrobée, onctueuse et concentrée. Devant tant de fruits, le palais se réjouit. La cuvée de **minervois-la-livinière Albert rouge 2002 (11 à 15 €)** est tout aussi remarquable.

🔑 EARL Ch. de Fauzan, Hameau de Fauzan,
34210 Cesseras, tél. et fax 04.68.27.09.09,
e-mail bourrel.jp@wanadoo.fr ☑ 🏠 🍷 🚶 r.-v.
🔑 Jean-Philippe Bourrel

### CH. LA GRAVE Privilège 2002 ★

■ 4,3 ha 20 000 🛢 5 à 8 €

Ce château réputé pour la grande tenue de ses blancs et rosés ajoute à sa collection ce vin rouge en robe pourpre de gala. Ce Privilège est destiné aux connaisseurs. Il offre une palette de fruits rouges. Le corps est souple, généreux et s'affirme sur un parterre minéral. D'une présence harmonieuse, cette cuvée finit avec élégance. A choisir pour une côte à l'os braisée.

🔑 Jean-François Orosquette,
SCEA Ch. La Grave, 11800 Badens,
tél. 04.68.79.16.00, fax 04.68.79.22.91,
e-mail chateaulagrave@wanadoo.fr
☑ 🍷 🚶 t.l.j. 9h-12h 14h-18h, sam. dim. sur r.-v.

### CH. GUERY Les Eolides 2003 ★

■ 0,77 ha 4 000 🛢 11 à 15 €

*Eolides* est une symphonie de César Franck d'après une ode sur le vent de Leconte de l'Isle. En musique comme dans les grands vignobles, ce souffle est capable de façonner des chefs-d'œuvre ! Voyez ce vin à la robe frémissante d'un grenat limpide. Le nez porte l'élégance de ses fruits (cerise) et une fragrance de violette. La bouche est douce comme le zéphir, emplie de kirsch, particulièrement onctueuse sur un soupçon de vanille. La finale joue longuement dans le même registre.

🔑 René-Henry Guéry, 4, av. du Minervois,
11700 Azille, tél. et fax 04.68.91.44.34,
e-mail rh-guery@cegetel.net ☑ 🍷 🚶 r.-v.

### CH. DE LANDURE
Cuvée de l'abbé Frégouse 2002 ★

■ 4 ha 25 318 🛢 8 à 11 €

La cuvée de l'abbé Frégouse révèle les vertus de l'assemblage de trois cépages, où le mourvèdre s'impose en père protecteur et tout-puissant, où la syrah dispense de riches arômes de fruits et de violette, pendant que le grenache souffle avec chaleur et élégance l'esprit de ce noble terroir. L'ensemble présente une douce harmonie vanillée qui donne en finale un avant-goût de paradis durant l'étape finale ! La vente s'effectue chez les Vignerons de la Méditerranée à Narbonne.

🔑 Luc Rouvière, Ch. Landure, 11120 Mailhac,
tél. 04.68.46.13.04, fax 04.68.46.30.59,
e-mail jallain@vignerons-mediterranee.fr

### DOM. LUC LAPEYRE
Les Clots de l'Amourier 2002

■ n.c. 5 000 🛢 11 à 15 €

Le sympathique Luc Lapeyre propose un vin haut et fort en couleur... Caractérisée par des notes intenses de cassis, cette cuvée dévoile en bouche de séduisantes épices poivrées. Chaleureuse, ronde et enrobée, elle n'en demeure pas moins harmonieuse. Ce minervois caractéristique et fidèle de l'AOC peut être apprécié dès à présent sur des viandes en sauce.

🔑 Luc Lapeyre, 11160 Trausse-Minervois,
tél. et fax 04.68.78.35.67 ☑ 🍷 🚶 r.-v.

### LAURAN CABARET 2004 ★★

□ 12 ha 40 000 3 à 5 €

Quatrième titre consécutif pour le cellier ! « On ne change pas une équipe qui gagne ». Le macabeu constitue la trame parée d'atours floraux de ce 2004, secondé d'une touche onctueuse et chaude de grenache, tandis que la marsanne épice ce vin avec grâce et vivacité. L'ensemble est harmonieux, puissant et élégant à la fois. Un blanc qui ravira les gastronomes sur un poisson de roche grillé.

🔑 Cellier Lauran Cabaret, 11800 Laure-Minervois,
tél. 04.68.78.12.12, fax 04.68.78.17.34,
e-mail laurancabaret@hotmail.com
☑ 🍷 t.l.j. sf dim. 8h-12h 14h-18h, ouv. dim. en juil. août

### CH. MIRAUSSE
Clos de l'azerolle Vieilles Vignes 2003 ★★

■ 3,5 ha 12 000 5 à 8 €

Chaque année apporte son lot de bonheur dans le Guide ! Le trisaïeul de Zanzibar doit en avoir la larme à l'œil, comme ce vin dans le verre d'où jaillit une débauche de parfums de griotte, d'épices poivrées et de réglisse qui se confondent. La bouche est ronde, franche, équilibrée, assortie de notes de pruneau et de coing. Enrobé et chaleureux en finale, ce 2003 peut être accompagné d'un magret de canard truffé aux cèpes.

🔑 Raymond Julien, Ch. Mirausse, 11800 Badens,
tél. et fax 04.68.79.12.30 ☑ 🍷 🚶 r.-v.

### DOM. MONASTREL
Alazaïs Elevé en fût de chêne 2002 ★

■ 1 ha 5 000 🛢 11 à 15 €

A la baguette depuis 2001, les Enaud connaissent la musique ! Cette cuvée monte en puissance et en volume et évolue bien dans le registre classique. Les notes primesautières de noisette, d'épices et de vanille jouent avec harmonie et suavité en bouche. La finale séduisante et légèrement accrocheuse est typique du minervois. Accord majeur avec gigot et rôti.

Brigitte et Vincent Enaud,
24, rte de Mailhac, 11120 Bize-Minervois,
tél. 04.68.46.01.55, fax 04.68.46.01.85,
e-mail domaine@monastrel.com r.-v.

## CH. D'OUPIA Oppius 2003 ★★

■ 1,2 ha 4 000 15 à 23 €

Le château d'Oupia est un grand classique de l'appellation et la cuvée Oppius s'y inscrit en virtuose. Douze mois à l'école du fût ont donné ce pur produit qui joue sur des notes réglissées, mentholées et grillées à souhait. L'attaque en bouche se lance avec rondeur et délicatesse, puis le vin augmente en volume et en puissance, s'appuyant sur ses tanins amples et équilibrés. La finale consistante monte haut dans la gamme.

André Iché, Ch. d'Oupia, 34210 Oupia,
tél. 04.68.91.20.86, fax 04.68.91.18.23,
e-mail chateau.oupia@tiscali.fr
t.l.j. sf dim. 9h-12h 15h-19h

## PEYRALBE 2003

■ 10 ha 30 000 5 à 8 €

Cette pierre blanche, *peyralbe* en occitan, est le deuxième millésime de trois complices passionnés... Comme l'an passé, sa présence laisse libre cours à l'expression des fruits cuits et à chair blanche. Ample, ce vin est baigné de truffe veloutée. On perçoit bien l'élégance du carignan né sur sol de grès jusque dans la finale chaleureuse. Idéal sur un gigot d'agneau.

SCEA Prieuré Saint-Martin de Laure,
Gibalaux, 11800 Laure, tél. 04.68.78.47.35,
fax 04.68.78.47.42 r.-v.

## DOM. LA PRADE MARI
Conte des garrigues 2003 ★★

■ 8 ha 20 000 8 à 11 €

Qui mieux que ce Conte des garrigues peut symboliser l'histoire de ces vignerons méritants installés en 1964 au hameau de La Prade ? Ce terroir sec et escarpé est propice à l'épanouissement des grands vins. Concentration reste le maître mot : ce 2003 affiche superbement son caractère cacaoté, relevé de griotte. Chaleureux, tout en sucrosité et en harmonie, il monte en puissance jusqu'à une remarquable finale. Ce « conte » renvoie également l'écho de la cuvée **Chant de l'Olivier 2002** retenue elle aussi.

SARL Eric Mari, Dom. la Prade Mari,
34210 Aigne, tél. et fax 04.68.91.22.45,
e-mail domainelaprademari@wanadoo.fr r.-v.

## DOM. PUJOL Cuvée Saint-Fructueux 2002 ★

■ 2,5 ha 12 000 11 à 15 €

Placé sous haute protection, ce domaine n'abuse pas pour autant des bons offices et de la générosité de son saint ! Les baies précieuses offrent une palette aromatique intense et colorée : une touche de boisé et une note de framboise s'associent au moka et au caramel. On retrouve ces arômes harmonieux et suaves en bouche ; celle-ci évolue sur une charpente patinée du meilleur effet. A servir dès cet hiver avec une cane rôtie accompagnée d'une poire cuite dans le vin...

Pujol-Izard, 8 bis, av. de l'Europe,
11800 Saint-Frichoux, tél. 04.68.78.15.30,
fax 04.68.78.24.58, e-mail jeanclaud@pujolizard.com
t.l.j. 8h-12h 14h-18h; sam. dim. sur r.-v.

## CH. RUSSOL GARDEY Grande Réserve 2002

■ 4 ha 5 000 11 à 15 €

Ce château date du début du XVII^e s. Rares aujourd'hui, de splendides et pittoresques foudres de chênes équipent la cave... Même si cette Grande Réserve ne compte que 5 000 bouteilles, elle a tous les atours de la syrah passée à l'épreuve du fût ; son caractère complexe s'exprime avec intensité sur des notes de garrigue et d'épices capiteuses. Ce 2002 est un concentré de fruits mûrs. Il a gommé l'exubérance de sa jeunesse pour s'exprimer aujourd'hui avec une douce chaleur.

Bernard Gardey de Soos, Ch. Russol,
11800 Laure-Minervois, tél. 04.68.78.17.68,
fax 04.68.78.13.06, e-mail chateau.russol@wanadoo.fr
t.l.j. 9h-12h 14h-19h; sam. dim. sur r.-v.

## CH. SAINT-MERY Cuvée Exigence 2003

■ 2,27 ha 2 000 8 à 11 €

Jouissant d'une vue splendide sur la montagne d'Alaric toute proche, ce domaine fait ses débuts dans le Guide, grâce à une syrah réglissée estampillée de huit mois de fût. Dès son entrée en piste, elle attaque chaleureusement, nuancée de vanille et de boisé. Bien campée sur des tanins droits et concentrés, elle offre un bouquet de violette en finale.

Richard Labène,
Dom. Saint-Méry, 11800 Marseillette,
tél. 06.07.02.44.97, fax 04.68.79.00.19,
e-mail richard.labene@saintmery.com r.-v.

## DOM. TERRES GEORGES Quintessence 2003 ★★

■ 1,5 ha 3 500 5 à 8 €

Troisième millésime et troisième sélection pour ce jeune vigneron et cette cuvée Quintessence, véritable concentré d'épices poivrées, de pur arabica et d'olive noire. Cette mosaïque surprenante et envoûtante se fond avec rondeur en bouche et confère à ce vin une rare élégance. Ce 2003 se pose délicatement et s'abandonne dans la chaleur des essences de garrigue. Pourquoi ne pas le choisir pour la cuisine asiatique ?

Anne-Marie et Roland Coustal,
Dom. Terres Georges, rue des Jardins,
11700 Castelnau-d'Aude,
tél. 06.30.49.97.73, fax 04.68.43.79.39,
e-mail info@domaineterresgeorges.com r.-v.

## CH. TOUR BOISEE A Marie-Claude 2003 ★

■ 9 ha 40 000 8 à 11 €

En dédiant cette cuvée à son épouse, Jean-Louis Poudou prouve que les grands sentiments peuvent être identiques aux grands vins : de la profondeur, une évolution harmonieuse, l'équilibre tout en douceur, de la franchise sur un zeste de subtilité, enfin beaucoup de présence et de délicatesse autour d'un édifice solide et moelleux. Ce rouge forme avec le **Domaine de la Tour Boisée blanc 2004 (5 à 8 €)** également retenu, un couple parfait pour accompagner vos soirées en tête à tête.

Jean-Louis Poudou, Dom. la Tour Boisée,
BP 3, 11800 Laure-Minervois,
tél. 04.68.78.10.04, fax 04.68.78.10.98,
e-mail info@domainelatourboisee.com
t.l.j. sf sam. dim. 9h-12h 15h-17h

## CH. VILLEPEYROUX 2002 ★★

■ 6,5 ha 6 000 11 à 15 €

Ce domaine typique est présent depuis un millénaire ; sa tour ronde et ses capitelles environnantes valent le détour. Le **rosé 2004 (8 à 11 €)** vous enchantera sur la cuisine exotique, tandis que le rouge couleur cerise sombre du château est une merveille. Son nez surprend par ses notes d'amande pilée et de mandarine. Le grenache, pourtant minoritaire, impose son galbe charnu et sa conduite chaleureuse tandis que la violette se dépose délicatement sur des tanins frais, ronds et lissés. L'ensemble est onctueux et la finale craquante et longue. C'est le grand vin plaisir.

Michel Bertoncini, Dom. de Villepeyroux,
11600 Malves-en-Minervois, tél. et fax 04.68.78.91.71,
e-mail contact@villepeyroux.com
t.l.j. sf dim. 10h-12h30 14h30-19h

### CH. VILLERAMBERT JULIEN Ourdivieille 2002

| ■ | 1,15 ha | 2 800 | 23 à 30 € |
|---|---|---|---|

La diversité des terroirs du Minervois en fait également sa richesse, témoin cette cuvée à nette dominante de grenache extrait des sols de schistes de Caunes. Sachant allier la finesse du sol à la puissance du cépage, et maîtriser un élevage de douze mois en fût, Michel Julien offre un vin onctueux et harmonieux aux parfums capiteux de garrigue sur notes grillées. Les tanins peuvent et doivent patienter.

Michel Julien, Ch. Villerambert Julien,
11160 Caunes-Minervois,
tél. 04.68.78.00.01, fax 04.68.78.05.34,
e-mail contact@villerambert-julien.com
t.l.j. 9h-11h30 13h30-19h, sam. dim. sur r.-v.

### CH. VILLERAMBERT-MOUREAU
Cuvée des marbreries hautes 2003 ★★

| ■ | 2 ha | 9 000 | 8 à 11 € |
|---|---|---|---|

Comme l'an passé pour le 2003, le **rosé 2004 (5 à 8 €)** œil-de-perdrix, a obtenu les faveurs du jury qui lui décerne une étoile. Mais le rouge issu des terroirs de schistes fait une entrée remarquable avec ses arômes de fruits secs et cuits sur une touche minérale. S'il a la griffe des vins de ce terroir, il est la douceur et la suavité mêmes, tout en finesse vanillée et veloutée et en fruits confits. Il évolue sur une charpente patinée et aboutie jusqu'à une finale à l'accent chaleureux des grands vins méridionaux. Pour un lièvre à la Royale.

Marceau Moureau et Fils,
Ch. de Villerambert, 11160 Caunes-Minervois,
tél. 04.68.77.16.40, fax 04.68.77.08.14
t.l.j. sf sam. dim. 10h-12h 14h-19h

# Minervois-la-livinière

La commune de La Livinière s'inscrit désormais dans le cadre d'une appellation minervois-la-livinière regroupant cinq communes des contreforts de la Montagne noire. Elle a produit 8 300 hl de vin uniquement rouge en 2004 sur 209 ha.

### DOM. AIME Cuvée Feuille d'automne 2002 ★

| ■ | 2,5 ha | 13 000 | 5 à 8 € |
|---|---|---|---|

C'est aux vétérans des légions de Jules César que l'on doit le vignoble de cette superbe région demeurée depuis l'un des cœurs de la viticulture française. Aimé, grand-père de Rémi Bonnet, a donné son nom à ce domaine qui se distingue à nouveau cette année. Composée de 60 % de grenache, cette cuvée est très aromatique, jouant sur des notes de bourgeon de cassis et une fraîcheur toute mentholée conférée par la syrah. Tout cela s'accorde et se retrouve derrière une belle structure aux tanins tout doux. Parfait pour un pavé de biche sauce crème.

Rémi Bonnet, 9, av. de Pépieux, 34210 Olonzac,
tél. et fax 04.68.91.14.10 r.-v.

### CLOS DES ROQUES Cuvée Mal Pas 2002 ★

| ■ | 1 ha | 2 500 | 15 à 23 € |
|---|---|---|---|

Clos des Roques le bien nommé ! En effet, les vignes sont entourées de murets en pierre sèche. Le vieux carignan et le mourvèdre livrent ici une belle expression : note poivrée, fraise et girofle rivalisent d'élégance au nez tandis que la bouche évolue entre fraîcheur fruitée et matière bien enrobée. Chaleureux et souple, ce vin gourmand accompagnera un pavé de paleron en grillade.

Nelly et Christian Gastou, Clos des Roques,
chem. du Tribi, 34210 Cesseras, tél. 04.68.91.28.70,
fax 04.68.91.16.72, e-mail closdesroques@wanadoo.fr
r.-v.

### CH. FAITEAU 2002 ★★★

| ■ | 1,4 ha | 8 000 | 8 à 11 € |
|---|---|---|---|

Le chai de vinification est abrité sous une charpente typique des constructions du XIX[e]s. en Languedoc, dite pointe de diamant. Cette charpente harmonieuse se retrouve aussi dans ce vin rubis que parfument avec grâce des notes de vanille, de cannelle, d'épices et d'orange confite. Surprenant de volume et d'harmonie, ce 2002 repose sur une structure parfaite entourée de fruits rouges. Eclatant de jeunesse, il termine brillamment et longuement avec beaucoup de fraîcheur.

Jean-Michel Arnaud,
GAEC Yves et Jean-Michel Arnaud,
18, rte des Meulières, 34210 La Livinière,
tél. 06.15.90.89.48, fax 04.68.91.48.28,
e-mail jma-ch-faiteau@wanadoo.fr r.-v.

### CH. FELINES 2002 ★

| ■ | 10 ha | 37 500 | 5 à 8 € |
|---|---|---|---|

Voici les fruits de l'existence... Bernard Marty, en maître vinificateur, réussit un doublé. La sémillante cuvée **La Capricieuse blanc 2004 en minervois (3 à 5 €)** est retenue, tout comme ce minervois-la-livinière rouge burlat. Marqué par des senteurs boisées, ce dernier n'oublie pas la saveur de ses origines fruitées : cerise, cassis et pruneau

tournent rondement en bouche autour d'une matière équilibrée, intense et de belle longueur. A servir par exemple sur une cuisse de dinde aux champignons.
Cellier d'Hautpoul, 34210 Félines-Minervois, tél. 04.68.91.41.66, fax 04.68.91.57.99 r.-v.

DOM. LA ROUVIOLE 2002 ★★

| 0,92 ha | 5 000 | 15 à 23 € |
|---|---|---|

Ce domaine, solidement accroché aux coteaux argilo-calcaires de Siran, est désormais une valeur sûre de l'appellation. Le couple syrah-grenache, sur un pied d'égalité, reste un modèle d'union aromatique où cassis et cerise noire donnent la réplique à une jolie vanille. Les tanins amples, de bonne famille, composent avec fraîcheur une bouche parfaitement équilibrée et douce, qui s'exprime longuement.
Famille Leonor, Dom. La Rouviole, 34210 Siran, tél. et fax 04.68.91.42.13, e-mail franck.leonor@wanadoo.fr t.l.j. 9h-12h; sam. dim. sur r.-v.

CH. SAINTE-EULALIE La Cantilène 2003 ★★

| 10,6 ha | 40 000 | 11 à 15 € |
|---|---|---|

Premier poème écrit en français en 885, la Cantilène est aussi un vin qui nous tient en haleine ! Frais et non moulu par son élevage, il nous laisse sous le charme de sa finesse boisée et de ses notes de fruits rouges et de sous-bois. Les tanins évoluent sur une trame concentrée mais ils n'en sont pas moins élégants. La finale longue et dense est relevée d'une note épicée. Notez que la **Cuvée Prestige 2003 (5 à 8 €)** est retenue également en AOC minervois.
Isabelle Coustal, Ch. Sainte-Eulalie, 34210 La Livinière, tél. 04.68.91.42.72, fax 04.68.91.66.09, e-mail icoustal@club-internet.fr r.-v.

# Saint-chinian

VDQS depuis 1945, le saint-chinian est devenu AOC en 1982 ; cette appellation couvre vingt communes sur 3 207 ha et produit 146 624 hl de vins rouges et rosés et 499 hl de vins blancs en 2004. Dans l'Hérault, au nord-ouest de Béziers, sur des coteaux s'élevant à 100 ou 200 m d'altitude, le vignoble est orienté vers la mer. Les sols sont constitués de schistes, surtout dans la partie nord, et de cailloutis calcaires, dans le sud. Les vins nés du grenache, de la syrah, du mourvèdre, du carignan et du cinsault ont un potentiel de garde de quatre à cinq ans. Ils sont réputés depuis très longtemps : on en parlait déjà en 1300. Une maison des Vins a été créée à Saint-Chinian.

CH. DES ALBIERES Cuvée Georges Dardé 2001 ★

| 7 ha | 24 328 | 11 à 15 € |
|---|---|---|

Cette cuvée porte le nom d'un homme qui a permis au terroir de Berlou de devenir une appellation *villages.* Les vignerons de cette cave sont très motivés et prouvent chaque année dans le Guide la typicité du schiste. Le jury a trouvé dans ce vin des notes de grillé avec un léger caractère animal. La saveur riche et le gras lui confèrent une structure élégante complétée par une finale réglissée. La cuvée **Schisteil rosé 2004 (5 à 8 €)** a été citée pour son fruité.
SCAV de Berlou, Les Coteaux de Berlou, 34360 Berlou, tél. 04.67.89.65.15, fax 04.67.89.43.74, e-mail jallain@vignerons-mediterranee.fr r.-v.

DOM. BELLES COURBES 2004 ★

| 5 ha | 4 000 | 3 à 5 € |
|---|---|---|

Un assemblage réussi de cinsault (70 %) et de grenache montre le rôle important que joue le premier cépage dans la finesse des rosés languedociens. Joliment nuancé de violine, ce vin révèle au nez un caractère floral et une pointe toastée. Il présente la pointe d'acidulé et de fraîcheur du millésime tout en procurant un plaisir simple. A servir sur des tartines avec de la tomate et de l'huile d'olive.
Jean-Benoît Pelletier, 24, cours La Fayette, 34480 Saint-Géniès-de-Fontedit, tél. et fax 04.67.36.32.24, e-mail vinbellescourbes@aol.com t.l.j. 16h-19h; f. sept.

BORIE LA VITARELE Les Terres blanches 2004 ★

| 8 ha | 20 000 | 5 à 8 € |
|---|---|---|

Certifié en agriculture biologique depuis 2001, ce domaine fondé en 1990 sur 70 ha a planté 15 ha de vignes avec pour objectif de créer des vins authentiques. Il suffit d'aller à la rencontre de Cathy et de Jean-François Izarn dans leur auberge pour tout comprendre. Ce 2004, qui est sur le fruit avec des notes animales de jeunesse, laisse en bouche une grande fraîcheur et révèle un très bel équilibre. Ne pas oublier de l'ouvrir une heure avant et de le boire à 16 °C. Le grenache a son mot à dire dans cette cuvée signant une jolie réussite.
J.-François et Cathy Izarn-Planès, Borie la Vitarèle, 34490 Causses-et-Veyran, tél. 04.67.89.50.43, fax 04.67.89.70.79, e-mail jf.izarn@libertysurf.fr r.-v.

CH. BOUSQUETTE Prestige 2002 ★★

| 2 ha | 6 000 | 8 à 11 € |
|---|---|---|

Un viticulteur suisse qui reprend un domaine en saint-chinian et qui respecte la philosophie des anciens propriétaires en apportant une pointe de modernité. Un beau rouge violacé habille son vin qui affiche un bouquet de parfums fruités (fraise, groseille, myrtille) avec une note biscuitée. Ample, ronde, construite sur des tanins généreux, cette belle bouteille allie puissance et séduction.
Eric Perret, Dom. de la Bousquette, 34460 Cessenon, tél. 04.67.89.65.38, fax 04.67.89.57.58, e-mail labousquette@wanadoo.fr t.l.j. 9h-12h 14h-18h; sam. dim. sur r.-v.

CH. CASTIGNO Le Sabinas 2003 ★★

| 5 ha | 16 000 | 5 à 8 € |
|---|---|---|

Ancienne propriété de l'ordre de Malte, ce domaine a été racheté après la Révolution par la famille Sireyjol. Produit sur les terres argilo-calcaires du Saint-Chinian, ce vin charpenté est frais et doté d'une jolie palette d'arômes : garrigue, fruits noirs, note empyreumatique accompagnée

LANGUEDOC

de sensations mentholées. La bouche offre un grand moment de bonheur. A essayer sur du chevreuil à la gelée de groseilles.
🔑 Jean-Pierre Sireyjol, Castigno,
34360 Villespassans, tél. et fax 04.67.38.05.50,
e-mail chateaudecastigno@wanadoo.fr ☑ 🍷 🚶 r.-v.

CH. CAZAL-VIEL Vieilles Vignes 2004 ★★

■ 15 ha 75 000 5 à 8 €

C'est le plus grand domaine privé du Saint-Chinian. La famille Miquel propose un rosé agréable et ensoleillé. En robe légère (pétale de rose), ce 2004 parle d'une même voix au nez et en bouche (pivoine, fruits rouges frais, caramel au lait). Avec du gras et une certaine ampleur, il est réussi. La **Cuvée des Fées rouge 2003 (8 à 11 €)** obtient une étoile pour son nez très fruité.
🔑 Ch. Cazal-Viel, hameau Cazal-Viel,
34460 Cessenon-sur-Orb, tél. 04.67.89.63.15,
fax 04.67.89.65.17, e-mail info@cazal-viel.com
☑ 🏠 🍷 🚶 t.l.j. 8h-12h 13h-18h; sam. dim. sur r.-v.
🔑 Henri Miquel

MAS CHAMPART Clos de la Simonette 2003 ★

■ 1,7 ha 3 500 15 à 23 €

Un site superbe, bien méridional à flanc de coteau, des vignerons exceptionnels, un terroir de feu ! Les Champart sont des familiers du Guide. Ce vin, élevé dix-huit mois en fût, est somptueux ; la robe intense est brillante, les parfums de sous-bois, de cassis et de fruits secs dominent. La bouche révèle une jeunesse qui demande d'attendre deux à trois ans pour profiter de cette bouteille. A essayer sur un pigeon accompagné d'une purée truffée.
🔑 EARL Champart, Bramefan, rte de Villespassans,
34360 Saint-Chinian, tél. et fax 04.67.38.20.09,
e-mail mas-champart@wanadoo.fr ☑ 🍷 🚶 r.-v.

CLOS BAGATELLE La Gloire de mon père 2002 ★

■ 3,5 ha 10 000 15 à 23 €

La Gloire de mon père est un habitué du Guide. Ce millésime 2002, grenat soutenu, offre un nez complexe fait de notes de grillé, d'épices et de vanille. Puissante et harmonieuse, la bouche révèle un boisé fondu et une finale assez longue, résultat d'une vinification et d'un élevage bien conduits. Cette bouteille peut se boire dès maintenant sur une daube de taureau de Camargue.
🔑 Henry Simon, Clos Bagatelle, 34360 Saint-Chinian,
tél. 04.67.93.61.63, fax 04.67.93.68.84
☑ 🍷 🚶 t.l.j. 9h-12h 14h-18h

DOM. COMPS Cuvée de Pénelle 2003

■ 3 ha 9 000 5 à 8 €

Ce saint-chinian classique et typique du terroir argilo-calcaire plaira au plus grand nombre. On y découvre au nez des notes de fruits rouges, des nuances minérales et épicées. L'attaque est souple, un peu croquante, et l'équilibre tannique présente une petite dureté que le temps gommera. Un vin jeune qui laisse une bonne impression. Le jury cite par ailleurs la **Cuvée le Soleiller rouge 2003**.
🔑 SCEA Martin-Comps, 23, rue Paul-Riquet,
34620 Puisserguier, tél. 04.67.93.73.15,
fax 04.67.35.16.55 ☑ 🍷 🚶 r.-v.

CONTRASTES 2003 ★

■ 30 ha 130 000 5 à 8 €

Une visite du village de Saint-Chinian se termine par une dégustation à la cave qui vinifie près de 1 000 ha en Languedoc. N'oubliez pas de demander cette cuvée : sa jolie robe grenat s'illumine de reflets violets. Son nez étonne par son intensité et sa concentration : fruits rouges et garrigue. La bouche aux tanins fondus se révèle équilibrée. Ce vin mérite d'être servi sur une grillade ou un rôti de bœuf Lucullus. Il est prêt à boire.
🔑 Cave des Vignerons de Saint-Chinian,
rte de Sorteilho, 34360 Saint-Chinian,
tél. 04.67.38.28.48, fax 04.67.38.28.43,
e-mail info@vinsaintchinian.com ☑ 🍷 🚶 r.-v.

DOM. LA CROIX SAINTE-EULALIE Armandelis 2003 ★★

■ 2,4 ha 10 000 5 à 8 €

Depuis 1996, cette propriété familiale fait partie des incontournables de l'AOC. L'assemblage de syrah, grenache, carignan, mourvèdre, très bien vinifié, reflète la typicité du terroir de schiste. Ce vin revêt une robe pourpre intense puis affiche un nez d'une bonne intensité fait de fruits bien mûrs et de cuir. La bouche ronde trouve un équilibre autour de tanins agréablement épicés qui soutiennent parfaitement la finale. A attendre deux à trois ans.
🔑 Michel Gleizes,
EARL Dom. La Croix Sainte-Eulalie,
av. de Saint-Chinian, hameau de Combejean,
34360 Pierrerue, tél. et fax 04.67.38.08.51,
e-mail michel.gleizes@club-internet.fr
☑ 🍷 🚶 t.l.j. 8h-12h30 13h30-19h30

DONNADIEU Cuvée Camille et Juliette 2004 ★

■ 3 ha 8 000 5 à 8 €

Sur un terroir de schiste, grenache, cinsault, syrah et carignan ont produit un vin rose pâle aux nuances violettes. Plutôt fruité au nez, celui-ci exprime en bouche de la fraise avec une belle puissance et un équilibre très réussi. A boire au cours d'un barbecue.
🔑 Luc Simon, Clos Bagatelle, 34360 Saint-Chinian,
tél. 04.67.38.04.23, fax 04.67.38.27.94 ☑ 🍷 🚶 r.-v.

DOM. LES EMINADES Sortilège 2002 ★★

■ 1,5 ha 4 000 15 à 23 €

Du sérieux dans ce nouveau domaine avec deux étoiles cette année pour Sortilège. Les efforts ne se relâchent pas chez ces jeunes vignerons. Vingt et un mois de fût ont donné un nez puissant et complexe avec du fruité, de la réglisse, de la garrigue, du tabac et des notes vanillées. Ce joli vin a du caractère et sera mis en valeur par du gibier ou une épaule d'agneau braisée.
🔑 Luc et Patricia Bettoni,
Dom. Les Eminades, rue des Vignes, 34360 Cébazan,
tél. et fax 04.67.36.14.38,
e-mail les.eminades@wanadoo.fr ☑ 🍷 🚶 r.-v.

CH. ETIENNE DES LAUZES Cuvée Yneka 2001 ★

■ 2 ha 13 968 15 à 23 €

La cuvée Yneka (femme en grec ancien) a été élaborée sous l'attention d'Annick Etienne et reflète toute sa fougue, sa féminité et son savoir-faire minutieux. Une robe d'un rouge profond entoure un nez original de truffe, de chocolat, de sous-bois. Belle attaque franche sur les fruits rouges (griotte). Quant à l'élevage, il est très bien maîtrisé. Un dégustateur propose d'aérer ce vin avant de le servir sur une volaille truffée. La qualité n'a pas de prix. Le **Château la Dournie rosé 2004 (5 à 8 €)** obtient une citation.

Annick Etienne, Ch. La Dournie,
rte de Saint-Pons, 34360 Saint-Chinian,
tél. 04.67.38.19.43, fax 04.67.38.00.37,
e-mail jallain@vignerons-mediterranee.fr r.-v.

## DOM. FONTAINE MARCOUSSE
Cuvée Victorey 2003 *

| 1,5 ha | 4 000 | 5 à 8 € |
|---|---|---|

Les parcelles de ce domaine sont situées dans un écrin de garrigue encore préservé du monde, sur un terroir argilo-calcaire. Ce 2003, dans sa robe grenat clair aux légers reflets cuivrés, exprime au premier nez des parfums de lavande et de fruits noirs. Franche, accompagnée d'arômes de garrigue, la bouche est généreuse. A servir sur une côte de bœuf à la fleur de sel et à la moelle.

Myriam et Luc Robert, Le Pontil,
av. de la Gare, 34620 Puisserguier,
tél. et fax 04.67.93.81.37, e-mail robertmy@wanadoo.fr
t.l.j. 10h-12h 16h-19h

## DOM. DE FONTCAUDE 2002 *

| n.c. | 12 000 | 5 à 8 € |
|---|---|---|

Les Vignerons du pays d'Enserune sont régulièrement mentionnés dans le Guide. Ce vin de très belle facture est dense, riche et puissant. On y trouve de la rondeur et du potentiel. Ses arômes de chocolat, de cuir, de fruits noirs confiturés et de réglisse lui donnent du charme et persistent longuement. Le **Fontcaude rosé 2004** a obtenu une étoile pour sa fraîcheur et son fruité ainsi que la cuvée **Domaine de Tudery Les Capitelles rouge 2002** pour sa complexité.

Les Vignerons du pays d'Enserune,
235, av. Jean-Jaurès, 34370 Maraussan,
tél. 04.67.90.09.80, fax 04.67.90.09.55,
e-mail vignerons.enserune@wanadoo.fr r.-v.

## CH. GRAGNOS Charmes d'Antan 2004 *

| 4,1 ha | 5 000 | 3 à 5 € |
|---|---|---|

Le château fut construit en 1710 et entra en 1864 dans le patrimoine de la famille de ce vigneron éleveur. Il propose un saint-chinian à moins de 5 €. Un prix qui ne doit pas vous faire hésiter une seconde. Le vin est habillé d'un rouge brillant soutenu entouré de parfums de fruits rouges (griotte). En bouche, l'attaque est légère avec des tanins souples, de la rondeur et un très bel équilibre. Une bouteille prête. La cuvée **Anselme rouge 2004 (5 à 8 €)** obtient aussi une étoile. Ses tanins ont besoin de s'affiner mais ce vin est prometteur.

Laurent Babeau, Ch. Gragnos, 10, Grand-Rue,
34360 Saint-Chinian, tél. et fax 04.67.38.03.79,
e-mail chateau.gragnos@free.fr r.-v.

## DOM. DE GRAVIMEL Mas des Cresses 2003 *

| 6,44 ha | 5 334 | 11 à 15 € |
|---|---|---|

Le domaine de Gravimel est né en 2002. L'ancienne cave du début du siècle a subi un rajeunissement : c'est une vraie renaissance. Ce vin d'un rouge intense est marqué par des notes de pruneau, de fruits mûrs. Rond, charnu et riche, il s'ouvre sur une finale longue mais encore un peu sévère qui appelle une garde de trois ou quatre ans.

Dom. de Gravimel, av. de Villespassans,
34360 Cébazan, tél. 04.67.24.89.72,
e-mail contact@domainedegravimel.fr.st
r.-v.
Cl. Grapotte

## MICHEL ET POMPILIA GUIRAUD
Les Cerises Schistes de Roquebrun 2003 *

| 3 ha | 16 000 | 3 à 5 € |
|---|---|---|

Cuvée Les Cerises, car le vin évoque la fraîcheur de ce fruit. Egrappés, les raisins sont issus à majorité de syrah plantée sur un terroir de schiste. La robe est sombre, animée d'un reflet grenat. Le nez s'épanouit sur des notes de grillé, de fumé, de cerise. La bouche est ronde avec une structure bien présente. **La Suite dans les idées rouge 2003 (8 à 11 €)** a obtenu une étoile : un vin à base de mourvèdre et à attendre deux à trois ans.

Michel et Pompilia Guiraud,
GAEC Boissezon-Guiraud, av. de Balaussan,
34460 Roquebrun, tél. et fax 04.67.89.68.17,
e-mail gaec.guiraud@wanadoo.fr r.-v.

## DOM. DES JOUGLA 2004 *

| n.c. | 18 000 | 5 à 8 € |
|---|---|---|

Un vrai rosé de repas que ce 2004 à la charmante teinte rose pâle et à l'élégante palette florale et fruitée (lilas, groseille, fraise). Les arômes persistent en bouche avec une belle fraîcheur. Un vin plaisir plein de tendresse.

Alain Jougla,
Le Village, 34360 Prades-sur-Vernazobre,
tél. 04.67.38.06.02, fax 04.67.38.17.74 r.-v.

## DOM. DU LANDEYRAN Grains de passion 2003 *

| n.c. | 4 500 | 11 à 15 € |
|---|---|---|

Grains de passion est une cuvée remplie de la passion de ses producteurs, des amoureux du saint-chinian et des fervents défenseurs de la notion de terroir. Leur vin aux parfums puissants de pain d'épice, de réglisse et de violette laisse une bouche droite et puissante. Sa chaleur peut gêner mais si vous choisissez un plat avec des épices, vous ne bouderez pas votre plaisir. N'hésitez pas à le carafer.

EARL du Landeyran,
rue de la Vernière, 34490 Saint-Nazaire-de-Ladarez,
tél. et fax 04.67.89.67.63,
e-mail domainedulandeyran@wanadoo.fr r.-v.

## DOM. LA LINQUIERE
Le Chant des cigales Elevé en fût de chêne 2003 **

| 2 ha | 8 000 | 8 à 11 € |
|---|---|---|

Un coup de cœur unanime pour ce saint-chinian d'un rouge intense. Le nez expressif et raffiné marie harmonieusement des nuances boisées complexes aux notes de sous-bois, de cuir et de résine de pin. Les saveurs d'une grande persistance s'équilibrent, étayées par une structure élégante, à l'étoffe soyeuse. Les tanins déjà fondus permettent d'apprécier cette bouteille dès à présent sur un pintadeau en salmis ou sur une côte de taureau de Camargue.

Robert Salvestre et Fils, Dom. La Linquière, 34360 Saint-Chinian, tél. 04.67.38.25.87, fax 04.67.38.04.57 t.l.j. 9h-12h 14h30-19h

## DOM. MARQUISE DES MURES
Les Sagnes 2002 ★★★

■ 6 ha 16 000 8 à 11 €

Trois générations ont participé à la création de ce vignoble, chacune exploitant son cépage de prédilection ; la première le carignan, la seconde le grenache et l'actuelle la syrah. Première au grand jury des coups de cœur, cette cuvée Les Sagnes, toute de pourpre vêtue, présente un nez typique de Roquebrun, puissant et complexe, marqué par des parfums de fruits rouges, de tapenade, de truffe et de sous-bois. Suave dès l'attaque, elle propose une matière aromatique et parfaitement équilibrée dans un volume rond et plein. Un vrai plaisir avec des bécasses en salmis.
GAEC des Marquises, av. de Balaussan, 34460 Roquebrun, tél. et fax 04.67.89.55.63, e-mail rochesbrunes@tiscali.fr r.-v.

## DOM. MARTIN-MADALLE
Le Sang du schiste 2003

■ 10 ha 20 000 3 à 5 €

La dégustation de ce 2003, composé de 60 % de syrah, 30 % de grenache et 10 % de mourvèdre plantés sur sol de schiste, laisse une impression de raisins très mûrs et bien vinifiés. Les arômes de cerise à l'eau-de-vie, les notes animales et empyreumatiques, ainsi que la finesse des tanins promettent un très bon accord avec un rôti de veau ou une grillade d'agneau.
AVF Signatures du Sud, chem. de la Planque, 34800 Ceyras, tél. 04.67.44.90.50, fax 04.67.44.90.51, e-mail signatures.sud@wanadoo.fr

## CH. MAUREL FONSALADE
Vieilles Vignes 2001 ★

■ 1,5 ha 5 200 11 à 15 €

Un vin issu d'une sélection rigoureuse de très vieilles vignes implantées sur les terroirs les plus typiques du saint-chinian. Le jury ne s'est pas trompé : il faut du temps à ce domaine pour que les vins s'ouvrent ; c'est le signe des grands. Un nez complexe avec des épices, de l'eucalyptus et des notes réglissées précède une bouche aux tanins serrés, puissants et à la finale fraîche. A boire sur un canard à l'orange ou sur une bavette à l'échalote.
Philippe Maurel, Ch. Maurel Fonsalade, 34490 Causses-et-Veyran, tél. 04.67.89.57.90, fax 04.67.89.72.04, e-mail therese.maurel@wanadoo.fr r.-v.

## DOM. LA MAURERIE Vieilles Vignes 2003 ★

■ 1,8 ha 4 500 5 à 8 €

Installé en 1993 sur le vignoble familial créé en 1824, Michel Depaule est un jeune vigneron. Il innove et conjugue tradition ancestrale et nouvelles techniques. L'élégance de la robe pourpre de cette cuvée se retrouve dans le bouquet (cassis, violette, vanille). La structure n'est pas considérable et les tanins se présentent assez fondus. Un vin prêt à boire sur un chevreuil aux trois poivres ou une daube de sanglier.
Michel Depaule, Dom. La Maurerie, 34360 Prades-sur-Vernazobre, tél. et fax 04.67.38.22.09, e-mail michel-depaule@wanadoo.fr r.-v.

## CH. MILHAU-LACUGUE
Cuvée des chevaliers 2003 ★

■ 10 ha 27 200 5 à 8 €

Jean Lacugue est un vigneron passionné par son terroir et en recherche à la fois d'originalité et de typicité. Ce vin de très belle expression gagne beaucoup en complexité après l'agitation (fruits rouges, vanille, poivre). Même si les tanins sont encore jeunes, ils sont suffisamment bien construits pour garantir un avenir de trois à cinq ans, car ce saint-chinian de garde possède aussi beaucoup de fraîcheur.
Ch. Milhau-Lacugue, Dom. de Milhau, rte de Cazedarnes, 34620 Puisserguier, tél. 04.67.93.64.79, fax 04.67.93.51.93 t.l.j. 10h-12h 14h-17h; sam. dim. sur r.-v.
Jean Lacugue

## MOULIN DE CIFFRE Elevé en fût de chêne 2003 ★

■ 3 ha 8 000 8 à 11 €

Un domaine implanté sur trois appellations complémentaires et dont la typicité est respectée. Bernadette et Jacques Lesineau, venus de Bordeaux en 1998, se sont très bien intégrés dans le Languedoc. Voyez cette cuvée dont les senteurs puissantes de venaison, de fruits mûrs et d'amande grillée s'entourent de nuances vanillées tandis que la matière apparaît encore jeune. Un vin puissant, complexe, au sérieux potentiel et qu'il faut savoir attendre. On pourra le marier avec un lièvre au flambadou dans deux ou trois ans.
Lesineau, SARL Ch. Moulin de Ciffre, 34480 Autignac, tél. 04.67.90.11.45, fax 04.67.90.12.05, e-mail info@moulindeciffre.com t.l.j. sf dim. 10h-12h 16h-19h; sam. sur r.-v.

## DOM. MOULINIER Les Sigillaires 2003

■ 7 ha 15 000 8 à 11 €

C'est un domaine qui a su tirer parti de ce millésime caniculaire dont il était difficile de maîtriser la maturité. Sous une robe d'intensité moyenne apparaît un nez riche en fruits cuits. La bouche savoureuse est soulignée par des tanins ronds et fondus qui portent bien les arômes de fruits cuits et de réglisse. Un vin typique des schistes.
Dom. Guy Moulinier, 34360 Saint-Chinian, tél. 04.67.38.03.97, fax 04.67.38.09.15, e-mail domaine-moulinier@wanadoo.fr t.l.j. sf dim. 10h-12h15 14h-18h

## DOM. NAVARRE
Le Laouzil Terroir de schistes 2003 ★★

■ 5 ha 12 000 5 à 8 €

Le Laouzil est le mot occitan qui désigne les sols de plaquettes de schistes ou petites lauzes. Coup de cœur avec

son millésime 2001 dans le Guide 2004, ce domaine confirme l'excellence de son terroir. Rouge garance à reflets violets, le vin libère un bouquet tout en nuances et prometteur : pierre à fusil, garrigue, fruits rouges bien mûrs. La bouche savoureuse s'appuie sur des tanins fondus. La finale s'arrondit avec beaucoup de douceur. Remarquable personnalité.
Thierry Navarre,
av. de Balaussan, 34460 Roquebrun,
tél. 04.67.89.53.58, fax 04.67.89.70.88,
e-mail thierry.navarre@wanadoo.fr r.-v.

### CH. DU PRIEURE DES MOURGUES Grande Réserve 2002 ★★

4 ha 9 500 **11 à 15 €**

La Grande Réserve des vignobles Roger, dans un millésime difficile, a enthousiasmé le jury du Guide. Ce saint-chinian reflète le sérieux de leur travail dans les vignes. Sa robe soutenue révèle une belle extraction des composés nobles de la baie. Le nez associe des notes de laurier et du fruit noir, et la bouche est franche avec des tanins denses. D'une grande persistance aromatique, ce vin mérite un gigot de sanglier à la broche ou une côte de bœuf.
SARL Vignobles Roger,
Ch. du Prieuré des Mourgues, 34360 Pierrerue,
tél. 04.67.38.18.19, fax 04.67.38.27.29,
e-mail prieure.des.mourgues@wanadoo.fr r.-v.
Jérôme Roger

### PRIEURE SAINT-ANDRE Cuvée Andréus 2002 ★

1 ha 4 000 **8 à 11 €**

Acquis après la Révolution, ce prieuré, qui fut bien d'Eglise sous l'Ancien Régime, est depuis dans la même famille. Ce saint-chinian provient de 60 % de carignan complété par le mourvèdre et la syrah récoltés sur sol de schiste. D'une couleur pourpre et limpide, il offre un nez de fruits rouges (cerise, framboise). La bouche est d'une rondeur séduisante, les tanins étant enrobés et l'élevage bien maîtrisé. Un ensemble très réussi. N'oubliez pas d'aller visiter le jardin méditerranéen de Roquebrun...
Michel Claparède, Prieuré Saint-André,
34460 Roquebrun, tél. 04.67.89.70.82,
fax 04.67.89.71.41 t.l.j. 9h-12h 14h-18h

### CH. QUARTIRONI DE SARS Elevé en foudre de chêne 2002 ★★

4 ha 16 000 **3 à 5 €**

Le site de ce domaine est inoubliable. Le vin reflète le terroir. D'une teinte soutenue, il libère des parfums de sous-bois, de poivre, de bois de santal avec des notes réglissées. S'ouvrant sur la fraîcheur, la bouche développe une matière concentrée et bien soutenue par des tanins élégants. On peut déjà se faire plaisir !
Roger Quartironi, Hameau le Priou,
34360 Pierrerue, tél. et fax 04.67.38.01.53,
e-mail domainedespradels@free.fr
t.l.j. sf dim. 11h-20h; ouv. dim. en juill.-août

### DOM. DU SACRE-CŒUR Cuvée Kevin 2003 ★

5 ha 15 000 **8 à 11 €**

Chaleur, maturité, typicité dominent ce vin marqué par les fruits mûrs, des notes empyreumatiques et réglissées. Le carignan apporte la structure qui lui permet de tenir debout et de rappeler la richesse de ce cépage en saint-chinian. La cuvée **L'Ancêtre rouge 2003**, puissante et prometteuse, obtient une citation. Un terroir et des hommes à suivre de près.
Dom. du Sacré-Cœur, Le Village, 34360 Assignan,
tél. 04.67.38.17.97, fax 04.67.38.24.52,
e-mail gaecsacrecœur@wanadoo.fr
t.l.j. 9h-12h 15h-19h
Cabaret

### CH. SAINT-MARTIN-DES-CHAMPS 2004 ★

6 ha 35 000 **3 à 5 €**

La rondeur, le gras, l'équilibre, la fraîcheur confèrent à ce rosé élégance et volume. Les notes d'agrumes, de fruits rouges (cerise) et d'épices vous inciteront au voyage cet automne, à la fin des vendanges, pour découvrir cette propriété... ou en rêver sous un figuier. Et pourquoi pas avec des croustillons à la braise ?
Pierre et Michel Birot,
Ch. Saint-Martin-des-Champs,
rte de Puimisson, 34490 Murviel-lès-Béziers,
tél. 04.67.32.92.58, fax 04.67.37.84.49,
e-mail domaine@saintmartindeschamps.com
t.l.j. 9h-12h 14h-18h

### SIMEONI Domaisèla 2002 ★

4 ha 13 000 **5 à 8 €**

Après avoir travaillé dans d'autres vignobles français, Sylvie et Franck Siméoni s'installent en 2001 dans le Saint-Chiniannais sur un terroir de schiste. Rouge pourpre de forte intensité, parfumé de fruits, d'épices douces et de sous-bois, ce vin laisse une impression chaleureuse. Ses tanins sont certes puissants mais équilibrés par la matière. L'élevage est encore marqué. Attendre deux à trois ans pour que le fût se fonde. La cuvée **La Toure rouge 2002** a obtenu une citation.
Dom. Siméoni, rte de Berlou,
34360 Prades-sur-Vernazobre, tél. et fax 04.67.93.78.92,
e-mail simeoni5@aol.com r.-v.

### CH. TENDON Cuvée des hirondelles 2002 ★

3 ha 13 000 **5 à 8 €**

Issu d'un terroir de schiste, ce vin se caractérise par une couleur grenat soutenu et des arômes de cassis et de pruneau, avec un léger côté empyreumatique. Il s'affirme par une attaque souple, un bel équilibre et une finale douce. Il est prêt à boire avec des charcuteries fines.
Karine et Lionel Belot, rte de Cazedarnes,
34360 Pierrerue, tél. 04.67.88.45.75, fax 04.67.88.45.79
t.l.j. 9h-12h30 14h-19h

### CH. VEYRAN Clos de l'Olivette 2002

1,85 ha 8 000 **5 à 8 €**

Après cinq années passées dans les vignobles d'Australie, Olivier Antoine reprend la propriété familiale avec un désir de lier tradition et innovation. D'une teinte profonde, son vin livre des senteurs intenses de sous-bois et de fruits à l'eau-de-vie, mêlées à des notes fumées. L'ensemble structuré repose sur des tanins bien fondus, élégants et amples à la fois. Pour accompagner agréablement un tournedos Rossini.
Gérard et Olivier Antoine,
Ch. Veyran, 34490 Causses-et-Veyran,
tél. 06.63.85.22.80, fax 04.67.89.67.89,
e-mail antoine@chateau-veyran.com r.-v.

LANGUEDOC

CH. VIRANEL V 2003 *

■ 1 ha 4 000 8 à 11 €

Depuis 1550 dans cette même famille, ce domaine compte aujourd'hui 46 ha. Les vestiges d'une *villa* gallo-romaine ont été mis au jour ces dernières années... Après un millésime 2001 très remarqué par les œnophiles, le V de Viranel 2003 se distingue à nouveau dans le Guide. La robe est soutenue, brillante et violine. Le nez laisse apparaître du fruit rouge, de la cannelle, du gingembre et des notes de tabac. Mûr et chaleureux, ce vin donne une bonne impression gustative. La cuvée **Tradition 2002 (5 à 8 €)** brille d'une étoile ; sa structure plus facile permet de l'ouvrir dès cet automne avec des amis.

GFA de Viranel, 34460 Cessenon,
tél. 04.90.55.85.82, fax 04.90.55.88.97,
e-mail info@chateau-viranel.com r.-v.
Bergasse-Milhé

# Côtes-de-la-malepère AOVDQS

On a produit 25 585 hl de cette AOVDQS en 2004 sur trente et une communes de l'Aude comptant 440 ha déclarés, dans un terroir soumis à l'influence océanique et situé au nord-ouest des Hauts-de-Corbières qui le protègent de l'influence méditerranéenne. Ces vins rouges ou rosés, corsés et fruités, comprennent non pas du carignan, mais, en plus du grenache et du cot, les cépages bordelais cabernet-sauvignon, cabernet franc et merlot dominants.

CH. BELVEZE 2003 *

■ 3 ha 15 000 5 à 8 €

Nouveau venu dans le Guide, Guillaume Malafosse propose un vin franc de belle facture. D'une jolie couleur aux reflets rubis, il se montre assez puissant au nez avec des senteurs de poivron grillé caractéristiques. Gouleyant et gras en bouche, il est prêt.

Guillaume Malafosse,
Ch. de Belvèze, 11240 Belvèze-du-Razès,
tél. et fax 04.68.69.13.94 t.l.j. 10h-12h 16h-19h

CH. DE COINTES
Croix du Languedoc Clémence 2003 *

■ 2 ha 7 000 8 à 11 €

Cette propriété familiale trouve ses origines et son nom avec André et Jean Cointes, premiers consuls de Carcassonne au XVII^e s. C'est une habituée du Guide ; le vin remarqué cette année est un rouge élevé sous bois. Le nez est légèrement toasté, avec des notes de noisette, alors que les fruits rouges s'expriment en bouche où les tanins sont encore très présents. Il convient de conserver cette bouteille.

Anne Gorostis, Ch. de Cointes, 11290 Roullens,
tél. 04.68.26.81.05, fax 04.68.26.84.37,
e-mail gorostis@chateaudecointes.com r.-v.

DOM. LE FORT Elevé en fût de chêne 2003 **

■ 4 ha 22 500 5 à 8 €

La régularité se confirme chez ce jeune vigneron qui sait tirer la quintessence de ses raisins ; sa « patte » marque dorénavant un style de vin. Celui-ci porte une robe rubis profond. L'élevage sous bois apporte puissance et complexité. Très gras, onctueux et doté d'une riche palette aromatique, mariage complexe de fruits secs grillés et de petits fruits noirs à l'alcool, il est déjà prêt mais il saura se faire attendre.

Marc Pagès, Dom. Le Fort,
11290 Montréal-de-l'Aude, tél. et fax 04.68.76.20.11,
e-mail info@domainelefort.com
t.l.j. sf dim. 10h-12h 14h30-18h30

CH. GUILHEM Le Blason 2003 ***

■ 0,45 ha 1 800 15 à 23 €

L'arrivée d'une nouvelle génération avec Bertrand Gourdon marque un renouveau pour ce domaine dont le château de style Directoire fut construit à la fin du XIX^e s. La macération préfermentaire à froid, le pigeage et la fermentation malolactique en barrique sont parfaitement maîtrisés et donnent un vin à la robe pourpre tout en puissance. Le nez est un heureux mariage de notes grillées et de fruits confiturés. Après une attaque suave, la bouche est dominée par l'ampleur et la sucrosité jusqu'en finale. Superbe.

GFA Ch. de Malviès, Le Chateau, 11300 Malviès,
tél. 04.68.31.14.41, fax 04.68.31.58.09,
e-mail bgourdou@chateauguilhem.com r.-v.
B. Gourdou

CH. HERAIL DE ROBERT 2004 *

■ 4,7 ha 6 600 5 à 8 €

Le château de Robert, avec son vignoble implanté en totalité sur une terrasse graveleuse, se situe à l'extrêmité ouest de l'appellation. Une gestion rigoureuse des vignes, avec des rendements maîtrisés, permet de découvrir cette année un très joli vin rosé à la robe pâle saumonée. Il se montre très fin au nez, intensément fruité ; après une attaque fondue paraît une légère vivacité. Une cuvée tout en délicatesse, à servir à l'apéritif.

Marie-Hélène Artigouha-Hérail,
Ch. de Robert, 11150 Villesiscle, tél. 04.68.76.11.86,
fax 04.68.76.58.62, e-mail l.artigouha@wanadoo.fr
t.l.j. sf dim. 9h-12h 14h-18h

DOM. LA LOUVIERE Sélection 2003 ***

■ 5 ha 5 000 8 à 11 €

C'est l'aventure d'un industriel allemand, Klaus Grohe, qui en 1991 achète ce domaine qu'il gère ensuite avec rigueur : mise en place de la culture raisonnée,

cueillette manuelle pour cette cuvée, œnologie de pointe. Ce travail est couronné par un coup de cœur. Le vin est tout à la fois puissant et élégant, très complexe au nez sur des notes fruitées. Onctueux en bouche avec un tanin d'une rare finesse, il offre une jolie longueur finale.
Klaus Grohe, Dom. La Louvière, 11300 Malviès, tél. 04.68.31.32.81, fax 04.68.31.80.62, e-mail louviere@club-internet.fr r.-v.

DOM. DE MATIBAT Tradition 2002 *

11 ha 13 000 5 à 8 €

Domaine traditionnel du Languedoc, avec son corps de ferme. Son vignoble est implanté sur un terrain argilo-calcaire d'exposition plein sud. Cette cuvée Tradition sait se faire remarquer par la rondeur de l'attaque. Le nez complexe mêle du fruit, des épices puis apparaît une note de cacao. Construit sur l'élégance, c'est un vin prêt pour le cassoulet – de Castelnaudary bien entendu.
Jean-Claude Turetti, Dom. de Matibat, 11300 Saint-Martin-de-Villereglan, tél. 04.68.31.15.52, fax 04.68.31.04.29, e-mail jeanclaude.turetti@free.fr r.-v.

CH. DE MONTCLAR 2002 **

20 ha 75 000 5 à 8 €

Valeur sûre du Guide, le Château de Montclar s'affirme bien comme l'un des plus beaux vins rouges des côtes-de-la-malepère. Le nez est d'une belle complexité aromatique, où les fruits rouges et le cacao se donnent la réplique. Les tanins soyeux jouent en bouche sur des notes de réglisse. A signaler également, le **Domaine de Fournery rosé 2004 (3 à 5 €)**, à la fois riche et d'une grande finesse, très floral et d'une bonne longueur. Des vins à découvrir à la cave de Razès.
Cave du Razès, 11240 Routier, tél. 04.68.69.02.71, fax 04.68.69.00.49, e-mail info@cave-razes.com r.-v.

# Vins doux naturels du Languedoc

Dès l'Antiquité, les vignerons de la région ont élaboré des vins liquoreux de haute renommée. Au XIIIe s., Arnaud de Villeneuve découvrit le mariage miraculeux de la « liqueur de raisin et de son eau-de-vie » : c'est le principe du mutage qui, appliqué en pleine fermentation sur des vins rouges ou blancs, arrête celle-ci en préservant ainsi une certaine quantité de sucre naturel.

Les vins doux naturels d'appellation contrôlée se répartissent dans la France méridionale : Pyrénées-Orientales, Aude, Hérault, Vaucluse et Corse, jamais bien loin de la Méditerranée. Les cépages utilisés sont les grenaches (blanc, gris, noir), le macabeu, la malvoisie du Roussillon, dite tourbat, le muscat à petits grains et le muscat d'Alexandrie. La taille courte est obligatoire.

Les rendements sont faibles, et les raisins doivent, à la récolte, avoir une richesse en sucre de 252 g minimum par litre de moût. L'agrément des vins est obtenu après un contrôle analytique. Ils doivent présenter un taux d'alcool acquis de 15 à 18 % vol., une richesse en sucre de 45 g minimum à plus de 100 g pour certains muscats, et un taux d'alcool total (alcool acquis plus alcool en puissance) de 21,5 % vol. minimum. Certains sont commercialisés tôt (muscats), d'autres le sont après trente mois d'élevage. Vieillis sous bois de manière traditionnelle, c'est-à-dire dans des fûts, ils acquièrent parfois après un long élevage des notes très appréciées de rancio.

LANGUEDOC

## Muscat-de-lunel

Le terroir de Lunel est principalement constitué de gress, cailloutis sur plusieurs mètres d'épaisseur à ciment d'argile rouge. Le vignoble se localise sur ces nappes caillouteuses, au sommet des coteaux. Ici, seul le muscat à petits grains est utilisé ; les vins finis doivent avoir au minimum 125 g de sucre. 10 539 hl ont été élaborés pour le millésime 2003 et 9 525 hl en 2004 sur une superficie de 342 ha.

CLOS BELLEVUE Cuvée Vieilles Vignes 2004 **

4 ha 10 000 11 à 15 €

Deux muscats bien dans la tradition d'élégance des vinifications de la famille Lacoste. La cuvée Vieilles Vignes se distingue par sa nervosité en bouche, expression rarement employée dans la dégustation des muscats de Lunel. La **cuvée Tradition 2004 (8 à 11 €)**, plus classique que la précédente, obtient une étoile pour sa finesse, tant au nez qu'au palais.
Francis Lacoste, Dom. de Bellevue, rte de Sommières, 34400 Lunel, tél. 04.67.83.24.83, fax 04.67.71.48.23, e-mail muscatlacoste@wanadoo.fr t.l.j. sf dim. 9h-19h; hiver 9h-18h

CH. GRES SAINT-PAUL Rosanna 2003 ★★★

0,5 ha 1 000 11 à 15 €

2003
GRÈS
SAINT PAUL
MUSCAT DE LUNEL
APPELLATION MUSCAT DE LUNEL CONTRÔLÉE
ROSANNA
MIS EN BOUTEILLE AU CHÂTEAU - GRÈS ST PAUL 34400 LUNEL FRANCE PRODUIT DE FRANCE
15,5%vol 500ml

Jean-Philippe Servière, à la tête de la propriété depuis 1976, n'a conservé que les vignobles les mieux situés pour en tirer la quintessence. Les faits lui donnent raison puisque, pour la deuxième année consécutive, il remporte tous les suffrages du coup de cœur, mais cette fois pour la cuvée Rosanna, issue d'une petite parcelle. Le nez puissant et complexe révèle tour à tour le genêt, la compote de poires, la rose. La bouche ample et puissante n'en finit plus de persister. Exceptionnel, du grand art ! Quant à la **cuvée Sévillane 2003 (8 à 11 €)**, coup de cœur l'an passé pour le millésime 2002, elle conjugue structure et finesse et obtient une étoile.

Jean-Philippe Servière, GFA Grès Saint-Paul, rte de Restinclières, 34400 Lunel, tél. 04.67.71.27.90, fax 04.67.71.73.76, e-mail contact@gres-saint-paul.com t.l.j. sf dim. 9h-13h 15h-19h

LES VIGNERONS DU MUSCAT DE LUNEL
Cuvée Prestige 2003

n.c. 27 200 5 à 8 €

Ce beau muscat 2003 aux effluves discrets est un classique de la cave coopérative. Les amateurs retrouveront avec plaisir le vin de Lunel traditionnel avec ce qu'il faut de gras, de raisin de corinthe et de miel pour les satisfaire. Essayez-le donc sur un fromage à pâte persillée.

SCA Les Vignerons du Muscat de Lunel, rte de Lunel-Viel, 34400 Vérargues, tél. 04.67.86.00.09, fax 04.67.86.07.52, e-mail info@muscat-lunel.com r.-v.

# Muscat-de-frontignan

Le frontignan a été le premier muscat à obtenir l'appellation d'origine contrôlée en 1936. C'est un jugement du tribunal de Montpellier (du 4 juillet 1935) qui a fixé la nature des terroirs susceptibles de produire ces vins. Les muscat-de-frontignan ne peuvent naître que de terrains généralement secs, caillouteux, pierreux, issus de couches jurassiques, molassiques et d'alluvions anciennes – des sols ingrats à toute autre culture. Ils proviennent exclusivement du muscat à petits grains (anciennement appelé « muscat doré de Frontignan »). Ces vins doivent garder 125 g de sucre par litre. Puissants, ils ne manquent pourtant jamais d'élégance. Les 800 ha de l'AOC ont produit 22 802 hl en 2004.

DOM. DU MAS ROUGE 2003 ★

2,8 ha 10 000 8 à 11 €

Situé sur la commune de Vic-la-Gardiole, à moins de deux kilomètres de la mer, le domaine du Mas Rouge propose une intéressante production dans différentes appellations. Son muscat-de-frontignan 2003 libère des effluves de fleurs blanches et de compote de poires et offre une bouche onctueuse à souhait. Une légère amertume ne dessert en rien l'harmonie générale.

Julien Cheminal, Dom. du Mas Rouge, 34110 Vic-la-Gardiole, tél. 04.67.51.66.85, fax 04.67.51.66.89, e-mail les-aresquiers@wanadoo.fr r.-v.

CH. DE LA PEYRADE Sol Invictus 2004 ★★

n.c. 5 500 8 à 11 €

Avec sept coups de cœur à son actif pour la seule appellation frontignan, dont le dernier dans la précédente édition du Guide pour son Clos de la Gardiole 2003, le domaine pourrait bien battre des records... Cette fois encore, le jury a distingué la production des Pastourel. Deux étoiles pour cette cuvée Sol Invictus au nez d'aubépine et d'abricot confit. Avec sa bouche fine, équilibrée, aérienne et soyeuse, ce vin se classe parmi les plus beaux de l'appellation. A déguster pour lui-même à l'apéritif, sous les parasols, à l'abri du soleil invaincu.

Yves Pastourel et Fils, Ch. de La Peyrade, 34110 Frontignan, tél. 04.67.48.61.19, fax 04.67.43.03.31 t.l.j. sf dim. 9h-12h 14h-18h30

DOM. PEYRONNET Cuvée Belle Etoile 2004 ★★

10 ha 8 000 8 à 11 €

Chez Alain Peyronnet, tradition et modernité se côtoient. En prenant la succession de son père en 1990, cet œnologue a tranquillement modernisé, le vignoble d'abord puis la maison, de la cave au grenier. Régulièrement présent dans le Guide, il franchit aujourd'hui un cap en obtenant deux étoiles et en passant très près du coup de cœur. Le nez délivre des effluves intenses de peau de pêche, d'agrumes et de pivoine. La bouche, délicatement moelleuse et prolongée par une rétro-olfaction exotique, offre un remarquable équilibre.

EARL Dom. Peyronnet, 9, av. de la Libération, 34110 Frontignan, tél. 04.67.48.34.13, fax 04.67.48.14.42, e-mail caves.favier-bel@tiscali.fr t.l.j. 9h-12h 14h-19h

DOM. DE LA PLAINE Nuits blanches 2003 ★

15 ha 3 000 8 à 11 €

Marie-Noëlle et Francis Sala se sont installés au domaine de la Plaine en 1988. Travailleurs infatigables, ils présentent cette année une cuvée au nez de chèvrefeuille et de citron confit. Bien enveloppé par un moelleux agréable, ce beau muscat laisse une impression d'élégance et d'harmonie. Pourquoi ne pas l'associer à une salade de fruits ?

Francis Sala, Dom. de la Plaine, 6, rte de Montpellier, 34110 Vic-la-Gardiole, tél. 04.67.48.10.78, fax 04.67.48.18.67, e-mail muscat-de-f@wanadoo.fr t.l.j. 8h-19h

### CH. DE SIX TERRES 2004 ★★

15 ha 35 000 8 à 11 €

Eric Bru et D. Duquenoy, respectivement œnologue et maître de chai confirmés, veillent scrupuleusement au respect de la chaîne qualitative de la cave de Frontignan. Leur travail a porté ses fruits puisqu'une fois de plus la production de la coopérative a retenu l'attention du jury. Le Château de Six Terres a eu la préférence pour son bouquet de fleurs blanches et de fruits exotiques. En bouche, le moelleux et l'alcool se fondent dans un équilibre parfait et laissent transparaître une note de violette. Le **Frontignan Premier (5 à 8 €)**, au nez de jasmin et de fruits surmûris, obtient une étoile. Les dégustateurs ont apprécié son équilibre en bouche et sa longueur.

SCA Coop. de Frontignan,
14, av. du Muscat, BP 136, 34112 Frontignan Cedex,
tél. 04.67.48.12.26, fax 04.67.43.07.17,
e-mail frontignancoop@wanadoo.fr r.-v.

### CH. DE STONY 2004 ★★★

8,5 ha 30 000 5 à 8 €

Honorablement connue à Frontignan depuis plusieurs siècles, la famille Nodet est installée sur le terroir de La Peyrade dans une maison bourgeoise du XIXᵉs. entourée de 17 ha de muscat exposés plein sud. Des conditions peut-être nécessaires mais sûrement pas suffisantes pour obtenir un coup de cœur. Reste le savoir-faire du viticulteur. Dans une robe or pâle, ce vin parfume le verre de raisin frais, de litchi et de chèvrefeuille. En bouche, une fraîcheur nerveuse équilibre le moelleux au point de le faire oublier. Une harmonie exceptionnelle.

Frédéric et Henri Nodet, GAEC Ch. de Stony,
La Peyrade, 34110 Frontignan, tél. 04.67.18.80.30,
fax 04.67.43.24.96, e-mail frederic.nodet@9online.fr
t.l.j. sf dim. 10h-12h30 15h-19h

## Muscat-de-mireval

Ce vignoble est délimité par Frontignan à l'ouest, le massif de la Gardiole au nord et la mer et les étangs au sud. Les sols sont d'origine jurassique et se présentent sous forme d'alluvions anciennes de cailloutis calcaires. Le cépage est uniquement le muscat à petits grains ; il a donné, en 2004, 7 893 hl de vins doux naturels.

Le mutage est effectué assez tôt, car les vins doivent avoir un minimum de 125 g de sucre ; ils sont moelleux, fruités et liquoreux.

### DOM. CAZALIS 2003

5,64 ha 21 533 5 à 8 €

La cave de Rabelais fait son retour dans le Guide avec ce muscat du domaine Cazalis, vignoble d'un peu plus de 5 ha cultivé en lutte intégrée. Ce vin jaune clair, de facture classique, se signale par un nez de citron vert et de miel. En bouche, il est onctueux et révèle une grande douceur, atténuée par une légère amertume et une finale chaleureuse. A servir sur un fromage persillé.

SCA Cave de Rabelais, RN 112, 34110 Mireval,
tél. 04.67.78.15.79, fax 04.67.78.11.71,
e-mail cave.rabelais@wanadoo.fr r.-v.

### CH. D'EXINDRE Vent d'anges 2003 ★★

2,51 ha 8 000 8 à 11 €

Coup de cœur des éditions 2003 et 2004, deux étoiles dans le dernier Guide et à nouveau cette année, c'est dire l'excellence du travail réalisé par la famille Sicard-Géroudet, propriétaire de cet ancien domaine des rois de France. Pour le millésime 2003, la cuvée Vent d'anges est bien dans la tradition des précédentes, pot-pourri de litchi, de poire, de coing et de figue. Sa grande onctuosité en bouche, accompagnée d'une note de pâte de coings, prépare une finale harmonieuse en tout point. Une suggestion : associez-la à un ananas caramélisé au muscat !

Catherine Sicard-Géroudet,
La Magdelaine d'Exindre,
34750 Villeneuve-lès-Maguelonne,
tél. et fax 04.67.69.49.77,
e-mail catherinegeroudet@yahoo.fr r.-v.

### DOM. DU MAS ROUGE Cuvée Excellence 2003 ★★

2 ha 6 600 8 à 11 €

Coup de cœur dans le précédent millésime, Julien Cheminal a élaboré cette année encore un très beau muscat jaune vif aux reflets remarquablement verts pour un 2003. Le litchi, le citron vert, la cire se bousculent au nez pour nous conduire à une bouche particulièrement soyeuse où la figue sèche joue les prolongations. Une finale harmonieuse et une très belle persistance aromatique pour cette bouteille qui ne décevra pas les amateurs.

Julien Cheminal,
Dom. du Mas Rouge, 34110 Vic-la-Gardiole,
tél. 04.67.51.66.85, fax 04.67.51.66.89,
e-mail les-aresquiers@wanadoo.fr r.-v.

### LE PLO DALIA 2004 ★

10 ha 26 000 5 à 8 €

Le Mas Neuf des Aresquiers est régulièrement mentionné dans le Guide. Cette année, le jury a distingué sa cuvée Le Plo Dalia. Ce vin aux arômes puissants de fleurs blanches et de figue sèche révèle à la dégustation l'onctuosité attendue et l'harmonie des muscats de bonne facture.

Bernard-Pierre Jeanjean,
Dom. du Mas Neuf des Aresquiers,
34110 Vic-la-Gardiole,
tél. 04.67.78.37.44, fax 04.67.78.37.46

# Muscat-de-saint-jean-de-minervois

Ce muscat est produit par un vignoble perché à 200 m d'altitude et dont les parcelles s'imbriquent dans un paysage de garrigue. Il s'ensuit une récolte tardive, près de trois semaines environ après les autres appellations de muscat de l'Hérault. Le vignoble est implanté sur des sols calcaires d'un blanc étincelant où apparaît parfois la coloration rouge de l'argile. Là encore, seul le muscat à petits grains est autorisé ; les vins obtenus doivent avoir un minimum de 125 g/l de sucre. Ils sont très aromatiques, avec beaucoup de finesse, de fraîcheur et des notes florales caractéristiques. C'est la plus petite AOC de muscat sur le continent (200 ha) avec une production de 5 465 hl en 2004.

### DOM. DE BARROUBIO Cuvée bleue 2003 ★★★

1 ha 5 000 5 à 8 €

La qualité et la constance caractérisent sans conteste le travail de la famille Miquel, notamment pour les muscats. Au fil des éditions du Guide, les étoiles pleuvent sur le domaine. Cette année, la Cuvée bleue décroche, comme dans le millésime 2001, trois étoiles et, distinction suprême, un coup de cœur. Le jury, intarissable, est sous le charme d'un nez vif et doux à la fois et ne manque pas de qualificatifs pour décrire la bouche élégante, structurée, fine, persistante, harmonieuse... En résumé, exceptionnelle ! Deux étoiles pour la **Cuvée Nicolas Vieilles Vignes 2001 (11 à 15 €)**. Le nez très évolutif confère à ce vin une personnalité aromatique unique. La **Cuvée Classique 2003 (8 à 11 €)** obtient également deux étoiles. Verveine, thé, fleurs blanches séduisent.

Raymond Miquel,
Barroubio, 34360 Saint-Jean-de-Minervois,
tél. 04.67.38.14.06 t.l.j. 10h-12h 14h-18h

### LE MUSCAT Petit-grain 2004 ★

n.c. 66 000 8 à 11 €

Une dominante agrumes et peau de pêche pour ce muscat 2004 bien dans la tradition de la cave coopérative. En bouche, il se montre friand et juvénile, très agréable. Idéal pour l'apéritif.

SCA Le Muscat, 34360 Saint-Jean-de-Minervois,
tél. 04.67.38.03.24, fax 04.67.38.23.38,
e-mail lemuscat@wanadoo.fr r.-v.

### DOM. DU SACRE-CŒUR Cuvée Kevin 2004 ★★

2 ha 9 000 8 à 11 €

Deux années consécutives, le jury a décerné une étoile à la cuvée Kevin. Aujourd'hui, un palier qualitatif est franchi puisque dans le millésime 2004 cette cuvée est jugée remarquable. Elle se distingue par l'intensité de sa palette aromatique, corbeille de fruits bien mûrs : pêche, abricot, agrumes, relevés d'une touche de menthe sauvage. Avec sa belle harmonie et sa persistance en bouche, elle est passée tout près du coup de cœur.

Dom. du Sacré-Cœur, Le Village, 34360 Assignan,
tél. 04.67.38.17.97, fax 04.67.38.24.52,
e-mail gaecsacrecœur@wanadoo.fr
t.l.j. 9h-12h 15h-19h
Cabaret

# Le Roussillon

L'implantation de la vigne en Roussillon, sous l'impulsion des marins grecs attirés par les richesses minières de la côte catalane, date du VII^e s. avant notre ère. Elle se développa au Moyen Age, et les vins doux de la région connurent de bonne heure une solide réputation. Après l'invasion phylloxérique, la vigne a été replantée en abondance sur les coteaux du plus méridional des vignobles de France.

Amphithéâtre tourné vers la Méditerranée, le vignoble du Roussillon est bordé par trois massifs : les Corbières au nord, le Canigou à l'ouest, les Albères au sud, qui font la frontière avec l'Espagne. La Têt, le Tech et l'Agly sont des fleuves qui ont modelé un relief de terrasses dont les sols caillouteux et lessivés sont propices aux vins de qualité, et particulièrement aux vins doux naturels que vous trouverez dans ce chapitre. On rencontre également des sols d'origine différente avec des schistes noirs et bruns, des arènes granitiques, des argilo-calcaires ainsi que des collines détritiques du pliocène.

Le vignoble du Roussillon bénéficie d'un climat particulièrement ensoleillé, avec des températures clémentes en hiver, chaudes en été. La pluviométrie (350 à 600 mm) est mal répartie, et les pluies d'orages ne profitent guère à la vigne. Il s'ensuit une période estivale sèche, dont les effets sont souvent accentués par la tramontane qui favorise la maturation des raisins.

La vigne est encore le plus souvent conduite en gobelet, avec une densité de 4 000 pieds. La culture reste traditionnelle, souvent peu mécanisée. L'équipement des caves se modernise avec la diversification des cépages et des techniques de vinification. Après de rigoureux contrôles de maturité, la vendange est transportée en comportes ou petites bennes sans être écrasée ; une partie des raisins est traitée par macération carbonique. Les températures au cours de la vinification sont de mieux en mieux maîtrisées, afin de protéger la finesse des arômes : tradition et technicité se côtoient.

## Côtes-du-roussillon et côtes-du-roussillon-villages

Ces appellations sont issues des meilleurs terroirs de la région. Le vignoble, de 8 000 ha environ, a produit 247 000 hl de côtes-du-roussillon, dont 6 500 hl en blanc et 68 300 hl en côtes-du-roussillon-villages en 2004 dans l'ensemble des appellations. Les côtes-du-roussillon-villages sont localisés dans la partie septentrionale du département des Pyrénées-Orientales ; quatre communes bénéficient de l'appellation avec le nom du village : Caramany, Lesquerde, Latour-de-France et Tautavel. Terrasses de galets, arènes granitiques, schistes confèrent aux vins une richesse et une diversité qualitatives que les vignerons ont bien su mettre en valeur. Au sud de Perpignan, depuis 2003, on produit des côtes-du-roussillon-Les-Aspres. Cette AOC produit 1 500 hl de vin rouge.

Les vins blancs sont produits principalement à partir des cépages macabeu, malvoisie du Roussillon et grenache blanc, mais également avec la marsanne, la roussanne et le rolle, vinifiés par pressurage direct. Ils sont méditerranéens, avec un arôme fin, floral (fleur de vigne). Ce sont des compagnons de choix pour les fruits de mer, les poissons et les crustacés.

Les vins rosés et les vins rouges sont obtenus à partir de plusieurs cépages : le carignan noir (60 % maximum), le grenache noir, le lladonner pelut, le cinsault, comme cépages principaux, et la syrah, le mourvèdre et le macabeu (10 % maximum dans les côtes-du-roussillon) comme cépages complémentaires ; il faut obligatoirement trois cépages. Tous ces cépages (sauf la syrah) sont conduits en taille courte à deux yeux. Souvent, une partie de la vendange est vinifiée en macération carbonique, surtout à partir du carignan qui donne, avec cette méthode de vinification, d'excellents résultats. Les vins rosés sont vinifiés obligatoirement par saignée.

Les vins rosés sont fruités, corsés et nerveux ; les vins rouges sont fruités, épicés, d'une richesse alcoolique de 12% vol. environ. Les côtes-du-roussillon-villages sont plus corsés et chauds ; certains peuvent se boire jeunes, mais d'autres peuvent se garder plus longtemps et développer alors un bouquet intense et complexe. Leurs qualités organoleptiques diversifiées leur permettent de s'associer avec les mets les plus variés.

ROUSSILLON

## Côtes-du-roussillon

**DOM. D'ARFEUILLE** L'Originelle 2003

■ 6 ha 15 000 ◐ 8 à 11 €

A force de tramontane c'était sûr ! Ça devait bien finir par amener des Bordelais à s'installer dans ce superbe, mais pas assez connu, vignoble des Pyrénées orientales. C'est chose faite pour la famille d'Arfeuille depuis 2003. De vieilles vignes ont donné ce premier millésime au boisé expressif, où la vanille domine le fruit. La matière première supporte cependant la barrique et cette bouteille ravira les amoureux de vins bien élevés sous bois.

SC Stéphane d'Arfeuille,
rte de Lesquerde, 66220 Lesquerde,
tél. 06.07.48.80.04, fax 05.57.51.42.33,
e-mail domaine.darfeuille@laposte.net ☑ Y ⚲ r.-v.

**DOM. ARIS** Vinifié et élevé en fût de chêne 2002 *

■ 1,5 ha 4 500 ◐ 5 à 8 €

Pour les amoureux du calme et des beaux paysages, le plateau de Montalba mérite le détour. Avec ses chaos de blocs granitiques, c'est de l'exotisme aux portes de Perpignan. Et que dire d'une balade à cheval avec, en toile de fond, le Canigou enneigé ? Le vin ne cache pas ses origines par sa minéralité, ses notes d'épices et de venaison. Agréable, fin, légèrement vanillé, il est déjà souple et prêt.

Pierre Aris, Dom. Aris,
2, rue du Roumenga, 66130 Montalba-le-Chateau,
tél. 04.68.84.25.78, fax 04.68.84.17.42,
e-mail pierre.coro@laposte.net r.-v.

## ARNAUD DE VILLENEUVE Alta Tura 2003 *

2 ha 5 000 8 à 11 €

Le Roussillon compte d'excellents vins blancs secs, malheureusement trop méconnus. F. Baixas possède un réel savoir-faire en matière de vin blanc catalan. Pour accompagner loup, dorade royale ou sandre au beurre blanc, débouchez cet Alta Tura habillé d'or, au nez fumé empyreumatique dès l'approche. Très gras, le palais affiche des notes de châtaigne et de tilleul ; le bois accompagne à ravir une vendange riche.

Les Vignobles du Rivesaltais,
1, rue de la Roussillonnaise, 66600 Rivesaltes,
tél. 04.68.64.06.63, fax 04.68.64.64.69,
e-mail vignobles-rivesaltais@wanadoo.fr r.-v.

## CH. DE CASTELNOU 2002

7,4 ha 23 418 8 à 11 €

Construit autour de l'an mille, le château qui surplombe le superbe village de Castelnou a été restauré grâce à la farouche volonté de J.-R. Camo au début des années 1990. Ainsi a pu revivre cette forteresse médiévale à laquelle est attaché un vignoble de qualité. Une belle évolution signe ce 2002 aux notes fumées, aux effluves de venaison et de sous-bois. Fondue, la bouche est fine, nuancée par une touche de cuir et un léger grillé des tanins. Soutenue par une pointe d'acidité en finale, cette bouteille est prête à servir sur des grillades ou des fromages.

SA Ch. de Castelnou, pl. du Château, BP 37,
66302 Thuir Cedex, tél. 04.68.53.22.91,
fax 04.68.53.33.81, e-mail chateau.castelnou@tiscali.fr
r.-v.

## LE COTES DU ROUSSILLON PAR CAZES 2002 *

9 ha 50 000 5 à 8 €

Cazes, c'est 170 ha de vignes, tout en biodynamie ; une gamme splendide, une référence en Roussillon. Pour preuve, ce beau 2002, déjà prêt, dont l'élevage a apporté, au-delà de la robe grenat tuilé, un soupçon d'épices (clou de girofle) sur des notes de fruits mûrs ; une petite pointe de venaison vient taquiner les sens déjà comblés par des arômes de cerise réglissée et de pruneau. Puis vient l'emprise de tanins soyeux.

Dom. Cazes, 4, rue Francisco-Ferrer, BP 61,
66602 Rivesaltes, tél. 04.68.64.08.26, fax 04.68.64.69.79,
e-mail info@cazes-rivesaltes.com
t.l.j. sf sam. dim. 8h-12h 14h-18h

## DOM. COLL DE ROUSSE Les Aspres 2003

4 ha 6 500 5 à 8 €

Dans le monde du vin, le petit village de Tresserre, idéalement situé entre mer, montagne et Espagne, est connu pour sa station vitivinicole de recherche. Désormais terroir reconnu dans la dénomination Les Aspres, il est, dans un autre registre, le siège d'une célèbre fête annuelle des sorcières. Cette première cuvée Les Aspres, élégante, est citée pour ses senteurs poivrées et son fruité noir autour d'une approche un peu sauvage. La syrah s'impose en bouche ; fraîche, celle-ci joue sur le cassis et se montre pleine sans excès, constituée de forts beaux tanins. Une note de truffe l'accompagne.

Boussuge, 2, rue de Montesquieu, 33600 Tresserre,
tél. 06.73.72.58.20, fax 04.68.38.83.29,
e-mail coll.de.rousse@tiscali.fr r.-v.

## DOM. DES DEMOISELLES Les Aspres Le Partage 2003 ***

1 ha 4 000 11 à 15 €

Les Demoiselles de Tresserre n'ont pas raté leur entrée dans la nouvelle dénomination Les Aspres, réservée à des parcelles identifiées du terroir de la région sud de Perpignan. Souplesse, complexité de la bouche, longueur et surtout harmonie entre présence et finesse, entre force et suavité, entre fruits de la forêt et épices : un vrai vin plaisir à servir dès à présent. Le jury, enchanté, aurait aimé le goûter avec un gigot d'agneau ou des *bolas de picolat...*

Isabelle Raoux, Dom. des Demoiselles,
Mas Mulès, 66300 Tresserre, tél. et fax 04.68.38.87.10,
e-mail domaine.des.demoiselles@wanadoo.fr
t.l.j. sf lun. 11h-13h 16h-20h; f. jan.

## DOM. DEPEYRE Cuvée Sainte-Colombe 2003

4 ha 4 000 11 à 15 €

Fraîchement installés en Roussillon sur les terres noires de l'Agly et l'argilo-calcaire de Vingrau, Serge Depeyre et Brigitte Bile ont uni leurs savoirs et leurs économies autour de 10 ha de vignes. Une belle aventure qui commence. Leur premier vin est cité pour sa bonne structure en bouche et sa longueur. Le boisé, très présent, domine le nez mais il est compensé au palais par un raisin de qualité. A essayer sur une mosaïque de foie gras et chocolat. A table !

Brigitte Bile, 1, rue Pasteur, 66600 Cases-de-Pène,
tél. et fax 04.68.38.94.98 r.-v.

## MAS D'EN BADIE Saint-Etienne-des-Vignes 2001 ***

7,25 ha 33 399 11 à 15 €

L'église de Saint-Etienne-des-Vignes, détruite en 1608, garde son secret. Seul un lieu-dit porte son nom, mais nul doute que dans la quiétude des lieux, entre mimosas et cyprès, elle protège encore vignobles et vignerons. Unanimité du jury pour ce beau vin sombre aux reflets tuilés, au nez intense confituré, mûr sous une première approche de venaison. Sa superbe présence au palais joue sur les fruits mûrs et les fruits secs, un rien toastés, avant une finale remarquable par la rondeur des tanins et sa fraîcheur épicée.

SCA des Vignerons de Passa, rte de Villemolaque,
66300 Passa, tél. 04.68.38.80.74, fax 04.68.38.88.98,
e-mail antonin-passa@libertysurf.fr r.-v.

### DOM. FERRER-RIBIERE Selenae 2003

■ 3 ha 5 000 23 à 30 €

Le domaine est une référence en Roussillon. Les vignes sont conduites dans le respect de l'environnement et le travail en cave a pour objectif la recherche de la meilleure expression du terroir. La trilogie carignan, grenache, syrah est ici une réussite. Malgré un passage de seize mois en fût, le vin s'exprime sur des notes de fruits rouges (framboise), de mûre et de cassis. Le bois apporte une fine touche toastée. En bouche, ce 2003 est élégant, fruité, ample mais frais, avec des tanins présents que le temps va affiner. Une bouteille de garde à ouvrir dans deux ou trois ans.

Dom. Ferrer-Ribière, SCEA des Flo,
20, rue du Colombier, 66300 Terrats,
tél. 04.68.53.24.45, fax 04.68.53.10.79,
e-mail domferrerribiere@aol.com r.-v.

### FRUITE CATALAN 2004 **

■ n.c. 600 000 - de 3 €

Désormais le rosé constitue la première production en vins secs d'appellation du département. Pas étonnant alors de voir le groupement de producteurs des Vignerons Catalans, principal opérateur, aligner le grand jeu avec trois rosés. Bien dans la lignée des rosés soutenus des Pyrénées orientales, celui-ci est gourmand, très aromatique, alliant petits fruits vifs et touches amyliques. Sa bouche, remarquable et fruitée, se prolonge par une excellente fraîcheur réglissée. Bien notée également, avec une étoile, la cuvée **Saveurs oubliées 2004**, et cité, l'**Art de vivre 2004 (3 à 5 €)**.

Vignerons Catalans, 1870, av. Julien-Panchot,
BP 29000, 66962 Perpignan Cedex 9,
tél. 04.68.85.04.51, fax 04.68.55.25.62,
e-mail contact@vigneronscatalans.com
t.l.j. 9h-12h 14h-17h

### H & H 2003 *

■ n.c. 60 000 3 à 5 €

Telle une sentinelle en Roussillon, la colline de Força Réal permet aux curieux de promener un regard sur le paysage spectaculaire des vallées de la Têt et de l'Agly. A ses pieds, bien exposé au soleil, le mas prend des airs de vacances. Voici un beau vin fruité, agréable, fin, gouleyant, équilibré, sans prétention de longue garde. Mais pourquoi bouder un fruité destiné à un plaisir immédiat sur de la charcuterie ou de la cuisine exotique ? Vous pouvez également choisir un **Força 2001 (5 à 8 €)** déjà élevé et qui obtient une citation.

Jean-Paul et Cyril Henriques,
rue Pierre-Pascal-Fauvelles, 66000 Perpignan,
tél. 04.68.85.06.07, fax 04.68.85.49.00,
e-mail info@forcareal.com

### HECHT & BANNIER 2001 **

■ n.c. n.c. 15 à 23 €

Spécialisée dans la commercialisation des vins du Languedoc-Roussillon, cette maison renoue depuis 2001 avec la tradition du négoce de terroir qui fait si cruellement défaut à la région. Elevé sous bois, ce 2001 s'offre dès à présent à la consommation. Intense en couleur et en arômes, il joue sur le registre boisé avec beaucoup de notes



**Le Roussillon**

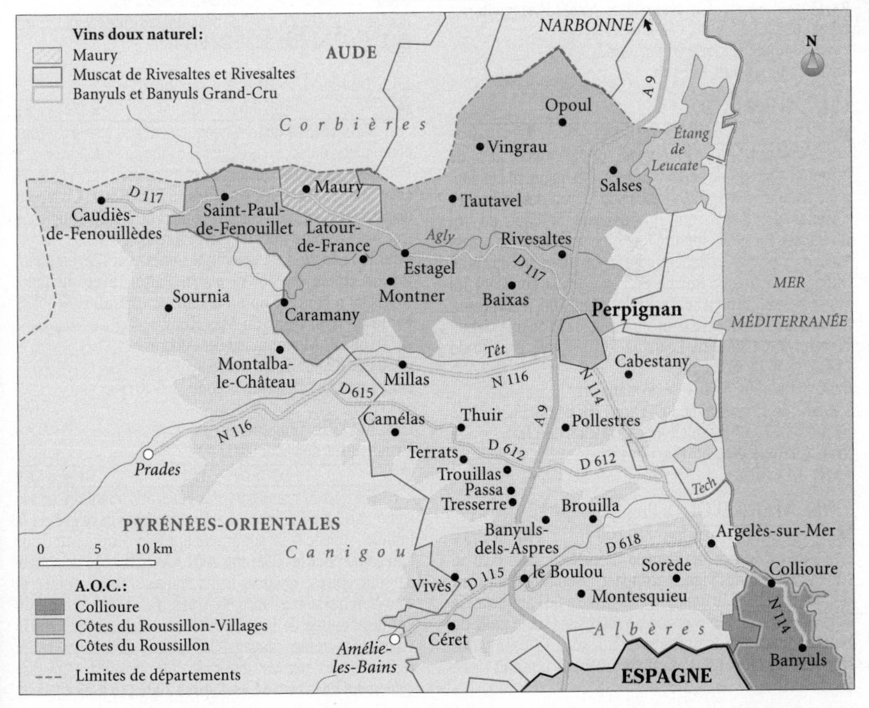

toastées de torréfaction ; la garrigue n'est pas absente et la finale choisit le pruneau et l'arbouse. Le joli fondu des tanins conforte un fort bel équilibre.
Hecht & Bannier, 42, Grand-Rue, 34140 Bouzigues, tél. 04.67.74.66.38, fax 04.67.74.66.45, e-mail contact@hbselection.com r.-v.

### DOM. DES HOSPICES DE CANET-EN-ROUSSILLON Grande Réserve 2004 *

40 ha 40 000 3 à 5 €

Station touristique réputée du littoral, Canet est également une zone maraîchère connue pour ses artichauts et, sur ses terrasses de cailloux roulés, un lieu privilégié pour la vigne. Voici un 2004 tout frais à la robe intense, au nez sur le fruit noir confituré, avec une touche de sous-bois et une note de violette typique de la syrah. Le bel équilibre en bouche repose sur des tanins déjà soyeux. Ce vin toujours en pleins fruits se laisse surprendre par une note de moka.
GAEC Benassis-Lavail, 5, imp. de l'Hort, 66140 Canet-en-Roussillon, tél. 04.68.80.34.14, e-mail culturevin@wanadoo.fr r.-v.

### DOM. LAPORTE Sumeria 2003 *

4 ha 10 000 11 à 15 €

L'antique Ruscino a donné son nom à Château-Roussillon à côté duquel s'est bâtie la ville de Perpignan. Aujourd'hui, sur les terrasses de galets roulés du vieux site, ce sont les racines des vignes qui jouent à l'archéologue. De la matière, de la concentration et de l'extrait dans ce côtes-du-roussillon fort en syrah, au nez de fruits confiturés, légèrement fumé ; il est souple d'entrée, puis la violette et le cassis s'entourent de tanins encore très présents. Un vin en devenir.
Dom. Laporte, Ch. Roussillon, 66000 Perpignan, tél. 04.68.50.06.53, fax 04.68.66.77.52, e-mail domaine-laporte@wanadoo.fr t.l.j. 9h-12h 14h-18h

### CH. LAURIGA 2003 **

3,77 ha 17 598 5 à 8 €

Aux portes de Perpignan, ce splendide mas de briques rouges et de cailloux roulés, typiquement catalan, a été restauré avec goût. Il accueille le fruit des anciennes « vignes del Rey », qui fournissaient la cour du roi d'Aragon. La syrah apporte une robe soutenue aux reflets violines. Le nez particulièrement intense joue sur une note minérale, la touche fraîche de l'eucalyptus épousant les fruits rouges. La bouche est ample, le tanin fin, très élégant. Cette bouteille saura se tenir sur de l'agneau ou une viande blanche. Le **Château Lauriga 2001 Elevé en fût de chêne (8 à 11 €)** est cité.
Ch. Lauriga, SCEA des Amandiers, traverse de Ponteilla, 66300 Thuir, tél. 04.68.53.26.73, fax 04.68.53.58.37, e-mail lauriga@wanadoo.fr t.l.j. sf dim. 8h-12h 14h-18h
R. et J. Clar

### DOM. MARCEVOL Le Prestige 2002 **

5 ha 12 000 11 à 15 €

Aller à Marcevol, hameau de carte postale face au Canigou, avec des vignes grimpant jusqu'à 600 m, c'est donner du temps au temps. Cette cuvée a de l'ampleur ; le dégustateur a une impression de sucrosité tant le grillé du bois et la maturité du fruit sont à l'unisson. Après le plaisir de senteurs sauvages s'affirment un beau tanin et de la fraîcheur.
EARL Predal-Verhaeghe, Marcevol, 66320 Arboussols, tél. et fax 04.68.05.74.34 r.-v.
Predal

### DOM. DU MAS BECHA Excellence 2003 *

2 ha 12 800 5 à 8 €

Oasis au milieu des vignes, le hameau de Nyls, aux portes de Perpignan, hésite à devenir grand, pression immobilière oblige. Avec une centaine d'hectares d'un seul tenant, ce mas reste le gardien de l'intégrité viticole locale. Son vin, dominé par la syrah, est d'un pourpre profond. Les senteurs mêlent la violette, le cassis et le poivre vert. Fruitée, grasse, ronde, équilibrée, la bouche offre une touche réglissée de violette qui donne de la fraîcheur à la finale.
Perez, SARL Dom. du Mas Becha, 1, av. de Pollestres, 66300 Nyls-Ponteilla, tél. 04.68.56.23.64, fax 04.68.56.23.65, e-mail contact@masbecha.com r.-v.

### DOM. MAS CREMAT 2003

4 ha 20 000 5 à 8 €

Le Mas Crémat tire son nom de la couleur noire de ce surprenant terroir des bords de l'Agly. C. Jeannin, qui l'a acquis il y a quinze ans, vous y accueille avec la simplicité et le franc parler non dénué d'humour de sa Bourgogne d'origine. Le vin se laisse découvrir doucement à l'aération ; après un premier nez de venaison, il dévoile des parfums de bourgeon de cassis et des notes de sous-bois. Agréable et présent dès l'attaque, il se révèle souple, frais et très aromatique sur fond de mûre et de violette.
C. Jeannin, Dom. Mas Crémat, 66600 Espira-de-l'Agly, tél. 04.68.38.92.06, fax 04.68.38.92.23, e-mail mascremat@mascremat.com t.l.j. sf dim. 10h-12h 14h-18h

### DOM. DU MAS ROUS Tradition 2003 **

10,29 ha 21 000 5 à 8 €

Vous rêvez d'un mas typiquement catalan de cayroux et de galets roulés ; vous voulez le calme au vert, adossé aux Pyrénées, avec vue sur la mer et avec, bien sûr, vignes et cave ? Ouvrez les yeux, vous êtes au Mas Rous ! Ce terroir des Albères est merveilleux, conférant au vin souplesse, fraîcheur et cette note de pierre à fusil si caractéristique. Pour le reste, tout est convoqué : finesse, fruité, ampleur, touche épicée du poivre blanc. Parfait avec un gigot d'agneau à la ficelle ou un magret de canard.
José Pujol, Dom. du Mas Rous, BP 4, 66740 Montesquieu-des-Albères, tél. 04.68.89.64.91, fax 04.68.89.80.88, e-mail masrous@mas-rous.com r.-v.

### CH. MOSSE Temporis Vieilli en fût de chêne 2003 ***

5 ha 15 000 11 à 15 €

En tête du grand jury des côtes-du-roussillon, ce vin signé par Jean-Philippe Mossé représente la relève de la famille – quelle belle continuité après le coup de cœur de l'an passé pour le milléisme 2001 ! Avec la robe de soirée, ce sont épices, réglisse, fruits rouges vanillés, mûre et sous-bois qui sont à l'accueil. Après, c'est la plénitude d'un vin dès l'entrée de bouche. Veloutée, celle-ci joue sur la violette, la mûre sauvage, la vanille. Longueur, tanin remarquable : tout est dit, c'est une merveille. Que dire également de la cuvée **Les Aspres 2003 (15 à 23 €)**, deux

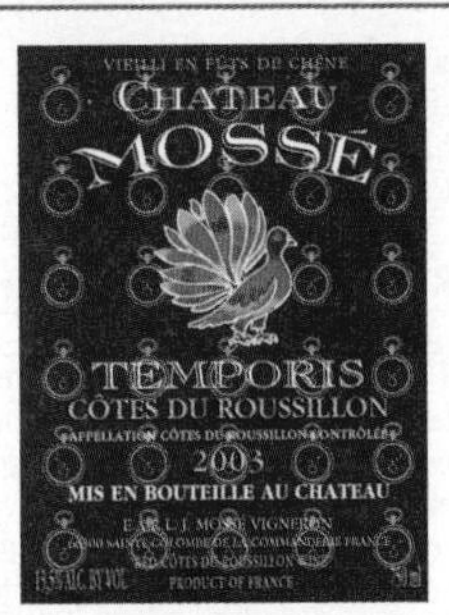


étoiles, coiffée sur le fil en attendant un fondu prévu dans un à deux ans. Ne négligez pas non plus **Coume d'Abeille 2003 (5 à 8 €)**, qui obtient une citation.

Jacques Mossé, Ch. Mossé, Sainte-Colombe-de-la-Commanderie, BP 8, 66301 Thuir Cedex, tél. 04.68.53.08.89, fax 04.68.53.35.13, e-mail chateau.mosse@worldonline.fr r.-v.

## CH. NADAL-HAINAUT Les Terres du Pilou 2003 ★★

■ 4 ha 12 000 5 à 8 €

Une longue histoire pour ce domaine situé sur les terrasses caillouteuses de la Têt. Il abrite les vestiges d'une chapelle d'un prieuré cistercien du XII[e]s. Autrefois en polyculture, il est devenu essentiellement viticole. Marquée par la syrah, sa cuvée Les Terres du Pilou est tout en fraîcheur et petits fruits, avec une touche de venaison caractéristique. En bouche, ce vin se révèle élégant et souple : le tanin vient se fondre, accompagnant les fruits mûrs. La petite touche poivrée de la finale lui confère une belle fraîcheur. A choisir absolument pour des charcuteries catalanes ; une poularde ou un canard rôti feront aussi l'affaire.

Jean-Marie Nadal, Ch. Nadal-Hainaut, 66270 Le Soler, tél. 04.68.92.57.46, fax 04.68.38.07.38, e-mail nadalmartine@netcourrier.com r.-v.

## JEAN-PHILIPPE PADIE Ciel liquide 2003 ★

■ 2,5 ha 4 000 15 à 23 €

Tombé amoureux du petit villge de Calce, Jean-Philippe Padié s'est installé comme apprenti-vigneron, en 2003, sur un patchwork de parcelles reprises en agriculture biologique. Ce premier millésime est intéressant. L'extraction se lit déjà dans la robe profonde, puis le boisé élégant s'amuse sur une note de raisin. Surprise, la bouche est ronde, mûre, équilibrée, sans excès de bois et la finale est relevée. Un bon vin pour une pintade à la sauge dès cet automne.

Jean-Philippe Padié, 1, rue des Pyrénées, 66600 Calce, tél. et fax 04.68.64.29.85, e-mail jppadie66@aol.com r.-v.

## DOM. PARCE Vieilli en fût de chêne 2001 ★★

■ 5 ha 15 950 5 à 8 €

Ce domaine se sentait à l'étroit au centre de Bages ; une nouvelle cave a vu le jour, fort bien conçue. Cela ne suffisait pas : en 2004 un nouveau caveau de vente est né. Le couple syrah-mourvèdre fait ici merveille : rubis brillant, ce 2001 affiche un nez de venaison et d'épices. Légèrement fumée, la bouche à la fois ample, fraîche et entièrement sur le fruit toasté emporte l'adhésion. Elle exprime avec force tout le velouté des tanins du mourvèdre.

EARL A. Parcé, 21 ter, rue du 14-Juillet, 66670 Bages, tél. 04.68.21.80.45, fax 04.68.21.69.40, e-mail vinsparce@aol.com r.-v.

## MAS PEYRE Promesse tenue 2003 ★

■ 2 ha 6 000 8 à 11 €

Une affaire de famille, où l'on trouve des chambres d'hôte dans la capitale des Fenouillèdes, qui offre châteaux cathares et gorges de Galamus en balades digestives. Ce vin très jeune, très fruité, friand, aux tanins fondus, se montre souple et épicé. Gouleyant et agréable, il est prêt à être servi sur une volaille rôtie ou de la charcuterie catalane.

Gérard Bourrel, 3 ter, chem. de Lesquerde, 66220 Saint-Paul-de-Fenouillet, tél. 04.68.59.29.45, fax 04.68.59.00.22, e-mail mas-peyre@net-up.com t.l.j. sf dim. lun. 10h-12h 16h-19h

## DOM. PIQUEMAL Les Terres grillées 2003 ★

2,5 ha 14 000 8 à 11 €

Il faut compter avec la nouvelle génération des Piquemal, Franck rejoignant son père Pierre. Encore marqué par l'élevage en barrique, ce 2003, déjà prêt, mêle des notes de foin coupé et de châtaigne. Macabeu et grenache jouent avec le boisé, apportent des notes d'abricot mûr et confèrent de la rondeur au palais. Cette bouteille sera autant à l'aise avec des calamars à la plancha qu'avec une daurade au sel.

Dom. Piquemal, 1, rue Pierre-Lefranc, 66600 Espira-de-l'Agly, tél. 04.68.64.09.14, fax 04.68.38.52.94, e-mail contact@domaine-piquemal.com t.l.j. 9h-12h 14h-18h

## CH. PLANERES Prestige 2003 ★★

■ n.c. 65 000 5 à 8 €

Sur le plateau de Planères, la quatrième génération de vignerons s'attache à faire mieux connaître ce terroir des Aspres. Leur meilleur atout est ce vin couleur tulipe noire, soutenu par des senteurs très marquées de petits fruits : mûre, myrtille, cerise noire. On retrouve ce fruité en bouche avec un soupçon de violette réglissée apporté par la syrah et les notes d'un bel élevage en barrique. D'un potentiel intéressant, ce 2003 saura accompagner un agneau catalan, tout comme la cuvée **La Romanie Les Aspres 2003 (15 à 23 €)** qui s'exprimera dans peu de temps et qui obtient une étoile. Enfin, en **muscat-de-rivesaltes, la cuvée Excellence 2004** obtient une citation pour son agréable fraîcheur.

Vignobles Jaubert et Noury, Ch. Planères, 66300 Saint-Jean-Lasseille, tél. 04.68.21.74.50, fax 04.68.21.87.25, e-mail contact@chateauplaneres.com r.-v.

## DOM. PREDAL L'Alouette 2003 ★★

■ 7 ha 17 300 3 à 5 €

Coup d'essai, coup de maître pour ce petit nouveau en cave particulière installé dans le superbe secteur de Vinça, où un lac permet de se baigner sur fond de Canigou. Un renouveau pour la vigne dans ce terroir d'altitude de qualité. Un vin solide, encore un peu rugueux, mais qui possède tout : fruit, charpente, ampleur. Ses arômes remarquables s'ouvrent sur le fruit noir ; une touche de minéralité confère la fraîcheur typique de ces terroirs de sols acides.

Jean Prédal, hameau Marcevol, 66320 Arboussols, tél. 06.23.58.06.75, fax 04.68.05.74.34, e-mail jean-predal@tele2.fr r.-v.

PRIMO PALATUM 2002 ★★★

■ 4,5 ha 1 800 15 à 23 €

La gamme Primo Palatum s'étend de l'Atlantique à la Méditerranée. Xavier Copel met un point d'honneur à rechercher les vignerons partenaires exprimant au mieux leur terroir. Gagné pour ce qui concerne le Roussillon, avec ce superbe 2002 élevé en fût, où le couple mourvèdre-grenache épouse à merveille le boisé de la barrique sur des airs d'olive noire épicée. La bouche est à la fois puissante et élégante, sur le fruit mûr et poivrée ; rien n'accroche, tout est fondu, le grain de tanin étant du plus bel effet. Civet, côte de bœuf, comté, cette bouteille se prête à bien des usages.

Xavier Copel, Primo Palatum, 1, Cirette, 33190 Morizès, tél. 05.56.71.39.39, fax 05.56.71.39.40, e-mail xavier-copel@primo-palatum.com r.-v.

CH. DE REY Les Galets roulés 2003 ★★

■ 2,5 ha 6 500 11 à 15 €

Le château de Petersen dresse son étrange silhouette linéaire sur l'ondulation souple des vignes et l'arrondi des cailloux roulés. Au loin, étang et Méditerranée jouent à épouser le ciel. Le vin ? Un grenat limpide laisse apparaître des reflets tuilés. Le nez puissant s'exprime entre fruits confiturés et épices (poivre et noix muscade). Une touche réglissée se retrouve en bouche accompagnant le fruit autour de beaux tanins veloutés.

Philippe et Cathy Sisqueille, Ch. de Rey, rte de Saint-Nazaire, 66140 Canet-en-Roussillon, tél. 04.68.73.86.27, fax 04.68.73.15.03, e-mail contact@chateauderey.com t.l.j. sf sam. dim. 9h-12h 14h-17h

DOM. ROSSIGNOL Elevé en fût de chêne 2002 ★

■ 2,25 ha 5 500 5 à 8 €

Coup de cœur l'an passé pour le Graal 2001, remarqué cette année avec cette cuvée et avec **Le Graal Elevé en fût de chêne 2003 (11 à 15 €)**, cité, Pascal Rossignol a créé un chai d'élevage souterrain dont a bénéficié ce 2002. Sa sage évolution se lit dans les légers reflets tuilés et se précise dans les senteurs profondes de cerise confiturée et de pruneau. Le vin est prêt, suave et rond : le tanin est enrobé, la finale franche. A essayer sur la charcuterie catalane des experts de Passa.

Pascal Rossignol, rte de Villemolaque, 66300 Passa, tél. et fax 04.68.38.83.17, e-mail domaine.rossignol@free.fr t.l.j. sf dim. 10h30-12h30 16h-19h30

DOM. SALVAT Taïchac 2001 ★

■ 6 ha 20 000 8 à 11 €

Ce qui surprend sur les coteaux de Saint-Paul-de-Fenouillet, où l'on ne va pas par hasard, c'est le calme, la beauté du paysage d'altitude, l'harmonie entre culture, bois et pins, cette impression d'être posé sur le toit du Roussillon viticole. Le jury a trouvé ce vin original, non par sa couleur intense de cerise noire, mais par sa touche de garrigue sans lourdeur, par ses notes sauvages et poivrées à peine masquées par un boisé tendre. Un vin frais, au fruité toasté, à conseiller sur des viandes rouges (grillées).

Dom. Salvat, 8, av. Jean-Moulin, 66220 Saint-Paul-de-Fenouillet, tél. 04.68.59.29.00, fax 04.68.59.20.44, e-mail salvat.jp@wanadoo.fr r.-v.

DOM. SARDA-MALET Terroir Mailloles 2002 ★★

■ 5 ha 9 500 15 à 23 €

Au sud de Perpignan, encore sur le territoire de la commune, les collines du Serrat d'En Vaquer cachent nombre de carcasses d'animaux préhistoriques ; elles accueillent quelques petits mas entourés de vignes, abrités des regards citadins et de la convoitise immobilière. Le premier nez de cette cuvée, marqué par le grillé du bois, s'ouvre agréablement sur le fruit et les épices. Plus présent en bouche, le boisé harmonieux accompagne une note de fruits confiturés évoluant sur l'alcool de myrte. Tournedos, côte de bœuf ou gigot d'agneau attendent cette bouteille.

Dom. Sarda-Malet, Mas Saint-Michel, chem. de Sainte-Barbe, 66000 Perpignan, tél. 04.68.56.72.38, fax 04.68.56.47.60, e-mail jerome.malet@sarda-malet.com r.-v.

Jérôme Malet

DOM. SOL-PAYRE Ater 2003 ★★

■ 5 ha 20 000 11 à 15 €

Nombreux sont ceux qui, poussés par l'exotisme, traversent le Roussillon pour aller se livrer au soleil ibère. D'autres prennent le temps de se poser pour admirer, entre autres, le splendide cloître d'Elne – situé à deux pas du caveau Sol-Payré dont deux cuvées ont été sélectionnées. La syrah impose sa couleur grenat, ses notes épicées de violette et de cerise, puis elle s'exprime en bouche sur le fruit et l'épice, avec rondeur. Dotée d'une matière bien mesurée, cette cuvée Ater (noir) a du glissant et une belle fraîcheur. A savourer avec un gibier en sauce. Plus traditionnelle, la cuvée **Imo Pectore Du fond du cœur 2003** obtient une étoile.

Jean-Claude Sol, rue de Paris, 66200 Elne, tél. 04.68.22.17.97, fax 04.68.22.50.42, e-mail domainesolpayre@wanadoo.fr t.l.j. sf dim. 9h-12h 15h-18h

TERRASSOUS Villare Juliani 2003 ★

■ 3 ha 20 000 5 à 8 €

Quelle belle image de la coopération ! Motivation, dynamisme, performance, rigueur, tout cela grâce à une équipe jeune et conviviale. Pas étonnant que le cœur des Aspres batte à Terrats ! Cette cuvée marquée par le couple syrah-mourvèdre est à garder, à laisser reposer après ouverture afin de profiter de ses senteurs sauvages de sous-bois et de violette. On appréciera ensuite le fruit charnu autour de tanins veloutés. Grillades ou civets lui conviendront. A noter, la cuvée **Les Pierre plates Les Aspres 2003 (8 à 11 €)**, citée par le jury.

SCV Les Vignerons de Terrats, av. des Corbières, BP 32, 66302 Terrats, tél. 04.68.53.02.50, fax 04.68.53.23.06, e-mail scv-terrats@wanadoo.fr r.-v.

LES TERRES NOIRES Elevé en fût de chêne 2004

□ 3 ha 4 000 8 à 11 €

Le président de la cave d'Espira présente ici un vin blanc élaboré avec les cépages traditionnels grenache et macabeu, élevés trois mois sous bois. Tout cela apporte la couleur d'or, les arômes miellés autour de la fleur d'acacia

et une belle note d'évolution toastée en bouche. Ce 2004, à servir dès à présent sur du poisson en sauce, reste frais et d'une excellente présence au palais.
Les Collines de l'Agly, 39, rue Thiers, 66600 Espira-de-l'Agly, tél. 04.68.64.17.54, fax 04.68.64.10.76 t.l.j. sf dim. 8h30-12h 14h-18h

### CH. VALFON Tradition 2003

0,5 ha 1 800 5 à 8 €

Deux amis d'enfance, Valette et Fons, ont réalisé leur rêve, travailler ensemble. Et si leurs locaux sont un peu exigus, ce n'est pas un problème lorsque l'on a une bonne organisation. Leur vin est mûr : syrah et mourvèdre apportent une touche réglissée derrière un premier nez de venaison. Structuré, il est solide, mais reste très fruité. Le tanin est encore présent et la finale relevée. Ce 2003 saura attendre l'été 2006 pour un repas de salades et de grillades.
GAEC Dom. Valfon, 11, rue des Rosiers, 66300 Ponteilla, tél. 06.14.02.81.54, fax 04.68.53.61.66, e-mail chvalfon@aol.com r.-v.
Valette-Fons

### CH. VALMY 2003 *

2 ha 8 243 8 à 11 €

Ce magnifique domaine revenu à la viticulture sous l'impulsion de la famille Carbonnell, après une absence d'une vingtaine d'années, retrouve sa juste place dans le concert viticole des terroirs de qualité. Sur les sols acides du pied des Albères, face à la mer, syrah, grenache et mourvèdre s'allient pour donner un vin friand, gourmand, tout en fruit, frais, souple, empreint de minéralité, très apprécié pour sa finesse et l'élégance de ses tanins. Un 2003 prêt à être servi sur un magret de canard ou une lotte à l'américaine.
Bernard Carbonnell, SARL Ch. de Valmy, chem. de Valmy, 66700 Argelès-sur-Mer, tél. 04.68.81.25.70, fax 04.68.81.15.18, e-mail chateau.valmy@tiscali.fr t.l.j. 10h-12h30 14h30-18h; f. sam. dim. d'oct. à mars

### VILAFORCA Elevé en fût de chêne 2001

40 ha 14 000 5 à 8 €

Fourques se plaît à lancer ses vignes à l'assaut des Aspres, derniers remparts de collines avant le Canigou. Un paysage agrémenté par un vieux village et un ruisseau souvent à sec qui joue au petit Colorado. Rond, gras, légèrement toasté, ce 2001 au tanin de belle texture joue avec la réglisse. L'ensemble est plein, agréable, de jolie facture et prêt à être consommé. Cité également, un rosé tendre **Vilaforca 2004 (3 à 5 €)**.
SCA Les Vignerons de Fourques, 1, rue des Taste-Vin, 66300 Fourques, tél. 04.68.38.80.51, fax 04.68.38.89.65, e-mail vigneronsdefourques@wanadoo.fr t.l.j. sf dim. 14h-18h; sam. 9h-12h

> Les vins dont l'étiquette est reproduite constituent les « coups de cœur » librement élus à l'aveugle par les dégustateurs du Guide ; seuls les vins remarquables (**) et exceptionnels (***) peuvent obtenir cette distinction.

# Côtes-du-roussillon-villages

### DOM. DE L'AUSSEIL
Latour-de-France Les Trois Pierres 2003 *

4 ha 7 000 11 à 15 €

Le domaine est perché sur les hauteurs. Cette cuvée porte le nom d'une parcelle sur laquelle trônent d'énormes rochers entourés de carignans centenaires. De cette nature sauvage est né un vin aux parfums de fruits mûrs. Les notes fumées et vanillées prennent le pas sur des tanins fins en une finale d'une belle longueur.
Anne et Jacques de Chancel, 18, bd Gambetta, 66720 Latour-de-France, tél. et fax 04.68.29.18.68, e-mail info@lausseil.com r.-v.

### CH. AYMERICH Barrique 8 2002 **

2 ha 3 000 30 à 38 €

Sur les ruines d'une bergerie du XVIes., propriété de la famille, trône aujourd'hui la nouvelle cave. C'est la cuvée boisée à la robe rubis moiré de noir que le jury a remarquée cette année. Le nez fruité recèle une grande richesse. Puis s'annonce un véritable bouquet de fruits, d'herbes de la garrigue, de cèdre, de café et de cacao. Cette complexité promet de réels plaisirs avec ce vin tout en devenir.
Ch. Aymerich, 52, av. Dr-Torreilles, 66310 Estagel, tél. 04.68.29.45.45, fax 04.68.29.10.35, e-mail aymerich-grau-vins@wanadoo.fr r.-v.
J.-P., N. et C. Grau-Aymerich

### DOM. DE LA BALMIERE Latour-de-France 2003 *

0,67 ha 3 300 8 à 11 €

Entourés par la garrigue, les fameux schistes de Latour-de-France inspirent toujours autant Laurent Marquier. Ce jeune domaine, déjà habitué du Guide, livre ici un vin en pleine maturité. Le nez séduisant et complexe est confirmé par une bouche franche, tout en finesse et en profondeur.
Dom. de la Balmière, rte de Montner, Le Mouli, 66720 Latour-de-France, tél. 04.68.29.00.04, fax 04.68.29.47.60, e-mail lc.marquier@club-internet.fr r.-v.
Laurent et Claudia Marquier

### CH. DE BELESTA Schiste 2003 *

4 ha 17 000 5 à 8 €

La Cave des vignerons est située au pied du musée de la Préhistoire. Les magnifiques schistes brillants des coteaux environnants ont donné cette cuvée remarquable. Un joli nez intense et floral, où l'on perçoit la jacinthe, évolue vers des notes plus torréfiées. Une bouche gourmande, le rappel des notes florales, la fraîcheur de l'élevage en cuve et des tanins soyeux confèrent au vin finesse et harmonie. L'éditeur signale au lecteur l'extrême réussite de l'étiquette.
SCV Cassagnes-Bélesta, 1, carrefour de Bacchus, 66720 Cassagnes, tél. 04.68.84.51.93, fax 04.68.84.53.82, e-mail cave-cassagnes-belesta@wanadoo.fr t.l.j. sf dim. 10h-18h (été 18h30)

### DOM. BOUDAU Patrimoine 2003 ***

3,3 ha 6 600 11 à 15 €

Pierre et Véronique Boudau ne se sont pas trompés en appelant leur cuvée Patrimoine. « Un vin original, bien ancré dans sa noble catalanité, à déguster aujourd'hui ou en 2007 ». Voilà les conclusions du jury. Une robe grenat foncé et un nez qui présente tout un cortège d'odeurs florales (violette) et de notes fumées. L'attaque sur l'onctuosité, harmonieuse et charnue, est confirmée par une expression de fumet de viande et de grillé jusque dans la finale suave et généreuse. La cuvée **Le Clos 2003 côtes-du-roussillon (5 à 8 €)** obtient deux étoiles. Elle est tout en fruit, soyeuse, déjà délicieuse.

SARL Dom. Boudau, 6, rue Marceau,
66600 Rivesaltes, tél. 04.68.64.45.37, fax 04.68.64.46.26,
e-mail contact@domaineboudau.fr
t.l.j. sf dim. 10h-12h 15h-19h (18h en hiver et f. sam)

## CH. DE CALADROY Cuvée Saint-Michel 2002 *

■ 5 ha 6 000 15 à 23 €

Magnifique forteresse du XII^es. Les propriétaires ont su restaurer avec goût l'ancienne chapelle, lieu privilégié de la dégustation des différentes cuvées. Cette année, le jury a retenu la cuvée Saint-Michel qui laisse filtrer des notes de fruits noirs sur une pointe de sous-bois. La bouche fruitée, les grains fins des tanins et la longue finale invitent à la découverte.

SCEA Ch. de Caladroy, 66720 Bélesta,
tél. 04.68.57.10.25, fax 04.68.57.27.76,
e-mail chateau.caladroy@wanadoo.fr
t.l.j. sf sam. dim. 8h-12h 13h30-17h30
Mézerette

## MAS CAMPS La Ronde des vents 2003 *

■ 1 ha 3 500 8 à 11 €

Créé en 2003, ce domaine doit son nom à l'histoire. Les légions romaines ont campé ici et plus tard les Templiers s'y sont établis. Des fragments d'objets, des pièces de monnaie l'attestent. Dans ce couloir de la vallée de Maury, cette « ronde » nous entraîne dans des senteurs de laurier, de garrigue et d'épices douces. Souplesse et volupté caractérisent une bouche tout en nuances. Les tanins fins se fondent en une finale nette et agréable.

GAEC Castells-Simard,
Mas Camps, RD 117, 66460 Maury,
tél. 04.68.29.48.07, fax 04.68.57.87.41 r.-v.

## DOM. DE LA CAPEILLETTE
La Tour-de-France Tramuntana 2003 ***

■ 1 ha 1 200 38 à 46 €

Les époux Filella ont créé leur propre domaine en 2001. Retenus l'an passé avec leurs Vieilles Vignes, ils ont proposé cette année une superbe Tramuntana. Un vin qui séduit par sa couleur cerise burlat brillant et son nez frais, subtil, où se mêlent cassis et poivre. En bouche, l'attaque se montre franche et ample ; le fruit très présent n'est pas masqué par onze mois de barrique. L'élevage maîtrisé confère une harmonie raffinée à cette cuvée petite par les volumes mais gourmande et qui respire le plaisir.

Dom. de la Capeillette, 2, traverse de la Fontaine,
66720 Latour-de-France, tél. et fax 04.68.29.16.35
t.l.j. sf sam. dim. 16h30-19h
M. Filella

## LA CARMAGNOLE Caramany 2003 *

■ 30 ha 8 000 5 à 8 €

A Caramany, les vignerons jouent le terroir de gneiss. En ajoutant à la syrah et au grenache une proportion de carignan vinifié en macération carbonique, ils chantent la carmagnole autour des petits fruits rouges sur des notes de violette. Le refrain met en scène les épices douces, et la finale structurée et souple se fond dans des tanins enrobés.

SCV de Caramany, 66720 Caramany,
tél. 04.68.84.51.80, fax 04.68.84.50.84 r.-v.

## DOM. DES CHENES Tautavel La Carissa 2001

■ 1,8 ha 5 000 15 à 23 €

Pour qui connaît le cirque de Vingrau, pas de surprise. Pour les autres, c'est une étape qu'ils doivent considérer comme incontournable. La beauté de la nature, les couleurs, les calcaires dominants, tous ces joyaux se retrouvent dans la Carissa des Razungles, un vin grenat intense dont le nez ouvert révèle des notes de fruits rouges. Epicé (poivre), concentré, charpenté et équilibré, il appelle une belle côte de bœuf accompagnée d'une poêlée de girolles et de cèpes.

Razungles, Dom. des Chênes, 7, rue Mal-Joffre,
66600 Vingrau, tél. 04.68.29.40.21, fax 04.68.29.10.91,
e-mail domainedeschenes@wanadoo.fr
t.l.j. sf sam. dim. 9h-12h 14h-18h

## DOM BRIAL Elevé en fût de chêne 2001 *

■ 15 ha 85 000 5 à 8 €

Une cave moderne et dynamique, de très jolies cuvées en vins doux naturels et une réussite d'équilibre dans ce 2001. Le vin, drapé d'une robe grenat, s'exprime pleinement au nez où un léger boisé enveloppe des notes florales, des nuances de cassis et même de café. Cette complexité se retrouve dans une bouche concentrée, ample, où les fruits noirs valorisent la puissance, garante de l'avenir de cette bouteille.

Cave de Baixas - Vignobles Dom Brial,
14, av. du Mal-Joffre, 66390 Baixas,
tél. 04.68.64.22.37, fax 04.68.64.26.70,
e-mail contact@dom-brial.com r.-v.

## DOM. FONTANEL
Tautavel Prieuré Elevé en fût de chêne 2003 ***

■ 4 ha 10 000 11 à 15 €

Comme à son habitude, Pierre Fontanel, coup de cœur l'an passé avec le 2002, réussit ses cuvées : **Tautavel Cistes 2003 (8 à 11 €)** obtient une étoile, et cette nouvelle cuvée Prieuré éblouit le jury ; ce vin profond aux reflets violines est très prometteur. Après une attaque puissante, les fruits à l'eau-de-vie, le fin boisé et l'équilibre se rencontrent dans un palais qui offre l'onctuosité, l'élégance et l'harmonie des grands vins.

Dom. Fontanel, 25, av. Jean-Jaurès, 66720 Tautavel,
tél. 04.68.29.04.71, fax 04.68.29.19.44,
e-mail domainefontanel@hotmail.com
t.l.j. 10h-12h30 14h-19h
Fontaneil

LES HAUTS DE FORCA REAL 2002 ★★

■ n.c. n.c. 15 à 23 €

Sur une colline de schistes, au-dessus de Millas, les oliviers protègent la vigne toute proche. Dans les chais souterrains, les Hauts se sont élevés. L'habit est rouge profond : il est bien porté par un vin présent et expressif. Ce 2002 fait preuve d'un réel équilibre et d'une solide structure qui lui permettront de s'associer à une table prestigieuse.

J.-P. Henriquès, Dom. Força Réal, Mas de la Garrigue, 66170 Millas, tél. 04.68.85.06.07, fax 04.68.85.49.00, e-mail info@forcareal.com r.-v.

LA FOUN DEL BESSOU Lesquerde 2001

■ 8 ha 5 000 11 à 15 €

En pleine nature, autour du petit village, les granites de Lesquerde apportent aux vins souplesse et finesse. Nouvelle cuvée élevée en barrique, ce qui n'est pas l'habitude de la coopérative. La belle maîtrise du bois permet de conserver l'expression des fruits rouges qui se mêlent aux épices et à une touche de torréfaction. L'onctuosité et la suavité répondent aux critères de l'appellation.

SCV Lesquerde, rue du Grand-Capitoul, 66220 Lesquerde, tél. 04.68.59.02.62, fax 04.68.59.08.17, e-mail lesquerde@wanadoo.fr t.l.j. sf dim. 9h-12h 14h-18h

HAUTE COUTUME
Tautavel Calcaires d'Estagel 2000 ★

■ n.c. 13 500 8 à 11 €

Le plus important groupement de producteurs du département signe là une bien belle cuvée. Les calcaires sont cette année à l'honneur. La proportion importante de mourvèdre apporte au vin toute sa charpente et sa richesse aromatique. Les épices douces, les notes de grillé et la pointe de venaison se fondent dans une finale où dominent pain d'épice et réglisse. Notez que la cuvée **Tautavel 2003 (3 à 5 €)** obtient une citation.

Vignerons Catalans, 1870, av. Julien-Panchot, BP 29000, 66962 Perpignan Cedex 9, tél. 04.68.85.04.51, fax 04.68.55.25.62, e-mail contact@vigneronscatalans.com t.l.j. 9h-12h 14h-17h

HECHT & BANNIER 2002 ★★

■ n.c. n.c. 15 à 23 €

Les quatre cépages emblématiques de l'appellation apportent au vin le fruité de la mûre sauvage et de la prune rouge. La bouche évolue sur des notes de pruneau confit et d'épices. Les tanins très veloutés et vanillés offrent une finale équilibrée et d'une bonne longueur. Un moment de plaisir certain dès aujourd'hui.

Hecht & Bannier, 42, Grand-Rue, 34140 Bouzigues, tél. 04.67.74.66.38, fax 04.67.74.66.45, e-mail contact@hbselection.com r.-v.

MAS JANEIL 2002 ★

■ 8,25 ha 24 750 8 à 11 €

L'esprit du Sud est bien ancré chez les frères Lurton, propriétaires de plusieurs vignobles dans le monde ; il leur permet de signer ici un joli vin de schistes. L'élevage en barrique, maîtrisé, rehausse l'élégance de ce 2002 de bel équilibre. Les notes d'épices et de réglisse ne masquent pas la finesse des fruits rouges. Un petit gibier accompagnera parfaitement cette bouteille.

SA Jacques et François Lurton, Dom. de Poumeyrade, 33870 Vayres, tél. 05.57.55.12.12, fax 05.57.55.12.13, e-mail jflurton@jflurton.com

MAS JAUME Tautavel Cuvée Candice 2003 ★★

■ 10 ha 20 000 5 à 8 €

Les vignes de Charles et Sylvie Faisant forment une mosaïque sur ce terroir ocre, noir et blanc. Cette cuvée est élaborée à partir des raisins issus des terrasses de schistes et des pentes argilo-calcaires. Un univers de fruits, d'épices, de confiture de groseilles et une pointe de cuir que l'on retrouve dans une bouche qui privilégie la richesse et la finesse des tanins. Un vin chaleureux et tonique.

Sylvie et Charles Faisant, Mas Séguala, 66720 Tautavel, tél. 04.67.30.09.06, fax 04.67.30.03.34 r.-v.

DOM. DE LA JOLIETTE
Cuvée Romain Mercier Elevé en fût de chêne 2002 ★

■ 1,8 ha 8 800 8 à 11 €

Jouissant d'une vue imprenable sur la plaine du Roussillon, le domaine est un lieu privilégié ; le vignoble d'un seul tenant jouxte un magnifique bois de pins. Toutes les conditions sont remplies pour une culture en agrobiologie ; le vigneron se plaît à élaborer des vins typés, comme cette cuvée Romain Mercier, élevée en fût. L'expression du fruit est très présente et les notes grillées enveloppent une belle matière. La charpente est solide mais pas seulement tannique. Cette bouteille se montre déjà agréable tout en étant capable d'affronter une garde de trois ans.

EARL A. et Ph. Mercier, Dom. Joliette, rte de Montpins, 66600 Espira-de-l'Agly, tél. 04.68.64.50.60, fax 04.68.64.18.82, e-mail mercier.jolieette@wanadoo.fr t.l.j. sf sam. dim. 8h-12h 14h-18h

DOM. LACASSAGNE
Elevé en fût de chêne 2003 ★★

■ 30,55 ha 10 000 5 à 8 €

En 1956, après le gel de février, Henri Lacassagne plante la plus grande oliveraie de France juste à côté des vignes. Le vignoble, lui, est restructuré dans les années 1982 et le petit-fils prend les rênes du domaine en 2001. Remarquable 2003 ! Le jury a qualifié de superbe le nez où la mûre écrasée domine la touche boisée. La bouche concentrée et onctueuse, aux notes de fraise, de confiture de cerises avec une pointe de cacao, révèle une matière de qualité. L'ensemble associe puissance et finesse.

Dom. Lacassagne, Mas Balande, km 1 rte d'Elne, 66100 Perpignan, tél. 04.68.50.25.32, fax 04.68.50.56.52, e-mail info@lacassagne.net t.l.j. sf sam. dim. 9h-12h 14h-18h

DOM. DU MARIDET Cocodril 2002

■ n.c. 4 200 8 à 11 €

Louis Rigaill, associé depuis 2001 avec J.-F. Tisseyre son beau-frère, continue à faire ses gammes sur ses deux propriétés aux terroirs bien distincts. Ce Cocodril est déjà un plaisir et gagnera à attendre. Les notes toastées, réglissées et les nuances de confiture de vin précèdent une belle matière où vanille, touche boisée et fruits confiturés se mêlent harmonieusement. Une telle richesse mérite deux ans de garde.

Dom. du Maridet, 21, bd de la Marine,
Mas de L'Alme, 66510 Saint-Hippolyte,
tél. et fax 04.68.59.61.46 r.-v.
Louis Rigaill

DOM. MOUNIE Tautavel Expression 2002 *

n.c. 8 000 8 à 11 €

Le terroir de Tautavel est encore à l'honneur avec cette cuvée, assemblage de syrah (60 %), grenache (30 %) et carignan (10 %). Régulièrement retenu, Claude Rigaill propose une fois de plus un millésime très réussi à la robe profonde. Le nez intense, finement réglissé, s'ouvre sur des nuances épicées. La bouche développe un joli moelleux et des tanins fins. La finale est agréable, d'une grande fraîcheur.

Dom. Mounié, 1, av. du Verdouble, 66720 Tautavel,
tél. 04.68.29.12.31, fax 04.68.29.05.59,
e-mail domainemounie@free.fr
t.l.j. sf dim. 10h-12h 14h-18h; nov.à mars sur r.-v.
Claude Rigaill

CH. DE PENA Elevé en fût de chêne 2001 *

10,82 ha 30 000 8 à 11 €

« Maisons sur le rocher » est la traduction littérale du nom du village. Les vignes sont implantées à l'entrée de la vallée de l'Agly sur des schistes noirs. Ce 2001, riche et puissant, développe des arômes de cuir, de fruits noirs et de genièvre. L'élevage en fût, bien maîtrisé, donne au vin une riche matière qui permettra un accord parfait avec du gibier ou une viande en sauce.

Les Vignerons de Cases-de-Pène,
2, bd Mal-Joffre, 66600 Cases-de-Pène,
tél. 04.68.38.93.30, fax 04.68.38.92.41
t.l.j. sf ven. sam. dim. 9h-12h 14h-18h

DOM. POUDEROUX Latour de Grés 2003 *

2,5 ha 9 500 11 à 15 €

A Maury, Robert et Cathy Pouderoux cultivent le fruité : les notes de mûre, de cerise, de pruneau se retrouvent dans tous leurs vins secs ou doux. Cette cuvée mi-schistes mi-grès apporte au-delà des arômes de fruits, son lot de violette, de réglisse et une jolie touche de sous-bois. Généreux et tannique, ce vin demande à être carafé. Puissance et harmonie seront toujours au rendez-vous après deux ou trois ans de garde.

Dom. Pouderoux, 2, rue Emile-Zola, 66460 Maury,
tél. 04.68.57.22.02, fax 04.68.57.11.63,
e-mail 123pou@wanadoo.fr r.-v.

PRESIDENT BORIES 2001 ***

12 ha 22 000 5 à 8 €

La cave de Maury, habituée du Guide en vins doux naturels, propose cette année deux vins secs retenus par le jury : la cuvée **Les Roches noires élevé en fût de chêne 2002**, citée, et ce magnifique 2001 proche du coup de cœur. Sa robe pourpre est étincelante. Puissant, typé par le grenache noir, le corps n'en est pas moins fin et élégant. Riche et complexe, le palais est un panier de gourmandises : pruneau, fruits et épices s'y rencontrent. Un vin rond et suave à partager avec ses meilleurs amis.

SCAV Les Vignerons de Maury,
128, av. Jean-Jaurès, 66460 Maury,
tél. 04.68.59.00.95, fax 04.68.59.02.88,
e-mail a.majoral@vigneronsdemaury.com r.-v.

DOM. DE RANCY Latour-de-France 2003 *

2 ha 4 000 11 à 15 €

Connu et reconnu pour ses vieux rivesaltes ambrés aux notes de rancio, Jean-Hubert Verdaguer propose son Latour-de-France né sur schistes. Du mourvèdre, du carignan, du grenache, des vinifications séparées, de longues macérations, des pigeages ont donné naissance à un vin à la fois charpenté et généreux. Les expressions de fruits mûrs accompagnent une longueur séduisante.

Jean-Hubert Verdaguer, Dom. de Rancy,
11, rue Jean-Jaurès, 66720 Latour-de-France,
tél. 04.68.29.03.47, fax 04.68.29.06.13,
e-mail rancy2@wanadoo.fr
t.l.j. 10h-12h30 15h-19h; dim. 15h-19h

DOM. LE ROC DES ANGES Vieilles Vignes 2003 *

6,5 ha 10 000 15 à 23 €

Marjorie Gallet adore ses vieilles vignes de carignan, de grenache et de syrah implantées sur les schistes de Montner. Cette cuvée, fruit d'un lent élevage bien maîtrisé, affiche une forte personnalité. Tout en rondeur, imprégnée par des arômes de petits fruits rouges, la bouche séduit par sa présence ; la palette s'intensifie sur des notes boisées, de cerise à l'eau-de-vie et d'une once de réglisse. La vigneronne, comme à l'accoutumée, signe un joli vin empreint d'authenticité.

Le Roc des Anges, 3, Grande-Rue, 66720 Montner,
tél. 04.68.29.16.62, fax 04.68.29.45.31,
e-mail rocdesanges@aol.com r.-v.
Marjorie Gallet

CH. ROMBEAU Cuvée Elise Vieilles Vignes 2003 **

4 ha 15 000 11 à 15 €

« Ouvert toute la vie » : la devise de Pierre-Henri de La Fabrègue. Au château Rombeau, la cave, le restaurant et, à quelques pas de là, l'hôtel des Vignes vivent au rythme endiablé du maître des lieux. Quand vous lui rendrez visite, laissez-le, le soir venu, autour de la table conviviale, vous conter son vin. Entre ses mots justes et les notes harmonieuses de la cuvée Elise, la partition retiendra toute votre attention et vos papilles s'abandonneront aux plaisirs de saveurs gourmandes.

Pierre-Henri de La Fabrègue, Dom. de Rombeau,
av. de la Salanque, 66600 Rivesaltes,
tél. 04.68.64.35.35, fax 04.68.64.64.66,
e-mail domaine-de-rombeau@wanadoo.fr
t.l.j. 8h-19h (été 20h)

DOM. ROUAUD Têt pourpre Scherzo 2003 *

0,17 ha 900 8 à 11 €

Jérôme Rouaud était caviste à Paris ; poussé par sa passion, il veut vivre la vigne. Tout juste au nord de la Têt, dans le village de Pézilla-la-Rivière, il tombe amoureux d'une petite mosaïque de 9 ha de vignes et de son cortège de nobles cépages. Sa première cuvée le propulse dans le Guide. Le jury a apprécié le grenat friand de la robe. Le côté « terre chaude » et l'expression d'épices séduisent au nez. L'attaque souple, le velouté du fruit, la cerise croquée dans la chair donnent un ensemble jeune et plein de vivacité. La finale aux touches de violette et de menthol promet une belle dégustation.

Jérôme Rouaud, 7, rue du Portal-d'Amont,
66370 Pézilla-La-Rivière, tél. et fax 04.68.92.46.59,
e-mail rouaudvigneron@aol.com r.-v.

CH. SAINT-ROCH Kerbuccio 2003 ★

■ 6 ha 12 200 ⫴ 23 à 30 €

Il fut coup de cœur l'an dernier. Marc et Emma Bournazeau présentent le 2003, paré comme il se doit d'une robe grenat profond. Des senteurs agréables de laurier, de violette et de cerise mûre se retrouvent en aimable complicité au palais, avec des notes de garrigue, de fumé et de réglisse dans une finale au boisé maîtrisé.

SA Ch. Saint-Roch, 66460 Maury,
tél. 04.68.29.07.20, fax 04.68.29.19.15,
e-mail chateausaintroch@aol.com r.-v.
Marc Bournazeau

DOM. DES SCHISTES La Coumeille 2001 ★★★

■ 1,5 ha 4 000 ⫴ 15 à 23 €

Domaine des Schistes
LA COUMEILLE
Côtes du Roussillon Villages
Appellation Côtes du Roussillon Villages Contrôlée
2001
Mis en bouteille au domaine
Jacques et Nadine Sire
66310 ESTAGEL
Alc.14,5% by vol. 750 ml
Produit de France

Un domaine d'une magnifique régularité. Le réel savoir-faire de Jacques Sire est une fois de plus reconnu par un coup de cœur. Dans ce domaine familial, Jacques Sire, entouré de Nadine et de son fils Mickael, élabore des cuvées de terroirs typées et de forte personnalité. Le jury a apprécié la cuvée **Tradition 2003 (5 à 8 €)**, une étoile, mais La Coumeille a conquis tous les cœurs. Robe pourpre, éclatante et brillante. Le nez intense, d'une grande finesse, joue une véritable partition du buis aux notes florales, ponctuée par des touches de bourgeon de cassis. Onctueuse et puissante, aromatique et dynamique, la bouche fraîche, savoureusement épicée est remarquable de persistance. Déjà séduisant, un grand vin auquel son potentiel permet d'affronter une garde de deux à cinq ans.

Jacques Sire, Dom. des Schistes, 1, av. Jean-Lurçat,
66310 Estagel, tél. 04.68.29.11.25, fax 04.68.29.47.17,
e-mail sire-schistes@wanadoo.fr r.-v.

DOM. SEMPER Lesquerde Famae Traditions 2003

■ 4 ha 12 000 5 à 8 €

Sur les routes des châteaux cathares, la famille Semper, établie à Maury, possède aussi un vignoble dans l'aire de Lesquerde. Cette année la cuvée Famae à dominante de syrah a plu au jury. Le nez intense de fruits mûrs libère quelques notes animales. L'élevage a respecté la matière et le fruit. Des arômes de fraise des bois soulignent la longue finale.

Dom. Paul Semper, 2, chem. du Rec,
66460 Maury, tél. et fax 04.68.59.14.40,
e-mail domaine.semper@wanadoo.fr r.-v.

DOM. DE LA SERRE Serre longue 2003 ★

■ 8 ha 15 000 ⫴ 11 à 15 €

Arnaud et Jean-Louis Vera sont à nouveau présents dans le Guide pour leur deuxième millésime. Un costume tulipe noire met en valeur cette cuvée 2003. Autour de parfums de myrtille mêlés de senteurs délicates de violette apparaît un corps caressant et subtil. Un boisé fin, des arômes concentrés de fruits rouges, de réglisse et de Zan s'épanouissent lentement dans ce joli vin à déguster ou à attendre.

Jean-Louis Vera, Dom. de La Serre,
10, rue Dr-Pougault, 66460 Maury,
tél. et fax 04.68.59.18.36,
e-mail jeanlouis.vera@club-internet.fr r.-v.

CH. SINGLA 2002 ★

■ 1,1 ha 2 700 ⫴ 15 à 23 €

Vigneron dans l'âme, passionné de viticulture raisonnée, Damien de Besombes est un homme de terroir. Il aime élaborer des vins exprimant les cépages et les sols. Ce Château Singla tient toutes ses promesses : un fruité agréable mêle la mûre sauvage et la prune rouge. Une bouche franche et conquérante évoque la gelée de myrtilles et le pruneau. Un tanin velouté accompagne une finale sur des notes grillées.

Dom. de Besombes-Singla,
4, rue de Rivoli, 66250 Saint-Laurent-de-la-Salanque,
tél. 04.68.28.30.68, fax 04.68.51.16.65,
e-mail ddbs@libertysurf.fr t.l.j. 9h-12h

TERRASSES D'AGLY 2002

■ 5 ha 25 000 5 à 8 €

Les vignerons d'Estagel soignent leurs cuvées en suivant le cahier des charges Terra Vitis. Des terrasses donnent naissance à un vin où syrah et mourvèdre ont légué des arômes totalement dominés par le fruit. L'élevage en cuve met en valeur les notes de bourgeon de cassis et de petits fruits rouges bien mûrs. La matière est plaisante. A déguster sur des côtelettes d'agneau grillées.

Les Vignerons des Côtes d'Agly, av. Louis-Vigo,
66310 Estagel, tél. 04.68.29.00.45, fax 04.68.29.19.80,
e-mail agly@tiscali.fr r.-v.

# Collioure

Portant le nom d'un charmant petit port méditerranéen, cette toute petite appellation couvre actuellement 560 ha produisant quelque 18 000 hl en rouge, rosé et blanc. Le terroir est le même que celui de l'appellation banyuls regroupant les quatre communes de Collioure, Port-Vendres, Banyuls-sur-Mer et Cerbère.

L'encépagement est à base de grenache noir, mourvèdre et syrah, le cinsault et le carignan entrant comme cépages accessoires. Jusqu'à 2002, les collioure étaient uniquement des vins rouges et rosés, élaborés en début de vendanges, avant la récolte des raisins pour le banyuls. La faiblesse des rendements est à l'origine de vins bien colorés, assez chauds, corsés, aux arômes de fruits rouges bien mûrs. Les rosés sont aromatiques, riches et néanmoins nerveux. Le collioure blanc, qui fait la part belle aux grenaches blanc et gris est produit depuis le millésime 2002.

### CAVE DE L'ABBE ROUS
Cuvée des Peintres 2004 *

■ n.c. 23 000 5 à 8 €

Un nouvel habillage pour cette bouteille de rosé étincelant à la robe soutenue. Un nez intense de fruits rouges frais précède une bouche très souple et puissante. Une pointe d'acidité apporte la touche nerveuse qui convient aux gambas ou rougets grillés. De la même cave, les cuvées **Mas Cornet blanc 2003 (11 à 15 €)**, une étoile, et **Cornet et Cie rouge 2003 (11 à 15 €)**, cité, ont retenu l'attention du jury par leur grande souplesse et par leur finesse. On les dégustera avec plaisir dès aujourd'hui.

Cave de l'Abbé Rous, 56, av. Charles-de-Gaulle, 66650 Banyuls-sur-Mer, tél. 04.68.88.72.72, fax 04.68.88.30.57, e-mail contact@banyuls.com

### DOM. BERTA-MAILLOL 2004

■ 2 ha 5 000 8 à 11 €

Tout près du musée Aristide Maillol, sur la route des Mas, en pleine nature, les frères Berta travaillent un vignoble dans la famille depuis les années 1600. Ils cultivent toujours les vignes qui appartenaient au sculpteur Aristide Maillol. Ce jeune blanc 2004, jaune pâle très brillant, possède un nez de noisette et de vanille où s'entremêlent des notes anisées et des nuances d'agrumes. Une attaque vive joue les contrastes avec le gras du vin. A déguster avec une grillade de poissons de la Méditerranée.

Berta-Maillol, rte des Mas, 66650 Banyuls-sur-Mer, tél. 04.68.88.00.54, fax 04.68.88.36.96, e-mail domaine.berta-maillol@tele2.fr
t.l.j. 10h30-19h

### DOM. DE LA CASA BLANCA 2003 ***

■ 2 ha 6 000 8 à 11 €

Domaine de la Casa Blanca
Collioure
Appellation Collioure Contrôlée
2003
Alain Soufflet et Laurent Escapa
Vignerons à Banyuls-sur-Mer
ALC. 13 % VOL. PRODUIT DE FRANCE 750 ML

Une retraite bien méritée au « Capitaine », Alain Soufflet, comme on l'appelle à Banyuls. Il laisse les commandes à Hervé Levano qui, après avoir travaillé sur le terrain, officie en cave pendant que son complice, Laurent Escapa, entretient les vignes de syrah et de grenache installées sur les petites terrasses schisteuses. Coup de cœur unanime, cette jolie cuvée 2003 suscite un commentaire admiratif : « Vin nature, d'une belle densité, fruité et authentique ! » Son attaque ronde et ses tanins soyeux soulignent l'ampleur du palais. Croquant et gourmand, généreux et persistant, ce collioure joue l'harmonie. Un gigot d'agneau, cuit lentement à la ficelle, ne saurait lui résister.

Dom. de la Casa Blanca, 16, av. de la Gare, 66650 Banyuls-sur-Mer, tél. 04.68.88.12.85, fax 04.68.88.04.08 r.-v.
Laurent Escapa - Hervé Levano

### LES CLOS DE PAULILLES 2004 ***

■ 25 ha 126 000 5 à 8 €

Nichée entre Port-Vendres et Banyuls-sur-Mer, la crique de Paulilles est un havre de beauté. La ferme auberge d'Estelle Dauré propose la gamme des vins du domaine autour d'un repas convivial. Voici un rosé typique de Collioure ; la robe violine aux reflets pivoine annonce un nez intense de fraise et de framboise. La bouche charnue, fruitée, croquante et pleine de charme saura se faire apprécier sur des entrées fraîches. On dégustera ensuite le **collioure rouge 2002 (11 à 15 €)** qui obtient une étoile.

Famille Dauré, Les Clos de Paulilles, Baie de Paulilles, 66660 Port-Vendres, tél. 04.68.38.07.58, fax 04.68.38.91.33, e-mail daure@wanadoo.fr r.-v.

### COUME DEL MAS Quadratur 2003 ***

■ 4 ha 6 000 23 à 30 €

Concentration, finesse, tanins soyeux, onctuosité... quelques-uns des qualificatifs suscités par les vins de Philippe Gard, vigneron amoureux fou de son terroir de schistes. Cette cuvée d'un rubis profond aux reflets tuilés séduit d'emblée par son nez intense de pain grillé et de cerise à l'eau-de-vie, annonçant la richesse et la puissance du palais. Equilibrée, elle offre un fruité rehaussé de notes boisées jusque dans une finale exceptionnellement longue et soulignée d'arômes d'épices, de réglisse et de café. Ce 2003 promet des moments délicieux pendant quatre à cinq ans.

Philippe Gard, Coume Del Mas, 3, rue Alphonse-Daudet, 66650 Banyuls-sur-Mer, tél. et fax 04.68.88.37.03, e-mail coumedelmas@tiscali.fr
r.-v.

### LE DOMINICAIN Les Culottes 2002 *

■ n.c. 9 500 8 à 11 €

Face au cloître-musée, la cave, ancien couvent des dominicains, réserve toujours des surprises. Cette année Les Culottes sont d'un joli rouge rubis. Ce vin capiteux et floral, intense et persistant, nous rappelle la richesse de ce terroir. En bouche, une note de ciste apparaît sur des tanins soyeux qui donnent corps à l'ensemble. Un pavé de biche sur un lit de baies rouges sera un excellent compagnon.

Cave coop. Le Dominicain, pl. Orfila, 66190 Collioure, tél. 04.68.82.05.63, fax 04.68.82.43.06, e-mail le-dominicain@wanadoo.fr r.-v.

### DOM. MADELOC Trémadoc 2003 ***

■ 5 ha 6 000 11 à 15 €

Entrée remarquée dans l'univers de Collioure pour ce jeune domaine créé en 2003 par Jean Baills, comme vigneron banyulencque, et Pierre Gaillard venu de la Côte Rôtie. Une association de savoir-faire qui donne deux vins exceptionnels, tous deux proches du coup de cœur. La **Cuvée Serral rouge 2003 (15 à 23 €)**, puissante, complexe et riche d'épices (poivre et vanille) qui obtient trois étoiles comme ce Trémadoc blanc issu de grenache gris et blanc plantés sur les sols du hameau de Cosprons. Il a tout de l'élégance d'un grand vin : de riches notes de fruits et la pointe de minéralité traduisant l'attachement à Collioure. A découvrir sans attendre.

🔑 SCEA Gaillard et Baills, Dom. Madeloc,
1 bis, av. du Gal-de-Gaulle, 66650 Banyuls-sur-Mer,
tél. 04.68.88.38.29, fax 04.68.88.04.65,
e-mail domaine-madeloc@wanadoo.fr ☑ 𝕀 ⛹ r.-v.

DOM. DU MAS BLANC Cosprons levants 2003 *

■ 4 ha 6 000 15 à 23 €

Au cœur de Banyuls, Jean-Michel Parcé soigne ses cuvées. Il signe là une fort belle bouteille au nez fin, brioché, sur des airs de confiture de fruits rouges. La bouche épicée, puissante et chaleureuse, aux notes de sous-bois repose sur des tanins racés assurant un bon équilibre. Structuré et riche, ce vin peut être servi dès aujourd'hui, mais une garde de plusieurs années ne lui fait pas peur.

🔑 SCA Parcé et Fils,
9, av. du Gal-de-Gaulle, 66650 Banyuls-sur-Mer,
tél. et fax 04.68.88.32.12,
e-mail info@domaine-du-mas-blanc.com
☑ 𝕀 t.l.j. sf sam. dim. 9h-12h 14h-18h

CELLIER DES TEMPLIERS Premium 2003 *

■ n.c. 17 500 15 à 23 €

La plus grande cave coopérative de l'appellation, perchée sur les hauts de Banyuls, associe dans cette cuvée l'expression du mourvèdre, du grenache et de la syrah. Original, le bouquet offre des arômes de pain grillé, de fruits cuits compotés, de vanille et de réglisse. Les tanins encore serrés à l'attaque laissent place à des nuances d'épices douces et à des notes toastées. A servir dans les deux ans à venir. A noter également, le **Château des Abelles 2003 rouge (11 à 15 €)**, à déguster dès aujourd'hui, qui obtient une étoile.

🔑 Cellier des Templiers,
rte du Mas-Reig, 66650 Banyuls-sur-Mer,
tél. 04.68.98.36.70, fax 04.68.98.36.91,
e-mail accueil-visite@templers.com
☑ 𝕀 ⛹ t.l.j. 10h-12h30 14h30-19h

DOM. LA TOUR VIEILLE Rosé des roches 2003

■ 1 ha 4 500 8 à 11 €

Un véritable vin de terroir et un joli travail de vigneron : les schistes s'expriment parfaitement dans ce vin de grenache noir. Ce rosé chante les fruits frais. De savoureux poissons méditerranéens accompagneront fort bien son onctuosité. A noter, la **cuvée Puig Oriol 2003 rouge (11 à 15 €)**, citée : là encore, le grenache noir joue sur des arômes de cerise autour d'une puissance maîtrisée.

🔑 Dom. la Tour Vieille,
12, rte de Madeloc, 66190 Collioure,
tél. 04.68.82.44.82, fax 04.68.82.38.42 ☑ 𝕀 r.-v.
🔑 Christine Campadieu - Vincent Cantié

DOM. DU TRAGINER 2003 *

□ 1 ha 1 600 15 à 23 €

Jean-François Deu adore la nature. Pratiquant la culture bio et toujours accompagné de son mulet sur les terrasses de schistes qui dominent la Méditerranée, il livre des vins de forte personnalité comme ce blanc de caractère. Tout en puissance, ce 2003 s'ouvre sur des notes d'abricot sec, de citron confit et de miel. Une bouteille élégante, dans la douceur boisée. La **Cuvée du Capatas 2003 rouge (30 à 38 €)** est citée par le jury. Générosité et structure donnent le ton de ce vin en devenir.

🔑 Jean-François Deu, Dom. du Traginer,
56, av. du Puig-del-Mas, 66650 Banyuls-sur-Mer,
tél. 04.68.88.15.11, fax 04.68.88.31.48 ☑ 𝕀 ⛹ r.-v.



# Les vins doux naturels du Roussillon

## Banyuls et banyuls grand cru

Voici un terroir exceptionnel, comme il en existe peu dans le monde viticole : à l'extrémité orientale des Pyrénées, des coteaux en pente abrupte sur la Méditerranée. Seules les quatre communes de Collioure, Port-Vendres, Banyuls-sur-Mer et Cerbère bénéficient de l'appellation. Le vignoble (1 260 ha environ) s'accroche le long des terrasses installées sur des schistes dont le substrat rocheux est, sinon apparent, tout au plus recouvert d'une mince couche de terre. Le sol est donc pauvre, souvent acide, n'autorisant que des cépages très rustiques, comme le grenache, aux rendements extrêmement faibles, souvent moins d'une vingtaine d'hectolitres à l'hectare : la production de banyuls et de banyuls grand cru a produit 24 000 hl en 2004.

En revanche, l'ensoleillement optimisé par la culture en terrasses – culture difficile où le vigneron entretient manuellement les terrasses, en protégeant la terre qui ne demande qu'à être ravinée par le moindre orage – et le microclimat qui bénéficie de la proximité de la Méditerranée sont sans doute à l'origine de la noblesse des raisins gorgés de sucre et d'éléments aromatiques.

L'encépagement est à base de grenache ; ce sont surtout de vieilles vignes qui occupent le terroir. La vinification se fait par macération des grappes ; le mutage intervient parfois sur le raisin, permettant ainsi une longue macération de plus d'une dizaine de jours ; c'est la pratique de la macération sous alcool, ou mutage sur grains.

L'élevage joue un rôle essentiel. En général, il tend à favoriser une évolution oxydative du produit, dans le bois (foudres, demi-muids) ou en bonbonnes exposées au soleil sur les toits des caves. Les différentes cuvées ainsi élevées sont assemblées avec le plus grand soin par le maître de chai pour créer les nombreux types que nous connaissons. Dans certains cas, l'élevage cherche à préserver au contraire le fruit du vin jeune en empêchant toute oxydation ; on obtient alors des produits différents aux caractéristiques organoleptiques bien précises : ce sont les rimages. Il faut noter que, pour l'appellation grand cru, l'élevage sous bois est obligatoire pendant trente mois.

Les vins sont rouges, de couleur rubis à acajou, avec un bouquet de raisins secs, de fruits cuits, d'amandes grillées, de café, d'eau-de-vie de pruneau ou plus rarement blancs (1 500 hl). Les rimages gardent des arômes de fruits rouges, cerise et kirsch. Les banyuls se dégustent à une température de 12 ° à 17 °C selon leur âge ; on les boit à l'apéritif, au dessert (certains banyuls sont les seuls vins à pouvoir accompagner un dessert au chocolat), avec un café et un cigare, mais également avec du foie gras, un canard aux cerises ou aux figues, et certains fromages à pâte persillée.

# Banyuls

## ABBE ROUS Cornet & Cie 2003 *

■ n.c. 9 030 15 à 23 €

L'intérêt des rimages (ou vintages) de mise tardive est de pouvoir associer la richesse du fruit extraite par mutage sur grains (ajout d'alcool sur la vendange en pleine fermentation) avec une oxydation ménagée obtenue par un court élevage en récipient de bois bien ouillé. Cela donne, au-delà de la jolie robe bigarreau, un nez qui joue entre épices et cerise-cassis, et surtout une explosion de petits fruits rouges en bouche, agrémentée du soyeux des tanins finement réglissés. D'un équilibre un peu doux, ce 2003 est à consommer très frais sur des fruits des bois. Citée, la cuvée **Helyos 2002 (38 à 46 €)** est à attendre.

Cave de l'Abbé Rous, 56, av. Charles-de-Gaulle, 66650 Banyuls-sur-Mer, tél. 04.68.88.72.72, fax 04.68.88.30.57, e-mail contact@banyuls.com

## DOM. BERTA-MAILLOL 2003 **

■ 5,13 ha 30 000 8 à 11 €

La famille est douée pour la sculpture, c'est un fait. Si le plus connu, Aristide Maillol, nous a laissé quelques beautés dénudées et bien en chair, le reste de la famille vigneronne s'est attaqué au chantier plus vaste des terrasses de Banyuls. Ce 2003 au tuilé trahissant l'élevage en fût hésite entre eau-de-vie de noyau et guignolet, sur fond de fruit confituré. La bouche reprend ces nuances en ajoutant fruits cuits et pruneau. D'un bel équilibre entre tanins et sucrosité, elle offre une finale épicée marquée par la noix muscade. **Rimage 94 (15 à 23 €)** obtient une étoile.

Berta-Maillol, rte des Mas, 66650 Banyuls-sur-Mer, tél. 04.68.88.00.54, fax 04.68.88.36.96, e-mail domaine.berta-maillol@tele2.fr
t.l.j. 10h30-19h

## DOM. DE LA CASA BLANCA Tradition 2003 **

■ 2 ha 6 000 11 à 15 €

Le jury n'ayant pu départager deux vins qui se sont révélés être du même producteur, nous parlerons des deux. Ce 2003, légèrement tuilé, apporte une touche minérale et sauvage à la mûre légèrement épicée. Il est ample et gras sur un équilibre doux ; le boisé joue avec le fruit mûr dans un vin en pleine expression. Le **Vintage 2003**, deux étoiles également, s'offre davantage sur des notes méditerranéennes de schiste chaud, de ciste et de genévrier. Le fruit perce sous des nuances de noix muscade, puis de vanille ; le tanin solide est de très belle facture.

Dom. de la Casa Blanca, 16, av. de la Gare, 66650 Banyuls-sur-Mer, tél. 04.68.88.12.85, fax 04.68.88.04.08 r.-v.
Alain Soufflet et Laurent Escapa

## CLOS CHATART 1999 *

■ 1,25 ha 3 000 15 à 23 €

En remontant la vallée de la Baillaury, le spectacle est prenant : le vieux vignoble s'accroche aux rochers et exploite la moindre parcelle de terre. Quand le sol est plat, les fermes en profitent pour occuper le terrain, et ce depuis fort longtemps, comme ce mas agreste du XII[e]s. qui abrite ce tuilé. Un banyuls dominé par des arômes de figue, de cacao et de pain d'épice. Le temps a fait son œuvre, et le tanin est velouté, soyeux, accompagné de fruits cuits, de cacao et de tabac miellé. Bref, ce que le temps fait de mieux sur les banyuls bien élevés : suavité et maturité, en attendant café, dessert aux noix ou cigare.

Jacques Laverrière, Clos Chatart, Vallon du Musée-Maillol, 66650 Banyuls-sur-Mer, tél. 04.68.88.12.58, fax 04.68.88.51.51
t.l.j. 10h-13h 16h-19h; f. janv.

## CROIX-MILHAS Quatre ans d'âge Elevé en foudre de chêne centenaire

■ n.c. n.c. 5 à 8 €

La SIVIR, avec une gamme de quatre vins doux naturels (maury, banyuls, rivesaltes ambré et muscat-de-rivesaltes), a pour objectif d'offrir un produit typique afin de faire découvrir au consommateur le monde merveilleux des vins doux naturels. Pari réussi sur la typicité avec ce banyuls élevé quatre ans en fût. Un séjour qui lui a légué une robe tuilée, acajou, des senteurs mêlées de liqueur de cerise, de grillé, de fruits secs et de figue. Charnu, chaleureux, le palais est en continuité avec le nez ; une légère amertume en finale apporte fraîcheur et longueur.

SIVIR, rte des Crêtes, 66650 Banyuls-sur-Mer, tél. 04.68.88.03.22, fax 04.68.98.36.97, e-mail sivir@templers.com

## L'ETOILE Extra-vieux 1993 ***

■ 150 ha 10 000 15 à 23 €

Le coup de patte talentueux du couple Terrier-Ramio continue de marquer le cru avec ces merveilles de vieux millésimés, sous l'œil enchanté du président Centène. La vieille cave enchâssée au cœur du village n'a pas fini de vous ravir. L'élevage a apporté à cet extra-vieux une robe tuilée et un superbe nez de cacao, de café, de fruits secs, de cuir et de rancio aux nuances de noix. On retrouve le

café et le cacao, avec le pruneau, dans une bouche riche, pleine, veloutée, superbe d'équilibre et de présence. Ce vin se prête à bien des exercices : cigare, café, chocolat un soir d'été face à la mer... Trois étoiles pour la cave du même nom ont été attribuées à la **Cuvée réservée 89 (15 à 23 €)**, un banyuls traditionnel, encore plein de vie.

SCA Banyuls L'Etoile,
26, av. du Puig-del-Mas, 66650 Banyuls-sur-Mer,
tél. 04.68.88.00.10, fax 04.68.88.15.10,
e-mail cave-letoile@tiscali.fr t.l.j. 8h-12h 14h-17h

## DOM. MADELOC Cirera 2003 ★

2 ha 5 400 11 à 15 €

L'ancienne cave Madeloc, établie près du pont, a été reprise de haute lutte face aux réticences locales. C'est désormais plus sereinement que l'avenir se dévoile. Cette jeune cuvée est pleine de promesses, alliant fruits confiturés, cerise charnue et touche de cacao autour de tanins bien présents. Il faudra l'attendre un peu pour ressentir la minéralité, le clou de girofle, la mûre et la griotte qui se dévoileront avec le temps, mais la patience sera récompensée. En attendant, le **Solera (23 à 30 €)**, une étoile, issu de très vieux vins, apportera sa finesse et sa complexité. (Deux bouteilles de 50 cl.)

SCEA Gaillard et Baills, Dom. Madeloc,
1 bis, av. du Gal-de-Gaulle, 66650 Banyuls-sur-Mer,
tél. 04.68.88.38.29, fax 04.68.88.04.65,
e-mail domaine-madeloc@wanadoo.fr r.-v.

## CUVEE RENE PERROT 2003

5 ha 10 750 8 à 11 €

Mondialement connue pour son site, pour les peintres fauvistes qui y ont séjourné, pour ses anchois, ses vins secs et son banyuls rouge, la petite cité de Collioure élabore également un banyuls blanc confidentiel comme ce 2003 aux reflets d'or et aux senteurs évoluées de fruits secs (noix). D'une grande originalité en bouche, toujours marquée par le fruit sec, cette bouteille est à servir très fraîche en apéritif.

Cave coop. Le Dominicain, pl. Orfila,
66190 Collioure, tél. 04.68.82.05.63, fax 04.68.82.43.06,
e-mail le-dominicain@wanadoo.fr r.-v.

## DOM. PIETRI-GERAUD 1998 ★

1,3 ha 3 700 11 à 15 €

Les dames de la Côte ont passé un contrat avec le banyuls blanc ! Allant même jusqu'à décrocher la plus haute distinction locale, le Bacchus, pour ce type de produit. Il est vrai qu'ici, finesse et élégance se conjuguent au féminin autour de l'or, du pain grillé, des notes empyreumatiques de fruits secs grillés, traduisant en bouche élevage et bonne évolution. Une citation pour la **cuvée Joseph Géraud 97 rouge**.

Maguy et Laetitia Piétri-Géraud,
22, rue du Dr Coste, 66190 Collioure,
tél. 04.68.82.07.42, fax 04.68.98.02.52,
e-mail domaine.pietri-geraud@wanadoo.fr
t.l.j. 10h-12h30 15h30-19h; sur r.-v. en hiver

## CELLIER DES TEMPLIERS Premium 2003

n.c. 7 500 30 à 38 €

Le Cellier est l'institution incontournable du banyuls, riche de l'histoire de ses vieux foudres et de l'action des hommes regroupés pour être plus forts. C'est aussi le mariage réussi de la technicité et de la tradition entre climatisation solaire et demi-muids pleins exposés au soleil. Voici un beau classique du type jeune, rubis, tout en fruits rouges, gouleyant, accompagné par la vanille et l'arête fraîche des tanins. A boire très frais dès à présent.

Cellier des Templiers, rte du Mas-Reig,
66650 Banyuls-sur-Mer, tél. 04.68.98.36.70,
fax 04.68.98.36.91, e-mail accueil-visite@templers.com
t.l.j. 10h-12h30 14h30-19h

## DOM. LA TOUR VIEILLE 2003 ★★

2 ha 10 000 11 à 15 €

Un excellent court-métrage a retracé avec Christine Campadieu et Vincent Cantié le quotidien viticole à Collioure, fait d'éclats de rires, d'inquiétude, de patience, de « coups de barre », de rude labeur et d'amitié partagée. Bel hommage aux enfants des terrasses reliant la mer aux cieux. Dès l'approche, le grenat de la robe s'entoure de senteurs confiturées mêlant cerise, cassis et mûre sur un fond minéral : toute l'expression d'un banyuls jeune dont le fruit s'affirme en bouche avec souplesse, velouté, relevé en finale par la fraîcheur épicée de très beaux tanins. Un ensemble d'excellente facture à réserver à un assortiment de fruits des bois nappé de chocolat noir. (Bouteilles de 50 cl.)

Dom. la Tour Vieille,
12, rte de Madeloc, 66190 Collioure,
tél. 04.68.82.44.82, fax 04.68.82.38.42 r.-v.
Christine Campadieu et Vincent Cantié



## DOM. DU TRAGINER Rimage Mise tardive 2002 ★

2 ha 4 000 15 à 23 €

Culture biologique, travail avec la mule sur les terrasses pentues et escarpées du cru, élevage sous bois, Jean-François Deu cultive la tradition avec succès et originalité. Personnage attachant, il est, à l'image du pays, entier et chaleureux. Comme cette cuvée acajou, fauve à longs reflets tuilés. L'élevage sous bois confère au vin une approche riche de prune à l'eau-de-vie, de cacao et de noix. Le palais se révèle ample, gras, épicé, très fondu ; les fruits secs grillés accompagnent une finale cacao et café. Il lui faut la forêt noire et le cigare ! (Bouteilles de 50 cl.)

Jean-François Deu, Dom. du Traginer,
56, av. du Puig-del-Mas, 66650 Banyuls-sur-Mer,
tél. 04.68.88.15.11, fax 04.68.88.31.48 r.-v.

## VIAL-MAGNERES Vintage 2002

n.c. 5 000 11 à 15 €

Avec Bernard Saperas, il faut parcourir le chemin muletier d'Anicet et descendre dans les vignes jusqu'au bord de la mer pour admirer, chemin faisant, l'architecture et le travail du vigneron en symbiose avec sa terre. Pour mieux comprendre la force tranquille des banyuls jeunes. Celui-ci est sur le fruit satiné, entre cassis, framboise et

cerise kirschée. Une cerise que l'on croque, charnue et réglissée, enrobée de tanins veloutés. Ce vin offrira un vrai plaisir avec une soupe de fruits... rouges.
Saperas, Dom. Vial-Magnères, Clos Saint-André, 14, rue Edouard-Herriot, 66650 Banyuls-sur-Mer, tél. 04.68.88.31.04, fax 04.68.88.02.43, e-mail al.tragou@wanadoo.fr r.-v.

# Banyuls grand cru

## CAMILLE DESCOSSY 2000

5 ha | n.c. | 15 à 23 €

Derrière le vieux portail du couvent des dominicains, il paraît étrange d'imaginer pressoirs et cuves sous des trésors de poutres peintes... Mais c'est ainsi. Ce n'est pas du vin de messe, mais un breuvage divin qui s'élabore doucement, adossé aux lourds et rassurants murs de schistes. Trente mois de fût et voilà le rouge profond de la robe qui s'orne d'acajou, la cerise qui s'adoucit, se pare de vanille et du grillé des fruits secs. Rondeur et fondu marquent la bouche sur des notes de café, alors que le pruneau dialogue avec la figue en attendant bavarois aux fraises ou clafoutis. Du vrai grand cru.
Cave coop. Le Dominicain, pl. Orfila, 66190 Collioure, tél. 04.68.82.05.63, fax 04.68.82.43.06, e-mail le-dominicain@wanadoo.fr r.-v.

## JEAN D'ESTAVEL Prestige **

n.c. | n.c. | 8 à 11 €

Le banyuls est surtout mis en bouteilles sur les lieux de production, car il n'y a que très peu de vin vendu en vrac. Tout l'art de Destavel, négociant, a donc été de bien comprendre ce terroir et de choisir, pour mise sur place, des cuvées représentatives du grand cru. Bonne pioche ! Ce vin bien élevé mêle des arômes de noix, de chocolat, de tabac miellé et de pain d'épice. Très présent et fondu en bouche, agrémenté de notes de torréfaction, il est remarquablement équilibré. Idéal sur le chocolat.
Destavel, 49, rue Mathieu-Dombasle, 66000 Perpignan, tél. 04.68.68.36.00, fax 04.68.54.03.54, e-mail info@destavel.com

## L'ETOILE Cuvée du 85e anniversaire *

3 ha | n.c. | 23 à 30 €

Il a fallu dix ans pour en arriver là. Dix ans de patience et de travail ; dix ans de séjour dans les fûts, foudres et demi-muids ; dix ans pour acquérir cette robe acajou, ces notes mêlées de vieux foudres, de cerise confiturée, de cacao, de cire, cette rondeur de bouche, ce tanin velouté et soyeux, et cette finale de pruneau qui se marie à la figue sur fond de torréfaction. Cela valait vraiment la peine d'attendre !
SCA Banyuls L'Etoile, 26, av. du Puig-del-Mas, 66650 Banyuls-sur-Mer, tél. 04.68.88.00.10, fax 04.68.88.15.10, e-mail cave-letoile@tiscali.fr t.l.j. 8h-12h 14h-17h

# Rivesaltes

Longtemps, rivesaltes fut la plus importante des appellations des vins doux naturels : elle atteignait 14 000 ha et 264 000 hl en 1995. Après un Plan rivesaltes qui a permis la reconversion d'une partie de ce vignoble, la production de cette appellation en difficulté économique est tombée à 131 000 hl en 2000. En 2004, elle a représenté 93 000 hl (et 120 000 hl avec l'AOC grand-roussillon) ; elle est désormais dépassée en volume par le muscat-de-rivesaltes dont les volumes atteignent 120 000 hl. Le terroir du rivesaltes s'étend en Roussillon et dans une toute petite partie des Corbières, sur des sols pauvres, secs, chauds, favorisant une excellente maturation. Quatre cépages sont autorisés : grenache, macabeu, malvoisie et muscat. Cependant, malvoisie et muscat n'interviennent que très peu dans l'élaboration de ces produits. La vinification se fait en général en blanc, mais aussi en rouge, pour des grenaches noirs, avec une macération, afin d'avoir le maximum de couleur et de tanin.

L'élevage des rivesaltes est fondamental pour la détermination de la qualité. En cuve ou dans le bois, ils développent des bouquets bien différents. Il existe une possibilité de repli dans l'appellation grand-roussillon.

Les couleurs varient de l'ambré au tuilé. Le bouquet rappelle la torréfaction, les fruits secs, et le rancio dans les cas les plus évolués. Les rivesaltes rouges ont, dans leur phase de jeunesse, des arômes de fruits rouges : cerise, cassis, mûre. On les boira à l'apéritif ou au dessert, à une température de 11 ° à 15 °C, selon leur âge.

## ARNAUD DE VILLENEUVE
Ambré Hors d'âge 1982

5 ha | 15 000 | 15 à 23 €

Bel hommage des Rivesaltais à celui qui, il y a des siècles, en ajoutant l'esprit du vin sur du moût en fermentation, pérennisa le principe d'élaboration des vins doux naturels. Après vingt ans de sage maturation en fût, foudre et demi-muid, voici un très bel ambré aux reflets rancio. Il s'ouvre doucement sur des notes de verveine, de miel, de romarin et des senteurs de garrigue. Douce, onctueuse, la bouche reprend cette palette aromatique et offre une finale remarquée pour sa fraîcheur.
Les Vignobles du Rivesaltais, 1, rue de la Roussillonnaise, 66600 Rivesaltes, tél. 04.68.64.06.63, fax 04.68.64.64.69, e-mail vignobles-rivesaltais@wanadoo.fr r.-v.

## CUVEE JACQUES BAISSAS
Ambré Hors d'âge Vieilli en fût de chêne

3 ha | 3 600 | 15 à 23 €

Hommage à Jacques Baissas, vigneron et ancien directeur du groupement de producteurs, goûtant aujourd'hui une retraite certes, active, mais méritée. Cette cuvée porte une robe ambre soutenu tirant sur le roux après cinq ans sous bois. Un élevage qui marque le nez de notes d'eau-de-vie de prune et de nuances cacaotées. Gras, liquoreux, marqué là aussi par le bois, le palais décline une gamme où torréfaction, fruits secs et eau-de-vie de noyau débouchent sur une finale relevée par une pointe d'amande sèche.

🔑 Cellier de la Dona, ancienne rte de Maury,
66310 Estagel, tél. 04.68.29.00.02, fax 04.68.29.09.26,
e-mail donabaissas@tiscali.fr ⊠ Y 🚶 r.-v.
🔑 Baissas

## CASTELL REAL

Ambré Hors d'âge Vieilli en fût de chêne ★★★

■ 10 ha 1 935 ■ ⦶ 15 à 23 €

Des premières terrasses de la Têt, les ceps de Corneilla partent à l'assaut de la colline du Castell Réal tels des milliers de soldats ordonnés, agités seulement par le souffle joueur de la tramontane. Le temps a fait ici son œuvre : l'ambre tend vers l'acajou avec les reflets olivâtres caractéristiques du rancio qui se retrouve en senteurs de fruits secs et de vieux foudre. La bouche, pleine, agrémentée de fruits confits, de zeste d'orange, de noix et d'amande grillée allie charme et élégance. Sorbet à l'abricot, dessert aux noix, café, cigare, tout lui va bien.

🔑 SCV Cellier Cassell Réal,
152, rte Nationale, 66550 Corneilla-la-Rivière,
tél. 04.68.57.38.93, fax 04.68.57.23.36,
e-mail cassell-real-com@wanadoo.fr ⊠ Y 🚶 r.-v.

## LE GRENAT PAR CAZES 1999 ★★

■ 4 ha 16 000 ■ 🌡 8 à 11 €

Un vaste domaine de 170 ha cultivé en biodynamie. Ont été retenus par le jury pour le fondu, la touche de garrigue et de figue un **tuilé 1988 (15 à 23 €)**, une étoile, et l'**ambré Aimé Cazes 1976 (46 à 76 €)**, deux étoiles, merveille d'élevage. Pour compléter la palette, ce grenat finement évolué et qui atteint une rare complexité de senteurs et d'arômes entre fruits rouges et sous-bois, entre fraîcheur et maturité. Ce vin très aromatique, aux tanins veloutés et soyeux sera délicieux sur une coupe de fruits rouges nappés de chocolat.

🔑 Dom. Cazes, 4, rue Francisco-Ferrer, BP 61,
66602 Rivesaltes, tél. 04.68.64.08.26, fax 04.68.64.69.79,
e-mail info@cazes-rivesaltes.com
⊠ Y 🚶 t.l.j. sf sam. dim. 8h-12h 14h-18h
🔑 Bernard Cazes

## DOM. COMELADE Grenat L'Oursoulette 2003

■ 1 ha 3 800 ⦶ **11 à 15 €**

Quand on possède le savoir-faire acquis par trois générations de vignerons et des vignes sur schistes, granites et argilo-calcaires, quoi de plus naturel que de bien faire ? Voyez ce rivesaltes grenat. Au nez, la cerise se nappe de cannelle. La bouche, pleine, encore tannique et tout en fruits affirme une jolie présence. A ouvrir dans un à deux ans.

🔑 Dom. Comelade, 8, rue Fournalau,
66310 Estagel, tél. et fax 04.68.29.16.40,
e-mail domaine.comelade@wanadoo.fr ⊠ Y 🚶 r.-v.

## LES VIGNERONS DES COTES D'AGLY

Cuvée François Arago Tuilé Hors d'âge 1994 ★★

■ 10 ha 10 000 ■ ⦶ 8 à 11 €

Physicien, astronome, ministre, François Arago est l'enfant du pays d'Estagel. La commune est située au débouché des Fenouillèdes, sur des terroirs variés, d'où sa richesse viticole. Un beau tuilé habille cet hors d'âge qui prend des airs de café. Très bien élevé, ce 94 évolue sur des notes de fruits secs, de vieux foudre et de rancio. En bouche, le pruneau est savoureux, le tanin fondu, puis apparaît le cacao sur fond d'eau-de-vie de noix et de banane flambée. Un superbe tuilé.

🔑 Les Vignerons des Côtes d'Agly,
av. Louis-Vigo, 66310 Estagel, tél. 04.68.29.00.45,
fax 04.68.29.19.80, e-mail agly@tiscali.fr ⊠ Y r.-v.

## DOM BRIAL Ambré Hors d'âge 1989 ★★★

■ 5 ha 10 000 ■ ⦶ 11 à 15 €

Avec un tel vin de messe, nul doute que Dom Brial aurait eu de nombreux acolytes. En attendant, c'est le superbe rétable de l'église de Baixas qui tente, par ses ors, d'imiter ceux de l'ambré. Noisette et pain d'épice accompagnent l'orange confite. La bouche retrouve l'agrume escorté d'abricot sec ainsi que d'une belle touche boisée mêlée de tabac blond. Un soupçon de noix vient en finale compléter ce vin fort bien élevé.

🔑 Cave de Baixas - Vignobles Dom Brial,
14, av. du Mal-Joffre, 66390 Baixas,
tél. 04.68.64.22.37, fax 04.68.64.26.70,
e-mail contact@dom-brial.com ⊠ Y 🚶 r.-v.

## DOM. FORCA REAL Hors d'âge ★

■ n.c. n.c. ⦶ 5 à 8 €

Avec d'un côté la plaine, de l'autre le Canigou, le Mas de la Garrigue, tel un balcon, offre un paysage splendide. Adossé à la colline du Fort royal, bien à l'abri du vent, il constitue, servi par un excellent terroir, un site remarquable des Pyrénées-Orientales. L'ambré roux a pris ici la patine des vieux foudres, conférant à ce Hors d'âge des arômes secs avec une surprenante note de verveine. Un rivesaltes rond et doux à l'attaque, animé par une touche de fruits confits et d'orange amère ; sa complexité s'affiche jusque dans une finale de fruits secs torréfiés. (Bouteilles de 50 cl.)

🔑 Dom. Força Réal, Mas de la Garrigue,
66170 Millas, tél. 04.68.85.06.07, fax 04.68.85.49.00,
e-mail info@forcareal.com ⊠ Y 🚶 r.-v.

## MONT TAUCH Vieille Réserve 1995

■ 12 ha 19 000 ⦶ **11 à 15 €**

Leaders en fitou, les Vignerons du Mont Tauch continuent d'élaborer muscats et rivesaltes de qualité, aidés par une technologie de pointe et un nombre important de foudres d'élevage. Surprenant par une couleur bien dépouillée, ce rivesaltes marque d'entrée grâce aux notes de miel, de figue, de foin coupé et de noix. Le palais se

montre tout d'abord souple et frais, puis la figue se joue des tanins et s'impose avant que des notes de tabac et de fruits secs emportent la finale.
Les Vignerons du Mont Tauch, 11350 Tuchan,
tél. 04.68.45.41.08, fax 04.68.45.45.29,
e-mail contact@mont-tauch.com
t.l.j. sf sam. dim. 9h-12h 14h-18h

CH. MOSSE Ambré 1990 ★★

10 ha 10 000 8 à 11 €

Superbe village que celui de Sainte-Colombe, adossé au Causse avec ses maisons de brique et cailloux roulés, magnifiquement restaurées. C'est là que la famille Mossé vous réserve un accueil chaleureux. Ce vin ? Une belle approche de miel or, des senteurs boisées, de vieille eau-de-vie et de fruits secs séduisent d'emblée. Très apprécié pour sa bouche où se mêlent notes toastées, beurrées, nuances de noisette, saveurs de tabac blond et de fruits secs torréfiés, ce 90 a beaucoup de présence et de rondeur. Un superbe travail d'élevage. Le **muscat de rivesaltes Saignée d'Argent 2001** obtient une citation.
Jacques Mossé, Ch. Mossé,
Sainte-Colombe-de-la-Commanderie,
BP 8, 66301 Thuir Cedex,
tél. 04.68.53.08.89, fax 04.68.53.35.13,
e-mail chateau.mosse@worldonline.fr r.-v.

DOM. DES ORMES Hors d'âge 1995 ★★

2 ha 500 8 à 11 €

Quel autre vin qu'un vin doux naturel supporterait cela ? Elevage de douze mois en dame-jeanne (bonbonne) au soleil et de huit ans en cuve. Pas étonnant que l'or tendre d'origine ait pris ces notes chocolat et brou de noix. Pour le reste, le vin est en pays rancio avec ses notes de noix, de café et ses senteurs de vieux foudre. Ample à l'attaque, il se révèle très complexe par ses arômes de grillé, de caramel, de tourbe, de chocolat et de café, sans oublier le pruneau et l'eau-de-vie de noix. Longue, la finale rancio ravira les initiés. A choisir pour un dessert au chocolat-café ou un cigare.
Dom. des Ormes, 1, Cami de Cantarana,
66300 Ste-Colombe-de-la-Commanderie,
tél. 04.68.53.19.33, fax 04.68.38.82.50,
e-mail domainedesormes@yahoo.fr r.-v.
G. Rossignol et P. Alsina

CH. PEZILLA Grenat 2002 ★

25 ha 10 000 5 à 8 €

Le village doit beaucoup à la Têt qui, au fil des ans, a déposé les cailloux roulés qui composent les terrasses viticoles, puis, plus bas et plus récemment, les limons et sables fertiles de la zone arboricole et maraîchère. Ici, une population viticole laborieuse propose un grenat d'école rouge tendre, aux notes de cerise, de kirsch et d'épices. Tout en fruit, rond, joyeux, ce 2002 prend la bouche et ouvre l'appétit.
Les Vignerons de Pézilla,
1, av. du Canigou, 66370 Pézilla-la-Rivière,
tél. 04.68.92.00.09, fax 04.68.92.49.91 r.-v.

CH. PRADAL Grenat Cuvée Victoire 2001 ★

1 ha 2 000 15 à 23 €

La seule cave de vinification située au cœur de Perpignan, à deux pas de la gare. Descendant d'une ancienne famille du cru, André Coll-Escluse est l'un des promoteurs de l'Association des producteurs de Perpignan et le responsable de belles animations. Son 2001 est habillé d'un rouge tendre et frais. Attirant par ses senteurs de petits fruits et d'épices, il se montre gras et riche en bouche avec des notes de confiture de fraises et de groseilles. On retrouve le plaisir du fruit à croquer, tant ses tanins sont enrobés. A servir sur un sorbet de cassis ou des fruits macérés. (Bouteilles de 50 cl.)
André Coll-Escluse, Ch. Pradal,
58, rue Pépinière-Robin, 66000 Perpignan,
tél. 04.68.85.04.73, fax 04.68.56.80.49 r.-v.

CH. PUIG-BONAS Ambré 1997 ★★

8 ha 5 900 5 à 8 €

En matière de vins doux naturels, l'élevage est essentiel : autant il nécessite précautions et belle technicité pour les muscats ou les grenats, autant pour les ambrés et tuilés la conduite de l'oxydation s'ouvre à une large palette de pratiques. Ici c'est l'oxydation sous bois qui joue entre ambre et acajou. C'est elle qui apporte ces notes toastées de fruits secs associées à la touche de fruits confits du raisin. C'est encore elle qui s'appuie sur la vendange pour donner en bouche équilibre, arômes de miel et de noix de cajou alliés au boisé. Les fruits secs dominent la finale.
Marie-Françoise et Louis-M. Puig,
44, av. de la Méditerranée, 66670 Bages,
tél. 04.68.21.78.78, fax 04.68.53.36.51 r.-v.

DOM. DE RANCY Ambré 1970

15 ha 1 800 46 à 76 €

Une sélection sans un vin des Verdaguer, ça ne peut exister ! Ici, c'est le temple des vieux vins doux naturels traditionnels, forts en gueule et typés. Trente-cinq ans d'élevage pour ce blanc devenu roux ; parmi ses senteurs lactées se glissent chocolat, réglisse et vieille prune. Dans un palais très doux et onctueux, on découvre des notes de tabac brun, d'amande grillée, de café, de noix et une charpente portée par l'élevage sous bois. Un vin infini pour amateurs de cigare.
Jean-Hubert Verdaguer, Dom. de Rancy,
11, rue Jean-Jaurès, 66720 Latour-de-France,
tél. 04.68.29.03.47, fax 04.68.29.06.13,
e-mail rancy2@wanadoo.fr
t.l.j. 10h-12h30 15h-19h; dim. 15h-19h

CH. DE REY Grenat Le Muté sur grain 2003 ★

1 ha 3 000 5 à 8 €

Entre la ville de Perpignan et les plages de Canet, il faut avoir la curiosité de s'aventurer vers l'étang. Là, la seule agitation est celle des feuilles et des sarments de vigne autour des bois et du château « bavarois » de Petersen. Un très beau grenat limpide et sombre s'offre ici au regard. Enivrant de fruits rouges sur fond d'épices qui se déclinent en bouche sur la cerise, ce vin possède une chair craquante et épicée et de beaux tanins. La finale torréfiée le destine à une coupe de fruits rouges au chocolat noir.
Philippe et Cathy Sisqueille, Ch. de Rey,
rte de Saint-Nazaire, 66140 Canet-en-Roussillon,
tél. 04.68.73.86.27, fax 04.68.73.15.03,
e-mail contact@chateauderey.com
t.l.j. sf sam. dim. 9h-12h 14h-17h

DOM. ROSSIGNOL Ambré 2001 ★

3 ha 4 146 5 à 8 €

Ardents défenseurs de la beauté du Roussillon et militant contre les atteintes à l'intégrité du paysage, Pascal Rossignol et son épouse proposent un très bon rivesaltes.

Miel, fruits confits, abricot sec se partagent l'approche, puis le vin offre une bouche souple mêlant le miel et la fraîcheur du tilleul, avant un retour sur les fruits confits associés à une touche de fruits secs. Crème catalane ou foie gras mi-cuit lui sont destinés.
🔑 Pascal Rossignol, rte de Villemolaque, 66300 Passa, tél. et fax 04.68.38.83.17, e-mail domaine.rossignol@free.fr
☑ Y ✶ t.l.j. sf dim. 10h30-12h30 16h-19h30

RENE SAHONET Elevé en fût de chêne 1997 ★★★

| | 4,4 ha | 3 500 | 11 à 15 € |
|---|---|---|---|

Quelle merveille que ce grenache gris ! Et quelle découverte ! Ce fruit du terroir des Aspres est né à l'ombre des galets roulés et des cayroux (brique pleine catalane) de la cave familiale. La couleur d'ambre regarde vers le tuilé ; le nez déjà présent mêle l'abricot et le grillé des fruits secs, complétés par une légère note de noix. Fondu et gras, entre figue et abricot sec, le palais se déroule doucement, jouant sur l'épice, les fruits secs torréfiés et le tabac miellé jusque dans une finale où l'emporte la noix.
🔑 René Sahonet, 13, rue Saint-Exupéry, 66450 Pollestres, tél. et fax 04.68.55.15.98 ☑ Y ✶ r.-v.

DOM. SARDA-MALET La Carbasse 2001 ★

| ■ | 3 ha | 4 900 | 15 à 23 € |
|---|---|---|---|

Le mas Saint-Michel, c'est la campagne à la ville ; il est bien caché au creux des collines du Serrat d'en Vaquer, havre de paix pour l'infatigable Suzy Malet et son fils Jérôme, des valeurs sûres du paysage roussillonnais. Un très beau grenat habille cette Carbasse tout en fruits (mûre et cerise). Remarquée pour son volume, pour la fraîcheur de ses arômes de cassis, ses notes charnues de cerise et ses beaux tanins qui lui confèrent force et longueur, cette bouteille ne peut que convertir vos amis aux vins doux naturels. Le **muscat-de-rivesaltes 2004 (8 à 11 €)** obtient une citation.
🔑 Dom. Sarda-Malet, Mas Saint-Michel, chem. de Sainte-Barbe, 66000 Perpignan, tél. 04.68.56.72.38, fax 04.68.56.47.60, e-mail jerome.malet@sarda-malet.com ☑ Y ✶ r.-v.
🔑 Jérôme Malet

DOM. DES SCHISTES Solera Hors d'âge

| | 7 ha | 5 000 | 11 à 15 € |
|---|---|---|---|

Technique très particulière où le vin vieux élève le vin jeune, la solera permet d'obtenir un produit relativement constant en qualité au fil du temps. Le consommateur bénéficie ainsi du savoir-faire du vigneron et d'un vin prêt à boire. Il faut beaucoup de doigté et de patience pour arriver à ce hors d'âge très riche, doux, jouant sur l'abricot confit et l'orange amère. Patiné par le bois, offrant une belle finale torréfiée où perce déjà la noix, il sera idéal pour un foie gras aux figues.
🔑 Jacques Sire, Dom. des Schistes, 1, av. Jean-Lurçat, 66310 Estagel, tél. 04.68.29.11.25, fax 04.68.29.47.17, e-mail sire-schistes@wanadoo.fr ☑ 🏠 Y ✶ r.-v.

DOM. DE SESSOU Ambré 1997

| | 1,75 ha | 7 000 | 5 à 8 € |
|---|---|---|---|

Quarante hectares, tout en AOC. Un pari pour Philippe Peralba qui, en 1999, après des études de génie industriel, décide de revenir au pays continuer l'œuvre des anciens sur un domaine situé à 1 km du prieuré de Monastir del Camp. Senteurs boisées, coing, orange confite, soupçon de noix, nous voilà en pays ambré. Après une attaque douce et pleine, ce vin de type sec affiche des notes de fruits secs, de vanille, d'eau-de-vie et en finale de tabac miellé. A servir avec un gâteau aux noix ou tout simplement en apéritif.
🔑 Philippe Peralba, EARL Dom. de Sessou, 11, rue du Canigou, 66300 Villemolaque, tél. 04.68.21.74.17, fax 04.68.21.81.40, e-mail domainede.sessou@wanadoo.fr ☑ Y ✶ r.-v.

CELLIER TROUILLAS
Ambré Hors d'âge Elevé en fût de chêne ★

| | 10 ha | 7 500 | 8 à 11 € |
|---|---|---|---|

Depuis 1927, la haute bâtisse du Cellier domine le village et semble surveiller les vignes alentour. A l'intérieur, des fûts où mûrissent, dans une imposante cuverie, les futurs vins hors d'âge ambrés, à base de macabeu et de grenache blanc. Ainsi en est-il de cet ambré roux, légèrement acajou, tout en notes confites et toastées avant que ne percent le vieux bois et des notes rancio. Douce, fondue, la bouche retrouve le petit pain grillé, l'abricot sec et le tabac miellé. L'ensemble est soyeux, fin et de fort belle facture.
🔑 SCV Le Cellier de Trouillas, 1, av. du Mas-Deu, 66300 Trouillas, tél. 04.68.53.47.08, fax 04.68.53.24.56, e-mail contact@cellier-trouillas.com
☑ Y t.l.j. sf dim. 9h-12h 14h-18h30

DOM. DU VIEUX CHENE
Excellence Haut Valoir 1977 ★

| ■ | 1 ha | 3 000 | 38 à 46 € |
|---|---|---|---|

L'église paroissiale de Rivesaltes recèle un intéressant mobilier dont un buffet d'orgue des frères Grinda ; l'instrument, réputé, a permis de nombreux enregistrements. Tout autour de la commune, des vignes. Et ce beau mas, avec ses pins, ses cigales, sa vue imprenable sur le Canigou et la plaine du Roussillon : un lieu unique à la croisée des terroirs qui jouent au mélange des couleurs et portent de vieux grenaches à l'origine de ce vin presque trentenaire. Sous une robe tuilée intense aux reflets fauves émergent, très marquées par la garrigue, des senteurs de vieux foudre et de tabac. La bouche surprend par son fondu, la touche d'orange confite, d'eau-de-vie de prune et par une finale de cacao finement ranciotée. Le temps a tissé son ouvrage.
🔑 Dom. du Vieux Chêne, Mas Kilo, rte de Vingrau, 66600 Espira-de-l'Agly, tél. 04.68.38.92.01, fax 04.68.38.95.79, e-mail venise@hautvaloir.com ☑ Y ✶ r.-v.
🔑 Denis Sarda

VILAFORCA Ambré Hors d'âge

48 ha 6 400 5 à 8 €

Au-delà de Fourques, la vigne tente encore de se glisser dans les maigres collines, mais c'est la forêt de Tordères qui prend le dessus, annonçant les contreforts boisés du Canigou. Voici un bel ambré classique aux senteurs de fruits confits légèrement grillés accompagnés d'un soupçon d'orange. Soyeuse, ronde, fondue, la bouche est suave, en accord avec le nez, avant de retrouver les fruits secs caractéristiques de l'élevage sous bois.

SCA Les Vignerons de Fourques,
1, rue des Taste-Vin, 66300 Fourques,
tél. 04.68.38.80.51, fax 04.68.38.89.65,
e-mail vigneronsdefourques@wanadoo.fr
t.l.j. sf dim. 14h-18h; sam. 9h-12h

# Muscat-de-rivesaltes

Sur l'ensemble du terroir des rivesaltes, maury et banyuls, le vigneron peut élaborer du muscat-de-rivesaltes, lorsque l'encépagement se compose à 100 % de cépages muscat. La superficie de ce vignoble représente 5 900 ha, pour une production de 120 000 hl en 2004. Les deux cépages autorisés sont le muscat à petits grains et le muscat d'Alexandrie. Le premier, souvent appelé muscat blanc ou muscat de Rivesaltes, est précoce et se plaît dans des terrains relativement frais et si possible calcaires. Le second, appelé aussi muscat romain, est plus tardif et très résistant à la sécheresse.

La vinification s'opère soit par pressurage direct, soit avec une macération plus ou moins longue. La conservation se fait obligatoirement en milieu réducteur, pour éviter l'oxydation des arômes primaires. Les vins sont liquoreux, avec 100 g minimum de sucre par litre. Ils sont à boire jeunes, à une température de 9 ° à 10 °C. Ils accompagnent parfaitement les desserts : tartes au citron, aux pommes ou aux fraises, sorbets, glaces, fruits, touron, pâte d'amandes... ainsi que le roquefort.

DOM. BERTRAND-BERGE 2004 *

2 ha 5 300 8 à 11 €

Niché au cœur des Corbières, le domaine produit des vins de pur muscat à petits grains. Sur ces terroirs argilo-calcaires, ce cépage s'exprime avec une grande finesse. La couleur est d'or pâle aux reflets verts. Les arômes subtils offrent des nuances de menthe fraîche, de genêt, de citron et de citronnelle. En bouche, ampleur, puissance et fraîcheur se conjuguent pour faire de ce 2004 un vin particulièrement équilibré.

Dom. Bertrand-Bergé, av. du Roussillon,
11350 Paziols, tél. 04.68.45.41.73, fax 04.68.45.03.94,
e-mail bertrand-berge@wanadoo.fr
t.l.j. 9h-12h 14h-18h30
Bertrand

MAS BLANES (d.) de Blanes 2003

n.c. n.c. 8 à 11 €

Une jeune femme dynamique et passionnée propose ce muscat à la robe jaune d'or. Les arômes sont intenses avec des notes confiturées, d'écorce d'orange, de pâte de coings soutenues par une fine nuance végétale. La bouche, tout en rondeur, est d'une belle harmonie générale. Un vin réussi dans un style un peu évolué.

D. de Blanes, Mas Blanes, 66370 Pézilla-La-Rivière,
tél. 04.68.92.00.51, fax 04.68.38.08.90 r.-v.
Bories

DOM. BOUDAU 2004 **

5,5 ha 15 000 8 à 11 €

Créé il y a dix ans, le domaine est devenu un incontournable du Roussillon. Ce coup de cœur arrive à point nommé pour célébrer dignement cet anniversaire. Compliments à Véronique, Pierre et toute leur équipe pour ce muscat dans lequel la technologie s'est brillamment mise au service d'un grand cépage, le muscat d'Alexandrie et d'un terroir d'exception, le Rivesaltais. La fraîcheur s'exprime déjà dans la robe d'or très pâle aux reflets verts. Les arômes suivent : bourgeon de cassis, citron, aubépine et fruits exotiques. La bouche savoureuse et tonique laisse une impression de grande légèreté. Le **rivesaltes Grenat sur grains 2003** obtient une étoile.

SARL Dom. Boudau,
6, rue Marceau, 66600 Rivesaltes, tél. 04.68.64.45.37,
fax 04.68.64.46.26, e-mail contact@domaineboudau.fr
t.l.j. sf dim. 10h-12h 15h-19h (18h en hiver et f. sam.)

LES MAITRES VIGNERONS DE CASCASTEL 2004

25 ha 45 000 5 à 8 €

Le pays du fitou propose également une petite production issue principalement du muscat à petits grains planté sur des sols schisteux. La robe est brillante, or pâle à reflets verts. Les arômes se révèlent puissants, envoûtants, avec des notes finement végétales rehaussées de fruits exotiques (litchi) et de fleur d'acacia. La bouche, chaleureuse et vive, développe en finale une pointe d'amertume savoureuse.

Les Maîtres Vignerons de Cascastel,
Grand-Rue, 11360 Cascastel, tél. 04.68.45.91.74,
fax 04.68.45.82.70, e-mail info@cascastel.com
t.l.j. sf sam. dim. 8h-12h 14h-18h

### LE MUSCAT PAR CAZES 2002 ★★

6 ha 20 000 8 à 11 €

Ce grand nom des appellations du Roussillon signe le coup de cœur du grand jury. Un vin à la robe paille clair, aux arômes épanouis de rose, d'ananas et d'agrumes légèrement confits. Charnue et puissante, la bouche exprime des notes exotiques, des nuances de menthe fraîche et de fruits confits. La finale d'une excellente longueur offre une pointe d'amertume savoureuse. Qui oserait encore prétendre que les muscats ne savent pas vieillir ?

Dom. Cazes, 4, rue Francisco-Ferrer, BP 61, 66602 Rivesaltes, tél. 04.68.64.08.26, fax 04.68.64.69.79, e-mail info@cazes-rivesaltes.com
t.l.j. sf sam. dim. 8h-12h 14h-18h

### CH. LAS COLLAS 2003 ★

2 ha 5 000 8 à 11 €

Dans sa robe couleur bouton d'or, le millésime 2003 exhale des arômes puissants de miel, de pain d'épice, d'écorce d'orange confite et de fleur d'oranger. En bouche se dessine une très belle harmonie générale faite de vivacité, d'onctuosité et de complexité aromatique. Un vin marqué par la maturité de son millésime.

Jacques Bailbé, Ch. Las Collas, 66300 Thuir, tél. et fax 04.68.53.40.05 r.-v.

### CH. CORNELIANUM 2001 ★

2,5 ha 2 628 8 à 11 €

Citée pour son **muscat 2004 Cassell Réal (5 à 8 €)**, la cave de Corneilla propose aussi ce 2001 or soutenu aux reflets ambrés. Cette cuvée offre un très beau nez d'évolution aux notes de fruits secs, de pain d'épice et de pomme cuite au four. Harmonieuse, bien fondue, elle développe en bouche des nuances aromatiques de garrigue et de pêche mûre.

SCV Cellier Cassell Réal, 152, rte Nationale, 66550 Corneilla-la-Rivière, tél. 04.68.57.38.93, fax 04.68.57.23.36, e-mail cassell-real-com@wanadoo.fr r.-v.

### DOM BRIAL 2003 ★

18 ha 54 300 5 à 8 €

Coup de cœur l'année dernière, le muscat du plus important producteur de l'appellation est encore cette année une jolie réussite. Délicatement parfumé, il exhale des nuances de raisin, de poire, de miel et de citron frais. La bouche est ample, charnue, avec des notes de loukoum à la rose. Un très beau vin, dans un style classique, qui pourrait être apprécié sur des pistaches ou une tarte aux poires.

Cave de Baixas - Vignobles Dom Brial, 14, av. du Mal-Joffre, 66390 Baixas, tél. 04.68.64.22.37, fax 04.68.64.26.70, e-mail contact@dom-brial.com r.-v.

### CH. LES FENALS 2004

5,26 ha 5 400 8 à 11 €

Cet ancien château, reconstruit en mas après la Révolution, eut comme régisseur le neveu de Voltaire. Il fournissait en vins la cour du roi Louis XV. L'actuelle propriétaire a élaboré avec le plus grand soin ce muscat à la robe d'or traversée de reflets verts et aux arômes variés : genêt, fleurs blanches, menthol et abricot confit. La bouche est veloutée, fraîche et teintée d'une note exotique.

Marion Fontanel, Les Fenals, 11510 Fitou, tél. 04.68.45.71.94, fax 04.68.45.60.57, e-mail les.fenals@wanadoo.fr
t.l.j. sf dim. 9h-12h 14h30-18h30

### JEAN D'ESTAVEL Prestige 2004 ★

n.c. n.c. 8 à 11 €

D'un très bel or pâle brillant, ce muscat développe un nez de raisin mûr, floral et citronné. En bouche, l'attaque est onctueuse, le fruit croquant, l'ensemble structuré et puissant. Un vin harmonieux.

Destavel, 49, rue Mathieu-Dombasle, 66000 Perpignan, tél. 04.68.68.36.00, fax 04.68.54.03.54, e-mail info@destavel.com
Baissas

### DOM. LACASSAGNE 2003 ★★

30 000 5 à 8 €

Après le grand gel de l'hiver 1956, la plus grande oliveraie de France a été replantée à côté de ses vignes par Henri Lacassagne. Depuis quelques années, son petit-fils a entrepris la rénovation des chais et développé la commercialisation en bouteilles. Le domaine fait une entrée remarquée dans le Guide avec ce 2003 à la robe précieuse d'un bel or jaune, aux arômes intenses d'agrumes confits (cédrat, mandarine) et d'une somptueuse puissance en bouche. A tenter sur un fromage à pâte persillée.

Dom. Lacassagne, Mas Balande, km 1 rte d'Elne, 66100 Perpignan, tél. 04.68.50.25.32, fax 04.68.50.56.52, e-mail info@lacassagne.net
t.l.j. sf sam. dim. 9h-12h 14h-18h

### DOM. LAFAGE Grain de vignes 2004 ★★

7 ha 10 000 8 à 11 €

Présent depuis de nombreuses années dans le Guide, parfois coup de cœur, le muscat du domaine Lafage révèle une fois de plus sa remarquable qualité. Ses arômes explosent en un bouquet de roses avec des nuances de fruits exotiques et d'épices douces. L'attaque est vive, la liqueur somptueuse, bref l'équilibre est parfait.

SCEA Dom. Lafage, Mas Durand, 66140 Canet-en-Roussillon, tél. 04.68.80.35.82, fax 04.68.80.38.90, e-mail domaine.lafage@wanadoo.fr r.-v.

### DOM. LAPORTE 2004 ★

7 ha 12 000 8 à 11 €

Sur les terrasses caillouteuses des portes de Perpignan, le muscat à petits grains exprime toute sa finesse dans ce vin à la robe d'or vert. Les arômes sont intenses : fruits frais, menthol et légère note de pâte de coings. La bouche ample, bien équilibrée, repose sur une texture particulièrement agréable et offre une finale un rien végétale.

Dom. Laporte, Ch. Roussillon, 66000 Perpignan, tél. 04.68.50.06.53, fax 04.68.66.77.52, e-mail domaine-laporte@wanadoo.fr
t.l.j. 9h-12h 14h-18h

ROUSSILLON

CH. LAURIGA 2003 ★

0,85 ha 1 968 8 à 11 €

Ce domaine, ancienne possession de l'abbaye de Cuxa, est en cours de restauration par son actuel propriétaire. Un terroir de qualité, une cave à la fois belle et fonctionnelle, la passion de toute une équipe en sont les atouts. Ce muscat entre pour la première fois dans le Guide. Sa robe est brillante, d'un vieil or superbe. Le nez intense et très complexe développe des arômes d'eucalyptus, d'orange confite, de coing et de pêche cuite. Ces notes d'évolution se confirment en une bouche puissante et ronde, d'une belle longueur.

Ch. Lauriga, SCEA des Amandiers, traverse de Ponteilla, 66300 Thuir, tél. 04.68.53.26.73, fax 04.68.53.58.37, e-mail lauriga@wanadoo.fr t.l.j. sf dim. 8h-12h 14h-18h

R. et J. Clar

CH. DU MAS DEU 2004

4,66 ha n.c. 8 à 11 €

Le mas Deu est un lieu mythique de l'histoire des vins doux naturels. C'est là en effet qu'au XIIIes., Arnaud de Villeneuve aurait découvert le « miraculeux mariage de l'esprit du vin et du suc du raisin », soit le principe du mutage. Ce muscat 2004 apparaît dans une jolie robe dorée aux reflets argentés. Les arômes fins dévoilent des notes de fruits exotiques, de pêche blanche, de verveine et de vanille. Frais et friand, le palais offre une finale longue et savoureuse.

Claude Oliver, Ch. du Mas Déu, 66300 Trouillas, tél. 04.68.53.11.66, fax 04.68.53.16.67 t.l.j. sf dim. 9h30-12h 14h-18h

DOM. DU MAS ROUS 2004 ★★

4,66 ha 6 000 8 à 11 €

Le nom du domaine provient de la blondeur des cheveux du trisaïeul de l'actuel propriétaire. Le *mas del ros* (mas du blond) s'est transformé au cours des siècles en Mas Rous. Ses vins sont toujours d'une grande élégance. Ce muscat est d'or brillant ; ses arômes intenses révèlent des nuances de fruits blancs (pêche, poire) et de fleurs. La bouche, ronde et bien équilibrée, offre un joli méli-mélo de fruits exotiques, d'agrumes et de fragrances de garrigue.

José Pujol, Dom. du Mas Rous, BP 4, 66740 Montesquieu-des-Albères, tél. 04.68.89.64.91, fax 04.68.89.80.88, e-mail masrous@mas-rous.com r.-v.

LES VIGNERONS DE MAURY 2004

60,53 ha 24 000 5 à 8 €

Spécialiste de vins rouges, la cave exerce aussi ses talents en blanc. Une robe presque transparente, des arômes tout en finesse : menthe, anis, fleurs blanches et fruits exotiques s'y mêlent en un bouquet complexe. La bouche, tout en délicatesse fruitée, offre un excellent équilibre entre liqueur et vivacité.

SCAV Les Vignerons de Maury, 128, av. Jean-Jaurès, 66460 Maury, tél. 04.68.59.00.95, fax 04.68.59.02.88, e-mail a.majoral@vigneronsdemaury.com r.-v.

CH. MONTNER 2004 ★

10 ha 20 000 5 à 8 €

Jouant de la diversité des terroirs, cette cave produit des muscats. D'une couleur or pâle aux reflets verts, celui-ci possède un nez expressif d'agrumes, de miel et de fruits mûrs avec une légère pointe anisée. L'attaque en bouche est onctueuse, soutenue par une fine note végétale. La finale offre une bonne fraîcheur.

Les Vignerons des Côtes d'Agly, av. Louis-Vigo, 66310 Estagel, tél. 04.68.29.00.45, fax 04.68.29.19.80, e-mail agly@tiscali.fr r.-v.

DOM. MOUNIE 2004

3 ha 3 000 8 à 11 €

La robe est d'or très pâle aux reflets verts. Le nez, tout d'abord un peu timide, se révèle complexe à l'agitation avec des arômes de mimosa, de jacinthe, de citron et de fruits de la Passion. Après une attaque plaisante, fraîcheur et volume emplissent la bouche fort agréablement. La finale est d'une grande délicatesse.

Dom. Mounié, 1, av. du Verdouble, 66720 Tautavel, tél. 04.68.29.12.31, fax 04.68.29.05.59, e-mail domainemounie@free.fr t.l.j. sf dim. 10h-12h 14h-18h; nov.à mars sur r.-v.

Claude Rigaill

CH. NADAL-HAINAUT 2004

2,8 ha 6 000 5 à 8 €

Ce prieuré cistercien du XIIes. appartient à la famille Nadal-Hainaut depuis 1820. Le domaine entre dans le Guide avec un muscat à la couleur or très clair et aux arômes nets et élégants de fruits exotiques frais. L'équilibre est réussi, le volume plaisant.

Jean-Marie Nadal, Ch. Nadal-Hainaut, 66270 Le Soler, tél. 04.68.92.57.46, fax 04.68.38.07.38, e-mail nadalmartine@netcourrier.com r.-v.

DOM. DE NIDOLERES 2003

2,5 ha 3 000 8 à 11 €

Dans le restaurant du domaine, on peut déguster une délicieuse cuisine typiquement catalane accompagnée des vins de la propriété. Le muscat en est l'un des fleurons. Sa robe paille soyeuse, ses notes de racine d'iris, de pâte de coings, de cédrat et d'orange confits, son ampleur et sa puissance en bouche font de celui-ci le meilleur compagnon des fromages de brebis et des pâtisseries du terroir.

Pierre Escudié, Dom. de Nidolères, 66300 Tresserre, tél. 04.68.83.15.14, fax 04.68.83.31.26

CH. DE NOUVELLES Cuvée Prestige 2004 ★

15 ha 33 000 8 à 11 €

Ce superbe domaine niché au cœur des Corbières cathares fut la propriété de Benoît XII, pape en Avignon. La famille Daurat-Fort s'y est installée au début du XIXes. et en a fait l'une des plus belles réussites de cette région. Ce muscat 2004 est d'une grande finesse. Sa robe d'or très pâle se pare de reflets argentés. Les arômes fruités (fruits exotiques) et floraux offrent également des notes végétales de bourgeon de cassis. Parfaitement équilibré, ce vin exprime en finale une note d'amertume savoureuse.

SCEA R. Daurat-Fort, Ch. de Nouvelles, 11350 Tuchan, tél. 04.68.45.40.03, fax 04.68.45.49.21, e-mail daurat-fort@terre-net.fr t.l.j. 8h30-11h45 14h-18h, sam. dim. sur r.-v.

DOM. PARCE 2004 ★

4,6 ha 5 000 5 à 8 €

Cette cuvée élaborée avec une majorité de muscat à petits grains se pare d'une robe d'or très clair aux reflets verts. Le nez, d'une grande finesse, offre des notes originales de fenouil sauvage et de citron. La fraîcheur persiste en bouche avec des arômes d'agrumes et de menthol.

⊶ EARL A. Parcé, 21 ter, rue du 14-Juillet,
66670 Bages, tél. 04.68.21.80.45, fax 04.68.21.69.40,
e-mail vinsparce@aol.com ☑ Y ⚘ r.-v.

### J.-M. PECH 2004

| | 3 ha | 1 200 | ▮ | 5 à 8 € |
|---|---|---|---|---|

Ce très ancien vignoble était déjà cultivé par la famille Pech avant la Révolution pour les moines du village de Saint-Paul. Le millésime 2004, or pâle brillant, évoque le miel, la bergamote, la menthe fraîche et les fruits exotiques. Léger et agréable en bouche, ce vin fait preuve d'une plaisante subtilité.

⊶ Jean-Michel Pech, Dom. de Sainte-Suzanne,
2, rue Léo-Lagrange, 66220 Saint-Paul-de-Fenouillet,
tél. 04.68.59.15.39, fax 04.68.59.02.26 ☑ Y ⚘ r.-v.

### CH. DE PENA 2004 *

| | 34,35 ha | 25 000 | | 5 à 8 € |
|---|---|---|---|---|

La robe est d'un bel or vert tendre aux reflets brillants. Les arômes intenses, finement végétaux, associent des notes de chèvrefeuille, de poire, d'abricot et de fruits exotiques. Citron et menthol en bouche accentuent l'impression de fraîcheur. Un très joli vin, séduisant et élégant.

⊶ Les Vignerons de Cases-de-Pène,
2, bd Mal-Joffre, 66600 Cases-de-Pène,
tél. 04.68.38.93.30, fax 04.68.38.92.41
☑ Y ⚘ t.l.j. sf ven. sam. dim. 9h-12h 14h-18h

### CH. PEZILLA Cuvée Prestige 2004

| | n.c. | 5 000 | ▮♁ | 5 à 8 € |
|---|---|---|---|---|

Dans sa robe d'or pâle brillant, ce joli muscat développe des notes agréables de jasmin, de citron et de poire. L'attaque est ronde et l'équilibre frais. Un bon classique à déguster sur des pâtisseries catalanes ou une tarte au citron.

⊶ Les Vignerons de Pézilla,
1, av. du Canigou, 66370 Pézilla-la-Rivière,
tél. 04.68.92.00.09, fax 04.68.92.49.91 ☑ Y ⚘ r.-v.

### PIERRE D'ASPRES 2003

| | 12 ha | 4 000 | ▮♁ | 5 à 8 € |
|---|---|---|---|---|

La robe est d'or vert, limpide et éclatante. Le nez complexe associe des notes de fruits frais (poire, ananas, fruit de la Passion) et des arômes d'évolution fine (liqueur de verveine, pâte de coings). L'équilibre en bouche se montre vif avec des touches de menthol et de fleur d'oranger.

⊶ SCV Le Cellier de Trouillas, 1, av. du Mas-Deu,
66300 Trouillas, tél. 04.68.53.47.08, fax 04.68.53.24.56,
e-mail contact@cellier-trouillas.com
☑ Y t.l.j. sf dim. 9h-12h 14h-18h30

### DOM. PIQUEMAL 2004

| | 8 ha | 18 000 | ▮♁ | 5 à 8 € |
|---|---|---|---|---|

Une double réussite pour la famille Piquemal avec deux muscats cités. Ce 2004 est tout en finesse et en fraîcheur avec ses notes de fruits exotiques et de jacinthe. La cuvée **Coup de Foudre 2001 (15 à 23 €)** ravira les amateurs de vins d'élevage avec sa belle robe d'or jaune, ses notes de miel, de tilleul, d'eucalyptus et de citron confit. A savourer à l'apéritif et au dessert.

⊶ Dom. Piquemal,
1, rue Pierre-Lefranc, 66600 Espira-de-l'Agly,
tél. 04.68.64.09.14, fax 04.68.38.52.94,
e-mail contact@domaine-piquemal.com
☑ Y ⚘ t.l.j. 9h-12h 14h-18h

### CH. ROMBEAU 2004

| | 8 ha | 5 400 | ▮♁ | 8 à 11 € |
|---|---|---|---|---|

Dans la bonne auberge de Rombeau, la tradition est de vous accueillir avec un verre de muscat. Laissez-vous faire et dégustez ce millésime 2004 ! La robe en est brillante, le nez frais et intense aux notes de fleurs blanches et de citron vert. La bouche, d'un équilibre tout en vivacité, séduit par ses arômes de fruits exotiques et de pêche blanche.

⊶ SCEA Dom. de Rombeau, P. de la Fabrègue,
av. de la Salanque, 66600 Rivesaltes,
tél. 04.68.64.35.35, fax 04.68.64.64.66,
e-mail domainederombeau@wanadoo.fr
☑ Y ⚘ t.l.j. 8h-19h (20h l'été)

### CH. VALFON 2004

| | 2,5 ha | 5 000 | ▮♁ | 8 à 11 € |
|---|---|---|---|---|

La robe est d'or jaune pâle. Le nez, flatteur, développe des nuances de fruits frais et d'agrumes. Très liquoreux en bouche, ce muscat représente un bon classique de l'appellation.

⊶ GAEC Dom. Valfon, 11, rue des Rosiers,
66300 Ponteilla, tél. 06.14.02.81.54, fax 04.68.53.61.66,
e-mail chvalfon@aol.com ☑ Y ⚘ r.-v.



## Maury

L'aire de maury recouvre la commune de Maury, au nord de l'Agly, et une partie des communes limitrophes. Ce sont des collines escarpées couvertes de schistes noirs de l'aptien plus ou moins décomposés, où l'on a produit 12 800 hl de vin en 2004 sur 600 ha, à partir du grenache noir. La vinification se fait souvent par de longues macérations, et l'élevage permet d'affiner des cuvées remarquables.

D'un rouge profond lorsqu'ils sont jeunes, les vins prennent par la suite une teinte acajou. Le bouquet est d'abord très aromatique, à base de petits fruits rouges. Celui des vins plus évolués rappelle le cacao, les fruits cuits et le café. Les maury sont appréciés à l'apéritif et au dessert, et peuvent également se prêter à des accompagnements sur des mets à base d'épices et de sucre.

### MAS AMIEL Vintage 2002 ***

| ■ | 30 ha | 25 000 | | 11 à 15 € |
|---|---|---|---|---|

Incontournable mas Amiel, remarquable dans l'art de l'élevage, tant en foudre qu'en bonbonne au soleil. Une splendide **Cuvée spéciale hors d'âge (8 à 11 €)** à déguster avec café et cigare sur fond de musique cubaine obtient deux étoiles. Le mas Amiel excelle aussi dans l'élaboration de vins doux naturels puissants aux tanins soyeux de type jeune, tel ce 2002 à la robe grenat intense, au nez épanoui sur la cerise et la framboise confiturée ; un vin admiré pour la complexité de sa bouche, mariant dans un superbe fondu la minéralité du schiste à la cerise noire. Le jury salue le charme du grenache aux tanins présents mais veloutés, légèrement épicés.

🔑 Mas Amiel, 66460 Maury, tél. 04.68.29.01.02, fax 04.68.29.17.82, e-mail lvod@wanadoo.fr
☑ 🍷 🚶 t.l.j. sf sam. dim. 9h-12h 14h-17h
🔑 Decelle

## CROIX-MILHAS

■ n.c. 45 000 ▮ 3 à 5 €

Cette marque a été reprise en 2004 par les Banyulencques de la SIVIR, qui proposent la gamme des quatre vins doux naturels de la région. La robe intense aux beaux reflets rubis accompagne un nez où jouent la prune à l'eau-de-vie, des touches grillées et des notes de tabac miellé. Après une attaque soyeuse, le vin développe des flaveurs de fruits confits finement épicés autour de tanins de qualité. Une douceur dont il ne semble jamais devoir se départir en finale.

🔑 SIVIR, rte des Crêtes, 66650 Banyuls-sur-Mer, tél. 04.68.88.03.22, fax 04.68.98.36.97, e-mail sivir@templers.com

## DOM. DU DERNIER BASTION
Premier printemps 2003 **

■ 0,9 ha 2 700 ▮ **11 à 15 €**

Si les Cathares ont, jusqu'en 1255, investi leur dernier bastion, le château de Queribus – qui, telle une sentinelle, veille sur la vallée de Maury –, le « parfait » c'est ici désormais le grenache noir. Un **rancio 98**, une étoile, se fait voler la vedette par ce 2003 grenat profond aux senteurs de fruits noirs, de cerise et de framboise. Distingué pour la fraîcheur, l'élégance des tanins et l'harmonie des petits fruits du bouquet, il est dans l'attente d'une savoureuse soupe de fruits.

🔑 Jean-Louis Lafage, Dom. du Dernier Bastion, 13, rue Dr-F.-Pougault, 66460 Maury, tél. 04.68.59.12.66, fax 04.68.59.13.14, e-mail dernierbastion@aol.com
☑ 🍷 🚶 t.l.j. sf dim. 9h30-12h30 15h-18h; f. du 1er nov.-31 mars

## MAS LAVAIL 2003 *

□ 1 ha 3 600 ⏺ 8 à 11 €

Délicatesse, finesse, souci du détail transparaissent dès l'étiquette. Voici la nouvelle approche, de production confidentielle, du maury blanc. Sous l'or intense, on perçoit de belles senteurs d'élevage où le boisé vanillé accompagne le fruit confit. Ample, le palais est généreux ; la vanille retrouve les fruits exotiques sur une jolie longueur. (Bouteilles de 50 cl.)

🔑 Nicolas Batlle, EARL Dom. de Lavail, 18, rue Henri-Barbusse, 66460 Maury, tél. 04.68.59.15.22, fax 04.68.29.08.95, e-mail masdelavail@wanadoo.fr
☑ 🍷 🚶 t.l.j. 10h-12h 15h30-19h

## LES VIGNERONS DE MAURY
Vieille Réserve 1992 ***

■ 49 ha 47 000 ⏺ 8 à 11 €

Que ce soit avec le **rancio (5 à 8 €)**, deux étoiles, ou avec l'admirable **Chabert de Barbera blanc (30 à 38 €)**, une étoile, la cave arrive en bonne place dans les dégustations. C'est la Vieille Réserve qui décroche les trois étoiles, avec une robe enjôleuse d'acajou à reflets tuilés. Chocolat lacté, torréfaction, café vert et touche rancio composent ses parfums. Ensuite s'affirment l'équilibre, l'harmonie entre saveur et structure sur un fond de fruits secs, d'épices et de noix. Opéra et cigare.

🔑 SCAV Les Vignerons de Maury, 128, av. Jean-Jaurès, 66460 Maury, tél. 04.68.59.00.95, fax 04.68.59.02.88, e-mail a.majoral@vigneronsdemaury.com ☑ 🍷 🚶 r.-v.

## DOM. DES SCHISTES La Cerisaie 2003 *

■ 3 ha 8 000 ▮⏺ **11 à 15 €**

Le maury, chez les Sire, n'est pas le fruit du hasard, mais celui de vignes choyées, d'une vinification dictée par le raisin et le respect du métier. C'est un vin grenat très complexe aux notes de réglisse, de pruneau à l'eau-de-vie sur fond de caramel. D'un fort bel équilibre, la bouche au fruit charnu accompagné de tanins savoureux offre une finale d'une grande fraîcheur.

🔑 Jacques Sire, Dom. des Schistes, 1, av. Jean-Lurçat, 66310 Estagel, tél. 04.68.29.11.25, fax 04.68.29.47.17, e-mail sire-schistes@wanadoo.fr ☑ 🏠 🍷 🚶 r.-v.

## DOM. SEMPER Viatge 2003 *

■ 1 ha 4 500 ▮⏺ 8 à 11 €

L'arrivée des « jeunes » sur l'exploitation a convaincu le viticulteur Semper de voler de ses propres ailes. Dans le contexte économique difficile que l'on sait, le sérieux et l'application de tous font déjà de cette cave particulière une référence. D'une très belle couleur grenat profond, ce 2003 libère à l'aération des notes de cerise, de mûre et une touche de café. Puissant et charnu, le palais est bien construit ; les fruits noirs accompagnent de beaux tanins prêts pour le chocolat.

🔑 Dom. Paul Semper, 2, chem. du Rec, 66460 Maury, tél. et fax 04.68.59.14.40, e-mail domaine.semper@wanadoo.fr ☑ 🍷 🚶 r.-v.

## DOM. DES SOULANES 1999 **

■ n.c. 3 000 ⏺ **11 à 15 €**

C'est une belle histoire d'amour que celle de Daniel Laffite qui, après treize ans de bons et loyaux services, décide de reprendre le mas pour lequel il travaille. Ce mas, situé au pied de Queribus, bien calé dans un recoin des Corbières, est un havre de quiétude où la vie est rythmée par l'horloge des ceps. L'élevage en demi-muid a apporté à ce 99 une robe acajou soutenu et des senteurs de cacao kirsché, de torréfaction dans un fondu des plus remarquables. La bouche aux tanins soyeux est à l'avenant, tout en plaisir, aromatique : la cerise se nappe de chocolat et d'un soupçon de vanille. (Bouteilles de 50 cl.)

🔑 Daniel Laffite, Mas de Las Fredas, 66720 Tautavel, tél. et fax 04.68.29.12.84, e-mail les.soulanes@wanadoo.fr ☑ 🍷 🚶 r.-v.

Trouver un producteur ? Consultez l'index en fin de volume.

# LE POITOU ET LES CHARENTES

# POITOU-CHARENTES

A l'ouest, la Vendée ; au nord-ouest, l'Anjou ; au nord-est, la Touraine ; à l'est, les plateaux du Limousin ; au sud, le Bassin aquitain. Géologiquement, le Poitou, enserré entre les terrains primaires du Massif armoricain et du Massif central, fait communiquer les deux grands bassins sédimentaires du territoire français, le Bassin parisien et le Bassin aquitain : d'où le nom de seuil du Poitou. Ses terrains jurassiques sont de nature sédimentaire, tout comme ceux, au sud, des pays charentais, auréoles crétacées et tertiaires du Bassin aquitain. La région est marquée par des paysages de plaines en Poitou, plus ondulés en Charente, où les sols prennent ça et là la couleur blanchâtre du calcaire.

La région administrative comprend quatre départements : la Vienne, les Deux-Sèvres, la Charente et la Charente-Maritime. D'un point de vue viticole, elle s'identifie à son vignoble principal, celui du cognac, qui s'étend sur les deux Charentes, avec une incursion en Dordogne. Ce n'est pas le seul ; le vignoble du Saumurois pousse une pointe en Poitou-Charentes, tout au nord des Deux-Sèvres, dans la plaine de Thouars. Et au nord-est de Poitiers, vers Neuville, subsistent des lambeaux du vignoble du Poitou, dont les vins, au XII^e s., dépassaient en notoriété ceux du Bordelais.

Son climat océanique très doux, souvent ensoleillé en été ou à l'arrière-saison, avec de faibles écarts de températures qui permettent une lente maturation des raisins, rapproche la région Poitou-Charentes de l'Aquitaine. C'est tout aussi vrai de l'histoire. Dès l'époque gallo-romaine, les pays des Pictaves et des Santones ont été rattachés à la même province que Bordeaux, et à partir du X^e s., Aquitaine et Poitou ont été réunis sous un même duché, avant de devenir partie intégrante, au milieu du XII^e s., du grand royaume Plantagenêt, comprenant Aquitaine, Poitou, Anjou et Angleterre. Leur histoire viticole présente ainsi bien des traits communs, quoique les époques de prospérité n'aient pas toujours coïncidé.

Aux temps gallo-romains, malgré l'éclat de Saintes et de Poitiers, nul indice d'une viticulture prospère dans la région, alors que Bordeaux possède déjà des vignobles réputés. C'est au Moyen Age que le vignoble poitevin s'épanouit. Sa viticulture a un caractère hautement spéculatif : elle est suscitée par l'essor des villes de l'Europe du Nord et par le renouveau de la navigation maritime. Ce nouveau patriciat urbain veut consommer du vin. Des navires, plus gros et plus perfectionnés qu'auparavant, partent en quête de la boisson aristocratique. Les Poitevins répondent à cette demande. On plante en quantité dans les diocèses de Poitiers et de Saintes : vins de la Rochelle, de Ré et d'Oléron, vins de Niort, vins de Saint-Jean-d'Angély, vins d'Angoulême.... Fondée par Guillaume X et protégée par les ducs d'Aquitaine, La Rochelle est l'un des principaux ports d'expédition, mais le moindre port de rivière profite de ce commerce. On appelle aussi vins du Poitou les produits nés dans les régions voisines de l'Aunis, de la Saintonge et de l'Angoumois – les provinces historiques situées sur le territoire actuel des deux Charentes.

Si la prise de La Rochelle par le roi de France, en 1224, ferme aux vins du Poitou le marché anglais qui achète désormais des clarets bordelais, la soif des autres régions de l'Europe du Nord permet aux vignobles de la région de survivre. La Hollande devient leur principal débouché, surtout après 1579, quand les Provinces-Unies prennent leur indépendance et s'affirment comme une puissance maritime et commerciale. Les Hollandais apprécient les vins blancs doux. Néanmoins, la production de la région devenue pléthorique voyage mal. Les négociants hollandais trouvent la solution : le *brandwijn*, ou eau-de-vie. Grâce à la distillation, ils remédient non seulement à la surproduction mais parviennent à valoriser des vins faibles. Une opération tellement intéressante que l'alambic se répand dans les campagnes de l'Aunis et de la Saintonge.

Cette eau-de-vie est devenue cognac, dont la notoriété s'est affirmée aux XVIII^es. et XIX^es. La crise phylloxérique, si elle a suscité l'essor des alcools de grains, n'a pas ruiné durablement le vignoble charentais, qui bénéficiait d'un grand prestige, consacré par une AOC dès 1909. En revanche, le vignoble poitevin, resté très étendu mais dont la réputation avait pâli, a failli disparaître complètement du paysage viticole.

## Haut-poitou AOVDQS

Le docteur Guyot rapporte, en 1865, que le vignoble de la Vienne représente 33 560 ha. De nos jours, outre le vignoble du nord du département, rattaché au Saumurois, et une enclave dans les Deux-Sèvres, le seul intérêt porté à la vigne se situe autour des cantons de Neuville et de Mirebeau. Marigny-Brizay est la commune la plus riche en viticulteurs indépendants. Les autres se sont regroupés pour former la cave de Neuville-de-Poitou. Les vins du haut Poitou ont produit 30 522 hl en 2004 dont 16 415 en blanc, 877 hl en rosé et 13 230 hl en rouge sur une surface déclarée de 478 ha. Le haut-poitou est en passe de demander l'accession à l'appellation d'origine contrôlée.

Les sols du plateau du Neuvillois, évolués sur calcaires durs et craie de Marigny ainsi que sur marnes, sont propices aux différents cépages de l'appellation ; le plus connu d'entre eux est le sauvignon (blanc).

**Poitou-Charentes**

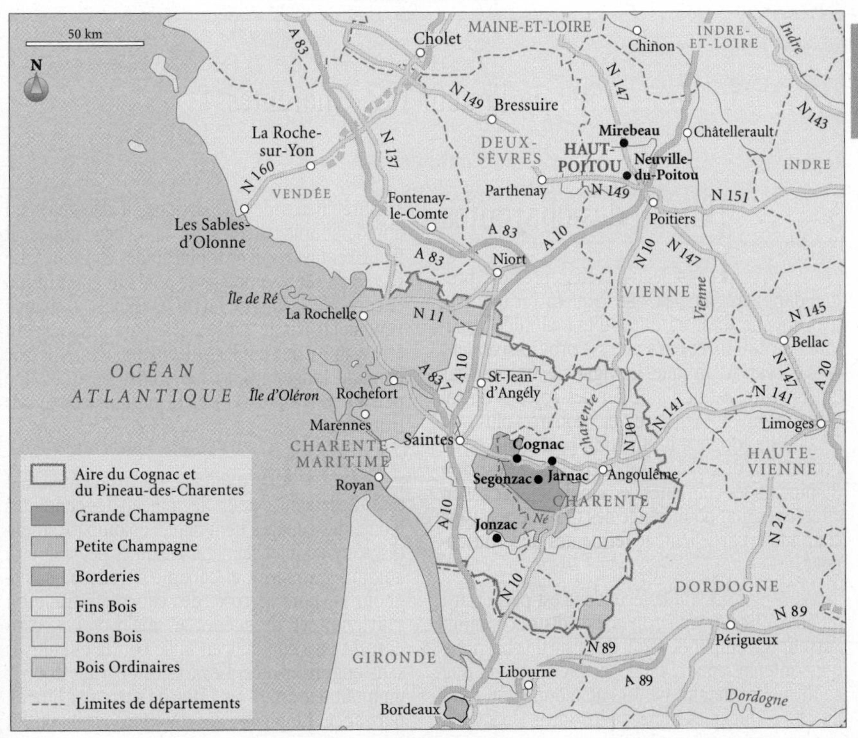

CAVE DU HAUT-POITOU Chardonnay 2004 ★

64 ha 100 000 3 à 5 €

La cave, créée en 1948, vinifie le fruit de près des deux tiers du vignoble du haut Poitou. En 2004, le chardonnay est parvenu à bonne maturité, ce qui se traduit dans ce vin jaune pâle cristallin par des arômes délicats de fruits secs, de fruits blancs et de fleurs. La bouche rafraîchissante et fruitée est caractéristique des vins blancs de l'appellation.

SA Cave du Haut-Poitou, 32, rue Alphonse-Plault, 86170 Neuville-de-Poitou, tél. 05.49.51.21.65, fax 05.49.51.16.07, e-mail c-h.p@wanadoo.fr
r.-v.

DOM. DES LISES 2004 ★★

0,3 ha 1 200 3 à 5 €

Dans ce domaine situé à l'entrée de la cité médiévale de Mirebeau, le chai occupe une ancienne écurie attenante à la maison d'habitation typiquement poitevine. Pascale Bonneau, œnologue, s'est installée ici en 1995. Elle propose un haut-poitou charmeur et haut en couleur. Dans sa robe rose délicat, le vin décline des arômes rafraîchissants de fruits rouges, dominés par la groseille et des nuances amyliques. La bouche légère et harmonieuse laisse une même impression fruitée très plaisante.

Pascale Bonneau, 21, rue Nationale, 86110 Mirebeau, tél. 05.49.50.53.66, fax 05.49.50.90.50, e-mail pascale.bonneau@libertysurf.fr
t.l.j. (été) sf dim. 10h-19h; t.l.j. (hiver) 18h-19h et sam. 10h-18h

MARIGNY-NEUF Cabernet 2004

7 ha 120 000 5 à 8 €

Après un doctorat en œnologie, F. Brochet s'est installé en 1995 sur un domaine de 16 ha. Le manoir qu'il habite fut la propriété de la tante de Rodolphe Salis, créateur du cabaret *Le Chat noir*, à Montmartre. Dans la cave du XIe s. est né ce cabernet élevé onze mois en barrique. Le vin surprend par sa puissance et sa structure qui laisse une impression finale d'austérité. Mais sous sa robe rouge foncé apparaissent des arômes intenses d'épices et de fruits mûrs. Un haut-poitou inhabituel qui s'affinera au cours de quelques mois de garde.

Ampelidae, Manoir de Lavauguyot, 86380 Marigny-Brizay, tél. 05.49.88.18.18, fax 05.49.88.18.85 r.-v.
F. Brochet

DOM. DE VILLEMONT Chardonnay 2004

1 ha 3 000 3 à 5 €

La propriété en pierre poitevine a été entièrement restaurée en 1999. Alain Bourdier accueille les visiteurs dans une vaste salle de réception attenante au chai. Il leur parle de vin, bien sûr, mais aussi des spécialités de la région : brochettes d'escargots au beurre d'ortie, cuisses de grenouilles et asperges du Lencloîtrais. Autant d'idées d'accompagnement pour ce chardonnay jaune pâle, aux arômes de fruits blancs, de prune et de cassis. La bouche moelleuse et fraîche à la fois en fait un vin gouleyant.

Alain Bourdier, Dom. de Villemont, Seuilly, 86110 Mirebeau, tél. 05.49.50.51.31, fax 05.49.50.96.71, e-mail domaine-de-villemont@wanadoo.fr
t.l.j. sf dim. 9h30-12h30 14h-18h30; f. 1-7 janv.

# Vins de liqueur des Charentes

## Pineau-des-charentes

Le pineau-des-charentes est produit dans la région de Cognac qui forme un vaste plan incliné d'est en ouest d'une altitude maximum de 180 m, et qui s'abaisse progressivement vers l'océan Atlantique. Le vignoble, traversé par la Charente, est implanté sur des coteaux au sol essentiellement calcaire et couvre plus de 79 000 ha, dont la destination principale est la production du cognac. Le cognac est « l'esprit » du pineau-des-charentes : ce vin de liqueur est en effet le résultat du mélange des moûts des raisins charentais partiellement fermentés avec du cognac.

Selon la légende, c'est par hasard qu'au XVIe s. un vigneron un peu distrait commit l'erreur de remplir de moût de raisin une barrique qui contenait encore du cognac. Constatant que ce fût ne fermentait pas, il l'abandonna au fond du chai. Quelques années plus tard, alors qu'il s'apprêtait à vider la barrique, il découvrit un liquide limpide, délicat, à la saveur douce et fruitée : ainsi serait né le pineau-des-charentes. Le recours à cet assemblage se poursuit aujourd'hui encore, de la même façon artisanale à chaque vendange, car le pineau-des-charentes ne peut être élaboré que par les viticulteurs. Restée locale pendant longtemps, sa renommée s'est étendue peu à peu à toute la France, puis au-delà de nos frontières.

Les moûts de raisins proviennent essentiellement, pour le pineau-des-charentes blanc, des cépages ugni blanc, colombard, montils, sauvignon et sémillon auxquels peuvent être adjoints les merlot et cabernets franc ou sauvignon, et, pour le rosé, des cabernets franc ou sauvignon et du merlot et malbec. Les ceps doivent être conduits en taille courte et cultivés sans engrais azotés. Les raisins devront donner un moût dépassant les 170 g de sucre par litre en puissance. Le pineau-des-charentes vieillit en fût de chêne pendant au minimum une année, le plus souvent dix-huit mois. Il ne peut sortir de la région que mis en bouteilles.

Comme en matière de cognac, il n'est pas d'usage d'indiquer le millésime. En revanche, un qualificatif d'âge est souvent spécifié. Le terme « vieux pineau » est réservé au pineau de plus de cinq ans et celui de « très vieux pineau » au pineau de plus de dix ans. Dans ces deux cas, il doit passer son temps de vieillissement exclusivement en barrique et la qualité de ce vieillissement doit être reconnue par une commission de dégustation. Le degré alcoolique est généralement compris entre 17 ° et 18 ° et la teneur en sucre non fermenté de 125 à 150 g ; le rosé est généralement plus doux et plus fruité que le blanc, lequel est plus nerveux et plus sec. La production annuelle moyenne des dix dernières années est d'environ 125 000 hl dont 70 000 hl de blanc et 55 000 hl de rosé.

Nectar de miel et de feu, dont la merveilleuse douceur dissimule une certaine traîtrise, le pineau-des-charentes peut être consommé jeune (à partir de deux ans) ; il donne alors tous ses arômes de fruits, encore plus abondants dans le rosé. Avec l'âge, il prend des parfums de rancio très caractéristiques. Par tradition, il se consomme à l'apéritif ou au dessert ; cependant, de nombreux gastronomes ont noté que sa rondeur accompagne le foie gras et le roquefort, que son moelleux intensifie le goût et la douceur de certains fruits, principalement le melon (charentais), les fraises et les framboises. Il est utilisé également en cuisine pour la confection de plats régionaux (mouclades).

## BARBEAU Très Vieux Grande Réserve ★★★

1,5 ha 1 500 15 à 23 €

Chez les Barbeau, on produit du vin depuis plus de cent ans. En 1871, l'arrière-arrière-grand-père de l'actuel propriétaire du domaine vendait déjà de l'eau-de-vie à une grande maison de négoce. Depuis 1970, la famille se charge elle-même de vendre en bouteille sa production. Une visite s'impose pour découvrir ce très vieux pineau issu de pur merlot. La teinte rose soutenu à reflets tuilés témoigne d'une certaine évolution. Les arômes puissants de confiture de griottes et de pruneau persistent jusqu'au palais, puis laissent place à de longues notes chocolatées en finale. La bouche surprend agréablement tant le sucre se fond harmonieusement dans la matière souple et intense. Notez aussi que le **pineau-des-charentes rosé (8 à 11 €)** obtient une étoile.

Maison Barbeau et Fils, Les Vignes, 17160 Sonnac, tél. 05.46.58.57.42, fax 05.46.58.53.62 r.-v.

## BARON DE L'IF ★

2 ha n.c. 5 à 8 €

Le vignoble de 46 ha, situé au cœur de la région de Cognac sur des coteaux argilo-calcaires, a été créé en 1884. Les Duluc ont commencé à vendre leur production en 1979. Ils ont élaboré ce pineau à partir du seul ugni blanc récolté sur des vignes plus que trentenaires. De couleur jaune pâle à reflets dorés, celui-ci développe des arômes de fruits jaunes et de fruits exotiques. L'attaque est souple, la bouche ronde, puissante et persistante.

Pierre et Daniel Duluc, GAEC de l'If, chez Guionnet, 16120 Touzac, tél. 05.45.97.50.12, fax 05.45.66.28.49 t.l.j. sf dim. 9h-19h

## VEUVE BARON ET FILS Vieux ★

1,5 ha 4 000 11 à 15 €

Ce domaine, ancien pavillon de chasse d'époque François Ier, appartient à la famille Baron depuis 1851. Le vignoble est implanté sur les coteaux d'un cru de cognac réputé : les Borderies. Ce pineau-des-charentes jaune paille à reflets dorés livre un nez fin de miel, de fleurs d'acacia et de fruits secs. La bouche ronde, onctueuse et puissante, révèle un agréable rancio en finale.

Jean-Michel Baron, Logis du Coudret, 16370 Cherves-Richemont, tél. 05.45.83.16.27, fax 05.45.83.18.67, e-mail veuve.baron@wanadoo.fr t.l.j. sf dim. 10h-12h 14h-19h

## DOM. DE BIRIUS ★

1,1 ha 2 200 8 à 11 €

Proche de la ville médiévale de Pons, ce domaine familial couvre 23 ha sur des coteaux calcaires de la Petite Champagne. Sous une teinte jaune paille aux multiples reflets dorés, ce vin manifeste des arômes de fleurs des champs et de fruits blancs mûrs, telle la pêche de vigne. La bouche est souple, équilibrée, légèrement acidulée en finale.

EARL Bouyer, 4, rue des Peupliers, Dom. de Birius - La Brande, 17800 Biron, tél. et fax 05.46.91.22.71 t.l.j. sf dim. 9h-12h30 14h-19h; de janv. à mai sur r.-v.

## RAYMOND BOSSIS ★

4,5 ha 8 000 8 à 11 €

D'origine vendéenne, la famille Bossis a implanté son vignoble en 1924 sur les coteaux argilo-calcaires des bords de la Gironde. Si Raymond Bossis a passé les commandes à son fils Jean-Luc en 1993, il reste toujours présent à ses côtés. Ce pineau au caractère légèrement évolué s'affiche dans une robe rouge limpide, à reflets tuilés. Il révèle à l'agitation des notes de pruneau cuit et de fruits secs, relayées en bouche par le chocolat et les fruits à noyau. De la souplesse et une agréable persistance.

CHARENTES

🔑 SCEA les Groies, 17150 Saint-Bonnet-sur-Gironde,
tél. 05.46.86.02.19, fax 05.46.70.66.85,
e-mail pineau.bossis@libertysurf.fr
☑ Y ⚲ t.l.j. 9h-12h30 14h-19h30
🔑 Raymond Bossis

## DOM. DE BOURSAC *

5 ha 10 000 5 à 8 €

Ce domaine est constitué de 60 ha de vignes et Nicolas Giraud représente la troisième génération. Jaune doré à reflets ambrés, ce pineau libère avec discrétion des arômes d'agrumes (pamplemousse) et de pêche de vigne, puis offre une matière souple, ronde et équilibrée, qui laisse une impression d'harmonie.

🔑 SARL Dom. de Boursac, 45, rte de Cognac,
16130 Ars, tél. et fax 05.45.82.13.03,
e-mail nicolasgir@hotmail.com ☑ Y ⚲ r.-v.
🔑 Giraud

## BRARD BLANCHARD **

2,02 ha 21 200 8 à 11 €

Depuis de nombreuses années cultivé en agriculture biologique, ce vignoble de 20 ha couvre des coteaux argilo-calcaires au-dessus de la vallée de la Charente. Ugni blanc, colombard et montils sont à l'origine de ce vin jaune paille à reflets vieil or qui décline des arômes de fleurs des champs et de miel au nez. La bouche souple et ample, empreinte de flaveurs fruitées et florales, laisse une impression d'harmonie en finale.

🔑 GAEC Brard Blanchard,
1, chem. de Routreau, Boutiers, 16100 Cognac,
tél. 05.45.32.19.58, fax 05.45.36.53.21
☑ 🏠 Y ⚲ t.l.j. sf dim. 9h-12h 14h-18h; sam. 9h-12h

## FREDDY BRUN *

1,5 ha 7 000 5 à 8 €

Ce pineau-des-charentes jaune paille limpide et brillant séduit d'emblée par ses arômes complexes hérités de moûts de raisins très riches : évocations de vanille et de fruits secs. Il se montre plein, rond et légèrement boisé au palais, avec un caractère flatteur en finale.

🔑 Freddy Brun, Babœuf, 16300 Barret,
tél. 05.45.78.00.73, fax 05.45.78.98.81,
e-mail freddy.brun@wanadoo.fr ☑ Y ⚲ r.-v.

## DOMINIQUE CHAINIER ET FILS *

3 ha 5 000 8 à 11 €

Dominique Chainier possède des vignes dans les meilleurs crus : la Petite et la Grande Champagne. Le cœur de la propriété se situe à 10 km de Jonzac, ville thermale, et de son centre ludo-aquatique. Rouge cerise ourlé d'une frange légèrement tuilée, son vin est dominé par les fruits cuits (pruneau) au nez. Les arômes persistent agréablement en bouche, accompagnant un développement tout en rondeur et en équilibre. À savourer à l'apéritif comme au dessert, avec un gâteau au chocolat.

🔑 Dominique Chainier et Fils, La Barde Fagnouse,
17520 Arthénac, tél. 05.46.49.12.85, fax 05.46.49.18.91,
e-mail vignoblechainier@free.fr
☑ 🏠 Y ⚲ t.l.j. sf dim. 9h-19h

## DOM. DU CHENE Vieux

2 ha 6 000 11 à 15 €

Jean-Marie Baillif a pris en 1990 la succession de Jean Doussoux qui avait créé le vignoble dans les années 1930. La production de pineau-des-charentes est devenue la principale activité du domaine. Ugni blanc (60 %) et colombard composent ce vin vieil or à reflets orangés, dont le nez fin révèle des arômes de noix, de coing et de sous-bois. La chair ample et ronde emplit durablement le palais de notes de fruits secs. En finale se manifeste un caractère rancio élégant.

🔑 Doussoux-Baillif, 20, rue des Chênes,
17800 Saint-Palais-de-Phiolin, tél. 05.46.70.92.29,
fax 05.46.70.91.70, e-mail baillif.jm@wanadoo.fr
☑ 🏠 Y ⚲ t.l.j. 8h30-12h 14h30-19h; dim. sur r.-v.

## PASCAL CLAIR **

3 ha 11 000 8 à 11 €

Cette exploitation familiale compte 21 ha en Petite Champagne. Elle a produit un pineau harmonieux, dont la robe paille brille de reflets vieil or. Le nez s'ouvre sur des arômes intenses d'agrumes et de pêche de vigne, tandis que la bouche souple et équilibrée persiste sur des notes de fruits secs et de fruits frais.

🔑 EARL Pascal Clair, La Genebrière, 17520 Neuillac,
tél. 05.46.70.22.01, fax 05.46.48.06.77,
e-mail pascal.clair@free.fr ☑ Y ⚲ r.-v.

## DOM. DROUET ET FILS Mathilde 2001 *

1 ha 2 000 15 à 23 €

Patrick Drouet rend hommage à sa fille Mathilde en baptisant cette cuvée de son nom. On perçoit de la jeunesse dans les arômes acidulés de bonbon à la griotte et au cassis, puis de la fraîcheur et de l'équilibre dans la chair au fruité persistant. Servez cette bouteille à l'apéritif avec des pruneaux chauds au lard. A découvrir également, le **pineau-des-charentes blanc X'Cep**, une étoile.

🔑 Patrick Drouet,
1, rte du Maine-Neuf, 16130 Salles-d'Angles,
tél. 05.45.83.63.13, fax 05.45.83.65.48,
e-mail domaine.drouet.et.fils@tiscali.fr ☑ Y ⚲ r.-v.

## FAMILLE ESTEVE Vieux *

n.c. n.c. 15 à 23 €

Dans ce domaine familial implanté sur les coteaux calcaires de la Petite Champagne, les plus vieilles vignes sont vendangées manuellement. Leur raisin est réservé à l'élaboration de pineau-des-charentes. Celui-ci, de teinte vieil or à reflets ambrés, livre un nez intense d'orange amère, de prune et de miel. Ample et puissant, il développe en finale des notes généreuses de rancio.

🔑 Jacques Estève, 87, rte de la Vallée-du-Né,
17520 Celles, tél. 05.46.49.51.20, fax 05.46.49.25.57
☑ Y ⚲ r.-v.

## FAVRE ET FILS Réserve oubliée *

1 ha 4 000 8 à 11 €

Créé en 1900, ce domaine se situe sur l'île d'Oléron, non loin du port de La Cotinière. Son vignoble établi sur des sols silico-argileux est complanté de plusieurs cépages qui font la richesse des différentes productions. Dans sa robe jaune paille à reflets dorés, ce pineau développe des arômes d'amande, de noix et de miel. L'attaque est souple, la bouche ample, harmonieuse et équilibrée. Le **pineau-des-charentes rosé l'Insulaire (5 à 8 €)** est cité.

🔑 SCEA Favre et Fils, Village La Fromagerie,
17310 Saint-Pierre-d'Oléron, tél. 05.46.47.05.43,
fax 05.46.75.03.18, e-mail pas-favr@clubinternet.fr
☑ 🏠 Y ⚲ t.l.j. sf dim. 9h-12h 15h-19h

PIERRE GAILLARD Très vieux ★

0,5 ha 1 000 15 à 23 €

Viticulteurs de père en fils depuis plus d'un siècle, les Gaillard exploitent un vignoble au cœur de la Saintonge romane. De belle présentation dans sa robe ambrée à reflets vieil or, leur très vieux pineau développe des arômes de fruits secs et notamment de noix. La bouche d'une rondeur plaisante évolue avec ampleur jusqu'à une longue finale de miel et de rancio. Le **pineau-des-charentes vieux blanc (11 à 15 €)** est également très réussi.

Pierre Gaillard, 3, chez Trébuchet, 17240 Clion, tél. 05.46.70.47.35, fax 05.46.70.39.30

t.l.j. sf dim. 9h-12h 14h-19h

GUILLON-PAINTURAUD Extra-vieux ★

2,5 ha 3 000 15 à 23 €

Remontant au XVIIᵉs., ce domaine situé au cœur de la Grande Champagne est conduit depuis 1965 par la famille Guillon-Painturaud. Sa production s'exporte à 15 %, ce qui est remarquable pour une exploitation familiale. Ce pineau, sous une robe cuivrée à reflets orangés, offre un nez fin de framboise et de cerise, puis une bouche ronde et harmonieuse. Le **pineau-des-charentes blanc (8 à 11 €)** obtient la même appréciation.

SCEV Guillon-Painturaud, Biard, 16130 Segonzac, tél. 05.45.83.41.95, fax 05.45.83.34.42, e-mail infos@guillon-painturaud.com

t.l.j. sf dim. 9h-12h 14h-18h

LASCAUX Très vieux ★★

4 ha n.c. 15 à 23 €

Le vignoble de 21 ha entoure le logis du Renfermis, édifice du XVIIᵉs. Cinq gîtes ont été créés dans ce cadre viticole agréable, proche de la Charente et de nombreux étangs. Un séjour vous permettra de découvrir ce pineau couleur vieil or à reflets ambrés. Aux arômes intenses de noix répond une bouche puissante, riche et ronde, dotée d'un caractère rancio harmonieux en finale.

Lascaux, Logis du Renfermis, 16720 Saint-Même-les-Carrières, tél. 05.45.81.90.48, fax 05.45.81.98.34 t.l.j. 8h-20h

DOM. DE LA MARGOTTERIE ★★

1 ha 8 000 8 à 11 €

La famille Terrigeol produit des côtes-de-blaye dans la partie du vignoble située en Gironde et du pineau-des-charentes dans la partie située en Charente-Maritime. La robe de ce pineau est d'un rouge profond. Invitation à découvrir le nez intense et élégant de fruits rouges et noirs (cerise, mûre). La bouche ronde et soyeuse offre un même fruité, tout en faisant preuve de volume. Le **pineau-des-charentes très vieux blanc (11 à 15 €)** a été cité par le jury.

GAEC Terrigeol et Fils, 27, av. du Pont-de-la-Grâce, 33820 Saint-Ciers-sur-Gironde, tél. 05.57.32.61.96, fax 05.57.32.79.21 r.-v.

MENARD Très vieux ★★

1,5 ha 5 000 15 à 23 €

La famille Ménard élabore du cognac et du pineau-des-charentes à partir de ses vignes implantées sur des coteaux calcaires bien exposés. Aux environs de sa propriété, on découvre des carrières de pierre de taille, une église du XIIᵉs. et même un dolmen. Le pineau n'est pas une moindre découverte. Celui-ci, ambré aux multiples reflets orangés, est très aromatique : boisé et épices se mêlent aux fruits secs et aux fruits confits. Rond, il sait être puissant sans rien perdre de son élégance et offre en finale un rancio agréable.

J.-P. Ménard et Fils, 2, rue de la Cure, 16720 Saint-Même-les-Carrières, tél. 05.45.81.90.26, fax 05.45.81.98.22, e-mail menard@cognac-menard.com

t.l.j. 8h-12h 14h-18h; sam. dim. sur r.-v.

VIGNOBLES MORANDIERE Le Patoisan ★

2 ha 10 000 8 à 11 €

Jouissant d'une exposition exceptionnelle sur les coteaux calcaires des bords de la Gironde, face au Médoc, ce domaine a produit un vin rubis éclatant, aux séduisantes notes de mûre, de pruneau et de cassis. Les arômes s'installent en bouche et ne semblent plus devoir la quitter. Un pineau long et élégant. La même note est attribuée au **pineau blanc**.

Vignobles Morandière, Le Breuil, 17150 Saint-Georges-des-Agouts, tél. 05.46.86.18.13, fax 05.46.70.63.11

t.l.j. sf dim. 9h-12h 13h30-19h

Vincent Morandière

MORPAIN-JORAND ★

0,5 ha 4 000 5 à 8 €

Cette propriété familiale fondée il y a plus de trois siècles au cœur de l'île d'Oléron a toujours eu une activité viticole. Depuis cinq ans, Jean-Claude Morpain commercialise lui-même ses pineaux et ses cognacs. Ce vin révèle d'intenses arômes de fruits rouges qui donnent envie de poursuivre la dégustation. Se révèle alors une bouche puissante, bâtie sur des tanins soyeux. Une indéniable séduction.

Jean-Claude Morpain, 112, rue du Docteur-Seguin, Cheray, 17190 Saint-Georges-d'Oléron, tél. et fax 05.46.76.69.03 r.-v.

CH. DE L'OISELLERIE Gerfaut Ambré ★★

5 ha 10 000 8 à 11 €

Un château du XIIᵉs., remanié à la Renaissance, commande ce domaine situé aux portes d'Angoulême et dont l'emblème est le faucon, ou gerfaut, oiseau majestueux que l'on dressait ici pour la chasse, au XVᵉs. De la majesté, ce pineau n'en manque pas dans sa robe vieil or à reflets ambrés. Très typé, il développe des arômes de fruits secs légèrement vanillés. Après une attaque souple se révèle une chair ronde, d'une longueur surprenante. Le rancio qui ressort en finale complète l'harmonie générale. Le **pineau-des-charentes rosé** remporte également deux étoiles.

Lycée agricole l'Oisellerie, 16400 La Couronne, tél. 05.45.67.36.90, fax 05.45.67.16.51, e-mail exploitation.oisellerie@wanadoo.fr r.-v.

J. PAINTURAUD Vieux ★

1 ha 3 000 15 à 23 €

Jacques Painturaud a repris en 1973 l'exploitation familiale au cœur de la Grande Champagne. Il participe à de nombreuses manifestations touristiques et a même créé une salle d'initiation à la dégustation. Ce pineau vous permettra de vous exercer de retour chez vous. Regardez sa robe vieil or, puis humez ses arômes : vous décèlerez aisément les fruits confits, le pain d'épice et le miel. En bouche, tout est rondeur et équilibre ; la finale persiste longtemps sur une note de rancio.

Jacques Painturaud, 3, rue Pierre-Gourry, 16130 Ségonzac, tél. 05.45.83.40.24, fax 05.45.83.37.91, e-mail cognac.painturaud@wanadoo.fr
t.l.j. 8h-20h; dim. sur r.-v.

ANDRE PETIT Sélection *

2,5 ha 14 000 8 à 11 €

Sur les 14 ha de vignes implantées sur des sols argilo-calcaires, les vendanges sont effectuées manuellement, ce qui permet aux raisins de conserver toutes leurs qualités. Ainsi ce pineau rubis développe-t-il au nez comme en bouche des arômes intenses de fruits rouges mûrs, voire confits. La chair est riche, équilibrée et persistante. Le **pineau-des-charentes blanc** obtient la même note : il assemble ugni blanc et colombard.

SARL André Petit, Au bourg, 16480 Berneuil, tél. 05.45.78.55.44, fax 05.45.78.59.30, e-mail petitcox@aol.com r.-v.
Jacques Petit

DOM. DE LA PETITE FONT VIEILLE *

1,2 ha 10 000 5 à 8 €

Les vieilles vignes de ce domaine implanté sur des sols argilo-calcaires produisent des raisins riches en sucre qui permettent d'élaborer des pineaux-des-charentes aussi riches que celui-ci. Sous une teinte or paille se distinguent des arômes d'agrumes et de pêche de vigne, puis une matière souple et ample, équilibrée, qui révèle en finale une note légèrement acidulée.

Aiguillon, EARL Grimard, 10, rue Grimard, 17520 Jarnac-Champagne, tél. et fax 05.46.49.55.54, e-mail la.petitefontvieille@wanadoo.fr r.-v.

THIERRY POUILLOUX *

1,89 ha 6 000 8 à 11 €

Implantée en Petite Champagne, cette exploitation familiale propose un vin rubis intense, dont les fins arômes de cerise et de mûre se marieront volontiers avec les saveurs d'un fondant au chocolat. D'attaque souple, la bouche gagne en ampleur et trouve un équilibre plaisant.

Thierry Pouilloux, 6, imp. du Sud, Peugrignoux, 17800 Pérignac, tél. 05.46.96.41.41, fax 05.46.96.35.04, e-mail pouilloux.thierry@wanadoo.fr r.-v.

DAVID RAMNOUX ***

1 ha 2 500 8 à 11 €

Le domaine de Bellevues se situe dans le cru des Fins Bois, sur des sols de groies légères, à 12 km au nord de Jarnac. David Ramnoux pratique l'agriculture biologique depuis 1993. Son pineau-des-charentes jaune paille présente de multiples attraits : des reflets dorés qui captent le regard, des arômes intenses de fleurs des champs, d'agrumes et de noix. La bouche fraîche, délicatement parfumée, possède un étonnant équilibre. Tout est harmonie dans ce vin.

David Ramnoux, Dom. de Bellevues, 3, rue de l'église, 16170 Mareuil, tél. 05.45.35.43.88, fax 05.45.96.46.94, e-mail david_ramnoux@hotmail.com r.-v.

ROUSSILLE Rosé spécial

4 ha 7 000 8 à 11 €

Tout près d'Angoulême, cette maison fondée en 1928 commercialise ses produits depuis 1950. Le merlot domine largement ce pineau, complété par 10 % de cabernet. Il en résulte une robe au bel éclat rubis et des arômes de confiture de fruits. La bouche est souple, ample et fruitée.

Pascal Roussille, 16730 Linars, tél. 05.45.91.05.18, fax 05.45.91.13.83, e-mail sca.pineau-roussille@terre-net.fr
t.l.j. 8h-19h (sam. dim. 9h)

CH. SAINT-SORLIN Vieux **

4 ha n.c. 11 à 15 €

A ne pas manquer : la visite du château guidée par le propriétaire ou par Armelle, la dame du chai. Tous deux auront à cœur de vous faire apprécier leur métier et leur vin. Le jury n'a pas été avare en superlatifs pour qualifier ce pineau élégant, au nez typé de fruits confits et de rancio. En bouche, la puissance du fruit persiste remarquablement.

Ch. Saint-Sorlin, 17150 Saint-Sorlin-de-Conac, tél. 05.46.86.01.27, fax 05.46.70.65.59, e-mail denys.castelnau@wanadoo.fr
t.l.j. 8h-13h 14h-20h; dim. sur r.-v.
Famille Castelnau

ANDRE THORIN Rubis *

1,5 ha 4 000 8 à 11 €

Récolté dans ce vignoble familial de Grande Champagne, implanté sur un terroir argilo-calcaire, le merlot compose à lui seul ce pineau dont les reflets tuilés témoignent d'une certaine évolution. Le pruneau domine le nez, tandis que la bouche revèle des flaveurs fraîches et longues de fruits rouges qui lui donnent un caractère fin.

SCEA Dom. Thorin, chez Boujut, 16200 Mainxe, tél. 05.45.83.33.46, fax 05.45.83.38.93, e-mail claudethorin@cognac-thorin.com
t.l.j. sf dim. 9h-19h
Claude Thorin

DOM. DE LA VILLE *

n.c. 5 000 8 à 11 €

Dans cette propriété, on ne produit que du pineau et du cognac. Ce vin jaune paille à reflets vieil or capte bien la lumière. Il développe de riches senteurs de fruits secs et de fruits confits, nuancées d'un léger rancio, avant d'emplir le palais de sa chair ronde, complexe et très aromatique.

SAE Dom. de la Ville, 17150 Saint-Thomas-de-Conac, tél. 05.46.86.03.33, fax 05.46.70.67.00, e-mail fxcaillet@caramail.com
r.-v.

# LA PROVENCE ET LA CORSE

# LA PROVENCE ET LA CORSE

## La Provence

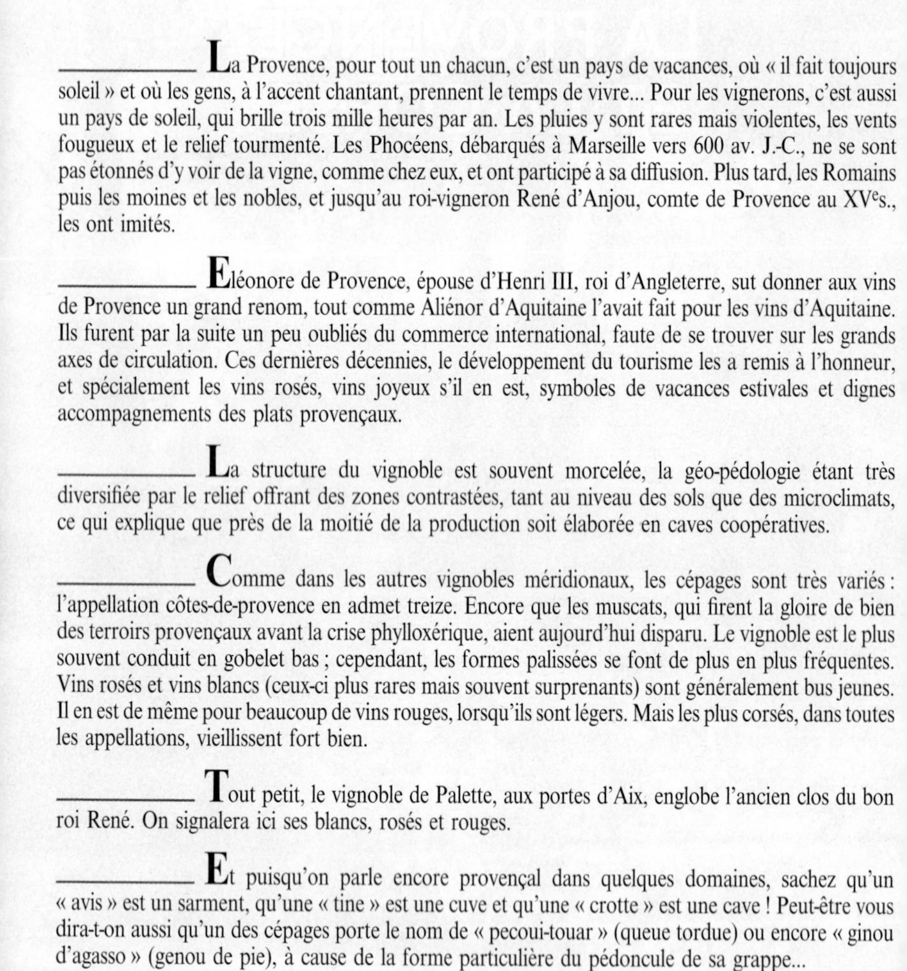

La Provence, pour tout un chacun, c'est un pays de vacances, où « il fait toujours soleil » et où les gens, à l'accent chantant, prennent le temps de vivre... Pour les vignerons, c'est aussi un pays de soleil, qui brille trois mille heures par an. Les pluies y sont rares mais violentes, les vents fougueux et le relief tourmenté. Les Phocéens, débarqués à Marseille vers 600 av. J.-C., ne se sont pas étonnés d'y voir de la vigne, comme chez eux, et ont participé à sa diffusion. Plus tard, les Romains puis les moines et les nobles, et jusqu'au roi-vigneron René d'Anjou, comte de Provence au XV$^{e}$s., les ont imités.

Eléonore de Provence, épouse d'Henri III, roi d'Angleterre, sut donner aux vins de Provence un grand renom, tout comme Aliénor d'Aquitaine l'avait fait pour les vins d'Aquitaine. Ils furent par la suite un peu oubliés du commerce international, faute de se trouver sur les grands axes de circulation. Ces dernières décennies, le développement du tourisme les a remis à l'honneur, et spécialement les vins rosés, vins joyeux s'il en est, symboles de vacances estivales et dignes accompagnements des plats provençaux.

La structure du vignoble est souvent morcelée, la géo-pédologie étant très diversifiée par le relief offrant des zones contrastées, tant au niveau des sols que des microclimats, ce qui explique que près de la moitié de la production soit élaborée en caves coopératives.

Comme dans les autres vignobles méridionaux, les cépages sont très variés : l'appellation côtes-de-provence en admet treize. Encore que les muscats, qui firent la gloire de bien des terroirs provençaux avant la crise phylloxérique, aient aujourd'hui disparu. Le vignoble est le plus souvent conduit en gobelet bas ; cependant, les formes palissées se font de plus en plus fréquentes. Vins rosés et vins blancs (ceux-ci plus rares mais souvent surprenants) sont généralement bus jeunes. Il en est de même pour beaucoup de vins rouges, lorsqu'ils sont légers. Mais les plus corsés, dans toutes les appellations, vieillissent fort bien.

Tout petit, le vignoble de Palette, aux portes d'Aix, englobe l'ancien clos du bon roi René. On signalera ici ses blancs, rosés et rouges.

Et puisqu'on parle encore provençal dans quelques domaines, sachez qu'un « avis » est un sarment, qu'une « tine » est une cuve et qu'une « crotte » est une cave ! Peut-être vous dira-t-on aussi qu'un des cépages porte le nom de « pecoui-touar » (queue tordue) ou encore « ginou d'agasso » (genou de pie), à cause de la forme particulière du pédoncule de sa grappe...

# Côtes-de-provence

Née en 1977, cette appellation, dont la production est considérable (environ 900 000 hl en 2004) vient de reconnaître la dénomination Sainte-Victoire sur 160 ha. Elle occupe un bon tiers du département du Var, avec des prolongements dans les Bouches-du-Rhône, jusqu'aux abords de Marseille, et une enclave dans les Alpes-Maritimes, sur une superficie de plus de 20 000 ha. Trois terroirs la caractérisent : le massif siliceux des Maures, au sud-est, bordé au nord par une bande de grès rouge allant de Toulon à Saint-Raphaël, et, au-delà, l'importante masse de collines et de plateaux calcaires qui annonce les Alpes. On conçoit que les vins issus de nombreux cépages différents, en proportions variables, sur des sols et des expositions tout aussi divers, présentent, à côté d'une parenté due au soleil, des variantes qui font précisément leur charme... Un charme que le Phocéen Protis goûtait sans doute déjà, 600 ans avant notre ère, lorsque Gyptis, fille du roi, lui offrait une coupe en aveu de son amour...

Sur les blancs tendres (30 150 hl) mais sans mollesse du littoral, les nourritures maritimes et très fraîches seront tout à fait à leur place, tandis que ceux qui sont un peu plus « pointus », un peu plus au nord, apaiseront mieux les irritations des écrevisses à l'américaine et des fromages piquants. Les rosés (750 000 hl), tendres ou nerveux, selon l'humeur et le goût, seront les meilleurs compagnons des fragrances puissantes de la soupe au pistou, de l'anchoïade, de l'aïoli, de la bouillabaisse, et aussi des poissons et des fruits de mer aux arômes iodés : rougets, oursins, violets. Enfin, dans les rouges (114 000 hl), ceux qui sont tendres (à servir frais) conviennent aux gigots, aux rôtis, mais aussi aux pots-au-feu, et en particulier au pot-au-feu froid en salade ; les rouges corsés, puissants, généreux, qui peuvent parfois vieillir une dizaine d'années, conviendront aux civets, aux daubes, aux bécasses. Et pour ceux qui ne sont pas ennemis d'harmonies insolites, rosé frais et champignons, rouge et crustacés en civet, blanc avec daube d'agneau (au vin blanc) procurent de bonnes surprises.

### CH. L'AFRIQUE Cuvée César 2004 *

■ 0,8 ha 4 000 11 à 15 €

Offrez-le... Le vin est présenté dans un carton illustré d'une œuvre du sculpteur César : une compression d'étiquettes des domaines Sumeire, dont un détail est repris sur la capsule. L'étiquette de cette bouteille reproduit une aquarelle de Géricault : un homme et son cheval, avec en arrière-plan les bâtiments de ce domaine baptisé L'Afrique au début du XIX^e^s., dans l'esprit orientaliste de l'époque. Dans le verre, ce rosé ne déçoit pas, tant il montre d'éclat dans sa robe pâle, tant ses arômes d'agrumes semblent fins et sa bouche soyeuse. Expression élégante d'un vin qui, tel un cadeau, saura entretenir l'amitié.

Famille Elie Sumeire,
Ch. L'Afrique, 83390 Cuers,
tél. 04.42.61.20.00, fax 04.42.61.20.01,
e-mail sumeire@chateaux-elie-sumeire.fr r.-v.

### DOM. DE L'AMAURIGUE
Fleur de l'Amaurigue 2003

■ 5 ha 18 000 8 à 11 €

La tour romane de l'Horloge et la tour Hexagonale du XVI^e^s. servent de point de repère dans le village du Luc-en-Provence. Tandis que les philatélistes s'attarderont au musée régional du Timbre, les amateurs d'étiquettes – et plus encore de vin – se rendront au domaine de l'Amaurigue. Ils y découvriront un 2003 de teinte rubis profond, au bouquet discret d'épices, de garrigue et de fruits. De bonne composition, le vin est chaleureux au palais, bâti sur des tanins encore fermes qui méritent de s'assouplir au cours de deux ans de garde. La **Fleur de l'Amaurigue 2004 blanc**, ample et boisée, est également citée.

SARL Dom. de L'Amaurigue,
rte de Cabasse, 83340 Le Luc-en-Provence,
tél. 04.94.50.17.20, fax 04.94.50.17.21,
e-mail domaine-l-amaurigue@wanadoo.fr r.-v.
Dick De Groot

### CH. DES ANGLADES Collection privée 2004 *

■ 2 ha 6 000 8 à 11 €

Difficile d'imaginer que le vignoble était à l'abandon lorsque les Gautier le rachetèrent, il y a six ans à peine. Il couvre aujourd'hui 20 ha autour de l'élégante bastide devancée par une allée de palmiers. Rose franc à reflets corail, ce vin laisse une impression friande par ses arômes finement fruités qui persistent jusqu'au palais. Il possède suffisamment de vivacité pour être structuré et expressif. Servez-le à l'apéritif et, pourquoi pas, avec un repas végétarien. La **Collection privée 2004 blanc** est citée : fruits exotiques et fraîcheur intense la caractérisent.

Ch. des Anglades,
quartier Couture, 83400 Hyères,
tél. 04.94.65.22.21, fax 04.94.65.96.69 r.-v.
Gautier

### DOM. DE L'ANGUEIROUN Cuvée spéciale 2003 *

■ 2 ha 4 100 11 à 15 €

Il y a huit ans, Éric Dumon a repris ce domaine créé en 1931 dans une ancienne réserve de chasse : 120 ha face à la mer, dont 35 ha de vignoble. Le paysage qui s'offre au regard du promeneur est pareil à celui peint par le fauviste Jean Peske et qui illustre l'étiquette de ce vin, *Les îles d'Hyères depuis le cap Bénat* (1925). De la jeunesse dans ce 2003 pourpre à reflets violacés, dont l'élevage sous bois d'un an n'a pas masqué les arômes de fruits. Cet accent de fraîcheur s'harmonise au palais avec des tanins souples et un boisé fondu, agrémentés de notes animales légères. Une bouteille qui sera encore présente sur votre table dans deux ou trois ans.

Eric Dumon, 1077, chem. de l'Angueiroun,
83230 Bormes-les-Mimosas,
tél. 04.94.71.11.39, fax 04.94.71.75.51,
e-mail angueiroun@wanadoo.fr r.-v.

## CH. LES APIES Prestige 2003

■ 2 ha 4 000 8 à 11 €

D'une cave abandonnée, Luc Wouters a fait un lieu de vinification moderne depuis son arrivée en 2001. Il s'attache aujourd'hui à restaurer le vignoble de 15 ha. Les résultats sont déjà au rendez-vous. Ce vin rubis profond est issu de l'assemblage du mourvèdre et du cabernet-sauvignon. L'élevage d'un an en fût le marque encore d'arômes épicés et boisés. Les tanins sont très présents au palais, mais une certaine rondeur se profile. Voilà un fort caractère qui demande un civet de lièvre.

Ch. Les Apiès,
Clos Saint-Jean, 83460 Les Arcs-sur-Argens,
tél. et fax 04.98.10.42.12 r.-v.
Luc Wouters

## CELLIER DES ARCHERS Cuvée Terroir 2004

■ 1,1 ha 8 000 3 à 5 €

Une coopérative créée en 1923, située à un endroit stratégique, à 1 km du village médiéval des Arcs et non loin d'une aire de stationnement de camping-cars. On y découvre un 2004 grenat brillant qui ne refuse rien aux fruits

**La Provence**

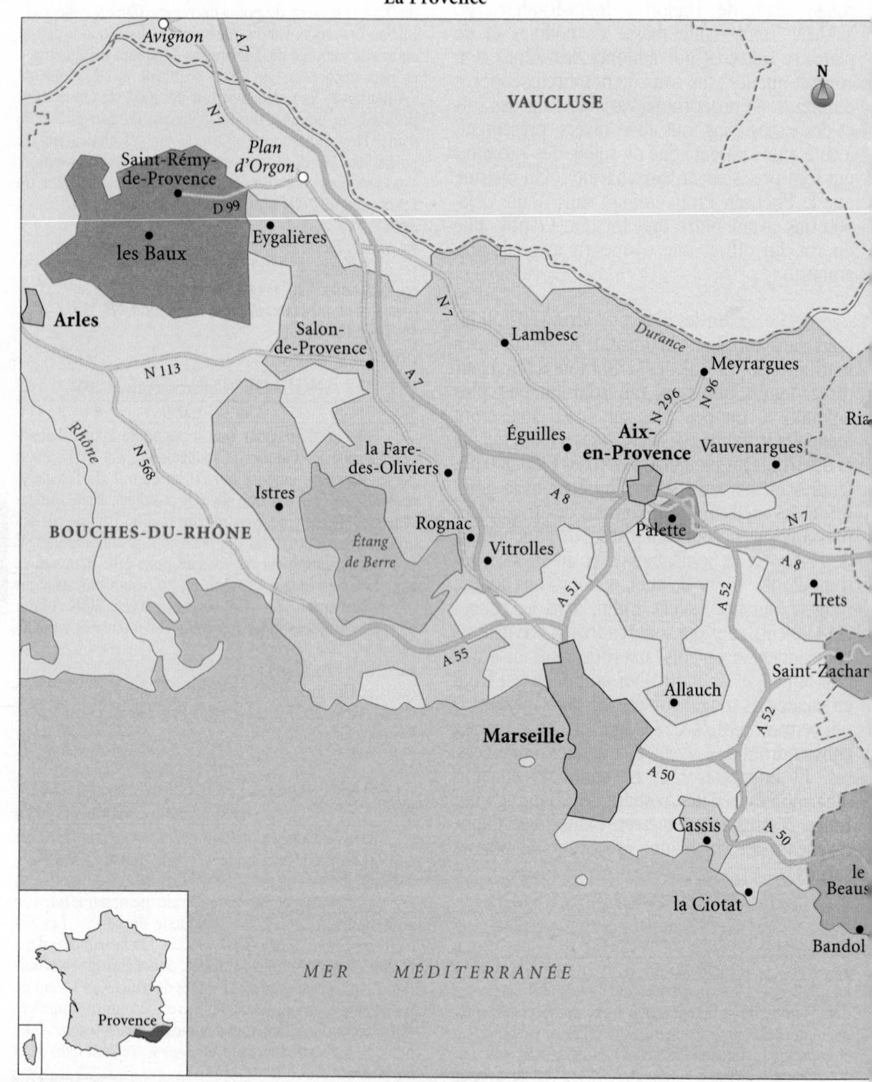

(cerise et cassis). De la structure, point trop n'en faut pour rester léger, rond, et être servi sans complexes autour du barbecue.

Cellier des Archers, quartier des Laurons, 83460 Les Arcs-sur-Argens, tél. 04.94.73.30.29, fax 04.94.47.50.84, e-mail cellierdesarchers@free.fr
t.l.j. sf dim. 8h-12h 14h-18h

### DOM. DES ASPRAS Cuvée Réserve 2004

| | n.c. | 3 000 | | 8 à 11 € |
|---|---|---|---|---|

Au cœur des vignes, dans leur bastide de style piémontais, Michaël et Lisa Latz pratiquent l'agriculture biologique sur leurs 17 ha comme tous leurs confrères de Correns, premier village bio de France. Leur toute petite production vinifiée en barrique a été retenue par le jury. Un vin rose saumon aux notes de vanille et de noix de coco, qui présente une bonne structure. Pour les amateurs de nouveauté.

Michaël Latz, Dom. des Aspras, 83570 Correns, tél. 04.94.59.59.70, fax 04.94.59.53.92, e-mail mlatz@aspras.com
t.l.j. sf dim. 9h-12h 15h-19h, f. lun. en hiver

### CH. D'ASTROS Cuvée spéciale 2004 ★★

| | 0,9 ha | 6 000 | | 5 à 8 € |
|---|---|---|---|---|

Propriété de la famille Maurel depuis le XIX[e]s., le domaine d'Astros compte plus de 48 ha autour d'un majestueux château de style italien, avec tourelles, perron à balustres et escalier à double révolution. De la fin août

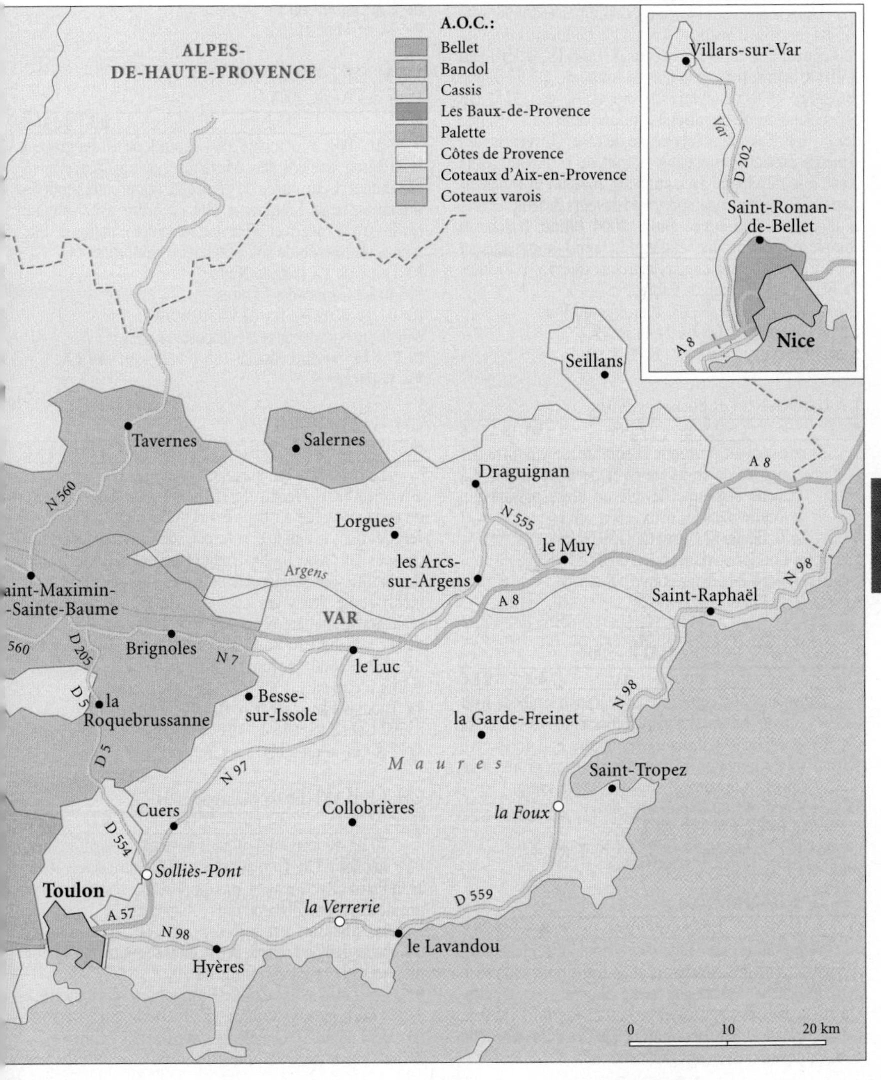

à la fin octobre, vous serez invités à la cueillette dans les vergers de pommiers ; occasion de découvrir ce vin complexe sous une robe pâle. Au nez de fruits rouges et de bonbon anglais répond une bouche ronde, rehaussée d'une juste fraîcheur. Bernard Maurel vous donnera sa recette du strudel aux pommes pour accompagner cette bouteille. La **cuvée spéciale 2004 rouge**, qui n'a pas connu le bois, est citée : réservez-lui une garde de un à trois ans.
SCEA du Ch. d'Astros, rte de Lorgues,
83550 Vidauban, tél. 04.94.99.73.00, fax 04.94.73.00.18,
e-mail chateau-astros@wanadoo.fr r.-v.
Bernard Maurel

## CH. DE L'AUMERADE
Seigneur de Piégros 2004 ★★

| Cru clas. | 5 ha | 26 000 | 8 à 11 € |
|---|---|---|---|

Dans la plaine de Pierrefeu, cet immense domaine de 550 ha est riche d'histoire. Ancien fief de Piégros dont les vins étaient déjà réputés à la cour d'Henri IV, il devint au XVIIIes. la propriété de la famille Aumerat, qui lui donna son nom, et reçut le titre de cru classé en 1955. Un assemblage simple de cinsault et de grenache est à l'origine de ce vin brillant de reflets pétale de rose. Ouvert sur des senteurs exotiques rappelant le fruit de la Passion et le litchi, il se développe avec ampleur, rondeur et fraîcheur au palais, longuement empreint de flaveurs de fruits blancs et d'agrumes. La **cuvée Sully 2004 blanc**, fraîche et complexe, obtient une étoile. Elle rend hommage au célèbre ministre qui planta ici le premier mûrier de France.
SCEA des Domaines Fabre,
Ch. de L'Aumerade, 83390 Pierrefeu-du-Var,
tél. 04.94.28.20.31, fax 04.94.48.23.09,
e-mail info@aumerade.com r.-v.

## LA BADIANE Les Bouissons 2003

| | 0,8 ha | 3 500 | 8 à 11 € |
|---|---|---|---|

D'une couleur profonde et sombre, ce vin offre des parfums intenses de fruits noirs et de torréfaction. La bouche franche et souple dévoile un boisé présent qui devrait se fondre dans les deux ans à venir.
SA La Badiane, S. Croisette II, RN 154,
83250 La Londe-les-Maures, tél. 06.07.87.98.05,
e-mail contact@labadiane.com r.-v.
Jean-Luc Poinsot

## LES VIGNERONS DU BAOU 2004

| | n.c. | n.c. | 3 à 5 € |
|---|---|---|---|

Créée en 1912, cette cave coopérative vinifie le fruit de 360 ha de vignes. Le rosé représente 90 % de sa production. Ce 2004 structuré se montre encore réservé sous sa robe saumonée, mais son expression aromatique douce, rappelant le bonbon anglais, est plaisante.
Les Vignerons du Baou,
rue Raoul-Blanc, 83470 Pourcieux,
tél. 04.94.78.03.06, fax 04.94.78.05.50 r.-v.

## CH. BARBANAU 2004

| | 1,5 ha | 7 500 | 5 à 8 € |
|---|---|---|---|

Teinte jaune pâle à reflets verts pour attirer le regard. Arômes fins de fleurs blanches et de fruits pour séduire le nez. Fraîcheur en bouche pour aiguiser les papilles. Qu'attendez-vous pour servir ce vin à l'apéritif ? Dans le même esprit, le **2004 rosé**, marqué par des notes de pêche et de pamplemousse, est également cité.
SCEA Ch. Barbanau, hameau de Roquefort,
13830 Roquefort-la-Bédoule, tél. 04.42.73.14.60,
fax 04.42.73.17.85, e-mail barbanau@wanadoo.fr
t.l.j. sf dim. 10h-12h 15h-18h

## BASTIDE DE SAINT-JEAN Cuvée Signature 2004 ★

| | n.c. | 9 000 | 8 à 11 € |
|---|---|---|---|

Un rosé de grenache et de syrah provenant d'un vignoble conduit en agriculture biologique. Couleur saumon brillant, il livre un nez intense et frais de framboise et de fraise, puis une chair ronde, équilibrée, de bonne persistance aromatique. Il accompagnera des filets de saumon ou de truite fumés.
Bastide de Saint-Jean, quartier Saint-Jean,
83460 Les Arcs-en-Provence, tél. et fax 04.98.10.43.49,
e-mail bastidedesaintjean@wanadoo.fr
t.l.j. 8h-20h
M. et Mme Henry

## DOM. DE LA BASTIDE NEUVE
Perle des Anges 2004 ★

| | 13,2 ha | 50 000 | 8 à 11 € |
|---|---|---|---|

En 2001, le domaine s'est agrandi de 10 ha grâce à la création du clos des Muraires sur une parcelle en restanques. Cette cuvée de grenache, tibouren et mourvèdre en est issue. Lumineuse, elle s'exprime avec subtilité sur les fruits rouges et offre une structure équilibrée. Elle n'aura rien perdu de son potentiel à l'automne.
Dom. de La Bastide Neuve,
83340 Le Cannet-des-Maures,
tél. 04.94.50.09.80, fax 04.94.50.09.99,
e-mail dnebastideneuve@compuserve.com
t.l.j. sf dim. 8h-12h 13h-17h30, sam. sur r.-v.
Wiestner

## CH. BASTIDIERE 2004 ★

| | 6 ha | 9 687 | 5 à 8 € |
|---|---|---|---|

La Bastidière est une jolie bastide aux murs jaunes et aux volets bleus. Depuis 1997, Thomas Flensberg, à la tête de ce vignoble de 13 ha, s'est déjà distingué à plusieurs reprises dans le Guide et son rosé 2003 a obtenu un coup de cœur l'an passé. Le 2004, pâle et brillant, ne manque pas de charme sous ses accents de fruits exotiques (mangue, litchi) et de fleurs des champs. Un caractère minéral rehausse sa matière souple et équilibrée, de bonne longueur. Le **Château Bastidière 2002 rouge Elevé en fût de chêne**, rond, parfumé de fruits, d'épices et de cuir, mérite d'être cité.
Thomas Flensberg, Ch. Bastidière, rte de Pierrefeu,
83390 Cuers, tél. 04.94.13.51.28, fax 04.94.13.51.29
t.l.j. sf dim. 8h-18h; sam. 8h-13h

## CH. LE BASTIDON Mélusine 2004

| | 4,5 ha | 21 000 | 3 à 5 € |
|---|---|---|---|

70 ha de vignes et 10 ha d'oliviers en bord de mer, face aux îles d'Or. Tout aurait pu disparaître si, en 1995, Jean-Pierre Rose n'avait pas opposé de résistance aux promoteurs immobiliers qui souhaitaient y bâtir une marina. Mélusine est un rosé tout de fruits rouges : framboise dans ses reflets, cerise dans ses parfums. Elle se montre structurée et très fraîche.
Jean-Pierre Rose, Ch. Le Bastidon, rte du Pansard,
83250 La Londe-les-Maures, tél. 04.94.66.80.15,
fax 04.94.66.68.23, e-mail vigneronrose@aol.com
t.l.j. sf dim. 9h-12h 15h-18h30

### CH. DE BERNE Cuvée spéciale 2004

| | n.c. | 35 000 | | 8 à 11 € |
|---|---|---|---|---|

Des moines cisterciens auraient donné le nom de saint Bernard à ce domaine de 650 ha (79 ha de vignes), dont vous goûterez les vins dans la salle du monastère. Cette cuvée de teinte pâle nuancée de reflets rose franc décline de légères notes de fruits et laisse une agréable impression acidulée. À l'école de cuisine de l'auberge du château, vous apprendrez à composer des mets en accord.

Ch. de Berne, 83510 Lorgues,
tél. 04.94.60.43.60, fax 04.94.60.43.58,
e-mail vins@chateauberne.com r.-v.

### MAS DES BORRELS 2004 ★★

| | 1,5 ha | 7 200 | | 5 à 8 € |
|---|---|---|---|---|

La famille Garnier, propriétaire du domaine du Cazal depuis 1966, a acquis la parcelle du Mas des Borrels en 1985. Elle exploite ainsi une cinquantaine d'hectares de vignes aujourd'hui. Remarquable de finesse, ce vin de teinte cristalline évoque les fleurs, les agrumes (orange) et l'abricot, puis se développe avec rondeur, tout empreint de flaveurs persistantes de fruits blancs juteux comme la poire. Un petit délice qu'il serait dommage d'oublier trop longtemps en cave. Une étoile revient au **Mas des Borrels 2004 rosé** qui vous invite à la gourmandise par sa rondeur, ses notes de pain d'épice et de cannelle.

GAEC Garnier, 3e Borrels, 83400 Hyères,
tél. et fax 04.94.65.68.20 t.l.j. 10h-12h 15h-18h

### DOM. BORRELY-MARTIN La Pointe de Léandre 2004

| | n.c. | 10 000 | | 5 à 8 € |
|---|---|---|---|---|

Il faut emprunter le sentier qui part du village des Mayons pour découvrir les forêts de chênes-lièges et de châtaigniers. Au pied du massif des Maures, les frères Martin exploitent 16 ha de vignes dans un site écologique qui sert de refuge aux oiseaux. Leur rosé à base de mourvèdre et de grenache libère de fines notes fruitées sous une teinte saumon. Franc et ample, il affiche un caractère chaleureux. Réservez-le pour le repas.

Dom. Borrely-Martin, Grande rue,
83340 Les Mayons, tél. et fax 04.94.60.09.39,
e-mail jacques.martin132@wanadoo.fr
t.l.j. sf dim. 10h-19h
Martin Frères

### DOM. DE LA BOUVERIE 2004

| | 10 ha | 60 000 | | 5 à 8 € |
|---|---|---|---|---|

On vient à Roquebrune au printemps pour pratiquer la randonnée quand il ne fait pas encore trop chaud, en août pour goûter au miel de bruyère blanche, typique de la flore du massif de l'Estérel, en toutes saisons pour découvrir les côtes-de-provence. Ce domaine d'une trentaine d'hectares a produit un rosé pâle nuancé de gris, riche de parfums de fruits rouges. Souple en attaque et équilibré, celui-ci reste très aromatique au palais : il évoque la fraise des bois et les agrumes.

Jean Laponche, Dom. Viticole de La Bouverie,
83520 Roquebrune-sur-Argens,
tél. 04.94.44.00.81, fax 04.94.44.04.73,
e-mail info@domainedelabouverie.com
t.l.j. sf dim. 9h30-12h30 15h-17h

### CH. DE BREGANCON Cuvée Prestige 2004 ★★

| Cru clas. | 2 ha | 8 000 | 8 à 11 € |
|---|---|---|---|

Au siècle dernier, la vigne était une activité comme une autre, aux côtés de la production d'huile d'olive et de l'élevage de vers à soie. Elle a gagné en importance depuis sur ce domaine de 52 ha aujourd'hui, inscrit dans un paysage de carte postale, face au fort de Brégançon. Le cinsault (70 %) et la syrah ont donné naissance à ce vin rose bonbon qui livre sans ambages des parfums intenses de pêche et de fruits rouges. La bouche, longuement aromatique, allie fraîcheur et rondeur. La **cuvée Prestige 2002 rouge (15 à 23 €)**, composée à parts égales de syrah et de cabernet-sauvignon, est citée.

Jean-François Tézenas, Ch. de Brégançon,
639, rte de Léoube, 83230 Bormes-les-Mimosas,
tél. 04.94.64.80.73, fax 04.94.64.73.47,
e-mail chateaudebregancon@wanadoo.fr
t.l.j. 9h-12h 14h-18h

### DOM. BUNAN Bélouve 2004 ★

| | n.c. | n.c. | | 8 à 11 € |
|---|---|---|---|---|

Les domaines Bunan sont connus des amateurs de vins de Bandol, mais ils produisent aussi des côtes-de-provence au domaine de Bélouve. Le nom de cette bastide du XVIIIes., ancienne propriété de religieux, signifie « beau raisin » en provençal. *Belouve* en effet que ces grappes de mourvèdre, de grenache, de cinsault, de cabernet-sauvignon et de carignan qui ont donné naissance à un vin généreux, à la matière goûteuse et aux tanins fondus. On reste sous le charme des arômes de fruits noirs, d'épices et de réglisse.

SCEA Dom. Bunan,
Moulin des Costes, 83740 La Cadière-d'Azur,
tél. 04.94.98.58.98, fax 04.94.98.60.05,
e-mail bunan@bunan.com r.-v.

### CH. DE CABRAN Cuvée de la Vigne-Haute 2003

| | 1,47 ha | 10 700 | | 8 à 11 € |
|---|---|---|---|---|

Implantée sur le site d'une ancienne *villa* romaine en bordure de la voie domitienne, ce domaine couvre 21 ha sur un terroir de roches issues du volcanisme de l'Estérel, sous un climat influencé par les entrées maritimes. Le 2003, marqué par le mourvèdre, arbore une robe rubis et un nez de fruits rouges. Équilibré et gouleyant, il fait preuve de persistance au palais. Pour une daube provençale.

Monzat de Saint-Julien, chem. de Cabran,
83480 Puget-sur-Argens, tél. 04.94.40.80.32,
fax 04.94.40.75.21, e-mail cabran@libertysurf.fr
t.l.j. sf dim. 10h-12h 14h-19h

### MAS DE CADENET 2003

| | 7 ha | 30 400 | | 5 à 8 € |
|---|---|---|---|---|

Propriété de la famille Négrel depuis le début du XIXes., le mas de Cadenet se trouve au pied de la montagne Sainte-Victoire, sur un terroir de grès argileux et de sable argilo-limoneux. Des restes d'amphores ont été mis au jour sur le domaine, preuve que l'histoire viticole remonte ici à l'Antiquité. Pour vous plonger plus loin encore dans le temps, visitez la petite exposition paléontologique aménagée par Guy Négrel. Toutefois, c'est au caveau que vous vous attarderez pour découvrir ce vin à reflets violets qui livre des arômes intenses de fruits rouges frais. Si les tanins sont encore très présents, une certaine rondeur se dessine. À attendre deux ans.

Guy Négrel, Mas de Cadenet, 13530 Trets,
tél. 04.42.29.21.59, fax 04.42.61.32.09,
e-mail mas-de-cadenet@wanadoo.fr
t.l.j. sf dim. 9h-12h 14h-19h

## DOM. DE CANTA RAINETTE Noblesse 2004 *

■ 3 ha 13 000 5 à 8 €

À 6 km du village médiéval des Arcs, ce domaine de 27 ha accueille des expositions dans le cadre des manifestations estivales Art et vin. Son vin a belle allure dans sa robe rose franc, lumineux. Il offre une riche palette aromatique, associant de subtiles notes d'agrumes (pomelo et citron) à d'intenses senteurs de fruits rouges. Sa vivacité lui permettra de se conserver toute l'année.

Edouard Castellino, Dom. de Canta Rainette, 1144, rte de Bagnols, 83920 La Motte, tél. et fax 04.94.70.28.25, e-mail canta.rainette@wanadoo.fr r.-v.

## LA CARCOISE
Cuvée Antique Elevé en fût de chêne 2004 *

■ 6 ha 10 000 5 à 8 €

Cette coopérative, fondée en 1910, a investi dans un équipement perfectionné, nécessaire à l'élaboration des vins rosés qui représentent 80 % de sa production. Si la **cuvée Lou Neïtar 2004 rosé (3 à 5 €)**, aux notes de pêche et d'agrumes frais, est citée, c'est un vin rouge qui a séduit plus encore le jury. De teinte soutenue, cette cuvée Antique mêle les arômes de fruits rouges à des notes de réglisse fraîche. Des tanins encore fermes lui assurent une bonne structure, sans altérer sa fraîcheur. Attendez-la deux ou trois ans : elle aura alors fondu tout son boisé et sera prête à accompagner des gibiers.

Cave coop. La Carçoise, 66, av. Ferrandin, 83570 Carcès, tél. 04.94.04.38.08, fax 04.94.04.34.25, e-mail cave.carcoise@free.fr t.l.j. sf dim. 9h-12h 13h30-18h

## CH. CARPE DIEM Plus 2003

■ 2 ha 10 000 5 à 8 €

Francis Adam cultive son vignoble en agriculture biologique depuis huit ans maintenant, sans aucune affiliation. Sa devise : *Carpe diem*, prendre son temps pour récolter des raisins bien mûrs et pratiquer de longues macérations. Le petit plus qui donne à ce vin sa couleur limpide, ses arômes de cassis nuancés de notes animales. En bouche, le côté fauve et les touches épicées typiques de la jeune syrah ressortent. La chair aux tanins souples emplit bien le palais. A déguster dès à présent.

Francis Adam, Ch. Carpe Diem, rte de Carcès, RD 13, 83570 Cotignac, tél. 04.94.04.72.88, fax 04.94.04.77.50 t.l.j. 9h30-12h30 15h-19h; f. 15-31 jan.

## CASTEL LAMARE 2004

■ 30 ha 150 000 3 à 5 €

De la brillance et de la limpidité dans ce rosé saumoné qui sent bon la fraise. De la vivacité, certes, mais aussi un bon équilibre qui le rend flatteur. A déguster sans attendre avec un plat exotique.

Patrick Croisy, Dom. Castel Lamare, 83570 Montfort-sur-Argens, tél. 04.94.59.51.88, fax 04.94.59.57.31 t.l.j. 9h-12h 13h-17h

## CH. CAVALIER 2004

■ 49 ha 165 000 5 à 8 €

Propriété du groupe Castel, ce domaine qui ne comptait que 50 ha lors de son rachat en 2000 couvre aujourd'hui 130 ha. Le 2004, rose pâle, évoque subtilement les fruits un peu miellés. Il est franc, équilibré, tout disposé à accompagner une large palette de plats.

SCEA Ch. Cavalier, 1265, chem. de Marafiance, 83550 Vidauban, tél. 04.94.73.56.73, fax 04.94.73.10.93 t.l.j. sf sam. dim. 8h-12h 14h-18h; f. 15 déc.-05 jan.

## CH. CLARETTES Grande Cuvée 2004

■ 1 ha 4 000 5 à 8 €

Un assemblage de rolle et de clairette a donné naissance à ce vin élégant, jaune pâle à reflets verts. Le nez franc développe délicatement des arômes de poire et d'agrumes. Une bonne rondeur et une certaine vivacité s'équilibrent au palais. Servez cette bouteille avec une daurade au four. Également citée, la **Grande Cuvée 2003 rouge (8 à 11 €)**, élevée douze mois en fût.

Crocé-Spinelli, Dom. des Clarettes, 83460 Les Arcs-sur-Argens, tél. 04.94.47.45.05, fax 04.94.73.30.73, e-mail earlvcs@aol.com t.l.j. 10h-12h 14h-19h

## CLOS CIBONNE 2004

■ Cru clas. 4 ha 8 000 8 à 11 €

Situé au-dessus de la rade de Toulon, le domaine doit son nom au comte de Cibon qui en fut le propriétaire jusqu'en 1789. Il passa ensuite aux mains de la famille Roux. Né de tibouren, de syrah et de grenache plantés sur sols de schistes, ce vin profondément coloré, à reflets violacés, présente un nez de fruits rouges nuancé de notes torréfiées. Il se montre rond, chaleureux, structuré par des tanins fins. Appréciez-le avec une côte de bœuf grillée au feu de bois dès l'automne et jusqu'en 2007.

EARL André Roux, chem. de la Cibonne, 83220 Le Pradet, tél. 04.94.21.70.55, fax 04.94.08.13.44, e-mail contact@clos-cibonne.com t.l.j. sf dim. 9h-12h 14h-18h

## DOM. DU CLOS D'ALARI 2003

■ 1,44 ha 3 550 8 à 11 €

Proche de l'abbaye du Thoronet, le Clos d'Alari est un lieu gourmand, où Anne-Marie Vancoillie et sa fille Nathalie produisent non seulement du vin à partir des 6 ha de vignes, mais aussi de l'huile d'olive grâce aux trois cents oliviers. Il possède également des chênes truffiers. Ce 2003 aux reflets pourpres est issu de l'assemblage de syrah, de grenache et de cabernet-sauvignon récoltés sur un terroir argilo-calcaire. Il exprime avec franchise des notes de fruits rouges et de fruits compotés, puis se montre léger et équilibré au palais, malgré quelques tanins présents en finale. A servir dès aujourd'hui.

Anne-Marie et Nathalie Vancoillie, Dom. du Clos d'Alari, 83510 Saint-Antonin-du-Var, tél. 04.94.72.90.49, fax 04.94.72.90.51, e-mail leclosdalari@noos.fr r.-v.

## CLOS SAINT-JOSEPH 2004 *

■ 1,4 ha 8 000 11 à 15 €

A moins de cinquante kilomètres de Nice, Villars-sur-Var se trouve à l'écart de la vaste aire d'appellation régionale. Le Clos Saint-Joseph est ainsi le seul domaine du département des Alpes-Maritimes à produire des côtes-de-provence. Une curiosité que ce vin jaune pâle à reflets or blanc, dont les arômes discrets de poire et d'ananas flattent le nez. Frais et fruité au palais, il se prêtera volontiers à un accord avec un poulet au citron.

Antoine Sassi, Clos Saint-Joseph, 168, rte du Savel, 06710 Villars-sur-Var, tél. et fax 04.93.05.73.29, e-mail stjoseph@terre-net.fr r.-v.

CH. COLBERT CANNET 2004 ★★

■ 50 ha 200 000 5 à 8 €

Dominant la plaine des Maures depuis le piton où il est installé, le vieux village du Cannet offre ses façades gothiques provençales et ses ruelles aux promeneurs. En redescendant vers le vignoble, on découvre ce domaine d'une soixantaine d'hectares qui a produit un vin rose pâle à nuances saumonées. En totale synergie, le nez et la bouche déclinent des notes florales et fruitées, avec finesse et légèreté. Souplesse, rondeur et longueur contribuent à la personnalité de ce 2004 que vous savourerez dès aujourd'hui à l'apéritif pour prolonger les douceurs d'un été indien.

SCEA Dom. de Colbert, Caussereine, 83340 Le Cannet-des-Maures, tél. 04.94.60.77.66, fax 04.94.60.95.59 t.l.j. 8h-12h 14h-17h

CH. COLLET REDON Cuvée Valentin 2003 ★

■ 3,65 ha 2 000 5 à 8 €

Une charmante propriété de 14 ha, dont le château remonte aux XVII^e et XVIII^e s. Autrefois, on y produisait non seulement du vin, mais aussi des fruits et des légumes, et l'on y élevait les vers à soie. Pierre Terrier, aux commandes depuis 1974, propose une cuvée grenat soutenu, au nez intense de thym, de fruits secs et de vanille. La bouche puissante et longue décline des notes animales, ainsi que des arômes grillés et vanillés hérités de l'élevage de six mois en fût. Deux ans de garde permettront à ce vin de parvenir à son meilleur niveau.

Pierre Terrier, 1695, rte de Draguignan, Ch. Collet Redon, 83490 Le Muy, tél. 04.94.45.06.09, fax 04.94.45.80.15, e-mail chateau-colletredon@tiscali.fr t.l.j. sf mer. dim. 10h-12h 15h-18h

LES CAVES DU COMMANDEUR
Dédicace 2004 ★★

■ 1,9 ha 12 000 5 à 8 €

En hauteur dans la plaine de l'Argens, Monfort-sur-Argens est dominé par le château médiéval des Hospitaliers autour duquel se pressent les vieilles maisons aux toits de tuile. La coopérative est un autre attrait de ce village. Elle propose un 2004 pourpre intense à reflets violacés, dont le bouquet complexe et puissant développe des arômes de fruits noirs mûrs, de réglisse, de tabac et d'épices. La bouche est ample, bien charpentée par des tanins élégants. Une étoile revient à la cuvée **Dédicace 2004 rosé**, fraîche et aromatique.

Les Caves du Commandeur, 44, rue de la Rouguière, 83570 Montfort-sur-Argens, tél. 04.94.59.59.02, fax 04.94.59.53.71, e-mail cave.commandeur@free.fr r.-v.

COSTE BRULADE Réserve 3^e millénaire 2004

■ n.c. 5 000 3 à 5 €

Constitué à 80 % de rolle, avec une touche d'ugni blanc, cette cuvée chaleureuse flatte le nez et le palais par ses qualités aromatiques : les fruits mûrs et notamment la pêche blanche se déclinent tout au long de la dégustation.

Cellier Saint-Sidoine, rue de la Libération, 83390 Puget-Ville, tél. 04.98.01.80.50, fax 04.98.01.80.59, e-mail courrier@provence-sidoine.com r.-v.

LES VIGNERONS DE COTIGNAC
Commanderie de Pontfrac 2004 ★★

■ 0,5 ha 3 000 3 à 5 €

Née de la fusion de deux caves en 1967, la coopérative se situe à Cotignac, village pittoresque dominé par la chapelle Notre-Dame-des-Grâces où le Roi-Soleil avait coutume de se rendre en pèlerinage. Cette cuvée s'affiche dans une robe saumoné brillant et dispense généreusement ses senteurs fruitées. Aromatique dès l'attaque, elle se développe, ronde et harmonieuse, jusqu'à une longue finale. Un vin de repas qui s'accordera à des petits farcis provençaux. La **Cuvée spéciale rosé 2004**, chaleureuse, est citée.

Les Vignerons de Cotignac, quartier Basse-Combe, 83570 Cotignac, tél. 04.94.04.60.04, fax 04.94.04.79.54 t.l.j. sf dim. 8h15-12h 14h-18h

CH. DE LA COULERETTE 2004 ★

■ 4 ha 20 000 5 à 8 €

Coulerette, c'est d'abord une source sur les hauteurs de La Londe qui alimentait autrefois le village en eau. C'est aujourd'hui un domaine viticole de 60 ha, situé à quelques minutes des plages londaises. Ce vin semble tout indiqué à un pique-nique à l'ombre des pins. Gouleyant, souple, il dispense volontiers ses arômes de fruits rouges à qui veut l'apprécier dans toute sa simplicité.

Sylvette Brechet, Ch. de La Coulerette, 83250 La Londe-les-Maures, tél. 04.94.66.80.03, fax 04.94.15.92.31 t.l.j. sf sam. dim. 8h-12h 13h-18h

CH. COUSSIN Sainte-Victoire 2004 ★

■ 6 ha 33 000 8 à 11 €

Un beau représentant de la nouvelle appellation côtes-de-provence-Sainte-Victoire. Le château Coussin, qui doit son nom à un avocat à la cour d'Aix au XVIII^e s., appartient depuis 1903 à la famille Sumeire. Ce rosé élégant, à la robe légère, décline des arômes floraux, à peine citronnés et mentholés. Une même fraîcheur vient relever la bouche ronde. Le **2003 rouge** obtient une étoile également : puissant et parfumé de griotte, il est prêt à être savouré, mais saura aussi affronter une garde de deux ans. Pour des plats provençaux mijotés.

Famille Elie Sumeire, Ch. Coussin Sainte-Victoire, 13530 Trets, tél. 04.42.61.20.00, fax 04.42.61.20.01, e-mail sumeire@chateaux-elie-sumeire.fr r.-v.

DOM. DE LA CRESSONNIERE
Cuvée Prunelle 2004

■ 3,5 ha 12 500 5 à 8 €

Située entre Toulon et Le Luc, cette bastide typiquement provençale doit son nom au cresson que l'on y produisait au XIX^e s. Aujourd'hui, c'est un rosé pâle, mais brillant que l'on vient y chercher. Une cuvée qui possède plus de matière que d'arômes, mais dont l'équilibre est harmonieux, avec de la vivacité en finale.

🔑 Dom. de La Cressonnière, RN 97, 83790 Pignans, tél. 04.94.48.81.22, fax 04.94.48.81.25, e-mail cressonniere@wanadoo.fr
☑ 🍷 🚶 t.l.j. sf dim. 9h-12h 15h-18h
🔑 A. et C. Depeursinge

## CH. LES CROSTES Cuvée Prestige 2004 *

■ 33 ha 20 000 5 à 8 €

Cet ancien domaine oléicole remontant au XVII^es. s'étend sur plus de 200 ha, dont 63 ha de vignes plantées depuis les années 1970. Son rosé pâle joue la discrétion dans son expression fruitée et florale soulignée de notes minérales. L'attaque est franche, le volume certain et la vivacité persistante. Un vin adapté à la cuisine du Sud.

🔑 Ch. Les Crostes, chem. de Saint-Louis, BP 55, 83510 Lorgues, tél. 04.94.73.98.40, fax 04.94.73.97.93 ☑ 🍷 🚶 t.l.j. sf dim. 10h-18h

## DOM. DE CUREBEASSE Forum Julii 2004 **

■ 1,7 ha 9 300 5 à 8 €

A l'origine, Forum Julii désignait le vaste marché aménagé par Jules César dans l'ancienne cité celto-ligure, devenue un port très actif en Méditerranée. Un nom qui allait donner celui de Fréjus. Sous le règne d'Auguste, les vétérans de la VIII^e légion y établirent une colonie et développèrent la culture de la vigne. Ce domaine propose un vin limpide nuancé de vert, dont les senteurs de fruits blancs mûrs (poire, pêche) s'expriment intensément, nuancées de notes de fleur de vigne. Vive, la bouche n'en est pas moins équilibrée et procure d'agréables sensations en finale. Nul besoin de patienter pour savourer cette bouteille.

🔑 SCEA Paquette, Dom. de Curebéasse, rte de Bagnols-en-Forêt, 83600 Fréjus, tél. 04.94.40.87.90, fax 04.94.40.75.18, e-mail courrier@curebeasse.com
☑ 🍷 🚶 t.l.j. 9h-12h30 14h-18h

## LES DEMOISELLES 2004 *

■ 15 ha 60 000 5 à 8 €

Un assemblage de grenache, de syrah et de cinsault est à l'origine de cette cuvée rose pâle à reflets saumonés. Celle-ci libère de francs arômes de pêche blanche et de bonbon anglais, puis offre une chair ronde et fine. Accordez-la à un loup grillé. Le jury attribue une citation à la cuvée **Le Charme des Demoiselles 2004 rosé (8 à 11 €)**, plus légère.

🔑 Les Demoiselles, Dom. Saint-Michel-d'Esclans, 83920 La Motte, tél. 04.94.70.24.60, fax 04.94.84.32.06, e-mail jr.demoiselles@wanadoo.fr ☑ 🍷 🚶 r.-v.

## DOM. DESACHY
Cuvée Chloé Elevé en barrique 2002

■ 1,5 ha 3 497 5 à 8 €

A moins de 5 km du bord de mer, vous trouverez aisément ce domaine qui a produit une cuvée bouquetée : arômes de violette, notes empyreumatiques et épices se mêlent harmonieusement. D'attaque franche, la bouche est encore marquée par l'empreinte du bois et des tanins, mais c'est péché de jeunesse : le vin devrait gagner en rondeur au cours d'un an ou deux de garde. Le **Domaine Desachy 2004 rosé** est cité également.

🔑 Desachy, Le Bas Pansard, 83250 La Londe-les-Maures, tél. et fax 04.94.66.84.46
☑ 🍷 🚶 t.l.j. 9h-12h 15h-18h30

## DOM. DU DRAGON
Cuvée Saint-Michel Elevé en fût de chêne 2003 **

■ 3,5 ha 14 500 8 à 11 €

Les fidèles du Guide connaissent bien l'étiquette de cette cuvée, dont le millésime 2001 a obtenu un coup de cœur l'an passé. Un dragon y figure, emblème de Draguignan ; une bastide aussi, encadrée de pins, celle qui commande les 24 ha du domaine. Le 2003 ne décevra pas. D'un rubis soutenu, il dispense des arômes de fruits rouges sur un fond de vanille agréable. Sa grande matière structurée, nuancée d'un fin boisé, en fait un vin complet, disposé à se bonifier encore au cours de deux ou trois ans de garde. Le **2004 blanc (5 à 8 €)**, grâce à ses parfums floraux et à ses flaveurs de fruits exotiques persistantes, obtient une étoile, tandis que la **Grande cuvée 2004 rosé (5 à 8 €)** est citée.

🔑 SCEA Dom. du Dragon, av. Frédéric-Henri-Manhes, 83300 Draguignan, tél. 04.98.10.23.00, fax 04.98.10.23.01, e-mail domaine.dragon@wanadoo.fr
☑ 🏠 🍷 🚶 t.l.j. 10h-12h 16h-18h; dim. sur r.-v.
🔑 Houppertz

## DUPERE-BARRERA
Cuvée spéciale En Caractère 2003

■ 4 ha 5 000 8 à 11 €

Une robe sombre aux reflets légèrement tuilés habille ce 2003 de facture classique. Aux arômes de fruits noirs nuancés d'un élégant boisé répond une bonne matière, structurée par des tanins encore très présents. L'équilibre général du vin autorise un service dès cet hiver comme une garde de deux ou trois ans.

🔑 Dupéré-Barrera, 122, rue de Dakar, 83100 Toulon, tél. 04.94.23.36.08, fax 04.92.94.77.63, e-mail vinsduperebarrera@hotmail.com ☑ 🍷 🚶 r.-v.

## CH. ESCARAVATIERS 2002 *

■ 1,8 ha 5 000 8 à 11 €

La famille Costamagna a acquis cette propriété située près de Fréjus dans les années 1920. Le site a fait l'objet de fouilles qui ont mis au jour les vestiges d'une *villa* d'un vétéran de la IX^e légion romaine. Si quelques reflets ambrés apparaissent, ce 2002 a gardé une couleur profonde. Il propose un nez ouvert sur les épices, la cerise et la figue, nuancé d'une pointe de marjolaine et de fougère. Les flaveurs poivrées dominent la bouche solidement structurée. Laissez à ce vin un délai de deux à cinq ans pour parfaire son harmonie.

🔑 NC Domaines B.-M. Costamagna, Dom. des Escaravatiers, 83480 Puget-sur-Argens, tél. 04.94.19.88.22, fax 04.94.45.59.83, e-mail costam@wanadoo.fr ☑ 🍷 🚶 r.-v.

## DOM. DE L'ESPARRON 2004 *

■ 2 ha 13 300 3 à 5 €

Au pied du massif des Maures, L'Esparron est un domaine de 47 ha. En 2004, la cave a été rénovée pour accueillir la nouvelle vendange. Syrah, grenache et cabernet y ont reçu les meilleurs soins et ont donné naissance à ce vin rubis profond qui décline une farandole d'arômes d'épices (poivre) et de fruits rouges. Les tanins fins et élégants se fondent dans la chair ronde, empreinte de longues flaveurs épicées. Le charme est là.

🔑 Migliore, Dom. de L'Esparron, 83590 Gonfaron, tél. 04.94.78.34.41, fax 04.94.78.34.43
☑ 🍷 t.l.j. sf dim. 8h-12h 13h30-19h

L'ESTANDON Cuvée Bleu Mistral 2004 *

■ 100 ha 500 000 3 à 5 €

L'Estandon est une marque vieille de plus de cinquante ans. Elle désigne dans le millésime 2004 un rosé de teinte franche et cristalline. Au nez intense de fruits et de menthe poivrée répond une bouche friande, aux arômes de fleurs et de guimauve qu'une pointe de fraîcheur rehausse en finale. Servie avec un plat de tagliatelles fraîches aux trois poivrons, cette bouteille donnera un air de vacances à votre table. Le **rosé Terres ocrées 2004 (moins de 3 €)**, marque de l'enseigne Édouard Leclerc, est cité.

Les Vignerons des Caves de Provence, ZI Les Consacs, 83170 Brignoles, tél. 04.94.37.21.00, fax 04.94.59.14.84, e-mail info@celliersaintlouis.fr

L'ESTELLO 2003 *

■ 3 ha 15 000 8 à 11 €

Nous vous avions annoncé l'an passé l'arrivée de Gilles Malinge aux commandes de ce domaine de 22 ha. Voici son premier millésime. Un vin aux reflets pourpres intenses, dont les notes boisées et vanillées se fondent aux arômes de fruits mûrs. Le palais est charpenté et puissant, témoin d'une grande maturité de la vendange. Les épices signent avec panache la dégustation. Vous servirez cette bouteille dès cet hiver aux côtés d'une viande rouge ou d'un gibier.

Dom. de L'Estello, rte de Carcès, 83510 Lorgues, tél. 04.94.73.22.22, fax 04.94.73.29.29, e-mail lestello@lestello.com

t.l.j. sf dim. 9h-12h30 14h-19h; ouv. dim. juil.-août

G. Malinge

DOM. DES FERAUD Cuvée Vieilles Vignes 2004 **

■ 3 ha 9 200 8 à 11 €

Nathalie Millo a élaboré un rosé typique de son appellation qui sera le compagnon de tout un repas. Rose clair à reflets gris, celui-ci développe avec élégance des arômes de fraise, de pêche et de bonbon. Tout en gardant de la fraîcheur, il joue de sa rondeur et de son fruit persistant au palais.

Dom. des Féraud, rte de La Garde-Freinet, 83550 Vidauban, tél. 04.94.73.03.12, fax 04.94.73.08.58 r.-v.

Fournier

CH. DES FERRAGES 2004

■ 1,2 ha 4 100 8 à 11 €

Sur la mythique Nationale 7, entre Saint-Maximin et Pourcieux, se trouve ce domaine de 40 ha que José Garcia conduit depuis vingt-cinq ans. On y découvre une petite production de vin blanc passé huit mois sous bois. Si l'empreinte du fût domine encore les arômes des cépages sémillon et clairette, le vin présente de l'équilibre au palais et lève le voile sur le fruité derrière les notes grillées.

José Garcia, RN 7, 83470 Pourcieux, tél. 04.94.59.45.53, fax 04.94.59.72.49

t.l.j. sf dim. 8h-12h 13h30-18h

CH. FERRY-LACOMBE Cuvée Lou Cascaï 2004 **

■ 5 ha 25 000 8 à 11 €

L'histoire de ce domaine, situé dans le paysage de la montagne Sainte-Victoire, remonte au XVIIe s. lorsque Daniel de Ferry, maître-verrier, s'installa à La Combe, dont la forêt lui fournissait le bois nécessaire à son activité. Aujourd'hui, s'étendent 43 ha de vignes et 70 ha de forêts. La cuvée Lou Cascaï est un rosé brillant, intensément parfumé de fruits exotiques (mangue, litchi). Souple et généreuse, elle flatte le palais. La cuvée principale **Château Ferry-Lacombe rosé 2004 (5 à 8 €)** brille d'une étoile : elle offre une grande fraîcheur.

Ch. Ferry-Lacombe, rte de Saint-Maximin, 13530 Trets, tél. 04.42.29.40.04, fax 04.42.61.46.65, e-mail info@ferrylacombe.com

t.l.j. sf dim. 10h-19h

M. Pinot

LA FLAYOSCAISE Saint-Laurent 2004

■ n.c. 5 000 3 à 5 €

Si vous vous arrêtez dans les rues pittoresques de Flayosc pour demander votre chemin, c'est avec l'accent des pays du Nord que l'on vous répondra peut-être. Allemands, Anglais et Néerlandais sont en effet nombreux à avoir choisi de vivre dans ce village perché. Arrivé à la coopérative, vous rechercherez cette cuvée en rouge comme en rosé. Dominée par le mourvèdre, celle-ci affiche une couleur soutenue et des arômes de fruits épicés. Légère, elle mérite d'être servie fraîche pour un plaisir immédiat. La cuvée **Saint-Laurent 2004 rosé**, issue de grenache et de syrah, offre sous une teinte des plus pâles un profil classique.

Coop. La Flayoscaise, bd Jean-Moulin, 83780 Flayosc, tél. 04.94.70.40.49, fax 04.94.70.30.89, e-mail laflayoscaise@aol.com

t.l.j. 9h-11h45 14h-17h45

CH. FONT DU BROC 2004

■ 4 ha 20 000 11 à 15 €

Une vingtaine d'hectares plantés de vignes, face à la baie de Saint-Raphaël. Sylvain Massa a voulu un chai à l'architecture majestueuse. Il aura fallu quatre ans pour le construire, à 20 m sous terre. Vous y découvrirez ce vin limpide, aux arômes d'agrumes, qui procure une intense sensation de fraîcheur jusqu'à la finale citronnée. Le **rosé 2004** est cité également.

Sylvain Massa, Ch. Font du Broc, 83460 Les Arcs-sur-Argens, tél. 04.94.47.48.20, fax 04.94.47.50.46, e-mail caveau@chateau-fontdubroc.com

t.l.j. sf dim. 9h-18h

LES FOULEURS DE SAINT-PONS Marjolis 2004 *

■ 25 ha 160 000 5 à 8 €

Cette coopérative créée en 1962 rassemble la majorité des vignerons du Plan-de-la-Tour. Issu du grenache, complété de cinsault, son rosé pâle et élégant a séduit le jury par un nez discret mais fort agréable de fruits rouges et de fleurs. Rond tout en conservant une juste vivacité, il s'associera à une bouillabaisse. La cuvée **Lôlys 2004 blanc**, fraîche et parfumée de fruits blancs, est citée.

Les Fouleurs de Saint-Pons, 83120 Plan-de-la-Tour, tél. 04.94.43.70.60, fax 04.94.43.00.55, e-mail fouleurs-de-st-pons@wanadoo.fr r.-v.

DOM. LES FOUQUES Cuvée de l'Aubigue 2003

■ 3,5 ha 20 000 5 à 8 €

Bâtie à la fin du XIXe s., cette grande bastide s'entoure d'un parc aux essences méditerranéennes. Christelle Gros possède certes des vignes qu'elle cultive en biodynamie, mais aussi des vergers et une pépinière de palmiers. Son 2003 s'exprime dans le registre des fruits rouges, puis évolue au palais avec légèreté, rondeur et équilibre. Des viandes froides, des terrines de volaille servies au jardin ou sur la terrasse lui iront bien.

Christelle Gros, Dom. les Fouques,
1405, chem. des Borrels, 83400 Hyères,
tél. 04.94.65.68.19, fax 04.94.35.25.30,
e-mail fouques.bio@wanadoo.fr r.-v.

## DOM. DE LA FOUQUETTE
Cuvée Pierres de Moulin 2004 ★

2 ha 10 000 5 à 8 €

C'est Isabelle Daziano qui vous accueillera aujourd'hui à la ferme-auberge du domaine. Elle vient de prendre le relais de ses parents sur cette propriété de quelque 14 ha, créée en 1973. Au programme de votre séjour : randonnées dans la forêt du massif des Maures, visite du village des Tortues et... dégustation, bien sûr. Ce rosé attire l'œil dans sa robe vive à reflets pivoine légèrement violacés. Il exhale des senteurs bien marquées de cerise, de fraise et de framboise, puis offre une agréable fraîcheur en bouche, soulignée d'arômes de fruits des bois.

Isabelle Daziano,
Dom. de La Fouquette, 83340 Les Mayons,
tél. 04.94.60.00.69, fax 04.94.60.02.91,
e-mail domaine.fouquette@wanadoo.fr r.-v.

## CH. DU GALOUPET 2003

Cru clas. 14 ha 50 000 8 à 11 €

Face aux îles d'Or, ce cru classé était déjà répertorié sur la carte de Cassini dressée sous le règne de Louis XIV. Des pins parasols, une enfilade de palmiers, des citronniers et des orangers, la demeure et, en arrière-plan, les vignes sur 165 ha qui descendent vers les Salins : le décor est planté. Dans la cave voûtée souterraine a été élaboré ce vin profond qui se livre avec réserve sous des accents de fruits noirs et de cannelle. D'attaque franche, il offre une structure légère qui invite à un service très prochain.

Ch. du Galoupet, Saint-Nicolas,
83250 La Londe-les-Maures, tél. 04.94.66.40.07,
fax 04.94.66.42.40, e-mail galoupet@club-internet.fr
t.l.j. sf dim. 9h-12h 14h-18h

## LES VIGNERONS DE GARLABAN 2004 ★

4,5 ha 25 000 3 à 5 €

La cave de Garlaban se trouve au cœur des collines que Marcel Pagnol dépeint dans *La Gloire de mon père*. Des senteurs intenses de réglisse, de vanille et de fruits noirs se libèrent de ce vin grenat. L'équilibre entre le bois et le fruit est tout aussi manifeste au palais et l'on reste sur une agréable impression de rondeur tant les tanins sont fins. Il ne vous reste plus qu'à griller quelques côtelettes d'agneau et à les parsemer d'herbes de Provence.

Les Vignerons du Garlaban, 8, chem. Saint-Pierre,
13390 Auriol, tél. 04.42.04.70.70, fax 04.42.72.89.49,
e-mail vignerons-garlaban@wanadoo.fr
t.l.j. sf dim. lun. 9h-12h 15h-19h

## DOM. GAVOTY Cuvée Clarendon 2004 ★

2 ha 12 000 8 à 11 €

La cuvée Clarendon ? C'est cette étiquette charmante, figurant une joueuse de harpe, que l'on garderait volontiers comme marque-page de son livre de chevet. C'est aussi un nom, celui qu'emprunta Bernard Gavoty pour signer ses critiques musicales au *Figaro*. C'est enfin un côtes-de-provence décliné dans les trois couleurs et régulièrement retenu dans le Guide. Ce 2004 a de la prestance dans sa robe pâle à reflets or. La finesse de la palette florale n'a d'égale que l'élégance de la bouche, tendre et expressive. La **cuvée Clarendon rosé 2004** obtient la même note : poivre rose, fruits de la Passion et fraîcheur en font une friandise. Citée, la **cuvée Clarendon rouge 2003**, fruité et épicée, est toute de rondeur.

Roselyne et Pierre Gavoty,
Dom. Gavoty, Le Grand Campdumy, 83340 Cabasse,
tél. 04.94.69.72.39, fax 04.94.59.64.04,
e-mail domaine.gavoty@wanadoo.fr
t.l.j. sf dim. 8h-12h 14h-18h

## MAS DE LA GERADE Cuvée Bleue 2004 ★

2 ha 6 000 5 à 8 €

Doux de présentation et d'expression, ce rosé offre des arômes de pâtisseries et de fleurs printanières. Demandez-lui de la souplesse et de l'harmonie au palais, de la persistance aussi : il ne connaît que cette humeur-là. Une cuvée qui rend immédiatement un repas plus convivial.

EARL de la Gérade, 1300, chem. des Tourraches,
83260 La Crau, tél. 04.94.66.13.88, fax 04.94.66.73.52,
e-mail lagerade@free.fr t.l.j. sf dim. 9h-12h
B. Henry

## DOM. DE LA GISCLE Moulin de l'Isle 2003

2,5 ha 13 000 5 à 8 €

Le domaine de La Giscle s'est développé dès le XVI^es. autour d'un moulin à farine devenu magnanerie, puis symbole de ce vignoble planté sur un terroir schisteux. Grenache, syrah et mourvèdre sont à l'origine d'un vin rubis à reflets violines, dont le nez puissant et complexe associe les fruits rouges aux notes grillées et vanillées. Les tanins élégants, en passe de se fondre au palais, promettent une bonne garde jusqu'en 2007.

EARL Dom. de la Giscle, hameau de l'Amirauté,
rte de Collobrières, 83310 Cogolin, tél. 04.94.43.21.26,
fax 04.94.43.37.53, e-mail dom.giscle@wanadoo.fr
t.l.j. sf mer. 9h-12h30 14h-18h30; dim. 9h-12h30
Pierre Audemard

## CH. LA GORDONNE
Les Marronniers Elevé en fût de chêne 2003

7 ha 40 000 5 à 8 €

Domaine de 240 ha sur les coteaux schisteux du massif des Maures. Elevée six mois en fût, cette cuvée arbore une robe grenat soutenu. Une certaine élégance est perceptible dans les arômes de fruits noirs et d'épices, nuancés d'une note de poivron mûr, puis une matière ronde, aux flaveurs de fruits et de garrigue se développe. Quelques tanins un peu austères apparaissent en finale, mais l'ensemble est déjà bien agréable.

Dom. Listel,
Ch. La Gordonne, 83390 Pierrefeu-du-Var,
tél. et fax 04.94.28.20.35, e-mail njulian@listel.fr
t.l.j. 8h-12h 13h-18h30; sam. dim. sur r.-v.

## DOM. LA GOUJONNE 2004 ★

3,76 ha 15 000 5 à 8 €

Vêtu d'une robe claire, légèrement saumonée, ce vin libère des arômes de fruits rouges, dont la fraîcheur et l'intensité se retrouvent en bouche, relevées d'une note acidulée. Le **2004 blanc**, floral et plein d'allant, est cité.

GAEC Kraus et Fils,
quartier Vicary, 83170 Tourves,
tél. 04.94.78.72.61, fax 04.94.78.84.10 r.-v.

## DOM. DE LA GRANDE PALLIERE 2004

12 ha 2 600 11 à 15 €

Ce domaine se situe à 5 km des gorges du Vallon où les naturalistes étudient la faune et la flore de l'Argens, et les

intrépides font de la varappe. Les 30 ha de vignes sont conduits en agriculture biologique. Rolle (80 %) et ugni blanc ont donné naissance à un vin jaune pâle à reflets verts, dont les senteurs fruitées se mêlent finement aux notes grillées issues de l'élevage de six mois en barrique. La bouche équilibrée présente une même harmonie entre les arômes de fruits jaunes et le bois. Un côtes-de-provence déjà agréable, mais qui saura affronter un ou deux ans de garde.
Dom. de la Grande Pallière, 83570 Correns,
tél. et fax 04.94.59.57.55 r.-v.

## DOM. DE GRANDPRE Cuvée spéciale 2003 *

3 ha 8 000 5 à 8 €

Le fruit de vieux ceps de carignan entre dans la composition de cette cuvée dont la vinification en macération carbonique a permis d'extraire de délicieux arômes de fruits rouges (fraise mûre). La matière ronde et équilibrée dévoile des saveurs flatteuses, telle la note de figue perceptible en finale. Une bouteille à apprécier cette année avec une côte de bœuf aux cèpes.
Emmanuel Plauchut, Dom. de Grandpré,
83390 Puget-Ville, tél. 04.94.48.32.16,
fax 04.94.33.53.49 t.l.j. 9h-12h 13h30-19h

## DOM. DES GRANDS ESCLANS
Cuvée Castrum 2003 *

3,75 ha 12 000 11 à 15 €

Créée à la fin du XVIIIes., cette vaste propriété de 190 ha a des origines plus anciennes encore, dont témoignent les ruines d'une tour sarrazine du Xes. De la réussite de l'élevage dépend la qualité des vins rouges. Pari gagné avec cette cuvée de couleur intense qui développe un nez complexe de fruits rouges écrasés, d'épices, de vanille et de grillé. Le bois tend à se fondre dans la chair ronde et chaleureuse. Une garde de trois ans permettra à cette harmonie naissante de se parfaire.
SCEA Dom. des Grands Esclans,
chem. de Fontcyrille, D 25, 83920 La Motte,
tél. et fax 04.94.70.26.08, e-mail gesclans@aol.com
t.l.j. 10h-18h
Justo Benito

## LES VIGNERONS DE GRIMAUD
Cuvée du Golfe de Saint-Tropez 2004 *

25 ha 150 000 3 à 5 €

Dominant le golfe de Saint-Tropez, Grimaud marie le caractère pittoresque de son village médiéval à la modernité de la cité lacustre, Port-Grimaud, située en contrebas, créée par l'architecte François Spoerry en 1966. La coopérative a choisi une vue d'ensemble de Grimaud pour illustrer l'étiquette de ce rosé. Un vin saumoné brillant, aux arômes marqués de framboise, de pêche et d'abricot. Equilibre, ampleur et générosité au palais en font un excellent choix pour l'apéritif.
Vignerons de Grimaud, 36, av. des Oliviers,
83310 Grimaud, tél. 04.94.43.20.14, fax 04.94.43.30.00,
e-mail vignerons.grimaud@wanadoo.fr
t.l.j. sf dim. 8h30-12h 14h-18h30

## CH. HERMITAGE SAINT-MARTIN
Grande Cuvée Enzo 2004

3,91 ha 16 600 8 à 11 €

Dans l'arrière-pays varois, cet ancien domaine d'origine monastique fut abandonné à la Révolution, puis réduit à l'état de ruines lors de la Seconde Guerre mondiale. Guillaume Enzo Fayard, vingt ans à peine, fils des propriétaires du château Sainte-Marguerite, lui redonne vie en 1999. Ce rosé de teinte saumonée offre des arômes intenses de fleurs, de fruits rouges et de bonbon anglais. Tout en rondeur et en légèreté, il sera bien agréable cet automne. La **Grande cuvée Enzo 2004 blanc**, très fraîche, est citée également.
Guillaume Enzo Fayard,
Ch. Hermitage Saint-Martin,
BP 1, 83250 La Londe-les-Maures,
tél. 04.94.00.44.44, fax 04.94.00.44.45,
e-mail info@chateauhermitagesaintmartin.com
r.-v.

## DOM. DE JALE La Bouïsse 2004 **

2 ha 7 000 11 à 15 €

La Nible 2001 rouge avait obtenu un coup de cœur l'an passé. La Bouïsse a eu la préférence des dégustateurs cette année, sans lui voler tout à fait la vedette cependant. Un côtes-de-provence structuré par des tanins denses, parfaitement fondus dans la matière volumineuse, riche de flaveurs fruitées et réglissées. Le nez fin est encore discret, mais les promesses sont grandes pour 2007-2008. La cuvée **La Nible 2003** révèle beaucoup de fruits, des tanins présents, mais sans agressivité, et un boisé remarquablement maîtrisé. Deux étoiles brillent pour elle aussi.
Dom. de Jale,
chem. des Fenouils, rte de Saint-Tropez,
83550 Vidauban, tél. et fax 04.94.73.51.50
t.l.j. sf dim. 9h30-12h 14h30-18h
François Seminel

## DOM. DU JAS D'ESCLANS
Cuvée du Loup Elevé en barrique 2003

Cru clas. 3 ha 10 000 8 à 11 €

Cela fait bien longtemps que la production de vers à soie a cessé, mais l'allée de mûriers témoigne de cette ancienne activité. Pendant l'entre-deux-guerres, ce domaine a développé la vigne sur les sols argilo-gréseux d'origine volcanique. Il respecte depuis toujours les usages de la culture biologique. Ce 2003 de grenat vêtu est fortement marqué par les arômes vanillés et boisés. Fluide en attaque, il gagne du relief en milieu de bouche autour de flaveurs de griotte à l'eau-de-vie nuancées de l'empreinte du fût. La **Cuvée du Loup rosé 2004** et le **Domaine du Jas d'Esclans blanc 2004 (tous deux de 5 à 8 €)** sont également cités pour leur structure de vin de repas.
SARL du Dom. du Jas d'Esclans,
3094, rte de Callas, 83920 La Motte,
tél. 04.98.10.29.29, fax 04.98.10.29.28,
e-mail mdewulf@terre-net.fr r.-v.
De Wulf

## CH. DE JASSON Cuvée Eléonore 2004 *

8,02 ha 45 000 11 à 15 €

La cuvée Eléonore 2003 avait obtenu un coup de cœur l'an passé. Dans le millésime 2004, elle se présente dans une robe vieux rose à reflets couleur fraise, annonce de la sensation de fraîcheur procurée par les arômes intenses d'agrumes et de fleurs. Au palais, elle opte pour le gras tout en gardant la même ligne aromatique. La **cuvée Victoria rouge 2003**, aux tanins arrondis, mérite d'attendre une petite année pour s'exprimer. Elle est citée.
Benjamin de Fresne,
Ch. de Jasson, D 88, 83250 La Londe-les-Maures,
tél. 04.94.66.81.52, fax 04.94.05.24.84,
e-mail chateau.de.jasson@wanadoo.fr r.-v.

PROVENCE

DOM. DE LA JEANNETTE Baguier 2003 ★

■ 1,27 ha 7 333 8 à 11 €

Au pied du massif des Maures, ce domaine, dont l'origine remonte à l'époque gallo-romaine, ne cesse d'améliorer son équipement et son vignoble depuis sa reprise en 2000 par Gyh Limon. Grenat profond, ce 2003 libère un nez de fruits mûrs légèrement nuancé de vanille et de noisette. On perçoit un bon volume en bouche, de l'équilibre aussi, malgré une dominante encore boisée. Attendez deux ou trois ans que l'ensemble se fonde. Le **2004 blanc** et la cuvée **Baguier rosé 2004 (tous deux de 5 à 8 €)** reçoivent la même note.

SCEA Dom. de la Jeannette, Les Borrels, 83400 Hyères, tél. 04.94.65.68.30, fax 04.94.12.76.07, e-mail domjeannette@aol.com r.-v.

G. et H. Limon

VIGNOBLES KENNEL Cuvée Noël Kennel 2004

■ 1 ha 8 000 8 à 11 €

Ce domaine, qui fut une propriété des moines de Saint-Victor au Moyen Age, se trouve à 3 km à peine du vieux village de Pierrefeu, perché sur le dernier contrefort du massif des Maures. C'est un rosé de teinte franche, saumonée, qui emplit le verre et libère des arômes de fleurs blanches et d'agrumes. Il se montre soyeux, équilibré, d'un style classique. La cuvée **Réserve 2004 rosé (5 à 8 €)** est citée également.

Vignobles Kennel, Saint-Pierre-les-Baux, 83390 Pierrefeu-du-Var, tél. 04.94.28.20.39, fax 04.94.48.14.77, e-mail vignoble.kennel@wanadoo.fr t.l.j. sf dim. 8h-12h 14h-18h, sam. 8h-12h

DOM. DE LA LAUZADE 2004 ★

■ 28 ha 120 000 5 à 8 €

En 46 av. J.-C. une *villa* dénommée Lauza fut construite à l'emplacement de l'actuelle bastide qui commande ce domaine de 70 ha. L'étiquette des vins figure la fontaine millénaire située à l'entrée du vignoble. Ce rosé aux accents de fruits frais (pêche, fraise) et de lilas dévoile une chair gourmande et persistante. Il sera apprécié en accompagnement de plats typiquement provençaux et de fromages de chèvre. Le **Domaine de la Lauzade blanc 2004**, floral et rond, est cité.

SARL Dom. de La Lauzade Kinu-Ito, 3423, rte de Toulon, 83340 Le Luc-en-Provence, tél. 04.94.60.72.51, fax 04.94.60.96.26, e-mail contact@lauzade.com t.l.j. sf dim. 8h30-12h 14h-17h30, sam. 8h30-12h

LOU BASSAQUET Prestige 2003 ★

■ 1,2 ha 5 400 5 à 8 €

Une robe pourpre intense et brillante. Un nez aux notes animales (cuir) évoluant vers le cassis, puis une bouche charnue, aux tanins certes présents, mais soyeux. Les arômes de fruits rouges et de cassis persistent longtemps. Ce vin peut déjà être consommé, mais il gagnera à rester en cave plusieurs années. La cuvée **Rascailles rosé 2004 (3 à 5 €)** est citée pour sa fraîcheur et son fruité.

Cellier Lou Bassaquet, chem. du Loup, BP 22, 13530 Trets, tél. 04.42.29.20.20, fax 04.42.29.32.03, e-mail lou.bassaquet@free.fr r.-v.

DOM. LUDOVIC DE BEAUSEJOUR L'exception de Bacarras 2004 ★★★

■ 1,5 ha 6 000 15 à 23 €

Exception exceptionnelle que cette cuvée grenat profond à reflets violacés. Les arômes puissants, alliance d'épices, de réglisse et de fruits mûrs, trouvent écho en bouche et soulignent la chair harmonieuse, ronde et ample, aux tanins bien fondus. L'élevage en fût de huit mois parfaitement maîtrisé a légué un boisé fin, subtilement vanillé. Une bouteille à laisser mûrir en cave pendant trois ans avant de la servir avec un civet de lièvre. La **cuvée Bacarras rouge 2003 (11 à 15 €)**, typique du millésime par son fruité persistant, obtient une étoile, tandis que la **cuvée Crystallis blanc 2003 (11 à 15 €)** est citée. Tous ces vins ont connu le bois.

Dom. Ludovic de Beauséjour, hameau de la Basse-Maure, rte de Salernes, 83510 Lorgues, tél. 04.94.50.91.90, fax 04.94.68.46.53 r.-v.

Maunier

CH. MAIME Cuvée Raphaëlle 2003

■ 4 ha 20 000 8 à 11 €

En provençal, le nom de Maïme correspond à Maxime. Ainsi se nomme la chapelle située sur ce domaine de 32 ha. 1998 fut le premier millésime de Jean-Louis Sibran. Depuis, il a fait son entrée dans le Guide et revient cette année avec un 2003 rubis, parfumé de fruits rouges confits (cerise) et bien structuré. La finesse des tanins contribue à son agréable caractère. Le **2004 rosé**, marqué par les fruits exotiques et l'abricot frais, est également cité.

Jean-Louis Sibran, Ch. Maïme, RN 7, 83460 Les Arcs-sur-Argens, tél. 04.94.47.41.66, fax 04.94.47.42.08, e-mail maime.terre@wanadoo.fr r.-v.

P.-J. Sibran, J.-M. Garcia

CH. MARAVENNE Collection privée 2004

■ 1 ha 4 700 5 à 8 €

Nul besoin de prendre l'avion pour trouver de l'exotisme. Il suffit de se rendre à La Londe, au jardin d'oiseaux tropicaux, pour se plonger dans un univers chatoyant, sujet à étonnements : de rares espèces d'Amérique latine. Au château Maravenne aussi, on aime la couleur. Des reflets or font le ramage de ce 2004 élégant et complexe qui marie l'abricot, les raisins secs et la poire. La bouche ample et persistante contribue à son caractère de vin de gastronomie. La **Collection privée rosé 2004** mérite une citation également.

Gourjon, Ch. Maravenne, rte de Valcros, 83250 La Londe-les-Maures, tél. 04.94.66.80.20, fax 04.94.66.97.79, e-mail maraven.gourjon@terre-net.fr t.l.j. 8h-12h 14h-18h

DOM. DE MARCHANDISE 2004

■ n.c. 160 000 5 à 8 €

Si la zone littorale est un lieu privilégié pour le tibouren, dans ce vin, elle tempère la puissance du mourvèdre et souligne la rondeur chaleureuse du grenache. Au final, un rosé pâle aux arômes de meringue et de fruits rouges.

GAEC Chauvier Frères, Dom. de Marchandise, 83520 Roquebrune-sur-Argens, tél. 04.94.45.42.91, fax 04.94.81.62.82 t.l.j. sf dim. 9h-12h 14h-19h

CH. MAROUINE 2003 ★

■ 3,2 ha 11 500 8 à 11 €

Bâti sur les coteaux qui dominent la plaine de Cuers, le château du XVII^e s. est la dernière demeure de l'ancien village de Puget. Partisane de l'agriculture biologique, Marie-Odile Marty préside, depuis 1998, à la destinée de ce domaine. Elle propose un vin grenat clair, dominé par le boisé hérité de six mois d'élevage en barrique. Des arômes de fruits rouges (cerise) se manifestent aussi, mariés aux épices et à la vanille dans une matière présente sans excès. Pour un repas automnal.

Marie-Odile Marty,
Ch. Marouïne, 83390 Puget-Ville, tél. 04.94.48.35.74, fax 04.94.48.37.61, e-mail chateaumarouine@aol.com
t.l.j. sf dim. 9h-19h

## CH. DES MARRES 2004 **

17,95 ha 9 236 8 à 11 €

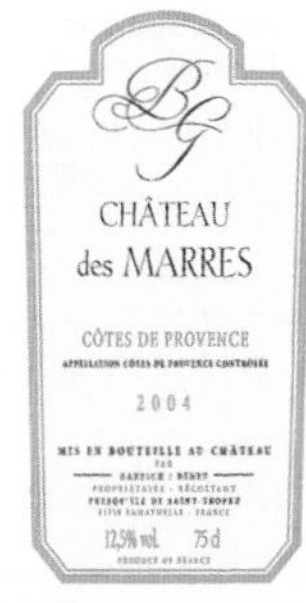


Si le vignoble a été créé en 1907, la vinification au château est toute récente. 2004 marque l'entrée de cette propriété parmi les producteurs de la presqu'île de Saint-Tropez. Une entrée remarquée grâce à ce vin qui présente la couleur du marbre rose et décline toutes les senteurs d'une corbeille de fruits frais (pêche, groseille et pamplemousse). Sa chair se développe durablement en bouche, intense et structurée. Cette bouteille accompagnera vos repas amicaux jusqu'à fin 2006. La **cuvée Prestige 2003 rouge Elevé en fût de chêne (11 à 15 €)** brille d'une étoile pour son alliance harmonieuse entre le bois et le fruit.

René Gartich,
Ch. des Marres, rte des Plages, 83350 Ramatuelle, tél. 04.94.97.22.61, fax 04.94.96.33.84,
e-mail chateaudesmarres@wanadoo.fr
t.l.j. 9h30-12h 15h-18h30

## CH. LA MARTINETTE
Cuvée du Colombier 2003 **

n.c. 12 000 5 à 8 €

Lorgues est un village pittoresque : il suffit d'arpenter ses ruelles pour découvrir entre autres l'enceinte fortifiée, les maisons du XVIIIe s., la porte sarrazine du XIIe s. La Martinette est un autre but de visite. Elle vous réserve un vin grenat profond qui attire l'œil tout autant que le nez. On y décèle des arômes de fruits rouges (cassis et framboise), nuancés d'un boisé fondu. Le corps est charpenté par des tanins denses mais bien intégrés qui participent à sa rondeur. Vous pourrez encore garder deux ou trois ans cette bouteille avant de la servir avec une daube. Le **2004 rosé** révèle une fraîcheur fruitée des plus plaisantes : il obtient deux étoiles.

EARL Ch. la Martinette,
4005, chem. de La Martinette, 83510 Lorgues, tél. 04.94.73.84.93, fax 04.94.73.88.34 r.-v.
Liegeon

## DOM. DE MAUVAN 2004 *

4 ha 20 000 5 à 8 €

La bastide du XVIIIe s., située au pied de la montagne Sainte-Victoire, jouit d'un remarquable panorama. Gaëlle Maclou propose un rosé tout de finesse, pâle à reflets saumonés. Des notes florales, évocatrices de tilleul, se développent, alliées aux arômes de fruits mûrs. Après une attaque fruitée, la bouche trouve un équilibre savoureux entre rondeur et fraîcheur. Préparez quelques petits farcis provençaux.

Gaëlle Maclou, Dom. de Mauvan,
13114 Puyloubier, tél. et fax 04.42.29.38.33 r.-v.

## CH. DE MAUVANNE 2003 *

Cru clas. 7 ha 25 000 5 à 8 €

Ce domaine de 50 ha, qui fait face aux îles d'Or, a été repris en 1999 par Bassim Rahal, propriétaire de la cave Kouroum de Kefraya au Liban. Ce vin grenat soutenu offre un nez expressif de garrigue, puis une bouche certes très structurée, mais ronde, à la finale chaleureuse. Sa bonne tenue invite à une garde d'un an ou deux. La **Cuvée 2 rouge 2002 Elevé en foudre de chêne (8 à 11 €)** brille elle aussi d'une étoile tant elle séduit par ses senteurs de fruits rouges et de vanille ainsi que par ses tanins fondus. Le **Château Mauvanne rosé 2004**, vin structuré, destiné au repas, est cité.

SCA Ch. de Mauvanne, 2805, rte de Nice,
83400 Hyères, tél. 04.94.66.40.25, fax 04.94.66.46.29,
e-mail chateaudemauvanne@fr.st r.-v.
Bassim Rahal

## DOM. DE LA MAYONNETTE
Cuvée Tradition 2003

3,25 ha 11 000 5 à 8 €

Une bouteille à offrir aux amoureux des chats. Un félin blanc illustre, en effet, l'étiquette de ce vin dont la teinte rouge violacé est bien typée syrah (75 % de l'assemblage). Au nez ? La violette apparaît timidement, mêlée aux notes de fruits cuits et d'épices. Suffisamment ample, la chair fruitée, légèrement épicée s'appuie sur une charpente de qualité. A servir ou à attendre une petite année.

Julian, Dom. de la Mayonnette, rte de Pierrefeu,
83260 La Crau, tél. 04.94.48.28.38, fax 04.94.28.26.66
t.l.j. sf dim. 9h-12h 14h-18h

## DOM. DES MEGUIERES 2004 *

n.c. n.c. 5 à 8 €

Ce domaine repris en 2003 connaît une restructuration de ses vignes, de sa cave et de ses bâtiments. La nouvelle équipe a élaboré un rosé pâle à reflets bleutés. Le nez intense libère des notes de petits fruits rouges et d'agrumes, puis la bouche fraîche et équilibrée décline longuement des flaveurs de fraise des bois. A déboucher juste pour se faire plaisir avec une viande froide ou des charcuteries. Le **2004 blanc**, fin, floral et vif, mérite d'être cité.

SAS Dom. de Saint-Andrieu,
BP 32, 83570 Correns, tél. et fax 04.94.59.52.42,
e-mail barbara.dutartre@oreka.com r.-v.
M. et Mme Bignon

## CH. MENTONE 2004 *

1,6 ha 4 200 8 à 11 €

Au cœur de la Provence verte, le château Mentone occupe un site ancien : l'ancienne cave de vinification a été bâtie en 1840 sur les vestiges d'une cave romaine. De nouvelles installations ont été créées en 2004, qui ont accueilli ce millésime très réussi en blanc comme en rosé. Couleur or pâle, ce côtes-de-provence offre un nez puissant de pamplemousse, de fruits blancs et de buis. La bouche

PROVENCE

fraîche et souple, parfumée d'agrumes évolue vers une finale plus chaleureuse. Un vin qui accompagnera volontiers une salade de crustacés ou des plats de poisson. Le **2004 rosé (5 à 8 €)**, de teinte particulièrement soutenue, brille d'une étoile également grâce à son savoureux fruité.
EARL du Ch. Mentone,
83510 Saint-Antonin-du-Var,
tél. et fax 04.94.04.42.00 r.-v.
M. P. Caille

### CH. LES MESCLANCES Cuvée Saint-Honorat 2003

2 ha 6 000 5 à 8 €

Né du partage d'une vaste propriété en 1802, le domaine doit son nom au terme provençal mesclans, c'est-à-dire « mélange » : une partie du vignoble se trouve en effet dans la plaine d'alluvions, apports mêlés du Gapeau et du Réal Martin. L'autre partie occupe les coteaux de schistes bleus. Cette cuvée à base de syrah, de cabernet-sauvignon (40 % chacun) et de mourvèdre provient de ce dernier terroir. De teinte légère, elle évoque d'abord les senteurs du sous-bois, puis évolue vers des notes de violette et des touches de réglisse issues de l'élevage en fût de dix mois. Souple et équilibrée, elle accompagnera des charcuteries ou des grillades aux herbes.
Xavier de Villeneuve-Bargemon, Les Mesclances, chem. du Moulin-Premier, 83260 La Crau,
tél. 04.94.66.75.07, fax 04.94.35.10.03,
e-mail mesclans@wanadoo.fr r.-v.

### CH. MINUTY Prestige 2004 *

Cru clas. 10 ha 80 000 11 à 15 €

Propriété de la famille Matton-Farnet depuis 1936, le domaine couvre 72 ha sur les coteaux du village médiéval de Gassin, au sol de micaschistes. Dans la cave construite au XVIII[e]s., on peut apprécier une collection de santons et de faïences de Moustiers, et plus encore les vins. Des reflets rose bleuté légers apportent de la délicatesse à cette cuvée couleur chair. Les arômes s'épanouissent généreusement sur des notes d'agrumes et des nuances minérales très fraîches. La vivacité perceptible au palais souligne harmonieusement le fruité et renforce l'impression de finesse. La **cuvée de l'Oratoire 2004 rosé**, ronde et gourmande, obtient la même note.
SA Matton-Farnet, Ch. Minuty, 83580 Gassin,
tél. 04.94.56.12.09, fax 04.94.56.18.38
t.l.j. sf sam. dim. 9h-12h 14h-18h
Matton

### CH. MONTAGNE Réserve du Coseigneur 2002 *

3 ha 13 300 5 à 8 €

Cette grande bastide, demeure de François de Montagne, coseigneur de Pierrefeu au XVIII[e]s., commande un vignoble d'une quinzaine d'hectares. Dans un millésime difficile, Danièle et Henri Guérard trouvent la récompense de leurs efforts : un vin charmeur et harmonieux, tout en fruits rouges et noirs (framboise et mûre) nuancés d'épices. Des tanins soyeux contribuent à sa rondeur au palais et au plaisir immédiat qu'il procure. La **Réserve du Coseigneur rosé 2004**, fraîche et fruitée, est citée.
Danièle et Henri Guérard, Ch. Montagne,
83390 Pierrefeu-du-Var, tél. 04.94.28.68.58
t.l.j. sf sam. dim. 8h-12h 14h-17h

### CH. MOURESSE Grande Cuvée 2004 *

0,5 ha 2 000 11 à 15 €

En été, le château Mouresse, jolie demeure encadrée de pins parasols, accueille des manifestations culturelles dans le cadre du programme Art et vin. L'occasion de découvrir ses vins et notamment cette cuvée aux légers reflets dorés qui livre un nez floral d'acacia, relevé de notes de fruits exotiques. D'attaque franche, la bouche se développe avec rondeur, soulignée d'arômes persistants de miel. Un côtes-de-provence bien typé. La **Grande Cuvée 2004 rosé (8 à 11 €)** et la **Grande Cuvée 2003 rouge** sont citées.

Michaël Horst,
Ch. Mouresse, 3353, chem. de Pied-de-Banc,
83550 Vidauban, tél. 04.94.73.12.38, fax 04.94.73.57.04,
e-mail info@chateau-mouresse.com
t.l.j. sf dim. 10h-18h

### CH. LA MOUTETE Vieilles Vignes 2004 **

3 ha 10 000 8 à 11 €

En 2004, Olivier Duffort est revenu au domaine familial, une propriété de 35 ha créée en 1850 autour d'une bastide du XVIII[e]s. Un retour marqué par ce vin étincelant dans sa robe rose pâle. Une grande finesse émane de ses arômes fruités, évocateurs d'écorce d'orange. Ample et généreuse, la bouche trouve un équilibre harmonieux entre le gras et la vivacité. Une bouteille dont on se souvient. La cuvée **Vieilles Vignes 2004 rouge**, élevée en fût, brille de deux étoiles également tant elle dévoile de structure et de complexité. Elle pourra rester dans votre cave au moins cinq ans.
SAS Gérard Duffort,
Ch. La Moutète, quartier Saint-Jean, 83390 Cuers,
tél. 04.94.98.71.31, fax 04.94.60.44.87,
e-mail contact@domainesduffort.com
t.l.j. sf sam. dim. 9h-12h 14h-18h

### DOM. DES MYRTES
Cuvée Le Gaouby Elevé en fût de chêne 2003 *

2 ha 4 000 5 à 8 €

Quelques signes d'évolution dans la robe, mais de la finesse et du fruité dans la palette nuancée de l'empreinte du bois. S'il n'est pas de grande puissance, ce vin offre une réelle harmonie. Un caractère sympathique fait pour accompagner des charcuteries ou des grillades.
GAEC Barbaroux,
Dom. des Myrtes, 83250 La Londe-les-Maures,
tél. 04.94.66.83.00, fax 04.94.66.65.73 r.-v.

### DOM. DE LA NAVARRE Cuvée Les Roches 2004 *

2,46 ha 15 000 5 à 8 €

S'il doit son nom à la famille de Navarre, propriétaire avant la Révolution, le domaine s'est développé au milieu du XIX[e]s. lorsqu'il devint un orphelinat agricole placé sous la direction de Jean Bosco, fondateur de l'ordre des Salésiens. Devenu à présent une institution d'éducation, il couvre une soixantaine d'hectares au pied du massif des

Maures. Cette cuvée de teinte grenat affiche un nez intense, riche de fruits rouges, de cuir et d'épices. Certes, les tanins se manifestent encore nettement au palais, mais ils n'écrasent pas la matière complexe. Deux à trois ans de garde suffiront à les arrondir. La **Cuvée réservée 2004 rosé (3 à 5 €)**, flatteuse par ses arômes et ses reflets saumon, pleine d'allant par sa vivacité, est citée.
Fondation La Navarre,
Pellerin, 3451, chem. de La Navarre, 83260 La Crau,
tél. 04.94.66.04.08, fax 04.94.35.10.66 r.-v.

## DOM. DES NIBAS 2004

| | 2,8 ha | 4 100 | | 5 à 8 € |

Nicolas Hentz met du cœur à l'ouvrage : sitôt après avoir quitté la coopérative en 1997, il a bâti sa propre cave et se lance aujourd'hui dans la construction d'un chai enterré. Au pied du massif des Maures, son domaine de 12 ha de vignes plantées sur des grès rouges se situe tout près d'un pont romain dont on retrouve la silhouette sur l'étiquette des vins. Ce rosé de teinte pâle à reflets or brillant semble tout céder aux fruits jaunes et aux agrumes (pomelos, citron), avec une petite note de mimosa. Sa vivacité ne fait que souligner cette palette persistante.
Nicolas Hentz, Dom. des Nibas,
9130, RD 48, 83550 Vidauban,
tél. et fax 04.94.73.67.46, e-mail nic-hentz@wanadoo.fr
t.l.j. 10h-12h 14h-18h, hors saison sur r.-v.

## LES ORFEVRES VIGNERONS
Sainte-Victoire 2004 ★

| | 10 ha | 66 000 | | 5 à 8 € |

Maupague, le nom de cette bastide, signifie « qui donne peu ». Certes le terroir d'éboulis et d'argiles gréseuses de la montagne Sainte-Victoire est pauvre, mais il offre à la vigne un cadre idéal, dont la spécificité est désormais pleinement reconnue. L'étiquette de cette cuvée représente le blason de la famille Sumeire ainsi qu'un tableau de la Sainte-Victoire peint par Cézanne. D'un rose brillant à reflets violines, ce vin pareil à une friandise évoque la framboise, avec un petit rien de fraise Tagada. Il est frais, équilibré, longuement persistant sur des arômes de groseille. Une corbeille de fruits rouges, en somme.
Famille Elie Sumeire, Ch. de Maupague,
Les Orfèvres Vignerons, 13114 Puyloubier,
tél. 04.42.61.20.00, fax 04.42.61.20.01,
e-mail sumeire@chateaux-elie-sumeire.fr r.-v.

## DOM. OTT Ch. de Selle Cœur de Grain 2004

| Cru clas. | 52,51 ha | 250 000 | | 15 à 23 € |

Depuis 2004, Jean-Jacques Ott s'est associé à la maison de Champagne Rœderer qui détient désormais 66 % du capital des Domaines. Le château de Selle, bastide du XVIII^e s., ancienne demeure des comtes de Provence, fut la première propriété acquise par Marcel Ott, en 1912 : 110 ha dont près de 62 ha de vignes. Très tôt orienté vers la production de rosé, ce domaine propose aujourd'hui un vin presque gris à reflets roses qui offre au nez de légères notes grillées. Souple et rond, le palais rappelle avec subtilité le passage de trois mois en fût. La cuisine exotique devrait trouver dans cette bouteille un allié.
Dom. Ott, Ch. de Selle, RD 73, 83460 Taradeau,
tél. 04.94.47.57.57, fax 04.94.47.57.58,
e-mail chateaudeselle@domaines-ott.com
t.l.j. sf dim. 9h-12h 14h-18h
Ott et Rœderer

## CH. DE PALAYSON Grande Cuvée 2003 ★★

| | n.c. | 8 100 | | 15 à 23 € |

Deux cents ans avant notre ère, une *villa* du nom de Palaïo fut construite au pied du rocher de Roquebrune. Le vignoble, lui, date du premier millénaire et fut planté par des moines de Sainte-Victoire. Le domaine était presque à l'abandon lorsque les époux von Eggers Rudd, passionnés de vieilles pierres et de vin, l'ont acheté il y a six ans. Belle récompense que cette Grande Cuvée exemplaire de concentration. De la robe rouge soutenu à nuances violacées se libère un bouquet complexe de fruits noirs, de garrigue et d'épices. Une charpente tannique de qualité soutient ce vin ample et rond qui vous procurera beaucoup de plaisir pendant les quatre ou cinq prochaines années.
Ch. de Palayson, 83520 Roquebrune-sur-Argens,
tél. 04.98.11.80.40, fax 04.98.11.80.39,
e-mail chateaupalayson@aol.com
t.l.j. 9h-12h 14h-18h
M. et Mme von Eggers Rudd

## CH. DE PAMPELONNE Prestige 2004 ★

| | n.c. | 20 000 | | 8 à 11 € |

*Post nubila phoebus*, « Après les nuages, le soleil ». Telle est la devise de la famille Gasquet qui reprit en 1840 le château du XVII^e s. L'horizon est sans nuage dans cette propriété de plus de 150 ha. Pâle à reflets verts, ce vin fait preuve de franchise dans ses arômes de berlingot, de fruits exotiques et de fleurs blanches. Il est équilibré et rond au palais, avec des notes persistantes de pêche.
Ch. de Pampelonne, 83350 Ramatuelle,
tél. 04.94.56.32.04, fax 04.94.43.42.57 r.-v.
Pascaud

## DOM. DE PARIS 2004

| | 40,2 ha | 100 000 | | 3 à 5 € |

Propriété de la famille Brun depuis 1900, le domaine de Paris se situe à Gonfaron, mais ses vins sont commercialisés par les Vins Bréban. Ce rosé de teinte franche à reflets pivoine s'ouvre à l'aération sur des notes de fruits rouges et de grenadine. La bouche équilibrée, aux flaveurs poivrées, bénéficie d'une bonne vivacité.
Les Vins J.-Jacques Bréban, av. de la Burlière,
83170 Brignoles, tél. 04.94.69.37.55, fax 04.94.69.03.37,
e-mail vins-breban@hotmail.com r.-v.
Michel Brun

## DOM. DES PEIRECEDES
Cuvée de la Blanque 2004 ★★

| | 1 ha | 4 000 | 5 à 8 € |

Les 38 ha de ce domaine se répartissent entre Beauvais, La Règue des Botes et Les Peirecèdes, parcelles acquises depuis 1920 par la famille Baccino. Cette cuvée traduit au mieux l'expression du rolle (99 % pour 1 % d'ugni blanc) par sa finesse et sa richesse aromatiques. Des notes de fleurs blanches et d'agrumes qui se prolongent durablement en bouche et mettent en valeur l'équilibre remarquable entre fraîcheur et rondeur. Quand complexité rime avec subtilité... La **Cuvée Règue des Botes rosé 2004**, agréablement parfumée de fruits exotiques, de fraise et d'ananas, brille d'une étoile.

SCEA Alain Baccino,
Dom. des Peirecèdes, Pierrefeu, 83390 Cuers,
tél. 04.94.48.67.15, fax 04.94.48.52.30,
e-mail alainbaccino@free.fr r.-v.

## DOM. PINCHINAT 2003

4 ha 27 000 5 à 8 €

Cette propriété familiale inscrite dans le décor favori de Cézanne est exclusivement cultivée en agriculture biologique. Son 2003 rubis profond révèle une pointe de garrigue dans une palette de fruits frais. Son équilibre et sa rondeur autorisent un service dès cet hiver, avec un gigot à la ficelle.

Alain de Welle, Dom. Pinchinat, 83910 Pourrières,
tél. et fax 04.42.29.29.92,
e-mail domainepinchinat@wanadoo.fr r.-v.

## DOM. PIQUEROQUE Grande Réserve 2004 ★★

1,4 ha 5 000 5 à 8 €

Piqueroque est un ancien hameau du XVIII[e]s. comprenant une bastide, une bergerie et un pigeonnier. Max Hubbard a repris cette propriété de près de 70 ha en 1999. Sa Grande Réserve présente beaucoup d'éclat, tant dans sa robe pâle mais brillante que dans sa palette aromatique évocatrice des douceurs de l'enfance : guimauve, bonbons aux fruits et fraise des bois. Riche, suave et gouleyante, elle persiste agréablement sur des flaveurs amyliques. Pour une table bien dressée.

Dom. de Piqueroque,
rte de Cabasse, 83340 Flassans-sur-Issole,
tél. 04.94.37.30.71, fax 04.94.37.30.72,
e-mail piqueroque@aol.com r.-v.
Max Hubbard

## DOM. DES PLANES L'Admirable 2004 ★

4,5 ha 4 900 8 à 11 €

Lui, ingénieur agronome, est originaire de Suisse, elle, œnologue, d'Allemagne. Christophe et Ilse Rieder dirigent depuis 1980 ce domaine centenaire, d'une trentaine d'hectares, à 5 km du village de Roquebrune. Leur vin couleur pétale de rose séduit dès les premiers arômes qui s'échappent du verre : aux notes amyliques succèdent des senteurs de fraise écrasée et de fruits exotiques. D'attaque souple, la bouche est bien équilibrée, fraîche et riche de flaveurs fruitées persistantes.

Christophe et Ilse Rieder, Dom. des Planes,
83520 Roquebrune-sur-Argens, tél. 04.98.11.49.00,
fax 04.94.82.94.76, e-mail vin@dom-planes.com
t.l.j. sf dim. 9h-12h 14h30-18h30

## CH. DE POURCIEUX Sainte-Victoire 2004 ★

2 ha 13 000 8 à 11 €

Après une visite de la basilique et du couvent royal de Saint-Maximim, le château de Pourcieux, à quelques kilomètres, ne vous décevra pas. Occupant le site d'une *villa* romaine, la bastide du XVIII[e]s., le parc et les jardins sont inscrits à l'inventaire des Monuments historiques. Dans sa cave, vous découvrirez ce rosé franc et lumineux qui procure une sensation immédiate de fraîcheur grâce à ses arômes de framboise. Bien équilibré, il se développe au palais sur des saveurs plus douces. Les plats exotiques et les grillades lui iront à ravir.

Michel d'Espagnet, Ch. de Pourcieux,
83470 Pourcieux, tél. 04.94.59.78.90, fax 04.94.59.32.46,
e-mail pourcieux@terre-net.fr
t.l.j. sf dim. 10h-12h 14h30-18h30;
f. 15-31 août

## DOM. POUVEREL 2004 ★★

10 ha 60 000 5 à 8 €

Le château se situe à Cuers, mais les vins sont mis en bouteilles par les Maîtres vignerons de la Presqu'île de Saint-Tropez. Remarquable représentant de son appellation, ce rosé très pâle et élégant se révèle friand et aérien. Tout semble contribuer à mettre en valeur sa riche expression aromatique : poire, kiwi et agrumes. Un dégustateur le qualifie de « rosé d'aristocrate ». Proposez-le avec des hors-d'œuvre tout aussi raffinés, comme des crustacés.

Les Maîtres vignerons de la Presqu'île
de Saint-Tropez, 83580 Gassin, tél. 04.94.56.32.04,
fax 04.94.43.42.57 t.l.j. sf dim. 9h-12h 15h-19h
Massel

## LES MAITRES VIGNERONS DE LA PRESQU'ILE DE SAINT-TROPEZ
Carte noire 2004 ★★

7 ha 40 000 5 à 8 €

Attardez-vous devant ce côtes-de-provence comme l'ont fait les dégustateurs. Verre à la main, faites miroiter à la lumière ses reflets verts brillants. Puis humez... « à longs traits » ses arômes frais de fruits exotiques – ananas, litchi, pamplemousse –, de poire et de fleurs. Au palais, vous percevrez cette richesse, cette ampleur et ce caractère toujours aussi aromatique qui en font un vin remarquable d'élégance. La **Carte noire rosé 2004**, intensément fruitée et nuancée d'épices orientales, à la fois ronde et fraîche, obtient une étoile, tandis que la **Carte noire 2003 rouge** est citée pour sa gouleyance.

Les Maîtres vignerons de la Presqu'île
de Saint-Tropez, 83580 Gassin, tél. 04.94.56.32.04,
fax 04.94.43.42.57 t.l.j. sf dim. 9h-12h 15h-19h

## CH. DU PUGET Cuvée de Chavette 2003

2 ha 5 008 5 à 8 €

Ce vin de cabernet-sauvignon et de syrah, habillé d'une robe grenat à reflets violets, s'ouvre sur un bouquet complexe de fruits rouges, de garrigue, de vanille et d'épices. D'accroche savoureuse, il fait preuve de rondeur grâce à des tanins bien fondus qui laissent toute la place aux flaveurs de cerise en finale. Prêt dès cet automne, il accompagnera une viande rouge. La **cuvée Tradition blanc 2004**, qui n'a pas connu le bois, est citée pour son fruité plaisant.

Ch. du Puget,
rue Mas-de-Clapier, 83390 Puget-Ville,
tél. 04.94.48.31.15, fax 04.94.33.58.55
t.l.j. sf dim. lun. 9h-12h 15h-18h
Grimaud

## CH. REAL D'OR 2004 ★

2,5 ha 16 000 5 à 8 €

Face au massif des Maures, dans sa bastide du XVIII[e]s., Elphège Bailly a le souci de l'accueil. Elle a non

seulement aménagé des chambres d'hôtes sur son domaine de 21 ha, mais propose aussi des cours de dégustation. Œnologue, elle connaît parfaitement son sujet et le prouve notamment avec ce vin pétale de rose, au nez original d'agrumes et de buis. Une grande matière empreinte de frais arômes de fruits rouges et d'écorces d'agrume emplit le palais jusqu'à une note réglissée en finale.
SCEA Ch. Réal d'Or, rte des Mayons,
83590 Gonfaron, tél. 04.94.60.00.56, fax 04.94.60.01.05,
e-mail realdor@free.fr
t.l.j. 10h-13h 15h-19h30

## CH. REAL MARTIN Grande Cuvée 2004

6,25 ha 33 300 11 à 15 €

Situé à 350 m d'altitude, dans un cadre boisé, cet ancien domaine des comtes de Provence couvre une quarantaine d'hectares répartis en restanques sur des sols argilo-calcaires. Le rosé 2004 offre un bouquet typiquement méditerranéen, aux notes de sauge, puis une bouche fraîche, toute fruitée. Le **Château Réal Martin 2004 blanc** est cité.
Jean-Marie Paul,
SCEA Ch. Réal Martin, rte de Barjols, 83143 Le Val,
tél. 04.94.86.40.90, fax 04.94.86.32.23,
e-mail crm@chateau-real-martin.com r.-v.

## CH. REILLANNE Grande Réserve 2004 *

85 ha 400 000 5 à 8 €

Il vous faudra gravir les anciennes ruelles du Cannet pour parvenir en haut du vieux village et jouir du large panorama sur la plaine des Maures. Puis vous irez voir de plus près cette nature sauvage et ces vignes. Le château Reillanne est un vaste domaine d'une centaine d'hectares. A parts égales, le grenache et le cinsault ont donné naissance à un élégant rosé pâle et brillant. S'il se montre discret dans son expression, il n'en offre pas moins d'agréables notes exotiques. Sa fraîcheur est appréciable, soulignée d'une pointe d'amertume en finale, promesse de bonne tenue dans les prochains mois.
Comte G. de Chevron Villette, Ch. Reillanne,
rte de Saint-Tropez, 83340 Le Cannet-des-Maures,
tél. 04.94.50.11.70, fax 04.94.50.11.75,
e-mail chateau.reillanne@wanadoo.fr
t.l.j. 8h-12h 14h-17h

## CH. REQUIER Cuvée spéciale 2002

15 ha 10 000 11 à 15 €

A Cabasse, trois dolmens et un menhir attestent la présence de l'homme dans la région depuis le IIe millénaire av. J.-C. Comparativement, le château Réquier semble très récent... Une bâtisse du XIVes. et un château du XVIes. Au mois d'octobre, on fête les vendanges dans le domaine de plus de 50 ha. Profitez-en pour demander à déguster le 2002. Le jury a apprécié sa complexité aromatique (fruits rouges, épices, vanille), ainsi que sa structure qui le rend encore apte à une garde d'un an ou deux. De retour à la maison, vous le servirez avec des viandes en sauce.
SCEA Ch. Réquier, La Plaine, 83340 Cabasse,
tél. 04.94.80.25.22, fax 04.94.80.21.14,
e-mail chateaurequier@aol.com r.-v.

## CH. REVA 2004

5 ha 15 000 5 à 8 €

Anciennement château de Clastron, la propriété a changé de nom après son rachat en 2004. Une première vinification qui vaut à la famille Maillard d'entrer dans le Guide. A base de 80 % de syrah, ce vin se montre encore timide au nez malgré quelques notes d'épices et de fruits rouges mûrs. En revanche, sa grande matière structurée lui assure de belles perspectives pour les trois à cinq ans à venir. Le **2004 rosé** est également cité.
Ch. Rêva, rte de Bagnols, 83920 La Motte,
tél. 04.94.70.24.57, fax 04.94.84.31.43,
e-mail chateaureva@wanadoo.fr t.l.j. 9h-20h
Maillard

## DOM. DU REVAOU 2003

3 ha 14 000 5 à 8 €

Bernard Scarone, à la tête d'un domaine d'une trentaine d'hectares depuis bientôt vingt ans, pratique l'agriculture biologique. La syrah (90 %), alliée à une touche de grenache, s'exprime agréablement dans ce vin aux arômes de fruits noirs (mûre, pruneau) assez complexes. D'attaque gouleyante, la bouche se montre souple et légère. Quelques tanins indisciplinés en finale ? Tout rentrera dans l'ordre d'ici quelques mois. Le **2004 rosé**, marqué par des arômes de framboise persistants, est également cité.
Bernard Scarone, Dom. du Révaou, Les 3e Borrels,
83250 La Londe-les-Maures, tél. 04.94.65.68.44,
fax 04.94.35.88.54 r.-v.

## DOM. RICHEAUME Cuvée Columelle 2003 *

5 ha 6 000 23 à 30 €

Sylvain Hoesch, partisan de l'agriculture biologique, dédie à Columelle, agronome romain du Iers. de notre ère, cette cuvée pourpre à reflets violacés. Le nez puissant de griotte s'agrémente de nuances de garrigue, d'épices et de poivre. En bouche, la rondeur préside tant les tanins boisés se fondent dans la matière toute parfumée de fruits mûrs épicés. Si les principes de Columelle ont été favorables à ce producteur, ceux de Sénèque, son contemporain, devraient vous aider à attendre, stoïque, que ce vin atteigne son meilleur niveau d'ici deux ans.
Sylvain Hoesch,
Dom. Richeaume, 13114 Puyloubier,
tél. 04.42.66.31.27, fax 04.42.66.30.59 r.-v.

## RIMAURESQ R. 2002 *

Cru clas. 4 ha 6 500 15 à 23 €

Implanté sur un sol de schistes, sur les contreforts nord du massif des Maures, Rimauresq s'étend sur 40 ha à l'ombre de Notre-Dame-des-Anges. Des neuf cépages composant son vignoble, le cabernet-sauvignon (60 %) et la syrah ont été retenus pour élaborer ce 2002 rubis profond aux reflets encore violacés. Les arômes intenses de fruits rouges mêlés de notes torréfiées et épicées lui confèrent une expression complexe. La chair ronde et équilibrée s'appuie sur des tanins certes présents, mais élégants qui autorisent un service dès aujourd'hui comme une garde de deux ans. Une bouteille complice des grillades et des daubes. Le **Rimauresq blanc 2004 (11 à 15 €)**, frais et aromatique (agrumes), est cité.
Dom. de Rimauresq, rte de Notre-Dame-des-Anges,
83790 Pignans, tél. 04.94.48.80.45, fax 04.94.33.22.31,
e-mail rimauresq@wanadoo.fr
t.l.j. 8h-12h 13h30-18h
M. Wemyss

## CH. DE ROQUEFEUILLE 2004 *

70 ha 150 000 5 à 8 €

Proposé par un négociant, ces vins proviennent de la commune de Pourrières. De légers reflets gris rehaussent

PROVENCE

la robe saumon pâle de ce rosé issu de raisin parfaitement mûr. Une maturité dont témoignent les arômes de pêche de vigne et de fruits exotiques, comme la bouche fruitée qui persiste sur des notes d'abricot. Le **Château de Roquefeuille blanc 2004** est cité pour ses flaveurs d'agrumes et de fruits secs.
SA Gilardi, ZAC du Pont Rout,
83460 Les Arcs-sur-Argens, tél. 04.98.10.45.45,
fax 04.98.10.45.49, e-mail gilardi@gilardi.fr
Henri Bérenger

## DOM. DE LA ROSE TREMIERE 2004

■ 0,55 ha 2 700 5 à 8 €

Après une visite à l'imposante collégiale Saint-Martin de Lorgues (XVIII[e]s.) et une promenade par les ruelles du vieux village, ponctuées çà et là de lavoirs et de fontaines, partez à la découverte du vignoble. Pierre Maunier conduit depuis plus de cinquante ans ce domaine d'une vingtaine d'hectares. Il propose une cuvée riche de promesses, aux arômes de fruits noirs typiques de la syrah. La bouche est franche, pleine et fruitée, de bonne persistance. Mais voilà, ce vin est encore bien jeune... Donnez-lui rendez-vous dans deux ou trois ans.
Pierre Maunier, Dom. de la Rose Trémière,
quartier Saint-Jaume, 83510 Lorgues,
tél. et fax 04.94.73.26.93 r.-v.

## CH. DU ROUET

Cuvée Belle Poule Elevé en fût de chêne 2003 *

■ 10 ha 40 000 8 à 11 €

La *Belle Poule*, ainsi se nommait le bateau qui ramena en 1840 les cendres de Napoléon Ier de l'île de Sainte-Hélène. En 1888, Lucien Savatier, propriétaire du domaine du Rouët, fut chargé de désarmer le navire dont il conserva deux portes encore visibles dans la chapelle du château. Le mariage du grenache (50 %) et de la syrah, récoltés dans les vignes aménagées en tranchées pare-feu sur les contreforts de l'Estérel, a donné naissance à cette cuvée grenat profond, très concentrée. Les arômes complexes de fruits noirs se mêlent de notes grillées et boisées, tandis qu'en bouche se manifestent des tanins élégants, enveloppés d'une matière ronde et puissante. Réservez cette bouteille à des viandes en sauce comme une daube de sanglier. Le jury a cité la **cuvée Belle Poule blanc 2004 Vinifié et élevé en barrique**.
Ch. du Rouët, rte de Bagnols, 83490 Le Muy,
tél. 04.94.99.21.10, fax 04.94.99.20.42,
e-mail chateau.rouet@wanadoo.fr
t.l.j. sf dim. 8h-12h 14h-18h
B. Savatier

## CAVE DE ROUSSET Cuvée Pommandre 2004

■ 266 ha n.c. 3 à 5 €

Si vous avez visité le musée de Grasse, peut-être vous souvenez-vous de ces jolis flacons, généralement en forme de pomme, qui contenaient autrefois de l'ambre ou du musc : les pommandres ou pommanders. Cette cuvée est elle aussi très parfumée, mais ce sont des senteurs d'agrumes – pamplemousse et cédrat – qui se libèrent dans son sillage. D'un équilibre élégant, elle procure une agréable sensation de fraîcheur et d'exotisme. Elle méritait bien une pommandre pour flacon.
Cave de Rousset, quartier Saint-Joseph,
13790 Rousset, tél. 04.42.29.00.09, fax 04.42.29.08.63,
e-mail cave-de-rousset@wanadoo.fr r.-v.

## DOM. SAINT-ALBERT Réserve du Domaine 2004 *

■ n.c. n.c. 5 à 8 €

Un domaine familial cultivé sans engrais ni désherbants, établi sur de petites terrasses schisteuses séparées par des arbres fruitiers. Syrah et grenache à parts égales composent ce vin grenat violacé qui décline la violette et la réglisse avec légèreté. La bouche fraîche laisse une sensation friande, encore soulignée par les flaveurs d'épices douces. Demandez à Olivier Foucou sa recette de gigot d'agneau à la confiture d'aubergine : l'accord sera délicieux. La **cuvée Prestige rosé 2004** est citée.
Olivier Foucou,
Dom. Saint-Albert, 3e Borrels, 83400 Hyères,
tél. 04.94.65.68.64, fax 04.94.65.30.66 r.-v.

## DOM. SAINT-ANDRE DE FIGUIERE

Réserve 2003 *

■ 3 ha 4 000 15 à 23 €

En 2004, le domaine s'est agrandi de 20 ha de vignes, nouvelle motivation pour cette équipe familiale. La Réserve 2003, vêtue d'une robe rubis, s'exprime dans le registre des fruits rouges. La matière ronde, agréablement structurée, se développe généreusement jusqu'à une finale épicée et vanillée. Un vin bien apprivoisé. Nacrée comme un coquillage, friande et soyeuse, la cuvée **Vieilles Vignes rosé 2004 (8 à 11 €)** n'est pas avare de parfums de citrus, de miel et de fleurs blanches : elle mérite une citation.
Dom. Saint-André de Figuière,
quartier Saint-Honoré, BP 47,
83250 La Londe-les-Maures,
tél. 04.94.00.44.70, fax 04.94.35.04.46,
e-mail figuiere@figuiere-provence.com
t.l.j. sf dim. 9h-12h 14h-18h
Alain Combard

## CELLIER SAINT BERNARD 2004 *

■ 5 ha 10 000 3 à 5 €

Grenache à 80 % et syrah pour ce rosé qui s'apparente à un vin gris tant sa couleur est pâle. Les arômes fruités sont bien soutenus par la vivacité de la matière ample et équilibrée. Le **Di-Vin rosé 2004 (5 à 8 €)** est cité.
Cellier Saint-Bernard,
av. du Général-de-Gaulle, 83340 Flassans-sur-Issole,
tél. 04.94.69.71.01, fax 04.94.69.71.80 r.-v.

## DOM. DE SAINTE-CROIX 2004 **

■ n.c. 12 000 5 à 8 €

La ferme fortifiée et les caves voûtées furent bâties au XII[e]s. par les moines de l'abbaye du Thoronet, située à 4 km de là. Ce domaine familial de 70 ha propose un 2004 remarquable d'équilibre entre rondeur et fraîcheur. Les notes florales flatteuses participent à l'impression de délicatesse laissée par ce vin que vous réserverez à un plateau de coquillages ou à un poisson à chair fine. Le **Clos Manuelle rouge 2003**, cité, a suffisamment de réserve pour l'année à venir.
SCEA Pélépol Père et Fils, Dom. de Sainte-Croix,
83570 Carcès, tél. 04.94.04.56.51, fax 04.94.04.38.10,
e-mail saintecroix@wanadoo.fr r.-v.

## M. DE CH. SAINTE MARGUERITE

Cuvée Saint Pons 2004 *

■ Cru clas. 1,1 ha 13 000 11 à 15 €

Depuis 1977, Jean-Pierre et Brigitte Fayard, aujourd'hui aidés de leurs quatre enfants, conduisent cette propriété de 50 ha implantée face à la mer et aux îles d'Or,

sur les premiers contreforts du massif des Maures. La création du vignoble remonte à 1929, lorsque André Chevrillon replanta le domaine. Ce rosé pâle à reflets gris brillant s'ouvre sur des notes de fleurs et de fruits frais. La bouche souple laisse un petit goût de cerise que rehausse la vivacité finale. Une bouteille à servir dès l'apéritif pour entretenir la conversation et à garder pour le plateau de charcuteries ou de crudités.
Jean-Pierre Fayard, Ch. Sainte-Marguerite,
BP 1, 83250 La Londe-les-Maures,
tél. 04.94.00.44.44, fax 04.94.00.44.45,
e-mail info@chateausaintemarguerite.com r.-v.

## DOM. SAINTE MARIE Cuvée 1884 2004 *

4 ha 20 000 8 à 11 €

Un hameau entouré de 43 ha de vignes dont le nom rend hommage à la Vierge qui, en 1884, aurait sauvé les habitants d'une épidémie. Ce rosé, si pâle qu'il en est presque gris, explose de senteurs variées de pêche de vigne, d'abricot, de buis et de bourgeon de cassis. Une palette qu'il décline avec plus de subtilité au palais. Un vin franc et frais.
Dom. Sainte-Marie,
forêt du Don, RN 98, 83230 Bormes-les-Mimosas,
tél. 04.94.49.57.15, fax 04.94.49.58.57,
e-mail domaine.saintemarie@wanadoo.fr
t.l.j. sf dim. 9h-19h
Henri Vidal

## CH. SAINTE-ROSELINE Cuvée Prieure 2003 **

Cru clas. 9 ha 38 000 15 à 23 €

Le sceau du pape Jean XXII, qui séjourna au domaine, figure sur toutes les étiquettes des vins de Sainte-Roseline. Le château est une abbaye du XIIes. fondée par un ermite et dont sainte Roseline fut la prieure de 1300 à 1329. D'une couleur violet intense, ce 2003 dispense de subtiles fragrances de framboise et de mûre, nuancées de notes grillées. La bouche pleine et ronde, généreuse, repose sur des tanins souples, parfaitement fondus. Un dégustateur qualifie ce vin de mystérieux car il est encore très jeune, mais ses qualités déjà perceptibles se dévoileront pleinement après trois ans de garde au moins. La **cuvée Prieure blanc 2003 (11 à 15 €)** et la cuvée **Lampe de Méduse rosé 2004 (8 à 11 €)** sont citées.
Ch. Sainte-Roseline, 83460 Les Arcs-sur-Argens,
tél. 04.94.99.50.30, fax 04.94.47.53.06,
e-mail contact@sainte-roseline.com r.-v.
Teillaud

## DOM. DU SAINT ESPRIT Grande Cuvée 2004 *

2 ha 12 000 5 à 8 €

L'élégance caractérise ce rosé issu du mariage de la syrah, du cinsault et du mourvèdre sur un terroir argilo-calcaire, au nord du village médiéval des Arcs-sur-Argens. Pâle, légèrement saumoné, le vin livre des arômes de fruits exotiques et d'agrumes, puis offre au palais une grande rondeur équilibrée par une juste vivacité. L'association avec une daurade grillée sera des plus réussies aujourd'hui même et jusqu'en 2007.
Crocé-Spinelli,
Dom. des Clarettes, 83460 Les Arcs-sur-Argens,
tél. 04.94.47.45.05, fax 04.94.73.30.73,
e-mail earlvcs@aol.com t.l.j. 10h-12h 14h-19h

## DOM. DE SAINT-HUBERT 2004 *

2,5 ha 4 000 5 à 8 €

Couleur chair, ce rosé délicat évoque les fleurs, les agrumes et les fruits rouges. Autant de nuances aromatiques qui se déclinent avec élégance en bouche comme pour mettre en valeur la matière veloutée. Le **2003 rouge** obtient la même note pour son boisé fondu, respectueux des arômes de fruits rouges.
Les Vignerons du Baou,
rue Raoul-Blanc, 83470 Pourcieux,
tél. 04.94.78.03.06, fax 04.94.78.05.50 r.-v.
Alain Tabani

## CH. SAINT-JULIEN D'AILLE
Triumvir des Rimbauds 2004 *

2 ha 8 000 8 à 11 €

La famille Fleury a acheté en 1999 ce domaine de 170 ha, propriété de différents ordres religieux, puis de l'Institut Pasteur. Le nom de Saint-Julien d'Aille se réfère à un centurion romain martyrisé en 304 apr. J.-C. et à l'affluent de l'Argens qui coule non loin du vignoble. Un vin de caractère que ce rosé, destiné au repas. Sous une teinte pâle se manifestent des arômes d'agrumes qui viennent rafraîchir la bouche souple et veloutée, de bonne persistance. A déguster en accompagnement de rougets en croûte de sel. Le **Triumvir des Rimbauds blanc 2003**, vif et marqué par des flaveurs de poire, est cité.
Ch. Saint-Julien d'Aille, N° 5480, RD 48,
83550 Vidauban, tél. 04.94.73.02.89, fax 04.94.73.61.31,
e-mail contact@saintjuliendaille.com r.-v.

## CH. SAINT-MARC Grande Réserve Domini 2004 *

3 ha 5 000 8 à 11 €

De l'élégance, de la gaieté et de la luminosité dans la robe rose pâle. De la délicatesse dans les arômes de fleurs blanches, de pêche et d'agrumes. De la persistance et du volume au palais, nuancé d'agrumes et de fruits blancs. Un caractère chaleureux en finale. Un vin de charme, en somme, que vous destinerez à une daurade aux herbes de Provence.
Ch. Saint-Marc, quartier Leï Crottes,
83310 Cogolin, tél. 04.94.54.69.92, fax 04.94.54.01.41
t.l.j. 9h-12h 14h-18h
Fiscel

## DOM. SAINT MARC DES OMEDES 2003

0,53 ha 3 860 3 à 5 €

Tout juste 2,60 ha : le plus petit vignoble anglais de Provence autour d'une bastide du XVIIIes. Lindsay et Anne-Marguerite Phillips, charmant couple anglo-belge, ont acheté en 1994 ce domaine dont le vin est vinifié par Philippe Crocé-Spinelli. Produit en quantité quasi-confidentielle, ce 2003 rubis présente de fins arômes de fruits rouges, mêlés de touches animales. La bouche équilibrée se développe longuement sur les fruits savoureux.
Lindsay Phillips, Dom. Saint Marc des Omèdes,
83510 Lorgues, tél. 04.94.67.69.17, fax 04.94.67.66.58,
e-mail winephil@aol.com r.-v.

## CH. DE SAINT-MARTIN
Cuvée Grande Réserve 2004

Cru clas. 5 ha 13 000 8 à 11 €

Dirigé par les femmes de la même famille depuis le XVIIIes., ce domaine de plus de 100 ha, dont la moitié est couverte de vignes, occupe le site d'une propriété viticole romaine. Dans la cave souterraine, vous découvrirez son histoire grâce à un spectacle son et lumière, et dégusterez cette cuvée jaune paille brillant, subtilement parfumée

PROVENCE

d'agrumes (pamplemousse) et de pêche. De la vivacité, de l'élégance et l'assurance d'un accord réussi avec un plateau de coquillages.
Ch. de Saint-Martin, rte des Arcs, 83460 Taradeau, tél. 04.94.99.76.76, fax 04.94.99.77.77, e-mail chateaudesaintmartin@wanadoo.fr
t.l.j. 9h-19h (hiver 9h-18h); f. dim. en hiver
Mme De Barry

### DOM. SAINT-MARTIN 2003 *

2 ha 14 000 5 à 8 €

Mis en bouteilles par les vignerons du Luc, ce vin mérite la compagnie d'une pièce de bœuf. S'il a de la réserve pour affronter deux ou trois ans de garde, il s'exprime déjà avantageusement aujourd'hui : fruits rouges, cuir, touche mentholée. Sa structure affirmée mais sans agressivité s'enveloppe de flaveurs de cerise à l'eau-de-vie, puis de nuances vanillées en finale. La **Réserve des Vintimilles rosé 2004 (3 à 5 €)** est citée.
Les Vignerons du Luc, rue de l'Ormeau, 83340 Le Luc-en-Provence, tél. 04.94.60.70.25, fax 04.94.60.81.03 t.l.j. 9h-12h 14h-18h

### CH. SAINT-PIERRE Cuvée Marie 2004 **

3 ha 15 000 5 à 8 €

Le domaine se situe non loin de la maison des Vins, siège de l'appellation, et du village des Arcs, riche de buts de visite. Sous une robe très pâle, sa cuvée libère élégamment des notes florales d'acacia et des touches d'eucalyptus. Son équilibre remarquable entre gras et vivacité lui assurera une parfaite tenue dans les mois à venir. La **cuvée du Prieuré blanc 2004** est citée pour son boisé bien fondu dans la palette de fruits confits aux accents exotiques.
Jean-Philippe Victor, Ch. Saint-Pierre, rte de Taradeau, 83460 Les Arcs-sur-Argens, tél. 04.94.47.41.47, fax 04.94.73.34.73, e-mail contact@chateausaintpierre.fr
t.l.j. sf dim. 9h-12h 14h-18h

### DOM. SAINT-QUINIS 2003

9,2 ha 26 600 3 à 5 €

Le carignan est un vieux cépage adapté aux terroirs méditerranéens et à leur climat chaud. Il compose 40 % de cette cuvée, allié à la syrah et au cinsault. Rubis soutenu, le vin livre un nez intense de fruits, nuancé de notes animales, puis développe une matière dense, étayée par des tanins puissants. Une bouteille à déboucher une heure avant le service pour favoriser son expression.
Les Maîtres Vignerons de Gonfaron, quartier Murier, 83590 Gonfaron, tél. 04.94.78.30.02, fax 04.94.78.27.33 t.l.j. 8h15-12h 14h-18h

### DOM. DE LA SANGLIERE Cuvée Prestige 2004 *

3 ha 10 300 8 à 11 €

Entre La Londe-les-Maures et le fort de Brégançon, La Sanglière occupe un site protégé par le conservatoire du Littoral, le cap Bénat : la mer est toute proche. Le vignoble de 20 ha est cultivé selon les principes de l'agriculture biologique. Cinsault (70 %) et grenache composent ce 2004 saumon pâle et brillant, dont les arômes intenses de fruits rouges trouvent écho en bouche, aux côtés de notes de fruits acidulés et d'agrumes. Une cuvée tout en finesse, modèle du rosé de charme. La cuvée **S 2004 (5 à 8 €)** brille d'une étoile elle aussi : un vin rose à reflets cerise, riche de senteurs de fruits jaunes et de pamplemousse, souple.
EARL de La Sanglière, 83230 Bormes-les-Mimosas, tél. 04.94.00.48.58, fax 04.94.00.43.77, e-mail remy@domaine-sangliere.com
r.-v.
Conservatoire du littoral

### DOM. DE SANT JANET Cuvée Matisse 2004

2 ha 11 200 5 à 8 €

Ce petit domaine familial de moins de 12 ha présente une cuvée au fruité marqué, nuancé de touches amyliques. Souple en attaque, celle-ci révèle une pointe de vivacité au palais, rehaussée de flaveurs d'agrumes. Un rosé à découvrir avec la cuisine méridionale.
Jean Lecocq, Dom. de Sant-Janet, Clos du Ruou, 83570 Cotignac, tél. 04.94.04.77.69, fax 04.94.04.76.31, e-mail domaine@sant-janet.com
t.l.j. 10h-19h; f. dim à Pâques-sept.

### SIOUVETTE Le Clos 2003 *

n.c. 5 000 11 à 15 €

Le domaine, situé sur la route d'Hyères à Saint-Tropez par le col de Gratteloup, s'est développé au début du XXe s. sur des coteaux orientés plein sud. Il y a cent ans, les bouteilles servies aux banquets de mariage de la famille portaient déjà la mention « Clos Siouvette ». Le 2003, de teinte sombre, est prolixe en arômes : fruits rouges et épices à l'envi. Les tanins, encore austères, promettent de se fondre à la matière ample et puissante, à la faveur de trois ans de garde. La **cuvée Marcel Galfard rosé 2004 (5 à 8 €)** est citée pour son gras et son volume : un vin de repas.
Sylvaine Sauron, Dom. Siouvette, RN 98, 83310 La Môle, tél. 04.94.49.57.13, fax 04.94.49.59.12, e-mail sylvaine.sauron@wanadoo.fr
t.l.j. 8h-12h30 13h30-19h

### DOM. SORIN Terre Amata 2004

6 ha 30 000 5 à 8 €

D'origine bourguignonne, Luc Sorin a repris en 1994 ce vignoble situé à moins de 5 km des villages perchés du Castellet et de La Cadière-d'Azur. Une « terre aimée » (*Terra amata*) qui lui donne en 2004 un rosé de teinte pivoine, dont le nez intense s'inscrit dans le registre minéral. Le fruit s'exprime pleinement en bouche, valorisant le bon volume et la rondeur. Une bouteille à mettre à table. La **cuvée Sergine blanc 2004 (8 à 11 €)**, fraîche et de bonne longueur, mérite également une citation.
Dom. Sorin, 1617, rte de La Cadière-d'Azur, 83270 Saint-Cyr-sur-Mer, tél. 04.94.26.62.28, fax 04.94.26.40.06, e-mail luc.sorin@wanadoo.fr
r.-v.

### DOM. DES THERMES
Cuvée Iter Privatum 2004 **

1 ha 4 000 5 à 8 €

A voir l'étiquette des vins, on a déjà une petite idée de l'histoire de ce domaine qui se situe sur un site romain. Accolé à un ancien relais de diligence, il commande un vignoble de 34 ha d'un seul tenant. Son vin de teinte pâle à reflets verts libère d'élégantes notes de fleurs, de miel, d'ananas et d'agrumes. La matière bien structurée apparaît souple et fraîche, soulignée de puissants arômes de fruits exotiques. Servie dès l'apéritif, cette bouteille fera alliance avec un poisson ou une viande blanche en sauce. La cuvée **Iter Privatum 2004 rosé**, notée une étoile, dévoile finesse et fruité.

EARL Michel Robert, Dom. des Thermes, RN 7, 83340 Le Cannet-des-Maures, tél. et fax 04.94.60.73.15 t.l.j. 8h-19h

## CH. DU THOUAR 2004 ★

2,5 ha 10 000 8 à 11 €

Magnanerie au XVIII[e]s., le château du Thouar s'est tourné vers la vigne dans les années 1950 sous l'impulsion de Charles Lavaud. Ses 45 ha ont été convertis à l'agriculture biologique en 2000. Ce rosé pâle et brillant, nuancé d'orange clair offre un nez flatteur d'agrumes, de pêche blanche bien mûre et d'abricot. Une invitation à découvrir la bouche fraîche et aromatique qui dévoile en finale une note chaleureuse, caractéristique du millésime. La cuvée **L'Hommage rouge 2002 (5 à 8 €)**, élevée en fût, obtient une citation pour sa palette fruitée (abricot confit), nuancée de cannelle et de réglisse.

Ch. du Thouar, 2349, rte d'Aix, 83490 Le Muy, tél. 04.94.45.10.35, fax 04.94.45.15.44, e-mail contact@chateauduthouar.com r.-v.

GFA Testavin

## DOM. LA TOUR DES VIDAUX

Cuvée Farnoux Elevé en fût de chêne 2003 ★

4 ha 5 000 8 à 11 €

En 1996, Marlena et Volker Paul Weindel ont eu un coup de foudre pour ce domaine, situé sur le versant sud du massif des Maures : 24 ha aujourd'hui qu'ils cultivent selon les principes de la biodynamie. Cette cuvée affiche un caractère puissant que l'on pressent à la vue de sa robe sombre. Aux arômes de fruits et d'épices, ponctués de notes animales, répond une chair généreuse et longue. L'empreinte encore marquée de l'élevage d'un an en fût laissera place après deux à cinq ans de garde à une structure plus enveloppée.

Paul Weindel, Dom. La Tour des Vidaux, quartier Les Vidaux, 83390 Pierrefeu-du-Var, tél. 04.94.48.24.01, fax 04.94.48.24.02, e-mail tourdesvidaux@wanadoo.fr t.l.j. sf dim. 9h-12h 14h30-18h30

## DOM. LA TOURRAQUE 2004

2,5 ha 12 000 5 à 8 €

Au cœur du site classé des Trois Caps, la promenade jusqu'au caveau de ce domaine vaste de 100 ha sera un moment délicieux, loin de la foule de Saint-Tropez. José Craveris met équitablement en valeur le tibouren et le cinsault dans ce vin. Pas de doute, la robe n'est pas cerise, mais à peine pelure d'oignon, rehaussée de reflets roses. Empreint de fins arômes fruités et floraux, ce 2004 s'avère friand et agréablement frais, avec une pointe minérale en finale. Pour des hors-d'œuvre.

GAEC Brun-Craveris, Dom. La Tourraque, 83350 Ramatuelle, tél. 04.94.79.25.95, fax 04.94.79.16.08 t.l.j. sf dim. 9h-12h 14h-18h

## CH. TOUR SAINT-HONORE

Cuvée Olivier 2004 ★★

1,5 ha 3 000 8 à 11 €

Nous vous avons déjà présenté Olivier, le fils aîné de Serge et Chantal Portal, et plus encore la cuvée qui porte son nom, élue coup de cœur dans le millésime 2003. Le 2004, loin de décevoir, a séduit le jury par sa bouche éclatante, puissante et riche d'arômes d'agrumes et de fleurs. Sa rondeur est harmonieusement équilibrée par la fraîcheur de la finale. Si l'expression est encore timide au nez, elle devrait se dévoiler pleinement dans les douze mois à venir. Cette bouteille rejoindra alors une viande blanche ou un poisson savamment cuisiné. La **cuvée Olivier rouge 2003**, souple et fruitée, typique de l'appellation, brille d'une étoile.

Serge Portal, Ch. La Tour Saint-Honoré, RD 559, 83250 La Londe-les-Maures, tél. 04.94.66.98.22, fax 04.94.66.52.12 t.l.j. sf dim. 9h-12h 15h-18h30

## DOM. DU VAL DE GILLY Marion 2004 ★★

1,8 ha 10 000 5 à 8 €

Une histoire de famille qui dure depuis 1890, lorsque Alexandre Castellan acheta ce domaine davantage voué à la production de bois d'œuvre et à la culture de l'olivier qu'à la vigne. À partir de 1956, année de gel qui détruisit les oliveraies, le vignoble se développa. Cette cuvée est un clin d'œil à la fille de Nadine et Daniel Castellan qui, enfant, trempait ses doigts dans les bonbonnes. Devant ce rosé pastel à reflets clairs, on a bien envie de plonger son nez dans le verre pour découvrir les arômes délicats de pamplemousse. La bouche souple et ample se développe dans le même registre avant une finale chaleureuse. La **cuvée Alexandre Castellan rouge 2003 Elevée en fût de chêne** a retenu l'attention des dégustateurs par sa structure et son intensité, comme par son boisé bien maîtrisé. Elle obtient une étoile.

Dom. du Val de Gilly, 83310 Grimaud, tél. 04.94.43.21.25, fax 04.94.43.26.27 t.l.j. sf dim. 9h-12h 14h-19h

Castellan

## VAL D'IRIS 2004 ★

1 ha 7 000 5 à 8 €

En 1998, Anne Dor acheta 5 ha de vignes dans ce petit vallon orienté est-ouest, autrefois couvert d'iris. Elle a progressivement agrandi son domaine jusqu'aux 9 ha actuels. Quatre ans après sa première vinification, elle propose un vin jaune pâle à reflets verts dont le nez mêle avec élégance d'intenses arômes d'agrumes, de poire et de fruits exotiques. L'équilibre et la rondeur sont d'autres atouts de cette bouteille tout indiquée pour l'apéritif.

Anne Dor, Val d'Iris, 83440 Seillans, tél. 04.94.76.97.66, fax 04.94.76.89.83, e-mail valdiris@wanadoo.fr r.-v.

## CH. LES VALENTINES 2004 ★

13,84 ha 60 000 8 à 11 €

Gilles Pons s'inspire-t-il des poèmes de Frédéric Mistral pour élaborer ses cuvées ? « Quand le mois de mai fleurit tous veulent vivre, et quand sourit le soleil tous vont le boire... », pourrez-vous lire sur l'étiquette de ce rosé. Les dégustateurs n'en savaient rien, eux qui goûtent à l'aveugle. Pourtant, ils ont bel et bien perçu dans ce vin rose pâle l'allégresse des arômes d'agrumes soulignés de minéral, l'équilibre de la bouche persistante, toute empreinte de fruits rouges et d'épices. Le **Château Les Valentines blanc 2004** est cité pour sa fraîcheur.

SCEA Pons-Massenot, Ch. Les Valentines,
lieu-dit Les Jassons, 83250 La Londe-les-Maures,
tél. 04.94.15.95.50, fax 04.94.15.95.55,
e-mail contact@lesvalentines.com
t.l.j. sf dim. 9h-12h30 14h30-19h

## LE VALLON SOURN Cuvée Tradition 2003 ★★

5 ha 10 000 5 à 8 €

L'ensemble des producteurs du village de Correns travaillent en agriculture biologique. Les adhérents de la coopérative ne font donc pas exception. Cette cuvée aux notes harmonieuses de truffe blanche, de cerise et de cassis déploie une matière volumineuse et souple, dans laquelle le boisé se fond parfaitement. La **Croix de Basson rosé 2004**, finement florale et ronde, obtient une étoile.

Les Vignerons de Correns et du Val,
rue de l'Eglise, 83570 Correns,
tél. 04.94.59.59.46, fax 04.94.59.50.32 r.-v.

## CH. DE VAUCOULEURS
Elevé en fût de chêne 2003

3 ha 7 000 5 à 8 €

Dominant la vallée de l'Argens, le château du XVIII[e]s. est une imposante demeure aux murs ocre, encadrée de deux tours carrées crénelées. Vêtu de grenat aux légers reflets tuilés, ce vin décline de fines notes de mûres nuancées de touches épicées et animales. La bouche souple et équilibrée fait la part belle aux fruits noirs, avec en finale des flaveurs de cuir et d'épices. Les tanins déjà fondus autorisent un service immédiat.

P. Le Bigot, Ch. de Vaucouleurs, RN 7,
83480 Puget-sur-Argens, tél. et fax 04.94.45.20.27,
e-mail chateau.vaucouleurs@wanadoo.fr r.-v.

## CH. VEREZ 2004

20 ha 40 000 5 à 8 €

Habitué du Guide, le château Vérez propose un 2004 intensément parfumé de fruits exotiques – mangue et litchi –, dont la chair tendre et souple offre un plaisir simple. Le **Château Vérez blanc 2004** est cité également.

Ch. Vérez, 5192, chem. de la Verrerie-Neuve,
Le Grand-Pré, 83550 Vidauban, tél. 04.94.73.69.90,
fax 04.94.73.55.84, e-mail verez@chateau-verez.fr
t.l.j. sf sam. dim. 9h-12h 13h30-16h30
Rosinoer

## DOM. DE LA VERNEDE 2004

2 ha 6 000 5 à 8 €

Dans le caveau de dégustation, vous découvrirez les vestiges du moulin à huile du XVIII[e]s. André Carrassan vous expliquera que son domaine, ancienne magnanerie, puis oliveraie, ne se dédia à la vigne qu'à partir de 1920. Son rosé pâle à reflets saumonés, assemblage de grenache et de tibouren mêle des notes amyliques à des arômes de fruits rouges gourmands, puis offre une bouche ronde, équilibrée. Un vin élégant destiné à un poisson grillé au feu de bois.

André Carrassan, Dom. de La Vernède,
83480 Puget-sur-Argens, tél. 04.94.17.27.48 r.-v.

## CH. VERT 2004 ★★

11 ha 40 000 5 à 8 €

Issu, il y a quatre cents ans, d'un vaste domaine de 1 000 ha, partagé entre bois, oliviers et champs, Château Vert est aujourd'hui une propriété de plus de 30 ha sur sols argilo-schisteux. Dans la grande bastide du XVIII[e]s. toutes les boiseries ont une couleur verte, d'où le nom qui lui a été donné. Cette cuvée rose légèrement orangé ne semble jamais devoir se départir de ses arômes intenses de fruits jaunes. Pêche et abricot s'éternisent au palais. Elégant, ce vin est à réserver aussi bien à l'apéritif qu'à l'accompagnement de plats provençaux élaborés.

SCEA Dom. du Ch. Vert, av. Georges-Clemenceau,
83250 La Londe-les-Maures, tél. 04.94.66.80.59,
fax 04.94.66.64.42, e-mail chateau.vert@tiscali.fr
t.l.j. sf dim. 9h-12h 15h-18h
Marmottant-Giros

# Cassis

Un creux de rochers, auquel on n'accède que par des cols relativement hauts depuis Marseille ou Toulon, abrite, au pied des plus hautes falaises de France, des calanques, des anchois et une certaine fontaine qui, selon les Cassidens, rendait leur ville plus remarquable que Paris... Mais aussi un vignoble que se disputaient déjà, au XI[e]s., les puissantes abbayes, en demandant l'arbitrage du pape. Le vignoble occupe aujourd'hui environ 185 ha, dont 132 en cépages blancs pour un volume total de 7 965 hl en 2004. Les vins sont rouges, rosés et surtout blancs. Mistral disait de ces derniers qu'ils sentaient le romarin, la bruyère et le myrte. Bues avec les bouillabaisses, les poissons grillés, les coquillages et les viandes blanches, les cuvées de ces blancs capiteux et parfumés ne sont plus de simples vins de comptoir mais des vins de classe.

## LA BADIANE Terroir des deux sœurs 2003

0,5 ha 2 000 11 à 15 €

Ce vin de teinte fraîche et attirante exhale d'agréables senteurs de fruits mûrs (abricot et poire), d'agrumes et de miel à l'aération. Il est souple et de bonne longueur. Les chanceux qui auront pu acheter une bouteille la marieront à un poisson ou à un fromage de chèvre frais parsemé de fleur de sel.

SA La Badiane, S. Croisette II,
RN 154, 83250 La Londe-les-Maures,
tél. 06.07.87.98.05, e-mail contact@labadiane.com
r.-v.
Jean-Luc Poinsot

DOM. DU BAGNOL Marquis de Fesques 2004 ★

6,88 ha 40 000 8 à 11 €

Sébastien Genovesi conduit avec talent ce domaine créé au milieu du XIXᵉs. Il a élaboré un vin équilibré et rond, dont les arômes d'agrumes et d'abricot évoluent vers des notes plus chaleureuses en finale. L'ensemble laisse une sensation suave. Le **2004 rosé**, dominé par les fruits rouges, reste sur une vivacité marquée. Il est cité.

Sébastien Genovesi, Dom. du Bagnol, 12, av. de Provence, 13260 Cassis, tél. 04.42.01.78.05, fax 04.42.01.11.22 r.-v.

CLOS VAL BRUYERE Cuvée Kalahari 2003 ★

0,5 ha 3 000 15 à 23 €

Sophie Cerciello et Didier Simonini évoquent leur passion des voyages en Afrique sur l'étiquette de cette cuvée sur laquelle figure un zèbre. Jaune vif, le vin est d'abord marqué par la vanille et la réglisse puis il laisse le fruit s'exprimer à l'aération. Le boisé réapparaît en bouche en prenant des accents cacaotés en finale. Kalahari est un vin bien construit et élégant. A réserver aux amateurs. Plus classique, le **Clos Val Bruyère blanc 2003 (8 à 11 €)** est cité.

SCEA Ch. Barbanau, hameau de Roquefort, 13830 Roquefort-la-Bédoule, tél. 04.42.73.14.60, fax 04.42.73.17.85, e-mail barbanau@wanadoo.fr t.l.j. sf dim. 10h-12h 15h-18h

DOM. COURONNE DE CHARLEMAGNE 2004

4,2 ha 24 000 8 à 11 €

La Couronne de Charlemagne est une falaise, au pied de laquelle s'étend ce domaine de 8 ha constitué en 1988. De couleur pâle, vert tilleul dans ses reflets, ce vin exprime à l'aération une palette fine, aux nuances de fruits exotiques. Après une attaque souple, il offre du volume et persiste agréablement sur la fraîcheur des agrumes.

Bernard Piche, Les Janots, 13260 Cassis, tél. et fax 04.42.01.15.83, e-mail couronne-charlemagne@yahoo.fr r.-v.

DOM. LA FERME BLANCHE Excellence 2003 ★

3 ha 13 000 11 à 15 €

30 ha en restanques sous l'influence directe des brumes venues de la mer : tel est le domaine La Ferme Blanche dont la création remonte à 1714. De la fraîcheur dans la teinte pâle à reflets verts de ce 2003. De la richesse dans le bouquet composé de notes grillées, de fruits mûrs à chair blanche, d'amande et de pain d'épice. De l'équilibre entre vivacité et rondeur, puis un caractère chaleureux en finale qui invite à un accord avec un poisson à la crème.

Dom. la Ferme Blanche, RD 559, 13260 Cassis, tél. 04.42.01.00.74, fax 04.42.01.73.94, e-mail fermeblanche@wanadoo.fr t.l.j. 9h-19h

F. Paret

CH. DE FONTCREUSE Cuvée «F» 2004 ★

13,89 ha 80 000 8 à 11 €

Fontcreuse traduit depuis 1687 la présence d'une fontaine creusée pour alimenter le château en eau. Cette cuvée commence à s'ouvrir et dévoile des arômes de fleurs blanches, d'agrumes et de pêche. Plus expressive, la bouche ronde à l'attaque laisse ensuite une sensation de fraîcheur que soulignent les notes d'agrumes, nuancées d'abricot et de miel. Un vin équilibré et fin, à découvrir à l'apéritif et à resservir au cours du repas.

J.-F. Brando, Ch. de Fontcreuse, 13, rte Pierre-Imbert, 13260 Cassis, tél. 04.42.01.71.09, fax 04.42.01.32.64, e-mail fontcreuse@wanadoo.fr t.l.j. sf sam. dim. 8h30-12h 14h-18h

LES HAUTS DE SEIGNOL 2004

2 ha 10 000 11 à 15 €

Distribué par la société Sénéclauze à Aubagne, ce vin pâle d'aspect est tout désigné pour accompagner des coquillages et des crustacés. Vif de caractère, mais sans agressivité, il allie les arômes exotiques à des notes de miel. La première gorgée aiguise l'appétit, et c'est bien ainsi.

Jayne, chem. de la Nona, 13260 Cassis, tél. 04.42.01.07.26, fax 04.42.01.27.27 r.-v.

DOM. DU PATERNEL 2004 ★★

11 ha 65 000 8 à 11 €

Sur le flanc du massif de la Couronne de Charlemagne, le vignoble s'étend jusqu'au cap Canaille. Jean-Pierre Santini, à la tête du domaine depuis 1962, est aujourd'hui aidé de ses deux fils. Son rosé, de teinte pâle, flatte le nez par ses arômes de fraise, de poire et de mangue. Après une attaque souple, le fruité est bien mis en relief par une vivacité soutenue qui assure une remarquable longueur. Le **2004 blanc** représente parfaitement son appellation par l'élégance de ses arômes exotiques et floraux comme par son volume. Il obtient une étoile. La **Grande Réserve 2003 rouge** est citée.

EARL Santini, Dom. du Paternel, 11, rte Pierre-Imbert, 13260 Cassis, tél. 04.42.01.76.50, fax 04.42.01.09.54, e-mail domaine.paternel@wanadoo.fr t.l.j. sf sam. dim. 10h-12h 14h-18h

DOM. DES QUATRE VENTS 2004 ★★

5,4 ha 25 000 8 à 11 €

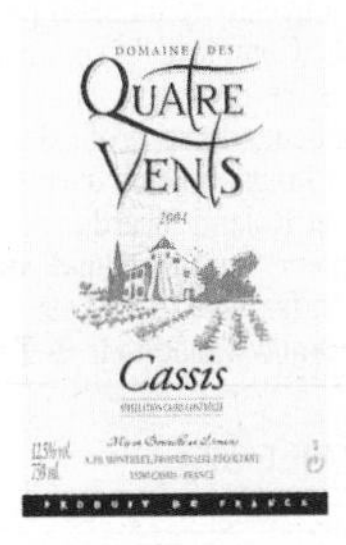


Depuis plus de trente ans, Alain de Montillet conduit la destinée de ce domaine d'une dizaine d'hectares. Le jury a été impressionné par ce 2004 riche en attaque et tout en rondeur dans son développement. Son bouquet de fruits mûrs (abricot, pêche blanche) et exotiques (mangue), nuancé de notes florales et anisées complexes, ne demande qu'à s'épanouir et laisse en finale un long souvenir. Tout au long de la dégustation, le regard est attiré par la fraîcheur de la robe pâle à reflets verts.

Alain de Montillet, Dom. des Quatre Vents, 13260 Cassis, tél. et fax 04.42.01.88.10 t.l.j. sf dim. 8h30-12h 14h-18h

PROVENCE

# Bellet

De rares privilégiés connaissent ce minuscule vignoble (40 ha) situé sur les hauteurs de Nice, dont la production est réduite (environ 900 hl) et presque introuvable ailleurs qu'à Nice. Elle est faite de blancs originaux et aromatiques, grâce au rolle, cépage de grande classe, et au chardonnay (qui se plaît à cette latitude quand il est exposé au nord et suffisamment haut) ; de rosés soyeux et frais ; de rouges somptueux, auxquels deux cépages locaux, la fuella et le braquet, donnent une originalité certaine. Ils seront à leur juste place avec la riche cuisine niçoise si originale, la tourte de blettes, le tian de légumes, l'estocaficada, les tripes, sans oublier la socca, la pissaladière ou la poutine.

## DOM. AUGIER Cuvée Charles Augier 2003 *

■ n.c. 1 200 15 à 23 €

Cette cuvée issue de folle noire et de grenache rend hommage au créateur du domaine. Rubis à reflets violines, elle s'exprime avec toute la finesse attendue dans les vins de Bellet : fruits noirs (mûre, cassis), pruneau, mêlés de notes grillées et torréfiées. Après une attaque souple, elle dévoile une structure de qualité à laquelle le boisé se fond harmonieusement. Accordez-la avec des petits farcis ou des raviolis à la niçoise.

Rose et Elise Augier,
680, rte de Bellet, 06200 Nice,
tél. et fax 04.93.37.81.47 r.-v.

## CLOS SAINT-VINCENT Clos 2004 *

1,5 ha 2 000 15 à 23 €

Joseph Sergi et son beau-père Roland Sicardi, vignerons passionnés, ont élaboré un bellet parfaitement représentatif du terroir. Complexe, le vin présente des arômes subtils d'agrumes et de fruits exotiques. S'il possède beaucoup de rondeur, il tire profit d'une ligne vive qui l'équilibre bien et lui garantit un avenir favorable.

Joseph Sergi et Roland Sicardi,
Collet des Fourniers, Saint-Roman-de-Bellet,
06200 Nice, tél. et fax 04.92.15.12.69,
e-mail clos.st.vincent@wanadoo.fr r.-v.

## CLOT DOU BAILE 2004 *

1,5 ha 3 300 15 à 23 €

Une robe jaune pâle brillant de quelques reflets verts habille ce bellet très harmonieux et complexe par ses arômes de fleurs blanches, d'agrumes et de fruits exotiques. Une même intensité est perceptible dans les flaveurs de la bouche ronde, bien soutenue par la vivacité. Une bouteille à savourer dès à présent ou à garder deux ans. Le **Clot Dou Baile rouge 2003 (11 à 15 €)** obtient une étoile également pour son nez de cerise mûre et de fruits confits, sa matière ample, ses tanins fins.

SCEA Clot Dóu Baile, 277-305, chem. de Saquier,
06200 Nice, tél. et fax 04.93.29.85.87,
e-mail clotdoubaile@wanadoo.fr r.-v.
Cambillau-Dauby

## COLLET DE BOVIS 2004 *

1 ha 2 500 11 à 15 €

Le vignoble (3 ha) du Collet de Bovis se situe sur un sol de galets roulés caractéristique de l'aire d'appellation. Le 2004, élégant au nez, exprime la pêche blanche, l'abricot sec et les agrumes sous une robe à reflets verts. Par sa grande rondeur et ses arômes complexes, il s'accordera parfaitement avec une daurade grillée au feu de bois.

Jean Spizzo, SCEA Collet de Bovis,
Dom. du Fogolar 370, chem. de Crémat, 06200 Nice,
tél. et fax 04.93.37.82.52,
e-mail jspizzo@vin-de-bellet.com
t.l.j. sf dim. 8h30-12h 14h-19h

## LES COTEAUX DE BELLET 2004

1,17 ha 5 300 11 à 15 €

Issue de l'association de trois vignerons, la cave des coteaux de Bellet est née en 1992. Elle propose un rosé typique, marqué par une forte proportion de braquet, cépage local niçois. Saumon brillant, ce vin présente des arômes complexes de fruits rouges mûrs, de fruits confits et d'abricot sec. Son style léger et équilibré lui permettra d'accompagner la cuisine méridionale ou exotique. Le **bellet rouge 2003**, encore sous l'empreinte du bois, est cité.

SCEA Les Coteaux de Bellet,
325, chem. de Saquier, 06200 Nice,
tél. 04.93.29.92.99, fax 04.93.18.10.99,
e-mail lescoteauxdebellet@wanadoo.fr
t.l.j. sf sam. dim. 15h-18h

## MAX GILLI 2004

0,25 ha 850 11 à 15 €

Jusqu'en 1997, il fallait être intime de la famille Gilli pour goûter au vin de ce tout petit vignoble. Grâce à Max Gilli, vous serez un peu plus nombreux à le découvrir – à condition d'arriver parmi les premiers ! Le 2004, brillant et limpide, exprime des arômes d'agrumes et de fruits exotiques intenses. D'attaque franche, il fait preuve d'équilibre, de fraîcheur et d'une bonne persistance aromatique. Servez-le à l'apéritif avec des olives de Nice et une pissaladière. Le **bellet rosé 2004** est cité lui aussi : fruits blancs et bonbon anglais, rondeur et vivacité.

Max Gilli, Les Séoules,
chem. de Saint-Roman, 06200 Saint-Roman-de-Bellet,
tél. et fax 04.93.37.82.71 r.-v.

## DOM. DE LA SOURCE 2004

0,22 ha 1 100 11 à 15 €

Presque 2 ha de vignes en exposition sud-ouest : vous les découvrirez aisément en bordure de la route. Jacques Dalmasso propose un bellet aromatique et élégant dans sa robe jaune pâle à reflets verts. Le nez complexe associe notes de fleurs et de buis, tandis que la bouche privilégie la vivacité.

Jacques Dalmasso, 303, chem. de Saquier,
06200 Saint-Roman-de-Bellet, tél. et fax 04.93.29.81.60,
e-mail domainedelasourcevindebellet@wanadoo.fr
t.l.j. 9h-21h

## DOM. DE TOASC 2004 *

0,75 ha 3 800 11 à 15 €

Difficile de ne pas se laisser tenter par ce rosé complet. Couleur framboise brillant et limpide, il évoque avec franchise les fruits rouges (fraise et framboise) nuancés de banane, puis offre une chair pleine et ronde, équilibrée et

très aromatique. Plongez-vous dans votre livre de cuisine méditerranéenne : vous y trouverez le bon accord. Le **bellet rouge 2003 (15 à 23 €)**, un vin coulant aux parfums de fruits rouges, de pain d'épice et de grillé, est cité.
🔑 Dom. de Toasc, 213, chem. de Crémat, 06200 Nice, tél. 04.92.15.14.14, fax 04.92.15.14.00 ☑ 🍷 🚶 r.-v.
🔑 Nicoletti

# Bandol

Noble vin produit sur les terrasses brûlées de soleil des villages de Bandol, le Beausset, La Cadière-d'Azur, Le Castellet, Evenos, Ollioules, Saint-Cyr-sur-Mer et Sanary, à l'ouest de Toulon. Recouvrant une superficie de 1 489 ha, le bandol (55 850 hl en 2003) est blanc, rosé ou rouge. Ce dernier est corsé et tannique grâce au mourvèdre, cépage qui le compose pour plus de la moitié. Vin généreux, compagnon idéal des venaisons et des viandes rouges, il apporte ses subtilités aromatiques faites de poivre, de cannelle, de vanille et de cerise noire. Il supporte fort bien une longue garde.

### DOM. DES BAGUIERS 2002 ★

■ 1,3 ha 6 000 (||) 8 à 11 €

Après plus de deux ans d'élevage, ce 2002 grenat a gardé une agréable fraîcheur aromatique grâce à des notes de cerise et autres fruits rouges frais, nuancés de touches de fruits cuits. Les tanins sont bien fondus, de sorte que l'ensemble laisse une impression d'équilibre. Une bouteille prête à être débouchée, mais qui saura aussi attendre jusqu'en 2010.
🔑 GAEC Jourdan, Dom. des Baguiers, 227, rue des Micocouliers, Le Plan, 83330 Le Castellet, tél. et fax 04.94.90.41.87 ☑ 🍷 🚶 r.-v.

### DOM. BARTHES 2004 ★

■ 13 ha 68 000 🍾 8 à 11 €

Il faut avoir du souffle pour se promener dans le paysage escarpé, typique de Bandol. Il en faudra aussi pour découvrir les restanques du Val d'Arenc où se situe ce domaine. La récompense est ce rosé pâle, équitablement partagé entre cinsault, grenache et mourvèdre. Celui-ci charme par sa finesse, sa rondeur et ses flaveurs de bonbon. Un vin moderne mais qui a gardé l'esprit de son terroir.
🔑 Monique Barthès, chem. du Val-d'Arenc, 83330 Le Beausset, tél. 04.94.98.60.06, fax 04.94.98.65.31 ☑ 🍷 🚶 r.-v.

### LA BASTIDE BLANCHE 2004 ★

□ 4 ha 15 000 🍾 **11 à 15 €**

Jusqu'alors, Michel Bronzo pratiquait une culture traditionnelle sur son domaine de 40 ha, mais en 2005 il a décidé de se lancer dans la biodynamie. En attendant d'observer les résultats de cette conversion, c'est un vin blanc jaune pâle, aux notes de mangue que l'on apprécie. Ample et élégant, celui-ci révèle une rondeur flatteuse et une bonne persistance sur des notes florales.
🔑 EARL Michel Bronzo, 367, rte des Oratoires, 83330 Sainte-Anne-du-Castellet, tél. 04.94.32.63.20, fax 04.94.32.74.34
☑ 🍷 🚶 t.l.j. sf sam. dim. 9h-12h 13h-16h30

### DOM. DE LA BEGUDE 2003 ★

■ 5 ha 18 000 (||) **15 à 23 €**

Tout au nord de l'aire de l'appellation, à 400 m d'altitude, ce terroir dont Guillaume Tari a appris à tirer le meilleur depuis dix ans. Il le conduit en agriculture biologique et obtient des vins de qualité, tel ce 2003 aux notes fruitées et balsamiques. L'élevage de dix-huit mois en fût a été bien maîtrisé, c'est certain. La bouche offre une chair mûre à point, équilibrée et suffisamment ronde. Les tanins boisés sont encore jeunes, mais élégants et prometteurs.
🔑 Famille Tari, Dom. de La Bégude, La Cadière-d'Azur, 83330 Le Camp-du-Castellet, tél. 04.42.08.92.34, fax 04.42.08.27.02, e-mail domaines.tari@wanadoo.fr ☑ 🍷 🚶 r.-v.

### DOM. DE CAGUELOUP 2004 ★

■ 2,3 ha 12 000 🍾 **11 à 15 €**

De la fraîcheur dans les arômes de fleurs et une pointe de douceur dans des notes de pêche sucrée. Un vin délicat, en somme, qui se développe au palais avec équilibre. Le **rosé 2004 (8 à 11 €)** est cité pour la fraîcheur de ses parfums d'agrumes (pamplemousse).
🔑 Dom. de Cagueloup, SCEA Prebost, rte de la Cadière, 83270 Saint-Cyr-sur-Mer, tél. 04.94.26.15.70, fax 04.94.26.54.09 ☑ 🍷 🚶 r.-v.
🔑 Richard Prebost

### DOM. CASTELL-REYNOARD 2004

■ 1,3 ha 6 000 🍾 **5 à 8 €**

Une petite propriété traditionnelle de moins de 10 ha située à 2 km du village médiéval du Castellet. Vous y découvrirez un rosé classique, dont les arômes d'épices annoncent une bouche ronde et chaleureuse.
🔑 Castell, Dom. Castell-Reynoard, quartier Thouron, 83740 La Cadière-d'Azur, tél. et fax 04.94.90.10.16, e-mail jcastell@wanadoo.fr ☑ 🍷 🚶 r.-v.

### DOM. DE FONT-VIVE 2004 ★

■ 5 ha 24 000 🍾 8 à 11 €

Si vous aimez les saveurs épicées de la cuisine indienne, ce rosé saura vous convaincre de l'opportunité de sa place à table. Rose pâle à reflets bleutés, n'a-t-il pas la couleur adéquate ? Aux senteurs de fruits printaniers, d'agrumes et de pivoine succèdent des notes plus sauvages qui rappellent la présence du mourvèdre (30 %). Mais c'est en bouche que le vin révèle son originalité dans l'appellation, puisqu'il délivre beaucoup de fraîcheur.
🔑 Philippe Dray, Dom. de Font-Vive, chem. du Val d'Arenc, 83330 Le Beausset, tél. 04.94.98.60.06, fax 04.94.98.65.31 ☑ 🍷 🚶 r.-v.

### DOM. DE FREGATE 2004

■ 3 ha 13 000 🍾 **8 à 11 €**

Cette vaste propriété familiale a tout prévu pour accueillir les visiteurs : un hôtel quatre étoiles et un golf de vingt-sept trous en surplomb de la côte. Un panorama de rêve qui ne doit pas faire oublier de visiter la cave. Ce rosé plaisant, aux senteurs de garrigue et de fleurs blanches vous surprendra par sa fraîcheur.

PROVENCE

Dom. de Frégate,
rte de Bandol, 83270 Saint-Cyr-sur-Mer,
tél. 04.94.32.57.57, fax 04.94.32.24.22,
e-mail domainedefregate@wanadoo.fr r.-v.

LE GALANTIN 2004 *

1 ha 4 000 8 à 11 €

Céline et Jérôme Pascal s'apprêtent à prendre la relève sur ce domaine familial créé au début des années 1970. Heureux mariage de clairette et d'ugni blanc, ce 2004 discrètement vêtu sent bon les fruits frais. Des notes plus épicées agrémentent la bouche chaleureuse et équilibrée qui fait de ce vin un allié du repas, comme il se doit en bandol. Le loup grillé au fenouil, c'est pour lui... Une étoile revient également au **rouge 2002**, souple et fruité, avec une pointe de réglisse. Pour une entrecôte grillée aux sarments.

Famille Achille Pascal, Dom. Le Galantin,
690, chem. du Galantin, 83330 Le Plan-du-Castellet,
tél. 04.94.98.75.94, fax 04.94.90.29.55,
e-mail domaine-le-galantin@wanadoo.fr
t.l.j. sf dim. lun. 9h-12h 14h-17h30; visite sur r.-v.

CH. JEAN-PIERRE GAUSSEN 2002 *

4 ha 13 000 11 à 15 €

Cette propriété s'est fait une réputation dans l'appellation pour ses vins concentrés. Le millésime 2002 fut délicat à vinifier, mais Jean-Pierre Gaussen a su en tirer la quintessence. Sous une robe grenat profond se manifeste un nez ouvert sur les fruits mûrs et les fruits à l'eau-de-vie. En bouche, le vin affiche davantage la marque des vingt-deux mois d'élevage en fût, alliée à des notes de sous-bois, d'humus. Tout en puissance, il offre rondeur et densité. Un bandol expressif.

Jean-Pierre Gaussen, 1585, chem. de l'Argile,
quartier Noblesse, 83740 La Cadière-d'Azur,
tél. 04.94.98.75.54, fax 04.94.98.65.34 r.-v.

DOM. DU GROS'NORE 2002

10 ha 35 000 15 à 23 €

Gros'Noré était le surnom donné à Honoré Pascal en raison de son embonpoint. C'est donc un clin d'œil filial qu'Alain Pascal lui a fait en baptisant ainsi son domaine en 1996. Pas d'embonpoint, mais de la concentration et une certaine spontanéité dans cette cuvée issue à 75 % de vieux mourvèdre. Riche de senteurs de fruits et de notes boisées, elle s'appuie sur des tanins encore jeunes qui demandent à se fondre.

Alain Pascal, Dom. du Gros'Noré,
675, chem. de l'Argile, 83740 La Cadière-d'Azur,
tél. 04.94.90.08.50, fax 04.94.98.20.65,
e-mail alain.pascal@gros-nore.com r.-v.

DOM. DE L'HERMITAGE 2004 **

2,5 ha 8 000 11 à 15 €

Ne vous trompez pas : il y a l'hermitage de la chapelle du Beausset-Vieux, tout en haut du village, et ce domaine de 34 ha, créé à la fin des années 1970. Issu de vieilles vignes de clairette, ce bandol concilie gaieté, fraîcheur et puissance. La présence discrète du rolle contribue à l'expression aromatique flatteuse de fruits blancs, d'ananas, de fruits exotiques, nuancés de quelques notes confites. D'un parfait équilibre, ce vin ne décevra aucun gourmet.

SAS Gérard Duffort, Dom. de L'Hermitage,
Le Rouve, BP 41, 83330 Le Beausset,
tél. 04.94.98.71.31, fax 04.94.90.44.87,
e-mail contact@domainesduffort.com
t.l.j. sf sam. dim. 9h-12h 14h-18h

DOM. LAFRAN-VEYROLLES
Cuvée Spéciale 2003 **

1,5 ha 7 000 15 à 23 €

Près de trois cent cinquante ans d'existence pour ce domaine qui compte aujourd'hui 10 ha autour d'une bastide typiquement provençale. Son 2003 se distingue dans sa robe cerise noire à reflets rubis brillants. Le jury a apprécié la concentration de ses arômes complexes de cerise et autres fruits rouges, d'épices et de grillé. En pleine jeunesse, le vin offre au palais sa matière dense, structurée par des tanins encore fougueux mais qui ne demandent qu'à s'assagir au cours des cinq prochaines années.

Mme Jouve-Férec, 2115, rte de l'Argile,
83740 La Cadière-d'Azur, tél. 04.94.90.13.37,
fax 04.94.90.11.18, e-mail contact@lafran-veyrolles.com
t.l.j. 8h30-12h 14h30-18h

DOM. DE LA LAIDIERE 2004 *

10 ha 40 000 11 à 15 €

Réputé pour ses vins blancs (le millésime 2003 avait obtenu un coup de cœur l'an passé), le domaine de La Laidière se distingue aussi dans les autres couleurs comme en témoigne ce rosé pétale de rose. Des arômes soutenus de pamplemousse, de cassis et de petits fruits rouges invitent à découvrir la bouche fraîche, équilibrée et persistante sur des flaveurs d'agrumes.

Estienne, Dom. de La Laidière,
426, chem. de Font-Vive, Sainte-Anne-d'Evenos,
83330 Evenos, tél. 04.98.03.65.75, fax 04.94.90.38.05,
e-mail info@laidiere.com
t.l.j. sf sam. dim. 9h-12h 14h-18h

DOM. LES LUQUETTES 2004 **

4 ha 6 000 8 à 11 €

Créé à la fin du XIXe s., ce domaine d'une douzaine d'hectares a produit un rosé très pâle, aux fins arômes floraux. Sa bouche fruitée et ronde bénéficie d'une juste fraîcheur qui la rend harmonieuse. Ce vin allie remarquablement élégance, modernité et terroir.

SCEA Le Lys,
20, chem. des Luquettes, 83740 La Cadière-d'Azur,
tél. 04.94.90.02.59, fax 04.94.98.31.95,
e-mail info@les-luquettes.com r.-v.
E. Lafourcade

MOULIN DES COSTES 2004 **

15 ha 60 000 11 à 15 €

Installé depuis trente ans à Bandol, la famille Bunan a participé activement à l'évolution de l'appellation. Après

un coup de cœur l'an passé pour le bandol rouge 2002, cette cuvée est à nouveau plébiscitée par le jury, mais en rosé. De couleur pâle, joliment nacrée, elle s'exprime dans le registre floral et offre au palais une chair parfaitement équilibrée. On perçoit non seulement du volume, mais aussi de la vivacité, soulignée par des notes de petits fruits rouges. Un vin qui saura séduire au cours des deux prochaines années.

SCEA Dom. Bunan, Moulin des Costes, 83740 La Cadière-d'Azur, tél. 04.94.98.58.98, fax 04.94.98.60.05, e-mail bunan@bunan.com r.-v.

## CH. DE LA NOBLESSE 2004 *

■ 0,33 ha 1 600 8 à 11 €

Dans la cave voûtée du XVIII^es. du château, Agnès et Henri Gaussen auront à cœur de vous expliquer l'art de la vinification et de l'élevage. Vous y dégusterez ce vin rose pâle, brillant de quelques reflets gris, qui offre un bouquet de fruits : abricot, agrumes et fruits exotiques. D'attaque fraîche, la bouche s'épanouit sur des notes fruitées, mûres et persistantes. Un bandol complet qui accompagnera tout un repas. Le **rosé 2004** obtient lui aussi une étoile pour son nez de fruits rouges et sa rondeur.

Agnès et Henri Gaussen, Ch. de La Noblesse, 1685, chem. de l'Argile, 83740 La Cadière-d'Azur, tél. 04.94.98.72.07, fax 04.94.98.40.41 t.l.j. sf dim. 10h-12h 14h-19h

## DOM. DE L'OLIVETTE 2004 **

■ 3,25 ha 17 000 11 à 15 €

Le domaine de plus de 50 ha entoure l'ancienne bastide et le pigeonnier de la fin du XIX^es. Un site, une architecture et une antériorité familiale qui illustrent la notion de terroir si chère à la viticulture française. Ce rosé marie intensité et finesse sous sa robe saumon pâle. Un nez d'agrumes, du volume sans aucune lourdeur... Décidément, un remarquable représentant de l'appellation et du millésime.

SCEA Dumoutier, Dom. de L'Olivette, 83330 Le Castellet, tél. 04.94.98.58.85, fax 04.94.32.68.43, e-mail info@domaine-olivette.com t.l.j. sf sam. dim. 8h-12h 14h-18h (17h hiver)

## DOM. DU PEY-NEUF 2004 *

■ 15 ha 60 000 8 à 11 €

La cave s'est agrandie au fur et à mesure des générations depuis le milieu du XIX^es. Elle a accueilli ce rosé de couleur chair qui affiche une forte expression aromatique : notes fruitées et minérales, pleines de jeunesse. Plus épicé en bouche, le vin s'avère rafraîchissant et persistant.

Guy Arnaud, Dom. du Pey-Neuf, 367, rte de Sainte-Anne, 83740 La Cadière-d'Azur, tél. 04.94.90.14.55, fax 04.94.26.13.89, e-mail arnaudguyvigneron@free.fr r.-v.

## CH. DE PIBARNON 2002 **

■ 30 ha 75 000 23 à 30 €

Avec persévérance et opiniâtreté, le domaine a réussi à se hisser parmi les meilleurs depuis son premier millésime, il y a vingt-cinq ans. Sa réputation n'est pas usurpée. Le jury a été séduit par ce 2002 très coloré et concentré. Derrière des arômes encore discrets de réglisse et de poivre se révèle une matière ample, aux tanins puissants, mais déjà polissés. Un vin complexe, promis à un bel avenir. Le **Château de Pibarnon rouge 2001** et le **2004 blanc (15 à 23 €)** brillent chacun de deux étoiles. Le premier, riche et expressif, laisse un long souvenir de fruits noirs épicés ; le second, floral et rond, fait preuve d'élégance.

Eric de Saint-Victor, Ch. de Pibarnon, 83740 La Cadière-d'Azur, tél. 04.94.90.12.73, fax 04.94.90.12.98, e-mail contact@pibarnon.fr r.-v.

## DOM. LA ROCHE REDONNE 2003 *

■ 2 ha n.c. 15 à 23 €

Ce petit vignoble d'une dizaine d'hectares est situé au pied du village de La Cadière-d'Azur, sur des coteaux exposés au nord. Dans un millésime mémorable par ses excès de chaleur, le raisin a ainsi pu préserver son fruité et produire un vin expressif, aux arômes de cerise bigarreau et autres fruits rouges. La bouche pleine repose sur des tanins présents, mais fondus. Bien typé bandol.

Tournier, Dom. La Roche Redonne, 83740 La Cadière-d'Azur, tél. 06.61.19.84.52, fax 04.94.90.00.96 r.-v.

## LA ROQUE Les Baumes 2004 **

■ 30 ha 150 000 5 à 8 €

Cette sélection de terroir est issue pour moitié de mourvèdre, complétée de cinsault et de grenache. Rose fuchsia assez soutenu, elle livre un nez intense de fruits rouges écrasés et de banane, puis se développe durablement au palais, fraîche et ronde à la fois. Un vin déjà croquant, mais aussi prometteur pour les deux prochaines années. La **Grande Réserve rosé 2004 (8 à 11 €)** reçoit une étoile.

Cave de La Roque, quartier Vallon, 83740 La Cadière-d'Azur, tél. 04.94.90.10.39, fax 04.94.90.08.11, e-mail cave@laroque-bandol.fr r.-v.

PROVENCE

### CH. LA ROUVIERE 2004

■ 3 ha 13 000 15 à 23 €

Autre vignoble de la famille Bunan, dont le nom se réfère aux chênes blancs qui couvraient autrefois les pentes calcaires. Aujourd'hui ce sont les vignes qui règnent ici, commandées par la grande bastide du XIX[e]s. Elles ont produit ce rosé puissant, issu de raisins mûrs. Celui-ci privilégie la rondeur et le volume sur la fraîcheur. Un vin d'automne, à découvrir dès la parution du Guide. Egalement cité, le **Mas de La Rouvière blanc 2004 (11 à 15 €)** se montre généreux, parfumé de fleurs blanches et de fruits.

SCEA Dom. Bunan,
Moulin des Costes, 83740 La Cadière-d'Azur,
tél. 04.94.98.58.98, fax 04.94.98.60.05,
e-mail bunan@bunan.com r.-v.

### CH. SALETTES 2003 ★

■ 5,6 ha 26 500 11 à 15 €

Appelé à d'autres fonctions, Jean-Pierre Boyer a passé la main à son fils Nicolas pour lequel 2003 fut l'une des premières vinifications menées en solo. Le résultat est prometteur : un vin typé bandol, aux senteurs de grillé, de cuir et de cacao. Sa grande structure le destine à une garde de trois ou quatre ans. Le **Château Salettes blanc 2004** obtient lui aussi une étoile pour sa souplesse et sa palette de fleurs, de litchi et d'abricot.

EARL Boyer et Fils,
Ch. Salettes, 83740 La Cadière-d'Azur,
tél. 04.94.90.06.06, fax 04.94.90.04.29,
e-mail salettes@salettes.com r.-v.
Nicolas Boyer

### DOM. SORIN 2004 ★★

■ 1,5 ha 6 000 11 à 15 €

Luc Sorin, régulièrement présent dans le Guide grâce à ses bandol rouges typés, prouve avec ce 2004 son savoir-faire en matière de rosé. Le nez de pamplemousse et de buis suscite la curiosité. En bouche, on reste sous le charme de l'équilibre entre rondeur et fraîcheur. La persistance est un indéniable atout supplémentaire.

Dom. Sorin, 1617, rte de La Cadière-d'Azur,
83270 Saint-Cyr-sur-Mer,
tél. 04.94.26.62.28, fax 04.94.26.40.06,
e-mail luc.sorin@wanadoo.fr r.-v.
Luc Sorin

### DOM. DE SOUVIOU 2002

■ 1,9 ha 8 600 11 à 15 €

Vignes et oliviers se partagent aujourd'hui les restanques de ce domaine qui domine l'ensemble de l'aire d'appellation. Mais le Souviou, dont l'histoire remonte au XVI[e]s., connut bien d'autres activités dans le passé : four à cade et ruchers en témoignent. Ce bandol très fruité et épicé est un vin franc, de bonne tenue en bouche grâce à des tanins fins.

SCEA Dom. de Souviou, RN 8, 83330 Le Beausset,
tél. 04.94.90.57.63, fax 04.94.98.62.74,
e-mail souviou@aol.com
t.l.j. sf dim. 9h-12h 14h-18h; groupes sur r.-v.

### DOM. LA SUFFRENE Cuvée Les Lauves 2003 ★

■ 2 ha 8 000 15 à 23 €

Le vignoble est ancien, mais la vinification en cave particulière ne date que de 1996. Preuve de la qualité du travail effectué, cette cuvée est constante dans son expression. Le 2003 révèle des arômes ouverts de fruits mûrs, de prune, de torréfaction et de cuir. Sa structure tannique bien affinée par l'élevage de dix-huit mois en foudre lui assure une bonne évolution au cours des cinq prochaines années. La même note revient au **rosé 2004 (8 à 11 €)** : un vin rond, légèrement parfumé de fruits.

GAEC Gravier-Piche, Dom. La Suffrène,
1066, chem. de Cuges, 83740 La Cadière-d'Azur,
tél. 04.94.90.09.23, fax 04.94.90.02.21,
e-mail suffrene@wanadoo.fr
t.l.j. sf dim. 9h-12h 14h-18h; sam. sur r.-v.
Cédric Gravier

### DOM. DE LA TOUR DU BON 2004

■ 5,8 ha 17 000 11 à 15 €

Issu de raisins bien mûrs, ce rosé possède une chair structurée, dense et chaleureuse. Des arômes de fleurs blanches et de fruits confits l'agrémentent dans son développement puissant. Un bandol de repas.

R. & C. Hocquard, Dom. de La Tour du Bon,
714, chem. de l'Olivette, 83330 Le Brulat-du-Castellet,
tél. 04.98.03.66.22, fax 04.98.03.66.26,
e-mail tourdubon@wanadoo.fr r.-v.

### CH. VANNIERES 2004 ★★

■ 14 ha 35 000 15 à 23 €

Un château à l'architecture originale dont la cave, l'une des plus anciennes de Bandol, a fait l'objet d'une rénovation totale en 2004. Couleur saumon, ce rosé est riche d'arômes variés tels la pêche blanche, l'eucalyptus, la menthe et le pain grillé. Généreux sans rien perdre de son élégance, il dévoile progressivement sa forte personnalité.

Ch. Vannières, 83740 La Cadière-d'Azur,
tél. 04.94.90.08.08, fax 04.94.90.15.98,
e-mail info@chateauvannieres.com
t.l.j. 8h-12h 14h-18h
Boisseaux

# Palette

Tout petit vignoble, aux portes d'Aix, qui englobe l'ancien clos du bon roi René. Blancs, rosés et rouges sont produits régulièrement sur environ 42 ha et ont donné 1 595 hl de vin en 2003. Le plus souvent, et après une bonne maturation (car le rouge est de longue garde), on y retrouve une odeur de violette et de bois de pin.

### CH. CREMADE 2004 ★

■ 1,8 ha 7 700 11 à 15 €

Emile Zola aurait situé au château Crémade l'intrigue de son roman *La Faute de l'abbé Mouret*. Sur la route de Cézanne, à dix minutes du centre d'Aix-en-Provence, cette bastide du XVIII[e]s., entièrement rénovée depuis sa reprise en 1997, est une étape incontournable pour qui veut découvrir le vignoble de palette. Son rosé séduit l'œil par sa couleur pâle et tendre, puis charme le nez par son fruité aussi expressif qu'élégant. Il est frais, équilibré et persistant, parfaitement adapté aux poissons, aux viandes blanches et aux salades exotiques. Le **2003 blanc**, de bon volume et tout en accents floraux (jasmin, lys), brille d'une étoile également.

SCEA Dom. de La Crémade,
Ch. Crémade, rte de Langesse, 13100 Le Tholonet,
tél. 04.42.66.76.80, fax 04.42.66.76.81 r.-v.

CH. SIMONE 2002 *

9,5 ha 38 000 23 à 30 €

Les moines des Grands Carmes d'Aix ont bâti au XVIe s. les caves de cette bastide, dont le vignoble correspond à l'ancien clos du roi René. Son vin or jaune brillant décline des notes de fleurs blanches, soulignées d'une pointe de vanille douce. Annonce d'une bouche ample, dont le volume est un gage d'aptitude au vieillissement. Après quinze mois de garde au moins, vous pourrez servir ce palette avec une viande blanche ou un fromage à pâte molle.

René Rougier, Ch. Simone, 13590 Meyreuil,
tél. 04.42.66.92.58, fax 04.42.66.80.77

# Coteaux-d'aix-en-provence

Sise entre la Durance au nord et la Méditerranée au sud, entre les plaines rhodaniennes à l'ouest et la Provence triasique et cristalline à l'est, l'AOC coteaux-d'aix-en-provence appartient à la partie occidentale de la Provence calcaire. Le relief est façonné par une succession de chaînons, parallèles au rivage marin et couverts naturellement de taillis, de garrigue ou de résineux : chaînon de la Nerthe près de l'étang de Berre, chaînon des Costes prolongé par les Alpilles, au nord.

Entre ces reliefs s'étendent des bassins sédimentaires d'importance inégale (bassin de l'Arc, de la Touloubre, de la basse Durance) où se localise l'activité viticole, soit sur des formations marno-calcaires donnant des sols caillouteux à matrice argilo-limoneuse, soit sur des formations de molasses et de grès avec des sols très sableux ou sablo-limoneux caillouteux. 4 180 ha ont produit 196 600 hl en 2004, dont 9 267 en blanc. La production de vins rosés (135 344 hl) s'est développée récemment. Grenache et cinsault forment encore la base de l'encépagement, avec une prédominance du grenache ; syrah et cabernet-sauvignon sont en progression et remplacent progressivement le carignan.

Les vins rosés sont légers, fruités et agréables. Ils doivent être bus jeunes avec des plats provençaux : ratatouille, artichauts barigoule, poisson grillé au fenouil, aïoli... Les vins rouges sont des vins équilibrés. Ils bénéficient d'un contexte pédologique et climatique favorable. Jeunes et fruités, avec des tanins souples, ils peuvent accompagner viandes grillées et gratins. Ils atteignent leur plénitude après deux ou trois ans d'élevage et peuvent accompagner alors viandes en sauce et gibier. Ils méritent que l'on parte à leur (re)découverte. La production de vins blancs est limitée. La partie nord de l'aire de production est plus favorable à leur élaboration, qui mêle la rondeur du grenache blanc à la finesse de la clairette, du rolle et du bourboulenc.

CH. BARBEBELLE Réserve 2003

2,5 ha n.c. 5 à 8 €

Si vous demandez à Brice Herbeau depuis quand Barbebelle existe, il vous répondra « depuis toujours ». Voilà déjà plus de trente ans qu'il œuvre dans les caves voûtées du XVIe s. On lui doit en 2003 un vin rouge sombre, dont la palette aromatique est marquée par le bois d'un élevage de douze mois. Des arômes de figue sèche et de fruits confiturés se manifestent toutefois, témoignant du potentiel d'une vendange très mûre.

Brice Herbeau, Ch. Barbebelle, 13840 Rognes,
tél. 04.42.50.22.12, fax 04.42.50.10.20,
e-mail contact@barbebelle.com
t.l.j. 9h-12h 14h-18h

JEAN BARONNAT 2003

n.c. n.c. 3 à 5 €

Cette maison de négoce familiale créée en 1920 est aujourd'hui dirigée par le petit-fils du fondateur. Celui-ci a su choisir un vin bien représentatif des coteaux-d'aix-en-provence. Sous une robe légère, à reflets cerise, apparaît un 2003 ouvert, musqué et subtilement floral (violette), qui joue sur la souplesse et la finesse. Vous marierez cette bouteille à un rôti de porc aux pruneaux.

Jean Baronnat, 491, rte de Lacenas, 69400 Gleizé,
tél. 04.74.68.59.20, fax 04.74.62.19.21,
e-mail info@baronnat.com r.-v.

CH. BAS Cuvée du Temple 2003 *

n.c. 5 200 11 à 15 €

Les vestiges d'un temple romain ont été mis au jour sur ce domaine de 75 ha. Ils ont inspiré à Georges de Blanquet une cuvée qui, en blanc comme en rouge, reçoit une étoile dans le millésime 2003. Le jury a une préférence pour le blanc, car s'il est encore marqué par le fût neuf, son équilibre et son gras sont prometteurs. La **cuvée du Temple 2003 rouge**, au nez réglissé et fumé, se montre encore austère, mais dispose d'un bon potentiel elle aussi.

Georges de Blanquet, Ch. Bas, 13116 Vernègues,
tél. 04.90.59.13.16, fax 04.90.59.44.35,
e-mail chateaubas@wanadoo.fr r.-v.
Irène de Blanquet

CH. BEAUFERAN
Etiquette noire Elevé en fût de chêne 2003

15 ha 8 000 8 à 11 €

Au château Beauféran, on recherche une extraction maximale et un boisé maîtrisé. Il en résulte un vin tout en muscles, « bodybuildé », selon certains dégustateurs. Ce 2003 est en effet puissant, animal même. S'il ne révèle pas la race d'un félin dans son développement actuel (les tanins sont encore très présents), quelques années de vieillissement pourraient lui donner l'élégance d'un guépard.

Ch. Beauféran, 870, chem. de la Degaye, 13880 Velaux, tél. 04.42.74.73.94, fax 04.42.87.42.96, e-mail chateau.beauferan@wanadoo.fr
t.l.j. sf dim. 9h-12h 14h-18h; sam. 9h-12h
Famille Sauvage-Veysset

## CH. BEAULIEU 2004

42 ha 260 600 3 à 5 €

Superbe propriété de 240 ha, Beaulieu appartient à l'histoire de la Provence puisque le site fut occupé par les Romains ; le château à l'italienne actuel du XVII[e]s. et son parc admirable font l'objet d'une restauration par ses propriétaires Nicole et Pierre Guénant. Ce rosé a partagé le jury : tandis que les uns lui trouvent un côté technologique en raison de ses notes d'agrumes et de fruits confits, les autres relèvent ses arômes floraux (rose, lilas) et sa simplicité délicate qui en fait un compagnon des salades aux fruits de mer et des barbecues. Entre ces deux visions, c'est à vous de décider.

SCEA Ch. Beaulieu, D14C, 13840 Rognes, tél. 04.42.50.20.19, fax 04.42.50.19.53, e-mail contact@chateaubeaulieu.fr r.-v.

## CH. DE BEAUPRE Collection du château 2004 *

1 ha 4 800 11 à 15 €

Armateurs à Marseille, la famille Double faisait halte dans cet ancien relais de chevaux lorsqu'elle se rendait dans sa propriété de Saint-Lambert, dans le Vaucluse. Autour de la bastide du XVIII[e]s., Émile Double constitua en 1892 un domaine viticole que ses descendants ont su faire prospérer. Après un coup de cœur l'an passé, la cuvée Collection du château surprend à nouveau. Le 2004 assemble en effet à parts égales sauvignon et sémillon, fait rare en Provence. De plus, la fermentation a été réalisée en barrique neuve. Il en résulte un vin aux notes briochées et vanillées, équilibré, jouant la rondeur et le gras plutôt que la fraîcheur. Vous le réserverez à une volaille truffée ou à un poisson en sauce.

Christian Double, EARL Ch. de Beaupré, 13760 Saint-Cannat, tél. 04.42.57.33.59, fax 04.42.57.27.90, e-mail contact@beaupre.fr
t.l.j. 9h-12h 14h-18h30

## DOM. DE BELAMBREE 2003 *

1,5 ha 3 400 5 à 8 €

En 1994, ce vignoble d'une dizaine d'hectares s'est détaché du château des Gavelles pour devenir une propriété à part entière, dont les chais ont été bâtis quatre ans plus tard, au cœur des vignes. Eric Roy a élaboré un vin de caractère, riche d'arômes de garrigue et de fruits rouges mûrs, nuancés d'une pointe animale. La bouche est plus discrète, mais laisse percevoir des flaveurs de laurier, de sous-bois et de réglisse. Manifestement, ce 2003 présente un bon potentiel : il faudra l'attendre quatre ou cinq ans pour jouir pleinement de ses qualités.

Dom. de Belambrée, 2070, rte du Seuil, 13540 Aix-en-Provence, tél. et fax 04.42.28.04.77 r.-v.
Eric Roy

## CH. LA BOUGERELLE 2004

2,4 ha 5 000 5 à 8 €

Autour de la vieille ferme et de l'ancienne demeure de l'archevêque d'Aix, au XVIII[e]s., s'étend un domaine de 18 ha, en parfaite harmonie avec les paysages de Cézanne. Le cépage rolle domine l'assemblage de ce vin, associé à la clairette, à l'ugni blanc et au sauvignon. De teinte limpide, jaune pâle brillant à reflets verts, celui-ci laisse de petites larmes sur le verre. Il se révèle aromatique, tout en fleurs et en notes de poivre, avec suffisamment de volume et de longueur.

Granier, EARL Ch. La Bougerelle, 1360, rte de Berre, 13090 Aix-en-Provence, tél. 04.42.20.18.95, fax 04.42.64.54.83, e-mail ludi.granier@wanadoo.fr r.-v.

## CH. DE CALAVON Grande Cuvée 2003 **

10 ha 10 000 5 à 8 €

Michel Audibert conduit depuis 1998 la destinée de ce domaine de 47 ha, ancienne propriété des princes d'Orange qui avait été morcelée à la Révolution et que ses ancêtres ont reconstituée. L'aventure familiale a commencé à la fin du XIX[e]s., lorsque Édouard Audibert, viticulteur-négociant, installa son entreprise dans cet ancien relais de poste. Si les années passées l'amateur de coteaux-d'aix ne s'arrêtait déjà pas par hasard à Calavon, il aura un but plus précis encore à la sortie du Guide : un vin grenat à reflets violacés, dont le nez en devenir est riche de fruits mûrs (burlat, crème de cassis), de notes mentholées et animales, de touches de cuir. On sent de la matière et de la structure dans ce 2003 qu'il conviendra de décanter avant le service.

Michel Audibert, Ch. de Calavon, 13410 Lambesc, tél. et fax 04.42.57.15.37
t.l.j. sf dim. 9h-12h 15h-19h

## CH. CALISSANNE Cuvée du château 2004 *

2 ha 12 000 5 à 8 €

Onze cépages se partagent la centaine d'hectares dédiés à la vigne sur ce domaine qui en compte 1 000, à l'abri du mistral. L'histoire de Calissanne est à l'image de ses dimensions actuelles : site d'une place-forte celto-ligure dont il reste un oppidum, il devint propriété de l'ordre de Malte au Moyen Age, puis d'un parlementaire de la cour d'Aix-en-Provence au milieu du XVII[e]s. Il reçoit aujourd'hui une pluie d'étoiles. Ce vin jaune doré livre de subtiles touches de fruits exotiques, de poire et de fleurs. Les arômes gagnent en expressivité au palais, autour d'une chair ronde et persistante, à peine soulignée de boisé. La **cuvée Prestige 2003 rouge (8 à 11 €)** obtient une note identique pour sa structure et son ampleur, de même que la **cuvée Prestige rosé 2004 (8 à 11 €)**.

Ch. Calissanne, RD 10, 13680 Lançon-de-Provence, tél. 04.90.42.63.03, fax 04.90.42.40.00, e-mail contact@calissanne.fr r.-v.
CIPM International

### DOM. CAMAISSETTE 2003 ★★

■ 3 ha 18 000 3 à 5 €

Ce domaine créé au XVII[e]s. appartient à la même famille depuis plus de cent ans. Il se situe en bordure de la voie Aurélienne qui reliait Rome à l'Espagne dans l'Antiquité. De la terrasse du château, le visiteur jouit d'un beau point de vue sur le paysage. Les vins retiendront tout autant son intérêt. Le 2003 rouge offre un nez ouvert et franc, d'une complexité originale : le végétal, les épices et la figue sèche se mêlent. Des tanins de qualité étayent sa chair dense, aux arômes expressifs et persistants. Un dégustateur conseille ce coteaux-d'aix aux amateurs avertis, désireux de sortir des sentiers battus. Le **2004 blanc**, frais et intense dans ses notes d'ananas sucré, brille également de deux étoiles, tandis que le **rosé 2004** reçoit une étoile pour sa palette aromatique élégante.

Michelle Nasles, Dom. de La Camaïssette, 13510 Eguilles, tél. 04.42.92.57.55, fax 04.42.28.21.26, e-mail michelle.nasles@wanadoo.fr r.-v.

### CH. LA COSTE Cuvée Lisa 2004 ★

■ 10 ha 70 000 5 à 8 €

La trilogie du rosé de Provence est au rendez-vous : grenache (55 %), syrah (30 %), cinsault (15 %)... et cela fonctionne bien. Des arômes francs de fruits rouges, de l'équilibre et de la rondeur. Une bouteille tout indiquée pour des plats provençaux, en somme. La **cuvée Lisa 2004 blanc**, très fraîche, obtient la même note.

SCEA du Ch. La Coste, 13610 Le Puy-Sainte-Réparade, tél. 04.42.61.89.98, fax 04.42.61.89.41, e-mail olivieradnot@chateau-la-coste.com r.-v.

M. Mc Killen

### MAS DE LA DAME La Stèle 2003 ★

■ 2,3 ha 10 600 8 à 11 €

Les astres semblent être favorables au mas de la Dame. Ses cuvées La Stèle, dont le nom est inspiré d'une prédiction de Nostradamus (voyez l'étiquette), atteignent un haut niveau tant en appellation baux-de-provence représentée par un remarquable 2002 qu'en coteaux-d'aix. Ce domaine familial de 55 ha est conduit en agriculture biologique. Sous les étoiles roses et les monts lilas peints par Van Gogh, le rolle (80 %) et la clairette ont donné naissance à un vin très expressif dans le registre des fleurs. On apprécie sa rondeur et sa persistance. La cuvée **Coin caché 2002 blanc (15 à 23 €)** reçoit la même note. Elevée douze mois en fût, elle présente sous une teinte jaune foncé de longs arômes de fleurs et de brioche.

Mas de la Dame, RD 5, 13520 Les Baux-de-Provence, tél. 04.90.54.32.24, fax 04.90.54.40.67, e-mail masdeladame@masdeladame.com

t.l.j. 8h-19h

Missoffe et Poniatowski

### DOM. D'EOLE 2003

■ 8 ha 29 000 8 à 11 €

Ce 2003 possède un caractère indéniablement sympathique. Sa couleur même est avenante. On porte sans hésiter son nez au-dessus du verre pour y capter le fruit (myrtille), nuancé d'une note de goudron discrète. Le vin coule en bouche, tout rond et tout fruité. Lancez quelques SMS et réunissez vos amis dès ce soir autour d'un repas improvisé.

EARL Dom. d'Eole, rte de Mouriès, D 24, 13810 Eygalières, tél. 04.90.95.93.70, fax 04.90.95.99.85

t.l.j. 9h-12h30 13h30-17h; sam. dim. sur r.-v.

Ch. Raimont

### ESPRIT SUD 2003 ★★

■ 5 ha 8 000 3 à 5 €

Créée en 1924, cette coopérative a su retranscrire l'esprit du Sud dans sa cuvée d'un noir violacé brillant. Sous un léger boisé hérité d'un élevage de douze mois en fût se manifestent de délicieux arômes de fruits rouges et noirs (mûre et cerise burlat). Le jury a apprécié le caractère à la fois fondu et puissant du vin, dont les tanins présents, mais fins s'accompagnent de notes de torréfaction.

Cellier des Quatre Tours, RN 96, 13770 Venelles, tél. 04.42.54.71.11, fax 04.42.54.11.22, e-mail cellier-des-quatre-tours@wanadoo.fr r.-v.

### CH. DES GAVELLES 2003 ★

■ 4,3 ha n.c. 5 à 8 €

Si vous aviez un dictionnaire provençal-français, vous sauriez que *gavel* signifie fagot de sarments de vignes. Cette ferme provençale qui possède deux caves voûtées n'a connu que la vigne depuis sa construction, au XVII[e]s. On y découvre aujourd'hui un vin de syrah (50 %) et de grenache (40 %), agrémenté d'une touche de cabernet-sauvignon. Au nez, le premier cépage s'exprime par des notes animales. S'ouvrent ensuite des arômes de pivoine et d'épices. Le grenache est plus présent en bouche, avec un côté réglissé. Un coteaux-d'aix classique et bien construit.

SCEA Ch. des Gavelles, 165, chem. de Maliverny, 13540 Puyricard, tél. 04.42.92.06.83, fax 04.42.92.24.12, e-mail mail@chateaudesgavelles.fr

t.l.j. 9h30-12h30 15h-19h; dim. 9h30-12h30

James de Roany

### PETALES DE GLAUGES 2004 ★

■ 3,8 ha 20 000 5 à 8 €

Georges Berrebi a agrandi en 2003 son domaine situé dans le vallon des Glauges. Voilà de nouvelles curiosités pour les visiteurs venus à pied ou en VTT découvrir les vignes, les vestiges d'une ferme gallo-romaine et les glauges, ces petits iris sauvages des Alpilles. Ils apprécieront aussi les vins, tel ce 2004 pétale de rose à reflets bleutés brillants. Un nez puissant, floral (violette, aubépine) et fruité (framboise, groseille, mûre) se développe crescendo, avec élégance. Puis la bouche apparaît ample, généreuse et délicate à la fois. Le **Pétales des Glauges 2004 blanc** brille d'une étoile également. Dominé par le rolle à 80 %, il évoque les agrumes confits.

PROVENCE

SAS Glauges des Alpilles, voie d'Aureille,
13430 Eyguières, tél. 04.90.59.81.45, fax 04.90.57.83.19,
e-mail glauges@wanadoo.fr r.-v.
Georges Berrebi

### CH. GRAND SEUIL Prestige 2003 *

5 ha 23 000 8 à 11 €

Situé à 10 km d'Aix-en-Provence, ce château marque le début de la route du Luberon. Remontant au XIII^e^s., il présente au visiteur d'aujourd'hui sa façade du XVII^e^s., celle de la propriété du parlementaire Antoine de Michaëlis. Ce 2003 a séjourné treize mois en fût ; il révèle ainsi un boisé encore très présent, mais respectueux des arômes de fruits rouges et d'épices. Le jury a été favorablement impressionné par son gras et sa persistance. Le **Château Grand Seuil 2003 rosé** et le **Château du Seuil 2003 blanc (5 à 8 €)** obtiennent la même note pour leur fraîcheur et leur caractère aromatique.
Carreau-Gaschereau, Ch. du Seuil, 13540 Puyricard,
tél. 04.42.92.15.99, fax 04.42.28.05.00,
e-mail contact@chateauduseuil.fr
t.l.j. 9h-12h 14h-19h (18h nov.-mars)

### DOM. DU MAS BLEU Val des Vignes 2004 *

0,8 ha 6 000 5 à 8 €

En 1996, Didier Rougon a repris le domaine du Val des Vignes situé dans la commune de Velaux. Il a ainsi agrandi la propriété familiale du Mas Bleu. Ce rosé marqué par une forte présence de syrah (70 %) laisse une sensation fruitée et chocolatée fort agréable. Frais et équilibré, il emplit bien le palais. Cité, le **Domaine du Mas Bleu rosé 2004 (3 à 5 €)** joue sur la framboise et un côté acidulé.
EARL du Mas Bleu,
6, av. de la Côte-Bleue, 13180 Gignac-la-Nerthe,
tél. 04.42.30.41.40, fax 04.42.30.32.53 r.-v.
Didier Rougon

### CH. PARADIS Cristal de rosé 2004

1,2 ha 6 500 8 à 11 €

Cette bâtisse du XVIII^e^s. en pierre de Rognes a été acquise en 2003 par Juliette et Philippe Deschamps qui ont immédiatement entrepris de construire une cave. Ce rosé se caractérise par un nez expressif de fruits rouges. La bouche est ronde, équilibrée, mais plus discrète dans ses arômes.
Dom. de Paradis, quartier Paradis,
13610 Le Puy-Sainte-Réparade, tél. 04.42.54.09.43,
fax 04.42.54.05.05, e-mail chateauparadis@wanadoo.fr
t.l.j. sf dim. 9h-12h 14h-18h
Juliette et Philippe Deschamps

### CH. PETIT SONNAILLER 2003

2 ha 12 000 5 à 8 €

On aurait bien envie de monter les marches de l'escalier en pierre jusqu'en haut de la tour du XII^e^s. de ce château, ancienne commanderie des Templiers sur la route du sel. De son sommet on y verrait le domaine dans toute son étendue (45 ha). Dominique Brulat propose à l'amateur des vins joliment boisés. Ce 2003 rubis à reflets violacés, assez complexe, mêle les fruits aux notes de l'élevage en fût. Les tanins semblent encore marqués, mais l'ensemble reste équilibré. Il faudra attendre au moins deux ans avant de servir cette bouteille avec une côte de bœuf accompagnée de tomates à la provençale.
Dominique Brulat,
Ch. Petit Sonnailler, 13121 Aurons, tél. 04.90.59.34.47,
fax 04.90.59.32.30 t.l.j. 8h-19h

### DOM. PEY BLANC 2004

1,7 ha 7 000 3 à 5 €

Gabriel Giusiano, petit-fils de Matteo qui avait planté cette vigne dans les années 1930, vient de s'installer au domaine et a fait construire une cave de vinification. Le voici maintenant aux commandes des 10 ha de l'exploitation. Son rosé fait la part belle aux fruits rouges : robe framboise soutenu, arômes de framboise au nez comme en bouche. C'est simple, mais efficace. Ce vin procure une sensation immédiate de plaisir.
Gabriel Giusiano,
1080, chem. du Vallon des Mourgues,
13090 Aix-en-Provence, tél. et fax 04.42.12.34.76
t.l.j. sf dim. 9h-19h

### CH. PIGOUDET 2004 *

3,3 ha 12 000 3 à 5 €

Pièces de monnaie, amphores et cuves carrelées retrouvées par les archéologues l'attestent : cette bastide, propriété de l'évêché d'Aix-en-Provence au XVI^e^s., se trouve à l'emplacement d'une *villa* romaine. Ce que les dégustateurs ont mis au jour dans ce vin, c'est la bonne intensité des arômes floraux et épicés qui font penser au vermentino. Bien vu, car ce vin se compose en effet à 70 % de ce cépage, complété de 20 % de grenache et de 10 % de sauvignon. Harmonieux et gras, il se montre d'une honorable persistance. Les rosés **La Tourelle 2004** et **Cuvée La Chapelle 2004 (tous deux de 5 à 8 €)** sont cités.
SCA Ch. Pigoudet, rte de Jouques, 83560 Rians,
tél. 04.94.80.31.78, fax 04.94.80.54.25,
e-mail chateau.pigoudet@wanadoo.fr r.-v.

### DOM. DE LA REALTIERE Cuvée Victoire 2003

3 ha 8 000 11 à 15 €

Face à la Sainte-Victoire, cette bastide se trouve au cœur de 8 ha de vignes. Le domaine a fêté en 2004 ses dix ans. Pierre Michelland propose un vin typique du millésime chaud et sec que fut 2003 : couleur profonde, matière ample et prometteuse, structure imposante dont les tanins encore austères en finale méritent de se fondre au cours d'une garde de deux ans minimum.
Pierre Michelland, Dom. de La Réaltière,
rte de Jouques, 83560 Rians, tél. 04.94.80.32.56,
fax 04.94.80.55.70, e-mail realtiere@terre-net.fr
t.l.j. sf dim. 9h-12h 14h-19h

### LES VIGNERONS DU ROY RENE
Cuvée Chevalier 2004 *

40 ha 40 000 3 à 5 €

À Lambesc, deux rendez-vous à ne pas manquer : celui que vous donne à heures fixes le jacquemard de la ville, l'un des trois existant en France, et celui que vous propose cette coopérative, le plus important producteur de coteaux-d'aix-en-provence. Cette cuvée rose orangé semble discrète au premier nez, mais elle ne tarde pas à s'ouvrir sur de délicieux arômes de petits fruits bien frais, avec une pointe d'exotisme. Le palais laisse une impression de rondeur et d'harmonie. La cuvée **Jules Reynaud 2004 blanc Élevé en fût de chêne (5 à 8 €)**, qui rend hommage au fondateur de la cave et maire de Lambesc de l'époque, obtient la même note : tout aussi enveloppante, elle évoque

les fruits à chair blanche. La **Cuvée Royale 2003 rouge**, qui n'a pas connu le bois, est citée pour sa souplesse et son fruité.
Les Vignerons du Roy René, RN 7, 13410 Lambesc, tél. 04.42.57.00.20, fax 04.42.92.91.52, e-mail lesvigneronsduroyrene@wanadoo.fr
t.l.j. sf dim. 9h-11h 14h-16h; f. jan.

## LA CHAPELLE SAINT BACCHI 2003 *

■ 0,9 ha 1 900 5 à 8 €

Un nouveau venu dans le Guide. Cet agriculteur céréalier, oléiculteur et producteur de plantes aromatiques a eu l'opportunité de réaliser son rêve en 2003 en louant 3 ha de vignes et en créant sa cave. Il devrait suivre sa bonne étoile, celle attribuée à ce vin grenat qui mêle fruits mûrs et épices au nez. Elégant et équilibré, le palais dévoile des tanins fins et se développe longuement sur des notes de réglisse.
Dom. Saint Bacchi, RD 561, 13490 Jouques, tél. et fax 04.42.67.62.92 r.-v.
Valensisi

## MAS SAINTE-BERTHE 2004 *

■ 4 ha 25 000 5 à 8 €

Au XVI[e]s., une chapelle dédiée à sainte Berthe fut accolée à ce mas qui, aujourd'hui, commande un domaine de 38 ha, partagé entre vignes et oliviers. Christian Nief, maître de chai, a élaboré un vin tout en finesse dont il se dégage une grande fraîcheur et une certaine rondeur apportée par le grenache qui représente un tiers de l'assemblage. On reconnaît un travail d'orfèvre derrière cette couleur pâle mais brillante et ces arômes de fruits (coing) intenses.
Mas Sainte-Berthe, 13520 Les Baux-de-Provence, tél. 04.90.54.39.01, fax 04.90.54.46.17, e-mail info@mas-sainte-berthe.com
t.l.j. 9h-12h 14h-18h
Rolland

## DOM. DE SAINT-JULIEN-LES-VIGNES Cuvée du château 2003 *

■ 10 ha 8 000 5 à 8 €

La famille Reggio possède depuis 1850 ce domaine viticole. Autour de la bastide et de la chapelle attenante s'étendent aujourd'hui 150 ha. Cette cuvée possède un beau toucher. Couleur violine, elle offre un nez finement fruité et une trame de tanins délicate qui lui confère de l'élégance. La **Cuvée du château 2004 blanc** est tout aussi soyeuse, parfumée de fruits exotiques : elle remporte la même note.
Famille Reggio, Dom. de Saint-Julien-les-Vignes, 2495, rte du Seuil, 13540 Puyricard, tél. 04.42.92.10.02, fax 04.42.92.10.74, e-mail puyricard.st.julien@mageos.com
t.l.j. sf dim. 13h-19h

## LES SANTONS 2004

■ 50 ha 150 000 3 à 5 €

De ses vacances en Provence, on rapporte souvent des santons pour décorer la prochaine crèche de Noël. Pourquoi ne pas ajouter dans la valise une bouteille de rosé ? Après un samedi après-midi de shopping dans la cohue des magasins en fin d'année, on aura plaisir à la déboucher pour accompagner une tarte salée vite préparée. Le grenache (60 %) donne un bon équilibre entre gras et alcool à ce 2004, tandis que la syrah (30 %) et le cinsault (10 %) lui apportent de la finesse et une palette d'arômes de fruits rouges. Un classique.
Les Vins J.-Jacques Bréban, av. de la Burlière, 83170 Brignoles, tél. 04.94.69.37.55, fax 04.94.69.03.37, e-mail vins-breban@hotmail.com r.-v.

## SOLLIANCE 2004

■ n.c. n.c. 3 à 5 €

La marque Solliance a été déposée en 2001 par James de Roany, propriétaire du château des Gavelles, à Puyricard. Celui-ci relance une activité de négoce que sa famille pratiquait déjà dans les années 1930. Son rosé saumoné décline des notes amyliques, des arômes de fraise et de litchi. Par sa vivacité, il conviendra à l'apéritif. Le **Solliance 2004 blanc** est également cité pour sa palette de pamplemousse et de pêche blanche.
Rayons Vins, 165, chem. de Maliverny, 13540 Puyricard, tél. 04.42.92.06.83, fax 04.42.92.24.12, e-mail roany@fr.inter.net

## CH. SULAUZE Cuvée Prestige 2003

■ 3 ha 8 000 8 à 11 €

Changement de propriétaire pour ce domaine de 80 ha qui s'est développé autour d'un ancien monastère aux caves troglodytiques. Ce vin issu à parts égales de grenache et de cabernet-sauvignon a été élevé douze mois en fût de chêne, ce qui lui a donné un nez très animal et épicé, avec un côté fauve. La structure tannique masque encore la matière première de qualité, mais le temps devrait y remédier.
Ch. Sulauze, RN 569, 13140 Miramas, tél. 04.90.58.02.02, fax 04.90.58.04.37, e-mail domaine.sulauze@wanadoo.fr r.-v.
Lefèvre

## DOM. DE SURIANE 2004

■ 10,23 ha 25 000 3 à 5 €

Ce domaine familial créé dans les années 1930 est aujourd'hui dirigé par une jeune vigneronne de vingt-sept ans qui assure vinification et commercialisation. Marie-Laure Merlin propose une cuvée mi-grenache mi-syrah de teinte soutenue. Si le nez est discret, un peu minéral et animal, la bouche se révèle puissante et épicée. Une structure solide pour un rosé de repas qui saura tenir tête à un lapin à la tapenade. Le **2004 blanc**, également cité, est très marqué par le rolle (90 %).
Marie-Laure Merlin, SCEA Dom. de Suriane, CD 10, 13250 Saint-Chamas, tél. 04.90.50.91.19, fax 04.90.50.92.80, e-mail domaine.suriane@wanadoo.fr
t.l.j. sf dim. 9h-12h30 14h-19h

## CH. DE VAUCLAIRE 2003 *

■ 4 ha 20 000 3 à 5 €

Un château de style florentin dans un parc ombragé et un domaine de 30 ha. Le grenache (50 %) allié à la syrah et au cabernet-sauvignon à parts égales a donné naissance à ce vin certes discret, mais enchanteur par ses arômes de cerise cuite et de garrigue, nuancés d'une pointe animale et épicée. On apprécie sa grande souplesse au palais, ainsi que ses notes réglissées. La **Cuvée Prestige 2003 rouge (5 à 8 €)**, née de 70 % de syrah et de cabernet-sauvignon, reçoit une étoile également pour sa bonne structure, tandis que la **Cuvée Prestige 2004 rosé (5 à 8 €)**, de caractère plus simple, vif et fruité, est citée.

Uldaric Sallier,
Ch. de Vauclaire, 13650 Meyrargues,
tél. 04.42.57.50.14, fax 04.42.63.47.16,
e-mail chateaudevauclaire@wanadoo.fr
t.l.j. 9h-12h 14h-18h (19h mai-oct.)

### CH. VIGNELAURE 2002 *

■ 10 ha 33 000 11 à 15 €

David O'Brien a de l'audace. Depuis 1994, il a su maintenir à un haut niveau ce domaine réputé, créé en 1970, quels que soient les millésimes. Ainsi en 2002, année jugée difficile, il n'a pas recherché une concentration là où il ne pouvait pas l'extraire, mais il a privilégié la finesse. Il en résulte un vin élégant, franc, bien dans le type de l'appellation.

David O'Brien, Ch. Vignelaure,
rte de Jouques, 83560 Rians, tél. 04.94.37.21.10,
fax 04.94.80.53.39, e-mail info@vignelaure.com
t.l.j. 9h30-13h 14h-18h

## Les baux-de-provence

Les Alpilles, chaînon le plus occidental des anticlinaux provençaux, est un massif érodé, au relief pittoresque taillé en biseau, fait de calcaires et calcaires marneux du crétacé. C'est le paradis de l'olivier. Le vignoble trouve également dans ce secteur un milieu favorable, sur les dépôts caillouteux très caractéristiques de cette région. Les grèzes litées sont peu épaisses et la fraction fine, dont dépend la réserve hydrique du sol, est importante. Au sein de l'AOC coteaux-d'aix-en-provence, ce secteur se distingue par une nuance climatique qui en fait une zone précoce, peu gélive, chaude et plus arrosée (650 mm).

Des règles de production plus affinées (rendement plus bas, densité plus élevée, taille plus restrictive, élevage d'au moins douze mois pour les vins rouges, minimum de 50 % de saignée pour les vins rosés), un encépagement mieux défini reposant sur le couple grenache-syrah, accompagné quelquefois du mourvèdre, sont à la base de la reconnaissance de cette appellation sous-régionale en 1995. Elle est réservée aux vins rouges (80 %) et rosés, et met en valeur un terroir original autour de la citadelle des Baux-de-Provence sur une superficie de 332 ha qui ont produit un volume de 8 269 hl en 2003.

### DOM. OLIVIER D'AUGE L'Arcoule 2002 *

■ 6 ha 20 000 8 à 11 €

Ce domaine, né au XIVᵉs. dans le sillage de l'hospice des moines de l'abbaye de Montmajour, possède non seulement des vignes, mais aussi une pépinière oléïcole. Vous irez donc y goûter l'huile d'olive vierge ainsi que ce vin aux arômes généreux de fruits à l'eau-de-vie et de confiture de fraises. Celui-ci fait preuve de souplesse, tout en s'appuyant sur une structure de qualité qui lui assure une longue finale. Un 2002 à apprécier dès la sortie du Guide.

Dom. Olivier d'Auge, 13990 Fontvieille,
tél. 04.90.54.62.95, fax 04.90.54.63.09,
e-mail olivierdauge@wanadoo.fr r.-v.

### MAS DE LA DAME La Stèle 2002 **

■ 3 ha 8 300 11 à 15 €

Ce n'est pas à Vincent Van Gogh, qui peignit le domaine en 1889, que vous penserez en dégustant ce vin, mais à Nostradamus qui aurait écrit : « Un jour, la mer recouvrira la terre et s'arrêtera à la stèle du Mas de la Dame ». On perçoit de la concentration dans ce 2002 et un travail du bois soigné. Tandis que le nez mêle harmonieusement le fumé et la griotte, la bouche dévoile une structure délicate et pourtant bien présente. Nul n'aurait pu prévoir un si beau résultat dans un tel millésime. **Le Vallon des Amants 2003 rouge (15 à 23 €)** reçoit une étoile pour son joli boisé chocolaté et ses notes de fruits rouges.

Mas de la Dame, RD 5,
13520 Les Baux-de-Provence,
tél. 04.90.54.32.24, fax 04.90.54.40.67,
e-mail masdeladame@masdeladame.com
t.l.j. 8h-19h
Missoffe et Poniatowski

### CH. D'ESTOUBLON 2004

■ n.c. n.c. 11 à 15 €

Une robe pétale de rose orangé de laquelle se libèrent sans ambages des senteurs grillées, fumées, florales et minérales. La bouche riche dès l'attaque se montre dense et de bonne longueur.

Ch. d'Estoublon, rte de Maussane,
BP 2, Fontvieille, 13156 Tarascon Cedex,
tél. 04.90.54.64.00, fax 04.90.54.64.01,
e-mail chateauestoublon@wanadoo.fr

### CH. ROMANIN 2002 **

■ 30 ha 28 000 15 à 23 €

Créé en 1989, le domaine couvre aujourd'hui 58 ha dans les Alpilles. La cave ressemble à une cathédrale dans ce paysage. Elle a abrité un 2002 tout aussi majestueux par son architecture. Le dégustateur garde longtemps en mémoire les notes fumées de ce vin et sa présence surprenante pour le millésime. Il convient de garder encore un peu cette bouteille. En attendant, vous pourrez savourer la **Chapelle de Romanin 2002 rouge (8 à 11 €)**, suffisamment souple, qui obtient une étoile.

🔑 SCEA Ch. Romanin,
13210 Saint-Rémy-de-Provence,
tél. 04.90.92.45.87, fax 04.90.92.24.36
☑ Y ♿ t.l.j. 9h-19h sf sam. dim. 11h-19h
🔑 Peyraud

MAS SAINTE-BERTHE Passe-rose 2004 ★

■ 8 ha 53 000 5 à 8 €

Un joli nom et une étiquette d'une élégance charmante pour ce rosé tout aussi raffiné. Ce 2004 flatte le dégustateur par son nez de framboise qui traduit une grande maîtrise technique. Le vinificateur recherchait-il finesse et fraîcheur ? Il y est parvenu, avec en prime une sensation de groseille qui reste longtemps en bouche. La **cuvée Louis David 2003 rouge (8 à 11 €)** est citée pour sa souplesse.

🔑 Mas Sainte-Berthe, 13520 Les Baux-de-Provence,
tél. 04.90.54.39.01, fax 04.90.54.46.17,
e-mail info@mas-sainte-berthe.com
☑ Y ♿ t.l.j. 9h-12h 14h-18h
🔑 Rolland

# Coteaux-varois-en-provence

Les coteaux-varois sont produits dans le département du Var sur vingt-huit communes entre les massifs calcaires boisés. Les vins, à servir jeunes, sont friands, gais et tendres, à l'image de Brignoles, jolie petite ville provençale qui fut résidence d'été des comtes de Provence. Ils ont été reconnus en AOC par décret du 26 mars 1993 et recouvrent 2 155 ha ; rosés, rouges et blancs se partagent les 96 390 hl de l'AOC agrées en 2004. Signalons, l'exception est méritée, que le siège du syndicat est dans l'ancienne abbaye de La Celle reconvertie en hôtel-restaurant de luxe sous la houlette de Alain Ducasse.

ABBAYE DE SAINT HILAIRE 2003 ★

■ 4,7 ha 30 000 5 à 8 €

Issu d'un assemblage de syrah (80 %) et de grenache (20 %), ce vin libère sous une teinte rubis des parfums méditerranéens : garrigue, romarin, aromates, prune et fruits rouges. Une structure de qualité soutient sa matière dense et goûteuse. Un coteaux-varois complet, apte à une garde de deux ou trois ans, mais qui peut déjà satisfaire les plus impatients.

🔑 Les Domaines de Provence, rte de Rians,
83740 Ollières, tél. 04.98.05.40.10, fax 04.98.05.40.11,
e-mail contact@lesdomainesdeprovence.com
☑ Y ♿ t.l.j. sf sam. dim. 9h-12h 13h-17h
🔑 Pierre Burel

DOM. DES ANNIBALS 2004 ★

■ 6,82 ha 30 000 5 à 8 €

L'éléphant doré qui figure sur l'étiquette orange est un clin d'œil à l'histoire : Hannibal, le conquérant carthaginois, serait passé à l'emplacement du domaine actuel. Ce 2004 est un conquérant pacifique qui use de sa teinte rose vif pour attirer les regards, de la franchise de ses arômes de fruits frais (poire, raisin) pour aiguiser la curiosité, de sa fraîcheur harmonieuse pour convaincre. Il passera à table dès cet automne.

🔑 SCEA Dom. des Annibals, hameau des Gaetans,
rte de Bras, 83170 Brignoles, tél. 04.94.69.30.36,
fax 04.94.69.50.70, e-mail dom.annibals@wanadoo.fr
☑ Y ♿ t.l.j. 9h-12h30 15h-19h; f. dim. lun. de nov à mars
🔑 Coquelle

LA BASTIDE DES OLIVIERS
Cuvée Mathieu 2003 ★★

■ 1 ha 4 000 8 à 11 €

Les plus vieilles vignes de grenache et de syrah plantées en coteau et conduites en agriculture biologique ont donné naissance à cette cuvée riche d'expression. Des notes fines de vanille et de réglisse ouvrent la dégustation, bientôt rejointes par des arômes de mûre. La matière ample et dense n'a pas encore complètement intégré le bois et la structure tannique semble encore très présente, mais une garde de quatre ou cinq ans y remédiera aisément. Pour un plat robuste d'hiver.

🔑 Patrick Mourlan, Dom. La Bastide des Oliviers,
1011, chem. Louis-Blériot, 83136 Garéoult,
tél. et fax 04.94.04.03.11,
e-mail labastide-mourlan@wanadoo.fr ☑ Y ♿ r.-v.

CH. LA CALISSE Cuvée Etoiles 2004 ★★

■ 1 ha 1 500 23 à 30 €

Une pluie d'étoiles pour ce domaine d'une dizaine d'hectares conduit en agriculture biologique, que les fidèles du Guide connaissent déjà bien. Ce coteaux-varois grenat soutenu livre un bouquet intense de cassis, de cerise, de laurier, de sauge et d'épices. Le jury a apprécié sa solide matière parfaitement structurée. Si l'attaque impressionne par sa rondeur, la finale semble encore austère, mais ce n'est là qu'un meilleur gage de garde (de trois à cinq ans). Le **Château La Calisse blanc 2004 (8 à 11 €)** obtient deux étoiles également pour son caractère friand, frais et aromatique (notes amyliques et biscuitées, pêche de vigne et nuances citronnées). La même note revient au **rosé 2004 (8 à 11 €)**, un vin complexe qui accompagnera les viandes blanches.

🔑 Patricia Ortelli, Ch. La Calisse, RD 560,
83670 Pontevès, tél. 04.94.77.24.71, fax 04.94.77.05.93,
e-mail contact@chateau-la-calisse.fr ☑ ♿ t.l.j. 9h-18h

CH. DE CANCERILLES Cuvée spéciale 2001 ★

■ 1,8 ha 10 000 5 à 8 €

Chantal et Serge Garcia sauront vous communiquer leur passion pour le vin et ce lieu de caractère : une vaste bastide dominant le vignoble et des caves millénaires qui ont accueilli ce 2001 grenat soutenu, élevé dix-huit mois en

PROVENCE

barrique. Le bouquet complexe et généreux évoque les fruits noirs, la fougère et la réglisse, tandis que la chair ronde et séveuse tapisse le palais de ses tanins fins. Un coteaux-varois que vous pourrez servir dès maintenant ou bien garder encore deux ans.

Chantal et Serge Garcia, 1400, rte de Belgentier, 83870 Signes, tél. et fax 04.94.90.83.93
t.l.j. 10h-12h 14h-19h

DOM. DE CANTARELLE 2004 **

2,7 ha 20 000 3 à 5 €

En quelques années, le domaine a plus que doublé sa superficie de production, passant de 25 à 65 ha. Il propose un 2004 saumoné, à dominante de fruits rouges au nez. Au palais, une sensation de puissance et de rondeur est d'emblée perceptible, tandis qu'en finale une légère pointe minérale rafraîchit l'ensemble. Le **Domaine de Cantarelle rouge 2004**, élevé en fût, obtient une étoile : un vin dans l'air du temps qui mérite de vieillir un peu pour intégrer l'empreinte du bois.

Vignobles Elodie Dieudonné, Dom. de Cantarelle, rte de Varages, 83119 Brue-Auriac, tél. 04.94.80.96.01, fax 04.94.80.96.02, e-mail domcantarelle@aol.com
t.l.j. 9h-12h 14h-19h

CH. DES CHABERTS Cuvée Prestige 2002

6 ha 13 000 5 à 8 €

Une cuvée sombre à reflets noirs qui livre un nez profond de cacao, de cuir et de fruits noirs. En bouche, les dégustateurs apprécient la franchise et l'équilibre de la matière. Une bouteille à découvrir dès cet hiver et pendant encore deux ou trois ans. La **cuvée Prestige rosé 2004**, bien équilibrée entre chaleur et fraîcheur grâce à une note minérale, est citée.

Ch. des Chaberts, 83136 Garéoult, tél. 04.94.04.92.05, fax 04.94.04.00.97, e-mail chaberts@wanadoo.fr
t.l.j. 9h-12h 14h-18h; dim. sur r.-v.
Betty-Ann Cundall

CH. DE CLAPIERS 2004 *

12 ha 800 000 5 à 8 €

Un rosé qui ne manque pas de charme. Des arômes variés de fruits exotiques, d'abricot et de chèvrefeuille ouvrent la dégustation. Au palais, le fruité réapparaît dès l'attaque sous des accents de framboise et accompagne le développement de la matière ronde qui trouve en finale une certaine fraîcheur. Un caractère gourmand. Mariez cette bouteille à des salades composées ou à des terrines. Une dégustatrice propose même un accord avec une charlotte aux fraises.

Les Domaines de Provence, rte de Saint-Maximin, 83149 Bras, tél. 04.98.05.12.12, fax 04.98.05.12.11
t.l.j. sf sam. dim. 14h-17h30
Pierre Burel

CH. LA CURNIERE 2004 *

4,6 ha 10 000 5 à 8 €

Deux citernes datant des Templiers, servant de réserves d'eau, attestent de l'ancienneté de ce domaine, dont vous apprécierez ce vin rose pâle, semblable à du taffetas. Finement floral, celui-ci libère en outre des notes de grenadine qui trouvent écho dans la chair ronde et savoureuse. Un rosé de soif pour un plaisir immédiat. Le **Château La Curnière 2001 rouge (8 à 11 €)** est un vin de repas pour cet hiver. Souple en attaque, il devient plus vif en finale, soulignée d'arômes expressifs. Une citation.

Michèle et Jacques Pérignon, Ch. La Curnière, 83670 Tavernes, tél. 04.94.72.39.31, fax 04.94.72.30.06, e-mail curniere@club-internet.fr
t.l.j. 10h-12h 13h-19h

DOM. DU DEFFENDS Clos de la Truffière 2003

3,6 ha 15 000 8 à 11 €

En bordure de l'antique voie Aurélienne, ce domaine de 14 ha a de quoi séduire le visiteur : mas de la fin du XVIII^e s., truffières et oliviers, vestiges d'un oppidum et une vue remarquable sur le paysage du haut Var. Cette cuvée est toute désignée pour accompagner une brouillade aux truffes. Son bouquet chaleureux et intense rappelle les fruits rouges compotés, nuancés de cuir. Au palais, c'est une chair volumineuse et longuement fruitée qui se révèle ; les tanins ont encore la fougue de la jeunesse, mais ils gagneront en discipline au cours des deux à cinq ans à venir.

Suzel de Lanversin, Dom. du Deffends, 83470 Saint-Maximin-la-Sainte-Baume, tél. 04.94.78.03.91, fax 04.94.59.42.69, e-mail domaine@deffends.com
t.l.j. sf dim. 9h-12h 15h-18h; groupes sur r.-v.

CH. DUVIVIER L'Amandier 2004 **

3,22 ha 12 000 8 à 11 €

Ici, on cherche... Telle pourrait être la mention portée à l'entrée de ce domaine de 25 ha où l'on procède à de nombreux essais comparatifs entre la culture biologique et la biodynamie. Les vignes sont certes jeunes, mais leur fruit a produit un vin plus qu'encourageant. Un 2004 jaune paille très ouvert sur des notes d'iris, de thé vert et de pêche. Après une attaque franche, la bouche déploie toute sa rondeur, soulignée de flaveurs de fruits confits, de noisette, de réglisse et de pêche de vigne. Parfaitement équilibré, ce coteaux-varois laisse une impression de volume et d'harmonie. A découvrir dans l'année à venir, avec des mets raffinés. La cuvée **Les Mûriers rouge 2002 (11 à 15 €)** est citée pour l'élégance de ses tanins et sa persistance. A servir dans les deux ans.

SCI Ch. Duvivier, La Genevrière, rte de Draguignan, 83670 Pontevès, tél. 04.94.77.02.96, fax 04.94.77.26.66, e-mail antoine.kaufmann@chateau-duvivier.com
r.-v.

CH. DE L'ESCARELLE Les Belles Bastilles 2004 **

n.c. 50 000 5 à 8 €

Une propriété de 100 ha au sein d'un immense massif forestier de 1 000 ha, à la végétation très provençale. De la gaieté dans ce rosé saumoné, aux parfums de fruits rouges mûrs, nuancés de minéral. Il est rond, ample et généreux. « Sensuel », conclut un dégustateur.

Ch. de L'Escarelle, 83170 La Celle, tél. 04.94.69.09.98, fax 04.94.69.55.06, e-mail l.escarelle@free.fr r.-v.

DOM. DE FONTLADE Cuvée Saint Quinis 2004 **

3,5 ha 80 000 5 à 8 €

Selon la légende, Gaspard de Besse, Robin des bois provençal au XVIII^e s., se serait caché dans l'une des fermes du château. Vous pourrez conter son histoire à vos amis en leur servant ce rosé qui a autant de panache que le héros. Le vin se fait déjà remarquer par sa couleur assez soutenue, puis il livre des arômes légers de pêche de vigne et d'abricot bien mûr. De la complexité, de la fraîcheur et

de longues flaveurs de fruits rouges au palais : que demander de plus pour accompagner une volaille fermière ou une daurade grillée ?
SCEA Baronne Philippe de Montrémy, Dom. de Fontlade, 83170 Brignoles, tél. 04.94.59.24.34, fax 04.94.72.02.88 t.l.j. sf dim. 9h30-19h

DOM. DE GARBELLE
Les Barriques de Garbelle 2004 ★

| | 2 ha | 2 000 | | 8 à 11 € |
|---|---|---|---|---|

Cette même cuvée dans le millésime 2003 a obtenu un coup de cœur l'an passé. Dans sa version 2004, elle semble plus discrètement parfumée, mais déjà complexe : s'entremêlent des arômes de cassis, de mûre, de vanille et un boisé marqué. La bouche puissante et longue s'appuie sur des tanins fondus, enveloppés de flaveurs grillées et épicées. Gardez cette bouteille une paire d'années.
Mathieu Gambini, Dom. de Garbelle, 83136 Garéoult, tél. et fax 04.94.04.86.30, e-mail gambini.jean-charles@neuf.fr
t.l.j. 9h-12h 14h-18h30

DOM. LA GAYOLLE Prestige 2003

| | 2 ha | 3 600 | | 8 à 11 € |
|---|---|---|---|---|

L'étiquette figure un chapiteau historié de la remarquable chapelle mérovingienne sise sur le domaine. Le vin présente encore un caractère de jeunesse : les tanins sont présents, mais sans agressivité, enveloppés de la douceur des flaveurs de confiture de fruits, d'épices et de réglisse, de cire d'abeille. Une bonne bouteille pour les deux ou trois ans à venir.
Jacques Paul, Dom. La Gayolle, 83170 La Celle, tél. 04.94.59.10.88, fax 04.94.72.04.34 r.-v.

DOM. LA GOUJONNE Cuvée spéciale 2004 ★

| | 1,63 ha | 12 000 | | 5 à 8 € |
|---|---|---|---|---|

Cette cuvée revêtue d'une robe rose soutenu libère un nez puissant de fruits rouges, nuancé de quelques notes amyliques. La bouche franche et ronde, équilibrée, garde cette même expression fruitée. De quoi satisfaire les gourmets en accompagnement de brochettes de poisson ou de salades composées.
GAEC Kraus et Fils, quartier Vicary, 83170 Tourves, tél. 04.94.78.72.61, fax 04.94.78.84.10 r.-v.

LA GRAND'VIGNE 2004 ★★

| | 2 ha | 13 000 | | 3 à 5 € |
|---|---|---|---|---|

Cette année encore, le rosé de la Grand'Vigne porte haut les couleurs de l'appellation. Indéniablement, cet œnologue à la notoriété établie a du savoir-faire. Un jeu de découverte que cette dégustation. Le vin retient le regard par sa robe rose pâle, puis séduit le nez par ses senteurs fruitées et florales intenses. En bouche, il offre une structure soyeuse tout en poursuivant sa déclinaison aromatique sur des notes minérales et des flaveurs de pêche de vigne. De l'élégance et du caractère dans cette cuvée à savourer avec une cuisine ensoleillée.
MM Mistre, La Grand'Vigne, rte de Cabasse, 83170 Brignoles, tél. 04.94.69.37.16, fax 04.94.69.15.59, e-mail rmistre@club-internet.fr r.-v.

CH. LAFOUX Auguste 2004 ★

| | 1 ha | 2 000 | | 8 à 11 € |
|---|---|---|---|---|

Depuis son rachat en 1999 par un industriel, ce domaine bénéficie d'une restauration minutieuse. Attention, petite production et joli vin... Il n'y en aura pas pour tout le monde. Cette cuvée de couleur pâle à reflets brillants joue sur la fraîcheur et la persistance de ses arômes fruités (coing, pomme et poire) pour séduire.
Ch. Lafoux, RN 7, 83170 Tourves, tél. et fax 04.94.78.77.86
t.l.j. sf dim. 9h-12h 14h-18h30
Boisdron

CH. LA LIEUE Cuvée Batilde Philomène 2003 ★

| | 3 ha | 10 200 | | 5 à 8 € |
|---|---|---|---|---|

Un domaine de 80 ha en bordure de la voie Aurélienne qui pratique l'agriculture biologique. Ce 2003 offre un nez d'épices et de fleurs sauvages, ponctué de notes de moka héritées d'un élevage de onze mois en fût. Puissant et structuré, il explose en flaveurs persistantes de fruits épicés au palais. Une garde de deux ou trois ans lui permettra d'intégrer l'empreinte du bois.
EARL Famille Vial, Ch. La Lieue, rte de Cabasse, 83170 Brignoles, tél. 04.94.69.00.12, fax 04.94.69.47.68, e-mail chateau.la.lieue@wanadoo.fr
t.l.j. 9h-12h30 14h-19h; dim. 10h-12h30 15h-18h

DOM. DU LOOU 2001 ★★

| | 10 ha | 15 000 | | 5 à 8 € |
|---|---|---|---|---|

Ce domaine ne comptait que 25 ha lorsque son propriétaire actuel le reprit en 1954. Il couvre aujourd'hui une soixantaine d'hectares d'un seul tenant et bénéficie d'une vaste cave où a été vinifié ce 2001 couleur sanguine. La palette complexe privilégie les arômes de fruits mûrs – fraise, framboise, cassis, myrtille et mûre –, telle une corbeille estivale. Les tanins se dévoilent avec élégance dans une matière chaleureuse, fruitée et harmonieuse. Un vin généreux et complet que vous apprécierez cet hiver avec un rôti de bœuf en croûte, accompagné d'une fricassée de cèpes. Les amateurs le suivront encore quelques années. La cuvée **Esprit de Blancs 2004 blanc** trouve un bon équilibre entre rondeur et fraîcheur, tout en déclinant une gamme de fruits confits. Une étoile.
SCEA Di Placido, Dom. du Loou, 83136 La Roquebrussanne, tél. 04.94.86.94.97, fax 04.94.86.80.11 r.-v.

CH. MARGILLIERE
Sélection Hautes Terres Vieilli en fût de chêne 2003 ★

| | 2 ha | 5 000 | | 11 à 15 € |
|---|---|---|---|---|

Le caveau se trouve dans l'ancienne magnanerie de ce domaine, fort aujourd'hui de 25 ha. Vous y découvrirez ce vin couleur ébène, auquel un élevage d'un an en fût a légué des notes d'épices et de torréfaction. Des arômes de fruits noirs se manifestent aussi, soulignant la bouche ample et volumineuse. Une garde de trois à cinq ans permettra au bois de se fondre. La **Sélection Hautes**

PROVENCE

**Terres blanc 2003 Elevé en fût de chêne** est citée. D'un abord souple, elle trouve en finale de la fraîcheur sous des accents anisés et réglissés.
Ch. Margillière, rte de Cabasse, 83170 Brignoles, tél. 04.94.69.05.34, fax 04.94.72.00.98
t.l.j. sf dim. 9h-12h 15h-19h
Patrick Caternet

## CH. MARGUI 2004 **

| | 1 ha | 2 000 | | 11 à 15 € |
|---|---|---|---|---|

Marie-Christine et Philippe Guillanton s'attachent depuis 2000 à faire renaître cette ancienne propriété viticole et oléicole abandonnée depuis les années 1950. Pari réussi à en juger par cette cuvée ronde et structurée, dont les arômes présentent une étonnante complexité : écorce confite d'agrumes, coing, clou de girofle et vanille. Des reflets or font briller de mille feux sa teinte pâle : n'est-ce pas un atout de séduction supplémentaire ?
Marie-Christine Guillanton, 83670 Chateauvert, tél. et fax 04.94.77.30.34 r.-v.

## CH. LA MARTINE Plaine des Dames 2004 *

| | 3,5 ha | 20 000 | | 3 à 5 € |
|---|---|---|---|---|

Issu de sols argilo-calcaires, ce vin laisse une impression de gaieté printanière et de légèreté. Celle-ci naît de sa robe presque transparente, de son nez et de sa bouche marqués par des arômes citronnés, minéraux et fumés. Ne cherchez pas la densité, mais plutôt la fraîcheur... Et c'est bien ainsi.
SCEA Dom. Jaubert,
Ch. La Martine, RN 560, 83860 Nans-les-Pins,
tél. 04.94.78.90.52, fax 04.94.78.66.49 r.-v.

## DOM. DES MEGUIERES 2004 *

| | 6,7 ha | 13 300 | | 5 à 8 € |
|---|---|---|---|---|

En 2003, cette vieille bâtisse provençale entourée de 26 ha de vignes et de 12 ha d'oliviers a changé de propriétaires. Côté vins, on retient une heureuse continuité dans la qualité. Ce rosé pâle qui voue tout au fruit se montre opulent et généreux au palais. Son caractère charmeur conviendra à des accords avec des grillades et des petits farcis.
SAS Dom. de Saint-Andrieu,
BP 32, 83570 Correns, tél. et fax 04.94.59.52.42,
e-mail barbara.dutartre@oreka.com r.-v.
Bignon

## DOM. LA MERCADINE 2004 *

| | 1,3 ha | 7 300 | | 3 à 5 € |
|---|---|---|---|---|

Situé dans le haut Var, aux portes du Verdon, le domaine doit son nom au lieu-dit Les Mercadiers, littéralement « les marchands ». Lucie Moutonnet est une mercadine fort recommandable. Elle a produit un vin rose tendre, aux allures printanières grâce à ses arômes de fraise des bois et de framboise, nuancés de minéral. Au palais, la fraîcheur plaisante est encore soulignée par de gourmandes flaveurs de fruits rouges. Une bouteille typique et élégante, destinée à un gratin de légumes ou à une terrine de poisson.
Lucie Moutonnet, Dom. La Mercadine,
Les Mercadiers, 83670 Pontevès,
tél. et fax 04.94.77.12.05 r.-v.

## CH. MIRAVAL 2004 *

| | 5 ha | 20 000 | | 11 à 15 € |
|---|---|---|---|---|

Dans les années 1980, le château Miraval appartenait à Jacques Loussier, pianiste de jazz, qui y aménagea un studio d'enregistrement. Des artistes aussi célèbres que Sting ou le groupe Pink Floyd y travaillèrent. Des gammes, on en fait aussi lorsqu'on est vinificateur, mais pour créer une composition aromatique. Fruits exotiques, ananas et citron se déclinent dans ce rosé pâle et brillant, dont le caractère chaleureux est bien équilibré par une pointe de vivacité. Ample et élégant, ce vin a trouvé le bon tempo.
Ch. Miraval, 83143 Le Val, tél. 04.94.86.46.80,
fax 04.94.86.46.79 t.l.j. 10h30-17h

## CH. D'OLLIERES 2003

| | 6 ha | 18 000 | | 5 à 8 € |
|---|---|---|---|---|

D'origine médiévale, le château fut modifié aux XVII^e et XVIII^e s., et s'entoura d'un jardin à la française suspendu. Après avoir été exploité en fermage, son domaine de 35 ha a été repris en 2001 par Hubert Rouy et son fils. Tous deux ont élaboré un vin empreint d'arômes de fruits confiturés et vanillés. La structure tannique est certes affirmée, mais la rondeur se dessine avec en finale une impression goûteuse de fruits et de boisé. A servir dans deux ans, en accompagnement d'une viande en daube.
Hubert Rouy, SCEA Ch. d'Ollières,
83470 Ollières, tél. et fax 04.94.59.85.57,
e-mail info@chateau-ollieres.com
t.l.j. 8h30-12h 14h-18h

## DOM. DE LA PREGENTIERE 2004

| | 30 ha | 110 000 | | 3 à 5 € |
|---|---|---|---|---|

Reprise en 2001, cette propriété connaît une profonde restructuration de son vignoble. Le 2004 provient de vignes plus que trentenaires de grenache, de cinsault et de carignan. Sous une robe pâle à reflets gris se manifeste un nez élégant d'ananas, d'abricot et d'agrumes citronnés. Une délicatesse aromatique qui contribue à la fraîcheur du palais.
Dom. de la Prégentière, 83670 Pontevès,
tél. 04.94.77.10.64, fax 04.94.77.03.47 r.-v.

## LES RESTANQUES BLEUES 2004 *

| | 2 ha | 4 000 | | 3 à 5 € |
|---|---|---|---|---|

Un éclat bleuté dans la robe rose de ce vin et une puissante expression fruitée, nuancée de touches amyliques. Franche et tout aussi aromatique, la bouche est d'une séduisante légèreté. Une brise sur les restanques bleues...
Les Vignerons de la Sainte-Baume,
rte de Brignoles, 83170 Rougiers,
tél. 04.94.80.42.47, fax 04.94.80.40.85,
e-mail cave-saintebaume@wanadoo.fr
t.l.j. sf dim. 9h-12h 14h-18h

## DOM. LA ROSE DES VENTS
Réserve Seigneur de Broussan 2003 *

| | 2,5 ha | 4 000 | | 5 à 8 € |
|---|---|---|---|---|

Gilles Baude, œnologue, est à la production, tandis que Thierry Josselin se charge de la commercialisation. Une équipe qui propose cette année un vin puissamment marqué par les arômes de torréfaction et les notes animales. Le fruit ressort davantage de la matière concentrée qui laisse une sensation de rondeur en attaque avant d'afficher ses jeunes tanins. Il faudra attendre que cette charpente s'assouplisse. La cuvée **Réserve Seigneur de Broussan blanc 2004**, aux notes de fleurs, d'abricot confit et de cannelle, fait preuve de fraîcheur. Elle obtient une étoile.

Dom. La Rose des Vents,
rte de Toulon, 83136 La Roquebrussanne,
tél. 04.94.86.99.28, fax 04.94.86.91.75
t.l.j. sf dim. lun. 9h-12h 14h-18h
Gilles Baude-Thierry Josselin

## CH. SAINT-BAILLON Clos Barbaroux 2000 ★★

1 ha 4 000 11 à 15 €

Le domaine étend ses 200 ha de bois, de vignes et d'oliviers le long de la RN 7. Alliée au grenache, la syrah compose 95 % de ce vin. S'il est encore jeune d'apparence, celui-ci dévoile une pleine maturité dans son bouquet riche et complexe, mêlant des notes fauves aux doux arômes de fruits, de vanille et d'épices. Les tanins fins s'enrobent dans la matière souple et concentrée, de bonne persistance.

Hervé Goudard,
Ch. Saint-Baillon, 83340 Flassans-sur-Issole,
tél. 04.94.69.74.60, fax 04.94.69.80.29,
e-mail chateausaintbaillon@hotmail.fr
t.l.j. sf dim. 9h-13h 14h-19h

## LE CELLIER DE LA SAINTE-BAUME 2004

4 ha 25 000 - de 3 €

Rosé cherche plat exotique pour soirée amicale. Jolie robe rose à reflets légèrement orangés. Nez intense, aux nuances amyliques. Bouche fraîche sur des arômes de fruits exotiques acidulés. Disponible immédiatement.

Le Cellier de la Sainte-Baume, RN 7,
83470 Saint-Maximin-la-Sainte-Baume,
tél. 04.94.78.03.97, fax 04.94.78.07.40
t.l.j. 8h-12h 14h-17h45, dim. 8h-12h

## DOM. DE SAINT FERREOL 2004 ★

3,93 ha 2 450 3 à 5 €

Le « Crésus provençal », c'est ainsi que l'on surnommait Pierre Maurel, financier aixois, qui fit construire en 1660 une riche demeure en forme de pavillon, près de laquelle se trouvent les bâtiments du domaine. Le vignoble se situe tout au nord de l'aire d'appellation. Il a donné naissance à un rosé de teinte violine, dont le nez exprime les fruits frais et le minéral. De bonne présence en attaque, le vin se développe avec équilibre. Préparez un carpaccio de poisson et un tian de légumes pour l'accompagner.

Guillaume de Jerphanion, Dom. de Saint Ferréol,
83670 Pontevès, tél. 04.94.77.10.42, fax 04.94.77.19.04,
e-mail saint-ferreol@wanadoo.fr r.-v.

## DOM. SAINT-JEAN DE VILLECROZE 2004 ★★

2 ha 4 000 8 à 11 €

Créé en 1973 par un couple franco-américain, ce domaine est devenu vingt ans après la propriété d'une famille italienne qui s'est attachée à le rénover. Ce 2004 généreux joue non seulement de sa rondeur mais aussi de sa fraîcheur fruitée (agrumes) pour flatter les sens du dégustateur. Quelques notes florales s'ajoutent à sa palette aromatique comme pour renforcer son élégance. Jaune pâle brillant, un coteaux-varois destiné à une poêlée de Saint-Jacques. Le **2003 rouge**, riche de flaveurs (raisin confit, garrigue, fruits à l'alcool, grillé) et structuré, obtient une étoile.

Dom. Saint-Jean, 83690 Villecroze,
tél. 04.94.70.63.07, fax 04.94.70.67.41
t.l.j. 9h-12h 14h-19h
F. Caruso

## DOM. SAINT-JEAN-LE-VIEUX 2004 ★★

4 ha 15 000 3 à 5 €

Après une visite de la basilique de Saint-Maximin (XIII^e s.) et du couvent royal, hauts lieux de Provence, prenez la route de Bras, à la sortie de la ville. Vous trouverez ce domaine bien connu des amateurs et dégusterez ce rosé friand, exubérant. Peu de couleur, mais des arômes riches qui ne semblent jamais devoir s'évanouir : fruits, fleurs et notes amyliques. La bouche ronde et équilibrée laisse une impression suave. La **cuvée du Grand Clos rouge 2003 (5 à 8 €)**, qui n'a pas connu le bois, est notée une étoile pour son expression aromatique originale.

Dom. Saint-Jean-le-Vieux,
317, rte de Bras, 83470 Saint-Maximin-la-Sainte-Baume,
tél. 04.94.59.77.59, fax 04.94.59.73.35,
e-mail saint-jean-le-vieux@wanadoo.fr
t.l.j. sf dim. 8h-12h30 14h-19h
Pierre Boyer

## CH. SAINT-JULIEN 2004 ★

1 ha 6 000 5 à 8 €

Non loin de l'abbaye de la Celle et de sa célèbre Hostellerie qu'Alain Ducasse fait revivre avec succès, ce domaine trouve ses origines au XVIII^e s., lorsqu'une famille de la noblesse aixoise y développa une activité agricole. Dans la cave voûtée a été élaboré ce vin jaune pâle à reflets verts qui s'ouvre généreusement sur des arômes de fleurs blanches, nuancés de minéral et de menthol. Des flaveurs de pamplemousse et d'ananas contribuent à la fraîcheur du palais. Un coteaux-varois équilibré qui trouvera un bon accord avec des poissons grillés ou des salades de la mer. La cuvée **Le Clos Vieux réserve rouge 2003**, élevée en fût, est citée. Conservez-la quelques années pour que le bois se fonde.

EARL Dom. Saint-Julien, rte de Tourves,
83170 La Celle, tél. et fax 04.94.59.26.10,
e-mail info@domaine-st-julien.com
t.l.j. sf dim. lun. 14h-18h
Maurice Garrassin

## DOM. DE SAINT MITRE Mémoires 2004

5 ha 8 000 3 à 5 €

En 2004 un Champenois a repris ce domaine qu'il a transformé en dotant le chai d'équipements modernes. Daniel Martin a donc délaissé les bulles pour élaborer un coteaux-varois typique, de couleur pourpre brillant, qui évoque le sous-bois, la garrigue et les fruits rouges. Souple et flatteur, il sera le complice d'un plateau de charcuteries ou d'une terrine de gibier dès cet automne.

Dom. de Saint-Mitre, rte d'Esparron,
83470 Saint-Maximin-la-Sainte-Baume,
tél. 04.94.78.07.54, fax 04.98.05.82.88,
e-mail saintmitre@wanadoo.fr
t.l.j. 10h-19h; dim. sur r.-v.
Daniel Martin

## CH. THUERRY 2004 ★★

3,6 ha 20 000 5 à 8 €

On peut s'enorgueillir de racines anciennes (dont témoigne la demeure templière du XII^e s.), être attaché à son environnement typiquement provençal – platanes, cascades, fontaines et vignes – et être résolument tourné vers l'avenir en élaborant des vins dans un chai ultramoderne. Ce rosé fait la synthèse de ces influences : une expression intense de fruits rouges et de bonbon, une bouche ronde, suave et longuement persistante. C'est à une table festive qu'il faut le convier.

PROVENCE

🔑 Ch. Thuerry, 83690 Villecroze,
tél. 04.94.70.63.02, fax 04.94.70.67.03 ✉ 🏠 🍷 🚶 r.-v.
🔑 Croquet

DOM. DE TRIANS Cuvée Saint Clément 2002 ★★

■ 5 ha 12 000 🍾 11 à 15 €

Un air de famille avec le Château Trians 2000 qui fut coup de cœur dans le Guide 2004. Lui aussi a connu une longue macération de vingt-quatre mois en foudre. Lui aussi est un vin volumineux et concentré qui emplit bien le palais. Mais ce 2002 se singularise par ses arômes complexes de violette, de cassis, de griotte et d'épices. Conservez-le dans votre cave entre trois et cinq ans : il n'en sera que plus remarquable. En attendant, servez le **Château Trians 2001 rouge (8 à 11 €)** : ses tanins se sont enrobés dans la matière persistante et goûteuse. Une étoile lui revient.

🔑 Dom. de Trians, chem. des Rudelles,
83136 Néoules, tél. 04.94.04.08.22, fax 04.94.04.84.39,
e-mail trians@wanadoo.fr ✉ 🍷 t.l.j. 9h-12h 14h-18h
🔑 J. L. Masurel

LE CELLIER DU VICOMTE 2004

■ 15 ha 100 000 🍾 - de 3 €

Une sélection de coteaux-varois élaborée pour les supermarchés Match. Des reflets cerise brillent dans la robe rose soutenu de ce vin discrètement parfumé. La bouche gouleyante offre de la vivacité en attaque, puis un gras chaleureux qui lui donne du volume. Un rosé de repas, classique.

🔑 Le Cellier de Saint-Louis, ZI Les Consacs,
83170 Brignoles, tél. 04.94.37.21.00, fax 04.94.59.14.84,
e-mail info@celliersaintlouis.fr

# La Corse

Une montagne dans la mer : la définition traditionnelle de la Corse est aussi pertinente en matière de vins que pour mettre en évidence ses attraits touristiques. La topographie est en effet très tourmentée dans toute l'île, et même l'étendue que l'on appelle la côte orientale – et qui, sur le continent, prendrait sans doute le nom de costière – est loin d'être dénuée de relief. Cette multiplication des pentes et des coteaux, inondés le plus souvent de soleil mais maintenus dans une relative humidité par l'influence maritime, les précipitations et le couvert végétal, explique que la vigne soit présente à peu près partout. Seule l'altitude en limite l'implantation.

Le relief et les modulations climatiques qu'il entraîne s'associent à trois grands types de sols pour caractériser la production vinicole, dont la majeure partie est constituée de vins de pays et de vins de table. Le plus répandu des sols est d'origine granitique ; c'est celui de la quasi-totalité du sud et de l'ouest de l'île. Au nord-est se rencontrent des sols de schistes, et, entre ces deux zones, existe un petit secteur de sols calcaires.

Associés à des cépages importés, on trouve en Corse des cépages spécifiques d'une originalité certaine, en particulier le niellucciu, au caractère tannique dominant et qui excelle sur le calcaire. Le sciacarellu, lui, présente plus de fruité et donne des vins que l'on apprécie davantage dans leur jeunesse. En blanc, le vermentinu (ou malvoisia) est, semble-t-il, apte à produire les meilleurs vins des rivages méditerranéens. La viticulture corse compte 374 déclarants. Elle couvre 7 000 ha pour une production moyenne de 380 000 hl. La part des AOC représente 34 % de la production avec 109 221 hl, couvrant 3 092 ha.

En règle générale, on consommera plutôt jeunes les blancs et surtout les rosés ; ils iront très bien sur tous les produits de la mer et avec les excellents fromages de chèvre du pays, ainsi qu'avec le brocciu. Les vins rouges, eux, conviendront, selon leur âge et la vigueur de leurs tanins, aux différentes préparations de viande et, bien sûr, à tous les fromages de brebis. A noter que certains grands vins blancs, passés ou non en bois, ont une belle aptitude au vieillissement.

# Corse ou vins-de-corse

Les vignobles de l'appellation corse ou vins-de-corse couvrent une superficie de 2 310 ha, soit 75 % de la superficie totale d'AOC en production. Selon les régions et les domaines, les proportions respectives des différents cépages ajoutées aux variétés des sols apportent des tonalités diverses qui, dans la plupart des cas, justifient une indication spécifique de la micro-région dont le nom peut être associé à l'appellation (Coteaux-du-Cap-Corse, Calvi, Figari, Porto-Vecchio, Sartène). L'AOC corse peut être produite sur l'ensemble des terroirs classés de l'île, à l'exception de l'aire d'appellation patrimonio. La majeure partie des 86 350 hl vinifiés (dont 71 % en rouge et rosé) est issue de la côte orientale, où cinq coopératives occupent une place prépondérante.

### DOM. AGHJE VECCHIE Vecchio 2004 *

■ 3,5 ha 8 000 8 à 11 €

Ne vous y trompez pas ! Vecchio du domaine Aghje Vecchie est produit dans la région de Costa Verde, au pied du phare d'Alistro, dans la commune de Canale-di-Verde. Florence Giudicelli, fille du propriétaire, vinifie le fruit des 8 ha de vignes depuis 2003. Le 2004 rouge est apprécié pour son fruité que l'on imagine déjà à la vue de la robe rouge vermillon. Equilibré et frais, il mérite d'être savouré jeune avec une viande grillée. Cité, le **Vecchio 2004 blanc**, de couleur claire à reflets verts, est ouvert sur des notes anisées et des senteurs d'agrumes. Pour un dos de saumon grillé à l'aneth.

A.-Jacques Giudicelli,
Dom. Aghje Vecchie, 20230 Canale-di-Verde,
tél. 06.03.78.09.96, fax 04.95.38.03.37,
e-mail jerome.girard@attglobal.net
t.l.j. sf dim. 10h-12h 16h-19h; hiver sur r.-v.

### DOM. D'ALZIPRATU
Calvi Cuvée Fiumeseccu 2004 *

■ 10 ha 30 000 5 à 8 €

Pierre Acquaviva, par ailleurs responsable syndical pour les vins corses, dirige cette propriété familiale de 27 ha depuis 1991. Le couvent du même nom jouxte le domaine et, non loin de là, débute le célèbre GR 20 que tous les amateurs de randonnée rêvent un jour d'arpenter. Les dégustateurs ont apprécié ce rosé pour son fruité épicé, accompagné de notes marines. Il fera bel effet avec un poisson grillé. Le **Calvi cuvée Fiumeseccu 2004 blanc** est cité pour son équilibre et ses notes de cédrat confit. A accorder avec un fromage de la région.

Pierre Acquaviva, Dom. d'Alzipratu, 20214 Zilia,
tél. 04.95.62.75.47, fax 04.95.60.32.16
t.l.j. 8h-12h 14h-19h

### CAMELLU Calvi 2003

■ n.c. 12 000 5 à 8 €

Camellu est le plus petit vignoble de l'appellation corse-Calvi. Ce qui n'empêche pas son propriétaire, Bernard Villanova, d'occuper la fonction de président de l'appellation. Ce 2003 issu des cépages nielluccin et sciacarellu à parts presque égales affiche un bon équilibre. C'est un vin convivial, à découvrir autour d'une fondue bourguignonne.

Bernard Villanova,
7, rue Napoléon, 20214 Calenzana,
tél. 04.95.62.79.92, fax 04.95.33.34.12,
e-mail camellu@wanadoo.fr
r.-v.

### DOM. CASABIANCA 2003 **

■ 27,6 ha 180 000 3 à 5 €

Le domaine Casabianca est le plus important vignoble familial de Corse avec 250 ha en production. Il n'en est pas moins mené dans un esprit vigneron afin de produire des vins de haute expression. Cette année les rouges sont à l'honneur, tout d'abord avec cette cuvée classique qui enchante par sa couleur sombre, son nez expressif de fruits noirs (cassis et mûre sauvage) et sa structure bien présente, enveloppée des notes confites et épicées du nielluciu. La cuvée **Excellence 2003 rouge (5 à 8 €)**, issue d'une sélection parcellaire de nielluciu et de syrah, obtient une

**La Corse**

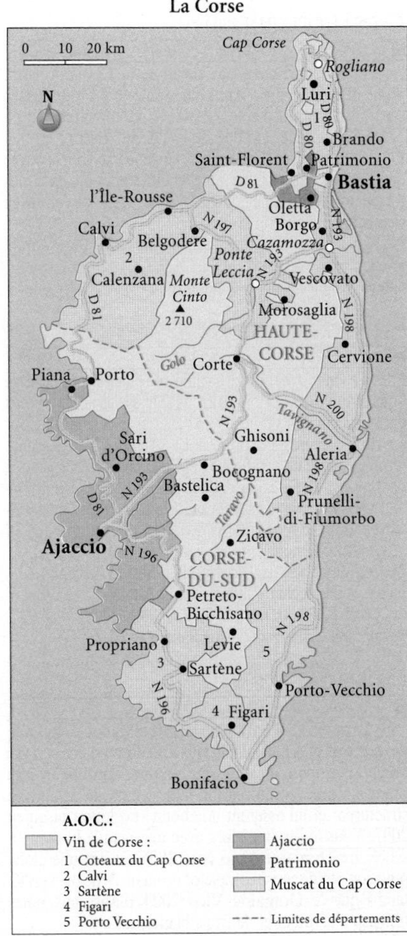

étoile. Encore un peu fermée, mais aux arômes prometteurs d'épices et de sous-bois, elle possède un bon potentiel de garde. Elle gagnera en expression après un passage en carafe, puis sera à son aise avec un carré d'agneau rôti, parfumé au romarin. Cité, le **Domaine Santa Maria Cuvée Emmanuel Casabianca 2003 rouge (5 à 8 €)**, fruité et doux, est à ouvrir dans sa jeunesse.

SCEA du Dom. Casabianca,
Coteaux de Santa Maria, 20230 Bravone,
tél. 04.95.38.96.08, fax 04.95.38.81.91,
e-mail domainecasabianca@wanadoo.fr

## CLOS CULOMBU Calvi Prestige 2004

5 ha 26 000 5 à 8 €

Le domaine se situe dans la commune de Lumio, l'un des plus jolis villages de Balagne, fondé au XVes. Etienne Suzzoni propose ce vin blanc pur et rafraîchissant, alliant puissance et rondeur. Vous l'apprécierez à l'apéritif.

Etienne Suzzoni,
Clos Culombu, chem. San-Petru, 20260 Lumio,
tél. 04.95.60.68.70, fax 04.95.60.63.46,
e-mail culumbu.suzzani@wanadoo.fr r.-v.

## CLOS LUCCIARDI 2004 *

6,94 ha 25 000 8 à 11 €

Pour sa première participation, le Clos Lucciardi, domaine de la région d'Antisanti, dont les vins sont vinifiés séparément par les œnologues de la cave coopérative de la Marana, présente un 2004 de nielluccia. Encore un peu timide, celui-ci laisse deviner des arômes de fruits rouges confits et d'épices. Une palette qui s'enrichit de notes torréfiées et fumées en bouche. A servir d'ici deux ans avec une entrecôte au poivre vert.

Lucciardi, Pianiccione, 20270 Antisanti,
tél. 06.77.07.27.34, fax 04.95.32.20.97,
e-mail clos.lucciardi@wanadoo.fr

## CLOS POGGIALE 2003 *

n.c. 34 000 11 à 15 €

Ce vin rouge sombre décline une palette complexe où l'on retrouve des arômes de fruits rouges, les notes épicées du nielluccia et les touches de violette de la syrah, le tout enveloppé de nuances boisées. La structure bien présente semble encore un peu ferme en finale, mais la persistance des flaveurs est agréable. A décanter pour un plaisir immédiat avec une viande rouge ou à laisser vieillir quelques années pour le redécouvrir aux côtés d'un tournedos en sauce chocolat noir.

Les Vignobles de Terravecchia, Sasterravecchia,
Dom. Terravecchia Tallone, 20270 Aléria,
tél. 04.95.57.20.30, fax 04.95.57.08.98,
e-mail elise.costa@coteauxdediane.com r.-v.

## CLOS SULANA 2004 **

10 ha 30 000 3 à 5 €

Le domaine Vico (83 ha) est le seul vignoble implanté au centre de l'île, non loin du village de Ponte-Leccia. Yves Melleray propose un vin rouge sombre, dont les arômes prennent des accents grillés. Des tanins de qualité le structurent et lui assurent une bonne évolution jusqu'en 2007. Vous le servirez alors avec une viande braisée en sauce. Le **Domaine Vico rosé 2004** obtient une étoile pour son nez de cerise complétée de nuances de pain grillé, tandis que le **Domaine Vico 2004 blanc**, aux notes fraîches d'agrumes et de fruits blancs, est cité.

SCEA Dom. Vico, 20218 Ponte-Leccia,
tél. 04.95.47.61.35, fax 04.95.47.32.04,
e-mail melleray.yves@wanadoo.fr
t.l.j. sf dim. 9h-12h 15h-18h

## DOM. FILIPPI Capo di Terra 2003 *

n.c. 40 000 5 à 8 €

Un vignoble de la région de Bravone, dont les vins sont vinifiés séparément par la coopérative de la Marana. Vous pouvez retrouver les différentes cuvées à la Ruche Foncière dans la commune de Vescovato. Ce 2003 habillé de grenat légèrement tuilé présente des arômes épicés mêlés de fruits cuits. Harmonieux en bouche, il est judicieux de le savourer sans attendre en accompagnement du traditionnel veau corse aux olives. Le **Peragnolo 2003 rouge** est cité pour sa souplesse et ses fines senteurs de fruits mûrs. A découvrir rapidement avec une entrecôte grillée.

Toussaint Filippi, La Ruche Foncière,
20215 Vescovato, tél. 04.95.58.40.80,
fax 04.95.36.40.55, e-mail la-ruche-fonciere@wanadoo.fr
t.l.j. 8h-12h30 14h30-18h

## DOM. FIUMICICOLI Sartène 2004 **

5,5 ha 25 000 5 à 8 €

Félix et Simon Andréani font partie des producteurs incontournables de Corse. Ils proposent un vin blanc d'une grande puissance aromatique : une palette d'agrumes et de fruits blancs complétés par des senteurs exotiques et une pointe de menthol. La longueur en bouche est remarquable, de même que l'équilibre. Un vin à déguster jeune ou à laisser vieillir deux ans en cave. Le **Sartène cuvée Vassilia 2003 rouge (11 à 15 €)** obtient également deux étoiles. Elevé en barrique, il affiche des tanins présents, mais veloutés ; le nielluccia révèle ses arômes épicés, nuancés des touches chocolatées et vanillées du bois. Le **Sartène Domaine Fiumicicoli 2004 rosé** est cité pour son harmonie générale et ses notes marines.

EARL Andréani,
Dom. Fiumicicoli, rte de Levie, 20100 Sartène,
tél. 04.95.76.14.08, fax 04.95.76.24.24 r.-v.

## DOM. DE GRANAJOLO Porto-Vecchio 2004 *

6,11 ha 16 000 3 à 5 €

Le domaine de Granajolo est l'un des précurseurs de la viticulure bio en Corse. Monika Boucher et sa fille Gwenaële, qui gèrent la propriété, font d'année en année progresser le niveau de qualité. Ce rosé pâle à reflets argentés évoque la rose et la cerise au nez, puis se révèle croquant et persistant en bouche. Un tajine de poisson lui conviendra parfaitement. Le **Porto-Vecchio 2004 blanc**

**(5 à 8 €)** devrait révéler sa complexité aromatique aux premiers jours de l'automne et s'allier à un fromage frais de chèvre ou de brebis. Il obtient la même note.
Monika et Gwenaële Boucher,
20144 Sainte-Lucie-de-Porto-Vecchio,
tél. 04.95.70.37.83, fax 04.95.71.57.36,
e-mail granajolo@aol.com
t.l.j. sf dim. 10h-13h 17h-20h; sep.-mai 9h-13h30

DOM. MAESTRACCI Calvi Clos Reginu 2004 ★★

4 ha 20 000 3 à 5 €

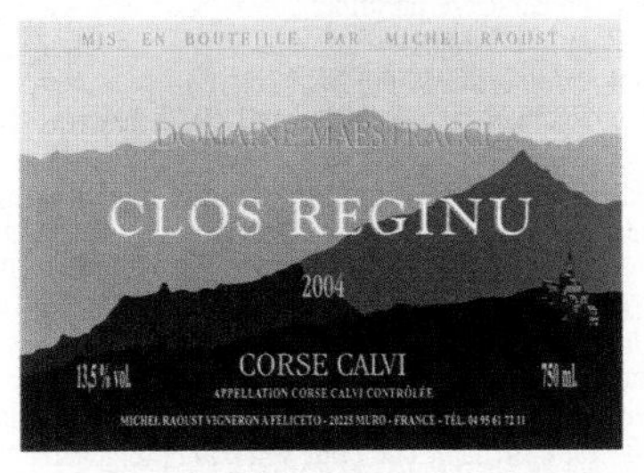


Michel Raoust est un vigneron discret, aimable et attentif à la typicité de ses vins. Son travail lui vaut cette année un remarquable Calvi. Vêtu d'une robe enjôleuse, rouge profond tirant sur le pourpre, celui-ci révèle un caractère de fruits rouges, agrémenté de notes de sous-bois et de tourbe. En bouche, il fait preuve de richesse et de complexité aromatique. Cette harmonie générale autorise une dégustation dès aujourd'hui comme une garde de quelques années. Le **Calvi Clos Reginu 2004 blanc** brille d'une étoile pour sa finesse et son indéniable potentiel de garde. La même note revient au **Calvi E Prove rouge 2002 (5 à 8 €)**, une cuvée expressive (fruits rouges, cuir et café) à déguster dans les trois ans avec un gibier.
Michel Raoust, Clos Reginu, rte de Santa Reparata, 20225 Feliceto, tél. 04.95.61.72.11, fax 04.95.61.80.16,
e-mail clos.reginu@wanadoo.fr
été t.l.j. sf dim. 9h-12h 14h-19h30

DOM. DU MONT SAINT-JEAN 2004 ★★

8 ha 40 000 3 à 5 €

Ce domaine de 95 ha produit un nombre important de vins, mais c'est la cuvée principale qui obtient ici les honneurs. Dans un millésime à « fruits », Roger Pouyau a tiré le meilleur de ses raisins pour offrir un vin d'une grande souplesse, tourné vers les fruits rouges et les épices. Un 2004 à déguster dans sa jeunesse pour profiter du fruité. Deux autres cuvées rouges obtiennent une étoile : le **Castellu Vecchiu 2004 (5 à 8 €)** et le **Santuniolu 2004**. On y retrouve la typicité du niellucciu (épices et fruits rouges) avec une structure un peu plus marquée. A conserver deux ans pour un service sur une queue de bœuf en gelée ou des charcuteries corses.
Dom. du Mont Saint-Jean,
Campo Quercio-Antisanti, BP 19, 20270 Aléria,
tél. 04.95.57.13.21, fax 04.95.38.50.29,
e-mail montstjean@wanadoo.fr r.-v.
Roger Pouyau

DOM. DE MUSOLEU 2004

2 ha 13 000 5 à 8 €

Le domaine de Musoleu se situe au cœur du village de Folelli. Charles Morazzani vous accueillera dans son caveau de dégustation pour vous faire découvrir un rosé très pâle, encore discret au nez, mais qui révèle un fruit de qualité en bouche, puis une finale sur la pierre à fusil. Un joli vin de fin d'été à partager entre amis.
Charles Morazzani, Dom. de Musoleu,
20213 Folelli, tél. 04.95.36.80.12, fax 04.95.36.90.16,
e-mail charles.morazzani@wanadoo.fr
t.l.j. sf dim. 8h30-12h 15h-19h

DOM. DE PETRA BIANCA
Figari Vinti Legna 2003 ★

3 ha 12 000 8 à 11 €

Vinti Legna est la cuvée prestige du domaine. Ce nom désignait autrefois les navires caboteurs qui transportaient le vin dans des foudres de bois. Du bois, ce 2003 rouge n'en manque pas : les arômes issus du cépage sont fortement nuancés de fragrances vanillées et chocolatées. La structure tannique est de qualité. Le **Figari cuvée Vinti Legna blanc 2004 (11 à 15 €)**, lui aussi boisé, obtient la même note grâce à son bon équilibre entre alcool et acidité. Des vins à conserver quelques années en cave avant de les servir en carafe aux côtés d'une entrée à base de crème fraîche pour le blanc et d'une viande en sauce pour le rouge.
Dom. de Petra Bianca, 20114 Figari,
tél. et fax 04.95.71.01.62,
e-mail joel.rossi@worldonline.fr r.-v.

DOM. DE PIANA 2003 ★

n.c. n.c. 5 à 8 €

Ange Poli, créateur du vignoble dans les années 1970, dirige ce domaine, situé dans la commune de Linguizzetta. Ses enfants s'occupent aujourd'hui de la vinification et son épouse de la partie vente directe, en bordure de nationale, à la sortie du hameau de Bravone. Vous y découvrirez ce 2003 légèrement boisé qui affiche des tanins riches et des notes finales de maquis. Assurément de garde, celui-ci se révèlera dans deux ou trois ans. Une fois passé en carafe, il soutiendra sans faillir un coq au vin. Le **rosé 2004**, habillé de clair, est cité pour sa fraîcheur légèrement acidulée. A servir en septembre avec une cuisine exotique ou sud-américaine.
Ange Poli, Linguizzetta, 20230 San-Nicolao,
tél. 04.95.38.86.38, fax 04.95.38.94.71,
e-mail domaine-de-piana@wanadoo.fr r.-v.

CORSE

DOM. PIERETTI
Coteaux du Cap Corse Sélection vieilles vignes 2003 ★

0,75 ha 4 000 8 à 11 €

Le vignoble situé sur la façade est du cap Corse, à quelques kilomètres de Macinaggio, n'est pas facile à mener. Le vent, quasi permanent dans cette région, protège certes des maladies de la vigne, mais il impose un palissage soigneux et des méthodes culturales quelquefois paradoxales. Dans une année très sèche, cette particularité a permis à Lina et Alain Pieretti-Venturi d'élaborer un vin rouge fruité, agrémenté de notes mentholées. Les tanins soyeux et de qualité autorisent une garde moyenne de quatre ou cinq ans. Cette bouteille pourra alors accompagner un gibier ou une viande braisée. Le **rosé 2004 (5 à 8 €)** et le **blanc 2004 (5 à 8 €)** sont cités. Ce dernier, à dominante de noisette, est à tenter avec un gâteau au chocolat.
Lina Pieretti-Venturi, Santa-Severa, 20228 Luri,
tél. et fax 04.95.35.01.03
t.l.j. 10h-13h 16h-20h; du 1er oct. au 31 avr. sur r.-v.

**DOM. RENUCCI** Calvi Cuvée Vignola 2004 *

2 ha 7 000 8 à 11 €

Bernard Renucci et son épouse, à la tête de cette propriété de 17 ha depuis 1991, proposent un Calvi blanc cristallin à reflets argent. D'un abord discret, celui-ci fait preuve de finesse dans ses arômes de tilleul et de fleur d'oranger. L'ampleur de la bouche est notable et l'on imagine sans peine le potentiel de garde de ce vin. Le **Calvi cuvée Vignola rouge 2004**, au nez d'épices (cannelle et poivre blanc), obtient une étoile également. La structure est certes imposante, mais sans agressivité. A déguster avec un levraut au romarin.

Bernard Renucci, 20225 Feliceto,
tél. et fax 04.95.61.71.08
t.l.j. 10h-12h 16h-19h; f. automne-hiver

**RESERVE DU PRESIDENT**
Gris de sciacarellu 2004 *

25 ha 160 000 3 à 5 €

Au bord de la mer se situe l'imposante unité de vinification, d'élevage et de conditionnement de cette coopérative, créée en 1958. Hommage à son président fondateur, la marque Réserve du président se présente sous de nouveaux habillages en 2004. Ce rosé aux senteurs de rhubarbe et de bruyère exprime au palais une dominante mentholée, rehaussée par une vivacité bien marquée. Réservez-le à l'ouverture d'un repas. La **Réserve du président blanc 2004**, issue de vermentino, est citée. Parfumée d'agrumes et de fruits blancs, elle s'associera à un poisson rôti.

Union des Vignerons de l'Ile de Beauté, Padulone, 20270 Aléria, tél. 04.95.57.02.48, fax 04.95.56.15.86, e-mail cavecoopaleria@aol.com r.-v.

**DOM. SAN MARTINU** 2004 **

40 ha 260 000 3 à 5 €

La cave coopérative d'Aghione se trouve à quelques kilomètres au sud d'Aléria. Groupement de producteurs créé en 1975, au sortir de la crise des vins corses, elle s'est dotée d'un équipement technique ultramoderne. Ce rosé de teinte pâle offre une riche palette aromatique, jouant sur les nuances du sciacarellu et du niellucciu qui le composent à parts égales. La bouche puissante et équilibrée n'est pas moins expressive. Le **Clos Milleli rouge 2003** (deux étoiles) aux senteurs de fruits noirs complétés d'épices et de réglisse, et aux tanins fins et longs, ainsi que le **Clos Milleli rosé 2004**, apprécié pour sa fraîcheur et sa persistance (une étoile), ne décevront pas.

Cave coop. d'Aghione,
Samuletto, 20270 Aléria, tél. et fax 04.95.56.61.27,
e-mail coop.aghione.samuletto@wanadoo.fr r.-v.

**DOM. SAN MICHELI** Sartène 2004 *

1,6 ha 8 000 5 à 8 €

Si vous partez en vacances dans la région sartenaise, pourquoi ne pas séjourner dans le gîte rural de ce domaine. Vous en profiterez pour découvrir ce vin de teinte jaune à reflets verts qui développe des notes de fruits blancs comme la poire et la pêche de vigne. Son équilibre plutôt léger et son caractère rafraîchissant en font une bouteille tout indiquée à l'apéritif ou pour accompagner un dessert au chocolat doux.

EARL Dom. San Michele,
24, rue Jean-Jaurès, 20100 Sartène,
tél. 04.95.77.06.38, fax 04.95.73.15.75 r.-v.
Jean-Paul Phelip

**SANT'ANTONE** 2004 **

40 ha 240 000 3 à 5 €

La Cave de Saint-Antoine, située à l'entrée de la commune de Ghisonaccia, est une petite structure représentant 350 ha de vignes. Son 2004 d'un rouge intense exprime des arômes de cassis et de cuir, complétés d'une pointe de café et de tabac. Une palette complexe que l'on retrouve en bouche, soutenue par une structure souple. Une note de mûre sauvage paraphe la dégustation. Ce vin moderne est à servir dès aujourd'hui avec un plat léger qui respecte son expression aromatique. Le **rosé 2004** est cité pour son caractère parfumé.

Coop. de Saint-Antoine,
Saint-Antoine, 20240 Ghisonaccia,
tél. 04.95.56.61.00, fax 04.95.56.61.60 r.-v.

**DOM. SANT'ARMETTU** Sartène 2003

8 ha 40 000 5 à 8 €

Fondé par Paul Seroin en 1964, ce domaine dispose de sa propre structure de vinification depuis neuf ans. Son 2003, paré d'une robe rubis profond, s'ouvre sur des arômes de fruits cuits, puis offre une structure légère qui invite à une dégustation immédiate. Le **Sartène blanc 2004** est également cité pour son équilibre général et sa typicité aromatique : citron vert et pamplemousse. Un vin destiné à l'apéritif ou à un poisson grillé.

EARL San'Armetto, Les Cannes, 20113 Olmeto,
tél. 04.95.76.05.18, fax 04.95.76.24.47,
e-mail santarmettu@wanadoo.fr
t.l.j. sf sam. dim. 8h-12h 13h-18h
Paul et Gilles Seroin

**DOM. SAPARALE** Sartène Casteddu 2003 ***

2,5 ha 15 000 8 à 11 €

A la fin du XIXe s. déjà, cette propriété était considérée comme l'un des fleurons de la viticulture en Corse, Philippe Farinelli, à sa tête depuis 1998, a su maintenir sa renommée. Tout en finesse, dans le respect du cépage niellucciu, ce vin rouge offre une palette fruitée complexe de cassis et de framboise, nuancée d'un agréable boisé, de chocolat et de café. Son excellente constitution tannique lui permettra de patienter en cave quatre ou cinq ans. Le **Sartène Casteddu rosé 2004** n'est pas en reste ; joliment coloré, parfumé de fruits rouges et d'épices, croquant en bouche, long et rafraîchissant, il obtient la même note. A servir sur un poisson de roche grillé. Le **Sartène Domaine Saparale rosé 2004 (5 à 8 €)**, fruité et léger, reçoit une étoile.

Philippe Farinelli,
5, cours Bonaparte, 20100 Sartène,
tél. 04.95.77.15.52, fax 04.95.73.43.08 r.-v.

**DOM. DE TANELLA**
Figari Cuvée Alexandra Prestige 2004 *

5 ha n.c. 8 à 11 €

Jean-Baptiste de Peretti della Rocca nomme ses cuvées du nom de ses enfants. Alexandra, tout en fragrances de citron et de myrte, possède un réel équilibre et fait preuve de finesse. Elle appréciera un court séjour en cave pour être servie au moment de Noël en accompagnement d'un homard ou d'une langouste. le **Figari Le Clos Marc-Aurèle rosé 2004 (5 à 8 €)** (du prénom du dernier-né) obtient une étoile pour sa teinte vive à reflets violines comme pour ses notes de poivre gris mêlés de rose et de framboise. Son équilibre le destine à l'apéritif, mais une viande blanche grillée fera aussi bel effet. Seulement 7 000 bouteilles ont été produites : il faudra faire vite.

Jean-Baptiste de Peretti della Rocca,
Dom. de Tanella, 20114 Figari,
tél. 04.95.70.46.23, fax 04.95.70.54.40,
e-mail tanella@wanadoo.fr ☑ Y ✝ r.-v.

### TERRA NOSTRA 2004

■ 64 ha 300 000 5 à 8 €

La cave coopérative de la Marana et sa structure commerciale, l'Union des vignerons associés du Levant, se sont dotées d'un outil technique ultramoderne. Ainsi est né ce 2004 orienté vers le fruit et prêt à être servi grâce à sa structure légère. Proposez-le avec des viandes grillées ou des poissons en sauce épicée. Le **Terra Nostra rosé 2004**, aux arômes de fraise, de framboise et de bonbon anglais, est assez structuré pour accompagner une salade sucrée-salée. Il est cité.

Les Vignerons Corsicans Uval, Rasignani,
20290 Borgo, tél. 04.95.58.44.00, fax 04.95.38.38.10,
e-mail uval.sica@corsicanwines.com
☑ t.l.j. sf dim. 9h-12h 15h-19h

### DOM. DE TORRACCIA Porto-Vecchio 2004 *

9 ha 20 000 5 à 8 €

Christian Imbert, fidèle au poste, défend avec passion la viticulture corse. Ce vin caractéristique du vermentinu affiche une teinte cristalline à reflets verts. Il évoque le cédrat et la fleur de citronnier, puis offre une bouche pleine et harmonieuse, dotée de la légère pointe d'amertume si typique du cépage en finale. Pour un plus grand plaisir, mariez-le à un beaufort fermier. Le **Porto-Vecchio rosé 2004** est cité pour sa fraîcheur et sa légèreté.

Christian Imbert, Dom. de Torraccia, 20137 Lecci,
tél. 04.95.71.43.50, fax 04.95.71.50.03
☑ Y ✝ t.l.j. sf dim. 8h-12h 14h-18h

# Ajaccio

Les vignes de l'appellation ajaccio couvrent 239 ha sur les collines bordant, dans un rayon de quelques dizaines de kilomètres, le chef-lieu de la Corse du Sud et son illustre golfe, sur des terrains en général granitiques, avec une dominante du cépage sciacarellu pour les rouges et les rosés. La production est d'environ 7 000 hl, ce qui représente 6 % de la production d'AOC de la Corse. Les rouges, que l'on peut laisser vieillir selon les millésimes, sont majoritaires à 54 %, tandis que les vins blancs ne représentent que 12 % de l'appellation.

### ABBATUCCI Cuvée Faustine 2003 *

■ 5 ha 12 000 8 à 11 €

A la tête de la propriété depuis 1995, Jean-Charles Abbatucci est passionné de nature et d'agriculture respectueuse de l'environnement. Conscient que nous empruntons la terre à nos enfants, il emploie chaque jour de sa vie à mettre en pratique ce à quoi il croit : l'harmonie avec dame Nature. En biodynamie depuis cinq ans, il est intarissable sur les bienfaits de cette approche de l'agriculture. Ce 2003 est un assemblage de sciacarellu et de vieux carignan, cépage qui lui confère sa couleur rubis intense. La bouche charpentée mais ronde révèle des saveurs épicées et une typicité ajaccienne marquée. Le **2004 rosé** est cité. A servir très frais sur des légumes grillés.

Jean-Charles Abbatucci,
lieu-dit Chiesale, 20140 Casalabriva,
tél. 04.95.74.04.55, fax 04.95.74.26.39,
e-mail domaine-abbatucci@infonie.fr ☑ Y r.-v.

### CLOS CAPITORO 2003 **

■ 28 ha 130 000 8 à 11 €

Si vous ne connaissez pas encore le Clos Capitoro, il n'est pas trop tard pour bien faire ; cette année est propice à sa découverte. Le vignoble de Jacques Bianchetti couvre des coteaux argilo-siliceux bien exposés. Un 2003 typique vous attend au caveau de dégustation. Rubis à reflets grenat, il satisfera l'amateur de sciacarellu par ses arômes épicés et ses tanins soyeux. Déjà délicieux, il est aussi capable d'une petite garde. Le **2004 rosé** obtient une étoile (50 000 bouteilles sérigraphiées). Typé sciacarellu, il accompagnera viandes et poissons grillés. Le **2004 blanc**, issu exclusivement de vermentinu, est expressif et joyeux. Servez-le très frais. Une citation.

Jacques Bianchetti, Clos Capitoro,
Pisciatella, 20166 Porticcio, tél. 04.95.25.19.61,
fax 04.95.25.19.33, e-mail info@clos-capitoro.com
☑ Y ✝ t.l.j. sf dim. 8h-12h 14h-18h

### CLOS D'ALZETO 2004 **

15 ha 60 000 5 à 8 €

Situé à l'extrémité ouest de l'aire d'appellation, à 500 m d'altitude, le Clos d'Alzeto s'est transmis de père en fils depuis 1820. Pascal Albertini travaille depuis quelques années avec ses enfants. Tenue impeccable pour ce rosé d'un bon potentiel aromatique : fruits exotiques et fleurs (rose églantine). En bouche, il se développe avec ampleur, à la fois suave et frais, floral et fruité. Le roi des arômes ! Le **2001 rouge**, complexe et mûr, exprime remarquablement le caractère du sciacarellu (assemblé à 20 % de nielluciu et à 20 % de grenache). Il brille également de deux étoiles. Découvrez-le dès maintenant en accompagnement de viandes rouges grillées ou attendez-le trois-quatre ans pour un mariage avec un gibier. Le **2004 blanc**, floral et bien typé vermentinu, obtient une étoile.

Pascal Albertini, Clos d'Alzeto, 20151 Sari-d'Orcino,
tél. 04.95.52.24.67, fax 04.95.52.27.27,
e-mail contact@closdalzeto.com
☑ Y ✝ t.l.j. sf dim. 8h-12h 14h-18h

### CLOS ORNASCA 2003 *

■ 3,88 ha 22 600 5 à 8 €

Le Clos Ornasca fête cette année ses dix ans. Une pensée particulière pour Vincent Tola, son fondateur, disparu en 2001. Laetitia Tola, sa fille, conduit désormais avec son compagnon Jean-Antoine Manenti ce petit domaine de 10 ha d'un seul tenant, autour d'une cave bien équipée. Son 2003 issu de 80 % de sciacarellu et de 20 % de nielluciu dévoile des fragrances épicées discrètes au nez, puis plus intenses et persistantes au palais. Un vin à servir dès à présent en accompagnement d'un pigeon et de pancetta. Le **2004 rosé** est cité pour sa typicité et ses qualités aromatiques.

Tola, Clos Ornasca, Eccica Suarella, 20117 Cauro, tél. 04.95.25.09.07, fax 04.95.25.96.05, e-mail earl-clos-ornasca@wanadoo.fr r.-v.

## DOM. COMTE PERALDI 2004 **

n.c. n.c. 8 à 11 €

Situé non loin de la cité impériale, le domaine d'un seul tenant est au cœur de l'appellation. Guy Tyrel de Poix propose cette année une trilogie d'excellent niveau. Ce 100 % vermentinu offre un nez expressif de fleurs blanches et de fruits exotiques, puis une bouche ronde, équilibrée et typée. Le **2004 rosé**, élaboré à partir de 70 % de sciacarellu, obtient une étoile : sous une couleur saumonée, il révèle un profil épicé qui s'accordera à un carpaccio de prizuttu (jambon sec). La même note est attribuée au **2004 rouge**, vin de caractère, très typé par le sciacarellu, élevé six mois en fût de chêne. Laissez-lui encore un peu de temps pour dévoiler toute son expression.

Guy Tyrel de Poix, chem. du Stiletto, 20167 Mezzavia, tél. 04.95.22.37.30, fax 04.95.20.92.91 t.l.j. sf dim. 8h-12h 14h-18h

## DOM. DE PIETRELLA 2004 **

3 ha 10 000 5 à 8 €

Toussaint Tirroloni peut être fier du travail accompli depuis 1989. Son rosé, couleur saumon pâle, exprime tous les arômes du sciacarellu. De la personnalité, une grande finesse et de l'équilibre en font un vin à déguster très frais à l'apéritif. Le **2003 rouge**, aux senteurs épicées et réglissées, se montre puissant, rond et expressif. Il obtient une étoile. Cité, le **2004 blanc** est assez complexe en bouche.

Toussaint Tirroloni, Dom. de Pietrella, 20117 Cauro, tél. 04.95.25.19.19, fax 04.95.25.34.26 r.-v.

## DOM. DE PRATAVONE 2004 **

6 ha 25 000 5 à 8 €

Le domaine de 32 ha se trouve à 8 km à peine de Porto-Polo, non loin du site préhistorique de Filitosa. Jean Courrèges le créa à son retour d'Algérie, en 1964. A sa tête depuis 2001, sa fille Isabelle n'a eu de cesse d'améliorer la qualité des vins comme en témoigne ce rosé typique de l'appellation. Une robe légère, des parfums floraux, légèrement minéraux, un caractère épicé en bouche qui souligne les flaveurs de groseille et de rose : l'ensemble est remarquable. Le **2004 blanc**, 100 % vermentinu, obtient une étoile pour ses arômes de fruits exotiques (mangue, fruit de la Passion, banane). La même note revient au **2002 rouge**, fruit d'un assemblage de 60 % de sciacarellu et de 40 % de grenache : léger, ce vin fait la part belle aux arômes épicés et minéraux typiques.

Jean et Isabelle Courrèges, Dom. de Pratavone, 20123 Cognocoli-Monticchi, tél. 04.95.24.34.11, fax 04.95.24.34.74 r.-v.

## DOM. DE LA SORBA 2003 **

5 ha 13 000 5 à 8 €

Sur la route du Finosello, ce domaine s'étend sur 25 ha. La deuxième présentation de ses vins au Guide confirme la qualité du travail réalisé. Ce 2003 rubis brillant comme une pierre taillée possède un nez complexe et puissant. La bouche généreuse s'appuie sur une charpente qui s'affine de jour en jour. Un vin d'une typicité remarquable. Le **2004 rosé**, à dominante de sciacarellu, est de même niveau (deux étoiles). Légèrement saumoné, il présente une excellente intensité aromatique : fleurs blanches et épices au nez, fruits rouges en bouche. De l'élégance.

Louis Musso, Dom. de La Sorba, rte du Finosello, 20090 Ajaccio, tél. et fax 04.95.23.38.26, e-mail domainelasorba@wanadoo.fr

## DOM. DE VACCELLI Réserve 2001 *

0,43 ha 2 000 8 à 11 €

Créé en 1964, le domaine s'étend sur 28 ha d'arènes granitiques. Le sciacarellu est majoritairement présent dans le vignoble dont les ceps sont âgés de vingt-cinq ans en moyenne. Alain Courrèges associé à son fils Gérard est devenu au fil des années un habitué du Guide, notamment grâce à ses vins rouges élaborées en petit volume. Cette cuvée Réserve marie harmonieusement le boisé hérité de neuf mois de fût avec un fruité typique du sciacarellu. Sa structure autorise encore une garde d'un an ou deux. La cuvée **Sélection 2002 rouge (5 à 8 €)**, obtient la même note. Notez son excellent rapport qualité-prix. Confidentielle, la cuvée **Sélection 2004 blanc (5 à 8 €)** est citée.

EARL Dom. Alain Courrèges, Ld Aja Donica, 20123 Cognocoli-Monticchi, tél. 04.95.24.35.54, fax 04.95.24.38.07, e-mail vaccelli@aol.com r.-v.

# Patrimonio

La petite enclave (420 ha en production) de terrains calcaires, qui, depuis le golfe de Saint-Florent, se développe vers l'est et surtout vers le sud, présente vraiment les caractères d'un cru bien homogène dans lequel l'encépagement, s'il est bien adapté, permet d'obtenir des vins de très haut niveau. Ce sont le nielluccіu à 90 % en rouge et le vermentino à 100 % en blanc qui donnent des produits très typés et d'excellente qualité. Selon les millésimes, les rouges peuvent être somptueux et de très longue garde. La production se répartie en moyenne entre 50 % de rouges, 18 % de blancs et 32 % de rosés.

## DOM. ALISO-ROSSI Réserve du Domaine 2003 *

1 ha 5 000 8 à 11 €

Dominique Rossi fait partie des vignerons de l'appellation que l'on a plaisir à rencontrer. Si vous le croisez

dans son caveau de vente de Saint-Florent, il vous parlera de sa passion pour les artistes locaux, dont il expose régulièrement les œuvres, et bien sûr de ses vins. Habillé de grenat à reflets légèrement tuilés, ce 2003 possède une structure souple. Une autre manière d'exprimer le caractère du cépage nielluccìu. Il faudra le déguster sans attendre, avec une côte de veau grillée au romarin.
Dom. Aliso-Rossi,
hameau Corsu, 20246 Santo-Pietro-di-Tenda,
tél. 04.95.37.14.28, fax 04.95.37.71.80
r.-v.
Dominique Rossi

## DOM. NAPOLEON BRIZI 2004 *

| 3 ha | 13 000 | 5 à 8 € |
|---|---|---|

Le domaine Brizi, fort de 12 ha, fait partie des propriétés historiques de l'appellation patrimonio. Une visite au caveau, situé sur la route de Saint-Florent, non loin de la mer, vous permettra de découvrir deux vins très réussis (une étoile). Ce rosé pâle, aux arômes amyliques et fruités (cassis), se montre chaleureux en bouche. Réservez-le au repas, à un couscous de poisson, par exemple. Le **rouge 2003**, à la robe claire, offre une matière veloutée, sans concentration excessive, ainsi qu'une palette de cassis et de mûre sauvage. A servir dans les deux ans en accompagnement d'une viande grillée ou d'un fromage léger.
Napoléon Brizi, 20217 Saint-Florent,
tél. et fax 04.95.37.08.26 r.-v.

## DOM. DE CATARELLI 2004 *

| 3 ha | 12 000 | 5 à 8 € |
|---|---|---|

Vous trouverez aisément ce domaine de 10 ha à la sortie de Patrimonio, côté mer, en empruntant la route ouest du cap Corse. Laurent Le Stunff, cheveux en brosse, le sourire chaleureux, vous invitera à découvrir ce 100 % vermentinu aux notes de citron confit et de cédrat. Timide encore, mais agréablement frais, il sera apprécié lors des premiers frimas de décembre et pourquoi pas aux côtés d'un crustacé au réveillon de Noël. Gardez quelques bouteilles en cave pour les deux ans à venir. Le **rosé 2004**, de couleur claire, est cité : sa vivacité s'accordera aux saveurs d'un tajine de poulet.
EARL Dom. de Catarelli,
marine de Farinole, rte de Nonza, 20253 Patrimonio,
tél. 04.95.37.02.84, fax 04.95.37.18.72
t.l.j. sf dim. 9h-12h 15h-19h; f. nov.-mars

## CLOS CLEMENTI 2003 *

| 5 ha | 7 000 | 5 à 8 € |
|---|---|---|

Le clos Clementi fait son entrée dans le Guide. Le vignoble, créé en 1936 par Antoine Clementi, s'est transmis de père en fils. Antoine et Jean-Pierre Clementi sont aujourd'hui aux commandes. Des arômes complexes de pain grillé, de cacao et de raisins secs se libèrent de ce 2003 dont la structure, encore un peu austère, laisse présager un avenir favorable. Soyez rapide dans un premier temps – seulement 7 000 bouteilles sont à votre disposition –, patient dans un second, pour permettre au vin d'atteindre sa maturité. Dans deux ou trois ans, vous le servirez avec une viande en sauce. Succès garanti. Le **rosé 2004** est cité pour sa couleur seyante et son harmonie générale.
Jean-Pierre Clementi, 20232 Poggio-d'Oletta,
tél. 06.88.06.74.02, fax 04.95.35.32.19 r.-v.

## CLOS DE BERNARDI 2004

| 3 ha | 10 000 | 8 à 11 € |
|---|---|---|

Ce caveau est l'un des plus jolis de Patrimonio. Situé au cœur du village, en remontant sur Bastia, vous y serez accueilli par Jean-Laurent de Bernardi qui vous proposera cet élégant rosé. Le bouquet floral et fruité se prolonge au palais comme pour souligner le bon équilibre. A quand votre prochain repas entre amis ?
Jean-Laurent de Bernardi, 20253 Patrimonio,
tél. 04.95.37.01.09, fax 04.95.32.07.66
t.l.j. 9h-12h 14h-19h

## CLOS SIGNADORE 2003 **

| 6,5 ha | n.c. | 11 à 15 € |
|---|---|---|

Christophe Ferrandis, jeune vigneron, a repris cette propriété en 2001. S'il utilise aujourd'hui les installations techniques de son ami et voisin, il disposera de sa propre cave pour la récolte 2006. Le nielluccìu révèle toutes ses qualités dans ce vin grenat profond, remarquablement long, ouvert sur des notes de fruits cuits, de cuir et de café. La trame tannique soyeuse assurera une garde de deux ans. Accordez cette bouteille à une daube de marcassin ou à un fromage de brebis. Le **rosé 2004 (8 à 11 €)** brille d'une étoile. Structuré, chaleureux et fruité (cassis), il se mariera à des tapas comme à des sushis.
Christophe Ferrandis, Clos Signadore,
lieu-dit Morta-Piana, 20232 Poggio-d'Oletta,
tél. 06.15.18.29.81, fax 04.95.37.69.68,
e-mail christopheferrandis@wanadoo.fr r.-v.

## CLOS TEDDI 2004 *

| 3,1 ha | 10 700 | 5 à 8 € |
|---|---|---|

Il faut un bon véhicule pour se rendre au Clos Teddi car il faut emprunter quelques kilomètres de piste qui démarrent de la route des Agriates, juste après le hameau de Casta. A votre arrivée, vous serez récompensé par un charmant domaine et une vigneronne fière de son terroir, hérité de son père au milieu des années 1990. Marie-Brigitte Poli-Juillard présente un 2004 typé par le vermentinu : bouquet de fleurs blanches et corbeille d'agrumes, bouche longue et soyeuse, pointe d'amertume en finale. Un vin à marier avec un denti grillé au feu de bois. Le **rosé 2004** est cité.
Marie-Brigitte Poli-Juillard,
hameau de Casta, 20217 Saint-Florent,
tél. 06.10.84.11.73, fax 04.95.37.24.07 r.-v.

## DOM. GENTILE Grande Expression 2003 *

| 3 ha | 15 000 | 15 à 23 € |
|---|---|---|

Un rubis pâle habille ce 100 % nielluccìu. Rappelons que dans le millésime 2003, la matière colorante était peu stable. Le jury a été unanime sur la qualité de la palette aromatique, soulignée de touches balsamiques : le nielluccìu exprime ses notes épicées typiques. En bouche le côté terroir se manifeste, avec des tanins marqués en finale, signe d'un bon potentiel de garde. A réserver à une daube de sanglier.
Dom. Dominique et Jean-Paul Gentile,
Olzo, 20217 Saint-Florent, tél. 04.95.37.01.54,
fax 04.95.37.16.69, e-mail domaine.gentile@wanadoo.fr
t.l.j. sf dim. 9h-12h 14h-19h; hors saison sur r.-v.

## DOM. GIACOMETTI Cru des Agriates 2004 **

| 3,5 ha | 6 600 | 5 à 8 € |
|---|---|---|

Au cœur des Agriates, dans un contexte géographique difficile, Christian Giacometti conduit un vignoble de

CORSE

33 ha avec l'aide de son épouse Corinne. Il obtient un coup de cœur grâce à ce vin de couleur claire et brillante. Au nez complexe de miel d'acacia et d'ananas répond une bouche ample, tout aussi généreuse en flaveurs miellées et d'une longueur remarquable. La production étant faible, dépêchez-vous d'acquérir quelques bouteilles que vous réserverez à un apéritif ou à un fromage doux. Le **cru des Agriates rosé 2004**, franc et équilibré, sera apprécié avec une viande blanche grillée. Il est cité.

Christian Giacometti, Casta, 20217 Saint-Florent,
tél. 04.95.37.00.72, fax 04.95.37.19.49 r.-v.

## DOM. GIUDICELLI 2004 ★★★

■ 1,01 ha 6 700 8 à 11 €

Installée en 1997 dans la commune de Poggio-d'Oletta, Muriel Giudicelli a recréé un vignoble, construit une cave ultramoderne et, sur les conseils d'amis vignerons de Patrimonio, s'est formée à l'œnologie de terrain. Courageuse, elle a renoncé à produire des vins dans le millésime 2002, le jugeant trop peu qualitatif. 2004 ? Elle y a cru, avec raison. Ce rosé, finaliste au grand jury, en témoigne. De couleur claire attrayante, il décline une palette complexe allant du chèvrefeuille à la mangue confite et à la pêche blanche. En bouche, cette complexité est mise en valeur par l'équilibre parfait entre l'alcool et la fraîcheur. Un rosé d'une persistance notable, destiné aux plats de poisson.

Muriel Giudicelli, 5, bd Auguste-Gaudin,
20200 Bastia, tél. et fax 04.95.35.62.31,
e-mail muriel.giudicelli@wanadoo.fr r.-v.

## DOM. LAZZARINI 2004 ★★

■ 10 ha 52 000 5 à 8 €

Le domaine se compose de trois grandes unités parcellaires. Une, en coteau, dans la commune de Farinole, une autre dans la commune de Patrimonio et la dernière, plus éloignée, dans la commune de Casta, à l'orée du désert des Agriates. Les frères Lazzarini, sourire aux lèvres, toujours prêts au bon mot, se distinguent grâce à ce vin d'un joli rose miroitant de reflets saumonés. On reste sous le charme de ses arômes persistants de fruits rouges (groseille) et de fruits blancs (abricot) comme de sa fraîcheur. Un rosé d'apéritif pour les fins d'après-midi décontractées après la plage. Le **2004 blanc**, aux notes de pomme Granny-Smith, obtient une étoile. Sa vivacité appelle quelques mois de garde avant un service avec une daurade en croûte de sel. La même note revient au **2003 rouge** qui décline des touches de réglisse et de menthol ; le soyeux des tanins autorise une consommation immédiate, en accompagnement d'un fromage à pâte cuite.

GAEC Lazzarini, 20253 Patrimonio,
tél. 04.95.37.18.61 t.l.j. 8h-19h

## DOM. LECCIA 2004 ★★

■ 2,6 ha 15 000 11 à 15 €

Annette Leccia, associée jusqu'alors à son frère Yves, fait désormais cavalière seule à la tête du domaine. Elle conserve une partie du vignoble ainsi que l'unité de vinification, et fait appel à un œnologue insulaire. L'an dernier, le 2003 blanc avait reçu un coup de cœur ; le 2004 se place au même niveau. De teinte claire à reflets verts, il libère des fragrances de fruits blancs à pépins, poire et pomme, ainsi que des notes de litchi et de pamplemousse. L'équilibre en bouche est parfait : rondeur sans lourdeur, fraîcheur sans agressivité. L'amateur pourra consommer ce vin jeune ou le garder en cave pour apprécier des arômes plus profonds d'encaustique et de fruits secs. Le **rouge 2003 (8 à 11 €)**, aux tanins encore un peu vifs, se distingue par sa couleur rubis profond et sa complexité aromatique ; les notes torréfiées dues à un millésime extrêmement chaud se mêlent à des touches de fruits rouges et de cannelle. Il accompagnera dans deux ou trois ans une côte de bœuf au gril.

Annette Leccia, lieu-dit Morta-Piana,
20232 Poggio-d'Oletta, tél. 04.95.37.11.35,
fax 04.95.37.17.03, e-mail domaine.leccia@wanadoo.fr
t.l.j. sf dim. 9h-12h 15h-18h

## LOUIS MONTEMAGNI 2004 ★★

■ 1,6 ha 10 500 5 à 8 €

Le domaine Montemagni est l'un des plus importants vignobles de l'appellation. Ce remarquable vin, sous une teinte pâle à reflets verts, révèle de discrets arômes d'agrumes et de tilleul, puis se développe avec rondeur et persistance. Pour une viande blanche rôtie. Le **rosé 2004 (3 à 5 €)** obtient une étoile pour ses parfums de fraise des bois et de framboise, son élégance en bouche et ses flaveurs de fleur de pêcher. Aromatique et fine, la **cuvée Prestige du Menhir blanc 2004** (dont le nom fait référence aux menhirs trônant sur le théâtre de verdure de la commune) est également retenue avec une étoile. Il en va de même de la **cuvée Prestige du Menhir rouge 2003**, plutôt souple et aux arômes intenses de fruits rouges.

SCEA Montemagni, Puccinasca, 20253 Patrimonio,
tél. 04.95.37.14.46, fax 04.95.37.17.15 r.-v.

## ORENGA DE GAFFORY
Cuvée des Gouverneurs 2003 ★★

■ 2,5 ha 8 200 8 à 11 €

Henri Orenga de Gaffory, amateur d'art contemporain dont il se fait souvent le mécène, aime également les vins modernes. Il en fait la démonstration avec ce 2004 qui exprime remarquablement la complexité du vermentinu alliée aux notes de pain et de noisette grillés héritées de la vinification et des six mois d'élevage en barrique. Un vin puissant qui s'exprimera au mieux en 2006. Brillant d'une étoile, le **rosé 2004 (5 à 8 €)**, d'un joli rose pâle, est ouvert sur les fruits rouges nuancés de touches exotiques. Goûtez-le en accompagnement d'un carré d'agneau corse aux herbes du maquis. La même note est attribuée à la **cuvée Felice rouge 2003**, légèrement épicée. Encore sur ses jeunes tanins de niellucciu, elle se révèlera au cours de deux ans de garde.

GFA Orenga de Gaffory,
Morta-Majo, 20253 Patrimonio,
tél. 04.95.37.45.00, fax 04.95.37.14.25,
e-mail orenga.de.gaffory@wanadoo.fr ☑ Y ⚘ r.-v.

### DOM. PASTRICCIOLA 2004

3,5 ha 15 000 5 à 8 €

Les trois sympathiques associés de ce domaine auront à cœur de vous recevoir dans leur caveau situé sur la route allant de Patrimonio à Saint-Florent. Vous y dégusterez ce 2004 fringant, tout en nuances de fruits rouges et d'épices. De retour chez vous, vous le servirez avec une salade exotique. Le **2003 rouge** est également cité : parfumé de fruits cuits, d'épices et de kirsch, il se montre très rond en bouche. Vous le savourerez sans attendre en accompagnement d'un fromage léger.

GAEC Pastricciola, rte de Saint-Florent,
20253 Patrimonio, tél. 04.95.37.18.31,
fax 04.95.37.08.83 ☑ Y ⚘ t.l.j. 9h-19h; f. nov.

### DOM. SAN QUILICO 2004 ★

6,28 ha 20 000 5 à 8 €

Henri Orenga est copropriétaire de ce domaine de 35 ha d'un seul tenant, situé dans la commune de Poggio-d'Oletta. Au centre du vignoble se trouve un magnifique corps de ferme. Ce 2004 limpide exprime toute la richesse du cépage par ses arômes de fleurs blanches et d'agrumes comme par sa bouche friande, d'une belle longueur. Attendez-le quelques mois encore, mais si vous n'en avez pas la patience, servez-le à l'apéritif, accompagné de morceaux de comté. Le **rosé 2004**, lui aussi noté une étoile, se distingue par son fruité (cassis) et sa légère fraîcheur. Une bouteille à servir au déjeuner, aux côtés de filets de rougets grillés à l'huile d'olive.

EARL Dom. San Quilico,
Morta-Majo, 20253 Patrimonio,
tél. 04.95.37.45.00, fax 04.95.37.14.25 ☑ Y ⚘ r.-v.

# Les vins doux naturels de la Corse

## Muscat-du-cap-corse

L'appellation muscat-du-cap-corse a été reconnue par décret en date du 26 mars 1993. C'est l'aboutissement des longs efforts d'une poignée de vignerons regroupés sur les terroirs calcaires de Patrimonio et ceux, schisteux, de l'AOC vins-de-corse coteaux-du-cap-corse, soit 17 communes de l'extrême nord de l'île couvrant 105 ha.

Les vins élaborés à partir de muscat blanc à petits grains répondent aux conditions de production des vins doux naturels, mariage du raisin avec une eau-de-vie de vin, principe du mutage qui, appliqué en pleine fermentation sur le raisin muscat, arrête celle-ci et préserve ainsi au moins 95 g/l de sucres résiduels. Ce sont de délicieux vins très frais qui pourraient être servis lors des cocktails avec des canapés de foie gras ou de fromage et des salades de fruits.

### CASA ANGELI 2004 ★★

0,75 ha 1 000 11 à 15 €

Un tout petit vignoble de 1 ha au pied du village de Rogliano à la pointe du cap Corse. Un jeune vigneron et une première vinification... Belle récompense pour Antoine Angeli qui se retrouve promu ambassadeur des muscat-du-cap-corse. Son vin habillé d'or développe d'in-

tenses arômes muscatés, nuancés de notes d'agrumes et de fruits confits. Remarquablement équilibré au palais, il est tout indiqué pour accompagner un foie gras truffé ou un parfait au chocolat.

Antoine Angeli,
lieu-dit Stoppione, 20248 Tomino,
tél. 06.76.99.15.36, fax 04.95.32.07.79 ☑ Y r.-v.

### CLOS DE BERNARDI 2004

1,5 ha 4 000 11 à 15 €

Jean-Laurent de Bernardi, dont le père fut à l'origine de l'appellation patrimonio, conduit depuis 1981 ce domaine créé à la fin du XIX[e]s. Traditionnel, son muscat est bien marqué par le cépage. Quelques notes empyreumatiques accompagnent son expression harmonieuse. Une viande blanche, grillée ou en sauce, conviendra à cette bouteille.

Jean-Laurent de Bernardi, 20253 Patrimonio,
tél. 04.95.37.01.09, fax 04.95.32.07.66
☑ Y ⚘ t.l.j. 9h-12h 14h-19h

DOM. GENTILE 2004 *

| | 4,5 ha | 16 000 | 11 à 15 € |
|---|---|---|---|

Dominique Gentile et Jean-Paul, son fils, apportent un soin particulier à leur muscat-du-cap-corse grâce à une unité technique performante. Le jury a apprécié les arômes d'agrumes et plus particulièrement d'orange confite de ce 2004. Encore marqué par la présence de l'alcool, celui-ci révèlera toute sa richesse dans deux ou trois ans. Un dessert orange-chocolat lui ira tout naturellement.

Dom. Dominique et Jean-Paul Gentile, Olzo, 20217 Saint-Florent, tél. 04.95.37.01.54, fax 04.95.37.16.69, e-mail domaine.gentile@wanadoo.fr t.l.j. sf dim. 9h-12h 14h-19h; hors saison sur r.-v.

DOM. GIUDICELLI 2004 *

| | 5,17 ha | 11 466 | 11 à 15 € |
|---|---|---|---|

Lorsque Muriel Giudicelli la reprit en 1997, cette propriété était essentiellement plantée de muscat à petits grains, dont certaines parcelles étaient très anciennes. La cave fut équipée de manière à vinifier au mieux ce cépage quelquefois difficile. 2004 lui apporte satisfaction. Un vin or pâle, riche de fragrances d'abricot et de menthol, que vous apprécierez à l'apéritif.

Muriel Giudicelli, 5, bd Auguste-Gaudin, 20200 Bastia, tél. et fax 04.95.35.62.31, e-mail muriel.giudicelli@wanadoo.fr r.-v.

DOM. MONTEMAGNI
Cuvée Prestige du Menhir 2004

| | 3 ha | n.c. | 11 à 15 € |
|---|---|---|---|

Louis Montemagni, sympathique et convivial vigneron, secondé par sa jeune œnologue Aurélie Melleray, propose un muscat encore un peu timide. D'une couleur jaune paille, ce 2004 se montre équilibré en bouche, avec une finale très douce. Mariez-le à du comté : il révèlera ainsi ses arômes de noisette et de noix de Pécan.

SCEA Montemagni, Puccinasca, 20253 Patrimonio, tél. 04.95.37.14.46, fax 04.95.37.17.15 r.-v.

ORENGA DE GAFFORY 2004 *

| | n.c. | 27 000 | 8 à 11 € |
|---|---|---|---|

Résolument tournés vers la modernité, Henri Orenga et Philippe Rideau, son œnologue, vinifient les muscats selon les dernières technologies. Le résultat est appréciable dans ce 2004 brillant, tourné vers le soleil, qui livre des arômes complexes de miel et de fruits exotiques, nuancés de touches minérales. L'équilibre des saveurs autorise un service immédiat à l'apéritif. Quelques bouteilles pourront être conservées, cependant : le vin révèlera alors une gamme aromatique allant de la noix sèche au beurre chaud.

GFA Orenga de Gaffory, Morta-Majo, 20253 Patrimonio, tél. 04.95.37.45.00, fax 04.95.37.14.25, e-mail orenga.de.gaffory@wanadoo.fr r.-v.

DOM. PASTRICCIOLA 2004 *

| | 3,8 ha | 6 000 | 8 à 11 € |
|---|---|---|---|

Le domaine, situé en bordure de route, à la sortie de Patrimonio, est géré par trois vignerons associés. Ceux-ci apportent grand soin à leur vignoble afin d'exprimer au mieux le caractère du terroir dans leurs vins. Ce muscat évoque les fruits confits tout au long de la dégustation, complétés de nuances miellées et exotiques, avec quelques notes d'évolution.

GAEC Pastricciola, rte de Saint-Florent, 20253 Patrimonio, tél. 04.95.37.18.31, fax 04.95.37.08.83 t.l.j. 9h-19h; f. nov.

DOM. PIERETTI 2004 *

| | 1,5 ha | 6 000 | 8 à 11 € |
|---|---|---|---|

Lina Venturi exploite ce domaine familial, dont la cave est située à quelques mètres seulement de la mer. Alain, son mari, la seconde dans cette tâche ardue. Les parcelles de muscat sont morcelées sur les communes de Pietracorbara et de Méria. Ce 2004 exubérant développe une dominante muscatée, complétée d'arômes de fruits frais exotiques et de notes grillées. La bouche est harmonieuse, encore un peu chaleureuse. Un vin dont la maturité sera parfaite pour la bûche de Noël au chocolat.

Lina Pieretti-Venturi, Santa-Severa, 20228 Luri, tél. et fax 04.95.35.01.03 t.l.j. 10h-13h 16h-20h; du 1er oct. au 31 avr. sur r.-v.

DOM. SAN QUILICO 2004 **

| | 3 ha | 9 000 | 8 à 11 € |
|---|---|---|---|

Non loin de la chapelle San Quilico, cette propriété de 35 ha, dirigée par Henri Orenga depuis 1989, possède une parcelle de muscat dont le fruit est vinifié dans la même unité technique que les vins du domaine Orenga. On retrouve d'ailleurs un esprit semblable dans les vins liquoreux. Les arômes de ce 2004 vont des notes muscatées tant attendues aux nuances d'orange confite et de miel d'acacia. Au palais, c'est le côté croquant qui s'impose. Toute la richesse du cépage se manifeste, équilibrée par une juste fraîcheur. La longueur est en outre remarquable. L'apéritif conviendra à ce muscat, ainsi qu'un foie gras poêlé déglacé au même vin.

EARL Dom. San Quilico, Morta-Majo, 20253 Patrimonio, tél. 04.95.37.45.00, fax 04.95.37.14.25 r.-v.

# LE SUD-OUEST

# LE SUD-OUEST

Groupant sous la même bannière des appellations aussi éloignées qu'irouléguy, bergerac ou gaillac, la région viticole du Sud-Ouest rassemble ce que les Bordelais appelaient « les vins du Haut-Pays » et le vignoble de l'Adour. Jusqu'à l'apparition du rail, le premier groupe, qui correspond aux vignobles de la Garonne et de la Dordogne, a vécu sous l'autorité bordelaise. Fort de sa position géographique et des privilèges royaux, le port de la Lune dictait sa loi aux vins de Duras, Buzet, Fronton, Cahors, Gaillac et Bergerac. Tous devaient attendre que la récolte bordelaise soit entièrement vendue aux amateurs d'outre-Manche et aux négociants hollandais avant d'être embarqués, quand ils n'étaient pas utilisés comme vin « médecin » pour remonter certains clarets. De leur côté, les vins du piémont pyrénéen ne dépendaient pas de Bordeaux, mais étaient soumis à une navigation hasardeuse sur l'Adour avant d'atteindre Bayonne. On peut comprendre que, dans ces conditions, leur renommée ait rarement dépassé le voisinage immédiat.

Et pourtant, ces vignobles, parmi les plus anciens de France, sont le véritable musée ampélographique des cépages d'autrefois. Nulle part ailleurs on ne trouve une telle diversité de variétés. De tout temps, les Gascons ont voulu avoir leur vin et, quand on connaît leur goût du particularisme, on ne s'étonne pas de la découverte de ces terroirs épars et de leur forte personnalité. Les cépages manseng, tannat, négrette, duras, len-de-l'el (loin-de-l'œil), mauzac, fer-servadou, arrufiac et baroque ainsi que le raffiat de Moncade et le camaralet de Lasseube au nom charmant sont sortis de la nuit des temps viticoles et donnent à ces vins des accents d'authenticité, de sincérité et de typicité inimitables. Loin de renier le qualificatif de vin « paysan », toutes ces appellations le revendiquent avec fierté en donnant à ce terme toute sa noblesse. La viticulture n'a pas exclu les autres activités agricoles, et les vins côtoient sur le marché les produits fermiers avec lesquels ils se marient tout naturellement. Les cuisines locales trouvent dans les vins de leur pays une confraternité qui fait de ce Sud-Ouest l'une des régions privilégiées de la gastronomie de tradition.

## Le piémont du Massif central

### Cahors

D'origine gallo-romaine, le vignoble de Cahors (4 404 ha déclarés pour 252 088 hl en 2004) est l'un des plus anciens de France. Jean XXII, pape d'Avignon, fit venir des vignerons quercinois pour cultiver le châteauneuf-du-pape, et François Ier planta à Fontainebleau un cépage cadurcien ; l'Église orthodoxe l'adopta comme vin de messe et la cour des tsars comme vin d'apparat... Pourtant, le vignoble de Cahors revient de loin ! Totalement anéanti par les gelées de 1956, il était retombé à 1 % de sa surface antérieure. Reconstitué dans les méandres de la vallée du Lot avec des cépages nobles traditionnels – le principal étant l'auxerrois qui porte aussi les noms de cot ou malbec, représentant 70 % de l'encépagement, complété par le tannat (moins de 2 %) ou le merlot (environ 20 %) –, le terroir de Cahors a retrouvé la place qu'il mérite parmi les terres productrices de vins de qualité. On assiste d'ailleurs à des tentatives courageuses de reconstitution sur les causses, comme dans les temps anciens.

Les cahors sont puissants, robustes, hauts en couleur (le *black wine* des Anglais) ; ce sont incontestablement des vins de garde. Un cahors peut toutefois être bu jeune : il est alors charnu et aromatique avec un bon fruité, et doit être consommé légèrement rafraîchi, sur des grillades par exemple. Après deux ou trois années où il devient fermé et austère, le cahors se reprend, pour donner toute son harmonie au bout d'un délai égal, avec des arômes de sous-bois et d'épices. Sa rondeur, son ampleur en bouche en font le compagnon idéal des truffes sous la cendre, des cèpes et du gibier. Les différences de terroir, d'encépagement et de vinification donneront des vins plus ou moins aptes à la garde.

### DOM. LA BERANGERAIE
La Gorgée de Mathis Bacchus
Vinifié et élevé en fût de chêne 2002 *

■ 1 ha 5 000 15 à 23 €

Sur la terrasse panoramique de ce domaine, vous aurez tout le loisir d'apprécier ce cahors de teinte cerise noire qui libère des arômes de fruits cuits, nuancés de torréfaction. Tout en puissance, le vin offre une matière ronde et mûre qui intègre harmonieusement l'empreinte de la barrique. « Une grosse cylindrée », conclut un dégustateur, qui se débridera avec le temps.

GAEC La Bérangeraie, coteaux de Cournou, 46700 Grézels, tél. 05.65.31.94.59, fax 05.65.31.94.64, e-mail berangeraie@wanadoo.fr
t.l.j. 8h-12h 14h-18h

### CH. BERGON-DELTOUR Rêve d'Ange 2002 **

■ 1,89 ha 1 000 15 à 23 €

Ce Rêve d'Ange a fait rêver les dégustateurs tant sa robe cerise noire est intense, tant ses arômes de fruits noirs, de kirsch et de moka se marient harmonieusement. La bouche puissante bénéficie de tanins très arrondis déjà, propices à une finale souple et fruitée. Un vin bien construit que le temps bonifiera encore. Une citation est attribuée à la **cuvée d'Honneur 2002 (5 à 8 €)** qui, par sa plus grande légèreté, sera prête à boire plus tôt.

Jean-Luc Bergon, Les Roques, 46140 Saint-Vincent-Rive-d'Olt, tél. 05.65.30.76.40, fax 05.65.30.52.99, e-mail bergon.jean-luc@wanadoo.fr r.-v.

### DOM. LA BORIE
Cuvée Prestige Vieilli en fût de chêne 2003 *

■ 1,5 ha 3 000 8 à 11 €

Qui a dit que le noir était austère ? Voyez ce vin « noir de noir » mais si brillant qu'il attire l'œil. Le nez expressif libère des notes intenses de cacao et de grillé qui respectent parfaitement les arômes de fruits rouges mûrs. Une juste fraîcheur équilibre la bouche empreinte de longues flaveurs de fruits cuits et de chocolat. Quant aux tanins, leur finesse permet à l'amateur de profiter immédiatement de ce cahors. Notez aussi la cuvée principale **Domaine La Borie 2003 (5 à 8 €)**, qui n'a pas connu le bois : il est cité.

Froment et Fils, EARL des Coteaux, Dom. La Borie, 46220 Prayssac, tél. 05.65.22.42.90, fax 05.65.30.64.70
t.l.j. sf dim. 9h-12h 14h-20h

### CH. LA CAMINADE La Commandery 2003 **

■ 10 ha 20 000 11 à 15 €

Jusqu'à la Révolution, des moines dirigeaient le vignoble de La Caminade. Léonce Ressès et ses fils mettent aujourd'hui en valeur les 35 ha de vignes sur les hautes

Le Sud-Ouest

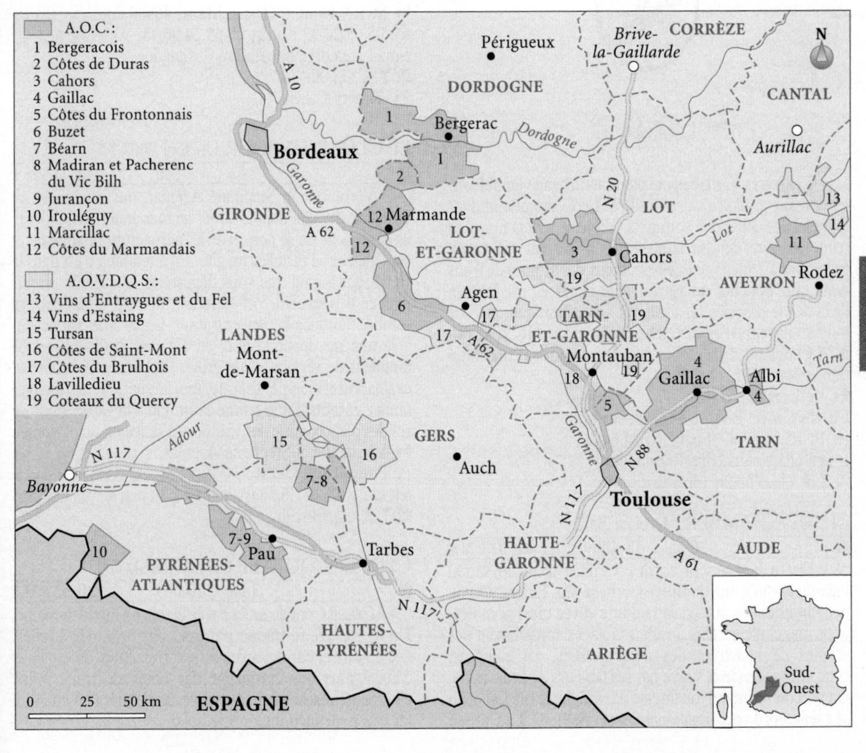

terrasses. Leur réputation n'est plus à faire : coup de cœur l'an passé pour Esprit 2002, ils décrochent ici deux étoiles grâce à un 2003 pareil à une tulipe noire. Des parfums complexes de fruits et de boisé se mêlent harmonieusement : griotte, cassis et fin toasté. La bouche fraîche et pleine s'assouplira encore au cours des quatre prochaines années, mais elle charme déjà par ses flaveurs de fruits cacaotés. Le **Château La Caminade 2003 (5 à 8 €)** est cité.

⊶ Ressès et Fils, SCEA Ch. La Caminade, 46140 Parnac, tél. 05.65.30.73.05, fax 05.65.20.17.04, e-mail resses@wanadoo.fr ☑ Y ☨ r.-v.

### CH. DE CAZERAC
Sélection de Vieilles Vignes 2002 ★

■ 3 ha 12 000 ▮ 3 à 5 €

Ces vieilles vignes de cot (80 %), de merlot et de tannat ont bien extrait la sève du terroir argilo-siliceux. Il en résulte un vin plaisant au regard, d'un rouge cerise. Tout en fruits rouges et noirs avec une pointe animale, il compte sur des tanins étoffés pour affronter le temps. Un cahors corpulent, dans la tradition.

⊶ Alain Dumeaux, 46140 Anglars-Juillac, tél. 05.65.36.20.81, fax 05.65.21.40.76
☑ Y ☨ t.l.j. sf dim. 8h-12h 14h-18h

### LE CEDRE 2002 ★★

■ 13 ha 48 000 ⏸ 23 à 30 €

Le Cèdre 2002

Les frères Verhaeghe exploitent un beau vignoble sur les coteaux argilo-calcaires de Bru. Le Cèdre atteint dans le millésime 2002 des sommets. Violet à reflets noirs, sa teinte suggère déjà la concentration. Le nez reflète un élevage en fût bien mené, respectueux des arômes de fruits noirs. En bouche, on retrouve le cassis et les fruits à l'eau-de-vie associés au toasté et au balsamique, puis de longues flaveurs d'épices en finale. La cuvée **GC 2002 (46 à 76 €)** obtient deux étoiles également pour sa concentration et son fruité.

⊶ Verhaeghe et Fils, Ch. du Cèdre, Bru, 46700 Vire-sur-Lot, tél. 05.65.36.53.87, fax 05.65.24.64.36, e-mail chateauducedre@wanadoo.fr
☑ Y ☨ t.l.j. 9h-12h 14h-18h

### CH. DE CHAMBERT Orphée 2002 ★

■ 6 ha 18 400 ⏸ 15 à 23 €

De sa lyre à sept cordes, Orphée tirait un son si mélodieux qu'il sut dompter Cerbère aux Enfers. On ne pouvait attendre que charme d'une cuvée ainsi nommée. Sous une couleur rubis à reflets violacés apparaissent des arômes de kirsch et des notes grillées. La chair est concentrée, grasse et suave par ses flaveurs de fruits mûrs. On perçoit beaucoup de finesse dans la finale qui fait écho aux senteurs du nez. Également noté une étoile, **Le Causse 2003 (3 à 5 €)**, qui n'a pas connu le bois, se montre d'une grande souplesse grâce à la présence de 20 % de merlot.

⊶ Joël Delgoulet, Ch. de Chambert, Les Hauts Coteaux, 46700 Floressas, tél. 05.65.31.95.75, fax 05.65.31.93.56, e-mail info@chambert.com
☑ Y ☨ t.l.j. sf dim. 8h30-12h30 13h30-18h30

### DOM. DU CHENE ROND 2003 ★

■ 16 ha 20 000 ▮ 3 à 5 €

Ce vin rouge violacé s'ouvre sur des senteurs de fruits rouges et confits que quelques notes d'épices agrémentent. Il se montre élégant et équilibré, avec des arômes de mûre et de cassis en finale. Les tanins déjà souples pourront encore s'affiner au fil du temps.

⊶ GAEC Dom. du Chêne Rond, Cessac-en-Quercy, 46140 Douelle, tél. et fax 05.65.20.02.92, e-mail sophie-cagnac@wanadoo.fr ☑ Y r.-v.
⊶ Cagnac

### DOM. CHEVALIERS D'HOMS 2003 ★

■ 1,5 ha 6 600 ▮ ⏸ 11 à 15 €

En 1993, deux voisins ont été séduits par ce domaine qui fut un fief des chevaliers d'Homs au XIIIe s. Vous connaissez l'étiquette de leur vin puisque le 2002 fut coup de cœur l'an passé. Ce 2003 bien extrait ne démérite pas. Rubis profond à reflets violacés, il délivre des arômes de fruits mûrs nuancés d'une pointe d'épices et de sous-bois. Après une attaque souple, il se développe avec suavité, soutenu par de subtils tanins. Le fruit trouve confirmation en finale.

⊶ SCEA Dom. d'Homs, Maux, 46800 Saux, tél. 05.65.24.93.12, fax 05.65.24.96.78, e-mail scea.domaine.dhoms@wanadoo.fr
☑ Y ☨ t.l.j. 8h-18h
⊶ Thierry Cauzit

### LE CLOS D'UN JOUR Un Jour 2002 ★★

■ 2 ha 7 500 ⏸ 11 à 15 €

Véronique et Stéphane Azémar, qui conduisent ce domaine de 7 ha depuis 2000, ne manquent pas d'idées : ils projettent de se convertir à l'agriculture biologique et sont en train d'installer un gîte. En attendant, c'est dans le vieux four à pain que vous dégusterez leur 2002 : un pur malbec très structuré et expressif, dont la couleur rouge sombre annonce la concentration. Les arômes rappellent l'élevage de dix-huit mois en fût : les fruits rouges se doublent de réglisse et de grillé. La bouche puissante et chaleureuse, bien persistante, repose sur de remarquables tanins, garants d'une bonne évolution à la garde. Pour de solides plats comme des viandes en sauce ou un cassoulet.

⊶ Véronique et Stéphane Azémar, Le Port, 46700 Duravel, tél. et fax 05.65.36.56.01, e-mail s.azemar@wanadoo.fr
☑ Y ☨ t.l.j. 9h-19h

### CLOS LA COUTALE Grand Coutale 2002

■ 3 ha 10 000 ⏸ 15 à 23 €

Grand Coutale est la cuvée élevée en fût du domaine. Un tel élevage se traduit par une robe profonde à reflets encre noire et par des arômes de torréfaction, de vanille et d'eucalyptus qui devancent des notes de fruits mûrs. Charpenté mais également suave, ce vin mérite d'attendre un peu pour bien intégrer le bois.

Bernède, Clos La Coutale, 46700 Vire-sur-Lot, tél. 05.65.36.51.47, fax 05.65.24.63.73, e-mail info@coutale.com ☑ Y ⛹ r.-v.

## CLOS TROTELIGOTTE La Perdrix 2003 ★★

■ 8 ha 12 000 ■ 5 à 8 €

La Perdrix porte une jolie étiquette : les mots de la dégustation forment un calligramme représentant une grappe. Les dégustateurs du Guide Hachette, eux, vous proposent leur propre idée de ce vin presque noir, de forte extraction. Les fruits rouges mûrs et intenses se libèrent du verre et laissent une sensation friande. La bouche équilibrée séduit par son gras comme par ses flaveurs suaves et persistantes de fruits mûrs. Le **Clos Troteligotte 2002 Elevé en fût de chêne (8 à 11 €)**, de pur malbec, obtient une étoile.

C. J. et E. Rybinski, GAEC La Fumade, Le Cap Blanc, 46090 Villesèque, tél. 05.65.36.94.58, fax 05.65.36.94.15, e-mail clostroteligotte@hotmail.com ☑ Y ⛹ t.l.j. sf dim. 10h-13h 14h-17h

## CH. COMBEL LA SERRE Cœur de Cuvée 2002 ★

■ 1,4 ha 8 500 ⓘ 5 à 8 €

Voici un vin bien structuré, dont la souplesse a séduit les dégustateurs. D'un pourpre dominant, il offre un nez complexe, réglissé et torréfié, dans lequel s'immisce une pointe animale. Le caractère tendre de la bouche, ainsi que sa persistance en font un cahors déjà agréable. Il le sera encore dans deux ou trois ans.

Ch. Combel la Serre, Cournou, 46140 Saint-Vincent-Rive-d'Olt, tél. 05.65.30.71.34, fax 05.65.30.54.44 ☑ Y ⛹ t.l.j. 8h-20h
Jean-Pierre et Julien Ilbert

## CH. COUAILLAC L'Authentique Vieilli en fût de chêne 2002 ★

■ 1 ha 3 000 ■ ⓘ ↓ 8 à 11 €

En 1996, Viviane Pasbeau-Couaillac a repris avec son mari le domaine créé par son arrière-grand-père : 16 ha de vignes. Le malbec pur – « authentique » – s'épanouit tel une tulipe noire et livre les arômes torréfiés d'un séjour sous bois de dix-huit mois, escortés des notes de fruits mûrs. Si l'attaque est souple, la bouche se montre puissamment structurée par des tanins encore fermes et se prolonge en finale sur le toasté. L'ensemble demande à s'arrondir dans le temps.

Franck et Viviane Pasbeau-Couaillac, La Séoune, 46140 Sauzet, tél. 05.65.36.90.82, fax 05.65.36.96.41, e-mail franck.pasbeau@wanadoo.fr
☑ Y ⛹ t.l.j. sf dim. 9h-12h 13h30-19h

## CH. LA COUSTARELLE Grande Cuvée Prestige 2002 ★

■ 15 ha 90 000 ⓘ 11 à 15 €

Depuis vingt-cinq ans déjà, Nadine et Michel Cassot travaillent à la réputation de cette propriété familiale de 30 ha. Leur Grande Cuvée Prestige laisse s'épanouir sous une teinte pourpre profond un duo de fruits et de boisé : les fruits noirs, le pruneau se mêlent à la vanille et au café. Une structure tannique fine assure une bonne longueur. C'est déjà bon et ce le sera encore longtemps. Des mêmes auteurs, le **Château Suzanne cuvée Vieilles Vignes 2002 (5 à 8 €)** obtient une étoile également pour sa bouche tendre, pleine de fruits mûrs.

SCEA Michel et Nadine Cassot, Ch. La Coustarelle, 46220 Prayssac, tél. 05.65.22.40.10, fax 05.65.30.62.46, e-mail chateaulacoustarelle@wanadoo.fr
☑ Y ⛹ t.l.j. sf dim. 9h-12h30 14h30-19h30

## CROIX DU MAYNE Elevé en fût de chêne 2003 ★

■ 16 ha 55 000 ⓘ 5 à 8 €

François Pélissié a de qui tenir : il compte des ancêtres vignerons depuis le XV$^{e}$s. dans le Lot, et son père s'est lui-même largement investi dans la renaissance du cahors. Depuis 1987, il s'est attaché à agrandir le domaine qui est passé de 4 à 20 ha aujourd'hui. Souvent étoilée, cette cuvée conserve dans le millésime 2003 tout l'esprit qui a fait son succès : de l'ampleur, du volume, une

**Cahors**

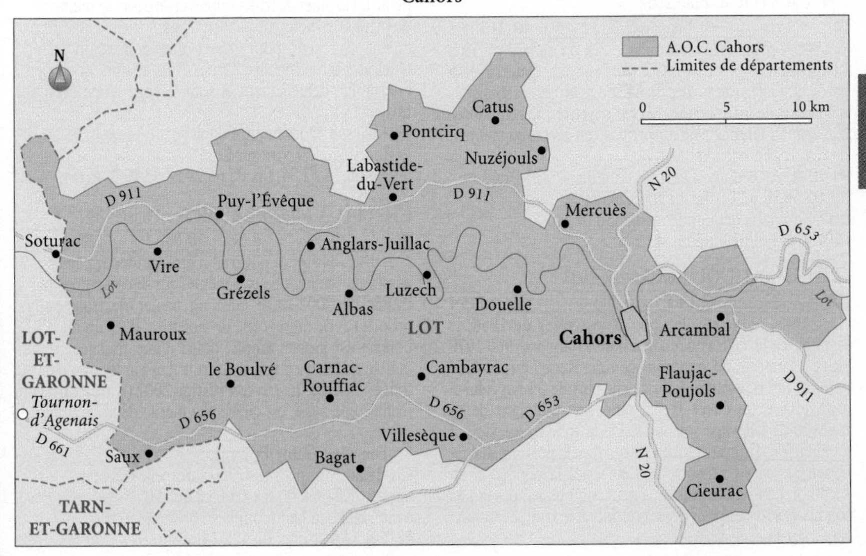

aptitude à la garde. D'un grenat engageant, elle présente beaucoup de fruité, signe d'une grande maîtrise pendant les dix-huit mois d'élevage. Les notes boisées restent en effet subtiles. La bouche est puissante mais suave, et les tanins laissent présager une bonne évolution dans les cinq prochaines années.

SCEV François Pélissié, 46140 Anglars-Juillac, tél. 05.65.21.45.37, fax 05.65.21.45.38
r.-v.

### CH. CROZE DE PYS 2003 *

n.c. 90 000 3 à 5 €

Lorsqu'elle acquit ce château en 1966, la famille Roche entreprit une reconstitution totale du vignoble. Auxerrois (75 %), merlot et une pointe de tannat composent un vin rouge violacé, dont la palette complexe est centrée sur les fruits mûrs. Des notes épicées s'inscrivent dans la chair équilibrée et fraîche. Seuls les tanins doivent s'assagir pour que le plaisir soit complet.

SCEA des Dom. Roche, Ch. Croze de Pys, 46700 Vire-sur-Lot, tél. 05.65.21.30.13, fax 05.65.30.83.76, e-mail chateau-croze-de-pys@wanadoo.fr r.-v.

### CH. EUGENIE Haute Collection Elevé en fût de chêne 2002 *

1,2 ha 6 000 15 à 23 €

Jean et Claude Couture sont fiers de leur lignage vigneron remontant à la fin du XV^e^s. comme de la place tenue par les vins du château sur la table des tsars de Russie aux XVIII^e^ et XIX^e^s. Ce 2002, couleur grenat, s'exprime dans les registres des fruits noirs (pruneau) et du boisé (grillé), puis offre des formes opulentes autour d'une charpente de qualité. La finale persistante rappelle les dix-huit mois passés en fût. De l'harmonie dès à présent.

Ch. Eugénie, Rivière-Haute, 46140 Albas, tél. 05.65.30.73.51, fax 05.65.20.19.81, e-mail couture@chateaueugenie.com
t.l.j. sf dim. 9h30-12h30 14h-19h; groupes sur r.-v.
Couture

### CH. FANTOU L'Elite 2002 *

0,9 ha 3 500 11 à 15 €

Ici, on travaille en famille les 24 ha de la propriété. Malgré son séjour de dix-huit mois en fût, cette cuvée a gardé un joli fruité : des fruits noirs à peine soulignés d'épices et de torréfaction. Elle est soyeuse, bien équilibrée et élégante. Un dégustateur propose en accompagnement des truffes en brouillade.

B. A. A. Aldhuy, Dom. de Fantou, 46220 Prayssac, tél. 05.65.30.61.85, fax 05.65.22.45.69, e-mail domainedefantou@wanadoo.fr
t.l.j. 8h-19h; dim. sur r.-v.

### CH. DE GAUDOU Renaissance 2003 *

2,8 ha 13 300 11 à 15 €

Après avoir été détruit par les gelées de 1956, le vignoble cadurcien a pu renaître dans les années 1960-1970 grâce à l'entrain de vignerons comme René Durou. Aidé aujourd'hui de son fils Fabrice sur plus de 33 ha, celui-ci a imaginé cette cuvée Renaissance qui témoigne de sa maîtrise de l'élevage sous bois. De la robe rouge violacé émanent des fragrances fruitées qui font la personnalité de ce vin ; le cassis s'associe aux épices, à la réglisse et au menthol. La matière puissante peut compter sur des tanins fondus et souples pour préserver intact le fruit, avant une finale sur la réglisse.

SCEA Durou et Fils, Ch. de Gaudou, 46700 Vire-sur-Lot, tél. 05.65.36.52.93, fax 05.65.36.53.60, e-mail info@chateaudegaudou.com
t.l.j. sf dim. 9h-12h 15h-18h

### CH. LA GINESTE 2002 *

7,57 ha 32 300 5 à 8 €

Il y a trois ans, Ghislaine et Gérard Dega se sont lancés dans la rénovation de ce domaine de 13 ha au terroir kimméridgien. Ils récoltent ici le fruit de leurs efforts : un vin rubis à reflets cerise qui avance à pas de loup. Agitez votre verre et vous découvrirez les arômes de fruits rouges, d'épices et de menthol. La bouche est souple tant les tanins se montrent sages, et les fruits se déclinent gentiment. Un cahors élégant. La cuvée **Secrets de La Gineste 2002 (8 à 11 €)** brille d'une étoile elle aussi.

SCEA Les Vignobles Dega, Ch. La Gineste, 46700 Duravel, tél. 05.65.30.37.00, fax 05.65.30.37.01, e-mail chateau-la-gineste@wanadoo.fr
t.l.j. 8h30-12h 14h-17h30

### CH. HAUTE BORIE 2003 **

10 ha 50 000 3 à 5 €

A l'ouest de l'aire d'appellation cahors, ce vignoble de 12 ha descend progressivement sur le flanc sud d'un coteau gravelo-siliceux. Auxerrois (80 %) et merlot sont à l'origine de ce vin qui cède tout au fruit. La robe violette seyante sert d'écrin aux arômes de fruits mûrs mêlés de réglisse. La bouche très structurée s'appuie sur des tanins encore fermes, mais la fraîcheur apporte déjà une agréable sensation et met en valeur l'expression aromatique.

Jean-Marie Sigaud, Ch. Haute Borie, 46700 Soturac, tél. 05.65.22.41.80, fax 05.65.30.67.32

### CH. DE HAUTERIVE 2003 **

13 ha 43 000 5 à 8 €

Il est aisé de rencontrer les frères Gilles et Dominique Filhol à Vire-sur-Lot, puisque leur propriété se trouve au cœur du village. Pas une touche de bois dans leur cahors, mais du fruit à l'envi dans un écrin pourpre violacé. A peine les arômes de fruits rouges et de cassis se nuancent-ils d'épices. Les voici au palais qui s'associent à une remarquable fraîcheur pour laisser une impression friande. Quelques tanins encore fermes ? Ils ne nuisent en rien à l'harmonie actuellement et sont le gage d'une évolution favorable.

Gilles et Dominique Filhol, le Bourg, 46700 Vire-sur-Lot, tél. 05.65.36.52.84, fax 05.65.24.64.93 r.-v.

### CH. HAUT MONPLAISIR Pur Plaisir 2002 **

3 ha 10 000 15 à 23 €

Pur Plaisir : ce pourrait n'être qu'un nom, mais c'est aussi une réalité, un style même, qui se caractérise par le fruité. Le 2002 offre ainsi un panier de fruits rouges (griotte) et de mûre, orné de violette et d'un fin toasté. La bouche est grasse, ample, dotée d'une fraîcheur remarquable qui met en valeur le fruit. Un vin tout en chair et tout en malbec. La cuvée **Prestige 2002 (8 à 11 €)**, de pur malbec elle aussi, est citée : elle mérite de s'assouplir à la garde.

Daniel et Cathy Fournié, Ch. Haut Monplaisir, 46700 Lacapelle-Cabanac, tél. 05.65.24.64.78, fax 05.65.24.68.90, e-mail chateau.hautmonplaisir@wanadoo.fr
t.l.j. sf dim. 9h-12h 14h-18h

CH. LES HAUTS D'AGLAN A 2003 *

■ 3 ha 8 000 15 à 23 €

Dans sa livrée rouge violacé, ce vin se place sous le signe du fruit. Le nez est certes encore discret, mais il laisse apparaître les fruits rouges et une pointe de violette. La bouche garde une agréable fraîcheur. Si l'attaque est souple, les tanins encore fermes en finale demandent à s'assagir : c'est une promesse d'avenir.

Isabelle Rey-Auriat, Aglan, 46700 Soturac, tél. 05.65.36.52.02, fax 05.65.24.64.27, e-mail isabelle.auriat@terre-net.fr
t.l.j. sf dim. 9h-19h

CH. LES IFS 2003 *

■ 8 ha 15 000 5 à 8 €

Les Ifs, ce sont 10 ha de vignes sur un terroir gravelo-siliceux. C'est aussi un vin à la personnalité bien affirmée, qui prend le parti du fruit. Issu de malbec, le 2003 s'habille d'une robe tulipe noire et offre un nez ample de fruits noirs, de pruneau, d'épices et surtout de violette. Par son équilibre, il prouve que charpente et finesse ne sont pas antinomiques. Un bouquet d'épices en finale et le plaisir est complet.

Jean-Paul Buri, EARL La Laurière, 46220 Pescadoires, tél. 05.65.22.44.53, fax 05.65.30.68.52, e-mail chateau.les.ifs@wanadoo.fr
t.l.j. sf dim. 8h-12h 14h-19h

CH. LACAPELLE CABANAC Malbec XL 2002 **

■ 1,5 ha 4 800 8 à 11 €

En 2001, Thierry Simon et Philippe Vérax ont repris cette propriété d'un peu plus de 18 ha qu'ils ont convertie à l'agriculture biologique. Ils imposent leur style et mettent en valeur leur terroir argilo-calcaire dans ce 2002 qui fait tout en XL. La couleur intense témoigne déjà de sa concentration, puis viennent des arômes bien marqués de fruits noirs et de fraise écrasée, enrichis de toasté et de cuir. La bouche est ronde, charnue et d'une longueur remarquable sur des notes grillées et épicées. Un beau mariage entre le bois et le vin, et un grand potentiel.

SCEA Ch. de Lacapelle, Le Château, 46700 Lacapelle-Cabanac, tél. 05.65.36.51.92, fax 05.65.36.52.62, e-mail contact@lacapelle-cabanac.com
t.l.j. sf dim. 9h-12h 13h-18h
Thierry Simon et Philippe Vérax

CH. LAGREZETTE Le Pigeonnier 2002 **

■ 2,8 ha 2 600 + de 76 €

Classé Monument historique, Lagrézette est un élégant château du XV^e s. qui marie influences médiévales et Renaissance. Alain-Dominique Perrin en fit l'acquisition en 1980 et en développa le vignoble (60 ha) implanté sur les deuxièmes et troisièmes terrasses du Lot. Le Pigeonnier a bénéficié d'un élevage bien conduit de vingt-six mois. Il se présente dans un habit pourpre sombre aux reflets noirs, très seyant. Les arômes toastés et vanillés se déclinent aux côtés des fruits rouges et noirs. Puis ce boisé fin accompagne le développement d'une chair ronde, soutenue par des tanins certes puissants mais déjà fondus. Un cahors charmeur qui saura affronter cinq à huit ans de garde. La cuvée principale **Château Lagrézette 2003 (15 à 23 €)** obtient deux étoiles également pour sa matière concentrée et souple, tandis que le **Seigneur de Grézette 2002 (5 à 8 €)**, noté une étoile, a été apprécié pour sa complexité aromatique.

Alain-Dominique Perrin, Dom. de Lagrézette, 46140 Caillac, tél. 05.65.20.07.42, fax 05.65.20.06.95, e-mail lagrezette-adpsa@chateau-lagrezette.tm.fr
t.l.j. 9h-18h; f. fév.

CH. LAMARTINE Cuvée du Tertre 2003 *

■ 7,5 ha 35 000 5 à 8 €

Une bâtisse typique du XVIII^e s. accueille le visiteur sur ce domaine de 31 ha. Alain Gayraud a créé en 1985 la cuvée du Tertre, dont l'élevage est mené pour moitié en cuve et en fût. Le 2003 possède une grande concentration. La robe pourpre intense en est un premier indice, puis le nez apporte de nouvelles pièces à conviction par ses notes torréfiées complétées de réglisse et de pruneau. La preuve est évidente en bouche : ampleur et forte structure tannique. Le temps assagira cette belle matière. La **Cuvée particulière 2003 (8 à 11 €)**, élevée totalement en fût, est citée.

SCEA Ch. Lamartine, 46700 Soturac, tél. 05.65.36.54.14, fax 05.65.24.65.31, e-mail chateau-lamartine@wanadoo.fr
t.l.j. 9h30-12h 14h-18h30; dim. sur r.-v.
Alain Gayraud

CH. LATUC Premier Elevé en fût de chêne 2002 *

■ 0,6 ha 1 300 8 à 11 €

On peut être agronome d'origine belge, s'être formé pendant sept ans dans le vignoble alsacien à la vinification en blanc et réussir un très beau cahors. Jean-François et Geneviève Meyan, installés à Cabanac en 2002, sur 18,7 ha, le prouvent. Leur premier millésime, issu de malbec exclusivement, a été apprécié pour son fruité et son élégance. La robe rouge à nuances violettes laisse poindre des arômes de cerise et autres fruits rouges bien mûrs, soulignés des notes grillées des dix-huit mois d'élevage sous bois. Les tanins souples assurent le long développement du vin en bouche et se portent garants de sa longévité.

EARL Dom. de Latuc, Laborie, 46700 Mauroux, tél. 05.65.36.58.63, fax 05.65.24.61.57, e-mail info@latuc.com t.l.j. 9h-12h 14h-19h
Jean-François et Geneviève Meyan

CH. LAUR Cuvée Vieilles Vignes 2002 *

■ 7,2 ha 34 000 5 à 8 €

De la gaieté, telle est l'impression qui ressort de ce vin tout en fruits, dont la couleur carmin suscite déjà la gourmandise. Le nez franc parle de fruits mûrs et même confiturés, à peine nuancés de notes boisées. Les tanins ronds, élégants, sont en faveur de la souplesse et de l'expression des flaveurs fruitées. Un cahors friand à servir sans attendre.

Patrick Laur, 46700 Floressas, tél. et fax 05.65.31.95.61, e-mail patrick.laur@cario.fr r.-v.

CH. NOZIERES L'Elégance 2003 *

■ 2 ha 6 000 11 à 15 €

L'élégance se manifeste déjà dans la robe sombre mais sans austérité de cette cuvée. Le boisé se glisse dans la palette aromatique, sans écraser les fruits noirs. Puis une grande douceur envahit le palais, dans un sillage de vanille prononcée. Les tanins ont de la solidité mais ne demandent qu'à s'assagir. Le **Château Nozières 2003 (3 à 5 €)**, qui n'a pas connu le bois, est cité pour son intensité aromatique et son équilibre.

SUD-OUEST

⊶ Maradenne-Guitard, Ch. Nozières, 46700 Vire-sur-Lot, tél. 05.65.36.52.73, fax 05.65.36.50.62, e-mail chateaunozieres@wanadoo.fr
☑ Y ⁂ t.l.j. sf dim. 8h-12h 14h-19h; dim. sur r.-v.

## OLTESSE 2003 ★

■ 30 ha 200 000 ▮ 3 à 5 €

Du fruit pour leitmotiv... Robe cerise, palette de fruits à l'alcool, de kirsch, de Guignolet et une note de violette qui apporte de la fraîcheur à l'ensemble. Le vin est franc, doté d'une bonne structure tannique. Un certain soyeux apparaît déjà, mais après un ou deux hivers de garde, l'expression sera meilleure encore.

⊶ SAS Rigal, Ch. Saint-Didier, 46140 Parnac, tél. 05.65.30.70.10, fax 05.65.20.16.24, e-mail marketing@rigal.fr

## CH. PAILLAS 2003 ★

■ 28,59 ha 70 000 ▮ 5 à 8 €

Implanté en demi-cercle autour des chais modernes et des bâtiments anciens, le vignoble d'une trentaine d'hectares ne forme qu'un, profitant d'un sol calcaro-marneux. Malbec, merlot et tannat composent ce cahors pourpre à nuances violettes qui livre sans retenue des arômes de fruits rouges mûrs. Les tanins arrondis offrent une structure de qualité ; ils promettent aux plus impatients une agréable dégustation dès aujourd'hui et assurent aux plus sages que ce vin évoluera favorablement.

⊶ SCEA de Saint-Robert, Paillas, 46700 Floressas, tél. 05.65.36.58.28, fax 05.65.24.61.30, e-mail info@paillas.com
☑ Y ⁂ t.l.j. sf sam. dim. 8h-12h 13h30-17h30

## LE PARADIS 2002 ★

■ n.c. 20 000 ⦀ 15 à 23 €

Avec ce Paradis élevé quinze mois en fût neuf, la cave des Côtes d'Olt ne cache pas ses intentions. La robe est sombre à reflets violacés, le nez dominé par le toasté et la vanille. Au palais, les fruits s'expriment plus volontiers : le cassis s'associe notamment à la réglisse. Les tanins, eux, sont parfaitement maîtrisés. Le jury attribue une citation au **Château Les Bouysses 2002 (11 à 15 €)**, un classique.

⊶ Cave coop. Côtes d'Olt, 46140 Parnac, tél. 05.65.30.71.86, fax 05.65.30.35.28 ☑ Y ⁂ r.-v.

## LE PASSELYS Prestige Elevé en fût de chêne 2002 ★

■ 4 ha 25 000 ⦀ 5 à 8 €

Du pur malbec élevé douze mois en fût. Il en résulte un vin rouge cerise, puissant et chaleureux, équilibré, qui exprime des arômes de fruits mûrs et de torréfaction. Il faudra juste un peu de temps pour que les tanins se fondent à la matière et que le bouquet se révèle pleinement.

⊶ Thierry et Marie-Hélène Baudel, 46140 Douelle, tél. 05.65.20.05.76, fax 05.65.30.99.37, e-mail contact@lepasselys.com
☑ Y t.l.j. 9h-12h 14h-19h

## CH. PINERAIE L'Authentique 2003 ★

■ 5 ha 20 000 ⦀ 15 à 23 €

De l'« authentique » et du sérieux dans ce domaine de 45 ha, non loin de Puy-l'Evêque. Il n'en fallait pas moins pour obtenir ce 2003 bien extrait et bien élevé. La robe rubis annonce les arômes de cerise, de kirsch complétés par le chocolat et le pain d'épice. L'association entre le fruit et le bois se poursuit en bouche, en filigrane d'une matière ronde et équilibrée. Le **Château Pineraie 2003 (5 à 8 €)** est cité.

⊶ Jean-Luc Burc, Leygues, 46700 Puy-l'Evêque, tél. 05.65.30.82.07, fax 05.65.21.39.65, e-mail chateaupineraie@wanadoo.fr
☑ Y ⁂ t.l.j. 8h-12h 14h-18h

## PRIMO PALATUM Classica 2003 ★★

■ 2 ha 3 000 ⦀ 11 à 15 €

Avec Classica, Xavier Copel affirme son style : de la densité, de la longueur, de la tenue dans le temps. Le 2003, presque noir mais d'une telle brillance qu'il n'en ressort aucune austérité, dispense un fruité généreux de baies mûres allié à un boisé très fin. Il possède une grande structure, de la rondeur aussi et des arômes en toute cohérence avec le nez. Les tanins savamment domptés assurent longueur en bouche et longévité en cave.

⊶ Xavier Copel, Primo Palatum, 1, Cirette, 33190 Morizès, tél. 05.56.71.39.39, fax 05.56.71.39.40, e-mail xavier-copel@primo-palatum.com ☑ Y ⁂ r.-v.

## DOM. DU PRINCE Lou Prince 2003 ★★

■ 1 ha 1 300 ⦀ 15 à 23 €

Un prince d'aujourd'hui, moderne, et qui tiendra longtemps son rang. Ce 2003 bien extrait, élevé dix-huit mois en fût, apparaît vêtu de sombre, parfumé d'un boisé encore dominant mais qui laisse deviner sa complexité au travers de notes de fruits macérés. Les arômes vanillés s'associent à la rondeur d'une matière imposante qui demande du temps pour s'affiner.

⊶ Jouves, GAEC de Pauliac, Cournou, 46140 Saint-Vincent-Rive-d'Olt, tél. 05.65.20.14.09, fax 05.65.30.78.94, e-mail domaine-du-prince@libertysurf.fr ☑ Y ⁂ r.-v.

## DOM. RESSEGUIER Les Amandiers Elevé en fût de chêne 2002 ★

■ 2 ha 2 932 ⦀ 5 à 8 €

Laurent Rességuier a produit sa première cuvée élevée en fût de chêne en 2000. Depuis, il y a pris goût et maîtrise bien son sujet. Pour preuve, ce vin rouge foncé à reflets violacés qui allie les arômes fruités et boisés : fruits mûrs et grillé. La bouche est élégante, l'empreinte du fût déjà fondue, et les notes d'épices soulignent l'ensemble.

⊶ Laurent Rességuier, 117, chem. de Lacapelle, 46000 Cahors, tél. 05.65.22.58.48, fax 05.65.53.60.95
☑ Y ⁂ t.l.j. 9h-12h 14h-19h

## CH. LA REYNE Le Prestige 2002 ★★

■ 6 ha 20 000 ⦀ 5 à 8 €

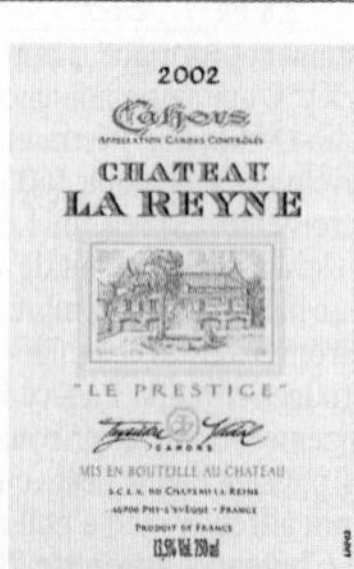


En 1997, Johan Vidal a pris la direction de la propriété familiale. Bien décidé à élaborer des vins de caractère, il a investi dans l'équipement de sa cave,

notamment dans de petites cuves en ciment de 57 à 120 hl. Le voici aujourd'hui aux meilleures places dans le Guide grâce à cette cuvée riche de matière, issue d'une extraction bien menée et d'un élevage de vingt-deux mois. Les notes toastées et les arômes de fruits noirs s'équilibrent parfaitement au profit d'une impression de fraîcheur. Des tanins fondus étayent la chair ronde et puissamment structurée qui saura encore se bonifier au cours des deux à trois prochaines années. **L'Excellence 2003 (15 à 23 €)** obtient une étoile pour son élégant équilibre.
SCEA Ch. La Reyne, Leygues, 46700 Puy-l'Evêque, tél. 05.65.30.82.53, fax 05.65.21.39.83, e-mail chateaulareyne@cegetel.net
t.l.j. sf dim. 9h-12h 14h-18h
Johan Vidal

CH. DE ROUFFIAC La Passion 2002 *

2,5 ha 13 000 8 à 11 €

Tout près de Puy-l'Evêque, sur les sols argilo-siliceux des troisièmes terrasses du Lot, ce domaine a vu le jour en 1971, à l'initiative d'un avocat parisien. Depuis quatre ans, Olivier Piéron en assure la destinée. La passion a fait le lien... Cette cuvée de teinte noire offre un caractère charnu et velouté, souligné des arômes boisés encore dominants. Les notes empyreumatiques doublent celles de fruits noirs actuellement, mais le temps (de un à cinq ans) saura donner d'autres attraits à cette Passion.
Olivier Piéron, SCEA P. O. Piéron, 46700 Duravel, tél. 06.73.38.21.46, fax 05.65.36.44.14, e-mail philippeetisabelle.ducoum@club-internet.fr
t.l.j. 8h-12h 13h-20h

CH. SAINT-SERNIN Prestige Vieilli en fût de chêne 2002 *

5 ha 30 000 5 à 8 €

Anne Cavalié, avec son mari, vient de rejoindre son père sur ce domaine familial de 45 ha. Il ne lui reste plus qu'à prendre exemple pour élaborer d'aussi beaux vins que ces 2002. La cuvée Prestige, grenat rubis, associe les fruits noirs intenses aux arômes d'un boisé qui reste bien à sa place : vanille, moka, torréfaction. L'équilibre est parfait, les tanins fondus, le fruité ample jusqu'en finale. La cuvée **La Tour 2002 (15 à 23 €)** obtient la même note : puissante et concentrée, elle a su conserver son âme de cahors après ses dix-huit mois d'élevage en fût.
SCEA Cavalié, Les Landes, 46140 Parnac, tél. 05.65.20.13.26, fax 05.65.30.79.88, e-mail contact@chateau-st-sernin.com r.-v.

THE NEW BLACK WINE 2003 ***

1 ha 1 200 38 à 46 €

Sur l'étiquette de ce nouveau vin noir – référence au *black wine* apprécié des Anglais avant la crise du phylloxéra – figurent les vitraux que vous pourrez admirer dans ce charmant domaine entouré de vignes en terrasses (63 ha). Un bel habit pour un cahors pourpre, élevé deux ans en fût. Au nez complexe de pruneau, de mûre, de fumée et de réglisse répond en toute cohérence une bouche grasse, aux notes de cassis et aux accents empyreumatiques. De l'harmonie et de l'avenir. Jean-Luc Baldès propose également le cahors **Vigne Grande**

**2003 (3 à 5 €)**, noté une étoile, qui n'a connu que six mois d'élevage sous bois, ainsi que le **Clos Triguedina Prince Probus 2003 (15 à 23 €)**, que le jury a cité.
SARL Jean-Luc Baldès-Triguedina, Les Poujols, 46700 Vire-sur-Lot, tél. 05.65.21.30.81, fax 05.65.21.39.28, e-mail triguedina@laposte.net
t.l.j. 9h-12h 14h-17h; dim. sur r.-v.

LE THERON 2002 **

3,3 ha 16 400 11 à 15 €

Vingt-quatre mois d'élevage, c'est long... Mais ce vin est fait pour affronter le temps. Dans sa robe rubis, il invite les fruits rouges, le pain grillé et les notes de torréfaction. Le boisé ne demande qu'à se fondre. La bouche est souple à l'attaque, pleine de flaveurs de fruits mûrs, de myrtille, d'épices et de café.
SCEA Dom. du Théron, Le Théron, 46220 Prayssac, tél. 05.65.30.64.51, fax 05.65.30.69.20, e-mail domaine.theron@libertysurf.fr
t.l.j. sf dim. 10h-19h; f. jan. fév.
Pauwels

CH. VINCENS Les Graves de Paul 2002 *

2,5 ha 9 600 11 à 15 €

Un sol de graves associé au cot et à un élevage de dix-huit mois en fût : Isabelle Vincens, arrière-petite-fille du fondateur de ce domaine en 1919, a su résoudre l'équation. Son 2002 possède la couleur gourmande de la cerise d'été, des arômes complexes de fruits noirs (mûre) auxquels s'associe avec justesse un boisé riche, vanillé. Souple en attaque, il révèle une matière ronde et persistante qui s'épanouit sur les notes boisées. La cuvée **Prestige 2002 Elevé en fût de chêne (5 à 8 €)** obtient la même note pour son harmonieuse structure.
GAEC Ch. Vincens, Foussal, 46140 Luzech, tél. 05.65.30.51.55, fax 05.65.20.15.83 r.-v.

DOM. DE VINSSOU 2003 *

2 ha 8 000 3 à 5 €

Un cahors qui sent bon le fruit dans sa robe pourpre avenante : des arômes de cassis et de mûre, pleins de fraîcheur. Il est si souple qu'on le servira dès maintenant pour accompagner en toute simplicité des grillades et des fromages.
Louis Delfau, Dom. de Vinssou, rue du Castagnol, 46090 Mercuès, tél. et fax 05.65.30.99.91, e-mail vinssou.cahors@wanadoo.fr
t.l.j. 10h-20h; f. 19-29 août

# Coteaux-du-quercy AOVDQS

Située entre Cahors et Gaillac, la région viticole du Quercy s'est reconstituée assez récemment. Mais, comme dans toute l'Occitanie, la vigne y était cultivée dès avant notre ère. La vigne connut cependant plusieurs périodes de reflux : au Iers., à la suite de l'édit de Domitien interdisant toute nouvelle plantation hors d'Italie, au XVes., en raison de la prépondérance de Bordeaux, puis au début du XXes., à cause du poids du Languedoc-Roussillon. La recherche de la qualité, qui s'est mise en place à partir de 1965 avec le remplacement des hybrides, a conduit à la définition d'un vin de pays en 1976. Peu à peu, les producteurs ont isolé les meilleurs cépages et les meilleurs sols. Ces progrès qualitatifs ont débouché sur l'accession à l'AOVDQS le 28 décembre 1999. Le territoire délimité s'étend sur trente-trois communes des départements du Lot et du Tarn-et-Garonne.

L'appellation est réservée aux vins rouges et aux vins rosés. Les vins rouges, d'une couleur pourpre soutenu, sont charnus et généreux, avec une complexité aromatique apportée par l'assemblage de cabernet franc, cépage principal pouvant atteindre 60 %, et de tannat, cot, gamay noir ou merlot (chacune de ces variétés à hauteur de 20 % maximum). Les vins rosés, fruités et vifs, sont issus du même encépagement.

La déclaration de récolte en 2004 a atteint 15 902 hl pour 291 ha dont 12 697 hl en rouge et 3 205 hl en rosé. Elle est assurée par une trentaine de producteurs, dont trois caves coopératives.

## L'ABBAYE DU QUERCY 2003

■ n.c. 26 000 ■ 3 à 5 €

Rouge profond à reflets orangés, le vin s'ouvre sur des notes animales, puis décline quelques petits fruits rouges et noirs. Assez simple, il révèle une certaine minéralité en bouche et se prolonge sur une trame de tanins vifs. A boire sans attendre.

Cave coop. Côtes d'Olt, 46140 Parnac,
tél. 05.65.30.71.86, fax 05.65.30.35.28 r.-v.

## DOM. D'ARIES Cuvée Princesse 2003 ★

■ 10 ha 30 000 ■ 3 à 5 €

Un vin composé à 60 % de cabernet franc, 20 % de cot et 20 % de merlot. D'un rouge aux reflets avenants, il offre un nez intense, marqué par les fruits rouges. La bouche est souple, équilibrée et suffisamment aromatique. En toute simplicité et c'est bien bon.

GAEC Belon et Fils,
Dom. d'Ariès, 82240 Puylaroque,
tél. 05.63.64.92.52, fax 05.63.31.27.49 r.-v.

## BESSEY DE BOISSY 2004 ★★

■ n.c. 100 000 ■ 3 à 5 €

Les rosés sont à la fête avec la cuisine nomade qui mêle les saveurs épicées, sucrées et salées. Celui-ci devrait remarquablement convenir à un repas dans le jardin. Au menu ? Melons du Quercy, bien sûr. Sa teinte rose grenadine est déjà fort sympathique et les arômes, tout en gaieté, rappellent les confiseries, le bonbon anglais, la fraise, la framboise et la banane. Le vin riche et friand laisse une agréable impression acidulée et ne se départ jamais de son caractère aromatique. Le **Peyre Farinière rouge 2003 Elevé en fût de chêne (5 à 8 €)** obtient une étoile : fruits rouges, vanille, tanins bien fondus.

Vignerons du Quercy,
RN 20, 82270 Montpezat-de-Quercy,
tél. 05.63.02.03.50, fax 05.63.02.00.60,
e-mail lesvigneronsduquercy@tiscali.fr r.-v.

## DOM. DE CAUQUELLE 2003 ★

■ 14 ha 13 000 ■ 3 à 5 €

Flaugnac est un village pittoresque, perché sur un promontoire calcaire, au-dessus de la vallée de la Lupte. Ce domaine y produit ce vin d'un rouge soutenu, dont les arômes se libèrent subtilement, mêlant les fruits rouges et les épices douces. De structure souple, le palais se fait rond et tendre, agrémenté de flaveurs persistantes.

GAEC de Cauquelle, Cauquelle, 46170 Flaugnac,
tél. 05.65.21.95.29, fax 05.65.21.83.30
t.l.j. sf dim. 8h-12h 14h-18h

## DOM. DES GANAPES Cuvée Mélanie 2002 ★

■ 1 ha 5 000 ■ 5 à 8 €

A 15 km de Montauban, Les Ganapes forment un joli domaine de plus de 67 ha dans les coteaux verdoyants de Mirabel. La demeure en torchis est caractéristique de la région, mais la tradition n'exclut pas la modernité : le chai de vinification a été reconstruit en 2003 et doté d'un équipement sophistiqué. Deux vins brillent d'une étoile dans ce Guide : le **Domaine des Ganapes rouge 2003 (3 à 5 €)** qui privilégie le cabernet franc (60 %) et cette cuvée Mélanie à 70 % de tannat. Celle-ci, de forte intensité colorante, explose en arômes de fruits rouges et noirs. Elle présente un bon équilibre, de la rondeur, de la persistance aromatique et d'agréables tanins fondus qui la rendent déjà savoureuse. Présentez-la aux côtés d'une viande rouge ou d'un gibier.

Jean-Marc Séguy, Ambayrac,
2574, chem. de Mirabel, 82440 Realville,
tél. 05.63.31.04.81, fax 05.63.31.89.63,
e-mail ganapes@wanadoo.fr
t.l.j. 10h-12h 14h-19h30, dim. 10h-12h

## DOM. DE LA GARDE 2004

■ 9 ha 18 000 ■ 3 à 5 €

Jean-Jacques Bousquet propose deux gentils vins en 2004. Ce rouge limpide, tout en fruits rouges et en épices, se montre si souple, léger et équilibré qu'il accompagnera vos grillades. Servez aussi le **rosé 2004**, couleur framboise, qui oriente toute sa palette aromatique sur le bonbon anglais et les fruits rouges frais.

Jean-Jacques Bousquet, Le Mazut,
46090 Labastide-Marnhac, tél. et fax 05.65.21.06.59
t.l.j. sf dim. 9h-12h 14h-19h

### DOM. DE GUILLAU Elevé en fût de chêne 2002 ★★

| 2 ha | 2 000 | 5 à 8 € |
|---|---|---|

Il est tout nouveau, tout beau, ce coteaux-du-quercy. 2002 est en effet le premier millésime de cette cuvée élevée en fût de chêne. Très encourageant ! Brillant de reflets rubis intense, il possède un bel équilibre aromatique entre fruits rouges, fruits noirs et fruits secs. Il attaque en souplesse, puis livre une chair savoureuse, harmonieuse et longuement parfumée. On le déguste déjà avec plaisir, mais il saura aussi attendre dans la cave. Le **Domaine de Guillau rouge 2003 (3 à 5 €)**, élevé en cuve, obtient une étoile, tandis que le **rosé 2004 (3 à 5 €)** est cité.

Jean-Claude Lartigue,
Dom. de Guillau, 82270 Montalzat,
tél. 05.63.93.17.24, fax 05.63.93.28.06,
e-mail jc.lartigue@worldonline.fr r.-v.

### DOM. DE LACOSTE 2003

| 2 ha | 4 000 | 3 à 5 € |
|---|---|---|

Le domaine, fort de 18 ha de vignes, appartient au lycée viticole de Cahors-le-Montat. Ici, on ne cultive pas seulement des ceps, mais on pratique aussi la trufficulture et l'élevage des cervidés. Vous goûterez bien un peu du pâté de cerf maison avec ce vin rouge violacé, aux senteurs de fleurs nuancées de poivron (le cabernet franc constitue 60 % de l'assemblage). Discrètement frais à l'attaque, celui-ci révèle progressivement son fruit en bouche, jusqu'à une finale relevée d'une pointe d'amertume.

Dom. de Lacoste,
Lycée viticole de Cahors, 46090 Le Montat,
tél. 05.65.21.03.67, fax 05.65.21.00.01,
e-mail cecile.morgeau@educagri.fr r.-v.

### DOM. DE LAFAGE Fût de chêne 2002 ★★

| 0,6 ha | 2 500 | 8 à 11 € |
|---|---|---|

Bernard Bouyssou, qui cultive ses 12 ha de vignes en biodynamie, a élaboré un vin de grande tenue, généreusement aromatique sous sa robe soutenue. Une note de griotte lui donne de l'allure et invite à découvrir sa chair ronde, largement structurée et toujours harmonieuse. De la prestance, assurément.

Bernard Bouyssou,
Dom. de Lafage, 82270 Montpezat-de-Quercy,
tél. 05.63.02.06.91, fax 05.63.02.04.55,
e-mail bernard.bouyssou@free.fr r.-v.

### CAVE DES TROIS MOULINS
Cuvée Maurélis 2002 ★

| 6,5 ha | 13 300 | 3 à 5 € |
|---|---|---|

Quelques moulins à vent sont encore visibles dans un rayon de 5 km autour de Castelnau-Montratier. Une belle promenade qui vous conduira aux portes de ce domaine pour goûter ce vin rouge profond, au bouquet généreux de fruits rouges (cerise) et de fleurs. Un 2002 gourmand, très rond et chaleureux, qui garde son fruité tout au long de la dégustation. Prêt à boire.

Cave des Trois Moulins,
Peyrettes, 46170 Castelnau-Montratier,
tél. 05.65.21.97.65, fax 05.65.21.82.45,
e-mail cave-des-trois-moulins@wanadoo.fr
t.l.j. 9h-12h 14h-18h

# Gaillac

Comme l'attestent les vestiges d'amphores fabriquées à Montels, les origines du vignoble gaillacois remontent à l'occupation romaine. Au XIIIe s., Raymond VII, comte de Toulouse, prit à son endroit un des premiers décrets d'appellation contrôlée, et le poète occitan Auger Gaillard célébrait déjà le vin pétillant de Gaillac bien avant l'invention du champagne. Le vignoble (4 189 ha) se divise entre les premières côtes, les hauts coteaux de la rive droite du Tarn, la plaine, la zone de Cunac et le pays cordais pour une production de 124 343 hl de vins rouges, 52 788 hl de vins blancs, 17 615 hl de vins rosés en 2004.

Les coteaux calcaires se prêtent admirablement à la culture des cépages blancs traditionnels comme le mauzac, le len-de-l'el (loin-de-l'œil), l'ondenc, le sauvignon et la muscadelle. Les zones de graves sont réservées aux cépages rouges, duras, braucol ou fer-servadou, syrah, gamay, négrette, cabernet, merlot. La variété des cépages explique la palette des vins gaillacois.

Pour les blancs, on trouvera les secs et perlés, frais et aromatiques, et les moelleux des premières côtes, riches et suaves. Ce sont ces vins, très marqués par le mauzac, qui ont fait la renommée du gaillac. Le gaillac mousseux peut être élaboré soit par une méthode artisanale à partir du sucre naturel du raisin, soit par la méthode traditionnelle ; la première donne des vins plus fruités, avec du caractère. Les rosés de saignée sont légers et faciles à boire, les vins rouges dits de garde, typés et bouquetés.



### DOM. ADELAIDE Cuvée Prestige
Vieilli en fût de chêne 2003 ★★

| 4 ha | n.c. | 8 à 11 € |
|---|---|---|

On vient en forêt de Grésigne avec jumelles et loupe pour observer les cervidés entre les chênes rouvres, les pics et les rapaces, les insectes mystérieux. Peut-être même pour s'imaginer Indiana Jones dans les grottes préhistoriques. Plus simplement pour pique-niquer et déguster le vin choisi au château Adélaïde. Un gaillac aux tonalités rubis brillant qui s'ouvre sur des parfums de violette et de menthe fraîche, avant de dérouler des arômes de fruits rouges et noirs épicés. À cette palette intense et complexe répond une bouche encore plus aromatique, ronde et équilibrée. La trame de tanins, comme du taffetas, étaye une finale plaisante.

Ch. Adélaïde, Lieu-dit Cinq-Peyres,
81140 Cahuzac-sur-Vère, tél. et fax 05.63.33.92.76,
e-mail chadelaide@aol.com r.-v.
Cornet-Tesconi

**BARON THOMIERES** Méthode gaillacoise 2004 ★★

1 ha 4 000 5 à 8 €

En reconnaissance de sa bravoure dans de nombreuses batailles napoléoniennes, le général Jean Guillaume Barthélemy Thomières reçut le titre de baron de l'Empire. Si le **rouge La Réserve du Général 2003**, qui n'a pas connu le bois, reçoit une étoile pour son agréable légèreté, cette méthode gaillacoise a été plus appréciée encore. Elle ne manque pas d'effervescence dans sa robe jaune-vert et livre des senteurs intenses, pareilles à celles des fruits mûrs et de la brioche. En bouche, les bulles s'associent à une bonne vivacité pour procurer une grande impression de fraîcheur et souligner le fruité. De la délicatesse.

Laurent Thomières,
La Mailhourie, 81150 Castelnau-de-Lévis,
tél. 05.63.60.39.03, fax 05.63.53.11.99,
e-mail gaillac@baron-thomieres.com r.-v.

**DOM. BARREAU** Doux Caprice d'Automne 2003 ★

2,9 ha 13 500 8 à 11 €

Mauzac (40 %), muscadelle (35 %) et len-de-l'el récoltés entre la mi-octobre et la mi-novembre ont su contrer les caprices du ciel automnal de 2003 pour donner naissance à un vin or intense et limpide. Le nez est expressif, complexe, à la fois floral, fruité (fruits jaunes, agrumes, fruits secs) et même un peu miellé. Tout aussi aromatique, la bouche possède un caractère concentré et chaleureux, ce qui la rend suave sur toute sa longueur. Un liquoreux puissant.

Jean-Claude Barreau, Boissel, 81600 Gaillac,
tél. 05.63.57.57.51, fax 05.63.57.66.37 r.-v.

**DOM. DE BONNEFIL** Doux Cuvée Chloé 2003 ★

1 ha 1 650 8 à 11 €

Un site mérovingien dans ce village de Lagrave : la crypte Saint-Sigolène des VII^e et VIII^e s. Retour au XXI^e s. au domaine de Bonnefil qui se fait fort de mettre en valeur les cépages gaillacois. Ainsi de cette cuvée à base de 80 % de len-de-l'el et de 20 % de mauzac. Doré brillant, elle mêle avec intensité la poire, la pêche, l'abricot, le coing et les raisins secs, soulignés de miel. L'attaque est franche, la chair riche et équilibrée, tout empreinte des arômes perçus au nez. La finale persistante laisse une agréable sensation. La **cuvée L'Authentique rouge 2003 (5 à 8 €)** est citée.

Alain et Martine Lagasse, Dom. de Bonnefil,
81150 Lagrave, tél. et fax 05.63.41.70.62,
e-mail domaine.de.bonnefil@wanadoo.fr
t.l.j. 9h30-12h30 15h-19h; mer. dim. sur r.-v.

**CH. BOURGUET** Sec 2004 ★

0,47 ha 3 720 3 à 5 €

Jérôme Borderies a rejoint son père Jean en 2000 sur ce domaine de 21,5 ha, dont les vignes plantées en coteau font face à la cité médiévale de Cordes-sur-Ciel. Le 2004 s'habille d'or pâle orné de quelques perles. Il livre des parfums typés de pomme verte et d'agrumes, puis une agréable vivacité portée par un léger perlant qui relève le gras sans nuire à l'équilibre. Tout est franchise dans ce vin, depuis les arômes jusqu'aux saveurs. Un gaillac qu'il sera aisé de mettre à table en toute occasion, particulièrement en accompagnement de plats de veau ou de fromages de chèvre.

Jean et Jérôme Borderies, Les Bourguets,
81170 Vindrac-Alayrac, tél. et fax 05.63.56.15.23,
e-mail jean.borderies@libertysurf.fr
t.l.j. sf dim. 9h-12h 15h-18h30; groupes sur r.-v.; f. juil. et août sf dim.

**DOM. DE BROUSSE** Sec La Colline blanche 2004 ★

1,4 ha 4 000 5 à 8 €

Exposition plein sud, vignes enherbées et nourries à la fumure organique : depuis vingt ans, Philippe et Suzanne Boissel s'attachent à mettre en valeur leur vignoble de près de 7 ha implanté sur les sols argilo-calcaires des premiers coteaux du plateau cordais. Ils ont élaboré un 2004 de mauzac (70 %) et de sauvignon fermenté en barrique et soigneusement bâtonné deux mois durant. Une teinte pâle, pourtant, parfaitement limpide emplit le verre et des arômes discrets mais typiques de pomme et d'agrumes s'en libèrent. La bouche s'avère ronde et fruitée, simple et franche, équilibrée, même si une légère amertume apparaît en finale.

Philippe et Suzanne Boissel, Dom. de Brousse,
81140 Cahuzac-sur-Vère, tél. et fax 05.63.33.90.14
t.l.j. 10h30-12h30 15h-19h

**DOM. CARCENAC** Elevé en fût de chêne 2003 ★★

1 ha 5 000 5 à 8 €

A l'archéosite de Montans, vous vous plongerez dans la vie quotidienne des Gallo-Romains et découvrirez de nombreuses amphores. Mais c'est le goût du vin d'aujourd'hui que vous irez chercher au domaine Carcenac. Celui du **Jouque Viel rouge 2003 (3 à 5 €)**, rond et chaleureux, comme le veut le millésime, et qui obtient une étoile. Ou bien celui de ce gaillac élevé douze mois en fût, qui arbore une teinte rubis intense et brillant. Les arômes très relevés d'épices et de fumée ne masquent pas ceux de fruits mûrs. L'attaque est souple, la structure bien bâtie, enveloppée d'une chair ronde et persistante. Le bois est là, mais ses flaveurs et ses tanins semblent bien fondus.

Joseph Carcenac, Le Jauret, 81600 Montans,
tél. 05.63.57.57.28, fax 05.63.57.68.41,
e-mail domaine.carcenac@wanadoo.fr
t.l.j. 9h-12h 14h-20h

**CH. CHAUMET LAGRANGE**
Sec Cuvée Amandine 2004 ★★

1,5 ha 8 000 3 à 5 €

Le domaine a gardé le nom de ses anciens propriétaires et créateurs dans les années 1950, la famille Chaumet-Lagrange qui, en 2000, le vendit à Christophe Boizard. Celui-ci a parié sur la muscadelle pour produire un vin fort attrayant, de teinte paille léger et aux parfums de fleurs blanches, de pêche, d'ananas, de poire william. A croquer... Gras, gentiment doux, ample, ce gaillac est une gourmandise à lui tout seul.

SCEA Chaumet-Lagrange, Les Fediès,
81600 Gaillac, tél. 05.63.57.07.12, fax 05.63.57.64.12,
e-mail chateau.ch.lagrange@wanadoo.fr r.-v.
Chr. Boizard

**CH. CLEMENT-TERMES** Mémoire 2003 ★★

4 ha 14 000 5 à 8 €

Si vous allez en Nouvelle-Calédonie, vous trouverez peut-être les vins de la famille David qui exporte sa production aux quatre coins du monde. Le voyage sera moins long jusqu'à Lisle-sur-Tarn pour découvrir ce gaillac rubis brillant, irisé de violet. Les arômes s'expriment intensément, mêlant le cacao, le pain grillé, la réglisse et un boisé bien dosé aux notes de fruits mûrs. D'attaque fraîche, la bouche souple se développe en rondeur, en accueillant un fruité soutenu sur fond boisé. Nul besoin d'attendre pour savourer ce 2003. Notez aussi le **blanc sec Mémoire 2003**, élevé six mois en fût, qui obtient une étoile.

🔑 David, Ch. Clément-Termes, Les Fortis, 81310 Lisle-sur-Tarn, tél. 05.63.40.47.80, fax 05.63.40.45.08, e-mail clement-termes@wanadoo.fr
☑ 🏠 Y ✝ t.l.j. sf dim. 8h-12h 14h-18h

### DOM. LA CROIX DES MARCHANDS
Demi-sec Méthode gaillacoise 2004 ★

| | n.c. | 5 700 | | 8 à 11 € |
|---|---|---|---|---|

Un effervescent de méthode ancestrale et de pur mauzac comme il s'en élabore à Gaillac depuis le XVIes. au moins. Les bulles fines et discrètes lui confèrent une élégance immédiate, tandis que les arômes d'acacia, d'abricot, de pomme et de raisins secs apparaissent complexes. Le vin surprend au palais par ses flaveurs intenses de fruits secs (raisin, abricot) et sa douceur, mais il est suffisamment frais pour ne pas tomber dans la lourdeur. Rafraîchissez-le bien avant le service pour profiter de son fruité.

🔑 J.-M. et M.-J. Bezios, Dom. La Croix des Marchands, 81600 Montans, tél. 05.63.57.19.71, fax 05.63.57.48.56
☑ Y ✝ t.l.j. sf dim. 9h-12h 14h-19h; groupes sur r.-v.

### CH. D'ESCABES Prestige
Vieilli en fût de chêne 2003 ★

| ■ | 15 ha | 70 000 | | 5 à 8 € |
|---|---|---|---|---|

Une robe légère à nuances rouge brique. Un nez intense, en revanche, et bien affiné : le boisé hérité de douze mois de fût se fait discret au profit des notes florales (violette), fruitées (compote) et épicées. Le corps souple et svelte s'enveloppe d'une chair vineuse qui se prolonge sur les fruits et la vanille dans une finale élancée. Un gaillac harmonieux.

🔑 SCEA Ch. d'Escabes, 81310 Lisle-sur-Tarn, tél. 05.63.33.73.80, fax 05.63.33.85.82, e-mail cave@vigneronsderabastens.com ☑ Y ✝ r.-v.
🔑 Vignerons de Rabastens-Covitarn

### DOM. D'ESCAUSSES La Croix Petite 2003 ★★

| ■ | 2 ha | 6 000 | | 8 à 11 € |
|---|---|---|---|---|

Entre le village médiéval de Cordes et la ville d'Albi, Roselyne et Jean-Marc Balaran possèdent une quarantaine d'hectares de vignes, dont une parcelle dénommée La Croix Petite en référence à l'ancienne croix de pierre qui s'y trouve. De ses ceps est né ce gaillac de teinte burlat soutenu, dont le nez profond et déjà complexe décline fleurs et fruits, rehaussés d'épices douces, de réglisse et de toasté. La bouche est ample, ronde, riche d'arômes. Les tanins puissants et bien travaillés assureront à ce vin une bonne tenue dans le temps. Pour un carré d'agneau au curry et aux poivrons grillés. Le **blanc sec La Vigne de**

**Gaillac**

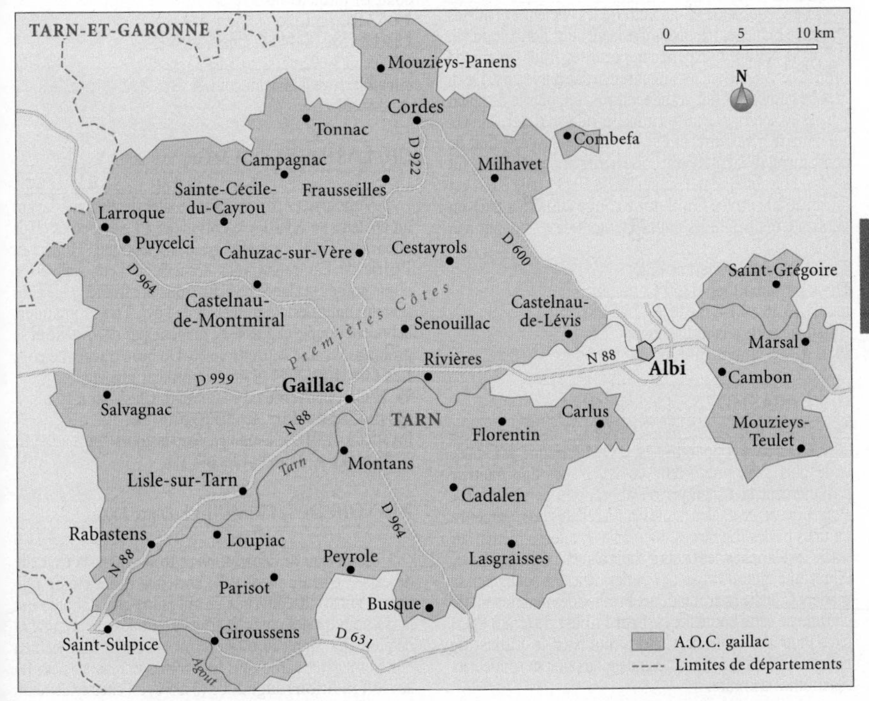

**l'oubli 2004 (5 à 8 €)**, élevé douze mois en fût, est noté une étoile, de même que le **rouge La Vigne blanche 2003 (5 à 8 €)**, dont 20 % de l'assemblage ont connu le bois.
EARL Denis Balaran,
Dom. d'Escausses, 81150 Sainte-Croix,
tél. 05.63.56.80.52, fax 05.63.56.87.62,
e-mail balaran@escausses.com
t.l.j. 9h-19h; dim. et groupes sur r.-v.
Jean-Marc et Roselyne Balaran

DOM. DE GINESTE Grande Cuvée 2003 ★★

3 ha 12 000 11 à 15 €

Ce domaine de 22 ha implanté sur un terroir de graves et de boulbènes propose une belle gamme de vins. Si les **blancs secs cuvée Aurore 2004 (5 à 8 €)** et **Grande Cuvée 2003**, tous deux élevés en fût, obtiennent une étoile, ce vin rouge à dominante de fer-servadou (60 %) se distingue plus encore. Pourpre aux intenses nuances violacées, il offre une palette de senteurs très mûres évoquant les fruits compotés ou à l'eau-de-vie, avec force épices. D'attaque ronde, la bouche est grasse et charnue, vineuse mais toujours équilibrée. Les tanins sont en outre bien enrobés. Un 2003 puissant, harmonieux et caractéristique du millésime.
EARL Dom. de Gineste, 81600 Técou,
tél. 05.63.33.03.18, fax 05.63.33.04.11,
e-mail domainedegineste@wanadoo.fr
t.l.j. 10h-19h; dim. 15h30-19h
Maugeais-Delmotte

DOM. DE LABARTHE Doux Les Grains d'or Elevé en fût de chêne 2003 ★★

5 ha 19 000 8 à 11 €

Le vignoble de 63 ha entoure les anciennes bâtisses en pierre blanche. Ici, on cultive la vigne et l'on fait du vin depuis le XVI^e s. L'expérience porte ses fruits comme le prouve ce vin particulièrement remarqué par le jury. Déjà, la robe jaune d'or fait grande impression, puis le nez plaît par ses évocations de tarte Tatin, de fruits secs et de vanille. La matière généreuse, ample et riche de flaveurs, finit de convaincre, d'autant que le boisé hérité de neuf mois de fût s'y fond parfaitement. (Bouteilles de 50 cl.) Une étoile est attribuée à la **cuvée Guillaume rouge 2003 (5 à 8 €)**, un vin fruité mais dont les tanins méritent de s'assouplir à la garde.
EARL Jean Albert et Fils,
Dom. de Labarthe, 81150 Castanet,
tél. 05.63.56.80.14, fax 05.63.56.84.81,
e-mail labarthe@labarthe.com
t.l.j. sf dim. 8h-12h

CH. LABASTIDE Sec Le Perlé 2004 ★

21 ha 200 000 -de 3 €

Cette cave coopérative est la plus ancienne de Gaillac et le plus gros producteur de vin blanc. Elle maîtrise parfaitement la technique d'élaboration des vins perlés. Pour preuve, ce gaillac jaune clair à reflets verts, parcouru de fines perles. Le nez est bien enlevé, intense même, sur les fleurs blanches, les fruits à chair blanche et les agrumes. Après une attaque vive, des perles délicates soulignent la matière franche et aromatique. Profitez dès maintenant du charme de cette bouteille. Le **brut Labastide (5 à 8 €)** est cité. Pour des plats de viande, choisissez le **Labastide rouge 2003 (3 à 5 €)**, noté une étoile pour sa rondeur et ses arômes de mûre.
Cave de Labastide-de-Lévis,
BP 12, 81150 Marssac-sur-Tarn,
tél. 05.63.53.73.73, fax 05.63.53.73.74,
e-mail info@cave-labastide.com r.-v.

DOM. DE LARROQUE Privilège d'Antan 2003 ★★

2 ha 4 800 5 à 8 €

Chez les Nouvel, on a de la constance : deux coups de cœur successifs dans les Guides 2004 et 2005, et toujours deux étoiles brillantes pour leurs cuvées. Voyez **Les Seigneurines rouge 2003 Élevé en fût de chêne (8 à 11 €)**, un vin jugé tout aussi remarquable que ce Privilège d'Antan. D'un rouge soutenu, ce dernier semble encore sur la retenue au nez, mais il n'en est pas moins profond et complexe par ses arômes de fruits, d'épices et de réglisse. À l'attaque gras et frais à la fois, il gagne ensuite en expression aromatique et offre une mâche ample. Il devrait s'ouvrir davantage au cours des deux à quatre prochaines années.
V. et P. Nouvel,
Dom. de Larroque, 81150 Cestayrols,
tél. 05.63.56.87.63, fax 05.63.56.87.40 r.-v.

CH. LARROZE 2003 ★

6 ha 20 000 5 à 8 €

Dans ce vignoble de 70 ha entièrement restructuré depuis 1998, 45 ha sont consacrés aux cépages rouges, tels le duras, le cabernet, le braucol, la syrah et le merlot. Le 2003, grenat à nuances violettes intenses, décline d'agréables arômes de mûre et de cassis, ponctués d'épices. Il se montre rond, chaleureux et concentré, riche de flaveurs de fruits mûrs. Les tanins denses, bien extraits, sauront le soutenir jusqu'à 2007.
SARL La Colombarié,
Ch. Larroze, 81140 Cahuzac-sur-Vère,
tél. 05.63.33.92.62, fax 05.63.33.92.49,
e-mail larroze@anavim.com r.-v.
Linard

CH. LASTOURS Sec Les Graviers 2004 ★

8 ha 30 000 3 à 5 €

Vous arrivez par une grande allée de platanes devant un château du XVIII^e s. en brique et en galet, et les chais attenants. Dans ce cadre resté authentique, Hubert et Pierric de Faramond vous accueillent. Leur gaillac sec d'une grande brillance revêt un caractère friand grâce à ses senteurs intenses d'agrumes et de kiwi. Très aromatique, la bouche souple et grasse ne manque pas de vivacité et se prolonge sur une note citronnée. Du beau travail. Le **rosé Les Graviers 2004** obtient également une étoile.
Hubert et Pierric de Faramond, Ch. Lastours,
81310 Lisle-sur-Tarn, tél. 05.63.57.07.09,
fax 05.63.41.01.95, e-mail chateau-lastours@wanadoo.fr
t.l.j. sf dim. 9h-12h 14h-18h

MANOIR DE L'EMMEILLE Doux 2003

2 ha 6 000 5 à 8 €

Le caveau de dégustation se trouve dans la chapelle de cette demeure médiévale, ancienne propriété de religieux. Vous y découvrirez ce vin jaune clair limpide qui laisse poindre des notes de fruits exotiques, de pomme et de poire. La simplicité est sa vertu : la bouche fraîche, bien nette et légère, garde tous les arômes perçus au nez. La cuvée **Tradition rouge 2003 (3 à 5 €)** est citée également.

Manoir de l'Emmeillé, 81140 Campagnac,
tél. 05.63.33.12.80, fax 05.63.33.20.11,
e-mail contact@emmeille.com r.-v.

MARQUIS D'ORIAC Elevé en fût de chêne 2003 ★★

8 ha 50 000 5 à 8 €

Dans l'importante cave coopérative de Rabastens vous n'aurez que l'embarras du choix entre le **Marquis d'Oriac 2003 doux**, cité par le jury, le **Baron de Lyssart 2003 rouge**, noté une étoile, et ce vin grenat intense, à reflets pourpres. Celui-ci s'ouvre avec puissance sur les fruits mûrs, confits même, soulignés des accents torréfiés apportés par l'élevage de douze mois. Les saveurs s'équilibrent remarquablement, laissant une impression de rondeur et d'élégante structure. Car si le bois a laissé son empreinte, ses tanins restent fins jusqu'en finale.

Vignerons de Rabastens,
33, rte d'Albi, 81800 Rabastens,
tél. 05.63.33.73.80, fax 05.63.33.85.82,
e-mail cave@vigneronsderabastens.com r.-v.

DOM. MAS PIGNOU
Sec Les Hauts de Laborie 2004 ★★

4 ha 19 000 3 à 5 €

Par beau temps, vous jouirez d'une belle vue sur le Tarn et jusqu'aux Pyrénées depuis cette bastide viticole soigneusement restaurée. En souvenir de ce paysage, vous dégusterez ce vin jaune pâle qui vous aborde par de fines touches odorantes issues d'un large registre fruité : agrumes, coing, mirabelle... Le gras de la matière, sa fraîcheur équilibrée et sa persistance aromatique en font un gaillac des plus séduisants à l'apéritif comme sur des plats exotiques. Le **rosé 2004** obtient une étoile pour sa palette de parfums.

Jacques et Bernard Auque,
Dom. Mas Pignou, 81600 Gaillac, tél. 05.63.33.18.52,
fax 05.63.33.11.58, e-mail maspignou@free.fr
t.l.j. 10h-12h 14h-19h; dim. sur r.-v.

CH. LES MERITZ Cuvée Prestige 2003 ★★

6,5 ha 40 000 3 à 5 €

Séduit, vous le serez par le **gaillac doux Château Vigné-Lourac Vieilles Vignes 2004 (5 à 8 €)** auquel le jury a attribué une étoile, mais votre enchantement sera plus grand encore devant ce 2003 rouge dont la teinte profonde rappelle celle du cassis. A la fois doux et frais, floral (violette) et fruité, doucement épicé, le vin emplit le palais de sa chair ronde et moelleuse. Sa trame tannique de qualité est garante d'une évolution favorable au cours des deux à cinq prochaines années.

Les Dom. Philippe Gayrel, 81140 Cahuzac-sur-Vère,
tél. 05.63.33.91.16, fax 05.63.33.95.76

CH. MONTELS Doux 2003 ★

5,1 ha 11 300 5 à 8 €

Depuis vingt ans, Bruno Montels s'attache à mettre en valeur ce domaine de 26 ha autour d'une maison de maître du milieu du XIX^e^s. Son moelleux brille d'un or intense qui incite le dégustateur à faire plus ample connaissance avec ses parfums subtils de fruits jaunes et d'agrumes, nuancés de notes de champignon frais. Riche et chaleureux, il laisse une impression de douce rondeur, avant de revenir en finale sur les arômes perçus au nez. Une friandise. Une étoile revient également au **Château Montels rouge 2003**, chaleureux et fruité.

Bruno Montels, Burgal, 81170 Souel,
tél. 05.63.56.01.28, fax 05.63.56.15.46 r.-v.

DOM. DU MOULIN Sec Vieilles Vignes
Elevé en fût 2004 ★

2 ha 10 000 5 à 8 €

Nicolas Hirissou a rejoint son père sur ce domaine de 40 ha qui doit son nom à l'ancien moulin toujours en place parmi les vignes. De la cave aménagée à flanc de coteau est né ce gaillac couleur paille fraîche à reflets or. S'il est encore dominé par le bois, à la fois grillé et vanillé, le vin laisse poindre des parfums d'agrumes et emplit le palais d'une chair ample et grasse qui fait bonne impression. Il suffira de l'attendre deux petites années pour que l'ensemble se fonde.

Nicolas et Jean-Paul Hirissou,
Dom. du Moulin, chem. de Bastié, 81600 Gaillac,
tél. 05.63.57.20.52, fax 05.63.57.66.67,
e-mail domainedumoulin@libertysurf.fr r.-v.

LES SECRETS DU CHATEAU PALVIE 2002 ★★

3 ha n.c. 11 à 15 €

Est-ce encore un secret pour vous, fidèle lecteur du Guide ? Les vins du château Palvié occupent régulièrement les meilleures places dans le Guide. Ce 2002 ne saurait faire exception, lui qui dans sa robe presque noire à nuances violines mêle avec complexité les fruits et les épices macérés dans l'eau-de-vie avec les notes empyreumatiques et vanillées du bois. La bouche est ronde et chaleureuse, expressive. Si le boisé est présent et les tanins serrés, ils se fondent déjà harmonieusement et laissent toute leur place aux arômes, avec en plus une nuance de garrigue et de myrte. Pour un civet de lièvre.

Jérôme Bézios, Ch. Palvié,
81140 Cahuzac-sur-Vère, tél. 06.80.65.44.69

DOM. DES PARISES Doux Loin-de-l'œil 2003 ★

2 ha 3 000 5 à 8 €

Du len-de-l'el, rien que du len-de-l'el dans ce vin or intense, largement ouvert sur les fruits mûrs et un boisé déjà fondu. L'attaque est franche, la bouche équilibrée, car, si le sucre est présent, une juste vivacité s'exprime également. Quelques notes grillées accompagnent la dégustation, tandis que la finale laisse un bon goût de poire au miel. De l'élégance.

SCEV Jean Arnaud, 25, rue de la Mairie,
81150 Lagrave, tél. et fax 05.63.41.78.63,
e-mail arnaudpy@wanadoo.fr
t.l.j. sf sam. dim. 8h-12h 14h-18h

LE PAYSSEL Tradition 2003 ★

1,5 ha 10 600 5 à 8 €

Braucol et syrah se partagent équitablement la composition de ce vin. Sous une teinte soutenue se manifestent

SUD-OUEST

de frais arômes de petits fruits noirs et de sous-bois printanier. Souple dès l'attaque, une bonne matière se développe au palais, ample et toujours aromatique. Les tanins prennent le dessus en finale, mais ils promettent de se fondre au cours d'une garde d'un an ou deux. Pour l'apéritif ou une quiche cuisinée en cinq sept lors d'une invitation de dernière minute, n'oubliez pas la cuvée **Tradition blanc sec 2004**, citée par le jury.

EARL Louis Brun et Fils, Le Payssel, 81170 Frausseilles, tél. 05.63.56.00.47, fax 05.63.56.09.16, e-mail lepayssel@free.fr r.-v.

### DOM. PEYRES ROSES Sec 2003

3 ha 6 000 3 à 5 €

Olivier Bonnafont n'y est pas allé par quatre chemins lorsqu'il a repris en 2000 cette propriété d'un peu plus de 7 ha sur le plateau cordais : il a arraché tous les ceps destinés à la production de vin de table et de pays, puis a converti le vignoble à l'agriculture raisonnée. Son 2003 jaune pâle hésite entre arômes de fleurs et de fruits, avec une touche de menthol. L'attaque est souple, la bouche plus expressive que le nez, fraîche et croquante.

Olivier Bonnafont, Dom. Peyres Roses, 81140 Cahuzac-sur-Vère, tél. 05.63.33.23.34, fax 05.63.40.53.01, e-mail olivier.bonnafont@wanadoo.fr r.-v.

### VIN D'AUTAN DE ROBERT PLAGEOLES ET FILS Doux 2003 ★★

3 ha 2 300 30 à 38 €



Dans la collection de cépages conservée par les Plageoles, deux plants ont donné naissance à de remarquables vins doux : la muscadelle dans le **Domaine des Très-Cantous 2004 Elevé en fût de chêne merrain (8 à 11 €; bouteilles de 50 cl)** et l'ondenc dans ce Vin d'Autan qui remporte un coup de cœur. Celui-ci, teinté d'or et d'ambre, laisse des larmes abondantes sur le verre. Une invitation à découvrir les arômes puissants de fruits mûrs (pomme, poire), de fruits secs (datte, figue), de miel et de fleur d'acacia. Les flaveurs de la bouche très concentrée et douce ne semblent jamais devoir s'estomper. Un superbe gaillac. (Bouteilles de 50 cl.)

Bernard et Myriam Plageoles, Dom. des Très-Cantous, 81140 Cahuzac-sur-Vère, tél. 05.63.33.90.40, fax 05.63.33.95.64 t.l.j. 8h-12h 14h-18h

### CH. DE RHODES 2004 ★

0,92 ha 3 640 3 à 5 €

La cave souterraine de ce domaine mérite que l'on s'y arrête. Eric Lépine, à la tête de la propriété depuis 2002, y a élaboré un rosé de teinte pâle qui brille de reflets violets. Les arômes de fruits se déclinent agréablement et font ricochet au palais. Un vin équilibré et gouleyant. Le **blanc sec 2004**, très vif, est cité.

Eric Lépine, Ch. de Rhodes, Boissel, 81600 Gaillac, tél. 05.63.57.06.02, fax 05.63.57.66.63, e-mail chateauderhodes1@aol.com t.l.j. sf sam. dim. 9h-12h 13h30-17h30; groupes sur r.-v.

### DOM. RENE RIEUX Doux Harmonie 2003 ★

3 ha 10 000 5 à 8 €

Si les gaillac doux sont habituellement issus de raisins atteints de pourriture noble, ce 2003 provient d'un passerillage sur souche. Il en résulte une robe or intense, un nez riche de pomme, de poire et de coing, avec une touche de miel, une bouche ample et chaleureuse qui ne manque pourtant pas de vivacité. L'ensemble est harmonieux, d'une agréable persistance aromatique.

Dom. René Rieux C.A.T. Boissel, 1495, rte de Cordes, 81600 Gaillac, tél. 05.63.57.29.29, fax 05.63.57.51.71, e-mail domainerenerieux@wanadoo.fr t.l.j. sf sam. dim. 9h-12h 14h-18h

Adapeai

### DOM. ROTIER Doux Renaissance 2003 ★★

3 ha 8 033 11 à 15 €

Et un de plus pour le domaine Rotier et sa cuvée Renaissance. Après celui de l'an passé, un nouveau coup de cœur suscité par ce 2003 d'un jaune doré soutenu, parfaitement limpide. Les senteurs intenses et raffinées d'un fruit bien mûr se marient parfaitement à celles d'un boisé délicat, héritées de dix mois d'élevage. Une richesse aromatique que l'on retrouve en bouche sous des accents de pâte de fruits, de miel, de fruits secs et de vanille. La concentration est optimale, de même que l'ampleur. Du velours... (Bouteilles de 50 cl.)

Dom. Rotier, Petit Nareye, 81600 Cadalen, tél. 05.63.41.75.14, fax 05.63.41.54.56, e-mail rotier@terre-net.fr t.l.j. sf dim. 8h-12h 14h-19h: groupes sur r.-v.

Alain Rotier et Francis Marre

### CH. DE SALETTES Sec Premières côtes 2002 ★

9 ha 15 000 5 à 8 €

Une branche de la famille Toulouse-Lautrec était propriétaire de ce château du XIII[e]s. Celui-ci connut une longue rénovation de 1955 à 1998, avant d'être transformé en hôtel quatre étoiles et en restaurant gastronomique. Au menu, noix de Saint-Jacques à la réglisse, puis bar au pamplemousse. Le bon vin ? Ce gaillac couleur paille fraîche, à peine doré, qui fait preuve d'élégance dans ses parfums d'agrumes et de vanille. Suave dès l'attaque, il possède de la rondeur certes, mais aussi suffisamment de

vivacité pour porter son fruit. L'empreinte du bois est en outre bien maîtrisée. Le **gaillac doux L'Aoutouno 2004** est cité.
SCEV Ch. de Salettes,
Lieu-dit Salettes, 81140 Cahuzac-sur-Vère,
tél. 05.63.33.60.60, fax 05.63.33.60.61,
e-mail salettes@chateaudesalettes.com r.-v.
Roger-Paul Le Net

DOM. DE SALMES
Doux Méthode gaillacoise 2004 **

| | 0,5 ha | 1 500 | | 5 à 8 € |
|---|---|---|---|---|

Une mousse très fine borde la robe d'or de cet effervescent subtilement aromatique, aux notes de brioche et de pomme au miel. La bouche fraîche en attaque se développe avec élégance grâce à une juste vivacité qui équilibre le sucre, portée par les bulles légères. La finale harmonieuse laisse un goût de miel et d'abricot confit.
EARL Jean-Paul Pezet, Salmes, 81150 Bernac,
tél. 05.63.55.42.53, fax 05.63.53.10.26
t.l.j. 9h-19h; sam. dim. sur r.-v.

CH. DE SAURS 2003 **

| | 4 ha | 26 000 | | 5 à 8 € |
|---|---|---|---|---|

Au milieu du XIXᵉs. Eliézer, comte de Saurs, fit construire ce château dans le style palladien. C'est aujourd'hui son arrière-petit-fils qui commande le domaine de 42 ha. Caractéristique du millésime 2003, ce gaillac révèle une grande maturité dès le premier regard porté sur sa robe rubis profond. Le nez en apporte une nouvelle preuve : intense et typé, il évoque le poivre, les fruits rouges et la menthe. Le vin emplit la bouche de sa chair douce en attaque, puis épicée et puissante. Les tanins encore fermes en finale sauront s'assouplir à la garde. La **Réserve Eliézer rouge 2003 (8 à 11 €)** est citée ; actuellement sous l'emprise du bois, elle mérite d'attendre trois ans en cave.
SCEA Ch. de Saurs, 81310 Lisle-sur-Tarn,
tél. 05.63.57.09.79, fax 05.63.57.10.71,
e-mail info@chateau-de-saurs.com r.-v.
Burrus

CAVE DE TECOU Passion
Elevé en fût de chêne 2003 **

| | 40 ha | 210 000 | | 5 à 8 € |
|---|---|---|---|---|

La coopérative de Técou possède plusieurs gammes de vins aux noms charmants. Entre Fascination, Confidences, Évocation, Facétie et Passion, le jury n'a pas hésité : ce sera la Passion en rouge comme en blanc. Difficile de rester indifférent devant pareille robe rubis à reflets grenat. Bientôt, on est conquis par les notes de fruits rouges, d'épices et de réglisse que relève une touche de menthol. Bouche pleine, ronde, élégante, en parfaite harmonie avec les arômes du nez : c'en est assez pour convaincre. Ce ne sont pas les tanins un peu sévères en finale qui rebuteront, car ils sont le signe d'un avenir favorable. À servir dans trois ou cinq ans avec une pièce de bœuf. Le **gaillac doux Passion 2003 (8 à 11 €)**, élevé en fût lui aussi, obtient une étoile.
SCA Cave de Técou, Pagesou, 81600 Técou,
tél. 05.63.33.00.80, fax 05.63.33.06.69,
e-mail passion@cavedetecou.fr r.-v.

CH. DE TERRIDE Demi-sec 2004 *

| | n.c. | 2 500 | | 5 à 8 € |
|---|---|---|---|---|

Graves pures plus mauzac à 100 % vinifié selon la méthode traditionnelle égale... un joli vin vert pâle, à la mousse fine et régulière. Il sent intensément la pomme Granny, ainsi que les fruits exotiques, puis manifeste au palais un caractère subtil, doux et frais, finement aromatique. La finale, plus chaleureuse, est tout aussi expressive.
GAEC Ch. de Terride, 81140 Puycelsi,
tél. 05.63.33.26.63, fax 05.63.33.26.46 r.-v.

DOM. DES TERRISSES Terre originelle 2003 **

| | 3,2 ha | 15 000 | | 8 à 11 € |
|---|---|---|---|---|

Terrisses est le nom donné à l'argile qui entre dans la composition des briques roses typiques de l'architecture de la région. Vous en trouverez illustration dans la grande maison de maître qui commande ce domaine de 40 ha. Le vin, lui, offre au regard un velours pourpre à nuances violettes. Le nez est expressif, d'abord marqué par un beau boisé aux accents de torréfaction et de vanille, puis prolixe en fruits rouges. D'attaque franche et intensément fruitée, la bouche riche bénéficie d'une large structure : les tanins marqués sont renforcés par ceux d'un boisé toujours présent, mais prêts à se fondre dans les mois à venir. Le **Domaine des Terrisses doux 2004 (5 à 8 €)** obtient une étoile pour sa palette aromatique.
EARL Cazottes, Dom. des Terrisses, 81600 Gaillac,
tél. 05.63.57.16.80, fax 05.63.41.05.87,
e-mail domaine.des.terrisses@wanadoo.fr r.-v.

CH. LA TOUR PLANTADE Sec 2004 **

| | 2 ha | 5 000 | | 5 à 8 € |
|---|---|---|---|---|

« New Age », c'est ainsi qu'un dégustateur définit ce gaillac sec de bonne présentation dans son habit jaune pâle brillant à reflets verts. Un assemblage de len-de-l'el, de muscadelle et de sauvignon : rien de plus classique, pourtant. Mais voilà : le vin décline subtilement d'intéressants arômes de fruits exotiques et de poire william. Le même jury ajoute : « Une gâterie que ce vin ». Il aime, en effet, le parfait équilibre entre douceur et vivacité, ainsi que ce fruit qui ne semble jamais devoir quitter le palais, avec un côté acidulé en finale.
EARL France et Jaffar Nétanj,
La Soucarie, 81150 Labastide-de-Lévis,
tél. 05.63.55.47.43, fax 05.63.53.27.78,
e-mail jaffarnetanj@wanadoo.fr r.-v.

DOM. DE VAISSIERE Cuvée Elien
Vieilli en fût de chêne 2002 *

| | 0,6 ha | 3 330 | | 5 à 8 € |
|---|---|---|---|---|

Les Vaissière n'ont aucun mal à dresser leur arbre généalogique, puisque depuis le XVIIᵉs. leur famille travaille la vigne dans la région. Cette cuvée porte le nom du père d'André Vaissière. Grenat aux intenses nuances violines, elle dévoile de fines senteurs d'épices douces et de garrigue avant de déployer des arômes de fruits confits. L'attaque veloutée annonce une chair ronde qui enrobe les tanins. Le boisé mesuré laisse parfaitement s'exprimer les arômes.
André Vaissière, Vaissière,
81300 Busque, tél. et fax 05.63.34.59.06 r.-v.

DOM. VAYSSETTE Doux Cuvée Maxime 2003 *

| | n.c. | 3 000 | | 11 à 15 € |
|---|---|---|---|---|

Depuis 1995, Jacques Vayssette, son épouse et leur fils conduisent en trio ce vignoble de 26 ha situé à 4 km de Gaillac. Un domaine qui a obtenu six coups de cœur au fil des éditions du Guide. Ses vins doux se sont particulièrement distingués. Ils ont élaboré un 2003 moelleux d'un jaune ambré soutenu, dont les arômes intenses évoquent

SUD-OUEST

les fruits jaunes surmûris et la pâte de coings. Très ample, aussi concentré qu'un sirop de fruits et longuement aromatique, ce vin ressemble à une gourmandise. Le **rouge 2003 (5 à 8 €)** est cité pour sa souplesse et son sympathique fruité.
Dom. Vayssette, Laborie, 81600 Gaillac,
tél. 05.63.57.31.95, fax 05.63.81.56.84
t.l.j. 9h30-12h 14h30-18h30;
dim. et groupes sur r.-v.

# Vins-d'estaing AOVDQS

Entouré par les causses de l'Aubrac, les monts du Cantal et le plateau du Lévezou, le vignoble de l'Aveyron serait plutôt à classer parmi ceux du Massif central. Ces petites appellations sont très anciennes ; leur fondation par les moines de Conques remonte au IXes.

Les vins-d'estaing (14 ha) se partagent entre rouges et rosés frais et parfumés (cassis, framboise), à base de fer-servadou et de gamay (598 hl pour les rouges et 117 hl pour les rosés en 2004), et blancs très originaux, assemblages de chenin, de mauzac et de rousselou (58 hl). Ils sont vifs et rocailleux, avec des parfums de terroir.

### LES VIGNERONS D'OLT
Cuvée de l'Amiral 2004 ★★

1,4 ha 4 900 3 à 5 €

Les vignerons d'Olt, dans le charmant village d'Estaing, alignent un joli triplé. La **cuvée des Brumes rosé 2004** est citée, la **cuvée Prestige rouge 2004** obtient une étoile et ce blanc a été jugé remarquable. Issu du chenin à 90 %, complété par le mauzac, celui-ci affiche une couleur claire et brillante, ainsi que des arômes intenses de miel et de citron, nuancés de minéral. D'une grande délicatesse, il garde une ligne fraîche, de l'ampleur et un équilibre pimpant jusqu'en finale.
Les Vignerons d'Olt, Z.A. La Fage, 12190 Estaing,
tél. et fax 05.65.44.04.42,
e-mail cave.vigneronsdolt@wanadoo.fr
t.l.j. sf dim. 10h-12h 14h-19h

# Entraygues-le-fel AOVDQS

Les vins blancs d'Entraygues, cultivés sur d'étroites banquettes de sols schisteux à flanc de coteaux abrupts, sont issus de chenin et de mauzac ; ils sont frais et fruités à la fois. Ils font merveille sur les truites sauvages et le fromage de cantal doux. Les vins rouges du Fel, solides et terriens, seront bus sur l'agneau des Causses et la potée auvergnate. Sur 22,58 ha déclarés en 2004, les blancs ont représenté 202 hl, les rosés 206 hl et les rouges 577 hl.

### VIGUIER Cuvée spéciale 2003 ★

2 ha 8 000 5 à 8 €

Dans des arènes granitiques poussent ces quelques hectares de vignes de chenin qui font la notoriété de cette petite aire d'appellation. Le vin, à la robe légère, or pâle, possède une palette aérienne, à la fois florale et minérale avec des notes printanières de buis et des touches de thé vert. Il se montre suave dès l'attaque, puis gras et toujours aromatique. Une curiosité toute de douceur.
Jean-Marc Viguier,
Les Buis, 12140 Entraygues,
tél. 05.65.44.50.45, fax 05.65.48.62.72,
e-mail gaecviguier@tele2.fr
t.l.j. sf dim. 9h-12h 14h-19h

# Marcillac

Dans une cuvette naturelle, le « vallon », au microclimat favorable, le mansoi (fer-servadou) donne aux vins rouges de marcillac une grande originalité empreinte d'une rusticité tannique et d'arômes de framboise. En 1990, cette démarche de typicité, cette volonté d'originalité ont été reconnues par l'accession à l'AOC. L'aire d'appellation recouvre aujourd'hui 161 ha et a produit, en 2004, 8 029 hl d'un vin reconnaissable entre tous.

### DOM. DU CROS Lo Sang del Païs 2003 ★

17 ha 80 000 5 à 8 €

Incontournable par la qualité régulière de ses vins et la chaleur de son accueil, le domaine du Cros propose une **cuvée Vieilles Vignes 2003 (8 à 11 €)** élevée dix-huit mois en fût, qu'il vous faudra attendre. Le jury lui accorde une citation, préférant attribuer une étoile à ce Lo Sang del Païs, de teinte franche et brillante, qui livre un plaisir immédiat. Le nez montant apparaît fruité, puis mentholé et enfin épicé. D'attaque souple, la bouche reste fraîche, équilibrée et agréable, même si les tanins ressortent quelque peu en finale. C'est bien typé.
Philippe Teulier, Dom. du Cros, 12390 Goutrens,
tél. 05.65.72.71.77, fax 05.65.72.68.80,
e-mail pteulier@domaine-du-cros.com
t.l.j. sf dim. 9h-12h 13h30-19h; groupes sur r.-v.

### DOM. LAURENS Cuvée de Flars 2003 ★

2 ha 11 700 5 à 8 €

Fort d'un coup de cœur l'an passé, ce domaine, situé dans le village médiéval de Clairvaux, a réussi ce millésime

pourtant jugé difficile. Rouge profond, son vin exprime bien les fruits mêlés d'une note de tabac et de sureau. Il se montre souple, assez ample et toujours fruité au palais. Quelques tanins en finale, mais tel est le caractère d'un marcillac et c'est bien plaisant.
Dom. Laurens, 7, av. de la Tour, 12330 Clairvaux, tél. 05.65.72.69.37, fax 05.65.72.76.74 r.-v.

TERRES D'ANGLES Vieilles Vignes 2003 ★★

■ 0,7 ha 2 500 8 à 11 €

Entrée remarquée dans le Guide pour ce domaine de 20 ha conduit par Bernard Angles. Fait rare, il compte encore quelques ceps de fer-servadou francs de pieds, c'est-à-dire qui n'ont pas été greffés lors de la crise phylloxérique. L'œnologue, Patrice Lescarret, n'est pas un inconnu car il est aussi un célèbre producteur de gaillac. Cette cuvée élégante revêt une robe soutenue, cerise burlat. Elle vous ravit par la franchise de ses arômes fruités de cerise et de cassis. Très engageante, à la fois ronde et ample, elle est d'un remarquable fondant. Un marcillac moderne, de belle expression. Le **Domaine de Mioula 2003 (5 à 8 €)** est cité.
Bernard Angles, Le Mioula, 12390 Salles-la-Source, tél. 06.08.95.15.60, fax 05.65.68.50.45 r.-v.

LES VIGNERONS DU VALLON
Cuvée réservée 2003 ★

■ 15 ha 53 000 3 à 5 €

Après la quasi-disparition du vignoble en 1960 et la fermeture du bassin minier de Décazeville s'est créée cette même année la petite cave des Vignerons du Vallon. Elle soutient aujourd'hui encore la production du marcillac. Alors que le **Domaine de Ladrecht 2003**, issu d'un sol argilo-calcaire, est cité, la Cuvée réservée se distingue. Née d'un terroir de rougier, elle porte une robe grenat à reflets violacés et offre des arômes de qualité mais qui doivent encore s'épanouir : kirsch et menthol. Elle laisse une impression de souplesse dès l'attaque, puis révèle une matière suffisamment concentrée et une certaine tannicité.
Les Vignerons du Vallon, RN 140, 12330 Valady, tél. 05.65.72.70.21, fax 05.65.72.68.39, e-mail valady@groupe-unicor.com r.-v.

# Côtes-de-millau AOVDQS

L'appellation AOVDQS côtes-de-millau a été reconnue le 12 avril 1994. La production atteint 2 175 hl sur 47,86 ha déclarés en 2004 dont 101 hl en blanc, 1 567 hl en rouge, 507 hl en rosé. Les vins sont composés de syrah et de gamay noir et, dans une moindre proportion, de cabernet-sauvignon, de fer-servadou et de duras.

DOM. MONTROZIER 2003 ★

■ 2,45 ha 9 330 8 à 11 €

La syrah dominante donne une note nettement méridionale à ce vin plutôt structuré pour un côtes-de-millau. Violette et cassis se libèrent au nez, tandis que la bouche repose sur des tanins solides, garants d'une bonne évolution à la garde. Pour un gibier. Cité, le **Domaine de La Tour Saint-Martin 2003 (3 à 5 €)**, à base de 50 % de gamay, est un vin souple qui pourra accompagner les charcuteries aveyronnaises dès maintenant.
SCV Les Vignerons des Gorges du Tarn, 6, av. des Causses, 12520 Aguessac, tél. 05.65.59.84.11, fax 05.65.59.17.90, e-mail scvcotesdemillau@wanadoo.fr r.-v.

SEIGNEURS DE PEYREVIEL 2003 ★★

■ 12 ha 31 000 3 à 5 €

Cette cave coopérative est née en 1994 à l'initiative de quatorze adhérents qui décidèrent de racheter leur outil de production. Sa cuvée a été particulièrement appréciée pour ses arômes intenses qui mêlent la myrtille, la mûre et les épices. Plutôt ronde et équilibrée, elle bénéficie de tanins fondus et se prolonge par une finale chaleureuse. Elle conviendra à un magret de canard.
SCV Les Vignerons des Gorges du Tarn, 6, av. des Causses, 12520 Aguessac, tél. 05.65.59.84.11, fax 05.65.59.17.90, e-mail scvcotesdemillau@wanadoo.fr r.-v.

LE VIEUX NOYER Cuvée des Barandelles 2003 ★★

■ 0,48 ha 2 930 5 à 8 €

Un noyer plus que centenaire donne son nom à ce domaine de 6 ha, dont les caves sont semitroglodytiques. Cette cuvée est issue de syrah et de cabernet à parts égales, complétés de gamay récoltés sur les coteaux qui bordent le Tarn. Vêtue d'une robe profonde, elle arbore un nez complexe de cannelle, d'épices douces ainsi que de cassis et de myrtille. Elle révèle au palais une rondeur et un volume rares dans ce millésime. La cuvée principale **Le Vieux Noyer 2003 (3 à 5 €)**, plus simple, est citée.
Bernard et Carmen Portalier, Le Vieux Noyer, Boyne, 12640 Rivière-sur-Tarn, tél. et fax 05.65.62.64.57 t.l.j. 9h-12h30 14h-18h30

## La moyenne Garonne

# Côtes-du-frontonnais

Vin des Toulousains, le côtes-du-frontonnais provient d'un très ancien vignoble, autrefois propriété des chevaliers de l'ordre de Saint-Jean-de-Jérusalem. Lors du siège de Montauban, Louis XIII et Richelieu se livrèrent à force dégustations comparatives... Reconstitué grâce à la création des coopératives de Fronton et de Villaudric, le vignoble a conservé un encépagement original avec la négrette, cépage local que l'on retrouve à Gaillac ; lui sont associés le cot, le cabernet franc et le cabernet-sauvignon, la syrah, le gamay et le mauzac.

Le terroir occupe environ 2 000 ha sur les trois terrasses du Tarn, avec des sols de boulbènes, graves ou rougets. La production a atteint 100 324 hl en 2004. Les vins rouges (67 588 hl), à forte proportion de cabernet, gamay ou syrah, sont légers, fruités et aromatiques. Les plus riches en négrette sont plus puissants, tanniques, dotés d'un fort parfum de terroir. Les rosés (32 736 hl) sont francs, vifs, avec un agréable fruité.

### CH. BAUDARE Secret des Anges Elevé en fût de chêne 2003 ★★

■ 1 ha 5 000 8 à 11 €

Sur les troisièmes terrasses des Côtes du Frontonnais, Claude et David Vigouroux s'attachent à tirer le meilleur du terroir argilo-graveleux où prospèrent négrette, cabernet-sauvignon et syrah. Ils prennent soin d'attendre une parfaite maturation des raisins et d'extraire leurs composants en les laissant macérer pendant trente jours. Le résultat ne restera pas longtemps un secret des anges. Vous le découvrirez sous une robe pourpre profonde. Impénétrable ? Sûrement pas. Sous le voile d'un riche boisé évocateur d'encens se manifestent des arômes de fruits mûrs confits et macérés dans l'eau-de-vie. L'équilibre est remarquable, la structure longue, la matière volumineuse et dense. A boire dès maintenant et pendant encore trois ans au moins. La cuvée principale du **Château Baudare rouge 2003 (3 à 5 €)** mérite une étoile pour sa belle expression de la négrette. La même note est attribuée à la **cuvée Vieilles Vignes rouge 2003 (5 à 8 €)** pour son fruité réglissé et sa concentration. Toutes deux ont été élevées en cuve.

Claude et David Vigouroux,
Ch. Baudare, 82370 Labastide-Saint-Pierre,
tél. 05.63.30.12.98, fax 05.63.64.07.24,
e-mail vigouroux@aol.com r.-v.

### CH. BELLEVUE LA FORET 2003 ★

■ 70 ha 350 000 5 à 8 €

Patrick Germain a trouvé dans les Côtes du Frontonnais un terroir favorable pour créer son propre domaine : un vignoble qui compte aujourd'hui 112 ha d'un seul tenant, fait rare dans le Sud-Ouest. Son 2003 rouge écarlate aux nuances violines s'ouvre généreusement sur des senteurs à la fois florales et fruitées. Il est souple et soyeux, fort de saveurs équilibrées et d'un joli volume. On sent le fruit cueilli à point. Profitez-en dès maintenant. Le **rosé 2004**, aromatique et vif, obtient également une étoile.

Ch. Bellevue la Forêt, 4500, av. de Grisolles,
31620 Fronton, tél. 05.34.27.91.91, fax 05.61.82.39.70,
e-mail contact@chateaubellevuelaforet.com r.-v.
Patrick Germain

### CH. BOUISSEL Haute Expression 2003 ★★

■ 2,2 ha 7 300 11 à 15 €

Pierre Selle a repris en 1978 le vignoble de ses parents qu'il a progressivement porté à 22 ha. Ses vins ont longtemps flirté avec le coup de cœur dans les précédentes éditions du Guide. Aujourd'hui, cette cuvée a conquis le jury. La négrette constitue la moitié de son assemblage, soutenue par la syrah et le cot à parts égales. D'élégantes touches de violette, de fruits rouges et d'épices s'expriment, soulignées d'un discret boisé. A l'attaque veloutée succède une bouche harmonieuse et gourmande, suffisamment concentrée. La finale reste douce et ajoute au plaisir procuré par ce vin. Le **rosé 2004 (5 à 8 €)** est cité.

Pierre et Anne-Marie Selle,
Ch. Bouissel, 82370 Campsas, tél. 05.63.30.10.49,
fax 05.63.64.01.22, e-mail chateaubouissel@free.fr
t.l.j. sf dim. 9h-12h 14h-19h; mer. 14h-19h;
groupes sur r.-v.

### CH. CAHUZAC L'Authentique 2003

■ 13 ha 80 000 3 à 5 €

Couleur dense aux nuances aubergine, ce 2003 offre un nez fin et discret, composé de notes de pivoine et de Guignolet légèrement épicées. Il se montre souple et svelte, très friand, avec une petite pointe acidulée en finale. Un vin franc à déguster sur des rillettes.

EARL de Cahuzac, Les Peyronnets, 82170 Fabas,
tél. 05.63.64.10.18, fax 05.63.67.36.97,
e-mail chateau.cahuzac@wanadoo.fr r.-v.

### CH. CLAMENS Cuvée Julie 2004 ★★

■ 3 ha 13 500 5 à 8 €

La négrette a ici le beau rôle : 80 % de l'assemblage, complétés par la syrah. Comment s'étonner dans ces conditions que ce rosé affiche une teinte franche et brillante ? Les arômes expriment les fleurs blanches, l'abricot et les agrumes avec intensité. Ils reviennent au palais, soutenus dès l'attaque par une pointe de gaz carbonique qui assure aussi une agréable fraîcheur. Belle image des rosés de Fronton. Noté une étoile, le **rouge 2003 (3 à 5 €)** ne démérite pas : fruits mûrs, souplesse, tanins fondus.

Jean-Michel Bégué, 720, chem. du Tapas,
31620 Fronton, tél. 05.61.82.45.32, fax 05.62.79.21.73,
e-mail chateau.clamens@terre-net.fr
t.l.j. sf dim. 9h30-12h 14h-19h

### CH. CLOS MIGNON Villaudric Sélection 2003 ★

■ 1 ha 6 000 5 à 8 €

A la tête de la propriété familiale (40 ha) depuis 2000, Olivier Muzart a élaboré un 2003 fait pour les gourmands

de confit de canard. Voyez plutôt la robe d'encre très nuancée de laquelle s'épanouissent des arômes puissants et caractéristiques de violette, de fruits noirs et d'épices. La bouche s'exprime en finesse et en souplesse grâce à des tanins fondus. Un vin bien fait et typé. Le **rosé 2004 (3 à 5 €)** obtient une étoile également.
Olivier Muzart, EARL du Ch. Clos Mignon, 31620 Villeneuve-les-Bouloc, tél. 05.61.82.10.89, fax 05.61.82.99.14, e-mail omuzart@aol.com
t.l.j. sf lun. 9h-12h 15h-19h, dim. 10h-12h

### CH. LA COLOMBIERE Vin gris 2004 *

2,5 ha 13 300 5 à 8 €

Ce domaine qui appartenait au XIVe s. à l'abbaye de La Daurade, à Toulouse, couvre aujourd'hui 18 ha. Il propose ici un vin gris, rosé issu du pressurage direct de raisins rouges, dès leur arrivée à la cave, sans macération. D'une teinte fluo et brillante, celui-ci révèle des notes de bonbon anglais et de rose avenantes, puis prend un caractère gouleyant en bouche, relevé par sa finale acidulée. Rafraîchissant.
Ch. La Colombière, 190, rte de Vacquiers, 31620 Villaudric, tél. 05.61.82.44.05, e-mail vigneron@chateaulacolombiere.com
t.l.j. sf dim. 9h-12h 14h-18h
François de Driesen

### COMTE DE NEGRET Excellence Elevé en fût de chêne 2003 **

n.c. n.c. 3 à 5 €

Incontournable, la Cave de Fronton et sa gamme Comte de Négret. L'Excellence du Comte de Négret 2003, violet intense, excelle par sa richesse aromatique : le boisé aux accents de torréfaction (cacao) se mêle aux fruits à l'eau-de-vie et aux épices. La bouche est assez dense et ronde en attaque, puis les tanins montent et s'affirment en finale. Le temps saura arrondir cet ensemble remarquable. La cuvée principale **Comte de Négret rouge 2003**, élevée en cuve, obtient une étoile. Un vin ample et volumineux, dont les tanins méritent aussi de se fondre au cours de deux ans de garde.
Cave de Fronton, rte de Montauban, 31620 Fronton, tél. 05.62.79.97.79, fax 05.62.79.97.70 r.-v.

### CH. CRANSAC Tradition 2004

7 000 3 à 5 €

Un château et une chapelle du XVIIe s. caractérisent l'architecture de cette propriété de 39 ha, acquise en 2002 et rénovée l'année suivante. Le chai de vinification et d'élevage est en revanche tout neuf et moderne. Ce rosé de teinte grenadine soutenue surprend agréablement par sa gamme d'arômes de petits fruits rouges. Il reste souple, rond et bien frais tout au long de la dégustation. De l'harmonie et de la typicité.
SCEA Dom. de Cransac, allée de Cransac, 31620 Fronton, tél. 05.62.79.34.30, fax 05.62.79.34.37, e-mail secretariat@chateaucransac.com
t.l.j. 10h-12h 14h-18h
Rémy Nauleau

### CH. DEVES Allegro 2003 *

2 ha 8 000 5 à 8 €

Vous vous en souvenez sûrement : l'Allegro 2001 avait eu un coup de cœur dans le Guide 2004. Voici le millésime 2003 orchestré par Michel Abart. C'est intense et haut en couleur. Le nez semble encore retenu mais laisse échapper de prometteuses notes de fruits noirs, de zan à la violette et de résine. Velouté et concentré, le vin emplit le palais, soutenu par des tanins présents qui promettent de se fondre d'ici deux ans. En attendant, servez la **cuvée Tradition rouge 2003 (3 à 5 €)**, citée par le jury.
Michel Abart, Ch. Devès, 2255, rte de Fronton, 31620 Castelnau-d'Estretefonds, tél. et fax 05.61.35.14.97 r.-v.

### CH. FERRAN Tradition 2003 **

18 ha 50 000 5 à 8 €

Acquis en 1994 par Nicolas Gélis, le château Ferran s'entoure de 27 ha de vignes, dont une partie, à l'ouest, est plantée sur des sols de graves argileuses riches en oxyde de fer, appelés rougets en raison de leur couleur. Que de jolis vins... Le **rosé 2004** et le **Château Ferran rouge 2003 élevé en fût de chêne (8 à 11 €)** obtiennent chacun une étoile, mais la vedette est donnée à cette cuvée Tradition des plus authentiques. Très expressive, elle développe de nombreux arômes friands (cerise, pivoine, réglisse) et propose une matière soyeuse dès l'attaque, puis ronde, ample et harmonieuse. Tant et si bien qu'elle peut déjà apparaître sur votre table.
Nicolas Gélis, Ch. Ferran, 31620 Fronton, tél. 05.61.35.30.58, fax 05.61.35.30.59, e-mail chateau.ferran@wanadoo.fr r.-v.

### CH. FONVIEILLE Excellence Elevé en fût de chêne neuf 2003

2,25 ha 9 000 3 à 5 €

Rouge cerise à nuances vermillon, c'est un vin un peu floral, un peu fruité et doucement boisé que l'on découvre. La bouche, d'attaque veloutée, se fait ronde et souple au possible. L'héritage du fût sait rester discret. Pour des moments bien sympathiques.
ABA, 149, av. Charles-de-Gaulle, 82000 Montauban, tél. 05.63.20.23.15, fax 05.63.03.06.64

### CH. JOLIET Symphonie Elevé en fût de chêne 2003 *

1,5 ha 6 500 5 à 8 €

Au château Joliet, les vins sont élevés pendant sept mois dans des fûts de 225 l, dont le bois de chêne a été moyennement chauffé. Ce 2003 est une composition équilibrée de négrette, de cabernet-sauvignon et de syrah. Quelques notes fruitées et épicées bien appuyées, des senteurs fraîches et une nuance boisée se manifestent au nez, tandis qu'en bouche se joue une partition légère, avec plus de rondes que de croches. Une symphonie à la portée de tous.

SUD-OUEST

François Daubert,
Ch. Joliet, 345, chem. de Caillol, 31620 Fronton,
tél. 05.61.82.46.02, fax 05.61.82.34.56,
e-mail chateau.joliet@wanadoo.fr
t.l.j. sf dim. 9h-12h 14h-18h; f. sem. 15/08

## CH. LAUROU Tradition 2003 ★

38 ha 30 000 3 à 5 €

Guy Salmona, informaticien dans la région parisienne pendant vingt ans, a décidé de vivre au grand air en 1997 et a repris cette propriété de 47 ha. Il manie le langage de la vigne et du vin aussi bien que celui des ordinateurs. En témoignent la cuvée **Haute Expression rouge 2003 (8 à 11 €)**, citée par le jury, et surtout cette Tradition grenat, dont le nez évoque intensément les fruits rouges mûrs ou en confiture, ainsi que quelques fleurs à bulbe. Bien ronde et chaleureuse, la bouche reprend ces mêmes arômes, soutenue par une trame de tanins fondus.

Guy Salmona, Dom. de Laurou, 2250, rte de Nohic, 31620 Fronton, tél. 05.61.82.40.88, fax 05.61.82.73.11,
e-mail chateau.laurou@wanadoo.fr r.-v.

## CH. MARGUERITE Le Rosé de Marguerite 2004 ★

22 ha 162 000 3 à 5 €

Le Rosé de Marguerite ? Il est d'un bel éclat, intense, tout en arômes de bonbon anglais. L'attaque vive annonce son caractère tonique et rafraîchissant. Le tout persiste bien. Voilà un bon rosé de soif. Le **Château Marguerite rouge 2003 élevé en fût de chêne** est cité.

SCEA Ch. Marguerite, 1709, chem. des Cavailles, 82370 Campsas, tél. et fax 05.63.64.08.21

## CH. MONTAURIOL Mons Aureolus Elevé en fût 2003 ★★

5 ha 10 000 8 à 11 €

Comme le château Ferran, Montauriol appartient à Nicolas Gélis qui y produit des vins de haute expression, dont l'élevage est plus poussé encore. La cuvée Mons Aureolus a frôlé le coup de cœur. Robe rouge profond à reflets grenat, nez intense et complexe mêlant des senteurs de torréfaction (café, cacao), d'épices et de fruits rouges. Elle est ample, ronde et chaleureuse, et se développe longuement sur des tanins fondus. Un vin élégant.

Nicolas Gélis,
Ch. Montauriol, rte des Châteaux, 31340 Villematier,
tél. 05.61.35.30.58, fax 05.61.35.30.59,
e-mail contact@chateau.montauriol.com r.-v.

## PATRIMOINE DE VILLAUDRIC 2004 ★

n.c. 40 000 3 à 5 €

De la négrette à 80 %, accompagnée de cabernets franc et sauvignon, pour un rosé presque fluo dont le nez complexe est à la fois floral et fruité. Plutôt vif à l'attaque, le vin trouve un bel équilibre jusqu'à une finale acidulée qui persiste bien.

Vignerons de Rabastens,
33, rte d'Albi, 81800 Rabastens,
tél. 05.63.33.73.80, fax 05.63.33.85.82,
e-mail cave@vigneronsderabastens.com r.-v.

## DOM. LE ROC Cuvée réservée 2003 ★

6 ha 20 000 5 à 8 €

A suivre avec intérêt la production des frères Ribes qui viennent d'acquérir le château Flotis. Leur Cuvée réservée s'habille d'une robe pourpre intense, à nuances violettes, puis livre des notes animales mêlées aux fruits mûrs et aux épices soutenues. On apprécie sa souplesse, sa rondeur et la maturité de sa matière. Les arômes perçus à l'olfaction reviennent au palais, complétés par des accents toastés. En finale, c'est une large structure qui s'impose comme pour réaffirmer la puissance du vin.

Ribes, Dom. Le Roc, 31620 Fronton,
tél. 05.61.82.93.90, fax 05.61.82.72.38,
e-mail leroc@cegetel.net

## DOM. DE SAINT-GUILHEM Renaissance 2003 ★

4 ha 9 600 5 à 8 €

De votre chambre d'hôte vous verrez peut-être le pigeonnier typique de la région, ainsi que les vignes de ce domaine de 7 ha. A table, vous goûterez de préférence ce 2003 de teinte presque noire, intensément fruité, qui évoque la confiture et le pruneau sur fond boisé et épicé.La matière apparaît dense dès l'attaque, puis monte encore en puissance en procurant une sensation chaleureuse. Les tanins structurent solidement l'ensemble, mais une certaine rondeur apportée par le bois se manifeste en finale. Dans deux ou trois ans, l'ensemble se sera affiné.

Philippe Laduguie, 1619, chem. de Saint-Guilhem,
31620 Castelnau-d'Estretefonds,
tél. 05.61.82.12.09, fax 05.61.82.65.59
t.l.j. 9h30-19h30; dim. sur r.-v.

## CH. SAINT-LOUIS L'Esprit 2003 ★

3 ha 10 000 8 à 11 €

Un havre de paix, une touche orientale, des chambres d'hôte et un hammam. L'accueil est fort sympathique. Les vins le sont tout autant, élevés dans un superbe chai. Cette cuvée en a profité pendant treize mois pour s'habiller d'un rouge intense à reflets pourpres et gagner ses arômes de fruits rouges confits à l'alcool, légèrement vanillés. Ronde et douce, elle est équilibrée et déjà si plaisante.

Alain Mahmoudi,
Ch. Saint-Louis, 82370 Labastide-Saint-Pierre,
tél. 05.63.30.20.20, fax 05.63.30.58.76,
e-mail chateausaintlouis@wanadoo.fr r.-v.

## THIBAUT DE PLAISANCE Elevé en fût de chêne 2003

7 ha 19 000 8 à 11 €

Rouge sombre et brillant, ce vin s'exprime avec finesse, mêlant les fruits mûrs, un boisé très vanillé et un bouquet de violettes. Il se montre rond, souple et équilibré. Un ensemble plutôt flatteur.

EARL de Plaisance, pl. de la Mairie,
31340 Vacquiers, tél. 05.61.84.97.41, fax 05.61.84.11.26,
e-mail chateau-plaisance@wanadoo.fr
mer. à sam. 9h-12h 15h-19h
Pen Avayre

## CH. VIGUERIE DE BEULAYGUE Tradition 2004 ★

1 ha 4 000 3 à 5 €

Une belle robe saumon brillant vous séduira d'emblée. La suite ne vous décevra pas, tant les arômes rappellent les bonbons aux fruits : cassis, framboise... Les voici qui reviennent en bouche, comme pour mieux souligner la souplesse et la rondeur du vin. Une agréable fraîcheur se manifeste en finale : décidément, c'est bien fait. Et le **rouge 2003 élevé en fût de chêne (8 à 11 €)** ? Une étoile pour lui aussi.

⊶ Jeanine Faure, Beulaygues, chem. de Bonneval, 82370 Labastide-Saint-Pierre, tél. et fax 05.63.30.54.72 ☑ Y ⚲ r.-v.

### VILLEROSE 2003 ★

■ 25 ha 160 000 ■ 3 à 5 €

La maison de négoce Arbeau possède son propre chai de vinification. De sa gamme dénommée Villerose, le rouge 2003 s'est distingué par sa couleur cerise, son nez fin de fruits rouges et d'épices, sa bouche ronde et aromatique, suffisamment structurée. Le **Château Coutinel rosé 2004** est cité.

⊶ Vignobles Arbeau, BP 1, 82370 Labastide-Saint-Pierre, tél. 05.63.64.01.80, fax 05.63.30.11.42, e-mail vignobles@arbeau.com ☑ Y r.-v.

## Lavilledieu AOVDQS

Au nord du Frontonnais, sur les terrasses du Tarn et de la Garonne, le petit vignoble de Lavilledieu produit des vins rouges et rosés. La production, classée en AOVDQS, est encore très confidentielle (2 115 hl en 2004 sur 65,64 ha dont 1 695 hl en rouge et 420 hl en rosé). La négrette (30 %), le cabernet franc, le gamay, la syrah et le tannat sont les cépages autorisés.

### CHEVALIER DU CHRIST 2003 ★★

■ 20 ha 100 000 ■ - de 3 €

Montauban d'un côté avec son musée Ingres et le cloître de Moissac de l'autre. Avant de vous rendre sur ce magnifique site, arrêtez-vous à la cave de Lavilledieu, car elle fait référence dans l'appellation depuis sa création en 1949. Intense et limpide, ce Chevalier du Christ ne manque pas d'attraits : agréable fond de cassis, rondeur et gouleyance, de la tenue aussi et un excellent rapport qualité-prix. Le **domaine du Gazania rouge 2003** et le **Grand Capitoul rouge 2003 (tous deux de 3 à 5 €)** obtiennent une étoile.

⊶ Cave de Lavilledieu-du-Temple, 337, rte de Meauzac, 82290 Lavilledieu-du-Temple, tél. 05.63.31.60.05, fax 05.63.31.69.11, e-mail cave-lavilledieu@wanadoo.fr

☑ Y ⚲ t.l.j. sf dim. 9h-12h 14h-18h

### CHEVALIER DU CHRIST 2004 ★

■ 15 ha 53 200 ■ - de 3 €

Ce rosé joliment ciselé possède un nez intense dans le registre floral. Il se montre souple, frais et léger. De quoi laisser une bonne impression au palais. Une qualité qu'il faut encourager.

⊶ Cave de Lavilledieu-du-Temple, 337, rte de Meauzac, 82290 Lavilledieu-du-Temple, tél. 05.63.31.60.05, fax 05.63.31.69.11, e-mail cave-lavilledieu@wanadoo.fr

☑ Y ⚲ t.l.j. sf dim. 9h-12h 14h-18h

## Côtes-du-brulhois AOVDQS

Passés de la catégorie des vins de pays à celle des AOVDQS en novembre 1984, ces vins sont produits de part et d'autre de la Garonne, autour de la petite ville de Layrac, dans les départements du Gers, du Lot-et-Garonne et du Tarn-et-Garonne sur une superficie de 231,79 ha. Essentiellement rouges, ils sont issus des cépages bordelais et des cépages locaux, tannat et cot, et ont représenté 13 673 hl en 2004 dont 13 503 hl en rouge et 170 hl en rosé. La majeure partie de la production est assurée par deux caves coopératives.

### CH. GRAND CHENE Prestige Elevé en fût de chêne 2003 ★★

■ 25 ha 50 000 ■ 8 à 11 €

Honneur aux rouges dans ce millésime... Le **Parvis des Templiers 2003** et le **Château Grand Chêne Sélection 2003 (tous deux de 5 à 8 €)** sont cités. **La Voûte Saint-Roc 2003 élevé en fût de chêne** obtient une étoile et ce Prestige du Château Grand Chêne a frôlé le coup de cœur. Apprécié pour sa robe cerise burlat, celui-ci a également fait grande impression par ses arômes intenses de fruits rouges et d'épices sur fond réglissé. Il est franc en attaque, puis concentré et structuré, fort d'un boisé certes présent mais respectueux du fruit. Et toujours cette délicieuse note de réglisse...

⊶ Les Vignerons du Brulhois, Cave de Donzac, 82340 Dunes, tél. 05.63.39.91.92, fax 05.63.39.82.83, e-mail info@vigneronsdubrulhois.com

☑ Y ⚲ t.l.j. sf dim. lun. 9h-12h 14h-18h

### LE VIN NOIR 2003 ★★

■ 15 ha 30 000 ■ 11 à 15 €

Depuis sa création en 1960, la cave des Vignerons du Brulhois organise des championnats du monde de coupeurs de raisin. Avis aux amateurs ! L'occasion, si vous y participez, de découvrir ce vin noir, sélection de merlot, de cabernet franc et de tannat à parts égales. Sa robe ? Noire, évidemment ; son nez est mûr, tout de fruits noirs et de réglisse. Sa matière riche et concentrée, largement structurée par des tanins qui tendent à se fondre. Vous pouvez déjà boire cette bouteille comme l'attendre deux ans.

⊶ Les Vignerons du Brulhois, Cave de Donzac, 82340 Dunes, tél. 05.63.39.91.92, fax 05.63.39.82.83, e-mail info@vigneronsdubrulhois.com

☑ Y ⚲ t.l.j. sf dim. lun. 9h-12h 14h-18h

## Buzet

Connu depuis le Moyen Age comme partie intégrante du haut-pays bordelais, le vignoble de Buzet s'étageait entre Agen et Marmande. D'origine monastique, il a été déve-

SUD-OUEST

loppé par les bourgeois d'Agen. Réduit à l'état de souvenir après la crise phylloxérique, il est devenu à partir de 1956 le symbole de la renaissance du vignoble du haut-pays. Deux hommes, Jean Mermillod et Jean Combabessouse, ont présidé à ce renouveau, qui doit aussi beaucoup à la Cave coopérative des Producteurs réunis, laquelle élève une grande partie de sa production en barriques régulièrement renouvelées. Ce vignoble s'étend aujourd'hui entre Damazan et Sainte-Colombe, sur les premiers coteaux de la Garonne ; il irrigue les villes touristiques de Nérac et Barbaste.

L'alternance de boulbènes, de sols graveleux et argilo-calcaires permet d'obtenir des vins à la fois variés et typés. Les rouges, puissants, profonds, charnus et soyeux, rivalisent avec certains de leurs voisins girondins. Ils s'accordent à merveille avec la gastronomie locale : magret, confit et lapin aux pruneaux. S'étendant sur 2 018 ha, buzet a donné 118 370 hl dont 88 477 hl en rouge, 24 312 hl en rosé et 5 581 hl en blanc, car si le buzet est rouge par tradition, blancs et rosés complètent une palette consacrée aux harmonies pourpres, grenat et vermillon.

### BARON D'ALBERT 2002 ★

■ 50 ha 400 000 5 à 8 €

Belle maîtrise de l'élevage sous bois de la part des Vignerons de Buzet. Rubis profond, ce 2002 offre un nez ouvert et intense, souligné d'un toasté fin et d'une note animale. Il attaque en souplesse, puis offre une chair ronde et persistante dans laquelle le boisé se fond. Une petite austérité en finale invite à attendre cette bouteille deux à trois ans pour mieux l'apprécier encore. Le **Baron d'Albret rosé 2004**, noté une étoile également, est fruité, bien équilibré entre fraîcheur et gras. Vous pouvez le proposer tout au long d'un repas.

Les Vignerons de Buzet, BP 17, 47160 Buzet-sur-Baïse, tél. 05.53.84.74.30, fax 05.53.84.74.24, e-mail buzet@vignerons-buzet.fr
t.l.j. sf dim. 9h-12h 14h-18h

### CH. DU BOUCHET 2003 ★

■ 18 ha 71 000 5 à 8 €

Le château du Bouchet se situe sur un terroir assez léger, au nord de l'aire d'appellation. Il est donc naturel qu'il produise des vins moins concentrés que d'autres buzet. Celui-ci a de quoi séduire cependant, tant il est subtil et élégant : fruits mûrs, cerise, kirsch dominent le nez, alors que le boisé reste discret. Les notes de confiture de fruits reviennent en bouche, accompagnant des tanins souples et ronds, à peine marqués par l'empreinte du fût. Un 2003 tout en finesse, à réserver à une viande blanche.

Les Vignerons de Buzet, BP 17, 47160 Buzet-sur-Baïse, tél. 05.53.84.74.30, fax 05.53.84.74.24, e-mail buzet@vignerons-buzet.fr
t.l.j. sf dim. 9h-12h 14h-18h

### CH. DU FRANDAT 2003 ★★

■ 6 ha 32 000 5 à 8 €

Patrice Sterlin ne vous est sans doute pas inconnu si vous êtes un lecteur fidèle du Guide. Sa cuvée du Majorat 2001 avait reçu le coup de cœur l'an passé. Une merveilleuse aventure qui se poursuit aujourd'hui grâce à ce 2003. Un gage de sérieux et de qualité régulière. De couleur très soutenue, le vin est puissamment épicé, réglissé, avec des notes de fruits rouges mûrs. La bouche volumineuse, équilibrée laisse une impression durable de rondeur. Les tanins sont certes présents, mais ils sont fins. La preuve que l'on n'a pas toujours besoin de bois pour faire un grand vin. La **cuvée Privilège rouge 2002**, élevée six mois en fût, obtient deux étoiles. Veloutée et fruitée, elle tirera profit d'un passage en carafe avant le service.

Patrice Sterlin, Ch. du Frandat, 47600 Nérac, tél. 05.53.65.23.83, fax 05.53.97.05.77, e-mail chateaudufrandat@terre-net.fr
t.l.j. sf dim. 10h-12h 14h-18h; f. 15 jan.-15 fév.

### CH. DE GUEYZE 2002 ★★

■ n.c. 70 000 8 à 11 €

Un vignoble de 80 ha dont certains ceps sont la propriété de trente journalistes du monde du vin. De l'inspiration, ceux-ci en trouveront devant ce vin rond, aux notes de fruits rouges et au toasté discret, tout en finesse. Suave en attaque, il bénéficie de tanins denses mais savoureux et fondus avec le chêne. Attendez-le encore deux ou trois ans, puis mariez-le avec un gibier fort comme un civet de marcassin.

Les Vignerons de Buzet, BP 17, 47160 Buzet-sur-Baïse, tél. 05.53.84.74.30, fax 05.53.84.74.24, e-mail buzet@vignerons-buzet.fr
t.l.j. sf dim. 9h-12h 14h-18h

### CH. LA HITTE 2003 ★

■ n.c. 50 000 3 à 5 €

Les aimez-vous ronds pour un plaisir immédiat ? Ce vin est pour vous. Rouge léger, il offre des notes chaleureuses de fruits rouges et flatte le palais par son gras, sa souplesse et ses tanins déjà bien fondus. N'attendez pas pour le servir.

Les Vignerons de Buzet, BP 17, 47160 Buzet-sur-Baïse, tél. 05.53.84.74.30, fax 05.53.84.74.24, e-mail buzet@vignerons-buzet.fr
t.l.j. sf dim. 9h-12h 14h-18h

### CH. LARCHE 2002 ★

■ 20 ha 33 000 5 à 8 €

Brillant, vif, couleur pourpre : il vous tente... Timide ? Au départ seulement, car bientôt, il exprime des notes d'épices et de fruits confits. Si le fruit domine de l'attaque à la finale longue et élégante, il est bien soutenu par des tanins harmonieux. A attendre deux-trois ans ou à apprécier dès maintenant avec un cassoulet, par exemple.

Les Vignerons de Buzet,
BP 17, 47160 Buzet-sur-Baïse,
tél. 05.53.84.74.30, fax 05.53.84.74.24,
e-mail buzet@vignerons-buzet.fr
t.l.j. sf dim. 9h-12h 14h-18h

### MARQUIS DU GREZ 2003 *

n.c. 360 000 8 à 11 €

Cette cuvée, référence dans la gamme des Vignerons de Buzet, porte une robe intense comme tous les 2003. Elle développe un nez puissant de fruits rouges auquel le boisé se marie harmonieusement, puis fait montre de sa structure imposante mais équilibrée, dont les tanins élégants promettent de se fondre. Un buzet typé qui gagnera à vieillir.

Les Vignerons de Buzet,
BP 17, 47160 Buzet-sur-Baïse,
tél. 05.53.84.74.30, fax 05.53.84.74.24,
e-mail buzet@vignerons-buzet.fr
t.l.j. sf dim. 9h-12h 14h-18h

### CH. SAUVAGNERES Prestige 2003 *

1 ha 5 000 5 à 8 €

En 2007, pensez à ouvrir une bouteille de ce vin rouge profond. Pour l'instant, le bois domine le premier nez par des notes de pain grillé, mais les fruits rouges mûrs et la réglisse s'expriment également avec puissance. Suave en attaque, le vin s'appuie sur une structure imposante jusqu'en finale, mais qui promet de se fondre avec élégance.

Bernard Thérasse, Sauvagnères,
47310 Sainte-Colombe-en-Bruilhois,
tél. 05.53.67.20.23, fax 05.53.67.20.86,
e-mail bernard.therasse@laposte.net r.-v.
Jacques Thérasse

### CH. TOURNELLES Cuvée Prestige 2004 **

1,5 ha 10 000 5 à 8 €

A 15 km au sud de la Garonne, le château Tournelles et ses 15 ha de vignes sont proches des collines de l'Armagnac. Son rosé de teinte assez soutenue révèle à l'agitation un nez de fruits intenses. Des arômes qui se manifestent avec complexité au palais, accompagnés de tanins légers qu'une chair ronde enveloppe. Agréablement frais en finale, ce vin de repas fera bel effet avec des entrées élaborées. La **cuvée Prestige rouge 2003**, élevée douze mois en fût, est citée.

EARL Bertrand Gabriel,
Ch. Tournelles, 47600 Calignac, tél. 05.65.20.80.80,
fax 05.65.20.80.81, e-mail vigouroux@g-vigouroux.fr
Vigouroux

## Côtes-du-marmandais

Non loin de l'Entre-deux-Mers, des vins de Duras et de Buzet, les côtes-du-marmandais sont produits en majorité par la Cave du Marmandais qui regroupe les sites de Beaupuy et de Cocumont, sur les deux rives de la Garonne. Les vins blancs, à base de sémillon, de sauvignon, de muscadelle et d'ugni blanc, sont secs, vifs et fruités. Les vins rouges, à base de cépages bordelais et d'abouriou, syrah, cot et gamay, sont bouquetés et d'une bonne souplesse. Le vignoble occupe environ 1 652 ha qui ont produit 3 714 hl de vins blancs, 68 158 hl de rouges et 7 983 hl de rosés.

### CH. DE BEAULIEU Cuvée de l'Oratoire 2003 **

4 ha 9 000 11 à 15 €

Coup de cœur l'an passé, cette cuvée a remporté un large succès dans son millésime 2003 tant elle est concentrée. Tout juste le jury lui a-t-il reproché une présence encore trop marquée du bois. Un vin noir à la robe foncée, développant un nez complexe et boisé, puis une structure particulièrement riche qui doit parachever son harmonie au cours des trois à quatre ans à venir.

Robert et Agnès Schulte,
Ch. de Beaulieu, 47180 Saint-Sauveur-de-Meilhan,
tél. 05.53.94.30.40, fax 05.53.94.81.73,
e-mail chateau_de_beaulieu@hotmail.com
t.l.j. 8h-12h 14h-18h; sam. dim. sur r.-v.

### BEROY 2003 *

2 ha 10 000 5 à 8 €

D'un grenat soutenu, la robe est encore fraîche, avec ses reflets violets. La palette complexe mêle les notes toastées et vanillées aux arômes de fruits rouges. L'attaque est souple et les tanins soyeux. Les fruits reviennent au palais alliés au cuir, au café torréfié, puis s'évanouissent bientôt en finale. Le temps ne peut que bonifier ce vin. Noté une étoile, le **Beroy blanc 2003** est encore marqué par le bois, mais des parfums d'agrumes, de fruits exotiques, de miel et d'acacia lui donnent de l'originalité.

Cave du Marmandais, 47250 Cocumont,
tél. 05.53.94.50.21, fax 05.53.94.52.84,
e-mail accueil@cave-cocumont.fr r.-v.

### CHAPELLE SAINT-BENOIT 2003 *

50 ha 110 000 3 à 5 €

Un vin presque noir et finement aromatique, qui exprime des senteurs de fruits confits et des notes légèrement animales. Il séduit par sa rondeur et son équilibre, même si une petite pointe d'austérité apparaît en finale. Ce côtes-du-marmandais sans complexe peut être consommé dès maintenant ou attendu deux-trois ans.

Cave du Marmandais, 47250 Cocumont,
tél. 05.53.94.50.21, fax 05.53.94.52.84,
e-mail accueil@cave-cocumont.fr r.-v.

### LE CLOITRE 2003 *

200 ha 800 000 3 à 5 €

Le cloître est à la fois un monument et une cuvée emblématique du Marmandais. Le 2003, intense et brillant, mêle des arômes de fruits mûrs à des senteurs animales et à des touches de cuir. Agréable dès l'attaque grâce à des tanins souples, il sera plaisant à boire dans l'année.

Cave du Marmandais, 47250 Cocumont,
tél. 05.53.94.50.21, fax 05.53.94.52.84,
e-mail accueil@cave-cocumont.fr r.-v.

GRAIN DE BONHEUR 2004 *

■ 5 ha 30 000 ■ 3 à 5 €

Un bien joli nom pour ce rosé de teinte soutenue et brillante. Les arômes intenses et complexes de fruits rouges invitent à découvrir la bouche équilibrée, ronde et pleine, tout aussi fruitée et fraîche en finale. Le **Grain de bonheur blanc 2004**, cité, est un vin de l'instant, léger et élégant.

Cave du Marmandais, 47250 Cocumont,
tél. 05.53.94.50.21, fax 05.53.94.52.84,
e-mail accueil@cave-cocumont.fr ☑ Y ✝ r.-v.

GRAIN DE PLAISIR 2004 **

■ 2 ha 16 000 ■ 3 à 5 €

Du bonheur en rosé (voyez ci-dessus) et du plaisir en blanc. Une cuvée exclusivement issue du sauvignon, de teinte jaune paille à reflets verts. Elle n'est pas très puissante au nez, mais elle se montre si élégante dans ses évocations de pêche blanche et de buis, caractéristiques du cépage. Elle saura procurer du plaisir aux amateurs de douceur, car sa chair est ronde, empreinte d'arômes floraux. Certains auraient apprécié un peu plus de fraîcheur en finale. Peut-être, mais le niveau n'en est pas moins remarquable.

Cave du Marmandais, 47250 Cocumont,
tél. 05.53.94.50.21, fax 05.53.94.52.84,
e-mail accueil@cave-cocumont.fr ☑ Y ✝ r.-v.

LA GRAVETTE 2003 **

■ 5 ha 32 000 ⫼ 8 à 11 €

Deux étoiles pour le millésime 2002 l'an passé, deux étoiles cette année : ce qui témoigne d'une qualité régulière. Voici un 2003 rouge intense, presque noir, qui se montre puissant au nez, avec des notes boisées, vanillées très présentes. Il possède indéniablement de la matière, mais la structure supportée par le bois domine encore et mérite de se fondre à la faveur d'une garde de deux à trois ans.

Cave du Marmandais, 47250 Cocumont,
tél. 05.53.94.50.21, fax 05.53.94.52.84,
e-mail accueil@cave-cocumont.fr ☑ Y ✝ r.-v.

TERSAC 2003 *

■ 20 ha 150 000 ■ ⫼ 5 à 8 €

De la complexité, ce vin en a assurément, mais il demande à être apprivoisé. Sous sa robe grenat profond à reflets violacés apparaissent des arômes puissants de fruits confits, accompagnés d'un boisé qui se manifeste davantage en bouche, aux côtés de tanins serrés. Le fruité revient en finale comme l'annonce d'une expression future plus belle encore (trois ou quatre ans de garde).

Cave du Marmandais, 47250 Cocumont,
tél. 05.53.94.50.21, fax 05.53.94.52.84,
e-mail accueil@cave-cocumont.fr ☑ Y ✝ r.-v.

VIEILLE EGLISE Réserve 2003 **

■ 2 ha 16 000 ⫼ 5 à 8 €

Intense, pourpre profond, voici un vin séduisant par son équilibre suave et sa grande concentration. Si le nez est un peu timide de prime abord, il révèle une grande complexité à l'aération : fruits rouges, épices, fruits à l'eau-de-vie, rose fânée. D'attaque souple et franche, la bouche n'est pas excessivement puissante et présente beaucoup d'harmonie, un caractère charnu et du fondu entre le fruit et le bois. Une bouteille parfaite dans trois ans.

Cave du Marmandais, 47250 Cocumont,
tél. 05.53.94.50.21, fax 05.53.94.52.84,
e-mail accueil@cave-cocumont.fr ☑ Y ✝ r.-v.

## Le Bergeracois et Duras

# Bergerac

Bergerac est l'une des villes les plus connues de France par le personnage d'Edmond de Rostand, Cyrano de Bergerac. C'est aussi une capitale gastronomique, qui a donné son nom à l'AOC en 1936. Vallonné, véritable mosaïque de terroirs, le vignoble représente un intérêt touristique non négligeable.

Les vins peuvent être produits dans 90 communes de l'arrondissement de Bergerac ; le vignoble représente 6 709 ha en rouge, 920 ha en rosé et 3 026 ha en blanc. Le rosé, frais et fruité, est souvent issu de cabernet ; le rouge, aromatique et souple, est un assemblage des cépages traditionnels. Leur production a atteint 153 160 hl en blanc et 294 800 hl en rouge et rosé.

DOM. DE L'ANCIENNE CURE 2004 *

■ 10 ha 30 000 ■ 5 à 8 €

Une maison très souvent mentionnée en bonne place dans le Guide. D'une couleur profonde, presque noire, ce vin encore fermé au nez révèle à l'agitation des parfums de fruits mûrs. Des arômes de petits fruits noirs se développent à l'attaque, puis les tanins prennent le dessus, encore austères. Cette structure concentrée laisse augurer un bon avenir pour ce vin qui devra séjourner en cave au moins deux ans.

SARL L'Ancienne Cure, 24560 Colombier,
tél. 05.53.58.32.28, fax 05.53.24.83.95,
e-mail ancienne-cure@wanadoo.fr
☑ Y ✝ t.l.j. sf dim. 9h-18h

CH. LES BRANDEAUX
Elevé en fût de chêne 2003 **

■ 2 ha 7 000 ⫼ 5 à 8 €

Proche du village médiéval de Puyguilhem, ce domaine familial, exploité par la troisième génération, offre

une belle vue sur les coteaux du sud de la Dordogne. Après un 2000 coup de cœur du Guide 2003, ce 2003 est fort bien accueilli par le jury. Sa robe grenat brillant annonce une bonne concentration. Le nez exprime des parfums de fruits rouges mûrs et de cassis. Souple à l'attaque, la bouche révèle une solide structure tannique, gage d'un réel potentiel. Un vin qui mérite d'attendre en cave pour gagner en amabilité.
EARL Piazzetta,
Les Brandeaux, 24240 Puyguilhem,
tél. et fax 05.53.58.41.50 r.-v.

## CANTUS TERRA

Vin de terroir élevé en fût de chêne 2003 ★★

■ 15 ha 70 000 5 à 8 €

Cette marque est celle d'une cuvée haut de gamme, élevée un an en barrique, élaborée par la coopérative de Sigoulès. La robe est d'un noir profond, le nez complexe associe des notes de grillé avec des nuances de fruits mûrs. Ample, épicée, chaleureuse, la bouche révèle des tanins puissants et bien enrobés. Un vin riche et équilibré qui sera parfait dans un an ou deux. Il accompagnera une viande rouge grillée.
Vins fins du Périgord,
Les Vignerons de Sigoulès, BP 2, 24240 Sigoulès,
tél. 05.53.63.78.50, fax 05.53.63.78.59

## CLOS DU PECH BESSOU 2003

■ 3 ha 4 200 3 à 5 €

Exploité par un frère et une sœur, ce domaine développe la vente directe depuis l'an 2000. Il vient d'aménager un chai et un local de dégustation. Bien marqué par le cabernet (50 %), son bergerac rouge séduit au nez par ses parfums de cassis et de fruits mûrs. Puissant et complexe au palais, il révèle des tanins fermes caractéristiques des terroirs calcaires du sud de la Dordogne. Une bouteille à carafer. Cité par le jury, le **côtes-de-bergerac moelleux 2004 (5 à 8 €)** résulte d'une vendange manuelle. Floral et frais avec des notes muscatées, c'est un vin bien fait et plaisant.
Sylvie et Pascal Thomassin, La Pouge,
24560 Plaisance, tél. 05.53.24.53.00, fax 05.53.61.76.79,
e-mail closdupechbessou@wanadoo.fr
t.l.j. sf dim. 9h-12h 14h-17h

## CH. DES EYSSARDS Cuvée Prestige

Elevé en fût de chêne 2003 ★★

■ n.c. 50 000 5 à 8 €

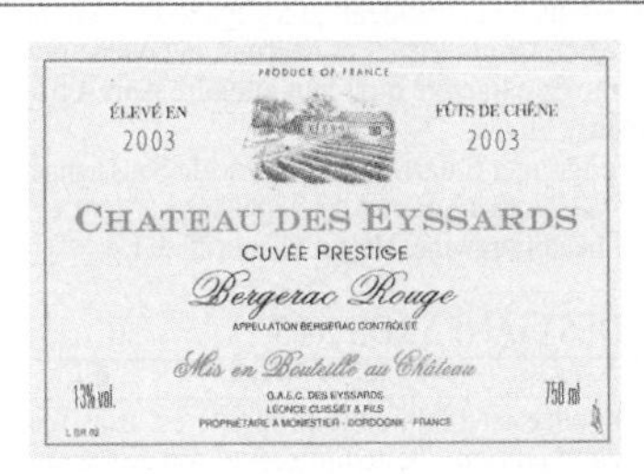


Un nouveau coup de cœur pour ce domaine ! Tant en blanc qu'en rouge, il a brillé dans différentes éditions du Guide. Pourpre à reflets violacés, cette cuvée apparaît intense et chaleureuse au nez, mêlant les fruits rouges à un boisé particulièrement délicat. Souple en attaque, ample, elle séduit par son fruité, toujours agrémenté des notes de l'élevage. Cette souplesse aimable alliée à un réel potentiel a été saluée par le jury. Un ensemble prêt à boire.

**Le Bergeracois**

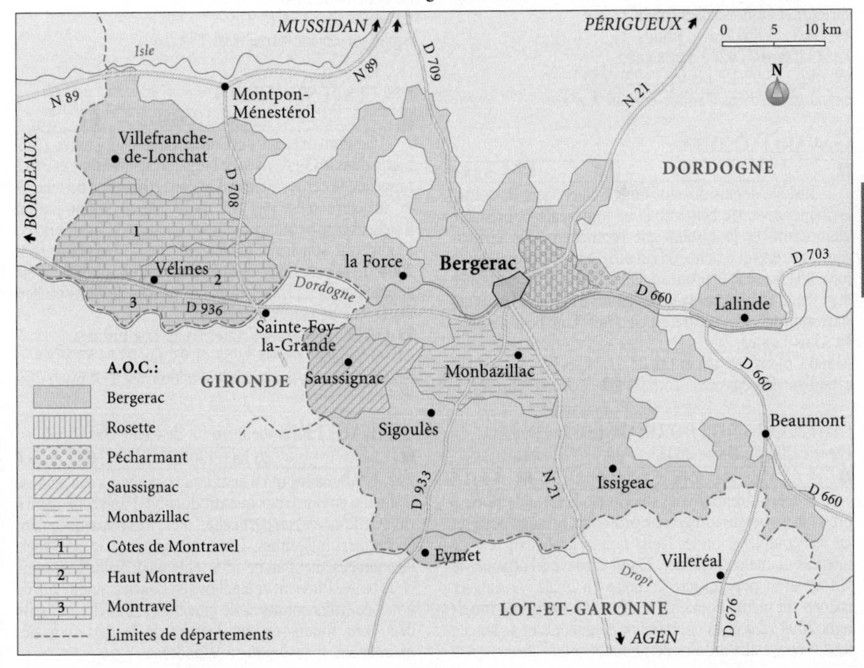

GAEC des Eyssards, 24240 Monestier,
tél. 05.53.24.36.36, fax 05.53.58.63.74,
e-mail eyssards@aquinet.tm.fr r.-v.

## LA SOURCE DE FONGRENIER

Elevé en fût de chêne 2003 ★★

■ 4,5 ha 20 000 5 à 8 €

Ancien directeur de l'aéroport de Dallas, Henry Stuart a atterri en 1992 dans ce domaine de Dordogne : un itinéraire peu banal. Sa production semble décoller, à en juger par cette cuvée jugée remarquable – comme dans le millésime précédent. D'un rouge intense, ce 2003 libère de puissants parfums de fruits rouges agrémentés de notes vanillées qui ne demandent qu'à s'épanouir. Volumineuse et dotée de tanins fermes et charnus, la bouche révèle un bergerac de caractère qu'il faut attendre deux à trois ans.

Henry Stuart,
Ch. Fongrenier-Stuart, 24240 Razac-de-Saussignac,
tél. 05.53.27.80.97, fax 05.53.27.80.86,
e-mail needmorewine@hotmail.com r.-v.

## CH. DES GANFARDS 2003

■ 3,5 ha 20 000 3 à 5 €

Fondée en 1870, cette propriété est trois fois citée dans cette édition. De teinte cerise, son bergerac rouge présente un nez fin et franc, essentiellement floral, avec des senteurs fruitées et épicées, arômes qui se prolongent en bouche ; agréable à l'attaque, le palais révèle des tanins encore fougueux qui marquent la finale fraîche. Ce joli vin trouvera sa place dès maintenant et pendant deux ans, servi légèrement frais avec une assiette de charcuterie. Le **bergerac sec 2004** du domaine est léger et très vif, avec des arômes d'agrumes. Il obtient la même note, de même que le **saussignac cuvée Suzanne 2003** (11 à 15 € la bouteille de 75 cl ou 8 à 11 € la bouteille de 50 cl) au fruité surmûri et au boisé bien fondu.

EARL Vignobles Géraud,
Les Ganfards, 24240 Saussignac,
tél. 05.53.27.92.18, fax 05.53.22.37.82,
e-mail ganfardvins@yahoo.com r.-v.

## GAVARLIAC 2003 ★

■ 3 ha 6 000 5 à 8 €

Installé depuis dix ans, Gaël Lemée vient de quitter la coopérative. Ce bergerac 2003 représente sa première vinification, et le résultat est prometteur. De couleur soutenue, presque noire, ce vin offre un nez puissant où se mêlent la fraise et le pruneau. On retrouve cette puissance et ce fruité en bouche, avec des tanins très fermes mais qui s'arrondiront d'ici quatre ou cinq ans. Une belle matière.

Gaël Lemée,
24560 Colombier, tél. et fax 05.53.24.96.59,
e-mail gavarliac@tiscali.com t.l.j. 9h-19h

## CH. LA GRANDE BORIE Cuvée C.L.

Elevé en fût de chêne 2003

■ 2 ha 5 000 8 à 11 €

Fidèle au rendez-vous du Guide, la Grande Borie a présenté un bergerac à la robe profonde, presque noire, et au nez complexe, où les fruits noirs s'accompagnent de nuances animales, viandées. Rond et suave à l'attaque, ce vin apparaît plus austère et boisé en finale. A signaler encore, du même domaine, le **côtes-de-bergerac moelleux 2004 (5 à 8 €)** cité pour son équilibre et sa longue finale fraîche aux arômes de pomme verte.

EARL des Vignobles Lafon-Lafaye,
La Grande Borie, 24520 Saint-Nexans,
tél. 05.53.24.33.21, fax 05.53.24.97.74,
e-mail cllafaye@wanadoo.fr
t.l.j. sf dim. 9h-12h 14h-18h

## CH. HAUT LAMOUTHE 2003 ★

■ 9 ha 10 000 3 à 5 €

Si le **bergerac rosé 2004** du domaine, perlant, frais et fruité, obtient une citation comme dans le millésime précédent, la préférence du jury est allée au rouge. Rubis très foncé, ce 2003 apparaît encore fermé au nez, laissant percer des notes réglissées. Plein et harmonieux au palais, il révèle une belle présence tannique et offre un joli retour fruité, avec des arômes de pruneau un rien chocolatés. Un vin bien fait, très mûr, qui pourra tenir quatre ou cinq ans.

GAEC de Lamouthe,
56, rte de Lamouthe, 24680 Lamonzie-Saint-Martin,
tél. 05.53.24.07.73, fax 05.53.74.33.13,
e-mail contact@chateau-haut-lamouthe.com r.-v.

## CH. JONC-BLANC Cuvée automnale 2003

■ 4,5 ha 18 000 5 à 8 €

Ce 2003 s'annonce par une robe d'un grenat soutenu et un nez puissamment fruité porté sur la cerise. Frais, épicé et poivré en attaque, il révèle ensuite des tanins encore jeunes, un volume intéressant et une certaine générosité. Equilibré, bien structuré, il offre tout ce que l'on attend de l'appellation. Cité également, le **bergerac rouge cuvée Blanches Pierres 2003** est lui aussi marqué par la cerise au nez comme en bouche. On pourra l'essayer sur un lapin en sauce.

SCEA I. Carles et F. Pascal,
Le Jonc-Blanc, 24230 Vélines,
tél. et fax 05.53.74.18.97,
e-mail jonc.blanc@free.fr r.-v.

## CH. LES JUSTICES 2004

■ 2 ha 17 000 3 à 5 €

Ce domaine qui s'est retiré de la coopérative réapparaît dans le Guide avec ce bergerac au nez franc et fruité rappelant la cerise, nuance que l'on retrouve en bouche. Si sa structure n'est pas très puissante, il séduit par sa fraîcheur et son côté aromatique. Un style de vin de bistrot, à boire sur son fruit. Egalement cité, le **bergerac rosé 2004** de la propriété, du même style que le rouge, a été apprécié pour sa fraîcheur et ses arômes de fruits rouges. Deux vins de plaisir immédiat.

GAEC Vignobles Fruttero, Ch. Les Justices,
24500 Sadillac, tél. 05.53.58.41.93, fax 05.53.57.83.48,
e-mail vignobles-fruttero@wanadoo.fr r.-v.

## CH. LAULERIE Vieilli en fût de chêne 2003 ★

■ 20 ha 120 000 5 à 8 €

Ce domaine, qui a deux coups de cœur à son actif, se distingue en outre par une production d'une belle régularité. Cette cuvée, en particulier, a été très remarquée dans les derniers millésimes. D'un rouge intense, le 2003 mêle harmonieusement au nez des senteurs de fruits bien mûrs et de boisé. Puissant et équilibré en bouche, agrémenté de notes de fruits confits et de gingembre, il révèle un boisé déjà bien fondu, ce qui permet de découvrir dès maintenant, mais il pourra attendre.

Vignobles Dubard,
Le Gouyat, 24610 Saint-Méard-de-Gurçon,
tél. 05.53.82.48.31, fax 05.53.82.47.64,
e-mail vignobles-dubard@wanadoo.fr
t.l.j. 8h-12h30 14h-19h
Dubard-Peytureau

## CH. LESTEVENIE 2003

| ■ | 4,2 ha | 10 000 | | 3 à 5 € |
|---|---|---|---|---|

Cette propriété, reprise en l'an 2000, se signale déjà par des sélections régulières dans le Guide. Le merlot domine largement (80 %) ce 2003 et lui donne une belle robe sombre. Au nez, des notes animales s'associent à des parfums de cassis et à des nuances grillées. Si la bouche n'est pas des plus complexes, elle est très harmonieuse et révèle une bonne vinification. Un bergerac plutôt classique, comme on les aime. Egalement cité, le **bergerac sec élevé en fût de chêne 2003 (5 à 8 €)** séduit par son nez d'agrumes et sa bouche fruitée et assez fraîche. On le boira rapidement.
Jolaine et Dominique Audoux,
Ch. Lestevénie, Le Gadon, 24240 Gageac-et-Rouillac,
tél. 05.53.74.24.48, fax 05.53.74.24.49 r.-v.

## CH. LES MARNIERES Elevé en fût de chêne 2003 *

| ■ | 4 ha | 22 000 | | 5 à 8 € |
|---|---|---|---|---|

Créé dans les années 1920, ce domaine est exploité par la sixième génération. Il est attaché à la vinification parcellaire. Un fois de plus, un de ses vins reçoit un très bon accueil. Cette cuvée est le produit d'un travail soigné, tant à la vigne qu'au chai, pour obtenir le meilleur du fruit. Framboise et autres fruits rouges dominent au nez, agrémentés d'élégantes notes vanillées léguées par l'élevage. Des tanins mûrs et un boisé fondu composent une bouche harmonieuse. Un vin original et plaisant, prêt à boire.
Alain et Christophe Geneste,
GAEC des Brandines, 24520 Saint-Nexans,
tél. 05.53.58.31.65, fax 05.53.73.20.34,
e-mail christophe.geneste2@wanadoo.fr
t.l.j. 9h-12h30 13h30-20h; sam. dim. sur r.-v.

## DOM. DE MAZIERE
Le Top Elevé en fût de chêne 2003 *

| ■ | 2 ha | 5 000 | | 3 à 5 € |
|---|---|---|---|---|

Exploité par la quatrième génération, ce domaine figure souvent en bonne place dans le Guide. Son bergerac rouge 2003 affiche une robe très intense à reflets vermillon. Chaleureux, porté sur les fruits mûrs, il apparaît fort prometteur au nez. Ample et moelleux au palais, il révèle une structure tannique encore ferme qui incite à l'attendre un an ou deux.
Michel Roche,
Dom. de Mazière, 24560 Bouniagues,
tél. 05.53.58.23.57, fax 05.53.58.73.00,
e-mail roche-de-maziere-wine@wanadoo.fr r.-v.

## MOULIN DES DAMES 2003 **

| ■ | 5 ha | 20 000 | | 15 à 23 € |
|---|---|---|---|---|

Fort de quatre coups de cœur (dont un dans l'édition 2002 pour un 2000 en bergerac rouge), ce Moulin des Dames bien connu des fidèles du Guide revient sur le devant de la scène. Concentration, complexité et équilibre caractérisent ce millésime. La robe est noire, profonde. Le nez décline une riche palette faite de fruits mûrs, de fleurs, d'épices et de boisé. Rond et poivré à l'attaque, le palais révèle des tanins pour l'heure encore fougueux et une belle

fraîcheur en finale. C'est la bouteille qu'il faut pour accompagner un tournedos, mais mieux vaut l'attendre un an ou deux pour la déguster à son optimum.
SCEA De Conti, Tour des Gendres,
24240 Ribagnac, tél. 05.53.57.12.43, fax 05.53.58.89.49,
e-mail familledeconti@wanadoo.fr r.-v.

## DOM. DE LA NOUGAREDE
Elevé en fût de chêne 2004 *

| ■ | 1 ha | 6 000 | | 5 à 8 € |
|---|---|---|---|---|

Le nom de ce domaine, repris et replanté par les Favreau en 1982, évoque les noyers qui étaient plantés sur la propriété avant sa restructuration. L'exploitation a proposé un joli 2004 intense à l'œil, dont le nez encore fermé laisse percer des parfums de fruits noirs. Des tanins harmonieux, soutenus par une fraîcheur assez marquée, dessinent un joli vin, complet, à découvrir dès aujourd'hui.
SCEA de la Nougarède, 24130 Le Fleix,
tél. 05.53.24.70.06, fax 05.53.61.38.78
lun. mar. mer. 10h-12h 14h-18h
Favreau

## CH. LE PAYRAL Héritage 2003 ***

| ■ | 1,25 ha | 4 500 | | 11 à 15 € |
|---|---|---|---|---|

D'un grenat profond et brillant, ce bergerac rouge est exceptionnel par sa concentration. Riche et complexe au nez, il mêle la cerise et la vanille. On retrouve en bouche la cerise, agrémentée de notes de fraise et d'autres fruits rouges. Les tanins sont denses et mûrs, et le boisé commence à se fondre. Cette trame tannique n'empêche pas une belle harmonie. Un vin déjà très présent mais au potentiel de garde des plus intéressants. Le domaine obtient par ailleurs une étoile pour son **saussignac cuvée Marie-Jeanne 2002**, qui plaira aux amateurs de vins concentrés et liquoreux.
Thierry Daulhiac, Le Bourg,
24240 Razac-de-Saussignac, tél. 05.53.22.38.07,
fax 05.53.27.99.81, e-mail daulhiac@club-internet.fr
t.l.j. sf dim. 9h-12h30 14h-19h

## CH. LA RAYRE Premier Vin 2003 *

| ■ | 0,5 ha | 3 800 | | 8 à 11 € |
|---|---|---|---|---|

Vincent Vesselle a racheté cette propriété en 1999. Son Premier Vin affiche une robe noire profond, et un nez typique du cabernet, marqué par le cassis et les fruits des bois ; cassis que l'on retrouve dans une bouche fraîche à l'attaque, et qui persiste longuement sur des tanins bien fondus. Une bouteille équilibrée, tout en rondeur et sur le fruit. Quant au **monbazillac Premier Vin 2003 (15 à 23 €)**, il se distingue par son gras et sa liqueur qui ne sont pas exempts d'une certaine lourdeur : une citation.

🗝 Ch. La Rayre, 24560 Colombier,
tél. 05.53.58.32.17, fax 05.53.24.55.58,
e-mail vincent.vesselle@wanadoo.fr ☑ 🍷 🚶 r.-v.
🗝 V. Vesselle

## CH. LE REYSSAC 2004 ★★

■ 6,88 ha 60 000 3 à 5 €

Un vin remarquable après un millésime précédent déjà très réussi. Une robe grenat intense et des parfums de fruits mûrs d'une belle fraîcheur font une excellente impression. Riche, concentré et chaleureux, le palais révèle des tanins harmonieux et soyeux. Ce bergerac puissant gagnera à être décanté avant de donner la réplique à une pièce de bœuf.

🗝 Marc Gouy, La Haute Brande, 24240 Pomport,
tél. 05.53.58.63.94, e-mail alegal@socav.fr ☑ 🍷 🚶 r.-v.
🗝 SAS Socav

## DOM. DE LA ROCHE MAROT 2003

■ 5 ha 29 000 3 à 5 €

Ce domaine a été acquis en 1989 par les Boyer qui ont restauré le vignoble et les chais en respectant l'architecture sobre et traditionnelle des bâtiments. Son bergerac rouge mêle au nez des nuances animales et des parfums de cassis. Bien équilibré et ample, un peu sévère en finale, le palais est imprégné d'arômes de fruits rouges. Egalement cité, le **côtes-de-montravel 2004 (8 à 11 €)** de la propriété est issu de raisins botrytisés. Un nez de sous-bois, une bouche très douce et chaleureuse en finale composent une bouteille que le temps devrait bonifier.

🗝 Y. et D. Boyer, GAEC de La Roche Marot,
24230 Lamothe-Montravel,
tél. et fax 05.53.58.52.05 ☑ 🍷 🚶 r.-v.

## SEIGNEURS DE BERGERAC 2003

■ n.c. 300 000 3 à 5 €

« Un bon petit bergerac. » Voilà le commentaire d'un dégustateur en guise de conclusion, après avoir décrit ce vin de négoce : une robe cerise, des arômes floraux et fruités, une bouche moyennement concentrée mais bien équilibrée et assez fraîche. Trois cent mille bouteilles de bonne facture.

🗝 Yvon Mau, rue Sainte-Pétronille,
33190 Gironde-sur-Dropt, tél. 05.56.61.54.54,
fax 05.56.61.54.61, e-mail info@ymau.com

## CH. SEIGNORET LES TOURS Cuvée Séduction Elevé en fût de chêne 2003 ★

■ 2 ha 13 000 5 à 8 €

Comme tous les 2003, ce bergerac affiche une robe très sombre. Son nez puissant mêle des notes toastées à des parfums de fruits rouges et de sous-bois. La bouche est plaisante grâce à une matière harmonieuse, tout en rondeur. La petite amertume de la finale devrait s'estomper avec le temps. Une belle expression de raisins bien mûrs. Quant au **saussignac cuvée Coup de cœur élevé en fût de chêne 2002 (11 à 15 €)**, c'est un liquoreux au fruité élégant, mais il reste dominé par le bois. Il est cité.

🗝 EARL Vignobles Serge Gazziola,
Les Plaguettes, 24240 Saussignac,
tél. 06.08.61.58.77, fax 05.53.22.37.79,
e-mail vignobles-gazziola@club-internet.fr ☑ 🍷 🚶 r.-v.

## TERRES NOIRES 2003 ★★

■ 3 ha 13 000 5 à 8 €

Ce vin de coopérative est issu d'un élevage original, puisque 50 % du chêne provient du Centre, 25 % du Sud-Ouest, le reste étant américain. Le nez est intense, un peu animal avec des notes fumées particulièrement marquées. Le palais plein, gras, tout en souplesse, offre un joli retour fruité. Le boisé est présent mais il sait rester discret. Très friand et agréable dès à présent, ce 2003 pourra vieillir. Quant au **bergerac rouge cuvée Brennus 2003 (3 à 5 €)**, souvent mentionné dans le Guide, il obtient une étoile. Son boisé demande à se fondre.

🗝 Closerie Destiac,
Les Lèves, 33220 Sainte-Foy-la-Grande,
tél. 05.57.56.02.33, fax 05.57.56.02.22
☑ 🍷 🚶 t.l.j. sf dim. lun. 9h30-12h 14h30-18h30

## CH. DE LA VAURE Elevé en fût de chêne 2003

■ n.c. 30 666 3 à 5 €

Elaborée par l'Union vinicole Bergerac-Le Fleix, cette cuvée affiche une robe intense alors que le nez chaleureux reste sur sa réserve. L'attaque souple révèle un fruit mûr. Les tanins, présents sans excès, apparaissent bien fondus. Un vin agréable par son équilibre et sa rondeur, à déboucher dès maintenant.

🗝 Producta, 21, cours Xavier-Arnozan,
33082 Bordeaux Cedex, tél. 05.57.81.18.18,
fax 05.56.81.22.12, e-mail producta@producta.com

# Bergerac rosé

## DOM. DU BOIS DE POURQUIE 2004

■ 2,5 ha 15 000 5 à 8 €

Remarquable dans le millésime précédent, cette nouvelle cuvée élaborée par Alain et Marlène Mayet est plus modeste. Une robe rose soutenu à reflets violacés habille ce bergerac dont le nez évoque la feuille de cassis froissée. Ronde, puissante, équilibrée et très fruitée, la bouche s'achève sur une finale légèrement tannique due à la présence exclusive du cabernet.

🗝 Marlène et Alain Mayet, Le Bois de Pourquié,
24560 Conne-de-Labarde, tél. 05.53.58.25.58,
fax 05.53.61.34.59, e-mail domaine-du-bois-de-pourquie@wanadoo.fr ☑ 🍷 🚶 t.l.j. 9h-19h

## CH. LES DONATS 2004 ★

■ 0,6 ha 4 220 3 à 5 €

Cette bouteille se présente dans une robe d'une couleur plutôt soutenue, tirant sur le violet, avec des reflets mauves. Le nez puissant et légèrement végétal rappelle la feuille de cassis. La bouche, souple, révèle des arômes de fruits rouges et des tanins très présents.

🗝 SCEA Les Donats, Leyrissat, 24520 Saint-Nexans,
tél. et fax 05.53.58.42.78 ☑ 🍷 🚶 r.-v.
🗝 Patrick Somers

## CH. LE FAGE 2004

■ 3 ha 20 000 5 à 8 €

Les chais de ce domaine familial de 39 ha d'un seul tenant ont été entièrement rénovés en 2004. Un grand soin a été apporté à l'élaboration de ce vin rosé d'intensité moyenne avec des reflets mauves. Elégant et fin, le nez encore discret exprime des notes de cassis et de groseille, arômes que l'on retrouve en bouche. Une bouteille agréable pour commencer un repas.

🗝 François Gérardin, Ch. Le Fagé, 24240 Pomport, tél. 05.53.58.32.55, fax 05.53.24.57.19, e-mail info@chateau-le-fage.com
☑ Ῑ ✶ t.l.j. 8h-12h30 13h30-18h; sam. dim. sur r.-v.

## CH. DE LA JAUBERTIE 2004 **

■ 6 ha 40 000 ▮ 5 à 8 €

Les 51 ha de vignes qui constituent le domaine entourent un château du XIXᵉs. ; 6 ha ont servi à élaborer ce remarquable vin dont la robe brillante et pâle attire l'œil. Au nez, c'est une explosion de fruits exotiques et de cerise. Après une attaque souple et douce, la finale se montre nerveuse et bien persistante. Un bergerac gourmand, à servir en apéritif ou avec une assiette de charcuterie.

🗝 SA Ryman, Ch. de La Jaubertie, 24560 Colombier, tél. 05.53.58.32.11, fax 05.53.57.46.22, e-mail jaubertie@wanadoo.fr
☑ Ῑ ✶ t.l.j. sf sam. dim. 10h30-17h30

## CH. LESPINASSAT Vieilles Vignes 2004

■ 1 ha 5 000 ▮ **5 à 8 €**

Agnès Verseau mène aujourd'hui seule ce vignoble d'un peu plus de 11 ha planté en bordure d'une ancienne voie romaine. Elle a réussi ce bergerac à la couleur soutenue, cerise à reflets rouges. Séduisant, floral et fruité, le nez exprime des arômes de fruits noirs, de cassis et de myrtille. Après une belle attaque, ronde, la bouche se fait un peu tannique. Un vin rosé puissant.

🗝 Agnès Verseau, Les Oliviers, 24230 Montcaret, tél. 05.53.58.34.23, fax 05.53.61.36.57, e-mail agnes.verseau@wanadoo.fr ☑ Ῑ ✶ r.-v.

## CLOS DU MAINE-CHEVALIER 2004 *

■ 1,65 ha 5 000 ▮ 3 à 5 €

Cette propriété familiale depuis 1947 s'est lancée dans la mise en bouteilles en 1985. Aujourd'hui, elle propose un joli vin rosé brillant à reflets violets. Le nez fruité délivre des notes de cerise et de fraise. La bouche mêle harmonieusement le fruit, la douceur et la fraîcheur. Une bouteille à servir tout au long du repas. Le **bergerac sec 2004** du domaine obtient également une étoile pour son nez plaisant marqué par des notes mentholées et des nuances de fleurs blanches, pour son volume en bouche et sa belle expression fruitée.

🗝 GAEC du Maine-Chevalier, 24560 Plaisance, tél. et fax 05.53.58.55.63, e-mail claude-caillard@wanadoo.fr
☑ Ῑ ✶ t.l.j. 10h-12h30 13h30-19h
🗝 Caillard

## CH. MARIE PLAISANCE
Le Brin de Plaisance 2004 **

■ 3,6 ha 18 000 3 à 5 €

La passion et l'amour du vin sont ici au rendez-vous à en juger par ces deux vins très remarqués du jury. Ce Brin de Plaisance à la robe plutôt soutenue se distingue par son caractère particulièrement expressif. Puissant et intense, le nez est marqué par le cassis et la groseille. Ces mêmes arômes emplissent la bouche avec rondeur, douceur et une belle fraîcheur. Un rosé friand que l'« on a envie de boire » écrit un dégustateur. Le **côtes-de-bergerac rouge cuvée Prestige 2003 (5 à 8 €)**, bien structuré et agréablement fruité, obtient une étoile.

🗝 Alain Merillier, La Ferrière, 24240 Gageac-Rouillac, tél. et fax 05.53.27.86.23 ☑ Ῑ ✶ r.-v.

## DOM. DE MOULIN-POUZY 2004

■ 2,1 ha 15 000 ▮ 3 à 5 €

Le domaine, qui jusqu'en 2004 s'appelait seulement domaine du Moulin, propose un bergerac rosé à dominante de merlot (95 %), dont le caractère légèrement tannique rappelle le clairet. D'une couleur particulièrement soutenue, ce vin possède un nez fruité amylique avec des notes de bonbon anglais. La bouche, vineuse et suave, révèle une pointe d'acidité en finale. Un équilibre original entre sucres, alcool et tanins.

🗝 EARL Castaing, La Font-du-Roc, 24240 Cunèges, tél. 05.53.58.41.20, fax 05.53.58.02.29, e-mail info@moulin-pouzy.com
☑ Ῑ ✶ t.l.j. sf dim. 9h-12h 14h-18h; sam. sur r.-v.

## CH. DU PRIORAT 2004 *

■ 9,5 ha 30 000 3 à 5 €

Le domaine appartint autrefois aux comtes de Gurson. Son bergerac rosé, limpide avec de jolis reflets, est composé de merlot et de cabernet à parts égales. Le nez fruité exhale des parfums de framboise et de cassis. Ronde et plutôt douce en attaque, la bouche révèle une belle fraîcheur et un retour de fruits persistant en finale. Le **bergerac sec 2004**, bien représentatif de son appellation, allie les arômes d'agrumes à une grande fraîcheur. Il est cité.

🗝 GAEC du Priorat, 24610 Saint-Martin-de-Gurson, tél. 05.53.80.76.06, fax 05.53.81.21.83
☑ Ῑ ✶ t.l.j. sf dim. 8h-12h 14h-18h
🗝 Maury

## R DE ROCHES 2004

■ 4 ha 20 000 ▮ 3 à 5 €

Une couleur rose pâle avec des reflets orangés habille ce vin au nez d'intensité moyenne qui développe des notes de cassis. L'attaque, souple, est marquée par la douceur. La finale est relevée. Un rosé sympathique qui devrait séduire les nouveaux consommateurs.

🗝 Didier Roches, Dom. du Haut-Pécharmant, 24100 Bergerac, tél. 05.53.57.29.50, fax 05.53.24.28.05, e-mail dhp2@tiscali.fr ☑ 🏠 Ῑ ✶ r.-v.

## LES VIGNERONS DE SIGOULES
Chêne Peyraille 2004 **

■ n.c. 70 000 ▮ 3 à 5 €

A l'olfaction, ce vin limpide, d'un rose très pâle, offre une forte intensité aromatique sur la fraise et la framboise. Après une attaque souple et ronde, les arômes de fruits explosent en bouche, soutenus par une belle fraîcheur. Un bien joli rosé, élégant et fin.

🗝 Cave de Sigoulès, 24240 Sigoulès, tél. 05.53.61.55.00, fax 05.53.61.55.10
☑ Ῑ ✶ t.l.j. sf dim. 8h30-12h 14h-18h

## CH. SINGLEYRAC 2004 **

■ 2,5 ha 20 000 ▮ 3 à 5 €

Deux sœurs, Laurence et Sophie Rival, sont à la tête de ce domaine de 14 ha. Le jury a pris du plaisir à la dégustation de leur bergerac rosé. Le nez vous transporte dans un magasin de bonbons. Véritable corbeille de fruits en bouche, ce vin fait preuve d'une bonne persistance et d'une agréable fraîcheur. Un travail remarquable de l'expression aromatique.

🗝 EARL Ch. Singleyrac, Le Bourg, 24500 Singleyrac, tél. 05.53.58.92.41, fax 05.53.58.76.08, e-mail chateausingleyrac@voila.fr ☑ Ῑ ✶ r.-v.
🗝 Rival

### CH. TOUR DE GRANGEMONT 2004

■ 2 ha 6 500 3 à 5 €

Cette cuvée d'un joli rose brillant se caractérise par sa forte intensité aromatique à dominante fruitée qui laisse poindre des notes de framboise. La dégustation s'achève sur une agréable sensation de fraîcheur. Un rosé vif et sympathique.

EARL Lavergne, Portugal,
24560 Saint-Aubin-de-Lanquais,
tél. 05.53.24.32.89, fax 05.53.24.56.77 r.-v.

### CH. TOUR MONTBRUN 2004 *

■ 1 ha 5 000 3 à 5 €

La robe est rose clair à reflets mauves ; le nez surprend par sa puissance aromatique et délivre des notes de cassis et de framboise. Egalement marquée par le fruit, la bouche se montre élégante avec un beau volume. La finale, nerveuse, laisse sur une agréable sensation de fraîcheur.

Philippe Poivey,
Montravel, 24230 Montcaret, tél. et fax 05.53.58.66.93,
e-mail philippe.poivey@wanadoo.fr r.-v.

# Bergerac sec

La diversité des sols (calcaire, graves, argile, boulbènes) donne des expressions aromatiques variées. Jeunes, les vins sont fruités et élégants, avec une pointe de nervosité. S'ils sont vinifiés dans le bois, il faudra patienter un an ou deux pour discerner l'expression du terroir. Produits sur 1 717 ha, ils représentent un volume de 90 866 hl.

### ALPHA DU JONCAL 2003 **

1,2 ha 4 500 11 à 15 €

Il a failli être aussi l'« alpha » du Guide Hachette 2006 en bergerac sec, mais après un débat passionné, ce vin, arrivé deuxième au grand jury, a manqué le coup de cœur. Reste deux étoiles pour saluer sa robe jaune doré, son nez complexe (fleurs blanches, pêche, agrumes avec une pointe de vanille), son palais gras et puissant, suffisamment nerveux, et son retour toasté et brioché en finale. Un ensemble bien fait, généreux et qui se conservera plusieurs années. Du même domaine, le **côtes-de-bergerac rouge Clos Le Joncal cuvée Aramis 2003 (5 à 8 €)** obtient une étoile. Il est encore sous l'emprise du bois.

Roland et Joëlle Tatard,
Clos Le Joncal, 24500 Saint-Julien-d'Eymet,
tél. 06.86.96.70.52, fax 05.53.61.84.73,
e-mail roland.tatard@infonie.fr r.-v.

### CH. LA BRIE 2004 *

9,45 ha 77 000 3 à 5 €

Ce bergerac sec est produit par le domaine du lycée viticole de Monbazillac. Très clair avec des reflets verts, discret au premier nez, il révèle à l'agitation la finesse de ses arômes. Après une attaque fraîche, soulignée par une pointe perlante, la bouche se montre équilibrée et persiste agréablement sur des notes de pamplemousse. Une simplicité de bon aloi.

Ch. La Brie, Lycée viticole, Dom. de La Brie,
24240 Monbazillac, tél. 05.53.74.42.42,
fax 05.53.58.24.08, e-mail lpa.bergerac@educagri.fr
t.l.j. sf sam. dim. 10h30-12h 13h30-17h30; f. jan.

### CLOS DES TERRASSES 2004

3 ha 3 500 8 à 11 €

Ce domaine pratique la vente directe depuis son rachat en 2001 par Patrice de Suyrot. On le retrouve en bergerac sec avec une cuvée jaune pâle à reflets dorés. Complexe au nez, ce 2004 associe des nuances vanillées à la pêche jaune. Le palais, suave et agréable, révèle un potentiel intéressant. Très marqué par un boisé qui masque un peu le vin, il gagnera à attendre un an ou deux pour permettre au fruité de s'exprimer. On pourra l'accompagner d'une viande blanche ou de champignons à la crème.

SCEA de Suyrot,
Les Terrasses, 24240 Sigoulès, tél. et fax 05.53.63.22.60,
e-mail fabricedesuyrot@wanadoo.fr
t.l.j. 10h-12h30 14h30-18h

### CH. DES EYSSARDS Cuvée Prestige 2003 ***

3 ha 15 000 5 à 8 €

Il est rare qu'un vin obtienne trois étoiles. Pourtant, le château des Eyssards ne pourra pas ajouter ce millésime à sa collection de coups de cœur. Sa nervosité a fait débat (certains auraient souhaité ce vin un rien plus vif), ce qui l'a empêché de faire l'unanimité... C'est tout de même une bouteille magnifique. Brillant dans le verre, paille clair, ce 2003 se montre discret au premier nez, puis embaume les fruits blancs. L'attaque souple est agréable, mais c'est surtout le gras en milieu de bouche qui a impressionné le jury. Une finale longue et harmonieuse conclut la dégustation. Un bergerac de gastronomie, qui aimera les plats en sauce. La propriété obtient par ailleurs une étoile pour son **saussignac cuvée Flavie 2003 (8 à 11 €)**. Un vin pour l'heure très vanillé et marqué par le bois : à attendre.

GAEC des Eyssards, 24240 Monestier,
tél. 05.53.24.36.36, fax 05.53.58.63.74,
e-mail eyssards@aquinet.tm.fr r.-v.

### CH. GRAND PLACE Le Petit Claud 2004 *

2 ha 10 000 3 à 5 €

D'un jaune pâle brillant, ce 2004 associe au nez les fleurs, le beurre et la noisette. Assez fruité en bouche, il fait preuve d'une grande vivacité qui devrait s'accorder avec le poisson et les fruits de mer. Un bergerac sec typé et de style nerveux. La même cuvée en **rouge 2004** est citée. Ce vin, qui n'a pas connu non plus le bois, possède du gras, des arômes de fruits rouges et des tanins aimables. Complet et bien équilibré, il sera au mieux d'ici un an.

SCEA Claude Delmas,
Ch. Grand Place, 33610 Minzac,
tél. 05.57.84.38.52, fax 05.57.84.31.39 r.-v.

### CH. GRINOU Fruité 2004 *

14 ha 70 000 5 à 8 €

Ce domaine est bien connu des lecteurs du Guide, car il a quatre coups de cœur à son actif. Le **bergerac sec Grande Réserve 2004 (8 à 11 €)**, au sommet dans le millésime précédent, n'est que cité cette année : il est à ce jour un peu écrasé par le bois et n'exprime pas toutes ses potentialités. Très marqué aussi par le fût, le **Grand Vin du Château Grinou bergerac rouge 2003 (8 à 11 €)** obtient la même note. La cuvée préférée est ce blanc ; d'un jaune pâle limpide, ce 2004 séduit par son nez intense et élégant, floral et fruité (agrumes). Le fruité se teinte d'abricot dans un palais équilibré et plaisant par ses notes acidulées et fraîches.

Catherine et Guy Cuisset,
Ch. Grinou, 24240 Monestier,
tél. 05.53.58.46.63, fax 05.53.61.05.66,
e-mail chateaugrinou@aol.com r.-v.

## CH. HAUTE-FONROUSSE 2004

2 ha 12 000 5 à 8 €

Avec l'installation récente de Stéphane Géraud sur l'exploitation familiale, la relève est assurée. Son bergerac sec présente une belle couleur brillante et limpide aux reflets jaunes. Assez puissant au nez, il associe les fleurs et les fruits mûrs. Un peu végétale en finale, la bouche est bien franche et acidulée.

Stéphane Géraud, Haute-Fonrousse,
24240 Monbazillac, tél. et fax 05.53.58.30.28,
e-mail geraud.vins@wanadoo.fr
t.l.j. sf dim. 8h30-12h 14h-19h

## LES JARDINS DE CYRANO Quatre vents 2004 **

n.c. 30 000 3 à 5 €

La maison de négoce Julien de Savignac diffuse des vins de propriété et ses propres marques. Sa gamme Les Jardins de Cyrano a plus d'une fois retenu l'attention des jurés. La voici sélectionnée dans les trois couleurs. Ce bergerac sec est le préféré. Brillant, de couleur pâle, il se montre puissant au nez, où se mêlent les fleurs et les agrumes. Après une attaque franche, la bouche apparaît bien fruitée, équilibrée et grasse ; sa finale particulièrement persistante est soulignée par une bonne acidité. Le **bergerac rouge Le Feuillardier 2003** obtient une étoile pour sa bonne matière et ses arômes de fruits rouges accompagnés d'une touche animale. Enfin, le **rosé Larmandie 2004** est cité pour ses arômes de cassis et de pamplemousse et pour son élégance.

Julien de Savignac,
av. de la Libération, 24260 Le Bugue,
tél. 05.53.07.10.31, fax 05.53.07.16.41,
e-mail julien.de.savignac@wanadoo.fr
t.l.j. sf dim. 9h45-13h 14h-18h

## CH. DE LA JAUBERTIE 2004 **

24 ha 160 000 5 à 8 €

Hugh Ryman signe un vin d'une harmonie parfaite, marqué par la puissance du fruit tout au long de la dégustation. La robe est brillante, d'un jaune léger. Au nez, les fruits révèlent leur maturité par des notes de pêche et de pamplemousse, tandis qu'au palais, on a l'impression de croquer une pêche de vigne. C'est rond, c'est gras, c'est persistant : quel plaisir ! Toujours en bergerac sec, la **cuvée Mirabelle 2003 (15 à 23 €)** obtient une étoile. Une bouteille riche et concentrée dont le bois très présent gomme encore la complexité.

SA Ryman, Ch. de La Jaubertie,
24560 Colombier, tél. 05.53.58.32.11,
fax 05.53.57.46.22, e-mail jaubertie@wanadoo.fr
t.l.j. sf sam. dim. 10h30-17h30
View-Graciet

## JULIEN DE SAVIGNAC 2004 *

n.c. 34 000 5 à 8 €

Cette maison de négoce propose deux jolies bouteilles, qui ont obtenu chacune une étoile. Ce bergerac sec revêt une robe brillante d'un beau jaune-vert. Son nez, fin et floral, apporte la marque du sauvignon qui représente 80 % de l'assemblage. Pleine de fruits, élégante et aérienne, la bouche finit sur une agréable note de fraîcheur. Un « vin plaisir » par excellence. Le **bergerac rosé Julien de Savignac 2004** séduit par de surprenants et persistants arômes de fraise.

Julien de Savignac,
av. de la Libération, 24260 Le Bugue,
tél. 05.53.07.10.31, fax 05.53.07.16.41,
e-mail julien.de.savignac@wanadoo.fr
t.l.j. sf dim. 9h45-13h 14h-18h

## CH. DE MALLEVIEILLE 2004 *

5 ha 30 000 3 à 5 €

Philippe Biau conduit depuis 1983 ce domaine d'une trentaine d'hectares. Il s'implique aujourd'hui dans les instances professionnelles mais n'en néglige pas pour autant ses vignes, comme le montrent ces deux vins sélectionnés. La robe est brillante, jaune pâle à reflets verts. Intense et franc, le nez est très marqué par le sauvignon qui domine l'assemblage. La bouche fraîche et expressive, d'une bonne persistance aromatique, fait de ce 2004 un vin facile à boire, typique de l'appellation. Du même domaine, le **côtes-de-bergerac rouge cuvée Imagine 2003 (11 à 15 €)**, finement boisé au nez comme en bouche, a obtenu une citation.

Vignobles Biau, La Mallevieille, 24130 Monfaucon,
tél. 05.53.24.64.66, fax 05.53.58.69.91,
e-mail chateaudelamallevieille@wanadoo.fr
t.l.j. 9h-12h 14h-19h

## CH. LES MERLES 2004 *

10 ha 40 000 3 à 5 €

Timide dans sa présentation, avec une robe à reflets verts et un nez discrètement fruité, ce 2004 s'affirme en bouche grâce à une attaque franche et à une belle évolution sur le fruit. Une finale vive conclut la dégustation de cette bouteille harmonieuse.

J. et A. Lajonie, GAEC Les Merles,
24520 Mouleydier, tél. et fax 05.53.63.43.70 r.-v.

## CH. DE PANISSEAU Divin 2003

4,16 ha 12 000 15 à 23 €

Ce domaine est commandé par un bâtiment chargé d'histoire, avec ses quatre poivrières. La cave en revanche, rénovée en 2000, ne manque pas des équipements modernes qui font les bons vins. Cette cuvée Divin, fermentée et élevée près d'un an en barrique, a tenu la vedette dans le

SUD-OUEST

millésime 2001. Le 2003 est moins ambitieux. Jaune prononcé, il est dominé par les arômes boisés de l'élevage, tant au nez qu'en bouche. Souple et puissant en attaque, avec beaucoup de gras et de moelleux, il finit sur une pointe d'amertume léguée par le fût qui devrait disparaître avec quelques mois de garde.
SA Panisseau, Ch. de Panisseau, 24240 Thénac,
tél. 05.53.58.40.03, fax 05.53.58.94.46,
e-mail panisseau@ifrance.com
t.l.j. sf dim. 9h-12h 14h-18h

### CH. LE PARADIS 2004 *

3,8 ha 26 500 3 à 5 €

Est-ce Henri IV qui est à l'origine du nom de ce domaine ? On l'affirme... De passage en ces lieux alors qu'il rendait visite à Gabrielle d'Estrée, il se serait écrié : « ici, c'est le paradis ! ». En tout cas, le domaine, dans la famille depuis 1745, est ancien, commandé par une maison périgourdine en pierre, flanquée d'une tour. Son bergerac sec a reçu fort bon accueil. La robe vert pâle a un bel éclat. Le nez minéral, floral et fruité (agrumes) porte la marque du sauvignon qui compose 50 % de l'assemblage. On retrouve la minéralité dans un palais plein et d'une extrême vivacité. Un vin classique de l'appellation qui s'accordera avec des fruits de mer. Le **rosé 2004** présente des nuances orangées d'évolution. Cité pour son fruité, on le servira bien frais.
Tonneau de Couty,
Les Mayets, 24560 Saint-Perdoux,
tél. 06.07.60.35.49, fax 05.53.73.16.16 r.-v.

### CH. RICHARD 2003

7 ha 25 000 5 à 8 €

Richard, c'est Richard Doughty. Fils d'un pilote britannique et d'une mère originaire du Tronçais, il est passé du pétrole à la viticulture biologique, des vastes mers (où l'amenaient ses prospections) aux terroirs périgourdins. Clair et limpide dans le verre, son bergerac sec offre un nez chaleureux, fruité, un rien miellé. Après une attaque franche, sur le fruit, la bouche ample et volumineuse aurait supporté un peu plus de vivacité mais elle reste plaisante.
Richard Doughty, Ch. Richard,
24240 Monestier, tél. 05.53.58.49.13,
fax 05.53.58.49.30, e-mail info@chateaurichard.com
t.l.j. 9h-12h 14h-19h; sam. dim. sur r.-v.

### CH. THEULET Antoine Alard
Elevé en fût de chêne 2003 ***

2 ha 7 000 8 à 11 €

Régulièrement mentionné dans le Guide, ce domaine situé à Monbazillac a frôlé le coup de cœur avec ce superbe bergerac sec d'un jaune pâle limpide à reflets verts. Au nez, il associe un fin boisé toasté à des senteurs de fruits exotiques. La bouche impressionne par son ampleur et son gras ; sa fraîcheur maintient l'équilibre et rend ce vin très plaisant. Une bouteille à attendre un à deux ans, le temps que le boisé se fonde, et à déguster avec une viande blanche ou un poisson en sauce. Le **monbazillac 2003 (11 à 15 €)** du château est cité. Discrètement aromatique, il est élégant et facile à boire.
SCEA Alard, Le Theulet, 24240 Monbazillac,
tél. 05.53.57.30.43, fax 05.53.58.88.28,
e-mail contact@vin-alard.com
t.l.j. sf sam. dim. 9h-12h 14h-18h

### TOUR DE MONESTIER 2004 *

11 ha 70 000 5 à 8 €

La tour existe, crénelée et bien restaurée. Elle constitue l'un des principaux éléments d'un château un peu composite, certes, mais qui ne manque pas d'allure avec son parc arboré et son potager à la française. Racheté en 1998 et entièrement rénové par son nouveau propriétaire, ce domaine s'est rapidement distingué, tant en rouge qu'en blanc. Couleur paille, ce bergerac sec présente un nez exubérant ; le sauvignon, pourtant minoritaire dans l'assemblage, y explose en notes de buis. La bouche ronde et fraîche révèle des arômes d'une belle maturité. Un ensemble complexe et riche que l'on pourra servir avec un poisson en sauce.
SCEA Monestier La Tour,
Ch. Monestier La Tour, 24240 Monestier,
tél. 05.53.24.18.43, fax 05.53.24.18.14,
e-mail contact@chateaumonestierlatour.com
r.-v.
De Haseth-Moller

### L'EXCELLENCE DU CH. LES TOURS DES VERDOTS
Les Verdots selon David Fourtout 2003 **

1,75 ha 5 000 15 à 23 €

Cette Excellence mérite bien son nom car elle part à la conquête des étoiles, tant en rouge qu'en blanc et monte à l'occasion sur le trône. Comme bien des Excellences, elle n'est cependant pas très accessible... La robe du 2003, pâle et limpide, se nuance de reflets vert clair. Puissant et floral, le nez révèle un boisé fin à l'agitation. Après une attaque franche, la bouche évolue sur le gras et le fruit. La longue finale est soutenue par une agréable vivacité. Pour l'heure encore un peu dominé par le chêne mais bien équilibré, ce vin sera parfait d'ici un an ou deux.
David Fourtout, Les Verdots,
24560 Conne-de-Labarde, tél. 05.53.58.34.31,
fax 05.53.57.82.00, e-mail fourtout@terre-net.fr
t.l.j. sf dim. 9h-12h30 14h-19h

### LA TUILIERE 2004

2 ha 12 000 3 à 5 €

Cette propriété familiale tire son nom d'une tuilerie autrefois établie sur le domaine ; elle possédait aussi un four à chaux. Quant à la viticulture, elle n'a fait son apparition qu'à la fin du XIX^e s. Elle règne aujourd'hui sur l'économie de l'exploitation, dont la cave a été rénovée en 2003. Son bergerac sec 2004 sauvignonne au nez sur des senteurs florales et des notes d'agrumes. Moins aromatique en bouche, il laisse avant tout une sensation de vivacité. Une bouteille à réserver à l'apéritif.
SCEA Moulin de Sanxet, Belingard-Bas,
24240 Pomport, tél. 05.53.58.30.79, fax 05.53.61.71.84,
e-mail moulinsanxet@free.fr t.l.j. sf dim. 9h-18h
Dominique Grellier

### CH. DES VIGIERS Cuvée Elisabeth 2004

6 ha 3 233 11 à 15 €

Ce château tire son nom de Jean Vigier, juge royal à Sainte-Foy-la-Grande, qui entreprit sa construction en 1597. La demeure, environnée de 135 ha de terres, a été transformée en hôtel quatre étoiles avec un golf. Près de 17 ha sont consacrés à la vigne. Les trois cépages blancs du Bergeracois sont à l'origine de cette cuvée encore très fermée et qui ne laisse pas ignorer le rôle joué par la barrique. Sa matière ronde et pleine en fait un vin d'avenir qui devrait s'affiner avec le temps.

SCEA la Font du Roc,
Ch. des Vigiers, 24240 Monestier,
tél. 05.53.61.50.30, fax 05.53.61.50.31,
e-mail bpetine@vigiers.com r.-v.

CH. DES VIOLINES 2004

3,62 ha 2 600 3 à 5 €

Un nez discret révèle à l'agitation des notes de fleurs blanches. La bouche souple et ronde donne presque une impression de douceur, mais la nervosité réapparaît en finale. Un équilibre assez étonnant pour un bergerac sec.
Richard Yahya, Monplaisir, 24560 Bouniagues,
tél. 06.11.78.84.47, fax 05.53.73.11.35 r.-v.

# Côtes-de-bergerac

Cette appellation ne définit pas un terroir mais des conditions de récolte plus restrictives qui doivent permettre d'obtenir des vins riches et charpentés. Ils sont recherchés pour leur concentration et leur durée de conservation plus longue. Les 376 ha du vignoble ont produit 10 934 hl de côtes-de-bergerac rouge.

CH. LA BARDE-LES TENDOUX
Vieilli en fût de chêne 2002 ★★

17,44 ha 24 600 11 à 15 €

Ce 2002 est dans la lignée du millésime précédent qui avait lui aussi été jugé remarquable. La robe est noire, profonde. Les senteurs de moka, de caramel et de tabac révèlent un élevage en barrique bien maîtrisé. Les tanins sont extrêmement concentrés tout en montrant beaucoup de rondeur et d'élégance. Solide et charpenté, ce vin mérite d'attendre quelques années en cave pour laisser le fruit s'exprimer.
SARL de Labarde,
Ch. La Barde, 24560 Saint-Cernin-de-Labarde,
tél. 05.53.24.31.26, fax 05.53.22.49.84
Marmin

CH. CAILLAVEL Elevé en fût de chêne 2002

2 ha 26 000 8 à 11 €

La robe pourpre soutenu est de bon augure. Au nez, une touche de poivron trahit la présence importante de cabernet (80 %) dans l'assemblage. Rond et fruité à l'attaque, le palais s'appuie sur une trame de tanins fondus et souples, encore sévères et marqués par le bois en finale. L'ensemble reste harmonieux et pourra vieillir trois à cinq ans.
GAEC Ch. Caillavel, 24240 Pomport,
tél. 05.53.58.43.30, fax 05.53.58.20.31
t.l.j. sf dim. 8h-12h 14h-18h30
Lacoste

CH. LE CLERET Cuvée Cornélia
Elevé en barrique 2002

1 ha 3 000 5 à 8 €

Cette petite propriété a été reprise en 1998 par un couple d'Américains qui ont aménagé un chai pour ce millésime 2002. Pourpre brillant dans le verre, ce côtes-de-bergerac présente un nez réglissé et vanillé avec une pointe de tabac blond. Ronde et fruitée, l'attaque est fort plaisante, puis des tanins marqués par le bois apportent leur note un peu sévère mais ils devraient se fondre d'ici l'automne pour donner un ensemble agréable à la structure plutôt légère.
Joseph et Cornélia Matson,
Le Cléret, 106, av. du Périgord,
33220 Port-Sainte-Foy-et-Ponchapt,
tél. 05.53.57.75.95, fax 05.53.57.75.96 r.-v.

DOM. DE LA COMBE Elevé en fût de chêne 2002

0,7 ha 4 600 5 à 8 €

En 1980, Sylvie et Claude Sergenton ont acquis ce domaine qui comptait alors 8 ha de vignes. Aujourd'hui rejoints par leurs enfants, ils ont porté sa superficie à 25 ha. Ils ont élevé un an en fût cette cuvée brillante, assez foncée. Le nez discret révèle à l'agitation un boisé grillé accompagné de notes fruitées. Plutôt souple, la bouche évolue sur un agréable fruité. Un vin plaisant, facile à boire, à consommer sans trop attendre avec grillades et viandes blanches.
Sylvie et Claude Sergenton,
EARL Dom. de La Combe,
24240 Razac-de-Saussignac,
tél. 05.53.27.86.51, fax 05.53.27.99.87 r.-v.

CH. COMBRILLAC 2002 ★★

5 ha 7 600 8 à 11 €

Ce 2002 est tout aussi remarquable que le 2001. Rien qu'à l'œil, on devine son extrême concentration. Le nez, assez fin, traduit par son côté grillé, légèrement toasté, son élevage de dix-huit mois dans le chêne ; des arômes de cuir, de tabac et de chocolat s'invitent en attaque ; encore jeunes, les tanins n'en sont pas moins soyeux et suaves. Cette belle matière ronde donne à ce vin un caractère très flatteur ; on peut le déguster dès maintenant ou attendre quelques années.
GFA Combrillac, Coucombre, 24130 Prigonrieux,
tél. 05.53.57.63.61, fax 05.53.58.08.12
Marmin

CH. FAYOLLE-LUZAC Le Fayolle-Luzac
Elevé en fût de chêne 2002 ★

1 ha 1 800 11 à 15 €

Ce 2002 s'habille d'une pimpante robe cerise et libère des senteurs de fruits mûrs sur fond de fruits noirs, avec un boisé toasté. Le fruit reste bien présent en bouche sur des tanins serrés. L'ensemble n'en est pas moins harmonieux et prêt à boire. Une étoile encore pour le **bergerac rouge Château Fayolle-Luzac 2003 (5 à 8 €)**, qui n'a pas connu le bois. De facture plus classique, c'est un vin équilibré dont la matière riche et concentrée exprime bien le millésime.
SCEA Ch. Fayolle, 33220 Fougueyrolles,
tél. 05.53.73.51.68, fax 05.53.73.51.69,
e-mail ch.fayolle.luzac@wanadoo.fr r.-v.
M. Van Kempen

GRANDE MAISON Cuvée Antoinette 2003 ★

2 ha 4 000 8 à 11 €

Exploité en agriculture biologique, ce domaine est réputé pour ses monbazillac qui lui ont valu trois coups de cœur dans la décennie précédente. Il s'illustre aujourd'hui dans la production de vins rouges, témoin cette cuvée à la robe très soutenue aux reflets violacés, qui mêle agréablement la vanille et la violette. Le palais rond aux tanins souples révèle un mariage réussi entre le vin et le bois. De la même propriété, le **bergerac sec cuvée Sophie 2003 (5 à 8 €)** est cité. Le bois y est quelque peu dominateur, mais le sauvignon, qui compose 80 % de l'assemblage, lui donne vivacité et élégance.

Després, Grande Maison, 24240 Monbazillac, tél. 05.53.58.26.17, fax 05.53.24.97.36, e-mail thierry.despres@free.fr r.-v.

## CH. LES HAUTS DE CAILLEVEL Ebene 2003 ★★

■ 2 ha 5 000 8 à 11 €

Créée avant 1900, cette propriété d'un seul tenant, répartie entre un plateau et des coteaux, a été achetée en 1999 par Sylvie Chevallier et Marc Ducrocq qui l'ont portée à un haut niveau qualitatif. Les vignes, implantées sur un coteau exposé plein sud, ont été particulièrement généreuses dans ce milésime 2003. Le résultat ? Une robe pourpre, un nez de fruits rouges et noirs, de vanille et de notes toastées ; une matière riche, ample, moelleuse, avec des tanins bien fondus aux notes épicées et réglissées. Une remarquable harmonie, et un potentiel de garde assuré.

Sylvie Chevallier, Ch. Les Hauts de Caillevel, 24240 Pomport, tél. et fax 05.53.73.92.72, e-mail caillevel@wanadoo.fr t.l.j. sf dim. 9h-12h 14h-18h

## CH. LES JANDIS Aramis 2003 ★★

■ 3 ha 16 800 5 à 8 €

Aramis est une cuvée réservée élaborée par quatre vignerons qui s'engagent à respecter une charte de qualité. Une robe grenat intense et un nez élégant mêlant la cerise à des notes de torréfaction composent une belle présentation. Volumineux à l'attaque, le palais séduit par ses tanins bien fondus, soyeux et réglissés. Une longue finale conclut la dégustation de ce vin puissant et velouté, prêt à boire mais apte à la garde.

Joël Lacotte, Les Jandis, 24500 Singleyrac, tél. et fax 05.53.24.55.81 t.l.j. sf dim. 8h-12h 14h-18h

## CH. KALIAN BERNASSE Elevé en fût de chêne 2003

■ 0,6 ha 1 060 8 à 11 €

Alain Griaud a acheté cette propriété en 1992. Il a planté sur une partie des terrains des cépages rouges pour y produire du côtes-de-bergerac. Celui-ci revêt une robe rubis limpide aux reflets violacés. Si son nez reste discret, dominé par le bois, un agréable fruité se développe en bouche, avec des tanins fins et soyeux. Une note boisée en finale ne nuit pas à son équilibre d'ensemble.

Alain et Anne Griaud, Ch. Kalian Bernasse, 24240 Monbazillac, tél. et fax 05.53.24.98.34 r.-v.

## LADY MASBUREL 2003 ★★

■ 4,2 ha 14 600 11 à 15 €

Construit sous Louis XV près de Sainte-Foy-la-Grande, le château Masburel est une élégante demeure qui s'ordonne autour d'une cour. Il commande quelque 23 ha de vignes. Le domaine a été racheté en 1998 par les Donnan qui ont restauré les bâtiments et organisent l'été diverses manifestations festives et culturelles. Le vin y est bon, témoin cette cuvée dont la robe pourpre assez soutenue montre quelques signes d'évolution. Ce 2003 séduit par son nez très fruité associant les fruits rouges (cerise), la mûre et la confiture. Ces arômes se prolongent dans un palais souple, rond et frais. On pourra apprécier cette bouteille dès maintenant. Quant au **côtes-de-bergerac château Masburel 2003 (15 à 23 €)**, une étoile, il est proche du précédent, avec un boisé plus marqué. Deux produits intéressants qui révèlent un terroir et un savoir-faire.

Olivia Donnan, SCEA Ch. Masburel, Fougueyrolles, 33220 Sainte-Foy-la-Grande, tél. 05.53.24.77.73, fax 05.53.24.27.30, e-mail chateau-masburel@wanadoo.fr t.l.j. sf sam. dim. 9h-12h 14h-18h

## L'INSPIRATION DES MIAUDOUX 2003 ★★

■ 5 ha 17 000 11 à 15 €

Un vin remarquable, ce qui n'est pas pour surprendre les fidèles lecteurs du Guide. Ce domaine n'a-t-il pas obtenu un coup de cœur pour un bergerac rouge 2000 (sans parler de ses vins blancs souvent couverts d'éloges, eux aussi) ? Grenat intense aux reflets violacés, ce 2003 mêle au nez le cassis à un boisé agréable. Après une attaque ronde et volumineuse, la bouche, toujours très fruitée, monte en puissance sur des tanins qui se fondent déjà. Fort harmonieux, ce vin peut être consommé jeune mais il tiendra plusieurs années.

Gérard Cuisset, Les Miaudoux, 24240 Saussignac, tél. 05.53.27.92.31, fax 05.53.27.96.60, e-mail gerard.cuisset@wanadoo.fr r.-v.

## CH. MONTPLAISIR 2003 ★★

■ 1 ha 2 660 8 à 11 €

De ce domaine, on aperçoit la ville de Bergerac, située à 5 km. La propriété a tiré un excellent parti du millésime 2003, à en juger par ce côtes-de-bergerac. La robe est noire, profonde ; le nez puissant et agréable associe la mûre et un boisé parfaitement fondu. Un fruité plaisant, des tanins bien mûrs et une délicate touche vanillée composent une bouche fort harmonieuse. A attendre deux à trois ans. Autre réussite du château, le **rosette 2003 (5 à 8 €)**, mariage subtil et équilibré entre les arômes de fruits secs et confits et un boisé vanillé. Un vin moelleux, agréable à boire.

Charles Blanc, rte de Montpon D13, 24130 Prigonrieux, tél. et fax 05.53.24.68.17, e-mail info@chateau-montplaisir.com t.l.j. 8h-20h

## CH. LES NICOTS Elevé en fût de chêne 2003 ★★★

■ 7,5 ha 13 300 5 à 8 €

Situé à 2 km du château de Bridoire, ce domaine est commandé par un corps de ferme qui aurait été bâti par les Anglais pendant la guerre de Cent Ans. Avec cette cuvée, il obtient un coup de cœur qui confirme l'excellence du terroir de Ribagnac. D'un grenat intense, ce 2003 s'impose d'emblée par l'élégance de son nez qui décline les

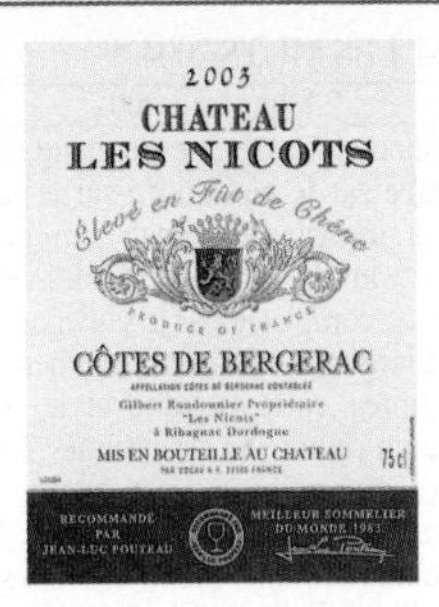


fruits mûrs et la fraise sur un boisé agréablement fondu. Après une attaque veloutée, la bouche impressionne par sa puissance et son fruité ; les tanins sont serrés mais souples et soyeux, et le boisé apparaît bien intégré. Un équilibre parfait qui a fait l'unanimité. Gilbert Rondonnier a aussi proposé le **côtes-de-bergerac moelleux Château Briand Cuvée Nathalie 2004**, qui obtient une étoile. Encore un peu dominé par le bois, c'est un vrai moelleux au sucre et à l'acidité équilibrés.

⊶ Gilbert Rondonnier,
Les Nicots, 24240 Ribagnac,
tél. 05.53.58.23.50, fax 05.53.24.94.63,
e-mail alegal@socav.fr ☒ Y 🚶 t.l.j. 10h-19h

## NOBLESSE DU CHATEAU 2003

■ 2 ha 3 000 **(I) 15 à 23 €**

En 1998, Fabien Charron a repris la propriété familiale et décidé de vinifier lui-même ses récoltes. Il propose un côtes-de-bergerac dont la couleur grenat intense laisse augurer une belle concentration. Le nez bien ouvert associe un fruité confituré à un petit côté grillé évoquant la croûte de pain. On retrouve ces arômes dans une bouche ample et grasse, un peu sévère en finale. Un vin qui ne peut que se bonifier avec le temps.

⊶ Fabien Charron,
La Noble, 24240 Puyguilhem, tél. et fax 05.53.58.81.93
☒ Y 🚶 t.l.j. sf sam. dim. 9h-12h 14h-18h

## DOM. DU PETIT PARIS Cuvée Prestige
Elevé en fût de chêne 2003 *

■ 3 ha 10 800 **(I) 15 à 23 €**

Cette cuvée Prestige du domaine fait preuve d'une belle régularité. Le 2003 revêt une robe grenat profond et développe au nez des parfums de cerise et de cassis fort agréables. Toujours fruité en bouche, rond et élégant, il révèle de solides tanins de bois légèrement toastés. Un ensemble puissant, aromatique et harmonieux, qui peut déjà paraître à table.

⊶ EARL Dom. du Petit Paris,
RN 21, 24240 Monbazillac,
tél. 05.53.58.30.41, fax 05.53.58.30.27,
e-mail petit-paris@wanadoo.fr ☒ Y 🚶 t.l.j. 8h-20h
⊶ Geneste

## LE PETROCORE 2003 *

■ 2 ha 3 500 **(I) 8 à 11 €**

Cette cuvée du château Ladesvignes rappelle le souvenir de la tribu celte qui vivait dans cette partie de la Dordogne à l'époque de Jules César. Les Gaulois étaient passés maîtres dans l'art de la tonnellerie, et ce vin s'affirme au fil des ans par sa maîtrise de l'élevage en fût et sa concentration. Grenat foncé, ce 2003 présente un nez grillé, vanillé, légèrement animal, qui ne demande qu'à s'ouvrir. Fruité et ample à l'attaque, il évolue sur des tanins soyeux, un rien épicés, plus sévères en finale. Le **bergerac rosé château Ladesvignes 2004 (3 à 5 €)** est cité pour sa finesse et sa fraîcheur qui le rendent facile à boire.

⊶ Ch. Ladesvignes, 24240 Pomport,
tél. 05.53.58.30.67, fax 05.53.58.22.64,
e-mail chateau.ladesvignes@wanadoo.fr
☒ Y 🚶 t.l.j. 9h-12h 13h30-18h
⊶ Monbouche

## LA ROBERTIE HAUTE 2003 **

■ 4 ha 6 000 **(I)** 8 à 11 €

Depuis sa reprise en 1999, ce domaine révèle une nette progression qualitative, dont témoigne cette cuvée. Sa robe est noire, profonde ; le nez, complexe, mêle cuir, tabac, cacao, caramel et cerise à l'eau-de-vie. La bouche séduit par sa rondeur et sa souplesse. Ses tanins suaves sont un peu marqués par la barrique. Un ensemble élégant qui mérite une côte de bœuf.

⊶ Jean-Philippe Soulier,
La Robertie, 24240 Rouffignac-de-Sigoulès,
tél. 05.53.61.35.44, fax 05.53.58.53.07,
e-mail chateau.larobertie@wanadoo.fr
☒ Y 🚶 t.l.j. 9h-19h

## CH. LES SAINTONGERS D'HAUTEFEUILLE
Elevé en fût de chêne 2002

■ 1,55 ha 8 599 **(I) 8 à 11 €**

Ce domaine repris en 1997 renaît après une longue période d'abandon. Sa cuvée élevée en fût résulte d'un assemblage peu courant en Bergeracois, car elle privilégie le cabernet-sauvignon (80 %). La robe est peu soutenue, rubis à reflets orangés. Au nez, un boisé toasté se fond dans le fruit rouge. Ce boisé se retrouve, bien intégré, dans une bouche souple à l'attaque, plus marquée par les tanins en finale. Cette bouteille pourrait accompagner un civet dans un an ou deux.

⊶ Catherine d'Hautefeuille,
Les Saintongers, 24560 Saint-Cernin-de-Labarde,
tél. 05.53.24.32.84, fax 05.53.57.77.18 ☒ Y 🚶 r.-v.

## CH. LE TAP Cuvée Juliejolie
Elevé en fût de chêne 2003 **

■ 1 ha 4 400 **(I)** 8 à 11 €

Château Le Tap : une gamme au top ? Ce domaine habitué du Guide propose une bien nommée cuvée Juliejolie, qui envoie de subtils effluves de cassis et de cerise sur un boisé fondu. Avec son attaque souple, son volume harmonieux, ses tanins souples et enrobés, sa générosité, c'est un vin fort bien fait, révélant une belle matière sans excès. La propriété signe aussi un **saussignac 2003 élevé en fût de chêne (11 à 15 €)** ; ce liquoreux obtient une étoile pour son fruité concentré, sa rondeur, son élégance et sa persistance. Enfin, le **bergerac rouge 2004 (3 à 5 €)** est cité pour ses tanins soyeux et son fruité agréable.

⊶ Olivier Roches, Ch. Le Tap, 24240 Saussignac,
tél. 05.53.27.53.41, fax 05.53.22.07.55,
e-mail chateauletap@tiscali.fr
☒ Y 🚶 t.l.j. 9h-12h 14h-19h

## CH. TOUR D'ARFON 2002

■ 1 ha 5 000 **(I)** **8 à 11 €**

Une très belle robe noire traduit un vin de forte extraction. Le nez puissant rappelle le cassis, arôme que

SUD-OUEST

l'on retrouve en bouche avec la mûre. Rond à l'attaque, volumineux, le palais confirme les premières impressions : la matière est bien concentrée. Les tanins assez fondus mais dominés par le bois incitent à oublier cette bouteille en cave pendant trois ou quatre ans.

Fabienne et Xavier Ferté, La Tour d'Arfon,
24240 Monestier, tél. et fax 05.53.73.36.49 r.-v.

L'EXCELLENCE DU CH. LES TOURS DES VERDOTS
Les Verdots selon David Fourtout 2003 ★★

6 ha 14 000 15 à 23 €

Ce domaine mérite une visite, non seulement pour sa cave creusée dans la roche et traversée par une rivière souterraine, mais aussi pour l'excellence de certaines de ses cuvées, dont celle-ci, coup de cœur dans le millésime précédent et régulièrement jugée remarquable. Encore sous l'emprise de l'élevage, ce 2003 est dans la lignée de ses prédécesseurs. Au nez, il est dominé par un boisé vanillé très fin qui masque encore le fruit. Bien structuré, doté de tanins moelleux qui commencent à se fondre dans un boisé présent, puissant, élégant et persistant, ce vin devra attendre quatre à cinq ans pour se révéler dans toute sa plénitude.

David Fourtout, Les Verdots,
24560 Conne-de-Labarde, tél. 05.53.58.34.31,
fax 05.53.57.82.00, e-mail fourtout@terre-net.fr
t.l.j. sf dim. 9h-12h30 14h-19h

# Côtes-de-bergerac blanc

Les mêmes cépages que les vins blancs secs, mais récoltés à surmaturité, permettent d'élaborer ces vins moelleux recherchés pour leurs arômes de fruits confits et leur souplesse. La surface en production est de 1 307 ha pour un volume récolté de 62 294 hl.

CONFIT DE LA COLLINE 2002 ★★

0,6 ha 3 266 8 à 11 €

Ce domaine s'est fait connaître par trois coups de cœur consécutifs en bergerac rouge. Charles Martin montre ici son savoir-faire en blanc doux, invitant l'amateur à entrer en contact avec « saint Botrytis, patron des liquoreux ». De fait, ce moelleux a tout d'un liquoreux et aimera le roquefort ou le stilton. D'un jaune doré brillant, il apparaît très doux au nez, avec des notes de miel, d'acacia, de coing et de raisin sec. Puissant et gras en attaque, le palais se montre équilibré et finit sur un bon retour de fruit et une légère vivacité. Deux autres vins du château de la Colline sont cités : le **bergerac sec Côté Ouest 2003 (5 à 8 €)** pour sa vivacité, et le **bergerac rouge Carminé 2003 (15 à 23 €)** pour sa souplesse, son équilibre et ses tanins bien enrobés. Trois cuvées prêtes à boire.

Charles Martin, Ch. de la Colline, 24240 Thénac,
tél. 05.53.61.87.87, fax 05.53.61.71.09,
e-mail charlesm@la-colline.com
t.l.j. sf dim. 9h-13h 14h-19h

CH. COURT LES MUTS 2004 ★

2,8 ha 13 000 5 à 8 €

Ce domaine consacre une trentaine d'hectares à la vigne, implantée sur le plateau ou sur les coteaux de la Dordogne. La muscadelle, cépage un peu oublié du Bergeracois, retrouve ses lettres de noblesse dans ce vin où elle entre à 60 %, complétée par le sauvignon. Ses arômes muscatés sont largement dominants au nez. L'attaque est franche, équilibrée entre l'acidité et le gras, la finale plaisante avec un retour sur les agrumes. Un vin harmonieux à boire sur son fruit. La propriété a également présenté un **saussignac 2002 (11 à 15 €)**. Un liquoreux très concentré mais dominé par le bois. Il est cité.

Vignobles Pierre Sadoux, Ch. Court-Les-Mûts,
24240 Razac-de-Saussignac, tél. 05.53.27.92.17,
fax 05.53.23.77.21, e-mail court-les-muts@wanadoo.fr
t.l.j. sf dim. 9h-11h30 14h-17h30; sam. sur r.-v.

CH. HAUT-FONGRIVE 2004 ★★

2,55 ha 18 000 3 à 5 €

Les Wichelhaus vendaient du vin. Depuis 1998, année de leur installation à Thénac, ils vendent leur vin. Celui-ci naît d'un vignoble de 17 ha d'un seul tenant implanté sur un coteau orienté au sud-ouest. Leur côtes-de-bergerac moelleux se distingue par la pâleur et la brillance de sa robe, vert clair à reflets dorés. Litchi et fruit de la Passion composent un nez frais et fruité. On retrouve ce fruité et cette fraîcheur en bouche. Un vrai moelleux, très équilibré et fort plaisant. Quant au **bergerac sec 2004** du domaine, il est charmeur au nez mais nerveux en bouche : une citation.

Sylvie et Werner Wichelhaus, Ch. Haut-Fongrive,
24240 Thénac, tél. 05.53.58.56.29, fax 05.53.24.17.75,
e-mail hautfongrive@worldonline.fr r.-v.

DOM. DES VINS CŒURS Douceur paysanne 2004

0,7 ha 2 000 5 à 8 €

C'est en 2003 que Serge Durand a acheté les 5,2 ha de vignes de ce domaine, et voilà une de ses cuvées retenues. Assemblage de trois cépages blancs du Bergeracois, cette Douceur paysanne revêt une robe jaune légèrement doré et révèle un nez complexe, avec des notes de miel, d'agrumes et une touche boisée. L'abricot fait son apparition dans une bouche à la finale fraîche. Plutôt demi-sec que véritablement moelleux, ce vin trouvera sa place à l'apéritif.

Dom. des Vins Cœurs,
Le Tuquet, 24560 Bouniagues,
tél. 06.83.49.83.88, fax 05.53.73.19.18,
e-mail durand.serge2@wanadoo.fr r.-v.
Serge Durand

# Monbazillac

Au cœur du Bergeracois, sur des coteaux pentus exposés au nord de la rive gauche de la Dordogne, les vignes reçoivent la fraîcheur et les brumes de l'automne favorisant le développement du botrytis, pourriture noble donnant des vins moelleux et liquoreux.

S'étendant sur 2 500 ha dont 2 113 revendiqués pour une production de 50 560 hl en 2004, le vignoble de monbazillac produit des vins riches. Le sol argilo-calcaire apporte des arômes intenses ainsi qu'une structure complexe et puissante qui s'harmonisera avec le foie gras, les viandes blanches à la crème ou les fraises du Périgord.

### DOM. DE L'ANCIENNE CURE L'Abbaye 2003 ★★

5 ha 8 000 15 à 23 €

Domaine de l'Ancienne Cure
L'abbaye
2003
MONBAZILLAC
Appellation Monbazillac Contrôlée
EARL Christian Roche
Vigneron à 24560 Colombier
Mis en Bouteille au Domaine

Troisième coup de cœur pour Christian Roche en monbazillac. Jaune doré soutenu, le 2003, réservé au premier nez, livre après aération une palette complexe où se mêlent les fruits confits, l'abricot, la figue et des arômes vanillés. On retrouve le fruit confit dans une attaque puissante et très grasse, heureux préambule à une bouche riche, parfaite d'harmonie. Une excellente vinification et une matière extrêmement concentrée. (Bouteilles de 50 cl.) Puissance et concentration caractérisent également le **bergerac rouge cuvée Abbaye 2003 (8 à 11 €)**, cité par le jury. Encore marqué par son élevage en barrique, il devra attendre deux à trois ans.

EARL Christian Roche, L'Ancienne Cure, 24560 Colombier, tél. 05.53.58.27.90, fax 05.53.24.83.95, e-mail ancienne-cure@wanadoo.fr
t.l.j. sf dim. 9h-18h

### DOM. DE L'ANCIENNE CURE L'Extase 2003 ★

n.c. 5 000 38 à 46 €

Jaune pâle dans le verre, ce 2003 présente un nez intense sur l'abricot confit, la vanille et le toasté. Les fleurs blanches s'ajoutent en bouche à cette palette aromatique. L'attaque grasse, onctueuse, introduit un palais extrêmement doux, un peu lourd mais d'une grande persistance. Finement boisé, concentré, ce monbazillac sera apprécié par les amateurs de vins très sucrés. (Bouteilles de 50 cl.) Le **côtes-de-bergerac rouge L'Extase 2003 (15 à 23 €)** est cité pour ses tanins riches et puissants, ses arômes vanillés et son potentiel de garde (quelques années).

EARL Christian Roche, L'Ancienne Cure, 24560 Colombier, tél. 05.53.58.27.90, fax 05.53.24.83.95, e-mail ancienne-cure@wanadoo.fr
t.l.j. sf dim. 9h-18h

### CH. BELINGARD Blanche de Bosredon 2003

n.c. 6 000 23 à 30 €

Sur l'emplacement de ce château chargé d'histoire, les druides auraient voué un culte à Belenos, dieu gaulois du Soleil. On y produit maintenant un vin jaune doré et brillant comme l'astre du jour. De couleur soutenue, ce 2003 se montre un peu réservé au nez, mais on y décèle des senteurs de fruits secs, d'abricot confit à côté d'intenses notes boisées et vanillées. Après une attaque fraîche et florale, ce boisé vanillé soutient le milieu de bouche. Pour l'heure dominé par le chêne, l'ensemble laisse une impression de puissance et de concentration. Deux à trois ans de garde lui feront sans doute gagner une étoile.

SCEA Comte de Bosredon, Ch. Belingard, 24240 Pomport, tél. 05.53.58.28.03, fax 05.53.58.38.39, e-mail laurent.debosredon@wanadoo.fr
t.l.j. sf dim. 9h-12h30 13h30-18h30

### CH. BELLEVUE Réserve Lajonie Elevé en fût de chêne 2003 ★

10 ha 10 000 11 à 15 €

Ce monbazillac s'annonce par une robe brillante, jaune doré, et par un nez assez fin, dominé par un boisé grillé avec quelques nuances de raisin confit. En bouche aussi, l'élevage en fût a légué de puissants arômes de boisé brûlé, mais la matière est concentrée, l'équilibre est agréable et la finale assez longue. Un vin qui devrait s'épanouir d'ici deux à trois ans.

SCEA Lajonie D.A.J., Saint-Christophe, 24100 Bergerac, tél. 05.53.57.17.96, fax 05.53.58.06.46, e-mail vignobles-lajonie@libertysurf.fr r.-v.

### DOM. DE LA BORIE BLANCHE Vinifié et élevé en fût de chêne 2003 ★★★

3,48 ha 3 800 11 à 15 €

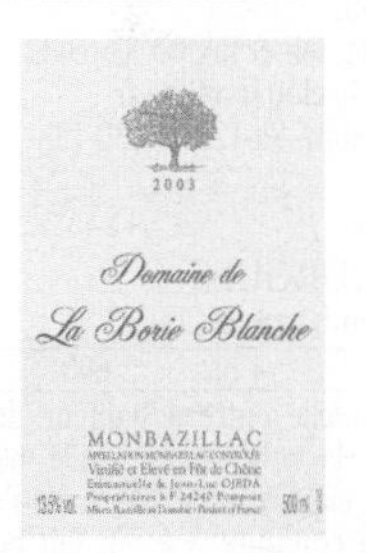


Dix ans d'existence pour ce domaine – et un superbe coup de cœur – dont le Guide atteste la belle ascension qualitative. Qualité du raisin, qualité du bois et maîtrise de l'élevage sont les clés de la réussite de ce 2003 exceptionnel. D'un jaune doré brillant, ce vin séduit d'emblée par son nez intense associant des notes florales, des senteurs de fruits confits et un joli boisé vanillé. Au palais, on apprécie la rondeur de l'attaque, puis la fraîcheur et le gras en milieu de bouche et enfin la finale persistante sur le boisé toasté. Un ensemble très riche, d'une grande finesse et qui traduit un excellent mariage du fruit et du chêne. (Bouteilles de 50 cl.)

Emmanuelle et Jean-Luc Ojeda, La Borie Blanche, 24240 Pomport, tél. et fax 05.53.73.02.45, e-mail ejlojeda@wanadoo.fr
t.l.j. 10h30-19h30

### CLOS DES CABANES Chant d'Arômes 2003 ★★

1,67 ha 6 800 11 à 15 €

Dans une vie antérieure, Anne Lafont était esthéticienne, et Georges – descendant de viticulteurs – cadre dans une multinationale. Le couple décide de se tourner vers la vigne et s'installe en Dordogne en 1998. Une

SUD-OUEST

reconversion réussie, à en juger par cet excellent monbazillac en robe dorée, puissant et complexe au nez, fait de fruits confits et de notes finement boisées. Frais et fruité à l'attaque, le palais séduit par ses arômes puissants et persistants d'abricot et d'ananas, avec un boisé biscuité. Déjà agréable, cette bouteille devrait bien évoluer au cours des dix prochaines années. (Bouteilles de 50 cl.)

Georges Lafont,
Clos des Cabanes, 24100 Saint-Laurent-des-Vignes,
tél. et fax 05.53.24.85.03,
e-mail clos.des.cabanes@wanadoo.fr
t.l.j. sf dim. 8h-12h 14h-18h; f. avril

## CH. LE CLOU Andromède Elevé en barrique 2003

2 ha 4 000 11 à 15 €

Ce domaine de 28 ha exploité en agriculture biologique est trois fois cité dans le millésime 2003. D'un jaune doré brillant, ce monbazillac, encore fermé, exprime surtout un boisé intense qui laisse à peine percer quelques notes florales. Le fruit reste un peu masqué en bouche, mais la dégustation permet d'apprécier une matière puissante et complexe. Un vin à attendre deux ou trois ans pour que le fruit reprenne le dessus. Le **côtes-de-bergerac rouge cuvée Cassiopée élevé en barrique 2003 (8 à 11 €)** recueille la même note pour son intéressante structure tannique ; il est également dominé par le chêne, tout comme le **bergerac sec cuvée Pléiades élevé en barrique 2003 (5 à 8 €)**. Une production qui plaira aux amateurs de vins boisés.

Ch. Le Clou,
24240 Pomport, tél. et fax 05.53.63.32.76,
e-mail chateau.le.clou@online.fr
t.l.j. sf dim. 9h-12h 13h30-18h
Killias

## CH. FONMOURGUES
Cuvée élevée en barrique 2003 *

4 ha 2 600 11 à 15 €

La muscadelle entre à hauteur de 40 % dans ce monbazillac à la robe jaune paille nette et brillante. Elégant, fin et complexe, le nez mêle l'acacia, les fruits exotiques et la confiture. Ce vin fait bonne impression grâce à son attaque douce et ample au fruité plaisant. De la même exploitation, le **bergerac rouge 2003 (5 à 8 €)** est cité. Souple et harmonieux, il sera bon à boire assez rapidement.

EARL Dominique Vidal, Ch. Fonmourgues,
24240 Monbazillac, tél. 05.53.63.02.79,
e-mail vidal.dominique1@caramail.com r.-v.

## CH. HAUT BERNASSE 2003 **

n.c. 8 000 15 à 23 €

Rachetée par les Villette en 2002, cette propriété continue à se distinguer dans le Guide. Voyez ce monbazillac : sa robe est dorée, intense. Une intensité que l'on retrouve au nez, riche de notes de fleurs, d'abricot, de fruits confits et de nuances boisées. Une attaque dominée par le fruit introduit une bouche parfaitement équilibrée, persistante et complexe en finale. Un vin complet et très bien fait. Le domaine obtient par ailleurs deux citations : pour le **bergerac sec cuvée Marie-Pierre 2003 (8 à 11 €)**, fruité et équilibré mais encore un peu dominé par le bois ; et pour le **côtes-de-bergerac rouge 2003 (8 à 11 €)**, de concentration moyenne mais agréable pour son fruité et sa rondeur.

SARL Jules et Marie Villette, Bernasse,
24240 Monbazillac, tél. 05.53.58.36.22,
fax 05.53.61.26.40, e-mail contact@haut-bernasse.com
t.l.j. 8h-12h30 13h30-18h30; sam. dim. sur r.-v.

## CH. DU HAUT PEZAUD Révélation 2002 **

7 ha 2 000 15 à 23 €

Encore une heureuse reconversion : celle de Christine Borgers, naguère comptable, et qui s'est installée en 1999. D'une belle limpidité, son monbazillac arbore une robe jaune d'or légèrement ambré. Le nez, aérien, mêle les fleurs blanches, le miel et le pain d'épice. Grasse, onctueuse et concentrée, la bouche offre une très longue finale avec un joli retour fruité. Un ensemble à la fois puissant et harmonieux. (Bouteilles de 50 cl.) Une belle harmonie marque aussi la cuvée classique du monbazillac **élevé en fût de chêne 2003 (11 à 15 €)** qui obtient pour sa part une étoile. Florale au nez, puissante et fruitée à l'attaque, elle possède une longue finale soulignée par une note vive.

Christine Borgers, Les Pezauds, 24240 Monbazillac,
tél. 05.53.73.01.02, fax 05.53.61.35.31,
e-mail cborgers@wanadoo.fr t.l.j. 10h-20h

## DOM. DU PETIT MARSALET Cuvée Tradition
Elevé en fût de chêne 2003 *

2 ha 3 800 11 à 15 €

Un domaine souvent mentionné dans le Guide. Son monbazillac 2003 obtient une étoile comme dans le millésime précédent. Brillant et d'un doré léger dans le verre, ce vin offre un nez floral assorti de notes de coing et de confiture. Après une attaque grasse, le fruit s'exprime à nouveau et se mêle à des arômes d'acacia. La finale est marquée par une pointe chaleureuse.

Jean-Philippe Cathal,
Le Marsalet, 24100 Saint-Laurent-des-Vignes,
tél. 05.53.57.53.36 t.l.j. 8h-12h 14h-19h

## CH. POULVERE Emilie 2003 *

15 ha 24 000 8 à 11 €

Ce domaine est proche du château de Monbazillac dont il dépendait. Il a proposé un 2003 dont la robe jaune d'or montre quelques signes d'évolution. Très puissant au nez, ce vin mêle des notes de miel, d'abricot, de fruits confits ainsi qu'une touche finement boisée. On retrouve les fruits confits dans une bouche grasse, dominée en finale par les notes du fût. La concentration est le maître mot de la dégustation. Le boisé également, et l'on recommande d'oublier cette bouteille quelques années en cave.

GFA Poulvere,
Famille Borderie, 24240 Monbazillac,
tél. 05.53.58.30.25, fax 05.53.58.35.87 r.-v.

## CH. LA ROBERTIE Vendanges de Brumaire 2002 *

3 ha 6 700 15 à 23 €

Les Soulier ont repris en 1999 cette propriété qui appartenait auparavant à la même famille depuis 1736. Ils ont restauré la maison du XVIII^e^s. et rénové la cave de vinification. Leur monbazillac 2002 revêt une robe jaune paille brillant ; plutôt fruité au nez, il est dominé par les agrumes (citron) avec une touche boisée. L'attaque se montre nerveuse, la bouche fruitée et miellée, marquée par l'ananas, la finale légère. « Un monbazillac *light* », conclut un dégustateur. Atypique, certes, plus moelleux que liquoreux mais agréable, ce vin trouvera des amateurs.

Jean-Philippe Soulier,
La Robertie, 24240 Rouffignac-de-Sigoulès,
tél. 05.53.61.35.44, fax 05.53.58.53.07,
e-mail chateau.larobertie@wanadoo.fr
t.l.j. 9h-19h

### CH. TERRE MALE 2003 ★

n.c. 20 000 8 à 11 €

Un jaune pâle plein de fraîcheur, un nez vif, léger et floral. C'est encore la fraîcheur qui caractérise la bouche, marquée par un bel équilibre entre l'alcool et une teneur en sucres raisonnable. Fin et élégant, ce 2003 n'est pas des plus concentrés, mais il est très facile à boire. On l'appréciera de l'apéritif au dessert.
EARL Christian Roche, L'Ancienne Cure,
24560 Colombier, tél. 05.53.58.27.90,
fax 05.53.24.83.95, e-mail ancienne-cure@wanadoo.fr
t.l.j. sf dim. 9h-18h
SAS Socav

## Montravel

Sur les coteaux, de Port-Sainte-Foy et Ponchapt jusqu'à Saint-Michel-de-Montaigne, le terroir de Montravel produit, sur 352 ha, des vins blancs secs et moelleux toujours remarqués pour leur élégance. En 2004, le montravel a atteint 11 165 hl en blanc sec, le haut-montravel 1 919 hl tandis que le côtes-de-montravel a donné 1 925 hl. Depuis la récolte 2001, les vins rouges aux tanins concentrés et vanillés peuvent prétendre, eux aussi, à l'AOC montravel. Le millésime 2003 en rouge n'était pas prêt lors de la commission de dégustation.

### CH. DU BLOY Le Bloy 2003 ★★

0,75 ha 1 000 11 à 15 €

Ce domaine a été repris en 2001 par un consultant et un avocat. Ses vins font bonne figure dans le Guide. On retrouve ainsi deux montravel blancs très réussis dans le millésime précédent. Cette cuvée Le Bloy ravira les amateurs de vins blancs boisés. D'un doré léger, elle libère d'intenses arômes d'élevage, des notes torréfiées, avant de révéler à l'agitation des senteurs de fruits blancs et de nectarine. La bouche monte en puissance et gagne en volume ; la fraîcheur, dominante de l'attaque à la finale, donne à cette bouteille beaucoup de tenue. Le fruit est encore marqué par le chêne mais il devrait s'exprimer plus tard. « Tout ce qu'on attend d'un montravel », conclut un dégustateur. Elevé en cuve, le **blanc Lilia 2004 (5 à 8 €)** est cité pour son fruité plaisant. Enfin le **bergerac rouge cuvée Sirius 2003 (5 à 8 €)** obtient une étoile pour ses tanins souples et bien mûrs, un peu dominés par le bois.
SCEA Lambert Lepoittevin-Dubost,
Le Blois, 24230 Bonneville,
tél. 05.53.22.47.87, fax 05.53.27.56.34,
e-mail chateau.du.bloy@wanadoo.fr r.-v.

### CH. LE BONDIEU 2004

6,14 ha 38 000 3 à 5 €

Jaune très pâle à reflets verts, ce montravel présente un nez plutôt discret où se mêlent des senteurs de fleurs blanches et une touche minérale que l'on retrouve au palais. Fraîche et souple en attaque, la bouche reste vive tout au long de la dégustation, mais sans nulle agressivité. La finale est fruitée et persistante.
EARL d'Adrina,
Le Bondieu, 24230 Saint-Antoine-de-Breuilh,
tél. 05.53.58.30.83, fax 05.53.24.38.21 r.-v.
Didier Feytout

### DOM. DE GRIMARDY Cuvée Marie-Juliette Elevé en fût de chêne 2003 ★

0,35 ha 2 900 5 à 8 €

Cette terre abritait auparavant quatre familles qui apportaient leur récolte à la coopérative. Le domaine a été repris en 1998 par des vignerons originaires du Bordelais qui ont installé un chai pour produire leur vin. Celui-ci, d'un jaune pâle limpide, se montre d'abord intensément grillé et vanillé au nez puis libère à l'agitation des notes de litchi et des nuances florales et minérales. Equilibrée et volumineuse, la bouche développe des arômes boisés de bonne persistance. Sans excès de vivacité, cette bouteille est agréable mais atypique. Le **rouge Révélation de Grimardy 2002 (15 à 23 €)** est cité. Sur le fruit, il est léger, à boire rapidement.
Marcel et Marielle Establet,
Les Grimards, 24230 Montazeau,
tél. 05.53.57.96.78, fax 05.53.61.97.16,
e-mail grimardy@tiscali.fr r.-v.

### CH. LAULERIE Comtesse de Ségur 2004 ★★★

1 ha 7 000 8 à 11 €

Valeur sûre du Bergeracois, le château Laulerie figure régulièrement en position avantageuse dans le Guide-,grâce à de remarquables cuvées (son dernier coup de cœur était un montravel blanc 2001). Il réitère l'exploit avec cette bouteille dédiée à la comtesse de Ségur qui séjourna dans la propriété. Jaune pâle à reflets dorés, ce 2004 s'affirme d'emblée, libérant des notes intenses de pain grillé, d'épices et de moka. Fraîche à l'attaque, d'un très bel équilibre, la bouche monte fortement en puissance sur un boisé déjà fondu et des nuances de fruits persistantes. La finale est exceptionnelle. « Une bombe à retardement ! », s'exclame un membre du jury. Quant au **rouge Comtesse de Ségur 2002 (11 à 15 €)**, il est cité. Si ses tanins sont fermes et austères, ses arômes de vanille et de pruneau sont fort plaisants.

🔑 Vignobles Dubard,
Le Gouyat, 24610 Saint-Méard-de-Gurçon,
tél. 05.53.82.48.31, fax 05.53.82.47.64,
e-mail vignobles-dubard@wanadoo.fr
t.l.j. 8h-12h30 14h-19h
🔑 Dubard-Peytureau

### CH. LE RAZ Cuvée Les Filles 2002

■ 3,82 ha 16 000 11 à 15 €

Etablie à Saint-Méard-de-Gurçon depuis le début du XVII[e]s. la famille Barde est à la tête d'un coquet vignoble : 68 ha. Sa cuvée Les Filles revêt une robe brillante, rubis foncé. Au nez dominent des notes boisées et grillées qui laissent s'exprimer des senteurs fruitées (cassis). Ce n'est pas un montravel de grande extraction, mais il laisse apprécier des tanins assez souples, la fraîcheur du fruit et une belle harmonie entre le vin et le boisé. Du même domaine, le jury a également cité le **bergerac rosé 2004 (3 à 5 €)** pour son équilibre.

🔑 Vignobles Barde, GAEC du Maine, Le Raz,
24610 Saint-Méard-de-Gurçon, tél. 05.53.82.48.41,
fax 05.53.80.07.47, e-mail vignobles-barde@le-raz.com
t.l.j. sf dim. 8h30-12h30 14h30-18h30;
sam. sur r.-v.

### CH. MOULIN CARESSE
Grande cuvée Cent pour 100 2002 ★★★

■ 4 ha 9 300 11 à 15 €

Déjà remarquable dans le millésime précédent, cette cuvée est 100 % bonne : trois étoiles, elle se classe première des montravel rouges. Un coup de cœur ? Le grand jury en a débattu. Finalement, non. L'ingratitude du millésime 2002 l'a écartée de cette distinction qu'elle a obtenue à trois reprises. La robe est profonde, noire, et le nez distille un boisé léger suivi de toute une palette de fruits : framboise, fraise, cassis. Et quelle bouche ! Des tanins gras, serrés, mûrs et soyeux à souhait, une rare concentration aromatique et une très belle matière, bien travaillée. Servie avec du gibier, cette bouteille devrait faire un malheur (ou plutôt un bonheur) dans quelques années. Quant au **blanc Magie d'automne 2003 (5 à 8 €)**, il est cité. Encore un peu fermé et dominé par le bois, il devrait s'ouvrir d'ici un an ou deux.

🔑 Sylvie et Jean-François Deffarge, Couin,
24230 Saint-Antoine-de-Breuilh, tél. 05.53.27.55.58,
fax 05.53.27.07.39, e-mail moulin.caresse@wanadoo.fr
t.l.j. 9h-12h 14h-18h; sam. dim. sur r.-v.

### TERRE DE PIQUE-SEGUE Anima Vitis
Elevé en fût de chêne 2002 ★

■ 3,3 ha 20 400 11 à 15 €

Cherchez l'« âme de la vigne » (*anima vitis*) dans cette cuvée... Sa robe pourpre profond montre un début d'évolution. Le boisé, bien présent au premier nez, ne masque pas les notes de fruits mûrs, de pêche, accompagnées d'une nuance animale. Après une attaque pleine et souple, la bouche se révèle fidèle au nez avec un bois bien dosé et des arômes de fruits bien mûrs. Ce montravel, qui donne envie aux dégustateurs d'une entrecôte saignante, pourra être apprécié pendant les trois prochaines années. Le château Pique-Sègue avait obtenu le premier coup de cœur en montravel rouge (un 2001).

🔑 SNC Ch. Pique-Sègue,
Ponchapt, 33220 Port-Sainte-Foy,
tél. 05.53.58.52.52, fax 05.53.58.77.01,
e-mail chateau-pique-segue@wanadoo.fr r.-v.
🔑 Philip et Marianne Mallard

### CH. LA RESSAUDIE Elevé en fût de chêne 2002 ★★

■ 0,5 ha 1 200 11 à 15 €

Une double vocation pour ce domaine d'une vingtaine d'hectares : accueillir les touristes et produire des vins, rouges en majorité. Celui-ci affiche une robe pourpre, intense et brillante. Au nez, de jolies notes grillées et vanillées dominent, mais elles laissent transparaître des senteurs de pruneau, de mûre et de myrtille, arômes qui se prolongent avec persistance en bouche. Des tanins mûrs et enrobés dessinent une bouteille pleine, puissante et harmonieuse qui s'affinera d'ici quatre à cinq ans. Nettement moins confidentiel, le **bergerac rouge 2003 (3 à 5 €)**, élevé en cuve, est cité pour son élégance et son fruité. Il pourra être consommé jeune.

🔑 Jean et Evelyne Rebeyrolle,
Ch. La Ressaudie, 33220 Port-Sainte-Foy,
tél. 05.53.24.71.48, fax 05.53.58.52.29,
e-mail vinlaressaudie@aol.com r.-v.

### CH. ROQUE-PEYRE Elevé en fût de chêne 2002 ★

■ 2 ha 9 300 11 à 15 €

A l'origine, en 1888, cette petite propriété familiale de 6 ha était vouée à la polyculture et à l'élevage. Plus d'un siècle plus tard, elle s'étend sur une cinquantaine d'hectares, associe la viticulture et le tourisme vert et salarie cinq employés. Elle propose un montravel rouge d'un pourpre profond et brillant. Le nez révèle un mariage harmonieux de notes boisées et de nuances fruitées (fruits mûrs et pruneau). Après une attaque ample et douce, la bouche évolue sur une trame tannique serrée mais bien lissée et finit sur des arômes de confiture de prunes qui rappellent le nez. Une bouteille ronde et harmonieuse.

🔑 GAEC de Roque-Peyre-Vallette Frères,
Ch. Roque-Peyre, 33220 Fougueyrolles,
tél. 05.53.24.77.98, fax 05.53.61.36.87,
e-mail vignobles.vallette@wanadoo.fr
t.l.j. 9h-12h 14h-18h; sam. dim. sur r.-v.

### CH. TUQUET MONCEAU 2004

■ 1,99 ha 16 400 3 à 5 €

Tuquet signifie localement « butte ». De fait, la ferme d'architecture traditionnelle qui commande le domaine est perchée sur une hauteur. Les Goubault de Brugière s'y sont installés en 2000 et ont bâti un chai au milieu du vignoble. Ils proposent un montravel blanc simple mais bien fait et facile à boire. D'un jaune pâle limpide, ce 2004 présente un nez intense d'agrumes. Il séduit par son équilibre, sa fraîcheur et son fruité.

🔑 Eric et Cécile Goubault de Brugière, Le Tuquet,
24230 Saint-Vivien, tél. et fax 05.53.22.79.49,
e-mail cecile.goubault@wanadoo.fr r.-v.

# Haut-montravel

### CH. PUY-SERVAIN Terrement 2003 ★★

■ 3,5 ha 7 740 15 à 23 €

Avec ses quatre coups de cœur et ses étoiles décrochées avec une belle régularité, ce domaine se place parmi les valeurs sûres de l'appellation. Ce millésime 2003 était d'une concentration extraordinaire et la cuve présentait un

degré naturel de 26 % vol. Le vin reflète cette concentration : d'un jaune doré, il associe au nez les fruits secs et les fruits confits ; on retrouve les fruits confits, accompagnés de notes miellées, dans une bouche d'une grande richesse, dont la persistance est soulignée par une note de fraîcheur. Un liquoreux remarquable d'équilibre.
SCEA Puy-Servain, Calabre, 33220 Port-Sainte-Foy, tél. 05.53.24.77.27, fax 05.53.58.37.43, e-mail oenovit.puyservain@wanadoo.fr
t.l.j. sf sam. dim. 8h-12h 14h-18h
Daniel Hecquet

### CH. VALPROMY DU PONTET
Cuvée Anaïs 2003 ★★

1,16 ha 3 000 5 à 8 €

Sophie Valpromy est originaire de Château-Poujeaux, Laurent de Bordeaux. Le couple s'installe dans le haut pays en 1999 et tire une belle cuvée de coteaux exposés au sud. Ce haut-montravel jaune doré fait bonne impression avec son nez complexe mêlant les fruits confits, l'abricot sec et le sous-bois. Riche et puissant au palais, il révèle un équilibre très agréable entre la fraîcheur du fruit et le boisé bien fondu. Entre moelleux et liquoreux, ce vin trouvera sa place à l'apéritif.
S. et L. Valpromy, Le Pontet, 24230 Vélines, tél. 05.53.27.51.53, fax 05.53.27.51.84, e-mail s.lvalpromy@tiscali.fr r.-v.

# Pécharmant

Au nord-est de Bergerac, ce « Pech », colline couverte de 429 ha de vignes, donne un vin exclusivement rouge, très riche, apte à la garde. La production est en moyenne de 15 680 hl.

### LES CHEMINS D'ORIENT Cuvée Cyrus 2003

■ 1,7 ha 7 500 11 à 15 €

Revenir d'Afghanistan et se faire vigneron, l'itinéraire est peu banal... Ancien infirmier anesthésiste pour Médecin sans frontières, Régis Lansade a choisi ensuite l'atmosphère pacifique des chais. En 2000, il achète une propriété à un vieux viticulteur, se forme en œnologie et choisit pour son domaine un nom évocateur de son ancien parcours. Sa cuvée Cyrus revêt une robe intense, cerise noire à reflets violines. Puissante au nez, elle exprime le fruit mûr, voire compoté ou séché (figue). Charmeuse au palais, malgré quelques fins tanins qui demandent à s'enrober, elle joue sur la rondeur et les fruits rouges. La finale un rien austère renoue avec la palette aromatique du nez.
SCEA Régis Lansade - Robert Saleon Terras, 19, chem. du Château-d'Eau, 24100 Creysse, tél. 06.75.86.47.54, fax 05.53.22.08.38, e-mail regis.lansade@wanadoo.fr r.-v.

### DOM. DES COSTES 2003 ★★

■ 11 ha 34 000 8 à 11 €

Bien connu des fidèles du Guide, ce domaine a obtenu trois coups de cœur dans la décennie précédente. Il a tiré un excellent parti du millésime 2003, puisque ce pécharmant a manqué de peu cette distinction. La robe ? Noire, impressionnante. Le nez ? Un mélange captivant de senteurs : cassis et autres fruits noirs, boisé vanillé, épices (gingembre et une pointe de clou de girofle). Après une attaque fraîche, un joli volume se développe au palais. Le boisé est très marqué, jusqu'à la finale vanillée et épicée, et les tanins serrés font sentir leur présence. Ce pécharmant bien vinifié mérite d'attendre quatre ou cinq ans.
Nicole Dournel, 4, rue Jean-Brun, 24100 Bergerac, tél. 05.53.57.64.49, fax 05.53.61.69.08, e-mail vevs-jmd@club-internet.fr
t.l.j. sf dim. 9h-13h 15h-19h
Gérard Lacroix

### CROS DE LA SAL Vieilli en fût de chêne 2003 ★

■ 2 ha 10 600 8 à 11 €

Ce vin est l'œuvre des propriétaires du château Terre-Vieille, en vedette dans la dernière édition. Sombre et profond dans le verre, il mêle au nez la griotte, la figue et le pain d'épice. Après une attaque légèrement en retrait, il monte en puissance et une belle matière tannique s'affirme. La finale est longue et moelleuse. Encore un peu réservé, ce 2003 ne demande qu'à s'épanouir. A attendre.
Gérôme et Dolorès Morand-Monteil, Ch. Terre-Vieille, Grateloup, 24520 Saint-Sauveur-de-Bergerac, tél. 05.53.57.35.07, fax 05.53.61.91.77, e-mail gerome-morand-monteil@wanadoo.fr
t.l.j. sf dim. 9h-19h

### ELLE, UNE FEMME UN VIN 2003 ★

■ 0,43 ha 2 600 15 à 23 €

2003 : une nouvelle étiquette pour Jocelyne Pécou et déjà une étoile pour saluer ce millésime. D'un rouge profond, la robe est bien brillante. De jolies notes torréfiées et du fruit noir (myrtille et mûre) règnent sur le nez. Ronde, grasse, onctueuse et longue, la bouche se montre assez austère, marquée par le bois en finale. Un vin très prometteur qui mérite d'attendre.
Jocelyne Pécou, Ch. d'Elle, La Briasse, 24100 Bergerac, tél. et fax 05.53.61.66.62 t.l.j. 9h-20h

### CH. PECH-MARTY Elevé en fût de chêne 2003

■ n.c. n.c. 5 à 8 €

Ce vin a été vinifié par l'Union vinicole Bergerac-Le Fleix. Sa couleur, peu intense pour le millésime, montre des signes d'évolution sur sa frange. Le nez mêle les fruits cuits, la figue et une touche boisée qui évoque le pain d'épice. Après une attaque fraîche, une trame tannique fine et agréable s'affirme, avec des accents vanillés et des arômes de fruits rouges. Classique et élégante, une bouteille déjà bonne à boire. Vin de propriété également mis en bouteille par la coopérative, le **Château Métairie-Haute 2003 Elevé en fût de chêne** obtient la même note. D'une puissance mesurée, il offre un bon mariage entre le fruité du vin et le boisé de la barrique.
Union vinicole Bergerac-Le Fleix, Le Vignoble, 24130 Le Fleix, tél. 05.53.24.64.32, fax 05.53.24.65.46 r.-v.

### DOM. PUY DE GRAVE 2003 ★★

■ 2 ha 6 000 11 à 15 €

Racheté en 2003, ce domaine est maintenant exploité par la famille Alard, propriétaire du château Theulet à Monbazillac. Son 2003 est à la fête : habillé de noir

SUD-OUEST

profond, expressif et complexe au nez, il dispense sans lésiner des notes fruitées et confiturées évoquant la griotte, le cassis et la myrtille. Une attaque nette, droite, introduit une bouche ample, grasse, offrant des arômes de cacao et un beau retour fruité. La trame tannique imposante, serrée, encore marquée par le bois, signe un vin de garde qui a fait l'unanimité.
SARL Dom. La Métairie, Le Theulet, 24240 Monbazillac, tél. 05.53.57.30.43, fax 05.53.58.88.28, e-mail contact@vin-alard.com
t.l.j. 9h-12h 14h-18h; sam. dim. sur r.-v.

### CH. LA RENAUDIE Les Vieilles Vignes Elevé en fût de chêne 2003

n.c. 7 000 11 à 15 €

Construit au XVIIIe s., au sommet d'une colline, ce château commande un domaine de plus de 100 ha, dont une superficie importante est consacrée à la vigne. Sa cuvée Vieilles Vignes revêt une robe intense et profonde, presque noire. Tout aussi intense, le nez est dominé par le bois qui a tendance à masquer d'agréables notes confiturées de fraise, de cerise et de pruneau. Assez souple à l'attaque, le palais évolue ensuite sur des impressions très tanniques et fortement marquées par le chêne, qui donnent une note d'austérité en finale. A attendre.
SCEA Ch. La Renaudie, 24100 Lembras, tél. 05.53.27.05.75, fax 05.53.73.37.10, e-mail contact@chateaurenaudie.com
t.l.j. 9h-19h
Allamagny

### FOLY DU ROOY Elevé en fût de chêne 2003

0,5 ha 1 700 11 à 15 €

En 1998, Gilles Gérault a repris ce domaine à la suite d'un départ à la retraite ; il l'a acheté deux ans plus tard, a construit un chai à barriques en 2002 et rénové en même temps le vignoble. Ces efforts commencent à porter leurs fruits, tant en rosette qu'en pécharmant. Brillant et sombre dans le verre, ce 2003 séduit par son nez raffiné, associant un boisé très présent à des notes de fruits noirs (cassis). Au palais aussi, il est encore sur les tanins du chêne mais révèle un réel potentiel. On l'attendra plusieurs années.
Gilles Gérault, Rosette, 24100 Bergerac, tél. 05.53.24.13.68, fax 05.53.73.87.65, e-mail gilles.gerault@wanadoo.fr r.-v.

### CH. LA TILLERAIE Vieilli en fût de chêne 2003

n.c. 30 000 8 à 11 €

Etabli à Pécharmant, ce domaine produit plusieurs AOC bergeracoises sur ses 30 ha. Ce 2003 se pare d'une robe limpide, cerise noire à reflets grenat. Fruité au nez (cerise, prune) avec des notes boisées, il apparaît ample et moelleux en bouche. Les tanins donnent cependant un côté sévère à la finale, malgré un joli retour de la cerise, ce qui incite à oublier quelque temps ce vin en cave. Un 1999 avait obtenu un coup de cœur.
SARL Ch. La Tilleraie, 24100 Pécharmant, tél. et fax 05.53.57.86.42 t.l.j. 9h-19h
Bruno Fauconnier

# Rosette

Dans un amphithéâtre de collines dominant au nord la ville de Bergerac et sur un terroir argilo-graveleux, rosette est l'appellation la plus méconnue et la plus confidentielle de la région avec 525 hl produits sur 19 ha.

### DOM. DE COUTANCIE 2004

2,5 ha 12 000 5 à 8 €

Nicole Maury représente la sixième génération sur ce domaine qui consacre une part importante de sa production au rosette. Ce 2004 est un vrai moelleux : les raisins ont été cueillis juste à bonne maturité, avant que le botrytis ne s'installe. La robe jaune pâle limpide s'anime de reflets verts ; le nez plutôt discret est totalement sur le fruit, mêlant les agrumes et la pomme. Elégant, assez gras, bien équilibré entre le fruité et la fraîcheur, c'est un vin plaisant, qui pourra être servi à l'apéritif avec des toasts au pâté du Périgord, avec des viandes blanches ou des plats sucrés-salés... Même note pour le **bergerac rouge Jules 2003**, petite cuvée spéciale élevée en fût. Fraîche et tannique avec une légère touche boisée, c'est une bouteille facile à boire entre amis.
SCEA Maury, Dom. de Coutancie, 24130 Prigonrieux, tél. 05.53.57.52.26, fax 05.53.58.52.76, e-mail coutancie@wanadoo.fr r.-v.

# Saussignac

Loué au XVIe s. par le Pantagruel de François Rabelais, inscrit au cœur d'un superbe paysage de plateaux et de coteaux, ce terroir donne naissance à de grands vins moelleux et liquoreux. La production a atteint 1 423 hl pour 92 ha.

### DOM. DU CANTONNET Cuvée Cécile 2002 ★★

2 ha n.c. 8 à 11 €

Vive et brillante, la robe jaune doré est animée de reflets jaune clair. Un peu fermé, le nez dégage à l'agitation des notes botrytisées. Après une séduisante attaque sur les fruits frais et les fruits secs, la bouche se montre plaisante, aérienne, rafraîchie par une belle acidité. Un vin gourmand et charmeur, bien équilibré et facile à boire. Du

même domaine, le **bergerac rouge 2003 (3 à 5 €)** obtient une étoile. Chaleureux et doté de tanins ronds, il sera idéal pour les grillades.
EARL Vignobles Rigal,
Le Cantonnet, 24240 Razac-de-Saussignac,
tél. 05.53.27.88.63, fax 05.53.27.12.31 r.-v.

### CH. LE CHABRIER Cuvée Eléna 2003 *

3,25 ha 3 300 23 à 30 €

Un château du XVII[e]s., construit sur les ruines d'une forteresse détruite par les Anglais pendant la guerre de Cent Ans, commande un domaine de 35 ha. Pierre Carle le conduit en agriculture biologique. Sa cuvée Eléna a séduit une fois de plus les jurés du Guide. La robe dorée témoigne d'un long élevage (vingt-sept mois dans le bois). Le nez est sur le fruit, marqué par des senteurs d'abricot accompagnées de nuances rôties. Toujours fruitée, l'attaque introduit un palais ample et gras, à la longue finale fraîche. Un vin prometteur. De la même propriété, le **côtes-de-bergerac rouge La Classique 2002 (5 à 8 €)** obtient lui aussi une étoile pour sa complexité et sa finesse en bouche. Il est prêt.
Pierre Carle,
Ch. Le Chabrier, 24240 Razac-de-Saussignac,
tél. 05.53.27.92.73, fax 05.53.23.39.03,
e-mail chateau.le.chabrier@free.fr r.-v.

### CH. LESTEVENIE Elevé en fût de chêne 2003 ***

0,75 ha 1 400 15 à 23 €

Le jury en est resté bouche bée : les superlatifs ne suffisent pas pour décrire ce vin, sa robe dorée et chatoyante, son nez très puissant mêlant les fruits confits, le coing, la poire, l'abricot et les fruits secs, et toutes les sensations qui confirment au palais cette entrée en matière. On retrouve la puissance à l'attaque, avec du gras et de la rondeur. Une agréable touche de boisé vanillé vient compléter la gamme aromatique des fruits confits. La finale particulièrement longue est vivifiée par une fraîcheur très agréable. Cette bouteille, qui a de longues années devant elle, sera savourée seule, juste pour le plaisir. Rappelons le coup de cœur décroché par les Audoux pour leur premier millésime (un 2000) : un domaine à suivre.
Jolaine et Dominique Audoux,
Ch. Lestevénie, Le Gadon, 24240 Gageac-et-Rouillac,
tél. 05.53.74.24.48, fax 05.53.74.24.49 r.-v.

### CH. LA MAURIGNE Cuvée La Maurigne 2003

3,5 ha 10 000 8 à 11 €

Un domaine situé à l'emplacement de fortifications gallo-romaines, racheté par les Gérardin en 1997. On retrouve leur saussignac cuvée La Maurigne. Le 2003 arbore une robe doré brillant. Son nez intense mêle la cire et les fruits confits. Fruitée et « rôtie », la bouche offre une structure légère et une finale nerveuse qui incitent à servir cette bouteille dès maintenant, à l'apéritif, sur des toasts au foie gras par exemple. De cette propriété, deux vins rouges ont également été retenus avec la même note : le **côtes-de-bergerac rouge cuvée La Maurigne 2002 (5 à 8 €)**, souple et fruité, déjà prêt à boire, et le **côtes-de-bergerac rouge Cuvée spéciale 2002**, plus concentré, avec des tanins boisés bien fondus.
Chantal et Patrick Gérardin, Ch. La Maurigne,
24240 Razac-de-Saussignac, tél. et fax 05.53.27.25.45,
e-mail contact@chateaulamaurigne.com
t.l.j. 9h-19h

### CH. MIAUDOUX 2003 **

n.c. n.c. 15 à 23 €

Cinq coups de cœur (dont trois dans cette appellation) : la réputation de Gérard Cuisset n'est plus à faire. Celui-ci confirme son savoir-faire avec ce 2003 à la robe doré brillant bien engageante. Puissant au nez, très mûr avec des notes botrytisées, ce saussignac se montre riche au palais, dense et d'une bonne longueur. Ses arômes d'agrumes et de raisin confit se mêlent à un boisé qui commence à se fondre. Riche et très bien équilibré, c'est un grand classique de l'appellation, marqué en finale par une légère pointe d'amertume.
Gérard Cuisset, Les Miaudoux, 24240 Saussignac,
tél. 05.53.27.92.31, fax 05.53.27.96.60,
e-mail gerard.cuisset@wanadoo.fr r.-v.

### CH. PERROU-MARQUIS DE LENTILHAC 2003

22 ha 32 000 8 à 11 €

Avec sa chartreuse du XVII[e]s., sa chapelle et ses dépendances, le château Perrou est un ensemble architectural intéressant. Etabli sur un plateau calcaire, il domine le vignoble et la vallée de la Dordogne. Le patrimoine a été réhabilité, la cave rénovée et le vaste domaine viticole restructuré par la famille d'Amécourt, qui a proposé un volume non négligeable de saussignac, retenu par le jury. Doré brillant dans le verre, ce 2003 se montre encore fermé au nez. Riche et concentré avec une certaine nervosité, il révèle un important boisé qui demande à se fondre et finit sur une pointe d'amertume. Quant au **bergerac rouge 2003** du domaine, il obtient la même note pour sa souplesse, son équilibre, la finesse de ses tanins et sa persistance.
SCEA Famille d'Amécourt,
Bellevue Saint-Romain, 33540 Sauveterre-de-Guyenne,
tél. 05.56.71.54.56, fax 05.56.71.83.95,
e-mail y.damecourt@chateau-bellevue.com r.-v.

### CH. TOUR DES GENDRES
Le Clos de la Mémé 2002 *

3 ha 2 000 15 à 23 €

La famille De Conti collectionne les coups de cœur en côtes-de-bergerac rouge ou en bergerac sec. Avec ce saussignac, elle ajoute les liquoreux à sa production. D'un jaune paille brillant, ce 2002 présente un nez botrytisé avec des notes muscatées intéressantes. Puissante et concentrée, l'attaque évoque un sirop de fruits, mais le vin évite toute lourdeur grâce à une bonne acidité qui lui donne un côté aérien. La finale est marquée par le boisé et le grillé de l'élevage.
SCEA De Conti, Tour des Gendres,
24240 Ribagnac, tél. 05.53.57.12.43, fax 05.53.58.89.49,
e-mail familledeconti@wanadoo.fr r.-v.

CH. TOURMENTINE Chemin Neuf 2002 ★★

1 ha 3 000 11 à 15 €

Il a frôlé le coup de cœur, ce saussignac à la robe légère, limpide et brillante. Puissant et passerillé au nez, il mêle des notes beurrées et des senteurs d'abricot confit. Concentrée, fraîche et longue, la bouche révèle un excellent équilibre. Ce 2002 gourmand et aérien peut être apprécié dès maintenant, mais son acidité lui confère un bon potentiel de garde : dix à quinze ans. En revanche, il faut boire sans attendre le **bergerac rouge 2003 (3 à 5 €)** de la propriété, un vin fruité, rond et harmonieux qui obtient une étoile.

EARL Vignobles Huré, 24240 Monestier,
tél. 05.53.58.41.41, fax 05.53.63.40.52
t.l.j. sf dim. 9h-12h 14h-17h

VENDANGES D'AUTREFOIS
Elevé en fût de chêne 2003 ★

7 ha 24 000 5 à 8 €

D'un jaune paille limpide, ce 2003 présente un nez intense et complexe où l'acacia côtoie les fruits surmûris, avec une petite pointe vanillée. L'attaque sur le raisin botrytisé introduit une bouche ronde, concentrée, plus austère en finale. Les Vins fins du Périgord ont également proposé un **côtes-de-bergerac moelleux, Les Raisins oubliés 2003**. Ses arômes de fruits confits, tant au nez qu'au palais, son équilibre et sa finale fraîche très agréable lui valent aussi une étoile.

Vins fins du Périgord,
Les Vignerons de Sigoulès, BP 2, 24240 Sigoulès,
tél. 05.53.63.78.50, fax 05.53.63.78.59

CLOS D'YVIGNE Vendanges tardives 2002

1,4 ha n.c. 23 à 30 €

Installée dans le Bergeracois depuis 1990, Patricia Atkinson, qui vient de publier un joli livre de mémoires, a obtenu quatre coups de cœur pour son saussignac. Et ce 2002 ? Il est d'une remarquable concentration, mais il garde de son séjour de deux ans et demi dans le chêne un boisé tellement présent que l'on ne peut pas l'apprécier pleinement. De couleur paille dorée, il offre un nez intense, confit, avec des notes de fruits secs et des nuances vanillées, grillées et épicées. La bouche n'est pas des plus longues, mais elle révèle une matière ample, grasse et une belle acidité. Il faudra oublier cette bouteille trois à quatre ans pour permettre au boisé de se fondre. Le **bergerac sec cuvée Nicholas 2003 (8 à 11 €)** est, lui aussi, fermé et très boisé, mais son élégance lui vaut d'être cité.

Clos d'Yvigne, Le Bourg, 24240 Gageac-et-Rouillac,
tél. 05.53.22.94.40, fax 05.53.23.47.67,
e-mail patricia.atkinson@wanadoo.fr r.-v.

# Côtes-de-duras

Les côtes-de-duras sont issus d'un vignoble de près de 2 043 ha qui est le prolongement naturel du plateau de l'Entre-deux-Mers et produit 140 029 hl. On raconte qu'après la révocation de l'Edit de Nantes, les exilés huguenots gascons faisaient venir le vin de Duras jusqu'à leur retraite hollandaise et marquaient d'une tulipe les rangs de vigne qu'ils se réservaient.

Sur des coteaux découpés par la Dourdèze et ses affluents, avec des sols argilo-calcaires et des boulbènes, les côtes-de-duras ont accueilli tout naturellement les cépages bordelais. En blanc, sémillon, sauvignon et muscadelle ; en rouge, cabernet franc, cabernet-sauvignon, merlot et malbec. La gloire de Duras, c'est bien le vin blanc avec 44 614 hl (blancs secs à base de sauvignon, qui sont de réelles réussites, et des moelleux suaves (2 681 hl). Racés, nerveux, dotés d'un bouquet spécifique, ils accompagnent à merveille fruits de mer et poissons de l'Océan. Les vins rouges, souvent vinifiés en cépages séparés, sont charnus, ronds et d'une belle couleur. La région a également produit des vins rosés fruités et gouleyants. Rouges et rosés représentent 74 003 hl.

DOM. DES ALLEGRETS
Elevé en fût de chêne 2003 ★

4 ha 20 000 5 à 8 €

Ce domaine de 18 ha figure régulièrement dans le Guide. Vous vous souvenez de son coup de cœur pour le moelleux 2002 dans l'édition 2004. Voici un 2003 rouge d'une couleur intense. Le boisé domine encore le fruité, mais laisse percevoir une matière souple et ronde qui enrobe judicieusement les tanins. Mariez cette bouteille à un gibier dans deux ou trois ans. Le **2003 rouge (3 à 5 €)**, élevé en cuve, obtient la même note pour son gras et ses tanins fondus. La finale est un peu chaude ? Le temps devrait y remédier. Une étoile encore pour le **moelleux La Vigne du grand-père 2003 (11 à 15 €, bouteilles de 50 cl)**, apprécié pour son équilibre entre sucre et fraîcheur, ainsi que pour ses puissants arômes de miel et d'abricot.

SCEA Blanchard,
Dom. des Allégrets, 47120 Villeneuve-de-Duras,
tél. et fax 05.53.94.74.56 r.-v.

DOM. AMBLARD Sec Sauvignon 2004 ★★

16 ha 65 000 3 à 5 €

Belle année pour Fabrice Pauvert à la tête de 117 ha de vignes. Non seulement il est l'heureux papa d'un petitAlexis depuis janvier dernier, mais il est aussi le créateur de ce sauvignon coup de cœur. Celui-ci, brillant de reflets verts, livre un nez fin et complexe rappelant les fruits mûrs. D'attaque ferme, mais agréable, il possède du gras et déroule son fruité jusqu'à la finale longue et fraîche. Un blanc sec parfaitement représentatif de son appellation.

SCEA Dom. Amblard,
Chez Amblard, 47120 Saint-Sernin,
tél. 05.53.94.77.92, fax 05.53.94.27.12,
e-mail domaine.amblard@wanadoo.fr r.-v.
Pauvert

### BERTICOT Sélection 2003 *

10 ha 60 000 3 à 5 €

Née en 1997 de la fusion des caves de Landerrouat et de Duras, cette coopérative a le beau rôle dans l'appellation. D'une année l'autre, ses vins sont des valeurs sûres comme le prouvent les trois suivants, notés une étoile. Ce 2003 rouge, agréablement fruité avec des notes de cerise, est déjà souple grâce à ses tanins soyeux et légèrement boisés ; il pourra être apprécié jeune, tout en ayant la capacité de vieillir quelques années. Le **moelleux Premier frimas 2003 (11 à 15 €)**, d'un grand classicisme, est marqué par l'abricot et le miel, mais offre une fraîcheur bienvenue en finale. Le **sauvignon sec Cuvée première 2004** se montre fruité et harmonieux.

SCA Les Vignerons de Landerrouat-Duras,
Berticot, 47120 Duras,
tél. 05.53.83.75.47, fax 05.53.83.82.40,
e-mail berticot@wanadoo.fr r.-v.

### HONORE DE BERTICOT Sec Sauvignon 2004 *

n.c. 133 000 3 à 5 €

Un vin d'apéritif par excellence, ce sauvignon équilibré, aux fins arômes fruités et minéraux. En fin de bouche, une sensation de gras se développe avec persistance, signe que vous pourrez finir cette bouteille à table, avec le hors-d'œuvre. Le **sauvignon Marquis de Berticot 2004** obtient la même note : complexe, riche, persistant, il accompagnera un poisson cuisiné. Une étoile encore pour le **moelleux Quintessence de Berticot 2003 (5 à 8 €)** qui mêle subtilement arômes de fruits et de fleurs. D'une belle fraîcheur, c'est aussi un compagnon idéal à l'apéritif.

Prodiffu, 17-19, rte des Vignerons,
33790 Landerrouat, tél. 05.56.61.33.73,
fax 05.56.61.40.57, e-mail prodiffu@prodiffu.com

### DOM. LES BERTINS Cuvée Dominique Elevé en fût de chêne 2002 **

1,65 ha 6 800 5 à 8 €

Ce domaine de 15 ha s'est transmis de père en fille en 2001. Ici, vous pourrez non seulement déguster du vin,mais aussi des pâtés, rillettes et foie gras maison. Ce 2002 rouge est tout indiqué pour un confit. Habillé d'une robe foncée aux légers reflets orangés, il révèle des notes vanillées et torréfiées, puis des arômes de fruits rouges assez discrets. La bouche est agréable, avec à la fois du fruit et du gras. Le boisé bien fondu prouve la bonne maîtrise de l'élevage en barrique. À boire dans deux ans et de nombreuses années plus tard.

SARL Les Bertins-Manfé, Les Bertins,
47120 Saint-Astier, tél. 05.53.94.76.26,
fax 05.53.94.76.64, e-mail bertins.manfe@wanadoo.fr
t.l.j. 9h-12h30 14h-19h

### CH. DES BRUYERES Sec Sauvignon 2004 **

1,07 ha 6 800 3 à 5 €

Heide, le patronyme de Piet et Annelies, signifie « bruyère » en hollandais, d'où le nom donné au domaine. Nul parfum de bruyère dans ce sauvignon brillant de reflets verts, mais des notes de buis, de bourgeon de cassis et d'agrumes. Le fruité s'installe avec intensité en bouche et persiste longuement dans une finale vive. À servir à l'apéritif comme sur un poisson ou un chèvre chaud. Le **blanc sec 2004**, assemblage de sémillon, sauvignon et ugni blanc, remporte une étoile. Moins fruité et complexe que le précédent, il est cependant agréablement équilibré.

Piet et Annelies Heide, Ch. des Bruyères,
47120 Loubès-Bernac, tél. et fax 05.53.94.22.61,
e-mail piet.heide@wanadoo.fr r.-v.

### CHATER Sec Sauvignon 2004 *

2 ha 9 000 5 à 8 €

Racheté en 2003 et équipé d'un nouveau chai en 2004, ce domaine propose deux vins très réussis. Le sauvignon, méticuleusement récolté à la main, possède un nez complexe de fleurs. Ample, il offre du fruit, du gras et une vivacité plaisante au palais. Une bouteille typique. Noté une étoile, le **rosé 2004**, issu des deux cabernets, présente beaucoup de fruité. Servez-le bien frais au début du repas.

Dom. Chater, Vignoble de la Lègue,
47120 Saint-Sernin-de-Duras, tél. et fax 05.53.64.67.14,
e-mail info@domainechater.com
t.l.j. 9h-12h 13h-17h

### CH. CONDOM Moelleux Perceval Vendanges d'automne Elevé en fût 2003 **

0,68 ha 900 23 à 30 €

Grand écuyer du roi, le sieur Condom fit construire ce château en 1690. De nos jours, 5 ha de vignes complètent ce cadre qui a vu naître ce vin plus liquoreux que moelleux, très concentré. Scintillant de reflets dorés, celui-ci évoque intensément les fruits confits au nez comme en bouche. Puissant, rond et harmonieux, il jouit d'un potentiel de garde intéressant.

SCEA Condom,
Ch. Condom, 47120 Loubès-Bernac,
tél. 05.53.76.03.70, fax 05.53.76.03.79,
e-mail flavones@wanadoo.fr r.-v.

### DOM. DE FERRANT 2003 *

3,2 ha 22 000 3 à 5 €

La robe limpide est celle d'un rouge plutôt léger, dont le nez franc, assez intense, rappelle les fruits mûrs. Ce 2003 bénéficie d'une structure tannique souple qui lui permet d'être apprécié dès maintenant.

SCEA Vignobles Vuillien, Dom. de Ferrant,
47120 Esclottes, tél. 05.53.84.45.02, fax 05.53.93.52.10,
e-mail vignobles.vuillien@free.fr
t.l.j. sf sam. dim. 8h30-17h30

### DOM. DU GRAND MAYNE Sec Elevé en fût de chêne 2004 **

1 ha 8 000 5 à 8 €

1985-2005 : le Britannique Andrew Gordon fête cette année ses vingt ans aux commandes de ce domaine de 34 ha qu'il a totalement restauré. Du beau travail dont témoigne ce vin remarquablement équilibré, apte à une garde de deux ou trois ans. Le boisé se mêle aux fruits secs au nez, puis se fond en accents de vanille dans une belle matière fruitée et persistante. Le **rosé 2004 (3 à 5 €)** obtient une étoile pour ses arômes de fruits et sa fraîcheur, de même que le **2003 rouge élevé en fût de chêne**, au boisé harmonieux, que vous pourrez boire aujourd'hui.

SUD-OUEST

Andrew Gordon,
Le Grand Mayne, 47120 Villeneuve-de-Duras,
tél. 05.53.94.74.17, fax 05.53.94.77.02,
e-mail domaine-du-grand-mayne@wanadoo.fr
t.l.j. sf dim. 9h-12h 13h30-17h

### CH. HAUT LAVIGNE Sec 2004 ★

4 ha 2 500 3 à 5 €

Installée en 2002, Nadia Lusseau dirige seule cette exploitation de 8,5 ha de vignes. Elle a élaboré un vin limpide à reflets verts, encore un peu timide, mais qui révèle à l'aération finesse et complexité. Un sauvignon harmonieux, typique et de caractère qui accompagnera les poissons.

Nadia Lusseau, Michau Lavigne,
47120 Saint-Astier, tél. et fax 05.53.20.01.94,
e-mail nadia.lusseau@tele2.fr r.-v.

### DOM. LES HAUTS DE RIQUETS Le Mignon 2003 ★

1,5 ha 3 800 5 à 8 €

Les amateurs de plantes et notamment d'orchidées emprunteront le sentier botanique qui serpente dans le vignoble. 2003, première récolte vinifiée dans le nouveau chai, est de bon augure. D'un beau rouge sombre, le vin livre des arômes intenses de fruits mûrs et de cassis. Sa bouche ronde laisse apparaître le bois qui, déjà, tend à se fondre harmonieusement.

Pierre et Marie-Jo Bireaud, Les Riquets,
47120 Baleyssagues, tél. et fax 05.53.83.83.60,
e-mail marie-jose.bireaud@wanadoo.fr
r.-v.

### DOM. DE LAULAN Sec Sauvignon 2004 ★

17 ha 70 000 3 à 5 €

Depuis 1974, le vignoble a été complètement restructuré. Dans le nouveau chai climatisé est né ce sauvignon brillant de reflets verts qui évoque les agrumes avec intensité. Un vin complexe, gras et long, harmonieux en somme. Buvez-le jeune ou laissez-le vieillir entre un et deux ans.

EARL Geoffroy, Dom. de Laulan, 47120 Duras,
tél. 05.53.83.73.69, fax 05.53.83.81.54,
e-mail contact@domainelaulan.com
t.l.j. sf dim. 8h-12h 14h-19h

### CH. LAVANAU Sec 2004 ★

5,5 ha 20 000 3 à 5 €

La maison qui commande les 14,5 ha de vignes a quelque chose d'italien. Rien de plus normal dans ce domaine créé en 1926 par la famille Agostini. Un poisson cuisiné se mariera joliment avec ce 2004 brillant et finement aromatique. Un fruité complexe souligne la bouche équilibrée jusqu'à sa finale savoureuse. Un vin typique de l'appellation dans lequel sémillon et sauvignon se complètent parfaitement.

Ercole Agostini, Les Faux, 47120 Loubès-Bernac,
tél. 05.53.94.86.45, fax 05.53.23.81.62,
e-mail paul.whart@neuf.fr r.-v.

### CH. MOLHIERE Terroir des Ducs 2003 ★

3,3 ha 26 000 3 à 5 €

Vous le connaissez en blanc, version sauvignon 2003, puisqu'il a reçu le coup de cœur l'an passé. Le voici en rouge. Le Terroir des Ducs, intense et tout en finesse au nez, exprime une dominante de fruits rouges. Structuré, puissant et d'une bonne longueur, il laisse une impression d'harmonie. La cuvée **Les Maréchaux 2003 (5 à 8 €)**, élevée douze mois en fût, brille d'une étoile, elle aussi. Dotée de bons tanins, elle supportera de vieillir un peu.

Blancheton Frères, La Moulière, 47120 Duras,
tél. 05.53.83.70.19, fax 05.53.83.07.30,
e-mail patrick.blancheton@wanadoo.fr r.-v.

### DOM. MOUTHES LE BIHAN Vieillefont 2003 ★★

11 ha 25 000 8 à 11 €

Au départ céréaliers, Catherine et Jean-Mary Le Bihan se sont investis dans la viticulture en 2000. Belle idée à en juger par ce 2003 dont la robe est particulièrement sombre (le vin n'a été ni collé ni filtré). Les fruits rouges dominent au nez, avec une note boisée. Après une attaque souple, la structure tannique s'impose, tandis que le boisé reste discret. Beaucoup de matière et une grosse charpente, mais de l'harmonie. À revoir dans deux ou trois ans. Le **moelleux 2003 (15 à 23 €)** obtient une étoile : puissance et richesse le définissent aussi, au même titre que miel et fruits mûrs.

Catherine et Jean-Mary Le Bihan,
Mouthes, 47120 Saint-Jean-de-Duras,
tél. 05.53.83.06.98, fax 05.53.89.62.70,
e-mail domainemoutheslebihan@wanadoo.fr
r.-v.

### DOM. DU PETIT MALROME Moelleux Elevé en fût de chêne 2003 ★

0,75 ha 3 000 5 à 8 €

Avec son épouse Maria, Nicolas Lescaut vient de rejoindre ses parents sur le domaine familial de 12 ha de vignes conduit en agriculture biologique depuis 1997. Il pourra prendre exemple sur ce 2003 brillant et légèrement doré, dont le nez fin et élégant allie fleurs et fruits confits. Plaisant en attaque, avec des notes d'agrumes et d'abricot, le vin n'explose pas encore au palais car le bois reste un peu dominant. Mais il est bien équilibré et pourra se bonifier pendant trois à quatre ans. Le **sauvignon 2004 (3 à 5 €)** a été apprécié pour ses arômes en bouche. Vif, il sera à son avantage devant des fruits de mer. Une étoile.

EARL Geneviève et Alain Lescaut,
Dom. du Petit Malromé, 47120 Saint-Jean-de-Duras,
tél. et fax 05.53.89.01.44,
e-mail petitmalrome@wanadoo.fr r.-v.

# Le piémont pyrénéen

## Madiran

D'origine gallo-romaine, le madiran fut pendant longtemps le vin des pèlerins de Saint-Jacques-de-Compostelle. La gastronomie du Gers et ses ambassadeurs dans la capitale représentent ce vin pyrénéen. Sur les 1 360 ha de l'appellation déclarés en 2004, le cépage roi est le tannat, qui donne un vin âpre dans sa jeunesse, très coloré, avec des arômes primaires de framboise ; il s'exprime après un long vieillissement. Lui sont associés cabernet-sauvignon et cabernet franc (ou bouchy), fer-servadou (ou pinenc). Les vignes sont conduites en demi-hautain. La production a atteint 76 003 hl en 2004.

Le vin de Madiran est le vin viril par excellence. Quand sa vinification est adaptée, il peut être bu jeune, ce qui permet de profiter de son fruité et de sa souplesse. Il accompagne les confits d'oie et les magrets saignants de canard. Les madiran traditionnels, à forte proportion de tannat, supportent très bien le passage sous bois et doivent attendre quelques années. Les vieux madiran sont sensuels, charnus et charpentés, avec des arômes de pain grillé, et s'allient avec le gibier et les fromages de brebis des hautes vallées.

### CH. D'AYDIE 2002 *

■ 16 ha 80 000 11 à 15 €

Alors qu'au milieu du XX^e s. la vigne était réduite à sa plus simple expression à Madiran, M. Laplace fut l'un des irréductibles vignerons à faire renaître ce vin sombre. Aujourd'hui, le domaine couvre 55 ha sur trois terroirs distincts, dont des sols à grepp (concrétisation ferro-magnésifère), de couleur ocre. Tannat à 95 % et cabernets à 5 % composent ce 2002 cerise noire à nuances grenat. Un nez intense et montant de fruits à l'eau-de-vie, accompagné de vanille et de toasté, invite à découvrir la bouche ronde dès l'attaque, une sève dense issue d'un fruit très mûr et d'un élevage sous bois maîtrisé. La finale chaleureuse confirme le tempérament bien trempé de ce vin.

GAEC Vignobles Laplace,
Ch. d'Aydie, 64330 Aydie, tél. 05.59.04.08.00,
fax 05.59.04.08.08, e-mail pierre.laplace@wanadoo.fr
t.l.j. 9h-12h30 14h-19h

### DOM. DOU BERNES Elevé en fût de chêne 2002 *

■ 4 ha 6 000 5 à 8 €

Une bâtisse du XVIII^e s. commande ce vignoble de 13,5 ha exposé sud-sud-est. Vigoureux, le 2002 annonce la couleur dès le premier regard porté sur sa robe épaisse, presque noire. Le bois domine de prime abord, mais, à l'aération, des senteurs de fruits macérés et épicés se manifestent. L'attaque est franche, la structure solide, bâtie sur des tanins fermes. Vous apprécierez le volume etla chaleur de ce vin en milieu de bouche, puis le retour en force des tanins.

Cazenave, Curon, 64330 Aydie,
tél. 05.59.04.06.78, fax 05.59.04.05.79 r.-v.

### DOM. BERNET Tradition 2003

■ n.c. 40 000 3 à 5 €

Rubis brillant à nuances violines, ce madiran apparaît ouvert et même corsé par ses arômes de fruits mûrs épicés. Souple et assez grasse dès l'attaque, sa matière confirme la sensation de chaleur. Les tanins plus présents en finale appellent à une garde d'au moins trois ans.

Yves Doussau, Dom. Bernet, 32400 Viella,
tél. 05.62.69.71.99, fax 05.62.69.75.08
t.l.j. sf dim. 8h-13h 14h-19h

### DOM. BERTHOUMIEU Cuvée Charles de Batz Elevé en fût de chêne 2002 **

■ 7,5 ha 45 000 11 à 15 €

Depuis 1983, Didier Barré est à la tête de ce domaine de 26 ha, qui doit son nom à celui qui le possédait au XVIII^e s. La cuvée Charles de Batz a souvent été saluée dans le Guide. Elle étonne dans le millésime 2002, composé de 90 % de tannat et de 10 % de cabernets. Presque noire à nuances violines, elle libère des arômes soutenus : d'abord les fruits et les épices, puis le bois frais et la torréfaction. Equilibre, volume, gras et longueur, tout contribue à faire de ce vin un remarquable représentant du madiran.

EARL Didier Barré, Dom. Berthoumieu,
32400 Viella, tél. 05.62.69.74.05, fax 05.62.69.80.64,
e-mail barre.didier@wanadoo.fr
t.l.j. 8h-12h 14h-19h; dim. sur r.-v.

### CH. BOUSCASSE 2003 **

■ 50 ha 300 000 8 à 11 €

Vedette incontestée depuis de longues années, Alain Brumont est l'un des plus grands vignerons français. Rendez-vous au château Bouscassé pour découvrir ses vins. Ce madiran et le **Château Montus 2003 (11 à 15 €)**, noté deux étoiles également, étaient au coude à coude au grand jury des coups de cœur ; le premier l'a emporté d'une courte tête. Plus avenant, plus affiné, il fait preuve d'une grande maturité, mariant le fruit à un boisé doucement toasté et épicé. Il se montre puissant, ample et dense, bâti sur des tanins au beau grain qui portent loin les arômes fruités et cacaotés.

Alain Brumont,
Ch. Bouscassé, 32400 Maumusson-Laguian,
tél. 05.62.69.74.67, fax 05.62.69.70.46,
e-mail brumont.commercial@wanadoo.fr
t.l.j. sf dim. 9h-12h 14h-18h; groupes sur r.-v.

### DOM. CAPMARTIN L'Esprit du Couvent Elevé en fût de chêne neuf 2002 **

■ 1 ha 6 000 15 à 23 €

Le couvent est celui de Maumusson que Guy Capmartin a repris en 1987. L'esprit est celui du tannat qui constitue à lui seul ce 2002 intensément coloré qui ne manque pas de mâche. Le bouquet libère un souffle de moka, puis des senteurs de fruits rouges et noirs, des touches animales aussi. La matière ample, savoureuse et concentrée, s'appuie sur des tanins de qualité. Le **pacherenc-du-vic-bilh cuvée du Couvent 2003 Elevé en fût de chêne neuf (8 à 11 €)** obtient une étoile.

SUD-OUEST

Guy Capmartin,
Le Couvent, 32400 Maumusson,
tél. 05.62.69.87.88, fax 05.62.69.83.07,
e-mail gcapmart@terre-net.fr
t.l.j. sf dim. 9h-13h 14h-19h; dim. sur r.-v.

## CHAPELLE LENCLOS 2003 *

| ■ | 4 ha | 20 000 | 11 à 15 € |
|---|---|---|---|

La micro-oxygénation ? C'est lui, Patrick Ducournau, œnologue, qui a repris ce vignoble de 27 ha en 1985, qui a mis au point cette technique visant à assouplir les vins en y introduisant d'infimes quantités de bulles d'oxygène. Ce 2003 de teinte burlat intense, à reflets violacés, met en valeur les fruits mûrs en confiture sous une pincée d'épices. Tellement volumineux, tellement charpenté et pourtant tellement frais, il bénéficie de tanins déjà fondus qui soutiennent longuement ses flaveurs. L'élégance. Le **Domaine Mouréou 2003 (5 à 8 €)** est cité.

Patrick Ducournau,
Dom. Mouréou, 32400 Maumusson-Laguian,
tél. 05.62.69.78.11, fax 05.62.69.75.87 r.-v.

## CLOS BASTE 2003 *

| ■ | 3 ha | 13 500 | 11 à 15 € |
|---|---|---|---|

Ancien maître de chai au domaine des Laplace, Philippe Mur, la trentaine, a acquis en 1998 ce vignoble de 10 ha. Le Clos Basté est un pur tannat habillé d'une robe noire brillante. Le nez déjà intense, à la fois frais et corsé, évoque les fruits, le menthol et un doux boisé. Belles promesses que tient la chair puissante et fruitée, prête à envelopper dans les prochaines années la solide charpente doublée d'un bois encore affirmé, mais noble. A suivre de près. **L'esprit de Basté 2003 (5 à 8 €)** est cité.

Chantal et Philippe Mur,
Clos Basté, 64350 Moncaup,
tél. et fax 05.59.68.27.37 t.l.j. sf dim. 10h-19h

## CLOS FARDET Moutoué Fardet Elevé en fût de chêne 2002 *

| ■ | 1,05 ha | 4 000 | 8 à 11 € |
|---|---|---|---|

A peine 2 % de cabernet franc viennent nuancer le tannat dans ce vin profondément coloré, à reflets violines. Entre le fruit et le boisé, aucune dissonance. Entre le gras et la structure assez ferme en finale, aucun déséquilibre. De la typicité, assurément, dans cette bouteille qui accompagnera d'ici cinq ans un gibier rôti.

SCEA Moutoué Fardet,
Clos Fardet, 3, chem. de Beller, 65700 Madiran,
tél. et fax 05.62.31.91.37,
e-mail closfardet-madiran@libertysurf.fr
t.l.j. 9h-19h
Pascal Savoret

## COURTET LAPERRE Grande Réserve Vieilles Vignes Elevé en fût de chêne 2002 **

| ■ | 100 ha | 150 000 | 5 à 8 € |
|---|---|---|---|

Une Grande Réserve à l'accent grave et profond, d'une élégance remarquable par ses arômes de fruits noirs sur toasts grillés, avec une pointe d'épices et une touche de zan complémentaires. La voici ample, ronde et parfumée de fruits et de vanille en bouche. Les tanins se manifestent encore, mais ils sont de qualité. Vous apprécierez ce madiran en accompagnement d'une épaule d'agneau farcie ou d'un lièvre en saupiquet. Les **Terreforts de Madiran 2003 Elevé en fût de chêne** et **Chênaie du Tilh 2002** méritent une citation.

Vignoble de Gascogne, 32400 Riscle,
tél. 05.62.69.62.87, fax 05.62.69.66.71,
e-mail f.lhau@plaimont.fr r.-v.

## DOM. DU CRAMPILH Vieilles Vignes Elevé en fût de chêne 2002 **

| ■ | 3 ha | 20 000 | 11 à 15 € |
|---|---|---|---|

Profitez d'une visite au domaine pour admirer la vue sur les Pyrénées depuis la terrasse panoramique. L'idéal serait de déguster en même temps ce madiran de couleur encre à nuances violettes qui évoque la cerise, les fruits noirs et les épices macérés dans l'eau-de-vie. La matière concentrée et volumineuse bénéficie de tanins soyeux, soutien d'une agréable expression aromatique. L'ensemble est remarquablement équilibré. Le **pacherenc-du-vic-bilh 2003 (8 à 11 €)** obtient une étoile pour son harmonie entre vivacité et douceur et pour ses arômes de fruits exotiques.

Bruno Oulié, Dom. du Crampilh,
64350 Aurions-Idernes, tél. 05.59.04.00.63,
fax 05.59.04.04.97, e-mail madirancrampilh@aol.com
t.l.j. 9h-12h 14h-19h; sam. dim. sur r.-v.

## DOM. DAMIENS Cuvée Saint-Jean 2002 **

| ■ | 2 ha | 13 000 | 8 à 11 € |
|---|---|---|---|

Seul le fruit des vieilles vignes des hauts de ces coteaux graveleux composent cette cuvée à 98 % de tannat. Que découvre-t-on sous la robe noire d'encre ? Des senteurs complexes de mûre, de cassis, de cerise à l'eau-de-vie sur fond discrètement boisé. A peine porté en bouche, le vin développe une matière puissante, riche et concentrée, puis il s'étire en une longue finale étonnamment fraîche. C'est bon et cela peut attendre.

André et Pierre-Michel Beheity, Dom. Damiens,
64330 Aydie, tél. 05.59.04.03.13, fax 05.59.04.02.74
t.l.j. 9h-12h30 14h-18h30; dim. sur r.-v.

## DOM. D'HECHAC Le Marquis Vieilli en fût de chêne 2002 *

| ■ | 1 ha | 4 000 | 8 à 11 € |
|---|---|---|---|

Une cuvée en habit de noblesse, grenat intense ourlé de violet. Elle se compose de 80 % de tannat et de 20 % de cabernet-sauvignon. Bien enlevée, plutôt fine, elle se parfume de fruits, d'épices et de notes empyreumatiques avant de proposer sa chair suave dès l'attaque, suffisamment ample et grasse pour envelopper la solide structure tannique et se prolonger en finale. Un potentiel de garde de cinq ans au moins.

GAEC Rémon, 65700 Soublecause,
tél. 05.62.96.35.75, fax 05.62.96.00.94
t.l.j. 8h-21h

## DOM. LABRANCHE-LAFFONT Vieilles Vignes 2003 *

| ■ | 3,5 ha | 20 000 | 11 à 15 € |
|---|---|---|---|

Viticultrice et œnologue de talent, Christine Dupuy a pris, il y a douze ans, la succession de son père au domaine Labranche-Laffont. Sa cuvée Vieilles Vignes ne laisse pas indifférent dans sa robe noire. Le nez très ouvert et mûr décline les fruits cuits, la réglisse et un intense boisé. D'approche veloutée tant elle montre de gras, la bouche puissante se fait suave, évocatrice de liqueur de cassis ; les tanins sont si doux qu'on reste sur une impression d'extrême maturité.

🗝 Christine Dupuy, 32400 Maumusson,
tél. 05.62.69.74.90, fax 05.62.69.76.03,
e-mail labranchelaffont@aol.com
☑ 🍷 ⛹ t.l.j. 9h-12h 14h-19h

### CH. LAFFITTE-TESTON Vieilles Vignes Vieilli en fût de chêne 2003 ★

■ 10 ha 50 000 🛢 8 à 11 €

Jean-Marc Laffitte, depuis plus de vingt ans aux commandes de ce vignoble de 42 ha, propose un vin intensément coloré, aux nuances violines. Annonce d'arômes puissants qui mêlent les fruits confits, les épices et le pain grillé. La bouche, ample en attaque, se révèle généreuse et chaleureuse ; les flaveurs évoluent du fruit porté par l'alcool vers un boisé fondu et suave. Un madiran à boire ou à attendre.

🗝 Jean-Marc Laffitte,
Ch. Laffitte-Teston, 32400 Maumusson,
tél. 05.62.69.74.58, fax 05.62.69.76.87,
e-mail chateaulaffitteteston@32.sideral.fr
☑ ⛹ t.l.j. sf dim. 9h-12h30 13h30-19h

### DOM. LAFFONT Erigone 2003 ★

■ 2 ha 9 000 🛢 11 à 15 €

Il y a douze ans, Pierre Speyer, d'origine belge, était un Parisien propriétaire d'une entreprise de location de matériel cinématographique. De la fiction, il est passé à la réalité de la vigne et du terroir en 1994, en achetant les 4 ha de ce domaine. Il a gardé une passion pour les déesses... non pas du grand écran, mais de la mythologie grecque. Erigone possède beaucoup de charme tant elle est haute en couleur, intensément parfumée, ample et soyeuse. Un vin de grande maturité. La cuvée **Hécate 2003 (23 à 30 €)** ne joue pas les seconds rôles puisqu'elle brille également d'une étoile par sa structure et sa belle évolution aromatique. Le **pacherenc-du-vic-bilh 2003** est cité. Pour le plaisir et l'anecdote, Pierre Speyer, Christine Dupuy et Guy Capmartin ont créé la **cuvée 666 en madiran, millésime 2002 (46 à 76 €)** en assemblant le meilleur fût de tannat de chacun. Neuf cents bouteilles, pas plus, et une étoile au Guide Hachette.

🗝 Dom. Laffont, 32400 Maumusson-Laguian,
tél. 05.62.69.75.23, fax 05.62.69.80.27 ☑ 🍷 ⛹ r.-v.
🗝 Pierre Speyer

### LEGENDE Vieilles Vignes Elevé en fût de chêne 2002 ★

■ 25 ha 50 000 🛢 8 à 11 €

La cave de Crouseilles a joué un rôle important dans la renaissance du vignoble de Madiran après la Seconde Guerre mondiale. Elle se distingue aujourd'hui par trois cuvées. Légende est un vin de teinte burlat sombre qui évoque avec netteté le moka, le cacao, la réglisse et quelques épices douces. Ample et gras, il bénéficie d'une structure équilibrée, aux tanins enrobés. Elevés en fût de chêne, **Château de Crouseilles Premium 2002 (11 à 15 €)** et **Grande Réserve d'Or 2003 (5 à 8 €)** obtiennent eux aussi une étoile.

🗝 Cave de Crouseilles, 64350 Crouseilles,
tél. 05.59.68.10.93, fax 05.59.68.14.33,
e-mail m.darricau@crouseilles.com
☑ 🍷 ⛹ t.l.j. sf sam. dim. 9h-12h 14h30-18h

### DOM. DE MAOURIES Cailloux de Pyren Vieilles Vignes 2003 ★

■ 2 ha 5 000 🛢 8 à 11 €

Exposition plein sud, coteaux caillouteux... Un joli cadre pour 25 ha de vignes. Le tannat (98 %) s'exprime bien dans ce vin sombre, riche de nuances violettes. Il suffit pour s'en convaincre d'humer les arômes de fruits à l'eau-de-vie, puis de goûter cette matière ample et puissante, aux flaveurs de fruits noirs et de réglisse. Les tanins mûrs forment une trame soyeuse qui permet d'apprécier ce madiran dès aujourd'hui ou de l'attendre encore.

🗝 Dom. de Maouries, 32400 Labarthète,
tél. 05.62.69.63.84, fax 05.62.69.65.49,
e-mail domaine-maouries@32.sideral.fr
☑ 🏠 🍷 ⛹ t.l.j. sf dim. 9h-12h30 14h-18h30

### LA MOTHE PEYRAN Elevé en fût de chêne 2002 ★★

■ 100 ha 200 000 🛢 5 à 8 €

Si vous êtes un inconditionnel du festival *Jazz in Marciac*, vous avez sans doute dégusté un vin des Producteurs Plaimont, mécènes de l'événement. Plaisance, Aignan et Saint-Mont sont les trois villages dont le nom compose celui de cette coopérative créée en 1978, sous la houlette d'André Dubosc, et qui compte aujourd'hui un millier d'adhérents. Ce madiran couleur burlat profond offre une corbeille de fruits rouges et noirs, nuancés d'épices et de toasté légers. Très rond, il trouve un remarquable équilibre grâce à sa fraîcheur fruitée persistante. Un 2002 typé. Le **Maestria 2003** reçoit deux étoiles également pour son gras et son fruité intense de cassis, tandis qu'**Arte Benedicte 2002 (11 à 15 €)**, vin souple, est noté une étoile.

🗝 Producteurs Plaimont,
rte d'Orthez, 32400 Saint-Mont,
tél. 05.62.69.62.87, fax 05.62.69.61.68,
e-mail f.lhau@plaimont.fr ☑ 🍷 ⛹ r.-v.

### DOM. DU PEYROU Elevé en fût de chêne 2002 ★

■ 0,4 ha 2 000 🛢 5 à 8 €

Les Brumont ont planté 49 a de petit manseng pour produire du pacherenc-du-vic-bilh. Autant dire que la production est faible. Du madiran, vous en trouverez un peu plus de bouteilles, surtout de ce joli millésime 2002 grenat. Tout en légèreté, le vin flatte le nez par petites touches de mûre, de cassis, de fleurs et de vanille. Il se montre expressif et élégant par la fraîcheur de sa chair et la finesse de ses tanins.

🗝 Jacques Brumont, Dom. du Peyrou,
32400 Viella, tél. et fax 05.62.69.90.12
☑ 🍷 ⛹ t.l.j. 8h30-12h30 14h-20h; sam. dim. sur r.-v.
🗝 G. Brumont

DOM. SERGENT 2003 *

| ■ | 6 ha | 45 000 | | 5 à 8 € |
|---|---|---|---|---|

Brigitte et Corinne, les filles de Gilbert Dousseau, sont installées sur la propriété de plus de 18 ha depuis 1995. Tout en conservant leur patrimoine, elles ont apporté leur touche personnelle à leur production. Si la **cuvée Vieilles Vignes 2002 Elevé en fût de chêne** est citée pour son élégance, ce 2003 a gagné les faveurs du jury par son nez chaleureux de fruits mûrs en confiture, puis par sa bouche franche qui allie fraîcheur et rondeur suave. Un vin gourmand et velouté, bien construit.

Famille Dousseau, Dom. Sergent, 32400 Maumusson, tél. 05.62.69.74.93, fax 05.62.69.75.85, e-mail b.dousseau@32.sideral.fr
t.l.j. sf dim. 8h30-12h30 14h-18h30

DOM. TAILLEURGUET Elevé en fût de chêne 2002 **

| ■ | 1,5 ha | 6 000 | | 8 à 11 € |
|---|---|---|---|---|

D'un grenat profond aux nuances violettes, ce vin arbore un nez intense et déjà complexe de fruits rouges et noirs mêlés d'épices douces et de boisé élégant. Une fort belle attaque introduit la bouche puissante, dont le gras et les tanins enrobés laissent une impression suave jusqu'à la finale très aromatique. Un madiran remarquablement élaboré.

EARL Dom. Tailleurguet, 32400 Maumusson, tél. 05.62.69.73.92, fax 05.62.69.83.69
t.l.j. sf dim. 9h-12h30 14h-19h
Bouby

# Pacherenc-du-vic-bilh

Sur la même aire que le madiran, ce vin blanc est issu de cépages locaux (arrufiac, manseng, courbu) et bordelais (sauvignon, sémillon) ; cet ensemble apporte une palette aromatique d'une extrême richesse. Suivant les conditions climatiques du millésime, les vins (9 716 hl sur 266 ha) seront secs et parfumés ou moelleux et vifs. Leur finesse est alors remarquable ; ils sont gras et puissants avec des arômes mariant l'amande, la noisette et les fruits exotiques. Ils feront d'excellents vins d'apéritif et, moelleux, seront parfaits sur le foie gras en terrine.

CH. D'ARRICAU-BORDES Moelleux 2003 *

| ▒ | 1,64 ha | 9 150 | | 11 à 15 € |
|---|---|---|---|---|

La cave de Crouseilles a acquis en 1999 le château d'Arricau-Bordes. Le 2003, paré de jaune paille à reflets dorés prononcés, libère des arômes de fleurs blanches et de fruits frais, tout en finesse. Riche et complexe au palais, il fait preuve d'équilibre entre fraîcheur et moelleux. La coopérative a proposé trois pacherenc-du-vic-bilh moelleux de marque, jugés très réussis : **Prélude à l'hivernal 2003**, **Carte d'Or 2003 (5 à 8 €)** et **Folie de Roi (8 à 11 €)**.

Cave de Crouseilles, 64350 Crouseilles, tél. 05.59.68.10.93, fax 05.59.68.14.33, e-mail m.darricau@crouseilles.com
t.l.j. sf sam. dim. 9h-12h 14h30-18h

CH. BARREJAT Moelleux Cuvée de la Passion Elevé en fût de chêne 2003 *

| ▒ | 1 ha | 3 600 | | 5 à 8 € |
|---|---|---|---|---|

Denis Capmartin a repris en 1992 le domaine familial et s'est attaché à perfectionner son équipement en créant un chai souterrain à barriques. Son moelleux aux jolis reflets or et ambre se montre très expressif par ses arômes d'abricot, de fruits exotiques et de vanille. Sa matière bien constituée et aromatique bénéficie d'une vivacité équilibrée qui contribue à son charme. (Bouteilles de 50 cl.) Le **madiran Cuvée des Vieux Ceps 2003 Elevé en fût de chêne** est cité (certaines vignes sont presque centenaires).

Denis Capmartin, Ch. Barréjat, 32400 Maumusson, tél. 05.62.69.74.92, fax 05.62.69.77.54
t.l.j. sf dim. 8h30-12h30 14h-19h

ALAIN BRUMONT Moelleux Vendémiaire 2003 **

| ▒ | 20 ha | 90 000 | | 8 à 11 € |
|---|---|---|---|---|

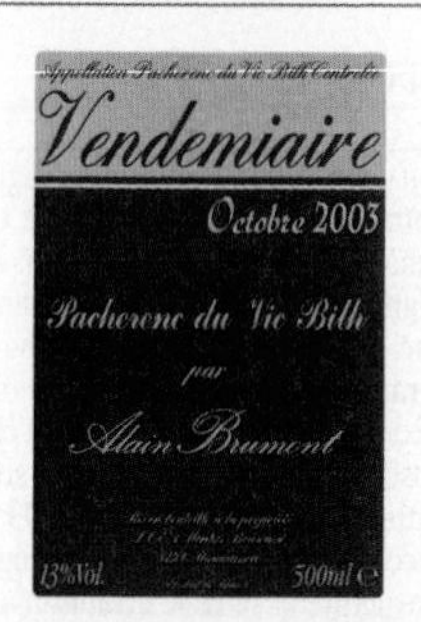


Après le Château Bouscassé 2003, coup de cœur en madiran, Alain Brumont fait mouche à nouveau avec son Vendémiaire d'un or soutenu. Le nez se révèle tellement subtil, élégant que l'on reste comme suspendu à ses parfums de fruits confits, de menthe, de vanille, de miel et de truffe blanche. En bouche, c'est une explosion de sensations : on perçoit à la fois de la douceur et du croquant, des arômes puissants qui persistent longuement. L'équilibre est parfait. (Bouteilles de 50 cl.)

Alain Brumont, Ch. Bouscassé, 32400 Maumusson-Laguian, tél. 05.62.69.74.67, fax 05.62.69.70.46, e-mail brumont.commercial@wanadoo.fr
t.l.j. sf dim. 9h-12h 14h-18h; groupes sur r.-v.

CLOS DE L'EGLISE Moelleux Cuvée Marie Elevé en fût de chêne 2003 *

| ▒ | 1,3 ha | 5 000 | | 8 à 11 € |
|---|---|---|---|---|

Situé à côté de la cave de Crouseilles, ce domaine familial s'étend sur 15 ha. Son 2003, or pâle à reflets brillants, est intensément aromatique, dominé par les fruits confits. Rond, mais léger, relevé d'une pointe vive et enveloppé d'un boisé discret, il flattera vos papilles.

Arnaud Vigneau-Pouquet, Clos de l'Eglise, 64350 Crouseilles, tél. 05.59.68.13.46, fax 05.59.68.16.17 r.-v.
Jean Vigneau

CH. DE DIUSSE Moelleux Cuvée Julie 2003

1 ha 4 000 5 à 8 €

Cette propriété de plus de 15 ha appartient à un centre d'aide par le travail. 70 % de petit manseng, 15 % de gros manseng et 15 % de petit courbu ont donné naissance à ce moelleux dont les reflets dorés sur fond jaune traduisent bien la forte maturité de la vendange. Il en va de même des arômes de confiture de fruits et de pâte de coings. Après une attaque fraîche, à peine perlante, la bouche apparaît simple, franchement fruitée : on croque dans le fruit. Sympathique.

Ch. de Diusse, CAT de Diusse, 64330 Diusse, tél. 05.59.04.00.52, fax 05.59.04.05.77 r.-v.

CH. DE FITERE Moelleux 2003 *

1,5 ha 8 000 8 à 11 €

Ce pacherenc jaune vif brillant, très engageant, a un certain chic : accents de marmelade, de miel et de fruits secs légèrement grillés. Il se montre flatteur par sa rondeur, bien enlevé par sa juste fraîcheur et toujours parfumé. Moderne, original, parfait pour l'apéritif. (Bouteilles de 50 cl.)

René Castets, 32400 Cannet, tél. 05.62.69.82.36, fax 05.62.69.78.90 r.-v.

DOM. LAOUGUE Moelleux Cuvée vieillie en barrique 2003

n.c. 6 000 8 à 11 €

Un moelleux de pur petit manseng, à la robe dorée nuancée d'ambre prononcé. Le nez garni de fruits exotiques au sirop s'accompagne de notes de brioche et de grillé. La bouche est généreuse, plus confiturée et toujours intensément aromatique, avec un côté boisé qui apporte une touche de complexité. (Bouteilles de 50 cl.)

Pierre Dabadie, rte de Madiran, 32400 Viella, tél. 05.62.69.90.05, fax 05.62.69.71.41 t.l.j. 9h-12h 14h-18h

SAINT-ALBERT Moelleux 2003 **

10 ha 60 000 11 à 15 €

Ce pacherenc présente sous une robe dorée des senteurs fines et fraîches, aux tonalités essentiellement fruitées et exotiques. Des arômes à l'envi se déclinent dans sa chair équilibrée, qui ne manque ni d'allant ni de générosité, et persiste longuement. L'élégance, en somme. Le **Collection Plaimont 2003 (5 à 8 €)** obtient une étoile.

Producteurs Plaimont, rte d'Orthez, 32400 Saint-Mont, tél. 05.62.69.62.87, fax 05.62.69.61.68, e-mail f.lhau@plaimont.fr r.-v.

SAINT-MARTIN Moelleux 2003 **

15 ha 40 000 11 à 15 €

Gros manseng (50 %), petit manseng, arrufiac et petit courbu : voilà pour la composition. Douze mois de fût : voilà pour l'élevage. Au final ? Un vin cousu d'or qui flatte par ses senteurs de fleurs blanches, de fruits exotiques et son boisé subtil. D'une incroyable richesse, il offre une matière savoureuse et durablement fruitée. Tout aussi remarquable est **L'Or du Vieux Pays 2003 (5 à 8 €)**. Etonnant, le **Chenaie du Tilh 2004 (3 à 5 €)** dont les parfums de poire william feront bel effet avec une tarte aux poires. Le jury lui attribue une étoile.

Vignoble de Gascogne, 32400 Riscle, tél. 05.62.69.62.87, fax 05.62.69.66.71, e-mail f.lhau@plaimont.fr r.-v.

CH. DE VIELLA Moelleux 2003 *

5 ha 8 000 8 à 11 €

Après avoir emprunté le parcours pédestre ludique qui sillonne les 25 ha du domaine, demandez à voir le chai abrité sous les voûtes du château du XVIIIe s. Puis goûtez ce pacherenc jaune paille, évocateur de fruits exotiques confits et de miel sur fond discrètement boisé. De sa matière concentrée, d'une jolie composition aromatique, on retient la subtile note de nectar d'abricot. Un vin équilibré. (Bouteilles de 50 cl.) Les **madiran Tradition 2003 (5 à 8 €)** et **Prestige 2002** sont cités.

Alain Bortolussi, Ch. de Viella, rte de Maumusson, 32400 Viella, tél. 05.62.69.75.81, fax 05.62.69.79.18, e-mail chateauviella@32.sideral.fr t.l.j. sf dim. 8h-12h30 14h-19h

# Côtes-de-saint-mont AOVDQS

Prolongement du vignoble de Madiran, les côtes-de-saint-mont sont la dernière-née des appellations pyrénéennes en vins de qualité supérieure (1981). Le vignoble déclaré en 2004 couvre 1 080 ha, produisant 82 815 hl. Le cépage rouge principal est encore ici le tannat, les cépages blancs se partageant entre la clairette, l'arrufiac, le courbu et les mansengs. L'essentiel de la production est assuré par l'union dynamique des caves coopératives Plaimont. Les vins rouges (40 480 hl) sont colorés et corsés, et deviennent vite ronds et plaisants. Ils seront bus avec des grillades et de la garbure gasconne. Les rosés (25 631 hl) sont fins et estimables pour leurs arômes fruités. Les blancs (16 704 hl) ont des parfums de terroir et sont secs et nerveux.

SUD-OUEST

BASTZ D'AUTAN Elevé en fût de chêne 2003 **

200 ha 400 000 3 à 5 €

L'un des meilleurs rouges des côtes-de-saint-mont nous vient cette année de cette coopérative. Remarqué dès le premier regard sur sa robe sombre, le Bastz d'Autan a séduit le jury par son nez puissant et suave à la fois, généreusement boisé, confituré, épicé. Sa rondeur et sa souplesse ont fini de convaincre, d'autant que s'y allient des arômes persistants de fruit à l'eau-de-vie et de vanille. Le **Bastz d'Autan blanc 2004 élevé en fût de chêne** obtient une étoile, de même que le **Thibault de Bréthous Vieilles Vignes rouge 2003 (5 à 8 €)**, aux tanins bien présents mais équilibrés.

Vignoble de Gascogne, 32400 Riscle, tél. 05.62.69.62.87, fax 05.62.69.66.71, e-mail f.lhau@plaimont.fr r.-v.

ESPRIT DE VIGNES 2003 **

50 ha 40 000 8 à 11 €

Dans quel état d'esprit étaient les vignerons de Saint-Mont en 2003 ? Bien décidés à tirer le meilleur de

leurs raisins comme en témoigne ce vin intensément coloré, à reflets pourpres, dont le nez riche évoque les fruits mûrs et les épices, avec un copieux boisé. D'attaque douce, la bouche est chaleureuse, dotée de tanins fondus et d'une matière concentrée. Le boisé s'invite en finale sous des accents réglissés. Un côtes-de-saint-mont solide, apte à la garde. Les **Hauts de Bergelle rouge 2003 (3 à 5 €)**, élevé six mois en fût, brille aussi de deux étoiles pour son expressivité et l'harmonie de ses composants.
Producteurs Plaimont,
rte d'Orthez, 32400 Saint-Mont,
tél. 05.62.69.62.87, fax 05.62.69.61.68,
e-mail f.lhau@plaimont.fr r.-v.

DOM. DE MAOURIES Les Tournières 2004
1,5 ha 15 000 3 à 5 €

Le domaine de 25 ha s'étire sur les coteaux caillouteux exposés plein sud qui bénéficient des trois appellations madiran, pacherenc-du-vic-bilh et côtes-de-saint-mont. Son rosé à base de tannat, de cabernet-sauvignon et de fer-servadou dévoile de jolis reflets fuchsia. À la fois floral et fruité, il attaque avec vivacité au palais, puis s'équilibre autour d'une agréable dominante acidulée qui laisse un goût de bonbon en finale.
Dom. de Maouries, 32400 Labarthète,
tél. 05.62.69.63.84, fax 05.62.69.65.49,
e-mail domaine-maouries@32.sideral.fr
t.l.j. sf dim. 9h-12h30 14h-18h30
Dufau

LE PASSE AUTHENTIQUE 2004 *
50 ha 300 000 3 à 5 €

Un petit tour dans le passé à la recherche d'un goût authentique. Laissez-vous tenter par la proposition de ce vin cristallin et suffisamment complexe dans son expression aromatique. Une pointe de gaz carbonique apporte de la fraîcheur en attaque, relayée par une impression de rondeur. L'ensemble est équilibré et persistant, typé. Le **Passé authentique rouge 2003 (5 à 8 €)**, élevé en fût, obtient la même note pour sa bonne structure et sa longueur.
Vignoble de Gascogne, 32400 Riscle,
tél. 05.62.69.62.87, fax 05.62.69.66.71,
e-mail f.lhau@plaimont.fr r.-v.

EXPRESSION DE SAINT-GO
Elevé en fût de chêne 2004 *
38 ha 30 000 5 à 8 €

Un élevage sous bois pour ce rosé ? Rien n'est trop beau pour les vins du château Saint-Go, propriété du groupement de producteurs de Saint-Mont. Le voici dans sa robe chatoyante et aux reflets soutenus qui décline une gamme florale, puis fruitée (pamplemousse). D'attaque ronde, il gagne du volume et persiste bien en finale. Un rosé de bouche pour les grillades et les hors-d'œuvre. Le **Château Saint-Go rouge 2003** remporte une étoile : il est franc et équilibré.
Producteurs Plaimont,
rte d'Orthez, 32400 Saint-Mont,
tél. 05.62.69.62.87, fax 05.62.69.61.68,
e-mail f.lhau@plaimont.fr r.-v.

LES VIGNES RETROUVEES 2004 *
100 ha 300 000 5 à 8 €

Le gros manseng (60 %) complété par l'arrufiac et le petit courbu composent ce vin limpide à reflets verts qui ne demande pas mieux que d'accompagner un poisson ou des crustacés. Car il livre des arômes simples mais intenses, une vivacité rafraîchissante, soulignée par une note de pierre à fusil et une finale acidulée. Une étoile est également attribuée aux **Vignes retrouvées rouge 2003** qui mérite de vieillir pour fondre ses tanins, ainsi qu'au **Château de Sabazan rouge 2003 (11 à 15 €)**, tout en boisé et en épices, que l'on servira avec une viande en sauce dans deux ans.
Producteurs Plaimont,
rte d'Orthez, 32400 Saint-Mont,
tél. 05.62.69.62.87, fax 05.62.69.61.68,
e-mail f.lhau@plaimont.fr r.-v.

# Tursan AOVDQS

Autrefois vignoble d'Aliénor d'Aquitaine, le terroir de Tursan représente aujourd'hui 275 ha pour une production de 15 474 hl en 2004. Il produit des vins rouges (8 277 hl), rosés (4 726 hl) et blancs (2 471 hl). Les plus intéressants sont les blancs, issus d'un cépage original, le baroque. Sec et nerveux, au parfum inimitable, le tursan blanc accompagne alose, pibale et poisson grillé.

BARON DE BACHEN 2003 **
5 ha 16 300 11 à 15 €

De la vigne sur 20 ha, un centre de thermalisme et une table gastronomique. Avouez-le : le voyage à Eugénie-les-Bains est tentant. Michel Guérard, chef triplement étoilé, vendange ici deux étoiles de plus. Si le **Château de Bachen blanc 2003 (8 à 11 €)** mérite d'être cité, le Baron de Bachen affirme sa noblesse. Or pâle comme il se doit, il offre un nez déjà bien affiné et riche. Il se montre structuré, gras et plein, tout en restant frais, parfaitement harmonieux. Persistance, finesse et puissance réunies : c'est du bel art.
Michel Guérard,
Cie hôtelière et fermière d'Eugénie-les-Bains,
40320 Eugénie-les-Bains,
tél. 05.58.71.76.76, fax 05.58.71.77.77,
e-mail direction@michelguerard.com
t.l.j. sf sam. dim. 9h-12h 14h-17h

HAUTE CARTE 2004 **
16 ha 100 000 3 à 5 €

Haute Carte : un tursan blanc qui porte bien son nom. Composé de baroque, de gros manseng et de sauvignon, il apparaît sous une teinte pâle, expressif et complexe. Il attaque avec fraîcheur, puis se prolonge sans rien perdre de son allant et de son caractère aromatique. Le **Haute Carte rouge 2004** obtient une étoile, de même que la cuvée **Mémoire de Bastide rouge 2004 (5 à 8 €)**.
Les Vignerons landais, 30, rue Saint-Jean,
40320 Geaune, tél. 05.58.44.51.25, fax 05.58.44.40.22,
e-mail info@vlandais.com r.-v.

CH. DE PERCHADE 2004 ★

■ 3 ha 24 000 5 à 8 €

Un rosé sympathique, dont la teinte soutenue sied bien aux arômes puissants et fruités. Une pointe de gaz carbonique souligne la vivacité de l'attaque. Le vin reste frais, équilibré et bien aromatique jusqu'en finale. Les **Château de Perchade blanc et rouge 2004** sont cités.

EARL Dulucq,
Ch. de Perchade, 40320 Payros-Cazautets,
tél. 05.58.44.50.68, fax 05.58.44.57.75,
e-mail tursan.dulucq@wanadoo.fr
t.l.j. sf dim. 8h-13h 14h30-19h

# Béarn

Les vins du Béarn peuvent être produits sur trois aires séparées. Les deux premières coïncident avec celles du jurançon et du madiran. La zone purement béarnaise comprend les communes qui entourent Orthez et Salies-de-Béarn. C'est le béarn de Bellocq. Cette AOC couvre environ 209 ha pour 16 097 hl dont 8 206 hl ont été produits en 2004 en rouge, 143 hl en blanc et 7 749 hl en rosé.

Reconstitué après la crise phylloxérique, le vignoble occupe les collines prépyrénéennes et les graves de la vallée du Gave. Les cépages rouges sont constitués par le tannat, les cabernet-sauvignon et cabernet franc (bouchy), les anciens manseng noir, courbu rouge et fer-servadou. Les vins sont corsés et généreux, et accompagnent garbure (soupe régionale) et palombe grillée. Les rosés de Béarn, les meilleurs produits de l'appellation, sont vifs et délicats, avec des arômes fins de cabernet et une bonne structure en bouche.

CHEVALIER DE SADIRAC 2004 ★

■ 65 ha 40 000 3 à 5 €

Cette cave bien connue pour ses madiran et pacherenc-du-vic-bilh produit aussi du béarn. Son rosé retient le regard par sa robe vive, ornée de fines perles. D'un abord floral (fleurs de sureau), il révèle à l'agitation des notes de petits fruits rouges et d'agrumes. Le voici frais, *frizzante* à l'attaque, puis tout en légèreté, en souplesse et en arômes. La vivacité et le côté perlant reviennent en finale pour votre plaisir. Notez également les cuvées **Les Hautains rouge et rosé 2004** qui brillent elles aussi d'une étoile.

Cave de Crouseilles, 64350 Crouseilles,
tél. 05.59.68.10.93, fax 05.59.68.14.33,
e-mail m.darricau@crouseilles.com
t.l.j. sf sam. dim. 9h-12h 14h30-18h

DOM. LAPEYRE Vieilli en fût de chêne 2003 ★★

■ 3 ha n.c. 5 à 8 €

Habitué aux meilleures places dans le Guide, Pascal Lapeyre ne manque pas le rendez-vous cette fois encore. Il suffit de regarder la robe pourpre intense, presque noire, pour imaginer la concentration de son vin au nez puissant et complexe, riche de fruits noirs et d'épices. L'élevage d'un an en fût se traduit par des senteurs de bois de cèdre et de torréfaction. La bouche pleine et soyeuse marie déjà parfaitement le boisé et les tanins. Un béarn très expressif. Le **Domaine Guilhemas rouge 2003** obtient une étoile ; il mérite d'attendre deux ans pour fondre ses tanins.

Pascal Lapeyre,
52, av. des Pyrénées, 64270 Salies-de-Béarn,
tél. 05.59.38.10.02, fax 05.59.38.03.98 r.-v.

DOM. OUMPRES 2003 ★

■ 12,5 ha 66 000 3 à 5 €

Repris en main par la cave des producteurs de Jurançon, le fruit de ce domaine bénéficie de l'expérience de ses techniciens. Beau travail à en juger par cet assemblage de tannat (60 %), de cabernet franc (30 %) et de cabernet-sauvignon (10 %). La couleur grenat limpide invite à découvrir les arômes de confiture de fruits épicés et d'humus. La bouche est dense, suffisamment expressive, avec une bonne présence des tanins en finale. Somme toute, un vin de caractère.

Cave des producteurs de Jurançon,
53, av. Henri-IV, 64290 Gan,
tél. 05.59.21.57.03, fax 05.59.21.72.06,
e-mail cave@cavedejurancon.com r.-v.



# Jurançon et jurançon sec

« Je fis, adolescente, la rencontre d'un prince enflammé, impérieux, traître comme tous les grands séducteurs : le jurançon », écrit Colette. Célèbre depuis qu'il servit au baptême d'Henri IV, le jurançon est devenu le vin des cérémonies de la maison de France. On trouve ici les premières notions d'appellation protégée – car il était interdit d'importer des vins étrangers – et même une hiérarchie des crus, puisque toutes les parcelles étaient répertoriées suivant leur valeur par le parlement de Navarre. Comme les vins de Béarn, le jurançon, alors rouge ou blanc, était expédié jusqu'à Bayonne, au prix de navigations parfois hasardeuses sur les eaux du Gave. Très prisé des Hollandais et des Américains, le jurançon parvint à un vedettariat qui ne prit fin qu'avec le phylloxéra. La reconstitution du vignoble fut effectuée avec les méthodes et les cépages anciens, sous l'impulsion de la cave de Gan et de quelques propriétaires fidèles.

Ici plus qu'ailleurs, le millésime revêt une importance primordiale, surtout pour les jurançon moelleux qui demandent une surmaturation tardive par passerillage sur pied. Les cépages traditionnels, uniquement blancs, sont le gros et le petit manseng, et le courbu. Les vignes sont cultivées en hautains pour échapper aux gelées. Il n'est pas rare que les vendanges se prolongent jusqu'aux premières neiges.

Le jurançon sec, 75 % de la production, est un blanc de blancs d'une belle couleur claire à reflets verdâtres, très aromatique, avec des nuances miellées. Il accompagne truites et saumons du Gave. Les jurançon moelleux ont une belle couleur dorée, des arômes complexes de fruits exotiques (ananas et goyave) et d'épices, comme la muscade et la cannelle. Leur équilibre acide-liqueur en fait des faire-valoir tout indiqués du foie gras. Ces vins peuvent vieillir très longtemps et donner de grandes bouteilles qui accompagneront un repas, de l'apéritif au dessert en passant par les poissons en sauce et le fromage pur brebis de la vallée d'Ossau. La production a atteint 54 923 hl en 2004 dont 21 464 hl en sec et 33 459 hl en doux.

# Jurançon

**DOM. BORDENAVE** Cuvée des Dames 2003

11 ha | n.c. | 11 à 15 €

Ce domaine avait obtenu un coup de cœur dans le Guide 2004 pour sa cuvée Savin 2001. De son chai abrité dans une grange en galets est né ce 2003 jaune doré, parfaitement limpide qui évoque tour à tour les fruits compotés et les fruits à l'eau-de-vie. D'attaque franche, la bouche moelleuse est relevée par une vivacité bien présente qui porte aussi le fruité en finale. Un vin tonique. Le **jurançon sec Souvenirs d'enfance 2004 (5 à 8 €)** est cité également.

Gisèle Bordenave, Dom. Bordenave, quartier Ucha, 64360 Monein, tél. 05.59.21.34.83, fax 05.59.21.37.32, e-mail contact@domaine-bordenave.com
t.l.j. 9h-19h; dim. sur r.-v.

**DOM. BORDENAVE-COUSTARRET**
Le Baron Elevé en fût de chêne 2003 ★

1 ha | 2 500 | 11 à 15 €

Face aux Pyrénées, une maison béarnaise typique, avec cour fermée, commande un vignoble de 4,5 ha. Sébastien Bordenave et sa mère Isabelle ont élaboré un vin d'une grande brillance, doré à reflets verts. Ce 2003 sent bon les fruits exotiques, tels la mangue et l'ananas, ainsi que l'abricot et les zestes d'agrumes confits. Il s'exprime simplement en bouche, tout en fruité et en vivacité. Servez-le à l'apéritif comme sur un fromage pyrénéen ou une tarte aux fruits.

Isabelle et Sébastien Bordenave-Coustarret, chem. Ranque, 64290 Lasseube, tél. et fax 05.59.21.72.66, e-mail domainecoustarret@wanadoo.fr
t.l.j. 9h-18h30; dim. sur r.-v.

**DOM. BRU-BACHE** L'Eminence 2003 ★★★

n.c. | n.c. | 38 à 46 €

Carton plein pour le domaine Bru-Baché qui obtient deux coups de cœur, l'un en sec, l'autre en liquoreux. Sous une teinte jaune paille doré à nuances cuivrées s'expriment des arômes puissants et complexes, évocateurs de fruits secs ou confits : nèfle, abricot, agrumes et tant d'autres. Exceptionnellement riche et généreux, le vin est soutenu par une fraîcheur remarquable qui lui évite de tomber dans la lourdeur. Un monstre de liquoreux. La cuvée **La Quintessence 2003 (15 à 23 €)** reçoit deux étoiles pour son opulence et son intensité aromatique.

Dom. Bru-Baché, 39, rue Barada, 64360 Monein, tél. 05.59.21.36.34, fax 05.59.21.32.67, e-mail domaine.bru-bache@wanadoo.fr r.-v.
Claude Loustalot

**DOM. CAPDEVIELLE** Noblesse d'Automne 2003 ★

4,5 ha | 8 200 | 8 à 11 €

Toute la noblesse s'exprime déjà dans la magnifique robe intense, ciselée d'or et de cuivre. Le nez complexe joue de la surmaturité, avec des arômes de miel, de confiture et de safran. Cette impression de maturité se confirme en bouche, tant la chair est concentrée, chaleureuse et douce, parfumée de flaveurs complexes qui tirent sur les épices en finale. Pour un apéritif très réussi.

Didier Capdevielle, quartier Coos, 64360 Monein, tél. et fax 05.59.21.30.25, e-mail domaine-capdevielle@wanadoo.fr
t.l.j. 8h30-12h 13h30-19h; dim. sur r.-v.

**DOM. CAUHAPE** Noblesse du Temps 2003 ★★

3,8 ha | 10 000 | 23 à 30 €

*Toi-même fais le temps. Tes sens en sont mesure. Mais que cesse ton trouble et c'en est fait du temps*, écrivait Angelus Silesius au XVII[e]s. Ce jurançon suspendra, le temps de la dégustation, votre course contre Chronos. Car le regard se perd dans la profondeur de sa robe jaune d'or

soutenu. Car les sens se laissent porter par le sillage de ses arômes expressifs de fruits exotiques mûrs, de raisin rôti, de pain d'épice et de crème brûlée. Car la matière riche ne cesse de surprendre tant elle dispense complexité, douceur persistante et juste chaleur. Une bouteille précieuse qui ne se souciera pas de la clepsydre pendant dix ou quinze ans. La **Symphonie de novembre 2003 (15 à 23 €)** obtient une étoile, de même que le **jurançon sec Sève d'automne 2003 (11 à 15 €)**.

Henri Ramonteu, Dom. Cauhapé, 64360 Monein,
tél. 05.59.21.33.02, fax 05.59.21.41.82,
e-mail contact@cauhape.com
t.l.j. sf dim. 8h-12h30 13h30-18h

## DOM. DU CINQUAU Cuvée Henri 2003

1 ha 7 000 5 à 8 €

Le chemin de Saint-Jacques-de-Compostelle passe par ce domaine de 10 ha, inscrit dans un cirque de verdure. Les marcheurs feront halte pour découvrir cette cuvée jaune clair à reflets verts, dont les arômes expressifs rappellent les fruits exotiques, les agrumes et le litchi. La bouche bien fraîche, toujours aromatique procure une sensation acidulée en finale. Un moelleux qui se laisse aborder aisément.

SCEA Dom. du Cinquau,
Cidex 43, 64230 Artiguelouve, tél. 05.59.83.10.41,
fax 05.59.83.12.93, e-mail p.saubot@jurancon.com
t.l.j. 9h-19h; dim. sur r.-v.
P. Saubot

## CLOS BENGUERES Le Chêne couché 2003

2 ha 5 000 11 à 15 €

Une ferme béarnaise, dont la construction remonte à 1614, avec sa cour intérieure en galets. Au-delà de ses murs, le chai bien équipé a abrité un an durant ce moelleux de couleur paille, élégant par ses notes de fleurs, de miel, de vanille et d'agrumes confits. L'attaque est fraîche, la suite souple et svelte, équilibrée. Une pointe citronnée, acidulée, paraphe ce vin parfumé.

Thierry Bousquet, Clos Benguères, 64360 Cuqueron,
tél. 05.59.21.48.40, fax 05.59.21.43.03,
e-mail closbengueres@aol.com r.-v.

## DOM. GAILLOT Sélection 2003 *

7,48 ha 6 600 11 à 15 €

Ici, on ne se souvient plus de la date exacte de la création du vignoble tant il est ancien. La maison, elle, date du XVIII[e]s. Des souvenirs, il vous en reviendra sans doute en dégustant ce vin puissamment aromatique qui étonne par ses notes de confiture de coings, de caramel au lait, de safran et même de réglisse douce. La chair grasse et veloutée, volumineuse, regorge de flaveurs de surmaturité jusqu'à la finale épicée et chaleureuse. Cela ne vous rappellerait-il pas les mercredis après-midi d'antan, lorsque vous dérobiez dans les bocaux de la cuisine quelques sucreries ?

Francis Gaillot, quartier Laquidée, 64360 Monein,
tél. 05.59.21.31.69, fax 05.59.21.45.96
t.l.j. sf dim. 9h-19h; sam. 9h-12h

## CHARLES HOURS Clos Uroulat 2003 *

8 ha 30 000 15 à 23 €

Charles Hours est une autre grande figure de l'appellation. Son 2003 est un jurançon savoureux comme l'annonce sa teinte jaune doré. Il n'est que de humer ses senteurs complexes et fraîches pour s'en convaincre : zeste de pamplemousse, fruits confits, abricot et pain grillé, note de praline. C'est quatre heures ! Une matière bien mûre et équilibrée se développe avec élégance, en déroulant ses flaveurs persistantes.

SARL Charles Hours, quartier Trouilh,
64360 Monein, tél. 05.59.21.46.19, fax 05.59.21.46.90,
e-mail charleshours@wanadoo.fr r.-v.

## CH. JOLYS Cuvée Jean 2003 *

6 ha 31 000 8 à 11 €

36 ha, c'est beaucoup dans l'aire d'appellation jurançon. De quoi impressionner le visiteur qui découvre ce vignoble commandé par une maison bourgeoise du XIX[e]s. au toit à la Mansard. D'un jaune doré presque fluo, ce moelleux s'exprime sous des accents nets et agréables de fruits exotiques confits et de pain d'épice. La fraîcheur est son fort dès l'attaque, mais il se montre aussi ample et plein, bien soutenu par son élevage sous bois de huit mois. Sachez l'attendre quelques années avant de lui proposer une tarte au citron meringuée. Le jurançon sec **Château Jolys 2004 (5 à 8 €)** est cité.

Sté des Domaines Latrille, Ch. Jolys, 64290 Gan,
tél. 05.59.21.72.79, fax 05.59.21.55.61,
e-mail chateau.jolys@wanadoo.fr r.-v.

## CH. LAFITTE Cuvée Lison 2003

1,5 ha 4 000 15 à 23 €

Un vignoble de 7 ha créé il y a cinq ans autour d'un château du XIV[e]s. dominant la vallée. Ce 2003 délicatement doré offre un fruité discret, tandis que le bois s'exprime en notes de torréfaction. Franc en attaque, il ne joue pas sur la concentration, mais sur une fraîcheur persistante qui traduit bien toute la fougue de sa jeunesse.

Jacques Balent, Ch. Lafitte, 64360 Monein,
tél. 05.59.21.49.44, fax 05.59.21.43.01,
e-mail j.balent@wanadoo.fr r.-v.

## CH. LAPUYADE Elevé en fût de chêne 2003 *

1,5 ha 4 000 8 à 11 €

Cette propriété de 7 ha, convertie à l'agriculture biologique depuis 2000, a produit un 2003 doré soutenu qui livre un nez intense et chaleureux, mêlant fruits confits, fruits secs et miel. L'attaque déjà riche annonce la concentration de la chair mûre, grasse et ronde. Un ensemble harmonieux.

SCEA Clos Marie-Louise Aurisset, 64360 Cardesse,
tél. 05.59.21.32.01, fax 05.59.21.46.99,
e-mail clos.marie-louise@wanadoo.fr r.-v.

SUD-OUEST

DOM. LARROUDE Un Jour d'Automne 2003 ★★

| | 1 ha | 2 000 | | 15 à 23 € |
|---|---|---|---|---|

Par un beau jour d'automne, dégustez ce jurançon à la belle liqueur. Ne vous pressez pas... Ce pourra être cet automne ou un autre, plus lointain, dans quatre ou cinq ans. Une couleur jaune d'or nuancée d'ambre invite à saisir les arômes épanouis et complexes de fruits exotiques (ananas, pamplemousse), de fruits secs (noisette), de miel, de vanille et de champignon frais. La chair de velours, concentrée et puissante, est relevée d'une juste fraîcheur. Tout se fond dans la finale intensément aromatique comme pour laisser le meilleur souvenir possible de cette dégustation. Le **jurançon sec 2004 (5 à 8 €)** brille également de deux étoiles : « on peut y croire », conclut un dégustateur.

Julien Estoueigt,
Dom. Larroudé, 64360 Lucq-de-Béarn,
tél. 05.59.34.35.40, fax 05.59.34.35.92,
e-mail domaine.larroude@wanadoo.fr
t.l.j. sf dim. 9h-12h30 14h-19h

DOM. LATAPY Passion 2003 ★

| | 2 ha | 8 000 | | 11 à 15 € |
|---|---|---|---|---|

Irène Guilhendou dirige ce vignoble de 4,5 ha, dont les plus vieilles vignes datent de 1910. Elle a élaboré un vin d'un jaune cuivré, déjà épanoui dans son expression à dominante florale. Les arômes de tilleul s'accompagnent de touches fruitées et d'une note de truffe blanche. La matière ample et concentrée ne manque pas de fringant grâce à une bonne vivacité et à une pointe de perlant. L'ensemble s'équilibre dans une finale douce et aromatique.

Irène Guilhendou, chem. Berdoulou, 64290 Gan,
tél. 05.59.21.71.84, fax 05.59.21.71.61,
e-mail irene.guilhendou@wanadoo.fr r.-v.

DOM. LOUSTALE 2003 ★

| | 10 ha | 33 000 | | 5 à 8 € |
|---|---|---|---|---|

La cave de Jurançon est née en 1949 à l'initiative du maire de Gan, Louis Bidault. Que de chemin parcouru depuis ! Les adhérents sont au nombre de 330 aujourd'hui et leur production arrive en bonne place dans le Guide. Goûtez plutôt ces 2003 qui obtiennent tous une étoile : le **Château de Navailles 2003 (11 à 15 €)**, le **Château Roquefort 2003**, le **Choix du Prince 2003** et ce Domaine Loustalé, couleur paille fraîche. Ce dernier décline des arômes intenses de fleurs blanches, de miel et de fruits exotiques, puis emplit la bouche d'une matière équilibrée qui reste toujours fraîche et aromatique. Notez le retour fruité en finale, si agréable.

Cave des producteurs de Jurançon,
53, av. Henri-IV, 64290 Gan,
tél. 05.59.21.57.03, fax 05.59.21.72.06,
e-mail cave@cavedejurancon.com r.-v.

LA MAGENDIA DE LAPEYRE 2003 ★

| | 3 ha | 15 000 | | 11 à 15 € |
|---|---|---|---|---|

Si le **jurançon sec Vitatge Vielh 2003 (8 à 11 €)** a été cité par le jury, la préférence est allée à ce moelleux or paille qui se montre certes encore discret mais dont les senteurs de fruits exotiques et l'élégant boisé laissent une agréable sensation. L'attaque est franche, la bouche fraîche et aérienne. Moelleux ? Mais oui... Arrêtez-vous plutôt sur sa persistance aromatique intense pour vous en convaincre. Encore quelques mois de garde et il sera parfait.

Jean-Bernard Larrieu, Chapelle-de-Rousse,
64110 Jurançon, tél. 05.59.21.50.80, fax 05.59.21.51.83,
e-mail contact@lapeyreenjurancon.com
t.l.j. sf dim. 9h-12h 14h-18h

DOM. MALARRODE Cuvée Prestige Vieilli en fût de chêne 2003 ★

| | 2,5 ha | 6 000 | | 11 à 15 € |
|---|---|---|---|---|

Créé il y a plus d'un siècle, ce domaine de 11 ha cultive l'esprit de famille. Réunissez parents, grands-parents, oncles et tantes autour de la table pour leur faire partager le plaisir de ce 2003 modèle. La robe dorée et les larmes élégantes qui s'écoulent sur le verre invitent à découvrir la palette d'arômes très mûrs : fruits confits, zeste d'agrumes, abricot sec, pâte de coings, miel et touches de boisé bien fondu. L'abondante matière fruitée laisse une impression de rondeur et de suavité, à peine relevée d'une légère vivacité qui assure la persistance des flaveurs.

Gaston Mansanné, quartier Ucha, 64360 Monein,
tél. et fax 05.59.21.44.27 r.-v.

DOM. DE MONTESQUIOU Grappe d'Or 2003 ★

| | 2 ha | 5 700 | | 11 à 15 € |
|---|---|---|---|---|

Le domaine de 4,5 ha vient d'être repris par les fils de Gérard Bordenave-Montesquieu : Fabrice et Sébastien. Si le **jurançon sec 2004 (5 à 8 €)** de pur gros manseng est cité, ce moelleux de pur petit manseng a retenu plus encore l'attention du jury par sa robe paille, son nez de bonne intensité qui évoque une salade de fruits exotiques légèrement vanillée et mentholée. À l'attaque souple et douce répond une bouche harmonieuse et ronde, portée par une agréable fraîcheur qui soutient la finale.

GAEC Bordenave-Montesquieu et Fils,
quartier Haut-Ucha, 64360 Monein,
tél. et fax 05.59.21.43.49
t.l.j. sf dim. 8h-12h 14h-19h

DOM. NIGRI Réserve 2003 ★

| | 6 ha | 14 000 | | 11 à 15 € |
|---|---|---|---|---|

Trente ans, c'est l'âge de ce domaine de 10 ha conduit depuis 1993 par Jean-Louis Lacoste. Après avoir soufflé les bougies du gâteau, faites briller dans les verres la teinte jaune doré de ce 2003 tout en fruits et délicatement boisé. C'est rond, c'est chaleureux, à la fois doux et frais. Une note de poire william en finale et c'est le comble de la gourmandise... Tout est en équilibre. Le **jurançon sec Réserve 2003 (8 à 11 €)** est cité.

Dom. Nigri,
Candeloup, 64360 Monein, tél. et fax 05.59.21.42.01
t.l.j. 9h-12h 13h30-19h; dim. sur r.-v.

DOM. PEYRETTE 2003 ★

2 ha 6 000 8 à 11 €

Patrick Peyrette a repris il y a treize ans cette propriété familiale où l'on s'était arrêté de vinifier en 1969. Il fait coup double cette année en proposant deux jurançon très réussis. Le **Domaine Peyrette 2003 (5 à 8 €)**, composé de gros manseng à 80 % et de petit manseng (étiquette jaune), est un vin d'un abord facile qui renferme 73 g/l de sucres résiduels. En revanche, ce pur petit manseng, dont la bouteille est habillée d'une étiquette noire, présente 96 g/l de sucres. Sous une teinte paille aux nuances vives apparaissent des arômes intenses de fruits exotiques, bientôt rejoints par les fruits secs et le miel, avec des accents de genêt. La bouche est souple, ample, moelleuse, bien aromatique. Ce vin a de la tenue.

Patrick Peyrette, Dom. Peyrette, chem. des Vignes, 64360 Cuqueron, tél. et fax 05.59.21.31.10 t.l.j. 9h-19h

CH. DE ROUSSE Carte noire 2003 ★

2 ha 6 000 15 à 23 €

Autour de cet ancien rendez-vous de chasse d'Henri IV, la vigne est présente depuis le XVes. : elle couvre aujourd'hui 9 ha sur des sols argilo-limoneux. Le Carte noire, de pur petit manseng, se présente pailleté d'or dans le verre avant de libérer ses parfums intenses et généreux de coing, de miel, d'ananas confit, de mangue et de litchi. Il est certes ample, rond et gras, mais surtout puissant. La douceur l'emporte sur la fraîcheur, donnant toute la faveur aux arômes d'abricot sec en finale. Le **Carte blanche 2003**, assemblage de petit manseng et de petit courbu, est cité.

Marc Labat, Ch. de Rousse, Chapelle-de-Rousse, 64110 Jurançon, tél. 05.59.21.75.08, fax 05.59.21.76.55, e-mail mlabat@nomade.fr r.-v.

DOM. DE SOUCH Cuvée de Marie-Kattalin 2003 ★

2,5 ha 6 000 15 à 23 €

Yvonne Hegoburu figure dans le film documentaire *Mondovino* de Jonathan Nossiter, présenté au festival de Cannes 2004. Si vous l'avez vu, vous aimerez sans doute déguster le vin de ce domaine de 6,5 ha. Le 2003, vêtu d'or, exprime des senteurs fraîches d'agrumes et de fruits exotiques. D'attaque franche, il reste aromatique en bouche, se développe avec gras et trouve de la vitalité dans une fraîcheur soutenue.

Yvonne Hegoburu, Dom. de Souch, 64110 Laroin, tél. 05.59.06.27.22, fax 05.59.06.51.55, e-mail jr.hegoburu@wanadoo.fr t.l.j. sf dim. 10h-12h30 15h-19h30

DOM. VIGNAU LA JUSCLE 2003 ★

2,77 ha 3 600 11 à 15 €

Il a fallu défricher et restructurer cet ancien vignoble laissé à l'abandon au milieu du siècle dernier. Dure tâche pour Michel Valton qui est aussi chirurgien. Mais par passion que ne ferait-on pas ? Ce 2003 or soutenu exprime volontiers des arômes intenses de fruits exotiques, soulignés de notes boisées bien fondues. Puissant et aromatique, tout en rondeur aussi, il reste longtemps présent au palais.

Michel Valton, Dom. Vignau la Juscle, 64290 Aubertin, tél. 05.59.83.03.66, fax 05.59.83.03.71 r.-v.

# Jurançon sec

DOM. BELLEGARDE La Pierre blanche 2003

8 ha 10 000 11 à 15 €

Rendez-vous au point culminant de ce vignoble, où vous trouverez une table d'orientation. Puis goûtez ce jurançon or pâle, dont le nez minéral et fruité offre une note particulière de pêche blanche. D'attaque franche, la bouche plutôt grasse se développe entre chaleur et vivacité, avec quelques arômes d'agrumes.

Pascal Labasse, Dom. Bellegarde, quartier Coos, 64360 Monein, tél. 05.59.21.33.17, fax 05.59.21.44.40, e-mail contact@domainebellegarde-jurancon.com t.l.j. sf sam. dim. 10h-12h 14h-18h30

DOM. BRU-BACHE Cuvée des Casterasses 2003 ★★

n.c. n.c. 8 à 11 €

Georges Bru-Baché, qui fut un acteur dynamique du renouveau du vignoble jurançon dans les années 1980, a passé le relais à son neveu Claude Loustalot qui a su maintenir à un haut niveau ce domaine phare de l'appellation. En témoigne ce vin exemplaire vêtu d'un beau jaune d'or. Le nez apparaît complexe, d'une maturité digne du millésime : pâte de fruits, abricot, coing, ananas, figue. D'attaque puissante, la bouche offre du volume, de la structure, du gras et un fruit concentré. Le boisé est bien intégré. Un jurançon d'une longueur et d'un équilibre remarquables. Un grand potentiel.

Dom. Bru-Baché, 39, rue Barada, 64360 Monein, tél. 05.59.21.36.34, fax 05.59.21.32.67, e-mail domaine.bru-bache@wanadoo.fr r.-v.

Claude Loustalot

DOM. DE CABARROUY 2004 ★

1 ha 9 000 5 à 8 €

Situé à 2 km du village de Lasseube, ce domaine de quelque 5 ha propose un vin jaune pâle à reflets verts et argentés, dont le nez montant flatte par ses senteurs de poire et de banane. L'attaque est vive, légèrement perlante ; la bouche s'inscrit dans la continuité, aromatique et fraîche. Elle se prolonge sur des notes de poire william et de citron. Le **jurançon moelleux Cuvée Passerillage 2002 (8 à 11 €)** est cité.

Dom. de Cabarrouy, 64290 Lasseube, tél. 05.59.04.23.08, fax 05.59.04.21.85 t.l.j. sf dim. 10h-12h 14h-19h

P. Limousin et F. Skoda

CAMIN LARREDYA 2004 ★★

2,5 ha 16 000 5 à 8 €

Le nom de Larredya figurait déjà dans le censier de Gaston Phœbus, datant du XIVes. Il désigne aujourd'hui un domaine de 9 ha qui a produit en 2004 un jurançon d'une teinte très jeune, libérant volontiers des arômes de brioche, de fruits secs et de pomme, relevés d'une note citronnée. D'attaque vive rehaussée d'un léger perlant, il se montre ample, gras et puissant tout en gardant une agréable fraîcheur et une expression aromatique intense. Le **jurançon moelleux Les Terrasses 2003 (11 à 15 €)** est cité.

Jean-Marc Grussaute, Chapelle-de-Rousse, 64110 Jurançon, tél. 05.59.21.74.42, fax 05.59.21.76.72, e-mail jm.grussaute@wanadoo.fr r.-v.

DOM. CASTERA 2004

4 ha 19 600 5 à 8 €

Une couleur paille à reflets verts brillants habille ce vin au nez encore discret, offrant néanmoins des notes subtiles de fleurs blanches et de poire. En cohérence parfaite, la bouche fraîche offre un joli retour aromatique.

Christian Lihour, quartier Ucha, 64360 Monein, tél. 05.59.21.34.98, fax 05.59.21.46.32, e-mail christian.lihour@wanadoo.fr t.l.j. 9h-12h 14h-19h

CLOS BELLEVUE Cuvée boisée 2003 **

n.c. 1 500 11 à 15 €

Au clos Bellevue, on travaille en famille : Olivier Muchada a rejoint son père sur cette propriété créée à la Révolution et qui couvre aujourd'hui 8,5 ha. Son vin a impressionné le jury car, sous la robe or pâle, se manifeste un nez bien affiné : une composition de fruits exotiques et d'épices, aux nuances boisées. L'attaque suave introduit une chair puissante et fraîche à la fois, ample et pleine, dans laquelle se fondent les flaveurs de bois. Le **jurançon moelleux Cuvée Tradition 2003 (8 à 11 €, bouteilles de 50 cl)**, qui n'a pas connu le fût, obtient une étoile.

Olivier Muchada, chem. des Vignes, 64360 Cuqueron, tél. et fax 05.59.21.34.82 t.l.j. sf dim. 8h-11h30 14h-18h

CLOS GUIROUILH La Peïrine 2003 **

1 ha 6 000 5 à 8 €

Du doré éclatant, des arômes en-veux-tu-en-voilà, du volume à l'envi. Tel est ce jurançon ouvert sur les fruits mûrs (ananas, abricot, agrumes) et les épices. Déjà ample et frais à l'attaque, il s'appuie sur une agréable structure et exprime tout son fruit, porté par une vivacité mesurée. Savoureusement vôtre. Le **jurançon moelleux Clos Guirouilh 2003 (8 à 11 €)** obtient une étoile.

Jean Guirouilh, rte de Belair, 64290 Lasseube, tél. 05.59.04.21.45, fax 05.59.04.22.73 r.-v.

CONFIDENCES DU CLOS DE LA VIERGE 2003 *

1 ha 6 600 5 à 8 €

Jaune franc, limpide et brillant, ce vin joue sur la fraîcheur en déclinant des arômes d'agrumes, de pamplemousse, de citron et quelques notes minérales. Dès la mise en bouche, assez ample, il est porté par la vivacité sans jamais se départir de son équilibre. Le **jurançon moelleux Cancaillaü 2003 (8 à 11 €)**, élevé en cuve, est cité.

EARL Barrère, 64150 Lahourcade, tél. 05.59.60.08.15, fax 05.59.60.07.38 t.l.j. sf dim. 8h-19h; f. 1er oct.-15 nov.

DOM. CONTE 2004 **

9 ha 33 000 5 à 8 €

Si vous passez à Pau, faites un détour par Gan pour découvrir ce jurançon de la cave coopérative. Un vin jaune clair à reflets verts, cristallin, bien ouvert sur des parfums de fruits. La bouche ronde et aromatique surfe sur une vague de fraîcheur qui étaye la finale. Un plaisir immédiat. N'oubliez pas les jurançon secs **Grain sauvage 2004 (3 à 5 €)** et **Château Roquemort 2004** qui brillent aussi de deux étoiles.

Cave des producteurs de Jurançon, 53, av. Henri-IV, 64290 Gan, tél. 05.59.21.57.03, fax 05.59.21.72.06, e-mail cave@cavedejurancon.com r.-v.

PRIMO PALATUM Classica 2003 *

2 ha 1 800 15 à 23 €

Quoi de neuf chez Xavier Copel, cet œnologue négociant présent dans différentes régions de France ? Un jurançon aux riches nuances boisées de vanille et de fumé qui distille aussi des senteurs de fruits exotiques et de fleur de sureau. Il se montre rond, harmonieux, même si le bois l'emporte encore en finale. Attendez-le un an ou deux.

Xavier Copel, Primo Palatum, 1, Cirette, 33190 Morizès, tél. 05.56.71.39.39, fax 05.56.71.39.40, e-mail xavier-copel@primo-palatum.com r.-v.

# Irouléguy

Dernier vestige d'un grand vignoble basque dont on trouve la trace dès le XIes., l'irouléguy (le chacoli, côté espagnol) témoigne de la volonté des vignerons de perpétuer l'antique tradition des moines de Roncevaux. Le vignoble s'étage sur le piémont, dans les communes de Saint-Etienne-de-Baïgorry, d'Irouléguy et d'Anhaux sur quelque 200 ha.

Les cépages d'autrefois ont à peu près disparu pour laisser place au cabernet-sauvignon, au cabernet franc et au tannat pour les vins rouges, au courbu et aux gros et petit manseng pour les blancs. La presque totalité de la production est vinifiée par la coopérative d'Irouléguy, mais de nouveaux vignobles sont en train de voir le jour. Le vin rosé est vif, bouqueté et léger, avec une couleur cerise ; il accompagnera la piperade et la charcuterie. L'irouléguy rouge est un vin parfumé, parfois assez tannique, qui conviendra aux confits.

DOM. ABOTIA 2004 *

1,73 ha 9 000 5 à 8 €

Ce domaine en plein cœur du Pays basque domine Saint-Jean-Pied-de-Port, sa citadelle et ses remparts. Son rosé de teinte grenadine mêle fruits frais et feuilles de menthe, puis fait preuve d'une bonne structure. Sa chair est à la fois vive et vineuse, équilibrée et suffisamment persistante. Un vin sérieux et typé, pour le repas.

Louisette et Peïo Errecart, Dom. Abotia,
64220 Ispoure, tél. 05.59.37.03.99, fax 05.59.37.23.57,
e-mail abotia@wanadoo.fr r.-v.

## ANDERENA 2004 *

5,5 ha 40 000 5 à 8 €

On a trop tendance à oublier les vins blancs d'Irouléguy. Pourtant, la cave des Vignerons du Pays basque en produit de jolis comme le **Xuri d'Ansa blanc 2004 (8 à 11 €)** et cet Anderena 2004 qui ont obtenu la même note. Ce dernier, nuancé d'or et de reflets verts, libère des parfums intenses de genêt et d'agrumes avant d'offrir sa matière ronde, savoureuse et pleine de vivacité, qui ne manque pas d'allonge.

Les Vignerons du Pays basque,
CD 15, 64430 Saint-Etienne-de-Baïgorry,
tél. 05.59.37.41.33, fax 05.59.37.47.76,
e-mail irouleguy@hotmail.com r.-v.

## DOM. ARRETXEA 2004 **

3,5 ha 14 000 8 à 11 €

Remarquable palmarès pour les Riouspeyrous qui ont créé en 1990, dans un paysage saisissant, un vignoble en terrasses de 8 ha cultivé en agriculture biologique. C'est dans une maison bas-navarraise du XVIII^e s. que vous découvrirez deux cuvées notées deux étoiles. Arrivé premier et dont l'étiquette est reproduite ci-dessus, le Domaine Arretxea 2004 apparaît dense, presque noir. Il offre des arômes profonds de fruits mûrs, relevés d'épices, puis se montre puissant et frais à la fois, parfaitement équilibré. Enveloppés dans la matière concentrée, les tanins fins soutiennent une finale éclatante. Arrivée seconde du grand jury, la **cuvée Haitza rouge 2003 (11 à 15 €)** possède une belle structure, de l'allonge et une chair dense, tout en gardant une fraîcheur remarquable pour le millésime. L'**Hegoxuri blanc 2004**, flatteur et frais, obtient une étoile.

Thérèse et Michel Riouspeyrous, Dom. Arretxea,
64220 Irouléguy, tél. et fax 05.59.37.33.67,
e-mail arretxea@free.fr r.-v.

## DOM. ETXEGARAYA 2003 *

3,3 ha 18 600 5 à 8 €

Une grande maison basque du XIX^e s. commande le vignoble de 7 ha qui a produit ce vin à base de 60 % de tannat, de 35 % de cabernet franc et de 5 % de cabernet-sauvignon. Vêtu d'une robe assez dense, aux reflets violets de jeunesse, il propose un nez fruité, typé et expressif. Un accent de terroir aussi, venu des grès rouges. Sa chair veloutée, sapide et chaleureusement concentrée laisse persister le fruit.

Marianne et Joseph Hillau,
Dom. Etxegaraya, 64430 Saint-Etienne-de-Baïgorry,
tél. et fax 05.59.37.23.76
t.l.j. 10h-12h30 15h-18h30

## DOM. ILARRIA 2004

3,9 ha 20 000 8 à 11 €

A proximité d'une église du XII^e s., le domaine Ilarria s'est développé dès le Siècle des lumières en pratiquant la polyculture et l'élevage ; la vigne représente aujourd'hui plus de 10 ha. Le 2004, rouge à nuances bleutées, s'ouvre généreusement dans le registre végétal (tabac), épicé (poivre) et fruité (fruits noirs). Il se montre solidement charpenté et même carré tant les tanins sont grenus. Une rusticité de bon aloi.

Dom. Ilarria,
64220 Irouléguy, tél. et fax 05.59.37.23.38
t.l.j. 10h-12h30 14h-19h de juin à sept.

## PREMIA 2004 *

2,5 ha 16 000 5 à 8 €

Créée en 1952, cette coopérative a connu une forte croissance dans les vingt dernières années et a su moderniser son outil à l'aube du XXI^e s. Elle propose aux amateurs un circuit de visite et un atelier de découverte des arômes. Un bon exercice consiste à chercher les notes de petits fruits rouges, de framboise et de groseille dans ce vin rouge violacé. Ce ne sera pas bien difficile : le nez est nettement ouvert et vif. Cette fraîche palette accompagne aussi la bouche équilibrée, souple et acidulée. Le **Gorri d'Ansa rouge 2004** est cité.

Les Vignerons du Pays basque,
CD 15, 64430 Saint-Etienne-de-Baïgorry,
tél. 05.59.37.41.33, fax 05.59.37.47.76,
e-mail irouleguy@hotmail.com r.-v.

SUD-OUEST

# Vin de liqueur de Gascogne

## Floc-de-gascogne

Le floc-de-gascogne est produit dans l'aire géographique d'appellation bas-armagnac, armagnac-ténarèze et haut-armagnac répondant aux dispositions du décret du 15 avril 2003. Cette région viticole fait partie du piémont pyrénéen et se répartit sur trois départements : le Gers, les Landes et le Lot-et-Garonne. Afin de donner une force supplémentaire à l'antériorité de leur production, les vignerons du floc-de-gascogne ont mis en place un principe nouveau qui n'est ni une délimitation parcellaire telle qu'on la rencontre pour les vins, ni une simple aire géographique telle qu'on la rencontre pour les eaux-de-vie. C'est le principe des listes parcellaires approuvées annuellement par l'INAO.

Les blancs (4 000 à 5 000 hl) sont issus des cépages colombard, gros manseng et ugni blanc, qui doivent ensemble représenter au moins 70 % de l'encépagement, et ne peuvent dépasser seuls 50 % depuis 1996, avec pour cépages complémentaires le baroque, la folle blanche, le petit manseng, le mauzac, le sauvignon, le sémillon ; pour les rosés (4 500 à 5 500 hl), les cépages sont le cabernet franc et le cabernet-sauvignon, le cot, le fer servadou, le merlot et le tannat, ce dernier ne pouvant dépasser 50 % de l'encépagement.

Les règles de production mises en place par les producteurs sont contraignantes : 3 300 pieds/ha taillés en guyot ou en cordon, nombre d'yeux à l'hectare toujours inférieur à 60 000, irrigation des vignes strictement interdite en toute saison, rendement de base des parcelles inférieur ou égal à 60 hl/ha.

Chaque viticulteur doit, chaque année, souscrire la déclaration d'intention d'élaboration destinée à l'INAO, afin que ce dernier puisse vérifier réellement sur le terrain les conditions de production. Les moûts récoltés ne peuvent avoir moins de 170 g/l de sucres de moût. La vendange, une fois égrappée et débourbée, est mise dans un récipient où le moût peut subir un début de fermentation. Aucune adjonction de produits extérieurs n'est autorisée. Le mutage se fait avec une eau-de-vie d'armagnac d'un compte d'âge minimum 0 et d'un degré minimum de 52 % vol. Tous les lots de vins sont dégustés et analysés. En raison de l'hétérogénéité toujours à craindre de ce type de produit, l'agrément se fait en bouteilles et ils ne peuvent sortir des chais des récoltants avant le 15 mars de l'année qui suit celle de la récolte.

### DOM. DE BILE ★★

1,84 ha 7 066 8 à 11 €

Dernier bastion viticole dans le sud-est du département du Gers, ce domaine, agréé Bienvenue à la ferme, propose de nombreuses manifestations touristiques. Après un coup de cœur pour le rosé l'an passé, il a produit un remarquable floc blanc, couleur jaune pâle à reflets brillants. Le nez fruité et floral (aubépine) est en parfait accord avec la bouche pleine, bien équilibrée entre sucre et alcool, qui offre un dégradé de flaveurs en finale.

EARL Della-Vedove,
Dom. de Bilé, 32320 Bassoues-d'Armagnac,
tél. et fax 05.62.70.93.59,
e-mail armagnac-della-vedove@marciac.net
t.l.j. 8h-20h

### BORDENEUVE-ENTRAS ★

0,43 ha 5 500 8 à 11 €

La famille Maestrojuan, très discrète, est connue pour son sérieux. Pour preuve, ces deux flocs qui obtiennent une étoile. Le rosé, de teinte foncée à reflets grenat, possède un nez complexe de fruits (mûre) et de fleurs. Volumineux, puissant et aromatique (cassis), il laisse dans son sillage une subtile note d'armagnac. Le **blanc**, jaune pâle limpide, offre un fruité de coing et de pêche, ainsi que de la rondeur. Des vins typés.

GAEC Bordeneuve-Entras, 32410 Ayguetinte,
tél. 05.62.68.11.41, fax 05.62.68.15.32,
e-mail mbrmaestrojuan@wanadoo.fr
t.l.j. 9h-12h30 14h-18h (20h en été)
Maestrojuan

### DOM. DES CASSAGNOLES Plaisir ★★

5 ha 1 000 8 à 11 €

Au cœur de la Ténarèze, près du village médiéval de Larressingle, ce domaine familial possède 80 ha de vignes. Il a produit un remarquable floc rosé de teinte brillante à reflets violacés. Les fruits rouges intenses invitent à découvrir la bouche douce dès l'attaque, puis ronde et d'une grande richesse aromatique. Le **blanc Plaisir** obtient deux étoiles également : jaune pâle à reflets verts, il offre un nez de poire, légèrement marqué par un armagnac de qualité qui se retrouve en bouche aux côtés d'arômes de fruits mûrs expressifs. Un vin élégant.

J. et G. Baumann, Dom. des Cassagnoles,
EARL de la Ténarèze, 32330 Gondrin,
tél. 05.62.28.40.57, fax 05.62.28.42.42,
e-mail j.baumann@domainedescassagnoles.com
t.l.j. sf dim. 9h-18h; sam. 10h-17h30;
t.l.j. en juil.-août

### DE CASTELFORT ★★

30 ha 130 000 8 à 11 €

En perpétuelle transformation, la cave coopérative de Nogaro, créée en 1963, est le plus grand producteur de l'appellation. Son floc jaune paille à reflets dorés conjugue harmonieusement des arômes complexes de tilleul, d'acacia, de coing et de poire, avec une note de fraîcheur. D'attaque grasse, il se montre doux, ponctué de flaveurs de bergamote et d'aubépine. Sa finale vive, due à l'armagnac, est intense.

Cave des Producteurs réunis de Nogaro, Les Hauts de Montrouge, 32110 Nogaro, tél. 05.62.09.01.79, fax 05.62.09.10.99, e-mail cpr@de-castelfort.com r.-v.

### DOM. CAUMONT-BADIOLE *

n.c. 4 107 5 à 8 €

Produit sur des boulbènes et des sables fauves, au cœur du bas Armagnac, ce floc couleur jaune paille brillant se montre très élégant grâce à son caractère floral (aubépine). Sa bouche volumineuse, marquée par les fruits et soulignée de notes de fleurs jaunes, surprend par sa vivacité due à un armagnac de qualité.

SCEA de Badiole, 32110 Laujuzan, tél. et fax 05.62.09.01.71 t.l.j. 8h-12h 14h-19h

Olivier Samalens

### CAVE DE CONDOM *

10 ha n.c. 5 à 8 €

Un chai entièrement refait et des efforts constants ont permis à la cave coopérative d'obtenir de bons résultats, tel ce vin jaune très pâle, au nez subtilement marqué par l'armagnac. La bouche souple, fruitée et vive lui donne de la jeunesse. Le **rosé** est cité : de couleur claire et brillante, il offre des arômes de fruits confits et macérés, puis des flaveurs persistantes de pruneau et de noyau de cerise.

Les Producteurs de la Cave de Condom-en-Armagnac, Terres de Gacogne, 59, av. des Mousquetaires, 32100 Condom, tél. 05.62.28.12.16, fax 05.62.68.39.62, e-mail tdg.cave-condom@wanadoo.fr r.-v.

### DOM. D'EMBIDOURE *

1,58 ha 2 533 5 à 8 €

Implantée sur des sols argilo-calcaires du haut Armagnac, cette propriété de 25 ha remonte au milieu des années 1960. Jean-Pierre Ménégazzo, épaulé par ses filles, propose un joli floc de colombard et de gros manseng, couleur bouton d'or. Le nez ouvert et complexe, à connotations de miel, de cire, de coing et d'amande, annonce une bouche grasse en attaque, puis veloutée et suave. Cité, le **rosé** possède des arômes de fruits rouges et de fleurs, ainsi qu'une matière fruitée, aérienne.

Jean-Pierre Ménégazzo et Filles, Dom. d'Embidoure, 32390 Réjaumont, tél. et fax 05.62.65.28.92, e-mail menegazzo.embidoure@wanadoo.fr t.l.j. 8h30-19h

### FERME DE GAGNET *

n.c. 4 000 8 à 11 €

Ce petit domaine familial, commandé par une ferme du XVIII^e s., doit sa réputation au bouche à oreilles. Grâce à ces deux flocs, vous aussi retiendrez son nom. Le rosé, couleur cerise à reflets rouges brillants, est très marqué par des arômes de cassis, rehaussés de notes d'armagnac. Fondu et suave, il fait également preuve de puissance. Un délice avec une tarte Tatin. Le **blanc**, pâle à reflets argentés, offre une bonne intensité aromatique (litchi, cassis), ainsi que de la finesse au palais. Il obtient une étoile.

David et Marielle Lorenzon, Ferme de Gagnet, 47170 Mézin, tél. 05.53.65.73.76, fax 05.53.97.22.04, e-mail fermedegagnet@wanadoo.fr t.l.j. 8h-12h30 15h-20h

### HAUT-BARON *

0,9 ha 5 278 5 à 8 €

Créée en 1953, cette cave coopérative a longtemps eu pour vocation de produire exclusivement de l'armagnac. En 2001, elle a réalisé de gros investissements au vignoble et au chai pour diversifier sa production. Elle propose ainsi deux flocs de qualité. Le premier, jaune clair brillant, libère des arômes fruités, finement nuancés par l'armagnac. Son volume équilibré lui permettra de s'associer à un foie gras. Le **rosé** délivre au nez comme en bouche des notes de fruits noirs (mûre) et de fruits secs. Une citation lui est attribuée.

Vivadour Cave vinicole, 32150 Cazaubon, tél. 05.62.08.34.00, fax 05.62.69.50.98 r.-v.

### CH. DE JULIAC *

5 ha 40 000 5 à 8 €

En 2003, Pierre Cassagne a perdu dans un incendie son alambic Daste de 1905 et une partie de son chai. Cet événement malheureux ne l'a pas empêché de présenter deux jolis flocs, dont ce rosé de teinte rouge à reflets tuilés. Le nez de bonne intensité évoque la mûre, la fraise et le pruneau. Les arômes sont plus marqués encore en bouche, très persistants, alliés à une forte sucrosité. Un vin délicieux. Le **blanc**, or pâle, mêle des notes de menthe et de pêche, et présente un bon équilibre sucre-alcool. Il est cité.

Pierre Cassagne, Ch. de Juliac, 40240 Betbezer-d'Armagnac, tél. 05.58.44.88.64, fax 05.58.44.81.16, e-mail xavier.cassagne@wanadoo.fr t.l.j. 8h-12h 14h-18h

### DOM. DE LAGAJAN **

n.c. 3 800 8 à 11 €

En bordure de la nouvelle route réalisée pour l'acheminement de l'Airbus A380, Gisou, Constantin et Dimitri Georgacaracos proposent au pied de l'alambic de 1907 deux flocs intéressants. Le rosé, d'un rubis sombre, livre des arômes complexes de fruits noirs (mûre), nuancés de notes de torréfaction. Il révèle une grande sucrosité et des flaveurs persistantes de confiture. Le **blanc**, jaune pâle cristallin, est un vin fruité, ample et long. Il obtient une étoile.

EARL Georgacaracos et Fils, Dom. de Lagajan, 32800 Eauze, tél. 05.62.09.81.69, fax 05.62.09.82.90, e-mail earl.georgacaracos@terre-net.fr t.l.j. 9h-13h 14h-20h

### DOM. DE LARTIGUE

1 ha 3 300 8 à 11 €

Situé en bas-Armagnac, ce domaine possède également des vignes en Ténarèze sur des sols argilo-calcaires qui lui ont permis d'élaborer un floc grenat vif, harmonieusement fruité. Grâce à sa matière ronde, à ses arômes légèrement évolués mais pas désagréables du tout et à sa finale chaleureuse, celui-ci se mariera avec un melon de Lectoure.

EARL Francis Lacave, au Village, 32800 Bretagne-d'Armagnac, tél. 05.62.09.90.09, fax 05.62.09.79.60, e-mail francis.lacave@wanadoo.fr r.-v.

### DOM. DE MAUBET *

1 ha 3 900 8 à 11 €

Dans cette propriété de près de 70 ha, dont les bâtiments de 1820 en pierre et en torchis sont de style landais, sont élaborés des vins de pays, des armagnacs et des flocs appréciés en Allemagne, en Grande-Bretagne et aux Pays-Bas. Gageons que ce rosé trouvera aussi bonne place sur votre table dans son habit rouge clair brillant. Il offre un nez de fruits frais printaniers (fraise, framboise), puis une matière équilibrée, ample sans excès, gouleyante et fraîche.

SC Vignobles Fontan,
Dom. de Maubet, allée du Colombard, 32800 Noulens,
tél. 05.62.08.55.28, fax 05.62.08.58.94,
e-mail contact@vignobles-fontan.com r.-v.

## CH. MONLUC *

1,5 ha 5 000 **8 à 11 €**

Notez que ce château produit du pousse-rapière, apéritif gascon à base de liqueur d'armagnac et de mousseux. N'oubliez pas pour autant le floc-de-gascogne qu'il élabore depuis peu. Ce rosé, d'un rouge orangé léger, se montre très fruité (cassis) au nez, puis gagne en complexité au palais, grâce à des arômes confits et à une finale interminable. Le **blanc**, jaune paille et dominé par les nuances d'amande, est gras, velouté, doté de flaveurs de safran originales. Il obtient une citation.

SAS Dom. de Monluc, Ch. Monluc,
32310 Saint-Puy, tél. 05.62.28.94.00, fax 05.62.28.55.70,
e-mail monluc-sa-office@wanadoo.fr
t.l.j. sf lun. 10h-12h 15h-19h; f. jan.

## CH. DE MONS

3 ha 6 000 **8 à 11 €**

La tradition perdure au château de Mons, haut lieu de la formation vitivinicole gersoise. Rubis à reflets plus foncés, ce floc rosé révèle des arômes de fruits rouges mûrs, confiturés, qui se prolongent au palais comme pour souligner la chair équilibrée, longue et grasse. Le **blanc** est également cité pour son fruité conforté par un armagnac de qualité.

Dom. de Mons, CA 32, 32100 Caussens,
tél. 05.62.68.30.30, fax 05.62.68.30.35,
e-mail chateau.mons-cda.32@wanadoo.fr r.-v.

## DOM. DE PAGUY *

2 ha 3 500 **8 à 11 €**

Ce domaine du XVIe s. possède une ferme auberge où vous pourrez savourer la cuisine landaise traditionnelle et apprécier ce floc rosé lumineux, au nez soutenu de fruits et de fleurs, avec des notes sous-jacentes de sous-bois. La bouche est plaisante, douce en attaque, puis vive. Elle finit sur des notes florales de bonne longueur.

Darzacq, Dom. de Paguy,
40240 Betbezer-d'Armagnac, tél. et fax 05.58.44.68.09,
e-mail albert-darzacq@wanadoo.fr r.-v.

## DOM. DE POLIGNAC *

3 ha 5 500 **8 à 11 €**

Le vignoble situé sur des coteaux argilo-calcaires et caillouteux a permis à la famille Gratian d'élaborer ce floc jaune à reflets verts. On perçoit avec plaisir les notes de poire, de banane, de prune, rehaussées de nuances florales qui apportent de la fraîcheur. La bouche trouve un bel équilibre entre les fruits mûrs, les fruits frais et des flaveurs de miel. Le **rosé**, grenat foncé, est marqué par les senteurs de noyau et les notes grillées. Son agréable légèreté au palais lui vaut une citation.

EARL Gratian, Dom. de Polignac, 32330 Gondrin,
tél. 05.62.28.54.74, fax 05.62.28.54.86,
e-mail j.gratian@32.sideral.fr t.l.j. 10h-13h 15h-20h

## CH. POMES-PEBERERE *

2 ha 5 000 **8 à 11 €**

Après avoir assumé des responsabilités syndicales et professionnelles, François Faget se consacre désormais entièrement à son domaine de 40 ha. Il imprime ainsi sa personnalité à ces deux flocs de bonne composition. Le rosé, rubis intense, exhale puissamment des arômes de fruits confits. On les retrouve en bouche, alliés à une pointe vive fort agréable. Le **blanc**, jaune clair brillant, marie harmonieusement le fruit et l'alcool. Il est cité.

François Faget, Pomès-Pébérère, 32100 Condom,
tél. 05.62.28.11.53, fax 05.62.28.46.10,
e-mail chateaupomespebe@free.fr
t.l.j. sf dim. 8h-12h 14h-18h

## CH. DE SALLES *

0,4 ha 2 600 **8 à 11 €**

Dans les chais qui jouxtent le château du XVIIIe s., Benoît Hébert organise des expositions de peinture. Une visite sera aussi l'occasion de découvrir ce floc de teinte paille, dont le nez complexe évoque la noisette et le coing. Équilibré dès l'attaque, le vin égrène au palais des flaveurs fruitées à l'envi.

Benoît Hébert,
Ch. de Salles, 32370 Salles-d'Armagnac,
tél. 05.62.69.03.11, fax 05.62.69.07.18,
e-mail chsalle@club-internet.fr r.-v.

## DOM. SAN DE GUILHEM **

3 ha 16 000 **8 à 11 €**

Alain Lalanne, président de l'appellation, propose deux flocs de bonne facture. Ce blanc de couleur jaune d'or soutenu décline au nez les fruits mûrs avec élégance, puis des flaveurs de pêche et de poire se libèrent de sa chair harmonieuse et racée, persistante. Le **rosé** est cité pour ses arômes de pruneau et de sous-bois, son équilibre, son fruité confit en bouche et sa finale ronde, aux notes légèrement évoluées.

Alain Lalanne, Dom. San de Guilhem,
32800 Ramouzens, tél. 05.62.06.57.02,
fax 05.62.06.44.99, e-mail domaine@sandeguilhem.com
t.l.j. sf sam. dim. 8h-12h 13h30-17h30

## LES VIGNERONS DE LA TENAREZE **

n.c. n.c. **5 à 8 €**

L'évolution technologique de cette cave coopérative lui a permis de produire deux vins de qualité, dont ce rosé issu d'un mariage bien étudié entre cabernet-sauvignon (50 %), cabernet franc (10 %), tannat (20 %), merlot (17 %) et cot (3 %). Rouge cerise lumineux, le vin propose une palette de fruits rouges et noirs (fraise, framboise, mûre), nuancés de notes intenses de prune héritées de l'armagnac. Les mêmes sensations persistent longuement au palais, dans un bon équilibre sucre-alcool. Le **blanc** est cité pour sa couleur jaune clair, son nez floral de jacinthe et de tilleul, sa bouche simple et harmonieuse.

SCV Les Vignerons de la Ténarèze,
rte de Mouchan, 32190 Vic-Fezensac,
tél. 05.62.58.05.25, fax 05.62.06.34.21 r.-v.

# LA VALLÉE DE LA LOIRE ET LE CENTRE

# LA VALLÉE DE LA LOIRE ET LE CENTRE

Unis par un fleuve que l'on a dit royal, et qui justifierait le qualificatif par sa seule majesté si les rois en effet n'avaient aimé résider sur ses rives, les divers pays de la vallée de la Loire sont baignés par une lumière unique, mariage subtil du ciel et de l'eau qui fait éclore ici le « jardin de la France ». Et dans ce jardin, bien sûr, la vigne est présente ; des confins du Massif central jusqu'à l'estuaire, les vignobles ponctuent le paysage au long du fleuve et d'une dizaine de ses affluents, dans un vaste ensemble que l'on désignera sous le nom de « vallée de la Loire et Centre », plus étendu que ne l'est le Val de Loire au sens strict, sa partie centrale. C'est dire combien le tourisme est ici varié, culturel, gastronomique ou œnologique ; et les routes qui suivent le fleuve sur les « levées », ou celles, un peu en retrait, qui traversent vignobles et forêts sont les axes d'inoubliables découvertes.

Jardin de la France, résidence royale, terre des Arts et des Lettres, berceau de la Renaissance, la région est vouée à l'équilibre, à l'harmonie, à l'élégance. Tantôt étroite et sinueuse, rapide et bruyante, tantôt imposante et majestueuse, calme d'apparence, la Loire en est bien le facteur d'unité ; mais il convient cependant d'être attentif aux différences, surtout lorsqu'il s'agit des vins.

Depuis Roanne ou Saint-Pourçain jusqu'à Nantes ou Saint-Nazaire, la vigne occupe les coteaux de bordure, bravant la nature des sols, les différences de climat et les traditions humaines. Sur près de 1 000 km, plus de 70 000 ha couverts de vignes donnent, avec de grandes variations, entre 9,50 et 10 % de la production française dont en AOC de vins blancs 1 400 000 hl et en AOC de vins rouges et rosés 1 140 000 hl. Les vins de cette vaste région ont pour points communs la fraîcheur et la délicatesse de leurs arômes, essentiellement dues à la situation septentrionale de la plupart des vignobles.

Vouloir désigner toutes ces productions sous le même vocable est un peu audacieux malgré tout, car, bien qu'identifiés comme septentrionaux, certains vignobles sont situés à une latitude qui, dans la vallée du Rhône, subit l'influence climatique méditerranéenne... Mâcon est à la même latitude que Saint-Pourçain et Roanne que Villefranche-sur-Saône. C'est donc le relief qui influe ici sur le climat ; le courant d'air atlantique s'engouffre d'ouest en est dans le couloir tracé par la Loire, puis s'estompe peu à peu au fur et à mesure qu'il rencontre les collines du Saumurois et de la Touraine.

Les vignobles formant de véritables entités sont donc ceux de la région nantaise, de l'Anjou et de la Touraine. Mais on y a joint ceux du haut Poitou, du Berry, des côtes d'Auvergne et roannaises ; il faut bien les associer à une grande région, et celle-ci est la plus proche, aussi bien géographiquement que par les types de vins produits. Il paraît donc nécessaire, sur un plan général, de définir quatre grands ensembles, les trois premiers cités, plus le Centre.

Dans la basse vallée de la Loire, l'aire du muscadet et une partie de l'Anjou reposent sur le Massif armoricain, constitué de schistes, de gneiss et d'autres roches sédimentaires ou éruptives de l'ère primaire. Les sols évolués sur ces formations sont très propices à la culture de la vigne, et les vins qui y sont produits sont d'excellente qualité. Encore appelée région nantaise, cette première entité, la plus à l'ouest du Val de Loire, présente un relief peu accentué, les roches dures du Massif armoricain étant entaillées à l'abrupt par de petites rivières. Les vallées escarpées ne permettent pas la formation de coteaux cultivables, et la vigne occupe les mamelons de plateau. Le climat est océanique, assez uniforme toute l'année, l'influence maritime atténuant les variations saisonnières. Les hivers sont peu rigoureux et les étés chauds et souvent humides ; l'ensoleillement est bon. Les gelées printanières viennent cependant parfois perturber la production.

L'Anjou, pays de transition entre la région nantaise et la Touraine, englobe historiquement le Saumurois ; cette région viticole s'inscrit presque entièrement dans le département du Maine-et-Loire, mais géographiquement le Saumurois devrait plutôt être rattaché à la Touraine occidentale avec laquelle il présente davantage de similitudes, tant au point de vue des sols que du climat. Les formations sédimentaires du Bassin parisien viennent d'ailleurs recouvrir en transgression des formations primaires du Massif armoricain, de Brissac-Quincé à Doué-la-Fontaine. L'Anjou se divise en plusieurs sous-régions : les coteaux de la Loire (prolongement de la région nantaise), en pente douce d'exposition nord, où la vigne occupe la bordure du plateau ; les coteaux du Layon, schisteux et pentus, les coteaux de l'Aubance ; et la zone de transition entre l'Anjou et la Touraine, dans laquelle s'est développé le vignoble des rosés.

Le Saumurois se caractérise essentiellement par la craie tuffeau sur laquelle poussent les vignes ; au-dessous, les bouteilles rivalisent avec les champignons de Paris pour occuper galeries et caves facilement creusées. Les collines un peu plus élevées arrêtent les vents d'ouest et favorisent l'installation d'un climat qui devient semi-océanique et semi-continental. En face du Saumurois, on trouve sur la rive droite de la Loire les vignobles de Saint-Nicolas-de-Bourgueil, sur le coteau turonien. Plus à l'est, après Tours, et sur le même coteau, le vignoble de Vouvray se partage avec Chinon – prolongement du Saumurois sur les coteaux de la Vienne – la réputation des vins de Touraine. Azay-le-Rideau, Montlouis, Amboise, Mesland et les coteaux du Cher complètent la panoplie de noms à retenir dans ce riche « Jardin de la France », où l'on ne sait plus si l'on doit se déplacer pour les vins, les châteaux ou les fromages de chèvre (sainte-maure, selles-sur-cher, valençay) ; mais pourquoi pas pour tout à la fois ? Les petits vignobles des coteaux du Loir, de l'Orléanais, de Cheverny, de Valençay et des coteaux du Giennois peuvent être rattachés à la troisième entité naturelle que forme la Touraine.

Les vignobles du Berry (ou du Centre) constituent une quatrième région, indépendante et différente des trois autres tant par les sols, essentiellement jurassiques, voisins du Chablisien pour Sancerre et Pouilly-sur-Loire, que par le climat semi-continental, aux hivers froids et aux étés chauds. Pour la commodité de la présentation, nous rattachons Saint-Pourçain, les côtes roannaises et le Forez à cette quatrième unité, bien que sols (Massif central primaire) et climats (semi-continental à continental) soient différents.

Si, pour aborder les domaines spécifiquement viticoles, on reprend la même progression géographique, le muscadet est caractérisé par un cépage unique (le melon) produisant un vin « unique », blanc sec irremplaçable. Le cépage folle blanche est également dans cette région à l'origine d'un autre vin blanc sec, de moindre classe, le gros-plant. La région d'Ancenis, elle, est « colonisée » par le gamay noir.

Dans l'Anjou, en blanc, le cépage chenin ou pineau de la Loire est le principal ; le chardonnay et le sauvignon y ont été récemment associés. Il est à l'origine des grands vins liquoreux ou moelleux, ainsi que, suivant l'évolution des goûts, d'excellents vins secs et mousseux. En cépage rouge, autrefois très répandu, citons le grolleau noir. Il donne traditionnellement des rosés demi-secs. Cabernet franc, anciennement appelé « breton », et cabernet-sauvignon produisent des vins rouges fins et corsés ayant une bonne aptitude au vieillissement. Comme les hommes, les vins reflètent, ou contribuent à constituer la « douceur angevine » : à un fond vif dû à une acidité forte vient souvent s'associer une saveur douce résultant de la présence de sucres restants. Le tout dans une production multiple, à la diversité un peu déroutante.

A l'ouest de la Touraine, le chenin en Saumurois, Vouvray et Montlouis ou dans les coteaux du Loir, et le cabernet franc à Chinon, Bourgueil et dans le Saumurois, puis le grolleau à Azay-le-Rideau, sont les principaux cépages. Le gamay noir en rouge et le sauvignon en blanc produisent, dans la région est, des vins légers, fruités et agréables. Citons enfin, pour être complet, le pineau d'Aunis des coteaux du Loir, à la nuance poivrée, et le gris meunier, dans l'Orléanais.

Dans le vignoble du Centre, le sauvignon (en blanc) est roi à Sancerre, Reuilly, Quincy et Menetou-Salon, ainsi qu'à Pouilly, où il est encore appelé blanc-fumé. Il partage là son territoire avec quelques vignobles vestiges de chasselas, donnant des blancs secs et nerveux. En rouge, on perçoit le voisinage de la Bourgogne, puisque à Sancerre et Menetou-Salon les vins sont produits à partir de pinot noir.

Pour être exhaustif, il convient d'ajouter quelques mots sur le vignoble du haut Poitou, réputé en blanc pour son sauvignon aux vins vifs et fruités, son chardonnay aux vins corsés, et, en rouge, pour ses vins légers et robustes issus des cépages gamay, pinot noir et cabernet. Sous un climat semi-océanique, le haut Poitou assure la transition entre le Val de Loire et le Bordelais. Entre Anjou et Poitou, la production du vignoble du Thouarsais (AOVDQS) est confidentielle. Quant au vignoble des Fiefs vendéens, terroir AOVDQS anciennement dénommé vin des Fiefs du Cardinal et implanté le long du littoral atlantique, ses vins les plus connus sont les vins rosés de Mareuil, issus de gamay noir et de pinot noir ; la curiosité de la région étant constituée par le vin de « ragoûtant », issu du cépage négrette et difficile à trouver.

# La Vallée de la Loire

## Val de Loire

# Rosé-de-loire

Il s'agit de vins d'appellation régionale, AOC depuis 1974, qui peuvent être produits dans les limites des AOC régionales d'anjou, saumur et touraine. Cabernet franc, cabernet-sauvignon, gamay noir à jus blanc, pineau d'Aunis et grolleau se retrouvent dans ces vins rosés secs.

### CH. DE BEAUREGARD 2004 ★

■ 2 ha 5 000 ■🌡 5 à 8 €

Largement reconstruit au XIX^e^s., le château de Beauregard n'a plus rien d'une forteresse, mais il a conservé des parties plus anciennes datant du XVII^e^, voire du XIII^e^s., comme son porche et son pigeonnier qui sont des vestiges d'une enceinte. La propriété a été achetée à la fin du XIX^e^s. par l'arrière-grand-père. Seul le cabernet franc entre dans la composition de ce rosé-de-loire, ce qui est habituel sur les terres crayeuses saumuroises qui permettent avec ce cépage l'élaboration de vins rosés tendres. La robe est rose léger, les arômes associent des notes amyliques (fraise, bonbon anglais) et des parfums délicats de fruits rouges. La bouche est gourmande, fruitée et fraîche.

🔑 SCEA Alain Gourdon, Ch. de Beauregard, 4, rue Saint-Julien, 49260 Le Puy-Notre-Dame, tél. 02.41.52.25.33, fax 02.41.52.29.62, e-mail christine.gourdon@wanadoo.fr ☑ 🍷 🚶 r.-v.

### DOM. DU CLOS DES GOHARDS 2004

■ 2 ha 2 000 ■🌡 - de 3 €

La première cave du domaine a été créée en 1927 et on voit encore le pressoir à vis scellé au sol. Aujourd'hui, l'exploitation a acquis une belle notoriété pour la production de ses vins rosés et rouges. N'a-t-elle pas obtenu un coup de cœur dans le précédent Guide pour un anjou-villages ? La robe de ce 2004 est rose orangé intense et les frais arômes font penser à des bonbons acidulés. La bouche d'une agréable légèreté exprime des notes de fruits mûrs bien représentatifs de l'appellation rosé-de-loire.

🔑 EARL Michel et Mickaël Joselon, Les Oisonnières, 49380 Chavagnes-les-Eaux, tél. et fax 02.41.54.13.98 ☑ 🍷 🚶 r.-v.

### DOM. DE L'ETE 2004

■ 3 ha 26 600 ■🌡 3 à 5 €

La propriété a été reprise en 2000 par Catherine Nolot qui a engagé d'impressionnants travaux, notamment au chai. Son rosé-de-loire est un bon représentant de l'appellation : robe rose délicate, arômes de fruits frais avec des nuances végétales, bouche légère, agréable, avec en finale des notes fruitées et fraîches. Un vin facile et qui peut accompagner tout un repas.

🔑 SCEA Catherine Nolot, Dom. de l'Eté, 49700 Concourson-sur-Layon, tél. 02.41.59.11.63, fax 02.41.59.95.16, e-mail domainedelete@wanadoo.fr ☑ 🍷 🚶 t.l.j. sf dim. 9h-12h 14h-17h30; sam. sur r.-v.

### DOM. DU FRESCHE 2004 ★★

■ 0,8 ha 2 500 3 à 5 €

Exploité en agriculture biologique, ce domaine a obtenu dans cette édition un coup de cœur pour un anjou-villages et sa production jouit d'une forte notoriété. Ce 2004 est l'archétype de ce qu'on attend des vins de l'appellation : sa robe rose est limpide, ses arômes complexes et délicats rappellent les fleurs, les fruits frais et le bonbon anglais (notes amyliques). La bouche associe légèreté, fraîcheur et un réel caractère qui dénote un vin élaboré à partir de vendanges bien mûres.

EARL Boré, Dom. du Fresche, 49620 La Pommeraye, tél. 02.41.77.74.63, fax 02.41.77.79.39, e-mail alainbore@aol.com
t.l.j. sf dim. 9h-12h 14h-18h

### DOM. DE GATINES 2004

■ 1 ha 3 000 3 à 5 €

Tigné, commune de la rive gauche du Layon, est considérée depuis le début du XXe s. comme la capitale des vins rosés d'Anjou. Les Dessèvre exploitent 45 ha aux alentours. Leur rosé-de-loire est un classique de l'appellation : robe rose intense, arômes délicats s'épanouissant à l'aération et rappelant les fruits frais, les fleurs du printemps, bouche riche et plaisante. Un vin à servir tout au long d'un repas.

Vignoble Dessèvre, Dom. de Gatines, 12, rue de la Boulaie, 49540 Tigné, tél. 02.41.59.41.48, fax 02.41.59.94.44, e-mail domaine-de-gatines-dessevre@wanadoo.fr
t.l.j. sf dim. 8h-12h 14h-18h

### DOM. DES IRIS 2004

■ 2 ha 15 300 3 à 5 €

Le rosé-de-loire du domaine des Iris a été vinifié en collaboration avec les œnologues du négoce Joseph Verdier. Simple et facile, il accompagnera agréablement un repas sans façon et des salades composées. Tout est léger en lui : sa robe rose pâle, ses arômes discrets de fleurs et de fruits frais, sa bouche nerveuse qui finit sur des notes de framboise et de cerise.

SARL Dom. des Iris, La Roche-Coutant, 49540 Tigné, tél. 02.41.40.22.50, fax 02.41.40.22.69, e-mail j.verdier@wanadoo.fr

### CH. DE MONTGUERET
Le Petit Saint Louis 2004 ★★

■ 16,7 ha 130 000 3 à 5 €

Le vignoble de Montguéret a été racheté en 1987 par André Lacheteau et a été depuis entièrement remanié. Il compte aujourd'hui plus de 120 ha, dont une vingtaine sont orientés vers la production de rosé-de-loire. Aussi ce coup de cœur n'a-t-il rien de confidentiel. Sa robe est rose intense avec des reflets violacés, légèrement rouges. Ses arômes associent des notes amyliques (bonbon anglais, fraise) et des nuances de fruits rouges caractéristiques de vendanges récoltées à bonne maturité. La bouche, douce, concilie la richesse et l'élégance. Un rosé de caractère parfaitement vinifié et qui laisse une remarquable sensation de légèreté.

SCEA Ch. de Montguéret, rue de la Mairie, 49560 Nueil-sur-Layon, tél. 02.41.59.59.19, fax 02.41.59.59.02 r.-v.
André Lacheteau

### DOM. DES PETITES GROUAS 2004 ★

■ 1 ha 3 000 3 à 5 €

Ce domaine est établi à Martigné-Briand, commune principalement tournée vers la production des rosés. Il tire son nom de sables coquilliers appelés faluns donnant des sols propices à la production des vins rouges et rosés. Des rosés qu'il réussit très bien, témoin les mentions régulières dans le Guide et le coup de cœur obtenu en AOC cabernet-d'anjou dans l'édition 2004. Quant à ce rosé-de-loire, il présente une très belle harmonie : sa robe rose bonbon montre des reflets rouges brillants ; ses arômes qui se développent à l'aération rappellent les fruits mûrs, notamment la framboise ; sa bouche légère et délicate laisse une sensation de fraîcheur particulièrement agréable.

EARL Philippe Léger, Cornu, 49540 Martigné-Briand, tél. 02.41.59.67.22, fax 02.41.59.69.32 r.-v.

### DOM. PIED FLOND 2004

■ 1 ha 7 000 3 à 5 €

Au XVe s., les moines avaient déjà planté de la vigne sur ces terres. Les vins produits à cette époque étaient essentiellement blancs ou très légèrement colorés. En revanche, la robe de ce 2004 est rose intense avec des reflets rouges marqués. Le nez libère à l'aération des parfums de fruits rouges frais. La bouche légère associe des notes fruitées et des arômes rafraîchissants rappelant les bonbons acidulés.

EARL Franck Gourdon, Dom. Pied Flond, 49540 Martigné-Briand, tél. et fax 02.41.59.92.36 r.-v.

### TERRES D'ALLAUME
Vendanges manuelles 2004 ★

■ 2,12 ha 18 000 3 à 5 €

Ce vignoble a été constitué au cours de la précédente décennie à partir d'une multitude de petites exploitations ; il compte aujourd'hui une trentaine d'hectares. Quatre cépages (cabernet franc, cabernet-sauvignon, grolleau et gamay) ont été assemblés dans ce rosé-de-loire. La robe est rose intense avec des reflets brique. Les arômes frais évoquent les bonbons acidulés. Fraîche, légère et agréable, la bouche persiste sur des notes de cerise et de framboise. Un ensemble bien représentatif de son appellation.

Eric Blanchard, Le Perray-Chaud, 49610 Mozé-sur-Louet, tél. 02.41.45.76.15, fax 02.41.45.37.79, e-mail domaineblanchard@free.fr r.-v.

### LES VIGNES DE L'ALMA 2004 ★★

■ 1 ha 7 000 3 à 5 €

Situé aux confins de l'Anjou et de la région nantaise, ce domaine est établi sous un plateau dominant Saint-

LOIRE

Florent-le-Vieil et la vallée de la Loire. Sa production, avec deux coups de cœur, a particulièrement été remarquée l'an dernier. Ce 2004 provient de l'assemblage de trois cépages et de trois types de vinifications : grolleau et gamay, qui ont subi une macération carbonique, et cabernet-sauvignon, qui a fait l'objet pour une moitié d'un pressurage direct et pour l'autre d'une macération de douze heures. Le résultat est étonnant : un rosé-de-loire à la fois riche, délicat et frais. Rose grenadine intense, il mêle au nez les fruits mûrs et des notes amyliques. La bouche dense et complexe a été fort appréciée. Un rosé de repas.

🔑 Roland Chevalier, L'Alma,
49410 Saint-Florent-le-Vieil, tél. 02.41.72.71.09,
fax 02.41.72.63.77, e-mail chevalier.roland@wanadoo.fr
Y t.l.j. sf dim. 8h30-12h30 14h-19h

# Crémant-de-loire

Ici encore, l'appellation régionale peut s'appliquer à des vins effervescents produits dans les limites des appellations anjou, saumur, touraine et cheverny. La méthode traditionnelle fait merveille ; la production de ces vins de fête atteint 40 170 hl en 2004. Les cépages sont nombreux : chenin ou pineau de Loire, cabernet-sauvignon et cabernet franc, pinot noir, chardonnay, etc. Si la plus grande part de la production est constituée de vins blancs, on trouve aussi quelques rosés.

### CH. D'AVRILLE *

n.c. 30 000 5 à 8 €

Le château d'Avrillé, qui domine la vallée de l'Aubance, a été construit en 1730. L'exploitation, la plus grande du vignoble angevin, compte environ 180 ha. Pascal Biotteau a élaboré un crémant-de-loire jaune pâle à légers reflets dorés et à la délicate effervescence. D'agréables senteurs de fruits blancs, évoquant la pêche et l'abricot, précèdent une bouche harmonieuse et élégante, qui laisse une sensation délicate de fruits frais. Un séduisant assemblage de chardonnay, de pinot noir et de chenin, à déguster à toute heure de la journée.

🔑 Biotteau Frères, Ch. d'Avrillé,
L'Homois, 49320 Saint-Jean-des-Mauvrets,
tél. 02.41.91.22.46, fax 02.41.91.25.80,
e-mail chateau.avrille@wanadoo.fr Y r.-v.

### DOM. DE LA BESNERIE *

0,6 ha 4 000 5 à 8 €

Les vins de cet ancien domaine furent primés lors des Expositions universelles de 1860 et 1889. Aujourd'hui, le jury du Guide a décerné une étoile à Jacqueline et François Pironneau. Leur crémant-de-loire, où le chenin majoritaire (75 %) est complété par le chardonnay, est parfaitement adapté à la rive droite de la Loire. Ses bulles offrent une agréable finesse tandis qu'il développe une structure

La Vallée de la Loire

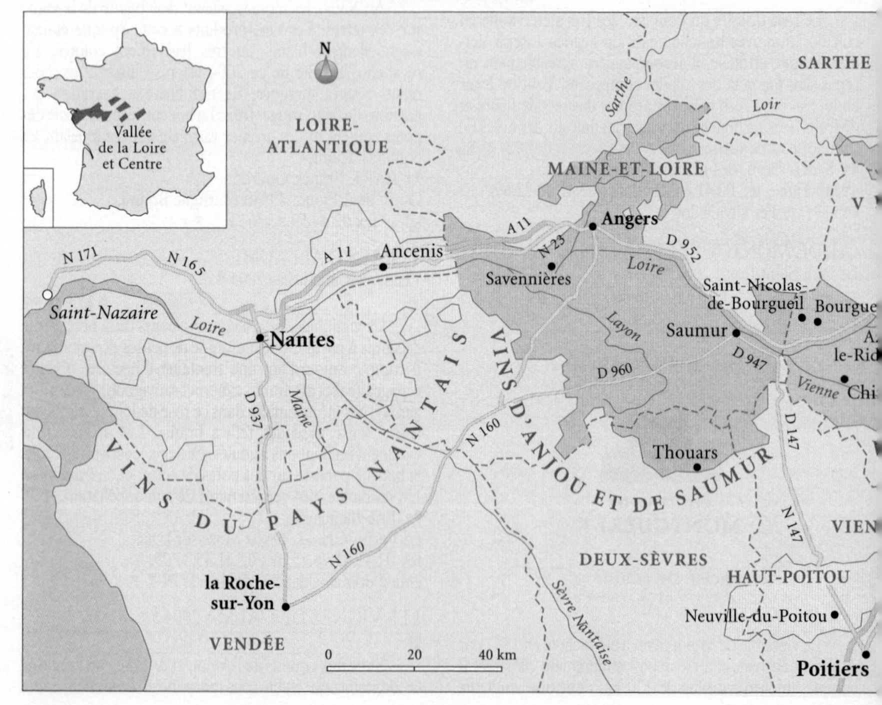

rigoureuse en bouche. Une belle réussite qui démontre, s'il en est encore besoin, que le Val de Loire est le vignoble des vins mousseux de terroir.

François Pironneau, Dom. de la Besnerie,
41, rte de Mesland, 41150 Monteaux,
tél. 02.54.70.23.75, fax 02.54.70.21.89 r.-v.

## FRANCOIS CAZIN 2001

0,5 ha 4 460 5 à 8 €

Un crémant jaune doré dont le nez étonne par sa délicatesse et son caractère fruité. Un vin bien équilibré et de belle longueur.

François Cazin,
Le Petit Chambord, 41700 Cheverny,
tél. 02.54.79.93.75, fax 02.54.79.27.89 r.-v.

## CHESNEAU ET FILS 2002

0,77 ha 5 200 5 à 8 €

Un crémant charmeur, 100 % chardonnay, qui offre une mousse fine et persistante, un bon équilibre et une belle fraîcheur en bouche.

EARL Chesneau et Fils, 26, rue Sainte-Néomoise,
41120 Sambin, tél. 02.54.20.20.15, fax 02.54.33.21.91,
e-mail contact@chesneauetfils.fr r.-v.

## DOM. DU CROC DU MERLE 2002 *

1 ha 5 000 5 à 8 €

Que signifie l'étrange nom de ce domaine de 10 ha situé entre Chambord et la Loire ? Son crémant issu du seul chardonnay a séduit le jury par sa mousse fine et sa robe brillante, jaune pâle. Un nez intense et complexe et une bouche fraîche, longue et généreuse composent un vin harmonieux.

Patrice et Anne-Marie Hahusseau,
Dom. du Croc du Merle,
38, rue de La Chaumette, 41500 Muides-sur-Loire,
tél. 02.54.87.58.65, fax 02.54.87.02.85
t.l.j. 9h-12h30 14h-19h; dim. 9h-12h30;
groupes sur r.-v.

## DOM. DE LA GERFAUDRIE 2003 *

1,4 ha 13 000 5 à 8 €

Selon la légende, le faucon gerfaut aurait choisi comme aire de prédilection ce terroir d'Anjou situé sur les pentes escarpées de la corniche angevine. Ce très beau représentant de l'appellation, d'un jaune pâle délicat avec de longs chapelets de bulles fines, exhale des parfums de fruits secs grillés et de pâtisserie. En bouche, rondeur et légèreté s'accompagnent d'une perpétuelle sensation de fraîcheur.

SCEV J.-P. et P. Bourreau,
25, rue de l'Onglée, 49290 Chalonnes-sur-Loire,
tél. 02.41.78.02.28, fax 02.41.78.03.07,
e-mail domaine-gerfaudrie@wanadoo.fr r.-v.

## LOUIS DE GRENELLE *

n.c. 60 000 5 à 8 €

Le chenin blanc, cépage blanc traditionnel de l'Anjou, compose 70 % de l'assemblage de ce crémant. Il est complété par le chardonnay et le cabernet. Un vin intéressant, jaune pâle à reflets verts, avec des arômes de fleurs blanches, de fruits secs grillés et une bouche har-

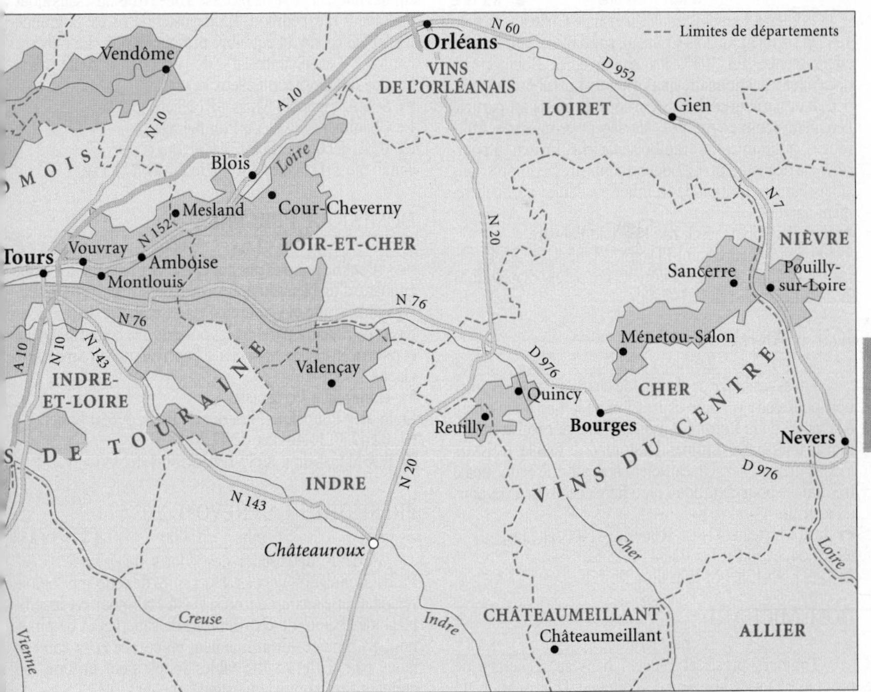




LOIRE

monieuse, légère et fruitée. Un bon représentant des vins effervescents du Val de Loire, à servir frais à l'apéritif.
Caves de Grenelle, 20, rue Marceau, BP 206, 49415 Saumur, tél. 02.41.50.17.63, fax 02.41.50.83.65, e-mail grenelle@caves-de-grenelle.fr
t.l.j. 9h-12h 13h30-18h; f. sam. dim. 1er oct.-30 avr.

### PATRICK HUGUET 2002

1 ha n.c. 5 à 8 €

70 % de chardonnay complétés par 30 % de chenin composent ce crémant agréable à l'œil avec ses nuances dorées. Un vin tout en élégance qui surprend par sa longueur en bouche.
Patrick Huguet, 12, rue de la Franchetière, 41350 Saint-Claude-de-Diray, tél. 02.54.20.57.36, fax 02.54.20.58.57 r.-v.

### MLLE LADUBAY *

n.c. n.c. 5 à 8 €

Rachetée en 1974 par le groupe Taittinger, la maison Bouvet-Ladubay possède environ 7 km de cave. Une couleur jaune pâle et des bulles persistantes habillent cette Demoiselle qui exhale de délicates fragrances de foin coupé, de miel, de cire et de citronnelle. Le palais se révèle à la fois riche et léger. Fraîcheur et délicatesse caractérisent ce vin harmonieux.
Bouvet-Ladubay, 1, rue de l'Abbaye, 49400 Saint-Hilaire-Saint-Florent, tél. 02.41.83.83.83, fax 02.41.50.24.32, e-mail contact@bouvet-ladubay.fr
t.l.j. 9h-12h 14h-17h30

### LANGLOIS-CHATEAU Langlois *

6 ha 50 000 8 à 11 €

Edouard Langlois, marié à Jeanne Château, crée en 1885 la société Langlois-Château, spécialisée dans les vins effervescents. En 1973, les champagnes Bollinger en deviennent l'actionnaire majoritaire. La robe d'un rose délicat et parcourue de fins cordons de bulles est particulièrement réussie. Au nez, de légers arômes de fruits rouges, notamment la framboise fraîche, invitent à poursuivre la dégustation. La bouche confirme ces impressions et laisse une sensation de framboise acidulée particulièrement agréable.
Langlois-Château, 3, rue Léopold-Palustre, 49400 Saint-Hilaire-Saint-Florent, tél. 02.41.40.21.40, fax 02.41.40.21.49, e-mail contact@langlois-chateau.fr
t.l.j. 10h-12h30 14h-18h

### JOSE MARTEAU *

2,5 ha 17 000 5 à 8 €

Un assemblage de chenin, de chardonnay et de pinot noir pour cette parfaite expression de la fine bulle, chère à la vallée de la Loire. La mousse émerge régulièrement, tout en finesse. Des arômes d'automne, de feuilles froissées s'expriment au nez. Un caractère bien affirmé et une finale très fraîche pour cette bouteille à faire découvrir à vos amis à l'apéritif.
José Marteau, 41, La Rouerie, 41400 Thenay, tél. 02.54.32.50.51, fax 02.54.32.18.52
t.l.j. 9h-12h 14h-19h; dim. 9h-12h

### DOM. MICHAUD

1,5 ha 14 000 5 à 8 €

Toujours précis et réfléchi dans sa recherche de produits typiques du terroir de Touraine, Thierry Michaud propose ce crémant-de-loire aux notes beurrées fort plaisantes sur des bulles d'une grande finesse. Equilibré et tendre, ce vin reflète cette vallée du Cher aux multiples facettes.
Dom. Michaud, 20, rue Les Martinières, 41140 Noyers-sur-Cher, tél. 02.54.32.47.23, fax 02.54.75.39.19, e-mail thierry-michaud@wanadoo.fr
t.l.j. sf dim. 8h30-12h 14h-19h

### DOM. DE MONTGILET 2003 **

0,6 ha 4 200 5 à 8 €

L'exploitation est régulièrement distinguée pour ses vins liquoreux de l'appellation coteaux-de-l'aubance. Elle propose en fait toute une gamme de vins, comme la plupart des domaines angevins pour qui le crémant-de-loire est un produit d'appel facile d'accès. Le coup de patte du vigneron, habitué à rechercher des vendanges bien mûres, est manifeste dans cette bouteille. Cette cuvée 100 % chenin développe des arômes complexes de fruits frais, d'agrumes et de citronnelle, puis la bouche se révèle grasse, puissante et harmonieuse. Une forte personnalité.
Victor et Vincent Lebreton, Dom. de Montgilet, 49610 Juigné-sur-Loire, tél. 02.41.91.90.48, fax 02.41.54.64.25, e-mail montgilet@terre-net.fr
t.l.j. sf dim. 9h-12h 14h-18h

### VIGNOBLE MUSSET-ROULLIER 2001 *

1 ha 8 000 5 à 8 €

Référence du vignoble angevin, le domaine Musset Roullier exprime tout son savoir-faire dans ce crémant-de-loire millésimé. La vendange de chardonnay et de cabernet franc a été récoltée à maturité. Après un élevage sur lies fines, la prise de mousse a duré trois ans, sans ajout de liqueur d'expédition. La dégustation révèle la grande finesse de ce vin à l'équilibre presque parfait. La richesse naturelle – et inhabituelle – de la vendange confère à la bouche onctuosité, moelleux et gras.
SCEA Vignoble Musset-Roullier, Le Chaumier, 49620 La Pommeraye, tél. 02.41.39.05.71, fax 02.41.77.75.76, e-mail musset.roullier@wanadoo.fr r.-v.

### DOMINIQUE PERCEREAU

1 ha 8 000 5 à 8 €

Vous ne pourrez pas manquer cette bouteille avec son étiquette d'un bleu soutenu, ornée d'une fleur de lys dorée. Agréable, fruité et vigoureux, cet assemblage de chardonnay et de chenin à parts égales possède une bonne longueur et pourra être servi aussi bien à l'apéritif que sur un dessert glacé.
Dominique Percereau, Dom. des Poupelines, 85, rue de Blois, 37530 Limeray, tél. 02.47.30.11.40, fax 02.47.30.16.51
t.l.j. sf dim. 8h30-12h30 14h-19h

### PRESTIGE DE LA PREVOTE 2003 *

9 ha 10 000 5 à 8 €

Ardents défenseurs des « fines bulles », Serge et Pascal Bonnigal sont des valeurs sûres de cette appellation régionale. Beaucoup de présence à l'œil pour cet assemblage de chenin, de chardonnay, de cabernet et de pinot noir. Sa mousse surgit finement en corolle et sa couleur jaune pâle flattera votre table. Souple pour un brut, ce crémant sera apprécié par une large majorité.

GAEC Serge et Pascal Bonnigal, La Prévôté, 17, rue d'Enfer, 37530 Limeray, tél. 02.47.30.11.02, fax 02.47.30.11.09, e-mail bonnigalprevote@wanadoo.fr
t.l.j. sf dim. 9h-12h 14h-19h

DOM. RICHOU Dom Nature 2002 ★★★

1,5 ha 7 500 11 à 15 €

Le vignoble Richou tire en partie sa réputation de la production de vins blancs secs et liquoreux qui lui ont déjà permis de décrocher nombre d'étoiles et quelques coups de cœur. Ce crémant-de-loire, assemblage de 90 % de chardonnay complété par le chenin, a été élaboré selon la méthode ancestrale, c'est-à-dire à partir de vendanges très mûres avec une fermentation en bouteilles opérée avec les sucres naturels des raisins. Le résultat est exceptionnel, à en croire l'enthousiasme du jury. Robe jaune pâle délicate, bulles légères et persistantes, arômes de fruits grillés, de fruits secs, de fruits mûrs et de pâtisserie, bouche ample, onctueuse, avec en permanence une sensation d'équilibre remarquable : un très grand vin.

GAEC Damien et Didier Richou, Chauvigné, 49610 Mozé-sur-Louet, tél. 02.41.78.72.13, fax 02.41.78.76.05, e-mail domaine.richou@wanadoo.fr r.-v.
Didier Richou

DOM. DES VARINELLES 2000 ★

3,5 ha 20 000 5 à 8 €

Réputé pour ses saumur-champigny, le domaine des Varinelles se distingue souvent en appellation crémant-de-loire. D'une couleur jaune pâle délicate, celui-ci est issu de chenin, de chardonnay et de cabernet franc. Il présente un bouquet de fruits frais, de fruits blancs et de fleurs. La bouche équilibrée et harmonieuse laisse en finale une sensation légèrement acidulée particulièrement agréable. Cette bouteille fraîche et délicate vous procurera beaucoup de plaisir.

SCA Daheuiller, 28, rue du Ruau, 49400 Varrains, tél. 02.41.52.90.94, fax 02.41.52.94.63, e-mail daheuiller.vins@wanadoo.fr
t.l.j. sf dim. 9h-12h 14h-18h; sam. sur r.-v.

VEUVE AMIOT

n.c. 113 000 **5 à 8 €**

Créée en 1884, la société Veuve Amiot, reprise en 1990 par la Compagnie française des Grands Vins, représente une des maisons élaboratrices de vins effervescents les plus importantes du vignoble saumurois. Sa cuvée de base, composée de chenin, de chardonnay et de cabernet, offre une bonne harmonie et une agréable impression d'ensemble. Des arômes légers rappellent les fruits blancs, les fleurs et les fruits secs grillés. Discrète, la bouche révèle une légère amertume en finale.

SAS Veuve Amiot, BP 67, Saint-Hilaire-Saint-Florent, 49426 Saumur Cedex, tél. 02.41.83.14.14, fax 02.41.50.17.66
t.l.j. 10h-18h; f. oct. à avr.

## La région nantaise

Ce sont des légions romaines qui apportèrent la vigne il y a deux mille ans en pays nantais, carrefour de la Bretagne, de la Vendée, de la Loire et de l'Océan. Après un hiver terrible en 1709 où la mer gela le long des côtes, le vignoble fut complètement détruit, puis reconstitué principalement par des plants du cépage melon venu de Bourgogne.

L'aire de production des vins de la région nantaise occupe aujourd'hui 16 000 ha et s'étend géographiquement au sud et à l'est de Nantes, débordant légèrement des limites de la Loire-Atlantique vers la Vendée et le Maine-et-Loire. Les vignes sont plantées sur des coteaux ensoleillés exposés aux influences océaniques. Les sols plutôt légers et caillouteux se composent de terrains anciens entremêlés de roches éruptives. Le vignoble produit bon an, mal an, 960 000 hl dans les quatre appellations d'origine contrôlée : muscadet, muscadet-coteaux-de-la-loire, muscadet-sèvre-et-maine et muscadet-côtes-de-grand-lieu, ainsi que les AOVDQS gros-plant du pays nantais, coteaux-d'ancenis et fiefs-vendéens.

# Les AOC du muscadet et le gros-plant du pays nantais

Le muscadet est un vin blanc sec qui bénéficie de l'appellation d'origine contrôlée depuis 1936. Il est issu d'un cépage unique : le melon. La superficie du vignoble est de 12 800 ha. Quatre appellations d'origine contrôlée sont distinguées suivant la situation géographique et ont produit 780 595 hl de vin en 2004 : le muscadet-sèvre-et-maine, qui représente à lui seul 8 854 ha et 518 067 hl, le muscadet-côtes-de-grand-lieu (295 ha et 17 030 hl), le muscadet-coteaux-de-la-loire (206 ha, 12 032 hl) et le muscadet (3 444 ha, 233 346 hl).

Le gros-plant du pays nantais, classé AOVDQS en 1954, est également un vin blanc sec. Issu d'un cépage différent, la folle blanche, il a été produit sur 1 594 ha en 2004 pour un volume de 116 476 hl.

La mise en bouteilles sur lie est une technique traditionnelle de la région nantaise, qui fait l'objet d'une réglementation précise, renforcée en 1994. Pour bénéficier de cette mention, les vins doivent n'avoir passé qu'un hiver en cuve ou en fût, et se trouver encore sur leur lie et dans leur chai de vinification au moment de la mise en bouteilles ; celle-ci ne peut intervenir qu'à des périodes définies et en aucun cas avant le 1er mars, la commercialisation étant autorisée seulement à partir du premier jeudi de mars. Ce procédé permet d'accentuer la fraîcheur, la finesse et le bouquet des vins. Par nature, le muscadet est un vin blanc sec mais sans verdeur, au bouquet épanoui. C'est le vin de toutes les heures. Il accompagne parfaitement les poissons, les coquillages et les fruits de mer, et constitue également un excellent apéritif. Il doit être servi frais mais non glacé (8-9 °C). Quant au gros-plant, c'est par excellence le vin d'accompagnement des huîtres.

# Muscadet

## LE B DE BEAUQUIN 2004 ★★★

16,36 ha 120 000 - de 3 €

Les chais de cette ancienne maison de négoce ont été construits en 1922 par Besnier, architecte de la première ligne du métro parisien. Un cadre historique où a été élevé ce muscadet. Celui-ci affiche une grande personnalité grâce à ses arômes complexes de genêt nuancés de minéral et à sa matière puissante, au retour aromatique flatteur. Le **muscadet-sèvre-et-maine Atlantik Sur lie 2004 (3 à 5 €)** obtient une étoile pour l'intensité de son nez de fruits exotiques et de fleurs, et sa bouche fraîche. Notez que les bénéfices des ventes de ce vin sont reversés à la fondation Eric Tabarly pour l'entretien de la flotte Pen Duick.

SA Marcel Sautejeau, Dom. de L'Hyvernière,
44330 Le Pallet, tél. 02.40.06.73.83, fax 02.40.06.76.49,
e-mail marcelsautejeau@marcel-sautejeau.fr

## LE MOULIN DE LA TOUCHE Sur lie 2004 ★

0,8 ha 5 000 3 à 5 €

Le Moulin de La Touche est le plus marin des vignobles nantais car il domine la côte atlantique, à l'extrême ouest de la région. Il a produit un muscadet aromatique qui rappelle les fruits rapportés de longs voyages au-delà des océans : agrumes, fruits confits. Il se développe tout en souplesse et en équilibre au palais, avec suffisamment de longueur.

Joël Hérissé, Le Moulin de la Touche,
44580 Bourgneuf-en-Retz, tél. et fax 02.40.21.47.89,
e-mail herisse.joel@cegetel.net r.-v.

## DOM. DU PARC 2004

9 ha 50 000 - de 3 €

Ce vignoble de 58 ha présente la particularité d'être planté sur un terroir d'amphibolites (roches vertes) qui imprime aux vins un caractère spécifique. Voyez ce 2004 qui évolue vers de séduisantes notes de fruits blancs. En bouche, il se révèle fin et frais, d'une grande jeunesse.

EARL Pierre Dahéron,
Dom. du Parc, 44650 Corcoué-sur-Logne,
tél. 02.40.05.86.11, fax 02.40.05.94.98,
e-mail pierredaheron@aol.com r.-v.

## DOM. DES QUATRE ROUTES 2002 ★★

12 ha n.c. 3 à 5 €

Au domaine des Quatre Routes, on vous expliquera certes le travail du vigneron, mais aussi celui du pépiniériste car les Poiron sont dans le métier depuis 1898. Ce muscadet présente un caractère jovial dans sa robe brillante, animée d'un léger perlant. Ses arômes floraux et minéraux s'expriment volontiers au nez et accompagnent le développement de la bouche fraîche et persistante. Le **gros-plant du pays nantais Sur lie 2004 (moins de 3 €)** obtient une étoile.

Dom. Henri Poiron et Fils,
Les Quatre Routes, 44690 Maisdon-sur-Sèvre,
tél. 02.40.54.60.58, fax 02.40.54.62.05,
e-mail poiron.henri@wanadoo.fr r.-v.
Eric Poiron

## DOM. SAUPIN Sur lie 2004 ★

n.c. n.c. 3 à 5 €

Serge Saupin, pépiniériste bien connu des vignerons du Val de Loire, cultive aussi un vignoble sur schistes au nord du Loroux-Bottereau. Son muscadet est un vin souple et puissant, aussi aromatique au nez qu'en bouche. Il ne manque ni de fraîcheur ni de gras. La même note revient au **muscadet-sèvre-et-maine Sur lie cuvée Prestige 2004** tant celui-ci est fruité et riche.

Dom. Serge Saupin, Le Norestier,
44450 La Chapelle-Basse-Mer,
tél. 02.40.06.31.31, fax 02.40.03.60.67,
e-mail saupin-vigne-vin@wanadoo.fr r.-v.

# Muscadet-sèvre-et-maine

## DOM. DE L'ALOUETTE Sur lie 2004 ★

5 ha 14 000 - de 3 €

Propriété familiale depuis le milieu du XIXe s., ce domaine de 30 ha propose un vin séduisant dès l'abord par ses notes de fruits blancs qui traduisent bien l'ensoleillement du mois de septembre 2004. Après une attaque franche, le corps présente du relief, ainsi qu'un bon équilibre entre fraîcheur et rondeur. La finale égrène les notes de fruits exotiques comme pour ajouter au caractère plaisant de ce muscadet-sèvre-et-maine à servir dès l'apéritif.

Vincent et Jean-Paul Pétard,
25, Le Plessis Glain, 44450 Saint-Julien-de-Concelles,
tél. 02.40.03.60.28, fax 02.40.33.34.81,
e-mail jeanpaul.petard@club-internet.fr r.-v.

## AUDIGERE

Sur lie Cuvée Prestige Vieilles Vignes 2003

3 ha 15 000 5 à 8 €

L'Audigère est une ancienne seigneurie du XVIIe s., dont la famille de Sévigné fut un temps propriétaire. Si cinq clos de vignes l'entouraient autrefois, couvrant 11 ha, son vignoble actuel représente 67 ha. Le 2003, vêtu d'une robe pâle éclairée de reflets légèrement dorés, livre un nez intense de fruits secs : amande grillée et noisette. Souple, il garde cette même ligne aromatique au palais, relevée d'une touche de poivre. Il ne manque ni de fraîcheur ni de gras. Certes, le jury l'aurait souhaité un peu plus persistant, mais la typicité est bien là.

Jean Aubron, L'Audigère, 44330 Vallet,
tél. 02.40.33.91.91, fax 02.40.33.91.31,
e-mail jean-aubron@wanadoo.fr r.-v.

## CH. DE L'AULNAYE
Sur lie Terroir de L'Aulnaye 2004 ★★

16 ha 80 000 5 à 8 €

Le château de L'Aulnaye est une folie nantaise construite à la fin du XVIII[e]s. dans un cadre harmonieux de bois, de jardins et de vignes. Issue de coteaux au sol de gneiss, cette cuvée offre au regard une teinte jaune d'or, avant de développer un nez complexe de coing et d'agrumes. Richesse et puissance la caractérisent en bouche, de même qu'une remarquable persistance et une légère amertume, signe de longévité. Réservez-la à une marmite de coquilles Saint-Jacques de la baie de Saint-Brieuc. Du même producteur, le **Château de La Bourdinière Sur lie Tradition 2004** est noté une étoile pour ses arômes intenses de fruits blancs et son équilibre.

Pierre et Chantal Lieubeau,
La Croix de la Bourdinière, 44690 Château-Thébaud,
tél. 02.40.06.54.81, fax 02.40.06.51.08,
e-mail pieucetchantal@lieubeau.com
t.l.j. 11h-12h30 14h-19h

## DOM. DE L'AULNAYE
Sur lie Cuvée Prestige 2004 ★

6 ha 20 000 - de 3 €

Entre Vertou et Château-Thébaud, cette propriété familiale a produit un 2004 finement floral au nez : il règne comme un air de printemps dans cette bouteille. La bouche est souple et fruitée, de bonne longueur, avec une touche minérale encore austère en finale qui appelle à un peu de patience. Il suffira de transvaser le vin en carafe pour qu'il exprime le maximum d'arômes.

Pierre-Yves Perthuy,
L'Aulnaye, 44120 Vertou,
tél. et fax 02.40.34.70.22,
e-mail p.y.perthuy@infonie.fr r.-v.

## DOM. AUGUSTE BARRE Sur lie 2004 ★

15 ha 45 000 3 à 5 €

Non loin de Clisson, Gorges, dont le nom signifie « lieu où la rivière (la Sèvre) se resserre », a gardé quelques vestiges de son passé, telles des pierres tombales datant des Templiers (XIII[e]s.). Mais c'est la vigne, présente sur la moitié de son territoire, qui retient l'attention du voyageur. Les frères Barré ont élaboré un vin or vert pâle, bien ouvert sur les arômes de fruits blancs. La bouche ronde et suave se développe longuement, laissant en finale le souvenir des épices et des fruits mûrs, nuancés d'une touche minérale. Une bouteille déjà séduisante, mais qui saura aussi attendre.

Barré Frères, Beau-Soleil, BP 10, 44190 Gorges,
tél. 02.40.06.90.70, fax 02.40.06.96.52 r.-v.

**Le Pays nantais**

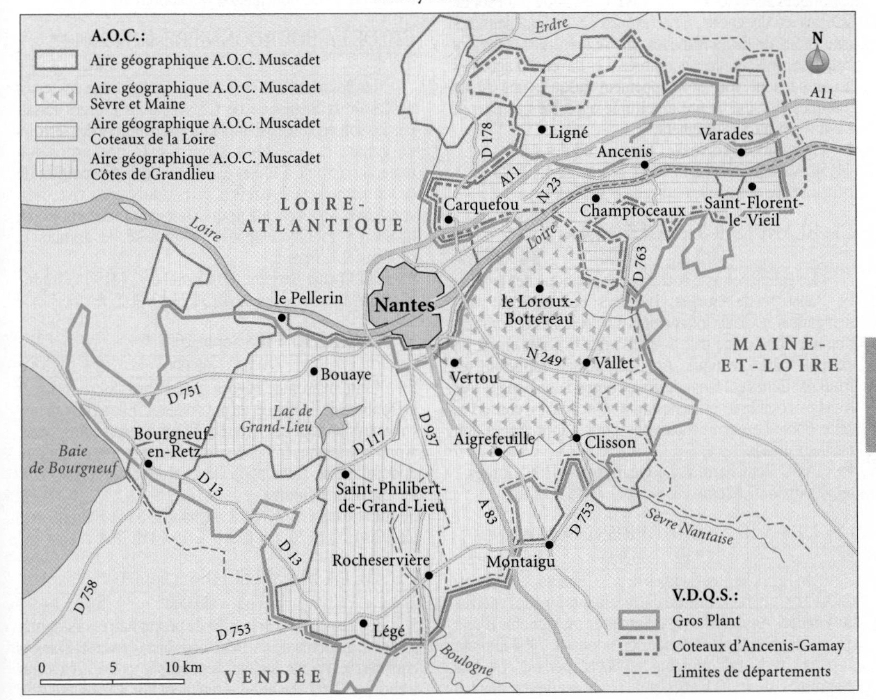


LOIRE

DOM. DE LA BAZILLIERE 2002 *

1 ha 5 200 5 à 8 €

A la sortie du bourg du Landreau, sur la route de La Chapelle-Heulin, vous trouverez aisément ce domaine familial de 16 ha, à l'origine d'un 2002 jaune pâle limpide de bonne tenue. Un caractère minéral domine la dégustation, associé à un équilibre gustatif typique de l'appellation. La finale longue est un autre atout de cette bouteille apte à une garde de cinq ans. Si vous souhaitez l'apprécier dès à présent, décantez-la pour que ses arômes s'épanouissent pleinement.

Jean-Michel Sauvêtre,
La Bazillière, 44430 Le Landreau,
tél. 02.40.06.40.14, fax 02.40.06.47.91 r.-v.

DOM. DE BEAUREPAIRE Sur lie 2004 *

2,6 ha 19 000 3 à 5 €

A proximité de Clisson, ravissante petite ville italianisée par le sculpteur Frédéric Lemot au XVIIIes., le domaine de Beaurepaire a lui aussi conservé un style italien dans ses bâtiments. L'amateur de muscadet-sèvre-et-maine s'attardera devant ce 2004 au nez de fruits mûrs et de fleurs nuancé de minéral et même d'un léger grillé. D'une bonne présence en bouche, le vin fait preuve d'équilibre et laisse une agréable impression en finale. Pour une anguille fumée aux pommes de terre de Noirmoutier.

Jean-Paul Bouin-Boumard, 5, La Recivière,
44330 Mouzillon, tél. et fax 02.40.36.35.97
t.l.j. 10h-19h; dim. sur r.-v.

DOM. DE BELLEVUE Sur lie 2004 *

8 ha 58 000 3 à 5 €

Les Vignerons de La Noëlle élaborent des cuvées spécifiques selon les terroirs. Celle-ci est issue d'un sol de schistes et de gneiss. Très expressive et fine dans ses évocations de fleurs blanches, elle se montre franche dès l'attaque, puis souple et équilibrée. Les flaveurs d'agrumes accompagnent son développement jusqu'à une finale marquée par une petite amertume agréable qui devrait s'estomper au vieillissement.

Vignerons de la Noëlle, Terrena, bd des Alliés,
44150 Ancenis, tél. 02.40.98.92.72, fax 02.40.98.96.70,
e-mail vignerons-noelle@terrena.fr r.-v.

CL. BLANCHARD ET FILS Gorgeois 2000 *

0,7 ha 1 000 8 à 11 €

Le gabbro est une roche verte spécifique des terroirs de Pallet et de Gorges. Les vins qui en sont issus demandent à vieillir longuement sur leurs lies de vinification. Ce 2000 jaune pâle à reflets verts brillants en est un exemple caractéristique. Au nez puissant rappelant les fruits exotiques et l'amande grillée répond une bouche très fraîche, équilibrée et persistante. On pourra conserver cette bouteille encore deux ans pour l'apprécier à son meilleur niveau.

GAEC Blanchard, 4, Le Quarteron, 44190 Gorges,
tél. 02.40.54.07.82, fax 02.40.36.01.76 r.-v.

CH. DE LA BLANCHETIERE Sur lie 2004 *

7,77 ha 56 900 - de 3 €

On l'appelle aussi la maison des Chouans, ce château du XVIIes. qui fut le théâtre d'événements lors des guerres de Vendée. Aujourd'hui, il commande un vignoble d'une quinzaine d'hectares et donne son nom à ce 2004 limpide à reflets verts qui présente un léger perlant. Le nez d'agrumes, de fruits blancs et de fruits exotiques, nuancé de notes florales, ne laisse pas indifférent tant il est intense. Il en va de même de la bouche, franche dès l'attaque, puis souple et longuement aromatique.

Joël Dugast, Ch. de La Blanchetière, 44330 Vallet,
tél. 02.40.06.73.76

DOM. BONNETEAU-GUESSELIN Sur lie 2004 *

2 ha 3 000 3 à 5 €

Les orthogneiss qui caractérisent les terroirs de la commune de La Haye-Fouassière confèrent aux vins un profil distinctif. Ce 2004 en apporte l'illustration : une minéralité prononcée domine les arômes de fruits mûrs et empreint la bouche souple qu'une pointe de fraîcheur relève, portée par un léger perlant.

Olivier Bonneteau-Guesselin,
La Juiverie, 44690 La Haye-Fouassière,
tél. 02.40.54.80.38, fax 02.40.36.91.17,
e-mail olivier.bonneteau@wanadoo.fr
t.l.j. sf dim. 10h-13h 15h-19h; f. vendanges

PIERRE-LUC BOUCHAUD
Sur lie Le perd son pain 2004 *

3 ha 20 000 3 à 5 €

Le sol schisteux est ici si difficile à travailler que le terroir fut dénommé « Le Perd son Pain ». Les efforts sont toutefois récompensés. Voyez ce vin au nez d'agrumes (ananas et pamplemousse) nuancé d'une pointe amylique. Il garde un même caractère aromatique en bouche et flatte le palais par sa rondeur amène. A servir avec une douzaine de palourdes.

Pierre-Luc Bouchaud,
La Hautière, 44690 Saint-Fiacre-sur-Maine,
tél. 02.40.36.95.23, fax 02.40.36.79.56,
e-mail pierre-luc.bouchaud@wanadoo.fr r.-v.

CH. DE LA BOURDONNIERE Sur lie 2004 **

2 ha 14 000 5 à 8 €

La Bourdonnière était au Moyen Age l'une des terres nobles de la seigneurie de Clisson, dont Gorges faisait partie. Son vignoble est implanté à la frontière des terroirs de granite et de gabbro. Il en résulte une expression minérale sensible à toutes les étapes de la dégustation de ce vin jaune pâle aux reflets verts. La bouche vive, bien construite, se développe jusqu'à une pointe mentholée en finale. Le gabbro a apporté la tonicité, le granite, la rondeur et la finesse.

Jean-Michel Barreau, La Cornulière, 44190 Gorges,
tél. 02.40.03.95.06, fax 02.40.54.23.13 r.-v.

P. BOURRE ET FILS Sur lie 2004 *

10 ha 66 000 3 à 5 €

Cette maison de négoce fondée en 1880 se trouve à la frontière de l'Anjou et du pays nantais. Elle a élaboré une cuvée très aromatique, fruitée (pomme verte) et minérale. Après une attaque franche, se manifestent un bon équilibre et de la finesse. Cette bouteille a gardé toute sa fraîcheur.

Ets. Pierre Bourré,
30, rue Beausoleil, 49410 La Chapelle-Saint-Florent,
tél. 02.41.72.13.20, fax 02.41.72.76.40 r.-v.

CH. DE LA BRESTESCHE Sur lie 2003 *

3 ha 20 000 3 à 5 €

Ici, ce n'est pas la famille de propriétaires qui donna son nom au domaine en 1653, mais bien l'inverse. Dans la cour carrée typique des logis vendéens se trouve la cave qui a abrité ce 2003. Au nez discrètement floral, évoluant vers les fruits frais (raisin) répond une bouche équilibrée et structurée qui a gardé une certaine fraîcheur. Des flaveurs de fruits à noyau comme la pêche blanche et le brugnon se marient en finale à une note de fleur d'oranger. Cette bouteille n'attend qu'un crottin de Chavignol pour être pleinement appréciée.

SCEA Ch. de La Bretesche, La Bretesche, 44690 Maisdon-sur-Sèvre, tél. et fax 02.40.54.65.88, e-mail bretesche@free.fr r.-v.

## DOM. DE LA BRETONNIERE

Sur lie Cuvée Prestige Vieilles Vignes 2004 *

2 ha 12 000 3 à 5 €

Entre Saint-Fiacre et Maisdon-sur-Sèvre, ce domaine de 24 ha a été créé au tout début du XXᵉs. et s'est transmis de génération en génération. Son 2004 s'habille de jaune pâle, animé d'un léger perlant. Le nez fruité intense, typique de l'appellation, se nuance de notes poivrées agréables. Un caractère aromatique que l'on retrouve en bouche, souligné par une grande fraîcheur. Cette bouteille est déjà prête à passer à table.

GAEC Joël et Bertrand Cormerais, La Bretonnière, 44690 Maisdon-sur-Sèvre, tél. 02.40.54.83.91, fax 02.40.36.73.45, e-mail comerais.bertrand@libertysurf.fr t.l.j. sf dim. 8h-20h

## LE BOUQUET DU CHAMP DORE

Sur lie 2004 **

3 ha n.c. 3 à 5 €

Caractéristique des vins issus de gabbro, ce vin semble timide actuellement, mais laisse deviner une minéralité qui devrait s'affirmer dans le temps, ainsi que d'agréables notes de fruits exotiques. Rond et franc dès l'attaque, il se développe avec harmonie. Les viandes blanches et les poissons en sauce lui iront bien.

Alain Gaubert, Dom. du Champ Doré, 20, Bonne-Fontaine, 44330 Vallet, tél. 02.40.36.38.05, fax 02.40.36.46.74 t.l.j. sf dim. 9h-12h30 14h30-19h

## CH. DE CHANTEMERLE Sur lie 2004 *

24,78 ha 165 301 3 à 5 €

Sur le chemin de Saint-Jacques-de-Compostelle, vous pourrez faire halte au château de Chantemerle et satisfaire votre curiosité pour le muscadet. Ce 2004 jaune pâle, légèrement perlant, revêt un caractère aromatique un peu sauvignonné, accompagné de nuances de genêt. S'il est rond et gras au palais, il manifeste aussi des flaveurs minérales et mentholées rafraîchissantes. La finale assez longue revient sur les fruits.

SCA Ch. de Chantemerle, 44330 Vallet, tél. 02.40.03.20.20, fax 02.40.03.20.22, e-mail lucterrien@wanadoo.fr r.-v.

## DOM. DE LA CHAPELLIERE Sur lie 2004 *

8,87 ha 65 000 - de 3 €

A l'extrême est du vignoble nantais, aux portes de l'Anjou, se trouve la commune de Tillières. De ses vignes de vingt ans plantées sur un terroir argilo-siliceux, Gaston Rolandeau a produit ce vin plein de finesse qui associe les fruits blancs à une note de réglisse. Après une attaque fruitée, la bouche allie rondeur et fraîcheur, puis offre une certaine complexité en finale.

GFA Dom. de la Chapellière, 65, rue du Pont-Neuf, 49230 Tillières, tél. 02.41.70.45.93, fax 02.41.70.43.74

Gaston Rolandeau

## GUILLAUME CHARPENTIER

Sur lie Hardras 2004 **

2 ha 13 000 3 à 5 €

Dernier village sur la route du Loroux-Bottereau à La Chapelle-Heulin, Les Noues se trouvent en bordure du marais de Goulaine, réputé pour ses brochets et ses oiseaux migrateurs. Née d'un terroir de gneiss à deux micas, la cuvée Hardras allie le minéral et le floral avec élégance. Fraîcheur et rondeur s'équilibrent au palais, puis un retour intense des fruits, des fleurs et du minéral laisse une agréable sensation finale. Le **Guillaume Charpentier Sur lie 2004**, au nez intense de fruits secs, obtient une étoile.

SARL Guillaume Charpentier, Les Noues, 44430 Le Loroux-Bottereau, tél. 02.40.06.43.76, fax 02.40.06.43.74, e-mail manoir.f@wanadoo.fr r.-v.

## CH. DE CHASSELOIR

Sur lie Comte Leloup de Chasseloir Cuvée des Ceps centenaires 2004 *

3 ha 20 000 5 à 8 €

Le château qui domine la Maine possède dans son cellier de jolis vitraux et des figurines représentant les péchés capitaux. Vous aurez tout le loisir de les admirer lors d'une visite et découvrirez dans ce cadre un 2004 assez complexe par ses arômes de fruits nuancés de poivre. La bouche ample, équilibrée, laisse une agréable sensation de persistance, avec une pointe d'amertume en finale qui signale un bon potentiel de garde. Cité, le **Château L'Oiselinière de La Ramée 2004**, vif et légèrement floral, provient d'un terroir d'orthogneiss dominant la Sèvre, sur Vertou.

Bernard Chéreau, Chasseloir, 44690 Saint-Fiacre-sur-Maine, tél. 02.40.54.81.15, fax 02.40.54.81.70, e-mail bernard.chereau@wanadoo.fr t.l.j. sf dim. 9h-18h

## DOM. DES CHATELIERES Sur lie 2004 **

5,6 ha 37 500 3 à 5 €

Dans cette propriété restée familiale depuis 1648, une collection de vieux millésimes a été rassemblée : une raison suffisante pour une visite. L'actualité n'est pas moins intéressante, à en juger par ce 2004 riche d'arômes de fruits exotiques : litchi, mangue, ananas. D'attaque souple, le vin se développe avec rondeur, sans rien perdre de sa puissance aromatique jusqu'à la petite note acidulée perceptible en finale. Avez-vous noté la recette du sandre de Loire au beurre blanc ? Elle vous sera utile au moment de servir cette bouteille.

Louis et Denis Luneau, La Bécassière, 44430 Le Loroux-Bottereau, tél. 02.40.03.79.81, fax 02.40.03.76.73 r.-v.

## DOM. DES CHATELIERS Sur lie 2003 *

2 ha 7 000 5 à 8 €

Issus des granites de Château-Thébaud, les vins s'expriment bien après deux ans de garde. Tel est le cas de ce 2003 vêtu d'une robe dorée, qui livre des arômes d'anis et de fleurs blanches. S'il présente de la rondeur, il a aussi gardé toute la fraîcheur attendue d'un muscadet-sèvre-et-maine, de sorte que l'harmonie est complète. Les gourmets l'apprécieront avec une sole meunière. Le jury attribue une citation au **muscadet Fief de l'Ancruère 2002 Elevé en fût de châtaignier**.

🔑 EARL Brigitte et Serge Méchineau,
Le Châtelier, 44690 Château-Thébaud,
tél. 02.40.06.51.21, fax 02.40.06.57.76,
e-mail serge.mechineau@free.fr ☑ Y r.-v.

## PHILIPPE CHENARD Cuvée des Buttays 2004 ★

n.c. 50 000 3 à 5 €

Aucun doute : ce vin est issu d'un terroir de gabbro. Comment peut-on en être si sûr ? Parce que les arômes intenses de fruits blancs sont nuancés de touches épicées et minérales (pierre à fusil) caractéristiques. La bouche, elle, se développe en rondeur. Cette bouteille pourra patienter aisément deux ans en cave.

🔑 EARL Philippe Chénard,
La Boisselière, 44330 Le Pallet,
tél. 02.40.80.98.17, fax 02.40.80.44.38 ☑ Y ⚲ r.-v.

## CH. LA CHEVILLARDIERE Sur lie 2004 ★

12,8 ha 93 000 3 à 5 €

Ancienne dépendance du château des Montyls, cette demeure du XVIII[e]s., reconnaissable à ses cinq œils-de-bœuf, commande aujourd'hui 38 ha de vignes sur sols de gneiss et de micaschistes. De teinte très claire, le 2004 manifeste un nez puissant de fruits blancs, relayés en bouche par des notes citronnées qui participent à l'impression de fraîcheur. En finale, une légère amertume apparaît, signe d'une bonne longévité.

🔑 Raymond Pichon, La Chevillardière, 44330 Vallet,
tél. et fax 02.40.06.74.29
☑ Y ⚲ t.l.j. sf dim. 9h-12h 14h-19h

## CLOS DES BOURGUIGNONS Sur lie 2004 ★★

5 ha 20 000 3 à 5 €

Le domaine doit son nom aux moines missionnaires qui reconstituèrent le vignoble détruit lors du terrible hiver 1709, en plantant le melon de Bourgogne, plus résistant. Des siècles ont passé sans que jamais ne se démente l'adaptation de ce plant au terroir de gabbro. Pour preuve, ce 2004 au nez complexe de fleurs (tilleul) et de fruits (poire mûre). Gras et riche, il trouve un remarquable équilibre dans une juste fraîcheur, puis se prolonge durablement sur des notes fumées et minérales. Il sera tout indiqué dans les cinq prochaines années pour accompagner une viande blanche épicée de cumin ou de coriandre.

🔑 GAEC Michel Luneau et Fils, 3, rte de Nantes,
44330 Mouzillon, tél. et fax 02.40.33.95.22 ☑ Y ⚲ r.-v.
🔑 Thierry et Stéphane Luneau

## CLOS DES ORFEUILLES Sur lie 2004 ★

53 ha 130 000 5 à 8 €

Le terroir de gneiss du Clos des Orfeuilles a donné naissance à un 2004 très caractéristique par ses arômes de fruits exotiques, notamment de mangue et de litchi. Encore jeune et vif, le vin a suffisamment de structure pour évoluer favorablement à la garde. Il sera la vedette d'un apéritif entre amis.

🔑 SARL Dom. de L'Hyvernière,
44330 La Chapelle-Heulin,
tél. 02.40.06.73.83, fax 02.40.06.76.49 ☑ Y ⚲ r.-v.

## CLOS SAINT VINCENT DES RONGERES Sur lie Vieilles Vignes 2004 ★★

2 ha 10 000 3 à 5 €

Yves Provost ne se fera sans doute pas prier pour vous montrer sa collection de vieux outils viticoles, ainsi que ses chais plus que centenaires. Il saura également vous parler de ce 2004 unanimement apprécié du jury. Difficile de ne pas être sous le charme devant la robe paille brillante toute parfumée d'arômes de fleurs et de fruits blancs. Difficile de ne pas s'étonner de tant d'équilibre et de longueur. Les flaveurs de miel et de pain d'épice en finale sont d'autres atouts qui permettront à cette bouteille d'accompagner un brochet au beurre blanc.

🔑 Yves Provost et Fils,
Le Pigeon Blanc, 44430 Le Landreau,
tél. 02.40.06.43.54, fax 02.40.06.47.10 ☑ Y ⚲ r.-v.

## CH. DU COING DE SAINT FIACRE Sur lie 2004 ★

n.c. 46 400 5 à 8 €

Détruit en 1793 pendant les guerres de Vendée, le château fut rebâti entre 1810 et 1820 : le style italianisant caractéristique de la région de Clisson est perceptible dans ses communs. Il illustre l'étiquette de ce vin riche d'arômes de fruits mûrs, qui ne présente aucune lourdeur grâce à son bon équilibre entre vivacité et rondeur. Une certaine minéralité lui vient du terroir de micaschistes et de gneiss qui l'a vu naître.

🔑 Véronique Günther-Chéreau,
Ch. du Coing-de-Saint-Fiacre,
44690 Saint-Fiacre-sur-Maine,
tél. 02.40.54.85.24, fax 02.40.54.80.21,
e-mail contact@chateau-du-coing.com
☑ Y ⚲ t.l.j. 9h-12h30 14h-17h30

## DOM. MICHEL DAVID Sur lie Clos du Ferré 2004 ★

13,25 ha 70 000 3 à 5 €

Le Clos du Ferré se situe près du château de la Noë, monument historique depuis 1974 qui fut un haut lieu des guerres de Vendée. Son terroir de micaschistes donne naissance à de jolis vins, tel ce 2004 complexe et expressif. Certes, les arômes évoquent essentiellement les fruits confits, certes la bouche est riche et puissante, longuement fruitée, mais une pointe de fraîcheur se manifeste également. Ce muscadet-sèvre-et-maine s'associera bien avec des cuisses de grenouilles, spécialité des restaurants de bords de Loire.

🔑 EARL Michel David, Le Landreau-Village,
44330 Vallet, tél. 02.40.36.42.88, fax 02.40.33.96.94,
e-mail earl.david.michel@wanadoo.fr
☑ Y ⚲ t.l.j. sf dim. 8h30-12h15 14h-19h

## DOM. DU DAVIGNON Sur lie 2004 ★

8,2 ha 60 000 3 à 5 €

Les Corbeillères est un petit village situé à l'extrême est de Vallet, typique du vignoble du pays nantais. Olivier Blanlœil y cultive 22 ha. Son 2004 pâle et brillant décline de fins arômes d'agrumes et de fruits exotiques. D'attaque vive, la bouche équilibrée se développe dans le registre minéral en y associant des notes de fruits et de menthol. Le compagnon idéal des fruits de mer.

🔑 Olivier Blanlœil, 103, Les Corbeillères, 44330 Vallet,
tél. et fax 02.40.33.94.85 ☑ Y ⚲ r.-v.

## FONDATION DONATIEN BAHUAUD Sur lie 2004 ★★

20 ha 150 000 3 à 5 €

Cette ancienne maison de négoce basée à La Chapelle-Heulin propose cette cuvée au nez intense et suave : les fruits blancs (pomme et poire) se manifestent d'emblée, avant de céder place aux fruits exotiques. La bouche ample et fraîche garde la même expression. Une étoile est attribuée au **Château de La Cassemichère Sur lie 2004** qui livre des arômes de citron vert et de poire, avec une légère note acidulée.

SA Donatien-Bahuaud,
4, rue de La Loge, 44330 La Chapelle-Heulin,
tél. 02.40.06.70.05, fax 02.40.06.77.11,
e-mail dbahuaud@donatien-bahuaud.fr r.-v.

DOM. DE L'ERRIERE Sur lie 2004 *

3,2 ha 20 000 3 à 5 €

Un vin limpide aux reflets verts, légèrement perlant. Le nez complexe décline les agrumes et les fleurs de printemps. Annonce d'une bouche légère et fine, marquée par des notes citronnées et minérales en finale. Le charme est immédiat : il serait dommage de ne pas en profiter dès maintenant en accompagnement de fruits de mer. Un juré recommande un accord avec des huîtres en gelée et une mousse de chou-fleur. Tout un programme !

SCEA Saint-Vincent, L'Errière,
44430 Le Landreau, tél. 02.40.06.49.79,
e-mail chenard.xavier@wanadoo.fr r.-v.
Xavier Chénard

DOM. DES FEVRIES Sur lie 2004 *

3 ha 10 000 3 à 5 €

On ne compte plus les références au domaine des Févries dans le Guide. Installé sur la rive gauche de la Sèvre nantaise depuis 1974, Guy Branger a su tirer le meilleur parti du sol silico-argileux reposant sur gneiss. Ses vignes aujourd'hui trentenaires ont donné naissance à cette cuvée très minérale, dotée d'accents de pierre à fusil si caractéristiques de ce terroir. La bouche offre toute la fraîcheur attendue en y associant des arômes de pamplemousse et de menthol. Patientez au moins un an avant d'ouvrir cette bouteille : l'expression n'en sera que meilleure.

Guy Branger, 18, la Févrie,
44690 Maisdon-sur-Sèvre, tél. et fax 02.40.36.90.41,
e-mail branger.guy@wanadoo.fr
t.l.j. sf dim. 8h-19h

DOM. DU FIEF DE LA GRAVELLE
Sur lie 2004 *

1,8 ha 13 500 3 à 5 €

Couleur or pâle, ce vin livre de fins arômes de fruits confits avant d'emplir le palais de sa chair ronde et fruitée, équilibrée par une vivacité bienvenue, sans une once d'agressivité. Un petit côté acidulé apparaît en finale, mais se fond très rapidement.

Jean-François Baron, 114, Le Village-Boucher,
44690 Monnières, tél. et fax 02.40.54.65.34 r.-v.

LE FIEF DUBOIS
Sur lie Cuvée Sélection Fief du Breil 2004 **

3 ha 20 000 5 à 8 €

Sur les coteaux exposés sud-sud-est, rive droite de la Sèvre nantaise, les sols argilo-schisteux reposant sur de l'orthogneiss sont propices à l'élaboration de vins au caractère très minéral. Il en est ainsi de ce 2004 qui ajoute à cette ligne aromatique des notes de citron vert et de fleur de vigne. Une légère amertume apparaît en finale de la bouche vive et structurée : c'est là le signe d'une longue vie. Cette bouteille devra d'ailleurs patienter pour s'épanouir pleinement.

Bruno Dubois,
53, La Févrie, 44690 Maisdon-sur-Sèvre,
tél. 02.40.36.93.84, fax 02.40.36.98.87,
e-mail fief-dubois@wanadoo.fr r.-v.

DOM. DU FIEF-SEIGNEUR Sur lie 2004 *

2,25 ha 15 000 3 à 5 €

Thierry et Jean-Hervé Caillé ont le souci de la régularité. La qualité de leur muscadet-sèvre-et-maine en témoigne d'une année sur l'autre dans le Guide. Le 2004, brillant de reflets verts, s'annonce avec discrétion par touches de genêt et de buis, nuancées de minéral. Elégant au palais, il gagne en puissance tout en privilégiant la fraîcheur et les flaveurs citronnées. La légère amertume finale ne doit pas effrayer : elle indique son aptitude à se bonifier dans le temps.

EARL Thierry et Jean-Hervé Caillé,
12 bis, rue des Moulins, 44690 Monnières,
tél. et fax 02.40.54.66.04 r.-v.

DOM. DE LA FOLIETTE
Sur lie Tradition Vinifié en fût de chêne 2003 **

4 ha 24 000 3 à 5 €

De retour de longues campagnes de navigation aux Antilles, des armateurs nantais se firent construire au XVIII^es. une maison de plaisance, une folie, à La Haye-Fouassière. Est-ce petite folie également que de laisser un muscadet-sèvre-et-maine séjourner sous bois pendant huit mois ? S'il est vrai que peu de vins sont ainsi élevés dans l'appellation, le résultat est ici remarquable. Sous une couleur jaune paille profond explosent des arômes intenses de boisé vanillé. Les tanins du fût se fondent au palais, en harmonie avec la fraîcheur du vin et les flaveurs d'agrumes qui retrouvent leur place en finale. Cette bouteille saura affronter le temps, mais elle peut d'ores et déjà accompagner une viande blanche ou une langouste.

Dom. de la Foliette,
35, rue de la Fontaine, 44690 La Haye-Fouassière,
tél. 02.40.36.92.28, fax 02.40.36.98.16,
e-mail domaine.de.la.foliette@wanadoo.fr r.-v.

CH. DE FROMENTEAU Sur lie 2004 *

4 ha 4 000 3 à 5 €

Si vous passez en juillet ou en août à Vallet, rendez-vous au château Fromenteau : Anne et Christian Braud vous proposeront un parcours ludique dans les vignes et les caves. Ce sera aussi l'occasion de goûter ce vin qui associe avec complexité les registres minéral et floral (genêt) au nez. En bouche, il s'oriente vers les agrumes puis vers les fruits du verger : poire et pomme verte.

EARL Anne et Christian Braud,
Fromenteau, 44330 Vallet,
tél. et fax 02.40.36.23.75,
e-mail chataudefromenteau@wanadoo.fr r.-v.

DOM. DE LA FRUITIERE 2004 *

20 ha 60 000 3 à 5 €

Cette ferme du XVIII^es. appartenait autrefois au château de La Placelière tout proche. Aujourd'hui, elle commande un domaine de 63 ha sur sol silico-argileux. Le 2004 développe un nez intense de fruits légèrement confits, puis une bouche fraîche et équilibrée, aux nuances minérales. L'ensemble trouve une harmonieuse conclusion dans le registre floral.

Jean Douillard et Jean-Michel Boussonnière,
SCEA Dom. de La Fruitière, 44690 Château-Thébaud,
tél. 02.40.06.53.05, fax 02.40.06.54.55,
e-mail domainedelafruitiere@wanadoo.fr
t.l.j. sf dim. 8h-12h 14h-18h30

## GADAIS PERE ET FILS
Le muscadet aux Avineaux 2004 ★★

6 ha 30 000 5 à 8 €

Au confluent des rivières Sèvre et Maine qui ont donné leur nom à l'appellation se trouve ce vignoble d'une quarantaine d'hectares sur sol de gneiss qu'il vous sera aisé de découvrir après une visite de Saint-Fiacre et de son église byzantine. Christophe Gadais n'exporte pas moins de 40 % de sa production. Il saura défendre les couleurs du muscadet avec deux cuvées de grande qualité. Celle-ci mêle avec intensité et harmonie les registres floral et minéral sous une teinte jaune pâle brillant. Forte d'une juste fraîcheur, elle fait preuve d'élégance en bouche et semble ne jamais devoir se départir de ses arômes : fleurs blanches et genêt nuancés d'une pointe d'agrumes, puis explosion de fruits exotiques. Associée à une terrine de lotte, elle réjouira vos convives. Quant à la **Grande Réserve du Moulin Sur lie 2004**, elle brille de deux étoiles également tant elle montre d'équilibre et de persistance.

Gadais Père et Fils,
Aux Perrières, 44690 Saint-Fiacre,
tél. 02.40.54.81.23, fax 02.40.36.70.25,
e-mail musgadais@wanadoo.fr r.-v.
Christophe Gadais

## DOM. DE LA GAUTRONNIERE Sur lie 2004 ★

2 ha 10 000 3 à 5 €

L'étonnante étiquette en noir et blanc représente un bas-relief qui semble illustrer les raisins de Canaan. Ce vin ne dispose pas que de son habillage pour susciter la curiosité ; il livre un nez complexe, quoique discret encore, de brugnon, puis laisse au palais une impression de fraîcheur soulignée par le perlant et la finale légèrement acidulée. Il vous faudra attendre 2006 pour le servir.

Alain Forget, La Gautronnière,
44330 La Chapelle-Heulin, tél. 02.40.06.75.84
t.l.j. sf dim. 9h-19h; f. 15-25 août

## DOM. DU GENETAIS Sur lie 2004 ★★

16 ha 100 000 3 à 5 €

Dominique et Fabienne Richard se sont lancés dans la rénovation du bâtiment centenaire de leur exploitation, qui porte désormais le nom de Chais de la Cour. Un joli cadre qui accueille régulièrement des expositions de peinture et de sculpture. On y dégustera aussi cette cuvée au nez subtil de bourgeon de cassis et à la bouche soyeuse. L'élégance est perceptible à toutes les étapes de la dégustation et jusqu'à la finale fraîche, pleine de gaieté. Servez ce vin en accompagnement d'un homard breton grillé sur des sarments de vignes.

Dominique Richard,
11, rue des Rouliers, La Cognardière, 44330 Le Pallet,
tél. 02.40.80.42.30, fax 02.40.80.44.37,
e-mail f.richard-de-tournay@wanadoo.fr
t.l.j. 9h-12h 14h-19h

## GRAND FIEF DE LA CORMERAIE
Sur lie 2004 ★

n.c. 26 840 5 à 8 €

Le Grand Fief de La Cormeraie correspond à une ancienne commanderie, détruite pendant les guerres de Vendée. Il est visible depuis la route qui relie Saint-Fiacre à Gorges. De son vignoble est né ce vin fin et subtil dès les premiers arômes sortis de sa robe pâle : notes de fruits secs et touches minérales. Le meilleur est à venir, cependant, et il faudra attendre 2006 afin de profiter de toute son expression. La structure est suffisante pour garantir une bonne évolution dans le temps. Le **Château de la Gravelle, Grande cuvée Don Quichotte sur lie 2004** obtient également une étoile.

Véronique Günther-Chéreau,
Ch. du Coing-de-Saint-Fiacre,
44690 Saint-Fiacre-sur-Maine,
tél. 02.40.54.85.24, fax 02.40.54.80.21,
e-mail contact@chateau-du-coing.com
t.l.j. 9h-12h30 14h-17h30

## DOM. DE GUERANDE Sur lie 2004 ★★

2 ha 10 000 3 à 5 €

La butte de La Roche est réputée pour la précocité de ses terroirs de gneiss, notamment lorsqu'ils sont exposés au sud. Il en est ainsi au domaine de Guérande d'une bonne partie des 25 ha de vignes. Le 2004 se montre discret de prime abord, mais s'ouvre à l'aération sur une note de poivre et sur les fruits mûrs (ananas confit). Equilibré au palais, il offre un joli grain et des flaveurs persistantes de fruits exotiques. S'il est prêt à boire, il saura aussi attendre un an ou deux.

GAEC Jussiaume,
Guérande Marguais, 44430 Le Loroux-Bottereau,
tél. 02.40.33.82.65, fax 02.40.33.85.76,
e-mail domainedeguerande@wanadoo.fr
t.l.j. sf dim. 10h-18h

## PH. GUERIN 1795 2002 ★★

1 ha 3 500 5 à 8 €

1795 est la date de création de ce domaine qui compte aujourd'hui une trentaine d'hectares. Philippe Guérin a élevé onze mois en fût ce 2002 or pâle. Ainsi se sont forgés des arômes de fruits secs (noisette), de vanille et des notes légèrement beurrées. N'allez pas croire que ce vin ait perdu en fraîcheur. Il en possède encore suffisamment pour équilibrer son gras et persister harmonieusement. A déguster avec une sole meunière.

Philippe Guérin,
Les Pèlerins, 44330 Vallet,
tél. 02.40.36.37.34, fax 02.40.36.40.73 r.-v.

## DOM. DU HAUT-COIN Sur lie 2004 ★

1 ha 6 600 3 à 5 €

Cette cuvée jaune pâle à reflets verts doit son caractère au terroir de granite de Clisson. Elle décline des arômes de bonne intensité, évocateurs d'agrumes, de pomme verte, de fleurs, de menthol et de minéral. Ronde

et persistante, elle a tous les atouts pour bien évoluer dans le temps.
🔑 GAEC Cormerais, Le Haut-Coin,
44140 Aigrefeuille-sur-Maine, tél. 02.40.06.61.82,
e-mail gaec.cormerais@wanadoo.fr ☑ Y ⛹ r.-v.

DOM. LA HAUTE FEVRIE
Sur lie Terroir Les Gras Moutons 2003 ★★

4 ha 25 000 3 à 5 €

Le terroir Les Gras Moutons se compose d'amphibolites, c'est-à-dire de gneiss. Claude Branger, à la tête de 22 ha, s'attache à respecter l'environnement en renonçant aux engrais chimiques. Ni collé ni filtré, son vin s'affiche dans une robe or pâle à reflets verts de jeunesse. Des parfums discrets de fruits frais s'élèvent de prime abord, rejoints par les fleurs blanches et une pointe de miel. Après une attaque fraîche et légèrement perlante, la bouche révèle beaucoup de finesse et de gras. Ses arômes persistants devraient évoluer d'ici deux ou trois ans vers le miel et la cire d'abeille. Préparez un homard grillé : l'union sera parfaite. Le **Domaine La Haute-Févrie Sur lie Excellence 2004**, aux notes de pomme et d'agrumes, obtient une étoile.
🔑 Claude Branger, Dom. la Haute Févrie,
109, La Févrie, 44690 Maisdon-sur-Sèvre,
tél. 02.40.36.94.08, fax 02.40.36.96.69,
e-mail haute-fevrie@netcourrier.com ☑ Y ⛹ r.-v.

DOM. DES HAUTES NOELLES Sur lie 2004 ★★

13 ha 68 000 3 à 5 €

L'élégance distingue dès la première approche ce vin né sur sol argilo-schisteux. Le nez intense révèle de la minéralité nuancée de notes d'agrumes, de citron, de fumée et même de fleurs blanches. De la complexité, en somme. L'équilibre est parfaitement établi, avec juste ce qu'il faut de vivacité. Une touche de fumée se glisse dans la longue finale fruitée qui laisse une sensation d'harmonie. De la personnalité. Vous pourrez servir dès à présent cette bouteille ou la garder de longues années pour accompagner crustacés, poisson en sauce ou fromage à pâte molle.
🔑 SARL Vinival, La Sablette, 44330 Mouzillon,
tél. 02.40.36.66.00, fax 02.40.33.95.81,
e-mail info@vinival.fr
🔑 EARL Chon et Fils

LES JARDINS DE LA MENARDIERE
Sur lie 2003 ★★

2 ha 7 000 3 à 5 €

A la limite de La Chapelle-Heulin et de Vallet, implantée sur un sol de gabbro, La Ménardière est un domaine de 15 ha créé en 1995. Ce muscadet-sèvre-et-maine a gardé toute sa fraîcheur et sa jeunesse dans sa robe or pâle à reflets verts, tandis qu'au nez il a évolué vers les fruits secs (noisette, amande grillée). D'une bonne tenue en bouche, il possède la typicité des vins de gabbro qui demandent un certain temps pour atteindre leur plénitude. Il pourra donc attendre un an ou deux avant de rejoindre une poêlée de Saint-Jacques sur un lit de mâche nantaise.
🔑 Florence et Benoît Grenetier, La Ménardière,
44330 Vallet, tél. 02.40.33.93.30 ☑ Y ⛹ r.-v.

CH. DU MAILLON Sur lie 2004 ★

9 ha 45 000 3 à 5 €

Pendant les guerres de Vendée, le château fut le siège d'un tribunal révolutionnaire. Une croix vendéenne rappelle ces événements qui firent plus de deux mille morts au Loroux-Bottereau. Aujourd'hui, Albert Poilane cultive ici 30 ha de vignes et propose un 2004 de teinte très pâle, finement aromatique : discret de prime abord, le nez s'ouvre ensuite avec complexité sur des notes de fleurs blanches, de kiwi et de pêche de vigne. La bouche ample, vive en attaque, laisse une impression flatteuse grâce au long retour du fruit. Pour une terrine de poisson à l'estragon.
🔑 SARL Albert Poilane,
Le Maillon, 44430 Le Loroux-Bottereau,
tél. et fax 02.40.33.80.63 ☑ Y ⛹ r.-v.

MAITRES VIGNERONS NANTAIS
Sur lie Lieu-dit Le Besson 2004 ★

6 ha 35 000 3 à 5 €

Cette coopérative réunit vingt viticulteurs de la région travaillant sur six terroirs distincts. Le Besson désigne un coteau de Maisdon-sur-Sèvre, au sol de gabbro, planté de vignes plus que cinquantenaires. Un nez élégant et complexe de fruits confits invite le dégustateur à faire plus ample connaissance avec ce vin. Du volume, de l'équilibre, une juste fraîcheur et des flaveurs de poire finissent de le convaincre de son harmonie. Une étoile est également attribuée au **Terroir Monnières Sur lie 2004**, un vin souple, aux arômes de pomme golden.
🔑 Coopérative Maîtres Vignerons nantais,
Les Roitelières, 44330 Le Pallet,
tél. 02.40.80.95.64, fax 02.40.80.99.81 Y ⛹ r.-v.

CH. DE LA MALONNIERE Sur lie 2004 ★

19 ha 126 000 3 à 5 €

Bâtie au XVII^e s. à l'emplacement d'un château fort, cette demeure fut en partie détruite à la Révolution. Elle se situe au bord des marais de Goulaine, sur un terroir de schiste. Ce 2004 est expressif tant au nez qu'en bouche : il mêle la pêche jaune au miel, puis trouve en finale de la fraîcheur dans des notes persistantes de citron vert et de fruits exotiques. Equilibré, il se montre ample et souple.
🔑 EARL Y. Sauvêtre et Fils,
Le Château de la Malonnière,
44430 Le Loroux-Bottereau,
tél. 02.40.33.81.48, fax 02.40.33.87.67 ☑ Y ⛹ r.-v.



MANOIR DE LA MOTTRIE
Sur lie Vieilles Vignes 2004 ★

2 ha 10 000 3 à 5 €

Typique des muscadet-sèvre-et-maine d'aujourd'hui, ce 2004 issu d'un terroir de micaschiste développe un nez intense de fruits mûrs. Il offre ampleur et puissance au palais, tout en révélant la légère amertume et le discret perlant attendus d'un vin élevé sur lie.
🔑 Alain Gripon, La Levraudière,
44330 La Chapelle-Heulin,
tél. et fax 02.40.06.76.38 ☑ Y ⛹ r.-v.

### PRESTIGE DE LA MARTINIERE Sur lie 2004 ★★

5 ha 20 000 ■ 3 à 5 €

A proximité du dernier four à chaux du pays nantais, ce domaine de 30 ha domine le marais de Goulaine sur des sols de micaschiste. Il a donné naissance à un vin très expressif. Si les fruits mûrs trouvent dans une note de citron une pointe rafraîchissante, la bouche cède toute sa palette aux flaveurs persistantes de coing et de fruits confits. Une sensation de gras et de rondeur invite à savourer ce 2004 bien frais avec un crottin de Chavignol, une viande blanche ou un poisson en sauce.

Catherine et Gérard Baron,
8, rue de La Martinière, 44330 La Chapelle-Heulin,
tél. 02.40.06.75.11, fax 02.40.06.76.23 ☒ Y 🚶 r.-v.

### LA MORANDIERE 2004 ★★

8 ha 15 000 ■ 3 à 5 €

Entre Le Pallet et Mouzillon, rive droite de la Sèvre, ce domaine tire profit d'un sol de gabbro, susceptible de lui offrir des vins aussi remarquables que ce 2004. Le nez semble-t-il timide ? Nulle inquiétude : c'est là la marque du terroir. Aérez simplement le vin. Déjà il s'ouvre et révèle progressivement sa richesse : fleurs blanches, notes minérales, notamment. La bouche dévoile fraîcheur, rondeur et équilibre. L'ensemble est souple, long et fin. Le **Domaine du Moulin à Saint-Fiacre Sur lie 2004 (5 à 8 €)** obtient une étoile pour son caractère floral et son ampleur.

EARL Alexandre Déramé et Fils,
La Morandière, 44330 Mouzillon,
tél. 02.40.54.83.80, fax 02.40.54.80.87,
e-mail derame@wanadoo.fr ☒ Y 🚶 r.-v.

### MOREAU Sur lie Prestige de L'Hermitage 2004 ★

3,25 ha 20 000 ■ 3 à 5 €

En direction d'Aigrefeuille sur la nationale 137, vous trouverez sur la gauche La Petite Jaunaie, domaine de 33 ha qu'exploitent les Moreau depuis plus de trente ans. Cette cuvée jaune pâle à reflets verts livre sans ambages ses arômes floraux. Sa bonne structure enveloppée de gras lui permettra d'affronter une petite garde comme d'être appréciée dès aujourd'hui.

GAEC Moreau, La Petite Jaunaie,
RN 137, 44690 Château-Thébaud, tél. 02.40.06.61.42,
fax 02.40.06.69.45, e-mail gaecmoreau@wanadoo.fr
☒ Y 🚶 t.l.j. sf dim. 8h-19h

### CH. LA MORINIERE
Sur lie 1ère cuvée du Château 2004 ★★

11 ha 80 000 ■ 3 à 5 €

A l'extrême est du vignoble nantais, La Regrippière est une commune où les vendanges se font généralement tardivement en raison du terroir de gabbro. Caractéristique de ce secteur, ce vin mêle avec complexité des arômes de genêt et de réglisse, puis se développe, souple et long en bouche, jusqu'à une note d'épices. L'attendre serait avantageux, mais les plus impatients y trouveront aussi leur compte. Noté une étoile, le **Château de La Ragotière Sur lie 2004** dévoile des arômes de fruits et de menthol, ainsi qu'une pointe d'amertume en finale, signe de longévité.

MM. Couillaud, GAEC Ragotière,
Ch. Ragotière, 44330 La Regrippière,
tél. 02.40.33.60.56, fax 02.40.33.61.89,
e-mail freres.couillaud@wanadoo.fr ☒ Y 🚶 r.-v.

### LE MOULIN DES BOIS Sur lie 2004 ★

2 ha 12 000 ■ 3 à 5 €

Le domaine de 23 ha doit son nom à un ancien moulin à vent partiellement détruit par la foudre lors des vendanges en 1961. La cave a été construite à son emplacement. A l'image des vins issus des sols de gneiss à deux micas, ce 2004 cache sous sa robe jaune or des arômes de fruits frais prêts à éclore dans les mois à venir. La bouche souple, fraîche et citronnée, promet elle aussi de gagner en complexité. Il suffira d'attendre 2006 pour découvrir tout le potentiel du vin.

Gilles Savary, Le Moulin des Bois,
44330 La Chapelle-Heulin, tél. 06.61.81.46.16,
fax 02.40.06.76.86, e-mail gilsavary@tiscali.fr
☒ Y 🚶 t.l.j. 8h-20h; sam. 8h-13h

### DOM. DES NOELLES Sur lie 2004 ★

12,5 ha 15 000 ■ 3 à 5 €

C'est sur la commune de La Haye-Fouassière que naquit l'appellation. Vous pourrez y admirer le jardin de La Cure qui rassemble plus de trois cents plants. Si une petite faim vous prend après la visite, allez donc chercher une fouace dans l'une des boulangeries de la ville. Cette galette en forme d'étoile à six branches, chère à Rabelais, ira bien avec ce 2004 jaune pâle qui sent bon le fruit mûr. Celui-ci présente de l'équilibre, de la rondeur et une certaine fraîcheur soulignée par le perlant. Une bouteille idéale pour s'initier au muscadet-sèvre-et-maine.

EARL Michel Ripoche,
8, rue de la Torrelle, 44690 La Haye-Fouassière,
tél. 02.40.36.91.95, fax 02.40.36.73.19 ☒ Y 🚶 r.-v.

### ALAIN OLIVIER Sur lie Cuvée spéciale 2004 ★★

2,7 ha 7 000 ■ 3 à 5 €

Cette cuvée dévoile sous une teinte or pâle à reflets verts un nez complexe de fleurs et de fruits mûrs à point (coing), nuancé de miel d'acacia. Les arômes accompagnent le développement de la chair ronde et persistante. Seule une pointe d'amertume en finale invite à attendre un an ou deux avant de présenter cette bouteille à table.

Alain Olivier,
La Moucletière, 44330 Vallet, tél. et fax 02.40.36.24.69
☒ Y 🚶 t.l.j. sf dim. 10h-12h30 14h-18h30

### DOM. DU PATIS TONNEAU
Sur lie Cuvée sélectionnée 2004 ★★

17 ha 7 000 ■ 3 à 5 €

Aux portes de Nantes, la commune de Haute-Goulaine est connue pour son château, forteresse médiévale reconstruite à la Renaissance en pierre de tuffeau ; à la belle saison, on se prend à rêver d'exotisme dans la

volière de papillons. Un détour par ce domaine familial vous ramènera dans l'univers gourmand du muscadet. D'un grand classicisme par sa ligne minérale, ce vin longuement aromatique se développe avec une élégante rondeur. De retour chez vous, il accompagnera harmonieusement un bar grillé au fenouil.
GAEC du Pâtis Tonneau,
125, rte de La Haye-Fouassière, 44115 Haute-Goulaine,
tél. 02.40.54.95.70, fax 02.28.21.97.36 r.-v.
MM. Bureau

DOM. DES PERRIERES Sur lie 2004 *

12 ha 80 000 3 à 5 €

Un vin à la robe légère, jaune pâle, qui décline de puissants arômes de fleurs et de fruits blancs (pêche, nectarine). La bouche souple n'est pas moins intense dans ses flaveurs, portée par un caractère acidulé après une attaque perlante. De l'harmonie. La même note revient au **Château de La Thébaudière 2004**, flatteur par ses senteurs de fruits exotiques et sa chair gourmande, fraîche et ronde à la fois.
GIE Vigne et Saveurs,
48, La Chesnais, 44450 Saint-Julien-de-Concelles,
tél. 02.40.54.13.13, fax 02.28.21.94.60 r.-v.

LA COTE DU RAFOU 2004 *

6 ha 30 000 5 à 8 €

Trois frères dirigent cette exploitation familiale implantée sur les coteaux de la Sanguèze, entre l'Anjou et le pays nantais. Ils proposent un vin au nez complexe d'agrumes, souligné de nuances minérales. Rond, souple et persistant, celui-ci s'exprime déjà bien, mais il gagnera encore à vieillir une petite année, comme tout muscadet-sèvre-et-maine issu d'un terroir de gabbro.
EARL Marc et Jean Luneau,
Dom. du Rafou de Béjarry, 49230 Tillières,
tél. et fax 02.41.70.68.78,
e-mail micheline.luneau@wanadoo.fr r.-v.

DOM. DE LA RENOUERE Sur lie 2004 **

2 ha 12 000 3 à 5 €

Sur la commune du Landereau, les vendanges ont lieu plus tôt qu'ailleurs en raison du sous-sol de micaschiste qui favorise une maturation précoce du raisin. Ce 2004 ne manque pas de complexité dans sa palette : poire william, pamplemousse et fleurs blanches sont à l'unisson. On sent de la fraîcheur, de la rondeur et un agréable caractère aromatique en bouche. La structure est là pour assurer une bonne évolution dans le temps. Une cassolette de langoustines à la crème fera bel effet à côté de cette bouteille.
Vincent Viaud, La Renouère, 44430 Le Landreau,
tél. 02.40.06.43.05, fax 02.40.06.46.01,
e-mail viaudv@club-internet.fr r.-v.

DOM. PATRICK SAILLANT Sur lie 2004 *

5,06 ha 11 000 3 à 5 €

En bordure de la Maine, sur un terroir de granite, Patrick Saillant conduit les 10 ha de vignes familiales depuis 1993. L'étiquette de ses vins est illustrée d'une photographie de son grand-père, canotier sur la tête et trompette à la main. Une image aussi sympathique et pittoresque que ce vin jaune brillant, animé d'un léger perlant. Cela sent bon la fine fleur d'aubépine. C'est souple, suffisamment intense, sans trop de vivacité mais plein de gaieté. Une bouteille à réserver aux bons vivants.
EARL Saillant-Esneu,
8, La Grenaudière, 44690 Maisdon-sur-Sèvre,
tél. et fax 02.40.03.80.10 r.-v.
Patrick Saillant

DOM. SAINT MARTIN Sur lie 2004 *

8 ha 35 000 3 à 5 €

La légende raconte que saint Martin planta son bâton de pèlerin sur cette terre ; celui-ci prit racine, se ramifia et donna naissance au vignoble de la région. Laurence Vinet a produit sur la totalité de son vignoble (8 ha d'un seul tenant) un vin de couleur vive à reflets verts. Le nez, timide de prime abord, s'ouvre à l'aération sur des notes minérales, des arômes de fleurs blanches et de pomme très fins. D'attaque souple, la bouche trouve un bon équilibre entre fraîcheur et gras, avec une pointe acidulée friande en finale. Pour une terrine de lotte.
Laurence Vinet,
Dom. Saint-Martin, 44690 Château-Thébaud,
tél. 06.75.36.22.83, fax 02.40.54.88.96,
e-mail vinetlaurence@yahoo.fr r.-v.

CH. DE LA SALMONIERE
Sur lie Vieilles Vignes 2004 **

n.c. 50 000 3 à 5 €

Le château de La Salmonière, sur Vertou, est une ancienne fortification de l'ordre des Templiers. Rive gauche de la Sèvre nantaise, son vignoble repose sur un terroir de gneiss et de micaschiste, bien mis en valeur par la famille Chon depuis 1982. Ainsi est né ce 2004 tout en fleurs et en fruits, qui révèle une grande finesse au palais et de la longueur. Du même producteur, le **Domaine du Bois Malinge Sur lie 2004** obtient une étoile pour son nez d'ananas et de fruits secs, sa bouche ample et ronde, dotée d'une légère amertume en finale.
SARL Gilbert Chon et Fils,
Le Bois Malinge, 44450 Saint-Julien-de-Concelles,
tél. 02.40.54.11.08, fax 02.40.54.19.90,
e-mail muscadetchon@aol.com r.-v.
GFA du Parc

CH. LA TARCIERE Sur lie 2004 **

20 ha 120 000 3 à 5 €

Le château de La Tarcière est l'un des plus anciens clos de La Chapelle-Heulin : il possède des vignes depuis plus de deux siècles. Aujourd'hui fort de 48 ha, il est à l'origine de ce 2004 aux notes complexes de fruits, nuancées de poivre léger. Après une attaque perlante, la bouche dévoile toute sa finesse et sa souplesse. Ajoutez à ces sensations gustatives un fruité flatteur et vous obtenez un excellent vin d'apéritif.
Bonnet-Huteau,
La Levraudière, 44330 La Chapelle-Heulin,
tél. 02.40.06.73.87, fax 02.40.06.77.56,
e-mail bonnet.huteau@free.fr
t.l.j. sf dim. 9h-19h

CH. DE LA THEBAUDIERE 2004 **

7,7 ha 56 400 3 à 5 €

Chaque année, le premier dimanche de septembre, se déroule le pèlerinage de la Fontaine de Saint-Barthélemy non loin de cette propriété de 23 ha qui domine la vallée maraîchère de Saint-Julien-de-Concelles. Une occasion d'allier découvertes culturelles et gastronomiques. Ce vin doré, issu d'un sous-sol de micaschistes, développe un nez intense et élégant, aux notes de citron. Non moins puissant

LOIRE

en bouche, il possède du gras et persiste remarquablement. Sa structure lui permettra d'affronter une garde d'au moins trois ans, mais vous l'apprécierez déjà avec une tarte aux fruits de mer (noix de Saint-Jacques et langoustines) accompagnée de mâche nantaise, comme il se doit.

Olivier et Catherine Morinière,
EARL Ch. de La Thébaudière,
48, La Chesnaie, 44450 Saint-Julien-de-Concelles,
tél. 02.40.54.13.13, fax 02.28.21.94.60 r.-v.

### DOM. DE LA THEBAUDIERE Sur lie 2004 *

n.c. 12 000 3 à 5 €

La butte de La Roche a la particularité de renfermer en son sol les roches les plus diverses (gneiss, amphibolites, serpentinites) qui impriment aux vins un caractère très marqué. Ainsi de ce 2004 dont la robe jaune pâle s'orne de perles fines. Il se montre généreux en arômes persistants de fruits blancs (poire), d'agrumes et de fleurs blanches, tout en associant fraîcheur et rondeur.

EARL Philippe Pétard,
La Thébaudière, 44430 Le Loroux-Bottereau,
tél. et fax 02.40.33.81.81 r.-v.

### CH. LA TOUCHE Sur lie Vieilles Vignes 2004 *

12 ha 60 000 3 à 5 €

Au nord-est de Vallet, ce château a produit un vin puissamment aromatique : fleurs, litchi, pêche blanche et ananas. Le terroir de micaschiste y appose sa marque en lui donnant structure et rondeur, de la longueur aussi.

SARL Boullault Frères, La Touche, 44330 Vallet,
tél. 02.40.33.95.30, fax 02.40.36.26.85,
e-mail boullault.fils@wanadoo.fr

### LA TOUR DU FERRE L'Excellence 2001 **

n.c. n.c. 8 à 11 €

Ce domaine familial de 12 ha, conduit depuis plus de vingt ans par Philippe Douillard, jouit d'un terroir argilo-siliceux susceptible de donner naissance à des vins bien typés, tel ce 2001. Les arômes de poire sont très présents au nez, à peine nuancés par des touches de mangue. Franche et puissante, la bouche possède du relief et persiste agréablement sur une légère pointe acidulée. Accords gourmands : une marinière de coquillages ou un poisson de rivière en sauce. **La Tour du Ferré Sur lie 2004 (5 à 8 €)** brille d'une étoile pour sa longueur et son équilibre.

Philippe Douillard, La Champinière, 44330 Vallet,
tél. 02.40.36.61.77, fax 02.40.36.38.30,
e-mail fdouillard@terre-net.fr r.-v.

### DOM. DE LA TOURLAUDIERE Sur lie 2004 **

18 ha 60 000 3 à 5 €

A l'extrême ouest de Vallet, ce domaine couvre 30 ha sur un terroir de gabbro et de micaschiste. Il a produit un vin brillant de reflets vert pâle, qui mêle élégamment arômes de pêche de vigne et d'aubépine. Très fruité en bouche, il possède suffisamment de structure pour bien évoluer jusqu'en 2007.

EARL Petiteau-Gaubert, Dom. de La Tourlaudière,
174, Bonne-Fontaine, 44330 Vallet, tél. 02.40.36.24.86,
fax 02.40.36.29.72, e-mail vigneron@tourlaudiere.com
t.l.j. 9h-12h30 14h30-18h30

### DOM. DU VAL-FLEURI Sur lie 2004 *

18 ha 136 000 3 à 5 €

Non loin des moulins du Pé, Yves et Jacqueline Delaunay ont repris il y a treize ans ce domaine d'une trentaine d'hectares. Leur 2004 s'annonce dans une robe jaune vif à reflets plus pâles. Une jolie présentation qui invite à se plonger dans l'univers exotique (banane séchée, ananas) de ses arômes complexes. L'intensité aromatique est identique en bouche, mise en valeur par le perlant de l'attaque comme par la rondeur de la matière. La pointe d'amertume en finale n'est que le signe d'une bonne aptitude à la garde.

EARL Yves et Jacqueline Delaunay,
Le Val-Fleuri, 44430 Le Loroux-Bottereau,
tél. 02.40.33.86.84, fax 02.40.33.88.99,
e-mail jacqueline.delaunay@tiscali.fr r.-v.

### DOM. DU VIEUX FRENE Sur lie Cuvée Camille-Manon 2003 **

3 ha 6 000 3 à 5 €

Sur ce terroir tardif à l'est de Mouzillon, cette cuvée est particulièrement typique du millésime très chaud. Tandis que le nez intense allie les épices aux fruits, la bouche puissante y ajoute un agréable caractère minéral. En finale se déclinent les flaveurs d'orange, de cumin et de poivre. Cette bouteille accompagnera délicieusement un gratin de Saint-Jacques ou un bar grillé souligné d'une sauce épicée.

EARL Baudrit, La Récivière, 44330 Mouzillon,
tél. et fax 02.40.36.47.70 t.l.j. 8h-12h 14h-19h

### DOM. DE LA VRIGNAIS Sur lie 2004 ***

1,3 ha 9 000 - de 3 €

En bordure de la Maine, le domaine étale ses 20 ha de vignes sur un terroir de granite. Depuis 2003, Olivier Bachelier reprend progressivement le flambeau. Ce vin ne peut que l'encourager. Un nez fin de fruits frais et de fleurs s'épanouit sous la robe jaune très pâle aux reflets verts. La bouche est toute d'élégance, car à sa rondeur et à sa souplesse répond un léger perlant qui lui donne de l'allant. L'ensemble se prolonge savoureusement. Il ne vous reste plus qu'à préparer un sandre au beurre blanc dans la tradition nantaise.

GAEC Bachelier,
La Vrignais, 44140 Aigrefeuille-sur-Maine,
tél. 02.40.03.88.04 r.-v.

### DOM. DE LA VRILLONNIERE Sur lie 2004 **

1 ha 7 300 3 à 5 €

Sur les coteaux sud du Landreau, le sous-sol se compose de gneiss à deux micas. Ce domaine de 24 ha, proche du château de Briacé, a su produire sur ce terroir un vin empreint d'arômes printaniers de fleur de genêt. Frais juste comme il faut pour être typique, élégant, celui-ci offre également de la rondeur et un fruité persistant de pamplemousse allié à une touche minérale. Il s'affinera encore en vieillissant et fera honneur à une terrine de lotte

à l'estragon. Le **gros-plant du pays nantais sur lie 2004 (moins de 3 €)** obtient une étoile pour sa vivacité équilibrée et son fruité.
🔑 Dom. de La Vrillonnière, 44430 Le Landreau,
tél. 02.40.06.42.00, fax 02.40.06.45.75,
e-mail lavrillionniere@netcourrier.com
☑ 🍷 🚶 t.l.j. sf dim. 8h-12h 14h-18h; sam. 8h-12h
🔑 Jean-François et Stéphane Fleurance

# Muscadet-côtes-de-grand-lieu

### SERGE BATARD Sur lie Les Granges 2004 ★★

▪ 1,5 ha n.c. 🍾 5 à 8 €

Petite commune en bordure de l'Acheneau, sur la route de Pornic, Saint-Léger-les-Vignes jouit d'une bonne réputation pour la qualité régulière de ses vins. Ce 2004 en témoigne, lui qui laisse s'exprimer le caractère du terroir. Jaune à reflets verts, il offre un nez intense de fleurs, puis un équilibre parfait entre rondeur et fraîcheur qui lui donne une indéniable finesse et de la longueur.
🔑 Serge Batard,
La Haute Galerie, 44710 Saint-Léger-les-Vignes,
tél. 02.40.31.53.49, fax 02.40.04.87.80,
e-mail sb.lhn@wanadoo.fr ☑ 🍷 🚶 r.-v.

### DOM. DU FIEF GUERIN Sur lie 2004 ★

▪ 17 ha 119 000 🍾 3 à 5 €

Le Fief Guérin est reconnaissable à son pin parasol en bordure de la route. L'arbre illustre même l'étiquette de ce vin : un 2004 jaune pâle, intensément parfumé de fruits mûrs (pêche et poire), qui développe une chair riche et longue. Du même producteur, le **Domaine des Herbauges Sur lie 2004** obtient une étoile pour son harmonie fruitée et sa souplesse.
🔑 Luc et Jérôme Choblet, Les Herbauges,
44830 Bouaye, tél. 02.40.65.44.92, fax 02.40.65.58.02,
e-mail choblet@domaine-des-herbauges.com
☑ 🍷 🚶 r.-v.

### DOM. DES GILLIERES
Sur lie Cuvée Prestige 2004 ★★

▪ 5,2 ha 38 000 🍾 - de 3 €

Les amphibolites ont la particularité de bien drainer les terrains ; à Corconé, ces roches impriment un caractère spécifique aux vins. Jaune pâle, ce 2004 en atteste. Il ne manque ni de fraîcheur ni de rondeur et développe une minéralité typique avec persistance. Notez aussi le **muscadet-sèvre-et-maine Sur lie Château des Gillières Cuvée Prestige 2004** qui obtient une étoile pour son nez floral et sa fraîcheur.
🔑 SAS des Gillières, Les Gillières,
44690 La Haye-Fouassière,
tél. 02.40.54.80.05, fax 02.40.54.89.56
☑ 🍷 🚶 t.l.j. sf sam. dim. 8h-12h 14h-17h; f. août
🔑 D. Régnier

### DOM. DU HAUT BOURG Sur lie 2004 ★★

▪ 5 ha 25 000 🍾 3 à 5 €

Au domaine du Haut Bourg, les vignes demeurent malgré l'urbanisation galopante de la commune de Bouaye. Heureusement ! Michel et Hervé Choblet peuvent ainsi produire des vins tels que ce 2004 fin et complexe. D'une expression florale et minérale, ce muscadet-côtes-de-grand-lieu possède un réel équilibre, de la rondeur et de la persistance.
🔑 Dom. du Haut Bourg,
11, rue de Nantes, 44830 Bouaye,
tél. 02.40.65.47.69, e-mail hautbourg@free.fr
☑ 🍷 🚶 t.l.j. sf dim. 9h-12h 14h-19h
🔑 Michel et Hervé Choblet

### DOM. DU PARC Sur lie 2004 ★

▪ 8 ha 45 000 🍾 - de 3 €

Pierre Daheron, à la tête de ce domaine de 58 ha depuis 1968, sait tirer profit de son terroir d'amphibolites. Il propose ainsi un vin jaune pâle limpide, de bel aspect, qui décline les fleurs avec discrétion. A l'attaque fraîche succède une impression de rondeur soulignée par des flaveurs plus intenses et persistantes. Le **gros-plant du pays nantais Sur lie 2004** brille d'une étoile également : minéral et assez long, il offre un agréable côté perlant.
🔑 EARL Pierre Dahéron,
Dom. du Parc, 44650 Corcoué-sur-Logne,
tél. 02.40.05.86.11, fax 02.40.05.94.98,
e-mail pierredaheron@aol.com ☑ 🍷 🚶 r.-v.

### DOM. DE LA PIERRE BLANCHE Sur lie 2004 ★

▪ 8,7 ha 10 000 🍾 - de 3 €

Saint-Philbert-de-Bouaine est l'une des deux communes de Vendée constituant l'aire du muscadet-côtes-de-grand-lieu. Gérard Épiard conduit depuis 1970 ce domaine, dont la première pierre – blanche – a été posée en 1850. Son 2004 de teinte pâle à reflets verts se montre élégant grâce à un équilibre très réussi entre ses arômes intenses de fleurs mêlés de fruits blancs et la fraîcheur de sa chair.
🔑 Gérard Epiard,
La Pierre Blanche, 85660 Saint-Philbert-de-Bouaine,
tél. 02.51.41.93.42, fax 02.51.41.91.71 ☑ 🍷 🚶 r.-v.

### DOM. DE LA REVELLERIE Sur lie 2004 ★

▪ 11,2 ha 59 600 🍾 - de 3 €

A l'extrême ouest de la commune de Saint-Philbert-de-Grand-Lieu, ce domaine familial de 22 ha est à l'origine d'un vin jaune pâle légèrement perlant. Au nez de fleurs répond une bouche fine, souple et équilibrée. Il ne faudra pas hésiter à servir cette bouteille avec des anguilles du lac de Grand-Lieu.
🔑 Jean-Michel Mercier, La Révellerie,
44310 Saint-Philbert-de-Grand-Lieu,
tél. et fax 02.40.78.73.70 ☑ 🍷 🚶 r.-v.

### ABBAYE DE SAINTE-RADEGONDE
Sur lie La Haute-Vrignais 2004 ★

9,38 ha 73 000 3 à 5 €

Sainte-Radegonde est une ancienne abbaye sur la route de Saint-Jacques-de-Compostelle, dans la région de Sèvre-et-Maine. Cependant, le domaine de 130 ha possède aussi des vignes en Vendée, à La Haute Vrignais, qui lui ont permis de produire ce côtes-de-grand-lieu jaune pâle animé de reflets verts et d'un léger perlant. Des arômes de fruits mûrs intenses se manifestent d'emblée comme une invitation à découvrir la bouche équilibrée, souple, parfumée de fruits blancs et de fruits secs. Il est conseillé de servir cette bouteille sans tarder.

SCEA Abbaye de Sainte-Radegonde, 44430 Le Loroux-Bottereau, tél. 02.40.03.74.78, fax 02.40.03.79.91, e-mail mm.elzinga@wanadoo.fr r.-v.

### DOM. DE LA TOUQUETIERE Sur lie 2004 ★

10 ha 70 000 3 à 5 €

Sur la route de la Vendée, L'Hommelais est un manoir du XVIIe s. qui commande aujourd'hui 46 ha de vignes. Dominique Brossard y propose un vin très frais. Il suffit de regarder la robe jaune pâle à reflets verts, de s'attarder sur les arômes de citron et de goûter sa chair vive et acidulée pour s'en convaincre.

Dominique Brossard, Manoir de L'Hommelais, 44310 Saint-Philbert-de-Grand-Lieu, tél. 02.40.78.96.75, fax 02.40.78.76.91 r.-v.

# Muscadet-coteaux-de-la-loire

### DOM. DU CHAMP CHAPRON Sur lie 2004 ★★

15 ha 100 000 - de 3 €

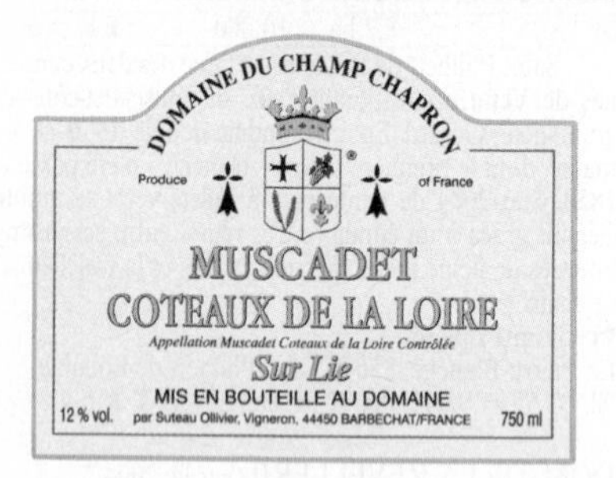


La commune de Barbechat doit son nom à une barrière de collines qui sépare l'Anjou du pays nantais. Carmen Suteau tire le meilleur de son vignoble implanté sur des coteaux très pentus, orientés vers la Loire, sur sols de micaschistes et de gneiss. En témoigne ce vin d'un jaune pâle limpide avenant. Le nez d'aubépine révèle la touche minérale caractéristique de cette appellation, tandis que la bouche ronde trouve dans un léger perlant un soutien à son agréable fraîcheur. Cette bouteille accompagnera un saumon de Loire au beurre blanc nantais monté à l'échalote.

EARL Suteau-Ollivier, Dom. du Champ Chapron, 44450 Barbechat, tél. 02.40.03.65.27, fax 02.40.33.34.43, e-mail suteau.ollivier@wanadoo.fr t.l.j. sf dim. 9h-12h 14h-19h

Carmen Suteau

### LES FOLIES SIFFAIT Sur lie 2004

10 ha 60 000 3 à 5 €

Le nom de Folies Siffait désigne un site classé de la commune du Cellier : des jardins aménagés en terrasses au-dessus de la Loire entre 1819 et 1829. Profitez de la Journée du Patrimoine pour vous y rendre. Vous dégusterez alors cette cuvée issue d'un terroir de schistes anciens. Celle-ci développe au nez des arômes d'abricot et de pêche de vigne, puis emplit le palais de sa chair fruitée et persistante, nuancée d'une pointe minérale. Un vin typique.

Vignerons de la Noëlle, Terrena, bd des Alliés, 44150 Ancenis, tél. 02.40.98.92.72, fax 02.40.98.96.70, e-mail vignerons-noelle@terrena.fr r.-v.

### DOM. DES GENAUDIERES Sur lie 2004 ★

8 ha 25 000 3 à 5 €

Faites un détour au domaine des Génaudières d'où vous pourrez admirer les méandres de la Loire. Sur ses coteaux de schistes est né ce vin qui allie les registres floral et minéral. En bouche, la minéralité domine et c'est bien ce que l'on attend d'un muscadet-coteaux-de-la-loire. Un mariage avec un sandre sera du meilleur goût.

Athimon et ses Enfants, Dom. des Génaudières, 44850 Le Cellier, tél. 02.40.25.40.27, fax 02.40.25.35.61, e-mail earl.athimon@libertysurf.fr t.l.j. sf dim. 9h-12h30 14h-19h

### DOM. DU HAUT FRESNE Sur lie 2004 ★

8 ha 60 000 3 à 5 €

Sur la rive gauche de la Loire, ce domaine domine la vallée des rois de France, chère à Joachim du Bellay. Typique des coteaux de la Loire, ce vin a un fort potentiel. Les reflets jaune or de sa robe annoncent bien les notes de miel et de cire. La bouche est certes souple et ronde, mais elle conserve une certaine fraîcheur et une bonne minéralité.

GAEC Renou Frères, Dom. du Haut Fresne, 49530 Drain, tél. 02.40.98.26.79, fax 02.40.98.27.86 t.l.j. sf dim. 9h-12h 14h30-18h30

### DOM. DU MOULIN GIRON Sur lie 2004

2,72 ha 20 000 3 à 5 €

La commune de Liré abrite le musée Joachim du Bellay, lequel a célébré dans ses poèmes la douceur angevine et les rives de la Loire. Avec son nez minéral de pierre à fusil, sa bouche fraîche et persistante, voici un vin représentatif de son appellation. La structure est suffisante pour lui assurer une bonne tenue jusqu'à fin 2006.

EARL Allard Père et Fille, Le Moulin Giron, chai Bellevue, 49530 Liré, tél. 02.40.96.11.95, fax 02.40.09.07.39 t.l.j. sf mer. dim. 9h30-12h 14h30-18h30

Allard Père et Fille

### DOM. DE LA PLEIADE 2004

2 ha 10 000 3 à 5 €

Sur les coteaux de la Loire angevine, ce domaine a élaboré un vin de terroir très minéral sous une teinte jaune pâle à reflets verts. D'attaque franche, la bouche est bien soutenue par un côté perlant et laisse en finale le souvenir discret du fruité.

Bernard Crespin, Dom. de la Pléiade, 49530 Liré, tél. 02.40.09.01.39, fax 02.40.09.07.42 r.-v.

CH. DE LA VARENNE Sur lie 2004 ★★

4,2 ha 30 821 3 à 5 €

Cet imposant château du XIXᵉs. domine la Loire, à la frontière de l'Anjou et du pays nantais. De son terroir siliceux est né ce vin puissant et complexe, plus minéral que floral au nez. La bouche souple et ronde allie des flaveurs de fruits exotiques fort agréables, tandis qu'en finale s'exprime une légère amertume, signe d'une aptitude à bien évoluer à la garde.

Pascal Pauvert, Le Marais, 49270 La Varenne, tél. et fax 02.40.98.55.58 r.-v.

# Gros-plant AOVDQS

Le gros-plant du pays nantais est un vin blanc sec, AOVDQS depuis 1954. Il est issu d'un cépage unique : la folle blanche, d'origine charentaise, appelée ici gros-plant. Comme le muscadet, le gros-plant peut être mis en bouteilles sur lie. Vin blanc sec, il convient parfaitement aux fruits de mer en général et aux coquillages en particulier ; il doit être servi, lui aussi, frais mais non glacé (8- 9 ° C).

CH. DE BRIACE Sur lie 2004 ★

1 ha 3 000 - de 3 €

L'ancien château de Briacé fut détruit pendant la Révolution, puis reconstruit au XIXᵉs. Actuellement, il abrite le lycée viticole qui forme une partie des vignerons de la région nantaise. Les gros-plants de cette propriété sont réputés être précoces. Ainsi de ce 2004 jaune pâle, au nez légèrement citronné. Une pointe de perlant typique des vins sur lie renforce la fraîcheur de la bouche élégante et persistante. Du même domaine, le **muscadet-sèvre-et-maine sur lie 2004 (3 à 5 €)** obtient une étoile pour ses parfums de fruits blancs bien marqués.

AFG Ch. de Briacé, Lycée agricole, 44430 Le Landreau, tél. 02.40.06.49.16, fax 02.40.06.46.15, e-mail lycee@briace.org r.-v.

PIERRE CHANAU Sur lie 2004 ★

57,89 ha 293 333 - de 3 €

Pierre Chanau est la marque du distributeur Auchan. Si vous cherchez une bouteille pour accompagner une dizaine d'huîtres (de la baie de Cancale, idéalement !), ce gros-plant sera un choix judicieux au rayon Vin de cette enseigne. Celui-ci mêle fruits et fleurs au nez, comme pour annoncer la fraîcheur flatteuse de la bouche. Le **muscadet-sèvre-et-maine sur lie L'Ame du terroir 2004 (3 à 5 €)**, au caractère légèrement acidulé, est cité.

SARL Vins du Terroir, Dom. de l'Hyvernière, 44330 La Chapelle-Heulin, tél. 02.40.06.73.83, fax 02.40.06.76.49

GUILLAUME CHARPENTIER Sur lie 2004 ★

5,45 ha 28 000 - de 3 €

Ce vin aux reflets verts présente un nez typique, non dénué de complexité : citron, agrumes, fruits exotiques. Il manifeste en bouche de l'élégance et laisse une impression de délicatesse tant sa chair est ronde et fruitée.

EARL Manoir de la Firetière, Les Moues, 44430 Le Loroux-Bottereau, tél. 02.40.06.43.76, fax 02.40.06.43.74, e-mail manoir.f@wanadoo.fr r.-v.

CLOS SAINT-VINCENT DES RONGERES Sur lie 2004 ★★

2,7 ha 11 000 3 à 5 €

Située au cœur du Sèvre-et-Maine, la commune du Landreau produit d'excellents gros-plants. Yves Provost en apporte l'illustration grâce à ce 2004 jaune pâle à reflets verts, dont le nez intense fait la part belle aux fruits exotiques. Le vin a de la tenue en bouche, de l'équilibre, de la puissance et de la longueur.

Yves Provost et Fils, Le Pigeon Blanc, 44430 Le Landreau, tél. 02.40.06.43.54, fax 02.40.06.47.10 r.-v.

DOM. DE LA COCHE Sur lie 2004 ★★

1,5 ha 1 200 3 à 5 €

Emmanuel et Laurent Guitteny, deux cousins, se sont lancés dans le « sur lie » en 2004. Heureuse initiative à en juger par ce vin très pâle à reflets verts brillants, qui développe de subtils arômes de violette et de fleurs blanches. Frais en attaque, le palais gagne en rondeur et se nuance de flaveurs persistantes de fruits exotiques.

Emmanuel et Laurent Guitteny, La Coche, 44680 Sainte-Pazanne, tél. 02.40.02.44.43, fax 02.40.02.43.55, e-mail lacochevins@aol.com t.l.j. sf dim. lun. 9h-12h 15h-19h

DOM. DENIS Sur lie 2004 ★★

7,75 ha 41 200 - de 3 €

Les amphibolites, roches spécifiques au vignoble du lac de Grand-Lieu, donnent aux vins un caractère reconnaissable. Cette cuvée en témoigne. Limpide et élégante, elle livre un nez intense de fleurs printanières. Après une attaque ronde, elle trouve de la fraîcheur dans des flaveurs de citron, de pamplemousse et une touche iodée. Pour une marinière de maquereaux aux zestes d'oranges.

Gabriel Denis, 5, Le petit Poirier, 44310 La Limouzinière, tél. et fax 02.40.05.83.69

DOM. DE L'ESPERANCE Sur lie 2004 ★★

2,89 ha 12 000 - de 3 €

Coup de cœur dans le Guide 2005 pour son muscadet-sèvre-et-maine 2003, le domaine de l'Espérance affirme ici la qualité de son gros-plant. A la frontière de l'Anjou et du pays nantais, il a produit un 2004 au nez expressif de fruits. Souplesse et fraîcheur sont en parfait équilibre, de sorte que le vin flatte durablement le palais.

GAEC Patrice et Anne-Sophie Chesné,
L'Espérance, 49230 Tillières,
tél. et fax 02.41.70.46.09 r.-v.

LE FIEF COGNARD Sur lie 2004 *

1,4 ha 14 000 - de 3 €

Dans les années assez précoces, les granits de Château-Thébaud sont favorables au gros-plant. L'amateur n'en aura pas le moindre doute en goûtant ce vin citronné et minéral qui attaque le palais avec franchise, puis se révèle équilibré, rond. « Il fera plaisir tout de suite », conclut un dégustateur. Le **muscadet-sèvre-et-maine sur lie Réserve du Fief Cognard 2004 (3 à 5 €)** obtient la même note : il présente une minéralité caractéristique et de la fraîcheur.

Dominique Salmon,
Les Landes de Vin, 44690 Château-Thébaud,
tél. 06.84.18.75.74, fax 02.40.06.55.42 r.-v.

CH. LA FORCHETIERE Sur lie 2004 **

8 ha 44 000 - de 3 €

Ce château situé dans le pays de Retz, sur la route de Nantes à Legé, comprend 57 ha de vignes, dont des ceps de melon de Bourgogne sur un terroir d'éclogite très particulier. Ici naissent des vins à l'image de ce 2004 équilibré, aux arômes persistants de genêt, de pamplemousse et de citron. On rêve d'huîtres du golfe du Morbihan devant une telle bouteille.

SCEA Champteloup, La Forchetière,
44650 Corcoué-sur-Logne, tél. 02.40.36.66.00

GUILBAUD FRERES Sur lie 2004 ***

3 ha 8 000 - de 3 €

Cette maison de négoce du pays nantais s'est forgé une bonne réputation depuis sa création en 1927 par l'arrière-grand-père et le grand-oncle des propriétaires actuels. Ce n'est pas ce 2004 qui viendra la ternir. Légèrement perlant, il exprime de beaux arômes de fruits mûrs qui trouvent un long écho en bouche et soulignent l'équilibre entre fraîcheur et rondeur. Un gros-plant très flatteur, à découvrir sans tarder avec des coques tièdes sur pain beurré. Retenez aussi le **muscadet-sèvre-et-maine sur lie Soleil nantais 2004 (3 à 5 €)** qui brille de deux étoiles : alliant arômes de fleurs, de fruits et de minéral, il offre une rondeur plaisante.

Guilbaud Frères,
Le Clos du Pont, 44330 Mouzillon,
tél. 02.40.06.90.69, fax 02.40.06.90.79 r.-v.

DOM. DE LA HOUSSAIS Sur lie 2004 *

1 ha 3 000 3 à 5 €

Les gros-plants de ce domaine familial naissent sur des terrains sablonneux et limoneux. Ce 2004, frais en attaque, décline des nuances de fruits blancs (pêche, poire) et laisse une impression plus ronde en finale. Du même domaine, mais issu d'un terrain de gneiss, le **muscadet-sèvre-et-maine 2003 Élevé en fût de chêne (5 à 8 €)** est cité. Son caractère chaleureux lui permettra de tenir tête à des brochettes de gambas flambées au whisky.

Bernard Gratas,
Dom. de La Houssais, 44430 Le Landreau,
tél. 02.40.06.46.27, fax 02.40.06.47.25 r.-v.

MOULIN DE LA MINIERE Sur lie 2004 *

2 ha 4 000 - de 3 €

Il reste quelques rares moulins dans la région nantaise, du temps où l'on cultivait encore des céréales. Situé sur une butte au milieu des vignes, ce domaine a produit un gros-plant jaune pâle à reflets verts brillants. Si les notes d'agrumes se manifestent d'emblée, elles ne tardent pas à se nuancer de fleurs blanches. La bouche longue et équilibrée privilégie les flaveurs citronnées qui lui donnent de la fraîcheur. Le **muscadet-sèvre-et-maine sur lie 2004 (3 à 5 €)**, noté une étoile également, fait preuve d'ampleur et de souplesse.

SC Ménard-Gaborit, La Minière, 44690 Monnières,
tél. 02.40.54.61.06, fax 02.40.54.66.12,
e-mail philippe.menard7@wanadoo.fr r.-v.

DOM. DE LA NOE 2004 *

2,6 ha 27 000 - de 3 €

Quatre frères travaillent étroitement dans ce domaine créé en 1878. Ils ont su tirer le meilleur parti du gros-plant planté sur les granites de Château-Thébaud. Leur 2004, riche d'arômes de raisin frais et de poire, s'avère gras et long, avec juste ce qu'il faut de vivacité. Le **muscadet 2004** n'est pas moins agréable : le jury lui attribue une étoile pour sa finesse et les arômes élégants qui se libèrent à l'aération (fleurs blanches, fruits, minéral).

Dom. de la Noë, 44690 Château-Thébaud,
tél. et fax 02.40.06.50.57,
e-mail domainelanoe@wanadoo.fr
t.l.j. sf dim. 8h-12h30 14h-19h
Drouard Frères

CH. LA PERRIERE Sur lie 2004 *

4,3 ha 20 000 3 à 5 €

Vincent Loiret, à la tête de cette exploitation familiale depuis 1991, possède de grands chais semi-enterrés. Il se fera fort de vous expliquer le travail de vinification tout en vous parlant de son 2004. Le jury a apprécié la fraîcheur de ce vin, son attaque souple et son équilibre. S'il n'est pas très long, il n'en laisse pas moins une agréable sensation et saura bien se tenir dans les deux prochaines années (la petite amertume finale en est un signe).

Vincent Loiret,
Ch. La Perrière, 44330 Le Pallet,
tél. 02.40.80.43.24, fax 02.40.80.46.99,
e-mail vins.loiret@free.fr
t.l.j. sf dim. 8h-12h 14h-19h; f. 8-15 août

DOM. POIRON DABIN
Sur lie Fine Cuvée Plaisir 2004 **

1 ha 8 700 - de 3 €

Sur la route de Vertou à Château-Thébaud, vous ne pourrez manquer le domaine de Chantegrolle, conduit par deux frères depuis 1987. Leur 2004 brille de reflets dorés des plus avenants et offre un nez puissant, à la fois minéral et citronné. L'harmonie se confirme au palais et l'on se

régale de tant de fraîcheur et d'intensité aromatique (fruits blancs). Le **muscadet-sèvre-et-maine sur lie 2004 (3 à 5 €)**, très rond, obtient une étoile.
Poiron-Dabin,
Chantegrolle, 44690 Château-Thébaud,
tél. 02.40.06.56.42, fax 02.40.06.58.02,
e-mail dom.poiron@wanadoo.fr r.-v.
Laurent et Jean-Michel Poiron

### LAURENT SAUVETRE Sur lie 2004 ★★

0,7 ha 5 000 - de 3 €

Au pied de la butte de La Roche qui domine le château de Goulaine, cette propriété a élaboré un vin plaisant et typique. Au nez fruité plein de fraîcheur répond une bouche équilibrée, aux flaveurs d'agrumes (pamplemousse) en finale.
GFA Le Clos du Bonneau,
La Pouivetière, BP 41, 44430 Le Loroux-Bottereau,
tél. 02.40.03.76.67, fax 02.40.33.83.01,
e-mail closdubonneau@club-internet.fr r.-v.

### LA SEIGNEURIE DU CLERAY-SAUVION
Sur lie Réserve 2004 ★

1,3 ha 6 800 3 à 5 €

Propriété au XIX^e^s. du cardinal Richard de La Vergne, archevêque de Paris qui participa à la construction du Sacré-Cœur à Montmartre. Les dégustateurs ont décelé dans cette cuvée l'empreinte d'un grand terroir. Issue de micaschistes, celle-ci dévoile des arômes intenses, marqués par une certaine minéralité. Elle se montre structurée, fraîche et d'une bonne longueur. Pour des huîtres, certes, mais pourquoi pas aussi pour un poisson en sauce ?
Sauvion, Ch. du Cléray-Sauvion,
Eolie, BP 3, 44330 Vallet, tél. 02.40.36.22.55,
fax 02.40.36.34.62, e-mail sauvion@sauvion.fr
t.l.j. sf sam. dim. 8h30-12h 14h-17h

# Fiefs-vendéens AOVDQS

Anciens fiefs du Cardinal : cette dénomination évoque le passé de ces vins, appréciés par Richelieu après avoir connu un renouveau au Moyen Age, ici, comme bien souvent, à l'instigation des moines. La dénomination AOVDQS fut accordée en 1984, confirmant les efforts qualitatifs qui ne se relâchent pas sur les 480 ha complantés pour une production de 23 302 hl de vins rouges et rosés et de 3 470 hl de vins blancs en 2004.

A partir de gamay, de cabernet et de pinot noir, la région de Mareuil produit des rosés et des rouges fins, bouquetés et fruités ; les blancs sont encore confidentiels. Non loin de la mer, le vignoble de Brem, lui, donne des blancs secs à base de chenin et de grolleau gris, mais aussi du rosé et du rouge. Aux environs de Fontenay-le-Comte, blancs secs (chenin, colombard, melon, sauvignon), rosés et rouges (gamay et cabernet) proviennent des régions de Pissotte et de Vix. On boira ces vins jeunes, selon les alliances classiques des mets et des vins.

### DOM. DE LA CAMBAUDIERE
Mareuil Cuvée sélectionnée 2004 ★★

2 ha 10 000 3 à 5 €

Michel Arnaud a conservé une parcelle préphylloxérique de négrette, vieille de cent quarante ans. Toutefois, c'est au chenin et au chardonnay qu'il doit aujourd'hui ce remarquable fiefs-vendéens. Un nez discret et fin se libère de la robe jaune à reflets gris, puis des arômes de pierre à fusil apparaissent en bouche, soulignant la matière souple et équilibrée, de bonne longueur. Le **Mareuil rosé Cuvée sélectionnée 2004** est cité. Issu de gamay, il charme par sa fraîcheur et ses notes de bonbon anglais.
Michel Arnaud, La Cambaudière, 85320 Rosnay,
tél. 02.51.30.55.12, fax 02.51.28.21.02
t.l.j. 9h-12h30 14h30-19h30; dim. sur r.-v.

### LE CLOS DES CHAUMES
Mareuil Vieilles Vignes 2004 ★

3,1 ha 11 000 3 à 5 €

Issu d'un terroir schisteux et d'un assemblage de pinot noir et de gamay, ce vin d'une juste fraîcheur livre une palette finement fruitée qui se prolonge en bouche, flattée par la légère rondeur de la finale. Sa couleur fraise est un autre de ses atouts de séduction. Le **Mareuil rouge Les Noces du savoir et du terroir 2004**, assemblage de cabernet, de gamay et de négrette, obtient la même note. Il exprime les arômes de fruits mûrs intenses typiques de la négrette.
GAEC Gustave et Fabien Murail,
3, rue La Tudelière, 85320 La Couture,
tél. et fax 02.51.30.58.56
t.l.j. sf dim. 9h30-12h15 15h-19h

### COIRIER Pissotte 2004 ★★

5 ha 20 000 3 à 5 €

Vous serez étonné de découvrir ce vignoble en bordure de la forêt de Vouvant. Récoltés sur des terres de groie, le chardonnay, le chenin et le melon forment un mariage étonnant également. Au nez discret d'agrumes répond une bouche souple et fruitée, suffisamment persistante. Servez ce vin avec une tarte aux poireaux ou un fromage de chèvre chaud sur toast.
GAEC Coirier Père et Fils,
La Petite Groie, 15, rue des Gélinières, 85200 Pissotte,
tél. 02.51.69.40.98, fax 02.51.69.74.15 r.-v.

### DOM. DES DAMES
Mareuil Les Aigues marines 2004

5 ha 12 000 3 à 5 €

Ce domaine situé sur l'ancienne route du sel est dirigé par des femmes depuis plusieurs générations, d'où son nom. Cette cuvée assemble pinot noir (70 %) et gamay. Si le fruité est encore timide au nez, il s'exprime volontiers en bouche, profitant de la vivacité et du caractère acidulé dus au gamay. À mettre dans le panier de pique-nique avec la mortadelle. Cité également, le **Mareuil rouge Domaine du Chemin vert 2004** (gamay, pinot noir, cabernet franc et négrette) joue un duo de fraise et de framboise épicées.

🔑 GAEC Vignoble Gentreau, Follet, 85320 Rosnay, tél. 02.51.30.55.39, fax 02.51.28.22.36, e-mail domaine.des.dames@oreka.fr
☑ 🍷 🚶 t.l.j. sf dim. 9h-12h 14h30-19h30

DOM. DU LUX EN ROC Brem 2004

■ 3,1 ha 8 000 3 à 5 €

Lux en Roc signifie lumière sur le rocher, lumière qui faisait autrefois office de phare. Aujourd'hui, c'est une exploitation de moins de 10 ha en bordure de mer, que l'on vient visiter pour ses vins. On y trouvera ce rosé issu de 70 % de pinot noir et de 30 % de gamay, typique de la région de Brem. Un nez de fruits rouges de bonne intensité et un caractère agréablement acidulé font de cette bouteille un bon compagnon des sardines grillées sur sarments de vignes, spécialité de Saint-Gilles-Croix-de-Vie.
🔑 Jean-Pierre Richard, 5, imp. Richelieu, 85470 Brem-sur-Mer, tél. et fax 02.51.90.56.84
☑ 🍷 🚶 t.l.j. sf dim. 9h30-12h30 15h30-19h30

CH. MARIE DU FOU Mareuil 2004 ★★

■ 20,65 ha 160 000 5 à 8 €

Ce château médiéval du XIIe s. fut longtemps la propriété des ducs de Mareuil. S'il a été remanié à la Renaissance, il conserve ses caves voûtées d'origine. Une visite vous permettra de découvrir dans ce cadre ce 2004 très intense dans ses arômes de fraise des bois et de myrtille. Le vin a suffisamment de rondeur pour affronter des plats de résistance, comme un canard au chou de Vendée. Deux étoiles sont également attribuées au **Mareuil rouge 2004**, à dominante de cabernet, auquel une matière riche et structurée assurera une bonne tenue sur les deux ans à venir. Le **Mareuil blanc 2004** obtient une étoile : un assemblage de chenin et de chardonnay à parts égales, souple et fruité, que vous destinerez à une matelote d'anguilles aux pommes de terre de Noirmoutier.
🔑 J. et J. Mourat, Ch. Marie du Fou, 5, rue de la Trémoille, 85320 Mareuil-sur-Lay, tél. 02.51.97.20.10, fax 02.51.97.21.58, e-mail chateau.marie.du.fou@wanadoo.fr
☑ 🍷 🚶 t.l.j. sf dim. lun. 9h-12h30 14h30-19h

CH. DE ROSNAY Mareuil Elégance 2004

■ n.c. 30 000 3 à 5 €

En plein centre du bourg de Rosnay, ce château du XIXe s. commande un vignoble de 40 ha. Christian Jard a produit un vin jaune brillant à partir du chenin et du chardonnay. Ce dernier cépage a laissé son empreinte dans les arômes expressifs : une note de noisette ressort nettement. L'ensemble est bien équilibré. Le **Mareuil rosé cuvée Vieilles Vignes 2004**, mariage de pinot noir et de gamay, est également cité.
🔑 EARL Ch. de Rosnay, 5, rue du Perrot, 85320 Rosnay, tél. 02.51.30.59.06, fax 02.51.28.21.01, e-mail maison-jard@wanadoo.fr
☑ 🍷 🚶 t.l.j. sf dim. 9h-12h 14h-18h
🔑 Christian Jard

DOM. SAINT-NICOLAS Brem Reflets 2004 ★

■ 5 ha 20 000 5 à 8 €

Voilà presque dix ans que ce producteur s'est lancé dans la biodynamie. Il propose un rosé à dominante de pinot noir, habillé d'une robe saumonée. Si le nez marqué par le gamay est discret, l'impression d'ensemble n'en est pas moins favorable car la bouche s'avère équilibrée et longue. La même note revient au **Brem rouge Reflets 2004 (8 à 11 €)** qui bénéficie de la quasi-omniprésence du pinot noir (90 %).
🔑 Thierry Michon, 11, rue des Vallées, 85470 Brem-sur-Mer, tél. 02.51.33.13.04, fax 02.51.33.18.42, e-mail contact@domainesaintnicolas.com ☑ 🍷 🚶 r.-v.

DOM. DE LA VIEILLE RIBOULERIE Mareuil 2004 ★★

■ 2 ha 6 000 3 à 5 €

Cette exploitation qui domine la rivière de Yon doit son nom à l'ancienne seigneurie de La Riboulerie. Assemblage de chenin (60 %) et de chardonnay, son vin jaune pâle à reflets verts décline un nez fin, marqué par son cépage dominant, puis fait preuve d'équilibre et de persistance, avec une certaine rondeur en finale. Le **Mareuil rosé Cuvée des rêves de Lyon 2004** obtient une étoile pour son expression fruitée et sa souplesse. Servez-le avec une terrine de lapin.
🔑 Vignoble Macquigneau-Brisson, Le Plessis, 85320 Rosnay, tél. 02.51.30.59.54, fax 02.51.28.21.80, e-mail macquigneauh@aol.com
☑ 🍷 🚶 t.l.j. 8h-12h 14h-20h; dim. sur r.-v.

# Coteaux-d'ancenis AOVDQS

Les coteaux d'ancenis sont classés AOVDQS depuis 1954. On en produit quatre types, à partir de cépages purs : gamay (80 % de la production), cabernet, chenin et malvoisie. La superficie du vignoble est de 234 ha et la production a été de 16 398 hl en 2004, dont 758 hl en blanc.

DOM. DES GALLOIRES Sélection 2004 ★

■ 1,4 ha 12 000 3 à 5 €

Drain est un joli petit village situé à la frontière de l'Anjou et du pays nantais. Au domaine des Galloires, dominant la Loire, les vignes poussent sur des terrains de micaschistes qui donnent aux vins de la personnalité. Ce gamay couleur grenat dispense des senteurs fruitées et épicées, rappelant la cerise et le cassis. D'autres arômes apparaissent pêle-mêle, avec délicatesse, dans la continuité. D'attaque ronde, la bouche charnue s'appuie sur une structure fondue et égrène ses flaveurs de fruits compotés. Le **muscadet-coteaux-de-la-loire sur lie Cuvée Sélection 2004** est cité.
🔑 GAEC des Galloires, Dom. des Galloires, 49530 Drain, tél. 02.40.98.20.10, fax 02.40.98.22.06, e-mail contact@galloires.com
☑ 🍷 🚶 t.l.j. sf dim. 8h-12h 14h-19h (17h sam.); groupes sur r.-v.

DOM. DES GENAUDIERES Malvoisie 2004 ★

■ 2,25 ha 11 000 5 à 8 €

Heureux ancêtres qui, en 1653, choisirent ces coteaux silico-argileux le long de la Loire pour y planter la vigne. La famille Athimon s'en réjouit car elle peut ainsi élaborer

des vins aussi réussis que ce 2004 : une malvoisie pâle à reflets verts qui s'exprime dans le registre classique de la poire et de la pêche, en y ajoutant une touche d'anis. Si elle présente de la douceur en bouche, sa grande vivacité lui donne un caractère aérien. La même note est attribuée au **Domaine des Génaudières Cabernet 2004 (3 à 5 €)**, un vin rouge encore jeune mais doté d'une matière charnue et d'une ligne fruitée (cassis) agréable.
Athimon et ses Enfants,
Dom. des Génaudières, 44850 Le Cellier,
tél. 02.40.25.40.27, fax 02.40.25.35.61,
e-mail earl.athimon@libertysurf.fr
t.l.j. sf dim. 9h-12h30 14h-19h

### DOM. DES GRANDES PIERRES MESLIERES Gamay 2004 *

1,2 ha 10 000 - de 3 €

Les Pierres Meslières est un site préhistorique comprenant un mégalithe et deux menhirs. Situées sur la rive droite de la Loire, les vignes de ce domaine reposent sur des sols de micaschistes exposés au midi. Un rose soutenu habille ce vin intensément parfumé de fleurs et de fruits. L'attaque est ronde, la bouche charnue et gourmande, toute empreinte de cerise et de fraise à peine cueillies. L'ensemble persiste durablement. Cette bouteille pourra accompagner tout un repas.
Jean-Claude Toublanc,
Dom. des Grandes Pierres Meslières,
44150 Saint-Géréon, tél. et fax 02.40.83.23.95,
e-mail jean-claude.toublanc@wanadoo.fr r.-v.

### DOM. GUINDON Gamay 2004 *

2 ha 15 000 5 à 8 €

Ce domaine qui fêtera bientôt ses cent ans propose un coteaux-d'ancenis plein de fraîcheur. Il suffit de porter votre regard sur la robe saumon pour vous laisser tenter. Les arômes de fruits mûrs sauront vous convaincre, de même que l'équilibre frais et la persistance des arômes de fraise et de framboise en bouche. Installez-vous sur la terrasse devant un plateau bien garni pour le déjeuner : charcuteries, poisson ou viande grillée, salade de fruits exotiques.
Dom. Guindon, La Couleuverdière,
44150 Saint-Géréon, tél. 02.40.83.18.96,
fax 02.40.83.29.51 t.l.j. sf dim. 9h-12h 14h-18h

### DOM. DU HAUT FRESNE 2004 ***

0,6 ha 4 000 3 à 5 €

A la frontière de l'Anjou et du pays nantais, le domaine du Haut Fresne est plus proche de l'Anjou par ses vignes tournées vers la Loire. Son coteaux-d'ancenis demi-sec, de teinte blanc-gris, arbore un nez intense de poire william, typique de la malvoisie. La bouche ample, généreusement fruitée, fait preuve d'un étonnant équilibre entre vivacité et moelleux. Tout contribue à donner à ce vin un indéniable caractère de finesse. Pour l'apéritif ou des plats sucrés-salés. Le **Domaine du Haut Fresne Gamay 2004** obtient deux étoiles : rubis, il décline cerise et groseille, puis offre une chair légèrement poivrée qui charme par son volume et son excellente fraîcheur. Servez cette bouteille avec un poulet rôti du Val d'Ancenis.
GAEC Renou Frères, Dom. du Haut Fresne,
49530 Drain, tél. 02.40.98.26.79, fax 02.40.98.27.86
t.l.j. sf dim. 9h-12h 14h30-18h30

### DOM. DU MOULIN GIRON Gamay 2004 **

1,3 ha 9 000 3 à 5 €

Un père et sa fille se sont alliés sur ce domaine de plus de 37 ha implantés sur schistes, face à la Loire. Tous deux ont produit ce gamay intensément coloré, aux reflets violets de jeunesse. La palette fruitée est toute de fraîcheur, de même que la chair souple et ronde qui se conclut par une note mentholée. Les tanins sont fondus, l'équilibre complet.
EARL Allard Père et Fille,
Le Moulin Giron, chai Bellevue, 49530 Liré,
tél. 02.40.96.11.95, fax 02.40.09.07.39
t.l.j. sf mer. dim. 9h30-12h 14h30-18h30

## Anjou-Saumur

A la limite septentrionale des zones de culture de la vigne, sous un climat atlantique, avec un relief peu accentué et de nombreux cours d'eau, les vignobles d'Anjou et de Saumur s'étendent dans le département du Maine-et-Loire, débordant un peu sur le nord de la Vienne et des Deux-Sèvres.

Les vignes ont depuis fort longtemps été cultivées sur les coteaux de la Loire, du Layon, de l'Aubance, du Loir, du Thouet... C'est à la fin du XIXes. que les surfaces plantées sont les plus vastes. Le Dr Guyot, dans un rapport au ministre de l'Agriculture, cite alors 31 000 ha en Maine-et-Loire. Le phylloxéra anéantira le vignoble, comme partout. Les replantations s'effectueront au début du XXes. et se développeront un peu dans les années 1950-1960, pour régresser ensuite. Aujourd'hui, ce vignoble couvre environ 17 380 ha, qui produisent un million d'hectolitres.

Les sols, bien sûr, complètent très largement le climat pour façonner la typicité des vins de la région. C'est ainsi qu'il faut faire une nette différence entre ceux qui sont produits sur « l'Anjou noir », constitué de schistes et autres roches primaires du Massif armoricain, et ceux qui sont produits sur « l'Anjou blanc », ou Saumurois, terrains sédimentaires du Bassin parisien dans lesquels domine la craie tuffeau. Les cours d'eau ont également joué un rôle important pour le commerce : ne trouve-t-on pas encore trace aujourd'hui de petits ports d'embarquement sur le Layon ? Les plantations sont de 4 500-5 000 pieds par hectare ; la taille, qui était plus particulièrement en gobelet et en éventail, a évolué en guyot.

La réputation de l'Anjou est due aux vins blancs moelleux, dont les coteaux-du-layon sont les plus renommés. L'évolution conduit cependant désormais aux types demi-sec et sec, et à la production de vins rouges. Dans le

Saumurois, ces derniers sont les plus estimés, avec les vins mousseux qui ont connu une forte croissance, notamment les AOC saumur-mousseux et crémant-de-loire.

# Anjou

Constituée d'un ensemble de près de 200 communes, l'aire géographique de cette appellation régionale englobe toutes les autres. On y trouve des vins blancs (environ 52 200 hl sur 984 ha en 2004) et des vins rouges (83 206 hl). Pour beaucoup, le vin d'anjou est, avec raison, synonyme de vin blanc doux ou moelleux. Le cépage est le chenin, ou pineau de la Loire, mais l'évolution de la consommation vers des secs a conduit les producteurs à y associer chardonnay ou sauvignon, dans la limite maximale de 20 %. La production de vins rouges est en train de modifier l'image de la région ; ce sont les cépages cabernet franc et cabernet-sauvignon qui sont alors mis en œuvre.

## DOM. DE BABLUT 2003

5 ha 10 000 8 à 11 €

Ce domaine, qui appartient à la famille Daviau depuis 1546, conduit son vignoble en agriculture biologique. Issu de vendanges scrupuleusement sélectionnées, son anjou blanc a été vinifié et élevé pendant dix-huit mois en fût. Ce long séjour dans le bois a eu pour effet de masquer ses parfums de fruits mûrs, tant au nez qu'en bouche. Heureusement, en finale, le fruité reprend le dessus.

SCEA Daviau, Bablut, 49320 Brissac-Quincé,
tél. 02.41.91.22.59, fax 02.41.91.24.77,
e-mail daviau.contact@wanadoo.fr
t.l.j. sf dim. 9h-12h 14h-18h30

## DOM. DE LA BELLE ANGEVINE

Les Guerches Vieilles Vignes 2004

0,5 ha 1 200 5 à 8 €

Cette propriété a trouvé son nom dans une histoire d'amour du temps jadis. Dominant la vallée du Layon, son vignoble s'accroche à des pentes escarpées aux sols de schistes armoricains. Il a donné naissance à un 2004 dont la robe sombre aux reflets violacés et les arômes de fruits noirs annoncent la puissance. Dense et tannique en finale, la bouche confirme ces premières impressions. Déjà plaisant, ce vin s'assouplira après quelques mois de garde.

Florence Dufour, Dom. de la Belle Angevine,
La Motte, 49750 Beaulieu-sur-Layon,
tél. 02.41.78.34.86, fax 02.41.72.81.58,
e-mail fldufour@club-internet.fr r.-v.

## CH. BELLERIVE Cuvée spéciale 2004 *

5,5 ha 24 000 5 à 8 €

Bâti au bord du Layon, le château Bellerive vient de changer de propriétaire. Son vignoble s'étend sur l'aire du quarts-de-chaume, qui figure au nombre des appellations les plus réputées d'Anjou. Le chenin y donne également de l'anjou blanc, comme celui-ci, produit d'une vendange effectuée par tries et élevée pour partie en barrique. De couleur jaune aux légers reflets or, ce 2004 libère des parfums complexes où se mêlent les fleurs, les fruits mûrs, des nuances végétales rappelant le foin et des notes grillées. En bouche, il est équilibré, rond et fruité. Un vin de caractère qui sera prêt dans quelques mois.

SARL Ch. Bellerive, Chaume,
49190 Rochefort-sur-Loire, tél. 02.41.78.33.66,
fax 02.41.78.68.47, e-mail chateau.bellerive@wanadoo.fr
t.l.j. 9h-12h 14h-18h
Alain Chateau

## DOM. DES BLEUCES

Cuvée Privilège Elevé en fût de chêne 2004

0,32 ha 1 800 5 à 8 €

Ce domaine, racheté par Benoît Proffit en 1994, a été depuis agrandi et s'étend aujourd'hui sur 53 ha. Des investissements ont été effectués aux chais en parallèle. Cet anjou blanc vinifié et élevé en barrique porte encore la marque du chêne, mais on sent tout de même une bonne matière qui commence à laisser le fruit s'exprimer, avec des notes de fruits mûrs et d'agrumes. On pourra le déguster à la fin de l'année 2005.

EARL Proffit-Longuet,
Les Bleuces, 49700 Concourson-sur-Layon,
tél. 02.41.59.11.74, fax 02.41.59.97.64,
e-mail domainedesbleuces@coteaux-layon.com
t.l.j. sf dim. 8h-12h 13h30-18h
Benoît et Inès Proffit

## DOM. DES BOHUES 2004

3,14 ha 3 000 3 à 5 €

Les Retailleau cultivent leur 15 ha de vignes dans la vallée du Layon et entendent bien ne pas s'agrandir pour que leur domaine reste une affaire familiale. De couleur rouge vif, leur anjou 2004 s'annonce par des parfums délicats de fleurs, de fruits rouges et d'un discret sous-bois. Charnue en attaque, légère puis plus tannique, la bouche offre un joli retour fruité. Un vin bien représentatif de son appellation.

Denis Retailleau,
Dom. des Bohues, 49750 Saint-Lambert-du-Lattay,
tél. 02.41.78.33.92, fax 02.41.78.34.11 r.-v.

## DOM. DES CHESNAIES La Potardière 2004 *

1,6 ha 6 000 5 à 8 €

Olivier et Catherine de Cenival se sont installés en 1998 sur une propriété du XVI^e s. Ils vivent de la vigne (18 ha) et du tourisme, grâce à des chambres d'hôte aménagées dans leur domaine. Ils proposent un anjou blanc élevé en fût. Jaune pâle à reflets citron, ce 2004 exprime la puissance au premier coup de nez, libérant des parfums chaleureux de fruits macérés dans l'alcool. La bouche suave délivre toute une palette de notes fruitées et boisées. Un vin de caractère en devenir.

Olivier de Cenival, Dom. des Chesnaies, La Noue,
49190 Denée, tél. 02.41.78.79.80, fax 02.41.68.05.61,
e-mail odecenival@free.fr r.-v.

## DOM. DU CLOS DES GOHARDS 2004 *

3 ha 6 000 3 à 5 €

Si cette exploitation s'est équipée du matériel de vinification le plus récent, elle a conservé les anciens pressoirs installés par l'arrière-grand-père dans les années

1920. Sa superficie s'est beaucoup étendue, passant de 2 à 35 ha. Le domaine s'est bâti depuis quelques années une solide réputation dans les vins rouges et rosés, confirmée par un coup de cœur obtenu dans la dernière édition par un anjou-villages. Cet anjou de couleur rouge intense aux reflets violacés se montre particulièrement puissant pour l'appellation. Sa matière chaleureuse présente une forte structure tannique qui le rapproche d'un anjou-villages.

EARL Michel et Mickaël Joselon,
Les Oisonnières, 49380 Chavagnes-les-Eaux,
tél. et fax 02.41.54.13.98 r.-v.

## LE CLOS DES MOTELES 2004 *

■ 8 ha 20 000 3 à 5 €

Ce domaine est situé au sud de l'appellation, aux confins du Poitou et de l'Anjou. Ses terres graveleuses correspondant à d'anciennes terrasses du Thouet ont eu leurs heures de gloire au XVIIIe et au XIX[e]s. La région a gardé quelques vignobles intéressants, comme celui-ci, bien connu des lecteurs du Guide. De couleur pourpre, son anjou rouge brille de reflets rubis intenses. Tout aussi intense au nez, il mêle les fruits mûrs aux fruits secs et à une touche animale qui s'estompe à l'aération. Ample et harmonieux en bouche, il offre un plaisant retour de fruits frais.

GAEC Le Clos des Motèles,
42, rue de la Garde, 79100 Sainte-Verge,
tél. 05.49.66.05.37, fax 05.49.66.37.14
t.l.j. sf dim. 8h-12h 14h-18h30

## DOM. DU COLOMBIER 2004

■ 7 ha 4 500 3 à 5 €

Entre 1974 et 2005, les Bazantay ont constitué avec patience un domaine commandé par une grande longère. La propriété, qui s'étend aujourd'hui sur 23 ha, a été reprise en 2003 par la nouvelle génération. Son anjou rouge affiche une robe intense, un nez expressif de fruits rouges bien mûrs et de fruits noirs. La bouche assez dense révèle une structure tannique intéressante. Un vin simple mais agréable et bien fait, à servir dans l'année.

Anjou et Saumur

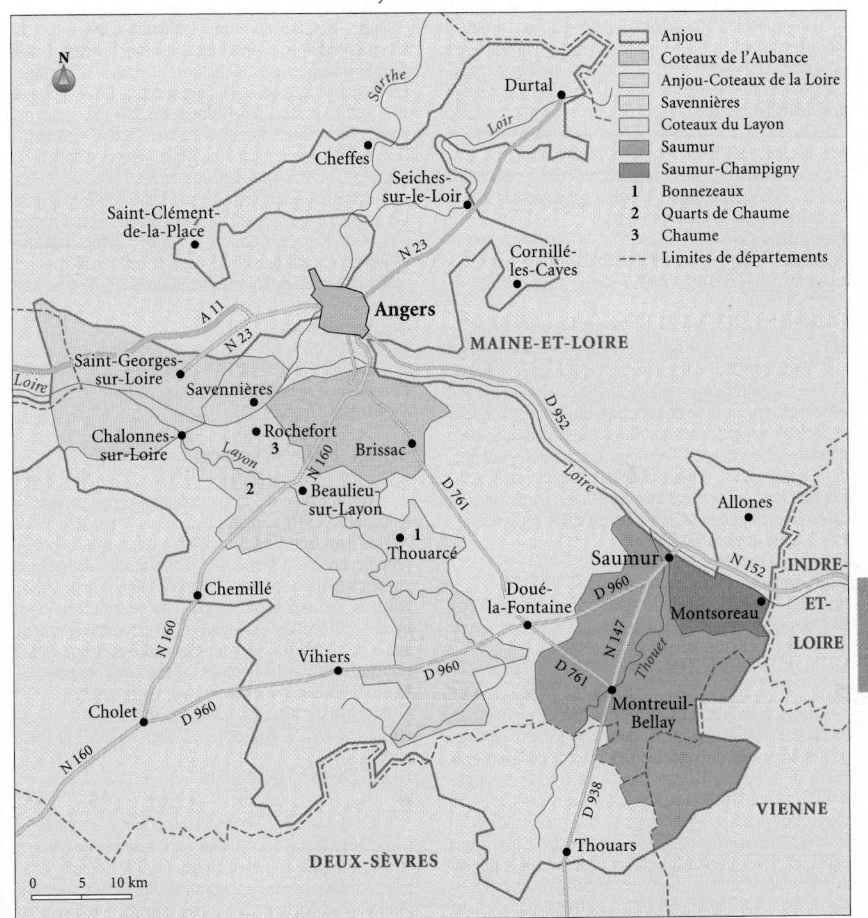

EARL Bazantay et Fils,
10, rue du Colombier, Linières,
49700 Brigné-sur-Layon, tél. et fax 02.41.59.31.82
t.l.j. sf dim. 8h-12h30 14h-18h

## DOM. DES COQUERIES
Elevé en fût de chêne 2003 *

| 2 ha | 5 000 | 3 à 5 € |
|---|---|---|

Etablie au sommet du coteau de Bonnezeaux, cette propriété propose cet anjou rubis intense vinifié et élevé pendant douze mois en barrique. Sa palette aromatique mêle les fruits noirs (cassis, myrtille) et des nuances épicées (vanille, muscade, clou de girofle). La bouche révèle la matière puissante d'un vin de garde, assez tannique en finale. Une structure qui en fait une bouteille hors normes pour l'appellation. On pourra la déboucher dès la fin de 2005, ou l'attendre quelques années.

EARL Philippe Gilardeau,
Les Noues, 49380 Thouarcé,
tél. 02.41.54.39.11, fax 02.41.54.38.84 r.-v.

## LE COTILLON BLANC 2004 **

| 0,73 ha | 4 800 | 3 à 5 € |
|---|---|---|

Pourquoi le Cotillon blanc ? Parce que l'on fabriquait jadis des jupons (cotillon) sur le site. On y a aussi cultivé du tabac, et l'ancien séchoir sert aujourd'hui de chai. L'exploitation a été reprise en 2003 par Gauthier Gassot dont le millésime 2004 est particulièrement apprécié. Un vin à la fois intense et délicat à l'œil. Tout aussi intense, le nez associe les fruits rouges et noirs surmûris. Une présentation qui annonce une matière première de grande qualité. Puissant et ample, le palais conjugue rondeur et fraîcheur, ce qui le rend fort agréable.

Gauthier Gassot,
2, rue du Cotillon-Blanc, 49380 Chavagnes-les-Eaux,
tél. et fax 02.41.54.01.27 r.-v.

## DOM. DES DEUX VALLEES Le Tirchaud 2003 *

| 1 ha | 3 500 | 5 à 8 € |
|---|---|---|

Arrivé en 2001 dans ce vignoble, Philippe Socheleau s'est très vite imposé par sa rigueur. Sa cuvée du Tirchaud est exclusivement issue de cabernet-sauvignon, planté sur des sols superficiels couvrant des schistes et des filons de phtanite. Elle s'ouvre à l'aération sur des notes confites, des nuances de fruits noirs et de cuir. Intense en bouche, elle allie richesse et délicatesse. La finale aux parfums de cassis écrasé et de mûre laisse un excellent souvenir.

Philippe et René Socheleau,
Dom. des Deux Vallées, Bellevue,
49190 Saint-Aubin-de-Luigné, tél. 02.41.78.33.24,
fax 02.41.78.66.58, e-mail domaine2vallees@wanadoo.fr
t.l.j. sf dim. 9h-12h 14h-19h

## DOM. DITTIERE 2004

| 2 ha | 6 000 | 5 à 8 € |
|---|---|---|

Les sols de la commune de Vauchrétien reposent sur un plateau schisteux en pente douce qui s'insère entre les pentes escarpées du vignoble des coteaux-du-layon et la vallée de la Loire. Ils possèdent une réserve en argile propice à la production de vins rouges et rosés. Cet anjou rouge provient d'un assemblage de cabernet franc (80 %) et de cabernet-sauvignon (20 %). En bouche, il révèle une bonne matière, un rien austère en finale, et qui s'affinera avec le temps. Caractéristique de l'appellation, son expression aromatique fait la part belle aux fruits rouges et aux fruits frais tout au long de la dégustation.

Dom. Dittière, 1, chem. de la Grouas,
49320 Vauchrétien, tél. 02.41.91.23.78,
fax 02.41.54.28.00, e-mail domaine.dittiere@wanadoo.fr
t.l.j. sf dim. 9h-12h 14h-18h30

## VIGNOBLE DES ESSARTS 2004 *

| 1 ha | 6 000 | 3 à 5 € |
|---|---|---|

Ce vignoble de 15 ha, pour les deux tiers implanté en coteau, est établi au pied de la corniche angevine qui domine les vallées du Layon et de la Loire. Il a donné naissance à un anjou rouge tout en légèreté et en vivacité. La robe est rouge brillant et la bouche délicate a du mordant. La finale laisse une étonnante sensation de fruits frais acidulés. Très sympathique, le type même du vin de soif, à apprécier dans l'année.

Olivier Fardeau,
Dom. des Essarts, 49290 Chaudefonds-sur-Layon,
tél. 02.41.78.27.69, fax 02.41.74.04.39
t.l.j. sf dim. 9h-19h; f. 15-31 août

## CH. DE FESLES La Chapelle 2004 **

| 4 ha | 12 000 | 5 à 8 € |
|---|---|---|

A la tête du château de Fesles depuis une dizaine d'années, B. Germain a été à l'initiative d'une démarche visant à produire des vins blancs sans enrichissement, issus de raisins récoltés à forte maturité et vinifiés en barrique. La vendange à l'origine de cette sélection titrait à plus de 13 ° nature. Jaune à reflets dorés, ce 2004 intense au nez associe les notes de vanille et de torréfaction léguées par l'élevage à des senteurs de fruits mûrs, d'abricot et d'acacia. Tout aussi puissant en bouche, il laisse cependant une impression de légèreté grâce à la nervosité du chenin. Un ensemble remarquable qui sera proche de son apogée à la fin de l'année. L'**anjou sec 2004 Cuvée classique (3 à 5 €)** obtient une étoile pour sa belle matière et ses arômes de miel, de fruits mûrs et de genêt. Encore sous l'empire du bois, il exprimera tout son potentiel dans quelques mois.

Ch. de Fesles, Ch. Partners, 49380 Thouarcé,
tél. 02.41.68.94.00, fax 02.41.68.94.01,
e-mail loire@vgas.com t.l.j. 9h-18h
Bernard Germain

## CH. DU FRESNE Chevalier Le Bascle 2002 *

| 1,2 ha | 6 000 | 5 à 8 € |
|---|---|---|

Un domaine de 75 ha commandé par un manoir remanié au XVIII^e^s., mais qui a conservé une tourelle du XIV^e^s., dans laquelle s'enroule un escalier à vis en bois. Il propose un anjou blanc issu d'une récolte manuelle et vinifié en barrique pendant six mois. D'un jaune intense à reflets or, ce 2002 libère des parfums de fruits confits, de miel et d'abricot qui évoquent un vin liquoreux. Puissant, ample et onctueux, il devrait s'entendre avec une viande blanche, un canard à l'orange ou une poule au pot.

Robin-Bretault, Ch. du Fresne, Le Fresne,
49380 Faye-d'Anjou, tél. 02.41.54.30.88,
fax 02.41.54.17.52 t.l.j. sf dim. 8h-12h 14h-19h

## DOM. DE GATINES 2004 *

| 6,5 ha | 44 000 | 3 à 5 € |
|---|---|---|

Ce domaine de 45 ha assoit d'année en année sa notoriété en matière de vins rouges et rosés. On le retrouve une fois de plus en anjou rouge. Ce 2004 séduit par sa palette aromatique mêlant la violette, les fruits rouges et le pruneau. La bouche ne déçoit pas, franche, dense avec une structure tannique équilibrée et fondue. Une bouteille prête à servir. L'**anjou-villages domaine de Gatines 2003 (5 à 8 €)** obtient également une étoile. Il est puissant, riche, de bonne garde.

🗝 Vignoble Dessèvre, Dom. de Gatines,
12, rue de la Boulaie, 49540 Tigné,
tél. 02.41.59.41.48, fax 02.41.59.94.44,
e-mail domaine-de-gatines-dessevre@wanadoo.fr
t.l.j. sf dim. 8h-12h 14h-18h

## DOM. GAUDARD Les Vauguérins 2004 ★★

■ 2 ha 13 000 5 à 8 €

Grand défenseur des vins d'Anjou et de Loire, Pierre Aguilas propose un 2004 solidement structuré. « Trop de matière ! » écrit un membre du jury, pour se reprendre aussitôt : « mais quelle matière ! » De fait, ce 2004 est plus proche d'un anjou-villages que d'un anjou. Sa robe profonde, rouge sombre tirant sur le noir, s'anime de reflets violacés. Son nez intense mêle les fruits noirs et les fruits rouges compotés. Tout aussi intense, la bouche révèle une trame tannique hors normes. Un vin à découvrir en fin d'année et à conserver un à deux ans.

🗝 Pierre Aguilas, Dom. Gaudard, rte de Saint-Aubin,
49290 Chaudefonds-sur-Layon, tél. 02.41.78.10.68,
fax 02.41.78.67.72, e-mail pierre.aguilas@wanadoo.fr
t.l.j. 9h-12h 14h-18h; dim. sur r.-v.

## DOM. DE LA GAUTERIE 2004 ★

■ 1 ha 3 000 3 à 5 €

Installé dans une longère datant des années 1800, Etienne Jadeau exploite 20 ha de vignes. Né de terrains graveleux, son anjou rouge assemble 40 % de cabernet franc à 60 % de cabernet-sauvignon. Il séduit par son équilibre fait d'impressions fraîches et moelleuses harmonieusement associées. Sa palette aromatique évoquant une corbeille de fruits rouges et noirs fraîchement cueillis est également fort appréciée. Un vin à déguster comme une gourmandise.

🗝 EARL Etienne Jadeau, La Gauterie,
49320 Charcé-Saint-Ellier, tél. et fax 02.41.45.50.04,
e-mail etienne.jadeau@wanadoo.fr
t.l.j. 8h-12h 14h-19h

## DOM. LES GRANDES VIGNES
Varenne de Combre 2003 ★★★

3,25 ha 17 500 8 à 11 €

Constitué en 1985, le GAEC Vaillant jouit d'une forte notoriété pour l'ensemble des appellations produites sur l'exploitation. Ce coup de cœur vient compléter un palmarès impressionnant. Le millésime précédent n'avait-il pas déjà obtenu deux étoiles ? Le 2003 est une merveille d'équilibre et d'élégance. Elaboré à partir d'une vendange récoltée à son potentiel optimal (ni trop, ni pas assez mûre) et parfaitement vinifié (élevage pour partie en cuve et en barrique), il associe harmonieusement notes vanillées, fruits mûrs (prune) et fruits compotés. En bouche, il est à la fois dense et délicat. Un ensemble exceptionnel en tout point.

🗝 GFA Vaillant, Dom. Les Grandes Vignes,
La Roche Aubry, 49380 Thouarcé,
tél. 02.41.54.05.06, fax 02.41.54.08.21,
e-mail vaillant@domainelesgrandesvignes.com
r.-v.

## DOM. GROSSET Le Vau 2004 ★

n.c. 1 000 8 à 11 €

Ce domaine est établi à Rochefort-sur-Loire, en plein cœur du vignoble des coteaux-du-layon. La technique d'élaboration de cet anjou blanc est d'ailleurs proche de celle des vins liquoreux (récolte manuelle rigoureuse, vinification en barrique). Le résultat ? Une robe jaune intense et des arômes puissants de fruits mûrs, voire confits. Une bouche un peu lourde en finale, mais d'une richesse incontestable.

🗝 Serge Grosset,
60, rue René-Gasnier, 49190 Rochefort-sur-Loire,
tél. 02.41.78.78.67, fax 02.41.78.79.79,
e-mail segrosset@wanadoo.fr r.-v.

## LE SEC DE JUCHEPIE J 2003 ★

6 ha 3 500 5 à 8 €

Domaine racheté en 1986 par la famille Oosterlinck-Bracke, passionnée par les vins blancs d'Anjou. Celui-ci résulte d'un pressurage à l'ancienne à l'aide d'un pressoir manuel vertical et a séjourné dix mois en barrique. Sa robe jaune s'anime de légers reflets or, son nez délicat et complexe associe le chèvrefeuille, la réglisse, les fruits mûrs et confits. Intense, ronde et moelleuse, la bouche laisse le souvenir de toute une gamme de fruits mûrs. Un très bel ensemble à découvrir dès à présent.

🗝 Oosterlinck-Bracke, Dom. de Juchepie,
Les Quarts, 49380 Faye-d'Anjou,
tél. 02.41.54.33.47, fax 02.41.54.13.49,
e-mail contact@juchepie.com r.-v.

## DOM. DU LANDREAU Les Subileaux 2003 ★

■ 2 ha 16 000 5 à 8 €

Cette sélection doit tout au cabernet-sauvignon. Par sa richesse et sa puissance, elle est bien représentative du millésime de la canicule. Sa robe sombre et profonde aux reflets carmin annonce un nez concentré où myrtille et violette côtoient des notes grillées de caramel et de pain brûlé. Suave, structurée et dense, la bouche révèle une matière ferme, mais déjà arrondie en finale. Un vin proche d'un anjou-villages par sa charpente.

🗝 SARL Dom. du Landreau,
Le Landreau, 49750 Saint-Lambert-du-Lattay,
tél. 02.41.78.30.41, fax 02.41.78.45.11 r.-v.
🗝 Raymond Morin

## DOM. LEDUC-FROUIN La Seigneurie 2004 ★

■ 5 ha 12 000 3 à 5 €

Le domaine de la Seigneurie possède de nombreuses caves troglodytiques creusées dans la roche du pays, le falun. Un terroir particulièrement favorable à la production de vins rouges et rosés. Martigné-Briand n'est-elle pas la capitale des vins rosés d'Anjou ? Avec son fruité, ce 2004 est le vin plaisir par excellence. Des arômes de fruits

LOIRE

rouges, de fruits des bois (myrtilles), présents tout au long de la dégustation, une bouche ronde, souple et fondue composent une bouteille à la fois élégante et facile d'accès.
Antoine et Nathalie Leduc-Frouin,
La Seigneurie, Sousigné, 49540 Martigné-Briand,
tél. 02.41.59.42.83, fax 02.41.59.47.90,
e-mail domaine-leduc-frouin@wanadoo.fr r.-v.

## DOM. DE LA MOTTE 2004 ★★★

■ 3 ha 15 000 3 à 5 €

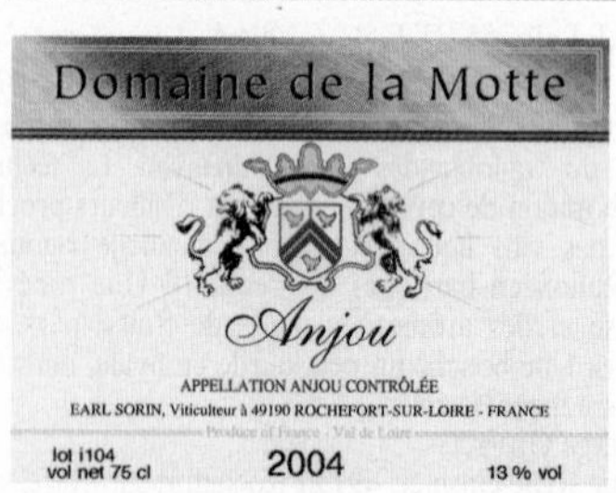


Implanté dans une des communes les plus réputées pour ses liquoreux, ce domaine s'illustre depuis quelques années par ses vins rouges. Avec celui-ci, le jury a été comblé. D'un rouge profond aux reflets pourpres délicats, ce 2004 exprime délicieusement les fruits rouges frais à toutes les étapes de la dégustation. En bouche, il associe les sensations fraîches et rondes dans une belle harmonie. Le vin gourmand par excellence !
Gilles Sorin, Dom. de la Motte,
35, av. d'Angers, 49190 Rochefort-sur-Loire,
tél. 02.41.78.72.96, fax 02.41.78.75.49,
e-mail sorin.dommotte@wanadoo.fr
t.l.j. 9h-18h30

## CH. DE PASSAVANT 2004 ★

3 ha 16 000 **5 à 8 €**

Situé dans le haut Layon, le château de Passavant domine la rivière qui est pratiquement à sa source, tel le gardien de ce petit cours d'eau devenu célèbre par les vins liquoreux produits sur ses coteaux. Il a proposé un anjou blanc dont la couleur paille à reflets verts indique une bonne maturité des vendanges. Ses arômes intenses rappellent les fleurs, les agrumes et l'abricot. Sa matière puissante et grasse en fait une bouteille pleine de promesses qui devrait avoir atteint sa pleine expression dans quelques mois.
SCEA David-Lecomte, Ch. de Passavant,
rte de Tancoigné, 49560 Passavant-sur-Layon,
tél. 02.41.59.53.96, fax 02.41.59.57.91,
e-mail passavant@wanadoo.fr r.-v.

## DOM. DES PETITES GROUAS 2004 ★★

■ 4 ha 10 000 3 à 5 €

Le jury a distingué ce 2004 pour sa finesse. D'un rouge intense, ce vin délivre des arômes de petits fruits rouges et noirs (cassis, framboise) particulièrement agréables, que l'on retrouve avec plaisir en rétro-olfaction dans une bouche ronde. Un vin tendre.
EARL Philippe Léger,
Cornu, 49540 Martigné-Briand,
tél. 02.41.59.67.22, fax 02.41.59.69.32 r.-v.

## DOM. DU PETIT VAL 2004 ★

■ 2,5 ha 16 000 3 à 5 €

Rouge clair à reflets rose violacé, cet anjou rouge apparaît facile avec ses parfums frais de fruits rouges et d'épices. Finalement, il surprend agréablement par sa persistance aromatique. Associant des impressions de suavité et de fraîcheur, c'est un vin très équilibré.
EARL Denis Goizil,
Dom. du Petit Val, 49380 Chavagnes,
tél. 02.41.54.31.14, fax 02.41.54.03.48,
e-mail denis-goizil@tiscali.fr r.-v.

## CH. PRINCE 2004 ★★

■ 1,5 ha 6 600 3 à 5 €

Cette propriété de 15 ha a été reprise en 2002 par Mathieu Levron et Régis Vincenot, nouveaux venus dans le monde viticole. Un travail de fond a été réalisé (augmentation de la surface foliaire, maîtrise de la charge...) et les résultats ne se sont pas fait attendre. Cet anjou d'un rouge brillant a charmé le jury par sa fraîcheur, sa légèreté et sa délicatesse. Son nez élégant évoque les fruits frais et les fruits rouges bien mûrs. Tout aussi fruitée, la bouche offre un côté souple, presque gouleyant. Pourtant, ce vin plaisir ne manque pas de caractère et a visiblement été élaboré à partir de raisins récoltés à maturité. Une microcuvée, **Les Ardoisières blanc 2003 (8 à 11 €)**, issue d'une vendange qui titrait plus de 14,5 ° nature, reçoit elle aussi deux étoiles. Ses arômes délicats de pêche, d'abricot et d'agrumes, sa bouche ronde, intense et délicieusement nerveuse en font un excellent vin d'apéritif.
SCEA Levron-Vincenot, Princé,
49610 Saint-Melaine-sur-Aubance, tél. 02.41.57.82.28,
fax 02.41.57.73.78, e-mail chateauprince@wanadoo.fr
t.l.j. sf dim. 9h-12h 14h-18h

## CH. DE PUTILLE 2004 ★★

■ 10 ha 55 000 3 à 5 €

Ce 2004 en robe intense et moirée de reflets, d'un rouge tirant sur le noir, révèle une matière remarquable. Complexe au nez, il marie les fruits noirs et les fruits rouges surmûris. Dense et plein, doté d'une structure tannique serrée et fondue, c'est un vin d'excellente facture, d'une grande puissance et gourmand tout à la fois. On peut l'apprécier dès à présent.
Pascal et Geneviève Delaunay,
EARL Ch. de Putille, 49620 La Pommeraye,
tél. 02.41.39.02.91, fax 02.41.39.03.45,
e-mail pascal.genevieve.delaunay@wanadoo.fr
t.l.j. sf dim. 8h-12h30 14h-19h

## DOM. DE PUTILLE 2004 ★

■ 1,58 ha 5 300 **5 à 8 €**

Ce domaine des coteaux de la Loire (dans la partie ouest du vignoble angevin) figure au nombre de ceux qui ont remis à plat ces dix dernières années l'ensemble de leurs pratiques viticoles et œnologiques. Son anjou rouge 2004 révèle une très belle matière parfaitement vinifiée. Ample, charnu, fondu, il est également aromatique et charme tout au long de la dégustation par ses notes de fruits frais bien mûrs. Un vin qui donne un très bon aperçu de son appellation.
Isabelle Sécher et Stève Roulier,
Dom. de Putille, 49620 La Pommeraye,
tél. 02.41.39.80.43, fax 02.41.39.81.91,
e-mail domaine.de.putille@wanadoo.fr
t.l.j. sf dim. 9h-12h 14h-19h

## DOM. DES QUATRE ROUTES
Les Caquins 2004 ★

■ 1,5 ha 3 500 3 à 5 €

Avec sa robe rouge intense, ses arômes délicats de fleurs et de fruits rouges, sa bouche harmonieuse, la cuvée des Caquins est un bon ambassadeur de l'appellation. Une légère austérité tannique en finale s'estompera avec le temps, si bien que l'on pourra déboucher cette bouteille dès la sortie du Guide. Elle se gardera un à deux ans.

Poupard et Fils, Dom. des Quatre Routes,
49540 Aubigné-sur-Layon, tél. 02.41.59.44.44,
fax 02.41.59.49.70, e-mail domaine4routes@wanadoo.fr
t.l.j. 9h-19h; sam. dim. sur r.-v.

## DOM. DE LA REBELLERIE Sec 2004 ★★

1 ha 2 600 3 à 5 €

Ce domaine est une structure associative où vivent et travaillent trente personnes souffrant d'un handicap. Cette démarche ne constitue nullement un handicap pour la production, à en juger par cet anjou blanc particulièrement réussi. D'un jaune pâle cristallin, il libère des parfums fruités légers et des notes végétales rappelant le genêt. En bouche, il donne cette même impression de légèreté et de fraîcheur et finit sur des arômes de fruits frais. Un vin parfait dans son registre.

CAT de la Rebellerie, La Rebellerie,
49560 Nueil-sur-Layon, tél. 02.41.59.54.94,
fax 02.41.59.99.89, e-mail larebellerie.cat@unimedia.fr
t.l.j. sf sam. dim. 9h-12h 14h-17h30

## DOM. JEAN-LOUIS ROBIN-DIOT
Les Mesmerelles 2004 ★

■ 2 ha 6 000 5 à 8 €

Construit en 1994, le chai comporte une salle enterrée pour l'élevage des vins rouges de garde et des blancs liquoreux. Cet anjou rouge, lui, a été vinifié et élevé en cuve afin d'être mis précocement en bouteilles – ce que l'on appelle une cuvée de printemps, à servir plutôt jeune. Rouge intense à reflets violacés, il associe au nez les fruits noirs (cassis, mûre) et les fruits rouges. En bouche, il se montre plein, légèrement tannique et laisse en finale une sensation de fraîcheur caractéristique de l'appellation.

Dom. Robin-Diot,
Les Hauts Perrays, 49290 Chaudefonds-sur-Layon,
tél. 02.41.78.68.29, fax 02.41.78.67.62 r.-v.

## CH. DES ROCHETTES 2004 ★

■ 5 ha 20 000 5 à 8 €

La propriété a été achetée par la famille Douet au XVIII^e s. De cette époque ne subsistent que les dépendances. Le château, lui, date du XIX^e s. J. Douet a permis l'officialisation de la mention « sélection de grains nobles » pour les vins liquoreux non enrichis et récoltés à plus de 17,5 ° nature. Il produit aussi des vins rouges. Celui-ci, paré d'une brillante robe rouge vif, est à savourer comme une friandise. Sa palette aromatique délicate mêle les fruits rouges (fraise) et des nuances amyliques ; sa bouche ronde et suave laisse une sensation de fraîcheur. Une sympathique bouteille à ouvrir dans l'année.

Jean Douet, Ch. des Rochettes,
Les Rochettes, 49700 Concourson-sur-Layon,
tél. 02.41.59.11.51, fax 02.41.59.37.73 r.-v.

## DOM. ROMPILLON 2004

■ 0,5 ha 3 900 3 à 5 €

Situé sur la route touristique du vignoble des coteaux-du-layon, ce domaine offre une belle vue sur le célèbre cru quarts-de-chaume. Il propose un 2004 rouge cerise aux arômes de fruits des bois nuancés de menthe. Dans le même registre, la bouche offre de la fraîcheur et une structure tannique légère. Un ensemble agréable, prêt à boire et typique de son appellation.

SARL Dom. Rompillon,
L'Ollulière, 49750 Saint-Lambert-du-Lattay,
tél. et fax 02.41.78.48.84 r.-v.

## CH. SOUCHERIE
Champ aux Loups Elevé en fût de chêne 2003

■ 2 ha 10 000 8 à 11 €

Rachetée à la marquise de Brissac en 1952, cette propriété a été restaurée en 1998 et dotée en 2000 d'un chai à barriques. Barrique où a séjourné douze mois cette sélection que l'on retrouve souvent dans le Guide. Rubis intense à reflets carmin, ce 2003 est encore caché derrière le chêne. Ses arômes de vanille et de torréfaction laissent cependant percer des notes de fruits mûrs. En bouche, il est déjà soyeux et harmonieux, mais sa matière solide incite à l'attendre un à deux ans.

Pierre-Yves Tijou et Fils,
Ch. Soucherie, 49750 Beaulieu-sur-Layon,
tél. 02.41.78.31.18, fax 02.41.78.48.29,
e-mail chateausoucherie@yahoo.fr r.-v.

## DOM. DES TROTTIERES 2004 ★★★

■ 1,1 ha 6 700 3 à 5 €

Fondé en 1906 par M. Brochard, l'un des pionniers de l'introduction des porte-greffes américains résistants au phylloxéra, ce domaine était vaste dès sa création : 60 ha d'un seul tenant, 82 aujourd'hui. Son 2004 a tenu les jurés sous le charme de ses évocations de fruits frais. Dense, plein, sans aspérité, il révèle un équilibre parfait entre les sensations de fraîcheur et de suavité. Un vin gourmand qui ne manque pas de caractère.

Dom. des Trottières, 49380 Thouarcé,
tél. 02.41.54.14.10, fax 02.41.54.09.00,
e-mail lestrottieres@worldonline.fr
t.l.j. 8h-12h30 14h-18h30; sam. dim. sur r.-v.
Lamotte

## DOM. DE LA TUFFIERE 2004 ★

0,7 ha 3 000 5 à 8 €

Situé dans la partie nord de la Loire viticole, ce vignoble, de création monastique, remonte au XIV^e s. La famille Coignard a pris en main ses destinées, d'abord en fermage puis en pleine propriété. Les parcelles sont regroupées sur un coteau calcaire et les caves sont creusées dans la craie. Cet anjou blanc d'un jaune intense à reflets paille résulte d'une récolte par tries et d'une vinification de quatre mois en barrique. Agréables par leur fraîcheur, ses arômes rappellent le genêt, le citron et les fruits blancs. Dans le même registre, la bouche offre un fruité citronné d'une plaisante nervosité. A boire en fin d'année.

EARL Coignard-Benesteau, Dom. de la Tuffière,
49140 Lué-en-Baugeois, tél. 02.41.45.11.47,
fax 02.41.45.09.18, e-mail vignoble-tuffiere@wanadoo.fr
t.l.j. 9h-12h 14h30-19h

## DOM. DES VARENNES 2004 ★

■ 8 ha 5 000 3 à 5 €

Près de la moitié des surfaces du domaine sont plantées de cépages rouges – une originalité pour une exploitation située en plein cœur des coteaux-du-layon. Rouge

LOIRE

intense à reflets grenat, son 2004 libère des effluves de fruits rouges et de réglisse. Ample, souple et onctueuse, la bouche est caractéristique de l'appellation. Du beau travail.
GAEC A. Richard,
11, rue des Varennes, 49750 Saint-Lambert-du-Lattay,
tél. 02.41.78.32.97, fax 02.41.74.00.30 r.-v.

### DOM. VERDIER 2004 *

1 ha 6 000 3 à 5 €

Une exploitation traditionnelle et familiale. Représentant la quatrième génération, le fils s'est installé en 1996. Son anjou 2004 s'annonce par une robe brillante, rouge foncé et par des arômes intenses de fruits mûrs reflétant une vendange récoltée à très bonne maturité. En bouche, il révèle une puissance inhabituelle dans l'appellation, et montre une certaine austérité tannique en finale. Autant de caractères qui invitent à faire patienter cette bouteille un à deux ans.
EARL Verdier Père et Fils,
7, rue des Varennes, 49750 Saint-Lambert-du-Lattay,
tél. et fax 02.41.78.35.67 r.-v.

### LA VIGNE NOIRE Sec 2004 *

n.c. 1 500 - de 3 €

Deux jeunes se sont installés en 2001 au sud du vignoble angevin, dans les Deux-Sèvres. Leur Vigne Noire a donné un anjou... blanc fort apprécié. Jaune pâle aux reflets paille, ce 2004 rappelle par ses arômes les fruits verts, notamment la pomme granny-smith. Ces senteurs se prolongent dans une bouche d'une agréable nervosité. Un vin simple mais de très bonne facture, à servir avec des fruits de mer.
Nathalie et Guillaume Cauty,
La Vigne Noire, 79290 Bouillé-Saint-Paul,
tél. 05.49.96.83.19, fax 05.49.68.45.03 r.-v.

### LES VIGNES DE L'ALMA Cuvée Prestige 2003 *

1 ha 7 000 3 à 5 €

Une cuvée Prestige élaborée à partir de raisins récoltés à très grande maturité. La robe de ce 2003 est sombre, pourpre foncé. Sa palette aromatique d'une grande complexité associe des notes végétales (lierre), florales (iris), des nuances de fruits surmûris, de figue et de framboise. La bouche est riche, dense et suave, légèrement tannique en finale. Ce que l'on appelle un vin de matière.
Roland Chevalier, L'Alma,
49410 Saint-Florent-le-Vieil, tél. 02.41.72.71.09,
fax 02.41.72.63.77, e-mail chevalier.roland@wanadoo.fr
t.l.j. sf dim. 8h30-12h30 14h-19h

# Anjou-gamay

Vin rouge produit à partir du cépage gamay noir. Sur les terrains les plus schisteux de la zone, bien vinifié, il peut donner un excellent vin de carafe. Quelques exploitations se sont spécialisées dans ce type, qui n'a d'autre ambition que de plaire au cours de l'année de sa récolte. 10 433 hl ont été produits en 2004.

### GILLES MUSSET ET SERGE ROULLIER 2004 *

2,5 ha 15 000 5 à 8 €

Chez Gilles Musset et Serge Roullier, vous serez à bonne adresse : vous trouverez ce vin rouge vif à reflets mauves qui décline de délicats arômes de fruits mûrs, de fraise et de bonbon anglais. La bouche présente un juste équilibre entre fraîcheur et moelleux. Tout ce que l'on attend du gamay lorsqu'il est planté sur un sol approprié.
SCEA Vignoble Musset-Roullier,
Le Chaumier, 49620 La Pommeraye,
tél. 02.41.39.05.71, fax 02.41.77.75.76,
e-mail musset.roullier@wanadoo.fr r.-v.

### CH. PIEGUE 2004

3 ha 20 000 3 à 5 €

Ce domaine de 30 ha se situe sur la rive gauche de la Loire, en face de l'aire d'appellation savennières. Les sols reposant sur des schistes gréseux de l'ordovicien sont propices à une bonne maturation du cépage gamay. Ce 2004, rouge cerise à reflets violacés, associe les notes amyliques aux arômes de fruits rouges, puis offre une bouche fraîche et fruitée, légère. Un anjou-gamay agréable pour tout un repas.
Ch. Piéguë, 49190 Rochefort-sur-Loire,
tél. 02.41.78.71.26, fax 02.41.78.75.03,
e-mail chateau-piegue@wanadoo.fr
t.l.j. sf dim. 9h-12h 14h-18h

### LES VIGNES DE L'ALMA 2004 *

3 ha 24 000 3 à 5 €

Propriétaire de 10 ha sur le plateau qui domine Saint-Florent-le-Vieil et la vallée de la Loire, Roland Chevalier est en Anjou l'un des spécialistes du gamay. Pour vous en convaincre, goûtez ce vin rouge intense à reflets pourpres : les arômes sont ceux du cépage récolté à parfaite maturité (fraise et autres fruits rouges) ; la bouche qui associe fraîcheur et douceur laisse une sensation fruitée friande.
Roland Chevalier, L'Alma,
49410 Saint-Florent-le-Vieil, tél. 02.41.72.71.09,
fax 02.41.72.63.77, e-mail chevalier.roland@wanadoo.fr
t.l.j. sf dim. 8h30-12h30 14h-19h

# Anjou-villages

Le terroir de l'AOC anjou-villages correspond à une sélection de terrains dans l'AOC anjou : seuls les sols sains, précoces et bénéficiant d'une bonne exposition ont été retenus. Ce sont essentiellement des sols développés sur schistes, altérés ou non. Les dix communes constituant l'aire géographique de l'AOC anjou-villages-brissac, reconnue en 1998, sont situées sur un plateau en pente douce vers la Loire, limité au nord par ce fleuve, et au sud par les coteaux abrupts du Layon. Les sols sont profonds. La proximité de la Loire, qui limite les températures extrêmes, explique également la particularité du terroir. La vendange 2004 a produit 9 027 hl en anjou-villages et 4 852 hl en brissac.

### DOM. DE L'ARBOUTE 2003

n.c. 2 000 5 à 8 €

Créé au XVII[e]s., ce vignoble a été repris en 1950 par Jules Massicot. Les 16 ha de vignes sont conduits

aujourd'hui par son fils et son petit-fils, qui proposent un 2003 pourpre aux reflets violacés et au nez puissant de fruits noirs et de fruits secs. Des tanins présents mais soyeux dessinent une bouche harmonieuse, qui finit sur d'agréables nuances de caramel frais.
EARL Massicot, L'Arboute, 49380 Faye-d'Anjou, tél. 02.41.54.03.38, fax 02.41.54.40.57 r.-v.

## DOM. BODINEAU 2003 *

0,37 ha 2 600 5 à 8 €

Ce domaine s'étend sur les communes de Concourson-sur-Layon et des Verchers-sur-Layon. Le vignoble (24,5 ha) couvre le haut de coteau et les plateaux schisteux du hameau de Savonnières, entre ces deux localités. Frédéric Bodineau vient de s'installer et c'est la première fois que l'exploitation revendique de l'AOC anjou-villages. Une expérience à renouveler : ce 2003 rouge grenat donne toute satisfaction avec ses arômes délicats de fruits mûrs (mûre, cassis) et sa bouche généreuse, ample, souple et soyeuse en finale. Un vin harmonieux, prêt à servir avec toutes les viandes et même certains poissons en sauce.
EARL Bodineau,
Savonnières, 49700 Les Verchers-sur-Layon,
tél. 02.41.59.22.86, fax 02.41.59.86.21 r.-v.

## DOM. DE BOIS MOZE Le Champ noir 2003 **

4,5 ha 28 200 5 à 8 €

Le domaine est commandé par un manoir qui appartint au XVI[e]s. à la famille d'Aubigné. Son vignoble couvre des sols sablonneux reposant sur des terrains crayeux - une exception dans cette appellation caractérisée le plus souvent par des terroirs caillouteux et schisteux. Quant à cet anjou-villages, il charme de bout en bout. Intense et flatteur, il exprime des notes de fruits mûrs et de fruits noirs caractéristiques du millésime. L'attaque, d'une agréable souplesse, introduit une bouche équilibrée, plus tannique en finale mais sans agressivité.
René Lancien,
Dom. de Bois Mozé, 49320 Coutures,
tél. 02.41.57.91.28, fax 02.41.57.93.71,
e-mail boismoze@ansamble.fr r.-v.
René Lancien

## CH. DE BROSSAY La Croix blanche 2003 *

0,55 ha 4 000 5 à 8 €

Le grand-père est arrivé sur l'exploitation en 1919. Trois générations de vignerons en ont fait un des domaines réputés du haut Layon. R. et H. Deffois signent là un anjou-villages fort bien vinifié. D'un rouge intense à reflets grenat, ce 2003 mêle au nez des parfums de fruits mûrs et des notes vanillées et torréfiées léguées par un séjour d'un an en barrique. Les nuances boisées, bien mariées à des arômes de cassis et de pruneau, se prolongent dans un palais ample et généreux. Ce vin peut accompagner dès à présent viandes en sauce et gibier.
Raymond et Hubert Deffois, Ch. de Brossay,
49560 Cléré-sur-Layon, tél. 02.41.59.59.95,
fax 02.41.59.58.81, e-mail chateau.brossay@wanadoo.fr
t.l.j. sf dim. 8h-12h 14h-19h

## DOM. DE CLAYOU 2003 *

1 ha 7 000 5 à 8 €

Situé au cœur de l'aire des coteaux-du-layon, ce domaine familial produit évidemment des vins liquoreux, ainsi que des rosés. Son anjou-villages est un spécimen représentatif du millésime de la canicule. Très présent à toutes les étapes de la dégustation, ce vin grenat intense aux reflets noirs révèle une charpente étonnante qui lui donne un côté massif. Ses arômes évoquent les fruits noirs et le pruneau. Une bouteille que l'on pourra servir avec des viandes rouges et même du gibier.
SCEA Jean-Bernard Chauvin,
18 bis, rue du Pont-Barré,
49750 Saint-Lambert-du-Lattay,
tél. 02.41.78.44.44, fax 02.41.78.48.52
t.l.j. sf dim. 9h-12h 14h-19h; f. 15 août-1[er] sept.

## DOM. DU CLOSEL-CHATEAU DES VAULTS 2003 *

2,33 ha 10 150 8 à 11 €

Situé au cœur du village de Savennières, le château des Vaults fut durant longtemps une dépendance de celui de Serrant. D'époque classique mais largement remaniés et agrandis au XIX[e]s., ses bâtiments entourés d'un jardin à l'anglaise témoignent de l'ancienne prospérité du domaine. Le vignoble, cultivé par les moines au XV[e]s., passa aux Walsh, riches armateurs et, au XIX[e]s, au marquis de Las Cases, petit-fils du chambellan de Napoléon. Il est dirigé aujourd'hui par une des descendantes de ce dernier. Son anjou-villages s'annonce par une robe rubis intense et des parfums délicats de fruits rouges et noirs cuits. Riche, puissante et d'une austérité tannique en finale, la bouche dessine les contours d'une bouteille de garde qui gagnera à attendre quelques années.
Evelyne de Pontbriand,
Dom. du Closel-Ch. des Vaults, 49170 Savennières,
tél. 02.41.72.81.00, fax 02.41.72.86.00,
e-mail closel@savennieres-closel.com
t.l.j. 9h-12h30 13h30-18h30, sam. dim. sur r.-v.

## DOM. DES DEUX ARCS 2003 *

1 ha 8 000 3 à 5 €

Situé à 150 m du château de Martigné-Briand (début du XVI[e]s.), ce domaine familial s'étend sur 37 ha. Michel Gazeau, qui en tient les rênes, vient d'être rejoint par son fils Jean-Marie. Son anjou-villages donne toute satisfaction avec sa robe rubis intense aux reflets noirs, ses parfums puissants et complexes de fruits noirs et rouges qui se prolongent dans une bouche riche et d'un très bel équilibre.
Michel Gazeau, Dom. des Deux Arcs,
11, rue du 8-Mai-1945, 49540 Martigné-Briand,
tél. 02.41.59.47.37, fax 02.41.59.49.72,
e-mail do2arc@wanadoo.fr r.-v.

## CH. LA FRANCHAIE Clos La Franchaie 2003

1,7 ha 6 000 5 à 8 €

Jean-Marc Renaud a repris en 2004 ce domaine situé sur la rive droite de la Loire, près de Savennières. Exposées au sud, les vignes (7,5 ha) couvrent le premier coteau de la vallée. Elles ont donné naissance à un anjou-villages rouge intense, aux parfums de fruits rouges et noirs évoquant une vendange mûre. Souple à l'attaque, rond et équilibré, ce 2003 peut paraître à table dès aujourd'hui ou attendre quelques années.
Jean-Marc Renaud,
Ch. La Franchaie, 49170 La Possonnière,
tél. 02.41.39.18.16, fax 02.41.39.18.17,
e-mail chateau.franchaie@wanadoo.fr r.-v.
Chaillou

## DOM. DU FRESCHE 2003 ★★★

■ 2,5 ha 12 000 5 à 8 €

Situé à l'ouest du Maine-et-Loire sur les coteaux de la Loire, ce domaine obtient un coup de cœur grâce à un anjou-villages rubis intense à reflets noirs, qui a charmé le jury par sa délicatesse. Des senteurs à la fois puissantes et élégantes de framboise et de cassis surmûris s'échappent du verre. En bouche, on découvre un corps harmonieux, riche, ample, fondu et suave, qui donne l'impression de croquer des fruits très mûrs. Une longue finale tout en rondeur vient couronner la dégustation. Une grande matière et une structure veloutée, voilà qui fait dire à un membre du jury : « un vin que j'aimerais avoir dans ma cave. »

EARL Boré, Dom. du Fresche,
49620 La Pommeraye, tél. 02.41.77.74.63,
fax 02.41.77.79.39, e-mail alainbore@aol.com
t.l.j. sf dim. 9h-12h 14h-18h

## CH. DE LA GENAISERIE 2003 ★

■ 8 ha 20 500 5 à 8 €

Construit en 1789, à la veille de la Révolution, le château de la Genaiserie est devenu un bastion de la Chouannerie pendant les guerres de Vendée. Après des saccages divers, il coule des jours plus pacifiques. Il est depuis 2003 propriété de Frédéric Julia, qui a présenté un anjou-villages typique avec sa robe intense, rouge sombre, et ses arômes de compote de fruits noirs. Charnue, ronde, moelleuse et longue, la bouche laisse presque une impression de douceur et évoque une vendange très riche. Un ensemble harmonieux et facile d'accès. L'**anjou blanc 2003 du Château** obtient également une étoile. Abricot, pêche et poire accompagnent une bouche riche et chaleureuse, bien dans son millésime. Pour un poisson en sauce.

Ch. de La Genaiserie, 49190 Saint-Aubin-de-Luigné,
tél. 02.41.54.38.82, fax 02.41.54.60.45,
e-mail genaiserie@aol.com
t.l.j. sf dim. 10h-17h30
Frédéric Julia

## DOM. DE LA GERFAUDRIE

Cuvée Prestige Vieilli en fût de chêne 2003 ★

■ 1,64 ha 12 000 5 à 8 €

Situé à Chalonnes-sur-Loire, juste après la confluence du Layon et de la Loire, ce vignoble campe sur la corniche angevine. Il propose un anjou-villages élevé un an dans le chêne. Rubis foncé, ce 2003 libère des parfums de fruits rouges et noirs en compote. Puissant en bouche, il révèle une structure tannique bien présente mais fondue, peu marquée par le bois. Une bouteille déjà prête et apte à la garde, qui donne un bon aperçu de l'appellation.

SCEV J.-P. et P. Bourreau,
25, rue de l'Onglée, 49290 Chalonnes-sur-Loire,
tél. 02.41.78.02.28, fax 02.41.78.03.07,
e-mail domaine-gerfaudrie@wanadoo.fr r.-v.

## LE LOGIS DU PRIEURE 2003 ★

■ 1 ha 6 000 5 à 8 €

Cette exploitation est établie dans le haut Layon. Son anjou-villages provient d'une parcelle en pente douce, située en sommet de pente, sur des terrains argileux favorables au cabernet franc (plus bas, en plein coteau, le sable schisteux est mis à nu par l'érosion : c'est le royaume du chenin). Rubis intense aux reflets violacés, ce 2003 est tout aussi intense au nez, libérant des parfums de fruits mûrs, voire compotés. Chaleureuse à l'attaque, assez longue, la bouche révèle des tanins encore austères en finale, qui laissent espérer une garde de plusieurs années.

SCEA Jousset et Fils, Le Logis du Prieuré,
49700 Concourson-sur-Layon, tél. 02.41.59.11.22,
fax 02.41.59.38.18, e-mail logis.prieure@wanadoo.fr
t.l.j. sf dim. 9h-12h 14h-19h

## L. ET F. MARTIN 2003 ★

■ 1,5 ha 6 000 5 à 8 €

Créé en 1997, ce domaine a très vite fait parler de lui grâce à plusieurs coups de cœur consécutifs en coteaux-du-layon. Il ne néglige pas pour autant ses vins rouges, témoin cet anjou-villages bien représentatif de son appellation et de son millésime. La robe rubis aux reflets noirs, le nez de fruits compotés et de fruits noirs, le palais plein, rond et long, très présent en finale, composent une bouteille fort harmonieuse.

GAEC Luc et Fabrice Martin,
2 bis, rue du Stade, 49290 Chaudefonds-sur-Layon,
tél. 02.41.78.19.91, fax 02.41.78.98.25 r.-v.

## DOM. MATIGNON 2003

■ 1 ha 8 100 5 à 8 €

Depuis 1988, Yves Matignon cultive 38 ha de vignes autour de Martigné-Briand. Située au cœur du vignoble des coteaux-du-layon, cette commune est également la capitale des vins rosés d'Anjou. Voici un anjou-villages représentatif de son appellation. Il attire l'œil par sa robe aux reflets rouge flamboyant et sait retenir l'attention par son attaque souple et fruitée (fruits noirs et pruneau) et sa bouche intense. Sa finale plus tannique n'empêche pas d'ouvrir cette bouteille dès maintenant et lui garantit un bon avenir.

EARL Yves et Hélène Matignon,
21, av. du Château, 49540 Martigné-Briand,
tél. 02.41.59.43.71, fax 02.41.59.92.34,
e-mail domaine.matignon@wanadoo.fr r.-v.

## GILLES MUSSET ET SERGE ROULLIER

Petit Clos 2003 ★★

■ 2 ha 13 000 8 à 11 €

Avec trois coups de cœur à son actif, ce domaine est depuis de nombreuses années une valeur sûre de l'appellation, et la cuvée du Petit Clos commence à faire parler d'elle. Elle provient d'une vigne plantée en 1963 sur un plateau aux sols limono-sablo-caillouteux couvrant un substrat de schistes briovérien. « De la dentelle, de la finesse », s'est exclamé le jury en reposant le verre. Une robe rouge intense aux reflets noirs et violets, des arômes subtils de fruits noirs mûrs et de pruneau accompagnés de notes grillées, une bouche soyeuse et harmonieuse, une finale aux nuances de fruits rouges et noirs en compote et de confiture de prunes : voilà assurément un séducteur.

SCEA Vignoble Musset-Roullier,
Le Chaumier, 49620 La Pommeraye,
tél. 02.41.39.05.71, fax 02.41.77.75.76,
e-mail musset.roullier@wanadoo.fr r.-v.

### CH. PIEGUE Vieilles Vignes 2003 *

■ 3 ha 5 000 **5 à 8 €**

Cette exploitation de 30 ha a changé de propriétaire en 2004. Son anjou-villages 2003 révèle tout au long de la dégustation la richesse de la vendange de ce millésime exceptionnellement ensoleillé. Sa robe rouge est moirée de noir, ses arômes rappellent les fruits noirs en compote, sa bouche apparaît intense, équilibrée, suave, encore sévère en finale.

Ch. Piéguë, 49190 Rochefort-sur-Loire,
tél. 02.41.78.71.26, fax 02.41.78.75.03,
e-mail chateau-piegue@wanadoo.fr
t.l.j. sf dim. 9h-12h 14h-18h

### CH. DE PUTILLE Cuvée Prestige 2003 ***

■ 5 ha 6 000 5 à 8 €

Installé depuis vingt ans sur son domaine de La Pommeraye (45 ha), Pascal Delaunay figure au nombre des plus brillants ambassadeurs des vins de sa région. N'a-t-il pas obtenu six coups de cœur ces dernières années ? Blancs, rouges, crémants, il réussit tout. Voici un nouveau chef-d'œuvre, salué pour sa structure excellente et son côté charnu exquis. La robe intense, presque noire, de ce 2003 annonce un nez expressif de fruits noirs compotés (cassis, mûre), un rien réglissé, et une bouche dense et opulente. Une cuvée Prestige qui mérite son nom.

Pascal et Geneviève Delaunay,
EARL Ch. de Putille, 49620 La Pommeraye,
tél. 02.41.39.02.91, fax 02.41.39.03.45,
e-mail pascal.genevieve.delaunay@wanadoo.fr
t.l.j. sf dim. 8h-12h30 14h-19h

### DOM. DES TROIS MONTS 2003 *

■ 1 ha 3 000 3 à 5 €

Ce domaine familial suggère par son nom sa commune d'origine, Trémont, une localité du haut Layon. Son anjou-villages, qui a séjourné six mois dans le bois, révèle une vendange de grande qualité et un élevage en barrique bien mené – et justifié dans une année ensoleillée comme 2003. Bien fondues, les notes boisées de vanille et de torréfaction se marient aux arômes de fruits mûrs et compotés (pruneau, mûre). La bouche ample laisse une sensation d'équilibre et d'harmonie : du plaisir et du potentiel.

SCEA Hubert Guéneau et Fils, 1, rue Saint-Fiacre,
49310 Trémont, tél. 02.41.59.45.21, fax 02.41.59.69.90
t.l.j. sf dim. 8h-12h 14h-18h30

## Anjou-villages-brissac

### DOM. DE BABLUT Cuvée Petra Alba 2003 ***

■ 5 ha 20 000 8 à 11 €

Œnologue, Christophe Daviau gère l'un des domaines les plus anciens du vignoble de Brissac. Il marque incontestablement son exploitation par son approche très fine des terroirs et figure au nombre des valeurs sûres de l'appellation. Sa cuvée Petra Alba ou « Pierre blanche » provient de marnes coquillières du Cénomanien et résulte d'une longue macération (presque quatre semaines). Elle fait preuve de la même opulence que la cuvée principale du domaine décrite ci-dessous, tout en offrant la rondeur, la fraîcheur, la délicatesse des grands vins produits sur terres calcaires. Une sensation de fruits rouges surmûris s'impose à tout instant. Un vin puissant et charmeur qui a fait l'admiration du jury.

SCEA Daviau, Bablut, 49320 Brissac-Quincé,
tél. 02.41.91.22.59, fax 02.41.91.24.77,
e-mail daviau.contact@wanadoo.fr
t.l.j. sf dim. 9h-12h 14h-18h30

### DOM. DE BABLUT 2003 **

■ 2 ha 10 000 5 à 8 €

Ce 2003 est né sous le signe de l'opulence : la robe est d'un grenat presque noir avec des reflets sombres ; le nez complexe, puissant à l'aération, libère des notes de fruits cuits, de fruits noirs, d'épices, de réglisse et de tourbe. La bouche est intense, ronde et constamment souple. Un vin remarquable par sa couleur et sa richesse aromatique, qui donne un très bel aperçu de l'AOC.

SCEA Daviau, Bablut, 49320 Brissac-Quincé,
tél. 02.41.91.22.59, fax 02.41.91.24.77,
e-mail daviau.contact@wanadoo.fr
t.l.j. sf dim. 9h-12h 14h-18h30

### DOM. DES BONNES GAGNES 2003 *

■ 2 ha 10 000 5 à 8 €

Ce domaine au nom évocateur de prospérité était déjà planté en vignes en 1020. Il dépendait alors de l'abbaye du Ronceray à Angers. Il est exploité depuis 1610 par la famille Héry. Ses terres calcaires sont une particularité dans l'appellation, où l'on rencontre principalement des sols schisteux et caillouteux. Elles ont donné naissance à un vin rouge intense qui laisse une impression de grande harmonie avec ses arômes de fruits rouges et noirs et sa bouche souple et ronde. A déguster dès à présent.

Vignerons Héry, Orgigné,
49320 Saint-Saturnin-sur-Loire, tél. 02.41.91.22.76,
fax 02.41.91.21.58, e-mail hery.vignerons@wanadoo.fr
t.l.j. 9h-12h 14h-19h; dim. sur r.-v.

### CH. DE BRISSAC 2003 *

■ 8 ha 40 000 5 à 8 €

Le château de Brissac est l'emblème de cette jeune appellation reconnue en 1997. Son 2003 offre un premier nez animal avec des notes rappelant le cuir. Apparaissent ensuite des arômes de fruits rouges compotés forts agréables (notamment framboise). La bouche fondue et délicate révèle une belle structure tannique. Un vin qui présente un gros potentiel et qui laisse néanmoins une sensation de légèreté et de finesse grâce à un élevage parfaitement maîtrisé.

SCEA Daviau, Bablut, 49320 Brissac-Quincé,
tél. 02.41.91.22.59, fax 02.41.91.24.77,
e-mail daviau.contact@wanadoo.fr
t.l.j. sf dim. 9h-12h 14h-18h30

## DOM. DITTIERE Clos de la Grouas 2003

■ 1 ha 6 000 5 à 8 €

Les Dittière exploitent 35 ha aux alentours de Vauchrétien. Les sols profonds permettent une alimentation hydrique constante très favorable aux cabernets. Ils ont donné ici naissance à un 2003 rubis intense à reflets pourpres et aux arômes délicats de fruits rouges bien mûrs. Souple et ronde, la bouche donne une impression de légèreté. Une bouteille à déboucher dès maintenant.

Dom. Dittière, 1, chem. de la Grouas,
49320 Vauchrétien, tél. 02.41.91.23.78,
fax 02.41.54.28.00, e-mail domaine.dittiere@wanadoo.fr
t.l.j. sf dim. 9h-12h 14h-18h30

## DOM. DU PRIEURE 2003 *

■ 1,5 ha 8 000 5 à 8 €

Après avoir consacré sa thèse aux polyphénols des vins rouges, Franck Brossaud a repris un vignoble en 2000 et n'a pas tardé à faire parler de lui... grâce à ses vins rouges : le millésime 2001 de son anjou-villages-brissac a obtenu un coup de cœur. Rubis intense, le 2003 révèle son millésime ensoleillé et des raisins récoltés à très grande maturité. Ses arômes de fruits noirs compotés s'accompagnent de nuances grillées et la dégustation révèle un très bel équilibre.

Franck Brossaud, Dom. du Prieuré,
1 bis, pl. du Prieuré, 49610 Mozé-sur-Louet,
tél. et fax 02.41.45.30.74,
e-mail franck.brossaud@wanadoo.fr r.-v.

## DOM. RICHOU Les Vieilles Vignes 2003

■ n.c. n.c. 5 à 8 €

Etabli à Mozé-sur-Louet, entre Layon et Aubance, ce domaine s'étend sur 32 ha. Si la propriété tire une grande notoriété de ses vins blancs, la famille Richou a également joué un rôle notable dans le renouveau des vins rouges d'Anjou. Celui-ci révèle une belle matière dominée pour l'heure par le boisé. Il se fondra avec le temps et exprimera alors tout son potentiel et toute sa finesse.

GAEC Damien et Didier Richou,
Chauvigné, 49610 Mozé-sur-Louet,
tél. 02.41.78.72.13, fax 02.41.78.76.05,
e-mail domaine.richou@wanadoo.fr r.-v.

## DOM. DE ROCHAMBEAU 2003

■ n.c. 6 000 5 à 8 €

Le domaine de Rochambeau campe sur un coteau escarpé d'où l'on découvre la vallée de l'Aubance. Il propose un anjou-villages-brissac mêlant au nez les fruits mûrs et des notes animales. Equilibrée et harmonieuse, la bouche est presque légère pour l'appellation. Ce vin sera fin prêt pour la sortie du Guide. On recommande de l'aérer avant de le servir.

EARL Forest, Dom. de Rochambeau,
49610 Soulaines-sur-Aubance, tél. et fax 02.41.57.82.26,
e-mail rochambeau@wanadoo.fr
t.l.j. sf dim. 9h-19h

## DOM. DES ROCHELLES
La Croix de Mission 2003 ***

■ 7 ha 20 000 11 à 15 €

Avec un quatrième coup de cœur à son actif, cette Croix de Mission entre dans la famille des grands vins

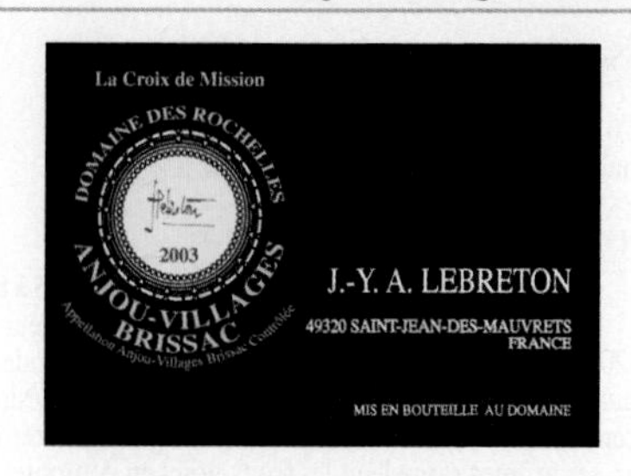


rouges français. Ces derniers, en particulier dans cette appellation, sont décidément la spécialité de Jean-Yves Lebreton. Ce 2003 se pare d'une robe intense et sombre, presque noire. Complexes et délicats, ses arômes mêlent les fruits noirs compotés (cassis, mûre), les épices, la tourbe et ses notes végétales mystérieuses, la réglisse. Suave et parfaitement équilibrée, la bouche offre une finale remarquablement longue et élégante. Une cuvée étonnante qui fera la joie des connaisseurs et un modèle des vins rouges de l'Anjou. La cuvée principale, **Domaine des Rochelles 2003**, obtient deux étoiles. Celle-ci est dominée par le cabernet franc, alors que le cabernet-sauvignon l'emportait dans la Croix de Mission. Ce 2003 offre un fruité exubérant aux nuances de fruits rouges (griotte) et de cassis compoté. Ample, puissant, moelleux au palais, il laisse une sensation de finesse remarquable. Quant à la cuvée **Les Millerits 2003 (15 à 23 €)**, elle obtient une étoile.

J.-Y. A. Lebreton,
Dom. des Rochelles, 49320 Saint-Jean-des-Mauvrets,
tél. 02.41.91.92.07, fax 02.41.54.62.63,
e-mail jy.a.lebreton@wanadoo.fr
t.l.j. 9h-11h 14h-19h; f. août

## DOM. DE SAINTE-ANNE 2003 *

■ 3 ha 19 000 5 à 8 €

Ce vignoble est situé sur l'une des croupes argilo-calcaires les plus élevées de Saint-Saturnin-sur-Loire. La vinification de ce 2003 est traditionnelle avec un élevage de douze mois. Il en résulte un vin charmeur qui peut être dégusté dès à présent. Rouge intense, il libère des arômes délicats de cassis, de griotte et d'autres fruits rouges. Une attaque moelleuse, particulièrement agréable, introduit une bouche équilibrée, souple en finale, et qui laisse le souvenir de fruits rouges frais.

EARL Marc Brault,
Dom. de Sainte-Anne, 49320 Brissac-Quincé,
tél. 02.41.91.24.58, fax 02.41.91.25.87,
e-mail eva.brault@wanadoo.fr
t.l.j. sf dim. 9h-12h 14h-19h (18h sam.)

## CH. LA VARIERE La Grande Chevalerie 2003 *

■ 2 ha 28 000 15 à 23 €

A la tête d'un vaste domaine (95 ha), Jacques Beaujeu produit une large gamme de vins d'Anjou, de toutes les couleurs et de tous les styles. Les dégustations Hachette lui ont donné l'occasion de briller de deux coups de cœur, dont un dans cette appellation. Vinifiée et élevée en barrique pendant quinze mois, sa cuvée de la Grande Chevalerie laisse une impression de richesse et de puissance. Sa palette aromatique intense mêle la vanille et la torréfaction aux fruits rouges et noirs compotés. Sa bouche ronde et moelleuse révèle une structure tannique étonnante. Un vin de garde assurément. Recherchez plus loin dans le Guide son quarts-de-chaume.

🔑 Jacques Beaujeau,
Ch. La Varière, 49320 Brissac-Quincé,
tél. 02.41.91.22.64, fax 02.41.91.23.44,
e-mail chateau.la.variere@wanadoo.fr
t.l.j. sf sam. dim. 10h-12h 15h-18h

# Rosé-d'anjou

Après un fort succès à l'exportation, ce vin demi-sec se commercialise difficilement aujourd'hui. Le grolleau, principal cépage, autrefois conduit en gobelet, produisait des vins rosés légers, appelés « rougets ». Il est de plus en plus vinifié en vin rouge léger, de table ou de pays.

### DOM. DES IRIS 2004

■ 2 ha 17 000 3 à 5 €

Ce vin, comme tous ceux du domaine des Iris, a été vinifié en collaboration avec l'œnologue de la société de négoce Joseph Verdier. Sa robe est rose intense ; ses arômes légers de fleurs, de fruits et de bonbon acidulé sont caractéristiques de l'appellation rosé-d'anjou. Légère et agréable, la bouche associe des sensations de fraîcheur et de moelleux. A servir bien frais avec des crudités ou des grillades.

🔑 SARL Dom. des Iris, La Roche-Coutant,
49540 Tigné, tél. 02.41.40.22.50, fax 02.41.40.22.69,
e-mail j.verdier@wanadoo.fr

### CH. DE MONTGUERET 2004 *

■ 20,8 ha 200 000 3 à 5 €

Ce domaine a été retenu dans toutes les AOC de rosés, avec un coup de cœur en rosé-de-loire. Quant à ce 2004, il affiche une robe rose intense. Sa palette aromatique se partage entre notes amyliques (bonbon acidulé, fraise artificielle), caractéristiques d'une vinification à basse température, et nuances légères de fruits rouges frais. Aérienne et fruitée, la bouche laisse une sensation de fraîcheur très agréable.

🔑 SCEA Ch. de Montguéret,
rue de la Mairie, 49560 Nueil-sur-Layon,
tél. 02.41.59.59.19, fax 02.41.59.59.02 r.-v.
🔑 André Lacheteau

### DOM. DU PONT DE LIVIER 2004 *

■ 9 ha 3 500 3 à 5 €

Emmanuel et Flore Rialland n'étant pas issus du milieu viticole, ils ont vécu la création de leur domaine comme une aventure. Leur vignoble est passé de 8 ha en 1996 à 19 ha aujourd'hui. La moitié des surfaces est consacrée à l'appellation rosé-d'anjou. Rose intense à reflets orangés, celui-ci développe à l'aération des parfums de fruits blancs, de grenadine et de fleurs. Tendre et délicat en bouche, ce vin harmonieux pourra accompagner tout un repas.

🔑 Emmanuel et Flore Rialland,
Dom. du Pont de Livier,
49700 Saint-Georges-sur-Layon,
tél. et fax 02.41.59.68.23,
e-mail domaine.rialland@free.fr
t.l.j. 9h-19h30

### DOM. DES TRAHAN 2004 *

■ 8 ha 40 000 - de 3 €

Situé dans les Deux-Sèvres, ce vignoble a été constitué par le grand-père ; il compte aujourd'hui une soixantaine d'hectares, ce qui en fait une des plus importantes exploitations du département. On retrouve son rosé-d'anjou. Le 2004 s'habille d'une robe rose intense aux reflets orangés. Ses parfums s'épanouissent à l'aération, rappelant les fleurs et les fruits frais. Sa bouche délicate associe élégamment des sensations de fraîcheur et de moelleux. Caractéristique de son appellation, ce vin harmonieux laisse une impression de légèreté. Ses arômes reflètent des raisins récoltés à une très bonne maturité.

🔑 Dom. des Trahan, 26, rue du Moulin, 79290 Cersay,
tél. 05.49.96.80.38 r.-v.

# Cabernet-d'anjou

On trouve dans cette appellation d'excellents vins rosés demi-secs, issus des cépages cabernet franc et cabernet-sauvignon. A table, on les associe assez facilement, lorsqu'ils sont parfumés et servis frais, au melon en hors-d'œuvre, ou à certains desserts pas trop sucrés. En vieillissant, ils prennent une nuance tuilée et peuvent être bus à l'apéritif. La production a atteint 251 519 hl en 2004. C'est sur les faluns de la région de Tigné et dans le Layon que ces vins sont les plus réputés.

### ALBERT BESOMBES 2004 *

■ 17 ha 120 000 3 à 5 €

Le groupe Besombes est une maison de négoce du Saumurois fondée il y a plus de soixante-dix ans. Elle propose un cabernet-d'anjou de couleur rose pâle aux légères senteurs de fruits rouges et de fruits frais. La bouche, très perlante, laisse une plaisante sensation de délicatesse et de fruité. Un vin flatteur par son très bel équilibre entre les impressions de fraîcheur et de moelleux.

🔑 SAS Besombes-Moc-Baril, 24, rue Jules-Amiot,
BP 125, 49400 Saint-Hilaire-Saint-Florent,
tél. 02.41.50.23.23, fax 02.41.50.30.45,
e-mail besombes@uapl.fr r.-v.

### DOM. DE LA BODIERE 2004 **

■ 2 ha 13 000 3 à 5 €

Ce cabernet-d'anjou provient d'un assemblage de cabernet franc (90 %) et de cabernet-sauvignon (10 %). Rose intense à reflets rouges, il laisse tout au long de la dégustation une remarquable sensation de fruits mûrs : framboise, fraise et cerise se bousculent au nez. On retrouve en bouche toute une gamme de fruits rouges et noirs. Un univers aromatique des plus séducteurs.

🔑 EARL Gérard Rousseau,
8, rue de la Chauvière, 49750 Saint-Lambert-du-Lattay,
tél. 02.41.78.34.76, fax 02.41.78.44.40,
e-mail rousseau.domaine@wanadoo.fr r.-v.

### DOM. DE LA COUCHETIERE 2004 *

■ 3,3 ha 3 000 3 à 5 €

Deux frères ont pris les rênes de la propriété en 1995 et 2005 respectivement. L'aménagement d'anciennes

granges ont permis d'agrandir le chai et le caveau en 1995. Ce cabernet-d'anjou se pare d'une robe rose pâle aux reflets framboise. Le nez associe le caramel, les fruits et le poivron. La bouche moelleuse offre une finale nerveuse où l'on retrouve le poivron marié au cassis. Un vin à servir frais. Pourquoi ne pas l'accompagner de poivrons farcis ou d'autres légumes ?
GAEC Brault, Dom. de la Couchetière, 49380 Notre-Dame-d'Allençon, tél. 02.41.54.30.26, fax 02.41.54.40.98
t.l.j. sf dim. 8h-12h30 14h-19h

### DOM. LA CROIX DES LOGES 2004 ★★★

■ 1,5 ha 11 000 3 à 5 €

Un quatrième coup de cœur pour ce domaine, et encore dans cette appellation qui est l'une des plus originales et des plus importantes de la région. Ce 2004 est le produit parfait d'une vinification bien menée et de vendanges récoltées à une maturité optimale. Rose bonbon, la robe est déjà un plaisir. Les parfums intenses associent des notes laissées par une vinification à basse température (pamplemousse et autres agrumes) et des nuances de fruits rouges très mûrs. Chaleureuse, généreuse, la bouche donne en permanence la sensation de croquer des fruits frais. Superbe.
SCEA Bonnin et Fils, Dom. La Croix des Loges, 49540 Martigné-Briand, tél. 02.41.59.43.58, fax 02.41.59.41.11, e-mail bonninlesloges@aol.com r.-v.

### DOM. DE LA GABETTERIE 2004

■ 10 ha 5 000 3 à 5 €

Fondée en 1929 par le grand-père de Vincent Reuiller, l'exploitation compte aujourd'hui 43 ha. Une partie importante du vignoble repose sur des sols argilo-calcaires issus de sables coquilliers – un substrat favorable aux cépages rouges. Rose intense aux reflets orangés, ce cabernet-d'anjou mêle les fruits blancs (pêche) et rouges. La bouche délicate révèle un bon équilibre entre moelleux et fraîcheur. A servir sur de la charcuterie, du melon garni de fruits rouges, des tartes ou coupes de fruits...
EARL Vincent Reuiller, La Gabetterie, 49380 Faveraye-Machelles, tél. 02.41.54.14.99, fax 02.41.80.04.03 r.-v.

### DOM. GAUDARD 2004 ★★

■ 2 ha 13 000 5 à 8 €

Pierre Aguilas avoue une petite faiblesse pour cette appellation qu'il tient pour l'une des plus originales de l'Anjou. Et on ne peut que lui donner raison devant les arômes complexes et subtils de ce 2004 ; ses notes de fruits mûrs, de fruits rouges et de confiture d'orange, sa bouche opulente, pleine de caractère, témoignent à tout instant de la richesse des vendanges. Un cabernet-d'anjou raffiné qui ravira les connaisseurs.
Pierre Aguilas, Dom. Gaudard, rte de Saint-Aubin, 49290 Chaudefonds-sur-Layon, tél. 02.41.78.10.68, fax 02.41.78.67.72, e-mail pierre.aguilas@wanadoo.fr
t.l.j. 9h-12h 14h-18h; dim. sur r.-v.

### DOM. GOUPIL 2004 ★

■ 28,9 ha 260 000 3 à 5 €

Ce domaine dispose d'une centaine d'hectares, dont un petit tiers est vinifié en cabernet-d'anjou. Cette appellation qui garde quelques grammes de sucres résiduels fait merveille avec la charcuterie ou les mets asiatiques associant les sensations acides-sucrées, ou sucrées-salées. Ce 2004 rose éclatant à reflets rouges séduit par sa bouche riche et tendre aux arômes délicats de fruits mûrs, de fleurs et de bourgeon de cassis.
SCEA Dom. du Cléray, le Bourg, 49700 Les Verchers-sur-Layon, tél. 02.40.33.93.46, fax 02.40.36.26.26

### DOM. DES IRIS 2004

■ 6 ha 45 200 3 à 5 €

Ce 2004 revêt une robe rose aux reflets pelure d'oignon. Au nez, il associe la feuille de cassis et les fruits frais. La bouche agréable et légère révèle un bel équilibre entre le moelleux et la fraîcheur. Un cabernet-d'anjou simple, à servir tout au long d'un repas.
SARL Dom. des Iris, La Roche-Coutant, 49540 Tigné, tél. 02.41.40.22.50, fax 02.41.40.22.69, e-mail j.verdier@wanadoo.fr
Joseph Verdier

### DOM. DES MAURIERES 2004

■ n.c. 5 000 5 à 8 €

Avec une surface de plus de 5 ha consacrée au cabernet-d'anjou, cette production représente une part non négligeable de vins élaborés sur la propriété. Celui-ci revêt une robe rose orangé et mêle au nez des arômes délicats rappelant le caramel, les fruits rouges et des nuances végétales. Rond et frais au palais, il finit sur des notes subtiles de pêche et d'abricot. Un cabernet-d'anjou simple, bien vinifié et bon représentant de l'appellation.
EARL Moron, Dom. des Maurières, 8, rue de Perinelle, 49750 Saint-Lambert-du-Lattay, tél. 02.41.78.30.21, fax 02.41.78.40.26 r.-v.

### DOM. DE LA MONTCELLIERE 2004 ★

■ 10 ha n.c. - de 3 €

Ce domaine familial est situé dans le haut Layon. Il consacre 10 ha de ses 50 ha à l'appellation cabernet-d'anjou. Gourmand et facile, ce vin est idéal pour découvrir l'AOC. Rose clair aux reflets orangés, il livre des parfums de fruits rouges frais (fraise et framboise) caractéristiques. La bouche flatteuse donne une sensation de légèreté, accentuée par un perlant fort agréable.
SCEA Louis Guéneau et Fils, La Montcellière, 49310 Trémont, tél. 02.41.59.60.72, fax 02.41.59.66.15 r.-v.

### CH. MONTGUERET Le Petit Saint Louis 2004 ★

■ 18 ha 160 000 3 à 5 €

Ce cabernet-d'anjou est un très bon représentant de son appellation par sa délicate robe pastel, ses arômes intenses de fruits rouges assortis de nuances végétales (bourgeon de cassis) et par sa bouche souple et puissante finissant sur des notes de cerise, de fraise et de framboise particulièrement agréables. Un vin friand à déguster en fin d'année.

SCEA Ch. de Montguéret,
rue de la Mairie, 49560 Nueil-sur-Layon,
tél. 02.41.59.59.19, fax 02.41.59.59.02 r.-v.
André Lacheteau

### DOM. DES NOELS 2004 *

1 ha 5 820 3 à 5 €

La vinification de ce cabernet-d'anjou s'est faite à basse température en cuve Inox thermorégulée à partir d'un assemblage de cabernet franc (60 %) et de cabernet-sauvignon (40 %). La robe rose intense montre des reflets violacés. La palette aromatique associe les fruits rouges bien mûrs et le sirop de grenadine. La bouche fraîche et délicate donne l'impression de croquer des fraises.

SCEA Dom. des Noëls,
Les Noëls, 49380 Faye-d'Anjou,
tél. 02.41.54.18.01, fax 02.41.54.30.76,
e-mail domaine-des-noels@terre-net.fr r.-v.
J.-M. Garnier

### DOM. DE LA PETITE CROIX 2004 *

7 ha 10 000 3 à 5 €

A. Denéchère est à la tête d'un vignoble couvrant les coteaux du Layon et des croupes graveleuses de la rive gauche. Ce cabernet-d'anjou est un classique de l'appellation avec sa robe aux reflets pelure d'oignon, ses arômes délicats de framboise et de cassis, sa bouche associant agréablement fraîcheur et moelleux. On l'appréciera frais tout au long d'un repas.

A. Denéchère et F. Geffard,
Dom. de la Petite Croix, 49380 Thouarcé,
tél. 02.41.54.06.99, fax 02.41.54.30.05,
e-mail scea@lapetitecroix.com r.-v.

### DOM. DES PETITES GROUAS 2004 *

3 ha 5 000 3 à 5 €

Le 2004 est un bon représentant de son appellation. Rose saumoné brillant, il livre des parfums délicats de fruits et d'agrumes. Tendre, léger et bien fruité, c'est un vin simple et bien fait qui sera à sa place avec des salades ou de la charcuterie. Le 2002 avait obtenu un coup de cœur.

EARL Philippe Léger,
Cornu, 49540 Martigné-Briand,
tél. 02.41.59.67.22, fax 02.41.59.69.32 r.-v.

### DOM. ROMPILLON 2004 *

0,8 ha 6 500 3 à 5 €

Les cabernet-d'anjou se caractérisent par leur moelleux et peuvent aussi bien être servis sur des entrées (salades, charcuterie) que sur des desserts (salade de fruits, par exemple). Celui-ci est typique avec sa robe rose intense aux reflets pelure d'oignon, ses arômes de fruits rouges, sa bouche puissante, fraîche et délicate. On l'appréciera tout au long d'un repas.

SARL Dom. Rompillon, L'Ollulière,
49750 Saint-Lambert-du-Lattay,
tél. et fax 02.41.78.48.84 r.-v.

### DOM. SAUVEROY 2004 **

3,5 ha 23 000 3 à 5 €

Depuis sa création en 1947, le domaine Sauveroy s'est inscrit dans une démarche de qualité, ce qui l'a conduit ces dernières années à baisser les rendements, à augmenter la surface foliaire... Une politique qui lui permet de porter haut les couleurs de l'Anjou, comme le montre la série de coups de cœur obtenue ces dernières années. Quant à ce cabernet-d'anjou, il séduit par l'intensité de ses arômes de fruits rouges, de cassis et de bonbon acidulé. En bouche, il impressionne par sa puissance et sa finesse et offre en permanence des sensations de fruits mûrs.

EARL Pascal Cailleau,
Dom. Sauveroy, 49750 Saint-Lambert-du-Lattay,
tél. 02.41.78.30.59, fax 02.41.78.46.43,
e-mail domainesauveroy@sauveroy.fr r.-v.

### MARC SECHET 2004 **

3,5 ha 2 500 3 à 5 €

Ce cabernet-d'anjou est né dans le vignoble de Maligné, réputé pour ses terres charbonneuses et, dès le XVIII[e]s., pour l'un des crus renommés de l'Anjou. Une macération de plus de 48 h avant le début de la fermentation lui a donné une robe rose orangé intense aux reflets violacés. Ses arômes remarquables de délicatesse font penser au bourgeon de cassis et à la violette. La bouche est ample et généreuse. Fraîche et tendre à la fois, elle fait preuve d'un superbe équilibre.

Marc Séchet, Maligné, 49540 Martigné-Briand,
tél. 02.41.59.43.40, fax 02.41.59.47.64 r.-v.

### DOM. DES TROTTIERES 2004 ***

10,22 ha 85 000 3 à 5 €

Créé en 1906, ce domaine d'un seul tenant comptait 60 ha dès l'origine, ce qui en faisait le plus vaste domaine du Val de Loire. Les terres sablo-graveleuses de l'exploitation permettent une maturité optimale des cépages noirs donnant, selon le temps de macération, des vins rouges ou rosés. Ce cabernet-d'anjou fait l'unanimité par son expression aromatique d'une rare délicatesse, avec ses notes de pêche de vigne, d'abricot et de petits fruits rouges. Ample, généreux et gourmand, il est superbe d'élégance et de finesse.

Dom. des Trottières, 49380 Thouarcé,
tél. 02.41.54.14.10, fax 02.41.54.09.00,
e-mail lestrottieres@worldonline.fr
t.l.j. 8h-12h30 14h-18h30; sam. dim. sur r.-v.
Lamotte

### DOM. VERDIER 2004 **

1 ha 6 000 3 à 5 €

Ce cabernet-d'anjou de pur cabernet-sauvignon a été vinifié à basse température. Sa robe est rose saumoné à reflets rouges. Sa palette aromatique associe des notes provenant de la vinification (pamplemousse et autres

LOIRE

agrumes), des nuances de fruits mûrs et de bourgeon de cassis. Harmonieuse, délicate et riche, la bouche présente un bel équilibre entre le moelleux et la fraîcheur. Avec ses notes de fruits frais, de cerise bien mûre, la finale laisse un excellent souvenir.
EARL Verdier Père et Fils,
7, rue des Varennes, 49750 Saint-Lambert-du-Lattay,
tél. et fax 02.41.78.35.67 r.-v.

# Coteaux-de-l'aubance

La petite rivière Aubance est bordée de coteaux de schistes portant de vieilles vignes de chenin, dont on tire un vin blanc moelleux qui s'améliore en vieillissant. La production a atteint 5 812 hl en 2004 sur environ 180 ha. Cette appellation a choisi de limiter strictement ses rendements.

Depuis 2002, la mention « Sélection de grains nobles » est autorisée pour les vins de vendanges présentant une richesse naturelle minimale de 234 g/l, soit 17,5 ° sans aucun enrichissement. Ceux-ci ne pourront être commercialisés que dix-huit mois après la récolte.

## DOM. DE BABLUT Unique 2003

13 ha 9 000 11 à 15 €

Du vivant de Rabelais, Ronsard et Du Bellay, les ancêtres des Daviau étaient déjà établis sur ce domaine. La propriété s'étend aujourd'hui sur 75 ha qui sont cultivés en agriculture biologique. Son 2002 avait brillé de tout l'éclat d'un coup de cœur. 2003 a été moins favorable. Pourquoi cette cuvée Unique ? Parce que c'est bien la seule dans cette appellation. Avant la canicule, il y a eu le gel, et les rendements ont été très faibles. Le vin se pare d'une robe dorée aux reflets verts. Discret au nez, légèrement boisé, il s'ouvre à l'aération sur des notes de coing, d'épices et de tilleul que l'on retrouve dans une bouche ample et généreuse. Une vivacité bienvenue marque la finale.
SCEA Daviau, Bablut, 49320 Brissac-Quincé,
tél. 02.41.91.22.59, fax 02.41.91.24.77,
e-mail daviau.contact@wanadoo.fr
t.l.j. sf dim. 9h-12h 14h-18h30

## DOM. DES CHARBOTIERES
Clos des Huttières 2003 ★★

1 ha 2 284 15 à 23 €

On retrouve ce domaine conduit en agrobiologie avec deux vins très séduisants. Ce Clos des Huttières est le plus apprécié. De couleur vieil or, il séduit d'emblée par la complexité de sa palette aromatique, où l'on respire les fleurs du printemps, la pêche blanche et les agrumes, auxquels s'ajoutent en bouche la rose, la pêche-abricot, le pamplemousse et l'amande. Là ne s'arrêtent pas ses qualités. Son palais concentré reste léger grâce à une vivacité de bon aloi. Une excellente expression du terroir. Le **Domaine des Charbotières 2003 (11 à 15 €)** obtient une étoile. D'un jaune d'or soutenu, il libère à l'aération des parfums de fruits confits, de miel et de fruits exotiques. Puissant et onctueux, il révèle des notes minérales typiques de l'appellation.
Dominique Mautalen,
Clabeau, 49320 Saint-Jean-des-Mauvrets,
tél. 02.41.91.22.87, fax 02.41.66.23.09,
e-mail contact@domainedescharbotieres.com
r.-v.

## DOM. DES DEUX MOULINS
Cuvée Exception 2003

4 ha 5 000 8 à 11 €

Ce domaine, qui tire son nom de deux moulins situés sur l'exploitation, a connu une extension rapide : à sa création en 1989, il comptait 12 ha ; il en possède 59 aujourd'hui. Il figure régulièrement dans cette appellation, et a même deux coups de cœur à son actif (pour un 1999 et un 2000). De couleur tilleul à reflets verts, ce 2003 se présente avec discrétion, libérant quelques effluves de fleurs sauvages nuancés de coing. Bien équilibré et long en bouche, il joue davantage sur la finesse que sur la puissance. Il aimera des morilles à la crème. (Bouteilles de 50 cl.)
Macault, Dom. des Deux Moulins,
20, rte de Martigneau, 49610 Juigné-sur-Loire,
tél. 02.41.54.65.14, fax 02.41.54.67.94,
e-mail les.deux.moulins@wanadoo.fr r.-v.

## DOM. DE HAUTE-PERCHE
Les Fontenelles 2003 ★

4 ha 5 000 8 à 11 €

Ce domaine est un bon exemple de l'amélioration qualitative du vignoble angevin. Orienté vers la production de vins de table jusqu'à la fin des années 1960, il a été ensuite replanté en cépages nobles de la région, cabernet et chenin. La propriété se distingue régulièrement en coteaux-de-l'aubance, notamment à travers cette cuvée des Fontenelles, remarquable dans le millésime précédent. Jaune or limpide aux reflets verts, le 2003 présente un nez frais et minéral, où l'on perçoit également des notes de fruits confits et des nuances grillées. L'élevage transparaît également en bouche dans les nuances torréfiées et vanillées. Un vin puissant, gras et équilibré. La **cuvée Tradition 2003 (5 à 8 €)** obtient la même note ; sa robe jaune or, son nez mêlant miel, acacia et fruits confits, un rien grillé, sa bouche ample, généreuse et très équilibrée à la finale fruitée et confite, composent une bouteille plaisante.
EARL Agnès et Christian Papin,
Dom. de Haute-Perche, 7, chem. de la Godelière,
49610 Saint-Melaine-sur-Aubance,
tél. 02.41.57.75.65, fax 02.41.57.75.42,
e-mail papin.ch.a@wanadoo.fr r.-v.

## DOM. DE MONTGILET Les Trois Schistes 2003 ★★

9,88 ha 11 700 11 à 15 €

Les vins des frères Lebreton naissent sous le signe du schiste, soubassement de cette partie du vignoble angevin. Cette roche orne les étiquettes de leurs différentes cuvées, étiquettes que les fidèles du Guide connaissent bien puisque le domaine a obtenu sept coups de cœur, dont cinq dans cette appellation. Aucun coup de cœur n'a été décerné cette année en coteaux-de-l'aubance, mais cette cuvée des Trois Schistes a manqué de peu cette distinction. Sa robe jaune or et son nez délicat mariant les fruits confits, les fruits exotiques et des notes minérales sont fort engageants. Intense, ample et équilibrée, la bouche intéresse par sa complexité et sa concentration, sa richesse, son gras et sa fraîcheur. Née sur schistes bleus, la cuvée **Le**

**Tertereaux 2002 (15 à 23 €** la bouteille de 50 cl.) obtient une étoile. Sa robe jaune soutenu annonce sa concentration, que confirment le nez de fruits confits et de fruits exotiques et la bouche intense et longue.

Victor et Vincent Lebreton,
Dom. de Montgilet, 49610 Juigné-sur-Loire,
tél. 02.41.91.90.48, fax 02.41.54.64.25,
e-mail montgilet@terre-net.fr
t.l.j. sf dim. 9h-12h 14h-18h

DOM. D'ORGIGNE 2003

| 0,6 ha | 1 500 | 5 à 8 € |
|---|---|---|

Géré par deux frères, ce domaine proche de Brissac a connu une extension rapide depuis sa création en 1989. Il compte aujourd'hui 26 ha de vignes. Comme le millésime précédent, le 2003 a séjourné un an en fût. Cet élevage lui a légué des arômes de torréfaction au nez et une finale boisée et vanillée. Les arômes floraux et fruités sont pour l'heure au second plan. L'ensemble équilibré et frais constitue une belle expression du terroir mais gagnera à attendre un peu. (Bouteilles de 50 cl.)

Delaunay, Dom. d'Orgigné,
49320 Saint-Saturnin-sur-Loire,
tél. 02.41.54.21.96, fax 02.41.91.72.25 r.-v.

CH. PRINCE Cuvée Elégance 2003 *

| 3,5 ha | 7 000 | 8 à 11 € |
|---|---|---|

Un domaine d'un seul tenant situé aux portes d'Angers. La cuvée Elégance est saluée d'une étoile. Sa robe or clair à reflets plus dorés attire l'œil. Son nez discret mais franc mêle les fruits secs, la pêche et les fleurs blanches dans une belle harmonie. A la fois frais, riche, gras et généreux, le palais finit sur un léger boisé. Un vin flatteur. (Bouteilles de 50 cl.)

SCEA Levron-Vincenot, Princé,
49610 Saint-Melaine-sur-Aubance, tél. 02.41.57.82.28,
fax 02.41.57.73.78, e-mail chateauprince@wanadoo.fr
t.l.j. sf dim. 9h-12h 14h-18h

DOM. DE VERSILLE Château Rousset 2003

| 1,1 ha | 800 | 11 à 15 € |
|---|---|---|

Ce 2003 affiche une belle robe limpide. Au nez, il libère des arômes de fruits confits et de pâte de fruits accompagnés d'une légère touche mentholée. Le fruit très mûr se manifeste dans une bouche ample et dominée par le moelleux. Un vin d'apéritif pour les amateurs de douceur.

Dom. de Versillé, 49320 Saint-Jean-des-Mauvrets,
tél. et fax 02.41.45.22.00, e-mail e.lepeu@worldonline.fr
r.-v.

Emmanuel Lepeu

# Anjou-coteaux-de-la-loire

L'appellation est réservée aux vins blancs issus du pinot de la Loire. Les volumes sont confidentiels (1 150 hl en 2004) par rapport à l'aire de production (une douzaine de communes), située uniquement sur les schistes et les calcaires de Montjean. Lorsqu'ils sont triés et qu'ils atteignent la surmaturité, ces vins se distinguent des coteaux-du-layon par une couleur plus verte. Ils sont généralement de type demi-sec. Dans cette région aussi, la reconversion du vignoble se fait peu à peu vers la production de vins rouges.

DOM. DU FRESCHE Cuvée Vieille Sève 2003 *

| 2,5 ha | 8 500 | 5 à 8 € |
|---|---|---|

Alain Boré tient bien son rang en proposant ce vin jaune paille à reflets dorés. Si les arômes semblent encore discrets au nez, la bouche équilibrée offre un fruité persistant et promet une bonne évolution dans les deux ans à venir.

EARL Boré, Dom. du Fresche,
49620 La Pommeraye, tél. 02.41.77.74.63,
fax 02.41.77.79.39, e-mail alainbore@aol.com
t.l.j. sf dim. 9h-12h 14h-18h

GILLES MUSSET ET SERGE ROULLIER
Raisins confits 2003 **

| 3 ha | 15 000 | 8 à 11 € |
|---|---|---|

Né de l'association de deux producteurs en 1994, ce domaine couvre une trentaine d'hectares le long de la Loire sur des terroirs très variés. La maturité de la vendange 2003 se traduit dans ce vin par une teinte or soutenu et des arômes intenses de fruits secs (abricot). Veloutée dès l'attaque, la bouche ronde possède du gras et laisse apparaître en finale d'agréables nuances de fruits exotiques. Un équilibre remarquable. (Bouteilles de 50 cl.)

SCEA Vignoble Musset-Roullier,
Le Chaumier, 49620 La Pommeraye,
tél. 02.41.39.05.71, fax 02.41.77.75.76,
e-mail musset.roullier@wanadoo.fr r.-v.

CH. DE PUTILLE Cuvée Pierre Carrée 2003 **

| 5 ha | 4 000 | 8 à 11 € |
|---|---|---|

Cette cuvée dévoile toute sa richesse. Jaune paille brillant, elle libère volontiers ses arômes de fruits secs et de fruits confits. La bouche ronde et longue aux nuances fruitées (miel et abricot) trouve un parfait équilibre dans une pointe de fraîcheur. Noté une étoile, le **Clos du Pirouet 2004 (5 à 8 €)** est un vin souple et intensément fruité.

Pascal et Geneviève Delaunay,
EARL Ch. de Putille, 49620 La Pommeraye,
tél. 02.41.39.02.91, fax 02.41.39.03.45,
e-mail pascal.genevieve.delaunay@wanadoo.fr
t.l.j. sf dim. 8h-12h30 14h-19h

DOM. DE PUTILLE Cuvée des Claveries 2003 *

| 1,1 ha | 3 700 | 5 à 8 € |
|---|---|---|

A une trentaine de kilomètres d'Angers, ce domaine de 15 ha propose une large gamme de vins d'Anjou. Son anjou-coteaux-de-la-loire se distingue par l'élégance de son expression. Sous une teinte jaune orangé se manifestent des arômes de fruits secs aux nuances légèrement grillées. La bouche riche, empreinte de fruits exotiques, persiste gentiment sur des notes très mûres.

Isabelle Sécher et Stève Roulier,
Dom. de Putille, 49620 La Pommeraye,
tél. 02.41.39.80.43, fax 02.41.39.81.91,
e-mail domaine.de.putille@wanadoo.fr
t.l.j. sf dim. 9h-12h 14h-19h

DOM. DU TERTRE 2004 ★★

2 ha 5 000 8 à 11 €

Ce vin possède un charme immédiat. Il suffit de regarder sa robe jaune or pour se laisser séduire. Le nez délicat évoque les fruits secs, les fruits exotiques et les fruits confits. Annonce de l'opulence de la chair qui trouve dans une juste fraîcheur un réel équilibre et de l'harmonie.

GAEC Onillon,
Le Tertre, 49570 Montjean-sur-Loire,
tél. 02.41.39.00.72, fax 02.41.39.76.80 r.-v.

VOISINE Cuvée Délice 2003 ★

3 ha 3 500 8 à 11 €

Michel Voisine a repris en 1992 le vignoble de son grand-père : 20,5 ha aujourd'hui, plantés sur schistes, qu'il exploite avec son fils Olivier, œnologue. Tous deux proposent une cuvée jaune paille, évocatrice de fruits exotiques. Une matière ronde et ample emplit durablement le palais, laissant le souvenir d'une vendange très mûre.

EARL Michel et Olivier Voisine,
Coteau Saint-Vincent, 49290 Chalonnes-sur-Loire,
tél. 02.41.78.59.00, fax 02.41.78.18.26,
e-mail coteau-saint-vincent@wanadoo.fr r.-v.

# Savennières

Ce sont des vins blancs de type sec, produits à partir du chenin sur environ 140 ha, essentiellement sur la commune de Savennières. Les schistes et grès pourpres leur confèrent un caractère particulier, ce qui les a fait définir longtemps comme crus des coteaux de la Loire ; mais ils méritent d'occuper une place à part entière. Cette appellation devrait s'affirmer et se développer. Pleins de sève, un peu nerveux, ses vins vont à merveille sur les poissons cuisinés. La production du savennières et de ses crus coulée-de-serrant et roche-aux-moines a atteint 5 637 hl en 2004.

DOM. DE LA BERGERIE La Croix Picot 2003 ★★★

1,1 ha 4 200 8 à 11 €

Le domaine de La Bergerie se situe au cœur du vignoble des coteaux-du-layon. Après s'être forgé une réputation pour ses vins liquoreux, Yves Guégniard a acquis une parcelle de plus de 1 ha afin d'élaborer des vins secs de même niveau. Ce savennières 2003 est exceptionnel d'équilibre et de délicatesse. Nulle puissance excessive,

malgré le millésime trop ensoleillé pour ce type de vin, mais un raffinement perceptible à toutes les étapes de la dégustation. Le nez complexe associe les fruits secs (noisette), les fruit mûrs cuits (tarte aux prunes et aux cerises), les épices et la torréfaction.

Yves Guégniard,
Dom. de La Bergerie, 49380 Champ-sur-Layon,
tél. 02.41.78.85.43, fax 02.41.78.60.13,
e-mail domainede.la.bergerie@wanadoo.fr
t.l.j. sf dim. 9h-12h 14h-19h; f. 15-30 août

CH. DE CHAMBOUREAU Cuvée d'Avant 2003 ★

5 ha 18 000 8 à 11 €

Pierre Soulez est le président de l'appellation savennières, dont l'aire de production couvre des coteaux schisteux exposés au sud, au-dessus de la Loire. Une sensation de richesse émane de cette cuvée, tant par les arômes chaleureux de cire, de miel et de fruits mûrs que par la bouche puissante, à la finale de fruits macérés dans l'alcool. Le **Château de La Bizolière 2003** obtient la même note. Si la première impression est plus austère, il évolue vers de savoureuses nuances d'abricot sec. Cité, le **Clos du Papillon cuvée d'Avant 2003 (15 à 23 €)** possède une teneur importante en sucres résiduels. Il s'affinera au cours des années.

Pierre Soulez,
Ch. de Chamboureau, 49170 Savennières,
tél. 02.41.77.20.04, fax 02.41.77.27.78 r.-v.

CLOS DE FREMINE 2003

0,87 ha 5 500 5 à 8 €

Cette exploitation se trouve sur l'une des communes les plus viticoles du vignoble angevin. Son 2003, jaune pâle à reflets verts, libère de légers arômes de fruits blancs et d'agrumes nuancés de minéral. La bouche ronde, presque moelleuse du fait des sucres résiduels, se développe vers une finale fraîche. Un vin séduisant, tout en simplicité.

EARL de la Ducquerie, 2, chem. du Grand-Clos,
49750 Saint-Lambert-du-Lattay,
tél. 02.41.78.42.00, fax 02.41.78.48.17
t.l.j. sf dim. 8h-12h30 14h-19h30; sam. 8h-12h30
Cailleau

DOM. DU CLOSEL Les Caillardières 2003 ★

3 ha 28 300 11 à 15 €

Si le domaine a été mis en valeur par les moines dès le XIVᵉs., son histoire contemporaine a été écrite par des femmes. Cette cuvée a charmé le jury par sa bouche étonnamment ronde et puissante. Onctuosité est le maître mot de la dégustation. Les arômes sont caractéristiques du terroir de savennières : fleur de tilleul, sauge, agrumes (mandarine). La même note revient à la cuvée **Clos du Papillon 2003**, au profil semblable quoique demi-sec par sa teneur plus importante en sucres résiduels.

Evelyne de Pontbriand,
Dom. du Closel, Ch. des Vaults, 49170 Savennières,
tél. 02.41.72.81.00, fax 02.41.72.86.00,
e-mail closel@savennieres-closel.com
t.l.j. 9h-12h30 13h30-18h30; sam. dim. sur r.-v.

## CLOS LA ROYAUTE 2003

3,5 ha 8 000 11 à 15 €

La parcelle de La Royauté, sise en haut de coteau, en bordure du parc de La Bizolière, est caractérisée par des sables éoliens déposés au quaternaire et provenant de la Loire. Elle a produit un vin jaune pâle à reflets or, dont les arômes s'épanouissent délicatement dans les tonalités des fleurs blanches, des agrumes, des fruits secs et de la vanille. La bouche équilibrée et douce bénéficie du soutien d'une juste vivacité.

Vignobles Laffourcade, L'Echarderie, 49190 Rochefort-sur-Loire, tél. 02.41.54.16.54, fax 02.41.54.00.10, e-mail laffourcade@wanadoo.fr r.-v.

## CH. D'EPIRE Cuvée spéciale 2004 *

1 ha 40 000 11 à 15 €

La cave de ce domaine, dont les origines remontent au Moyen Age, se trouve dans l'ancienne église romane du village d'Epiré. Vous y découvrirez cette cuvée typique de l'appellation, qui associe des notes de fruits mûrs presque exubérantes à des touches de fleurs, de plantes médicinales et de minéral. L'ensemble fait preuve d'élégance et d'originalité. La cuvée principale **Château d'Epiré 2004 (8 à 11 €)** est citée : plus légère, elle sera d'un abord plus aisé.

SCEA Bizard-Litzow, Chais du Ch. d'Epiré, 49170 Savennières, tél. 02.41.77.15.01, fax 02.41.77.16.23, e-mail luc.bizard@wanadoo.fr t.l.j. sf dim. 9h-12h 14h-18h30

## DOM. DES FORGES Moulin du Gué 2003 *

1,5 ha 4 300 8 à 11 €

Le domaine des Forges est une référence en matière de vins liquoreux, ce qui ne doit pas faire oublier ses savennières. Issu d'un tri sélectif et d'un élevage en barrique pendant près d'un an, le 2003 possède un grand potentiel. Il aura besoin de plusieurs mois pour exprimer toute sa délicatesse. Pour l'heure, il offre un nez discret de vanille et de noix de coco, puis une bouche étonnamment onctueuse et puissante, avec en finale des arômes de fruits mûrs macérés dans l'alcool (alcool de prune et de cerise). Vous le servirez en accompagnement d'un poisson à la crème ou d'une viande blanche.

Vignoble Branchereau, Dom. des Forges, rte de la Haie-Longue, 49190 Saint-Aubin-de-Luigné, tél. 02.41.78.33.56, fax 02.41.78.67.51, e-mail forgescb@worldonline.fr t.l.j. sf dim. 9h-12h 14h-19h

## MOULIN DE CHAUVIGNE
Clos Brochard Vieilles Vignes 2003

0,5 ha 1 500 8 à 11 €

Un moulin cavier datant de 1750 donne son nom au domaine qui ménage une belle vue sur la vallée de la Loire. Sylvie Termeau propose un agréable 2003 qui sera prêt à passer à table en fin d'année. Après une légère aération, il exprime avec subtilité des arômes de fruits mûrs et d'agrumes, puis laisse au palais une sensation de moelleux.

Sylvie Termeau, Le Moulin de Chauvigné, 49190 Rochefort-sur-Loire, tél. et fax 02.41.78.86.56, e-mail lemoulindechauvigne@wanadoo.fr t.l.j. sf dim. 9h-18h

## DOM. OGEREAU Clos du Grand Beaupréau 2003

1 ha 4 000 8 à 11 €

Ce 2003 fait preuve d'une puissance hors norme, caractéristique d'un millésime exceptionnellement ensoleillé. Des arômes de fruits macérés dans l'alcool se manifestent en finale d'une bouche intense, presque massive. Au cours du vieillissement, ce vin gagnera en finesse.

Vincent Ogereau, 44, rue de la Belle-Angevine, 49750 Saint-Lambert-du-Lattay, tél. 02.41.78.30.53, fax 02.41.78.43.55 r.-v.

## CH. DE PLAISANCE Le Clos 2003 *

2 ha 10 000 8 à 11 €

Le château de Plaisance se dresse telle une citadelle sur le coteau de Chaume. Il est le gardien pittoresque d'un des sites les plus réputés du vignoble angevin. La teinte jaune soutenu offre un premier indice de la richesse de ce savennières. Le nez en apporte une confirmation par ses notes évoluées de noix, de réglisse et de pomme compotée. Si un caractère presque oxydatif apparaît au palais, on perçoit aussi une fraîcheur fort agréable. Un vin qui trouvera ses fans.

Guy Rochais, Ch. de Plaisance, Chaume, 49190 Rochefort-sur-Loire, tél. 02.41.78.33.01, fax 02.41.78.67.52, e-mail rochais.guy@wanadoo.fr r.-v.

## CH. SOUCHERIE Cuvée Anaïs 2003 *

1,5 ha 4 600 8 à 11 €

Situé au-dessus des coteaux-du-layon, le château de La Soucherie étend ses 35 ha de vignes dans un cadre remarquable. Son savennières élevé dix mois en barrique dispense de délicates notes minérales qui ajoutent à l'expressivité de ses arômes de fruits à chair blanche, de fruits exotiques et de vanille. La bouche est riche, presque opulente, mais présentant aussi une agréable fraîcheur. Un vin tout en nuances, qui donne une bonne image de l'appellation.

Pierre-Yves Tijou et Fils, Ch. Soucherie, 49750 Beaulieu-sur-Layon, tél. 02.41.78.31.18, fax 02.41.78.48.29, e-mail chateausoucherie@yahoo.fr r.-v.

## CH. DE VARENNES 2003

7,2 ha n.c. 11 à 15 €

Le château de Varennes fait partie de l'exploitation de Philippe Germain dont le siège et les caves de vinification se trouvent à Fesles, au cœur de l'appellation bonnezeaux. Ce savennières jaune or intense accroche le regard. Aux arômes discrets de fruits blancs mûrs (pêche, poire et prune) succède une bouche ronde et onctueuse, marquée par la chaleur du millésime.

Vignobles Germain Saincrit, Ch. de Fesles, 49380 Thouarcé, tél. 02.41.68.94.00, fax 02.41.68.94.01, e-mail loire@vgas.com t.l.j. 9h-18h

## LES VIEUX CLOS 2003 **

5 ha 12 000 15 à 23 €

Nicolas Joly occupe une place à part dans le vignoble de savennières par son engagement dans la culture biodynamique. Sa cuvée Les Vieux Clos a frôlé le coup de cœur. Le jury a apprécié les notes persistantes de fruits mûrs intenses comme la grande finesse qui se dégage de ce vin malgré sa puissance hors du commun. Equilibre, délicatesse et richesse se conjuguent.

EARL Nicolas Joly,
Ch. de la Roche aux Moines, 49170 Savennières,
tél. 02.41.72.22.32, fax 02.41.72.28.68,
e-mail coulee-de-serrant@wanadoo.fr
t.l.j. sf dim. 9h-12h 14h-17h45

# Savennières-roche-aux-moines, savennières-coulée-de-serrant

Il est difficile de séparer ces deux crus qui ont pourtant reçu une codification particulière, tant ils sont proches en caractères et en qualité. La coulée-de-serrant, plus restreinte en surface (7 ha), est située de part et d'autre de la vallée du petit Serrant. La plus grande partie est en pente forte, d'exposition sud-ouest. Propriété en monopole de la famille Joly, cette appellation a atteint, tant par sa qualité que par son prix, la notoriété des grands crus de France. C'est après cinq ou dix ans que ses qualités s'épanouissent pleinement. La roche-aux-moines appartient à plusieurs propriétaires et couvre une surface de 19 ha déclarés (qui n'est pas totalement plantée). Si elle est moins homogène que son homologue, on y trouve des cuvées qui n'ont cependant rien à lui envier.

# Savennières-roche-aux-moines

## CH. DE CHAMBOUREAU

Chevalier Buhard Cuvée d'Avant Doux 2003 ★★

1,9 ha 7 000 15 à 23 €

Le vignoble du château de Chamboureau date du XVe s. Il couvre aujourd'hui 24 ha sur les sols argilo-siliceux de Savennières. Elaborée à partir de vendanges très mûres, cette cuvée a gardé un taux important de sucres résiduels. Elle dévoile sous une teinte jaune doré des arômes intenses de raisins secs, d'abricot confit et de fruits secs (noix et noisette). Si elle se montre ronde et puissante au palais, une fraîcheur remarquable se manifeste aussi, préservant sa délicatesse. Le **Château de Chamboureau Cuvée d'Avant 2003** obtient deux étoiles également car il est riche et ample, prolixe en notes minérales, en arômes de torréfaction et de fruits mûrs.

Pierre Soulez,
Ch. de Chamboureau, 49170 Savennières,
tél. 02.41.77.20.04, fax 02.41.77.27.78 r.-v.

## DOM. AUX MOINES 2003 ★

7,38 ha 30 000 11 à 15 €

Remontant au Moyen Age, le domaine couvre 8 ha sur un éperon rocheux au-dessus de la Loire. Dirigé par des femmes depuis 1981, c'est aujourd'hui Tessa Laroche qui œuvre aux chais. On lui doit ce 2003 qui s'épanouit progressivement à l'aération sur des notes minérales, des arômes de fleurs blanches et de fruits mûrs. La bouche franche et complexe offre une finale opulente de fruits mûrs.

EARL Mme Laroche, Dom. aux Moines,
La Roche aux Moines, 49170 Savennières,
tél. 02.41.72.21.33, fax 02.41.72.86.55,
e-mail tessalaroche@free.fr t.l.j. 9h-13h 14h-19h

# Savennières-coulée-de-serrant

## CLOS DE LA COULEE-DE-SERRANT 2003 ★★★

7 ha 20 500 38 à 46 €

Le vignoble de La Coulée-de-Serrant a été planté en 1130 par les moines cisterciens. Anecdote plaisante, mais qui ne fit pas sourire le roi en son temps : le carrosse de Louis XIV s'embourba dans la propriété. Lui proposa-t-on pour oublier cette contrariété un vin pareil à ce 2003 ? Il a quelque chose de magique ce coulée-de-serrant aux notes minérales de plantes médicinales. S'y ajoutent les arômes opulents de fruits mûrs (prune) macérés dans l'alcool. Sa présence en bouche est hors du commun, toujours délicate. Un grand vin équilibré qui porte en lui la luminosité des bords de Loire.

EARL Nicolas Joly,
Ch. de la Roche aux Moines, 49170 Savennières,
tél. 02.41.72.22.32, fax 02.41.72.28.68,
e-mail coulee-de-serrant@wanadoo.fr
t.l.j. sf dim. 9h-12h 14h-17h45

# Coteaux-du-layon

Sur les coteaux des communes qui bordent le Layon, de Nueil à Chalonnes, représentant quelque 1 738 ha, on a produit, en 2004, 54 557 hl de vins demi-secs, moelleux ou liquoreux. Le chenin est le seul cépage. Plusieurs villages sont réputés : le plus connu, devenu à part entière, est celui de Chaume. Six noms peuvent être ajoutés à l'appellation : Rochefort-sur-Loire, Saint-Aubin-de-Luigné, Saint-Lambert-du-Lattay, Beaulieu-sur-Layon, Rablay-sur-Layon, Faye-d'Anjou. Depuis 2002, les vins ont droit à la mention « Sélection de grains nobles » lorsque la richesse naturelle de la vendange minimale est de 234 g/l, soit 17,5 ° sans aucun enrichissement. Ils ne pourront être commercialisés avant dix-huit mois suivant la récolte. Vins subtils, or vert à Concourson, plus jaunes et plus puissants en aval, ils présentent des arômes de miel et d'acacia acquis lors de la surmaturation. Leur capacité de vieillissement est étonnante.

## DOM. D'AMBINOS Beaulieu Sélection 2003 ★

0,67 ha 500 15 à 23 €

Jean-Pierre Chéné dirige cette exploitation de 14,5 ha depuis 1982. Il a remis en pratique les vendanges par tries

successives. Sa Sélection provient de ceps de plus de soixante-dix ans. Jaune or aux nuances orangées, elle livre à l'aération des effluves d'agrumes confits qui se prolongent au palais, accompagnés de quelques notes boisées. Riche et grasse, elle laisse une bonne impression par sa longue finale fraîche et fruitée.
Jean-Pierre Chéné,
3, imp. des Jardins, 49750 Beaulieu-sur-Layon,
tél. 02.41.78.48.09, fax 02.41.78.61.72,
e-mail domainedambinos@libertysurf.fr r.-v.

DOM. DE L'ARBOUTE Faye 2003 ★

2 ha 2 000 8 à 11 €

Jules Massicot s'est installé en 1950 sur ce vignoble créé au XVIIe s. Depuis 1986, c'est la deuxième génération qui conduit les 16 ha du domaine. Des vignes de cinquante ans sont à l'origine de ce 2003 jaune or qui offre à l'aération une palette complexe de parfums : figue, abricot confit, accompagnés de notes végétales (rhubarbe et menthe). L'attaque est moelleuse et grasse, la bouche ronde. On retrouve les fruits confits en finale.
EARL Massicot, L'Arboute, 49380 Faye-d'Anjou,
tél. 02.41.54.03.38, fax 02.41.54.40.57 r.-v.

DOM. DES BARRES
Saint-Aubin Grains Nobles Rayon de soleil 2003

2 ha 2 400 15 à 23 €

Créée en 1935, cette exploitation a beaucoup gagné en superficie de 1960 à 1990 et compte aujourd'hui 25 ha. Installé en 1996, Patrice Achard s'est particulièrement distingué ces dernières années, obtenant même un coup de cœur dans cette appellation, pour un 2001. Le millésime 2003 lui sourit moins, avec un vin qui manque un peu de matière, mais non de charme. Ses fins arômes d'abricot confit et de miel, accompagnés d'une touche minérale, sa bouche ample, chaleureuse et ronde lui ont valu de figurer parmi les élus.
Patrice Achard, Dom. des Barres,
49190 Saint-Aubin-de-Luigné,
tél. 02.41.78.98.24, fax 02.41.78.68.37 r.-v.

E. BEDOUET Tonneau d'Or Vendanges tardives 2004

2,5 ha 1 200 8 à 11 €

Un tonneau d'or serait caché dans un souterrain situé à proximité de cette propriété... L'or, on le trouvera plus sûrement dans la cave, qu'Emmanuel Bedouet a fait construire en 2000, et qui recèle ses cuvées de coteaux-du-layon. Celle-ci est née d'assez jeunes vignes vendangées le 10 novembre 2004. Si la robe dorée est intense, le nez se montre réservé. On y décèle quelques notes florales de tilleul et de camomille. La bouche, généreuse, très douce et onctueuse, se tourne vers les fruits confits et les raisins mûrs.
Emmanuel Bedouet, Orillé, 49380 Thouarcé,
tél. 02.41.54.06.97 r.-v.

CHARLES BEDUNEAU
Saint-Lambert Cuvée Prestige 2003 ★

0,5 ha 1 000 8 à 11 €

Créé en 1958 avec quelques hectares de vignes, ce domaine s'est beaucoup agrandi à la fin des années 1960 ; il dispose aujourd'hui de 20 ha. Il propose une cuvée limpide aux parfums concentrés de fruits surmûris, caractéristiques d'une vendange bien mûre. Puissant au palais, ce vin séduit par son équilibre sucre-acidité et par sa longueur.
EARL Charles Béduneau,
18, rue Rabelais, 49750 Saint-Lambert-du-Lattay,
tél. 02.41.78.30.86, fax 02.41.74.01.46,
e-mail charles-beduneau.earl@libertysurf.fr r.-v.

DOM. DE LA BELLE ANGEVINE
Beaulieu Excelsis 2003 ★★

1 ha 3 000 15 à 23 €

Constitué en 1993 par une pharmacienne et son mari agronome, le vignoble s'étend sur 15 ha de fortes pentes aux sols volcaniques. Il a donné naissance à une cuvée jaune clair brillant et limpide, aux parfums de fruits confits et d'agrumes. Ces arômes s'affirment dans une bouche ample et riche qui laisse un excellent souvenir grâce à sa longue finale où l'on retrouve les agrumes. Cette bouteille devrait plaire à l'apéritif.
Florence Dufour, Dom. de la Belle Angevine,
La Motte, 49750 Beaulieu-sur-Layon,
tél. 02.41.78.34.86, fax 02.41.72.81.58,
e-mail fldufour@club-internet.fr r.-v.

DOM. DE LA BERGERIE Cuvée Fragrance 2003 ★

1,5 ha 2 900 15 à 23 €

Yves Guégniard a tiré de très vieux ceps (plus de quatre-vingts ans) un 2003 jaune doré limpide qui laisse des larmes sur les parois du verre. Intense au nez, ce vin se montre riche et souple en bouche. Une pointe d'amertume en finale contribue à son équilibre.
Yves Guégniard,
Dom. de La Bergerie, 49380 Champ-sur-Layon,
tél. 02.41.78.85.43, fax 02.41.78.60.13,
e-mail domainede.la.bergerie@wanadoo.fr
t.l.j. sf dim. 9h-12h 14h-19h; f. 15-30 août

DOM. DES BLEUCES Cuvée Prestige 2003

0,95 ha 2 200 11 à 15 €

Présent en AOC anjou, Benoît Proffit propose en coteaux-du-layon une cuvée aux reflets jaune doré. Le nez, encore un peu fermé, libère après agitation des parfums fruités dominés par les agrumes, avec des notes grillées et miellées. On retrouve ces arômes dans une bouche ronde à l'attaque fraîche, voire nerveuse en finale. Un vin équilibré et plaisant.
EARL Proffit-Longuet,
Les Bleuces, 49700 Concourson-sur-Layon,
tél. 02.41.59.11.74, fax 02.41.59.97.64,
e-mail domainedesbleuces@coteaux-layon.com
t.l.j. sf dim. 8h-12h 13h30-18h
Benoît et Inès Proffit

DOM. BODINEAU Fleur de Schiste 2003

1 ha 3 000 11 à 15 €

Les dégustateurs sont unanimes : cette cuvée n'est pas encore pleinement épanouie, et il faut l'attendre plusieurs années. D'un jaune pâle léger, elle laisse percer quelques notes de fruits mûrs, mais se montre plutôt fermée. La bouche puissante devrait gagner en finesse avec le temps.
EARL Bodineau,
Savonnières, 49700 Les Verchers-sur-Layon,
tél. 02.41.59.22.86, fax 02.41.59.86.21 r.-v.

CH. DE BOIS-BRINCON Faye 2003 ★★

3 ha 5 300 11 à 15 €

Un gîte rural aménagé sur le domaine permet de découvrir la commune de Blaison-Gohier, son château,

LOIRE

son église médiévale et ses manoirs. On retrouve une fois de plus la propriété en coteaux-du-layon, avec deux cuvées. Le préféré est ce 2003 vêtu d'une robe jaune or brillant aux reflets argentés. Sa palette aromatique complexe, où l'on trouve du fruit confit, de la verveine, de la violette et une touche boisée est très remarquée. Toujours fruitée, la bouche moelleuse, ample, équilibrée et longue laisse un fort bon souvenir. La **sélection de grains nobles Faye 2003 (15 à 23 €)** est citée pour sa riche matière, sa finesse, son équilibre, sa longueur et son potentiel. (Bouteilles de 50 cl.)

Xavier Cailleau, Ch. de Bois-Brinçon, 49320 Blaison-Gohier, tél. et fax 02.41.57.10.46, e-mail chateau.bois.brincon@terre-net.fr r.-v.

## CH. DU BREUIL Beaulieu Vieilles Vignes 2003 *

8 ha 3 000 11 à 15 €

Depuis la première édition, les coteaux-du-layon de ce domaine sont régulièrement mentionnés dans le Guide. Un 2002 s'est distingué par un coup de cœur dans le Guide précédent. Quant à cette Vieilles Vignes, elle a ses habitudes dans le livre. Ce 2003 jaune or brillant et limpide s'ouvre sur des parfums fruités (abricot et banane) accompagnés de nuances boisées et vanillées. On retrouve au palais les nuances de l'élevage, bien mariées avec le vin. Equilibrée et longue, une bouteille agréable et apte à la garde.

Ch. du Breuil, 49750 Beaulieu-sur-Layon, tél. 02.41.78.32.54, fax 02.41.78.30.03, e-mail ch.breuil@wanadoo.fr r.-v.

Marc Morgat

## DOM. DE BRIZE 2003

1 ha 4 000 5 à 8 €

Cette propriété familiale dispose de 40 ha de vignes et a obtenu plusieurs coups de cœur dont un cette année en saumur. Ce coteaux-du-layon de structure légère offre un nez encore discret, mais sa vivacité et ses arômes d'agrumes le rendent bien agréable. Il devrait gagner à une petite garde, mais on peut le déguster dès à présent. Destiné aux jeunes amateurs.

SCEA Marc et Luc Delhumeau, Dom. de Brizé, 49540 Martigné-Briand, tél. 02.41.59.43.35, fax 02.41.59.66.90, e-mail delhumeau.scea@free.fr r.-v.

Luc et Line Delhumeau

## DOM. CADY Saint-Aubin Grains nobles Cuvée Volupté 2003 **

5 ha 2 300 15 à 23 €

Fondé en 1927, le domaine Cady a grandi, tant en superficie (il est passé de 3 à 20 ha) qu'en notoriété. Il a obtenu trois coups de cœur en coteaux-du-layon, et cette cuvée, trois étoiles dans le millésime précédent, mérite bien son nom. On aimerait déguster ce vin après une promenade en barque sur la Loire, ou une randonnée pédestre sur les coteaux bordant le fleuve ; contempler la douceur angevine à travers l'or de sa robe, faire tournoyer le verre pour voir les belles larmes laissées par un corps puissant, humer ses senteurs fruitées complexes, confites et exotiques, les retrouver dans un palais riche concentré, charmeur à l'attaque, ample et gras. Un moment de volupté...

EARL Dom. Philippe Cady, Valette, 49190 Saint-Aubin-de-Luigné, tél. 02.41.78.33.69, fax 02.41.78.67.79, e-mail cadyph@wanadoo.fr r.-v.

## DOM. DE CHANTEMERLE Cuvée Chantemerle 2004

2 ha 6 000 3 à 5 €

Les Laurilleux exploitent 27 ha de vignes. Ils proposent à un prix doux un coteaux-du-layon jaune paille brillant, au joli nez fruité fait d'abricot, de pêche et d'agrumes. Toujours fruité au palais, il attaque avec vivacité. Il n'est pas des plus longs mais se montre net, plein et équilibré et révèle un certain potentiel de garde. Pour découvrir l'appellation.

Laurilleux, 4, rue de l'Ecole, 49310 Trémont, tél. 02.41.59.43.18, fax 02.41.50.02.99 r.-v.

## DOM. DE LA CHARMERESSE Faye La Galante 2003 **

1,06 ha 1 800 23 à 30 €

O. et E. Van Ettinger exploitent leur domaine en agriculture biologique. Un joli nom pour la propriété et pour cette cuvée qui sait accrocher le regard par sa robe limpide, d'un jaune doré soutenu. Plaisante et complexe au nez, elle offre tout un florilège d'arômes : pâte de fruits, abricot, pêche jaune, vetiver, thé, réglisse et caramel au beurre ! Voilà qui donne envie de découvrir la suite, et l'on n'est pas déçu : le palais est gras, puissant, long, avec suffisamment de vivacité pour rester équilibré. Toute la finesse du terroir.

Dom. de la Charmeresse, 12, rue de Saint-Martin, 49380 Faye-d'Anjou, tél. 02.41.78.41.14, e-mail olivier.vanettinger@free.fr r.-v.

Van Ettinger

## DOM. PIERRE CHAUVIN Rablay Vieilles Vignes 2003 **

2 ha 2 600 11 à 15 €

A Rablay-sur-Layon, le schiste n'affleure pas directement ; il est recouvert par des sables et graviers. C'est de ce terroir que P.-E. Chauvin et Ph. Cesbron ont tiré deux coteaux-du-layon très intéressants. Le préféré est né de vieilles vignes de quarante ans. Sa robe jaune or profond et son nez, qui laisse surgir à l'aération le botrytis dans toute sa complexité, annoncent sa belle matière. Riche, ample, puissante, équilibrée, un rien boisée, la bouche finit sur des arômes fruités caractéristiques de vendanges surmûries. Du beau raisin bien travaillé. Le **coteaux-du-layon Rablay 2003 sans nom de cuvée (5 à 8 €)** est frais et vif au nez, souple, délicat et de structure plus fine. Il est cité.

Dom. Pierre Chauvin, 45, Grande-Rue, 49750 Rablay-sur-Layon, tél. 02.41.78.32.76, fax 02.41.78.22.55, e-mail domaine.pierrechauvin@wanadoo.fr r.-v.

Pierre-Eric Chauvin et Philippe Cesbron

## DOM. DU CLOS DES GOHARDS Cuvée Emma 2004 *

3,5 ha 5 600 5 à 8 €

La famille s'est agrandie et cette cuvée est dédiée à la petite Emma, fille de Mickaël Joselon, née après Noël 2004. La robe est jaune à reflets dorés. Le nez, complexe, marie les fruits confits et les fruits secs. Ces arômes fruités se retrouvent dans une bouche ample, suave, généreuse et persistante.

EARL Michel et Mickaël Joselon, Les Oisonnières, 49380 Chavagnes-les-Eaux, tél. et fax 02.41.54.13.98 r.-v.

DOM. DES CLOSSERONS Faye 2003

3,24 ha 4 800 11 à 15 €

Non loin du moulin de la Pinsonnerie et du château de Chanzé, vous trouverez ce domaine. Fondé il y a quelque cinquante ans, il est conduit depuis 1983 par la deuxième génération et s'étend sur plus de 54 ha. L'exploitation a déjà obtenu trois coups de cœur, le dernier dans cette AOC (1999). D'un jaune limpide, ce 2003 se montre encore fermé au nez, où l'on décèle après aération des fragrances printanières de fleurs blanches. Les fruits confits viennent compléter cette palette dans une bouche équilibrée, bien qu'un peu alourdie par la douceur. Une bouteille qui devrait gagner à attendre un peu.

EARL Jean-Claude Leblanc et Fils,
Dom. des Closserons, 49380 Faye-d'Anjou,
tél. 02.41.54.30.78, fax 02.41.54.12.02 r.-v.

DOM. DU COLOMBIER
Symphonie d'Automne 2003

1,9 ha 2 000 5 à 8 €

Cette Symphonie d'Automne d'un jaune pâle limpide offre une impression aromatique intéressante avec des notes d'abricot et de compote de pommes. Son équilibre en bouche est marqué par la vivacité jusqu'à la finale acidulée.

EARL Bazantay et Fils,
10, rue du Colombier, Linières,
49700 Brigné-sur-Layon, tél. et fax 02.41.59.31.82
t.l.j. sf dim. 8h-12h30 14h-18h

DOM. DES COTEAUX BLANCS
Coulée des Coteaux blancs 2004

4 ha 15 000 5 à 8 €

A Chalonnes-sur-Loire, où cette propriété est installée, le Layon a rejoint la Loire qui multiplie ses bras autour d'îles verdoyantes. La vigne s'installe sur les coteaux. Elle a donné naissance à un 2004 doré aux reflets verts. Le nez est très expressif : la pomme, la poire, le citron et la pêche blanche s'y côtoient. Un fruité mûr et compoté se développe dans une bouche de structure moyenne, mais onctueuse et bien équilibrée. Un vin plaisant.

François Picherit,
Les Coteaux Blancs, 49290 Chalonnes-sur-Loire,
tél. 02.41.78.27.97, fax 02.41.74.96.14,
e-mail picherit49@hotmail.com r.-v.

DOM. LA CROIX DE GALERNE 2003 ★★

n.c. 1 700 5 à 8 €

En 1988, les Roger se sont installés en Anjou, à 1 km de Martigné-Briand, forts d'une solide expérience en Bordelais. Ils ont considérablement agrandi leur exploitation, qui est passée de 13 à 22 ha. Ils proposent un coteaux-du-layon salué pour son harmonie. Intense à l'œil, ce vin laisse de belles larmes sur les parois du verre. Au nez, il n'est pas avare de nuances fruitées complexes, dominées par le coing. Il laisse en bouche des sensations d'élégance, de fraîcheur et d'équilibre. Un ensemble déjà plaisant et prometteur.

André et Yvette Roger,
20, rue du Pressoir, Maligne, 49540 Martigné-Briand,
tél. 02.41.59.65.73, fax 02.41.59.82.57,
e-mail yvetteroger@worldonline.fr r.-v.

PHILIPPE DELESVAUX
Sélection de grains nobles 2003 ★★

7 ha 1 200 23 à 30 €

Symbole de la génération « sans sucre, sans soufre » et militant des petits rendements, Philippe Delesveaux est

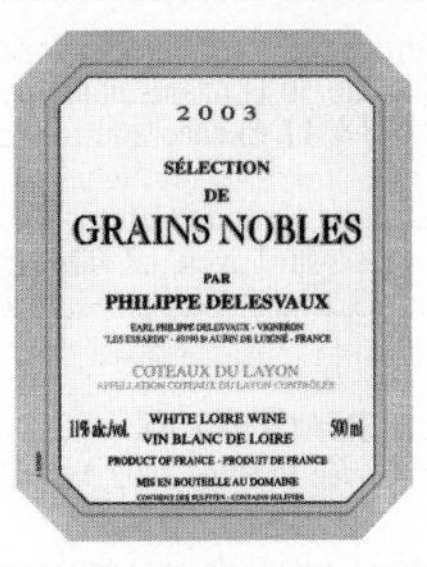


un passionné. Il lui arrive même de dormir à côté de ses cuves ! Il chérit et réussit particulièrement les sélections de grains nobles. Pour la deuxième année consécutive, il obtient un coup de cœur. Ce 2003 brille de mille feux dorés. Expressif au nez, il mêle des notes miellées, confites et grillées. Frais à l'attaque, ample, puissant et aromatique, il finit sur une légère touche boisée bien mariée avec le fruité. De la classe et du caractère.

Philippe Delesvaux, Les Essards,
La Haie Longue, 49190 Saint-Aubin-de-Luigné,
tél. 02.41.78.18.71, fax 02.41.78.68.06,
e-mail dom.delesvaux.philippe@wanadoo.fr r.-v.

DOM. DES DEUX ARCS 2003 ★★

2,3 ha 9 000 5 à 8 €

Un 2003 fort apprécié, puisqu'il a manqué de peu le coup de cœur. D'un jaune doré limpide, ce coteaux-du-layon laisse des larmes sur la paroi du verre. Ses parfums de fleurs et d'agrumes, nuancés de fruits secs et d'une touche fumée, invitent à porter le vin en bouche. Fraîche, fruitée et bien structurée, cette bouteille dénote un beau travail.

Michel Gazeau, Dom. des Deux Arcs,
11, rue du 8-Mai-1945, 49540 Martigné-Briand,
tél. 02.41.59.47.37, fax 02.41.59.49.72,
e-mail do2arc@wanadoo.fr r.-v.

DOM. DE LA DUCQUERIE 2004 ★

3 ha 10 000 5 à 8 €

Saint-Lambert-du-Lattay est l'un des villages les plus importants des coteaux-du-layon. Installés non loin de son musée de la Vigne et du Vin, les Cailleau sont à la tête de 45 ha de vignes. Jaune or aux reflets verts, leur 2004 ne manque pas d'attraits : ses parfums intenses et complexes mêlent le miel et le nougat, le coing, les fruits mûrs voire compotés. Après une attaque sur l'abricot confit, la palette aromatique du nez s'affirme dans un palais puissant, gras, souple et bien équilibré par la fraîcheur. Une finale longue et tout en douceur laisse le souvenir d'un vin harmonieux.

EARL de la Ducquerie, 2, chem. du Grand-Clos,
49750 Saint-Lambert-du-Lattay,
tél. 02.41.78.42.00, fax 02.41.78.48.17
t.l.j. sf dim. 8h-12h30 14h-19h30; sam. 8h-12h30
Cailleau

DOM. DULOQUET Cuvée Quintessence 2003 ★★

6 ha 1 800 23 à 30 €

Arrivé sur l'exploitation familiale en 1991, Hervé Duloquet a développé la production de grands liquoreux, cherchant à tirer la noblesse et la quintessence du chenin et des coteaux-du-layon. Intense à l'œil comme au nez, cette cuvée jaune or offre avec libéralité des arômes de fruits blancs et de fruits secs, où l'on reconnaît l'abricot. L'attaque ronde et fraîche introduit une bouche remar-

LOIRE

quablement structurée, harmonieuse, longue et tout en fruit. (Bouteilles de 50 cl.) Une citation pour la **cuvée Prestige 2003 (8 à 11 €)** encore fermée mais subtile et équilibrée.

Hervé Duloquet, 4, rte du Coteau, 49700 Les Verchers-sur-Layon, tél. 02.41.59.17.62, fax 02.41.59.37.53, e-mail dom. duloquet@wanadoo.fr r.-v.

## DOM. DES EPINAUDIERES
Saint-Lambert Cuvée Prestige 2002 *

1 ha 2 600 11 à 15 €

Les vignes à l'origine de cette cuvée ont une quarantaine d'années – l'âge de ce domaine, créé par Roger Fardeau en 1966 et repris par son fils Paul en 1991. Elles ont donné naissance à un vin jaune or brillant, au nez intense de fruits blancs bien mûrs accompagnés d'une touche de cire. Volumineux, ample, opulent et chaleureux en bouche, ce vin révèle un potentiel intéressant. Il devrait gagner en harmonie avec le temps.

SCEA Fardeau, Sainte-Foy, 49750 Saint-Lambert-du-Lattay, tél. 02.41.78.35.68, fax 02.41.78.35.50, e-mail fardeau.paul@club-internet.fr r.-v.

## DOM. DE L'ETE 2003 *

4 ha 12 300 5 à 8 €

Ce domaine joliment nommé compte 35 ha de vignes. Il occupe une butte argilo-calcaire en contrebas des coteaux de Concourson-sur-Layon. Catherine Nolot l'a repris il y a cinq ans et propose depuis trois ans son Eté en bouteilles. Avec sa robe paille limpide, ses arômes subtils de fruits blancs et de fleurs que l'on retrouve en bouche, son palais rond et équilibré et sa finale longue, fraîche et fruitée, ce 2003 offre une expression flatteuse de l'appellation. Par ailleurs, le **cabernet-d'anjou 2004 (3 à 5 €)** a obtenu une citation. Parfait pour les crudités ou charcuteries cet automne.

SCEA Catherine Nolot, Dom. de l'Eté, 49700 Concourson-sur-Layon, tél. 02.41.59.11.63, fax 02.41.59.95.16, e-mail domainedelete@wanadoo.fr t.l.j. sf dim. 9h-12h 14h-17h30; sam. sur r.-v.

## DOM. FARDEAU Vieilles Vignes 2004

2,5 ha 2 300 11 à 15 €

Fondée en 1947, cette exploitation familiale est établie à Chaudefonds-sur-Layon, dans un secteur où le Layon se rapproche de la Loire. Elle a proposé un 2004 jaune clair brillant à reflets verts. Encore très discret, le nez consent à livrer après agitation des notes de fruits secs grillés. La bouche est franche à l'attaque, ronde et bien équilibrée.

Chantal Fardeau, Les Hauts Perrays, 49290 Chaudefonds-sur-Layon, tél. 02.41.78.67.57, fax 02.41.78.68.78 r.-v.

## DOM. DES FONTAINES Les Coqueries 2004

2 ha 3 500 5 à 8 €

Le vignoble, constitué en 1957, s'étend aujourd'hui sur 27 ha. Alain Rousseau a pris la succession de son père il y a une dizaine d'années. Il présente un 2004 or pâle, qui retient l'attention par son nez vif rappelant les agrumes et le kiwi. L'attaque nerveuse confirme ces premières impressions, et ce côté frais et citronné se développe en bouche jusqu'à la finale. Ce n'est pas une bouteille très puissante, mais elle attire la sympathie.

Alain Rousseau, EARL Dom. des Fontaines, Les Noues, 49380 Thouarcé, tél. 02.41.54.32.30, fax 02.41.54.34.44 t.l.j. sf dim. 8h-12h 14h-18h30

## DOM. DES FORGES Saint-Aubin 2003 **

1 ha 2 500 23 à 30 €

Stéphane Branchereau s'est installé il y a une dizaine d'années sur la propriété conduite par Claude depuis 1970. Le domaine qui dispose de 40 ha de vignes dans différentes appellations d'Anjou est renommé pour la qualité de ses vins liquoreux. Celui-ci ne ternira pas sa réputation. De couleur paille doré, il brille dans le verre et livre d'intenses arômes de fruits confits, de coing et de mangue. Ronde et d'une belle netteté aromatique, la bouche est très agréable.

Vignoble Branchereau, Dom. des Forges, rte de la Haie-Longue, 49190 Saint-Aubin-de-Luigné, tél. 02.41.78.33.56, fax 02.41.78.67.51, e-mail forgescb@worldonline.fr t.l.j. sf dim. 9h-12h 14h-19h

## VIGNOBLE DE LA FRESNAYE
Vieilles Vignes Rossignolet 2003

1,2 ha 3 000 5 à 8 €

Fondée en 1930, cette exploitation dispose de 18 ha de vignes. Elle est conduite depuis 1976 par Joseph Halbert, secondé par son fils. Née de vignes de plus de cinquante ans, cette cuvée se pare d'une robe jaune aux reflets dorés. Assez intense au nez, ce 2003 équilibré finit sur une fraîche note mentholée.

Joseph Halbert, Villeneuve, 49190 Saint-Aubin-de-Luigné, tél. 02.41.78.38.21, fax 02.41.78.66.44 r.-v.

## CH. DU FRESNE Grande Sélection 2003 *

15 ha 20 000 5 à 8 €

Cet important vignoble (75 ha) a été constitué en 1982 par la réunion de deux propriétés familiales. Les frères Bretault, qui le conduisent, sont ainsi à même de proposer des cuvées qui n'ont rien de confidentiel, comme cette Grande Sélection. D'un jaune pâle limpide, ce 2003 libère des senteurs discrètes mais délicates : on y respire les fleurs (violette, fleurs de vigne), la citronnelle et la figue compotée. On retrouve les fruits bien mûrs dans une bouche équilibrée, fraîche et légère. Un vin élégant. Une étoile encore pour la **Butte des Chevriottes Faye 2003 (8 à 11 €)**. Mieux vaut l'attendre deux à quatre ans.

Robin-Bretault, Ch. du Fresne, Le Fresne, 49380 Faye-d'Anjou, tél. 02.41.54.30.88, fax 02.41.54.17.52 t.l.j. sf dim. 8h-12h 14h-19h

## CH. DE LA GENAISERIE
Saint-Aubin La Roche 2003 *

1,02 ha 2 500 11 à 15 €

Frédéric Julia a pris les rênes de ce domaine en 2003, année qui a vu la naissance de ce coteaux-du-layon d'un jaune intense. Expressif au nez, ce vin livre des arômes complexes : fruits exotiques, fruits confits, miel et notes briochées s'y côtoient et se prolongent au palais. La bouche est concentrée, ronde, volumineuse, chaleureuse en finale.

Ch. de La Genaiserie, 49190 Saint-Aubin-de-Luigné, tél. 02.41.54.38.82, fax 02.41.54.60.45, e-mail genaiserie@aol.com t.l.j. sf dim. 10h-17h30

Frédéric Julia

DOM. DE LA GRANDE BROSSE
Cuvée Excellence Elevé en fût de chêne 2003

4 ha 2 000 15 à 23 €

Ce domaine est de création récente : il a été constitué au début des années 1990 par deux anciens salariés qui ont aussi aménagé un chai. À la tête de 19 ha, le tandem a proposé un 2003 de bonne facture. Jaune paille soutenu aux reflets d'or, ce vin retient l'attention par sa belle expression aromatique : les agrumes (citron) et la vanille de l'élevage se côtoient au nez, avec une touche de caramel. La bouche est dominée par une douceur qui l'alourdit un peu, mais la finale au retour boisé laisse le souvenir d'un ensemble harmonieux.

Dom. de La Grande Brosse,
49190 Saint-Aubin-de-Luigné,
tél. 02.41.78.32.46, fax 02.41.44.36.78 r.-v.
Macé-Maillet

DOM. GROSSET Rochefort La Motte à Bory 2003 ★

2 ha 2 000 8 à 11 €

Issu de vignes de cinquante ans, ce vin s'habille d'un or paille éclatant et montre d'importantes larmes. Le nez bien ouvert est fait de fruits secs torréfiés et de fruits blancs. Après une attaque fraîche, la bouche ample, puissante et généreuse, se développe sur des impressions de douceur, avec des arômes de fruits compotés, confits et secs. Une expression originale du chenin.

Serge Grosset,
60, rue René-Gasnier, 49190 Rochefort-sur-Loire,
tél. 02.41.78.78.67, fax 02.41.78.79.79,
e-mail segrosset@wanadoo.fr r.-v.

LA GUILLAUMERIE
Rochefort Vieilles Vignes Elevé en fût 2003 ★

0,49 ha 800 8 à 11 €

Des vignes de quarante ans plantées sur des graviers schisteux sont à l'origine de cette cuvée dont la robe dorée montre un disque étincelant. Le nez expressif associe les agrumes et la mangue à de légères touches boisées. Concentrée et puissante, la bouche révèle des notes de fruits secs et persiste sur une sensation de raisins surmûris. Une matière première de qualité et un élevage bien mené.

SCEAV Armand Vendée,
La Guillaumerie, 49190 Rochefort-sur-Loire,
tél. et fax 02.41.78.79.53 r.-v.

DOM. JOLIVET 2003

2 ha 7 000 5 à 8 €

Jaune aux reflets or, la robe montre de belles larmes. Des parfums de fruits blancs se libèrent à l'agitation. Une bonne attaque introduit une bouche chaleureuse et bien équilibrée. La finale est longue, puissante et ronde.

Dom. Jolivet, 38 bis, rue Rabelais,
49750 Saint-Lambert-du-Lattay,
tél. 02.41.78.30.35, fax 02.41.78.45.34 r.-v.

DOM. DE JUCHEPIE Faye Les Churelles 2003

6 ha 1 500 11 à 15 €

Cette petite exploitation (6 ha), cultivée en agriculture biologique, a présenté un 2003 jaune doré. Le nez est très marqué par le boisé, mais il laisse percevoir quelques senteurs florales. Cette palette aromatique léguée par un élevage d'un an en barrique est aussi très sensible au palais. La bouche est équilibrée, à la fois ronde et fraîche. Les amateurs de vins boisés ouvriront cette bouteille dès maintenant, les autres la laisseront quelque temps en cave.

Oosterlinck-Bracke, Dom. de Juchepie,
Les Quarts, 49380 Faye-d'Anjou,
tél. 02.41.54.33.47, fax 02.41.54.13.49,
e-mail contact@juchepie.com r.-v.

DOM. DU LANDREAU Tri de vendange 2003 ★

5 ha 10 000 15 à 23 €

Ce domaine établi en pleins coteaux-du-layon dispose d'un important vignoble : 50 ha répartis dans de nombreuses appellations d'Anjou et de Touraine. Il a élaboré un 2003 jaune doré brillant. Des larmes laissées sur les parois du verre, un nez bien ouvert mêlant les fruits blancs, les agrumes confits et surtout l'abricot annoncent une belle matière. Bien structuré, riche, généreux et long, ce vin finit sur une pointe de fraîcheur qui assure son équilibre.

SARL Dom. du Landreau,
Le Landreau, 49750 Saint-Lambert-du-Lattay,
tél. 02.41.78.30.41, fax 02.41.78.45.11 r.-v.

DOM. LEDUC-FROUIN
La Seigneurie Arpège 2003 ★

1,5 ha 5 000 8 à 11 €

Les vignes de cette « Seigneurie » sont exploitées depuis plus de cent trente ans par la famille Leduc-Frouin qui les a rachetées en 1933. Le domaine, conduit depuis quinze ans par Antoine Leduc, œnologue, et sa sœur Nathalie, s'étend sur 32 ha. Il a décroché nombre d'étoiles, tant en rouge qu'en blanc. Jaune or soutenu à reflets orangés, cette cuvée Arpège offre à l'aération une palette aromatique où se mêlent la pêche, l'abricot, le miel et le pain d'épice. Bien équilibrée entre la douceur et l'acidité, fruitée, miellée et légèrement boisée, la bouche finit sur une pointe de fraîcheur. L'expression d'un beau terroir.

Antoine et Nathalie Leduc-Frouin,
la Seigneurie, Sousigné, 49540 Martigné-Briand,
tél. 02.41.59.42.83, fax 02.41.59.47.90,
e-mail domaine-leduc-frouin@wanadoo.fr r.-v.

JEAN-MICHEL LEROY
Sélection de grains nobles 2003 ★

5,5 ha 1 500 23 à 30 €

Située à 30 m du château d'Aubigné-sur-Layon, la famille Leroy est installée dans des bâtiments très anciens, puisqu'ils datent en partie du XVII[e]s., comme le vignoble. Elle exploite 23 ha de vignes. Sa sélection de grains nobles s'annonce par une robe jaune or limpide. Très boisée au premier nez, elle s'ouvre ensuite sur des arômes plus complexes évoquant le pain d'épice. On retrouve ces nuances dans une bouche d'une belle richesse, ample et équilibrée. Dominée pour l'heure par une grande douceur, elle mérite d'attendre quelques années pour gagner en expression.

Jean-Michel Leroy, rue d'Anjou,
49540 Aubigné-sur-Layon, tél. 02.41.59.61.00,
fax 02.41.59.96.47, e-mail leroy.domaine@wanadoo.fr
t.l.j. sf dim. 8h30-12h30 14h-19h;
f. 1er juin-25 août

LE LOGIS DU PRIEURE Le Clos des Aunis 2004

1 ha 4 000 8 à 11 €

Canalisé sous Louis XVI, le Layon servit de voie navigable jusqu'à la Révolution, transportant vins, bois et charbon. C'est dans son cours supérieur qu'est situé Concourson-sur-Layon, commune autour de laquelle les Jousset exploitent 30 ha de vignes. Leur Clos des Aunis 2004 s'habille d'une robe or pâle. Le nez vif évoque le

LOIRE

pamplemousse, arôme que l'on retrouve dans un palais équilibré, gras et frais à la fois. Un vin plaisir que l'on pourra servir avec un dessert fruité.
SCEA Jousset et Fils, Le Logis du Prieuré, 49700 Concourson-sur-Layon, tél. 02.41.59.11.22, fax 02.41.59.38.18, e-mail logis.prieure@wanadoo.fr
t.l.j. sf dim. 9h-12h 14h-19h

### LOUIS DE ROCHEPIN Louis d'Or 2003 *

2 ha 3 000 8 à 11 €

En trente ans, cette exploitation familiale est passée de 2 à 45 ha. Elle vient de se doter d'un chai flambant neuf. Le nom de cette cuvée indique bien sa couleur. D'abord discret au nez, ce 2003 livre à l'agitation des notes de fruits blancs rappelant la poire. Ample, rond, équilibré, il offre une finale assez longue soutenue par une belle fraîcheur. Dans la même appellation, la **cuvée Alliance 2002** obtient la même note. C'est un vin jaune pâle mêlant au nez la vanille de l'élevage, la cire d'abeille et une touche mentholée. En bouche, il se montre franc, fruité, fin et élégant.
GAEC Pin, Les Hautes Brosses, 49190 Rochefort-sur-Loire, tél. 02.41.78.35.26, fax 02.41.78.98.21, e-mail pin@webmails.com
t.l.j. sf dim. 10h-12h 14h-19h; f. août

### L. ET F. MARTIN Cuvée Prestige 2003 *

3 ha 6 000 8 à 11 €

Luc et Fabrice Martin à peine associés, un de leurs vins obtient un coup de cœur : il s'agissait déjà d'une sélection de grains nobles, un 1997. Le 2003 est un autre millésime. Le soleil de la canicule a légué à ce vin sa superbe couleur or soutenu et ses larmes abondantes, ses arômes intenses de fruits secs (abricot, figue), sa richesse ; sa chaleur aussi. Il garde un bon équilibre, suffisamment de fraîcheur pour ne pas tomber dans la lourdeur, et sa persistance prolonge le plaisir : une belle étoile. A savourer maintenant et pendant de longues années.
GAEC Luc et Fabrice Martin, 2 bis, rue du Stade, 49290 Chaudefonds-sur-Layon, tél. 02.41.78.19.91, fax 02.41.78.98.25 r.-v.

### DOM. DE MIHOUDY Les Valaises 2004

1,5 ha 5 000 8 à 11 €

La famille Cochard exploite 51 ha au cœur des coteaux-du-layon. Au fil des éditions du Guide, on retrouve cette exploitation dans l'une ou l'autre des appellations de l'Anjou. Elle a proposé un 2004 : ce jeune millésime s'habille d'une robe jaune pâle à reflets verts ; il reste discret au nez mais laisse percevoir, après agitation, des arômes de tilleul et d'agrumes. Ces impressions fraîches se prolongent dans une bouche vive, bien enveloppée dans son gras. Une belle harmonie.
Cochard et Fils, Dom. de Mihoudy, 49540 Aubigné-sur-Layon, tél. 02.41.59.46.52, fax 02.41.59.68.77, e-mail mihoudy@wanadoo.fr r.-v.

### DOM. LE MONT 2003

1 ha 3 000 5 à 8 €

Conduit par les Robin Père et Fils, ce domaine s'étend sur 28 ha autour de Faye-d'Anjou. Leur 2003 se pare d'une robe jaune aux reflets brillants. Le miel, les fleurs et la vanille composent un nez de belle intensité. Fraîcheur et richesse s'associent en bouche et contribuent à l'équilibre de cette bouteille que l'on pourra déboucher à l'apéritif ou au dessert.
EARL Louis et Claude Robin, 64, rue des Monts, 49380 Faye-d'Anjou, tél. 02.41.54.31.41, fax 02.41.54.17.98 r.-v.

### CH. DES NOYERS Cuvée Phoebus 2003 **

5 ha 2 500 11 à 15 €

Campé au bord du Layon, le château des Noyers, bâti à la fin du XVIes., dresse sa façade symétrique, déjà classique. L'escalier couvert qui mène au chai, typique des riches demeures vigneronnes de l'époque, mérite aussi d'être découvert. Les vins également, en particulier cette cuvée Phoebus, un 2003 qui mérite bien son nom. C'est du soleil en bouteille, avec ses reflets orangés et ses larmes nombreuses. Le nez ? A la fois intense et délicat, et d'une grande complexité, il rappelle les fruits blancs, les fruits exotiques et le miel. Les nuances miellées se poursuivent au palais, agrémentées de notes de fruits confits et d'abricot. A la fois opulent et frais, ce vin réalise un remarquable équilibre. A signaler encore, la **Réserve Vieilles Vignes 2003**, ronde et riche, fruits blancs au nez et fruits secs en bouche, et la **Réserve du château 2003 (8 à 11 €)**, intense et fruitée avec une touche mentholée. Toutes deux obtiennent une étoile.
SCA Ch. des Noyers, 49540 Martigné-Briand, tél. 02.41.54.03.71, fax 02.41.54.27.63 r.-v.
Jean-Paul Besnard

### DOM. OGEREAU
Saint-Lambert Clos des Bonnes Blanches 2003 *

2 ha 3 000 23 à 30 €

Le 1999 eut le coup de cœur, le 2001 et le 2002 ont décroché deux étoiles. Ce Clos des Bonnes Blanches est une valeur sûre de cette propriété familiale de 24 ha, conduite avec talent, depuis vingt ans, par la quatrième génération. Tout de jaune vêtu, le 2003 se montre intense et chaleureux au nez. En bouche, il laisse s'épanouir des arômes de fruits surmûris et persiste longuement. On peut le déguster dès maintenant.
Vincent Ogereau, 44, rue de la Belle-Angevine, 49750 Saint-Lambert-du-Lattay, tél. 02.41.78.30.53, fax 02.41.78.43.55 r.-v.

### DOM. PERCHER Les Quarts de Savonnières 2003 *

1 ha 2 500 15 à 23 €

Les Percher sont établis dans le haut Layon depuis quatre générations et cultivent 24 ha de vignes. Ils proposent un 2003 paille ou or léger. Avec son nez intense et délicat dominé par la fleur d'acacia, il est aussi frais à l'œil qu'au nez. Cette impression se poursuit en bouche, où l'on trouve beaucoup de fruit (fruits blancs, fruits confits), de la fraîcheur, du volume et une certaine longueur. Une belle expression du terroir.

🗝 SCEA Dom. Percher, Savonnières,
49700 Les Verchers-sur-Layon,
tél. 02.41.59.76.29, fax 02.41.59.90.44,
e-mail domainepercher@wanadoo.fr
t.l.j. sf dim. 8h-12h 14h-18h

### DOM. DU PETIT CLOCHER
Cuvée Prestige 2003 ★★

| | 2 ha | 2 800 | | 8 à 11 € |
|---|---|---|---|---|

En trois générations, le Petit Clocher a décuplé sa superficie, passant de 6 ha à 68 aujourd'hui. Une étendue qui lui permet de proposer de nombreux styles de vins que l'on retrouve au fil des éditions du Guide. Stéphane Denis, qui représente la quatrième génération, s'est installé sur le domaine en 2003. Jaune soutenu, cette cuvée s'impose par son nez profond et complexe déclinant des parfums d'agrumes, de coing et d'autres nuances de surmaturité. A ces nuances fruitées s'ajoutent des notes grillées et boisées que l'on retrouve au palais. La bouche est dans une belle continuité, puissante, ample, longue et tout aussi complexe. Une grande matière, fruit d'un travail rigoureux. (Bouteilles de 50 cl.)

🗝 Denis Père et Fils, GAEC du Petit Clocher,
3, rue du Layon, 49560 Cléré-sur-Layon,
tél. 02.41.59.54.51, fax 02.41.59.59.70,
e-mail petit.clocher@wanadoo.fr
t.l.j. sf dim. 8h30-12h30 14h-19h

### DOM. DE LA PETITE CROIX 2004 ★

| | 6,3 ha | 4 000 | | 8 à 11 € |
|---|---|---|---|---|

Exploité par la troisième et quatrième génération, ce domaine propose un 2004 qu'il faut un peu solliciter, mais qui ne déçoit pas. Jaune soutenu, ce vin livre des parfums de fruits très mûrs, légèrement confits, qui évoluent à l'agitation vers des nuances de fruits blancs. Les notes confites se retrouvent dans un palais équilibré, à la fois riche, onctueux et frais. Caractéristique des vendanges surmûries, souple et fruité en finale, il offre tout ce que l'on attend d'un coteaux-du-layon.

🗝 A. Denéchère et F. Geffard,
Dom. de la Petite Croix, 49380 Thouarcé,
tél. 02.41.54.06.99, fax 02.41.54.30.05,
e-mail scea@lapetitecroix.com r.-v.

### DOM. DES PETITS QUARTS Faye 2003 ★

| | 1,25 ha | 2 200 | | 11 à 15 € |
|---|---|---|---|---|

Encore une fois, ce domaine est très remarqué en bonnezeaux. On n'oubliera pas pour autant les vignes qu'il possède sur la commune où il est établi : Faye-d'Anjou. Elles ont donné cette année un vin or léger aux nuances plus soutenues, mêlant au nez des notes fruitées variées (prune, pomme...), florales (acacia, fleur d'oranger), confites et grillées. Toujours fruitée, la bouche révèle une matière ronde et équilibrée. La finale fraîche laisse un bon souvenir.

🗝 Godineau Père et Fils,
Dom. des Petits Quarts, 49380 Faye-d'Anjou,
tél. 02.41.54.03.00, fax 02.41.54.25.36
t.l.j. sf dim. 8h-12h 14h-17h30

### DOM. DU PETIT VAL Cuvée Simon 2003 ★

| | n.c. | 3 600 | | 8 à 11 € |
|---|---|---|---|---|

Cette cuvée Simon s'habille dans ce millésime d'une robe paille limpide et laisse des larmes sur les parois du verre. D'une grande délicatesse au nez, elle répand de suaves effluves de miel, d'acacia et de pain d'épice. La bouche équilibrée se montre riche et souple, la finale assez longue et chaleureuse, avec un retour du miel.

🗝 EARL Denis Goizil,
Dom. du Petit Val, 49380 Chavagnes,
tél. 02.41.54.31.14, fax 02.41.54.03.48,
e-mail denis-goizil@tiscali.fr r.-v.

### CH. PIEGUE La Roche Jamet 2003 ★★

| | 2 ha | 4 000 | | 8 à 11 € |
|---|---|---|---|---|

La robe jaune or intense attire. Mariage de fruits bien mûrs, légèrement confits, de fruits secs, d'abricot, de miel et de notes boisées et vanillées, le nez séduit. On retrouve avec plaisir cette palette aromatique en bouche, accompagnée d'un rien de café grillé. Ample et riche avec un bon support acide et une finale douce et longue, ce splendide 2003 a été candidat au coup de cœur. On l'appréciera à l'apéritif, au dessert, avec des fromages bleus et l'on pourrait même l'essayer avec une volaille. Le **coteaux-du-layon 2004 sans nom de cuvée (5 à 8 €)** est cité pour ses arômes d'agrumes un peu confits, de fruits exotiques et de fruits secs grillés et pour son palais équilibré, ample et frais.

🗝 Ch. Piéguë, 49190 Rochefort-sur-Loire,
tél. 02.41.78.71.26, fax 02.41.78.75.03,
e-mail chateau-piegue@wanadoo.fr
t.l.j. sf dim. 9h-12h 14h-18h
🗝 Thomas

### CH. PIERRE-BISE Beaulieu Les Rouannières 2003 ★

| | 4 ha | 9 600 | | 11 à 15 € |
|---|---|---|---|---|

Aux commandes de son domaine de Beaulieu-sur-Layon (53 ha) depuis 1974, Claude Papin a l'art et la manière de tirer le meilleur du chenin planté sur les terroirs angevins, témoin ses huit coups de cœur récoltés au fil des éditions du Guide. Ce coteaux-du-layon avait obtenu une telle distinction dans le millésime 2001. Le 2003 s'habille d'une robe jaune soutenu aux nuances orangées. Au nez, il séduit par sa palette aromatique faite d'agrumes confits, de kumquat, de fruits exotiques. On retrouve la même complexité dans une bouche suave, ronde et d'une grande richesse, qui offre en finale un plaisant retour sur les fruits exotiques. Une belle étoile pour cette bouteille qui gagnera à attendre.

🗝 Claude Papin,
Ch. Pierre-Bise, 49750 Beaulieu-sur-Layon,
tél. 02.41.78.31.44, fax 02.41.78.41.24,
e-mail chateaupb@hotmail.com r.-v.

### DOM. DE PIERRE BLANCHE 2004

| | 5,55 ha | 10 000 | | 5 à 8 € |
|---|---|---|---|---|

Très impliqué dans la défense de l'appellation, Vincent Lecointre gère depuis 1988 le domaine familial (40 ha) né du regroupement de plusieurs vignobles sur les communes de Rablay-sur-Layon, Faye-d'Anjou et surtout Champ-sur-Layon. Il propose ici un 2004 jaune pâle au nez vif et citronné. Ce caractère se confirme dans un palais frais où l'on retrouve un fruité d'agrumes. A découvrir.

🗝 EARL Vignoble Lecointre, Ch. La Tomaze,
6 B, rue du Pineau, 49380 Champ-sur-Layon,
tél. 02.41.78.86.34, fax 02.41.78.61.60,
e-mail vin.lecointre@wanadoo.fr r.-v.

### DOM. DU PORTAILLE Planche Mallet 2004

| | 5 ha | 5 000 | | 8 à 11 € |
|---|---|---|---|---|

François et Philippe Tisserond exploitent 35 ha de vignes. Dans le millésime 2004, leur cuvée Planche Mallet présente une robe jaune soutenu aux nuances orangées.

Après aération, elle livre une palette d'arômes intéressante, faite de citron, d'écorce d'orange, de miel et de confit, qui se prolonge en bouche. Souple et onctueuse à l'attaque, riche et moelleuse, elle finit tout en douceur.
EARL François et Philippe Tisserond, 18, rue de Jarzé, Millé, 49380 Chavagnes, tél. 02.41.54.31.63, fax 02.41.54.07.85, e-mail earl.tisserond@wanadoo.fr
t.l.j. sf dim. 9h-19h

## DOM. DE LA POTERIE Cuvée Nectar 2003 ★★

4 ha 1 600 8 à 11 €

En 1996, Guillaume Mordacq a quitté les terres humides et grasses de son Nord natal pour aller s'établir sur les schistes angevins. Conseillé par des viticulteurs de la région, il conduit en lutte raisonnée les 12 ha de son domaine. On retrouve sa cuvée Nectar. Jaune doré, elle associe un fruité prononcé à une touche boisée dans une belle harmonie. La bouche se distingue par son équilibre, son gras et son ampleur. (Bouteilles de 50 cl.) La **cuvée Vieilles Vignes 2003 (5 à 8 €)** est citée pour son nez grillé, son palais souple, fruité et miellé.
Guillaume Mordacq, La Chevalerie, 16, av. des Trois-Ponts, 49380 Thouarcé, tél. 02.41.54.12.29, e-mail mordacqg@club-internet.fr
r.-v.

## DOM. DES QUARRES
Faye La Magdelaine Prestige 2003 ★★★

6 ha 7 500 11 à 15 €

Ce domaine de 30 ha a aménagé dans les années 1970 un coteau sur la rive droite du Layon. Il a tiré le meilleur du millésime 2003. Les compliments fusent : « harmonie sur toute la ligne..., rien que du plaisir..., délicieux ! ». Paille étincelant, la robe est superbe. Le millésime a donné à ce vin la concentration et l'opulence de la pourriture noble, avec des fruits confits, de la truffe. Des notes fumées et boisées s'ajoutent à cette palette, et même des touches minérales évoquant le schiste. Cette complexité se poursuit au palais, où l'on retrouve de la finesse, de la rondeur, de l'ampleur, de la longueur, un excellent équilibre entre la douceur et l'acidité. Une nuance boisée très agréable marque la finale. Une bouteille de plaisir et de garde.
SCEA Dom. des Quarres, 66, Grande-Rue, 49750 Rablay-sur-Layon, tél. 02.41.78.36.00, fax 02.41.78.62.58 r.-v.
Alfred Bidet

## DOM. DES QUATRE ROUTES Champfleury 2003

2,2 ha 1 200 11 à 15 €

Proche du village ancien et très fleuri d'Aubigné-sur-Layon, une exploitation récente, constituée en 1976 et reprise par la deuxième génération en 2000. Les 18 ha de la propriété se répartissent sur plusieurs communes. Or soutenu avec des larmes abondantes, ce 2003 intéresse par la complexité de sa palette aromatique. Les dégustateurs y ont trouvé des notes florales (acacia), du miel, de la vanille et un soupçon d'agrumes. Au palais, il est gras et rond.
Poupard et Fils, Dom. des Quatre Routes, 49540 Aubigné-sur-Layon, tél. 02.41.59.44.44, fax 02.41.59.49.70, e-mail domaine4routes@wanadoo.fr
t.l.j. 9h-19h; sam. dim. sur r.-v.

## DOM. DU REGAIN Noble Grain 2002

0,5 ha 1 200 15 à 23 €

Une nouvelle carrière pour l'ancien directeur de l'Institut technique du vin à Angers, qui a repris un vignoble en 2002. Les 16 ha du domaine sont situés au sommet d'une croupe. Une jolie robe paille habille ce 2002 mêlant au nez des notes de fruits surmûris et des nuances grillées et boisées. Frais, puissant et équilibré, le palais offre des notes confites, miellées et grillées et finit sur une pointe d'amertume.
Fatima et Frédéric Etienne, Dom. du Regain, Le Pied de Fer, 49540 Martigné-Briand, tél. 02.41.40.28.20, fax 02.41.40.28.21, e-mail domaine.regain@wanadoo.fr r.-v.

## DOM. REGENT-BIGOT
Rablay Cuvée Authentique 2003 ★

1 ha 2 000 11 à 15 €

Lorsque l'on fait tourner ce vin jaune paille dans le verre, on voit des larmes sur ses parois. Il faut encore le bousculer un peu pour capter ses parfums, car le premier nez reste sur sa réserve. Après agitation, il libère des notes de fruits secs torréfiés (amande). Fraîche, concentrée et délicate tout à la fois, bien équilibrée, la bouche rappelle la pêche, les fruits blancs en compote. Le plaisir est bien là. (Bouteilles 50 cl.)
EARL Jean-Luc Bigot, 46, Grande-Rue, 49750 Rablay-sur-Layon, tél. 02.41.78.31.45, fax 02.41.78.64.56, e-mail jlucbigot@wanadoo.fr r.-v.

## DOM. DES RICHERES Vendanges tardives 2004

3 ha 3 200 5 à 8 €

Cette exploitation familiale propose un 2004 jaune paille mêlant au nez le pamplemousse et le tilleul. Après une attaque agréable, tout en finesse, la bouche monte en puissance et renoue avec les agrumes en finale.
Alain Guibert, 7, rte d'Angers, Millé, 49380 Chavagnes, tél. et fax 02.41.54.10.47 r.-v.

## DOM. JEAN-LOUIS ROBIN-DIOT
Rochefort Clos du Cochet 2003 ★

2 ha 4 500 11 à 15 €

A la tête de son exploitation depuis plus de trente ans, Jean-Louis Robin s'est investi dans la défense de l'appellation. Il a présenté au jury du Guide dans cette AOC deux vins très appréciés. Le préféré est ce Clos du Cochet à la robe or étincelante. Captivant au nez, il parle de fruits secs torréfiés et de fleurs blanches. Equilibré et d'une belle finesse en bouche, il finit sur une touche fruitée et fraîche et laisse le souvenir d'une bouteille harmonieuse. A signaler encore, le **coteaux-du-layon 2003 sans nom de cuvée (8 à 11 €)**. Agrumes et notes minérales au nez, riche et équilibré en bouche, il est cité.

Dom. Robin-Diot,
Les Hauts Perrays, 49290 Chaudefonds-sur-Layon,
tél. 02.41.78.68.29, fax 02.41.78.67.62 r.-v.

MICHEL ROBINEAU
Saint-Lambert Sélection de grains nobles 2003 *

2 ha 2 100 11 à 15 €

Voici quinze ans que Michel Robineau a constitué son domaine, qui compte aujourd'hui 9 ha de vignes. Souvent sélectionnée dans le Guide, sa sélection de grains nobles en Saint-Lambert lui a valu deux coups de cœur par le passé. Jaune paille brillant, le 2003 se montre intensément aromatique au nez, libérant des parfums délicats de miel, de coing et de raisin sec. Il révèle une grande matière, riche, ronde, équilibrée et longue, avec du miel en rétro-olfaction. Une harmonie suave.

Michel Robineau, 3, chem. du Moulin,
Les Grandes Tailles, 49750 Saint-Lambert-du-Lattay,
tél. 02.41.78.34.67 r.-v.

DOM. DE LA ROCHE AIRAULT
Rochefort Le Bois au Prêtre 2004 *

1,3 ha 3 000 5 à 8 €

Ce domaine situé sur la route de la Corniche angevine a proposé au jury deux coteaux-du-layon Rochefort baptisés du nom de leur parcelle d'origine. D'un jaune doré limpide et brillant, cette cuvée libère des senteurs intenses d'agrumes et de fruits confits accompagnées de touches épicées. Ronde et fine en attaque, elle révèle un bon équilibre moelleux et finit sur des notes grillées. Quant au **Chêne galant 2003 (5 à 8 € la bouteille de 50 cl.)**, une étoile également, il s'habille d'or vert. Frais et discrètement floral au nez, il compense la légèreté de sa charpente par un très bel équilibre et une finale à la fois vive et suave.

Pascal Audio, La Roche Airault,
49190 Saint-Aubin-de-Luigné,
tél. 02.41.78.74.30, fax 02.41.78.89.03 r.-v.

CH. DES ROCHETTES
Sélection Vieilles Vignes 2004

5 ha 15 000 8 à 11 €

A la tête de l'exploitation, depuis 1974, Jean Douet a obtenu quatre coups de cœur dans la décennie précédente. Deux cuvées ont été retenues cette année. Cette Sélection Vieilles Vignes s'habille d'une robe jaune doré qui annonce un nez miellé, signe d'une vendange surmûrie. Ces arômes se développent dans une bouche vive à l'attaque et bien équilibrée. Le **Château des Rochettes 2004 sans nom de cuvée (étiquette dorée, 5 à 8 €)** n'a pas connu le bois. Cité, ce vin jaune or libère à l'agitation des senteurs d'agrumes. La bouche évoque aussi la surmaturation. Deux bouteilles qui gagneront à attendre.

Jean Douet, Ch. des Rochettes,
Les Rochettes, 49700 Concourson-sur-Layon,
tél. 02.41.59.11.51, fax 02.41.59.37.73 r.-v.

DOM. DES SABLONNETTES
Rablay Les Erables 2002 **

4 ha 2 000 15 à 23 €

Résolument « bio », tant aux vignes qu'au chai, Joël Ménard fait naître de captivantes bouteilles des graviers sur schistes caractéristiques du terroir de Rablay. D'un jaune intense aux nuances orangées, ce vin puissamment aromatique associe les fruits secs grillés et des notes confites. Le palais séduit par son excellent équilibre et sa finale fruitée d'une fraîcheur vivifiante.

Joël Ménard, EARL Dom. des Sablonnettes,
L'Espérance, 49750 Rablay-sur-Layon,
tél. 02.41.78.40.49, fax 02.41.78.61.15,
e-mail domainedessablonnettes@wanadoo.fr
r.-v.

CH. SOUCHERIE Cuvée S 2002 *

2 ha 7 000 11 à 15 €

Implanté sur des pentes schisteuses dominant le coteau de Chaume, ce vignoble a donné une cuvée jaune paille aux reflets dorés, à la séduisante palette aromatique faite de fruits blancs et de fleurs blanches. Le fruité se fait confit, voire caramélisé, dans une bouche riche et persistante, marquée par une douceur suave mais restant équilibrée. Une bouteille déjà plaisante et apte à la garde.

Pierre-Yves Tijou et Fils,
Ch. Soucherie, 49750 Beaulieu-sur-Layon,
tél. 02.41.78.31.18, fax 02.41.78.48.29,
e-mail chateausoucherie@yahoo.fr r.-v.

DOM. DES VARANNES Cuvée Prestige 2003

n.c. 1 700 8 à 11 €

Le domaine des Varannes s'ordonne autour d'un manoir construit au XVIes. mais remanié jusqu'au XIXes. Son vignoble (16 ha) a été repris en 1988 par Christian Cautain, originaire de Bourgogne. De couleur jaune paille, cette cuvée libère des parfums de fruits blancs. Au palais, elle est souple, ronde et chaleureuse.

Christian Cautain, Les Varannes,
49540 Martigné-Briand, tél. et fax 02.41.59.67.81,
e-mail christian.cautain@libertysurf.fr r.-v.

DOM. DES VARENNES 2004 *

3 ha 5 800 5 à 8 €

Les Richard cultivent la vigne depuis 1930 et exploitent aujourd'hui 18 ha. Ils ont proposé un 2004 jaune soutenu aux reflets plus clairs, mariant au nez la poire et les fleurs blanches. Ces frais arômes se prolongent dans une bouche vive à l'attaque, souple en finale et agréablement fruitée. On peut déguster ce vin dès maintenant, tout comme le **coteaux-du-layon Saint-Lambert cuvée des Varennes 2003 (11 à 15 €)**, cité pour son nez aérien, son fruité ananas et son équilibre.

GAEC A. Richard, 11, rue des Varennes,
49750 Saint-Lambert-du-Lattay,
tél. 02.41.78.32.97, fax 02.41.74.00.30 r.-v.

# Quarts-de-chaume

Le seigneur se réservait le quart de la production : il gardait le meilleur, c'est-à-dire le vin produit sur le meilleur terroir. L'appellation, qui couvre une quarantaine d'hectares pour un volume de 635 hl en 2004, est située sur le mamelon d'une colline, plein sud, autour de Chaume, à Rochefort-sur-Loire.

Les vignes sont vieilles, en général. La conjonction de l'âge des ceps, de l'exposition et des aptitudes du chenin conduit à des productions souvent faibles et de grande qualité. La

LOIRE

récolte se fait par tries. Les vins sont du type moelleux, séveux et nerveux, et ont une bonne aptitude au vieillissement.

### DOM. DES BAUMARD 2003

5,3 ha 14 000 30 à 38 €

Une vieille demeure du XVII[e]s. décorée de peintures murales du siècle suivant commande ce domaine. Jaune à reflets dorés, son quarts-de-chaume apparaît assez discret mais frais et élégant au nez. Ample au palais, il n'est pas des plus puissants mais se montre agréable. Un vin bien fait.

Florent Baumard, 8, rue de l'Abbaye, 49190 Rochefort-sur-Loire, tél. 02.41.78.70.03, fax 02.41.78.83.82, e-mail contact@baumard.fr
t.l.j. sf dim. 10h-12h 14h-17h30

### CH. BELLERIVE Quintessence 2003

6,55 ha 4 800 30 à 38 €

Cette Quintessence d'un jaune doré limpide offre un nez discret mais agréable et se montre vive et généreuse en bouche. Quant à la **Cuvée spéciale Quintessence 2003 (23 à 30 €)**, elle se montre elle aussi plutôt fermée au nez, laissant deviner des notes de fruits compotés et des nuances végétales. Franche à l'attaque, elle est assez légère et nerveuse.

SARL Ch. Bellerive, Chaume, 49190 Rochefort-sur-Loire, tél. 02.41.78.33.66, fax 02.41.78.68.47, e-mail chateau.bellerive@wanadoo.fr
t.l.j. 9h-12h 14h-18h
Alain Château

### DOM. DE LA BERGERIE 2003 ★

1,35 ha 2 500 23 à 30 €

En quarts-de-chaume, rares sont les années où ce domaine ne décroche pas une étoile, voire davantage. Son 2003 montre des reflets dans sa robe or. Encore discret au nez, il laisse percer à l'agitation des nuances fruitées qui se prolongent dans une bouche élégante à l'attaque, ample, grasse et riche, vivifiée en finale par une note fraîche. Un vin plein de charme. (Bouteilles de 50 cl.)

Yves Guégniard, Dom. de La Bergerie, 49380 Champ-sur-Layon, tél. 02.41.78.85.43, fax 02.41.78.60.13, e-mail domainede.la.bergerie@wanadoo.fr
t.l.j. sf dim. 9h-12h 14h-19h; f. 15-30 août

### CH. DE L'ECHARDERIE Clos Paradis 2003 ★

1,2 ha 2 500 23 à 30 €

Bénéficiant d'une exposition particulièrement favorable au développement du botrytis ou du passerillage, le Clos Paradis n'est vinifié à part que dans les grands millésimes. Il a donné naissance à un 2003 d'un jaune doré étincelant. Son fruité intense, évoquant les fruits secs et surmûris, est le fil conducteur de la dégustation. Il imprègne une bouche souple, bien structurée, qui laisse une impression de puissance et de gras. Le 1999 avait décroché un coup de cœur. (Bouteilles de 50 cl.)

Vignobles Laffourcade, L'Echarderie, 49190 Rochefort-sur-Loire, tél. 02.41.54.16.54, fax 02.41.54.00.10, e-mail laffourcade@wanadoo.fr r.-v.

### DOM. DES FORGES 2003 ★

0,86 ha 2 500 23 à 30 €

Régulièrement présent dans cette appellation et souvent remarqué dans les autres AOC de liquoreux, C. Branchereau a obtenu un coup de cœur avec son 2000. Ce 2003 s'annonce par une robe jaune aux reflets or et par un nez intense et complexe, vivifiant et élégant. Souple, rond et bien fondu au palais, il finit sur des arômes fruités et vanillés. Une bouteille typée et agréable.

Vignoble Branchereau, Dom. des Forges, rte de la Haie-Longue, 49190 Saint-Aubin-de-Luigné, tél. 02.41.78.33.56, fax 02.41.78.67.51, e-mail forgescb@worldonline.fr
t.l.j. sf dim. 9h-12h 14h-19h

### CH. PIERRE-BISE 2003 ★★

2,9 ha 4 800 15 à 23 €

Claude Papin figure au nombre des champions angevins du Guide. Voyez ce 2003 : de sa robe jaune doré intense et brillant s'échappent des senteurs puissantes et complexes de fruits surmûris, de coing et de pruneau, assorties de notes de miel et d'acacia. Ces parfums et un boisé imprègnent un palais ample et tout en nuances. « Il a bien une signature quarts-de-chaume », souligne un dégustateur. (Bouteilles de 50 cl.)

Claude Papin, Ch. Pierre-Bise, 49750 Beaulieu-sur-Layon, tél. 02.41.78.31.44, fax 02.41.78.41.24, e-mail chateaupb@hotmail.com r.-v.

### CH. DE PLAISANCE 2003 ★★

1,25 ha 2 500 23 à 30 €

Guy Rochais exploite 26 ha de vignes, situées principalement sur la rive gauche de la Loire, avec plusieurs parcelles dans des appellations aussi prestigieuses que chaume ou quarts-de-chaume. Il s'est particulièrement distingué dans cette appellation, puisque ce 2003 a été candidat au coup de cœur. De sa robe à reflets ambrés montent de puissants parfums de figue et d'autres fruits secs assortis de nuances florales. Ces arômes se prolongent dans une bouche concentrée et longue, remarquablement équilibrée par une belle acidité. La pointe d'amertume perçue en finale contribue à son harmonie. « Vin de rêve », « envoûtant », concluent les dégustateurs sous le charme.

Guy Rochais, Ch. de Plaisance, Chaume, 49190 Rochefort-sur-Loire, tél. 02.41.78.33.01, fax 02.41.78.67.52, e-mail rochais.guy@wanadoo.fr r.-v.

### DOM. DE LA ROCHE MOREAU 2003 ★★

n.c. n.c. 23 à 30 €

Les terrains primaires de cette partie de l'Anjou recèlent par endroits des veines de charbon qui furent précocement exploitées. C'est ainsi que la cave de ce domaine de la Corniche angevine a été aménagée dans une ancienne mine creusée dans le roc. Elle ne renferme plus de charbon tout noir, mais de l'or : celui de ses liquoreux, tel ce 2003 brillant, élevé en foudre. Complexe et suave au nez, avec des accents de litchi, de vanille et de fruits compotés, ce vin confirme sa qualité en bouche par sa belle attaque, sa matière concentrée, ample, bien structurée et équilibrée. Un ensemble élégant.

André Davy, Dom. de La Roche Moreau, La Haie Longue, 49190 Saint-Aubin-de-Luigné, tél. 02.41.78.34.55, fax 02.41.78.17.70, e-mail davy.larochemoreau@wanadoo.fr r.-v.

### CH. DE SURONDE 2002

5 ha 5 000 23 à 30 €

Francis Poirel s'est installé depuis dix ans. Sur les 6 ha de sa propriété, 5 se trouvent au cœur de cette prestigieuse

appellation. Le 2002 s'habille d'une livrée or fort élégante. Avec ses senteurs complexes et délicates de figue et de fruits secs, il évoquerait presque le vin jaune. Souple, ample et longue, la bouche marie des arômes confiturés et légèrement boisés. Elle est dominée par une impression d'extrême richesse et de douceur, même si la fraîcheur n'est pas absente et contribue à l'harmonie de cette bouteille. (Bouteilles de 50 cl.)
GFA Ch. de Suronde, 49190 Rochefort-sur-Loire, tél. 02.41.78.66.37 r.-v.
Poirel

### CH. LA VARIERE Les Guerches 2003 ★★

1,2 ha 4 200 30 à 38 €

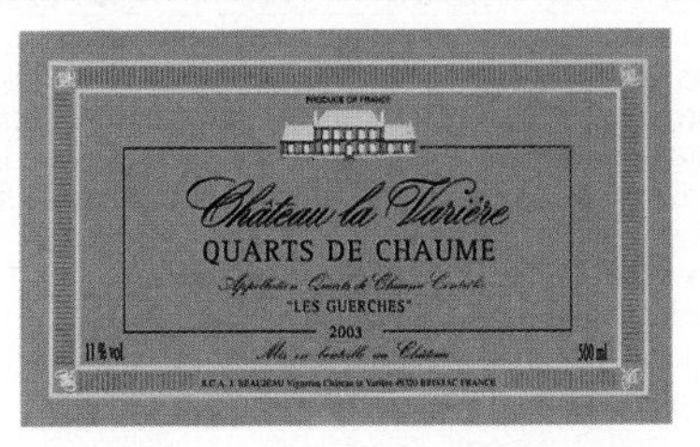


Etabli à Brissac, Jacques Beaujeau est à la tête d'un important domaine (95 ha) et vinifie presque toutes les grandes appellations de vins liquoreux. D'un jaune or intense, ce 2003 délivre des parfums délicats de fruits secs et compotés. Ample et remarquablement équilibré, le palais séduit par sa fraîcheur et s'agrémente d'une note boisée discrète et élégante. De la matière et de l'harmonie. (Bouteilles de 50 cl.)
Jacques Beaujeau, Ch. La Varière, 49320 Brissac-Quincé, tél. 02.41.91.22.64, fax 02.41.91.23.44, e-mail chateau.la.variere@wanadoo.fr
t.l.j. sf sam. dim. 10h-12h 15h-18h

# Chaume

Petite enclave dans les coteaux-du-layon, l'AOC chaume a été créée par décret du 19 septembre 2003, répondant à l'ancienne dénomination coteaux-du-layon-chaume. Les vins sont issus des parcelles délimitées sur le territoire de la commune de Rochefort-sur-Loire. Pour la première fois dans la vallée de la Loire est instituée une hiérarchie de 1er cru, puisque l'AOC chaume peut être complétée par la mention Premier cru des coteaux-du-layon. Ce sont des vins dont la teneur en sucres résiduels ne peut être inférieure à 34g/l. En 2004, 1 319 hl ont été déclarés pour une superficie de 61 ha.

### DOM. MICHEL BLOUIN
Cuvée des Onnis 2003 ★★★

1er cru 0,8 ha 2 000 8 à 11 €

Que de chemin parcouru depuis 1870, année où l'exploitation naissante ne comptait que 2 à 3 ha de vignes,

et l'année 2003, où elle s'étend sur 21 ha avec plus de 3 ha dans le 1er cru chaume ! La propriété s'affirme avec éclat dans ce millésime, puisque cette cuvée des Onnis fait l'unanimité. Sa robe jaune paille dense et brillant aux reflets ambrés est de bon augure, tout comme son nez puissant et complexe, mêlant le pain d'épice, les fruits exotiques et le miel. La bouche, d'un remarquable équilibre, laisse une impression de légèreté malgré sa richesse. Cette belle fraîcheur dans un « vin de la canicule » est saluée par le jury : coup de cœur ! Quant au **chaume 2003** cuvée principale (6 000 bouteilles), il est cité pour son nez de coing et de raisin sec et pour son équilibre.
Dom. Michel Blouin, 53, rue du Canal-de-Monsieur, 49190 Saint-Aubin-de-Luigné, tél. 02.41.78.33.53, fax 02.41.78.67.61 r.-v.

### DOM. DES DEUX VALLEES
Cuvée Privilège 2003 ★★

1er cru 1 ha 3 000 11 à 15 €

Il s'agit de l'ancien domaine Banchereau, racheté en 2001 par Philippe et René Socheleau qui l'ont rebaptisé. La propriété s'étend sur 40 ha. Son chaume 2003 attire le regard par une robe jaune paille intense qui annonce sa richesse. Au nez, il mêle le miel, le coing et le raisin sec. Ample, à la fois riche et fraîche, la bouche ne s'exprime pas encore pleinement. Un vin très prometteur qui mérite d'attendre. (Bouteilles de 50 cl.)
Philippe et René Socheleau, Dom. des Deux Vallées, Bellevue, 49190 Saint-Aubin-de-Luigné, tél. 02.41.78.33.24, fax 02.41.78.66.58, e-mail domaine2vallees@wanadoo.fr
t.l.j. sf dim. 9h-12h 14h-19h

### DOM. DES FORGES Les Onnis 2003

1er cru 1,5 ha 5 000 11 à 15 €

Couvert d'étoiles dans le Guide, Claude Branchereau s'est engagé avec passion dans le mise en valeur du vignoble des coteaux-du-layon. Il a été à l'origine de la récente reconnaissance de l'appellation chaume. Cette cuvée des Onnis avait été jugée remarquable dans le millésime précédent. Le 2003 est plus modeste, mais il retient tout de même l'attention du jury par sa robe paille doré, son nez miellé assez intense et sa bouche grasse et opulente. Cette bouteille devrait gagner à attendre un peu.
Vignoble Branchereau, Dom. des Forges, rte de la Haie-Longue, 49190 Saint-Aubin-de-Luigné, tél. 02.41.78.33.56, fax 02.41.78.67.51, e-mail forgescb@worldonline.fr
t.l.j. sf dim. 9h-12h 14h-19h

### DOM. GAUDARD 2003 ★★

1er cru 1,2 ha 1 500 15 à 23 €

Pierre Aguilas est régulièrement distingué dans le Guide. Du millésime 2003, il a tiré le meilleur, puisque

après deux remarquables coteaux-du-layon décrits dans la dernière édition, il obtient encore deux étoiles grâce à ce chaume. Jaune intense aux nuances plus soutenues, ce vin offre au nez la richesse du miel et la fraîcheur des fruits exotiques. On retrouve ces délicats arômes dans une bouche volumineuse mais équilibrée, fraîche et persistante.
Pierre Aguilas, Dom. Gaudard, rte de Saint-Aubin, 49290 Chaudefonds-sur-Layon, tél. 02.41.78.10.68, fax 02.41.78.67.72, e-mail pierre.aguilas@wanadoo.fr
t.l.j. 9h-12h 14h-18h; dim. sur r.-v.

### CH. DE PLAISANCE Les Zerzilles 2003

1er cru 3 ha 4 000 15 à 23 €

Avec son domaine situé en plein cœur de la récente appellation, Guy Rochais ne pouvait manquer le rendez-vous du Guide. Son 2003 plaira aux amateurs de vins concentrés et très doux. D'un jaune soutenu, il offre un nez délicat, finement boisé. On retrouve ces nuances dues à l'élevage, avec une pointe grillée en rétro-olfaction, dans une bouche souple, grasse et onctueuse à souhait.
Guy Rochais, Ch. de Plaisance, Chaume, 49190 Rochefort-sur-Loire, tél. 02.41.78.33.01, fax 02.41.78.67.52, e-mail rochais.guy@wanadoo.fr r.-v.

### DOM. DE LA ROCHE MOREAU 2003 **

1er cru n.c. 4 500 11 à 15 €

Situé sur la corniche angevine, ce domaine familial offre une vue panoramique sur la vallée de la Loire et les coteaux du Layon. Il a présenté cette année de remarquables cuvées, comme ce chaume jaune paille aux reflets verts. Intense au nez, ce 2003 mêle les fleurs blanches, la poire et le coing. Il affiche une grande richesse en bouche tout en restant très bien équilibré. Sa longue finale laisse une sensation de fruits mûrs. Une réelle harmonie.
André Davy, Dom. de La Roche Moreau, La Haie Longue, 49190 Saint-Aubin-de-Luigné, tél. 02.41.78.34.55, fax 02.41.78.17.70, e-mail davy.larochemoreau@wanadoo.fr r.-v.

# Bonnezeaux

« C'est l'inimitable vin de dessert », disait le Dr Maisonneuve, en 1925. A cette époque, les grands vins liquoreux étaient essentiellement consommés à ce moment du repas ou dans l'après-midi, entre amis. De nos jours, on apprécie plutôt ce grand cru à l'apéritif. Très parfumé, plein de sève, le bonnezeaux doit toutes ses qualités au terroir exceptionnel qu'il occupe : plein sud, sur trois petits coteaux de schistes abrupts au-dessus du village de Thouarcé (La Montagne, Beauregard et Fesles).

Le volume de production a atteint, en 2004, 2 054 hl. L'aire de production comprend 130 ha plantables. C'est un vin de grande garde.

### LE COTILLON BLANC Cuvée Arthur 2003 *

0,49 ha 1 300 11 à 15 €

Ce 2003 est le premier millésime des nouveaux propriétaires. Jaune pâle aux reflets verts, il se montre encore fermé au nez, mais laisse deviner en bouche des arômes de pêche, d'abricot et de poire. Rond, gras, concentré et long, il devrait s'ouvrir dans quelque temps. (Bouteilles de 50 cl.)
Gauthier Gassot, 2, rue du Cotillon-Blanc, 49380 Chavagnes-les-Eaux, tél. et fax 02.41.54.01.27 r.-v.

### DOM. DE LA COUCHETIERE Cuvée Marine 2004

0,46 ha 1 500 8 à 11 €

La quatrième génération, représentée par deux frères, est aux commandes de ce domaine de 23 ha. Elle a présenté un 2004 limpide dans le verre et encore discret, mais élégant au nez, légèrement fruité. On y trouve des arômes de coing qui se prolongent dans une bouche fine et agréable.
GAEC Brault, Dom. de la Couchetière, 49380 Notre-Dame-d'Allençon, tél. 02.41.54.30.26, fax 02.41.54.40.98
t.l.j. sf dim. 8h-12h30 14h-19h

### DOM. LA CROIX DES LOGES Les Perrières 2003 **

1,65 ha n.c. 15 à 23 €

Ce n'est pas la première fois que cette importante exploitation (45 ha) est distinguée en bonnezeaux, mais elle avait jusqu'à maintenant brillé dans d'autres types de vins d'Anjou : en rosé, (quatre coups de cœur en cabernet-d'anjou !), en rouge, en saumur effervescent (coup de cœur l'an dernier). Ce 2003 d'un jaune clair limpide montre son savoir-faire en liquoreux. Vif au nez, il libère d'emblée des arômes de fruits frais (pomme) tout en finesse. La bouche équilibrée, élégante et longue, en fait un vin charmeur.
SCEA Bonnin et Fils, Dom. La Croix des Loges, 49540 Martigné-Briand, tél. 02.41.59.43.58, fax 02.41.59.41.11, e-mail bonninlesloges@aol.com r.-v.

### DOM. LES GRANDES VIGNES 2003 *

2,1 ha 4 200 11 à 15 €

Ce domaine dispose de 51 ha dans la vallée du Layon. Son exigence de qualité a valu à ses vins de figurer régulièrement dans le Guide. Après un remarquable 2002, voici un 2003 fort réussi. D'un jaune doré limpide, la robe est engageante. L'agitation permet de libérer des arômes complexes et expressifs, fruités et miellés. Ronde et harmonieuse, la bouche ne manque pas de longueur, ce qui laisse présager un potentiel de garde intéressant.
GFA Vaillant, Dom. Les Grandes Vignes, La Roche Aubry, 49380 Thouarcé, tél. 02.41.54.05.06, fax 02.41.54.08.21, e-mail vaillant@domainelesgrandesvignes.com
r.-v.

### DOM. DE MIHOUDY Clos du Moulin des quarts 2003 *

n.c. 3 000 23 à 30 €

Ce domaine est conduit par les Cochard depuis 1981. Ce 2003 séduit par sa robe jaune or brillante et limpide ; avec ses notes de poire, d'abricot et de fruits confits, le nez révèle une belle maturité de la vendange. Souple et gras à

l'attaque, le palais se montre équilibré et bien structuré. Un joli retour sur les fruits confits et le miel, avec une touche de caramel, agrémente la finale. (Bouteilles de 50 cl.)
Cochard et Fils, Dom. de Mihoudy,
49540 Aubigné-sur-Layon,
tél. 02.41.59.46.52, fax 02.41.59.68.77,
e-mail mihoudy@wanadoo.fr r.-v.

### DOM. DE LA PETITE CROIX
Vieilles Vignes Cuvée Victoria 2003

3,5 ha 1 500 **15 à 23 €**

Cette propriété dispose de parcelles dans cette prestigieuse appellation qui lui ont permis de présenter ce 2003. La robe est brillante, jaune clair à reflets verts. Encore discret, le nez livre des arômes de fruits confits et de confiture. Ronde, grasse et volumineuse, la bouche finit sur des notes fruitées évoquant la poire et l'abricot. Un potentiel intéressant.
A. Denéchère et F. Geffard,
Dom. de la Petite Croix, 49380 Thouarcé,
tél. 02.41.54.06.99, fax 02.41.54.30.05,
e-mail scea@lapetitecroix.com r.-v.

### DOM. DES PETITS QUARTS
Le Malabé 1er tri 2003 ★★★

3 ha 3 000 15 à 23 €

Cinq générations se sont succédé sur ce domaine fondé en 1887. La dernière, aux commandes depuis 1987, consacre un soin tout particulier à ses vins liquoreux, et en particulier à ses bonnezeaux, qui sont régulièrement placés au sommet par les jurys du Guide. Ce 2003 ne ternira pas sa réputation : c'est le huitième coup de cœur obtenu par l'exploitation. Jaune or à reflets verts, il livre d'emblée de puissants parfums d'abricot, de figue, de fruits confits avec des nuances épicées et grillées. Ronde, fraîche, concentrée et vive, la bouche révèle elle aussi un grand terroir. La finale grasse et fruitée procure un plaisir immense. Déjà excellente, cette bouteille pourrait durer une éternité. On l'appréciera à l'apéritif, avec du foie gras ou au dessert. Dans la même AOC, la cuvée **Les Melleresses 2003 (11 à 15 €)** reçoit une étoile pour son nez d'abricot et sa bouche souple, grasse et aromatique, vivifiée en finale par une pointe d'acidité fort agréable. Quant au **bonnezeaux 2003 (23 à 30 €) sans nom de cuvée (étiquette dorée)**, il est cité. Sa palette aromatique évoque les fruits bien mûrs et le bonbon au caramel. Souple et gras mais très marqué par le bois, ce vin devra attendre.
Godineau Père et Fils,
Dom. des Petits Quarts, 49380 Faye-d'Anjou,
tél. 02.41.54.03.00, fax 02.41.54.25.36
t.l.j. sf dim. 8h-12h 14h-17h30

### DOM. DU PETIT VAL 2003 ★

1,5 ha 2 700 11 à 15 €

Cette propriété s'étend sans cesse : 4,5 ha à sa création il y a cinquante-cinq ans, 18 ha en 1988 lorsque la jeune génération en a pris les rênes, 45 ha aujourd'hui. Dès les origines, une parcelle de bonnezeaux en constituait le fleuron. Elle a donné dans ce millésime un vin doré limpide et au nez vif, floral et fruité. La bouche riche et équilibrée finit sur des notes de fruits bien mûrs.
EARL Denis Goizil,
Dom. du Petit Val, 49380 Chavagnes,
tél. 02.41.54.31.14, fax 02.41.54.03.48,
e-mail denis-goizil@tiscali.fr r.-v.

### DOM. DU PORTAILLE Coteaux de Fesles 2004 ★★

0,5 ha 1 600 11 à 15 €

La dernière génération des Tisserond conduit le domaine depuis sept ans. Elle a rénové en 2004 la cave de vinification, mais n'a pas attendu ces travaux pour se distinguer dans le Guide, en bonnezeaux ou coteaux-du-layon. Déjà très réussi dans le millésime précédent, ce Coteaux de Fesles est superbe cette année. De sa robe jaune paille montent des parfums intenses et complexes dominés par le coing. Riche, grasse et assez longue, la bouche laisse toutefois une impression séduisante de légèreté.
EARL François et Philippe Tisserond,
18, rue de Jarzé, Millé, 49380 Chavagnes,
tél. 02.41.54.31.63, fax 02.41.54.07.85,
e-mail earl.tisserond@wanadoo.fr
t.l.j. sf dim. 9h-19h

### DOM. RENE RENOU Cuvée Zénith 2003 ★

8,36 ha 2 000 **23 à 30 €**

La cuvée du président de l'INAO. Son père, avec M. Boivin, est à l'origine de l'appellation, reconnue en 1951. Le millésime 2003 apparaît intense à l'œil comme au nez. D'un jaune limpide, il s'ouvre à l'aération sur de puissants arômes de coing. La bouche, d'une bonne longueur, associe fraîcheur et douceur dans un bel équilibre. (Bouteilles de 50 cl.)
Dom. René Renou, pl. du Champ-de-Foire,
49380 Thouarcé, tél. 02.41.54.11.33, fax 02.41.54.11.34,
e-mail domaine.rene.renou@wanadoo.fr r.-v.

# Saumur

L'aire de production (2 735 ha) s'étend sur trente-six communes. En 2004, on y a produit 55 065 hl de vins rouges et 21 000 hl en blancs secs et nerveux et 86 169 hl de vins mousseux avec les mêmes cépages que dans les AOC anjou. Leur aptitude au vieillissement est bonne.

Les vignobles s'étalent sur les coteaux de la Loire et du Thouet. Les vins blancs de Turquant et Brézé étaient autrefois les plus réputés ; les vins rouges du Puy-Notre-Dame, de Montreuil-Bellay et de Tourtenay, entre autres, ont acquis une bonne notoriété. Mais l'appellation est beaucoup plus connue par les vins mousseux dont l'évolution qualitative mérite d'être soulignée. Les élaborateurs, tous installés à Saumur, possèdent des caves creusées dans le tuffeau, qu'il faut visiter.

### ACKERMAN
Méthode traditionnelle Cuvée 1811 de l'Aiglon ★

36,95 ha 340 000 3 à 5 €

La maison de négoce Ackerman, spécialisée dans la production de vins effervescents, a été reprise par un collectif de caves coopératives, Alliance Loire. Ce saumur s'inscrit dans le style classique de l'appellation. Des bulles délicates s'épanouissent en longs chapelets sur fond jaune pâle et semblent porter les arômes légers de fruits (pomme et poire) comme les notes minérales. La bouche fraîche et harmonieuse finit de convaincre : ce vin est fait pour ouvrir un repas sans façons.

Ackerman-Rémy Pannier, 13, rue Léopold-Palustre, Saint-Hilaire-Saint-Florent, 49412 Saumur, tél. 02.41.53.03.10, fax 02.41.53.03.19, e-mail contact@remy-pannier.com t.l.j. sf dim. 9h-12h 14h-17h, été 9h30-18h30

### CH. DE BEAUREGARD Méthode traditionnelle ★

4,6 ha 41 000 5 à 8 €

Au Puy-Notre-Dame, les visiteurs auront bien du mal à choisir entre randonnée dans le vignoble et découverte du patrimoine, notamment de la collégiale du XII^e s. Le château de Beauregard réconciliera tout le monde. Construit au XIX^e s., il a gardé un porche et un pigeonnier du XIII^e s., correspondant à l'ancienne enceinte fortifiée. Son vin est tout aussi intéressant. Jaune pâle animé de bulles fines et persistantes, il développe en toute légèreté des arômes très frais de pomme acidulée. La bouche révèle le même tonus rafraîchissant.

SCEA Alain Gourdon, Ch. de Beauregard, 4, rue Saint-Julien, 49260 Le Puy-Notre-Dame, tél. 02.41.52.25.33, fax 02.41.52.29.62, e-mail christine.gourdon@wanadoo.fr r.-v.

### CH. DE BERRYE 2003 ★

4,5 ha 25 000 8 à 11 €

Jacques Pareuil a repris en 1991 ce vignoble ancien qu'il a porté à 25 ha. Monument classé, le château est une forteresse du XII^e s., dont les caves sont creusées dans le tuffeau. Un cadre idéal pour l'élevage de ce saumur qui a connu autant la cuve que le bois. Sous une robe grenat intense apparaissent des notes de fruits mûrs, de fruits rouges compotés et d'épices. Après une attaque vive, la bouche se montre franche, suffisamment charnue et soutenue par des tanins encore très présents. Une bouteille à servir à partir de la fin d'année 2005. Le **Château de Berrye blanc 2003** obtient la même note : il dévoile les arômes de fruits mûrs et la rondeur caractéristiques du millésime.

Jacques Pareuil, Ch. de Berrye, 86120 Berrie, tél. et fax 05.49.22.91.13 r.-v.

### DOM. DU BOIS MIGNON La Belle Cave 2004 ★★

17 ha 15 000 3 à 5 €

Le vignoble (24 ha) du Bois Mignon est situé sur les terres crayeuses de la cuesta turonienne de Saumur. Ce 2004 est un parfait représentant de son appellation : robe rubis profond, bouche souple et ronde avec en finale une agréable fraîcheur. A toutes les étapes de la dégustation, le vin rappelle les fruits rouges fraîchement cueillis.

SCEA Charier Barillot, Dom. du Bois Mignon, 86120 Saix, tél. 05.49.22.94.59, fax 05.49.22.91.54, e-mail p.barillot@wanadoo.fr r.-v.

### DOM. LA BONNELIERE 2004 ★★

1,5 ha 11 000 3 à 5 €

Le domaine de La Bonnelière a choisi pour emblème la corne d'abondance, représentative de la fertilité des terroirs saumurois. L'exploitation couvre 26 ha sur les sols crayeux, la majorité des vignes étant plantées dans l'aire de saumur-champigny. Ce saumur n'en est pas moins remarquable, lui qui offre au palais toutes ses flaveurs de fruits rouges et sa charmante rondeur. La robe est étonnante d'intensité et d'élégance, avec des reflets rouge-noir.

Bonneau et Fils, Dom. La Bonnelière, 45, rue du Bourg-Neuf, 49400 Varrains, tél. 02.41.52.92.38, fax 02.41.67.35.48, e-mail bonneau@labonneliere.com r.-v.

### DOM. DE BRIZE Méthode traditionnelle ★★★

1 ha 6 800 3 à 5 €

Luc et Line Delhumeau, frère et sœur, sont à la tête de ce domaine familial, dont les origines remontent au milieu du XVIII^e s. Un coup de maître que cette méthode traditionnelle habillée d'une robe saumonée délicate dans laquelle s'épanouissent en longs chapelets des bulles aériennes. Les arômes intenses de fruits frais évoquent à un dégustateur un marché de Provence, tandis que la bouche harmonieuse, pleine et complexe décline des notes citronnées, des flaveurs de fruits mûrs et de fleurs à peine cueillies. Un vin exceptionnel à toutes les étapes de la dégustation.

SCEA Marc et Luc Delhumeau, Dom. de Brizé, 49540 Martigné-Briand, tél. 02.41.59.43.35, fax 02.41.59.66.90, e-mail delhumeau.scea@free.fr r.-v.

### DOM. DES CHAMPS FLEURIS
Les Damoiselles 2003 ★

4 ha 9 000 5 à 8 €

Le domaine se situe sur la côte de Saumur, anciennement appelée côte des blancs. Son 2003, vinifié et élevé en barrique, libère des arômes boisés encore bien nets, mais qui devraient s'estomper au cours du vieillissement. Dès l'attaque, il emplit le palais de sa matière ronde qui trouve en finale une pointe de fraîcheur caractéristique de l'appellation.

EARL Rétiveau-Rétif, 54, rue des Martyrs,
49730 Turquant, tél. 02.41.38.10.92, fax 02.41.51.75.33,
e-mail domainechamps-fleuris@wanadoo.fr
r.-v.

## DOM. DES CLOS MAURICE 2004 **

4,5 ha 24 000 3 à 5 €

Ce 2004 rouge intense à reflets pourpres décline des arômes complexes qui s'ouvrent lentement à l'aération en rappelant les fruits rouges et noirs compotés. La bouche veloutée semble ne jamais devoir se départir de ce fruité mûr. Un saumur de grand potentiel.

Maurice et Fils Hardouin, Dom. des Clos Maurice,
18, rue de la Mairie, 49400 Varrains,
tél. 02.41.52.93.76, fax 02.41.52.44.32,
e-mail clos.maurice@wanadoo.fr r.-v.

## DOM. LA CROIX DES LOGES
Méthode traditionnelle Eden 2002 *

1,5 ha 5 500 5 à 8 €

Reportez-vous aux pages de l'appellation cabernet-d'anjou. Il ne faudrait pourtant pas oublier ce saumur jaune pâle à reflets or qui joue dans le verre de ses bulles délicates et persistantes. Tout aussi aériens sont les arômes de fleurs nuancés de minéral et la bouche élégante. Un vin bien travaillé, élevé sur lies fines pendant plus de deux ans.

SCEA Bonnin et Fils,
Dom. La Croix des Loges, 49540 Martigné-Briand,
tél. 02.41.59.43.58, fax 02.41.59.41.11,
e-mail bonninlesloges@aol.com r.-v.

## DOM. DE L'EPINAY Cuvée du Haut Clos 2004 ***

2 ha 15 000 5 à 8 €

2004
2004
Domaine de l'Epinay
SAUMUR
MIS EN BOUTEILLE AU DOMAINE


Laurent Menestreau fête ses vingt ans sur ce domaine de 19 ha. Vingt ans de soins patients dans la cave de tuffeau acquise par ses grands-parents en 1906, dans le but d'élaborer des saumur rouges de semi-garde. Vingt ans, cela se fête et un coup de cœur n'est pas de trop. Ce 2004 rubis intense à reflets noirs exhale des arômes de fruits rouges mûrs, telle la framboise, avant de proposer au palais une matière souple et ronde qui laisse en finale la délicieuse sensation de croquer dans le fruit.

Laurent Menestreau,
3, all. du Presbytère, 86120 Pouançay,
tél. 05.49.22.98.08, fax 05.49.22.39.98 r.-v.

## DOM. FILLIATREAU Château Fouquet 2004 *

6,05 ha 20 000 5 à 8 €

Les Filliatreau jouent un rôle moteur dans la production de vins rouges du Saumurois. Cette sélection Château du Fouquet, typique de son appellation, s'affiche dans une robe rubis éclatant, parfumée de délicates notes de fruits rouges. La bouche souple et délicate garde cette même ligne fraîche et fruitée jusqu'en finale.

Paul Filliatreau, Chaintres,
49400 Dampierre-sur-Loire, tél. 02.41.52.90.84,
fax 02.41.52.49.92, e-mail domaine@filliatreau.fr
t.l.j. 8h-12h 13h30-17h30

## DOM. DE LA GIRARDRIE
Méthode traditionnelle 2002 *

1 ha 6 600 5 à 8 €

La pierre extraite de la craie tuffeau a permis de construire les maisons saumuroises de caractère ; les galeries ainsi creusées se sont révélées des lieux idéals pour l'élaboration des vins effervescents. Ainsi du chai de ce domaine, installé dans un ancien site troglodytique. Un 2002 frais et délicat y a été produit, dont les senteurs complexes de fruits, à la fois frais et mûrs, se manifestent avec parcimonie, favorisés par une légère aération. Une sensation d'harmonie se dégage de l'ensemble. La cuvée **Instinct 2004 rouge (3 à 5 €)** brille d'une étoile elle aussi, car elle est fruitée et ronde, sans la moindre aspérité.

SCEA Falloux et Fils, 1, rue Fontaine-de-Cix,
49260 Le Puy-Notre-Dame, tél. 02.41.52.25.10,
fax 02.41.38.83.77 r.-v.

## DOM. GOUPIL 2004 *

9,8 ha 80 000 5 à 8 €

Un élevage de dix mois en fût a été réservé à ce 2004 qui en porte encore l'empreinte. Des notes boisées se manifestent sans ambages sous sa robe soutenue, accompagnées de réglisse. Le vin n'en est pas moins équilibré. Apte à une garde de trois ans, il saura acquérir plus de fondu.

SCEA Dom. du Cléray,
le Bourg, 49700 Les Verchers-sur-Layon,
tél. 02.40.33.93.46, fax 02.40.36.26.26

## LOUIS DE GRENELLE
Méthode traditionnelle Grande Cuvée *

n.c. 50 000 5 à 8 €

Aux caves de Grenelle on connaît ses classiques. En témoigne ce saumur issu de 80 % de chenin et de 20 % de chardonnay. De teinte jaune doré, parcouru de bulles abondantes et persistantes, il fait l'éloge des fruits blancs au nez : la pêche revient à l'esprit. La bouche ronde est empreinte d'arômes de pâtisseries au beurre et de brioche.

Caves de Grenelle,
20, rue Marceau, BP 206, 49415 Saumur,
tél. 02.41.50.17.63, fax 02.41.50.83.65,
e-mail grenelle@caves-de-grenelle.fr
t.l.j. 9h-12h 13h30-18h; f. sam. dim. 1er oct.-30 avr.

LOIRE

## DOM. GUIBERTEAU Les Motelles 2003 **

1 ha 4 000 11 à 15 €

Ce domaine de plus de 9 ha privilégie la production de vins structurés comme ce 2003 élevé deux ans en barrique. La robe sombre, presque noire, est en parfait accord avec les arômes complexes qui associent les fruits rouges cuits, les épices et la torréfaction. Charnue, la bouche laisse une sensation de puissance et de richesse peu commune dans l'appellation. Un saumur de caractère, haut en couleur et friand à la fois. A servir ou à conserver un an ou deux.

Dom. Romain Guiberteau,
3, imp. du Cabernet, Mollay, 49260 Saint-Just-sur-Dive,
tél. 02.41.38.78.94, fax 02.41.38.56.46 r.-v.

## MLLE LADUBAY Méthode traditionnelle ★★

n.c. 50 000 3 à 5 €

La maison Bouvet-Ladubay organise depuis deux ans les Journées nationales du livre et du vin. L'occasion de découvrir ce saumur d'un jaune pâle discret, dont les arômes s'évasent délicatement dans les registres des fruits mûrs, des fruits jaunes et des fleurs fraîches. La bouche offre une vivacité caractéristique des vins du Val de Loire que soulignent les notes d'agrumes mêlées d'autres fruits parvenus à maturité. Cette méthode traditionnelle fera mouche à l'heure de l'apéritif, servie à 8-10 °C.

Bouvet-Ladubay, 1, rue de l'Abbaye, 49400 Saint-Hilaire-Saint-Florent, tél. 02.41.83.83.83, fax 02.41.50.24.32, e-mail contact@bouvet-ladubay.fr
t.l.j. 9h-12h 14h-17h30

## DOM. LANGLOIS-CHATEAU 2004 ★

12 ha 93 000 5 à 8 €

La maison de négoce Langlois-Château est spécialisée dans la production de vins effervescents, mais elle produit aussi de jolis vins tranquilles, tel ce 2004 typé par sa fraîcheur et ses arômes de fruits mûrs. Sous une teinte jaune pâle à reflets verts se manifestent des notes de citron et de fruits blancs. Après une attaque ronde, la bouche se montre fraîche, dotée d'une finale fruitée de bonne longueur. Une bouteille à proposer dès la fin de l'année.

Langlois-Château, 3, rue Léopold-Palustre, 49400 Saint-Hilaire-Saint-Florent, tél. 02.41.40.21.40, fax 02.41.40.21.49, e-mail contact@langlois-chateau.fr
t.l.j. 10h-12h30 14h-18h

## DOM. DES MATINES Cuvée Vieilles Vignes 2004 ★

3,5 ha 20 000 5 à 8 €

Depuis 1950, tous les millésimes de ce domaine ont été élevés dans la cave construite dans le roc. Ce 2004 issu d'un assemblage de 70 % de cabernet franc et de 30 % de cabernet-sauvignon ne déroge pas à la règle. Rubis intense à reflets noirs, il libère lentement ses arômes à l'aération : fruits rouges et noirs, nuancés de végétal. La bouche ronde en attaque se termine sur des notes plus austères. Un saumur doté de matière qui s'affinera avec le temps.

Dom. des Matines, 31, rue de la Mairie, 49700 Brossay, tél. 02.41.52.25.36, fax 02.41.52.25.50
t.l.j. sf dim. 8h-12h 14h-19h; sam. sur r.-v.
Etchegaray

## LYCEE VITICOLE DE MONTREUIL-BELLAY Cuvée des Hauts de Caterne 2004 ★★

1,33 ha 10 600 5 à 8 €

Le lycée viticole de Montreuil-Bellay est un établissement public d'enseignement agricole professionnel, créé en 1967 pour former les viticulteurs et les techniciens du Val de Loire. Cette cuvée, d'une remarquable présence en bouche, s'épanouit en arômes de fruits rouges mûrs et de fruits noirs à l'aération. Équilibrée et ronde, elle saura affronter deux ans de garde. La cuvée principale **2004 rouge** obtient une étoile pour son agréable légèreté au palais et ses parfums intenses de fruits rouges frais.

Lycée prof. agricole de Montreuil-Bellay, rte de Méron, 49260 Montreuil-Bellay, tél. 02.41.40.19.27, fax 02.41.38.72.86, e-mail montreuil-bellay.expl@educagri.fr
t.l.j. sf sam. dim. 9h-12h 14h-17h

## DOM. DE LA PALEINE Méthode traditionnelle ★

4 ha 20 000 5 à 8 €

Le domaine, situé aux portes du village du Puy-Notre-Dame, a été repris en 2003 par Marc et Laurence Vincent qui s'attachent à le rénover. Cette étoile devrait les encourager. Elle signale la réussite de ce saumur d'un abord certes discret, mais plaisant. De la robe jaune pâle pointent des arômes légers de fruits mûrs qui montent progressivement à l'aération. La bouche se révèle plus tonique grâce à ses notes de fruits blancs et à sa bonne fraîcheur. Le saumur tranquille **Domaine de La Paleine 2003 blanc** est cité : un vin simple, harmonieux et bien vinifié.

SA Dom. de la Paleine, 9, rue de la Paleine, 49260 Le Puy-Notre-Dame, tél. 02.41.52.21.24, fax 02.41.52.21.66, e-mail contact@domaine-paleine.com r.-v.
Marc Vincent

## DOM. DES RAYNIERES 2004 ★

3,7 ha 25 000 3 à 5 €

Si les vignes de ce domaine se trouvent principalement en appellation saumur-champigny, quelques-unes sont implantées sur la commune de Brézé et produisent des saumur. Le cabernet franc a ainsi donné naissance à un vin rubis intense, dont les arômes délicats de fruits rouges s'égrènent jusqu'au palais. La chair est souple et ample, gourmande. Une bouteille de caractère qui pourra être proposée à table dès la fin de l'année et jusqu'en 2008.

Jean-Pierre Rébeilleau, SCEA Dom. des Raynières, 33, rue du Ruau, 49400 Varrains, tél. 02.41.52.44.87, fax 02.41.52.48.40 r.-v.

## DOM. DE SAINT-JUST La Coulée de Saint-Cyr 2003 ★★

3 ha 18 000 5 à 8 €

Œuvrant pour la promotion des saumur blancs, Yves Lambert prône une démarche rigoureuse qui passe par une diminution des rendements, une augmentation des degrés à la récolte et le contrôle de chaque vigne revendiquant l'appellation. Il ne se contente pas de théorie, comme en témoigne son vin d'une étonnante richesse. Sous une teinte jaune pâle mais brillante se manifestent des arômes de grillé et de vanille hérités d'un élevage de douze mois en fût. Ils se fondent harmonieusement au fruité mûr intense. La bouche puissante est généreuse, toute de rondeur.

Yves Lambert, Dom. de Saint-Just, 12, rue de la Prée, 49260 Saint-Just-sur-Dive, tél. 02.41.51.62.01, fax 02.41.67.94.51, e-mail infos@st-just.net r.-v.

## DOM. DE SAINT-MAUR Méthode traditionnelle 2003

1 ha 3 300 3 à 5 €

Le vignoble est implanté sur les coteaux qui dominent la rive gauche de la Loire, tout près de l'abbaye de Saint-Maur. La présence du chenin, cépage royal des vins d'Anjou, y est attestée depuis 845. Ce saumur rosé, issu de cabernet franc, est fait pour les palais délicats. Vêtu d'une robe saumonée et parfumée d'arômes de fruits rouges d'une extrême intensité, il se montre ample au palais, avec des notes très douces en finale.

Xavier Chouteau, Saint-Maur, 49350 Le Thoureil, tél. 02.41.57.30.24, fax 02.41.57.09.18 r.-v.

**DOM. SAINT-VINCENT** La Papareille 2004

2 ha 10 000 5 à 8 €

Le domaine de Saint-Vincent fait partie du vignoble de la côte de Saumur, réputé dès le XVIIIes. pour ses vins blancs et aujourd'hui principalement pour ses vins rouges d'appellation saumur-champigny. Ce 2004 a besoin d'un peu de temps pour exprimer tout son potentiel, mais il offre déjà une teinte jaune doré caractéristique de vendanges bien mûres, des arômes boisés agréablement mariés aux fruits mûrs, une bouche ronde et volumineuse. Un vin de matière qui promet de gagner en finesse.

Patrick Vadé, Dom. Saint-Vincent, 49400 Saumur, tél. 02.41.67.43.19, fax 02.41.50.23.28, e-mail p.vade@st-vincent.com
t.l.j. sf dim. 9h-12h 14h-18h; sam. 9h-12h

**ANTOINE SANZAY** Les Salles Martins 2004 **

0,4 ha 1 400 8 à 11 €

Antoine Sanzay ne ménage pas ses efforts pour obtenir de beaux vins. Le sol est labouré, les vignes sont effeuillées, le raisin est vendangé manuellement et la vinification se déroule en barrique, suivie d'un élevage de plus de dix mois sur lies fines. Ce 2004 jaune à reflets dorés charme ainsi par sa palette d'épices, de vanille, de fruits mûrs (pêche) et exotiques. Chaleureux et rond, il révèle en finale une heureuse alliance entre des notes de fraîcheur et des arômes de fruits mûrs. Un potentiel remarquable.

Antoine Sanzay, 19, rue des Roches-Neuves, 49400 Varrains, tél. 02.41.52.90.08, fax 02.41.50.27.39, e-mail antoine-sanzay@wanadoo.fr r.-v.

**LES VIGNERONS DE SAUMUR** Confidence 2003 *

4 ha 20 000 8 à 11 €

Devenue un fer de lance du vignoble saumurois, cette coopérative est passée d'une production de 1 200 hl à sa création, en 1957, à 110 000 hl aujourd'hui. Dix mois d'élevage en fût de chêne ont donné de la richesse à ce saumur, sans entamer en rien sa délicatesse typique des vins rouges de la région. D'un grenat brillant, celui-ci libère de subtils arômes de fruits cuits et de fruits rouges mûrs avant de développer une chair souple, à la structure tannique fondue. Il témoigne d'une vendange parvenue à bonne maturité dans ce millésime exceptionnellement ensoleillé et d'une vinification soignée. Une étoile revient également au saumur blanc **Originel 2003**, un vin frais et élégant, parfumé d'agrumes.

Cave des Vignerons de Saumur, rte de Saumoussay, 49260 Saint-Cyr-en-Bourg, tél. 02.41.53.06.06, fax 02.41.53.06.10 t.l.j. 9h30-12h 14h-18h

**DOM. DE LA SEIGNEURIE DES TOURELLES** 2004

2,5 ha 18 000 3 à 5 €

Servez-le frais tout au long du repas, car ce vin ne demande qu'à s'accorder avec le plateau de charcuterie, la terrine de viande ou le fromage. Le rouge intense de sa robe est déjà plein de gaîté. Une impression que ne contrarient pas les arômes de petits fruits rouges, ni même l'équilibre entre rondeur et fraîcheur.

SCEA Dubé, Messemé, 49260 Montreuil-Bellay, tél. 02.41.40.22.50, fax 02.41.40.29.69, e-mail j.verdier@wanadoo.fr

**DOM. DES VERNES** 2004 **

0,32 ha n.c. 3 à 5 €

La propriété en pierre tuffeau, typique du Saumurois, date de 1776. Dominique Sanzay y est installé depuis plus de vingt-cinq ans et connaît bien son terroir. Il a vendangé manuellement ses vignes de chenin, dont la richesse naturelle du raisin dépassait 14 °. Elevé quatre mois en fût, son vin fait grande impression dans sa robe jaune pâle, car il exprime des arômes complexes de fruits mûrs et de fruits secs. La bouche puissante mais harmonieuse, aux notes fraîches particulièrement agréables en finale est un autre atout majeur. Un 2004 qui gagnera encore de la finesse au vieillissement.

Dominique et Sébastien Sanzay, 7, bd de Caulx, 49400 Chacé, tél. 02.41.52.99.13, fax 02.41.38.75.13
t.l.j. 8h-12h 14h-19h

**VEUVE AMIOT** Méthode traditionnelle **

n.c. 490 000 5 à 8 €

La maison Veuve Amiot, créée en 1884, est l'un des plus importants producteurs de vins effervescents du Saumurois, dont elle défend parfaitement l'image grâce à ces deux cuvées jugées remarquables par le jury. Cette Méthode traditionnelle qui délivre de fines bulles sur fond jaune pâle incite au péché de gourmandise tant son expression aromatique – fleurs blanches et notes minérales mêlées – est flatteuse. Au palais, elle laisse une sensation de fraîcheur et de minéralité étonnante. En dégustant la **Méthode traditionnelle rosé**, vous aurez l'impression de croquer dans le raisin mûr et les fruits frais (groseille, citron, pamplemousse). L'équilibre entre rondeur et vivacité en fait un vin de caractère.

SAS Veuve Amiot, BP 67, Saint-Hilaire-Saint-Florent, 49426 Saumur Cedex, tél. 02.41.83.14.14, fax 02.41.50.17.66
t.l.j. 10h-18h; f. oct. à avr.

**DOM. DES VIGNES BICHES** Vieilles Vignes 2004 *

4 ha 22 000 3 à 5 €

Le domaine se trouve au pied de la butte témoin en haut de laquelle le village du Puy-Notre-Dame est implanté. Cette commune a été choisie comme porte-drapeau des vins rouges de semi-garde du Saumurois. Ce 2004 affiche une bonne matière sous sa robe rouge intense à reflets pourpres brillants. Quelques aspérités sont encore perceptibles, mais il n'en sera plus rien après une garde de deux ou trois ans. Les arômes intenses rappellent les fruits rouges.

SARL Vinival, La Sablette, 44330 Mouzillon, tél. 02.40.36.66.00, fax 02.40.33.95.81, e-mail info@vinival.fr

**CH. DE VILLENEUVE** 2004 **

5 ha 20 000 5 à 8 €

Ce château est l'une des exploitations de référence de l'appellation saumur-champigny. Une même rigueur est appliquée à la production de vins blancs : récolte manuelle, vinification en tonnes de 400 l, sélection de raisins d'une richesse de 14 °. Ainsi est né ce 2004 à la matière opulente, qui parviendra à son apogée dans un an ou deux. S'il est bien difficile de détacher son regard de la teinte jaune doré à reflets verts, il l'est encore davantage d'ignorer les arômes de fruits mûrs, leitmotiv de la dégustation.

Chevallier, Ch. de Villeneuve, 3, rue Jean-Brevet, 49400 Souzay-Champigny, tél. 02.41.51.14.04, fax 02.41.50.58.24 t.l.j. sf dim. 9h-12h 14h-18h

# Cabernet-de-saumur

Bien qu'elle ne représente que de faibles volumes (3 717 hl en 2004), l'appellation cabernet-de-saumur tient bien sa place par la finesse de ce cépage, élaboré en rosé et cultivé sur des terrains calcaires.

### DOM. DE LA PALEINE 2003 *

3 ha 5 000 5 à 8 €

Ce cabernet-de-saumur correspond à une toute première vinification de l'exploitation. Les résultats sont plus qu'encourageants : robe rose clair limpide, arômes légers de fruits rouges et de fruits frais, bouche plaisante grâce à un bel équilibre entre la sensation de fraîcheur, de fruité et de richesse. Un vin qui sera à son optimum en fin d'année.

SA Dom. de la Paleine,
9, rue de la Paleine, 49260 Le Puy-Notre-Dame,
tél. 02.41.52.21.24, fax 02.41.52.21.66,
e-mail contact@domaine-paleine.com r.-v.

# Coteaux-de-saumur

Ils ont acquis autrefois leurs lettres de noblesse. Les coteaux-de-saumur, équivalents en Saumurois des coteaux-du-layon en Anjou, sont élaborés à partir du chenin pur planté sur la craie tuffeau.

### DOM. DES CHAMPS FLEURIS
Cuvée Sarah 2003 **

3 ha 3 500 15 à 23 €

Turquant est un charmant village entre Saumur et Montsoreau, autour duquel on découvre des moulins, des habitations troglodytiques, des champignonnières et des vignobles, tel celui du Domaine des Champs Fleuris. Ce 2003, remarquable de finesse sous une teinte jaune paille à reflets soutenus, offre une palette d'arômes de fruits secs aux nuances grillées. Parfaitement équilibré en bouche, il laisse une impression de légèreté malgré sa richesse. Un très beau travail de vinification.

EARL Rétiveau-Rétif, 54, rue des Martyrs,
49730 Turquant, tél. 02.41.38.10.92, fax 02.41.51.75.33,
e-mail domainechamps-fleuris@wanadoo.fr
r.-v.

### YVES DROUINEAU L'Orméol 2003 *

2 ha 2 000 15 à 23 €

En 1991, Yves Drouineau a repris ce domaine commandé par une demeure en tuf du XVIII[e]s. Il a élaboré en 2003 un vin jaune pâle légèrement orangé, dont les arômes intenses de fruits secs et d'abricot se prolongent jusqu'au palais. La chair riche et puissante témoigne d'une extrême maturité du raisin.

EARL Yves Drouineau,
3, rue Morains, 49400 Dampierre-sur-Loire,
tél. 02.41.51.14.02, fax 02.41.50.32.00,
e-mail y-d@yves-drouineau.com r.-v.

### DOM. DE LA GUILLOTERIE 2003

1 ha 2 000 11 à 15 €

D'une couleur intense à reflets orangés, ce vin décline une palette de fruits secs, signe d'une vendange très mûre. Il se montre léger et équilibré au palais et d'une agréable persistance. Pour un apéritif improvisé.

SCEA Duveau Frères,
63, rue Foucault, 49260 Saint-Cyr-en-Bourg,
tél. 02.41.51.62.78, fax 02.41.51.63.14,
e-mail duveau@domainedelaguilloterie.com r.-v.

### CH. DU HUREAU 2003

0,5 ha 1 500 15 à 23 €

En patois angevin, un hureau est un vieux sanglier. C'est bien la tête de cet animal que l'on devine sur la girouette qui domine la tour octogonale du château. Dans ce joli cadre, on a tôt fait de s'attarder afin d'admirer le pigeonnier troglodytique et les caves creusées au XIII[e]s. pour extraire la célèbre pierre tuffeau. Le vin n'est pas moins intéressant. Ce 2003 or limpide offre d'agréables arômes de fruits secs et de fruits exotiques. Il paraît riche et puissant, équilibré.

Philippe Vatan, Ch. du Hureau,
49400 Dampierre-sur-Loire, tél. 02.41.67.60.40,
fax 02.41.50.43.35, e-mail philippe.vatan@wanadoo.fr
t.l.j. sf sam. dim. 9h-12h 14h-17h

### DOM. DE LA RENIERE 2003 **

1,4 ha 1 200 15 à 23 €

1631 : point de départ d'une longue lignée de vignerons. C'est en toute confiance que vous dégusterez ce 2003 jaune orangé, aux arômes de fruits exotiques et de fruits secs. La bouche riche, ronde et délicate est synonyme de vendange surmûrie. Un beau vin qui se bonifiera encore avec le temps.

René-Hugues Gay, Dom. de la Renière,
1, rue de la Cerisaie, 49260 Le Puy-Notre-Dame,
tél. 02.41.52.26.31, fax 02.41.52.24.62 r.-v.

### DOM. DES SABLES VERTS
Nectar de chenin 2003 *

0,2 ha 1 000 8 à 11 €

A l'ère secondaire se sont déposés dans la région des sables plus ou moins riches en calcaire et en glauconie, un minéral contenu dans le tuffeau et qui donne au sol une couleur verte. Le chenin semble s'y exprimer parfaitement comme en témoigne ce vin jaune paille séduisant qui révèle des arômes à la fois fruités et floraux, nuancés de grillé. Le palais riche et rond, opulent même, se développe jusqu'à une finale délicate sur les fruits exotiques.

GAEC Dominique et Alain Duveau,
66, Grand-Rue, 49400 Varrains,
tél. 02.41.52.91.52, fax 02.41.38.75.32,
e-mail duveau@domaine-sables-verts.com r.-v.

### ANTOINE SANZAY 2003

0,4 ha 1 500 11 à 15 €

Antoine Sanzay a procédé à une fermentation en fût de sa récolte 2003, à l'aide des levures exclusivement indigènes. Après un élevage de quatorze mois sur lie et sous bois, cette cuvée s'est habillée de jaune intense. Aux arômes délicats de fruits secs répond une bouche puissante, mais élégante, très fruitée en finale. De boisé, on ne parle pas. (Bouteilles de 50 cl.)

Antoine Sanzay, 19, rue des Roches-Neuves, 49400 Varrains, tél. 02.41.52.90.08, fax 02.41.50.27.39, e-mail antoine-sanzay@wanadoo.fr r.-v.

### MICHEL SUIRE 2003

0,5 ha 2 350 5 à 8 €

Berrie se situe au sud du vignoble saumurois, dans le département de la Vienne. Ici, la vigne pousse sur des côtes calcaires datant du turonien. Ce coteaux-de-saumur associe les arômes de fruits exotiques et de fruits secs au nez, puis offre une matière équilibrée, fraîche en attaque, ronde et fruitée dans son développement.

Michel Suire, 12, rue des Perrières, 86120 Berrie, tél. 05.49.22.92.61, fax 05.49.22.57.56 t.l.j. 10h-19h; f. 15 août-1er sept.

### DOM. DU VIEUX PRESSOIR Cuvée Emilie 2003 *

0,7 ha 3 000 15 à 23 €

Sis sur le plateau jurassique de Vaudelnay, ce domaine couvre 26 ha. Bruno Albert propose des chambres d'hôtes aux amateurs. Goûtez son 2003 jaune vif : il vous séduira par sa délicatesse. Si le nez évocateur de fruits confits est encore discret, la bouche ronde et riche exprime davantage le fruité en finale.

EARL B. et J. Albert, 205, rue du Château-d'Oiré, 49260 Vaudelnay, tél. 02.41.52.21.78, fax 02.41.38.85.83, e-mail vieuxpressoir@wanadoo.fr r.-v.

### CH. DE VILLENEUVE 2003 ***

3 ha 6 000 15 à 23 €

En temps normal, les Chevallier auraient vinifié du saumur blanc à partir de leurs vignes de chenin, mais l'année 2003 ayant été marquée par la chaleur, les raisins ont pu rester sur souche jusqu'en novembre et donner naissance à un vin liquoreux, riche de 130 g/l de sucres résiduels. A année exceptionnelle, vin exceptionnel. Jaune orangé à reflets dorés, celui-ci attire le regard. Il livre sans ambages des parfums multiples, dominés par les fruits secs, puis dévoile toute son opulence et sa richesse au palais. Une étonnante harmonie.

Chevallier, Ch. de Villeneuve, 3, rue Jean-Brevet, 49400 Souzay-Champigny, tél. 02.41.51.14.04, fax 02.41.50.58.24 t.l.j. sf dim. 9h-12h 14h-18h

# Saumur-champigny

En circulant dans les villages aux rues étroites du Saumurois, vous accéderez au paradis dans les caves de tuffeau qui abritent de nombreuses vieilles bouteilles. Si l'expansion de ce vignoble (1 513 ha) est récente, les vins rouges de Champigny sont connus depuis plusieurs siècles. Produits sur neuf communes, à partir du cabernet franc (ou breton), ils sont légers, fruités, gouleyants. La production a été d'environ 85 540 hl en 2004.

### DOM. DE LA BESSIERE La Madriarche Vieilles Vignes 2003 **

0,5 ha 3 000 8 à 11 €

Thierry Dézé a élaboré une cuvée rubis profond à reflets violacés dans sa cave creusée dans le tuffeau. A l'aération, d'intenses arômes de fruits rouges frais et d'épices, complétés d'élégantes nuances boisées se manifestent. Ils trouvent un long écho dans la matière riche et souple, aux tanins fondus qui tapissent le palais. L'harmonie promet d'être parfaite dans cinq ans.

Thierry Dézé, Dom. de La Bessière, rte de Champigny, 49400 Souzay-Champigny, tél. 02.41.52.42.69, fax 02.41.38.75.41, e-mail thierrydeze@domainedelabessiere.com r.-v.

### DOM. DU BOIS MOZE PASQUIER Vieilles Vignes 2004 **

1 ha 6 000 5 à 8 €

Si vous souhaitez un cours sur la conduite de la vigne, c'est au Bois Mozé qu'il faut vous rendre, sur le clos de 2,5 ha. Patrick Pasquier devrait être un excellent maître, à en juger par la qualité de ses vins. La cuvée Vieilles Vignes se pare d'une robe seyante à reflets pourpres. Sa palette complexe de fruits mûrs s'assortit de quelques notes réglissées. Les arômes fruités se mêlent à la bouche ample et élégante, rafraîchie par une pointe de vivacité en finale. Laissez-lui deux ans : ce vin n'en sera que meilleur. Le **Domaine du Bois Mozé Pasquier 2003 Elevé en fût de chêne (8 à 11 €)** obtient deux étoiles également : souple et soyeux, il offre un fruité profond que le boisé respecte.

Patrick Pasquier, Dom. du Bois Mozé Pasquier, 7, rue du Bois-Mozé, 49400 Chacé, tél. et fax 02.41.52.59.73 r.-v.

### DOM. LA BONNELIERE Cuvée des Poyeux 2004 *

2 ha 16 000 5 à 8 €

En 2005, André Bonneau et ses fils Anthony et Cédric ont décidé d'agrandir et de restructurer leur domaine. Rien ne devrait changer en revanche sur la butte argilo-calcaire des Poyeux qui leur a donné ce vin représentatif de son appellation : couleur rubis intense, arômes de fruits frais (groseille notamment) que l'on retrouve en bouche. C'est rond, léger, équilibré et bien sympathique.

Bonneau et Fils, Dom. La Bonnelière, 45, rue du Bourg-Neuf, 49400 Varrains, tél. 02.41.52.92.38, fax 02.41.67.35.48, e-mail bonneau@labonneliere.com r.-v.

### DOM. DES BONNEVEAUX Vieilles Vignes 2004 *

2,5 ha 20 000 3 à 5 €

En 2002, Nicolas Bourdoux a rejoint son père sur le domaine familial de 16 ha, à 3 km de Saumur. Une équipe qui a su tirer parti du millésime 2004. Pourpre intense, cette cuvée livre un nez délicat de fruits confits et de fruits compotés. La bouche vive en attaque, puis ronde et ample, laisse au fruité toute sa place, soutenu par des tanins fondus. Egalement notée une étoile, la **Cuvée Nicolas 2004** joue de ses arômes de framboise prononcés et de sa chair concentrée, gourmande.

EARL Camille et Nicolas Bourdoux, 79, Grande-Rue, 49400 Varrains, tél. 02.41.52.94.91, fax 02.41.52.99.24 t.l.j. sf dim. 8h-19h

### DOM. DES CHAMPS FLEURIS Vieilles Vignes 2004 **

8 ha 40 000 5 à 8 €

Les 35 ha de ce domaine se partagent entre 30 ha de cabernet franc et 5 ha de chenin sur la côte turonienne qui domine la Loire. Des vignes de plus de quarante ans sont à l'origine de cette cuvée aux arômes complexes de fruits

LOIRE

mûrs, d'iris et de réglisse. On sent de la puissance et de la structure sous cette robe grenat soutenu. La bouche est riche en effet, bâtie sur des tanins encore austères, mais qui sauront se fondre bientôt. La cuvée **Les Tufolies 2004** obtient une étoile pour ses parfums délicats, typiques du cabernet, sa chair ample et fruitée, au caractère printanier.
EARL Réativeau-Rétif, 54, rue des Martyrs, 49730 Turquant, tél. 02.41.38.10.92, fax 02.41.51.75.33, e-mail domainechamps-fleuris@wanadoo.fr
r.-v.

## THIERRY CHANCELLE 2004 **

2 ha 12 000 5 à 8 €

Des reflets violacés animent la robe rouge soutenu. Une invitation à découvrir la palette fine et complexe de fruits rouges et de réglisse. La bouche flatteuse par son gras fait preuve d'équilibre et de persistance. Les tanins soyeux, sans une once d'agressivité, soutiennent la finale expressive, caractéristique d'un raisin bien mûr. De la typicité et de l'harmonie.
EARL Bourdin, 27, rue des Martyrs, 49730 Turquant, tél. 02.41.38.11.83, fax 02.41.51.47.71 r.-v.

## CLOS DES CORDELIERS Cuvée Prestige 2004 *

4 ha 25 000 8 à 11 €

Depuis 1630, on cultive la vigne au Clos des Cordeliers, ancienne propriété monastique. Aujourd'hui, le vignoble couvre plus de 18 ha au cœur de l'aire d'appellation. Le 2004, de teinte pourpre foncé, offre des arômes de fruits frais tout au long de la dégustation. Il se montre élégant en bouche, étayé par des tanins fondus qui participent à l'harmonie générale.
Dom. Ratron, Clos des Cordeliers, 49400 Champigny, tél. 02.41.52.95.48, fax 02.41.52.99.50, e-mail ratron@clos-des-cordeliers.com r.-v.

## DOM. DES CLOSIERS 2004 *

12 ha 20 000 5 à 8 €

Il est loin le temps où l'on vivait dans les maisons troglodytiques creusées dans le coteau et au-dessus desquelles on cultivait la vigne. Aujourd'hui, Elie Moirin habite une demeure du XIXe s. et exploite un vignoble de 13 ha. Son vin de teinte violette exprime d'intenses arômes de fruits rouges avant d'emplir le palais d'une chair souple et fruitée (surtout cassis). Un 2004 harmonieux.
EARL Elie Moirin, 8, rue Valbrun, 49730 Parnay, tél. 02.41.38.12.32, fax 02.41.38.11.14 r.-v.

## YVES DROUINEAU Les Beaumiers 2003 *

16 ha 30 000 5 à 8 €

Voilà quatorze ans qu'Yves Drouineau a repris la direction de ce domaine d'une vingtaine d'hectares, partagé entre chenin et cabernet franc. Il maîtrise bien son sujet comme en témoigne ce vin d'un rouge soutenu à reflets violacés. La palette fraîche et complexe évoque les fruits rouges nuancés d'agréables notes mentholées. Friande dès l'attaque, la bouche n'est que fruit. Un saumur-champigny typique, comme on les aime.
EARL Yves Drouineau, 3, rue Morains, 49400 Dampierre-sur-Loire, tél. 02.41.51.14.02, fax 02.41.50.32.00, e-mail y-d@yves-drouineau.com r.-v.

## DOM. DUBOIS Cuvée d'Automne 2004 **

1 ha 7 000 5 à 8 €

Sur le plateau de Saint-Cyr s'enfoncent des carrières de tuffeau très vastes. Cette seule commune compte environ 180 km de galeries souvent utilisées comme caves. Au domaine Dubois (17 ha), on cueille le jour et les saisons avec doigté. L'Automne dévoile des couleurs grenat profond, des parfums de fruits intenses (framboise) et un équilibre rond et charmeur. La **Cuvée de Printemps 2004** obtient une étoile pour son fruité frais et son gras, même si elle présente une légère austérité en finale. Hors saison, c'est la cuvée **Vieilles Vignes 2004 (8 à 11 €)** qui s'impose avec deux étoiles : on aime son bouquet de fruits noirs confits, son volume et son soyeux.
EARL Dubois, 8, rte de Chacé, 49260 Saint-Cyr-en-Bourg, tél. 02.41.51.61.32, fax 02.41.51.95.29 r.-v.

## DOM. BRUNO DUBOIS Cuvée de Printemps 2004 **

1 ha 6 000 5 à 8 €

Remarqué dans son premier millésime il y a deux ans (voir le Guide 2004), Bruno Dubois a pris de l'assurance sur son domaine de 8,5 ha. Sa **Cuvée d'Automne 2004** obtient deux étoiles tant elle est fruitée, ample et savoureuse. Il en va de même de la Cuvée de Printemps : couleur rubis... printanière, en effet, corbeille élégante de fruits rouges et de fleurs, chair pleine et ample. Toutes les conditions du plaisir sont réunies dans ce vin.
Bruno Dubois, 98, rue de la Paleine, 49260 Saint-Cyr-en-Bourg, tél. 06.07.70.95.20, fax 02.41.38.62.96, e-mail b-d@wanadoo.fr
t.l.j. sf dim. 8h-12h 14h-18h

## DOM. FILLIATREAU Vieilles Vignes 2004 *

9 ha 50 000 8 à 11 €

Paul et Frédrik Filliatreau proposent une bouteille fort joliment habillée : une aquarelle représentant le coteau creusé de caves troglodytiques orne l'étiquette de la cuvée **La Grande Vignolle 2004 (5 à 8 €)**, un vin jugé très réussi pour ses senteurs de groseille et autres fruits frais, comme pour sa tendreté. La cuvée Vieilles Vignes, plus simplement étiquetée, n'en est pas moins séduisante dans sa robe pourpre à reflets violets. Elle décline d'intenses arômes de fruits rouges jusqu'en bouche et joue sur une agréable légèreté.
Paul Filliatreau, Chaintres, 49400 Dampierre-sur-Loire, tél. 02.41.52.90.84, fax 02.41.52.49.92, e-mail domaine@filliatreau.fr
t.l.j. 8h-12h 13h30-17h30

## DOM. FOUET Cuvée Julien 2004 **

5 ha 30 000 5 à 8 €

C'est dans un caveau flambant neuf, aménagé dans une ancienne grange à blé, que vous découvrirez ce 2004 grenat profond, au nez intense de fruits rouges. Le vin emplit le palais de sa chair ronde et longuement fruitée. Notée une étoile, la **Cuvée Patrice 2004** demande juste un peu de temps pour fondre ses tanins.
Fouet, 3, rue de Judée, 49260 Saint-Cyr-en-Bourg, tél. 02.41.51.60.52, fax 02.41.67.01.79, e-mail j.fouet@domaine-fouet.com
t.l.j. sf dim. 9h-12h 14h-18h

**DOM. DES FROGERES 2004 ★★**

■ 6,75 ha 30 000 5 à 8 €

Le vignoble, fort aujourd'hui de quelque 10 ha, est cultivé depuis 1988 en agriculture biologique. Cette cuvée à reflets violacés exprime avec délicatesse les fruits rouges (fraise) et le cassis, puis révèle une charpente tout enrobée d'une chair ronde, concentrée, abondamment fruitée. Quelques notes grillées soulignent l'ensemble.

Michel Joseph, 11 bis, rue de Champigny, 49400 Chacé, tél. et fax 02.41.52.95.25 r.-v.

**CH. GRATIEN 2003 ★★**

■ 12 ha 80 000 5 à 8 €

Alfred Gratien n'avait que vingt-trois ans lorsqu'il créa en 1864 sa maison de vins à Saumur. A sa mort, Jean-Albert Meyer reprit l'entreprise qui fut rebaptisée Gratien et Meyer. Le succès est encore au rendez-vous aujourd'hui. Cette cuvée offre au regard une teinte rouge limpide, puis au nez comme en bouche des arômes de fruits rouges mûrs. Les tanins fins et ronds contribuent à l'harmonieuse impression d'ensemble.

Gratien et Meyer, rte de Montsoreau, BP 22, 49400 Saumur, tél. 02.41.83.13.32, fax 02.41.83.13.49, e-mail contact@gratienmeyer.com t.l.j. 9h30-18h

**CH. DU HUREAU Lisagathe 2004 ★**

■ 2 ha 10 000 15 à 23 €

Coup de cœur dans le millésime 2003, la cuvée Lisagathe s'affiche en 2004 dans une robe rubis parfumée de fruits réglissés. Ample et souple, elle tire profit d'une bonne structure et se prolonge agréablement.

Philippe Vatan, Ch. du Hureau, 49400 Dampierre-sur-Loire, tél. 02.41.67.60.40, fax 02.41.50.43.35, e-mail philippe.vatan@wanadoo.fr t.l.j. sf sam. dim. 9h-12h 14h-17h

**DOM. LAVIGNE Les Aïeules 2004 ★★★**

■ 6 ha 40 000 5 à 8 €

Ces « aïeules »-ci ont cinquante ans, le bel âge pour la vigne. Pour preuve, le domaine Lavigne, incontournable dans l'appellation, a tiré le meilleur parti de leurs raisins pour élaborer ce saumur-champigny d'une extraordinaire richesse aromatique : fruits confits, fruits noirs (mûre) explosent sous une robe pourpre foncé. La bouche ronde et ample s'appuie sur des tanins soyeux et prolonge durablement son exquise expression. A boire ou à attendre, pour des viandes rouges ou blanches ? C'est selon.

SCEA Lavigne-Véron, 15, rue des Rogelins, 49400 Varrains, tél. 02.41.52.92.57, fax 02.41.52.40.87, e-mail scealavigne-veron@wanadoo.fr r.-v.

**RENE-NOEL LEGRAND Les Lizières 2004 ★**

■ 2 ha 10 000 8 à 11 €

Une scène de chasse à courre, comme on en peignait au XVIII[e]s., illustre l'étiquette de ce vin, plus disposé à accompagner une viande rouge ou blanche qu'un gibier, pourtant. Brillant de reflets violacés, celui-ci s'exprime dans le registre des fruits mûrs avec complexité. Il dispose d'une charpente de qualité et d'une matière ronde, empreinte de fruité.

René Legrand, 13, rue des Rogelins, 49400 Varrains, tél. 02.41.52.94.11, fax 02.41.52.49.78, e-mail renenoel.legrand@wanadoo.fr r.-v.

**DOM. LES MERIBELLES Vieilles Vignes 2004 ★**

■ 3,5 ha 15 000 5 à 8 €

D'immenses galeries creusées dans le tuffeau font office de caves pour vinifier le fruit des 15 ha de vignes. Un cadre qui a bien profité à ce 2004 rubis, riche d'arômes de fruits rouges mûrs (framboise) jusqu'à la mise en bouche. Doté de tanins fondus, c'est un vin flatteur déjà.

Jean-Yves Dézé, 14, rue de la Bienboire, 49400 Souzay-Champigny, tél. 02.41.67.46.64, fax 02.41.67.73.77, e-mail jean-yves.deze@wanadoo.fr r.-v.

**DOM. DE NERLEUX Clos des Châtains 2004 ★**

■ 7 ha 40 000 8 à 11 €

Le domaine de Nerleux (« loups noirs » en vieux français) est une propriété familale de 45 ha qui mérite une visite pour découvrir ses caves en tuffeau et sa chapelle du XIX[e]s. Le 2004 mérite aussi le détour : grenat intense à reflets violacés, il possède des arômes friands de fruits rouges et de réglisse. La bouche souple et ronde présente des tanins encore un peu austères en finale, mais l'ensemble se fondra dans le temps. La cuvée **Les Loups noirs 2003 (11 à 15 €)**, élevée en cuve et en fût, obtient également une étoile.

Régis Neau, Dom. de Nerleux, 4, rue de la Paleine, 49260 Saint-Cyr-en-Bourg, tél. 02.41.51.61.04, fax 02.41.51.65.34, e-mail contact@domaine-de-nerleux.fr t.l.j. sf dim. 8h-12h 14h-18h; sam. 8h-12h

**DOM. DE LA PERRUCHE Le Chaumont 2004 ★★**

■ 12 ha 70 000 8 à 11 €

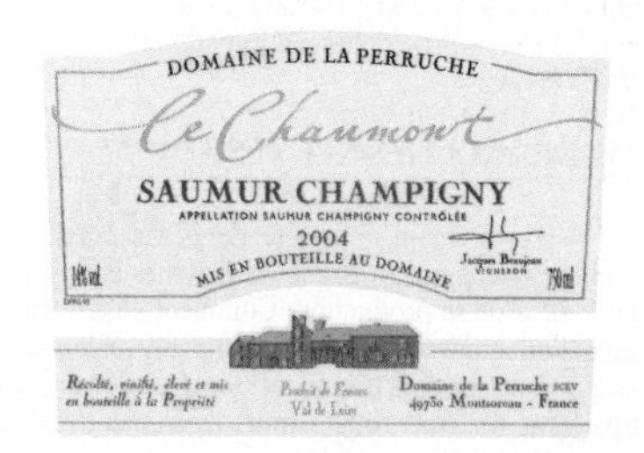


Après une visite de l'abbaye royale de Fontevraud, fondée au XII[e]s., où vous aurez peut-être apprécié un concert de musique sacrée, après la découverte du château de Montsoreau au confluent de la Vienne et de la Loire, il sera encore temps de faire halte au domaine de La Perruche (38 ha). Une heureuse surprise vous y attend : un 2004 rubis intense à reflets violacés, délicatement parfumé de fruits noirs. On perçoit de la puissance et une structure

LOIRE

bien ordonnée, capable de porter le vin pendant de belles années. Gardez cette bouteille en cave, elle n'en sera que meilleure.
Dom. de la Perruche,
29, rue de la Maumenière, 49730 Montsoreau,
tél. 02.41.51.73.36, fax 02.41.38.18.70,
e-mail chateau.la.variere@wanadoo.fr
t.l.j. sf sam. dim. 10h-12h 14h-18h

## LE PETIT SAINT VINCENT Pélo 2004 ★★

4 ha 16 000 5 à 8 €

A moins de 5 km de Saumur, Dominique Joseph conduit ce domaine familial de 12 ha. Sous une robe profonde, son 2004 révèle d'agréables arômes de fruits rouges concentrés. La bouche ample et puissante se prolonge dans une longue finale évocatrice de coulis de cassis. Encore jeune, cette bouteille atteindra son meilleur niveau dans trois à cinq ans.
EARL Dominique Joseph, 10, rue des Rogelins, 49400 Varrains, tél. 02.41.52.99.95, fax 02.41.38.75.76, e-mail d-joseph@petit-saint-vincent.com r.-v.

## DOM. DES RAYNIERES Vieilles Vignes 2004 ★

2 ha 14 000 5 à 8 €

Jean-Pierre Rébeilleau dispose de belles cuveries dans lesquelles naissent ses saumur-champigny et de fûts de bois destinés à l'élaboration de ses vins blancs. Ce 2004 de couleur pourpre dispense des arômes de fruits noirs dont l'intensité s'amplifie en bouche. Les tanins déjà fondus s'enveloppent dans la chair ronde, de structure légère.
Jean-Pierre Rébeilleau, SCEA Dom. des Raynières, 33, rue du Ruau, 49400 Varrains,
tél. 02.41.52.44.87, fax 02.41.52.48.40 r.-v.

## DOM. DE ROCFONTAINE Cuvée Tradition 2004 ★

3 ha 20 000 5 à 8 €

Philippe Bougreau conduit un vignoble de 13 ha très morcelé, qu'il a hérité de ses grands-parents. Il s'attache à vinifier ses parcelles séparément dans des cuves d'une capacité de 50 à 60 hl. Ce 2004 se montre fin et élégant grâce à son expression florale (iris). Pourpre intense, il se développe avec rondeur et équilibre jusqu'à une finale fruitée. Un jury conclut : « Il fait honneur à son appellation. »
Philippe Bougreau, 7, ruelle des Bideaux,
49730 Parnay, tél. 02.41.51.46.89, fax 02.41.38.18.61,
e-mail domaine-de-rocfontaine@wanadoo.fr
r.-v.

## DOM. DES ROCHES NEUVES 2004 ★★★

15 ha 80 000 5 à 8 €

Thierry Germain, à la tête de 22 ha conduits en agriculture biologique, a gagné les marchés étrangers : il exporte 40 % de sa production. Comment en être étonné lorsque l'on goûte ce saumur-champigny éblouissant ? Grenat sombre ourlé d'une frange violacée, le vin délivre des parfums de fruits rouges mûrs légèrement réglissés. Une invitation à découvrir la chair ample, riche et volumineuse qui se déroule jusqu'à une interminable finale. Tout est harmonie. La cuvée **Terres chaudes 2004 (11 à 15 €)**, élevée douze mois sous bois, ne démérite pas : elle brille de deux étoiles tant elle est aromatique, ronde et persistante.
Thierry Germain, 56, bd Saint-Vincent,
49400 Varrains, tél. 02.41.52.94.02, fax 02.41.52.49.30,
e-mail thierry-germain@wanadoo.fr r.-v.

## DOM. DE SAINT-JUST
La Montée des Roches 2004 ★

3 ha 20 000 8 à 11 €

Il est loin le temps où Yves Lambert vivait dans le monde de l'assurance et de la finance. Il a troqué son costume trois pièces en 1983 pour le sécateur et les outils de la cave dans ce domaine dont les origines remontent au XII^e^s. Il s'en porte fort bien depuis et propose de jolis vins, comme ce 2004 pourpre à reflets bleutés. D'un abord timide, celui-ci ne tarde pas, cependant, à offrir un fruité suave, dominé par la cerise. La bouche fine et équilibrée contribue à son caractère plaisant, même si quelques tanins encore rebelles se manifestent en finale. Une petite garde suffira à arrondir les angles.
Yves Lambert, Dom. de Saint-Just,
12, rue de la Prée, 49260 Saint-Just-sur-Dive,
tél. 02.41.51.62.01, fax 02.41.67.94.51,
e-mail infos@st-just.net r.-v.

## ANTOINE SANZAY 2004 ★★

1,5 ha 9 000 5 à 8 €

Passez la grande porte en chêne et entrez dans le chai en tuffeau. C'est dans ce cadre qu'a été élevé ce vin complexe qui associe les fruits mûrs (pruneau) et un boisé vanillé, hérité de neuf mois d'élevage en fût. Le grenat intense de la robe invite à goûter sa chair puissante et harmonieuse. On sent les raisins mûrs et une extraction maîtrisée. Noté une étoile, la cuvée **L'Expression 2004 (11 à 15 €)** intègre bien le boisé dans sa matière souple.
Antoine Sanzay, 19, rue des Roches-Neuves,
49400 Varrains, tél. 02.41.52.90.08, fax 02.41.50.27.39,
e-mail antoine-sanzay@wanadoo.fr r.-v.

## DOM. DES SANZAY Vieilles Vignes 2004 ★

2 ha 10 000 8 à 11 €

Didier Sanzay a sûrement plus d'une qualité, mais c'est sa régularité que nous retiendrons. Régularité dans son travail de vinification et dans les résultats obtenus. Ainsi la cuvée Vieilles Vignes retrouve-t-elle une étoile dans le millésime 2004. Rubis intense, elle décline des arômes complexes de fruits rouges mûrs, annonce d'une matière ample qui demande simplement à intégrer les quelques tanins perceptibles en finale. Elle mérite de vieillir quelque temps pour développer son potentiel. La cuvée **Les Poyeux 2004 (5 à 8 €)** est citée.
Didier Sanzay, Dom. des Sanzay,
93, Grand-Rue, 49400 Varrains,
tél. 02.41.52.91.30, fax 02.41.52.45.93,
e-mail didier@domaine-sanzay.com r.-v.

## CAVE DES VIGNERONS DE SAUMUR
Les Poyeux 2003 ★

12 ha 100 000 5 à 8 €

Ce 2003 limpide s'ouvre sur d'agréables senteurs de fruits rouges mûrs et se prolonge sur la même ligne aromatique en bouche. Les tanins sont fondus, l'équilibre très réussi.
Cave des Vignerons de Saumur, rte de Saumoussay, 49260 Saint-Cyr-en-Bourg, tél. 02.41.53.06.06,
fax 02.41.53.06.10 t.l.j. 9h30-12h 14h-18h

## LA SEIGNEURIE 2003 ★

3 ha 20 000 3 à 5 €

Si lors d'une échappée dans le Saumurois l'on vous propose des fouées aux grillons pour vous remettre de vos nombreuses visites de châteaux et musées, acceptez sans

hésiter. Pour peu que l'on y ajoute un verre de saumur-champigny, votre plaisir sera total. Ces petits pains chauds iront fort bien avec ce 2003 aux notes friandes de petits fruits mûrs et concentrés : cassis, framboise, accompagnés de quelques notes grillées. L'attaque est souple, la matière fruitée et persistante, soutenue par des tanins soyeux. La teinte rouge sombre fait aussi bel effet.
Pierre-Louis Foucher, 2, rue Dovalle, Le Petit Puy, 49400 Saumur, tél. 02.41.50.11.15, fax 02.41.51.19.84, e-mail foucheralbanlaseigneurie@hotmail.com r.-v.

### TASTEMETS 2004 *

■ 4,16 ha 18 750 5 à 8 €

Vous recherchez un cadre original pour réunir vos amis ? Et si vous louiez les belles caves d'Ackerman ? Si le menu s'y prête, ce saumur-champigny sera de la fête. Pourpre foncé, il propose d'agréables arômes de marc frais, une matière riche et grasse, empreinte de fruits noirs. Les tanins ont beau chercher à se manifester en finale, ils se fondent déjà harmonieusement dans l'ensemble.
Ackerman-Rémy Pannier, 13, rue Léopold-Palustre, Saint-Hilaire-Saint-Florent, 49412 Saumur, tél. 02.41.53.03.10, fax 02.41.53.03.19, e-mail contact@remy-pannier.com
t.l.j. sf dim. 9h-12h 14h-17h, été 9h30-18h30

### PATRICK VADE La Châtaigneraie 2004 **

■ 3 ha n.c. 5 à 8 €

Installé depuis plus de vingt ans sur cette propriété de 25 ha, Patrick Vadé connaît bien la musique du cabernet franc sur le terroir argilo-calcaire du Saumurois. En témoigne cette cuvée rubis profond à reflets noirs qui libère un bouquet intense et complexe de fruits rouges mûrs, telle la cerise. Elle développe au palais une chair ample, volumineuse et laisse longtemps persister le fruit. Un vin de garde qui se bonifiera encore au cours des quatre prochaines années. La cuvée **Les Adrialys 2004** obtient deux étoiles pour sa rondeur et son fruité.
Patrick Vadé, Dom. Saint-Vincent, 49400 Saumur, tél. 02.41.67.43.19, fax 02.41.50.23.28, e-mail p.vade@st-vincent.com
t.l.j. sf dim. 9h-12h 14h-18h; sam. 9h-12h

### DOM. DU VAL BRUN Vieilles Vignes 2003 *

■ 3 ha 10 000 8 à 11 €

Des vignes de soixante ans sont à l'origine de cette cuvée d'un rouge profond nuancé de violet. Aux arômes de fruits rouges mûrs répond une bouche tout aussi fruitée, souple, ample et fraîche. Les tanins un peu carrés en finale n'empêcheront pas d'apprécier dès à présent cette bouteille.
Eric Charruau, 74, rue Valbrun, 49730 Parnay, tél. 02.41.38.11.85, fax 02.41.38.16.22 r.-v.

### DOM. DES VARINELLES Vieilles Vignes 2003 **

■ 6 ha 30 000 8 à 11 €

Cabernet franc, chardonnay et chenin composent les 42 ha de vignobles qui se répartissent sur plusieurs lieux-dits. Une propriété ancienne dont certains ceps ont été plantés en 1900. Ceux de cabernet, aujourd'hui âgés de soixante-dix ans, ont donné naissance à ce vin rouge profond et limpide qui livre une palette riche et complexe, nuancée par les notes boisées héritées d'un élevage de treize mois. La bouche aux tanins fondus et fins témoigne du remarquable travail du vigneron. Dans la vaste cave en tuffeau ont été élaborés également le **Domaine des Varinelles 2004 (5 à 8 €)**, non boisé, ainsi que la cuvée **Larivale 2003 (15 à 23 €)** : deux saumur-champigny très réussis.
SCA Daheuiller, 28, rue du Ruau, 49400 Varrains, tél. 02.41.52.90.94, fax 02.41.52.94.63, e-mail daheuiller.vins@wanadoo.fr
t.l.j. sf dim. 9h-12h 14h-18h; sam. sur r.-v.

### CH. DE VILLENEUVE 2004 *

■ 18 ha 80 000 5 à 8 €

Remontant au XVIe s., ce domaine couvre aujourd'hui 25 ha sur un sol calcaire planté de vignes plus que trentenaires. Son saumur-champigny 2003 avait obtenu un coup de cœur l'an passé. La qualité est au rendez-vous en 2004 comme en témoigne ce vin grenat assez profond, prolixe en arômes de mûre et de violette. Rondeur, puissance et équilibre en sont les signes distinctifs. Il ne vous reste plus qu'à servir le gigot d'agneau de pré-salé, suivi d'un sainte-maure.
Chevallier, Ch. de Villeneuve, 3, rue Jean-Brevet, 49400 Souzay-Champigny, tél. 02.41.51.14.04, fax 02.41.50.58.24 t.l.j. sf dim. 9h-12h 14h-18h

## La Touraine

Les intéressantes collections du musée des Vins de Touraine à Tours témoignent du passé de la civilisation de la vigne et du vin dans la région ; et il n'est pas indifférent que les récits légendaires de la vie de saint Martin, évêque de Tours vers 380, émaillent la *Légende dorée* d'allusions viticoles ou vineuses... A Bourgueil, l'abbaye et son célèbre clos abritaient le « breton », ou cabernet franc, dès les environs de l'an mil, et, si l'on voulait poursuivre, la figure de Rabelais arriverait bientôt pour marquer de faconde et de bien-vivre une histoire prestigieuse.

Une histoire qui revit au long des itinéraires touristiques, de Mesland à Bourgueil sur la rive droite (par Vouvray, Tours, Luynes, Langeais), de Chaumont à Chinon sur la rive gauche (par Amboise et Chenonceaux, la vallée du Cher, Saché, Azay-le-Rideau, la forêt de Chinon).

Célèbre il y a donc fort longtemps, le vignoble tourangeau atteignit sa plus grande extension à la fin du XIXes. Sa superficie (environ 14 151 ha) demeure actuellement inférieure à celle d'avant la crise phylloxérique ; il se répartit essentiellement sur les départements de l'Indre-et-Loire et du Loir-et-Cher, empiétant au nord sur la Sarthe. Des dégustations de vins anciens, des années 1921, 1893, 1874 ou même 1858, par exemple, à Vouvray, Bourgueil ou Chinon, laissent apparaître des caractères assez proches de ceux des vins actuels. Cela montre que, malgré l'évolution des pratiques culturales et œnologiques, le « style » des vins de la Touraine reste le même ; sans doute parce que chacune des appellations n'est élaborée qu'à partir d'un seul cépage. Le climat joue aussi son rôle : le jeu des influences atlantique et continentale ressort dans l'expression des vins, les coteaux formant écran aux vents du nord. En outre, la succession de vallées orientées est-ouest, vallée du Loir, de la Loire, du Cher, de l'Indre, de la Vienne, multiplie les coteaux de tuffeau favorables à la vigne, sous un climat tout en nuances, et en entretenant une saine humidité. Ce tuffeau, pierre tendre, est creusé d'innombrables caves. Dans les sols des vallées, l'argile se mêle au calcaire et au sable, avec parfois des silex ; au bord de la Loire et de la Vienne, des graviers s'y ajoutent.

Ces différents caractères se retrouvent donc dans les vins. A chaque vallée correspond une appellation, dont les vins s'individualisent chaque année grâce aux variations climatiques ; et l'association du millésime aux données du cru est indispensable.

Le classement des millésimes est à moduler, bien sûr, entre les rouges tanniques de Chinon ou de Bourgueil (plus souples quand ils proviennent des graviers, plus charpentés quand ils sont issus des coteaux) et ceux plus légers, et parfois diffusés en primeur, de l'appellation touraine ; entre les rosés plus ou moins secs selon l'ensoleillement, tout comme les blancs d'Azay-le-Rideau ou d'Amboise, et ceux de Vouvray et de Montlouis dont la production va des secs aux moelleux en passant par les vins effervescents. Les techniques d'élaboration des vins ont leur importance. Si les caves de tuffeau permettent un excellent vieillissement à une température constante d'environ 12 °C, les vinifications en blanc se font à température contrôlée ; les fermentations durent quelquefois plusieurs semaines, voire plusieurs mois pour les vins moelleux. Les rouges légers, de type touraine, sont issus de cuvaisons au contraire assez courtes ; en revanche, à Bourgueil et à Chinon, les cuvaisons sont longues : deux à quatre semaines. Si les rouges font leur fermentation malolactique, les blancs et les rosés doivent au contraire leur fraîcheur à la présence de l'acide malique.

# Touraine

S'étendant des portes de Montsoreau, à l'ouest, jusqu'à Blois et Selles-sur-Cher à l'est, l'appellation régionale touraine recouvre 5 438,71 ha. Elle est principalement localisée de part et d'autre des vallées de la Loire, de l'Indre et du Cher. Le tuffeau affleure rarement ; les sols surmontent le plus souvent l'argile à silex. Ils sont plantés surtout de gamay noir pour les vins rouges, accompagné selon les terrains de cépages plus tanniques, comme le cabernet franc et le cot. La majorité des vins rouges, dont les vins primeurs, légers et fruités, sont issus de ce gamay noir uniquement. A base de deux ou trois cépages, ils ont une bonne tenue en bouteille. Nés du cépage sauvignon qui depuis quarante ans a détrôné les autres, les blancs sont secs. Une partie de la production des blancs et des rosés est élaborée en mousseux selon la méthode traditionnelle. Enfin, les rosés toujours secs, friands et fruités, sont élaborés à partir des cépages rouges. La production a atteint environ 305 000 hl en 2004 sur 4 590 ha.

### DOM. D'ARTOIS 2004

■ 2,9 ha 21 000 3 à 5 €

Un rosé de soif qui doit sa fraîcheur à un léger perlant perceptible au palais comme à des arômes intenses de fruits rouges. Un peu de rondeur et une bonne longueur : l'équilibre se réalise. Une bouteille plaisante à servir avec des charcuteries, lors d'un casse-croûte entre copains.

Jean Dumont, RN 7, La Castille, BP 26, 58150 Pouilly-sur-Loire, tél. 03.86.39.56.60, fax 03.86.39.08.30 r.-v.

J.-L. Saget

### DOM. AUGIS Côt 2003 ★★

■ 2 ha 10 000 3 à 5 €

Après avoir visité le musée de la Pierre à fusil de Meusnes, vous irez tout naturellement sur le terrain observer le terroir d'argile à silex sur lequel poussent les vignes de la vallée du Cher. Récolté sur les pentes ensoleillées du domaine Augis, le côt a donné naissance à un 2003 agréablement épicé par un séjour de douze mois en fût. Une palette de cassis et de clou de girofle souligne le palais persistant, aux tanins mûrs. Un touraine équilibré, représentatif de ce cépage qui a fait la réputation de la vallée du Cher au siècle dernier. La **méthode tradition-**

**nelle (5 à 8 €)**, assemblage des millésimes 2003 et 2004, brille d'une étoile pour ses arômes et sa rondeur.
Dom. Augis, 1465, rue des Vignes, 41130 Meusnes, tél. 02.54.71.01.89, fax 02.54.71.74.15
t.l.j. sf dim. 8h-12h 14h-19h; f. 15-31 août

DOM. DE L'AUMONIER Sauvignon 2004

22 ha 150 000 3 à 5 €

Un classique au sein de l'appellation touraine que ce sauvignon aux notes de pamplemousse et d'acacia. La bouche est souple en attaque, puis douce et agréablement persistante. Le **gamay 2004** est également cité : sa vivacité invite à une petite garde.
Sophie et Thierry Chardon, 44, rue de Villequemoy, 41110 Couffy, tél. 02.54.75.21.83, fax 02.54.75.21.56, e-mail domaine.aumoniertchardon@wanadoo.fr
r.-v.

DOM. BARON Sauvignon Vieilles Vignes 2004 *

1,8 ha 12 000 3 à 5 €

Un vin gourmand, c'est ainsi que les dégustateurs ont jugé ce 2004 fruité et rond. Marqué par des arômes de fruit de la Passion au nez, il se développe au palais avec souplesse et laisse un long souvenir. Une étoile est également attribuée au **Vieilles Vignes rouge 2003**, assemblage à parts égales de côt et de cabernet. Un vin grenat sombre qui doit encore s'arrondir à la faveur d'une petite garde.
Dom. Baron, 6, rue Jean-Pinaut, 41140 Thésée, tél. 02.54.71.58.67, fax 02.54.71.41.30, e-mail vignoblebaron@aol.com r.-v.
Samuel Baron

DOM. BEAUSEJOUR
Sauvignon Les Grenettes 2004 **

12 ha 80 000 5 à 8 €

Philippe Trotignon est engagé depuis longtemps dans une viticulture respectueuse de l'environnement. Sur la rive droite du Cher, le terroir de sable sur argiles à silex a donné naissance à un remarquable touraine or pâle qui possède une expression aromatique franche et typique du sauvignon. La bouche ronde et fraîche à la fois confirme la personnalité de ce vin par des flaveurs persistantes d'abricot et de zeste d'orange mûre. Cette bouteille accompagnera les fromages de chèvre et les poissons.

**La Touraine**

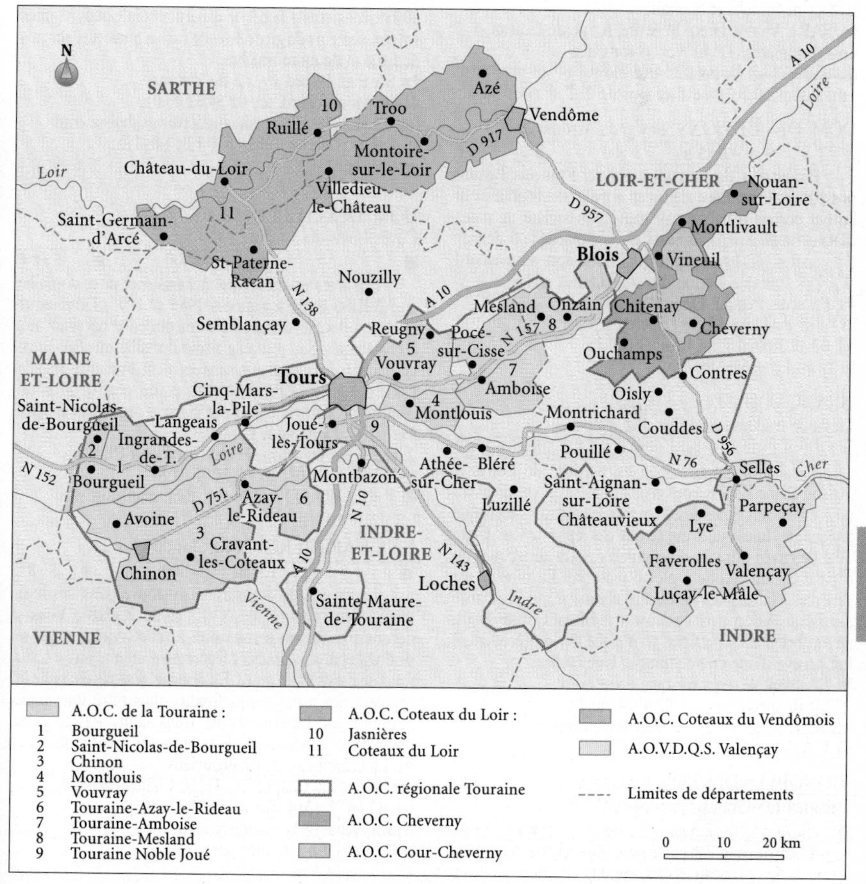

Philippe Trotignon, Dom. Beauséjour,
14, rue des Bruyères, 41140 Noyers-sur-Cher,
tél. 02.54.71.34.17, fax 02.54.71.77.61,
e-mail philippe.trotignon@wanadoo.fr
t.l.j. sf dim. 9h-12h 14h-19h

### DOM. BELLEVUE Sauvignon 2004 *

12 ha 80 000 3 à 5 €

Issu d'un terroir schisteux sur socle calcaire de la rive droite du Cher, ce vin limpide possède des arômes discrets de pamplemousse. Frais et tendre à la fois, il se prolonge sur des notes de fruits exotiques. Joli à croquer ! La **méthode traditionnelle Domaine Michel Vauvy 2002** obtient une étoile pour sa mousse abondante, ainsi que ses arômes de brioche et d'amande.

EARL Vauvy, Dom. Bellevue, 6, rue du Coteau,
Les Martinières, 41140 Noyers-sur-Cher,
tél. 02.54.71.42.73, fax 02.54.75.21.89,
e-mail domainebellevue@terre-net.fr r.-v.

### DOM. DES BESSONS Sauvignon Arroma 2004

0,85 ha 3 500 3 à 5 €

Producteur de touraine-amboise, François Péquin possède également des vignes en appellation touraine qui lui ont permis d'élaborer ce sauvignon mêlant agrumes mûrs et barbe à papa au nez. Celui-ci possède la fraîcheur typique des vins ligériens, ce qui le rend apte à un accord avec des fruits de mer ou des charcuteries sèches.

François Péquin, Dom. des Bessons,
113, rue de Blois, 37530 Limeray,
tél. 02.47.30.09.10, fax 02.47.30.02.25
t.l.j. sf dim. 9h-19h

### BLANC FOUSSY
Méthode traditionnelle Tête de Cuvée *

n.c. 50 000 5 à 8 €

Installée à Rochecorbon en bordure de Loire, la maison Blanc Foussy vous reçoit dans ses 3 km de caves qui s'enfoncent à plus de 200 m sous le coteau. C'est là que naissent les fines bulles qui feront vos repas de fête. Cette Tête de cuvée offre les notes miellées caractéristiques du cépage chenin récolté à pleine maturité. La mousse est généreuse, l'attaque fraîche, sans agressivité, et l'équilibre persistant. A découvrir également, le **Blanc Foussy brut**, au nez brioché. S'il est plus ferme que le vin précédent, il fait preuve d'une grande finesse. Une étoile.

SA Blanc Foussy, 65, quai de la Loire,
37210 Rochecorbon, tél. 02.47.40.40.20,
fax 02.47.52.65.82, e-mail blere@blancfoussy.com
t.l.j. sf dim. 9h-12h 14h-18h

### VIGNOBLES DES BOIS VAUDONS
Cabernet Les Grands Champs 2003 **

2,5 ha 10 000 5 à 8 €

Coup de cœur l'an passé pour le gamay Le Bois Jacou 2003, Jacky Mérieau et ses enfants, Patricia et Jean-François, peuvent être fiers de leur nouvelle production. Cette cuvée de couleur sombre mêle avec discrétion les arômes de fruits noirs à une note grillée due au millésime chaud. Si les tanins demandent à se fondre au palais, on perçoit déjà une remarquable matière, riche et puissante, empreinte de flaveurs de mûre et de cassis. Dans deux ou trois ans, cette bouteille accompagnera une viande rouge ou un plat épicé. Le **côt Le Cent Visages rouge 2003** est noté deux étoiles également : on croque dans les fruits rouges gourmands.

Jean-François Mérieau,
Vignobles des Bois Vaudons,
38, rte de Saint-Aignan, 41400 Saint-Julien-de-Chédon,
tél. 02.54.32.14.23, fax 02.54.32.84.03,
e-mail merieau2@wanadoo.fr r.-v.

### PAUL BUISSE Sauvignon Cristal 2004 *

n.c. 30 000 3 à 5 €

Paul Buisse travaille en coopération étroite avec les vignerons de Touraine et choisit avec soin les raisins qu'il vinifie dans ses caves de tuffeau. Cette cuvée aux senteurs d'agrumes bien mûrs fait preuve d'élégance. Après une attaque marquée par des arômes de pamplemousse, le palais gagne en souplesse jusqu'à une finale assez ronde. Une étoile revient en outre à la cuvée **Tradition rouge 2003** qui assemble le côt, le cabernet et le gamay : tanins soyeux, senteurs de groseille et de fraise, finale aux accents de figue et de mûre fraîches.

SA Paul Buisse, 69, rte de Vierzon,
41400 Montrichard, tél. 02.54.32.00.01,
fax 02.54.32.09.78, e-mail contact@paul-buisse.com
t.l.j. sf sam. dim. 8h30-12h 14h-17h;
groupes sur r.-v.

### DOM. DES CAILLOTS
Cuvée Louis des Caillots 2003

1,5 ha 4 000 5 à 8 €

Des actes notariés attestent l'existence de ce domaine au XVIII[e]s. Entre les années 1985 et 1995, Dominique Girault a doublé sa superficie viticole pour parvenir aux 20 ha actuels. Son touraine a tout du millésime 2003 : de la rondeur, de la longueur, sans accroche tannique. Issu de l'assemblage de cabernet franc et de côt, il offre un compromis entre la couleur et le fruité des deux cépages.

EARL Dominique Girault,
2, chem. du Vigneron, 41140 Noyers-sur-Cher,
tél. 02.54.32.27.07, fax 02.54.75.27.87
t.l.j. 8h30-12h 14h-19h; dim. matin sur r.-v.

### LA CHAPINIERE Côt Le Clos du Clos 2003 *

1,9 ha 9 500 5 à 8 €

Le caveau de dégustation se trouve dans des bâtiments bien restaurés du XVIIe et du XVIII[e]s. Vous y découvrirez un vin cerise noire à reflets violacés qui se distingue par un caractère légèrement animal au nez, sur fond de cassis et de mûre. En bouche, il se révèle riche et souple grâce à des tanins fondus, puis offre une finale marquée par les flaveurs de fruits cuits. Passez cette bouteille en carafe avant de la proposer à vos amis.

La Chapinière de Châteauvieux,
4, chem. de la Chapinière, 41110 Châteauvieux,
tél. 02.54.75.43.00, fax 02.54.75.31.60,
e-mail contact@lachapiniere.com
t.l.j. 9h-20h; dim. sur r.-v.
Florence Veilex

## DOM. DU CLOS ROUSSELY
Sauvignon Le Clos 2004 ★

8 ha 24 000 5 à 8 €

Ce vin s'est singularisé lors de la dégustation des touraine par sa robe or jaune d'abord, puis par ses arômes évolués qui mêlent fruits confits et fleurs blanches. Sa carrure aussi, ou plutôt sa sophistication, a retenu l'attention du jury qui le classe parmi les beaux vins de la vallée du Cher.

Vincent Roussely,
Dom. du Clos Roussely, La Chauverie,
41400 Saint-Georges-sur-Cher, tél. et fax 02.54.32.86.46,
e-mail clos_roussely@yahoo.fr r.-v.

## DOM. DES CORBILLIERES Sauvignon 2004 ★★

13 ha n.c. 5 à 8 €

La maison Barbou est reconnue pour la qualité régulière de ses vins produits sur le terroir argilo-sableux de la Sologne viticole. Son touraine jaune pâle brillant de reflets argentés offre un bouquet intense de fleurs blanches, égayé de notes mentholées. Equilibré et ample, il présente une remarquable persistance. Une forte identité. Une étoile est attribuée au **Domaine des Corbillières rouge 2003** (côt, cabernet franc et pinot noir), qu'il convient de laisser vieillir, ainsi qu'au **gamay 2004 (3 à 5 €)**, au nez de cassis.

EARL Barbou, Dom. des Corbillières, 41700 Oisly, tél. 02.54.79.52.75, fax 02.54.79.64.89 r.-v.

## LES VIGNERONS DES COTEAUX ROMANAIS
Cuvée romaine 2003

4 ha 20 000 3 à 5 €

Cette cave coopérative, qui regroupe quelque 300 ha de vignes, propose une sélection issue d'une vendange réalisée le 26 août 2003 : une précocité due à la chaleur de l'été. Robe grenat, nez fruité, bouche gouleyante... Ce vin est à partager dès maintenant. Citée également, la **cuvée des Côtes Cabernet 2003**, fruitée et fraîche.

Les Vignerons des Coteaux Romanais,
50, rue Principale, 41140 Saint-Romain-sur-Cher,
tél. 02.54.71.70.74, fax 02.54.71.41.75,
e-mail vignerons.romanais@wanadoo.fr
t.l.j. sf dim. lun. 8h-12h 14h-18h

## DOM. JOEL DELAUNAY
L'Antique des Cabotières 2003 ★★

2 ha 14 000 3 à 5 €

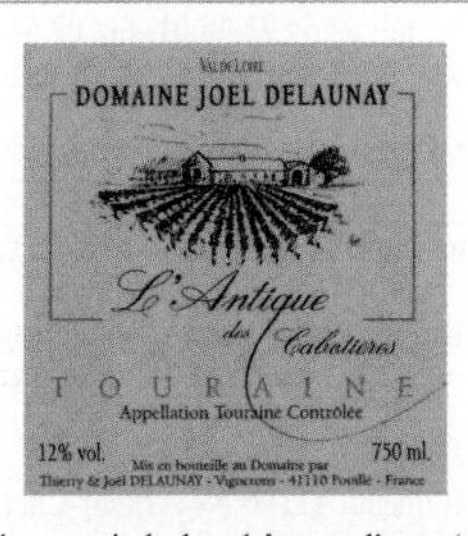


Installés au pied du château d'eau (un comble), Thierry et Joël Delaunay ont implanté leur vignoble sur les coteaux les plus qualitatifs de la rive gauche du Cher. Leur 2003, issu de l'assemblage de cabernet franc et de côt, est un petit bijou. Le regard est déjà flatté par le brillant de la teinte cerise, puis c'est un cocktail de fruits rouges qui explose au nez. Les dégustateurs, agréablement étonnés de découvrir des notes chocolatées en attaque, se sont délectés de la chair toute veloutée. Ils n'ont pas eu besoin d'en débattre bien longtemps : le coup de cœur s'est imposé. Le **sauvignon 2004** brille d'une étoile pour son caractère aromatique et raffiné, rond, mais sans lourdeur.

EARL Dom. Joël Delaunay, 48, rue de la Tesnière, 41110 Pouillé, tél. 02.54.71.45.69, fax 02.54.71.55.97, e-mail contact@joeldelaunay.com
t.l.j. sf dim. 9h-12h 14h-18h
Thierry Delaunay

## LES DEVANTS DE LA BONNELIERE
Cabernet franc 2004

15 ha 8 000 3 à 5 €

Produit à partir de vignes cultivées en agriculture biologique, ce rosé très pâle s'inscrit dans le style des vins de soif, dans le bon sens du terme. Il décline des arômes de fruits rouges, puis offre une bouche ronde. Pour un dimanche à la campagne.

Marc Plouzeau - La Bonnelière,
54, fg Saint-Jacques, 37500 Chinon, tél. 02.47.93.16.34, fax 02.47.98.48.23, e-mail caves@plouzeau.com
t.l.j. sf dim. lun. 11h-13h 15h-19h;
f. 1er oct.-31 mars

## VIGNOBLE DUBREUIL Côt 2003

0,6 ha 2 000 3 à 5 €

Vêtu d'une robe cerise noire intense, ce côt affiche des arômes de fruits rouges confiturés. Une maturité que l'on perçoit également au palais, dans la chair ronde et fruitée. Les tanins se manifestent quelque peu en finale, mais l'ensemble reste harmonieux. Le **cabernet 2003** est cité également : frais et soutenu par des tanins enrobés, il est tout aussi sympathique.

Rémi Dubreuil, La Touche, 41700 Couddes,
tél. 02.54.71.34.46, fax 02.54.71.09.64,
e-mail dubreuil.remi@wanadoo.fr r.-v.

## DOM. DES ECHARDIERES
Cabernet franc Vieilles Vignes 2003 ★

n.c. 10 000 3 à 5 €

Ce cabernet aura atteint sa pleine maturité à la sortie du Guide. De teinte burlat, il dispense des notes de cuir assorties d'arômes de fruits rouges. L'attaque est souple, les tanins enrobés d'une chair ronde et souple. Une légère austérité en finale ? Il n'y paraîtra plus à Noël. Egalement notée une étoile, la cuvée **La Long Bec rouge 2003 (5 à 8 €)**, assemblage de cabernet franc et de côt, libère une savoureuse note chocolatée qui souligne sa rondeur. Le **sauvignon 2004** est cité pour sa fraîcheur et la persistance de ses arômes.

Luc Poullain,
9, rue de La Brosse, 41110 Pouillé, tél. 02.54.71.46.66,
e-mail domaine-echardieres@free.fr r.-v.



## DOM. DE FONTENAY Sauvignon 2004 ★

1,2 ha 5 000 3 à 5 €

Lorsque Didier Corby reprit cette propriété en 1996, il ne restait rien du vignoble arraché dans les années 1980. Il a retroussé ses manches et replanté les ceps sur le coteau argilo-siliceux bien exposé. Jolie récompense que ce 2004 dont la fraîcheur est perceptible dès le premier regard porté sur sa teinte jaune pâle. La finesse des arômes d'amande n'a d'égale que celle de la bouche qui laisse en finale le souvenir de flaveurs de poire.

EARL Didier Corby, 3, Fontenay, 37150 Bléré,
tél. et fax 02.47.57.93.05 r.-v.

## DOM. XAVIER FRISSANT Les Roses du Clos 2004

1,5 ha 8 000 5 à 8 €

Un touraine sans épines, tout de douceur et d'élégance. Les arômes de noisette grillée dominent le fruité au nez, puis la bouche souple et ronde présente un bon retour aromatique en finale. Un vin harmonieux.

Xavier Frissant, 1, chem. Neuf, 37530 Mosnes, tél. 02.47.57.23.18, fax 02.47.57.23.25, e-mail xavier.frissant@wanadoo.fr t.l.j. 8h-12h30 14h-19h; dim. sur r.-v.

## DOM. GIBAULT Platine 2004 *

3,5 ha 27 000 5 à 8 €

Une cuvée de teinte doré soutenu qui livre des notes de surmaturation liées à la sélection de vieilles vignes, au travail du sol, à l'effeuillage minutieux et à la maîtrise de la charge de la vigne. Ces arômes se prolongent au palais, soulignant l'impression de souplesse et de gras.

Dom. Gibault, 11, rue des Vignes, Les Martinières, 41140 Noyers-sur-Cher, tél. 02.54.75.36.52, fax 02.54.75.29.79 r.-v.

Pascal Gibault

## DOM. DE LA GIRARDIERE Prestige 2003 *

0,4 ha 1 900 5 à 8 €

Le millésime 2003 a été généreux et nombre de cuvées ont le potentiel pour vieillir entre trois et cinq ans. Celle-ci n'échappe pas à la règle. Puissante, structurée par des tanins encore présents, elle étonne par ses arômes, véritable cocktail de fruits rouges. Le **sauvignon 2004 (3 à 5 €)** est cité pour son caractère floral.

Patrick Léger, La Girardière, 41110 Saint-Aignan, tél. 02.54.75.42.44, fax 02.54.75.21.14, e-mail contact@domainedelagirardiere.com r.-v.

## LES MAITRES VIGNERONS DE LA GOURMANDIERE Gamay 2004 *

n.c. 22 000 3 à 5 €

La coopérative de Francueil vinifie l'ensemble des vendanges des producteurs de cette commune, soit 500 ha. Ce rosé de teinte saumonée explose d'arômes très frais de fruits rouges. Il se montre souple et rond, équilibré. Toutes les occasions seront bonnes pour le servir.

Les Maîtres Vignerons de la Gourmandière, 24, rue de Chenonceaux, 37150 Francueil, tél. 02.47.23.91.22, fax 02.47.23.82.50, e-mail info@vignerons-gourmandiere.com r.-v.

## CAVE DE LA GRANDE BROSSE Les Hautes Brosses 2004 *

2 ha 10 000 3 à 5 €

La cave du Xᵉs., creusée à 40 m sous terre, a été aménagée de façon à accueillir des groupes de visiteurs. Philippe Oudin vous expliquera le travail de vigneron et vous proposera ce rosé. Les arômes de fruits rouges s'épanouissent tout au long de la dégustation, avec une dominante de framboise. La bouche est ample, souple et longue, rafraîchie par une juste pointe de vivacité.

Cave de la Grande Brosse, 41700 Chémery, tél. 02.54.71.81.03, fax 02.54.71.76.67, e-mail cave-grande-brosse@wanadoo.fr r.-v.

Philippe Oudin

## DOM. DE LA GRANDE FOUCAUDIERE Sauvignon 2004 *

0,5 ha 2 800 5 à 8 €

Après avoir travaillé quinze ans à la SNCF, Lionel Truet a décidé de retrouver la terre familiale et a planté sa vigne. C'était en 1992. Douze ans plus tard, le voici dans le Guide grâce à ce sauvignon harmonieux, bien typé touraine. Pamplemousse et fruit de la Passion se partagent la palette aromatique, tandis qu'une nuance minérale se révèle au palais. Le vin est souple, rond et suffisamment persistant. A servir à l'apéritif avec quelques toasts de fromage de chèvre sec.

Lionel Truet, La Grande Foucaudière, 37530 Saint-Ouen-les-Vignes, tél. 02.47.30.04.82, fax 02.47.30.03.55, e-mail lioneltruet@aol.com t.l.j. 8h-20h

## VIGNOBLE DU HAUT BAGNEUX Tradition 2003 *

1,5 ha 7 000 3 à 5 €

Implanté sur les premières côtes de la rive gauche du Cher, ce domaine couvre plus de 16 ha. Un assemblage de côt (50 %), de cabernet franc (40 %) et de gamay est à l'origine de cette cuvée encore juvénile qui devrait se bonifier au cours de la garde. La couleur rouge foncé à reflets violacés provient probablement du côt qui s'exprime aussi pleinement au palais. Les tanins dominent encore, mais le fruité a toute sa place dans une chair riche, de bonne persistance. Il conviendra d'ouvrir la bouteille quelque temps avant le service pour l'apprécier pleinement aux côtés d'une viande en sauce.

Jean-Christophe Mandard, 14, rue du Bas-Guéret, 41110 Mareuil-sur-Cher, tél. 02.54.75.19.73, fax 02.54.75.16.70, e-mail mandard.je@wanadoo.fr r.-v.

## DOM. DU HAUT PERRON 2004 **

2 ha 12 000 3 à 5 €

A flanc de coteau, les vignes regardent couler le Cher. Le gamay a produit ce rosé élégant, qui mêle subtilement les fruits et les fleurs. Sans une once d'agressivité, le vin développe d'agréables flaveurs épicées au palais. A déguster en toutes saisons, avec des tartines de rillettes ou un poisson grillé.

Dom. Guy Allion, 15, rue du Haut-Perron, 41140 Thésée, tél. 02.54.71.48.01, fax 02.54.71.48.51, e-mail contact@guyallion.com r.-v.

## DOM. LEVEQUE Sauvignon 2004

11 ha 10 000 3 à 5 €

Un touraine classique, pâle à reflets verts. Les arômes de genêt se manifestent tout au long de la dégustation comme l'affirmation de la personnalité du sauvignon. La vivacité est en outre équilibrée. Pour les crustacés de fin d'année.

Dom. Lévêque, Le Grand Mont, 10, rue du Tonneau, 41140 Noyers-sur-Cher, tél. 02.54.71.52.06, fax 02.54.75.47.65, e-mail domaineleveque@wanadoo.fr t.l.j. sf dim. 8h-12h 14h-19h

## JACQUELINE LOUET Cuvée Prestige 2003 *

3 ha 2 000 5 à 8 €

Sur la route de Cheverny et de Chaumont-sur-Loire, vous trouverez aisément le domaine que Jacqueline Louet conduit avec sa fille Christine, œnologue. Vous y décou-

vrirez cette cuvée de belle facture, habillée de grenat. Au nez fruité, tendant vers le pruneau, succède une bouche franche et structurée, bien aromatique. Un vin de soleil.
Jacqueline Louet, Cave Pierre Louet, Le Marchais, 41120 Monthou-sur-Bièvre, tél. et fax 02.54.44.01.56, e-mail cavepierrelouet@tele2.fr r.-v.

### DOM. LOUET-ARCOURT Cuvée Prestige 2003

n.c. n.c. 3 à 5 €

Si vous souhaitez comprendre les effets du chaud soleil de l'année 2003, goûtez donc ce touraine qui assemble le côt et le cabernet franc à parts égales. Côté arômes, ce sont les notes grillées et les accents de fruits en confiture qui retiendront votre attention. Une impression chaleureuse se dégage au palais, soulignée de flaveurs de fraise très mûre. Un cuissot de chevreuil devrait lui tenir tête.
Dom. Louet-Arcourt, 1, rue de la Paix, 41120 Monthou-sur-Bièvre, tél. 02.54.44.04.54, fax 02.54.44.15.06, e-mail domaine.louetarcourt@wanadoo.fr r.-v.

### LOUET GAUDEFROY 2004

1,5 ha 4 500 3 à 5 €

De teinte soutenue, ce rosé limpide fait preuve de finesse dans ses arômes de fraise et de framboise. Souplesse et fraîcheur sont au rendez-vous en bouche pour un plaisir simple en plein après-midi.
GAEC Louet Gaudefroy, 14, rte des Sablons, 41140 Saint-Romain-sur-Cher, tél. 02.54.71.72.83, fax 02.54.71.46.53 t.l.j. 8h-12h 14h-19h

### DOM. DE MARCE 2004 *

1 ha 5 000 3 à 5 €

De belle présentation dans le verre, ce vin saumoné à reflets gris offre un caractère floral persistant qui sied bien à la rondeur de sa chair. Vous le goûterez avec du nougat de Tours.
Daniel Godet, Dom. de Marcé, 41700 Oisly, tél. 02.54.79.54.04, fax 02.54.79.54.45 t.l.j. 8h-12h 14h-19h

### HENRY MARIONNET
Première Vendange 2004 **

6 ha 40 000 5 à 8 €

Le domaine est spécialisé dans les vins de cépages, issus de vignes greffées ou non. Ce 2004 a été vinifié et mis en bouteilles sans aucun ajout de conservateur. Résultat : un gamay vêtu d'une robe curieusement foncée, dont les arômes de fruits rouges mûrs se déclinent jusqu'au palais. Le vin bénéficie d'une structure de qualité, les tanins s'enveloppant parfaitement dans la matière veloutée et longuement aromatique. Succès garanti avec des grillades et des plats en sauce. Vous pourrez même l'attendre deux ans. Une étoile revient au **Domaine de La Charmoise Gamay 2004**, tout en fruits rouges, mais plus frais en finale.
Henry Marionnet, Dom. de La Charmoise, 41230 Soings-en-Sologne, tél. 02.54.98.70.73, fax 02.54.98.75.66, e-mail henry@henry-marionnet.com t.l.j. sf sam. dim. 9h-12h 14h-17h; f. août

### DOM. JACKY MARTEAU Cuvée Harmonie 2003

n.c. 5 000 5 à 8 €

Certes, il est concentré comme il se doit en 2003, mais ce touraine a gardé son équilibre. Les tanins se fondent dans sa chair toute fruitée (cassis) et épicée, avec en finale une légère pointe acidulée. A boire avec des plats tourangeaux, bien sûr. Le **gamay cuvée Printemps 2004 rouge (3 à 5 €)** est cité également pour ses notes poivrées qui souligneront bien les saveurs d'une grillade de bœuf.
Jacky Marteau, 36, rue de La Tesnière, 41110 Pouillé, tél. 02.54.71.50.00, fax 02.54.71.75.83 t.l.j. sf dim. 9h-12h30 14h-18h30; f. 15-30 août

### MARTINEAU Gamay 2004 *

5,1 ha 15 000 3 à 5 €

Evelyne et François Martineau invitent tous les ans leurs clients à venir déguster poulet et cochon cuits dans le four à pain du domaine datant de 1850. Ce gamay accompagnera bien ce repas, car il possède suffisamment de structure et de matière. Expressif dans le registre floral, il est franc et harmonieux.
EARL Martineau, 31, rue de la Ferme, 41110 Couffy, tél. 02.54.75.19.71, fax 02.54.75.11.98, e-mail martineau.foubet@wanadoo.fr t.l.j. 9h-19h30, dim. 10h-12h

### DOM. MICHAUD Gris des Faitiaux 2004 *

1,1 ha 9 000 3 à 5 €

Un rosé issu d'un subtil assemblage de pinot noir et de pinot gris. Très expressif sous une robe saumon pâle, il dispense des arômes de fruits rouges intenses, puis offre au palais une agréable fraîcheur en contrepoint de la rondeur. La **cuvée Ad vitam 2003 rouge (5 à 8 €)** est citée pour sa puissance bien maîtrisée. Elle ne durera pas *ad vitam aeternam*, mais tiendra bien son rang au cours des deux à trois ans à venir.
Dom. Michaud, 20, rue Les Martinières, 41140 Noyers-sur-Cher, tél. 02.54.32.47.23, fax 02.54.75.39.19, e-mail thierry-michaud@wanadoo.fr t.l.j. sf dim. 8h30-12h 14h-19h

### MAISON MIRAULT Méthode traditionnelle

n.c. 4 000 5 à 8 €

Cette maison est spécialisée dans l'élaboration de vins effervescents en Touraine et en Vouvray. Ce brut aux fines bulles peut surprendre par sa vivacité, mais celle-ci n'est que le reflet de la nature du cépage : le chenin. Il sera parfait à l'apéritif.
Maison Mirault, 15, av. Brûlé, 37210 Vouvray, tél. 02.47.52.71.62, fax 02.47.52.60.90, e-mail maisonmirault@wanadoo.fr t.l.j. 8h-12h 14h-18h; dim. sur r.-v.

### MONMOUSSEAU
Méthode traditionnelle Cuvée JM 2002

33,07 ha 286 630 5 à 8 €

Créée en 1886, la maison Monmousseau est passée dans le giron du groupe luxembourgeois Bernard Massard, connu pour ses crémants-de-luxembourg. Cette cuvée issue à 100 % de chenin présente un visage avenant : de fines bulles animent sa robe aux reflets ambre et verts. Le nez intense laisse une impression de fraîcheur, tandis que la bouche ronde et aromatique se prolonge avec élégance.

SA Monmousseau,
71, rte de Vierzon, BP 25, 41400 Montrichard,
tél. 02.54.71.66.66, fax 02.54.32.56.09,
e-mail monmousseau@monmousseau.com
t.l.j. 10h-18h; groupes sur r.-v.; f. 1er déc.-30 mars

### DOM. DE MONTIGNY Sauvignon 2004

10 ha 12 000 3 à 5 €

Engagés dans la culture respectueuse de l'environnement, Annabelle et Jean-Marie Michaud ont produit sur les sables de Sologne un vin aromatique qui témoigne d'une vendange bien mûre. Equilibré et sage, ce touraine affiche une bonne typicité.

Annabelle Michaud,
Dom. de Montigny, 41700 Sassay,
tél. 02.54.79.60.82, fax 02.54.79.07.51 r.-v.

### DOM. JAMES ET NICOLAS PAGET
Cuvée tradition 2003 ★★

n.c. 4 000 3 à 5 €

Egalement producteurs de touraine-azay-le-rideau blancs et rosés, Nicolas et James Paget ont su tirer leur épingle du jeu dans ce millésime caniculaire. Avec brio, qui plus est... Ce vin vêtu, tel un prélat, d'une robe pourpre à reflets violets, offre un fruité incomparable : fraise, framboise et cassis. Riche et harmonieux en bouche, vous l'apprécierez pour sa concentration comme pour sa longueur. Un dégustateur le désigne comme un coureur de fond digne de concourir aux JO de 2012... à Londres !

Dom. James et Nicolas Paget, 37190 Rivarennes,
tél. 02.47.95.54.02, fax 02.47.95.45.90
t.l.j. sf dim. lun. 9h-12h30 14h30-19h

### CAVES DU PERE AUGUSTE Gamay 2004 ★

8 ha 16 000 3 à 5 €

Le père Auguste, c'est Auguste Villemaine qui, de retour de Prusse en 1870, créa le domaine. Aujourd'hui, ce sont les deux frères Godeau et leur sœur qui conduisent les 32 ha à 1 km du château de Chenonceau. Dans le caveau en tuffeau récemment rénové, vous découvrirez ce gamay grenat, très engageant par ses arômes. Puissant et chaleureux, celui-ci laisse le fruit s'exprimer jusqu'en finale. Il sera un bon compagnon de table avec des viandes en sauce. La **cuvée des Tailleux rouge 2003**, née du cabernet, obtient une étoile pour sa complexité et son aptitude à une garde de quatre ou cinq ans. Il en va de même de la **cuvée Tradition 2003 rouge** (cabernet franc, côt et gamay), aux tanins soyeux.

Famille Godeau, GAEC Caves du Père Auguste,
14, rue des Caves, 37150 Civray-de-Touraine,
tél. 02.47.23.93.04, fax 02.47.23.99.58,
e-mail caves-du-pere-auguste@wanadoo.fr
t.l.j. 8h30-12h30 14h-19h; dim. 10h-12h

### DOM. DES PIERRETTES Symbiose 2003

3 ha 4 000 3 à 5 €

Ce domaine bien exposé sur les coteaux de la rive gauche de la Loire a été repris en 2003 par deux jeunes vignerons. Premières vendanges, premier vin et première citation dans le Guide. Cette cuvée grenat soutenu flirte avec les arômes de prune et d'épices, puis livre une matière riche et équilibrée. Elle fera bonne figure avec un gigot d'agneau braisé. Le **côt 2003 rouge** est également cité. Il ne demande qu'à s'ouvrir pour accompagner vos plats d'hiver.

Vincent Guilbaud et Cyril Geffard, Le Meunet,
Dom. des Pierrettes, 41150 Rilly-sur-Loire,
tél. 02.54.20.98.44, fax 02.54.20.98.83,
e-mail pierrettes@tiscali.fr r.-v.

### THIERRY PILLAULT Cuvée Equilibre 2003

1,8 ha 5 000 3 à 5 €

Les rillettes de Touraine lui sont acquises d'avance... Un vin à la personnalité marquée qui décline des arômes de fruits à noyau, nuancés de notes grillées. La bouche vive en attaque offre bientôt une sensation de plénitude : on sent une matière première de qualité.

Thierry Pillault, Parçay 9, chem. des Noues,
Mozelles, 41400 Saint-Georges-sur-Cher,
tél. et fax 02.54.32.34.12
t.l.j. sf dim. 8h30-12h30 14h-18h30

### DOM. PLOU ET FILS Sauvignon 2004 ★

3 ha 20 000 3 à 5 €

La famille Plou n'a jamais quitté Chargé depuis... 1508. Dans les caves troglodytiques creusées dans le tuffeau au XIXe s. a été élaboré ce vin élégant, dont les arômes subtils évoquent les fleurs blanches et le cassis. La bouche offre une agréable rondeur, rehaussée en finale de fraîches notes d'agrumes. Un touraine qui se suffit à lui-même à l'apéritif, mais qui pourra aussi accompagner un pain de poisson.

Plou et Fils, 26, rue du Gal-de-Gaulle,
37530 Chargé, tél. 02.47.30.55.17, fax 02.47.23.17.02,
e-mail ploumathieu@aol.com
t.l.j. 9h-13h 14h30-19h

### DOM. DES POUPELINES Sauvignon 2004

2,15 ha n.c. 3 à 5 €

Une excellente entrée de gamme que ce sauvignon au délicat nez d'agrumes. Le corps svelte et léger laisse une impression de fraîcheur. Vous servirez cette bouteille avec une terrine de poisson ou des charcuteries fines.

Dominique Percereau,
Dom. des Poupelines, 85, rue de Blois, 37530 Limeray,
tél. 02.47.30.11.40, fax 02.47.30.16.51
t.l.j. sf dim. 8h30-12h30 14h-19h

### DOM. DU PRE BARON Sauvignon 2004

15 ha 80 000 5 à 8 €

Situé au cœur de la Sologne viticole sur des terroirs sablo-argileux très différents du reste de la Touraine, ce domaine a produit un vin bien typé, cependant. Ouvert sur des arômes de buis et de genêt, celui-ci présente de la finesse et de la légèreté en bouche, avec une pointe d'amertume en finale qui disparaîtra dans le temps. Citée également, la **cuvée Prestige des Grands Barons 2003 rouge**, discrètement aromatique et harmonieusement structurée, sera appréciée dès aujourd'hui.

🗝 Jean-Luc Mardon, Dom. du Pré Baron,
41700 Oisly, tél. 02.54.79.52.87, fax 02.54.79.00.45,
e-mail jean-luc.mardon@wanadoo.fr
☑ 🍷 🚶 t.l.j. sf dim. 8h-12h 14h-18h30

### CH. DE LA PRESLE Gamay 2004 *

■ 10 ha 58 000 ▮ 3 à 5 €

Une grande maison bourgeoise du XVIIIes. commande ce domaine de 42 ha, entièrement voué à la viticulture depuis les années 1970. Née de sols argilo-sableux, cette cuvée grenat intense fait la part belle aux arômes de sous-bois. Le palais trouve un bon équilibre entre rondeur et fraîcheur, puis laisse en finale une agréable saveur épicée. Le **sauvignon 2004** est cité pour son corps svelte et ses arômes élégants, légèrement fumés.

🗝 Dom. Jean-Marie Penet, Ch. de la Presle,
41700 Oisly, tél. 02.54.79.52.65, fax 02.54.79.08.50,
e-mail domaine.jean-marie.penet@wanadoo.fr
☑ 🍷 🚶 t.l.j. sf dim. 9h-12h 14h-19h

### DOM. DU PRIEURE Côt 2003 *

■ 1 ha 2 000 ▮ 3 à 5 €

Deux dates à retenir : Pâques et l'Assomption. Jean-Marc Gallou organise alors des portes ouvertes : il vous servira des fromages et des pâtés de la région en accompagnement de ses vins. Son petit caveau se trouve juste en face de l'église du XIes. et du lavoir. Demandez-lui son côt 2003 ; le jury a apprécié ses arômes de mûre légèrement épicés, son attaque douce et son équilibre. Bien que les tanins soient encore présents, la matière est suffisamment ronde pour bien les intégrer au cours des prochains mois. Pour des plats d'hiver.

🗝 Jean-Marc Gallou, Dom. du Prieuré, 41120 Valaire,
tél. 02.54.44.11.62, fax 02.54.44.16.92,
e-mail jean-marc.gallou@wanadoo.fr ☑ 🏠 🍷 🚶 r.-v.

### DOM. CHARLY RAVENELLE
Méthode traditionnelle

● 0,45 ha 4 000 ▮🌡 **5 à 8 €**

Voici une méthode traditionnelle qui plaira aux amateurs de pétillants tant la mousse se fait discrète. Au nez de noisette avenant répond une bouche équilibrée, non dénuée de gras. La finale fraîche rehausse l'ensemble. Pour le *slunch* du dimanche – apéritif dînatoire sucré-salé.

🗝 Charly Ravenelle,
Champdilly, 41230 Soings-en-Sologne,
tél. et fax 02.54.98.70.44 ☑ 🍷 🚶 r.-v.

### DOM. DE LA RENAUDIE Quintessence 2003 *

■ 3 ha 10 000 ▮🌡 **5 à 8 €**

Le nom de cette cuvée est bien trouvé... En effet, le jury a particulièrement apprécié le soyeux de ce vin associé à la puissance aromatique due au millésime. Bruno et Patricia Denis ont recherché la souplesse dans ce 2003 : ils y sont parvenus. En 2006, ce touraine fera bel effet à table. Une étoile revient également au **cabernet 2003**, fruité et léger, parfait pour des grillades et des charcuteries.

🗝 Patricia et Bruno Denis, Dom. de La Renaudie,
115, rte de Saint-Aignan, 41110 Mareuil-sur-Cher,
tél. 02.54.75.18.72, fax 02.54.75.27.65,
e-mail domaine.renaudie@wanadoo.fr ☑ 🍷 🚶 r.-v.

### CH. DE LA ROCHE 2004

■ 3,25 ha 30 000 ▮🌡 **3 à 5 €**

Actif dans la défense des vins de Touraine, Pierre Chainier cultive 70 ha dans la région d'Amboise. Son rosé possède pour principal atout une riche palette aromatique : fruits rouges, fleurs et bonbon anglais. Sa légèreté en fait un compagnon des salades composées et des terrines de viande.

🗝 Dom. Chainier, Ch. de la Roche, 37530 Chargé,
tél. et fax 02.47.30.73.07

### DOM. DE LA ROCHETTE Gamay 2004 *

■ 20 ha 100 000 ▮🌡 3 à 5 €

Récolté sur les terroirs à perruches des premières côtes du Cher, le gamay s'exprime parfaitement dans ce vin couleur cerise qui explose en arômes de fruits rouges (cerise encore...). Les tanins souples étayent la bouche longuement empreinte de flaveurs de mûre et de fraise, avec en finale une note chaleureuse sans excès.

🗝 François Leclair, 79, rte de Montrichard,
41110 Pouillé, tél. 02.54.71.44.02, fax 02.54.71.10.94,
e-mail info@vin-rochette-leclair.com
☑ 🍷 🚶 t.l.j. 8h-11h30 14h-17h30; sam. dim. sur r.-v.

### DOM. DES SABLONS Sauvignon 2004

■ 1,2 ha 10 000 ▮🌡 **3 à 5 €**

Jaune pâle brillant, ce touraine ne manque pas de présence grâce à ses arômes typiques du sauvignon. L'attaque est souple, l'équilibre bien maîtrisé et la finale persistante. Une bouteille qui donne envie d'une petite pause grignotage avec des tartines de fromage de chèvre.

🗝 Dom. des Sablons, 40, rue de la Liberté,
41110 Pouillé, tél. 02.54.71.44.25, fax 02.54.71.09.25,
e-mail domaine-sablons@wanadoo.fr ☑ 🍷 🚶 r.-v.

### ALAIN ET PHILIPPE SALLE
Gamay Le Chant du Bois 2004

■ 8 ha 40 000 ▮🌡 **3 à 5 €**

Sous une étiquette aux couleurs automnales se cache un vin très coloré, parfumé de réglisse et de poivre. Certes, les tanins demandent à s'assouplir, mais ils sont un gage de bonne tenue pendant les deux prochaines années.

🗝 EARL Alain et Philippe Sallé, 1, rue du Cher,
Les Martinières, 41140 Noyers-sur-Cher,
tél. 02.54.75.48.10, fax 02.54.75.39.80
☑ 🍷 t.l.j. sf dim. 8h-12h 14h-18h

### DOM. SAUVETE Les Arpents d'Antan 2003

■ 2 ha 5 000 ▮🌡 **5 à 8 €**

Un côt de découverte, léger, facile, aromatique, dans un millésime qui a souvent écrasé le fruité sous la chaleur. Sa rondeur et ses arômes de fruits noirs le rendent agréable dès aujourd'hui. La **cuvée Privilège rouge 2003 (8 à 11 €)** est également citée pour son nez de fruits confits et son charnu.

🗝 Dom. Sauvète, 9, chem. de La Bocagerie,
41400 Monthou-sur-Cher, tél. 02.54.71.48.68,
fax 02.54.71.75.31, e-mail domaine.sauvete@wanadoo.fr
☑ 🍷 🚶 t.l.j. sf dim. 10h-12h 14h-19h; f. 15-31 août

### DOM. DES SOUTERRAINS Sauvignon 2004

■ 7 ha 20 000 ▮🌡 **3 à 5 €**

Produit à la limite orientale de la rive droite du Cher, sur des terroirs sablo-graveleux, ce vin à la robe argentée se montre discret au nez, mais dévoile un bon équilibre et une finale fraîche. Le jury a également attribué une citation à la **cuvée des Deux Demoiselles rouge 2003 (5 à 8 €)**, assemblage de cabernet franc, de gamay et de côt, puissant et élégant à la fois, ainsi qu'au **cabernet rosé 2004**, très frais.

Jacky Goumin, 37, rue des Souterrains,
La Haie Jallet, 41130 Châtillon-sur-Cher,
tél. 02.54.71.02.94, fax 02.54.71.76.26,
e-mail jgoumin@wanadoo.fr
t.l.j. sf dim. 8h30-12h 14h-18h30

### CAVES DE LA TOURANGELLE 2004

n.c. 260 000 - de 3 €

Maison de négoce achetant des raisins dans toute la vallée de la Loire, les caves de La Tourangelle proposent un rosé très rond et gras. Le fruité n'est pas oublié : cassis et mûre s'expriment pleinement au nez comme en bouche. La robe saumon à reflets violacés est un autre atout de ce touraine.

Les Caves de la Tourangelle,
26, rue de la Liberté, 41400 Saint-Georges-sur-Cher,
tél. 02.54.32.65.75, fax 02.54.71.09.61

### LA CAVE DES VALLEES
Cuvée Vieux Chêne 2003 *

3 ha 5 000 3 à 5 €

C'est dans les caves du château de La Cour, demeure où se serait réfugiée Agnès Sorel, que Marc Badiller laisse vieillir ses vins. Le nom de cette cuvée fait référence au chêne tricentenaire qui pousse dans le mur de l'église de Cheillé. Sous une robe grenat soutenu à frange à peine tuilée se révèlent des arômes de café grillé, puis de framboise. La bouche puissante reste élégante, avec une bonne présence fruitée en finale. La **méthode traditionnelle (5 à 8 €)** mariant harmonieusement le chenin au grolleau obtient une étoile également : au nez d'acacia et de brioche répond une bouche tout aussi aromatique, légèrement fumée, qui laisse une impression de finesse. Les bulles s'élèvent délicatement sur le fond jaune doré à reflets verts.

Marc Badiller, 29, Le Bourg, 37190 Cheillé,
tél. 02.47.45.24.37, fax 02.47.45.29.66 r.-v.

### DOM. DU VIEUX PRESSOIR
Cuvée des Sourdes Vieilli en fût de chêne 2003 *

5 ha 8 000 5 à 8 €

Un vieux pressoir sur roue datant du début du XXᵉs. est placé à l'entrée du domaine, comme un symbole. Franchi le seuil du caveau, vous découvrirez cette cuvée qui a gardé de son élevage d'un an en fût des arômes fortement boisés. Le fruit ne tarde pas à apparaître cependant, rappelant la présence dominante du cabernet franc (70 % pour 30 % de côt). La bouche équilibrée et ronde présente quelques tanins impétueux en finale qui demandent un an ou deux pour s'affiner. Un touraine destiné aux amateurs de vins charpentés.

Joël Lecoffre,
27, rte de Vallières, 41150 Rilly-sur-Loire,
tél. 02.54.20.90.84, fax 02.54.20.99.66,
e-mail joel.lecoffre@wanadoo.fr t.l.j. 8h-20h

# Touraine-noble-joué

Présent à la cour du roi Louis XI, le noble-joué est au sommet de sa renommée au XIXᵉs. Grignoté par l'urbanisation de la ville de Tours, le vignoble, qui faillit disparaître, renaît sous l'impulsion de vignerons qui le reconstituent. Ce vin gris, issu des pinot meunier, pinot gris et pinot noir, a aujourd'hui repris sa place historique par sa consécration en AOC. Le millésime 2004 a produit 1 516 hl sur 22,43 ha.

### ANTOINE DUPUY 2004 **

7 ha 30 000 3 à 5 €

Assemblage de cépages nobles de Touraine : le meunier au feuillage comme fariné, le pinot gris au grain rosé et le pinot noir aux grappes resserrées. Ce vin a enchanté le jury par sa finesse, son caractère floral et fruité persistant. Enfin, un rosé qui fait le paon devant les grandes appellations de vins blancs.

EARL Antoine Dupuy,
Le Vau, 37320 Esvres-sur-Indre,
tél. 02.47.26.44.46, fax 02.47.65.78.86 r.-v.

### ROUSSEAU FRERES 2004

11 ha 55 000 3 à 5 €

Madame Rousseau se fera un plaisir de vous faire découvrir le travail de ses deux enfants, Michel et Bernard. Un rosé saumoné, équilibré, souple et vif qui fera bel effet aux côtés d'un poisson. « La » bouteille conviviale.

Rousseau Frères, Le Vau, 37320 Esvres-sur-Indre,
tél. 02.47.26.44.45, fax 02.47.26.53.12
t.l.j. sf dim. 9h-12h30 14h-19h

# Touraine-amboise

De part et d'autre de la Loire sur laquelle veille le château des XVᵉ et XVIᵉs., non loin du manoir du Clos-Lucé où vécut et mourut Léonard de Vinci, le vignoble de l'appellation touraine-amboise (161 ha) a produit 4 552 hl de vins rosés, 5 724 hl de vins rouges en 2004 à partir du gamay, du cot et du cabernet franc. Ce sont des vins pleins, aux tanins légers ; lorsque cot et cabernet dominent, les vins ont une certaine aptitude au vieillissement. Les mêmes cépages donnent des rosés secs et tendres, fruités et bien typés. Secs à demi-secs selon les années, et pouvant également être gardés en cave, les blancs ont représenté 1 015 hl en 2004.

### DOM. D'ARTOIS 2003

5,1 ha 21 300 3 à 5 €

Sous une teinte pourpre, ce touraine livre des arômes de fraise des bois et de poivre, puis un corps svelte et fruité, tout en élégance. Ne cherchez pas la puissance, mais un plaisir simple pour l'année 2006.

Dom. d'Artois, La Morandière, 41150 Mesland,
tél. et fax 02.54.70.24.72
J.-L. Saget

### CH. DE L'AULEE
Sec Vieilles Vignes Elevé en fût de chêne 2003

10 ha 50 000 5 à 8 €

Ce château du vin construit en 1856 par la famille Cordier offre à voir sa façade décorée de bas-reliefs sur le

thème des saisons. Il commande un vignoble de 37 ha qui fut exploité par la maison de champagne Deutz, puis repris en 2004 par Marielle Henrion, œnologue d'origine champenoise, et son mari. Ce 2003 de teinte brillante décline de fins arômes de coing. Plein et bien équilibré, il se prolonge durablement en finale sur une sensation chaleureuse.
Ch. de l'Aulée, 37190 Azay-le-Rideau,
tél. 02.47.45.44.24, fax 02.47.45.44.34 r.-v.
Arnaud et Marielle Henrion

## PHILIPPE CATROUX
Moelleux Cuvée de Moncé 2003 ★★

n.c. 2 500 5 à 8 €

L'année 2003 a été favorable à la production de vins moelleux sur la rive droite de la Loire. Cette cuvée en témoigne. Vêtue d'une élégante robe dorée, elle dispense volontiers ses arômes de coing et d'acacia, typiques de l'appellation. Son remarquable équilibre entre alcool, sucre et acidité lui permettra d'affronter entre trois et cinq ans de garde. Le **rosé 2004 (3 à 5 €)** obtient une étoile. Sa robe saumonée lumineuse et ses notes de fruits blancs (pêche et poire) contribuent à son agréable fraîcheur.
Philippe Catroux, 4, rue des Caves-de-Moncé,
37530 Limeray, tél. 02.47.30.13.10, fax 02.47.23.22.87
t.l.j. sf dim. 9h-12h30 14h-19h30

## FAMILLE DURAND Canicule 2003

1 ha 5 000 5 à 8 €

Le nom de cette cuvée est bien choisi... Le domaine, qui possède une cave troglodytique en bord de Loire, a su élaborer dans ce millésime caniculaire un vin pourpre, riche d'intenses senteurs de cerise à l'eau-de-vie et de notes vanillées. Dès l'attaque, la bouche se montre souple et harmonieuse, agréablement empreinte de flaveurs de cerise. Pour une viande rouge en sauce.
Guy Durand, 11, chem. Neuf, 37530 Mosnes,
tél. et fax 02.47.30.43.14 t.l.j. 8h-19h30

## DOM. DUTERTRE Cuvée Prestige 2003 ★

3 ha 20 000 5 à 8 €

La commune de Limeray est riche de vignerons adroits, connaissant parfaitement leur terroir. Parmi eux, le domaine Dutertre qui propose deux beaux vins. La cuvée Prestige, pourpre brillant, est encore marquée par l'empreinte de l'élevage en fût : les notes épicées et vanillées se manifestent d'emblée au nez, mais les fruits (fraise écrasée et mûre) ne tardent pas à les rejoindre. D'attaque souple, la bouche s'appuie sur des tanins veloutés qui respectent l'expression du fruit. Couleur saumonée, le **rosé 2004 (3 à 5 €)**, friand par ses parfums d'abricot, obtient lui aussi une étoile.
EARL Dom. Dutertre,
20-21, rue d'Enfer, pl. du Tertre, 37530 Limeray,
tél. 02.47.30.10.69, fax 02.47.30.06.92
t.l.j. 9h-12h30 14h-18h; dim. 9h-12h30

## XAVIER FRISSANT Renaissance 2003

2 ha 6 800 5 à 8 €

De l'élégance dans cette cuvée qui marie les trois cépages cot, cabernet et gamay. Au nez complexe, légèrement empyreumatique, évocateur de fruits des bois et de poivre répond une bouche souple et fruitée, de bonne longueur. Une bouteille qui vous fera rêver des doux rivages de la Loire.
Xavier Frissant, 1, chem. Neuf, 37530 Mosnes,
tél. 02.47.57.23.18, fax 02.47.57.23.25,
e-mail xavier.frissant@wanadoo.fr
t.l.j. 8h-12h30 14h-19h; dim. sur r.-v.

## DOM. DE LA GRANDE FOUCAUDIERE
Sec 2004

0,6 ha 3 000 3 à 5 €

Parfumé d'arômes de framboise, son rosé s'affiche dans une robe saumon lumineuse. En bouche il fait preuve de fraîcheur et d'équilibre, en jouant sur le fruité et une pointe épicée en finale.
Lionel Truet, La Grande Foucaudière,
37530 Saint-Ouen-les-Vignes,
tél. 02.47.30.04.82, fax 02.47.30.03.55,
e-mail lioneltruet@aol.com
t.l.j. 8h-20h

## DOM. DE LA GRANGE TIPHAINE
François 1er 2003 ★

2 ha 10 000 5 à 8 €

Entre les deux touraine-amboise de Damien Delecheneau sélectionnées par le jury, la cuvée François Ier a eu la préférence. Sous une couleur pourpre profond apparaissent des arômes intenses de fruits confits, de pruneau et de cerise. La bouche, souple dès l'attaque grâce à des tanins soyeux, exprime harmonieusement le fruit jusqu'à une longue finale. La cuvée **Damien Delecheneau Clef de Sol rouge 2003 (8 à 11 €)** obtient une citation. Elle devra être attendue quelques années pour permettre aux tanins, pour l'heure encore jeunes, de s'arrondir.
Damien Delecheneau,
La Grange Tiphaine, 37400 Amboise,
tél. 02.47.57.64.17, fax 02.47.57.39.49,
e-mail lagrangetiphaine@ifrance.com r.-v.

## DOM. MESLIAND La Besaudière 2003

1 ha 6 200 5 à 8 €

L'arrière-grand-père était greffeur lors de la replantation du vignoble français après la crise du phylloxéra. Aujourd'hui, le petit-fils dirige ce domaine de 15 ha. Couleur pourpre, son 2003 livre des notes de vanille et de fruits noirs (cassis, mûre), puis emplit le palais de sa matière ronde et tout aussi fruitée. Seuls quelques tanins encore un peu fougueux invitent à une garde de deux ou trois ans. Le **blanc sec 2003 (3 à 5 €)**, au fin boisé et aux notes de coing, est également cité.
Dom. Stéphane Mesliand,
15 bis, rue d'Enfer, 37530 Limeray,
tél. et fax 02.47.30.11.15 t.l.j. 9h-21h

## DOM. DE LA PERDRIELLE Moelleux 2003 ★★★

3,5 ha 9 000 5 à 8 €

La maison Gandon, habituée du Guide, fait cette année un parcours sans faute : elle décroche trois étoiles et un coup de cœur. La puissance aromatique de son moelleux issu de vignes de plus de quarante ans a fait l'unanimité : se manifestent du fruit, un caractère floral et une touche minérale complexe. La bouche élégante et longue traduit parfaitement l'influence du terroir qui a pris le pas sur celle du millésime. Le **blanc demi-sec 2003 (3 à 5 €)**, plus simple, a été jugé comme un vin de découverte de l'appellation touraine-amboise. Il est cité.

LOIRE

EARL Gandon, Dom. de La Perdrielle, 24, Vauriflé, 37530 Nazelles-Négron, tél. 02.47.57.31.19, fax 02.47.57.77.28, e-mail vgandon@club-internet.fr
t.l.j. 9h-12h30 14h-19h; dim. sur r.-v.

### ROLAND PLOU ET SES FILS 2004 ★

4 ha 25 000 3 à 5 €

C'est dans des caves troglodytiques creusées dans le tuffeau au début du XIXes. qu'a été élevé ce vin qui témoigne du nouvel intérêt des vignerons pour les rosés. Laissez-vous charmer par sa couleur limpide et ses arômes intenses de fruits et de bonbon anglais. Fraîcheur et finesse sont perceptibles dès l'attaque en bouche. Un touraine-amboise équilibré et persistant.

Plou et Fils, 26, rue du Gal-de-Gaulle, 37530 Chargé, tél. 02.47.30.55.17, fax 02.47.23.17.02, e-mail ploumathieu@aol.com
t.l.j. 9h-13h 14h30-19h

### DOM. DE LA PREVOTE 2004

6 ha 15 000 3 à 5 €

Un rosé issu d'un assemblage de cabernet, de cot et de gamay. De couleur saumonée, il a séduit par sa fraîcheur et son équilibre. Sa finale un peu austère, due probablement à la forte proportion de cabernet (40 %), devrait s'adoucir cet automne. A servir avec des charcuteries.

GAEC Serge et Pascal Bonnigal, La Prévôté, 17, rue d'Enfer, 37530 Limeray, tél. 02.47.30.11.02, fax 02.47.30.11.09, e-mail bonnigalprevote@wanadoo.fr
t.l.j. sf dim. 9h-12h 14h-19h

# Touraine-azay-le-rideau

Produits sur 150 ha, répartis sur les deux rives de l'Indre, les vins ont ici l'élégance du château qui se reflète dans la rivière et dont ils ont pris le nom. La moitié sont des blancs (2 393 hl en 2003) ; secs à tendres, particulièrement fins, vieillissant bien, ils sont issus du cépage chenin blanc (ou pineau de la Loire). Les cépages grolleau (60 % minimum de l'assemblage), gamay, cot (avec au maximum 10 % de cabernets) donnent des rosés secs et très friands (2 037 hl). Les vins rouges ont l'appellation touraine.

### THIERRY BESARD
Moelleux Cuvée des Perrières 2003 ★★

0,38 ha 1 164 8 à 11 €

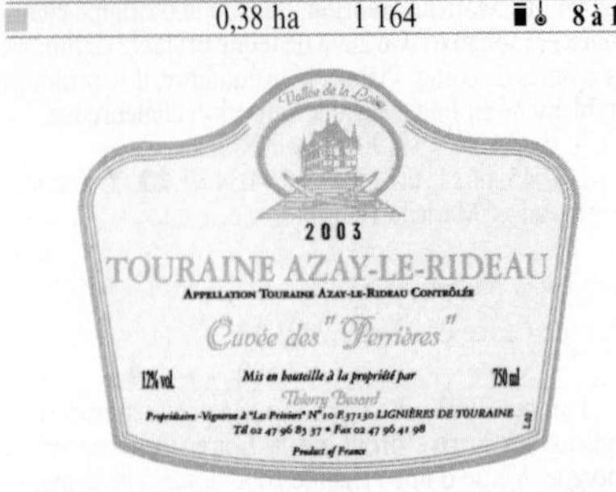

Vallée de la Loire
2003
TOURAINE AZAY-LE-RIDEAU
Appellation Touraine Azay-le-Rideau Contrôlée
Cuvée des "Perrières"
12% vol
Mis en bouteille à la propriété par
750 ml
Thierry Besard
Produit of France


Une sélection rigoureuse de parcelles de vieilles vignes plantées sur un terroir de silex où le chenin excelle a permis d'élaborer cette cuvée or soutenu qui flatte l'œil. Les notes confites et miellées perceptibles à l'olfaction trouvent écho en bouche. L'équilibre remarquable assure un plaisir immédiat. La forte personnalité du terroir est ici parfaitement révélée.

Thierry Besard, 10, Les Priviers, 37130 Lignières-de-Touraine, tél. 02.47.96.85.37, fax 02.47.96.41.98 r.-v.

### CAVES DU CH. DE FOUCHAULT Moelleux 2003

1 ha 1 300 5 à 8 €

Jeune vigneron installé depuis 1997, Guillaume Descroix a tiré du terroir d'Azay-le-Rideau ce 2003 doré brillant qui se cache encore un peu au nez. Que cette apparente timidité ne vous rebute pas, car de délicieux arômes de fruits confits apparaissent en bouche, soulignant durablement la grande douceur du vin.

Guillaume Descroix, 19, Fouchault, 37190 Vallères, tél. et fax 02.47.45.97.79
t.l.j. 15h-19h; f. jan. fév.

### DOM. JAMES ET NICOLAS PAGET 2004

2,15 ha 10 000 3 à 5 €

James Paget et son fils Nicolas, qui produisent d'excellents rosés, ont ouvert en 2005 un chai sur le coteau. Leur 2004 vêtu d'une robe brillante des plus attrayantes s'exprime avec élégance dans le registre floral, puis offre au palais des flaveurs fruitées de pêche et d'abricot qui rehaussent sa rondeur plaisante. Servez-le avec des charcuteries. A découvrir également, le **moelleux Cuvée Maestro blanc 2003 (11 à 15 €)** pour ses arômes de miel caractéristiques du millésime.

Dom. James et Nicolas Paget, 37190 Rivarennes, tél. 02.47.95.54.02, fax 02.47.95.45.90
t.l.j. sf dim. lun. 9h-12h30 14h30-19h

### PASCAL PIBALEAU Moelleux 2003 ★

3 ha 6 000 8 à 11 €

Pascal Pibaleau, coup de cœur de l'édition 2003 du Guide, exploite avec talent le terroir argilo-siliceux du plateau viticole séparant l'Indre et la Loire. En 2003, il a réussi à élaborer un vin moelleux sans excès. De teinte doré brillant, celui-ci dévoile de discrets arômes de fruits confits avant de s'exprimer plus intensément au palais, avec équilibre et persistance. Le **rosé 2004 (3 à 5 €)**, 100 % grolleau, d'une grande fraîcheur et tout en finesse, obtient une citation.

🔑 Pascal Pibaleau, 68, rte de Langeais, 37190 Azay-le-Rideau, tél. 02.47.45.27.58, fax 02.47.45.26.18, e-mail pascal.pibaleau@wanadoo.fr
☑ 𝐘 ✝ t.l.j. sf dim. 9h-12h30 13h30-19h

### FRANCIS ROLLAND 2004

■ 0,6 ha 1 000 ▮ 3 à 5 €

A Lignières, l'activité agricole se partage entre la culture de la pomme et celle de la vigne. Le grolleau, implanté sur des terrasses siliceuses, a donné naissance à ce vin léger, frais et fruité à souhait qui pourra accompagner tout un repas pendant l'année à venir.

🔑 Francis Rolland, 30, rue de Villandry, 37130 Lignières-de-Touraine, tél. 02.47.96.83.55, fax 02.47.96.69.08
☑ 𝐘 ✝ t.l.j. 18h-21h, sam. 9h-21h, dim. 9h-12h

### FRANCK VERRONNEAU Moelleux 2003 **

■ 1 ha 2 000 ▮ 5 à 8 €

Etabli à 5 km du magnifique château Renaissance d'Azay-le-Rideau, Franck Verronneau, qui a succédé à son grand-père et à son père sur le domaine, a élaboré un blanc moelleux à la robe élégante et au nez de fruits exotiques, caractéristique du millésime 2003. Équilibré, le palais retrouve ces mêmes arômes, nuancés de miel. Un vin de pur plaisir.

🔑 EARL Franck Verronneau, Beaulieu, Cheillé, 37190 Azay-le-Rideau, tél. 02.47.45.40.86, fax 02.47.45.94.82 ☑ 𝐘 ✝ r.-v.

# Touraine-mesland

Sur la rive droite de la Loire, au nord de Chaumont et en aval de Blois, le vignoble d'appellation couvre 200 ha. 5 377 hl ont été produits en 2004 dont 660 en blanc. Les sols sont perrucheux (argile à silex à couverture localement sableuse – miocène – ou limono-sableuse). La production de vins rouges est abondante ; issus du gamay assemblé avec du cabernet et du cot, ceux-ci sont bien structurés et typés. Comme les rosés, les blancs (issus surtout du chenin) sont secs.

### DOM. DES CAILLOUX Petits Cailloux 2004

■ 12 ha 30 000 ▮🌡 3 à 5 €

En reprenant le domaine des Cailloux en 2000, Jean-François Gabillet a abandonné la production de touraine pour se concentrer sur l'appellation touraine-mesland. Cette cuvée représente bien le millésime 2004 : robe légère, couleur groseille, quelques notes de terroir évoquant l'animal et le sous-bois qui se retrouvent en bouche, rehaussées de réglisse. Un vin de caractère.

🔑 Dom. des Cailloux, 17, rue d'Asnières, 41150 Onzain, tél. 02.54.20.78.77, fax 02.54.33.79.63, e-mail domainecailloux@libertysurf.fr
☑ 🏠 𝐘 ✝ t.l.j. sf sam. dim. 9h-12h 14h-17h

### CLOS DE LA BRIDERIE Vieilles Vignes Gris 2004 *

■ n.c. n.c. 5 à 8 €

La notoriété des vins rosés de l'appellation touraine-mesland date du début du siècle dernier ; le Clos de la Briderie témoigne aujourd'hui encore de cette renommée. Ce vin rose saumon fait preuve d'intensité dans ses arômes de fruits et de fleurs, puis offre une bouche à la fois ronde et fraîche, d'une agréable persistance. Une citation revient au **Clos de la Briderie Vieilles Vignes rouge 2004** au nez de griotte et de cassis sauvage, à laisser mûrir en cave. En 2006 ou en 2007, cette bouteille dévoilera toute sa richesse.

🔑 SCEA Clos de La Briderie, 70, rue du Colonel Rol-Tanguy, 41150 Monteaux, tél. 02.54.70.28.89, fax 02.54.70.28.70, e-mail contact@biovidis.fr
☑ 𝐘 ✝ lun. mar. jeu. ven. 9h-12h 13h30-17h
🔑 Girault

### CH. GAILLARD Sec 2004

■ n.c. n.c. 5 à 8 €

Racheté à l'état de friche en 1978, ce domaine est aujourd'hui cultivé en biodynamie. Il a produit un vin de caractère, issu de vignes implantées sur le terroir sablo-graveleux de la rive droite de la Loire. Au nez floral assez intense répond une bouche équilibrée, ronde et ample qui laisse un agréable souvenir en finale. Ce 2004 propose une expression originale des blancs de Loire.

🔑 Vincent Girault, Ch. Gaillard, 41150 Mesland, tél. 02.54.70.25.47, fax 02.54.70.28.70, e-mail contact@biovidis.fr
☑ 𝐘 ✝ lun. mar. jeu. ven 9h-12h 13h30-17h, sam. dim. sur r.-v.

### DOM. DU PARADIS Tradition 2004

■ 6 ha 15 000 ▮🌡 3 à 5 €

D'un rouge brillant, ce vin semble timide de prime abord, mais livre au palais des arômes de fruits à noyau nuancés de touches de poivron. Si les tanins sont encore très présents, ils devraient se fondre avec la matière au cours d'un an ou deux de garde.

🔑 EARL Philippe Souciou, Dom. du Paradis, 39, rue d'Asnières, 41150 Onzain, tél. 02.54.20.81.86, fax 02.54.33.72.35 ☑ 𝐘 ✝ t.l.j. sf dim. 8h-12h 14h-19h

### DOM. DE RABELAIS 2003 *

■ 0,3 ha 2 000 ⦀ 5 à 8 €

Chez les Chollet on est viticulteur depuis 1720. De l'expérience, on n'en manque donc pas... Les vins retenus par le jury en témoignent. Ce 2003, rouge cardinal, mêle des senteurs de vanille, de cassis et de noyau de cerise. Puissant, il mérite de vieillir un peu en cave pour assouplir ses tanins. Le **blanc sec 2004** obtient une citation pour ses arômes typiques d'acacia et de fleurs blanches comme pour sa fraîcheur. Il en va de même du **rosé 2004** qui participera à la convivialité de vos rencontres entre amis.

🔑 GAEC José et Cédric Chollet, 23, chem. de Rabelais, 41150 Onzain, tél. et fax 02.54.20.79.50 ☑ 𝐘 ✝ t.l.j. 9h-12h30 14h-19h

### DOM. DES TERRES NOIRES 2004 *

■ 6 ha 20 000 ▮🌡 3 à 5 €

Sur les bords de la Loire, face à Chaumont-sur-Loire, il ne reste du château Renaissance d'Onzain que les douves. La promenade n'est pas moins agréable. Vos pas vous conduiront ensuite à ce domaine, dont le touraine-mesland 2004, brillante de reflets rubis, a séduit les dégustateurs par ses arômes de baies rouges. Celui-ci laisse au palais une sensation de rondeur et de complexité que soulignent encore les notes de tabac et de noyau. Un vin

bien équilibré malgré une finale encore un peu austère aujourd'hui. A servir sur des plats en sauce. Une citation pour le **rosé 2004** de bonne facture et rafraîchissant.
GAEC des Terres Noires,
81, rue de Meuves, 41150 Onzain,
tél. 02.54.20.72.87, fax 02.54.20.85.12 r.-v.

LES VAUCORNEILLES 2004

1,1 ha 2 000 3 à 5 €

En 1998, deux néophytes animés par la passion de la vigne ont repris ce domaine implanté sur un terroir d'argile à silex. Pour la quatrième année consécutive, leur production est retenue par le jury du Guide. Le touraine-mesland rosé, élaboré comme le veut la tradition à partir de gamay, se présente dans une robe saumonée. Si le nez semble discret, la bouche est suffisamment ample et fraîche. Cette bouteille accompagnera des charcuteries ou des tartines partagées entre amis.
EARL Les Vaucorneilles, 10, rue de l'Egalité,
41150 Onzain, tél. 02.54.20.72.91, fax 02.54.20.74.26,
e-mail les.vaucorneilles@wanadoo.fr r.-v.
Chelin

# Bourgueil

A partir du cépage cabernet-franc (breton), 79 006 hl de vins rouges et rosés ont été produits en 2004 sur les 1 393 ha du vignoble d'appellation contrôlée bourgueil, à l'ouest de la Touraine et aux frontières de l'Anjou, sur la rive droite de la Loire. Racés, dotés de tanins élégants, ils ont une très bonne aptitude au vieillissement, après une cuvaison longue, s'ils proviennent des sols sur tuffeau jaune des coteaux. Leur évolution en cave peut alors durer plusieurs dizaines d'années pour les meilleurs millésimes (1976, 1989, 1990 par exemple). Ils sont plus gouleyants et fruités s'ils proviennent des terrasses aux sols graveleux à sableux. 2 829 hl sont vinifiés en rosés secs.

JEAN-MARIE ET NATHALIE AMIRAULT 2003

7,9 ha 7 000 5 à 8 €

Quarante-cinq boisselées (2,50 ha), c'est la superficie du vignoble créé par le grand-père. Porté à 8 ha, il est mené aujourd'hui par ce couple de vignerons dans un souci de production raisonnée, assurant la qualité et préservant le milieu naturel. Des traits que l'on retrouve dans ce vin souple et équilibré. Il montre de la grande finesse aromatique (fruits rouges) et des tanins soyeux. Un 2003 tout prêt.
Jean-Marie Amirault, La Motte, rue de Nozillon,
37140 Benais, tél. et fax 02.47.97.48.00,
e-mail jm.amirault.vins@wanadoo.fr r.-v.

YANNICK AMIRAULT Les Quartiers 2003

1,5 ha 8 000 8 à 11 €

Yannick Amirault met en avant ses vignes des Quartiers, dont le millésime 2002 avait été salué l'an passé. Elevé en fût de chêne, le 2003 se présente dans une robe rouge sombre à reflets violacés. Le nez encore fermé libère un léger boisé. L'attaque est vive et fruitée, un peu tannique même, mais la matière est là qui donne du plein et du gras. Quelques tanins restent à fondre : c'est la promesse d'un bon avenir.
Yannick Amirault,
5, pavillon du Grand-Clos, 37140 Bourgueil,
tél. 02.47.97.78.07, fax 02.47.97.94.78 r.-v.

HUBERT AUDEBERT Vieilles Vignes 2003 ★★

2 ha 10 000 5 à 8 €

Les terrasses de Restigné, à la fois argilo-calcaires et sableuses où les pierres abondent parfois, constituent un terroir de qualité ; Hubert Audebert y cultive près de 10 ha de vignes. Le résultat est une pluie d'étoiles pour cette cuvée très cabernet au nez, fraîche et tout en rondeur. Les tanins se fondent dans une matière dense et persistante. Un bourgueil d'avenir. La cuvée **Jolinet 2003** reçoit deux étoiles également et vieillira tout aussi bien.
Hubert Audebert,
5, rue Croix-des-Pierres, 37140 Restigné,
tél. 02.47.97.42.10, fax 02.47.97.77.53 r.-v.

CATHERINE ET PIERRE BRETON
Les Galichets 2003 ★

4 ha 12 000 8 à 11 €

La pratique de l'agriculture biologique depuis plus de dix ans est peut-être la clé de la réussite de ce couple de vignerons, dont les vins sont souvent présents dans le guide. Celui-ci est un bourgueil des graves de Restigné, à l'élevage bien conduit : la matière a été exploitée au mieux et les tanins relégués au second plan. L'attaque tendre débouche vite sur de l'onctuosité. La puissance s'impose en finale avec une persistance aromatique affirmée. Vin d'aujourd'hui et de demain.
Catherine et Pierre Breton, 8, rue du Peu-Muleau,
Les Galichets, 37140 Restigné, tél. 02.47.97.30.41,
fax 02.47.97.46.49 t.l.j. sf dim. 10h-12h 14h-18h

LE CARROI Cuvée Prestige 2003

6,5 ha 25 000 5 à 8 €

Un vin de grave typique, dont les arômes l'emportent sur la matière : l'attaque est sur le fruit rouge avec la sensation de fraîcheur qui va de pair. Certes, les tanins se manifestent, mais c'est une des caractéristiques de l'année. Ils n'ont rien d'excessif, et une petite garde les fera évoluer sans que le fruité ne s'estompe pour autant.
Bruno Breton, EARL du Carroi, 45, rue Basse,
37140 Restigné, tél. 02.47.97.31.35, fax 02.47.97.49.00
t.l.j. sf dim. 8h-12h 14h-18h

CASLOT-BOURDIN La Charpenterie
Vieilles Vignes Vieilli en fût de chêne 2003 ★

3 ha 7 000 5 à 8 €

Une évolution des plus classiques à Bourgueil : le grand-père crée le domaine, le fils lui succède, l'agrandit et y construit un chai rationnel. Aujourd'hui, le petit-fils prend les choses en main et gère une entreprise de 17 ha. Cette cuvée Vieilles Vignes ne renie pas son passage de onze mois en bois neuf. Les accents grillés et vanillés sont récurrents tout au long de la dégustation. L'ensemble est harmonieux, mais une attente s'impose pour un meilleur fondu des arômes. Issue d'un élevage classique, **La Charpenterie 2003**, plus printanière, mérite d'être citée.

EARL Alain et Cyprien Caslot-Bourdin, 21, rue Brûlée, La Charpenterie, 37140 La Chapelle-sur-Loire, tél. 02.47.97.34.45, fax 02.47.97.44.80
t.l.j. sf dim. 9h-19h

## DOM. DE LA CHANTELEUSERIE
Beauvais 2003 ★

■ 2 ha 9 000 5 à 8 €

Un lieu où chantent les oiseaux et où se situe le domaine de Thierry Boucard : 21 ha près du coteau, là où les terres argilo-calcaires sont censées donner des vins charnus. Tel est le cas de celui-ci, dense et rond. Le support tannique, qui s'assouplira avec les années, est gage d'un bel avenir. Y penser pour 2007-2008.

Thierry Boucard, La Chanteleuserie, 37140 Benais, tél. 02.47.97.30.20, fax 02.47.97.46.73, e-mail tboucard@terre-net.fr
t.l.j. sf dim. 9h-12h 14h-19h

## DOM. DES CHESNAIES Cuvée Prestige 2003 ★★

■ 11 ha 77 000 5 à 8 €

L'un des plus beaux domaines de Bourgueil, fort de 35 ha et d'un chai impressionnant où le bois règne en maître. C'est le grand-père, Lucien Lamé, et son gendre qui ont fait sa renommée. Philippe et Stéphanie Boucard maintiennent haut le flambeau. Coup de cœur dans le Guide 2005, ils n'en sont pas passés loin cette année grâce à ce vin. Sous une robe presque noire apparaît un fruité dense, fait de fruits rouges confiturés et d'une légère note de grillé. La matière abondante bénéficie d'un support tannique puissant mais qui n'a rien d'agressif et qui témoigne d'une vocation de longue garde.

EARL Lamé-Delisle-Boucard, Dom. des Chesnaies, 21, rue de la Galotière, 37140 Ingrandes-de-Touraine, tél. 02.47.96.98.54, fax 02.47.96.92.31, e-mail lame.delisle.boucard@wanadoo.fr
t.l.j. sf dim. 9h-17h30; sam. 9h-12h

## DOM. DE LA CHEVALERIE Busardières 2003 ★★

■ n.c. 13 000 5 à 8 €

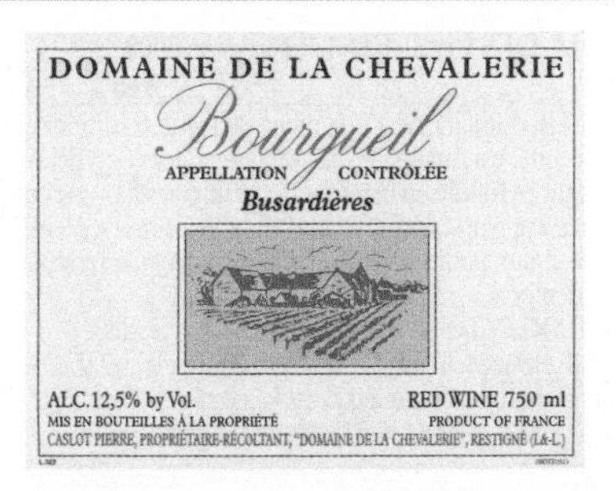

DOMAINE DE LA CHEVALERIE
Bourgueil
APPELLATION CONTRÔLÉE
Busardières
ALC.12,5% by Vol.
RED WINE 750 ml
MIS EN BOUTEILLES À LA PROPRIÉTÉ
PRODUCT OF FRANCE


Une lignée de vignerons depuis 1640 sur ce domaine de 33 ha qui s'appuie sur le coteau dominant la terrasse de Bourgueil. Les vents du nord n'y pénètrent guère, mais le soleil y est admis généreusement. Une situation qu'a su exploiter Pierre Caslot pendant de longues années avant d'être relayé par son fils Emmanuel. Sous une robe sombre apparaît un nez élégant de fruits cuits qui garde néanmoins de la fraîcheur. La matière opulente allie puissance et onctuosité. Les tanins ne se font pas attendre, mais dans le calme et la mesure. Vin d'équilibre, vin de garde. La **cuvée des Galichets 2003**, issue de sols plus légers, obtient une étoile.

Pierre Caslot, Dom. de La Chevalerie, 7, rue du Peu-Muleau, 37140 Restigné, tél. 02.47.97.37.18, fax 02.47.97.45.87
t.l.j. 9h-12h 14h-18h; dim. sur r.-v.

## CLOS DE L'ABBAYE 2003

■ 6,85 ha 25 000 5 à 8 €

L'abbaye de Bourgueil est le berceau du vignoble de la région. En 1189, son prieur, l'abbé Baudry, connu pour ses poésies latines et son récit de la bataille d'Hastings, parlait déjà du vin qu'il servait en abondance à ses amis. L'invitation tient aujourd'hui pour cette cuvée qui s'ouvre progressivement sur un bouquet de fruits cuits. L'attaque est ronde, les tanins bien sages, et la finale laisse un joli fruit en souvenir. Une bouteille équilibrée qui n'a pas besoin d'attendre.

SCEA de la Dîme, Clos de L'Abbaye, av. Le Jouteux, 37140 Bourgueil, tél. 02.47.97.76.30, fax 02.47.97.72.03
t.l.j. sf dim. 10h30-12h 14h30-19h
Sœurs de Saint-Martin

## DOM. DE LA CLOSERIE Vieilles Vignes 2003

■ 5 ha 15 000 5 à 8 €

La robe rouge soutenu laisse fuser discrètement des notes de fruits frais, rouges en particulier. C'est l'équilibre que l'on retiendra. Matière et tanins se complètent et laissent une impression de fraîcheur plaisante. Un vin à double vocation, à boire ou à garder.

Jean-François Mabileau, Dom. de La Closerie, 28, rte de Bourgueil, 37140 Restigné, tél. 02.47.97.36.29, fax 02.47.97.48.33 r.-v.

## LYDIE ET MAX COGNARD Les Tuffes 2003 ★

■ 1,8 ha 11 800 5 à 8 €

Ce domaine de près de 11 ha est devenu une affaire de famille depuis que les deux enfants, Estelle et Rodolphe, y travaillent. Accolé au coteau, il se compose en majorité de terres argilo-calcaires, aptes à donner des vins puissamment dotés. Ce 2003 rond et long en bouche possède une matière abondante. Son élégance le rend agréable aujourd'hui même, mais il a suffisamment de ressource pour supporter un certain vieillissement.

Max et Lydie Cognard-Taluau, Chevrette, 37140 Saint-Nicolas-de-Bourgueil, tél. 02.47.97.76.88, fax 02.47.97.97.83, e-mail max.cognard@wanadoo.fr
t.l.j. 9h-12h 13h30-18h; sam. dim. sur r.-v.

## LE COUDRAY LA LANDE Vieilles Vignes 2003 ★

■ 4 ha 16 000 5 à 8 €

Ce domaine a été créé à la suite de la disparition de celui du Grand Clos géré par les arrière-grands-parents. C'était ce qu'on appelait autrefois une propriété : l'imposante maison en pierre de taille du XIXe s. en témoigne. Un vignoble de 11 ha y est attaché. Le vin est tendre, sans complication et riche de fruits. Difficile d'avoir mieux dans l'immédiat pour satisfaire une tablée d'amis.

Jean-Paul Morin, 30, rue de La Lande, 37140 Bourgueil, tél. 02.47.97.76.92, fax 02.47.97.98.20
t.l.j. 9h30-12h 14h30-19h30; f. fév., 1 sem. août

## DOM. DE LA CROIX-MORTE Cuvée Albert 2003

■ 1 ha 3 000 5 à 8 €

La cuvée Albert est issue de vignes cinquantenaires, les plus vieilles de l'exploitation. On s'en aperçoit en bouche dès l'attaque tant les tanins sont présents et

persistants. Le signe d'une bonne extraction et d'une carrière prometteuse. Le fruité est représenté par le cassis et le pruneau. Une bouteille dans la tradition des vins charpentés du Bourgueillois.
Fabrice Samson, La Croix-Morte, 70, rte de Bourgueil, 37140 Restigné, tél. et fax 02.47.97.49.48
t.l.j. sf sam. dim. 8h-12h 14h-19h; f. vendanges

### DOM. DUBOIS Vieilles Vignes 2003 *

2 ha 7 000 5 à 8 €

La passation des pouvoirs vient de se faire et le jeune Mickaël Dubois dirige seul maintenant ce domaine de près de 14 ha sur les sables et argilo-calcaires de Restigné. Voici donc l'une de ses toutes premières récoltes. Une cuvée dont le bouquet fait la part belle aux fruits mûrs et au grillé. Ronde, élégante et longue en bouche, elle n'a que des qualités. Des tanins, on ne parle pas... Une bouteille parée pour un service immédiat. La **cuvée Prestige 2003 Elevé en fût de chêne**, prometteuse, obtient également une étoile.
GAEC Dom. Serge Dubois, 49, rue de Lossay, 37140 Restigné, tél. 02.47.97.31.60, fax 02.47.97.43.33, e-mail domaine.sergedubois@wanadoo.fr
r.-v.

### DOM. BRUNO DUFEU Cuvée Grand Mont 2003 **

1,2 ha 6 500 3 à 5 €

Qui aime les vins de Bourgueil connaît les terres de Benais. À teneur assez forte en argile, elles ont la réputation de donner des vins solidement construits. Cette cuvée le confirme. Le nez en passe de s'ouvrir évoque déjà la mûre. Les tanins puissants imprègnent le palais et assurent une longue présence. L'ensemble doit gagner un peu d'aménité, mais une bonne évolution y pourvoira. Y penser pour un fonds de cave. La **cuvée Clémence 2003**, tout à l'opposé, légère et printanière, est citée.
Bruno Dufeu, Les Neusaies, 37140 Benais, tél. et fax 02.47.97.76.53, e-mail brunodufeu@wanadoo.fr r.-v.

### DUVAL-VOISIN 2003 **

7,5 ha n.c. 3 à 5 €

Un domaine de 7,5 ha, qui se partage entre deux vocations celle de vigneron et celle de pépiniériste, ce qui requiert beaucoup de soins. Un réel souci du détail est à l'origine de cette cuvée qui allie la puissance au fruité. Les arômes de fruits rouges et d'épices sont constamment présents. La bouche ronde ne se laisse pas troubler par des tanins déjà bien mûrs, et c'est une harmonie réelle qui domine en finale. Cette bouteille peut éventuellement prendre de l'âge.
SCEA Duval-Voisin, 6, rue de Fontenay, 37140 Ingrandes-de-Touraine, tél. et fax 02.47.96.95.91 r.-v.

### DOM. DES FORGES Cuvée Les Bezards 2003 *

5 ha 15 000 5 à 8 €

Des vendanges d'une grande maturité, constituent une part du secret des beaux vins. C'est ce que recherche Jean-Yves Billet sur son domaine de 18 ha équipé d'un chai moderne, bâti en pierre de taille. Plein d'enthousiasme, il saura vous parler de cette cuvée richement colorée, au nez de fruits mûrs légèrement grillés. La bouche est pleine, longue, et la charge tannique déjà fondue. Cette bouteille équilibrée peut être servie dès maintenant, mais elle supportera un peu de garde. La **cuvée Vieilles Vignes 2003 (8 à 11 €)** est citée.
Jean-Yves Billet, Dom. des Forges, 28 pl. des Tilleuls, 37140 Restigné, tél. 02.47.97.32.87, fax 02.47.97.46.47, e-mail J.Y.Billet@wanadoo.fr r.-v.

### DOM. DE LA GAUCHERIE 2003 *

6 ha 12 000 5 à 8 €

Vous ne pourrez manquer cette imposante construction en venant de Tours quand vous arriverez sur la terrasse de Bourgueil. Le chai très fonctionnel se trouve là, mais Régis Mureau dispose près du coteau d'une cave creusée dans le rocher, intéressante à voir, où se poursuit l'élevage des vins. Cette cuvée présente de la souplesse et des tanins bien intégrés. Le nez élégant mêle fleurs et fruits. Un bourgueil à apprécier dès maintenant. Le **Domaine Régis Mureau 2003 (3 à 5 €)**, printanier, est cité.
Régis Mureau, 16, rue d'Anjou, 37140 Ingrandes-de-Touraine, tél. 02.47.96.97.60, fax 02.47.96.93.43, e-mail regismureau@wanadoo.fr
t.l.j. sf dim. 8h-12h 14h-19h

### DOM. DES GELERIES Vieilles Vignes 2003

n.c. 7 500 5 à 8 €

Gérard Rouzier, le père de Jean-Marie, était chinonais ; c'est en se mariant avec une fille de Bourgueil qu'il est devenu un enfant du pays. Prenant sa nouvelle condition à cœur, il a développé le vignoble pour le porter à 17 ha. Cette cuvée qui a passé huit mois en fût en porte l'empreinte. Vanillée au nez mais aussi fruitée, elle se montre équilibrée en bouche : attaque agréable, tanins inoffensifs et longueur suffisante. Le retour du boisé en finale est attendu. La cuvée **Les Sablons 2003**, élevée en cuve, est citée.
Jean-Marie Rouzier, Les Géléries, 37140 Bourgueil, tél. 02.47.97.74.83, fax 02.47.97.48.73
t.l.j. sf dim. 9h-12h30 14h30-19h; f. 25 sept.-9 oct.

### DOM. DES GESLETS L'Expression 2003

1,3 ha 4 500 5 à 8 €

Un domaine de 15 ha mené de façon traditionnelle : la récolte est manuelle, la vendange triée et l'élevage conduit en foudre ou barrique. Le résultat est là : une cuvée expressive par ses arômes de fruits rouges mûrs, pleine de chair et aux tanins serrés. Ce vin bien articulé fera plaisir rapidement.
EARL Vincent Grégoire, Dom. des Geslets, 37140 Bourgueil, tél. 02.47.97.97.06, fax 02.47.97.73.95, e-mail domainedesgeslets@oreka.com
t.l.j. sf dim. 10h-18h

### DOM. DU GRAND CLOS 2003 *

8,11 ha 40 000 5 à 8 €

Cette vieille maison de tradition a conquis ses lettres de noblesse dans tout le Centre-Ouest et à Paris où elle est présente sur les bonnes tables. Les vignes du Grand Clos dominent le plateau de Bourgueil, magnifiquement exposées. Elles ont produit un vin au nez complexe de fruits mûrs et cuits, souligné d'un léger boisé. La bouche témoigne de la maturité de la vendange, source de puissance et d'onctuosité. Les tanins fermes ne demandent qu'à évoluer et le boisé est prêt à s'intégrer. Une belle carrière en vue. Le **rosé 2004 de ce domaine** est cité.

🔑 Maison Audebert et Fils, 20, av. Jean-Causeret, 37140 Bourgueil, tél. 02.47.97.70.06, fax 02.47.97.72.07, e-mail maison@audebert.fr
☑ 🍷 🚶 t.l.j. 8h30-12h 14h-18h; sam. dim. sur r.-v.

## VIGNOBLE DE LA GRIOCHE Cuvée Prestige 2003 ★

■ 0,8 ha 4 500 5 à 8 €

Le domaine de 13 ha se répartit entre des sols argilo-calcaires et des sols sableux, comme il se doit à Restigné, cette grande commune du Bourgueillois qui inclut une partie de la terrasse graveleuse et des pentes argilo-calcaires. Stéphane Breton travaille avec son père Jean-Marc. Il présente un vin bien extrait, généreux et soyeux. Les tanins apparaissent en finale, ce qui est bien normal pour un bourgueil de garde. Attendez-le un peu.
🔑 Jean-Marc Breton, 19, rue des Marais, 37140 Restigné, tél. 02.47.97.31.64, fax 02.47.97.92.39 ☑ 🏠 🍷 🚶 r.-v.

## DOM. GUION Cuvée Domaine 2003

■ 3 ha 12 000 **5 à 8 €**

Sur ce domaine en culture biologique depuis vingt ans, Stéphane Guion, qui a succédé à son père en 1990, applique scrupuleusement les consignes. Son vin libère des arômes mesurés mais francs, évocateurs de fruits rouges avec un côté floral frais. Ses tanins jouent les timides, cachés derrière une chair ronde. Régalez-vous dès maintenant.
🔑 Stéphane Guion, 3, rte de Saint-Gilles, 37140 Benais, tél. 02.47.97.30.75, fax 02.47.97.83.17, e-mail stephane.guion@terre-net.fr ☑ 🍷 🚶 r.-v.

## ALAIN ET ARNAUD HOUX Le Clos Barbin 2003

■ 1 ha 2 500 **3 à 5 €**

La cave est entièrement équipée en cuves Inox dans lesquelles sont menées les fermentations, mais, à 1 km de là, le domaine dispose d'un chai dans le roc avec foudres et fûts, parfait pour l'élevage. D'une agréable rondeur, le 2003 libère des notes de cuir et d'épices. La persistance est honorable et les tanins des plus discrets. Ce vin permettra d'attendre les cuvées plus charpentées.
🔑 Alain et Arnaud Houx, 21, le Clos Barbin, 37140 Restigné, tél. et fax 02.47.97.30.95 ☑ 🍷 🚶 r.-v.

## DOM. HUBERT 2003 ★

■ 2 ha 10 000 5 à 8 €

Franck Caslot a bien en main ce vaste domaine de 35 ha sis sur les terres argilo-calcaires de Benais, ses parents sont encore là pour recevoir les visiteurs. Dans ce 2003, les fruits rouges s'expriment volontiers tout au long de la dégustation, compagnons du volume et du gras de la matière. Les tanins s'affirment avec mesure. Un exemple de bourgueil fruité et solidement bâti, à attendre encore un peu.
🔑 Dom. Hubert, 1, rue des Caves-Caillots, 37140 Benais, tél. 02.47.97.30.59, fax 02.47.97.45.46 ☑ 🍷 🚶 r.-v.
🔑 Caslot

## DOM. DE LA LANDE Prestige 2003 ★

■ 1,5 ha 5 000 **8 à 11 €**

Marc Delaunay a laissé les rênes à son fils François depuis un moment déjà sur ce vignoble de 16 ha qu'il a contribué à agrandir et à équiper. Il vous accueillera pour vous présenter ce vin riche, tout en volume et frais à la fois grâce à son fruité. Gourmand, il est bon dès maintenant. La cuvée **Les Pins 2003 (5 à 8 €)**, plus austère actuellement, est citée.
🔑 EARL Delaunay Père et Fils, Dom. de La Lande, 20, rte du Vignoble, 37140 Bourgueil, tél. 02.47.97.80.73, fax 02.47.97.95.65
☑ 🍷 🚶 t.l.j. sf dim. 8h-12h 14h-18h

## LUCIEN LORIEUX Tuffeaux 2003 ★

■ 1 ha 7 000 5 à 8 €

Lucien Lorieux, installé en 1971 sur un domaine de 11 ha, voit arriver avec joie son fils Damien pour l'aider. Celui-ci, fort d'une expérience professionnelle acquise en Australie et en Californie, ne manquera pas d'idées nouvelles. Pour l'heure, c'est l'expérience et le travail du père qui parlent dans cette cuvée. Une vinification bien conduite dont le résultat est un vin tout en souplesse, aux saveurs de fruits cuits persistantes. Il ne doit pas attendre. Une citation pour la cuvée **Graviers 2003**.
🔑 Lucien Lorieux, 2, rue de la Percherie, 37140 Bourgueil, tél. et fax 02.47.97.88.44, e-mail lorieux.lucien@wanadoo.fr
☑ 🍷 🚶 t.l.j. sf dim. 9h-12h 14h-19h

## MICHEL ET JOELLE LORIEUX Chevrette 2003

■ 2 ha 6 000 **5 à 8 €**

Un domaine de 10 ha qui s'est constitué petit à petit. Mais ce n'est pas tout : Michel et Joëlle Lorieux sont associés à l'exploitation du Clos de l'Abbaye. Ils proposent un vin fruité en attaque, à la fois souple et élégant, d'un abord facile. Cette bouteille trouvera sa place sur de nombreuses tables et en maintes circonstances.
🔑 Joëlle et Michel Lorieux, Chevrette, 37140 Bourgueil, tél. et fax 02.47.97.85.86, e-mail lorieux.michel@wanadoo.fr ☑ 🏠 🍷 🚶 r.-v.

## DOM. LAURENT MABILEAU 2003

■ n.c. n.c. **5 à 8 €**

Laurent Mabileau fait partie de ces vignerons qui, installés à Saint-Nicolas-de-Bourgueil, possèdent des vignes sur Bourgueil. Rien de plus normal puisque les deux appellations sont voisines et que les exploitations se sont constituées au hasard des successions. Cette cuvée grenat, limpide, fait preuve d'équilibre ; sa bouche ronde s'enorgueillit d'une petite touche de grillé qui aura ses adeptes. Dans un an, elle sera de bonne compagnie.
🔑 Dom. Laurent Mabileau, La Croix-du-Moulin-Neuf, 37140 Saint-Nicolas-de-Bourgueil, tél. 02.47.97.74.75, fax 02.47.97.99.81, e-mail domaine@mabileau.fr
☑ 🍷 🚶 t.l.j. sf dim. 8h-12h 14h-19h

## FREDERIC MABILEAU Racines 2003 ★

■ 2 ha 5 000 **8 à 11 €**

Un vin certainement bien extrait, dont la matière s'appuie sur des tanins assez fermes et dont la palette aromatique est dominée par les fruits mûrs. Sa charpente originale en fait une curiosité. Il faut simplement lui laisser le temps de s'exprimer pleinement.
🔑 Frédéric Mabileau, 17, rue de la Treille, 37140 Saint-Nicolas-de-Bourgueil, tél. 02.47.97.79.58, fax 02.47.97.45.19 ☑ 🍷 🚶 r.-v.

## DOM. DES MAILLOCHES Cuvée Sophie 2003 ★★

■ 2 ha 10 000 5 à 8 €

Samuel Demont vient de rejoindre son père sur ce domaine de 23 ha où tous les types de sols, sables, graviers et argilo-calcaires, sont représentés. La cuvée Sophie a la vedette cette année. Bien qu'issue d'un terroir de graviers, elle présente beaucoup de consistance. Le nez libère des arômes de fruits rouges, et la bouche volumineuse fait état d'une rondeur persistante. Des tanins non agressifs, du fruit à revendre pour une bouteille que vous pourrez garder un an ou deux. La cuvée **Samuel Vieilles Vignes 2003**, notée une étoile, promet de se bonifier au fil du temps.

Jean-François et Samuel Demont, Les Mailloches, 37140 Restigné, tél. 02.47.97.33.10, fax 02.47.97.43.43, e-mail demont-j.f@wanadoo.fr r.-v.

## DOMINIQUE MESLET 2003 *

3 ha 3 000 5 à 8 €

Sous une robe cerise à reflets violacés apparaît un bouquet marqué par les fruits rouges mûrs, nuancés d'une touche épicée. Des fruits que l'on retrouve au palais dès l'attaque dans une rondeur déterminée. Les tanins font patte de velours et laissent se développer une finale tout en délicatesse. Il faut profiter dès maintenant de cette harmonie.

Dominique Meslet, 10, rue la Percherie, 37140 Bourgueil, tél. 02.47.97.42.95, fax 02.47.97.83.13 r.-v.

## YVES MESLET-THOUET 2003

1,5 ha 10 000 3 à 5 €

Le domaine est proche de l'abbaye de Bourgueil où naquit, à la fin du premier millénaire, le vignoble de Bourgueil. On comprend pourquoi on est tant attaché aux traditions chez les Meslet-Thouet. Les vendanges manuelles sont faites par une équipe fidèle dont le membre le plus ancien en est à sa cinquante-cinquième campagne. A la dégustation de ce 2003, rondeur et velouté s'imposent d'emblée au palais tandis qu'un fruité frais rend la finale sympathique. Pour aujourd'hui.

Yves Meslet-Thouet, 3, rue des Géléries, 37140 Bourgueil, tél. 02.47.97.80.33, fax 02.47.97.48.60 t.l.j. sf dim. 9h-12h 14h-19h

## CH. DE MINIERE 2003 *

7 ha 30 000 5 à 8 €

Jean-Yves Billet, vigneron à Restigné, vinifie les vins de ce domaine de 7 ha et la maison Couly en assure la commercialisation. Est-ce le terroir ou le talent du vinificateur qui assure à cette production une présence régulière dans le Guide ? Les deux sans aucun doute. Ce 2003 rubis dense laisse fuser à l'agitation des notes de fruits noirs mûrs et une petite touche de grillé. La matière surprend par sa souplesse, ses tanins de velours, harmonieusement fondus, et sa finale très réussie. A déboucher maintenant ou à garder un peu de temps.

Ch. de Minière, 37140 Ingrandes-de-Touraine, tél. 02.47.96.94.30, fax 02.47.96.91.53, e-mail mascarel-miniere@wanadoo.fr r.-v.

M. de Mascarel

## NAU FRERES Les Blottières 2003 *

5 ha 15 000 3 à 5 €

On ne change pas une équipe qui gagne. Deux frères travaillent ensemble depuis quinze ans sur ce domaine de près de 20 ha. Le coteau des Blottières, fait de calcaire et de graves, très ensoleillé (le nez de raisin surmûri le prouve), ne pouvait que produire ce vin complet, rond et équilibré. A boire dans les deux ans. La cuvée **Vieilles Vignes 2003**, aux tanins serrés, est citée.

Nau Frères, 52, rue de Touraine, 37140 Ingrandes-de-Touraine, tél. 02.47.96.98.57, fax 02.47.96.90.34, e-mail naufreres@wanadoo.fr r.-v.

## BERNARD OMASSON 2003 **

1 ha 2 000 5 à 8 €

Ne soyez pas surpris si l'étiquette est parcheminée : on ne bouleverse pas les choses chez les Omasson. Les méthodes de vinification respectueuses de la tradition sont à l'origine de cuvées solides, complètes, qui voient venir les ans sans crainte. De la robe pourpre de ce 2003 émane un bouquet concentré de fruits noirs. La matière opulente s'appuie sur des tanins bien ancrés mais déjà arrondis, et la finale finit de convaincre. Un potentiel de garde imposant.

Bernard Omasson, La Perrée, 54, rue de Touraine, 37140 Ingrandes-de-Touraine, tél. 02.47.96.98.20 r.-v.

## NATHALIE OMASSON 2003

2 ha 1 500 5 à 8 €

Une installation récente sur une propriété familiale de 5,50 ha et un désir de bien faire. Bonne chance à cette viticultrice dont le premier millésime est réussi. Le bouquet intense de fruits rouges et d'épices annonce une bouche puissante. Les tanins non agressifs laissent place à de la rondeur et de la longueur. Joli vin de fruits, au potentiel de garde intéressant.

Nathalie Omasson, 3, rue de la Cueille-Cadot, 37130 Saint-Patrice, tél. et fax 02.47.96.90.26 r.-v.

## DOM. DES OUCHES Les Clos Boireaux 2003

3,5 ha 14 000 8 à 11 €

Pour les amateurs de vins et de randonnées pédestres, le domaine des Ouches est incontournable. Paul Gambier ou l'un de ses fils vous indiqueront dans cette partie de l'appellation, adossée au coteau, un itinéraire qui vous fera aller de découverte en découverte. Au retour à la cave, cette cuvée au léger boisé, par sa richesse et sa présence tannique modérée, sera un solide reconstituant. De retour chez vous, vous l'attendrez un peu.

Paul Gambier et Fils, 3, rue des Ouches, 37140 Ingrandes-de-Touraine, tél. 02.47.96.98.77, fax 02.47.96.93.08, e-mail domaine.des.ouches@wanadoo.fr t.l.j. sf dim. 8h-12h 14h-19h

## ANNICK PENET 2003

0,8 ha 3 000 5 à 8 €

Annick Penet est conservatrice : elle a gardé la même étiquette qui était de mise il y a bien longtemps et est fière de son petit carré de vignes âgées de plus de cent ans. En matière de vin, se référer aux anciens et reproduire les gestes d'autrefois sont loin d'être des défauts. Cette cuvée joue la carte de la tradition, avec des tanins persistants, enrobés d'une matière dense. Les senteurs de fruits rouges mariées à des accents de surmaturation forment un bouquet plaisant. Une certaine garde sera fructueuse.

Annick Penet, 29, rue Basse, 37140 Restigné, tél. 02.47.97.33.68 r.-v.

## DOM. DU PETIT BONDIEU Les Couplets 2003 **

1,2 ha 6 500 5 à 8 €

La qualité commence par les soins à la vigne : travail du sol, enherbement et contrôle des rendements grâce à la

taille d'hiver et d'été. Les vins de caractère sont à ce prix. La cuvée Les Couplets en est un bon exemple. Myrtille, mûre et chocolat s'échappent du verre après agitation. Au palais, souplesse et ampleur reposent sur des tanins soyeux. Un léger boisé marque la finale. Ce bourgueil d'équilibre peut se permettre un temps d'attente, mais vous aurez déjà beaucoup de plaisir à en profiter maintenant. Dans la foulée, **Le Petit Mont 2003** a été jugé remarquable (deux étoiles).

EARL Pichet, Le Petit Bondieu, 30, rte de Tours, 37140 Restigné, tél. 02.47.97.33.18, fax 02.47.97.46.52, e-mail jean-marc-pichet@wanadoo.fr
t.l.j. sf dim. 9h-12h 14h-18h30

## DOM. DE LA PETITE MAIRIE 2003 *

■ 8 ha 10 000 5 à 8 €

L'église de Restigné, qui date du XII^e s., mérite à elle seule que l'on s'arrête dans cette commune du Bourgueillois de vaste étendue et qui reste la principale de l'appellation. A la Petite Mairie, dans la maison en pierre de tuffeau abondamment fleurie, vous serez dans un cadre propice pour déguster cette cuvée au nez très développé de cassis, de pruneau et de fruits rouges. L'attaque tendre annonce une suite tout en souplesse et rondeur que ne contrarient pas les tanins. La finale laisse une impression de fraîcheur fruitée. Il faut en profiter.

James Petit,
Dom. de la Petite Mairie, 37140 Restigné,
tél. 02.47.97.30.13, fax 02.47.97.44.33 r.-v.

## DOM. LES PINS Vieilles Vignes 2003 *

■ 2 ha 15 000 8 à 11 €

Au milieu du vignoble, qui couvre aujourd'hui 19 ha, trônent les bâtiments, en partie du XVI^e s. ; cinq générations ont travaillé à sa création et à son développement. La robe rouge profond de ce 2003 laisse paraître des senteurs de fruits mûrs qui s'expriment à nouveau en bouche après une attaque toute de douceur. Les tanins font une entrée discrète et la finale reste sur le fruit. La cuvée **Clos les Pins 2003 (5 à 8 €)** est citée.

EARL Pitault-Landry et Fils, Dom. Les Pins, 37140 Bourgueil, tél. 02.47.97.47.91, fax 02.47.97.98.69, e-mail philippe.pitault@wanadoo.fr r.-v.

## DOM. LE PONT DU GUE 2003

■ 1 ha 7 000 5 à 8 €

Eric Ploquin, installé depuis une quinzaine d'années au Pont-du-Gué, présente deux cuvées. La première, issue de terres argilo-calcaires, bien articulée, offre une attaque lisse et grasse. Le fruit pointe au travers d'une trame tannique encore à fondre. Cette bouteille peut patienter une couple d'années. La seconde, la cuvée **Vieilles Vignes 2003** obtient également une citation.

Eric Ploquin, Le Pont-du-Gué, 37140 Bourgueil, tél. 02.47.97.90.82, fax 02.47.97.95.68, e-mail ploquin-eric@free.fr
t.l.j. sf dim. 8h-12h30 14h-18h30

## DOM. PONTONNIER Vieilles Vignes 2003

■ 3 ha 10 000 5 à 8 €

La propriété est superbe : 35 ha bien calés contre le coteau. Elle a produit une cuvée Vieilles Vignes qui a bénéficié d'un passage en fût de trois mois, pour son plus grand bien et qui est déjà prête. La bouche est surprenante de fraîcheur et de fruit et les tanins jouent les abonnés absents. Un léger boisé rappelle son passé.

Pontonnier-Caslot-Hubert, 4, chem. de L'Epaisse, 37140 Saint-Nicolas-de-Bourgueil,
tél. 02.47.97.84.69, fax 02.47.97.48.55 r.-v.

## DOM. DU PRESSOIR FLANIERE
Vieilles Vignes 2003

■ 2 ha 10 000 3 à 5 €

Le point de vue mérite le détour. Du domaine situé sur les pentes du coteau, on domine la terrasse de Bourgueil aux rangs de vignes bien alignés, éclairée des constructions blanches en pierre de tuffeau. Cette cuvée mérite aussi que l'on s'y arrête. Printanière par ses arômes floraux, sa souplesse et sa légèreté, elle créera une joyeuse ambiance sur une table amicale.

GAEC Galteau,
44-48, rue de Touraine, 37140 Ingrandes-de-Touraine,
tél. 02.47.96.98.95, fax 02.47.96.90.91
t.l.j. sf dim. 8h30-12h 14h-19h

## DOM. DES RAGUENIERES
Cuvée Clos de La Cure 2003 *

■ 1,5 ha 10 000 5 à 8 €

Cette propriété de 18 ha, adossée au coteau, dispose d'une maison de maître imposante ; elle est conduite par deux vignerons de talent et d'expérience. Leur dernière-née, cette cuvée Clos de La Cure, véritable enfant de Benais, qui est solidement construite. Le ton grillé au nez se mêle à des caractères de sous-bois agréables. La bouche riche et longue, bénéficie d'un bon support tannique. Cette bouteille pourrait prendre un peu d'âge sans souci.

Eric Roi, 11, rue du Machet, 37140 Benais,
tél. 02.47.97.30.16, fax 02.47.97.46.78 r.-v.
Maître-Gadais et Viémont

## VIGNOBLE DES ROBINIERES
Cuvée Vieilles Vignes 2003 *

■ 4 ha 15 000 5 à 8 €

Les deux fils qui ont repris en 1998 l'exploitation du père, forte aujourd'hui de 17 ha, se partagent le travail. L'un est dans les vignes et suit le produit jusqu'à la vinification ; l'autre se charge de l'élevage et de la commercialisation. C'est bien sûr aux deux que l'on doit cette cuvée. Alors que le nez fin et élégant penche vers la confiture de fruits rouges, la bouche est plutôt épicée. On perçoit de la matière en abondance et des tanins en cours de maturation. Ce bourgueil a besoin d'un peu de temps encore.

EARL Marchesseau Fils, 16, rue de l'Humelaye, 37140 Bourgueil, tél. 02.47.97.47.72, fax 02.47.97.46.36, e-mail earl.marchesseau@libertysurf.fr
t.l.j. 9h-12h 14h-19h; dim. sur r.-v.

DOM. DU ROCHOUARD Cuvée Coteau 2003 ★

■ 2 ha 6 600 5 à 8 €

Au Rochouard où l'on a l'habitude de bien séparer les terroirs lors des vinifications, c'est la cuvée Coteau qui se place en tête cette année. Les qualificatifs ne manquent pas : souple, ronde et bien équilibrée. D'un abord facile, elle ne montre pas ou peu de tanins contestataires. Un vin des plus agréables pour l'immédiat.

GAEC Duveau-Coulon et Fils, 1, rue des Géléries, 37140 Bourgueil, tél. 02.47.97.85.91, fax 02.47.97.99.13, e-mail contact@domainedurochouard.com
t.l.j. sf dim. 8h30-12h30 14h-18h30

VIGNOBLE DE LA ROSERAIE 2003

■ 4,5 ha 10 000 5 à 8 €

Deux frères, Eric et Patrick Vallée, se sont mis en Groupement agricole d'exploitation en commun (GAEC) pour exploiter les 31 ha d'un beau vignoble de la commune de Restigné. Ils proposent un bourgueil dont le nez de fruits rouges, subtil et élégant, annonce une bouche agréable. C'est un vin facile à boire en beaucoup de circonstances.

Vignoble de la Roseraie,
46, rue Basse, 37140 Restigné,
tél. 02.47.97.32.97, fax 02.47.97.44.24 r.-v.
Vallée

DOM. THOUET-BOSSEAU L'Humelaye 2003 ★

■ 2 ha 8 000 5 à 8 €

Jean-Baptiste Thouet-Bosseau pilote ce domaine de 7,20 ha, mais il est également impliqué avec un autre vigneron dans la mise en valeur du domaine de l'Abbaye. Son bourgueil L'Humelaye joue dans des tons légers et souples. Les arômes de fruits cuits accompagnés d'une note grillée – millésime oblige – mais à peine perceptible s'affirment tout au long de la dégustation. La finale s'arrête sur une présence tannique subtile. La **cuvée Vieilles Vignes 2003**, citée, doit vieillir un an ou deux.

Thouet-Bosseau, 13, rue de Santenay,
37140 Bourgueil, tél. 02.47.97.73.51, fax 02.47.97.44.65, e-mail domaine.thouet-bosseau@wanadoo.fr r.-v.

DOM. DES VALLETTES Vieilles Vignes 2003

■ 2 ha 11 500 5 à 8 €

Francis Jamet a créé seul son exploitation sur Saint-Nicolas-de-Bourgueil. Son fils François l'a rejoint récemment. Tous deux cultivent 2 ha sur Bourgueil et ont produit cette cuvée très souple qui met en valeur un bouquet de fruits rouges, nuancé de poivron et d'un léger boisé. Avec sa finale sympathique, ce vin se boira facilement.

Francis et François Jamet,
Dom. des Vallettes, 37140 Saint-Nicolas-de-Bourgueil,
tél. 02.47.97.44.44, fax 02.47.97.44.45,
e-mail francis.jamet@les-vallettes.com
t.l.j. sf dim. 8h-12h 14h-18h

DOM. DE LA VERNELLERIE 2003

■ 1 ha 2 000 3 à 5 €

La maison du XVIe s. ne manque pas de cachet, entourée des 15 ha du vignoble du domaine. Le 2003 semble timide de prime abord, mais à l'agitation il révèle des tons floraux et fruités. L'attaque tendre se prolonge par beaucoup de rondeur et une grande présence aromatique. Ce sera un vin bien utile pour recevoir des amis sans façons.

EARL Dom. de la Vernellerie, 7, rue d'Orfeuil,
37140 Benais, tél. et fax 02.47.97.31.18 r.-v.

DOM. DES VIENAIS

Vieilles Vignes Elevé en fût de chêne 2003 ★

■ 3 ha 21 000 5 à 8 €

Plusieurs générations de Poupineau se sont succédé sur cette propriété de 22 ha très bien équipée pour la vinification. Ajoutez-y le talent de Gérard et vous obtenez cette cuvée qui sort de l'ordinaire par ses tanins souples, en justes proportions. Le boisé déjà présent au nez se fait une place parmi les senteurs de fruits rouges, puis il s'affirme en finale. Vous aimerez plus encore cette bouteille dans deux ans, quand le bois sera mieux intégré.

Gérard Poupineau, 3, rue des Lavandières,
37140 Benais, tél. 02.47.97.35.19, fax 02.47.97.46.91,
e-mail domaine.desvienais@wanadoo.fr r.-v.

# Saint-nicolas-de-bourgueil

Si les vignobles ont les mêmes caractéristiques que ceux de l'aire contiguë de Bourgueil, la commune de Saint-Nicolas-de-Bourgueil (simple paroisse détachée de Bourgueil au XVIIIe s.) possède son appellation particulière.

Son vignoble croît, pour les deux tiers, sur les sols sablo-graveleux des terrasses de la Loire. Au-dessus, le coteau est protégé des vents du nord par la forêt ; le tuffeau y est surmonté d'une couverture sableuse. Bien que ce ne soit pas le cas des vins provenant exclusivement du coteau, les saint-nicolas-de-bourgueil, souvent issus d'assemblages, ont la réputation d'être plus légers que les bourgueil. Ils ont produit 64 970 hl en 2004 sur une superficie de 1 051 ha déclarés.

YANNICK AMIRAULT La Mine 2003 ★

■ 2,5 ha 16 000 8 à 11 €

Yannick Amirault travaille aussi bien les bourgueil que les saint-nicolas. Pour preuve, ce vin des plus typiques de l'année et de l'appellation. Le millésime lui a donné des tanins, juste ce qu'il faut pour sa structure ; le sol de graves s'est chargé de son fruité subtil qui mêle fruits rouges et fruits noirs ; le vigneron, par sa science et un élevage bien conduit, a mis en valeur sa riche matière. Autant d'atouts qui lui réservent de beaux jours.

Yannick Amirault,
5, pavillon du Grand-Clos, 37140 Bourgueil,
tél. 02.47.97.78.07, fax 02.47.97.94.78 r.-v.

VIGNOBLES AUDEBERT ET FILS

Les Graviers 2003

■ 2 ha 7 500 5 à 8 €

Il n'est plus besoin d'introduire la maison Audebert, présente dans les vignobles de bourgueil et de saint-nicolas, ainsi que sur toutes les bonnes tables du Centre-Ouest. Sa cuvée Les Graviers exprime un bouquet de fruits rouges d'où ressort une touche animale. L'harmonie des composants est complète, ce qui permet à ce joli vin d'être prêt à boire. Le **Domaine Audebert et Fils 2003** est également cité.

Maison Audebert et Fils, 20, av. Jean-Causeret, 37140 Bourgueil, tél. 02.47.97.70.06, fax 02.47.97.72.07, e-mail maison@audebert.fr
t.l.j. 8h30-12h 14h-18h; sam. dim. sur r.-v.

## BEAU PUY Vieilles Vignes 2003 *

3 ha 12 000 5 à 8 €

Jean-Paul Morin est installé principalement à Bourgueil ; ce petit bien de Beau Puy, sis à Saint-Nicolas, lui vient de sa famille maternelle. Comme son nom l'indique, il se trouve tout en hauteur sur un puy qui ménage un large panorama de Saumur au château d'Ussé. Cette cuvée est à la hauteur, elle aussi, par son expression florale et fruitée, sa rondeur et son gras, à la limite de la douceur. Une fine structure tannique lui donne un caractère coulant des plus plaisants.

Jean-Paul Morin, 30, rue de La Lande, 37140 Bourgueil, tél. 02.47.97.76.92, fax 02.47.97.98.20
r.-v.

## DOM. DU BOURG Cuvée Les Graviers 2003 *

10 ha 10 000 5 à 8 €

Une maison coquette au centre du bourg et un accueil chaleureux dans une salle de présentation des vins, arrangée avec goût : c'est une visite qui marquera. Marqueront aussi deux belles cuvées. La première, Les Graviers, dans une robe rouge intense, propose un bouquet complexe fait d'épices et de sous-bois. L'attaque est souple, les tanins fins et fondus. Au détour de la dégustation apparaissent des notes de tabac blond et de grillé, tandis que la finale reste sur les épices. Ce saint-nicolas a tout à gagner à attendre. La seconde cuvée, **Prestige 2003 (8 à 11 €)** obtient aussi une étoile.

Jean-Paul Mabileau, Dom. du Bourg, 6, rue du Pressoir, 37140 Saint-Nicolas-de-Bourgueil, tél. et fax 02.47.97.79.58
r.-v.

## CAVE BRUNEAU-DUPUY Vieilles Vignes 2003 *

5 ha 35 000 3 à 5 €

Le domaine comprend 16 ha sur des sols argilo-calcaires, pour les deux tiers, et siliceux. La cuvée Vieilles Vignes, produite sur 5 ha, est cette année le cheval de bataille de Sylvain Bruneau. Elle aura un franc succès auprès des amateurs de vins à boire dans l'immédiat. Car elle est chaleureuse, persistante, dotée de tanins fondus et d'un fruit dominant du début à la fin. La **cuvée Réserve 2003 (5 à 8 €)**, notée également une étoile, a de bonnes prétentions de garde.

Sylvain Bruneau, EARL Bruneau-Dupuy, 14, La Martellière, 37140 Saint-Nicolas-de-Bourgueil, tél. 02.47.97.75.81, fax 02.47.97.43.25, e-mail info@cave-bruneau-dupuy.com
r.-v.

## CARROI Elevage traditionnel en fût 2003

2,1 ha 11 000 5 à 8 €

Fleur d'oranger à l'agitation, cassis et fraise des bois à l'attaque : des arômes dignes d'un vin élégant. Le prolongement reste sur le fruit et l'impression harmonieuse d'ensemble confirme la réussite de la vinification. Ce 2003 est à mettre sur toutes les tables sans risque de décevoir.

Bruno Breton, EARL du Carroi, 45, rue Basse, 37140 Restigné, tél. 02.47.97.31.35, fax 02.47.97.49.00
t.l.j. sf dim. 8h-12h 14h-18h

## CASLOT-BOURDIN Les Malgagnes 2003 *

1 ha 5 000 5 à 8 €

Ce domaine créé en 1970 dans l'aire d'appellation bourgueil a eu l'opportunité de s'étendre sur celle de saint-nicolas. Une heureuse circonstance qui nous vaut cette cuvée des Malgagnes. Elevée sous bois onze mois durant, elle ne peut renier son passé. L'attaque est ronde, la consistance sérieuse et la fin de bouche plaisante. Le bois bien présent réclame une garde d'au moins deux ans pour se fondre harmonieusement. La cuvée **Les Hauts Clos Caslot 2003**, chaleureuse, est citée.

EARL Alain et Cyprien Caslot-Bourdin, 21, rue Brûlée, La Charpenterie, 37140 La Chapelle-sur-Loire, tél. 02.47.97.34.45, fax 02.47.97.44.80
t.l.j. sf dim. 9h-19h

## DOM. DU CLOS DE L'EPAISSE Cuvée des Clos 2003 *

2,5 ha 15 000 5 à 8 €

Le vignoble, adossé au coteau, descend progressivement sur la terrasse. Sur les hauts, l'argile provenant de l'érosion du plateau s'est mêlée aux graviers pour former des sols consistants. Les vins seront charnus. Plus bas, le gravier resté seul accentuera ce caractère léger et fruité bien connu des saint-nicolas. Cette cuvée issue des pentes les plus hautes se classe dans le registre des vins riches, ronds, dont les tanins quasiment muets laissent une grande liberté d'expression au fruit. La **cuvée traditionnelle 2003**, plus aérienne, mérite une citation.

Yvan Bruneau, 50, av. Saint-Vincent, 37140 Saint-Nicolas-de-Bourgueil, tél. 02.47.97.90.67, fax 02.47.97.49.45
t.l.j. sf dim. 9h-12h 14h-19h

## CLOS DES QUARTERONS Vieilles Vignes 2003 **

2,3 ha 15 120 5 à 8 €

Un vignoble créé en 1893 et qui a peut-être l'âge de la maison : une construction bourgeoise en pierre de taille comme on savait les faire au XIX[e]s. et qui trône à l'entrée du bourg. Le chai moderne est resté fidèle aux demi-muids. Cette cuvée y a séjourné onze mois. Elle accuse un léger boisé, mais celui-ci s'estompera progressivement au cours des ans, car elle est faite pour la garde : on sent la vendange bien mûre qui a donné une riche matière et des tanins fermes. On est impatient de la redécouvrir plus tard. La cuvée **Les Quarterons 2003**, d'un abord plus facile, brille d'une étoile.

Thierry Amirault, Clos des Quarterons, 46, av. Saint-Vincent, 37140 Saint-Nicolas-de-Bourgueil, tél. 02.47.97.75.25, fax 02.47.97.97.97, e-mail amirault.thierry@wanadoo.fr
t.l.j. sf dim. 8h-12h 13h30-18h

## CLOS DU VIGNEAU 2003 **

20 ha 40 000 5 à 8 €

Le domaine est né en 1820 quand P. Jamet acquit le Clos du Vigneau au sol de graviers. La propriété s'est agrandie depuis, toujours sous la houlette de la même famille ; elle atteint aujourd'hui 21 ha. Ce 2003 est d'autant plus remarquable qu'il est issu de la quasi-totalité du vignoble. Rubis dense, il ne manque pas d'éloquence en exprimant des arômes de fruits rouges mûrs et de feuille de cassis, soulignés d'une note animale. Après une attaque franche, matière et tanins font une entrée réussie : la première est dense, les seconds élégants. La finale qui conjugue les deux n'en finit pas.

EARL Clos du Vigneau - A. Jamet, le Clos du Vigneau, BP6, 37140 Saint-Nicolas-de-Bourgueil, tél. 02.47.97.75.10, fax 02.47.97.98.98, e-mail info@clos-du-vigneau.com
t.l.j. sf dim. 8h-12h 14h-18h30
GFA Vigneau

## DOM. DE LA CLOSERIE Vieilles Vignes 2003

3 ha 13 000 5 à 8 €

Le domaine de La Closerie situe son activité principale sur le terroir de Bourgueil. Cependant, à Saint-Nicolas, Jean-François Mabileau met en valeur un petit bien qu'il tient de famille certainement – quand on s'appelle Mabileau. Il diversifie ainsi son offre et fait ses preuves de bon vigneron dans une autre appellation. Intéressant par sa couleur intense, le 2003 s'ouvre largement sur des arômes de fruits rouges mûrs. Les tanins sont présents mais élégants, ce qui favorise une finale longue et sans agressivité. Friand aujourd'hui, ce vin a de la marge pour évoluer.

Jean-François Mabileau, Dom. de La Closerie, 28, rte de Bourgueil, 37140 Restigné, tél. 02.47.97.36.29, fax 02.47.97.48.33 r.-v.

## LYDIE ET MAX COGNARD-TALUAU Cuvée Les Malgagnes 2003 ★

2 ha 8 800 8 à 11 €

Une unité familiale de 11 ha créée par les parents en 1974 et où sont impliqués maintenant les enfants, Estelle et Rodolphe. Une grande disponibilité donc pour recevoir les visiteurs dans une salle de dégustation aménagée agréablement dans d'anciens celliers et où un accès pour personnes à mobilité réduite est prévu. Coulante, fruitée, avec des tanins fins, cette cuvée sera parfaite dans un à deux ans.

Max et Lydie Cognard-Taluau, Chevrette, 37140 Saint-Nicolas-de-Bourgueil, tél. 02.47.97.76.88, fax 02.47.97.97.83, e-mail max.cognard@wanadoo.fr
t.l.j. 9h-12h 13h30-18h; sam. dim. sur r.-v.

## DOM. DE LA COTELLERAIE L'Envol 2003 ★

4 ha 20 000 5 à 8 €

Gérald Vallée est à pied d'œuvre sur ce domaine de 26 ha depuis l'année 2000. Son premier enfant est né aux vendanges 2003, un heureux présage pour cette cuvée. Le verre s'ouvre sur des arômes flatteurs d'épices et de grillé. La bouche, à dominante boisée, mêle en outre des évocations de fruits confits et de tabac blond. Il y a de la matière, mais également des tanins. Une bouteille à mettre en cave absolument pour qu'elle prenne un envol définitif. La cuvée **Le Vau Jaumier 2003 (8 à 11 €)**, dotée d'une étoile, est de même qualité.

Gérald Vallée, La Cotelleraie, 37140 Saint-Nicolas-de-Bourgueil, tél. 02.47.97.75.53, fax 02.47.97.85.90, e-mail gerald.vallee@wanadoo.fr
t.l.j. 9h-19h sf dim. 9h-12h

## FOUCHER-LEBRUN Les Grands Jardins 2003 ★

n.c. n.c. 5 à 8 €

Paulin Lebrun, tonnelier de son métier, se prit de passion pour la vigne et le vin au contact de ses clients ; il fonda ce domaine en 1921. Son petit-fils s'en félicite aujourd'hui et poursuit avec enthousiasme le travail de son grand-père. Sa cuvée est étonnante de qualités : fruitée, ronde, longue, c'est une vraie gourmandise. Pas de tanins importuns, des arômes de fraise des bois et de mûre, et l'envie d'en profiter tout de suite.

Maison Foucher-Lebrun, 29, rte de Bouhy, 58200 Alligny-Cosne, tél. 03.86.26.87.27, fax 03.86.26.87.20, e-mail foucher.lebrun@wanadoo.fr
t.l.j. sf dim. lun. 8h-12h 14h-18h

## LE VIGNOBLE DU FRESNE 2003 ★

0,65 ha 5 000 5 à 8 €

Le jury a été unanime pour déclarer ce vin très réussi. Les dégustateurs ont décelé de la rondeur et de la longueur en bouche. Côté arômes, les avis divergent selon les sensibilités : fruits pour les uns, pain grillé pour les autres, le millésime de la canicule laissant son empreinte. La robe rouge soutenu, brillante, refait l'union et tous recommandent un peu de garde.

Patrick Guenescheau, 1, Le Fresne, 37140 Saint-Nicolas-de-Bourgueil, tél. 02.47.97.86.60, fax 02.47.97.42.53 t.l.j. 9h-19h30; dim. 10h-13h

## DOM. DES GESLETS La Contrie 2003 ★

2,5 ha 15 000 5 à 8 €

La cave de la Dive Bouteille, propriété du syndicat des vins, n'est guère loin. Une curiosité à voir pour ses dimensions, son éclairage et les informations qu'elle propose. L'aire de pique-nique attenante est accueillante. Auparavant, vous aurez dégusté un beau vin aux Geslets : cette cuvée issue de raisins mûrs, qui montre volume et distinction. Des arômes grillés complètent son caractère. Un exemple de vin original qui peut durer de longues années.

EARL Vincent Grégoire, Dom. des Geslets, 37140 Bourgueil, tél. 02.47.97.97.06, fax 02.47.97.73.95, e-mail domainedesgeslets@oreka.com
t.l.j. sf dim. 10h-18h

## DOM. GODEFROY Vieilles Vignes 2003 ★

2 ha 12 000 5 à 8 €

Chez Gérard et Jérôme Godefroy, on est capable de tout bouleverser. Les installations de vinification ont été déplacées dans une commune voisine, ce qui permettra à Gérard de prendre une retraite paisible. Mais si le matériel bouge, le travail ne change pas et c'est toujours la même science et les mêmes soins qui président à l'élaboration des vins. Cette cuvée en atteste. Par sa rondeur, ses tanins fondus, elle joue la carte de la disponibilité. Le bouquet puissant de pruneau et de fruits cuits le confirme. Une citation pour la **cuvée Prestige 2003**.

GAEC Gérard et Jérôme Godefroy, 19, Le Plessis, 37140 Chouzé-sur-Loire, tél. 02.47.95.16.56, fax 02.47.97.48.23, e-mail jerome.godefroy@libertysurf.fr r.-v.

DOM. DU GROLLAY Vieilles Vignes 2003 ★

■ 1 ha 5 000 ▮ 5 à 8 €

« Parti de rien », c'est bien l'expression qui convient pour cet exploitant qui a commencé avec 0,5 ha en 1983 et qui possède aujourd'hui 14 ha de ceps sur graviers, les sols dominants de saint-nicolas. « Vin souple, équilibré, fruité et de bonne longueur », *dixit* le jury. Rien à ajouter sinon que c'est ce que l'on attend d'un saint-nicolas à offrir aux amis.

Jean Brecq, Le Grollay,
37140 Saint-Nicolas-de-Bourgueil,
tél. et fax 02.47.97.78.54
t.l.j. 9h-12h30 13h30-20h

HAUT DE LA GARDIERE 2003

■ 2 ha 10 000 3 à 5 €

Si Thierry Pantaléon aime son travail de vigneron, il a aussi une autre passion : la pierre. Il a construit une salle de dégustation avec les matériaux d'un ancien bâtiment. Pour autant il ne néglige pas ses 13 ha de vignes du Haut de la Gardière et ses vins. Le nez fruité puissant de ce 2003 évolue vers des notes mentholées. Au palais, une solide structure se dessine, vite tempérée par une rondeur plaisante. La finale fait ressortir quelques tanins, tandis que le bouquet fruité est relevé d'épices comme la girofle et le poivre. Ce vin peut attendre ou être bu maintenant, c'est selon.

EARL Thierry Pantaléon, 20, La Gardière,
37140 Saint-Nicolas-de-Bourgueil, tél. 02.47.97.87.26,
fax 02.47.97.47.71 r.-v.

VIGNOBLE DE LA JARNOTERIE
Cuvée MR 2003

■ 17 ha 60 000 5 à 8 €

A La Jarnoterie on visite les caves en voiture ! C'est dire l'étendue de ses galeries en tuffeau. Avec un tel outil, l'élevage en fût ne doit pas poser de problèmes d'espace. Cette cuvée a passé six mois sous bois et elle s'en trouve fort aise. Equilibrée, dotée d'une grande finesse aromatique, elle trouvera avec l'âge son plein épanouissement.

EARL Jean-Claude Mabileau et Didier Rezé,
La Jarnoterie, 37140 Saint-Nicolas-de-Bourgueil,
tél. 02.47.97.75.49, fax 02.47.97.79.98 r.-v.

MICHEL ET JOELLE LORIEUX Chevrette 2003

■ 2 ha 6 000 5 à 8 €

Vignerons en premier à Bourgueil, à la Chevrette et au Clos de l'Abbaye, les Lorieux ne manquent pas de venir taquiner le terroir de saint-nicolas pour compléter leur gamme. Ce 2003 tout en simplicité, délicat au nez, rond et fruité au palais, est à classer parmi les vins de « délassement ». A boire avec l'esprit au repos.

Joëlle et Michel Lorieux, Chevrette,
37140 Bourgueil, tél. et fax 02.47.97.85.86,
e-mail lorieux.michel@wanadoo.fr r.-v.

PASCAL LORIEUX Agnès Sorel 2003 ★★

■ 0,7 ha 7 000 ▮ 5 à 8 €

Bien implantés à Chinon, les deux frères exploitent également à Saint-Nicolas 10,5 ha. Le sol, constitué principalement de graviers profonds et filtrants, se réchauffe facilement. Le sable qui s'y trouve mêlé apporte aux vins des parfums et une extrême finesse. On s'en rend compte dans cette cuvée dominée par la fraise des bois, le cassis et la groseille. La souplesse est telle que les tanins semblent quasi inexistants. Une harmonie remarquable.

Pascal et Alain Lorieux,
Le Bourg, 37140 Saint-Nicolas-de-Bourgueil,
tél. 02.47.97.92.93, fax 02.47.97.47.88,
e-mail contact@lorieux.fr r.-v.

FREDERIC MABILEAU Les Rouillères 2003 ★

■ 8 ha 50 000 8 à 11 €

Au cœur de la terrasse de Saint-Nicolas, Les Rouillères, généreusement baignées de soleil, sont couvertes de graviers bien drainés, se réchauffant facilement. La maturité des raisins y est donc toujours maximale. Cette cuvée développe des senteurs de fruits rouges, puis offre une attaque nette et franche. Les tanins se manifestent en finale dans une ambiance de richesse et de gras. Rien d'anormal, simplement le signe qu'une petite garde est nécessaire pour un meilleur fondu.

Frédéric Mabileau,
17, rue de la Treille, 37140 Saint-Nicolas-de-Bourgueil,
tél. 02.47.97.79.58, fax 02.47.97.45.19 r.-v.

JACQUES ET VINCENT MABILEAU
La Gardière Vieilles Vignes 2003 ★

■ 4 ha 15 000 ▮ 5 à 8 €

Une cuvée Vieilles Vignes qui ne peut renier ses origines : La Gardière et ses terres argilo-calcaires proches du coteau, propice aux vins structurés. La bouche est ainsi ronde, harmonieuse, abondamment pourvue d'arômes de fruits rouges et d'épices. Mais voilà, les tanins bien extraits se rebiffent un tantinet en finale. Après un ou deux ans de garde, il n'en paraîtra plus. La cuvée principale **La Gardière 2003**, plus souple, est citée. Elle permettra d'attendre la première.

EARL Jacques et Vincent Mabileau,
La Gardière, 37140 Saint-Nicolas-de-Bourgueil,
tél. 02.47.97.75.85, fax 02.47.97.98.03 r.-v.

LAURENT MABILEAU 2003 ★

■ n.c. n.c. 5 à 8 €

Un vin habillé d'un beau boisé. Pour l'heure il se présente dans une robe presque pourpre, puis s'ouvre sur des évocations fortement vanillées. La bouche dominée par le chêne est longue, dotée de tanins équilibrés. Il va de soi qu'un temps d'attente s'impose pour retrouver les couleurs d'origine.

Dom. Laurent Mabileau, La Croix-du-Moulin-Neuf,
37140 Saint-Nicolas-de-Bourgueil, tél. 02.47.97.74.75,
fax 02.47.97.99.81, e-mail domaine@mabileau.fr
t.l.j. sf dim. 8h-12h 14h-19h

DOM. DU MORTIER Cuvée Dionysos 2003

■ 1 ha 4 000 5 à 8 €

Les deux frères Boisard, Cyril et Fabien, se sont installés en 1996 sur un petit vignoble. Ils n'ont eu de cesse de l'agrandir et l'ont porté progressivement à 9 ha. Ils travaillent en agriculture biologique et au plus près de la tradition en pratiquant l'élevage sous bois. Des panneaux solaires leur fournissent une part de l'énergie. Résultat : un vin au nez de fruits rouges mûrs et aux tanins déjà évolués qui garantissent une juste longueur. Le boisé attend son intégration, ce qui sera chose faite dans deux ans.

Boisard Fils, Dom. du Mortier,
37140 Saint-Nicolas-de-Bourgueil,
tél. 02.47.97.98.68, fax 02.47.97.94.68,
e-mail info@boisard-fils.com r.-v.

DOM. OLIVIER Cuvée du Mont des Olivier 2003 ★

■ 3 ha 19 000 5 à 8 €

Le domaine se situe au cœur du vignoble de Saint-Nicolas et entoure pour une part les bâtiments d'exploitation. Le père l'a créé en 1959, le fils s'est joint à lui et, récemment, le petit-fils Patrick a pris les rênes de ces 34 ha avec son épouse. Des terres d'argile mêlées de sable sont à l'origine de ce vin bien construit, dont le bouquet fait fortement référence aux fruits rouges. La bouche reste sur le fruit un moment, avec une petite touche épicée, puis s'étire longuement dans une finale où les tanins restent en retrait. A boire maintenant ou à mettre de côté une couple d'années. Une citation pour la cuvée **Clos Lourioux Vieilles Vignes 2003 Vieilli en fût**, apte à la garde.

EARL Dom. Olivier, La Forcine,
37140 Saint-Nicolas-de-Bourgueil,
tél. 02.47.97.75.32, fax 02.47.97.48.18,
e-mail patrick.olivier14@wanadoo.fr r.-v.

DOM. DE LA PERREE Cuvée Vieilles Vignes 2003

■ 2 ha 16 000 3 à 5 €

« Perrée » est un vieux mot signifiant « pierre ». On est dans cette partie de saint-nicolas, sur le gravier et le sable, où sont produits des vins tout en fruit et en rondeur. Tel est le cas de celui-ci. La bouche est ample, équilibrée, et les notes de sous-bois, de fruits rouges, d'épices sont omniprésentes. Cette bouteille ne demande qu'à satisfaire rapidement vos amis.

Patrice Delarue, La Perrée,
37140 Saint-Nicolas-de-Bourgueil,
tél. et fax 02.47.97.94.74 r.-v.

LES CAVES DU PLESSIS Vieilles Vignes 2003 ★

■ 3,8 ha 28 000 5 à 8 €

Le domaine est né avec le XX^e s. Depuis, cinq générations se sont succédé pour le porter aujourd'hui à 27 ha. Le 2003 joue de subtiles notes de fruits rouges. L'attaque est franche et la matière compose avec des tanins assez accommodants. La finale persiste, signe qu'une moyenne garde est possible. La cuvée **Réserve Stéphane 2003**, légèrement boisée, attendra aussi. Elle est tout aussi bien notée.

Claude Renou, 17, La Martellière,
37140 Saint-Nicolas-de-Bourgueil, tél. 02.47.97.85.67,
fax 02.47.97.45.55, e-mail renou.stephane@wanadoo.fr
t.l.j. sf dim. 9h-12h 14h-18h30

DOM. PONTONNIER Cuvée Prestige 2003 ★

■ n.c. 10 000 5 à 8 €

Franck Caslot, qui est en charge du domaine Hubert sur le terroir de Bourgueil, est également responsable des vignes de la société Pontonnier. Il est bien équipé, aidé aussi, et il maîtrise parfaitement la situation, comme le révèle cette cuvée forte en volume et en matière, bien équilibrée aussi. Elle possède de bonnes capacités pour se bonifier encore. Ses senteurs rappellent pour l'instant les fruits sauvages et le grillé, mais elles évolueront avec le temps.

Pontonnier-Caslot-Hubert, 4, chem. de L'Epaisse,
37140 Saint-Nicolas-de-Bourgueil,
tél. 02.47.97.84.69, fax 02.47.97.48.55 r.-v.
Pontonnier

DOM. CHRISTIAN PROVIN 2003 ★★

■ 10 ha 40 000 8 à 11 €

Bien calé contre le coteau et face au midi, le domaine s'étend sur 17 ha. Les sols vont des argilo-calcaires aux sables grossiers. Ce qui est remarquable dans cette cuvée, c'est le volume produit à ce niveau de qualité. Plus de la moitié du vignoble y a contribué. Il s'agit donc d'un assemblage de différentes parcelles, habilement raisonné, dans lequel se retrouvent sans doute les terres du coteau et les graves. Dans sa robe rouge soutenu, le vin décline les senteurs de fruits rouges et d'épices des vrais saint-nicolas. Au palais, tous les traits classiques des grands vins sont au rendez-vous : bonne attaque, volume, rondeur et longueur, avec en sus un solide potentiel.

Christian Provin, L'Epaisse,
37140 Saint-Nicolas-de-Bourgueil,
tél. 02.47.97.85.14, fax 02.47.97.47.75,
e-mail provin.christian@wanadoo.fr r.-v.

DOM. DU ROCHOUARD
Les Argiles à Silex Vieilles Vignes 2003

■ 3 ha 9 300 5 à 8 €

Saint-nicolas n'est pas qu'un terroir de sables et de graviers ; on y trouve aussi de l'argile à silex de la fin du secondaire, qui s'est déposée un peu partout en Touraine. Parce qu'une partie des éléments fins ont été emportés par l'érosion, il reste ici une charge en cailloux importante. On pourrait attendre de ces types de sols des vins très structurés, mais au Rochouard la vinification bien conduite a donné une cuvée toute de rondeur, dont la matière enrobe des tanins déjà fondus et dont le fruit a été préservé. Une vocation de semi-garde.

GAEC Duveau-Coulon et Fils, 1, rue des Géléries,
37140 Bourgueil, tél. 02.47.97.85.91, fax 02.47.97.99.13,
e-mail contact@domainedurochouard.com
t.l.j. sf dim. 8h30-12h30 14h-18h30

JOEL TALUAU Vieilles Vignes 2003 ★★★

■ 4 ha 18 000 8 à 11 €

Le duo Taluau-Foltzenlogel (beau-père et gendre) fut coup de cœur dans les Guides 2005 et 2003, étoilé en 2004 et passé tout près cette année ; on ne peut être qu'admiratif devant tant de talent. Les 25 ha du domaine sont situés sur les hauts de saint-nicolas et cette cuvée est issue de ceps cinquantenaires, plantés sur des sols argilo-calcaires. La robe d'un rouge profond annonce un bouquet complexe de fruits rouges et de grillé. Puis s'installe une matière dense qui se prolonge élégamment en bouche. Les tanins campent aujourd'hui sur leur position, mais ils en rabattront avec le temps. Un vin superbe, assuré d'une longue existence.

EARL Taluau-Foltzenlogel, Chevrette,
37140 Saint-Nicolas-de-Bourgueil, tél. 02.47.97.78.79,
fax 02.47.97.95.60, e-mail joel.taluau@wanadoo.fr
t.l.j. sf dim. 9h-12h 14h-18h; sam. sur r.-v.

DOM. DES VALLETTES 2003 ★

■ 18 ha 100 000 3 à 5 €

Francis Jamet a débuté en 1987 avec 10 ha ; il en exploite aujourd'hui 22. Son fils lui a fait la joie de venir travailler avec lui récemment. Une équipe solide qui ne ménage pas sa peine et son audace pour produire des vins de bon niveau. Celui-ci, rond, facile, marqué par les fruits rouges, est qualifié de gourmand. Il accompagnera avec succès des viandes blanches, par exemple.

Francis et François Jamet,
Dom. des Vallettes, 37140 Saint-Nicolas-de-Bourgueil,
tél. 02.47.97.44.44, fax 02.47.97.44.45,
e-mail francis.jamet@les-vallettes.com
t.l.j. sf dim. 8h-12h 14h-18h

# Chinon

Autour de la vieille cité médiévale qui lui a donné son nom et son cœur, au pays de Gargantua et de Pantagruel, l'AOC chinon (2 344 ha) est produite sur les terrasses anciennes et graveleuses du Véron (triangle formé par le confluent de la Vienne et de la Loire), sur les basses terrasses sableuses du val de Vienne (Cravant), sur les coteaux de part et d'autre de ce val (Sazilly) et sur les terrains calcaires, les « aubuis » (Chinon). Le cabernet franc, dit breton, y a donné environ 120 700 hl en 2004 de beaux vins rouges, 10 780 hl de rosés secs, qui égalent en qualité les bourgueil : race, élégance des tanins, longue garde – certains millésimes exceptionnels pouvant dépasser plusieurs décennies ! Confidentiel mais très original, le chinon blanc (1 450 hl en 2004) est un vin plutôt sec, mais qui peut devenir tendre certaines années.

### CAVES ANGELLIAUME
La Cuvée du Père Léonce 2003

■ 1 ha 6 000 11 à 15 €

Léonce Angelliaume, figure de la viticulture chinonaise, tint le devant de la scène professionnelle pendant de nombreuses années et contribua à la constitution de ce domaine de 38 ha sur les coteaux dominant la Vienne et les terrasses graveleuses qui la bordent. Une cuvée réussie par sa fraîcheur à l'attaque et par sa matière qui tend à envelopper des tanins encore austères. Une couple d'années de garde fondra cet ensemble, y compris la petite pointe de bois qui se manifeste en finale.

EARL Caves Angelliaume,
La Croix de Bois, 37500 Cravant-les-Coteaux,
tél. 02.47.93.06.35, fax 02.47.98.35.19
t.l.j. sf dim. 8h30-12h30 13h30-18h;
sam. 8h30-12h

### L'ARPENTY 2004 ★★

■ 2 ha 10 000 3 à 5 €

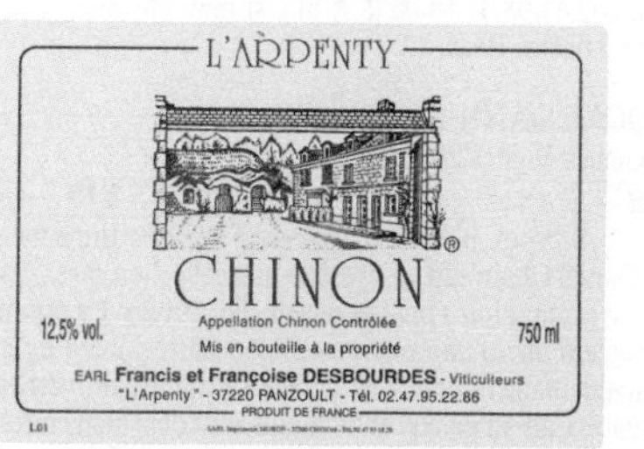


Le domaine se situe un peu à l'écart du vignoble, à la limite d'un charmant vallon apprécié des marcheurs qui y fréquentent les nombreux sentiers pédestres. Francis et Françoise Desbourdes proposent trois cuvées de grande classe, dont ce rosé qui remporte un coup de cœur, fait rare dans une appellation largement représentée par les vins rouges. Subtilité au nez, finesse et fraîcheur en bouche : ce sont des qualités remarquables. Des arômes d'ananas et de mangue accompagnent un corps riche. Rosé de terrasse ou de repas. **L'Arpenty rouge 2003 Elevé en fût de chêne (5 à 8 €)**, rond, fruité et persistant, obtient deux étoiles également, tandis que la **cuvée Prestige rouge 2003 (5 à 8 €)**, qui n'a pas connu le bois, a été jugée très réussie (une étoile).

Francis et Françoise Desbourdes,
11, rue de la Forêt, L'Arpenty, 37220 Panzoult,
tél. et fax 02.47.95.22.86 r.-v.

### DOM. CLAUDE AUBERT Cuvée Prestige 2003

■ 1,5 ha 8 000 3 à 5 €

Une installation relativement récente et des vignes d'âge moyen de trente ans : un bon départ pour un vigneron plein d'allant. Les épices sont partout, au nez et en bouche ; les tanins fins répondent présents et la matière les couvre bien. L'ensemble a assez de retenue pour donner un vin léger, plaisant, qui agrémentera sans trop tarder une table amicale.

SCEA Dom. Claude Aubert,
4, rte de Malvault, 37500 Cravant-les-Coteaux,
tél. 02.47.93.33.73, fax 02.47.98.34.70,
e-mail claude-aubert@club-internet.fr
t.l.j. sf dim. 9h30-12h30 14h-19h

### DOM. DE BEAUSEJOUR 2003 ★

■ n.c. 10 000 5 à 8 €

En 1968, Daniel Chauveau, architecte et urbaniste, a construit sa maison d'habitation en matériaux anciens, ainsi que les bâtiments d'exploitation de son domaine. Si vous prenez ici une chambre d'hôte, vous ne vous lasserez pas de la vue sur le vignoble de Cravant et apprécierez cette cuvée souple et fruitée, dont les tanins harmonieux conduisent à une finale tout en équilibre et en rondeur.

Earl Gérard et David Chauveau,
Dom. de Beauséjour, 37220 Panzoult,
tél. 02.47.58.64.64, fax 02.47.95.27.13,
e-mail info@domainedebeausejour.com
r.-v.

### DOM. DES BEGUINERIES Vieilles Vignes 2003 ★

■ 3,5 ha 10 000 5 à 8 €

Le domaine couvre un peu plus de 12 ha sur les côtes ensoleillées qui dominent la Vienne, en aval de Chinon. Une étonnante expression de café et de chocolat pour cette cuvée. Au palais, de la modération : les tanins sont soyeux, la matière suffisante et la finale sur le fruit laisse une note fraîche. Un vin avenant. La **cuvée du Terroir 2003 rouge**, qui n'a pas connu le bois, obtient une étoile pour sa rondeur et son fruité, tandis que la **cuvée Elise 2003 rouge**, élevée dix mois en fût, est citée.

Jean-Christophe Pelletier,
52, Clos Braie-Saint-Louans, 37500 Chinon,
tél. 06.08.92.88.17, fax 02.47.93.37.16
t.l.j. 10h-19h

### DOM. DE BEL AIR Cuvée Pauline 2004 ★

■ 1 ha 5 000 3 à 5 €

Jean-Louis Loup, à la tête d'un peu moins de 14 ha, propose un rosé brillant, fruité et puissant à la fois. Les arômes d'agrumes se prolongent dans une finale qui n'en finit pas. On ne peut demander mieux pour cet automne avec des charcuteries ou un poisson grillé. **La Fosse aux Loups 2003 rouge (5 à 8 €)**, issue de vignes quarantenaires sur sol caillouteux, est citée ; elle est de garde.

Jean-Louis Loup, Dom. de Bel Air,
37500 Cravant-les-Coteaux,
tél. 02.47.98.42.75, fax 02.47.93.98.30,
e-mail jean-louis.loup@wanadoo.fr r.-v.

### VINCENT BELLIVIER 2003 **

1,5 ha 6 000 5 à 8 €

Vincent Bellivier prend son temps et soigne ses 4,7 ha bien calés contre la forêt, à l'abri des vents du nord. Il procède à l'ancienne, sans levurage ni filtrage, et s'affirme comme un opposant ferme au vin technologique. Teinte profonde, bouquet expressif de fruits rouges cuits et bouche d'un parfait équilibre : tel est son 2003 qui lui donne raison. Souple à l'attaque, ce vin est bien structuré par des tanins mesurés. La longueur y est... il n'y a plus qu'à attendre.

Vincent Bellivier, 12, rue de la Tourette,
37420 Huismes, tél. et fax 02.47.95.54.26
r.-v.

### DOM. DE BERTIGNOLLES Vieilles Vignes 2003 *

2 ha 10 000 5 à 8 €

En plein Véron, à deux pas de la Vienne, on ne s'attend pas à trouver un vignoble. Et pourtant, d'anciennes alluvions de la rivière, faites de graviers et de sable disposés en terrasse, forment d'excellentes terres à vigne. Bien drainées, chaudes, elles favorisent la maturation du raisin. On s'en rend compte dans cette cuvée expressive, pleine de fruits rouges et noirs confiturés. La matière ne manque pas et soutient une trame tannique généreuse. Il faut la laisser évoluer : elle s'amendera et le petit boisé du début s'intégrera.

Pierre Prieur, 1, rue des Mariniers,
Bertignolles, 37420 Savigny-en-Véron,
tél. 02.47.58.45.08, fax 02.47.58.94.56 r.-v.

### CH. DE LA BONNELIERE Chapelle 2003 **

2 ha 10 000 8 à 11 €

Le cèdre à l'entrée est vieux de deux cents ans, mais le château, propriété familiale depuis 1846, a près de quatre siècles. Le vignoble, plus récent bien sûr, couvre 15 ha sur sol argilo-calcaire. Cette cuvée est un modèle d'harmonie, tant elle est ronde et veloutée. L'agressivité ? Elle ne connaît pas et ne rétorque qu'en fruits rouges. Son fort potentiel la classe dans les vins de garde. La cuvée principale **Château de La Bonnelière 2003 rouge (5 à 8 €)** est citée.

Marc Plouzeau - La Bonnelière, 54, fg
Saint-Jacques, 37500 Chinon, tél. 02.47.93.16.34,
fax 02.47.98.48.23, e-mail caves@plouzeau.com
t.l.j. sf dim. lun. 11h-13h 15h-19h;
f. 1er oct.-31 mars

### DOM. DES BOUQUERIES Cuvée Confidence 2003

1,5 ha 4 500 11 à 15 €

Guillaume et Jérôme Sourdais, deux frères, président à la destinée de ce domaine de près de 29 ha créé en 1935 par leur grand-père. Leur cuvée est issue de vignes de soixante ans. On s'attend à un vin puissant et c'est bien le cas. La robe à reflets violacés laisse fuser des senteurs vineuses nuancées d'un léger boisé. L'attaque est franche, les tanins revendiquent leur place, tandis que la rondeur passe au second plan. Une bouteille à ne pas ouvrir avant deux ou trois ans mais qui révélera alors des surprises.

Guillaume et Jérôme Jourdais,
Dom. des Bouqueries, 37500 Cravant-les-Coteaux,
tél. 02.47.93.10.50, fax 02.47.93.41.94 r.-v.

### PHILIPPE BROCOURT Terroirs des coteaux 2003 *

5 ha 23 000 5 à 8 €

Philippe Brocourt dispose de 24 ha de vignes, plantées à la fois sur les sables de la rivière et sur le coteau. Trois beaux vins sont à son actif. Celui-ci est issu du coteau argilo-calcaire. Le nez puissant, fait de sous-bois, de gibier, d'épices et de fruits rouges et noirs, donne le ton. Les tanins bien présents restent souples et le retour des notes fruitées et épicées en une longue finale est des plus agréables. Ce vin de garde sera parfait dans quelques années avec des viandes rouges et du gibier. Le **Clos de La Hégronnière 2003 rouge**, tout aussi puissant, obtient une étoile également, alors que le **Domaine des Clos Gôdeaux 2004 rosé (3 à 5 €)** est cité ; ce dernier trouvera sa place avec des mets orientaux.

EARL Philippe Brocourt,
3, chem. des Caves, 37500 Rivière,
tél. 02.47.93.34.49, fax 02.47.93.97.40 r.-v.

### DOM. PASCAL BRUNET 2004 *

2 ha 3 000 3 à 5 €

Une exploitation vouée à la polyculture dans les années 1970 et que Pascal Brunet a reconvertie en un domaine viticole de 12 ha. Ce rosé est issu de saignée : le moût est prélevé d'une cuve de vin rouge au tout début de la fermentation, quand la couleur de la pellicule ne s'est pas encore diffusée dans le jus. Il a du fruit et se montre frais, doté de suffisamment de puissance pour tenir tête à une cuisine épicée. Servez-le avec une paella ou un tajine.

Pascal Brunet, 11, Etilly, 37220 Panzoult,
tél. et fax 02.47.58.62.80
t.l.j. sf dim. 9h-12h30 14h-20h; f. 20-31 août

### DOM. DES CHAMPS VIGNONS Garance 2003 *

2 ha 10 000 11 à 15 €

Nicolas Réau dirige un domaine de 10 ha sis sur les côtes de Ligré, où les terres fortes ont la réputation de donner des vins robustes. Celui-ci en est un exemple, mais son élevage en fût de chêne neuf pendant dix mois l'a fortement marqué. On trouve au nez des accents de grillé et de fruits mûrs. Les tanins sont délicats et la finale longue reste nettement sur le bois. Un beau vin qui doit impérativement attendre de quatre à cinq ans.

Dom. des Champs Vignons,
2, rue Saint-Martin, 37500 Ligré, tél. 02.47.93.18.48,
fax 02.47.98.41.64 t.l.j. sf dim. 9h-18h
Nicolas Réau

### DOM. DANIEL CHAUVEAU Vieilles Vignes 2003 **

3 ha 9 000 5 à 8 €

Si vous n'êtes pas intéressé par les tire-bouchons (Daniel Chauveau en possède une collection rare...), vous le serez au moins par ces deux belles cuvées. La première, dotée d'une matière originelle concentrée, intègre remarquablement le boisé : la vanille s'échappe du verre puis réapparaît au palais, et les tanins sont déjà bien en retrait. Ce chinon pourra prendre de l'âge, mais il plaira aussi dès maintenant. La cuvée principale **Domaine Daniel Chauveau 2003 rouge** obtient une étoile pour son ampleur et sa rondeur.

Dom. Daniel Chauveau,
Pallus, 37500 Cravant-les-Coteaux,
tél. 02.47.93.06.12, fax 02.47.93.93.06,
e-mail domaine.daniel.chauveau@wanadoo.fr
r.-v.

## CLOS DE LA GALVAUDERIE 2003

■ n.c. 6 600 5 à 8 €

Depuis les XIVe et XVes., la vigne est cultivée sur les sables et graviers proches de la Vienne, bien abritée du vent et du froid par des murs et des bois. Ce chinon est typique de ces vins de graves, légers, dont le fruit explose en bouche. Les tanins ne passent pas inaperçus mais n'altèrent pas une certaine impression de souplesse. A servir lors d'un repas amical.

EARL Barc,
Clos de La Croix Marie, 37500 Rivière,
tél. 02.47.93.02.24, fax 02.47.93.99.45 r.-v.

## CLOS DU CHENE VERT 2003 ★★

■ 2 ha 10 000 15 à 23 €

Charles Joguet, l'ancien propriétaire du vignoble, privilégiait les terroirs en faisant des vinifications séparées. Ses successeurs l'ont suivi dans cette pratique. Cette année, le Clos du Chêne Vert a fait sensation. Rouge dense, à la limite du grenat, il livre des arômes expressifs mêlant noix, réglisse, fruits surmûris et un boisé léger. L'attaque suave laisse une bouffée d'arômes un peu vanillés. Matière et tanins s'entendent pour procurer en finale une sensation d'onctuosité convaincante. Un vin à la carrière prometteuse. Le **Clos de La Dioterie 2003 rouge** et **Les Varennes du Grand Clos 2003 rouge (11 à 15 €)** obtiennent une étoile : deux vins bien équilibrés et riches de fruits rouges, à boire ou à attendre deux à trois ans.

SCEA Charles Joguet, La Dioterie, 37220 Sazilly,
tél. 02.47.58.55.53, fax 02.47.58.52.22,
e-mail contact@charlesjoguet.com
t.l.j. sf sam. dim. 9h-12h30 14h-18h
Jacques Genet

## DOM. DU COLOMBIER
Cuvée de la Roche Bobreau 2003 ★

■ 1,8 ha 7 800 5 à 8 €

Dans ce domaine plus que centenaire, Olivier Jouvault (le gendre) et son épouse, Christine, maintiennent la politique de qualité instaurée par Yves Loiseau : vendanges manuelles, table de tri et cave dans le roc. La Roche Bobreau est un de ces chinons plaisants, faciles à boire. Souple, fruité avec des tanins fondus – on jurerait même qu'il est doux ! –, il demande à être consommé sur le fruit, sans tarder.

EARL Loiseau-Jouvault,
Dom. du Colombier, 37420 Beaumont-en-Véron,
tél. 02.47.58.43.07, fax 02.47.58.93.99,
e-mail chinon.colombier@club-internet.fr
t.l.j. sf dim. 9h-12h 14h-18h30

## DOM. DE LA COMMANDERIE Tradition 2003 ★

■ 3,2 ha 18 000 5 à 8 €

De ce domaine de 36 ha sur sol argilo-siliceux et limoneux est née cette cuvée rubis qui laisse fuser des notes de cassis et de framboise des plus plaisantes. Le palais est à l'avenant : attaque nette, tanins soyeux et rondeur agréable. A attendre ou pas, au choix.

Philippe Pain, La Commanderie, 37220 Panzoult,
tél. 02.47.93.39.32, fax 02.47.98.41.26,
e-mail philippepain@wanadoo.fr
t.l.j. sf dim. 9h-12h 14h-18h

## LES CORNUELLES Vieilles Vignes 2003 ★

■ 4 ha 15 000 8 à 11 €

Voilà plus de cent cinquante ans que les Sourdais sont installés au Logis de la Bouchardière. En 2003, Serge et Bruno ont élaboré une cuvée tout ce qu'il y a de plus classique en chinon. Le nez de forte intensité hésite entre le fruit et la réglisse, tandis que l'attaque franche laisse une impression de fraîcheur, relayée par un fruité persistant. Les tanins encore fermes en finale méritent de se fondre. Il faudra en reparler dans quelques années.

Serge et Bruno Sourdais,
Le Logis de la Bouchardière,
37500 Cravant-les-Coteaux,
tél. 02.47.93.04.27, fax 02.47.93.38.52
t.l.j. sf dim. 8h30-12h 14h-18h

## COULY-DUTHEIL Clos de l'Olive 2003 ★

■ 4 ha 20 000 11 à 15 €

La maison Couly-Dutheil a été créée en 1921 par Baptiste Dutheil. Un vignoble de près de 100 ha aujourd'hui, avec un chai moderne, bâti dans le roc, des caves impressionnantes situées sous le château. Les deux cousins, Arnaud et Bertrand Dutheil, s'y investissent, mais leurs pères, Pierre et Jacques, n'ont pas dit leur dernier mot. Le Clos de l'Olive, un des fleurons du domaine, est en tout point réussi : une attaque soutenue, suivie de tanins délicats, un fruité intense qui s'impose au nez et au palais, puis une finale élégante ne déparant pas l'ensemble. « Vin de plaisir à boire dans les deux ans », conclut le jury enthousiaste. Le chinon **Les Chanteaux 2004 blanc (8 à 11 €)**, à tendance citronnée, est cité.

Couly-Dutheil, 12, rue Diderot, 37500 Chinon,
tél. 02.47.97.20.20, fax 02.47.97.20.25,
e-mail info@coulydutheil-chinon.com r.-v.

## RENAUD DESBOURDES Vieilles Vignes 2003 ★

■ 2 ha 4 000 5 à 8 €

Ce sont quatre grands chênes plus que centenaires qui vous accueilleront à La Marinière. Ils ont l'âge de cette ancienne métairie des seigneurs de Roncée qui a été rénovée progressivement par la famille. Le chai bien équipé est situé au-dessus de la cave et un vignoble de 12,3 ha complète l'ensemble. Le sol argilo-calcaire n'a pas été sans influence sur la structure de cette cuvée ; en effet, la trame tannique ne passe pas inaperçue. Côté arômes, les fruits rouges sont omniprésents. Vin pour plus tard, mais dont on apprécie dès maintenant la richesse aromatique. La **Réserve de La Marinière 2003 rouge** est citée.

Renaud Desbourdes,
La Marinière, 37220 Panzoult,
tél. et fax 02.47.95.24.75,
e-mail domaine.la.mariniere@tiscali.fr r.-v.

DOM. DOZON Clos du Saut au Loup 2003 ★★

■ 4 ha 10 000 5 à 8 €

Le terroir de Ligré est recherché des amateurs de chinon faits pour vivre longtemps. Ce 2003 en est un digne représentant. Sur fond de cassis d'un bout à l'autre de la dégustation, il présente une attaque massive mais fraîche, vite relayée par une structure tannique fondue, pas trop extériorisée. Un sentiment d'équilibre qui témoigne d'une extraction parfaitement menée par un vigneron de talent.

Jean-Marie et Laure Dozon, Dom. Dozon, 52, rue du Rouilly, 37500 Ligré, tél. 02.47.93.17.67, fax 02.47.93.95.93, e-mail dozon@terre-net.fr

t.l.j. sf dim. 9h-12h 14h-18h

DOM. DES FORGES 2003 ★

■ 1,12 ha 5 000 5 à 8 €

A la reprise du domaine, les bâtiments, à l'état de ruines, ont été entièrement rénovés. Il aurait été dommage de voir disparaître cet ancien fief du château de Chinon, où Louis XI séjourna. L'équilibre de ce 2003 résulte de justes proportions entre le fruit, la matière et les tanins. Parce que le volume est mesuré, le vin paraît léger et frais. Point n'est besoin de l'attendre : il sera servi avec succès en beaucoup de circonstances.

Christian Thibault, Dom. des Forges, Saint-Benoît, 37500 Chinon, tél. et fax 02.47.58.01.26 r.-v.

FOUCHER-LEBRUN Elevé en fût de chêne 2003 ★

■ n.c. n.c. 5 à 8 €

Cette cuvée offre des arômes de fruits cuits et des notes toastées. Le bois se manifeste mais présente de bonnes dispositions à s'intégrer avec le temps ; la matière et la structure suffisantes s'en portent garantes.

Maison Foucher-Lebrun, 29, rte de Bouhy, 58200 Alligny-Cosne, tél. 03.86.26.87.27, fax 03.86.26.87.20, e-mail foucher.lebrun@wanadoo.fr

t.l.j. sf dim. lun. 8h-12h 14h-18h

DOM. DES GALUCHES Vieilles Vignes 2003

■ 2 ha 5 000 5 à 8 €

C'est probablement du lit de la Loire en basses eaux, près de Savigny, que l'on extrayait autrefois les pierres calcaires dures du Jurassique, ou galuches, qui servaient à la construction des soubassements des châteaux et des églises. Le nom est resté attaché au domaine. Une cuvée de tradition que ce 2003 où l'on retrouve tout ce qui fait le chinon classique : nez frais de violette, attaque franche et tanins fermes mais prêts à évoluer. Un vin qu'il faut revoir dans une couple d'années. Le **Domaine des Galuches 2004 rosé (3 à 5 €)** est cité également pour sa vivacité et son fruité.

Christian Millerand, 2 bis, imp. des Galuches, 37420 Savigny-en-Véron, tél. 02.47.58.45.38, fax 02.47.58.08.52 r.-v.

DOM. DES GELERIES Vieilles Vignes 2003 ★

■ 2 ha 7 000 5 à 8 €

Jean-Marie Rouzier, installé à Bourgueil, vient souvent à Chinon, pays d'origine de son père, pour y exploiter un petit vignoble familial. Il a produit un vin de teinte soutenue, marqué par les fruits rouges et nuancé de boisé. La matière est consistante, mais les tanins et le bois se manifestent encore un peu trop. Une garde raisonnable de deux ans arrangera tout cela.

Jean-Marie Rouzier, Les Géléries, 37140 Bourgueil, tél. 02.47.97.74.83, fax 02.47.97.48.73

t.l.j. sf dim. 9h-12h30 14h30-19h; f. 25 sept.-9 oct.

DOM. GOURON Terroir 2003 ★

■ 3 ha 15 000 5 à 8 €

Il y a toujours eu des vignes chez les Gouron, mais le domaine ne s'est développé qu'à partir de 1950. Les deux petits-fils, Laurent et Stéphane, ont la charge des 28 ha aujourd'hui. Ne manquez pas d'admirer le panorama sur la vallée de la Vienne au sortir de la cave où vous aurez dégusté cette cuvée qui possède beaucoup de matière, des tanins présents et une bonne longueur. Riche en tout, ce vin promet.

GAEC Gouron, La Croix de Bois, 37500 Cravant-les-Coteaux, tél. 02.47.93.15.33, fax 02.47.93.96.73, e-mail info@domaine-gouron.com

t.l.j. sf dim. 8h-12h 13h30-18h

DOM. DU GRAND BOUQUETEAU Cuvée Réserve Vieilli en fût de chêne 2003 ★

■ 5 ha 20 000 8 à 11 €

Créé en 1999, le domaine comporte plus de 30 ha sur sols calcaires et sableux. La cuvée Réserve fait parler d'elle : expressive, elle livre des accents de café et de réglisse. Les tanins sont enveloppés d'une matière dense et aromatique qui évoque même le chocolat, tandis que la finale douce rappelle la confiserie. Un vin dont il faut profiter maintenant pour sa richesse en saveurs. **L'Apogée du Grand Bouqueteau rouge 2003 Elevé en fût de chêne (11 à 15 €)**, au profil voisin, obtient la même note.

SARL Le Grand Bouqueteau, 29, rue Pierre-et-Marie-Curie, 37500 Chinon, tél. et fax 02.47.93.41.42 r.-v.

CH. DE LA GRILLE 2004 ★

■ n.c. 18 500 8 à 11 €

En 1951, la famille Gosset, bien connue en Champagne, s'est rendue acquéreur du château de La Grille, magnifique bâtisse dont l'origine remonte au XVe s. Fort de 27 ha de vignes, le domaine dispose d'un chai parfaitement équipé, dirigé de main de maître par J.-M. Manceau qui a par ailleurs des responsabilités professionnelles au sein de l'appellation. Des notes de grillé et de fumé apparaissent d'emblée à la dégustation de ce vin. La bouche est souple, un peu ronde même, accompagnée de fleurs et de fruits qui prennent le relais des premières flaveurs. Une pointe vive en finale lui redonne du tonus. Crudités, charcuteries, grillades conviendront parfaitement à cette bouteille. Le **Château de La Grille 2003 rouge (15 à 23 €)** est cité. Elevé en fût, il ne se révélera que dans quelques années.

Sylvie et Laurent Gosset, Ch. de La Grille, rte de Huismes et Ussé, 37500 Chinon, tél. 02.47.93.01.95, fax 02.47.93.45.91, e-mail chateaudelagrille@wanadoo.fr

t.l.j. sf dim. 9h-12h 14h-18h

DOM. LA JALOUSIE Cuvée La Chapelle 2003 ★

■ 2,5 ha 15 000 11 à 15 €

Deuxième millésime vinifié et deuxième succès pour Michel Le Corre. Les fruits mûrs ou confits s'expriment volontiers dans ce vin dont l'attaque douce laisse deviner une matière consistante. En finale, les tanins ont encore à redire, mais parce que l'élevage a été bien mené, un temps de garde suffira à y remédier. En attendant, vous pouvez

déguster la **cuvée Yearling 2004 rosé (5 à 8 €)**, fraîche et spontanée, qui est notée une étoile.
EARL Michel Le Corre, Dom. La Jalousie, 17, Briançon, 37500 Cravant-les-Coteaux, tél. et fax 02.47.93.90.83 r.-v.

## BEATRICE ET PASCAL LAMBERT
Cuvée Danaé 2003 **

■ 3,5 ha 12 000 8 à 11 €

Installés en 1987 sur 3,5 ha, Béatrice et Pascal Lambert ont porté leur domaine par agrandissements successifs à plus de 13 ha, tout en pratiquant l'agriculture biologique et la biodynamie. Leur cuvée Danaé est encore marquée par le bois, mais elle possède une matière, une structure si remarquables, un tel volume et une finale si persistante qu'on accepte volontiers d'attendre plusieurs années pour la redécouvrir.
Béatrice et Pascal Lambert, Les Chesnaies, 37500 Cravant-les-Coteaux, tél. 02.47.93.13.79, fax 02.47.93.40.97, e-mail lambert-chesnaies@wanadoo.fr r.-v.

## PATRICK LAMBERT Vieilles Vignes 2003

■ 2 ha 9 000 5 à 8 €

Vous en souvenez-vous ? Patrick Lambert avait décroché un coup de cœur l'an passé pour son Vieilles Vignes 2002. Le 2003, rouge profond à reflets violacés, paraît encore timide mais il laisse pointer des notes de fruits rouges mûrs. D'attaque tendre, il montre de la rondeur, signe d'une bonne matière, même si les tanins restent affirmés en finale. Un vin intéressant qui n'est qu'au début d'une longue carrière.
Earl Patrick Lambert, 6, coteau de Sonnay, 37500 Cravant-les-Coteaux, tél. et fax 02.47.93.92.39 r.-v.

## CH. DE LIGRE La Roche Saint-Paul 2003

■ 4 ha 20 000 5 à 8 €

Le château aux lignes simples et harmonieuses domine le vignoble de 32 ha. Le grand-père maternel fut bien inspiré en l'achetant en 1923, alors que l'appellation chinon n'existait pas encore. Pierre et Fabienne Ferrand vous accueilleront avec simplicité et vous présenteront cette cuvée qui dégage à l'envi des senteurs de mûre et de myrtille. Les tanins sont soutenus mais sans plus, et la matière présente en second plan. Ce vin jouera son rôle en de nombreuses circonstances.
Pierre Ferrand, 1, rue Saint-Martin, 37500 Ligré, tél. 02.47.93.16.70, fax 02.47.93.43.29, e-mail chateau.de.ligre@wanadoo.fr
t.l.j. sf dim. 9h-12h 14h-18h

## ALAIN LORIEUX Thélème 2003 *

■ 2,5 ha 8 000 5 à 8 €

Chacun des deux frères exploite un domaine : Alain Lorieux à Chinon, Pascal à Saint-Nicolas-de-Bourgueil. Ils ont mis en commun leur savoir pour une plus grande efficacité mais gardent des chais séparés. Cette cuvée très chocolatée est une curiosité en chinon. Elle n'en est pas moins riche de fruits rouges épicés, et sa consistance rassure : c'est un vin qui vivra et évoluera bien. La cuvée **Alain Lorieux 2003 rouge** est citée pour son caractère souple.
Pascal et Alain Lorieux, Malvault, 37500 Cravant-les-Coteaux, tél. 02.47.98.35.11, fax 02.47.98.36.11, e-mail contact@lorieux.fr r.-v.

## MANOIR DE LA BELLONNIERE
Vieilles Vignes 2003 *

■ 5 ha 10 000 3 à 5 €

Le manoir qui fut habité par les gouverneurs de la ville de Chinon date du XV^e s., alors que le vignoble n'a été créé qu'à la fin du XIX^e s. Celui-ci s'étend sur plus de 28 ha, en majeure partie sur la terrasse graveleuse des bords de la Vienne. Cette cuvée rouge cerise intense livre un bouquet discret. Fraîche en attaque, elle semble souple et légère grâce à ses tanins fins ; les fruits rouges qui font leur apparition en finale lui donnent de la gaieté.
Béatrice et Patrice Moreau, La Bellonnière, 37500 Cravant-les-Coteaux, tél. 02.47.93.45.14, fax 02.47.93.93.65 r.-v.

## MARIE DE BEAUREGARD 2003 **

■ 1,3 ha 7 600 8 à 11 €

Le millésime 2001 avait obtenu un coup de cœur dans le Guide 2004. Le chinon Marie de Beauregard revient à une remarquable place cette année. Des notes vanillées et boisées se dégagent de sa robe brillante, d'un rouge profond, puis accompagnent l'attaque puissante sur le fruit. La structure est suffisamment étoffée pour supporter l'héritage des neuf mois de fût : il en résulte un vin équilibré et puissant qui prendra un peu de rondeur grâce à un séjour en cave.
SA Guy Saget, La Castille, BP 26, 58150 Pouilly-sur-Loire, tél. 03.86.39.57.75, fax 03.86.39.08.30
t.l.j. sf sam. dim. 8h-12h 13h45-18h30

## DOM. DES MILLARGES Les Trotte-Loups 2003

■ 7,5 ha 30 000 5 à 8 €

Le domaine des Millarges est une annexe du lycée agricole de Tours-Fondettes ; son vignoble de 25 ha sert de référence à l'ensemble des professionnels de la région. La cuvée des Trotte-Loups développe de riches arômes de fraise, de griotte et de cerise. L'attaque soyeuse est relayée par des tanins solides, assez persistants, garants d'un bon avenir. Un temps d'attente avant consommation s'impose donc.
Dom. des Millarges, Lycée agricole, Les Fontenils, 37500 Chinon, tél. 02.47.93.36.89, fax 02.47.93.96.20, e-mail expl.viti-tours@educagri.fr r.-v.

## DOM. DE MORILLY Vieilles Vignes 2003 *

■ 1,5 ha 5 000 3 à 5 €

Le grand-père s'est lancé dans la viticulture en 1940, au lendemain de la reconnaissance de l'appellation chinon. Ses petits-enfants mènent aujourd'hui un domaine de près de 16 ha, commandé par une maison vieille de deux siècles, typiquement tourangelle. Cette cuvée au boisé léger devra attendre, mais elle présente déjà des tanins élégants, de la matière et de la persistance. Le **Domaine de Morilly rosé 2004**, également noté une étoile, a été remarqué pour son élégance et son fruité.
EARL André-Gabriel Dumont, Malvault, 37500 Cravant-les-Coteaux, tél. et fax 02.47.93.24.93 r.-v.

## VINCENT NAULET Vieilles Vignes 2003

■ 0,86 ha 5 000 5 à 8 €

Une installation toute récente, en 2001, et un petit vignoble qui ne cherche qu'à grandir. Les sols de Beaumont-en-Véron, argilo-calcaires, où le tuffeau est souvent proche de la surface, se réchauffent facilement.

Les coteaux y sont généralement bien exposés. Bref, tout ce qu'il faut pour vendanger un bon raisin. Les arômes développés de ce vin expriment la fraise cuite avec une petite allusion au bois. Après une attaque fruitée, la bouche monte en puissance, étayée par des tanins soyeux ; la finale longue fait écho au nez. Un chinon qui fera des heureux dès maintenant.
Vincent Naulet,
22, rue des Rabottes, 37420 Beaumont-en-Véron,
tél. 02.47.58.80.40, fax 02.47.58.84.60 r.-v.

DOM. DE LA NOBLAIE
Les Blancs Manteaux 2003 *

■ 16,5 ha 8 000 5 à 8 €

A La Noblaie, trois vins présentés, trois retenus avec une étoile. Les Blancs Manteaux ? Une robe d'un rouge intense, limpide et brillant. Le nez reste sur les épices un moment, puis passe aux fruits à noyau. A l'attaque souple succède une sensation de plénitude : les tanins, très en retrait sont assagis. La finale longue insiste sur les épices. La cuvée **Pierre de tuf 2003 rouge** a une vocation de garde. Quant au **Domaine de La Noblaie blanc 2004**, il se destine par son fruité et son gras à des charcuteries ou à un poisson.
Manzagol-Billard, 21, rue des Hautes-Cours,
37500 Ligré, tél. 02.47.93.10.96, fax 02.47.93.26.13,
e-mail contact@lanoblaie.fr r.-v.

DOM. DE NOIRE Elégance 2003 *

■ 7,5 ha 30 000 5 à 8 €

Bien avant la reconnaissance de l'appellation, on classait les terroirs à Chinon, et le domaine de Noiré, qui a toujours porté des vignes, faisait partie des Premières Côtes. Rubis intense, cette cuvée Elégance, encore en instance de s'exprimer au nez comme en bouche, n'en révèle pas moins un fort potentiel par le volume et la qualité de sa matière. La cuvée **Caractère rouge 2003 (8 à 11 €)**, élevée un an en fût, obtient aussi une étoile et ne demande qu'à patienter deux ou trois ans.
Dom. de Noiré, 160, rue de L'Olive, 37500 Chinon,
tél. 06.76.81.91.29, fax 02.47.98.32.33 r.-v.

JEAN-LOUIS PAGE
Sélection Clément Martin Vieilles Vignes 2003 **

■ 1,3 ha 4 500 5 à 8 €

Installé en 1997 sur le domaine de son grand-père, Jean-Louis Page se fait remarquer dans le Guide depuis deux ans. Deux étoiles à nouveau cette année grâce à ce 2003 certes boisé mais agréablement rond à l'attaque. Le vin développe un fruité fin jusqu'à une longue finale ouverte sur la framboise. Les tanins assagis sont de qualité.
Jean-Louis Page, 12, rte de Candes,
37420 Savigny-en-Véron, tél. 02.47.58.96.92,
fax 02.47.58.86.65, e-mail jlpage1@aol.com r.-v.

JAMES PAGET Vieilles Vignes 2003 *

■ n.c. 6 000 5 à 8 €

L'activité principale de James et Nicolas Paget se situe à Azay-le-Rideau où ils produisent des vins blancs et rosés. Mais l'élaboration des rouges n'a pas de secrets pour eux : ils possèdent en chinon près de 2 ha de vignes. Cette cuvée encore timide au nez offre cependant des accents de fruits mûrs. D'emblée, une matière riche et pleine se manifeste, qui enrobe bien les tanins solides. Le vin est de bon niveau mais encore jeune. La **cuvée Réserve 2003 rouge (11 à 15 €)** est citée. Du nouveau chez ces deux vignerons : l'installation d'une belle salle de dégustation qui peut recevoir des groupes et des personnes à mobilité réduite.
Dom. James et Nicolas Paget, 37190 Rivarennes,
tél. 02.47.95.54.02, fax 02.47.95.45.90
t.l.j. sf dim. lun. 9h-12h30 14h30-19h

DOM. CHARLES PAIN 2004 *

■ 4 ha 20 000 3 à 5 €

A l'est de l'appellation, le domaine de 28 ha bénéficie des sols graveleux, assez riches en éléments siliceux, des terrasses de la Vienne. Une bonne note pour ce vin de saignée œil-de-perdrix brillant qui livre d'agréables accents d'abricot. Gras, bien en chair pour un rosé, il fera allègrement tout un repas. La **cuvée du Domaine 2003 rouge** est citée.
Dom. Charles Pain, Chezelet, 37220 Panzoult,
tél. 02.47.93.06.14, fax 02.47.93.04.43,
e-mail charles.pain@wanadoo.fr r.-v.

PHILIPPE PICHARD L'Arcestral 2003 *

■ 4 ha 12 000 15 à 23 €

Une chapelle en ruine explique le nom de ce domaine fort de 15 ha sur les graves de la Vienne et les coteaux environnants. Philippe Pichard n'hésite pas à parler à ses vignes. Si elles lui répondent, c'est par le raisin mûr, riche d'expressions qu'elles lui offrent. Dans cette cuvée L'Arcestral, le chêne a fait son œuvre mais il ne cache pas les arômes de cassis et de fruits cuits. Des tanins fins et une bonne longueur sont synonymes d'élégance. Une alliance réussie entre le bois et le vin. La cuvée **Domaine de la Chapelle Les Trois Quartiers 2003 rouge (5 à 8 €)**, au boisé léger, est citée.
Philippe Pichard,
9, Malvault, 37500 Cravant-les-Coteaux,
tél. 02.47.93.42.35, fax 02.47.98.33.76 r.-v.

VIGNOBLE DE LA POELERIE
Vieilles Vignes 2003

■ 4 ha 4 000 5 à 8 €

François Caillé joue la carte touristique : il propose du camping à la ferme et loue caravanes et chalets. Les voyageurs auront ainsi tout le loisir de visiter le Val de Vienne et de s'initier aux vins du Chinonais. Comme entrée en matière, goûtez cette cuvée au fruit marqué, dans laquelle la framboise le dispute au cassis. L'attaque est ronde, les tanins discrets, et la finale revient agréablement sur les fruits mûrs.
François Caillé, Le Grand Marais, 37220 Panzoult,
tél. 02.47.95.26.37, fax 02.47.58.56.67,
e-mail caille37@aol.com
t.l.j. sf dim. 9h-12h 14h-19h

DOM. DU PUY
Cuvée Baptiste Vieilles Vignes 2003 *

■ 8 ha 10 000 3 à 5 €

Remontant à 1820, ce domaine compte aujourd'hui 25 ha et est toujours exploité par un membre de la famille Delalande. Dans cette cuvée Vieilles Vignes, tout est mesuré : attaque, matière, tanins. Il en résulte un vin délicat, rond, frais et souple. Il n'est pas compliqué et donnera entière satisfaction lors d'un mariage ou d'un baptême. Le **Domaine du Puy cuvée Tradition 2003 rouge**, qui n'a pas connu le bois, est cité. Avenant, il est prêt.
Patrick Delalande, EARL du Puy, 11, Le Puy,
37500 Cravant-les-Coteaux, tél. 02.47.98.42.31,
fax 02.47.93.39.79 t.l.j. sf dim. 8h-19h

DOM. DU PUY RIGAULT 2003

■ 1,5 ha 8 700 ▮ 5 à 8 €

Coup de cœur l'année dernière, le domaine présente aujourd'hui une cuvée friande, disponible dès maintenant. Tant mieux ! Tout le monde n'a pas la possibilité de laisser vieillir ses bouteilles en cave. Le vin rubis soutenu exprime un sous-bois délicat puis passe le relais aux fruits rouges et au pruneau en bouche, sur des notes rafraîchissantes. Il est coulant, avec un petit accent tannique en finale : rien de grave, c'est la signature du millésime.

EARL Dom. du Puy Rigault,
6, rue de la Fontaine-Rigault, 37420 Savigny-en-Véron,
tél. 02.47.58.44.46, fax 02.47.58.99.50 r.-v.
Michel Page

DOM. DES QUATRE VENTS
Cuvée Sélection 2003 *

■ 3 ha 15 000 ▮ 5 à 8 €

Une butte... Le royaume du vent ! Le vignoble, fort de 20 ha, n'en souffre pas et donne régulièrement de belles cuvées. Celle-ci est du style tendre et léger, avec beaucoup de fruits rouges sauvages et de raisin. À consommer dès la sortie du Guide. La **cuvée Vieilles Vignes 2003 rouge**, plus solide, est citée.

Philippe Pion,
La Bâtisse, 37500 Cravant-les-Coteaux,
tél. 02.47.93.46.79, fax 02.47.93.99.59 r.-v.

CAVE DES VINS DE RABELAIS L'Epine 2003

■ 19,5 ha 140 000 ▮ 3 à 5 €

Créée en 1989 par soixante-dix vignerons de tous les secteurs de l'appellation, cette société d'intérêt collectif agricole, associée à un groupe de coopératives d'Anjou, est un outil de commercialisation précieux. Elle réalise de grandes cuvées homogènes et de bon niveau. Tendre et fruité, ce 2003 avenant se dégustera facilement au restaurant ou chez soi. Les tanins bien évolués restent discrets.

SICA des Vins de Rabelais,
Les Aubuis, Saint-Louans, 37500 Chinon,
tél. 02.47.93.42.70, fax 02.41.54.07.23 r.-v.

J.-M. RAFFAULT Clos des Capucins 2003 ***

■ 1,4 ha 3 700 11 à 15 €

Avant la dégustation, demandez à visiter les immenses caves du domaine, à Savigny. La profondeur des galeries, les alignements de tonneaux à l'infini sont impressionnants. Tout aussi exceptionnel, ce Clos des Capucins. Le vin de garde par excellence. Le boisé s'affirme encore mais il est mesuré, parfaitement associé à la matière et aux tanins. L'austérité de la finale, longue par ailleurs, est prête à s'effacer. Qui faut-il féliciter ? Jean-Maurice Raffault ou son fils Rodolphe ? La cuvée **Le Puy 2003 rouge (15 à 23 €)**, à l'empreinte boisée plus marquée, est citée.

SARL Jean-Maurice Raffault,
La Minotière, 37420 Savigny-en-Véron,
tél. 02.47.58.42.50, fax 02.47.58.83.73,
e-mail rodolphe-raffault@wanadoo.fr r.-v.

MARIE-PIERRE RAFFAULT
Clos de la Grille 2003 *

■ 2,5 ha 6 000 5 à 8 €

Sur la commune de Chinon-même la vigne est plutôt rare, l'urbanisation ayant fait son œuvre. Il reste pourtant quelques pentes argilo-calcaires sur tuffeau, de tout premier ordre. Le Clos de la Grille en est issu. Belle impression fruitée à l'attaque, souplesse et équilibre ensuite : ce chinon classique sera apprécié à tout instant. La **cuvée Vieilles Vignes rouge 2003**, plus austère, est citée.

Marie-Pierre Raffault, Les Loges, 37500 Chinon,
tél. 02.47.93.17.89, fax 02.47.93.92.60,
e-mail mpraffault@aol.com r.-v.

OLGA RAFFAULT Les Peuilles 2003 *

■ 3 ha 18 000 5 à 8 €

Ce domaine de 25 ha appartient à la même famille depuis 1920, mais c'est Olga Raffault qui en est l'artisan principal pour avoir travaillé seule de longues années à sa constitution et à son développement. Cette cuvée de teinte grenat surprend par son équilibre rare entre tanins, matière et expression de fruits rouges nuancée d'un boisé léger. Un jury la qualifie de « féminin ». Y trouverait-on l'empreinte d'Olga ?

Dom. Olga Raffault, 1, rue des Caillis, Roguinet,
37420 Savigny-en-Véron, tél. 02.47.58.42.16,
fax 02.47.58.83.61, e-mail info@olga-raffault.com
t.l.j. sf dim. 9h-12h 14h-18h; sam. 9h-12h

DOM. DU RAIFAULT Clos du Villy 2003 *

■ 2,5 ha 12 000 5 à 8 €

Le domaine de près de 27 ha est commandé par une élégante gentilhommière des XVe et XVI[e]s. Le Clos du Villy se trouve à l'écart de la Vienne, là où les sols argilo-calcaires reposent sur le tuffeau. Une cuvée fort bien réussie par son équilibre : tanins et matière s'accordent pour donner une impression de soie. Les fruits rouges et noirs ainsi que la violette tiennent à dire leur mot, tandis que la finale se prolonge sur une note de vanille. La cuvée **Les Allets 2003 rouge**, non élevée en fût, est citée, de même que le **Domaine du Raifault 2004 blanc** qui a connu le bois.

Julien Raffault,
23-25, rte de Candes, 37420 Savigny-en-Véron,
tél. 02.47.58.44.01, fax 02.47.58.92.02,
e-mail domaineduraifault@wanadoo.fr
t.l.j. 8h-12h30 14h-19h; dim. sur r.-v.

PHILIPPE RICHARD
Cuvée Tymothé Vieilli en fût de chêne 2003 **

■ 1 ha 2 500 8 à 11 €

Initié par son grand-père à la vigne et au vin, Philippe Richard est aujourd'hui membre de la confrérie de Chinon, Les Bons Entonneurs rablaisiens. Ses 6 ha plantés sur sol argilo-calcaire sont bien calés contre la forêt domaniale, à l'abri des vents du nord. La cuvée Tymothé se présente dans une robe rubis soutenu. Des notes empyreumatiques de cacao s'imposent au nez, accompagnées de fruits cuits (myrtille et cerise). L'attaque est tout en finesse, puis la matière enrobe des tanins déjà mûrs qui soutiennent bien une longue finale sur le chocolat. La **cuvée Vieilles Vignes 2003 rouge (5 à 8 €)**, qui demande un peu de patience, est citée, de même que la **cuvée Tyfaine 2003 rouge (5 à 8 €)**. Toutes deux n'ont pas connu le bois.

Philippe Richard, Le Sanguier, 37420 Huismes,
tél. 02.47.95.45.82, fax 02.47.95.59.27
t.l.j. 9h-19h; sam. dim. sur r.-v.

DOM. DE LA ROCHE HONNEUR
Diamant Prestige 2003 *

■ 3,5 ha 7 000 8 à 11 €

Le domaine s'étend sur 18 ha, partagés entre argilo-calcaire et sable, mais sa principale curiosité est sa cave

immense, creusée dans le rocher et sculptée. Ne manquez pas cette cuvée expressive, aux arômes de fruits cuits, de tarte aux pommes et de marmelade de cerises. L'attaque est brève, mais la matière se développe ensuite et s'étire longuement. Rondeur et souplesse contribuent à une impression générale de délicatesse. La **cuvée Rubis 2003 rouge (5 à 8 €)** est citée pour son caractère gouleyant.
Dom. de la Roche Honneur, 1, rue de la Berthelonnière, 37420 Savigny-en-Véron, tél. 02.47.58.42.10, fax 02.47.58.45.36, e-mail roche.honneur@club-internet.fr r.-v.
Stéphane Mureau

## DOM. DU RONCEE Clos des Marronniers 2003 ★

■ 5 ha 18 000 8 à 11 €

Deux jeunes vignerons, Christophe Baudry et Jean-Martin Dutour, qui échangent leurs connaissances depuis plusieurs années déjà, décident aujourd'hui de mettre en commun leurs moyens techniques et financiers dans un projet ambitieux. Leur domaine de 80 ha s'étend sur la rive droite de la Vienne, la plus ensoleillée, de Chinon à Panzoult. Les sols y sont variés, des sables et graves aux coteaux argilo-calcaires qui dominent le vignoble. Ce Clos des Marronniers se pare d'une robe rouge dense, presque noire, et développe un bouquet de fruits rouges et d'épices, auxquels se mêle de la réglisse. La bouche se montre un peu ferme car les tanins sont encore sévères, mais n'ayez pas d'inquiétude : c'est la marque d'un vin d'avenir. Le **Coteau des Chenanceaux 2003 rouge (11 à 15 €)** et le **Domaine de La Perrière Vieilles Vignes 2003 rouge (5 à 8 €)** sont cités. Ils feront leur chemin dans le temps.
Baudry-Dutour, La Morandière, 37220 Panzoult, tél. 02.47.58.53.01, fax 02.47.58.64.06, e-mail info@baudry-dutour.com r.-v.

## DOM. DES ROUET 2004

■ 1,5 ha 5 000 3 à 5 €

Cette vieille demeure tourangelle en pierre de tuffeau et aux lignes sobres ne passe pas inaperçue au hameau de Chezelet. Le vignoble de 15 ha prospère sur les sols sableux et limoneux de la Vienne. Ce 2004 exprime intensément les fleurs et les fruits. Doté de tanins équilibrés, de matière et de fruité, il présente une petite vivacité qui lui donne un caractère rafraîchissant. Un vin à servir avec des charcuteries.
EARL Dom. des Rouet, Chezelet, 37500 Cravant-les-Coteaux, tél. 02.47.93.19.41, fax 02.47.93.96.58, e-mail jean-francois.rouet@wanadoo.fr
t.l.j. 9h-19h; dim. sur r.-v.

## WILFRID ROUSSE Vieilles Vignes 2003 ★

■ 1 ha 6 666 5 à 8 €

L'un des bâtiments datant du XVII^e s. est surmonté d'une girouette de la même époque figurant une sirène couronnée gobant un poisson. C'est cette image que vous retrouverez sur l'étiquette de cette cuvée issue d'une parcelle presque centenaire. La robe sombre dégage des arômes évocateurs de cassis, de mûre et de myrtille. En bouche, point de surprise : c'est un vin de garde qui apparaît, doté d'une matière dense et d'une structure tannique bien en place. Un vin à redécouvrir dans quatre ans. La cuvée **Les Puys 2003 rouge** obtient la même note pour son équilibre et sa richesse.
Wilfrid Rousse, 21, rte de Candes, La Halbardière, 37420 Savigny-en-Véron, tél. 02.47.58.84.02, fax 02.47.58.92.66, e-mail wilfrid.rousse@wanadoo.fr
t.l.j. sf dim. 9h-12h 14h-19h; f. 15-31 août

## CH. DE SAINT-LOUAND
Réserve de Trompegueux 2003 ★

■ 5,7 ha 20 000 5 à 8 €

La propriété avait été achetée en 1898 par Charles Walther, président de l'académie de Médecine, puis elle passa à son gendre Georges Brunet qui participa avant la Seconde Guerre mondiale à la reconnaissance de l'appellation chinon. Depuis les années 1980, ce sont ses enfants qui conduisent ce domaine de près de 7 ha, où trône un château du XIX^e s. entouré d'un parc paysagé. Le vin est prolixe en notes de myrtille, de mûre et d'épices, puis il développe une structure serrée, de qualité. Les fruits et les épices se manifestent à nouveau agréablement en finale. Ce 2003 fera carrière.
Bonnet-Walther, Ch. de Saint-Louand, 37500 Chinon, tél. 02.47.93.48.60, fax 02.47.98.48.54
t.l.j. 9h-12h 14h-18h; sam. dim. sur r.-v.

## CAVES DE LA SALLE
Fief de La Rougellerie 2003 ★

■ 4 ha 8 000 3 à 5 €

La maison du XVIII^e s. s'entoure de la cave et du chai. Un camping à la ferme est même ouvert à côté. Une bonne occasion de découvrir un 2003 dont le bouquet est « une vraie merveille », selon l'expression du jury. Les arômes de fruits rouges et d'épices sont si riches, en effet. Ronde et équilibrée, cette cuvée fera son chemin dans les trois à quatre années, mais elle peut déjà trouver sa place à table.
Rémi Desbourdes, La Salle, 37220 Avon-les-Roches, tél. 02.47.95.24.30, fax 02.47.95.24.83
t.l.j. sf dim. 9h-12h30 14h30-18h30

## DOM. DE LA SEMELLERIE
Cuvée Kévin Vieilles Vignes 2003

■ 4 ha 25 000 5 à 8 €

Les 40 ha du vignoble situés sur les hauteurs de la commune bénéficient d'un ensoleillement incomparable, ce qui se traduit dans le 2003 par un bouquet développant à l'aération des notes de fruits mûrs et d'épices. Ces nuances aromatiques se renouvellent au palais, avec une touche de réglisse en plus. Souple, léger, ce vin reste sur le fruit du début à la fin de la dégustation. La cuvée **Déborah 2003 rouge Elevé en fût de chêne** est citée également.
Fabrice Delalande, EARL de La Semellerie, 37500 Cravant-les-Coteaux, tél. 02.47.93.18.70, fax 02.47.93.94.00 r.-v.

## PIERRE SOURDAIS Réserve Stanislas 2003

■ 5 ha 20 000 5 à 8 €

Pierre Sourdais a le sens de la communication : vous aurez la possibilité de séjourner au Moulin à Tan dans un gîte aux chambres d'hôte confortables et aménagées avec goût, puis de découvrir ce vin plein de fruits rouges et noirs à bonne maturité. Ces arômes intenses se retrouvent en bouche, après une attaque ronde et douce. Le velouté est maître, avant une finale légère où les tanins présents restent agréables.
Pierre Sourdais, 12, Le Moulin à Tan, 37500 Cravant-les-Coteaux, tél. 02.47.93.31.13, fax 02.47.98.30.48, e-mail pierre.sourdais@wanadoo.fr r.-v.

**FRANCIS SUARD**
Cuvée Prestige Elevé en fût de chêne 2003

■ 1,5 ha 6 000 5 à 8 €

Créée en 1980, l'exploitation a pris progressivement de l'importance pour atteindre aujourd'hui près de 13 ha. Maison et bâtiments construits en pierre de tuffeau et couverts d'ardoises ont beaucoup de cachet. Le 2003 ne manque pas de caractère non plus dans sa robe grenat dense. Il dégage des senteurs de réglisse mêlées aux fruits rouges, puis se montre léger en bouche, rond et fruité. La matière s'appuie sur des tanins raisonnables et c'est une impression d'équilibre qui domine.

Francis Suard, 74, rte de Candes, 37420 Savigny-en-Véron, tél. 02.47.58.91.45 r.-v.

**SUBLIME** Prestige 2003 ★★

■ n.c. 120 000 3 à 5 €

Cette ancienne entreprise angevine de négoce travaille en Chinonais depuis plusieurs années. Elle présente une cuvée presque « sublime », en tout cas remarquable. D'un grenat soutenu, celle-ci développe des arômes de fruits rouges, de sous-bois et de truffe. Le palais souple et structuré par des tanins élégants finit sur une impression flatteuse de fruits. Plus léger, le **Châtelain Desjacques 2003 rouge** est cité.

SAS Besombes-Moc-Baril, 24, rue Jules-Amiot, BP 125, 49400 Saint-Hilaire-Saint-Florent, tél. 02.41.50.23.23, fax 02.41.50.30.45, e-mail besombes@uapl.fr r.-v.

**DOM. DE LA TOUR 2003**

■ 6 ha n.c. 5 à 8 €

Les ruines d'un ancien moulin à vent ont inspiré le nom de ce domaine situé en haut de la commune et fort de 14 ha. Le 2003 est d'un abord facile : les arômes classiques de fruits mûrs annoncent une domination du fruité plus que de la matière ou des tanins. Ces derniers ne manquent pas, cependant, mais restent réservés et laissent se développer une rondeur plaisante.

EARL Guy Jamet, Dom. de La Tour, 25, rue de la Buissonnière, 37420 Beaumont-en-Véron, tél. 02.47.58.47.61, fax 02.47.58.40.24
t.l.j. sf dim. 9h-12h 14h-19h; groupes sur r.-v.

**CH. DE VAUGAUDRY**
Clos du Plessis-Gerbault 2003 ★★

■ 1 ha 6 000 5 à 8 €

Le château fut construit sur les fondations de l'ancienne maison noble de Vaugaudry qui datait du XVI[e]s. En 1949, il fut acheté par le Dr Bonnet, père des actuels propriétaires qui décidèrent de reconstituer le vignoble, disparu entre les deux guerres. Aujourd'hui, il atteint 10 ha et bénéficie d'un microclimat privilégié grâce au mur qui l'entoure entièrement. Ce 2003 est un vin de charme, complexe dans sa robe rubis. Il exhale des senteurs de fruits cuits et de raisins secs, puis offre une attaque volumineuse, de la matière et des tanins harmonieux. Il ne demande pas à attendre. Le **Château de Vaugaudry 2003 rouge**, qui n'a pas connu le bois, est cité, de même que le **Château de Vaugaudry 2004 rosé (3 à 5 €)**.

Ch. de Vaugaudry, Vaugaudry, 37500 Chinon, tél. 02.47.93.13.51 r.-v.
Belloy

**CH. DE LA VRILLAYE 2003** ★

■ 0,7 ha 4 000 5 à 8 €

Le château de La Vrillaye, remanié en 1840 dans un style Renaissance, a conservé son pigeonnier du XVI[e]s. Acheté en 2000 par Michel Constant, il a été remis en état, ainsi que le chai, et commande 17 ha de vignes sur sols argilo-calcaires et argilo-siliceux. Cette cuvée aux reflets violacés ne renie pas son cépage, puisque le cabernet est très présent dans sa palette, accordé aux abondants arômes de fruits rouges mûrs. Les tanins se cachent derrière une jolie matière, laissant en finale une impression de rondeur. A servir dès maintenant. Le **Château de La Vrillaye Vieilles Vignes 2002 rouge**, élevé douze mois sous bois, obtient une étoile également.

Michel Constant, Ch. de La Vrillaye, 37120 Chaveignes, tél. et fax 02.47.58.24.40, e-mail michel.constant@chateaudelavrillaye.com
t.l.j. 9h-20h

# Coteaux-du-loir

Avec le jasnières, voici le seul vignoble de la Sarthe, sur les coteaux de la vallée du Loir. Il renaît après avoir failli disparaître il y a vingt-cinq ans. Les vignes sont plantées sur l'argile à silex qui recouvre le tuffeau. En 2004, une production intéressante de 1 548 hl d'un rouge léger et fruité (pineau d'Aunis, assemblé aux cabernet, gamay ou cot), de 585 hl de rosé, et 1 592 hl de blanc sec (chenin ou pineau blanc de la Loire).

**DOM. DE CEZIN 2004** ★★

■ 2 ha 6 000 3 à 5 €

Valeur sûre et élément fédérateur de ce petit vignoble, François Fresneau est un habitué du Guide. Le rosé de pineau d'Aunis a enchanté le jury par son équilibre et son fruité légèrement épicé. Sa fraîcheur en fera une star des déjeuners au jardin. Cité, le **blanc 2004 (5 à 8 €)**, harmonieux et tendre, pourra être dégusté dès ce Noël.

François Fresneau, rue de Cézin, 72340 Marçon, tél. 02.43.79.91.49, fax 02.43.44.13.70, e-mail earl.francois.fresneau@wanadoo.fr
r.-v. sf sam. 9h-12h 15h-18h; f. 1er août-15 sep.

**BERNARD CROISARD 2004** ★★

■ 1,5 ha 8 000 5 à 8 €

Dans les caves en tuffeau remontant au X[e]s. est né ce vin frais et minéral, tour de force dans ce millésime délicat. Le nez fait preuve d'intensité dans ses évocations de fleurs blanches, tandis que la bouche dévoile rondeur et flaveurs de miel.

Bernard Croisard, La Pommeraie, 72340 Chahaignes, tél. 02.43.44.47.12, fax 02.43.79.14.90 r.-v.

**CHRISTOPHE CROISARD** Rasné 2004 ★

■ 1,5 ha 8 000 5 à 8 €

Christophe Croisard décroche les étoiles cette année. La première revient à ce vin blanc qui appartient à la

LOIRE

catégorie des tendres : robe brillante, nez de pêche et de fleurs blanches, légère sucrosité et finale miellée. La seconde brille pour le **rosé 2004 (3 à 5 €)** qui fleure la groseille et le cassis, puis laisse une sensation très douce en finale. A boire bien frais.
Christophe Croisard, La Pommeraie, 72340 Chahaignes, tél. et fax 02.43.79.14.90 r.-v.

### PASCAL JANVIER 2004 *

1 ha 2 000 3 à 5 €

Ne vous fiez pas aux étiquettes un peu kitsch. Les vins que le jury a dégustés à l'aveugle sont bien au goût du jour. Celui-ci, de teinte jaune paille, mêle harmonieusement les arômes de fleurs blanches et de miel, puis laisse en bouche une sensation de richesse qui le destine à un accord avec des poissons en sauce. Il dispose en outre d'un bon potentiel de vieillissement (trois ans). La **Cuvée du Rosier 2004 rouge** est citée pour ses senteurs poivrées intenses, typiques du pineau d'Aunis.
Pascal Janvier, La Minée, 72340 Ruillé-sur-Loir, tél. 02.43.44.29.65, fax 02.43.79.25.25 r.-v.

### JEAN-JACQUES MAILLET 2004 *

0,6 ha 3 400 5 à 8 €

Rare dans le Guide, un triplé gagnant dans la même cave, dans les trois couleurs et avec la même note. Ce 2004 blanc aux arômes exotiques de goyave se montre structuré et riche en matière. Le **rosé 2004 (3 à 5 €)**, de pineau d'Aunis, arbore une robe œil-de-perdrix, un nez finement poivré et une bouche fraîche. Le **rouge 2004 (3 à 5 €)**, enfin, issu du même cépage, est tout aussi épicé. Il s'appuie sur des tanins légers qui autorisent un service immédiat. N'hésitez pas à panacher les vins lors de votre commande.
Jean-Jacques Maillet, La Pâquerie, 72340 Ruillé-sur-Loir, tél. 02.43.44.47.45, fax 02.43.44.35.30 r.-v.

### LES MAISONS ROUGES La Fontenelle 2003 **

0,75 ha 1 500 11 à 15 €

Distingués pour leur jasnières, Elisabeth et Benoît Jardin ont remarquablement réussi leurs vendanges 2004. En témoigne ce coteaux-du-loir jaune soutenu qui livre des senteurs de sous-bois et une palette de fruits mûrs dominée par l'abricot finement miellé. La bouche est ample, tout en restant délicate. Le **rouge 2003 (5 à 8 €)** obtient une étoile : il allie le poivre et le cassis, puis offre une structure ronde.
Elisabeth et Benoît Jardin, Les Maisons Rouges, Les Chaudières, 72340 Ruillé-sur-Loir, tél. 02.43.79.50.09, fax 02.43.46.92.44, e-mail maisons.rouges@tiscali.fr r.-v.

### JEAN-MARIE RENVOISE 2003

3 ha 4 000 3 à 5 €

Un vin fringant, caractéristique de cette vallée du Loir où le cépage pineau d'Aunis s'est approprié les terroirs argilo-calcaires. Fraîcheur et rondeur en font un bon compagnon des entrées charcutières et des viandes blanches en sauce.
Jean-Marie Renvoisé, 20, rue Fontaine-Marot, 72340 Chahaignes, tél. et fax 02.43.44.89.37 r.-v.

### DOM. DE LA TOUCHE Cuvée Perrés 2004

0,8 ha 3 000 5 à 8 €

Voilà vingt-cinq ans que Jean-Marc Rimbault a repris le domaine créé par son arrière-grand-père vers 1870. Sa cuvée joue dans le registre minéral et évoque les embruns marins. Simple mais efficace, elle fera plaisir à vos convives sur les entrées maritimes de fin d'année.
Jean-Marc Rimbault, Dom. de La Touche, 72340 Marçon, tél. 02.43.44.14.82, fax 02.43.44.90.26 r.-v.

# Jasnières

C'est le cru des coteaux du Loir, bien délimité sur un unique versant plein sud de 4 km de long sur environ 60 ha. Une production en 2004 de 3 116 hl de vin blanc, issu du seul cépage chenin ou pineau de la Loire, qui peut donner des produits sublimes les grandes années. Curnonsky n'a-t-il pas écrit : « Trois fois par siècle, le jasnières est le meilleur vin blanc du monde » ? Il accompagne élégamment, dit-on, la « marmite sarthoise », spécialité locale, où il rejoint d'autres produits du terroir : poulets et lapins finement découpés, légumes cuits à la vapeur. Vin rare, à découvrir.

### DOM. DE LA CHARRIERE
Cuvée Clos Saint-Jacques 2003

2,1 ha 8 000 8 à 11 €

Partisan de la *slow vinification*, Joël Gigou laisse fermenter ses vins entre trois et quatre mois en barrique, puis leur réserve un élevage sur lie de plusieurs mois également. Son 2003, légèrement mentholé, est de style demi-sec. Doté d'une finale finement acidulée, il saura accompagner les volailles et les fromages de chèvre affinés. Avec ses arômes de raisin frais, le **rosé 2004** mérite lui aussi une citation.
Joël Gigou, 4, rue des Caves, 72340 La Chartre-sur-le-Loir, tél. 02.43.44.48.72, fax 02.43.44.42.15, e-mail joel.gigou@libertysurf.fr r.-v.

### DOM. DE LA GAUDINIERE 2004

1 ha 7 000 5 à 8 €

Elevé dans les caves en tuffeau des coteaux du Loir, ce jasnières au teint frais est plein d'allant. Le fruité est son point fort. Pour une volaille de Loué ou des tartines de rillettes du Mans.
EARL Claude et Danielle Cartereau, La Gaudinière, 72340 Lhomme, tél. 02.43.44.55.38, fax 02.43.79.30.68 r.-v.

### DOM. DES GAULETTERIES
Cuvée Saint-Vincent 2004 **

13 ha 13 000 5 à 8 €

Francine et Raynald Lelais sont attachés à leur vallée du Loir, ainsi qu'à leur domaine composé de cinq caves en tuffeau et d'un chai attenant à leur maison. *Home sweet home* pourrait être inscrit sur leur porte. Rien d'étonnant à ce que leurs vins soient des valeurs sûres de l'appellation. Cette cuvée jaune paille offre d'élégants arômes de fleurs blanches et de citron. Vin sec, elle n'en présente pas moins un tendre caractère et reflète bien la minéralité des sols de

Jasnières. La cuvée principale **Domaine des Gauletteries 2004** brille d'une étoile grâce à son équilibre et à sa fraîcheur.
Francine et Raynald Lelais, Dom. des Gauletteries, 72340 Ruillé-sur-Loir, tél. et fax 02.43.79.09.59, e-mail vins@domainelelais.com
t.l.j. 10h-19h; f. fév.-fin août

### LES MAISONS ROUGES
Clos des Molières 2003 ★★

0,5 ha 1 500 **15 à 23 €**

Depuis leur installation sur ce domaine de 6 ha en 1994, Elisabeth et Benoît Jardin ont toujours eu le souci de respecter l'environnement. Cette année, ils franchissent une nouvelle étape en se lançant dans l'agriculture biologique. Leur jasnières décline une large palette aromatique qui va du coing à la vanille, en passant par la menthe. En bouche, il explose de saveurs confites complexes tout en gardant un parfait équilibre. Un remarquable moelleux qu'il conviendra de laisser mûrir en cave pour plus de plaisir encore.
Elisabeth et Benoît Jardin, Les Maisons Rouges, Les Chaudières, 72340 Ruillé-sur-Loir, tél. 02.43.79.50.09, fax 02.43.46.92.44, e-mail maisons.rouges@tiscali.fr
r.-v.

### PHILIPPE SEVAULT 2004 ★

6 ha 22 600 5 à 8 €

Le jury a apprécié le fruité d'agrumes intense de ce vin comme la tendreté de sa chair, soulignée par la fraîcheur caractéristique des jasnières. Un 2004 que vous pourrez conserver quelques années sans souci. Toujours le même pouvoir de séduction pour la **cuvée Louis 2004 (8 à 11 €)**, un demi-sec tout doré, soyeux au palais, à la finale fraîche et légère.
Philippe Sevault, 72340 Poncé-sur-le-Loir, tél. et fax 02.43.79.07.75 r.-v.

### DOM. DE LA TOUCHE 2004

0,6 ha 4 300 **5 à 8 €**

Original, certes, mais on aime. Le registre des fruits exotiques se décline tout au long de la dégustation, prenant en bouche des accents persistants de mangue. Un léger perlant apporte de la fraîcheur. Est-il besoin de vous suggérer un accord avec une salade exotique ?
Jean-Marc Rimbault, Dom. de La Touche, 72340 Marçon, tél. 02.43.44.14.82, fax 02.43.44.90.26 r.-v.

## Montlouis-sur-loire

La Loire au nord, la forêt d'Amboise à l'est, le Cher au sud limitent l'aire d'appellation (1 000 ha de vignes dont 400 environ revendiqués en AOC montlouis-sur-loire). Les sols « perrucheux » (argile à silex), localement recouverts de sable, sont plantés de chenin blanc (ou pineau de la Loire) et produisent des vins blancs vifs et pleins de finesse, tranquilles, secs ou doux, ou effervescents (19 586 hl en 2004). Les premiers gagnent à évoluer longuement en bouteilles dans les caves de tuffeau. Ils ont un potentiel de garde d'une dizaine d'années.

### PATRICE BENOIT
Moelleux La Cuvée Saint Martin 2003 ★

1,5 ha 4 000 **11 à 15 €**

Saint-Martin, évêque de Tours au IV^e s., aurait introduit la vigne en Touraine. C'est un hommage bien légitime que les vignerons de Montlouis lui rendent en donnant son nom à une sélection de cuvées, dont ce moelleux (90 g/l de sucres résiduels). Le nez de raisin mûr, presque miellé, laisse deviner une présence de *Botrytis cinerea*. La bouche fraîche et équilibrée évoque fortement le raisin, la poire et le coing. Un vin puissant qui plaira par sa richesse aromatique. Le **montlouis sec 2003** et la **méthode traditionnelle brut (tous deux de 3 à 5 €)** sont cités.
Patrice Benoît, 3, rue des Jardins, Nouy, 37270 Saint-Martin-le-Beau, tél. 02.47.50.62.46, fax 02.47.50.63.93 r.-v.

### CLAUDE BOUREAU Brut ★

2 ha 10 000 8 à 11 €

Claude Boureau fait encore parler de lui, et en bien, comme à son habitude. Il présente deux jolis vins dont cette méthode traditionnelle où tout n'est que légèreté et fraîcheur. On y perçoit un fond fruité qui s'oriente en finale vers des notes de noisette et d'amande grillée. L'équilibre est très réussi. Le **moelleux Cuvée l'Exception 2003 (15 à 23 €)**, qui a passé huit mois en fût, obtient la même note. Il renferme 150 g/l de sucres résiduels.
Claude Boureau, 1, rue de la Résistance, 37270 Saint-Martin-le-Beau, tél. 02.47.50.61.39 r.-v.

### LAURENT CHATENAY
Moelleux La Vallée aux prêtres 2003 ★★

3 ha 8 500 11 à 15 €

Une installation qui date déjà d'une dizaine d'années sur un petit domaine de Saint-Martin-le-Beau, commune principale de l'appellation. Les coteaux siliceux qui bordent le Cher bénéficient d'un fort ensoleillement. Cette situation privilégiée nous vaut ce moelleux de grande classe. Le coing, la mangue et les fruits secs l'emportent au nez, tandis qu'en bouche les fruits cuits s'imposent. Un soupçon de boisé, pas désagréable, se distingue en filigrane. Les 80 g/l de sucres résiduels s'équilibrent avec une élégante vivacité. Le **demi-sec La Vallée 2003 (8 à 11 €)**, aux nuances boisées également, est cité.
Laurent Chatenay, 41, rte de Montlouis, 37270 Saint-Martin-le-Beau, tél. 02.47.50.65.58, fax 02.47.35.64.32 r.-v.

### FRANCOIS CHIDAINE Moelleux Tuffeaux 2003 ★

4 ha 10 000 8 à 11 €

Trente-deux hectares, plus des vignes sur Vouvray : une belle entité que François Chidaine a édifiée petit à petit en quinze ans. Il a même ouvert une boutique sur les quais de la Loire, d'accès facile pour le touriste. Son meilleur vin cette année : un moelleux à 38 g/l de sucres résiduels. Intensité aromatique au nez et présence en bouche. Sucre et acidité s'accordent au profit d'une impression d'élégance. Le **moelleux cuvée principale 2003 (11 à 15 €)**, plus riche en sucres (90 g/l), est également très réussi, mais doit encore attendre. La **méthode traditionnelle brut (5 à 8 €)** est citée.

LOIRE

GAEC François Chidaine,
5, Grande-Rue, Husseau, 37270 Montlouis-sur-Loire,
tél. 02.47.45.19.14, fax 02.47.45.19.08,
e-mail francois.chidaine@wanadoo.fr
t.l.j. sf dim. 10h-12h 14h30-19h

### STEPHANE COSSAIS Moelleux Cloclote 2003

2,4 ha 3 700 15 à 23 €

Installé en 2001, Stéphane Cossais cultive ses quelques arpents en agriculture biologique. Déjà présent dans le Guide l'an passé, il revient avec un 2003 puissant et équilibré (60 g/l de sucres résiduels). Un côté minéral montre bien que l'on est à Montlouis. Il faut laisser vieillir une paire d'années ce moelleux qui possède déjà de belles capacités.

Stéphane Cossais,
24, rue André-Malraux, 37270 Montlouis-sur-Loire,
tél. 06.63.16.21.91, fax 02.47.45.06.12 r.-v.

### DOM. DE LA CROIX MELIER Sec 2003 *

2,5 ha 7 000 5 à 8 €

Le style des bâtiments, dont certains datent du XVIe s., en pierre blanche de tuffeau, appartient bien à la Touraine. Les vignes – plus de 20 ha –, se situent à proximité, sur le coteau d'Husseau qui domine la Loire et où les sols siliceux confèrent aux vins une structure minérale que l'on retrouve dans ce sec. On y perçoit aussi du gras et du volume, auxquels s'ajoutent des arômes amples : la poire voisine avec le pain d'épice et la noisette. Les secs ne sont pas légion à Montlouis en 2003 : celui-ci est à retenir.

Pascal Berthelot, Dom. de La Croix Mélier,
2, chem. Ste-Catherine, Husseau,
37270 Montlouis-sur-Loire,
tél. 02.47.45.12.14, fax 02.47.50.77.85 r.-v.

### DOM. DELETANG Brut

n.c. 14 000 5 à 8 €

Olivier Deletang est installé au cœur du vignoble, sur les hauts de Montlouis. Les vignes prospèrent sur un sol argilo-calcaire, bien exposées au midi, et la cave est très fonctionnelle. Cette méthode traditionnelle, douce à l'attaque, laisse progressivement monter ses arômes d'agrumes et de fruits à chair blanche. Elle reste fraîche à tout moment. Sa vocation est toute trouvée : accompagner une tarte à l'orange.

EARL Olivier Deletang,
Les Bâtisses, 37270 Montlouis-sur-Loire,
tél. 02.47.50.67.25, fax 02.47.50.26.46,
e-mail deletang.olivier@wanadoo.fr r.-v.

### DOM. DE L'ENTRE-CŒURS Brut **

1,5 ha 4 000 5 à 8 €

Alain Lelarge, vigneron et œnologue, apporte la preuve de ses compétences avec cette méthode traditionnelle à la mousse fine et persistante sur fond doré. Les arômes vont de la pomme à la poire en passant par la noisette, tandis que richesse et fraîcheur s'équilibrent remarquablement en bouche. Une impression d'harmonie l'emporte en finale. Pour des desserts aux fruits. Le **montlouis sec 2003**, élégant et équilibré, décroche une étoile.

Alain Lelarge, 10, rue d'Amboise,
37270 Saint-Martin-le-Beau,
tél. 02.47.50.61.70, fax 02.47.50.68.92,
e-mail entre-coeurs@wanadoo.fr r.-v.

### D. FISSELLE Liquoreux Cuvée Aimé 2003 **

2 ha 1 100 11 à 15 €

Depuis plus de trente ans, Daniel Fisselle exploite ses 8 ha de vignes sur les terres siliceuses de Montlouis. Il connaît tous les ceps et bien des secrets pour en tirer le meilleur parti. Ce moelleux, qui renferme pas moins de 119 g/l de sucres résiduels, s'ouvre à l'agitation sur des effluves de vendange très mûre, mêlés de citron et d'orange. Le surmûri et le confit se développent en bouche jusqu'à la finale qui n'en finit pas. Une expression parfaite d'un montlouis marqué par le terroir et le millésime. Une étoile est attribuée à la **cuvée principale moelleuse 2003 (5 à 8 €)** et au **montlouis sec 2003 (3 à 5 €)**, d'avenir.

Daniel Fisselle, Les Caves du Verger,
43 b, rte de Saint-Aignan, 37270 Montlouis-sur-Loire,
tél. et fax 02.47.50.93.59
t.l.j. 10h-13h 14h-19h30; f. jan.

### DOM. FLAMAND-DELETANG
Sec Les Petits Boulay 2003

1,72 ha 4 540 5 à 8 €

Après avoir travaillé trente ans comme associés exploitants sur un domaine familial, Olivier Flamand et son épouse prennent leur indépendance. Ils disposent de 8 ha de vignes, d'un chai et de très belles caves dans le roc qui méritent le détour. Encourageant, ce sec légèrement rond où tout est net et clair. Les fruits blancs se mêlent aux agrumes pour apporter une touche de fraîcheur.

Olivier Flamand, 19, rte d'Amboise,
37270 Saint-Martin-le-Beau,
tél. 02.47.35.65.71, fax 02.47.35.67.64,
e-mail flamandolivier@aol.com t.l.j. 9h-20h

### DOM. LA GRANGE TIPHAINE
Moelleux L'Equilibriste 2003 **

1,5 ha 5 000 11 à 15 €

Un moelleux à 130 g/l de sucres résiduels, c'est exceptionnel. Le moût devait titrer plus de 21 degrés

d'alcool en puissance, c'est dire sa richesse. Le vin joue l'équilibriste, en effet, entre puissance aromatique, sucre et fraîcheur, qualités qui font les grandes bouteilles. Or brillant, il libère des arômes de fruits confits, puis fait défiler au palais un cortège de raisin mûr, de poire tapée, d'abricot et de coing. Ce montlouis a quelque chose à raconter. Une conversation à reprendre dans cinq ans. Le **sec Clef de Sol 2003 (8 à 11 €)** reçoit une étoile, tandis que la **méthode traditionnelle brut Les Bulles 2003 (5 à 8 €)** est citée.
Damien Delecheneau, La Grange Tiphaine,
37400 Amboise, tél. 02.47.57.64.17, fax 02.47.57.39.49,
e-mail lagrangetiphaine@ifrance.com r.-v.

JEAN-PAUL HABERT Brut *

2 ha 8 500 5 à 8 €

Rappelez-vous : ces caves-là ont appartenu à la famille de Beaufort, alliée de celle de Gabrielle d'Estrées, favorite d'Henri IV, qui demeurait au proche château de La Bourdaisière. Cette méthode traditionnelle se montre digne des anciens maîtres des lieux. La mousse fine, le cordon persistant séduisent d'emblée. La bouche soyeuse, fraîche et légère avec ses évocations florales plaît tout autant. On y reviendrait volontiers.
Jean-Paul Habert, Les Caves du Vieux Cangé,
Le Gros Buisson, 3, imp. des Noyers,
37270 Saint-Martin-le-Beau, tél. et fax 02.47.50.26.47,
e-mail caveduvieuxcange@aol.com r.-v.

ALAIN JOULIN
Moelleux La Cuve Saint Martin 2003 **

2,5 ha 4 568 11 à 15 €

La vallée du Cher, très ouverte au niveau de Saint-Martin-le-Beau, bénéficie sur ses pentes les plus méridionales d'un ensoleillement incomparable. Ce moelleux n'est certes pas excessivement riche en sucres résiduels (50 g/l), mais il est tellement bien né ! Doré profond, il exprime des senteurs de confiture d'abricots, de pêche et de raisins de Corinthe. Le palais n'est pas en reste avec des notes d'ananas et de citron qui suivent une attaque volumineuse et tendre à souhait. Un vin équilibré, mesuré, qui laisse perplexe le dégustateur : faut-il le boire tout de suite ou bien l'attendre ? Les deux, bien sûr. Une étoile est attribuée au **sec 2003 (3 à 5 €)** pour sa franchise.
Alain Joulin, 58, rue de Chenonceaux,
37270 Saint-Martin-le-Beau, tél. 02.47.50.28.49,
fax 02.47.50.69.73 t.l.j. sf dim. 8h-12h 14h-20h

DOM. DES LIARDS
Moelleux La Montée des Liards Vieilles Vignes 2003 *

3 ha 11 000 5 à 8 €

Un domaine créé au lendemain de la Seconde Guerre mondiale par deux frères qui ont su lui donner ses lettres de noblesse. La jeune génération, représentée par les deux cousins, assure dignement la continuité, comme en témoigne ce moelleux (43 g/l de sucres résiduels) très aromatique, dominé par les fruits secs. On sent une belle matière originale, mûre, dont l'équilibre des composants a été préservé jusqu'au vin fini. Le **liquoreux La Côte Saint Martin 2003 (15 à 23 €)**, qui a connu le bois lui aussi, obtient la même note (120 g/l de sucres résiduels).
EARL Berger Frères,
33, rue de Chenonceaux, 37270 Saint-Martin-le-Beau,
tél. 02.47.50.67.36, fax 02.47.50.21.13
t.l.j. sf dim. 8h-18h

DOM. MARNE Sec 2003

1 ha 2 800 3 à 5 €

Patrick Marné a le souci du respect des traditions tout en ajoutant un brin de modernité à ses installations et à sa façon de faire. Ainsi a-t-il produit un sec représentatif de l'année, qui ne triche pas avec sa rondeur naturelle, son fruité et son léger boisé. Ce montlouis est à retenir pour sa capacité à s'adapter à de nombreux mets.
Patrick Marné, 21, rue de Chapitre,
37270 Montlouis-sur-Loire,
tél. 02.47.45.11.32, fax 02.47.45.07.49,
e-mail domaine.marne@wanadoo.fr r.-v.

ALEX MATHUR Sec Les Lumens 2003 **

1,5 ha 4 000 8 à 11 €

Alex Mathur a succédé à Claude Levasseur en 2000. Une installation qui n'allait pas de soi, Alex n'étant pas issu du milieu viticole. Mais l'étoile obtenue l'an passé pour le sec Les Lumens 2002 et la sélection de cette année confirment sa réussite. Le 2003, puissant, affiche une belle rondeur, assortie d'un riche bouquet de fruits mêlés à un léger boisé hérité de douze mois d'élevage. On est comblé. La **méthode traditionnelle brut (5 à 8 €)**, aux arômes de pain grillé, est citée.
Dom. Levasseur-Alex Mathur,
38, rue des Bouvineries, Husseau,
37270 Montlouis-sur-Loire,
tél. 02.47.50.97.06, fax 02.47.50.96.80 r.-v.
Eric Gougeat

CAVE DE MONTLOUIS-SUR-LOIRE
Demi-sec Cuvée réservée *

n.c. 80 000 5 à 8 €

La coopérative a été créée en 1961 pour servir l'intérêt des vignerons qui cherchaient à développer l'élaboration des méthodes traditionnelles et à trouver des marchés. Objectif atteint puisqu'elle a une position dominante à Montlouis grâce à sa rigueur de gestion et à sa recherche de la qualité. Sa Cuvée réservée fait danser de fines bulles sur fond jaune pâle brillant. Après un nez d'agrumes, elle a une réelle présence en bouche par son fruité. Beaucoup de légèreté et d'équilibre, c'est un beau vin de fête.
Cave des Producteurs de Montlouis-sur-Loire,
2, rte de Saint-Aignan, 37270 Montlouis-sur-Loire,
tél. 02.47.50.80.98, fax 02.47.50.81.34,
e-mail cave-montlouis@france-vin.com r.-v.

DOM. MOSNY Demi-sec Le Chesneau 2003 *

2 ha 3 800 5 à 8 €

Le vignoble de 14 ha, vaste pour Montlouis, se situe au cœur de l'aire d'appellation, sur les pentes argilo-siliceuses qui descendent doucement vers le Cher en profitant d'une exposition méridionale. En 2003, les vins font tous preuve de rondeur. Ce demi-sec n'en manque pas. Il révèle aussi toute la subtilité du chenin par ses longues évocations de raisin très mûr : fleurs blanches, coing, pêche. Finesse et élégance sont au rendez-vous. Un vin de charme qui vous séduira dès l'apéritif.
GAEC Daniel et Thierry Mosny,
6, rue des Vignes, 37270 Saint-Martin-le-Beau,
tél. et fax 02.47.50.61.84 t.l.j. 8h-19h

DOM. MOYER Brut 2002 *

3 ha 10 000 5 à 8 €

Ce domaine de 14 ha s'étend sur l'un des plus beaux coteaux de Montlouis, dominant la Loire. Là n'est pas son

seul attrait : le visiteur est reçu dans un manoir du XVII[e]s., ancien rendez-vous de chasse du duc de Choiseul. Vous n'oublierez pas cette méthode traditionnelle, gourmande et bien dosée, que réveille une légère vivacité et qu'agrémentent les fins arômes du chenin. C'est l'apéritif idéal qui n'a pas besoin d'accompagnement. Le **moelleux Vieilles Vignes 2003 (23 à 30 €)** obtient une étoile ; il mérite d'attendre quatre ou cinq ans pour s'affiner (117 g/l de sucres résiduels). Le **sec 2003** est cité.
Dominique Moyer, 2, rue de la Croix-des-Granges, Husseau, 37270 Montlouis-sur-Loire,
tél. 02.47.50.94.83, fax 02.47.45.10.48,
e-mail domaine.moyer@wanadoo.fr r.-v.

## DOM. DE L'OUCHE GAILLARD
Moelleux Saphir 2003 ★

2 ha 2 500 15 à 23 €

Régis et Gabriële Dansault ont un magasin de vente de vins sur la commune voisine de La Ville-aux-Dames, et possèdent 14 ha de vignes. Ce moelleux le prouve avec ses 95 g/l de sucres résiduels fondus dans une bouche aérienne, équilibrée, où l'abricot et la rhubarbe se mettent en avant ; il fera plus bel effet encore dans deux ou trois ans.
SCEA Dansault-Baudeau,
94, av. George-Sand, 37700 La Ville-aux-Dames,
tél. 02.47.44.36.23, fax 02.47.44.95.30,
e-mail regis.dansault@wanadoo.fr r.-v.
Régis Dansault

## CH. DE PINTRAY
Moelleux Elevé en fût de chêne 2003 ★

5 ha 2 300 11 à 15 €

Dans son château du XIX[e]s., construit sur les ruines d'un monastère, Marius Rault a aménagé des chambres d'hôte confortables et décorées avec goût. Coup de cœur l'an dernier pour son montlouis sec 2002, il propose en 2003 un moelleux dont l'élevage en fût de onze mois est très réussi. Le boisé apparaît en transparence, dominé par les arômes de fruit confit, d'abricot et de raisin passerillé. Vin à garder un peu pour une harmonie parfaite. Le **moelleux 2003 (8 à 11 €)**, élevé en cuve, est cité.
Marius Rault, Ch. de Pintray,
37400 Lussault-sur-Loire, tél. 02.47.23.22.84,
fax 02.47.57.64.27, e-mail marius.rault@wanadoo.fr
t.l.j. 9h-19h30; dim. sur r.-v.

## DOM. DE LA ROCHEPINAL
Demi-sec Les Grillonières 2003

1 ha 5 000 5 à 8 €

Installé en 1989 sur une petite exploitation, après avoir enseigné au lycée viticole de Montreuil-Bellay, Hervé Denis est maintenant à la tête de 15 ha de vignes, d'un chai fonctionnel et d'une précieuse cave de vieillissement dans le roc. Cette année, il ouvre une salle de dégustation dans le tuffeau et aménage une aire de stationnement pour des vacanciers en camping-car. Gageons que ces derniers sauront apprécier ce vin tendre sur des charcuteries montlouisiennes ou sur une géline de Touraine, succulente volaille. Le nez est frais, la bouche équilibrée et aromatique sur la pêche blanche et la poire.
Hervé Denis,
4, rue de la Barre, 37270 Montlouis-sur-Loire,
tél. 02.47.45.16.65, fax 02.47.50.71.70,
e-mail herve.denis.vigneron@wanadoo.fr r.-v.

## DOM. DES SABLONS Brut ★

1 ha 5 000 5 à 8 €

Gilles Verley, vigneron depuis 1978, propose ici une méthode traditionnelle gourmande. Le nez très intense dévoile une large panoplie de senteurs de fruits, auxquelles s'ajoute une pointe de grillé. L'attaque souple évolue rapidement vers une rondeur plaisante qui laisse une sensation de plénitude. Un vin d'apéritif sérieux, au caractère légèrement évolué.
Gilles Verley,
Dom. des Sablons, 37270 Saint-Martin-le-Beau,
tél. 02.47.50.66.35 r.-v.

## DOM. DE LA TAILLE AUX LOUPS
Moelleux Cuvée des Loups 2003 ★★

16 ha 15 400 15 à 23 €

Jacky Blot s'est installé à Montlouis en 1989. Depuis lors, il n'a cessé de développer son vignoble tout en maintenant à haut niveau la qualité de ses vins. Il a réussi une cuvée de moelleux hors du commun (80 g/l de sucres résiduels) : un bouton d'or pour robe et un bouquet expressif où s'associent des agrumes, des fruits confits et de la figue. La bouche ample, bien structurée, se prolonge avec élégance sur une note de chocolat. Le **montlouis sec Les dix Arpents 2003 (5 à 8 €)** obtient une étoile pour son équilibre et son caractère aromatique discrètement souligné de boisé.
Dom. de la Taille aux Loups, 8, rue des Aitres,
37270 Montlouis-sur-Loire, tél. 02.47.45.11.11,
fax 02.47.45.11.14, e-mail lataille auxloups@wanadoo.fr
t.l.j. 9h-12h30 14h30-18h; f. dim. de nov. à mars
Jacky Blot

## J.-C THIELLIN Moelleux Cuvée Alexandre 2003 ★

1 ha 2 200 8 à 11 €

Issu d'une vieille famille montlouisienne, Jean-Claude Thiellin est installé sur les premières côtes de l'aire d'appellation qui entourent le petit hameau pittoresque de Husseau. Les sols sont sableux et perrucheux (riches en silex), très favorables à la maturation du raisin. Finesse aromatique et puissance caractérisent parfaitement ce moelleux à 75 g/l de sucres résiduels, qui n'en garde pas moins un côté frais. Le terroir se rappelle à nous par une touche minérale.
Jean-Claude Thiellin,
46, rue des Bouvineries, 37270 Montlouis-sur-Loire,
tél. 02.47.45.12.21, fax 02.47.45.08.69 r.-v.

## DOM. DES TOURTERELLES Brut ★

1 ha 5 000 5 à 8 €

Jean-Pierre Trouvé tient de ses grands-parents un domaine d'une douzaine d'hectares sur les pentes de la vallée du Cher. L'exposition est favorable et les sols argilo-calcaires sont à l'origine de vins bien structurés. Tel est le cas de celui-ci, plein et long, mais avec une fraîcheur qui lui donne de la légèreté. Les arômes complexes (fruits confits, agrumes, touche minérale) alimenteront les conversations à l'heure de l'apéritif.
Jean-Pierre Trouvé,
1, rue de la Gare, 37270 Saint-Martin-le-Beau,
tél. et fax 02.47.50.63.62 r.-v.

Trouver un producteur ? Consultez l'index en fin de volume.

# Vouvray

Un long vieillissement en cave et en bouteilles révèle toutes les qualités des vouvray, blancs nés au nord de la Loire, sur un vignoble de 2 161 ha qu'écorne au nord l'autoroute A10 (le TGV passe en tunnel) et que traverse la large vallée de la Brenne. Le cépage blanc de Touraine, le chenin (ou pineau de la Loire), donne ici des vins tranquilles de haut niveau, colorés, très racés, secs ou moelleux selon les années, et des vins mousseux ou pétillants, très vineux. Si ces derniers sont bus assez jeunes, les vins tranquilles sont parfaitement aptes à une longue garde, qui leur donne de la complexité aromatique. Poissons, fromages (de chèvre) iront bien avec les uns, plats fins ou desserts légers avec les autres, qui feront aussi d'excellents apéritifs. Le millésime 2004 a produit 136 486 hl.

### ALLIAS PERE ET FILS Brut pétillant *

4 ha 17 000 5 à 8 €

Au XIXᵉs. ce domaine situé sur les hauts de la vallée Coquette appartenait à un ami d'Honoré de Balzac. Il couvre aujourd'hui 13 ha et possède une cave traditionnelle où se prodiguent tous les soins nécessaires au vouvray. Dominique Allias y officie, laissant à son père Daniel le temps d'animer La Chantepleure, la confrérie du Vouvrillon. Typique, ce pétillant présente un côté fruité évocateur de poire et de pêche. La finale confirme ces arômes en laissant une impression de fraîcheur que vous apprécierez dès la sortie du Guide.

GAEC Allias Père et Fils, 106, rue Vallée-Coquette, 37210 Vouvray, tél. 02.47.52.74.95, fax 02.47.52.66.38, e-mail domaine.allias.@wanadoo.fr
t.l.j. sf dim. 8h-12h 14h-18h

### JEAN-CLAUDE ET DIDIER AUBERT
Brut Réserve 2002 *

7 ha 50 000 5 à 8 €

Le père et le fils mènent avec science et sagesse ce domaine de 27 ha répartis sur les premières côtes de la vallée Coquette, proches de la Loire. Résultat : trois jolis vins dans le Guide. Cette méthode traditionnelle a beau être un brut, elle laisse une tendre impression en finale, comme un contrepoint à la fraîcheur de l'attaque. De la rondeur en milieu de bouche, largement relevée par la présence de fruits frais. Le **moelleux Vieilles Vignes 2003 (11 à 15 €)**, à 85 g/l de sucres résiduels, obtient une étoile également. Long, puissant, il évoque le miel et l'abricot. Le **sec 2003 (3 à 5 €)**, dans un registre classique, est cité.

Jean-Claude et Didier Aubert, 10, rue Vallée-Coquette, 37210 Vouvray, tél. 02.47.52.71.03, fax 02.47.52.68.38
t.l.j. 9h-12h30 14h-19h

### DOM. DU BAS ROCHER
Moelleux Vieilles Vignes 2003

0,5 ha 2 400 8 à 11 €

Par la vallée Chartier on monte sur ce coteau privilégié des bords de Loire où sont situées quelques-unes des meilleures pentes du vignoble vouvrillon. Dans ce moelleux bien dosé, à 90 g/l de sucres résiduels, l'acidité tempère la richesse et révèle les arômes de fruits. A boire pour le plaisir. (Bouteilles de 50 cl.)

Boutet-Saulnier, 17, rue Vallée-Chartier, 37210 Vouvray, tél. 02.47.52.73.61, fax 02.47.52.63.27, e-mail christophe-boutet@wanadoo.fr r.-v.

### PASCAL BERTEAU ET VINCENT MABILLE
Brut

15 ha 10 000 3 à 5 €

Deux viticulteurs et beaux-frères ont uni leurs efforts pour mettre en valeur un coquet domaine de 20 ha sis de part et d'autre de la vallée de Vaugondy, l'un des hauts lieux viticoles de la commune de Vernou. Ils proposent une méthode traditionnelle classique à tous points de vue : nez de miel et de fruits secs, attaque vive et structure élégante accompagnée de notes rafraîchissantes. Le **moelleux 2003** est cité également : sa vivacité équilibre le sucre et apporte une petite touche nerveuse.

GAEC B.M., P. Berteau - V. Mabille, Vaugondy, 37210 Vernou-sur-Brenne, tél. et fax 02.47.52.03.43, e-mail vincent.mabille1@libertysurf.fr r.-v.

### CHRISTIAN BLOT Brut 2002 **

10 ha 15 000 5 à 8 €

Cette petite propriété née en 1955 s'est agrandie au fil des ans. Elle comporte maintenant 25 ha de chenin bien exposés sur le coteau de Beauclair. Le fils de Christian Blot s'apprête à rejoindre le domaine : il sera à bonne école, son père affichant une maîtrise totale de l'élaboration des effervescents. Cette méthode traditionnelle se place à un remarquable niveau : nez floral et fruité à la fois, attaque vive et finale de raisins mûrs qui témoigne d'une vendange 2002 faite à point. Une bouteille pour la fête.

Christian Blot, 306, coteau de Beauclair, 37210 Noizay, tél. 02.47.52.11.32, fax 02.47.52.07.48, e-mail freddyblot@aol.com
t.l.j. 9h-12h 14h-19h; dim. 9h-12h

### DOM. DE LA BLOTIERE
Moelleux Vieilles Vignes 2003

1 ha 2 800 8 à 11 €

La Blotière, c'est un peu l'habitat viticole de rêve. La maison élégante de pierre blanche de tuffeau, perchée sur le coteau, bénéficie d'une jolie vue sur le vignoble. La cave creusée dans le roc n'est pas loin, où a été produit un doux à 80 g/l de sucres résiduels, bien enlevé. Le miel est omniprésent. Equilibre et longue finale : voilà un joli vin d'apéritif.

Jean-Michel Fortineau, La Blotière, 37210 Vouvray, tél. 02.47.52.74.24, fax 02.47.52.65.11, e-mail christianefortineau@voila.fr
t.l.j. 8h30-19h; sam. sur r.-v.; f. 15-30 août

### JEAN-PIERRE BOISTARD
Brut Cuvée Prestige 2000 **

0,8 ha 5 500 8 à 11 €

Jean-Pierre Boistard est le propriétaire de caves profondes dans le roc et d'un vignoble qui s'étend sur les premières côtes de Vernou, dominant le lit majeur de la Loire. Voici un classique qui a longtemps évolué sur lattes. En témoignent la robe d'or et le nez puissant de miel et de cire. La bouche est bien construite. Brut, sans rondeur, ce 2000 a cette qualité rafraîchissante des vins d'après-midi, mais il accompagnera également tout un repas tant il a de structure.

LOIRE

Jean-Pierre Boistard,
216, rue Neuve, 37210 Vernou-sur-Brenne,
tél. 02.47.52.18.73, fax 02.47.52.19.95 r.-v.

## MARC BREDIF Sec 2003 *

15 ha 80 000 8 à 11 €

Point n'est besoin de présenter la maison Brédif qui possède d'immenses caves sur les bords de Loire où s'élaborent les effervescents et mûrissent les vins tranquilles. Elle est très présente dans la restauration et sur les marchés étrangers. Un premier bon point pour ce vouvray sec : la robe or brillant. La suite est classique, avec une légère touche de gaz qui donne fraîcheur et légèreté. Ce vin aura du succès sur les bonnes tables aux côtés d'un poisson grillé, par exemple. La **méthode traditionnelle brut** est citée pour ses qualités aromatiques.

Marc Brédif,
87, quai de la Loire, 37210 Rochecorbon,
tél. 02.47.52.50.07, fax 02.47.52.53.41
t.l.j. sf dim. 9h-12h30 14h-18h
de Ladoucette

## YVES BREUSSIN Moelleux 2003 *

3 ha 6 000 5 à 8 €

Si vous êtes amateur d'habitat troglodytique, rendez-vous chez les Breussin. Dans la pièce creusée dans le roc, réchauffée par une vaste cheminée, vous découvrirez ce moelleux de teinte soutenue et brillante qui libère des arômes de fruits mûrs : pêche, poire, abricot, touche d'agrumes. La bouche, en harmonie, évoque le raisin passerillé. Le vin s'ouvrira davantage dans quelques années, mais vous l'apprécierez dès maintenant avec un fromage de chèvre frais. La **méthode traditionnelle brut** et le **moelleux Réserve 2003 (11 à 15 €)** sont cités.

EARL Yves et Denis Breussin,
Vaugondy, 37210 Vernou-sur-Brenne,
tél. 02.47.52.18.75, fax 02.47.52.13.66,
e-mail breussindenis@aol.com r.-v.

## VIGNOBLES BRISEBARRE Brut *

10 ha 15 000 5 à 8 €

Homme très engagé dans le devenir de la viticulture, Philippe Brisebarre conduit son vignoble de 22 ha avec succès. Cette méthode traditionnelle, très amande grillée au nez et en bouche, doit son équilibre harmonieux à un élevage sur lattes bien mené. Elle laisse un goût de revenez-y en finale. Le **moelleux Réserve personnelle 2003 (23 à 30 €)** à 123 g/l de sucres résiduels et le **moelleux Grande Réserve 2003 (8 à 11 €)** à 70 g/l obtiennent également une étoile.

EARL Philippe Brisebarre, 34, la Vallée-Chartier,
37210 Vouvray, tél. 02.47.52.63.07, fax 02.47.52.65.59
t.l.j. 9h-19h; dim. sur r.-v.

## DOM. GEORGES BRUNET Brut Pétillant 2001 **

5 ha 30 000 3 à 5 €

Les vins pétillants de Vouvray sont élaborés selon la méthode traditionnelle, mais avec une pression finale en bouteille moitié moindre que celle d'un effervescent classique. Le vin, moins gêné par le gaz, exprime ainsi tout son bouquet. Celui-ci manifeste au nez comme en bouche des arômes d'amande, de brioche, de fruits frais. Riche et vineux, il persiste longuement et respire l'authenticité. Un beau produit du terroir qui a frôlé le coup de cœur.

Georges Brunet, 12, rue de la Croix-Mariotte,
37210 Vouvray, tél. 02.47.52.60.36, fax 02.47.52.75.38,
e-mail info@vouvray-brunet.com r.-v.

## VIGNOBLES CAREME Brut 2002 *

5 ha n.c. 5 à 8 €

Voilà dix ans qu'Olivier Carême s'est installé. Il se trouve aujourd'hui à la tête d'un joli domaine de 13 ha sur les premières pentes de la Loire. Sa technicité s'est affirmée et il produit régulièrement de beaux vins, telle cette méthode traditionnelle ample et équilibrée. Le vin finit sur une note élégante de noisette et laisse une impression rafraîchissante à souhait.

Olivier Carême, 14, rue la Vallée-Chartier,
37210 Vouvray, tél. et fax 02.47.52.69.79,
e-mail careme.vin@wanadoo.fr r.-v.

## JEAN-CHARLES CATHELINEAU Brut 2001

1,5 ha 10 000 5 à 8 €

Les influences de la Loire remontent par les vallées transversales. La Brenne qui rejoint le fleuve à Vouvray est bordée de jolies pentes exposées au levant, propices à l'évolution du grain à l'automne. Jean-Charles Cathelineau y mène depuis plus de vingt ans un vignoble de 8,5 ha. Il présente une méthode traditionnelle où les agrumes font la loi au nez comme en bouche. Un vin très rond qu'une tarte aux pommes aurait mauvaise grâce à refuser en mariage.

Jean-Charles Cathelineau, 24, rue des Violettes,
37210 Chançay, tél. et fax 02.47.52.20.61 r.-v.

## CHAMPALOU Cuvée moelleuse 2003 **

8 ha 7 000 15 à 23 €

Catherine et Didier Champalou ont porté petit à petit leur domaine à 20 ha sur les hauts de Vouvray. Ces jeunes vignerons vous étonneront encore cette année grâce à deux moelleux remarquables. Cette cuvée à 97 g/l de sucres résiduels est un exemple d'équilibre entre sucre et acidité. L'alcool se fait discret et c'est la vanille qui prend le pas sur les fruits mûrs. La robe jaune paille aux reflets d'or est un atout supplémentaire. Le **moelleux cuvée CC Trie de vendange 2003 (30 à 38 €)**, deux étoiles également, est plus riche (180 g/l de sucres) et se réfère beaucoup aux fruits confits.

Catherine et Didier Champalou,
7, rue du Grand-Ormeau, 37210 Vouvray,
tél. 02.47.52.64.49, fax 02.47.52.67.99,
e-mail champalou@wanadoo.fr r.-v.

## DOM. CHAMPION Moelleux Réserve 2003

1 ha 4 000 8 à 11 €

A une vingtaine de kilomètres des châteaux d'Amboise, de Chenonceaux et de Villandry, Pierre Champion cultive les 13 ha du domaine familial, aidé de son père Gilles, qui s'est beaucoup dévoué à la cause professionnelle. Son liquoreux présente une grande fraîcheur au nez où se mêlent les fruits mûrs et la guimauve. La bouche légèrement boisée finit sur une rondeur délicate.

EARL Pierre Champion,
57, rue Vallée-de-Cousse, 37210 Vernou-sur-Brenne,
tél. 02.47.52.02.38, fax 02.47.52.05.69 r.-v.

## CLOS BAUDOIN Moelleux Le Bouchet 2003 *

2 ha 8 000 11 à 15 €

Une étoile l'an passé, une étoile cette année. Le Montlouisien François Chidaine, qui a pris en charge le Clos Baudoin, en vouvray, en 2002, propose un moelleux de belle tenue. La robe est or à reflets orangés, le nez brioché, soutenu par une nuance de vanille, et la bouche grasse, ample, nuancée d'un boisé élégant. Le travail d'un perfectionniste.

GAEC François Chidaine,
5, Grande-Rue, Husseau, 37270 Montlouis-sur-Loire,
tél. 02.47.45.19.14, fax 02.47.45.19.08,
e-mail francois.chidaine@wanadoo.fr
t.l.j. sf dim. 10h-12h 14h30-19h
Poniatowki

## DOM. DU CLOS DE L'EPINAY
Moelleux Grande Réserve 2003 *

0,7 ha 3 000 11 à 15 €

Dotés de lucarnes élégantes, les plus anciens bâtiments de cette séduisante gentilhommière entourée d'arbres centenaires datent de 1702. Vergers et vignes (16 ha) ne sont pas loin. Deux grandes chambres d'hôte aménagées avec goût font, avec le vin, le bonheur des vacanciers. Luc Dumange propose un doux à 61 g/l de sucres résiduels. De sa robe brillante se dégagent des senteurs de miel et de fruits confits. La bouche bien équilibrée et onctueuse se prolonge dans une finale chaleureuse. Le **moelleux cuvée Marcus 2003 (5 à 8 €)**, à 25 g/l de sucres résiduels, ainsi que la **méthode traditionnelle brut classique 2002 (5 à 8 €)** sont cités.

Luc Dumange, Dom. du Clos de L'Epinay,
37210 Vouvray, tél. 02.47.52.61.90, fax 02.47.52.71.31,
e-mail ldumange@terre-net.fr r.-v.

## CLOS DE NOUYS Brut **

3 ha 25 000 8 à 11 €

Une réussite complète pour cette propriété de 15 ha sur les premières côtes de l'aire d'appellation, qui compte parmi les plus anciennes du Vouvrillon. D'abord, cette méthode traditionnelle qui a frôlé le coup de cœur et qui rappelle la pomme chaude. Vineuse et harmonieuse, elle traduit une vendange mûre et la richesse d'une matière bien traitée. Une typicité que l'on rencontre rarement. Le **moelleux 2003**, à 80 g/l de sucres résiduels, obtient deux étoiles également pour sa puissance et ses arômes classiques de miel, de cire et de fruits confits. Enfin, le **moelleux Clos du Gaimont 2003**, noté une étoile, est un modèle d'équilibre.

F. Chainier, Clos de Nouys,
56, rue Vallée-de-Nouys, 37210 Vouvray,
tél. 02.47.52.73.35, fax 02.47.52.13.17 r.-v.

## DOM. DU CLOS DES AUMONES Demi-sec 2003

2 ha 12 000 3 à 5 €

Sur le coteau de Rochecorbon, les vignes sont aux premières loges pour bénéficier des influences de la Loire. Philippe Gaultier y exploite 17 ha. Il propose un demi-sec très floral au nez, frais, plutôt pomme verte en bouche. Léger, plaisant, ce vin s'adaptera à beaucoup de circonstances.

Philippe Gaultier,
18, rue Vaufoynard, 37210 Rochecorbon,
tél. 02.47.54.69.82, fax 02.47.42.62.01,
e-mail dcagaultier@aol.com r.-v.

## DOM. THIERRY COSME
Moelleux Réserve Vieilles Vignes 2003

0,5 ha 2 000 8 à 11 €

Les premières côtes de Noizay, où Thierry Cosme cultive près de 17,5 ha, dominent le lit majeur de la Loire ; leur exposition est favorable à la production de vins doux. Celui-ci, issu d'une vendange bien mûre, accorde les premiers rôles à l'abricot et aux fruits confits, et joue volontiers les prolongations tant sa finale est longue. Egalement cité, le **sec 2003 (3 à 5 €)**, aux arômes légèrement poivrés.

Thierry Cosme,
1127, rte de Nazelles, 37210 Noizay,
tél. 02.47.52.05.87, fax 02.47.52.11.36 r.-v.

## DOM. DE LA FONTAINERIE
Moelleux Coteau La Fontainerie 2003 ***

1,7 ha 1 400 23 à 30 €

Les caves de La Fontainerie sont saines et profondes, et les 6 ha de vignes plantées face au levant sur le coteau, à mi-parcours de la vallée Coquette, profitent au maximum des journées chaudes de septembre. Des conditions idéales pour faire de grands moelleux, tel ce 2003 à 120 g/l de sucres résiduels. Au nez, on perçoit le coing et la mangue, soulignés de notes botrytisées et passerillées. L'attaque tout en douceur introduit une bouche pleine qui n'en finit pas de manifester des nuances de grillé et de confit. Richesse et harmonie sont presque la devise de ce coup de cœur « fait pour l'éternité », selon le jury. Le **moelleux Coteau les Brûlés 2003** (125 g/l de sucres résiduels) remporte deux étoiles pour son gras et son fruité mûr. « A boire après le repas », conseille un dégustateur. Le **moelleux cuvée C 2003 (11 à 15 €)**, à 60 g/l de sucres résiduels, est cité.

Catherine Dhoye-Déruet, Dom. de La Fontainerie,
64, rue Vallée-Coquette, 37210 Vouvray,
tél. 02.47.52.67.92, fax 02.47.52.79.41,
e-mail lafontainerie@oreka.com r.-v.

## REGIS FORTINEAU Pétillant demi-sec 2002 *

1 ha 5 000 5 à 8 €

Adossée au coteau, c'est une vieille construction tourangelle bien arrangée. La cave s'enfonce dans le rocher où s'élaborent les vins avec un équipement de qualité. Le visiteur n'est pas oublié. Un caveau de dégustation aménagé avec goût l'y accueille pour découvrir un pétillant demi-sec tout en fraîcheur et en légèreté. Les nuances de raisin mûr et la rondeur suffisante de ce vin lui permettront d'accompagner une tarte Tatin à quatre heures. La **méthode traditionnelle brut 2002** est citée.

EARL Régis Fortineau, 4, rue de la Croix-Mariotte,
37210 Vouvray, tél. 02.47.52.63.62, fax 02.47.52.69.97,
e-mail regisfortineau@cegetel.net r.-v.

## DOM. FRANCOIS VILLON Brut *

11,73 ha 40 000 5 à 8 €

Le domaine de près de 17 ha de vignes faisait partie autrefois du Clos des Pentes, l'un des plus vieux vignobles de Rochecorbon. Cette méthode traditionnelle a été élaborée dans les caves profondes qui servaient au Moyen Age de carrières pour l'édification des levées de la Loire.

LOIRE

Elle fait preuve d'équilibre. Entre l'attaque souple et la finale longue, on perçoit des nuances de fruits et une fraîcheur très plaisante.
Christian Dumange,
Dom. François Villon, 37210 Rochecorbon,
tél. 02.47.52.54.85, fax 02.47.52.82.05

## DOM. FRESLIER Moelleux 2003 *

4 ha 12 000 8 à 11 €

Le vignoble de Jean-Pierre Freslier, de plus de 10 ha, se partage entre les Hauts de la vallée Coquette et les Quarts de Moncontour. Ce dernier lieu-dit a la réputation de produire du « meilleur », comme on dit à Vouvray. Dans ce moelleux de 130 g/l de sucres résiduels, l'or brillant invite à découvrir un nez puissant. En bouche, le coing vient en premier, puis s'efface devant la poire bien mûre. La finale qui se prolonge sur des accents muscatés est des plus agréables.
Dom. Jean-Pierre Freslier, 92, rue Vallée-Coquette,
37210 Vouvray, tél. 02.47.52.76.61, fax 02.47.52.78.65
t.l.j. 8h30-12h30 13h30-20h

## CH. GAUDRELLE Demi-sec 2003 *

10 ha 45 000 5 à 8 €

Cette gentilhommière, déjà mentionnée au XVIe s. dans les archives départementales, est l'élégance à l'état pur. Un peu comme les vins qu'elle produit à partir des 18 ha de vignes qui l'entourent. Ce demi-sec qui tient du moelleux avec ses 25 g/l de sucres résiduels se montre très flatteur par l'intensité de ses arômes légèrement minéraux. Au palais, il apparaît puissant et légèrement grillé tout en gardant son équilibre et sa finesse. Pour ceux qui aiment le boisé, **Le Sec de Château Gaudrelle 2003 (8 à 11 €)**, élevé douze mois en fût, est cité.
EARL A. Monmousseau, 87, rte de Monnaie,
37210 Vouvray, tél. 02.47.52.67.50, fax 02.47.52.67.98,
e-mail gaudrelle1@libertysurf.fr r.-v.

## DOM. SYLVAIN GAUDRON
Sec Cuvée du Père Lucien 2003 *

1 ha 3 500 5 à 8 €

Encore une succession père-fils qui se passe de la meilleure façon. Le père crée le domaine en 1958 et le fils le reprend trente-cinq ans plus tard, en y apportant sa technicité et en l'agrandissant à 19 ha. Voici un sec souple que l'on qualifie à Vouvray de tendre. Il est certes typé chenin, mais on y décèle une note boisée qui peut surprendre. La **méthode traditionnelle brut 2001**, marquée par le fruit, et le **moelleux 2003 (11 à 15 €)** sont cités.
EARL Dom. Sylvain Gaudron,
59, rue Neuve, 37210 Vernou-sur-Brenne,
tél. 02.47.52.12.27, fax 02.47.52.05.05 r.-v.

## BENOIT GAUTIER Sec Vouvray de Gautier 2003

3 ha 6 000 5 à 8 €

Seize hectares à Rochecorbon, c'est un joli capital, avec des clos réputés comme celui de La Lanterne au sommet du coteau. Les sols sont argilo-calcaires et le vin y a du caractère. Celui-ci, de bonne intensité, s'installe en bouche sans complexe et s'y plaît. Il rappelle le coing et les fruits exotiques. L'équilibre sucre-acide est flatteur. Ce vouvray s'exprimera encore mieux dans un ou deux ans.
Benoît Gautier, Dom. de La Châtaigneraie,
37210 Rochecorbon, tél. 02.47.52.84.63,
fax 02.47.52.84.65, e-mail info@vouvraygautier.com
t.l.j. sf dim. 8h-12h 14h-19h

## DOM. DE LA GAVERIE Moelleux 2003 ***

1,2 ha 2 000 8 à 11 €

Ce domaine qui remonte à 1850 s'étend maintenant sur 18 ha près de la Grange dîmière de Meslay qui résonne encore des accents musicaux de son festival créé par le pianiste Sviatoslav Richter. Si les interprétations du maître savaient vous transporter, ce doux, à 80 g/l de sucres résiduels, saura aussi vous séduire. Les fruits très mûrs et le miel emplissent la bouche, tandis qu'une touche vanillée se manifeste en finale. L'acidité mesurée vivifie la douceur et c'est sur une impression d'équilibre très bien réalisé que s'achève ce moment de bonheur. Le **moelleux 2003 (5 à 8 €)** à 48 g/l de sucres est noté deux étoiles pour son harmonie et sa riche matière.
GAEC de La Pinsonnière,
13, rue de la Pinsonnière, 37210 Parçay-Meslay,
tél. et fax 02.47.29.14.43, e-mail lapinsonniere@tiscali.fr
r.-v.
Philippe et Vincent Gasnier

## DOM. GENDRON
Sec tendre Cuvée Clos Cartaud 2003 *

1,8 ha 3 790 8 à 11 €

Les secs ne courent pas les rangs de vigne en cette année 2003, plus favorable à la production de liquoreux. Danielle et Philippe Gendron proposent ainsi un sec tendre, dont le nez intense évoque les fruits confits. L'attaque douce laisse place rapidement à une impression de richesse. La longueur est honorable. Un vin à servir dès maintenant, mais le temps permettra un meilleur fondu du bois. Le **moelleux cuvée Mathieu 2003 (15 à 23 €)**, à 104 g/l de sucres résiduels, obtient une étoile, de même que le **moelleux cuvée Guillaume 2003** à 40 g/l. Que de l'équilibre...
Dom. Philippe Gendron,
10, rue de la Fuye, 37210 Vouvray, tél. 02.47.52.63.98,
fax 02.47.52.74.71, e-mail gendron@terre-net.fr
t.l.j. sf dim. 8h-12h 14h-19h; f. 15-30 août

## DOM. GILET Moelleux 2003

1 ha 5 000 11 à 15 €

Les terres argilo-siliceuses de Parçay-Meslay, fort recherchées par les moines de l'abbaye de Marmoutier pour y étendre leur vignoble, ont toujours eu grande réputation. Jean-Pierre Gilet, avec une belle cave et des lignées de barriques, dispose donc d'atouts sérieux pour élaborer ses vins. Son moelleux à 60 g/l de sucres résiduels est certes discret au nez, mais sa bouche tout en rondeur est bien faite. Brioché, avec des évocations d'amande et de raisin cuit, il sera parfait au dessert. Le **demi-sec 2003 (5 à 8 €)**, marqué par le terroir et également élevé six mois en fût, est cité.
Jean-Pierre Gilet,
5, rue de Parçay, 37210 Parçay-Meslay,
tél. 02.47.29.12.99, fax 02.47.29.07.96 r.-v.

## CHAI DU GRAND VAUDASNIERE Brut 2002 **

15 ha 50 000 3 à 5 €

Le vaste chai doté d'un équipement dernier cri n'échappe pas à la vue du visiteur dans cette charmante vallée de la Bédoire, proche de la Loire. Jean-Pierre Pérault y a appliqué son savoir-faire pour élaborer cette méthode traditionnelle presque hors norme, qui a fait l'unanimité. Tous les constituants – arômes, sucre, acidité – sont mesurés et à leur place. Le vin a du caractère et de la puissance, mais c'est la finesse qui prévaut. Le

**moelleux 2003 (5 à 8 €)**, à 50 g/l de sucres résiduels, aurait pu lui aussi décrocher un coup de cœur par sa grande élégance. Il brille de trois étoiles.
EARL Pérault, Le Grand Vaudasnière, 37210 Rochecorbon, tél. 02.47.29.16.39, fax 02.47.29.02.49 r.-v.

## C. GREFFE Brut Carte noire ★

n.c. 64 000 5 à 8 €

Coup de cœur l'année dernière pour leur brut 2002, les établissements Greffe ont présenté cette année deux méthodes traditionnelles de bonne facture. Cette Carte noire surprend par son attaque vive, vite effacée par l'expression marquée du chenin. L'ensemble est harmonieux, classique, frais. La **Tête de cuvée** est citée pour sa puissance et son équilibre.
C. Greffe, 35, rue Neuve, 37210 Vernou-sur-Brenne, tél. 02.47.52.12.24, fax 02.47.52.09.56, e-mail jac-savard@c-greffe.fr r.-v.
Jacques Savard

## DOM. GUERTIN BRUNET
Moelleux Vieilles Vignes 2003

3,4 ha 9 000 5 à 8 €

Gérard Guertin possède une véritable vitrine dans le bourg de Vouvray, sur la RN 152, où il présente son domaine. Ce doux à 55 g/l de sucres résiduels plaira par sa robe brillante, ses arômes pleins de fraîcheur où la poire tient la plus grande place, et par sa bouche bien fondue et persistante.
Dom. Guertin Brunet, 3, RN 152, 37210 Vouvray, tél. 02.47.52.77.77, fax 02.47.52.65.13 t.l.j. 9h30-19h30

## DOM. DE LA HAUTE BORNE
Moelleux 1re Trie 2003 ★★

2 ha 4 000 30 à 38 €

La vallée Chartier qui a modelé le coteau à l'est de Vouvray est pleine de ressources. Sur les hauteurs, les sols argilo-siliceux sont propices à l'élaboration de vins charpentés ; plus bas, avec l'érosion, le calcaire, chaud, pousse la maturation des grains à l'extrême. Pas étonnant d'y trouver des vins remarquables. Celui-ci, à 140 g/l de sucres résiduels, est voluptueux. Au nez, c'est la ronde des fruits ; en bouche, un festival de pains d'épice. Le **moelleux 2003 (15 à 23 €)**, moins riche (85 g/l), est tout aussi intéressant par son évocation de fruits confits légèrement vanillés. Il obtient la même note.
Vincent Carême, la Vallée-Chartier, 37210 Vouvray, tél. et fax 02.47.52.71.28 r.-v.

## JAILLANCE Brut

n.c. n.c. 5 à 8 €

Les établissements Brouette sont élaborateurs à Vouvray depuis la nuit des temps. Ils viennent d'être achetés par la coopérative de Die-Jaillance. Cette méthode traditionnelle, à la mousse légère sur fond or vert pâle, décline des arômes de fleurs et des notes fruitées de poire. D'attaque souple, la bouche se développe avec souplesse et rondeur. Un peu plus de fraîcheur aurait été souhaitable, mais cette bouteille n'en est pas moins bien agréable.
Brouette-Jaillance, 13, quai de la Loire, 37210 Rochecorbon, tél. et fax 02.47.52.50.78, e-mail info@jaillance.com r.-v.

## DOM. DES LAURIERS Moelleux Privilège 2003 ★★

3 ha 2 000 23 à 30 €

Sur les 17 ha du domaine, les terres argilo-calcaires du coteau ont donné le meilleur d'elles-mêmes pour produire ce liquoreux à 142 g/l de sucres résiduels, où le fruit confit se manifeste à chaque instant. La richesse semble déborder du verre tant la matière est ronde. Peut-être manque-t-il à ce vin une petite pointe de vivacité pour un apéritif, mais quel mariage avec un dessert sucré ! Le **moelleux Grande Réserve 2003 (15 à 23 €)**, à 102 g/l, est cité, de même que le **sec 2003 (5 à 8 €)**.
Laurent Kraft, 29, rue du Petit-Coteau, 37210 Vouvray, tél. et fax 02.47.52.61.82, e-mail lkraft@wanadoo.fr r.-v.

## DOM. LE CAPITAINE
Moelleux Marie Geoffrey 2003 ★★

4 ha 3 000 15 à 23 €

Deux frères vignerons qui étaient ouvriers agricoles en 1989 et qui maintenant font partie du cercle des meilleurs vignerons de Rochecorbon. Vingt hectares de vignes sur les meilleurs coteaux qui surplombent la Loire, c'est de l'or, comme ce liquoreux à 110 g/l de sucres résiduels. Miel et fruits mûrs se disputent l'avantage au nez, arbitrés par une pointe d'agrumes. La bouche grasse, bien garnie en fruits mûrs, finit sur une impression de fraîcheur. On peut le boire tout de suite, mais ce serait bien d'en garder pour les générations suivantes. (Bouteilles de 50 cl.) Le **moelleux Cuvée principale 2003 (5 à 8 €)** à 50 g/l de sucres est cité.
Dom. Le Capitaine, 23, rue du Cdt-Mathieu, 37210 Rochecorbon, tél. 02.47.52.51.84, fax 02.47.52.84.23, e-mail lecapitainealain@aol.com r.-v.

## DOM. DES LOCQUETS
Moelleux La Vieille Vigne Le Coteau 2003 ★

0,68 ha 3 000 11 à 15 €

Stéphane Deniau, qui a repris le domaine il y a deux ans, était à bonne école avec son père Michel. Pour preuve, ce doux à 85 g/l de sucres résiduels, brillant de reflets d'or, qui évoque les fruits mûrs un peu cuits, le miel, soulignés d'une senteur discrète d'amande. Sa persistance en bouche en fait un joli vin d'apéritif.
Stéphane Deniau, 27, rue des Locquets, 37210 Parçay-Meslay, tél. et fax 02.47.29.15.29, e-mail stephanedeniau2@wanadoo.fr r.-v.

## FRANCIS MABILLE Brut 2002 ★

2 ha 18 900 5 à 8 €

Francis Mabille conduit ce domaine de plus de 13 ha dans la vallée de Vaugondy. Si les ancêtres revenaient, ils seraient bien étonnés des équipements modernes du chai, mais applaudiraient aux tonnes de 600 l qui garnissent la cave, dans la tradition du Vouvrillon. Cette méthode traditionnelle vient tout droit du jardin des Hespérides tant les pommes d'or, les agrumes y sont présents. C'est un festival d'orange, de pamplemousse et de citron au nez comme en bouche, avec la vivacité qui leur sied. Un bol de fraîcheur.

Francis Mabille,
17, Vallée-de-Vaugondy, 37210 Vernou-sur-Brenne,
tél. 02.47.52.01.87, fax 02.47.52.19.41,
e-mail earl.francis.mabille@wanadoo.fr r.-v.

## GILLES MADRELLE Brut Pétillant Cuvée Louis

1 ha 4 000 5 à 8 €

Un vigneron bien chanceux avec ses 13 ha de vignes implantés sur les coteaux de la vallée Chartier, l'un des terroirs les mieux dotés du Vouvrillon. Ce vouvray pétillant ne le dément pas. Le nez reflète les fruits mûrs ; la bouche, nette en attaque, laisse apparaître une richesse plaisante qui s'estompe progressivement. Le **moelleux Sélection 2003 (11 à 15 €)**, à 73 g/l de sucres résiduels, est également cité.

EARL Gilles Madrelle,
9/24, rue Vallée-Chartier, 37210 Vouvray,
tél. 02.47.52.78.59, fax 02.47.52.78.63 r.-v.

## MAILLET PERE ET FILS Demi-sec 2003 *

1,85 ha 3 500 5 à 8 €

Une société menée par deux frères, Laurent et Fabrice Maillet, auxquels le père apporte son expérience. Elle exploite 24 ha bien exposés sur les coteaux qui bordent la vallée Coquette. Son demi-sec est des plus classiques par sa palette aromatique dominée par le coing. L'équilibre sucre-acidité est parfait et c'est une finale longue et harmonieuse qui conclut la dégustation. La **méthode traditionnelle brut 2002**, plus pétillante que mousseuse, est citée.

EARL Laurent et Fabrice Maillet,
101, rue Vallée-Coquette, 37210 Vouvray,
tél. 02.47.52.76.46, fax 02.47.52.63.06
t.l.j. 9h-19h; dim. et groupes sur r.-v.

## DOM. DU MARGALLEAU Brut 2002 *

4 ha 25 000 5 à 8 €

A la limite de Vernou et de Chançay, dans l'une de ces petites vallées qui débouchent sur celle de la Brenne, des vignobles se tiennent un peu à l'écart, mais se montrent capables du meilleur. Celui-ci, mené par deux jeunes vignerons, a donné naissance à une méthode traditionnelle qui sent la noisette et le pain d'épice. Fraîcheur, légèreté et élégance : c'est un vin d'apéritif qui saura éveiller les papilles, sans les charger.

EARL Bruno et Jean-Michel Pieaux,
vallée de Vaux, rue du Clos-Baglin, 37210 Chançay,
tél. 02.47.52.25.51, fax 02.47.52.27.59
t.l.j. sf dim. 8h-12h 14h-18h30

## MAISON MIRAULT Demi-sec *

n.c. 22 000 5 à 8 €

Cette maison jouit d'une longue tradition dans l'élaboration des effervescents ; elle doit sa notoriété aux soins apportés à la sélection des moûts et des vins. Ce demi-sec, très brioché, évoque aussi le coing et le grillé. Equilibrée, sa bouche voluptueuse laisse une impression d'élégance en finale. Le **brut**, vif, est cité.

Maison Mirault, 15, av. Brûlé, 37210 Vouvray,
tél. 02.47.52.71.62, fax 02.47.52.60.90,
e-mail maisonmirault@wanadoo.fr
t.l.j. 8h-12h 14h-18h; dim. sur r.-v.

## CH. MONCONTOUR

Moelleux Nectar de Moncontour 2003

7 ha 14 000 15 à 23 €

Le Nectar de Moncontour ? Un doux qui semble être fait de miel tant la cire d'abeille et les notes miellées y sont présentes. L'abricot ajoute un peu de fraîcheur en bouche, mais la finale reste sur des accents de fruits confits. Balzac, qui convoita longtemps l'élégant édifice du XV[e]s. sans pouvoir l'acquérir, aurait trouvé là consolation.

Ch. Moncontour, rue de Moncontour,
37210 Vouvray, tél. 02.47.52.60.77, fax 02.47.52.65.50,
e-mail info@moncontour.com r.-v.
M. Feray

## MONMOUSSEAU Brut 2003

13 ha 89 533 5 à 8 €

Fondée en 1886, la maison Monmousseau dispose à Montrichard de caves exceptionnelles qui méritent une halte : un dédale de galeries creusées dans le tuffeau de Touraine. Elle a produit un effervescent au nez floral. Tout en souplesse et en équilibre, le vin s'agrémente en bouche d'une corbeille de fruits qui lui apporte de la fraîcheur. Il mettra une bonne ambiance à l'apéritif. Le **moelleux 2003**, à 24 g/l de sucres résiduels, est cité également.

SA Monmousseau,
71, rte de Vierzon, BP 25, 41400 Montrichard,
tél. 02.54.71.66.66, fax 02.54.32.56.09,
e-mail monmousseau@monmousseau.com
t.l.j. 10h-18h; groupes sur r.-v.; f. 1er déc.-30 mars

## CH. DE MONTFORT Moelleux 2003 *

1,82 ha 8 000 3 à 5 €

Le domaine peut s'enorgueillir d'installations de vinification performantes et de 35 ha de vignes situées sur le plateau de Noizay baigné de soleil. Son vin jeune et vif évoque surtout les fruits avec puissance. La bouche ronde, flatteuse, riche et bien équilibrée s'agrémente d'arômes de pomme mûre et de fruits secs. Idéal pour mettre en appétit.

SC Dom. du Ch. de Montfort,
827, rue de la Rochère, 37210 Noizay,
tél. 02.47.40.40.20, fax 02.47.52.65.82,
e-mail elisabeth.boron@blancfoussy.com r.-v.
SA Blanc Foussy

## DOM. D'ORFEUILLES

Moelleux Réserve d'Automne 2003 *

3,5 ha 3 500 11 à 15 €

Parti pratiquement de rien il y a presque soixante ans, Bernard Hérivault conduit maintenant un domaine de plus de 20 ha. Son moelleux rappelle les fruits bien mûrs, nuancés de vanille au nez. La matière est belle, marquée par la poire mûre et l'abricot vanillés. Un passage sous bois réussi. Un rien de noix en finale pour ce vin d'avenir. La **méthode traditionnelle brut (5 à 8 €)**, fruitée, obtient la même note.

EARL Bernard Hérivault, La Croix-Blanche,
37380 Reugny, tél. 02.47.52.91.85, fax 02.47.52.25.01,
e-mail earl.herivault@france-vin.com r.-v.

VINCENT PELTIER Moelleux 2003 ★★

0,5 ha 2 000 5 à 8 €

L'imposante maison qui date de 1900 trône au milieu du bourg. Trois générations ont creusé la cave attenante pour en faire un vrai labyrinthe. Les pompes ont été bannies du chai ; la gravité fait tout, respectant ainsi la vendange. Le souci de bien faire a conduit Vincent Peltier à élaborer ce doux à 60 g/l de sucres résiduels, tout d'or vêtu. Les arômes de brioche et d'amande se retrouvent en bouche, mêlés aux notes de raisins cuits, confiturés. On sent la belle matière issue d'une vendange saine et mûre. La finale est relevée d'une petite vivacité qui fait toute la légèreté et l'élégance de cette bouteille remarquable. Très fraîche, la **méthode traditionnelle brut 2002** obtient une étoile, tandis que le **sec 2003 (3 à 5 €)**, élevé en foudre, est cité.

Vincent Peltier,
41 bis, rue de la Mairie, 37210 Chançay,
tél. 02.47.52.93.34, fax 02.47.52.96.98 r.-v.

DOM. DES PERRUCHES Sec 2003

4 ha 5 000 3 à 5 €

La rue Neuve à Vernou est une curiosité. Encaissée, elle n'est qu'une suite de vignerons qui disposent tous de caves profondes. Elle monte vers le coteau pour déboucher sur un des plus beaux plateaux de vignes de l'aire d'appellation. Jacques Chevreau, qui exploite 12 ha aux alentours, propose un sec à la fois aromatique et léger dans sa constitution. Ce vin s'adaptera par sa rondeur à de nombreux mets.

Jacques Chevreau,
27, rue Neuve, 37210 Vernou-sur-Brenne,
tél. 02.47.52.06.28, fax 02.47.52.14.84 r.-v.

FRANCOIS PINON Demi-sec Cuvée Tradition 2003

4 ha 20 000 5 à 8 €

Sur son domaine de 14 ha, François Pinon prend soin de ses vendanges et de leur vinification. En témoigne ce demi-sec intense qui exprime la vanille et la pomme verte. Une petite pointe d'acidité équilibre le sucre pour laisser le souvenir d'un vin frais et plaisant qu'il faudra inviter à table avec une géline rôtie.

François Pinon,
55, rue Vallée-de-Cousse, 37210 Vernou-sur-Brenne,
tél. 02.47.52.16.59, fax 02.47.52.10.63 r.-v.

DOM. DE LA POULTIERE Brut 2002 ★★

6 ha 37 800 5 à 8 €

Michel Pinon a démarré en 1972 sur un petit carré de vigne ; il est aujourd'hui à la tête d'une vingtaine d'hectares. Il a formé avec son fils Damien, une société civile agricole. Leur meilleur vin cette année est une méthode traditionnelle aux bulles légères et au cordon persistant, qui laisse percer des arômes de pomme et de brioche. Dès l'attaque, elle montre de l'ampleur, puis se développe avec douceur sur des arômes de fruits mûrs. L'équilibre général est assuré. Le **moelleux Les Perruches 2003 (8 à 11 €)** obtient deux étoiles également, tandis que le **sec 2003** brille d'une étoile.

GAEC Michel et Damien Pinon,
29, rte de Châteaurenault, 37210 Vernou-sur-Brenne,
tél. 02.47.52.15.16, fax 02.47.52.07.07
t.l.j. 9h-12h 14h-19h

J. ET G. RAIMBAULT Sec 2003 ★

1 ha 3 000 5 à 8 €

Si d'aventure vous vous arrêtez chez Jean et Ghislaine Raimbault, le frère et la sœur, empruntez l'escalier qui, de la cave, débouche sur le coteau : de là, vous admirerez les vallées de la Cisse et de la Loire dominées par le château d'Amboise. Intéressant aussi, ce sec 2003. Robe doré brillant, nez intense : on est déjà bien dans le type. La bouche confirme par son gras relevé par juste ce qu'il faut de vivacité et une finale fruitée très étirée. Il est fait pour maintenant. Le **demi-sec 2003**, à 30 g/l de sucres résiduels, et le **moelleux 2003**, à 78 g/l, sont cités.

GAEC J. et G. Raimbault, 186, coteau des Vérons,
37210 Noizay, tél. 02.47.52.00.10, fax 02.47.52.05.29,
e-mail contact@vouvray-jg-raimbault.com
t.l.j. 9h-12h 13h30-19h; sam. dim. sur r.-v.

DOM. DES RAISINS DORES Demi-sec 2003

1 ha 6 000 5 à 8 €

Le nom du domaine est très évocateur de ces plateaux de vignes de Vernou, exposés au sud, quand, à la veille des vendanges, les grains de chenin prennent la couleur de la maturité. Les arômes du nez, presque explosifs, rappellent d'emblée le coing et le miel, suivis d'une note mentholée. La bouche ronde, charnue, est plus modeste, mais revient sur le coing en finale.

Jacqueline Benoist,
36, rue du Pr-Debré, 37210 Vernou-sur-Brenne,
tél. et fax 02.47.52.00.54 r.-v.

VIGNOBLE ALAIN ROBERT ET FILS
Brut 2002 ★

3 ha 26 000 5 à 8 €

Le domaine, créé en 1975, compte aujourd'hui 26 ha sur les pentes ouest de la vallée de la Brenne. La jeune génération s'est jointe à l'entreprise récemment et c'est une équipe performante qui a obtenu deux coups de cœur consécutifs dans les Guides 2004 et 2005. Cette méthode traditionnelle affiche un bouquet de fruits frais et d'agrumes. Une vivacité qui perdure jusqu'en finale. Les **moelleux Larmes d'Automne 2003 (8 à 11 €)**, à 59 g/l de sucres résiduels, et **Douceur d'Automne 2003** (49 g/l) sont cités.

Vignoble Alain Robert et Fils, Charmigny,
37210 Chançay, tél. 02.47.52.97.95, fax 02.47.52.27.24,
e-mail vignoblerobert@wanadoo.fr r.-v.

DOM. DE ROCHE BLONDE
Moelleux Cuvée Arnaud 2003 ★

0,5 ha 3 000 8 à 11 €

Henri Gaudron a créé en 1963 l'exploitation qu'il a portée progressivement à 10,5 ha et dont il a agrandi la cave. A son installation en 1996, son fils Christophe a acheté 1,5 ha supplémentaire et complété l'équipement de vinification. Voilà donc un bel outil, bien situé, capable du meilleur. D'où ce moelleux à 70 g/l de sucres résiduels,

LOIRE

onctueux, équilibré, élégant aussi. C'est un bon représentant des vouvray liquoreux. Pour ouvrir l'appétit.
Christophe Gaudron, Dom. de Roche Blonde, 90, rue Neuve, 37210 Vernou-sur-Brenne, tél. 02.47.52.12.17, fax 02.47.52.08.56
t.l.j. sf dim. 9h-19h

### DOM. DE LA ROCHE FLEURIE Brut 2002 ★★

7 ha 35 000 5 à 8 €

Du nouveau chez Michel Brunet en 2005 : il crée une société civile agricole pour permettre l'installation de son fils Sébastien, construit un nouveau chai et augmente la superficie du vignoble. Des projets que conforte la réussite de deux cuvées. Cette méthode traditionnelle souple et fraîche n'a de cesse de décliner les fruits : poire, pomme, pêche. Le dosage assez présent crée une finale bien ronde. Le **moelleux Nectar d'automne 2003 (11 à 15 €)**, à 110 g/l de sucres résiduels, est cité pour sa fraîcheur et son fruité.
Michel Brunet, 6, rue Roche-Fleurie, 37210 Chançay, tél. 02.47.52.90.72, fax 02.47.52.96.25
t.l.j. sf dim. 8h-12h 14h-19h; f. 15-30 août

### ALAIN ROUGER Moelleux 2003 ★

0,2 ha 1 000 5 à 8 €

La succession est déjà prévue chez Alain Rouger ; c'est le petit-fils Sébastien qui prendra la suite sur ce petit domaine de près de 5 ha. Il y peaufinera les vins, comme l'a été ce moelleux à 68 g/l de sucres résiduels. Le jury a été unanime dans sa description : arômes délicats de coing et de fruits exotiques, bouche vive, puissante et longueur agréable. Il faut lui laisser un peu de temps.
Alain Rouger, 24, rue Edmond-Chedehoux, 37380 Reugny, tél. 02.47.52.95.44 r.-v.

### DOM. DE LA ROULETIERE
Moelleux Trie n° 2 2003 ★

2 ha 2 500 15 à 23 €

Jean-Marc et François Gilet ont succédé à leur père en 2003. Ils présentent aujourd'hui leur première récolte : un doux à 90 g/l de sucres résiduels. Miel, raisin cuit et brioche l'emportent sur la pomme reinette qui dit tout de même son mot en finale. Beaucoup d'ampleur, une rondeur bien faite... Bref, un joli vin d'apéritif ou de dessert.
Jean-Marc et François Gilet, Dom. de La Rouletière, 20, rue de la Mairie, 37210 Parçay-Meslay, tél. 02.47.29.14.88, fax 02.47.29.08.50, e-mail scea.gilet@wanadoo.fr
t.l.j. sf dim. 10h-12h 15h-19h

### CHRISTIAN THIERRY Moelleux 2003 ★★

0,5 ha 1 500 11 à 15 €

Les caves sont situées dans la vallée de Cousse, un site pittoresque à ne pas manquer, et les vignes sur un plateau qui domine la vallée, dont le sol argileux marque le caractère des vins. Ce 2003 (85 g/l de sucres résiduels) est empreint de délicatesse avec ses évocations de miel, de tilleul et de fruits secs. Par son étoffe, il traduit une récolte bien mûre, passerillée même. La finale persiste sur des notes de fruits confits et de grillé. Joli vin, modèle d'élégance, parti pour vingt ans.
Christian Thierry, 37, rue Jean-Jaurès, La Vallée-de-Cousse, 37210 Vernou-sur-Brenne, tél. 02.47.52.18.95, fax 02.47.52.13.23, e-mail christianthierry-vins@wanadoo.fr
t.l.j. sf dim. 10h-12h 14h-18h; groupes sur r.-v.

### ERIC ET YVES THOMAS Brut ★★

2 ha 20 000 3 à 5 €

Un vignoble de 9 ha implanté sur les pentes de Parçay-Meslay. Les deux cousins, Yves et Eric Thomas, présentent un brut tout à fait dans le type : le chenin est omniprésent. Coing, amande et brioche font la loi jusqu'en bouche, franche et pleine. Avec son bon équilibre, cette bouteille fera un apéritif brillant. Dans le même esprit, la **méthode traditionnelle demi-sec** obtient une étoile.
GAEC Yves et Eric Thomas, 24, rue des Boissières, 37210 Parçay-Meslay, tél. et fax 02.47.29.09.13 r.-v.

### CH. DE VALMER Brut ★

5 ha 5 000 5 à 8 €

Le château a été détruit en 1948 par un incendie, mais il reste les jardins ouverts à la visite et où se pressent les Tourangeaux amateurs de terrasses à l'italienne. L'ensemble laisse une impression d'élégance et d'harmonie à l'image de cette méthode traditionnelle issue du vignoble qui l'entoure (21 ha). Alors que le nez est floral, la bouche fait une large place aux fruits. Une petite rondeur équilibre parfaitement la vivacité. On est dans un type classique. Le **sec 2003**, souple et long, mérite une citation.
Aymar de Saint-Venant, Ch. de Valmer, 37210 Chançay, tél. 02.47.52.93.12, fax 02.47.52.26.92, e-mail valmer37@aol.com

### DOM. DE VAUGONDY Demi-sec 2003

5 ha 25 000 **5 à 8 €**

La vallée de Vaugondy qui débouche dans celle de la Brenne offre des coteaux où la vigne, exposée à l'est, réserve des surprises, tel ce vin annoncé demi-sec mais qui a quelque chose de moelleux avec ses 25 g/l de sucres résiduels. Ample et expressif par ses arômes de coing, d'amande et de pomme, il doit absolument être invité à table, aux côtés d'un rôti de porc aux pruneaux.
SARL Perdriaux, 3, Les Glandiers, 37210 Vernou-sur-Brenne, tél. 02.47.52.02.26, fax 02.47.52.04.81 r.-v.

### DOM. DU VIEUX BUIS
Demi-sec pétillant Cuvée Raymond Rohart ★

0,5 ha 4 000 5 à 8 €

Alain Rohart a constitué ce vignoble de 6 ha, sis sur les plus hautes côtes de Vouvray, il y a une quinzaine d'années. Il présente une méthode traditionnelle très aromatique où l'acacia se mêle au coing. L'attaque fraîche est bientôt relayée par la douceur classique des demi-secs qui se prolonge en finale. Réservez ce vin très rond à l'apéritif et à des palais délicats. Il fera aussi votre plaisir l'après-midi avec une tarte aux fruits.
Alain Rohart, 85 bis, rte de Monnaie, 37210 Vouvray, tél. 02.47.52.63.70, fax 02.47.52.76.55 r.-v.

### DOM. VIGNEAU-CHEVREAU Brut 2002 ★

n.c. 20 000 5 à 8 €

A l'ouest de la vallée de la Brenne, le domaine couvre 25 ha de vignes et possède une cave bien équipée. L'accueil y est chaleureux et ce n'est pas cette méthode traditionnelle qui vous décevra. Harmonieuse, souple et fruitée, elle laisse une impression de rondeur légère jusqu'en finale. Le **moelleux cuvée Château Gaillard 2003 (11 à 15 €)**, à 60 g/l de sucres résiduels, obtient une étoile également pour son intensité aromatique. Notez aussi la citation accordée

au **sec Clos de Rougemont 2003** : son terroir d'origine se trouve au-dessus de l'abbaye de Marmoutier, où saint Martin, selon la légende, aurait planté le premier cep.
Dom. Vigneau-Chevreau, 4, rue du Clos-Baglin, 37210 Chançay, tél. 02.47.52.93.22, fax 02.47.52.23.04, e-mail contact@vigneau-chevreau.com r.-v.

### DOM. DU VIKING Tendre 2003 *

10 ha 13 000 8 à 11 €

Au domaine du Viking, on parle de tout, de la vigne, du vin et aussi des belles Anglaises... les automobiles, bien sûr ! Les sols de Reugny, chargés en silex, donnent souvent un caractère minéral aux vins secs. D'une agréable finesse, ce moelleux à 40 g/l de sucres résiduels joue plutôt sur les fruits mûrs ; en finale, la poire persiste un long moment. Grand spécialiste des méthodes traditionnelles, Lionel Gauthier a proposé un **brut (5 à 8 €)** élégant, cité par le jury.
Lionel Gauthier, Melotin, 37380 Reugny, tél. 02.47.52.96.41, fax 02.47.52.24.84, e-mail viking@france-vin.com r.-v.

### DOM. DE VODANIS Demi-sec 2003 *

2 ha 3 000 **8 à 11 €**

Créé il y a quatre ans, ce domaine comprend 4 ha sur le terroir de Parçay-Meslay dont la renommée n'est plus à faire. Son demi-sec 2003 est l'une de ses toutes premières récoltes. Nez intense, il s'inscrit dans un style léger, plaisant en bouche. La pomme verte lui donne en finale une note fraîche. Pour une ambiance conviviale.
Dom. de Vodanis, 20, rue de la Mairie, 37210 Parcay-Meslay, tél. 02.47.29.14.88, fax 02.47.29.08.50, e-mail scea.gilet@wanadoo.fr t.l.j. sf dim. 10h-12h 15h-19h

### CAVE DES PRODUCTEURS DE VOUVRAY Moelleux Cinquante 2003 *

1,5 ha 10 000 **11 à 15 €**

Une coopérative très bien gérée et qui, par le nombre de visiteurs venus depuis cinquante ans admirer ses immenses caves, a fait beaucoup pour la notoriété du vouvray. Elle a fêté ce demi-siècle d'existence en élaborant une cuvée à la robe d'or et aux arômes envahissants de poire et de pêche mûres. Avec 113 g/l de sucres résiduels, la richesse est indéniable. Une bouteille destinée à l'apéritif ou au dessert. Le **demi-sec Lieu-dit Les Fosses d'Hareng 2003 (5 à 8 €)**, équilibré et brioché, mérite une citation.
Cave des Producteurs de Vouvray, 38, rue Vallée-Coquette, 37210 Vouvray, tél. 02.47.52.75.03, fax 02.47.52.66.41, e-mail cavedesproducteurs@cp-vouvray.com t.l.j. 9h-12h30 14h-19h

## Cheverny

Consacré AOC le 26 mars 1993, cheverny était né VDQS en 1973. Dans cette appellation (plus de 2 000 ha délimités, 550 ha en production), dont le terroir à dominante sableuse (des sables sur argile de Sologne aux terrasses de la Loire) s'étend le long de la rive gauche du fleuve depuis la Sologne blésoise jusqu'aux portes de l'Orléanais, les cépages sont nombreux. Les producteurs ont réussi à les assembler, en proportions variant légèrement selon les terroirs, pour trouver le « style » cheverny. Les vins rouges (14 042 hl en 2004), à base de gamay et de pinot noir, sont fruités dans leur jeunesse et acquièrent, en évoluant, des arômes animaux... en harmonie avec l'image cynégétique de cette région. Les rosés (2 110 hl), à base de gamay, sont secs et parfumés. Les blancs (14 880 hl ), où le sauvignon est assemblé avec un peu de chardonnay, sont floraux et fins.

### DOM. DE L'AUMONIERE 2004 *

1,6 ha 10 000 3 à 5 €

Bientôt cent soixante-dix ans que ce domaine a été créé à 4 km du château de Cheverny. Gérard Givierge propose un rosé dans l'air du temps, couleur saumon. Des arômes d'épices et de thym, de la fraîcheur en bouche... Préparez les grillades ; la bouteille, elle, est déjà toute trouvée.
Gérard Givierge, Dom. de l'Aumonière, 41700 Cour-Cheverny, tél. 02.54.79.25.49, fax 02.54.79.27.06 t.l.j. 8h-12h 14h-20h

### MICHEL ET CHRISTOPHE BADIN 2004

2,5 ha 15 000 **3 à 5 €**

Vous avez choisi l'itinéraire bis de la route Paris-Limoges ? Prenez votre temps. Garez la voiture et profitez du paysage. Vous découvrirez ce domaine qui a produit ce vin agréable par sa souplesse. Aux discrètes notes florales du nez répond un fruité qui joue à cache-cache en bouche.
GAEC Michel et Christophe Badin, L'Aubras, 41120 Cormeray, tél. et fax 02.54.44.23.43 t.l.j. 8h-12h30 14h-19h

### PASCAL BELLIER Sélection 2003 *

2 ha 5 500 **5 à 8 €**

Il faut venir ici à bicyclette, passer la Loire et rejoindre les coteaux calcaires qui dominent le fleuve. Pascal Bellier vous attend : il vous propose le gîte et... le vin. Vous n'aurez que l'embarras du choix en rouge puisque la **cuvée principale cheverny rouge 2003** obtient une étoile, de même que cette Sélection de teinte profonde. Cette dernière fait la différence par ses arômes complexes de fruits rouges mûrs, son attaque souple et sa bouche harmonieuse. Ne sentez-vous pas l'empreinte du pinot noir en finale ?
Pascal Bellier, 3, rue Reculée, 41350 Vineuil, tél. 02.54.20.64.31, fax 02.54.20.58.19 r.-v.

### ERIC CHAPUZET Cuvée Mont-Crochet 2004 **

2,5 ha 16 000 3 à 5 €

Une longère est une maison paysanne, étroite et tout en longueur, dont les hommes et les animaux se partageaient autrefois l'espace. Vous en découvrirez une en vous rendant chez Eric Chapuzet qui a repris l'ancienne closerie du château de Fougères où la vigne était déjà cultivée au XVIIe s. Vous en profiterez pour goûter ce 2004 d'un rouge profond. Discret certes, mais plein de délicatesse, il décline des senteurs de fruits rouges. Sa matière souple et ronde, équilibrée, comme la longue finale en font

un cheverny digne d'accompagner des viandes en sauce. La cuvée **Les Souchettes 2004 blanc** obtient une étoile pour son caractère typique du sauvignon.
Eric Chapuzet, La Gardette,
41120 Fougères-sur-Bièvre, tél. et fax 02.54.20.27.21,
e-mail e.chapuzet@wanadoo.fr r.-v.

### CAVE DE LA CHARMOISE 2003

■ 1 ha 2 500 3 à 5 €

N'attendez pas : ce vin a atteint sa plénitude. Plaisant au nez, il évoque le grillé, marque du millésime. Après une attaque franche, il révèle tout l'équilibre attendu d'un cheverny destiné à accompagner viandes et gibier.
GAEC Laurent et Jacky Pasquier,
La Charmoise, 41700 Cour-Cheverny,
tél. et fax 02.54.79.92.76 r.-v.

### CHESNEAU ET FILS 2004

■ 3,5 ha 20 000 3 à 5 €

Une pointe de cabernet (10 %) vient compléter les gamay (50 %) et pinot noir. Résultat ? Un vin soutenu dont les reflets rappellent toutes les couleurs des petits fruits rouges. Le nez ? « Typique du cheverny », écrit un dégustateur. C'est-à-dire fruité. La bouche est à l'avenant, fraîche en attaque, puis ronde et équilibrée.
EARL Chesneau et Fils, 26, rue Sainte-Néomoise,
41120 Sambin, tél. 02.54.20.20.15, fax 02.54.33.21.91,
e-mail contact@chesneauetfils.fr r.-v.

### MICHEL CONTOUR 2004

■ 2 ha 6 500 3 à 5 €

Le château de Beauregard, construit entre le XVIe et le XVIIe s., possède un charmant jardin dessiné par Gilles Clément : douze petites parcelles qui rassemblent les espèces plantées au cours des siècles passés. À 3 km de là, un vignoble de 6,5 ha complanté de pinot noir et de gamay. Celui que Michel Contour cultive depuis 1984. Ce 2004 de bonne intensité aromatique évoque les fruits rouges avant de livrer une chair épicée, dont les tanins encore marqués demandent à s'arrondir.
Michel Contour, 7, rue La Boissière,
41120 Cellettes, tél. 02.54.70.40.03, fax 02.54.70.36.68,
e-mail m.contour@wanadoo.fr
t.l.j. 8h-13h 14h-19h

### DOM. DU CROC DU MERLE 2004 *

■ 1,5 ha 6 000 3 à 5 €

Un rosé de saignée issu de gamay à 60 %, de pinot noir à 30 % et de cabernet. Une légère aération suffit à faire monter les arômes de fruits rouges dont la gaieté invite à poursuivre la dégustation. On les retrouve bien persistants en bouche, soulignant la rondeur de l'ensemble. Les grillades n'attendent que cette bouteille. Le **cheverny blanc 2004** est cité pour sa fraîcheur et sa palette intense, dominée par le bourgeon de cassis.
Patrice et Anne-Marie Hahusseau,
Dom. du Croc du Merle, 38, rue de La Chaumette,
41500 Muides-sur-Loire,
tél. 02.54.87.58.65, fax 02.54.87.02.85
t.l.j. 9h-12h30 14h-19h; dim. 9h-12h30;
groupes sur r.-v.

### BENOIT DARIDAN 2004

■ 2,37 ha 10 000 - de 3 €

Les petits plats légers qui se mangent sans façon de retour de promenade seront les bienvenus pour accompagner ce cheverny. Celui-ci a une bonne couleur rubis et ne manque pas d'élégance sous ses airs fruités coquins. On aime sa souplesse et son équilibre, tout simplement. N'allez pas chercher midi à quatorze heures. Le **cheverny blanc 2004 (3 à 5 €)** est également cité pour le charme de ses arômes. Pensez-y pour une terrine de poisson ou des fromages de chèvre.
Benoît Daridan,
16, La Marigonnerie, 41700 Cour-Cheverny,
tél. et fax 02.54.79.94.53 r.-v.

### MICHEL DRONNE 2004 *

■ n.c. 50 003 3 à 5 €

Le sauvignon remporte 60 % des suffrages dans cette cuvée, contre 40 % pour le chardonnay. Il n'en fallait pas plus pour obtenir un vin jaune pâle, aux arômes de fruits exotiques attrayants. La franchise est une de ses qualités. La légèreté et la fraîcheur en sont d'autres très convaincantes au moment de servir des fruits de mer ou un poisson. Le **cheverny rouge 2004**, équilibré et soyeux, obtient lui aussi une étoile.
Michel Dronne,
L'Ebat, 41700 Cheverny, tél. et fax 02.54.79.92.15,
e-mail dronnem@wanadoo.fr r.-v.

### DOM. DE LA GAUDRONNIERE
Cuvée Laetitia 2004 *

■ n.c. 24 000 5 à 8 €

Laetitia avait obtenu une étoile en 2003. Elle revient en 2004 tout aussi brillante. Il ne faut pas s'arrêter à sa teinte jaune pâle pour s'en convaincre. Les arômes de buis et de pamplemousse aiguisent la curiosité. La bouche sera-t-elle vive ? Pas autant que vous ne le croyez. Elle se montre agréablement ronde, tout en fruits en finale, avec juste une touche de fraîcheur qui relève le goût. La **Cuvée Tradition rouge 2004 (3 à 5 €)** mérite une citation : souple et équilibrée, elle accompagnera des viandes blanches.
Christian Dorléans,
Dom. de La Gaudronnière, 41120 Cellettes,
tél. 02.54.70.40.41, fax 02.54.70.38.83 r.-v.

### MICHEL GENDRIER Le Pressoir 2004 *

■ 3 ha 27 000 5 à 8 €

Connaissez-vous le métier de vos arrière-arrière-arrière-grands-parents ? Non ? Pourtant, il ne vous faudrait remonter que cent cinquante ans en arrière. Michel Gendrier le sait, lui qui a hérité du domaine que son ancêtre vigneron avait créé en 1846. La généalogie de ce 2004 est tout aussi clairement établie : pinot noir à 80 % et gamay pour le reste. Le vin pinote, en effet. Voyez sa robe rubis brillant, puis sentez ses arômes de fruits rouges expressifs. En bouche, les tanins font des exercices de souplesse pour se plier à la rondeur harmonieuse de l'ensemble. N'oubliez pas le **Domaine des Huards 2004 blanc**, cité : il vous offre la fraîcheur de sa jeunesse.
Jocelyne et Michel Gendrier, Les Huards,
41700 Cour-Cheverny, tél. 02.54.79.97.90,
fax 02.54.79.26.82, e-mail infos@gendrier.com
t.l.j. 9h-12h 14h-18h; dim. sur r.-v.

### DOM. HUGUET 2004

■ 2 ha 9 300 3 à 5 €

Blois ou Chambord ? Lorsque vous serez chez Patrick Huguet, la distance sera la même entre ces deux châteaux : 7 km. Côté vin, ce cheverny exprime bien le terroir silico-caillouteux des terrasses de la Loire. Il dispose de toute la vivacité nécessaire pour affronter les charcuteries.

Patrick Huguet,
12, rue de la Franchetière, 41350 Saint-Claude-de-Diray,
tél. 02.54.20.57.36, fax 02.54.20.58.57 r.-v.

## MAISON PERE ET FILS 2004 ★★★

■ 25 ha 160 000 5 à 8 €

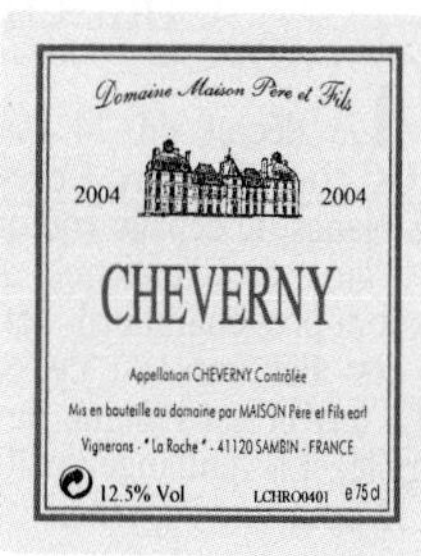


Les premières vignes ont été plantées au début du XXe s. sur le sol silico-argileux, mais il fallut attendre les années 1950 pour assister à l'essor du domaine, repris par Guy Maison. Aujourd'hui, c'est son fils qui œuvre brillamment, comme en témoigne ce cheverny qui a fait l'unanimité du jury. Agitez légèrement la robe cerise à reflets violets pour que s'en libèrent les senteurs intenses de fruits rouges mûrs. Faites rouler le vin en bouche pour mieux profiter du soyeux de ses tanins, de la délicatesse de sa chair et de la persistance de sa finale. Un fleuron de l'appellation. Le **rosé 2004**, doux et frais à la fois sous une teinte saumon, obtient une étoile, tandis que le **blanc 2004** est cité pour son fruité agréable.

Earl Maison Père et Fils, 22, rue de la Roche,
41120 Sambin, tél. 02.54.20.22.87, fax 02.54.20.22.91,
e-mail domaine.maison@wanadoo.fr r.-v.
J.-F. Maison

## JEROME MARCADET
Cuvée des Gourmets 2003 ★★

■ 4 ha 10 000 3 à 5 €

Cuvée des Gourmets : les choses sont claires. Ceux qu'un gramme de trop fait frémir, les pressés qui déjeunent en moins d'une demi-heure, ne sont pas concernés. Mais vous qui vous plongez dans les livres de cuisine et passez des heures aux fourneaux, lisez bien ce qui suit. Le vin, vêtu d'un rouge profond, offre des senteurs de fruits noirs confits très gourmands. Rien ne vient contrarier la douceur de la matière riche et intense, pas même les quelques tanins assez tentés de se manifester en finale. Faut-il l'attendre encore ? En aurez-vous seulement le cœur ? La **Cuvée de l'Orme 2004 blanc** est citée pour son expressivité et sa jolie note minérale. Il en va de même du **rosé 2004**, souple et amical.

Jérôme Marcadet, 5, rte de l'Orme, Favras,
41120 Feings, tél. et fax 02.54.20.28.42,
e-mail domaine-jeromemarcadet@wanadoo.fr
t.l.j. sf dim. 8h-12h 14h-19h

## DOM. DE MONTCY
Cuvée Louis de La Saussaye 2004 ★

■ 3,7 ha 15 000 5 à 8 €

Du XVIe s. au début du XXe s., ce domaine fut la propriété du château de Troussay, séduisante gentilhommière Renaissance que vous pouvez visiter à moins de 1 km du vignoble. Le charme et la personnalité sont aussi l'apanage du 2004, assemblage de pinot noir (60 %), de gamay (25 %), de cabernet et de côt. Ce vin exprime toute la maturité du raisin par ses arômes de griotte comme par sa bouche ample, souple et longue. Invitez-le à votre table lorsque vous servirez une viande blanche ou un petit gibier. Retenez aussi la cuvée **Clos des Cendres 2004 blanc** : ses notes de bourgeon de cassis et son fruité lui valent une citation.

R. et S. Simon, La Porte dorée, 32, rte de Fougères,
41700 Cheverny, tél. 02.54.44.20.00, fax 02.54.44.21.00,
e-mail domaine-de-montcy@wanadoo.fr r.-v.

## LES VIGNERONS DE MONT-PRES-CHAMBORD
Cuvée Excellence 2004 ★

■ 6,28 ha 50 000 3 à 5 €

Mont-près-Chambord se trouve entre le Val de Loire et la Sologne. De tendres paysages, dont les couleurs et les parfums semblent s'être cristallisés dans ce vin rose franc à reflets orangés. Des senteurs d'épices flattent le nez, tandis qu'une chair ronde laisse une impression friande, relevée en finale d'une vivacité agréable.

Les Vignerons de Mont-près-Chambord,
816, la Petite-Rue, 41250 Mont-près-Chambord,
tél. 02.54.70.71.15, fax 02.54.70.70.65,
e-mail cavemont@club-internet.fr
t.l.j. sf dim. et lun. matin 9h-12h 14h-18h

## PIERRE PARENT 2004 ★

□ 2,83 ha 6 500 5 à 8 €

Un secrétaire des Finances de François Ier, chargé de veiller au bon déroulement des travaux de Chambord, se fit construire le château de Villesavin dans un style très proche. Vous n'aurez que 3 km à parcourir pour rejoindre ce domaine de près de 10 ha, dont le millésime 2004 a séduit le jury. La couleur jaune pâle est avenante, de même que les senteurs de fruits exotiques, la légèreté et la fraîcheur de la bouche. Composé de 80 % de sauvignon et de 20 % de chardonnay, ce vin est un charmeur.

Pierre Parent,
201, rue de Chancelée, 41250 Mont-près-Chambord,
tél. 02.54.70.73.57, fax 02.54.70.89.72 r.-v.

## DOM. DE LA PLANTE D'OR 2004

□ n.c. 23 000 5 à 8 €

Philippe Loquineau vous montrera sans doute un diaporama sur le terroir de son pays avant de vous présenter ce 2004 de teinte pâle à reflets verts. Au nez, le sauvignon domine nettement. Rien d'anormal, puisqu'il constitue 75 % de l'assemblage. Des arômes de fleurs blanches et de fruits accompagnent la bouche ronde. Le tout laisse une bonne impression. Ne quittez pas la région sans acheter quelques charcuteries locales.

Philippe Loquineau, La Demalerie, 41700 Cheverny,
tél. 02.54.44.23.09, fax 02.54.44.22.16 r.-v.

## DOM. DU SALVARD 2004 ★★

□ 15 ha 100 000 5 à 8 €

Les Delaille vivent non loin du château féodal de Fougères dans leur propriété solognote, héritée de leur grand-père qui l'acheta en 1920. Leur cheverny jaune pâle à reflets verts séduit d'emblée tant il exprime avec intensité tous les arômes du sauvignon, cépage majoritaire dans l'assemblage. Rien ne saurait troubler son équilibre et sa

souplesse, rehaussés d'une fraîcheur agréable. La cuvée **Le Vieux Clos 2004 blanc** est citée, à l'instar du **Domaine du Salvard 2004 rouge**.
EARL Delaille,
Dom. du Salvard, 41120 Fougères-sur-Bièvre,
tél. 02.54.20.28.21, fax 02.54.20.22.54,
e-mail delaille@libertysurf.fr r.-v.

### DOM. SAUGER ET FILS Vieilles Vignes 2004 **

2 ha 12 000 5 à 8 €

Ici, on cultive la vigne en lutte intégrée et on le revendique haut et fort sur l'étiquette. Ce n'est pas une vaine promesse de qualité à en juger par ce vin remarquablement vinifié. Sous une teinte jaune pâle à reflets verts se manifestent des senteurs complexes, fruitées et minérales. Un jury s'étonne de déceler des nuances de pétrole dans un cheverny : « Le terroir parlerait-il ? » La bouche bien équilibrée, souple évoque un panier de fruits, la pêche blanche se distinguant en finale. Le **cheverny rouge 2004** **(3 à 5 €)** joue les discrets, mais il devrait s'épanouir avec le temps. Une citation.
EARL Dom. Sauger, Les Touches, 41700 Fresnes,
tél. 02.54.79.58.45, fax 02.54.79.03.35,
e-mail domaine.sauger@terre-net.fr r.-v.

### CHRISTIAN TESSIER 2004

5,57 ha 40 000 5 à 8 €

Christian Tessier conduit ce domaine de plus de 25 ha depuis trente-six ans. Au vignoble, il pratique la culture raisonnée. Au cuvier, il assemble sauvignon (70 %) et chardonnay en justes proportions et produit un cheverny raisonnablement bon : jaune pâle à reflets verts, printanier dans ses arômes, d'une grande fraîcheur en bouche.
Christian Tessier et Fils,
Dom. de la Désoucherie, 41700 Cour-Cheverny,
tél. 02.54.79.90.08, fax 02.54.79.22.48,
e-mail tessier.christian@libertysurf.fr r.-v.

### DOM. PHILIPPE TESSIER Le Point du jour 2004 *

2,5 ha 12 000 5 à 8 €

Philippe Tessier a converti au bio son domaine de 20 ha en 1998. Pinot noir (60 %), gamay (35 %) et côt en semblent fort aise puisqu'ils ont produit, dans un millésime pas si facile, un vin parfaitement équilibré. La belle couleur grenat témoigne de la maturité du raisin, de même que le nez complexe et chaleureux de fruits, typique du pinot. Des flaveurs de noyau accompagnent le déroulement souple de la bouche. Quelques tanins un peu frondeurs en finale ? Ils sont le signe d'une bonne tenue dans les deux ans à venir.
EARL Philippe Tessier, 3, voie de la rue Colin,
41700 Cheverny, tél. 02.54.44.23.82, fax 02.54.44.21.71,
e-mail domaine.ph.tessier@wanadoo.fr r.-v.

### DANIEL TEVENOT
Clos de feuillet Elevé en fût de chêne 2004 *

2,5 ha 16 000 5 à 8 €

Madon est un ancien lieu-dit, dont les vignes furent plantées par les moines de l'abbaye de Saint-Lomer. Quant au moulin-à-vent, il ne reste qu'une partie de la tour, mais un chai a été construit à son emplacement, celui où Daniel Tévenot élève ses vins. Ce 2004 y a séjourné six mois avant de se livrer, rouge soutenu, au regard des dégustateurs. S'il semble encore discret au nez, il gagne en confiance au palais en offrant sa rondeur et ses flaveurs persistantes. La **cuvée principale de cheverny rouge 2004**, qui n'a pas connu le bois, est citée : davantage marquée par le gamay, elle présente encore quelques tanins indisciplinés qui rentreront dans le rang dans quelques mois.
Daniel Tévenot, 4, rue du Moulin-à-Vent,
Madon, 41120 Candé-sur-Beuvron,
tél. et fax 02.54.79.44.24 r.-v.

## Cour-cheverny

Le décret du 24 mars 1993 a reconnu l'AOC cour-cheverny. Celle-ci est réservée aux vins blancs de cépage romorantin, produits dans l'aire de l'ancienne AOS cour-cheverny mont-près-chambord et quelques communes des alentours où ce cépage s'est maintenu. Le terroir est typique de la Sologne (sable sur argile). La vendange de 2004 a représenté 2 783 hl pour une superficie de 50 ha.

### MICHEL ET CHRISTOPHE BADIN 2004

0,5 ha 4 000 3 à 5 €

Il s'en est passé des événements depuis 1957 dans ce domaine. Tout a été recomposé pour parvenir à un beau vignoble de 13,5 ha. Depuis 1997, Michel et Christophe Badin en ont la responsabilité. Ils tirent leur épingle du jeu en 2004 grâce à ce vin moelleux plein d'avenir. Timide, il l'est de prime abord, mais pour peu qu'on l'apprivoise, il laisse poindre des touches d'agrumes. En bouche, il s'exprime déjà mieux et trouve un juste équilibre.
GAEC Michel et Christophe Badin,
L'Aubras, 41120 Cormeray, tél. et fax 02.54.44.23.43
t.l.j. 8h-12h30 14h-19h

### BENOIT DARIDAN
Cuvée tardive Vieilles Vignes 2003 **

1 ha n.c. 8 à 11 €

Il est des vins qui charment tant à l'apéritif que l'on souhaiterait en faire tout son repas. Tel est le cas de ce 2003 moelleux. Difficile de détacher son regard de son brillant doré, son nez de ses arômes de raisin mûr, de coing et de citron confit. Son caractère chaleureux, sa longueur et sa riche matière fruitée en font le partenaire d'une table festive. (Bouteilles de 50 cl.)
Benoît Daridan,
16, La Marigonnerie, 41700 Cour-Cheverny,
tél. et fax 02.54.79.94.53 r.-v.

### DOM. DE LA GAUDRONNIERE
Le Mûr Mûr de la Gaudronnière 2004

n.c. 9 000 5 à 8 €

Il se cache un peu sous son chapeau jaune paille, ce romorantin. Soulevez les bords de son couvre-chef : il vous murmure ses arômes et offre sa chair tendre de moelleux. Il est mûr, bien mûr, c'est certain. Buvez-le sans plus attendre et proposez-lui des coquilles Saint-Jacques.
Christian Dorléans,
Dom. de La Gaudronnière, 41120 Cellettes,
tél. 02.54.70.40.41, fax 02.54.70.38.83 r.-v.

### DOM. DE LA GRANGE 2003

2 ha 3 292 3 à 5 €

Le parc de Chambord est tout près. Vous n'avez donc aucune raison de ne pas passer par La Grange. Vous y

trouverez un sympathique cour-cheverny aux senteurs de pamplemousse. Ne lui demandez pas d'être puissant. Même s'il est de 2003, il joue la légèreté et la simplicité. Les crustacés lui en sauront gré.
🔑 Jean-Michel et Guy Genty,
La Grange, 41350 Huisseau-sur-Cosson,
tél. et fax 02.54.20.31.17 Ⓥ Y r.-v.

DOM. DE MONTCY
Cuvée Claude de France 2003 ★★★

| | n.c. | n.c. | | 8 à 11 € |
|---|---|---|---|---|

Une étoile en cheverny : une bien jolie note déjà. Mais quand on peut décrocher trois étoiles et le coup de cœur du jury, c'est encore mieux. Exploit réalisé par les Simon qui ont su mettre en valeur ce vignoble de 20 ha dont les origines remontent au XVIᵉs., dans le sillage du château de Troussay. Une vendange mûre à souhait se traduit par une teinte jaune d'or, typique du romorantin. Une intimité complexe se crée entre les arômes de fleurs d'acacia, de miel et de coing confit. Elle annonce la bouche puissante et généreuse qui trouve un subtil équilibre entre le sucre et l'alcool. S'il est déjà exquis aujourd'hui, ce vin pourra attendre plusieurs années.
🔑 R. et S. Simon, La Porte dorée, 32, rte de Fougères, 41700 Cheverny, tél. 02.54.44.20.00, fax 02.54.44.21.00, e-mail domaine-de-montcy@wanadoo.fr Ⓥ Y ⛹ r.-v.

LES VIGNERONS DE MONT-PRES-CHAMBORD
Confidences de novembre 2004 ★★

| | 1,8 ha | 14 700 | | 8 à 11 € |
|---|---|---|---|---|

Si vous avez quelques confidences à faire à un(e) ami(e) cet automne, partagez donc avec lui (elle) ce cour-cheverny moelleux (50 g/l de sucres résiduels). Le jaune pâle étonne pour un romorantin. Il ne faut pas s'y fier, pourtant, car les arômes d'agrumes, eux, sont intenses. La chair ronde à souhait, équilibrée et persistante, finit de convaincre. (Bouteilles de 50 cl.) Tout aussi remarquable est la cuvée **Terroir et Tradition 2003 (3 à 5 €)** : dorée, elle offre un nez complexe d'acacia et de miel, puis une bouche harmonieuse et longue. Le **cour-cheverny 2003 (3 à 5 €)**, qui n'a pas connu le bois, est cité.
🔑 Les Vignerons de Mont-près-Chambord,
816, la Petite-Rue, 41250 Mont-près-Chambord,
tél. 02.54.70.71.15, fax 02.54.70.70.65,
e-mail cavemont@club-internet.fr
Ⓥ Y t.l.j. sf dim. et lun. matin 9h-12h 14h-18h

LE PETIT CHAMBORD Cuvée Renaissance 2003

| | 3,7 ha | 8 600 | | 5 à 8 € |
|---|---|---|---|---|

Le Petit Chambord. On a grande envie d'aller voir sur place à quoi ressemble le domaine de François Cazin... Nous vous laissons faire. Pour ce qui est du vin, nous savons que le 2003 est de bonne facture : jaune pâle, intensément aromatique (miel), assez rond et équilibré. Un cour-cheverny moelleux comme on les aime pour accompagner en toute simplicité du poisson.
🔑 François Cazin,
Le Petit Chambord, 41700 Cheverny,
tél. 02.54.79.93.75, fax 02.54.79.27.89 Ⓥ Y ⛹ r.-v.

CHRISTIAN ET FABIEN TESSIER Solea 2003 ★★

| | 4,3 ha | 10 000 | | 8 à 11 € |
|---|---|---|---|---|

Christian Tessier le clame haut et fort : le romorantin du millésime 2003 est un vin de garde. Il a fait tout son possible à la cave pour parvenir à ce profil. Gagné ! Ce cour-cheverny moelleux n'aura pas à se soucier du temps qui passe. Jaune paille à reflets verts, il décline des arômes de miel et de fleur d'acacia charmeurs avant d'emplir le palais de sa chair intense et persistante.
🔑 Christian Tessier et Fils, Dom. de la Désoucherie, 41700 Cour-Cheverny, tél. 02.54.79.90.08, fax 02.54.79.22.48, e-mail tessier.christian@libertysurf.fr
Ⓥ 🏠 Y ⛹ r.-v.

PHILIPPE TESSIER Les Sables 2003 ★

| | 1 ha | 4 200 | | 5 à 8 € |
|---|---|---|---|---|

En 1998, Philippe Tessier a décidé de convertir son vignoble à l'agriculture biologique. Le millésime 2003 lui a donné un vin agréable, que l'on a tout intérêt à boire dans les meilleurs délais pour profiter de ses arômes complexes de fruits mûrs, nuancés des senteurs boisées de son élevage de neuf mois en fût. La douceur et la fraîcheur s'équilibrent au palais.
🔑 EARL Philippe Tessier, 3, voie de la rue Colin, 41700 Cheverny, tél. 02.54.44.23.82, fax 02.54.44.21.71, e-mail domaine.ph.tessier@wanadoo.fr Ⓥ Y ⛹ r.-v.

# Orléans AOVDQS

L'AOVDQS vins-de-l'orléanais a changé de nom et précisé sa production au travers de la reconnaissance par l'INAO de deux appellations d'origine distinctes : orléans et orléans-cléry. Parmi les « vins françois », ceux d'Orléans eurent leur heure de gloire à l'époque médiévale. A côté des jardins, des pépinières et des vergers, la vigne a encore sa place aujourd'hui (90 ha). Les vignerons ont su adapter des cépages mentionnés depuis le Xᵉs. et que l'on disait venir d'Auvergne mais qui sont identiques à ceux de Bourgogne : auvernat rouge (pinot noir), auvernat blanc (chardonnay) et gris meunier, auxquels est venu s'ajouter le cabernet (ou breton), qui donne des vins au bouquet de groseille et de cassis.

La tradition s'est notamment maintenue sur les terrasses sablo-graveleuses de la rive sud de la Loire, où l'INAO a reconnu l'appellation orléans-cléry (36 ha), réservée aux vins rouges issus du cabernet franc. L'appellation orléans s'étend quant à elle des deux côtés de la Loire. Elle est réservée aux vins blancs de chardonnay et aux vins rouges et rosés issus du pinot meunier et du pinot noir qui donne ici des vins très originaux. On pourra boire les vins rouges sur du perdreau ou du faisan rôti, des pâtés de gibier de la Sologne voisine et les blancs avec des fromages cendrés du Gâtinais.

### VIGNOBLE DU CHANT D'OISEAUX 2004 *

1 ha 6 000 3 à 5 €

Jacky Legroux peut être satisfait du millésime 2004, très réussi en blanc comme en rouge. Le premier, jaune pâle à reflets verts, exprime volontiers les fruits frais associés aux notes minérales. Rond à souhait, il laisse une impression chaleureuse plaisante. Vous le servirez entre 2006 et 2008 dès l'apéritif et avec des poissons. Le **rouge 2004**, noté une étoile également, témoigne d'une maturité parfaite du raisin par ses arômes de fruits noirs.

Jacky Legroux,
315, rue des Muids, 45370 Mareau-aux-Prés,
tél. 02.38.45.60.31, fax 02.38.45.62.35 r.-v.

### CLOS SAINT-FIACRE 2004 **

6,07 ha 24 000 3 à 5 €

Rive gauche de la Loire se situe Jargeau, une petite ville connue pour... son andouille, typique du Loiret. Cherchez-vous un vin pour accompagner votre achat ? Hubert et Bénédicte Piel, qui dirigent depuis 2001 ce domaine d'une vingtaine d'hectares, sauront vous conseiller. Demandez-leur ce 2004 d'un beau rouge profond qui a tout d'un vin de garde : nez intense et raffiné de petits fruits mûrs, attaque souple, bouche équilibrée dont les tanins soyeux supportent allègrement la finale. Bien joué ! L'**orléans blanc 2004** et le **rosé 2004**, notés deux étoiles également, sont tout aussi appropriés à la gastronomie locale.

Montigny-Piel, GAEC Clos Saint-Fiacre,
560, rue de Saint-Fiacre, 45370 Mareau-aux-Prés,
tél. 02.38.45.61.55, fax 02.38.45.66.58,
e-mail clos.saintfiacre@wanadoo.fr
t.l.j. sf dim. 9h-12h30 14h-19h

### LES VIGNERONS DE LA GRAND'MAISON 2004

n.c. 35 000 3 à 5 €

Un petit noyau de producteurs ont créé cette cave coopérative pour mieux défendre leur production dans ce monde concurrentiel. Ils se défendent bien, en effet. En témoigne cette cuvée sympathique par le fruité de sa chair et sa bonne rondeur. Le nez semble discret, certes, mais l'ensemble est équilibré.

Les Vignerons de la Grand'Maison,
550, rte des Muids, 45370 Mareau-aux-Prés,
tél. 02.38.45.61.08, fax 02.38.45.65.70,
e-mail vignerons.orleans@free.fr r.-v.

### DOM. SAINT-AVIT 2004 *

1 ha 4 000 3 à 5 €

1792, année repère dans l'histoire de France, celle de la proclamation de la République, est aussi à marquer d'une pierre blanche dans cette famille du Loiret, car avec elle débute une longue lignée de vignerons. Quand la petite histoire rejoint la grande... Pascal Javoy ne demande pas à devenir un personnage historique. Il souhaite seulement retenir l'attention de vos sens grâce à ce rosé couleur saumon brillant, de bonne intensité aromatique (fruits). La bouche est ronde dès l'attaque, la finale rafraîchissante. De quoi rassembler les amis autour du barbecue pour discuter de tout et de rien. Le **blanc 2004** et le **rouge 2004** sont cités pour leur caractère gouleyant.

EARL Javoy et Fils,
450, rue du Buisson, 45370 Mézières-lez-Cléry,
tél. 02.38.45.66.95, fax 02.38.45.69.77
t.l.j. sf dim. 8h30-12h 14h-19h
Pascal Javoy

# Orléans-cléry AOVDQS

Cette nouvelle appellation VDQS porte le nom de la commune de Cléry dont la basilique renferme le tombeau de Louis XI.

### VIGNOBLE DU CHANT D'OISEAUX 2004 *

2,5 ha 10 000 3 à 5 €

Les plus naturalistes d'entre vous sauront reconnaître quels oiseaux chantent dans ce vignoble de quelque 10 ha. Les plus férus en vin distingueront la qualité de ce 2004 dont le nez est caractéristique du cépage cabernet franc. Bien équilibré, celui-ci révèle des tanins encore un peu austères en finale, mais il promet de s'assouplir dans les deux ans.

Jacky Legroux,
315, rue des Muids, 45370 Mareau-aux-Prés,
tél. 02.38.45.60.31, fax 02.38.45.62.35 r.-v.

### CLOS SAINT-FIACRE 2004 **

2,82 ha 20 600 3 à 5 €

La basilique de Cléry Saint-André (XIVe-XVes.) abrite le tombeau de Louis XI. Après avoir admiré sa belle nef, rendez-vous à 4 km de là, au Clos Saint-Fiacre, ne serait-ce que pour goûter ce 2004 aux senteurs complexes de fruits rouges et d'épices. D'attaque ronde, le vin bénéficie d'un équilibre parfait et de tanins mûrs à point. S'il est déjà agréable, il gagnera encore en complexité en vieillissant une couple d'années.

Montigny-Piel, GAEC Clos Saint-Fiacre,
560, rue de Saint-Fiacre, 45370 Mareau-aux-Prés,
tél. 02.38.45.61.55, fax 02.38.45.66.58,
e-mail clos.saintfiacre@wanadoo.fr
t.l.j. sf dim. 9h-12h30 14h-19h

### DOM. SAINT-AVIT 2004

4,5 ha 20 000 3 à 5 €

Le château de Meung-sur-Loire (XIIe-XIIIes.) présente l'avantage d'être meublé, car il est encore habité. Jusqu'au XVIIIes., il fut la résidence des évêques d'Orléans. Les yeux encore émerveillés par sa visite et son jardin à la française, partez découvrir le vin de Pascal Javoy. Un 2004 agréable, intensément coloré et parfumé de fruits rouges. Les tanins jouent-ils les frondeurs ? Le temps saura les amadouer. Rendez-vous dans trois ans.

EARL Javoy et Fils,
450, rue du Buisson, 45370 Mézières-lez-Cléry,
tél. 02.38.45.66.95, fax 02.38.45.69.77
t.l.j. sf dim. 8h30-12h 14h-19h

# Coteaux-du-vendômois

Les coteaux-du-vendômois ont été reconnus en appellation d'origine en 2001. La particularité, unique en France, de cette appellation produite entre Vendôme et Montoire, est constituée par le vin gris de pineau d'Aunis, dont la robe doit rester très pâle et les arômes exprimer des nuances poivrées. On y apprécie également un blanc de chenin, comme dans les AOC coteaux-de-loir et jasnières voisines, au terroir similaire.

Depuis quelques années, les rouges tendent à se développer. La nervosité légèrement épicée du pineau d'Aunis est tempérée par le calme gamay et rehaussée soit en finesse par le pinot noir, soit en tanins par le cabernet. La production a atteint 8 695 hl en 2004 pour une superficie d'environ 153 ha.

Le touriste pourra apprécier les bords du Loir, les coteaux truffés d'habitations troglodytiques et de caves taillées dans le tuffeau.

### DOM. DU CARROIR 2004 *

3 ha 4 000 3 à 5 €

Le TGV Atlantique, c'est fantastique lorsque l'on est pressé, mais pour découvrir tranquillement la vallée de la Loire, mieux vaut prendre le train touristique au départ de Thoré-la-Rochette : trois heures de voyage. Au retour, vers 17h30, il sera toujours temps de vous rendre au domaine du Carroir qui a élaboré un 2004 floral et fruité (pamplemousse). L'équilibre en bouche est séduisant, rehaussé par l'agréable fraîcheur minérale de la finale.

Jean et Benoît Brazilier,
17, rue des Ecoles, 41100 Thoré-la-Rochette,
tél. 02.54.72.81.72, fax 02.54.72.77.13,
e-mail vinsbrazilier@hotmail.com r.-v.

### DOM. CHEVAIS FRERES 2004

0,16 ha 1 300 3 à 5 €

Les Chevais seront de bon conseil pour vous guider sur votre route touristique : le château de Lavardin, le manoir de la Poissonnière à Couture-sur-Loire, l'abbaye de la Trinité à Vendôme. Mais ils vous proposeront surtout un vin réussi. Couleur saumoné brillant, il agrémente ses arômes de fruits d'une pointe de poivre. L'attaque est souple, la bouche bien fraîche. A servir avec un plateau de charcuteries.

GAEC Chevais Frères, Les Portes,
41800 Houssay, tél. 02.54.85.30.34 r.-v.

### PATRICE COLIN Gris 2004 *

3,92 ha 20 000 3 à 5 €

Le gris est caractéristique du Vendômois. Couleur œil-de-perdrix, celui-ci séduit par son élégante fraîcheur. Agrumes et épices se partagent la palette, tandis que la bouche, équilibrée et mûre, évoque la pêche. Préparez les grillades. La cuvée **Pierre à feu 2004 blanc**, florale et élancée, est citée.

Patrice Colin, 41100 Thoré-la-Rochette,
tél. 02.54.72.80.73, fax 02.54.72.75.54,
e-mail patrice.colin1@tiscali.fr
t.l.j. sf dim. 9h-12h 14h-19h

### DOM. DU FOUR A CHAUX 2004 **

n.c. 8 000 3 à 5 €

Coup de cœur l'an passé pour le rosé 2003, Dominique Norguet n'a pas à rougir de son 2004 blanc. Le jury a apprécié la robe seyante, pâle à reflets verts, de ce vin comme ses senteurs flatteuses de fleurs et d'agrumes. Très aromatique, la bouche allie puissance, rondeur et fraîcheur, avec une pointe citronnée qui persiste longuement en finale. Dégustez cette bouteille en accompagnement d'un poisson ou d'une terrine à la sauce citron. Le **gris 2004**, de pineau d'Aunis, obtient une étoile pour l'intensité de ses arômes et sa gouleyance.

EARL Dominique Norguet,
Berger, 41100 Thoré-la-Rochette,
tél. 02.54.77.12.52, fax 02.54.80.23.22 r.-v.

### DOM. MINIER 2004

n.c. n.c. 3 à 5 €

L'accompagnement est tout trouvé : les fromages de chèvre faits maison chez les Minier. Ici, on respecte la tradition dans le souci de retrouver le goût des vins des ancêtres. Le 2004 est bien agréable, fruité, tendre dès la mise en bouche. On le rapporterait volontiers à la maison pour le servir à l'apéritif avec les canapés au fromage.

Dom. Claude Minier, Les Monts, 41360 Lunay,
tél. 02.54.72.02.36, fax 02.54.72.18.52 r.-v.

### DOM. JACQUES NOURY Gris 2004

0,5 ha 2 400 3 à 5 €

Le pineau d'Aunis du Vendômois se manifeste allègrement dans ce vin gris harmonieux, de teinte pelure d'oignon. Soit, le nez est assez discret, mais il libère d'agréables nuances de poivre, de fruits et de fleurs printanières. L'équilibre général est plaisant, car il met en valeur la souplesse et une bonne structure qui fait vite oublier la petite pointe austère en finale. Les **2004 blanc et rouge** sont cités également : des vins légers et flatteurs.

Dom. Jacques Noury,
Montpot, 41800 Houssay,
tél. 02.54.85.36.04, fax 02.54.85.19.30 r.-v.

### LES VIGNERONS DU VENDOMOIS 2003

4 ha 25 000 3 à 5 €

Pineau d'Aunis, cabernet, pinot noir et gamay composent ce 2003 couleur rubis, dont les reflets traduisent une légère évolution. Millésime oblige, des notes grillées se mêlent aux arômes de fruits cuits au nez, tandis que la bouche apparaît ronde et épicée, discrètement soutenue par des tanins fins. A boire dans l'année 2006. Le **gris 2004 du lieu-dit Cocagne**, issu de pineau d'Aunis, est cité également.

Cave des Vignerons du Vendômois,
60, av. du Petit-Thouars, 41100 Villiers-sur-Loir,
tél. 02.54.72.90.69, fax 02.54.72.75.09,
e-mail caveduvendomois@wanadoo.fr
t.l.j. sf dim. lun. 9h-12h 14h-19h

LOIRE

# Valençay

**D**ans cette région marquée par le passage de Talleyrand, aux confins du Berry, de la Sologne et de la Touraine, la vigne alterne avec les forêts, la grande culture et l'élevage de chèvres. Les sols sont à dominante argilo-siliceuse ou argilo-limoneuse. Le vignoble s'étend sur plus de 300 ha, dont moins de la moitié déclarée en valençay (118 ha en 2004). L'encépagement y est classique de la moyenne vallée de la Loire et les vins sont à boire jeunes le plus souvent. Le sauvignon fournit des vins aromatiques aux touches de cassis ou de genêt, avec un complément apporté par le chardonnay. Les vins rouges assemblent gamay, cabernets, cot et pinot noir. La production 2004 a atteint 2 256 hl en blanc et 4 189 hl en rouge et 990 hl en rosé.

**L**a même appellation désigne un fromage de chèvre, qui a obtenu l'AOC en 1998. Ces pyramides s'accordent, selon leur degré d'affinage, avec les vins rouges ou les vins blancs.

### DOM. AUGIS 2004

■ 2,4 ha 10 000 **3 à 5 €**

Avez-vous vu le courlis cendré et la grande pimprenelle dans les prairies de la rivière Fouzon ? Une foultitude d'oiseaux et de plantes ont trouvé un milieu adapté dans ce site naturel. Jacky Augis connaît bien sa région et saura vous en parler tout en vous présentant son 2004 rubis. Si ce vin semble discret au nez, il exprime toute sa fraîcheur et sa jeunesse en bouche, avec des notes de framboise.

Dom. Augis, 1465, rue des Vignes, 41130 Meusnes, tél. 02.54.71.01.89, fax 02.54.71.74.15 t.l.j. sf dim. 8h-12h 14h-19h; f. 15-31 août

### DOM. BARDON 2004 ★

3 ha 5 000 **5 à 8 €**

Sur ce terroir d'argiles à silex, on taillait autrefois la pierre à fusil ; le petit musée à Meusnes vous permettra de découvrir cette ancienne activité, importante du XVIIIe jusqu'au début du XIX[e]s. Nul accent minéral dans ce valençay plutôt fleurs blanches, dont l'équilibre gustatif est harmonieux. Proposez à cette bouteille une pyramide de valençay. Le **Domaine Bardon 2004 rouge** est cité pour sa palette aromatique partagée entre griotte et épices, ainsi que pour sa fraîcheur. Il est prêt à boire.

Denis Bardon,
243, rue Jean-Jaurès, 41130 Meusnes,
tél. 02.54.71.01.10, fax 02.54.71.75.20 r.-v.

### DOM. DES CHAMPIEUX Cuvée Prestige 2004 ★★

2,3 ha 6 000 **3 à 5 €**

À 8 km du parc animalier de Beauval, Régis Mandard cultive 18 ha de vignes sur un sol argilo-siliceux. Il a produit un valençay comme on les aime. Séducteur par sa teinte jaune pâle brillant. Flatteur par ses arômes de fleurs blanches et de fruits exotiques. Charmeur par son côté mûr et rafraîchissant à la fois. Une belle bouteille pour les fromages de chèvre frais de la région. Pour une galette de pommes de terre, tournez-vous vers la **cuvée du Terroir 2003 rouge** qui brille d'une étoile tant elle se montre complexe dans ses arômes, souple et équilibrée, avec une bonne évolution des tanins en finale.

Régis Mandard,
Dom. des Champieux, Puits-de-Saray, 36600 Lye,
tél. 02.54.41.02.44, fax 02.54.41.09.66 r.-v.

### LE CLOS DELORME 2004 ★

■ 6 ha 35 000 **5 à 8 €**

A priori, Albane et Bertrand Minchin n'avaient aucune raison d'aller fureter en dehors de leur appellation menetou-salon. Mais voilà, le cœur a ses raisons que la raison ne connaît pas... Ces quelques hectares de vignes sur sols de graves et d'argiles à silex les ont charmés. Premier millésime de valençay, première étoile au Guide pour un vin couleur rubis à reflets violets. On cherche les arômes, mais en insistant on ne tarde pas à débusquer quelques notes sauvages. La bouche est ample et généreuse, bien bâtie sur des tanins soyeux. Le **Clos Delorme 2004 rosé** réjouira vos convives autour des dernières grillades au jardin : il est si élégant et frais. Une étoile.

Albane et Bertrand Minchin,
EARL Le Clos Delorme,
8, rue des Landes, 41130 Selles-sur-Cher,
tél. 02.48.25.02.95, fax 02.48.25.05.03 r.-v.

### A. FOUASSIER 2004 ★

3 ha 15 000 **3 à 5 €**

Une couleur jaune paille à reflets or invite à poser son nez au bord du verre, en quête des arômes de fleurs blanches. Les sentez-vous ? Goûtez à présent. Le vin fait preuve de fraîcheur, soulignée par un léger côté perlant. Le **2004 rouge** mérite une citation car il est expressif et gouleyant, même si quelques tanins se montrent en finale.

André Fouassier, Vaux, 36600 Lye,
tél. 02.54.40.16.13, fax 02.54.40.10.98 r.-v.

### DOM. GARNIER Les Sources 2004 ★

3 ha 20 000 **3 à 5 €**

Eric et Olivier Garnier, deux frères, cultivent 23 ha de vignes réparties entre les appellations touraine et valençay. Il ont su tirer parti d'une bonne vendange de sauvignon (70 %) et de chardonnay pour produire ce 2004 subtilement aromatique. Timide ? Peut-être, mais il se rattrape en bouche par son équilibre et sa fraîcheur finale. Une bouteille sympathique.

Dom. Garnier, 81, rue Eugène-Delacroix,
41130 Meusnes, tél. 02.54.00.10.06, fax 02.54.05.13.36,
e-mail garnier@terre-net.fr t.l.j. 9h-12h 14h-18h

### VIGNOBLE GIBAULT 2003

■ 2 ha 12 000 **3 à 5 €**

Une foire au vin est organisée chaque année à Meusnes à la Pentecôte. L'occasion de visiter le village et surtout son église romane du XI[e]s. L'occasion aussi de découvrir ce 2003 rubis qui semble encore timide au nez mais offre un équilibre réussi. Les fruits rouges se manifestent en bouche, bien soutenus par des tanins soyeux.

Vignoble Gibault, 183, rue Gambetta,
41130 Meusnes, tél. 02.54.71.02.63, fax 02.54.71.58.92,
e-mail gibault.earl@wanadoo.fr
t.l.j. sf dim. 8h-12h 14h-19h

### FRANCIS JOURDAIN Cuvée des Griottes 2004 ★

■ 4 ha 22 000 **3 à 5 €**

Quand on porte pareil nom, on ne peut que privilégier la griotte. Tout s'accorde, en effet. La robe ? Cerise bien mûre à reflets violets. Le nez ? Intense et délicat à la fois, sur la cerise encore. La bouche ? Des fruits rouges toujours, inscrits dans une chair souple. Les tanins sont présents en finale mais promettent de se fondre d'ici la fin 2005. La cuvée **Les Terrajots 2004 blanc** est citée, de même que la **cuvée Chèvrefeuille 2004 blanc**.

Francis Jourdain, Les Moreaux, 36600 Lye, tél. 02.54.41.01.45, fax 02.54.41.07.56 r.-v.

## DOM. MALET Prestige 2003 *

■ 1,9 ha 6 000 3 à 5 €

Doté d'une robe intense et brillante, ce 2003 évolue dans la complexité. Il suffit pour s'en convaincre de humer ses senteurs de griotte associées aux épices. L'attaque est ronde, la bouche à l'avenant, fruitée. Des tanins présents mais soyeux invitent à attendre l'hiver ou le printemps 2006 pour déboucher cette bouteille.

GAEC Malet Frères, 3, rue Pointeau, 36600 Lye, tél. 02.54.41.05.36, fax 02.54.41.01.24
t.l.j. 8h-12h 14h-19h; groupes sur r.-v.

## JEAN-FRANCOIS ROY Cuvée des Pinotes 2003 *

■ 3 ha 7 000 3 à 5 €

Lye peut être le point de départ de nombreuses randonnées dans le vignoble. Vous ferez halte chez Jean-François Roy qui exploite 28 ha de vignes et propose un 2003 rouge profond à nuances violettes. Des arômes de fruits rouges de bonne intensité se prolongent en bouche, participant de l'équilibre harmonieux de ce vin. Le **2004 blanc** obtient également une étoile ; il sauvignonne joliment sous des tonalités jaune pâle : fruité et finesse conjugués.

Jean-François Roy, 3, rue des Acacias, 36600 Lye, tél. 02.54.41.00.39, fax 02.54.41.06.89 r.-v.

## HUBERT ET OLIVIER SINSON 2004 **

3,47 ha 20 000 3 à 5 €

Le sujet de conversation est tout trouvé devant cette bouteille jaune pâle brillant. Le silence et la concentration s'imposent toutefois au moment de déceler les arômes, car ils sont complexes : fleurs, fruits exotiques remarquablement mariés. La bouche est pleine, équilibrée et persistante. Une étoile revient à la cuvée **Prestige 2004 rouge** : déjà très fruitée, elle saura se bonifier encore et fondre ses tanins pour être fin prête à passer à table au printemps 2006.

EARL Hubert et Olivier Sinson, 1397, rue des Vignes, 41130 Meusnes, tél. 02.54.71.00.26, fax 02.54.71.50.93, e-mail o.sinson@wanadoo.fr
t.l.j. 8h-12h 14h-18h; dim. 8h-12h
Olivier Sinson

## GERARD TOYER Cuvée du Prince 2004

■ 1 ha 5 000 3 à 5 €

Vous connaissez sans doute le fromage de chèvre de Selles-sur-Cher ; Gérard Toyer vous proposera un vin à son goût : un **valençay 2004 blanc**, cité par le jury pour son caractère aromatique et coulant. Si votre préférence va aux charcuteries de la région – rillettes et rillons –, tournez-vous vers ce rouge fort sympathique, violet soutenu. Sa timidité initiale ne doit pas vous rebuter, car il possède une bonne expression en bouche. À boire dès aujourd'hui.

Gérard Toyer, 63, Grande-Rue, Champcol, 41130 Selles-sur-Cher, tél. 02.54.97.49.23, fax 02.54.97.46.25
t.l.j. sf dim. 9h30-12h30 14h30-18h

## VIGNERONS REUNIS DE VALENCAY Terroir 2004

3 ha 20 000 3 à 5 €

Le terroir est celui d'argiles à silex qui porte si bien les sauvignon et chardonnay. Voyez ce 2004 qui sauvignonne sans complexe au nez. D'attaque franche, il se montre d'une grande fraîcheur, avec une pointe de perlant en plus.

Cave des Vignerons réunis de Valençay, 36600 Fontguenand, tél. 02.54.00.16.11, fax 02.54.00.05.55, e-mail vigneronvalencay@aol.com
t.l.j. sf lun. 9h-12h 14h-18h

# Les vignobles du Centre

Des côtes du Forez à l'Orléanais, les secteurs viticoles du Centre occupent les endroits les mieux exposés des coteaux ou plateaux modelés au cours des âges géologiques par la Loire et ses affluents, l'Allier et le Cher. Ceux qui, sur les côtes d'Auvergne, à Saint-Pourçain en partie ou à Châteaumeillant, sont implantés sur les flancs est et nord du Massif central, restent cependant ouverts sur le bassin de la Loire. Siliceux ou calcaires, les sols viticoles de ces régions portent un nombre restreint de cépages, parmi lesquels ressortent surtout le gamay pour les vins rouges et rosés, et le sauvignon pour les vins blancs. Quelques spécialités : tressalier à Saint-Pourçain et chasselas à Pouilly-sur-Loire pour les blancs ; pinot noir à Sancerre, Menetou-Salon et Reuilly pour les rouges et rosés, avec encore le délicat pinot gris dans ce dernier vignoble ; et enfin le meunier qui, près d'Orléans, fournit l'original « gris meunier ».Tous les vins du Centre ont en commun légèreté, fraîcheur et fruité, qui les rendent particulièrement agréables et en harmonie avec la cuisine régionale.

# Châteaumeillant AOVDQS

Le gamay retrouve ici les terroirs qu'il affectionne, dans un site très anciennement viticole qui compte 89 ha en 2003 pour une production de 3 155 hl.

La réputation de Châteaumeillant s'est établie grâce à son célèbre « gris », vin issu du pressurage immédiat des raisins de gamay et présentant un grain, une fraîcheur et un fruité remarquables. Les rouges (à boire jeunes et frais), produits de sols d'origine éruptive, allient légèreté, bouquet et gouleyance.

### DOM. DU CHAILLOT 2004 *

■ 1 ha 6 000 **5 à 8 €**

Les châteaumeillant de ce domaine implanté sur sol de micachistes sont régulièrement sélectionnés par le jury qui a d'ailleurs décerné au millésime 2001 un coup de cœur. Ce rosé de teinte groseille à reflets argentés libère un premier nez sur la banane, puis laisse progressivement percer des notes d'abricot frais et de rose épanouie. La douceur du palais est équilibrée par une fraîcheur tonique. Un ensemble harmonieux. Le **rouge 2004**, bien typé, obtient également une étoile.

Dom. du Chaillot,
pl. de la Tournoise, 18130 Dun-sur-Auron,
tél. 02.48.59.57.69, fax 02.48.59.58.78,
e-mail pierre.picot@wanadoo.fr r.-v.
Pierre Picot

### CAVE DE CHATEAUMEILLANT Vieilles Vignes 2003

■ 2,1 ha 13 000 **5 à 8 €**

Après avoir visité la maison de George Sand, à quelques kilomètres de Châteaumeillant, partez à la découverte des vins de la région. La concentration est le caractère dominant de ce 2003 dont les arômes intenses évoquent les épices et le café, nuancés de notes animales. Les tanins sont encore un peu sévères, mais l'ensemble reste harmonieux. Pour un gibier.

Cave du Tivoli, rte de Culan,
18370 Châteaumeillant, tél. 02.48.61.33.55,
fax 02.48.61.44.92, e-mail cave@chateaumeillant.com
t.l.j. sf dim. 8h-12h 13h30-17h30; dim. juil.-août

### DOM. GEOFFRENET-MORVAL Cuvée Version originale 2004 **

■ 1,5 ha 4 500 **5 à 8 €**

En seulement quatre ans, Fabien Geoffrenet a agrandi son vignoble de 50 a à 7 ha. Sa production est à la hauteur de ses ambitions comme en témoigne cette sélection de trois vins. Cette cuvée embaume les champs avec ses arômes d'armoise nuancés d'épices. Souple en attaque, elle dévoile quelques tanins encore austères, mais qui ne nuisent pas à l'harmonie de l'ensemble. La **cuvée Comte de Barcelone rosé 2004** reçoit une étoile et la **cuvée Jeanne Vieilles Vignes rouge 2004** est citée.

Dom. Geoffrenet-Morval, 2, rue de La Fontaine,
18190 Venesmes, tél. et fax 02.48.60.50.15,
e-mail fabien.geoffrenet@wanadoo.fr r.-v.
Geoffrenet

### DOM. LANOIX 2003 *

■ n.c. n.c. **3 à 5 €**

Après une fugace note de violette, ce vin rappelle les fruits confiturés et la liqueur de cerise mêlés d'une pointe de café. L'attaque est douce, puis la bouche offre de la mâche et du volume. Une bouteille prête à servir à la sortie du Guide. Le **rosé 2003** est cité.

Dom. Patrick Lanoix,
Beaumerle, 18370 Châteaumeillant,
tél. 02.48.61.39.59, fax 02.48.61.42.19 r.-v.

### DOM. DES TANNERIES 2004

■ 4,64 ha 30 000 **5 à 8 €**

Que serait le vignoble de châteaumeillant sans des viticulteurs comme Henri Raffinat qui a su transmettre sa passion à ses enfants ? Son fils, Jean-Luc, a élaboré un vin aux senteurs de fraise et de fumée de sarments. La bouche, tout en souplesse, laisse percevoir une légère amertume en finale. Un ensemble léger.

Raffinat et Fils,
Dom. des Tanneries, 18370 Châteaumeillant,
tél. 02.48.61.35.16, fax 02.48.61.44.27 r.-v.

# Côtes-d'auvergne AOVDQS

Qu'ils soient issus de vignobles des puys, en Limagne, ou de vignobles des monts (dômes) en bordure orientale du Massif central, les bons vins d'Auvergne proviennent du gamay, très anciennement cultivé ainsi que du pinot noir pour les rouges et rosés et du chardonnay pour les blancs. Ils ont droit à la dénomination AOVDQS depuis 1977 et naissent de 426 ha de vignes. Les rosés malicieux et les rouges agréables sont particulièrement indiqués sur les fameuses charcuteries locales ou les plats régionaux réputés. Dans les crus, Boudes, Chanturgue, Châteaugay, Corent et Madargues, ils peuvent prendre un caractère, une ampleur et une personnalité surprenants. 13 988 hl ont été produits en 2003 dont 733 en blanc.

### JACQUES ABONNAT Boudes 2004 *

■ 1,8 ha 10 000 **3 à 5 €**

En 1199, Richard Cœur de Lion mourut à Chalus, d'une flèche tirée depuis le château. La vie est plus paisible de nos jours dans ce village pittoresque où est installé Jacques Abonnat. Le vin même est aimable. Ce 2004 rouge profond se montre complexe au nez, puis surprend au palais par la douceur de ses tanins et sa jolie finale. Les fromages d'Auvergne ne lui diront pas non.

Jacques Abonnat, 63340 Chalus,
tél. et fax 04.73.96.45.95 r.-v.

### YVAN BERNARD Corent 2004 *

■ 1,8 ha 8 400 **3 à 5 €**

Lorsqu'il créa son domaine en 2001, après un BTS au lycée viticole de Beaune, Yvan Bernard devint le plus jeune vigneron indépendant du Puy-de-Dôme. Il n'avait pas froid aux yeux pour replanter les palhas de Montpeyroux (comprenez, les coteaux en terrasses). Les années passent sans qu'il ne perde sa fougue. Il présente un 2004 bien travaillé, épicé et fruité. La souplesse et la légèreté sont les qualités de ce vin, avec un côté acidulé rafraîchissant en finale. Le **Corent rosé 2004** est cité.

Yvan Bernard, pl. de la Reine,
63114 Montpeyroux, tél. 04.73.55.31.97,
e-mail bernard_corent@hotmail.com r.-v.

BOURRASSOL Châteaugay Gamay Vieilles Vignes Elevé en fût de chêne 2003 ★★★

0,55 ha 3 200 5 à 8 €

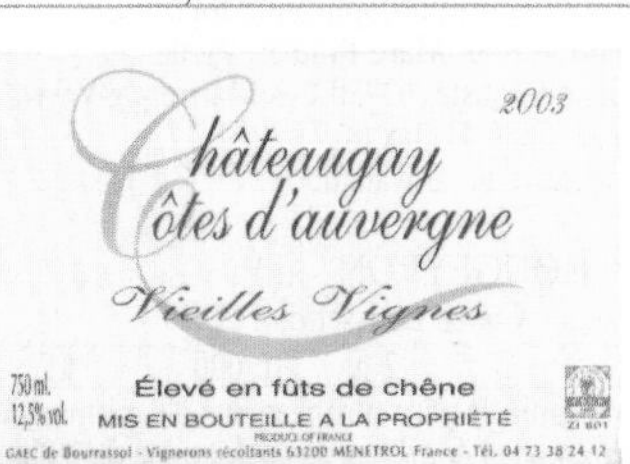


Le donjon du château du XIVe s. signale le village de Châteaugay, aux portes du parc régional des Volcans. Après une excursion, rendez-vous chez Benoît Montel qui propose un côtes-d'auvergne issu de vignes presque centenaires. Le jury a été unanime pour attribuer à ce vin un coup de cœur. Rouge sombre, celui-ci livre une palette complexe de fruits noirs mûrs, nuancée d'un léger boisé. La puissance se conjugue avec élégance en bouche, tant les tanins se font doux et les fruits omniprésents. Un fleuron de l'appellation. Le **châteaugay blanc 2004 (3 à 5 €)** obtient une étoile pour sa fraîcheur et sa persistance aromatique.

GAEC de Bourrassol, 33, Grande-Rue,
63200 Ménétrol, tél. et fax 04.73.64.96.14 r.-v.
Benoît Montel

NOEL BRESSOULALY Chardonnay 2004 ★

0,5 ha 3 000 3 à 5 €

Vous trouverez grand intérêt à discuter avec Noël Bressoulaly qui vous parlera de son cuvage du XVIIIe s., de ses origines vigneronnes remontant à la fin du XVIe s. et surtout des quinze anciens cépages d'Auvergne qu'il conserve soigneusement sur son exploitation. A la dégustation il vous propose un chardonnay jaune pâle à reflets dorés. Le nez généreux offre des senteurs de fleurs blanches, de fruits exotiques et de bonbon anglais. En bouche, une légère vivacité profite au fruité. Le **2004 rouge gamay-pinot** est cité, de même que le **2002 rouge gamay-pinot Vieilli en fût de chêne**.

Noël Bressoulaly,
chem. des Pales, 63114 Authezat,
tél. et fax 04.73.24.18.01 r.-v.

CHARMENSAT Boudes Chardonnay 2004 ★

0,37 ha 2 000 5 à 8 €

Les marcheurs sont ravis : entre la vallée de Saints, dont les crêtes argileuses de couleur ocre dessinent des formes étranges, et le petit Colorado auvergnat, ils ne manquent pas de buts de randonnée. Pourvu qu'ils soient aussi gourmets, ils feront halte en fin de journée à Boudes pour y faire quelques emplettes de vin. Ce 2004 témoigne de la maturité du raisin par ses reflets or. Aux arômes floraux succèdent les flaveurs de fruits blancs à noyau et d'agrumes qui émanent de la bonne matière relevée en finale d'une franche vivacité. Le **Boudes rosé 2004** est cité.

EARL Charmensat, rue du Coufin,
63340 Boudes, tél. 04.73.96.44.75,
fax 04.73.96.58.04, e-mail charmensat@freesurf.fr
t.l.j. sf dim. 9h-12h 14h-19h

DESPRAT Légendaire 2003 ★

20 ha 2 500 5 à 8 €

Un vin blanc tout doré qui évolue joliment au fil de la dégustation. Il évoque les fruits très mûrs, le tilleul et même le miel, avec une touche vanillée. En bouche, tout est équilibre et élégance, la rondeur trouvant un contrepoint dans la vivacité finale. Le **Légendaire rosé 2004**, frais et fruité sous une teinte saumonée, obtient une étoile, tandis que le **Légendaire rouge 2003** est cité pour son harmonie aromatique.

Desprat Vins, 10, av. Jean-Baptiste-Veyre,
15000 Aurillac, tél. 04.71.48.25.16, fax 04.71.48.45.45,
e-mail desprat-vins@wanadoo.fr r.-v.

**Les vins du Centre**

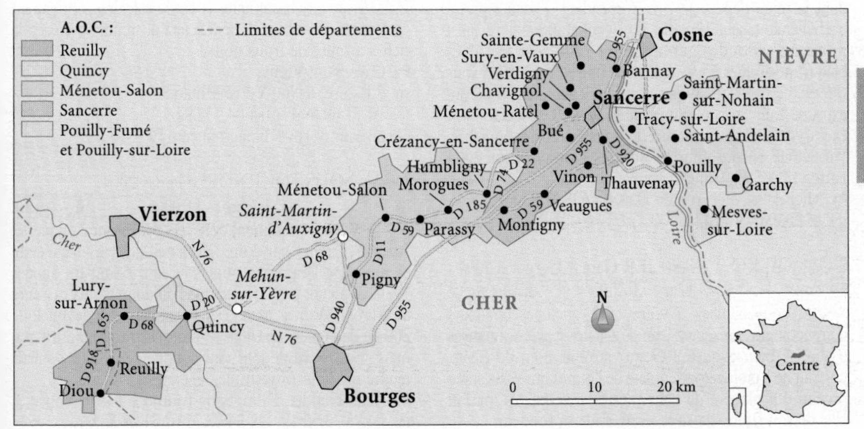

### DOM. DE LACHAUX Corent 2004 ★

■ 0,46 ha 3 900 3 à 5 €

Le village fortifié de Montpeyroux, construit en pierre d'arkose, n'est pas très éloigné de ce domaine de quelque 5 ha qui a élaboré un rosé de gamay assez pâle à l'œil. Les fruits se pressent au nez, tandis qu'un petit côté perlant aiguise gentiment les papilles pour les préparer à une grande fraîcheur.

Thierry Sciortino,
Dom. de Lachaux, 63270 Vic-le-Comte,
tél. 06.64.18.48.84, fax 04.73.69.08.06 r.-v.

### ODETTE ET GILLES MIOLANNE
Volcane 2004 ★★

■ 3,7 ha 18 921 3 à 5 €

En 1992, Odette et Gilles Miolane ont le déclic... Et s'ils reprenaient la petite propriété familiale créée dans les années 1880 ? Ils s'approchent aujourd'hui des 6 ha de vignes et ont élaboré en 2004 une remarquable cuvée de gamay et de pinot noir à parts égales. Des reflets violets animent la robe rouge profond. Difficile de résister à la tentation de ses senteurs de fruits noirs confits très développées, de sa franchise, de son équilibre parfait et de ses tanins soyeux en finale. Le **Volcane rosé 2004** est cité.

Odette et Gilles Miolanne,
EARL de la Sardissère, 17, rte de Coudes,
63320 Neschers, tél. 04.73.96.72.45, fax 04.73.96.25.79,
e-mail gilles.miolanne@wanadoo.fr r.-v.

### MICHEL PELISSIER Boudes Chardonnay 2004 ★

■ 0,6 ha 4 000 5 à 8 €

Michel et David Pelissier, père et fils, travaillent main dans la main depuis dix ans. Cependant, David reprend partiellement seul la suite de l'exploitation : il a ainsi proposé un **Boudes gamay-pinot 2004 rosé (3 à 5 €)** bien fruité auquel le jury a attribué une étoile. Michel vous réserve ce chardonnay jaune paille, légèrement doré qui exprime toute son élégance en bouche. Gras mais sans excès, vif dans la juste mesure, le vin est bel et bien équilibré. Une étoile encore pour le **Boudes gamay-pinot 2004 rouge (3 à 5 €)**, fruité et souple.

Michel Pelissier, rue de Dauzat, 63340 Boudes,
tél. et fax 04.73.96.43.45 r.-v.

### DOM. GILLES PERSILIER Gamay Gergovia 2004

■ 3 ha 14 000 3 à 5 €

Si vous conviez à votre table quelques amateurs d'archéologie, présentez-leur ce vin rose pâle à nuances orangées, bien étiqueté : Gergovia pour nom de cuvée, portrait de Vercingétorix, dessin de l'oppidum. Vous aurez préparé un plateau de charcuteries auvergnates, parfait allié de son fruité, de sa légèreté et de sa rondeur.

Gilles Persilier, 27, rue Jean-Jaurès, 63670 Gergovie,
tél. 04.73.79.44.42, fax 04.73.87.56.95,
e-mail gilles-persilier@wanadoo.fr r.-v.

### JEAN-PIERRE ET MARC PRADIER
Tradition 2004 ★

■ 1,5 ha 8 500 3 à 5 €

Un domaine de 11 ha de vignes éparpillées sur les coteaux argilo-calcaires qui cernent la commune de Martres-de-Veyres. Cette cuvée rouge cerise offre un nez intense de fruits rouges confits, puis une chair équilibrée et légère. Elle pourra accompagner tout un repas.

Jean-Pierre et Marc Pradier, 9, rue
Saint-Jean-Baptiste, 63730 Les Martres-de-Veyre,
tél. 04.73.39.86.41, fax 04.73.39.88.17,
e-mail jpmpradier@wanadoo.fr r.-v.

### DOM. ROUGEYRON
Châteaugay Cuvée Bousset d'or 2004 ★

■ 2 ha 16 000 3 à 5 €

Vulcania, le parc européen du volcanisme, n'est qu'à une dizaine de kilomètres de ce domaine de 20 ha. Après avoir remonté le temps sur 4 milliards d'années, vous aurez peut-être envie de retrouver la terre ferme et de goûter un vin d'aujourd'hui. Un 2004 jaune pâle à reflets verts qui sent le raisin bien mûr. L'attaque est franche, la bouche ronde avec une petite pointe perlante qui apporte de la fraîcheur en finale.

Dom. Rougeyron,
27, rue de La Crouzette, 63119 Châteaugay,
tél. 04.73.87.24.45, fax 04.73.87.23.55,
e-mail domaine.rougeyron@terre-net.fr r.-v.

### CAVE SAINT-VERNY Prestige 2003 ★

■ 20 ha 17 000 5 à 8 €

Le groupe Limagrain a repris en 1993 cette ancienne coopérative. Il propose dans le millésime 2003 trois vins très réussis. Ce côtes-d'auvergne blanc évolue dans un univers raffiné. Il se montre complexe par ses senteurs de fruits secs (raisins, amandes) et de brioche beurrée, puis offre une matière souple et ronde, au fruité mûr. Un chardonnay qui a bien profité de son élevage sur lies pendant dix-huit mois. Le **Privilège rouge 2003 Élevé en fût de chêne (8 à 11 €)**, ainsi que la cuvée **Renaissance rouge 2003**, deux assemblages de gamay et de pinot noir issus de terroirs basaltiques et argilo-calcaires, obtiennent également une étoile. Ils bénéficient de tanins soyeux et de riches arômes de fruits noirs.

Cave Saint-Verny,
rte d'Issoire, 63960 Veyre-Monton,
tél. 04.73.69.60.11, fax 04.73.69.65.22,
e-mail saint.verny@limagrain.com r.-v.

### DOM. SOUS-TOURNOEL Gamay 2004

■ 1,3 ha 11 000 3 à 5 €

« Volvic » est mentionné en rouge sur l'étiquette. Aucune erreur, car l'on fait aussi du vin dans cette commune célébrissime pour son eau. Avant les années 1930, ce n'était pas de l'eau que l'on donnait aux casseurs de la lave de Volvic, mais le vin produit à partir des quelque 260 ha de vignes. Les ceps se font plus rares aujourd'hui, mais l'on trouve de jolis vins comme ce rosé de couleur tendre qui vous offre fruité, légèreté et vivacité.

Alain Gaudet, Dom. Sous-Tournoël, 63530 Volvic,
tél. 04.73.33.52.12, fax 04.73.33.62.71 r.-v.

# Côtes-du-forez

C'est à une somme d'efforts intelligents et tenaces que l'on doit le maintien d'un bel et bon vignoble sur 17 communes autour de Boën-sur-Lignon (Loire). La production en 2004 s'élève à 5 165 hl de rouge et à 1 175 hl de rosé récolté sur 120 ha.

La quasi-totalité des excellents vins rosés et rouges, secs et vifs, exclusivement à base de gamay, est issue de terrains du tertiaire au nord et du primaire, au sud. Ils proviennent en majorité d'une belle cave coopérative. On consomme jeunes ces vins qui ont été reconnus en AOC en 2000.

GILLES BONNEFOY La Madone 2004 ★

■ 4 ha 15 000 3 à 5 €

Des vignes de trente ans implantées sur un sol argilo-basaltique sont à l'origine de ce vin rubis léger, au fruité agréable et typé. Tendre et rond dès l'attaque, celui-ci laisse une impression plaisante, mais il devra être servi dès l'automne en raison de sa légèreté.

Gilles Bonnefoy, Le Pizet, 42600 Champdieu,
tél. 04.77.97.07.33, fax 04.77.97.79.38,
e-mail g.bonnefoy@42.sideral.fr r.-v.

DOM. DE COUZAN Cuvée Alexis 2004 ★

■ 1,7 ha 3 500 **5 à 8 €**

Les circuits pédestres ne manquent pas dans cette région de volcans qui intéresse les amateurs de géologie comme les curieux de gastronomie et de vins. Frédéric Murat replante progressivement la vigne sur son domaine. Il propose un vin rubis profond à reflets violets qui livre des parfums puissants de fruits rouges. Après une attaque plutôt ronde se manifestent des tanins un peu austères, mais de qualité qui sauront s'assouplir dans les deux ans à venir. Un côtes-du-forez persistant et complet.

Frédéric Murat, Cremière,
42890 Sail-sous-Couzan, tél. et fax 04.77.97.63.57,
e-mail viti@domaine.de.couzan.com
sam. 9h30-12h

LES VIGNERONS FOREZIENS Les Loges 2004

■ 7 ha 30 000 **3 à 5 €**

La cave coopérative produit la majorité des vins de l'appellation. Le nom de sa cuvée Les Loges fait référence aux petites constructions éparpillées dans le paysage viticole. Rubis intense à reflets violets, le 2004 libère des arômes de cassis affirmés et des notes amyliques. Il emplit le palais de sa chair souple et friande, bien que quelques tanins encore austères se révèlent en finale. Un vin de type primeur, flatteur, que vous proposerez dès l'automne.

Les Vignerons Foréziens, BP 42, 42130 Trelins,
tél. 04.77.24.00.12, fax 04.77.24.01.76 r.-v.

J.-L. ET Y. GAUMON Cuvée de Chabert 2004 ★★

■ 3,5 ha 20 000 3 à 5 €

Cette cuvée porte le nom de la famille noble qui possédait la propriété avant 1970, date de la création du domaine. Elle se montre séduisante dès le premier regard porté sur sa robe rouge franc, limpide et brillant. Au nez riche de petits fruits rouges répond une bouche ronde et tout aussi fruitée, dotée d'une bonne fraîcheur. Un vin équilibré que vous apprécierez dans l'année. Le **Clos de Chozieux Vieilles Vignes 2004 (5 à 8 €)** reçoit une étoile.

EARL Le Clos de Chozieux, 42130 Leigneux,
tél. 04.77.24.38.54, fax 04.77.24.39.75,
e-mail clos.chozieux@wanadoo.fr
t.l.j. 9h-12h 14h-19h
J.-Luc et Yves Gaumon

ROBERT GUILLOT Opéra Fleur de Vigne 2004 ★

■ 0,55 ha 4 000 **5 à 8 €**

C'est dans une cave de vinification rénovée en 2004 qu'a été élaborée cette cuvée rubis à reflets violets, élevée pendant sept mois en cuve et en fût. Ses parfums se développent à l'aération dans les registres boisé et minéral, tandis qu'en bouche la chair tendre, aux tanins discrets, persiste bien sur les épices. Un vin à la fois structuré et rond, à boire dans les deux ans.

Robert Guillot, rte du Champ-de-Foire,
42130 Sainte-Agathe-la-Bouteresse,
tél. et fax 04.77.97.37.40 r.-v.

DOM. DE LA PIERRE NOIRE 2004 ★

■ 1 ha 7 000 3 à 5 €

Alors que le **rosé 2004** est cité pour sa souplesse et son fruité, cette cuvée a séduit davantage encore le jury. Vêtue de violine, elle délivre d'élégants parfums fruités (mûre), nuancés de minéral. Les mêmes arômes se manifestent en bouche, soulignant l'impression friande de souplesse et de richesse. Un 2004 bien vinifié qui fera bel effet sur votre table en 2006.

Hélène et Christian Gachet,
Dom. de la Pierre Noire,
chem. de l'Abreuvoir, 42610 Saint-Georges-Hauteville,
tél. 04.77.76.08.54 r.-v.

DOM. DU POYET Cuvée des Vieux Ceps 2004 ★★

■ 1,5 ha 7 200 5 à 8 €

Issue de vignes cinquantenaires, les plus vieilles de ce domaine de 9 ha, cette cuvée rubis brillant offre une palette de fruits rouges de bonne intensité. L'attaque ronde et friande annonce une bouche souple, à la fois fruitée et épicée, dont les tanins apparaissent fondus. Ce vin complet et équilibré sera apprécié pendant les deux prochaines années. Le **rosé 2004 (3 à 5 €)** est cité.

Jean-François Arnaud,
Dom. du Poyet, au Bourg, 42130 Marcilly-le-Châtel,
tél. 04.77.97.48.54, fax 04.77.97.48.71
t.l.j. 8h-20h

STEPHANE REAL 2004

■ 1 ha 4 000 **3 à 5 €**

Stéphane Réal a créé ce domaine il y a cinq ans à peine. Il entre dans le Guide grâce à un vin rubis brillant, dont les parfums fruités s'affirment à l'aération et prennent de nets accents de cassis. Assez souple malgré la présence de tanins encore un peu austères, ce 2004 équilibré et frais fera plaisir dès cet automne avec une fourme de Montbrison.

Stéphane Réal, Fontvial, 42560 Boisset-Saint-Priest,
tél. 06.67.48.04.63, fax 04.77.52.85.72 r.-v.

O. VERDIER ET J. LOGEL
Cuvée des Gourmets 2004 *

■ 5 ha 30 000 3 à 5 €

Lorsqu'il a pris la tête de l'exploitation familiale en 1992, Jacky Logel a quitté le système coopératif. Toujours aussi dynamique aujourd'hui, il aime à promouvoir les manifestations touristiques dans le vignoble et participe notamment à l'organisation de « La Loire aux 3 vignobles » en novembre. A cette occasion, vous découvrirez peut-être cette cuvée rubis profond qui se montre gourmande, en effet, par ses arômes fruités (cassis) et épicés. D'attaque souple, la bouche friande laisse persister longtemps ses flaveurs. Un vin déjà bien agréable, mais qui saura aussi affronter deux ans de garde. N'oubliez pas la cuvée **Amasis 2004**, citée : elle porte le nom de la reine du Forez, personnage d'Honoré d'Urfé qui écrivit le premier roman de la littérature française.

Odile Verdier et Jacky Logel,
La Côte, 42130 Marcilly-le-Châtel,
tél. 04.77.97.41.95, fax 04.77.97.48.80,
e-mail cave.verdierlogel@wanadoo.fr
t.l.j. sf dim. 9h-12h 14h-19h

# Coteaux-du-giennois

Sur les coteaux de Loire réputés depuis longtemps, tant dans la Nièvre que dans le Loiret, s'étendent des sols siliceux ou calcaires. En 2003, trois cépages traditionnels, le gamay, le pinot et le sauvignon, ont donné 5 376 hl dont 2 675 hl de vins blancs, légers et fruités, peu tanniques, authentique expression d'un terroir original ; les rouges peuvent être servis jusqu'à cinq ans d'âge, sur toutes les viandes.

Les plantations progressent toujours nettement dans la Nièvre, elles reprennent aussi dans le Loiret, attestant la bonne santé du vignoble qui atteint 173 ha. Les coteaux du giennois ont accédé à l'AOC en 1998.

EMILE BALLAND 2004 **

0,45 ha 2 900 8 à 11 €

En 2000, Émile Balland achète cette exploitation et plante de nouvelles vignes. Avec ce 2004, il décroche pour la deuxième fois deux étoiles dans le Guide. Le jury a été charmé par l'alliance réussie du bois et du vin, les notes vanillées et chocolatées très plaisantes se fondant parfaitement à la palette. Ample et rond en bouche, le vin fait preuve d'une indéniable harmonie. Le **rouge 2004** est cité.

Emile Balland, RN 7,
BP 9, 45420 Bonny-sur-Loire, tél. et fax 03.86.39.26.51,
e-mail emile.balland@infonie.fr r.-v.

JOSEPH BALLAND-CHAPUIS 2004 *

■ 3,5 ha 28 000 5 à 8 €

Issu d'un terroir argilo-siliceux sur soubassement calcaire, ce vin pourpre profond s'ouvre sur l'armoise et la cerise, complétées par une touche de graphite et de mûre. Les tanins sont-ils sévères ? Peut-être, mais ils ne tarderont pas à s'envelopper dans la matière. Un bon représentant de l'appellation tout comme la **cuvée Marguerite Marceau blanc 2003**. Le domaine fut coup de cœur dans l'édition 2003.

SCEA Dom. Balland-Chapuis,
allée des Soupirs, 45420 Bonny-sur-Loire,
tél. 02.48.54.06.67, fax 02.48.54.07.97,
e-mail balland.chapuis@wanadoo.fr r.-v.

BALLAND PERE ET FILS 2004 *

1 ha 7 500 5 à 8 €

Joseph et Emile Balland ont créé cette maison de négoce pour commercialiser les vins de domaines partenaires. Ce 2004 offre un nez puissant d'agrumes (pamplemousse, citron), agrémenté de menthe et d'une touche végétale. La bouche est fraîche, de bonne longueur. Un sauvignon bien typé, destiné aux poissons grillés et aux fruits de mer.

Balland Père et Fils,
RN7, BP9, 45420 Bonny-sur-Loire,
tél. et fax 03.86.39.26.51 r.-v.

EMMANUEL CHARRIER Prémices 2004

0,65 ha 3 000 3 à 5 €

Un départ prometteur pour Emmanuel Charrier, viticulteur installé depuis 2001 qui signe avec ces bien nommées Prémices sa première cuvée. Le nez exhale des arômes puissants de fruit de la Passion et de citron auxquels se mêlent des nuances minérales. Légère et vive, la bouche reflète la jeunesse de la vigne et du vin. Une bouteille à servir avec des fruits de mer.

Emmanuel Charrier, L'Epineau, Paillot,
58150 Saint-Martin-sur-Nohain, tél. 03.86.26.13.11,
fax 03.86.26.17.80, e-mail emmanuel.charrier@tiscali.fr
t.l.j. sf dim. 8h30-12h 13h-19h

LYCEE AGRICOLE DE COSNE-SUR-LOIRE
Cuvée Prestige 2004 **

■ 1,5 ha 6 000 5 à 8 €

Cette cuvée Prestige est la démonstration, si besoin était, de l'importance du travail à la vigne pour réussir un millésime, surtout lorsque les ceps n'ont pas plus de dix ans. Nez de cerise et de grillé avec une pointe de végétal, tanins effacés jusqu'en milieu de bouche, puis soyeux : cette bouteille trouve un heureux compromis entre puissance et tendreté. Belle pédagogie pour le lycée ! Le **rouge 2003 (3 à 5 €)** obtient une étoile, tandis que le **blanc 2004 (3 à 5 €)** est cité.

Lycée agricole de Cosne-sur-Loire,
Les Cottereaux, BP132, 58206 Cosne-sur-Loire Cedex,
tél. et fax 03.86.26.99.84
t.l.j. sf sam. dim. 8h-12h30 13h30-17h30;
f. 1er-15 août

DOM. DE LA GRANGE ARTHUIS
Les Daguettes 2004

n.c. 20 000 5 à 8 €

Le domaine de La Grange-Arthuis est à moins de 10 km de Saint-Fargeau. A proximité de la bourgade, quelques passionnés d'histoire se sont lancés, au XXIe s., dans la construction d'un château fort médiéval dans les conditions et avec les matériaux d'époque. L'ancienne ferme agricole de La Grange-Arthuis a été en partie reconvertie en vignoble. Elle propose un vin encore discret au nez, mais qui développe au palais un agréable fruité. L'ensemble est souple et frais, idéal pour accompagner un poisson. La cuvée **Les Daguettes rouge 2004** est citée.

🔑 Dom. de la Grange Arthuis, 89170 Lavau,
tél. 03.86.74.06.20, fax 03.86.74.18.01
t.l.j. 10h-12h 14h-18h; dim. 10h-12h
🔑 Reynaud

MICHEL LANGLOIS Le Champ galant 2003 ★

■ 1,5 ha 8 000 5 à 8 €

Elevé en fût pendant un an, ce vin livre des arômes intenses de noix de coco et de vanille qui masquent encore un peu le fruit. Rondeur et gras en attaque indiquent la bonne maturité du raisin, bien que les tanins encore austères appellent à une garde de deux ou trois ans pour s'arrondir. Le **blanc 2004** est cité pour sa minéralité et sa souplesse.

🔑 Michel Langlois, Le Bourg, 58200 Pougny,
tél. 03.86.28.06.52, fax 03.86.28.59.29
t.l.j. 9h-12h 15h-19h

DOM. DE MONTBENOIT 2004 ★★

1,6 ha 14 000 3 à 5 €

Jean-Marie Berthier est revenu dans le fief cosnois de ses parents en 1998 pour reprendre leur exploitation, en plus de celle qu'il possédait déjà à Sancerre. Ici, la finesse des notes de pêche blanche nuancées de végétal l'emporte sur la puissance. Une juste fraîcheur acidulée (pamplemousse) rehausse la matière qui persiste agréablement. Une bouteille pleine de charme, à déboucher à l'apéritif ou sur des fruits de mer.

🔑 Jean-Marie Berthier, Dom. des Clairneaux,
18240 Sainte-Gemme-en-Sancerrois, tél. 02.48.79.40.97,
fax 02.48.79.39.55 r.-v.

DOM. DES ORMOUSSEAUX 2003 ★

■ 8 ha 20 000 5 à 8 €

Plébiscité pour son coteaux-du-giennois blanc 2003, Hubert Veneau est étoilé cette année pour son vin rouge aux arômes expressifs de fruits cuits (pruneau), nuancés de touches animales. Les tanins ont certes besoin de s'assagir, mais l'on perçoit déjà un certain gras et de la souplesse en attaque. Cette bouteille pourra aisément vieillir trois ou quatre ans. Le **blanc 2004** est cité pour sa palette typique du sauvignon (buis, agrumes, feuille de cassis, fruits blancs).

🔑 SCEA Hubert Veneau, Les Ormousseaux,
58200 Saint-Père, tél. 03.86.28.01.17,
fax 03.86.28.44.71, e-mail hubert.veneau@wanadoo.fr
t.l.j. sf dim. 8h-12h 13h30-18h30

PHILIPPE POUPAT Le Trocadéro 2004 ★

■ 2,6 ha 20 000 5 à 8 €

Coup de cœur et trois étoiles dans le millésime 2003, la cuvée Le Trocadéro revient dans sa version 2004 sous une teinte rubis intense. Il suffit de l'aérer pour qu'apparaissent des arômes de fruits rouges avenants. A l'attaque ronde succède une structure de tanins encore jeunes, mais équilibrée. Un pari sans risque pour l'avenir. Le **blanc 2004 Rivotte** est cité.

🔑 Dom. Poupat et Fils, Rivotte, 45250 Briare,
tél. et fax 02.38.31.39.76 r.-v.

DOM. RAIMBAULT-PINEAU
Les Vignes du dimanche 2004

0,3 ha 2 600 5 à 8 €

Le nom de Vignes du dimanche est celui d'un lieu-dit viticole ancien, situé à proximité de Cosne-sur-Loire. Ce terroir a donné naissance à un vin simple, mais de bonne intensité, dominé par le minéral sur un fond fruité. Un coteaux-du-giennois équilibré.

🔑 Dom. Raimbault-Pineau,
rte de Sancerre, 18300 Sury-en-Vaux,
tél. 02.48.79.33.04, fax 02.48.79.36.25,
e-mail scev.raimbaultpineau@terre-net.fr
t.l.j. 9h-12h 14h-18h; sam. dim. sur r.-v.

DOM. DES RATAS 2004 ★

2,1 ha 14 000 5 à 8 €

E. Balland et M. Villeneuve exploitent conjointement ce domaine créé en 1994, sur un sol argilo-sableux. Des arômes variétaux prononcés de buis et de cassis invitent à découvrir la bouche franche, à la vivacité citronnée. L'équilibre se réalise.

🔑 SCEA Dom. des Ratas,
Les Ratas, 45420 Bonny-sur-Loire,
tél. 02.38.31.62.59, fax 02.38.07.18.99 r.-v.

SEBASTIEN TREUILLET Fût de chêne 2003 ★

■ 0,5 ha 2 000 5 à 8 €

Si Sébastien Treuillet connaît bien les vins blancs des AOC pouilly-fumé et pouilly-sur-loire, il maîtrise aussi l'élaboration des vins rouges comme en témoigne cette cuvée. L'empreinte de l'élevage de dix mois en fût est sensible, mais ne masque pas le fruité. En bouche, on perçoit beaucoup de douceur et de soyeux, rehaussés d'une légère amertume en finale. Un coteaux-du-giennois de soleil, original.

🔑 Sébastien Treuillet,
Fontenille, 58150 Tracy-sur-Loire,
tél. et fax 03.86.26.17.06 t.l.j. 8h30-12h 14h-19h

LES TUILERIES 2003 ★

■ 5 ha 26 000 3 à 5 €

Les caves de Pouilly-sur-Loire ont vinifié leur première cuvée de coteaux-du-giennois en 1970. Depuis, les dirigeants successifs se sont attachés à développer la production dans cette appellation. Empreint de senteurs de fruits bien mûrs tels la cerise et le cassis, ce 2003 se développe avec douceur tant il possède de gras. Quelques tanins encore austères apparaissent en finale comme pour indiquer qu'une garde de un à cinq ans est possible (mais pas obligatoire).

🔑 Caves de Pouilly-sur-Loire, Les Moulins à Vent,
39, av. de la Tuilerie, BP9, 58150 Pouilly-sur-Loire,
tél. 03.86.39.10.99, fax 03.86.39.02.28,
e-mail caves.pouilly.loire@wanadoo.fr r.-v.

DOM. DE VILLARGEAU Les Licotes 2003 ★★★

■ 0,3 ha 1 800 5 à 8 €

Quoi de neuf au domaine ? En 2004, les frères Thibault ont repris 4,5 ha de vignes en exploitation et Marc, leur fils et neveu, les a rejoints ; en 2005, ils ont ouvert un nouveau caveau de dégustation dans une grange de 1730. Une décision judicieuse car avec ce superbe coup de cœur, on espère que les visiteurs seront nombreux. Cette cuvée impressionne par sa matière concentrée et ses arômes intenses, frais et complexes de confiture de cassis, de cacao et d'épices. Les tanins serrés, mais veloutés lui confèrent de la mâche sans nuire à l'impression de charnu. Un équilibre parfait pour cette bouteille à proposer dès maintenant ou à attendre. La cuvée **Les Genêts gris 2003 en blanc** est citée.

GAEC Thibault, Villargeau, 58200 Pougny,
tél. 03.86.28.23.24, fax 03.86.28.47.00,
e-mail fthibault@wanadoo.fr r.-v.

DOM. DE VILLEGEAI Terre des violettes 2004 *

■ 2 ha 13 400 5 à 8 €

Egalement producteurs de pouilly-fumé, les frères Quintin ont obtenu un coup de cœur pour cette même cuvée dans le millésime 2002. Le 2004, aux arômes de fruits rouges (bigarreau) et de fumée de sarment, se montre souple en attaque puis dévoile quelques tanins encore austères. Néanmoins, c'est une impression de légèreté et de fruité que l'on retient. Le **rouge 2003 Cuvée du Chalet élevé en fût** reçoit également une étoile.

SCEA Quintin Frères,
Villegeai, 58200 Cosne-sur-Loire,
tél. 03.86.28.31.77, fax 03.86.28.20.77,
e-mail quintin.francois@wanadoo.fr r.-v.

# Saint-pourçain AOVDQS

Le paisible et plantureux Bourbonnais possède aussi, sur dix-neuf communes, un beau vignoble de 594 ha au sud-ouest de Moulins qui a donné 16 591 hl en 2003.

Les coteaux et les plateaux calcaires ou graveleux bordent la charmante Sioule ou sont proches d'elle. C'est surtout l'assemblage des vins issus de gamay et de pinot noir qui confère aux vins rouges et rosés leur charme fruité.

Les blancs ont fait autrefois la réputation de ce vignoble ; un cépage local, le tressallier, est assemblé au chardonnay et au sauvignon, conférant une grande originalité aromatique à ces vins.

DOM. DE BELLEVUE Grande Réserve 2004 *

6,3 ha 44 000 3 à 5 €

Le cas est assez rare pour être signalé : les quelque 18 ha de vignes entourent complètement la propriété de Jean-Louis et Chantal Pétillat. 80 % de chardonnay, 10 % de tressalier et 10 % de sauvignon composent ce 2004 de caractère, qui associe les notes florales à celles d'agrumes et de buis. En bouche, il est la légèreté et la fraîcheur mêmes. Équilibré d'un bout à l'autre de la dégustation, il garde de sa jeunesse une pointe d'amertume en finale. La **Grande Réserve rouge 2004**, encore un peu austère, est citée, de même que le **rosé 2004**, couleur pelure d'oignon et rond au palais.

Jean-Louis Pétillat, Bellevue, 03500 Meillard,
tél. 04.70.42.05.56, fax 04.70.42.09.75
t.l.j. sf dim. 9h-12h30 14h-19h

CH. COURTINAT 2004 **

■ 4 ha 26 000 3 à 5 €

L'église de Saulcet ne manque pas d'intérêt par ses peintures murales des XII^e, XIV^e et XV^e s. Une manière de joindre le culturel à la gastronomie est de se rendre, après sa visite, chez Christophe Courtinat. De jolis vins vous y attendent comme ce 2004 aux senteurs délicates de fruits mûrs à point. Sous une teinte pourpre à reflets violets se révèle une chair franche dès l'attaque, puis soyeuse et enveloppante. Les tanins souples assureront à cette bouteille une bonne tenue pendant les trois prochaines années. La **cuvée des Pérelles rouge 2003 (5 à 8 €)**, élevée huit mois en fût, obtient une étoile : ses tanins et son boisé semblent bien fondus, respectueux du fruit. La même note est attribuée au **2004 blanc** exclusivement issu de chardonnay, frais et fin.

Christophe Courtinat, Venteuil, 03500 Saulcet,
tél. 04.70.45.44.84, fax 04.70.45.80.13,
e-mail cavecourtinat@wanadoo.fr
lun.-sam. 9h-12h 14h-19h; dim. 9h-12h

DOM. GARDIEN Cuvée du Terroir 2004 *

■ 5 ha 39 000 3 à 5 €

Olivier et Christophe Gardien ont repris, il y a quatorze ans, ce domaine créé en 1924 par leur arrière-grand-père. Ils ont arrêté la culture de céréales pour se consacrer à la vigne qui couvre aujourd'hui 21 ha sur le terroir argilo-siliceux. Le gamay domine à 80 % cette cuvée encore sur la réserve mais qui s'ouvre à l'aération sur des senteurs de fruits rouges et d'épices. On apprécie sa belle attaque, puis sa rondeur.

Dom. Gardien, Chassignolles, 03210 Besson,
tél. 04.70.42.80.11, fax 04.70.42.80.99,
e-mail c.gardien@03.sideral.fr
t.l.j. sf dim. 8h-12h 14h-19h

DOM. GROSBOT-BARBARA
Grande Réserve 2003 **

■ 3 ha 6 000 3 à 5 €

Laissez-vous convaincre par ce vin qui évolue admirablement dans sa robe grenat à reflets violets. Au nez, le gamay et le pinot noir parlent avec le même accent, celui des épices et des fruits mûrs. La bouche est ample et généreuse, dotée de quelques tanins encore austères en finale. Il suffira d'attendre un ou deux ans que jeunesse se passe. La cuvée **La Vreladière 2004 blanc** est citée pour son élégante fraîcheur.

Dom. Grosbot-Barbara, Montjournal,
rte de Montluçon, 03500 Cesset, tél. 04.70.45.26.66,
fax 04.70.45.54.95 t.l.j. 10h-12h 14h-19h

CAVE JALLET
Cuvée Tradition Elevé en fût de chêne 2004 **

■ 1 ha 3 500 5 à 8 €

Une histoire de famille qui débute en 1913 et se poursuit depuis 1990 sous la houlette de Philippe Jallet : 7 ha de vignes sur sol argilo-calcaire. Du pinot à 70 %, forcément cela se voit dans la robe rouge profond à reflets violets. Les fruits noirs se manifestent intensément au nez, nuancés des arômes épicés et boisés hérités de neuf mois d'élevage en fût. L'attaque est ample, la bouche toute fruitée (myrtille) et vanillée, bien équilibrée. Les tanins sont si dociles que vous pouvez déjà apprécier cette bouteille avec une entrecôte, mais une garde d'un an ou deux n'est pas impossible.

Dom. Jallet, 30, pl. des Cailles, 03500 Saulcet, tél. 04.70.45.39.78 t.l.j. 8h-12h 14h-19h

### FAMILLE LAURENT Cuvée Prestige 2004

1,5 ha 7 000 5 à 8 €

Le chardonnay se taille la part du lion dans cette cuvée, à peine soutenu par 5 % de sauvignon et autant de tressalier. Au final, un vin aux nombreux reflets verts brillants, qui sent bon les agrumes et les fruits à chair blanche. Le fruit se prolonge en bouche, porté par la grande fraîcheur et égayé d'une touche épicée en finale. Un saint-pourçain coulant.

Famille Laurent, Montifaud, 03500 Saulcet, tél. 04.70.45.90.41, fax 04.70.45.90.42, e-mail cave.laurent@wanadoo.fr r.-v.

### SERGE ET ODILE NEBOUT
Elevé en barrique 2003 ★★★

3 ha 1 000 5 à 8 €

2003
Elevé en barrique
Saint-Pourçain
750 ml
12,5 % vol.
Serge & Odile NEBOUT
03500 ST POURÇAIN SUR SIOULE
PRODUIT DE FRANCE


Les jurés ont été unanimes devant ce saint-pourçain issu de 60 % de pinot noir et de 40 % de gamay récoltés sur un sol d'argile et de granite. A vous de juger à présent, l'œil rivé sur la robe rouge profond, le nez porté sur les arômes complexes de fruits noirs surmûris et d'épices. Percevez-vous l'élégance de cette matière souple et ronde qui se prolonge grâce à l'appui de tanins soyeux et charmeurs ? Un fleuron de l'appellation. La **cuvée Tradition rouge 2004 (3 à 5 €)**, qui n'a pas connu le bois, obtient une étoile : elle est fruitée et chaleureuse, promise à un bel avenir.

Serge et Odile Nebout, rte de Montluçon, 03500 Saint-Pourçain-sur-Sioule, tél. 04.70.45.31.70, fax 04.70.45.12.54 t.l.j. sf dim. 9h-12h 14h-19h

### LES VIGNERONS DE SAINT-POURCAIN
Réserve spéciale 2004 ★

10 ha 50 000 3 à 5 €

La cave coopérative, créée en 1952, a tout misé sur sa réserve spéciale. Rouge, blanc, rosé : tout est bon dans le millésime 2004, mais le jury a préféré ce vin pelure d'oignon brillant qui joue de sa finesse pour séduire. Des senteurs de fruits rouges s'associent aux notes de bonbon anglais, puis la bouche se développe avec fraîcheur et élégance. Cela sent bon les vacances... même si l'on a déjà repris le travail. Les **Réserves spéciales rouge 2004 et blanc 2004** sont citées.

Union des vignerons de Saint-Pourçain, 3, rue de la Ronde, BP 27, 03500 Saint-Pourçain-sur-Sioule, tél. 04.70.45.42.82, fax 04.70.45.99.34, e-mail udv@udvstpourcain.com t.l.j. sf dim. 8h30-12h30 13h30-18h; f. dim. 16 sept. au 31 avr.

### DOM. DE LA SOURDE 2004 ★

6 ha 20 000 3 à 5 €

Le domaine de la Sourde correspond à un ancien monastère du XVI[e]s. que le grand-père de Jean-Pierre Purseigle a repris en 1942. Intéressants saint-pourçain que ces 2004. Le premier, rouge, renferme 80 % de gamay. Il a la brillance du rubis, nuancé de reflets violets. Le pinot noir se manifeste pourtant au nez au travers d'arômes caractéristiques de griotte à l'eau-de-vie. La suite est faite de rondeur, de souplesse et de persistance. Un vin friand. Le second, la **cuvée Amélie 2004 blanc**, à base de 60 % de tressalier, est tout indiqué pour les crustacés tant il est frais. Une citation lui est accordée.

Jean-Pierre Purseigle, La Sourde, 9, rue Sainte-Catherine, 03500 Louchy-Montfand, tél. 04.70.45.42.53, fax 04.70.45.69.13 r.-v.

### CAVE TOUZAIN 2004

0,6 ha 4 400 3 à 5 €

Du gamay, un point c'est tout, dans ce rosé puissant qui possède de la personnalité. Couleur pivoine, presque clairet, il mêle les arômes de fruits, d'épices et de bonbon anglais. Il a du corps et du gras, bref, tous les atouts nécessaires pour accompagner un plateau de charcuteries. Le **2004 blanc** est cité également pour son caractère gouleyant et rafraîchissant.

Yannick Touzain, 9, RN 9, 03500 Contigny, tél. et fax 04.70.45.95.05 r.-v.

# Côte-roannaise

Des sols d'origine éruptive face à l'est, au sud et au sud-ouest, sur les pentes d'une vallée creusée par une Loire encore adolescente : voilà un milieu naturel qui appelle aussi le gamay. Quatorze communes (205 ha) situées sur la rive gauche du fleuve produisent d'excellents vins rouges et de frais rosés, plus rares. La production (11 369 hl en 2004 dont 1 343 hl de rosé) de vins originaux et de caractère intéresse les chefs les plus prestigieux de la région. On évoque les traditions viticoles au Musée forézien d'Ambierle.

### ALAIN BAILLON 2004

1,11 ha 7 000 5 à 8 €

Coup de cœur l'année dernière pour sa cuvée Montplaisir 2003, Alain Baillon propose ici un côte-roannaise rose pâle, limpide et brillant, qui décline progressivement des arômes fruités et floraux, mêlés de quelques notes de pain grillé. Dès l'attaque, une bonne fraîcheur envahit le palais. Le vin est droit, assez discret en finale, mais plaisant. Pour un service dans l'année.

Alain Baillon, Montplaisir, 42820 Ambierle, tél. 04.77.65.65.51, fax 04.77.65.65.65 r.-v.

PAUL ET JEAN-PIERRE BENETIERE
Vieilles Vignes 2004

■ 1,5 ha 10 000 3 à 5 €

En 1994, Jean-Pierre Benetière a pris la tête de cette propriété familiale. Auparavant, il s'était lancé dans la création d'un atelier de fabrication de vannerie traditionnelle. Cette cuvée rubis à reflets grenat exprime d'abord les épices avant de laisser apparaître des notes de groseille et de pivoine. Elle se montre soyeuse et volumineuse dès l'attaque en bouche, puis dévoile en finale quelques tanins vifs mais prometteurs. Un vin typique qui sera apprécié en tout début d'année 2006.

Paul et Jean-Pierre Benetière, pl. de la Mairie, 42155 Villemontais, tél. et fax 04.77.63.18.29 r.-v.

THIERRY BONNETON Boutheran 2004

■ 1,7 ha 10 000 3 à 5 €

Thierry Bonneton ne disposait que de 1 ha lorsqu'il créa son domaine en 1988. Aujourd'hui, il conduit 10 ha de vignes sur un terroir granitique. Le gamay lui a donné ce vin rubis brillant, aux parfums de petits fruits rouges et aux notes minérales typées. Plutôt long et aromatique en bouche, celui-ci se développe autour de tanins assez puissants, mais qui ne nuisent en rien à son équilibre. Il accompagnera grillades, viandes blanches et fromages.

Thierry Bonneton, La Prébande, 42370 Saint-André-d'Apchon, tél. 04.77.65.85.40, fax 04.77.65.94.72 t.l.j. 8h-19h

LA CHAMBRE 2004

■ 0,79 ha 6 900 3 à 5 €

L'élégante étiquette est illustrée d'un dessin de ce château rebâti au XV<sup>e</sup>s., à l'emplacement d'une ancienne prévôté. Après être resté à l'abandon pendant quarante ans, le vignoble a été restauré à partir de 1980 et de jeunes vignes ont été plantées en 2001. Celles-ci sont à l'origine de cette cuvée rubis brillant, au nez de kirsch, de framboise et de groseille. La matière légère, souple, imprègne le palais de ses arômes fruités. Un vin parfumé, à savourer dans l'année en accompagnement d'une épaule roulée.

Alain de Valence, SCEA La Chambre, 42370 Saint-Haon-le-Vieux, tél. 04.77.64.23.81, e-mail alaindevalence@free.fr r.-v.

CH. DE CHAMPAGNY Grande Réserve 2004 ★★

■ 1,5 ha 9 000 3 à 5 €

Alors que dans le cuvage construit au XVIII<sup>e</sup>s., 4 000 hl de vin étaient vinifiés avant 1900, il ne restait que 2 ha de vignes en 1968. Aujourd'hui, André et Frédéric Villeneuve exploitent 12 ha. Leur 2004 violet à reflets rubis livre des senteurs minérales et des accents de sous-bois, mêlés d'épices et de framboise compotée. La bouche ample et structurée par des tanins serrés décline longuement les arômes de fruits et de réglisse. Grâce à sa mâche, ce vin gardera de la tenue pendant deux ou trois ans et pourra accompagner une côte de bœuf charolaise. Le **Château de Champagny 2004** remporte une étoile pour son caractère souple et velouté.

André et Frédéric Villeneuve, Champagny, 42370 Saint-Haon-le-Vieux, tél. 04.77.64.42.88, fax 04.77.62.12.55 r.-v.

MICHEL DESORMIERE ET FILS Les Têtes 2004

■ 1,5 ha 15 000 3 à 5 €

Michel Désormière travaille avec ses deux fils, le second l'ayant rejoint en août 2004. Trois têtes pour réfléchir à la meilleure façon de conduire le vignoble de plus de 13 ha et d'en vinifier le fruit. Cette cuvée rubis brillant offre un nez intense de groseille et de framboise, mêlé de notes poivrées. Après une attaque franche, se révèle une matière fruitée et gouleyante, avec un brin de rusticité. Un vin de soif qui sera apprécié dans l'année avec du saucisson sec.

Michel Désormière et Fils, Le Perron, 42370 Renaison, tél. 04.77.64.48.55, fax 04.77.62.12.73, e-mail cave.desormiere@wanadoo.fr t.l.j. 8h-12h 13h30-19h; dim. sur r.-v.

DOM. DU FONTENAY
Rosé à l'ancienne Tête de cuvée 2004 ★

■ 0,5 ha 2 600 5 à 8 €

Pas de levurage, pas de chaptalisation et un élevage sur lies : il en résulte un rosé tirant sur le saumon qui s'ouvre sur les fruits rouges et des notes florales assez complexes. La bouche fait preuve d'équilibre entre un léger moelleux et une vivacité plaisante qui soutient les arômes jusqu'à une finale gourmande. Un vin à consommer dans l'année avec des viandes ou des poissons grillés, accompagnés d'une salade.

Dom. du Fontenay, 42155 Villemontais, tél. 04.77.63.12.22, fax 04.77.63.15.95 t.l.j. 9h-20h
Hawkins

FRANCOIS LASSEIGNE Malème 2004

■ 0,51 ha 1 320 3 à 5 €

Exposé plein sud à flanc de coteau, ce vignoble est cultivé depuis 1877 par la même famille. Le 2004, rose limpide et brillant, livre des arômes agréables, mais discrets. La bouche franche, nette et fraîche, dévoile une structure légère et des arômes de groseille. Une bouteille à proposer dès aujourd'hui en accompagnement de charcuteries.

François Lasseigne, Le Bourg, 42640 Saint-Romain-la-Motte, tél. et fax 04.77.64.54.72, e-mail vinmaleme42@aol.com r.-v.

DOM. DE MAYENCAT 2004

■ 10,5 ha 40 000 3 à 5 €

Les vignes (10,5 ha) d'une quinzaine d'années sont implantées à proximité des bâtiments et du corps de ferme du XVIII<sup>e</sup>s. Ce côte-roannaise, de teinte rubis profond, affiche un nez minéral. Ces notes aromatiques réapparaissent en bouche au côté des flaveurs fruitées, en contrepoint d'une structure puissante. Un vin équilibré, que l'on aimerait un peu plus persistant, mais qui saura résister à deux ans de garde. Pour des charcuteries et des viandes grillées.

Maurice Thinon, Mayencat, 42155 Villemontais, tél. et fax 04.77.63.32.86, e-mail maurice-thinon@yahoo.fr t.l.j. 8h-20h

DOM. DU PAVILLON 2004

■ 8 ha 48 000 3 à 5 €

Non loin du village d'Ambierle construit autour d'une abbaye du XV<sup>e</sup>s., ce domaine cultive 9 ha de vignes sur un terroir d'arènes granitiques. Son vin rubis soutenu dispense des senteurs complexes de noisette grillée, de venaison, puis de myrtille, de fraise, de poivre et de gingembre. D'attaque fraîche, la bouche s'appuie sur des tanins aux flaveurs mentholées. Un côte-roannaise plaisant dès l'apéritif et autour du barbecue.

Dom. du Pavillon, Le Pavillon, 42820 Ambierle, tél. 04.77.65.64.35, fax 04.77.65.69.69 r.-v.

### MAURICE PIAT ET FILS
Cuvée Vieilles Vignes 2004

1,5 ha 6 000 3 à 5 €

Certaines vignes plantées au début du siècle dernier par le grand-père sont toujours en production, mais celles qui sont à l'origine de cette cuvée sont âgées de soixante-dix ans. Sous une teinte rubis limpide se manifestent des notes amyliques, des arômes de framboise, de groseille et de cassis associés aux épices. La bouche rafraîchissante bénéficie de tanins souples qui donnent à l'ensemble un caractère friand. A déguster dans l'année avec des charcuteries.

Gérard Piat, La Chapelle, 42155 Saint-Jean-Saint-Maurice, tél. et fax 04.77.63.12.85 r.-v.

### DOM. DES POTHIERS Référence 2004

3 ha 12 000 5 à 8 €

Une maison à galerie caractérise ce domaine qui a progressivement accordé plus d'importance à la vigne qu'à la production laitière. En 2005, Romain Paire a rejoint ses parents sur l'exploitation de 5 ha. Dotée d'une robe grenat brillant, cette cuvée s'ouvre sur des parfums de confiture de mûres, de poivre, de réglisse et des nuances minérales. Après une attaque franche, des tanins rustiques aux notes de terroir se manifestent. Un vin typé qui pourra accompagner en 2006 un plateau de fromages.

Denise et Georges Paire, Les Pothiers, 42155 Villemontais, tél. 04.77.63.15.84, fax 04.77.63.19.24 r.-v.

### DOM. DE LA ROCHETTE
Les Vieilles Vignes du Château 2004

2 ha 10 000 5 à 8 €

Si l'engagement de la famille dans la viticulture remonte à 1630, c'est en 1939 que le grand-père d'Antoine Néron fait l'acquisition de ce domaine qui compte aujourd'hui 11,5 ha. Habillée d'une robe rouge profond à nuances violacées, cette cuvée exprime des notes boisées héritées de six mois d'élevage en fût. La bouche franche en attaque se poursuit sur des sensations fruitées, associées à des tanins encore une peu austères en finale. Un 2004 agréable, à servir dans les deux ans.

Antoine Néron, La Rochette, 42155 Villemontais, tél. 04.77.63.10.62, fax 04.77.63.35.54, e-mail antoine-neron@wanadoo.fr
t.l.j. sf dim. 8h30-12h30 14h-19h

### ROBERT SEROL ET FILS Les Originelles 2004 *

8 ha 56 000 3 à 5 €

Notée une étoile dans le millésime 2003, la cuvée **Les Vieilles Vignes 2004** est d'un même niveau : structure de qualité, fraîcheur et aptitude à une garde de deux ou trois ans. Le 2004 Les Originelles a su également séduire le jury par sa teinte pourpre limpide, ses parfums développés de framboise, de mûre, de griotte et de cassis, associés aux notes florales. En bouche ces arômes se confirment, accompagnant une impression de rondeur que ne contrarient pas les tanins assez fermes. Un vin ample et structuré, capable de vous satisfaire pendant les trois prochaines années. Pour une andouillette ou une entrecôte marchand de vin.

EARL Robert Sérol et Fils, Les Estinaudes, 42370 Renaison, tél. 04.77.64.44.04, fax 04.77.62.10.87, e-mail contact@domaine-serol.com
t.l.j. 9h-12h 13h30-19h; dim. sur r.-v.

### PHLIPPE ET JEAN-MARIE VIAL Bouthéran 2004

2 ha 10 000 3 à 5 €

Issue de l'emblématique coteau granitique de Bouthéran, cette cuvée rubis soutenu et brillant livre de fines nuances minérales et des arômes de fruits rouges. La bouche aromatique est encore dominée par des tanins vifs, mais une garde d'un an ou deux permettra de l'assouplir. Des plateaux de charcuteries et de fromages seront alors les bienvenus.

GAEC Vial, Bel-Air, 42370 Saint-André-d'Apchon, tél. 04.77.65.81.04, fax 04.77.65.91.99, e-mail gaec.vial@libertysurf.fr
t.l.j. 9h-12h15 14h-19h; dim. sur r.-v.

## Menetou-salon

Menetou-Salon doit son origine viticole à la proximité de la métropole médiévale qu'était Bourges ; Jacques Cœur y eut des vignes. A l'encontre de nombreux vignobles jadis célèbres, la région est demeurée viticole, et son vignoble de près de 440 ha est de qualité.

Sur ses coteaux bien adaptés, Menetou-Salon partage, avec son prestigieux voisin Sancerre, sols favorables et cépages nobles : sauvignon blanc et pinot noir sur kimméridgien. D'où ces vins blancs frais, épicés, ces rosés délicats et fruités, ces rouges harmonieux et bouquetés, à boire jeunes. Fierté du Berry viticole, ils accompagnent à ravir une cuisine classique mais savoureuse (apéritif, entrées chaudes pour les blancs ; poisson, lapin, charcuterie pour les rouges, à servir frais). La production a atteint en 2004 15 581 hl de vin blanc, 10 017 hl de vin rouge et 1 195 hl de rosé.

### DOM. DE BEAUREPAIRE
Cuvée du Grand Argentier Elevé en fût de chêne 2003 **

0,25 ha 1 500 5 à 8 €

Habillé d'un rubis violacé, ce vin livre des notes de fruits rouges surmûris (fraise, cerise) particulièrement intenses, relevées d'un soupçon d'épices. Rond et riche au palais, structuré par des tanins fondus, il s'approche des sommets de l'appellation.

Cave Gilbon, Beaurepaire, 18220 Soulangis, tél. 02.48.64.41.09, fax 02.48.64.39.89
t.l.j. sf dim. 9h-12h 14h-18h30, sam. sur r.-v.; f. 15-31 août

### DOM. DE CHAMPARLAN 2004

0,51 ha 4 500 5 à 8 €

David Girard a obtenu un baccalauréat professionnel viticole et s'est installé en 2003 dans ce petit domaine de moins de 1 ha avec l'ambition de développer l'exploitation.

LOIRE

Dans l'ancienne écurie aménagée en cave, vous découvrirez ce menetou-salon floral (tilleul, genêt) et végétal (fougère, mousse) qui ne manque ni de vivacité ni d'expression fruitée en bouche. Un vin typique du millésime.
David Girard, Champarlan, 18250 Humbligny,
tél. et fax 02.48.79.22.67 r.-v.

## DOM DE CHATENOY
Elevé en fût de chêne 2003 **

10 ha 60 000 8 à 11 €

Coup de cœur dans la précédente édition du Guide, Isabelle et Pierre Clément décrochent à nouveau deux étoiles et ne sont pas passés loin de la récompense suprême. Que de constance dans la qualité. Leur menetou-salon élevé onze mois en barrique porte une robe grenat violacé à reflets noirs. Au nez, il offre un festival de senteurs : violette et fruits mûrs, épices et grillé. La bouche s'appuie sur des tanins fondus et se développe jusqu'à une finale encore marquée par le boisé. Une bouteille qu'il faudra attendre de cinq à dix ans. La **Dame de Chatenoy blanc 2004** obtient une étoile, tandis que le **blanc 2004** du domaine est cité.
Isabelle et Pierre Clément, Dom. de Châtenoy,
18510 Menetou-Salon, tél. 02.48.66.68.70,
fax 02.48.66.68.71, e-mail ip.clement@wanadoo.fr
t.l.j. sf sam. dim. 8h30-12h 13h30-17h30; f. août

## G. CHAVET ET FILS 2004 *

11,44 ha 95 000 8 à 11 €

Un domaine bien connu des lecteurs du Guide. En 2004, le blanc a la préférence du jury. Au nez ouvert sur des senteurs fruitées (pamplemousse, orange) répond une bouche tendre et veloutée en attaque, puis vive et persistante. Un vin équilibré à servir dès la sortie du Guide ou à attendre un an. Dans le même millésime, le **rosé** et le **rouge** sont cités, le premier pour son agréable fruité, le second pour son intensité.
G. Chavet et Fils, GAEC des Brangers,
rte de Bourges, 18510 Menetou-Salon,
tél. 02.48.64.80.87, fax 02.48.64.84.78,
e-mail contact@chavet-vins.com
t.l.j. sf dim. 8h-12h 13h30-18h

## DOM. DE COQUIN 2004 *

6,5 ha 56 000 5 à 8 €

Francis Audiot accueille les visiteurs dans un bâtiment ancien où se trouvait autrefois un pressoir, tandis que la cuverie est de construction récente. Son 2004 vous séduira. Après agitation, les notes végétales s'estompent et cèdent place à des nuances fruitées (pêche jaune, orange sanguine). Tendre en attaque, le vin développe ensuite une fraîcheur persistante. Il gagnera à être attendu une année. Le **rouge 2004** est cité.
Francis Audiot,
Dom. de Coquin, 18510 Menetou-Salon,
tél. 02.48.64.80.46, fax 02.48.64.84.51
t.l.j. sf dim. 9h-12h 13h30-18h30

## DOM. DE L'ERMITAGE 2003

6,5 ha 44 000 5 à 8 €

Voici la première cuvée vinifiée par Géraud de La Farge. Le nez de bonne intensité s'ouvre sur des arômes de fleurs et de pâte d'amandes. La bouche est tendre et ample ; la fraîcheur tarde à se manifester comme dans beaucoup de 2003. Un menetou-salon bien dans le type du millésime.
Géraud et Laurence de la Farge,
Dom. de l'Ermitage, 18500 Berry-Bouy,
tél. 02.48.26.87.46, fax 02.48.26.03.28,
e-mail domaine-ermitage@wanadoo.fr
r.-v.

## DOM. GILBERT Les Renardières 2003 **

2 ha 8 000 15 à 23 €

La tradition viticole remonterait à 1768 dans cette exploitation qui compte aujourd'hui 27 ha. Les vignes les plus âgées du domaine ont donné naissance à un 2003 d'un grenat dense à reflets violacés qui mêle harmonieusement des parfums de fruits mûrs et des notes de torréfaction. La bouche révèle un boisé encore un peu présent. Une bouteille prometteuse, à attendre de deux à cinq ans. Le jury a retenu avec une citation le **blanc 2004** et le **rouge 2004 (tous deux de 8 à 11 €)**.
Dom. Gilbert, Les Faucards, 18510 Menetou-Salon,
tél. 02.48.66.65.90, fax 02.48.66.65.99,
e-mail gilbert.p@wanadoo.fr
t.l.j. sf sam. dim. 8h-12h 13h30-18h;
f. 22 août-5 sept.

## JEAN-PAUL GODINAT 2003

2,61 ha 11 000 5 à 8 €

Les arômes de fruits confiturés, la fraise notamment, dominent au nez. La bouche procure d'abord une sensation de rondeur, puis révèle des tanins encore un peu austères qui tendent à masquer le fruit. Un menetou-salon de bonne facture qui accompagnera agréablement une viande rouge dans deux ou trois ans.
Jean-Paul Godinat, Chais du Val de Loire,
34, rte de Bourges, 18510 Menetou-Salon,
tél. 02.48.64.88.88, fax 02.48.64.87.97,
e-mail chais.du.val.de.loire@wanadoo.fr r.-v.

## DOM. HENRY PELLE Morogues 2004 **

20 ha 160 000 8 à 11 €

Un domaine réputé pour la qualité de sa production de menetou-salon. Réputation qui ne sera pas démentie par ce coup de cœur décerné à l'unanimité du jury. La discrétion aromatique de ce vin encore jeune est la signature de son terroir d'origine (marnes argilo-calcaires). Les senteurs de fleurs et de fruits à chair blanche n'en sont pas moins d'une grande finesse. En bouche, tendreté et fraîcheur s'allient harmonieusement. Long et souple, c'est un vin plaisir, doté d'un excellent potentiel de garde (au minimum un à deux ans). Le **Clos de Ratier blanc 2004 (11 à 15 €)** reçoit une étoile pour son harmonie.
SARL Henry Pellé, rte d'Aubriges,
18220 Morogues, tél. 02.48.64.42.48,
fax 02.48.64.36.88, e-mail info@henry-pelle.com
t.l.j. sf dim. 8h30-12h 13h30-17h30; sam. 15h-18h

LE PRIEURE DE SAINT-CEOLS
Cuvée des Bénédictins Elevé en fût de chêne 2003 ★★
■ 0,3 ha 1 780 8 à 11 €

Que de chemin parcouru depuis les premiers ceps plantés par Pierre Jacolin en 1986... Tout est somptueux dans cette cuvée : la robe grenat sombre et brillant, le nez intense de violette, de griotte et de fraise, les tanins fondus et soyeux, la finale persistante. Et quelle concentration ! Le jury attribue une étoile au **rouge 2004 (5 à 8 €)**, prometteur, ainsi qu'une citation au **blanc 2004 (5 à 8 €)**.
Pierre Jacolin, Le Prieuré de Saint-Céols, 18220 Saint-Céols, tél. 02.48.64.40.75, fax 02.48.64.41.15, e-mail sarl-jacolin@cegetel.net
t.l.j. 8h-19h; sam. dim. sur r.-v.

LA TOUR SAINT-MARTIN Morogues 2004
■ 0,88 ha 7 000 8 à 11 €

Après plusieurs sélections en rouge et en blanc, dont un coup de cœur dans le Guide 2004, le jury a retenu cette année le rosé de Bertrand Minchin. D'une couleur pâle à reflets or gris, ce vin révèle une palette riche de petits fruits rouges légèrement surmûris, rehaussée d'une pointe de minéralité. Après une attaque douce, la bouche fait preuve de finesse.
Bertrand Minchin, EARL La Tour Saint-Martin, 18340 Crosses, tél. 02.48.25.02.95, fax 02.48.25.05.03, e-mail tour.saint.martin@wanadoo.fr r.-v.

CHRISTOPHE ET GUY TURPIN Morogues 2004
■ 5,5 ha 30 000 5 à 8 €

Installé au domaine en 1989, Christophe Turpin propose un Morogues de bonne facture. Le nez encore timide demande à s'ouvrir, mais libère déjà quelques notes de fruits mûrs nuancées de grillé. Bien construit, ce vin sera prêt en 2006.
Christophe Turpin, 11, pl. de l'Eglise, 18220 Morogues, tél. et fax 02.48.64.32.24, e-mail christopheturpin@wanadoo.fr
t.l.j. sf dim. 10h-12h 14h-19h

# Pouilly-fumé et pouilly-sur-loire

Œuvre de moines, et qui plus est de bénédictins, voilà l'heureux vignoble des vins blancs secs de Pouilly-sur-Loire ! La Loire s'y heurte à un promontoire calcaire qui la rejette vers le nord-ouest, mais dont le sol, moins calcaire cependant qu'à Sancerre, sert de support privilégié au vignoble exposé sud-sud-est. C'est là que l'on retrouve les vignes de sauvignon « blanc fumé », lequel aura bientôt entièrement supplanté le chasselas, pourtant historiquement lié à Pouilly et producteur d'un vin non dénué de charme lorsqu'il est cultivé sur sols siliceux. Le pouilly-sur-loire (2 511 hl) est produit sur 40 ha alors que le pouilly-fumé représente 1 160 ha qui ont donné 75 833 hl en 2004 d'un vin qui traduit bien les qualités enfouies en terres calcaires : une fraîcheur qui n'exclut pas une certaine fermeté, un assortiment d'arômes spécifiques du cépage, affinés par le milieu de culture et les conditions de fermentation du moût.

Ici encore la vigne s'intègre harmonieusement aux paysages de Loire où le charme des lieux-dits (les Cornets, les Loges, le calvaire de Saint-Andelain...) fait pressentir la qualité des vins. Fromages secs et fruits de mer leur conviendront, mais ils seront séduisants aussi en apéritif, servis bien frais.

# Pouilly-fumé

JEAN-PIERRE BAILLY
Rabatelleries Vieilles Vignes 2003
■ 1 ha 3 000 5 à 8 €

Jean-Pierre Bailly, qui exploite 15 ha de vignes, est membre de la confrérie des Baillis de Pouilly. Il a élevé en cuve pendant douze mois son pouilly-fumé, d'origine argilo-calcaire. Le nez, plutôt sobre, exprime des arômes de litchi et de rose avant d'évoluer vers la pâte de fruits. La bouche se montre d'une grande douceur jusqu'en finale. Une agréable bouteille.
Jean-Pierre Bailly, Les Girarmes, 58150 Tracy-sur-Loire, tél. 03.86.26.14.32, fax 03.86.26.16.13 r.-v.

MICHEL BAILLY Cuvée MB 2003 ★★
■ n.c. 3 000 5 à 8 €

De la cave de Michel Bailly, située en haut du petit village des Loges, on jouit d'un beau panorama sur la Loire. La cuvée MB est marquée par son élevage d'un an en fût. Elle exhale d'agréables senteurs de cire et de pain grillé beurré. Au palais, les flaveurs boisées et grillées se fondent harmonieusement dans la matière ample, légèrement miellée. Un pouilly-fumé original et séduisant.
Michel Bailly et Fils, 3, rue Saint-Vincent, Les Loges, 58150 Pouilly-sur-Loire, tél. 03.86.39.04.78, fax 03.86.39.05.25, e-mail domaine.michel.bailly@wanadoo.fr
t.l.j. 8h-12h 14h-18h; sam. dim. sur r.-v.

DOM. BARDIN Cuvée des Bernadats 2004
■ 1,56 ha 13 000 8 à 11 €

Un élevage en cuve de dix mois pour cette cuvée aux arômes fruités, évocateurs de coing. La bouche plus végétale offre une grande fraîcheur tout en restant équilibrée.

🔑 Cédrick Bardin,
12, rue Waldeck-Rousseau, 58150 Pouilly-sur-Loire,
tél. 03.86.39.11.24, fax 03.86.39.16.50,
e-mail cedrick.bardin@terre-net.fr r.-v.

## DOM. DE BEL AIR Cuvée Riquette 2004

13 ha 20 000 5 à 8 €

Coup de cœur l'an dernier, le domaine de Bel Air propose un vin de teinte platine nuancée de discrets reflets verts. Le nez franc décline des notes citronnées qui trouvent écho en bouche après une première impression de rondeur. Une vivacité sans excès en fait une bouteille digne d'un sandre de Loire.

🔑 Mauroy-Gauliez, Dom. de Bel Air, Le Bouchot,
58150 Pouilly-sur-Loire, tél. 03.86.39.15.85,
fax 03.86.39.19.52, e-mail mauroygauliez@aol.com
t.l.j. 8h-12h 13h30-18h30

## DOM. DES BERTHIERS 2004

12 ha 90 000 5 à 8 €

La famille Fournier dirige depuis dix ans ce domaine de 15 ha, situé près de Pouilly-sur-Loire et à 5 km du château de Tracy. Son vin s'affirme avec puissance par ses arômes de buis, de genêt et de fougère comme par son fruité léger (agrumes). Souple et rond au premier abord, il dévoile peu à peu sa vivacité avant de finir sur une touche acidulée (citron).

🔑 SCEA Dom. des Berthiers, Les Berthiers, BP 30,
58150 Saint-Andelain, tél. 03.86.39.12.85,
fax 03.86.39.12.94, e-mail claude@fournier-pere-fils.fr
t.l.j. 10h-17h; sam. dim. sur r.-v.
🔑 J.-Cl. Dagueneau

## FRANCIS BLANCHET Oestrea 2004

4,3 ha 20 000 5 à 8 €

Il affiche les arômes typiques du sauvignon : bourgeon de cassis, agrumes, genêt, pêche. Tout en vivacité, il convainc par son équilibre et sa longueur en bouche. A servir avec une côte de veau aux morilles. La cuvée **Calcite 2004** est citée ; c'est un bon représentant de l'appellation.

🔑 EARL Francis Blanchet,
Le Bouchot, 58150 Pouilly-sur-Loire,
tél. 03.86.39.05.90, fax 03.86.39.13.19
t.l.j. 9h-12h 14h-19h; dim. sur r.-v.; f. 15-31 août

## BOUCHIE-CHATELLIER Argile à S 2003

2 ha 10 000 8 à 11 €

Argile à... silex. Tel est le terroir qui a donné naissance à ce vin généreux qui exprime des arômes fruités (pêche) et épicés (thym, basilic). Souple en attaque, la bouche est égayée par une ligne minérale en finale. A servir en accompagnement d'une volaille en sauce.

🔑 EARL Bouchié-Chatellier,
La Renardière, 58150 Saint-Andelain,
tél. 03.86.39.14.01, fax 03.86.39.05.18,
e-mail pouilly.fume.bouchie.chatellier@wanadoo.fr
r.-v.

## DOM. DU BOUCHOT Regain 2004 *

2 ha 10 000 5 à 8 €

Le père et le fils ont mis leur savoir-faire en commun pour élaborer de jolis vins régulièrement retenus par les dégustateurs du Guide. Ainsi de ce Regain qui marie arômes de fleurs blanches, de bourgeon de cassis et notes minérales au nez. Plein et ample, il fait preuve de finesse et d'élégance. Vous le servirez avec un poisson à la crème. Le **Domaine du Bouchot 2004** est cité.

🔑 Dom. du Bouchot, BP 31, 58150 Saint-Andelain,
tél. 03.86.39.13.95, fax 03.86.39.05.92 r.-v.
🔑 Kerbiquet

## HENRI BOURGEOIS
La Demoiselle de Bourgeois 2003 **

4,5 ha 36 150 11 à 15 €

Une fois de plus, la Demoiselle de Bourgeois vient nous rendre visite dans le Guide. Et avec quel panache ! Elle est d'ailleurs passée près du coup de cœur... Revêtue d'une livrée or vert lumineux, elle exhibe des parfums d'une grande finesse (fleurs blanches, fruits mûrs). La bouche ronde, relevée d'un zeste de fraîcheur, fait preuve d'une persistance remarquable. Une signature de grande élégance.

🔑 SARL Henri Bourgeois, Chavignol, 18300 Sancerre,
tél. 02.48.78.53.20, fax 02.48.54.14.24,
e-mail domaine@henribourgeois.com r.-v.

## DOM. A. CAILBOURDIN
Cuvée de Boisfleury 2004 *

5 ha 40 000 8 à 11 €

Trois cuvées d'Alain Cailbourdin, qui vinifie séparément ses différents terroirs, ont été retenues. La cuvée de Boisfleury, issue d'un sol argilo-calcaire, a eu la préférence du jury. Ses arômes à dominante florale (fleurs blanches et rose), sa structure équilibrée concourent à créer une fort belle harmonie. Un pouilly-fumé prometteur à servir avec un sandre au beurre blanc. **Les Cris 2004** et **Les Cornets 2004** sont tous deux cités.

🔑 Dom. Alain Cailbourdin,
Maltaverne, 58150 Tracy-sur-Loire,
tél. 03.86.26.17.73, fax 03.86.26.14.73,
e-mail cailbourdin@domaine-cailbourdin.com
t.l.j. 8h-18h; sam. dim. sur r.-v.;
f. 20 déc.-4 janv.

## LES CHANTALOUETTES 2003

5,1 ha 45 000 5 à 8 €

Un jaune intense à reflets dorés habille ce vin. Si le nez est encore timide, on décèle cependant des notes d'agrumes et de miel. La bouche est grasse, de faible acidité. Une légère amertume rehausse une finale de bonne longueur.

🔑 EARL Les Chantalouettes,
1, rue René-Couard, 58150 Pouilly-sur-Loire,
tél. 03.86.39.56.60

## CHATELAIN 2004 **

15 ha 130 000 5 à 8 €

Douzième Chatelain sur le domaine, Vincent s'emploie à maintenir la qualité des vins produits dans ses chais. Il obtient une étoile pour sa cuvée **Prestige 2003 (11 à 15 €)**, mais c'est ce 2004 qui a ravi les dégustateurs. Celui-ci est un assemblage de crus issus de terroirs argilo-siliceux et calcaires. Déjà ouvert, il libère des arômes d'amande et de pomme verte, puis, à l'aération, des notes de pierre à fusil et de rose. Bien équilibrée, longue en bouche et harmonieuse, cette bouteille est un beau reflet de l'appellation.

🔑 Dom. Chatelain,
Les Berthiers, 58150 Saint-Andelain,
tél. 03.86.39.17.46, fax 03.86.39.01.13,
e-mail jean-claude.chatelain@wanadoo.fr
t.l.j. 8h-12h 13h30-17h30; sam. dim. sur r.-v.

### DOM. LES CHAUMES 2004 *

16,3 ha 110 000 5 à 8 €

En 1969 Jean-Jacques Bardin a franchi la Loire pour s'installer à Pouilly-sur-Loire, en commençant par acheter des vignes de son grand-père. D'une limpidité cristalline, son pouilly-fumé laisse échapper des notes de fruits confits étonnantes pour le millésime. Franc et vif en bouche, il témoigne d'une bonne maîtrise de la vinification. Pourquoi ne pas le servir avec un saumon à l'oseille ?

SCEV Jean-Jacques Bardin,
Les Chaumes, 58150 Pouilly-sur-Loire,
tél. 03.86.39.15.87, fax 03.86.39.08.77,
e-mail jean-jacquesbardin@wanadoo.fr
t.l.j. 8h30-19h

### GILLES CHOLLET Opaline 2003 **

0,6 ha 1 800 8 à 11 €

Gilles Chollet réside dans le vieux village vigneron du Bouchot. En guise de bienvenue, il vous proposera ce vin aux senteurs de poire et de fruit de la Passion, nuancées de miel. Très fruitée, la bouche ample est en accord avec le nez. Une grande concentration de matière et de l'élégance pour cette remarquable bouteille qui accompagnera un foie gras.

Gilles Chollet, Le Bouchot, 58150 Pouilly-sur-Loire,
tél. 03.86.39.02.19, fax 03.86.39.06.13,
e-mail gilleschollet@terre-net.fr
t.l.j. 10h-12h30 14h-19h; f. 15-30 août

### DOM. PAUL CORNEAU Cuvée Sélection 2004

7 ha 35 000 5 à 8 €

Des nuances de fruits et de bourgeon de cassis animent ce vin frais et friand qui s'achève sur une sensation un peu vive. Il faudra laisser le temps faire son œuvre.

Paul Corneau, Le Bouchot, 58150 Pouilly-sur-Loire,
tél. 03.86.39.17.95, fax 03.86.39.16.32,
e-mail domainecorneau@wanadoo.fr r.-v.

### DIDIER DAGUENEAU
Cuvée des Premiers Baisers 2003 *

3 ha 10 000 38 à 46 €

La robe brille de reflets or. Invitation à découvrir le nez suave, de bonne intensité, à dominante de fruits exotiques un peu confiturés. La matière ronde dévoile un léger boisé, en parfait accord avec le fruit. Une expression originale du pouilly-fumé. Un dégustateur note : « Presque un vin de dessert. » Il pourra accompagner une tarte aux fruits exotiques.

Didier Dagueneau, 1357, rue Ernesto-Che-Guevara,
58150 Saint-Andelain, tél. 03.86.39.15.62,
fax 03.86.39.07.61, e-mail silex@wanadoo.fr
r.-v.

### DOM. SERGE DAGUENEAU & FILLES 2004

15 ha 100 000 8 à 11 €

Ce pouilly-fumé 2004, quarantième millésime de Serge Dagueneau, surprend par son caractère suave. Ses arômes évoquent le caramel et le beurre frais, tandis que la bouche se montre ronde, dotée de beaucoup de gras. Originale et plaisante, cette bouteille suscite l'intérêt.

Serge Dagueneau et Filles,
Les Berthiers, 58150 Saint-Andelain,
tél. 03.86.39.11.18, fax 03.86.39.05.32 r.-v.

### MARC DESCHAMPS Les Porcheronnes 2004

2,05 ha 13 000 5 à 8 €

De couleur pâle, ce pouilly-fumé brille de quelques reflets argentés. Des nuances variétales caractéristiques, buis et genêt, dominent le nez. La bouche se structure autour d'une vivacité présente, mais équilibrée qui laisse une impression durable de finesse. D'autres qualités se révéleront avec le temps. Pour des crustacés.

Marc Deschamps,
Les Loges, 58150 Pouilly-sur-Loire,
tél. 03.86.69.16.43, fax 03.86.39.06.90 r.-v.
Colette Figeat

### JEAN DUMONT Les Coques vieilles 2004 *

14,27 ha 129 300 5 à 8 €

Belle réussite pour ce négociant de Pouilly-sur-Loire puisque les trois cuvées qu'il a présentées ont été sélectionnées. Les Coques vieilles dévoilent des arômes d'agrumes avant de s'ouvrir sur la pêche jaune. La bouche se révèle élégante et pleine de fraîcheur, avec en finale un zeste de pamplemousse. C'est un vin droit, de bonne tenue. **Les Charmilles 2004** sont retenues avec une étoile, tandis que **La Grande Pièce 2004** obtient une citation.

Jean Dumont, RN 7,
La Castille, BP 26, 58150 Pouilly-sur-Loire,
tél. 03.86.39.56.60, fax 03.86.39.08.30 r.-v.

### DOM. GAUDRY Les Longues Echines 2004 **

8,2 ha 73 600 5 à 8 €

La maison Jean Dumont obtient la consécration avec ces Longues Echines, remarquable ambassadeur du millésime. Les arômes d'agrumes se mêlent à une minéralité sans doute puisée dans le terroir argilo-siliceux. Puis la bouche équilibrée offre de la rondeur et de la persistance sur une agréable touche anisée. **Le Grand Plateau 2004** est cité.

Jean Dumont, RN 7,
La Castille, BP 26, 58150 Pouilly-sur-Loire,
tél. 03.86.39.56.60, fax 03.86.39.08.30 r.-v.

### DOM. DOMINIQUE GUYOT Les Loges 2004

6,75 ha 15 300 5 à 8 €

Dominique Guyot a beau être à la pointe des techniques vinicoles, il tient à poursuivre ses vendanges à la main, sans céder à la tentation de la machine. Il a élaboré un vin finement parfumé de coing, d'acacia, d'abricot et de nougat. La bouche tendre en attaque se fait souple dans son développement. Une bouteille à ouvrir en accompagnement d'une viande blanche.

LOIRE

Dominique Guyot, Les Loges,
4, rue des Pressoirs, 58150 Pouilly-sur-Loire,
tél. 03.86.39.14.76, fax 03.86.39.18.73 r.-v.

DOM. LANDRAT-GUYOLLOT Carte noire 2003 *

0,75 ha 5 000 11 à 15 €

La surmaturité, liée au climat exceptionnellement chaud de l'été 2003, transparaît dans cette cuvée spéciale. Le fruité s'exprime surtout sous des accents de confit, tandis que d'agréables notes florales apportent de la finesse à la palette. Chaleureuse, la bouche se montre souple et ample jusqu'en finale.

Dom. Landrat-Guyollot,
Les Berthiers, 58150 Saint-Andelain,
tél. 03.86.39.11.83, fax 03.86.39.11.65
t.l.j. sf dim. 9h-12h 13h-18h; sam. dim. sur r.-v.

DOM. DE LA LOGE 2004

5 ha 28 240 5 à 8 €

David Millet s'est installé en 2002 ; il souhaite développer son exploitation et fidéliser sa clientèle. Il ne devrait pas avoir de difficulté avec des vins comme ce pouilly-fumé. Sans retenue, les arômes évoquent principalement la groseille et le genêt. La dégustation de ce vin léger et équilibré se termine sur une vivacité bien présente et des notes fruitées. A servir avec des huîtres.

David Millet, Soumard, 58150 Saint-Andelain,
tél. 03.86.39.10.83, fax 03.86.39.05.49 r.-v.

PIERRE MARCHAND ET FILS 2004

2,4 ha 20 000 8 à 11 €

Ce domaine, coup de cœur du Guide 2003, présente un vin limpide à reflets jaune pâle, parfumé de notes végétales. Une attaque franche et nette, un corps léger pour ce vin facile à boire qui pourra accompagner un fromage de chèvre.

Pierre Marchand et Fils, 9, rue des Pressoirs,
Les Loges, 58150 Pouilly-sur-Loire, tél. 03.86.39.14.61,
fax 03.86.39.17.21 t.l.j. 9h-12h30 14h-19h30

DOM. MASSON-BLONDELET Les Angelots 2004

6 ha 40 000 8 à 11 €

Après une maîtrise de droit public et un bref passage à la direction des Impôts, Jean-Michel Masson s'est tourné vers la viticulture, encouragé par sa femme Michelle issue d'une longue lignée de vignerons. La cave et le caveau sont installés dans la maison natale de celle-ci, au cœur du village de Pouilly-sur-Loire. Cette cuvée mêle des senteurs de bonbon à une note de rose. Assez vineuse, franche et équilibrée, elle se développe avec rondeur et laisse une sensation de fondant. Pour accompagner des poissons grillés. Egalement citée, la cuvée **Villa Paulus 2004**.

Jean-Michel Masson, 1, rue de Paris,
58150 Pouilly-sur-Loire, tél. 03.86.39.00.34,
fax 03.86.39.04.61, e-mail info@masson-blondelet.com
t.l.j. 9h-12h 13h30-17h30

FREDERIC ET SOPHIE MICHOT 2004 *

2,75 ha 20 000 5 à 8 €

En 2004, Frédéric Michot a agrandi son exploitation par la reprise de la propriété de ses parents. Il possède aujourd'hui 7,20 ha de vignes. Son pouilly-fumé dévoile un nez élégant marqué par le buis et les agrumes (citron). Ample, il repose sur la fraîcheur tout en offrant une légère rondeur. Un vin gouleyant. La **cuvée Sainte-Clara Vieilles Vignes 2004** obtient une citation.

Frédéric et Sophie Michot,
Soumard, 58150 Saint-Andelain,
tél. 03.86.39.03.54, fax 03.86.39.08.57,
e-mail michot.frederic@wanadoo.fr r.-v.

REGIS MINET Vieilles Vignes 2004

2,2 ha 10 000 5 à 8 €

Cette cuvée est issue des vignes les plus âgées de l'exploitation. Un soupçon de fruits exotiques accompagne des arômes floraux et végétaux (buis) : le nez « sauvignonne ». Vive, la bouche est soutenue par une vivacité bien présente, fort plaisante. Une bouteille qui devrait convenir à un plateau de fruits de mer.

Régis Minet, Le Bouchot, 58150 Pouilly-sur-Loire,
tél. et fax 03.86.39.04.32,
e-mail minet.regis@wanadoo.fr r.-v.

JEAN-PAUL MOLLET
L'Antique Vieilles Vignes 2004 *

1,5 ha 12 000 8 à 11 €

Jean-Paul Mollet, régulièrement étoilé dans le Guide, a repris ce vieux domaine familial en 2004. Une décision qu'il ne doit pas regretter au vu des résultats obtenus. Sa cuvée possède un nez intense de pêche blanche ; dès les premières impressions, le charme opère. Agréable au palais, de bonne longueur en finale, il est le fruit d'une vinification bien menée. Les cuvées **Les Sables 2004** et **Jean-Paul Mollet 2004** sont toutes deux citées.

Jean-Paul Mollet, 11, rue des Ecoles, Boisgibault,
58150 Tracy-sur-Loire, tél. 02.48.54.13.88,
fax 02.48.54.09.28, e-mail mollet.jean-paul@wanadoo.fr
t.l.j. 8h-12h 14h-19h

LES MOULINS A VENT 2004 *

6 ha 40 000 8 à 11 €

La cave de Pouilly-sur-Loire, créée il y a plus de cinquante ans, a été bâtie dans un style traditionnel sur la colline des Moulins à Vent de Pouilly. L'intensité des arômes minéraux, nuancés de fougère et de fumé, donne tout son caractère à ce vin net et bien structuré. Un peu vif, il fait preuve d'une bonne ampleur.

Caves de Pouilly-sur-Loire, Les Moulins à Vent,
39, av. de la Tuilerie, BP9, 58150 Pouilly-sur-Loire,
tél. 03.86.39.10.99, fax 03.86.39.02.28,
e-mail caves.pouilly.loire@wanadoo.fr r.-v.

DOMINIQUE PABIOT Cuvée Plaisir 2004 *

1,98 ha 10 000 11 à 15 €

Issue d'une sélection de parcelles les plus âgées du domaine, cette cuvée, comme le suggère son nom, procure beaucoup de plaisir. Elle se présente dans une robe brillante, or soutenu. Le nez encore timide révélera sa minéralité aux plus patients. Du volume, une finale bien fraîche pour ce vin qu'il faudra savoir attendre. La cuvée **Les Vieilles Terres 2004 (8 à 11 €)** obtient une citation.

Dominique Pabiot, pl. des Mariniers,
Les Loges, 58150 Pouilly-sur-Loire, tél. 03.86.39.19.09,
fax 03.86.39.09.91, e-mail dominique-pabiot@cario.fr
t.l.j. sf sam. dim. 8h-12h 14h-18h

DOM. PABIOT 2004 **

12 ha 80 000 5 à 8 €

Cette cuvée exprime la fraîcheur de la rosée printanière tant par ses arômes de fleurs blanches, de violette et de fougère que par sa bouche franche et vive, remarquablement persistante sur les fruits blancs et les agrumes. Un

vin qui fait honneur au millésime. Le jury a attribué une étoile au **Château de la Roche 2004** présenté par le même négociant.
SAS Besombes-Moc-Baril, 24, rue Jules-Amiot, BP 125, 49400 Saint-Hilaire-Saint-Florent, tél. 02.41.50.23.23, fax 02.41.50.30.45, e-mail besombes@uapl.fr r.-v.

## DOM. ROGER PABIOT Cuvée Silex 2003

1,75 ha 8 000 8 à 11 €

Depuis le départ à la retraite de leur père Roger Pabiot, Gérard et Bernard mènent ce domaine familial de 21 ha. Cette cuvée issue d'un terroir d'argiles à silex a été élevée pendant dix-huit mois sur lies fines. Dorée, elle révèle une bonne intensité aromatique (fruits secs : amande, noisette), puis une matière d'une extrême souplesse. Une bouteille typique du millésime 2003.
Dom. Roger Pabiot et ses Fils, 13, rte de Pouilly, Boisgibault, 58150 Tracy-sur-Loire, tél. 03.86.26.18.41, fax 03.86.26.19.89, e-mail domainerogerpabiot@wanadoo.fr r.-v.

## JEAN PABIOT ET FILS
Prestige des Fines Caillottes 2003 **

2 ha 13 000 8 à 11 €

Les caillottes ? Ce sont ces petites pierres calcaires blanches que l'on trouve sur le sol argilo-calcaire à l'origine de ce pouilly-fumé. Celui-ci s'habille d'une robe pâle, signe de jeunesse. Au nez, le fruit de la Passion, les épices et le miel constituent un ensemble aromatique complexe. Intense, la bouche allie fraîcheur et rondeur de manière étonnante pour un millésime 2003. Un vin distingué. Le **Domaine des Fines Caillottes 2004** est cité.
Jean Pabiot et Fils, 9, rue de la Treille, Les Loges, 58150 Pouilly-sur-Loire, tél. 03.86.39.10.25, fax 03.86.39.10.12, e-mail info@jean-pabiot.com
t.l.j. 8h-12h 14h-18h; sam. dim. sur r.-v.
Alain Pabiot

## DOM. RAIMBAULT-PINEAU
La Montée des Lumeaux 2004 *

3 ha 25 000 8 à 11 €

Les Raimbault-Pineau font partie de ces familles qui possèdent traditionnellement des vignobles à Sancerre puis qui se sont étendues dans les aires d'appellation voisines. Ce pouilly-fumé s'annonce par des effluves intenses de fleur d'acacia. La vivacité est non seulement un bon support des flaveurs, mais aussi un gage de longévité. Un vin prometteur.
Dom. Raimbault-Pineau, rte de Sancerre, 18300 Sury-en-Vaux, tél. 02.48.79.33.04, fax 02.48.79.36.25, e-mail scev.raimbaultpineau@terre-net.fr
t.l.j. 9h-12h 14h-18h; sam. dim. sur r.-v.

## MICHEL REDDE ET FILS Petit Fumé 2004

4 ha 30 000 8 à 11 €

Les caves Michel Redde et Fils sont situées au bord de l'autoroute A 77, mais depuis que cette voie est en service, il faut faire un petit détour pour y accéder. Au nez comme en bouche, ce pouilly-fumé est marqué par des arômes de pain grillé et une note minérale. L'équilibre gustatif est cohérent, la finale ronde, de bonne longueur. Un vin à servir en apéritif.
SA Michel Redde et Fils, La Moynerie, 58150 Pouilly-sur-Loire, tél. 03.86.39.14.72, fax 03.86.39.04.36, e-mail thierry-redde@michel-redde.fr r.-v.
Thierry Redde

## DOM. DE RIAUX 2004

11 ha 70 000 8 à 11 €

Coup de cœur pour les millésimes 2001 et 2003, respectivement dans les éditions 2003 et 2005 du Guide, Bertrand et Alexis Jeannot ont élaboré un pouilly-fumé 2004 plus modeste, mais qui a toutefois retenu l'attention du jury. Des senteurs minérales et un caractère vif laissent deviner que ce vin est issu d'un sol d'argiles à silex. Le nez est dominé par les nuances du cépage (buis et genêt), tandis que la bouche se montre un peu plus austère, mais bien équilibrée. Une bouteille simple et agréable, à boire dès la sortie du Guide.
GAEC Jeannot Père et Fils, Dom. de Riaux, 58150 Saint-Andelain, tél. 03.86.39.11.37, fax 03.86.39.06.21 r.-v.

## DOM. CHRISTIAN SALMON
Clos des Criots 2004 **

3,22 ha 25 000 8 à 11 €

Armand Salmon vient d'une ancienne famille de vignerons sancerrrois. Il a élaboré un vin à reflets dorés qui laisse échapper des senteurs complexes de kiwi, de melon et d'agrumes. Tendre en attaque, charnue et bien dimensionnée en milieu de bouche, la bouche fait la part belle à la fraîcheur dans sa finale mentholée. Un grand pouilly-fumé à l'équilibre juste et généreux.
Dom. Christian Salmon, Le Carroir, 18300 Bué, tél. 02.48.54.20.54, fax 02.48.54.30.36, e-mail domainechristiansalmon@wanadoo.fr r.-v.

## DOM. HERVE SEGUIN 2004 **

14 ha 90 000 5 à 8 €

Hervé (le père) et Philippe (le fils, œnologue) se sont associés pour exploiter le vignoble familial de 16 ha. Des senteurs complexes de fleurs blanches, de cassis et des fruits exotiques s'expriment au nez. Ample, la bouche finement acidulée et longue présente une juste rondeur. A servir avec des crustacés.
EARL Dom. Hervé Seguin, Le Bouchot, 58150 Pouilly-sur-Loire, tél. 03.86.39.10.75, fax 03.86.39.10.26, e-mail herve.seguin@wanadoo.fr
t.l.j. 9h-12h 14h-19h

## DOM. TABORDET 2004 **

7,7 ha 69 000 8 à 11 €

Depuis 1980, les frères Yvon et Pascal Tabordet, qui ont épousé deux sœurs, ont repris l'exploitation familiale à Sancerre et se sont diversifiés sur Pouilly. D'une teinte dorée à reflets verts, leur vin séduit par ses intenses fragrances fruitées et minérales, typiques du cépage et du terroir. La bouche à la fois veloutée et fraîche se montre charnue. Une bouteille complexe qui illustre remarquablement le millésime.
Yvon et Pascal Tabordet, rue du Carroir-Perrin, Chaudoux, 18300 Verdigny, tél. 02.48.79.34.01, fax 02.48.79.32.69, e-mail domaine.tabordet@wanadoo.fr
t.l.j. 9h-12h 14h-18h; dim. sur r.-v.

### F. TINEL-BLONDELET Genetin 2004

3 ha 24 000 8 à 11 €

Ce Genetin trouve sa source dans un pur calcaire de Villiers. Sur la réserve, le nez laisse échapper des arômes de rose, de fruits et de grillé, mais aussi des notes de sous-bois complexes. La bouche tout en légèreté s'avère suffisamment persistante. Une cuvée bien vinifiée.

Dom. Tinel-Blondelet, La Croix-Canat, 58150 Pouilly-sur-Loire, tél. 03.86.39.13.83, fax 03.86.39.02.94, e-mail tinel-blondelet@wanadoo.fr t.l.j. 9h-12h30 14h-18h

Annick Tinel

### SEBASTIEN TREUILLET 2004 *

2,5 ha 10 000 5 à 8 €

Entre la pêche de vigne et la poire, les arômes se déclinent dans le registre fruité. La bouche, tout en rondeur, presque soyeuse – ce qui est surprenant pour un 2004 – fait preuve de finesse et de subtilité. Un pouilly-fumé à déboucher dès la sortie du Guide pour accompagner une volaille à la crème.

Sébastien Treuillet, Fontenille, 58150 Tracy-sur-Loire, tél. et fax 03.86.26.17.06 t.l.j. 8h30-12h 14h-19h

## Pouilly-sur-loire

### BARILLOT PERE ET FILS 2004

0,35 ha 2 000 3 à 5 €

Aujourd'hui le fils, Frédéric Barillot, est seul aux commandes du domaine. Son vin d'intensité moyenne développe des arômes de meringue et de beurre. D'attaque souple, il gagne progressivement en vivacité jusqu'à une finale sur le pamplemousse. A servir avec une entrée froide.

Barillot Père et Fils, Le Bouchot, 58150 Pouilly-sur-Loire, tél. 03.86.39.15.29, fax 03.86.39.09.52 t.l.j. 9h-12h 13h30-19h; groupes sur r.-v.

### DOM. DE BEL AIR 2004

0,6 ha 3 000 3 à 5 €

Or franc à reflets argentés, ce vin développe des senteurs simples et harmonieuses, d'abord amyliques (banane) puis florales. Il se montre vif et ample, laissant en finale une sensation citronnée. Réservez-le à des coquillages.

Mauroy-Gauliez, Dom. de Bel Air, Le Bouchot, 58150 Pouilly-sur-Loire, tél. 03.86.39.15.85, fax 03.86.39.19.52, e-mail mauroygauliez@aol.com t.l.j. 8h-12h 13h30-18h30

### GILLES BLANCHET 2004 **

0,76 ha 6 000 3 à 5 €

Gilles Blanchet fait partie de ces vignerons de moins en moins nombreux qui s'intéressent au cépage chasselas dans l'appellation pouilly-sur-loire. Pour la plus grande satisfaction des amateurs, car il a élaboré ce 2004 remarquable. Discret au premier nez, le vin dévoile à l'aération des arômes typés d'amande fraîche et de fleurs jaunes. En bouche, les sensations se fondent harmonieusement : souplesse et gras, fraîcheur et flaveurs de citron mûr. Une bouteille à proposer en apéritif, puis tout au long du repas.

EARL Gilles Blanchet, Les Berthiers, 58150 Saint-Andelain, tél. 03.86.39.14.03, fax 03.86.39.00.54 r.-v.

### DOM. CHAMPEAU 2003 *

1,9 ha 6 000 5 à 8 €

Fruits confits, confiture de prunes, beurre : le pouilly-sur-loire du domaine Champeau possède les arômes caractéristiques du millésime 2003. Ronde, grasse, la bouche est en accord avec le nez. Ce vin a su conserver toute sa jeunesse, ce qui laisse présager un bel avenir. A savourer avec un fromage à pâte cuite.

SCEA Dom. Champeau, Le Bourg, 58150 Saint-Andelain, tél. 03.86.39.15.61, fax 03.86.39.19.44, e-mail domaine.champeau@wanadoo.fr t.l.j. 8h30-12h 14h-18h; dim. sur r.-v.

### GILLES CHOLLET 2004 *

0,7 ha 4 000 3 à 5 €

Bien que discrètes, les nuances aromatiques n'en sont pas moins variées : orange, fleurs, mie de pain. Le vin est souple et coulant, doté d'une vivacité sans excès et de flaveurs d'abricot bien mûr. Un pouilly-sur-loire plaisant, de bonne facture.

Gilles Chollet, Le Bouchot, 58150 Pouilly-sur-Loire, tél. 03.86.39.02.19, fax 03.86.39.06.13, e-mail gilleschollet@terre-net.fr t.l.j. 10h-12h30 14h-19h; f. 15-30 août

### ALBERT GREBET 2004

0,5 ha 1 000 3 à 5 €

La cinquième génération est aujourd'hui à la tête de cette exploitation de 16 ha installée dans le vieux village des Loges. Elle a élaboré un pouilly-sur-loire qui laisse poindre de discrètes notes de pamplemousse et de pêche blanche. Souple et léger jusqu'en milieu de bouche, avec un bon retour aromatique, ce vin se termine sur une sensation de zeste de citron. Pourquoi ne pas l'essayer avec une tarte aux pommes ?

Gérard Grebet et Fils, Les Loges, 58150 Tracy-sur-Loire, tél. 03.86.39.00.11, fax 03.86.39.04.50, e-mail scea.grebetfils@libertysurf.fr r.-v.

### DOM. DE RIAUX 2004 *

0,4 ha 3 000 5 à 8 €

Elus coup de cœur dans cette appellation dans la précédente édition du Guide, Bertrand Jeannot et son fils ont réussi en 2004 un vin couleur platine, dominé par les arômes de fruits mûrs (orange, pêche). Après une attaque

ronde, la bouche gagne en vivacité. Une bouteille représentative de son appellation et de son millésime.
GAEC Jeannot Père et Fils,
Dom. de Riaux, 58150 Saint-Andelain,
tél. 03.86.39.11.37, fax 03.86.39.06.21 r.-v.

# Quincy

C'est sur les bords du Cher, non loin de Bourges et près de Mehun-sur-Yèvre, lieux riches en souvenirs historiques du XVIes., que les vignobles de Quincy et de Brinay s'étendent sur 174 ha, sur des plateaux de graves sablo-argileuses sur calcaires lacustres.

Le seul cépage sauvignon blanc fournit les quincy (12 635 hl en 2004), qui présentent une grande légèreté, une certaine finesse et de la distinction dans le type frais et fruité.

Si, comme l'écrivait le Dr Guyot au XIXes., le cépage domine le cru, le quincy apporte aussi la démonstration que, dans une même région, la même variété peut s'exprimer en vins différents selon la nature des sols ; et c'est tant mieux pour l'amateur, qui trouvera ici l'un des plus élégants vins de Loire, à déguster avec les poissons et les fruits de mer aussi bien qu'avec les fromages de chèvre.

## DOM. SYLVAIN BAILLY

Beaucharme La Croix Saint Ursin 2004 *

n.c. 30 000 5 à 8 €

Jacques Bailly, viticulteur à Sancerre, a réussi à se faire une place dans le vignoble de Quincy. Son 2004 procure au nez une étonnante sensation de douceur grâce à ses arômes d'abricot mûr relevés de notes de pamplemousse. Après une attaque légèrement perlante, il présente de l'ampleur et un caractère charnu, égayé d'une pointe de vivacité en finale. Du même domaine, la cuvée **Les Grands Cœurs 2004** est citée.
Dom. Sylvain Bailly, 71, rue de Venoize, 18300 Bué,
tél. 02.48.54.02.75, fax 02.48.54.28.41,
e-mail jacquesbailly3@wanadoo.fr
t.l.j. 8h30-12h 14h-18h; dim. sur r.-v.

## GERARD BIGONNEAU 2004 *

2,38 ha 13 000 5 à 8 €

La relève est assurée au domaine : en 2006, Virginie Bigonneau, une des filles, viendra rejoindre son père. Pour lors, Gérard Bigonneau présente un 2004 de teinte pâle, voire platine, preuve que l'extraction des moûts a été particulièrement douce. Si le nez est intense déjà, il devrait encore s'ouvrir dans les mois à venir. Ample en bouche avec un agréable fruité, c'est un quincy de bonne lignée.
Gérard Bigonneau, La Chagnat, 18120 Brinay,
tél. 02.48.52.80.22, fax 02.48.52.83.41 r.-v.

## DOM. DES CAVES 2004

5 ha 30 000 5 à 8 €

Bruno Lecomte, qui signe avec ce 2004 son dixième millésime, figure régulièrement en bonne place dans le Guide. Son vin se caractérise par des senteurs printanières, florales, végétales et mentholées. La structure repose sur une juste vivacité, soulignée par des flaveurs d'agrumes (citron et pamplemousse). Un quincy simple et de bonne persistance qui s'accordera avec un crottin de Chavignol. Le **Domaine Leconte Vieilles Vignes 2004** est également cité.
Bruno Lecomte, 105, rue Saint-Exupéry,
18520 Avord, tél. 02.48.69.27.14, fax 02.48.69.16.42,
e-mail quincy.lecomte@wanadoo.fr r.-v.

## DOM. DE CHEVILLY 2004

7,3 ha 52 000 5 à 8 €

Discret au nez, ce vin laissait apparaître une pointe végétale de buis, avant de s'ouvrir sur des notes exotiques d'ananas. Tout en rondeur en attaque, il laisse une même sensation suave en milieu de bouche, puis dévoile de la vivacité en finale. Un 2004 de facture classique.
Yves et Antoine Lestourgie,
Dom. de Chevilly, 52, rte de Chevilly, 18120 Méreau,
tél. et fax 02.48.52.80.45,
e-mail domaine.de.chevilly@free.fr r.-v.

## CLOS DE LA VICTOIRE 2004

1,75 ha 12 500 8 à 11 €

A 3 km du chai de Jean-Michel Sorbe, l'église de Brinay, avec ses superbes fresques, est une référence en matière de style roman. N'oubliez pas pour autant de vous rendre au domaine pour y découvrir ce quincy fruité et minéral. Un léger perlant rafraîchit la bouche douce et suffisamment ample. A servir avec un poisson en sauce.
SARL Dom. Jean-Michel Sorbe,
Le Buisson Long, rte de Quincy, 18120 Brinay,
tél. 02.48.51.30.17, fax 02.48.51.35.47,
e-mail jeanmichelsorbe@jeanmichelsorbe.com
r.-v.

## DOM. DE LA COMMANDERIE 2004 *

7 ha 45 000 5 à 8 €

En 1993, Jean-Charles Borgnat a décidé d'abandonner progressivement la polyculture pour se consacrer à la vigne. Aujourd'hui, il porte toute son attention à l'élaboration de quincy typés, tel ce 2004 très minéral (pierre à fusil) au premier nez, puis empreint de notes d'agrumes. Au palais, la vivacité soutient un intense fruité. La dégustation s'achève sur une intéressante note poivrée. Une bouteille qui se mariera parfaitement avec une galette de pommes de terre.
EARL de la Commanderie, Boisgisson,
18120 Cerbois, tél. 02.48.51.30.16, fax 02.48.51.32.94,
e-mail jcborgnat@aol.com r.-v.

## DOM. DES CROIX 2004 *

3 ha 15 000 5 à 8 €

S'il reste sur la réserve, le nez manifeste cependant beaucoup de caractère et de complexité, avec des notes d'écorce d'orange notamment. D'une grande fraîcheur, la bouche privilégie les agrumes (citron, pamplemousse) jusqu'à la finale de bonne longueur. Un vin typique.
S. Lavault-Rouzé, chem. des vignes, 18120 Quincy,
tél. 02.48.51.35.61, fax 02.48.51.05.00,
e-mail rouze@terre-net.fr

## PIERRE DURET 2004

9,82 ha 85 000 8 à 11 €

Commencez la visite du domaine d'Alexandre Mellot par le parcours d'éveil sensoriel. Nul doute que, ensuite,

vous serez apte à déguster cette cuvée au nez intense, riche de notes minérales et légèrement iodées. La minéralité se retrouve en bouche et confère un caractère intéressant à cette bouteille.
⊶ SARL Pierre Duret, rte de Quincy, 18120 Brinay, tél. 02.48.51.30.17, fax 02.48.51.35.47
☑ Y ☨ t.l.j. sf dim. 8h-12h 13h30-17h
⊶ Alexandre Mellot

### DOM. DU GRAND ROSIERES 2004 *

| | 3,7 ha | 22 000 | | 5 à 8 € |
|---|---|---|---|---|

Au fil des années, Jacques Siret a acquis une certaine notoriété, notamment grâce à ses apparitions régulières dans le Guide. Complexe, son 2004 offre des arômes de thym, de fenouil, de pêche et de banane écrasée. Puis il se montre franc au palais, charnu et équilibré. Une bouteille harmonieuse qui se mariera bien avec un poulet fermier également produit par ce domaine.
⊶ Jacques Siret, SCEA Dom. du Grand Rosières, 18400 Lunery, tél. 02.48.68.90.34, fax 02.48.68.03.71, e-mail jacquessiret@wanadoo.fr ☑ Y ☨ r.-v.

### DOM. ANDRE PIGEAT 2004 *

| | 4 ha | 16 000 | | 5 à 8 € |
|---|---|---|---|---|

Le « roi de Bourges », Charles VII, fut le seigneur de cette propriété qui porte le nom, plutôt insolite à Quincy, de Clos de la Bourgogne. Des parfums fruités et floraux dominent la palette intense de ce vin. Après une attaque souple, la bouche gagne en volume et persiste durablement. Un quincy gourmand, encore en devenir.
⊶ Dom. André Pigeat, 18, rte de Cerbois, 18120 Quincy, tél. 02.48.51.31.90, fax 02.48.51.03.12, e-mail gaec.pigeat-viticulteur@wanadoo.fr
☑ Y ☨ t.l.j. 8h30-12h30 13h30-20h
⊶ Ph. Pigeat

### PHILIPPE PORTIER 2004

| | 10,6 ha | 75 000 | | 8 à 11 € |
|---|---|---|---|---|

Aérez ce vin quelques instants avant le service ; il révélera alors toutes ses qualités : un fruité et une fine minéralité, de l'ampleur et une longueur honorable. A servir en accompagnement d'un poulet en sauce... au quincy, bien sûr.
⊶ Philippe Portier, Dom. de la Brosse, 18120 Brinay, tél. 02.48.51.04.47, fax 02.48.51.00.96, e-mail philippe.portier@wanadoo.fr ☑ Y ☨ r.-v.

### DIDIER RASSAT Cuvée Prestige 2004

| | 0,5 ha | 3 000 | | 8 à 11 € |
|---|---|---|---|---|

Cerbois, où est installée l'exploitation de Didier Rassat, se trouve à quelques kilomètres seulement de Bourges et de sa célèbre cathédrale inscrite au Patrimoine mondial de l'Unesco. Cette cuvée a été vinifiée par macération pelliculaire, ce qui lui confère des arômes inhabituels : camphre, rhubarbe, orange confite. La bouche est franche, bien dotée de gras. Un vin de garde. Egalement citée, la **cuvée Tradition 2004 (5 à 8 €)**.
⊶ Didier Rassat, Champ-Martin, 18120 Cerbois, tél. 02.48.51.70.19, fax 02.48.51.79.27
☑ Y ☨ t.l.j. 9h-11h45 14h-18h

### VALERY RENAUDAT 2004

| | 2,27 ha | 16 000 | | 5 à 8 € |
|---|---|---|---|---|

En 2005, Valéry Renaudat a ouvert un point de vente à Reuilly où vous pourrez goûter ce vin or pâle à reflets verts. De bonne intensité, le nez est marqué par le fruité tout comme la bouche dont l'équilibre penche vers la douceur. A marier à un fromage de chèvre.
⊶ Dom. Valéry Renaudat, 3, pl. des Ecoles, 36260 Reuilly, tél. 02.54.49.38.12, fax 02.54.49.38.26, e-mail domainevaleryrenaudat@wanadoo.fr ☑ Y ☨ r.-v.

### DOM. ADELE ROUZE 2004

| | 1 ha | 10 000 | | 5 à 8 € |
|---|---|---|---|---|

Après un coup de cœur dans la précédente édition du Guide pour son premier millésime, le quincy d'Adèle Rouzé a, cette année encore, été retenu par le jury. Pour un 2004, les arômes jouent dans un registre original. Particulièrement suaves, ils évoquent les fruits en salade, la mirabelle et la pêche. Le nez contraste avec la bouche qui commence sur la fraîcheur et monte progressivement en intensité avant de s'achever sur une note plus ferme. Cette bouteille accompagnera des fruits de mer.
⊶ Adèle Rouzé, chem. des Vignes, 18120 Quincy, tél. 02.48.51.35.61, fax 02.48.51.05.00, e-mail arouze@terre-net.fr ☑ Y ☨ r.-v.

### DOM. JACQUES ROUZE Vignes d'antan 2004 **

| | n.c. | 75 000 | | 5 à 8 € |
|---|---|---|---|---|

Ce quincy or pâle, brillant d'un éclat argenté laisse poindre des parfums d'ananas, de pêche et de miel. Souple et frais, remarquablement structuré, il persiste avec élégance sur les agrumes. La **cuvée Tradition 2004** obtient une étoile.
⊶ Jacques Rouzé, chem. des Vignes, 18120 Quincy, tél. 02.48.51.35.61, fax 02.48.51.05.00, e-mail rouze@terre-net.fr
☑ Y ☨ t.l.j. sf dim. 9h-12h 14h-18h; f. fin août

## Reuilly

Par ses coteaux accentués et bien ensoleillés, ses sols remarquables, Reuilly était prédestiné à la plantation de la vigne. Sur une superficie de 168 ha, l'appellation recouvre sept communes situées dans l'Indre et le Cher, dans une région charmante traversée par les vertes vallées du Cher, de l'Arnon et du Théols. Elle a produit 10 426 hl en 2004.

Le sauvignon blanc produit 5 956 hl dans la gamme des blancs secs et fruités, qui prennent ici une ampleur remarquable. Le pinot gris fournit localement un rosé de pressoir tendre, délicat, distingué à souhait, mais qui risque de disparaître, supplanté par le pinot noir dont on tire également d'excellents rosés, plus colorés, frais et gouleyants, mais surtout des rouges pleins, enveloppés, toujours légers, au fruité affirmé.

### DOM. AUJARD 2004 *

| | 2,7 ha | 23 000 | | 5 à 8 € |
|---|---|---|---|---|

Habitué du Guide, Bernard Aujard a présenté trois vins qui ont tous retenu l'attention du jury. Le blanc arrive

en tête. La bouche, en accord avec le nez, exprime une forte minéralité, mais le fruit (poire, pomme) commence également à se manifester. Un vin en devenir. Le **rosé 2004**, vif, et le **rouge 2004**, prometteur, sont cités.
EARL Bernard Aujard, 2, rue du Bas-Bourg, 18120 Lazenay, tél. 02.48.51.73.69, fax 02.48.51.79.74 t.l.j. 8h-12h 14h-18h30; dim. sur r.-v.

ANDRE BARBIER 2004

0,41 ha 3 500 5 à 8 €

Issu d'un terroir argilo-siliceux, ce reuilly rosé pâle exprime des arômes de petits fruits rouges et de fumé. Il se montre souple, équilibré et bien ciselé au palais, tout de légèreté. Vous le servirez avec un poisson grillé.
André Barbier, Le Crot-au-Loup, 18120 Chéry, tél. 02.48.51.75.81, fax 02.48.51.72.47 r.-v.

DOM. HENRI BEURDIN ET FILS 2004

3,93 ha 31 000 5 à 8 €

Cette année Henri Beurdin a pris sa retraite ; son fils lui succède avec la même volonté de bien faire. Ce millésime est donc le dernier élaboré en duo par le père et le fils. De teinte rubis clair, il délivre des notes mûres de framboise et de cassis, puis développe une bouche fraîche, souple, aux tanins bien fondus. Un vin plaisant qui pourra accompagner une viande blanche.
SCEV H. Beurdin et Fils, 14, Le Carroir, 18120 Preuilly, tél. 02.48.51.30.78, fax 02.48.51.34.81, e-mail domaine.beurdin@terre-net.fr r.-v.

GERARD BIGONNEAU Les Bouchauds 2004 *

3,8 ha 35 000 5 à 8 €

En s'installant en 1990, Gérard Bigonneau a transformé cette exploitation céréalière tournée vers le tourisme à la ferme en domaine viticole. Aujourd'hui encore, il possède un gîte d'étape sur son domaine de 12 ha. Son reuilly blanc révèle des notes d'agrumes, une légère rondeur et une agréable fraîcheur, gage d'avenir. Une blanquette de veau fera un délicieux accord.
Gérard Bigonneau, La Chagnat, 18120 Brinay, tél. 02.48.52.80.22, fax 02.48.52.83.41 r.-v.

DOM. DU BOURDONNAT 2004 *

1,5 ha 12 000 5 à 8 €

Rose très pâle ou blanc rosé, chacun appréciera la robe selon sa sensibilité. Le nez de fruits rouges et de violette laisse une sensation chaleureuse, en accord avec la suavité de la bouche, à peine relevée d'une subtile note minérale. Un vin tout en contraste, un peu déroutant, qui persiste bien.
François Charpentier, Le Bourdonnat, 36260 Reuilly, tél. 02.54.49.28.74, fax 02.54.49.29.91 r.-v.

LA COMMANDERIE 2003 **

0,69 ha 2 966 8 à 11 €

« Le Sentier du vin », le caveau de dégustation du domaine créé en 2002, attend le visiteur à Brinay, village qui se distingue par son église du XIe s. S'il reste quelques bouteilles et que vous préférez les vins blancs, peut-être pourrez-vous goûter au coup de cœur de l'an passé ? Sinon, vous serez comblé par cette remarquable cuvée rouge. Prenez le temps de relever les arômes de fruits rouges et les notes finement boisées. Puis appréciez la bouche concentrée, aux tanins souples. L'harmonie est remarquable. Le **Domaine des Rouesses blanc 2004 (5 à 8 €)** reçoit une étoile et **La Commanderie 2004 en blanc** est citée.
SARL Dom. Jean-Michel Sorbe, Le Buisson Long, rte de Quincy, 18120 Brinay, tél. 02.48.51.30.17, fax 02.48.51.35.47, e-mail jeanmichelsorbe@jeanmichelsorbe.com r.-v.
Alexandre Mellot

PASCAL DESROCHES Les Varennes 2004 *

3,74 ha 34 000 5 à 8 €

Dans le millésime 2004, le reuilly de Pascal Desroches est sélectionné dans les trois couleurs. Le blanc, qui a eu la préférence du jury, délivre des arômes de pamplemousse et de pêche que l'on retrouve en bouche. Souple et assez rond, il est équilibré par une juste fraîcheur. Le **rosé 2004**, intensément aromatique, et le **rouge 2004**, léger, sont cités.
Pascal Desroches, 13, rte de Charost, 18120 Lazenay, tél. et fax 02.48.51.71.60 r.-v.

JEAN-SYLVAIN GUILLEMAIN 2004 **

0,79 ha 7 200 5 à 8 €

Un reuilly blanc, né d'un terroir argilo-calcaire du kimméridgien. Encore timide, il exhale de délicats arômes floraux, légèrement citronnés, avec une touche de genêt. A la rondeur de l'attaque succède une sensation de fraîcheur acidulée. Un vin de bonne longueur qui évoluera favorablement au fil des mois. Le **rouge 2004** obtient une étoile pour sa structure.
Jean-Sylvain Guillemain, Palleau, 18120 Lury-sur-Arnon, tél. 02.48.52.99.01, fax 02.48.52.99.09, e-mail contact@guillemain.com r.-v.

CLAUDE LAFOND La Raie 2004 *

6 ha 60 000 5 à 8 €

Claude Lafond, producteur de reuilly avec lequel il faut compter – il a d'ailleurs reçu un coup de cœur en 2004 pour son millésime 2002 – organise des repas et des soirées pour les amateurs. Une bonne occasion pour découvrir ce 2004 aux arômes intenses de fruits (pêche notamment). Souple en attaque, ample en milieu de bouche, minéral en finale, celui-ci gagnera à être attendu quelques mois. **La Grande Pièce rosé 2004** est cité pour sa typicité.
Claude Lafond, Le Bois Saint-Denis, 36260 Reuilly, tél. 02.54.49.22.17, fax 02.54.49.26.64, e-mail claude.lafond@wanadoo.fr r.-v.

ALAIN MABILLOT 2004 **

1,5 ha n.c. 5 à 8 €

Alain Mabillot, partisan de l'enherbement et de la lutte raisonnée, a su extraire le meilleur de ses raisins en 2004. En témoigne ce vin grenat à reflets rubis qui fait preuve de concentration et de maturité par ses arômes de myrtille, de groseille et de fumée, comme par sa chair volumineuse. Les tanins se montrent encore austères en finale, mais ce n'est que le signe d'un fort potentiel. Une étoile pour le **blanc 2004**.
Alain Mabillot, Villiers-les-Roses, 36260 Sainte-Lizaigne, tél. 02.54.04.02.09, fax 02.54.04.01.33, e-mail alain.mabillot@wanadoo.fr r.-v.

VALERY RENAUDAT 2004 **

1,47 ha 12 000 5 à 8 €

A bonne école auprès de son père, Valéry Renaudat a décidé de voler de ses propres ailes en 1999. Depuis, il

a agrandi son vignoble. Aujourd'hui il monte sur le podium avec ce remarquable vin originaire d'un terroir argilo-calcaire. Sous une robe grenat soutenu on devine des arômes complexes et fins de cassis et de violette. En bouche, la matière concentrée et ample laisse une impression de rondeur jusqu'à la longue finale fruitée. Un indéniable potentiel. Vous servirez cette bouteille en 2007 avec une volaille rôtie.

Dom. Valéry Renaudat, 3, pl. des Ecoles,
36260 Reuilly, tél. 02.54.49.38.12, fax 02.54.49.38.26,
e-mail domainevaleryrenaudat@wanadoo.fr r.-v.

### DOM. DE REUILLY 2004

■ 3,7 ha 30 000 5 à 8 €

Les coteaux qui portent le vignoble auraient été plantés dès le VIIes. Aujourd'hui, les vignes en production ont une quinzaine d'années seulement, mais elles ont produit un vin intensément parfumé d'arômes de myrtille et de cassis. Après une première impression de rondeur au palais, les tanins se révèlent un peu sévères, mais ils promettent de se fondre à la garde. Vous servirez cette bouteille dans trois ans avec un gibier. Également cité, le **rosé 2004** offre des notes de groseille et fait preuve d'une bonne ampleur.

Dom. de Reuilly, chem. des Petites-Fontaines,
36260 Reuilly, tél. 02.38.66.16.74, fax 02.38.66.74.69,
e-mail denis-jamain@wanadoo.fr t.l.j. 8h-18h
Jamain

### DOM. DE SERESNES 2004 ★★

■ 4,21 ha 32 000 5 à 8 €

Les années passent et les étoiles pleuvent sur le domaine de Jacques Renaudat. Après deux coups de cœur consécutifs, c'est au tour du reuilly 2004 de faire bonne impression. Rubis foncé, il est puissant et fin au nez, marqué par des senteurs de violette et de cerise. Les tanins bien présents respectent l'expression du fruit au palais. Un vin structuré et complet, bon archétype de l'appellation, qui pourra être apprécié dès maintenant ou rester en cave pendant cinq ans. Le **blanc 2004** obtient une étoile, tandis que le **rosé 2004** est cité.

Jacques Renaudat, Seresnes, 36260 Diou,
tél. 02.54.49.21.44, fax 02.54.49.30.42
t.l.j. sf dim. 8h-12h 14h-19h

### JEAN-MICHEL SORBE 2004 ★★

□ 2,5 ha 20 000 5 à 8 €

Ce reuilly est produit par la branche négoce de la SARL Jean-Michel Sorbe. Intensité et complexité caractérisent la palette fruitée (pamplemousse, pêche jaune) et florale (violette, muguet) qui se décline sous une teinte jaune à reflets brillants. A l'attaque souple succède une agréable vivacité mentholée qui se prolonge durablement en finale. Un pur vin du terroir que vous garderez quelque temps en cave pour plus d'expression encore.

SARL Dom. Jean-Michel Sorbe,
Le Buisson Long, rte de Quincy, 18120 Brinay,
tél. 02.48.51.30.17, fax 02.48.51.35.47,
e-mail jeanmichelsorbe@jeanmichelsorbe.com
r.-v.
Alexandre Mellot

### JACQUES VINCENT 2004

■ 3 ha 20 000 5 à 8 €

Plus blond que rosé, ce reuilly affiche de beaux reflets cuivrés. Le premier nez évoque la rose ancienne avec élégance avant d'évoluer vers des notes de bonbon anglais. En bouche, les sensations sont multiples : du charnu, de la souplesse et de la fraîcheur, puis à nouveau des flaveurs de rose en finale. Un vin séduisant qui accompagnera les plats exotiques.

Jacques Vincent, 11, chem. des Caves,
18120 Lazenay, tél. 02.48.51.73.55, fax 02.48.51.14.96
t.l.j. 9h-12h 14h-19h; dim. sur r.-v.

# Sancerre

Sancerre, c'est avant tout un lieu prédestiné dominant la Loire. Sur quatorze communes, s'étend un magnifique réseau de collines parfaitement adaptées à la viticulture, bien orientées, exposées et protégées. Les sols portent des noms locaux : « Terres blanches » (marnes argilo-calcaires du kimméridgien ; « caillottes » et « griottes » (calcaires) ; « cailloux » ou « silex » (siliceux du tertiaire). Ils conviennent à la vigne et contribuent à la qualité des vins ; 2 656 ha sont plantés et ont produit 179 853 hl en 2004 dont 143 357 hl de vin blanc.

Deux cépages règnent à Sancerre : le sauvignon blanc et le pinot noir, deux raisins éminemment nobles, capables de traduire l'esprit du milieu et du terroir, d'exprimer au mieux les dons des sols qui s'épanouissent dans des blancs (les plus nombreux) frais, jeunes, fruités ; dans des rosés tendres et subtils ; dans des rouges légers, parfumés, enveloppés.

Mais Sancerre, c'est aussi un milieu humain particulièrement attachant. Il n'est pas facile, en effet, de produire un grand vin avec le sauvignon, cépage de deuxième époque de maturité, non loin de la limite nord de la culture de la vigne, à des altitudes de 200 à 300 m qui influencent encore le climat local et sur des sols qui comptent parmi les plus pentus de notre pays, d'autant plus que les fermentations se déroulent dans une conjoncture délicate de fin de saison tardive !

On appréciera particulièrement le sancerre blanc sur les fromages de chèvre secs, comme l'illustre « crottin » de Chavignol, village lui-même producteur de vin, mais aussi sur les poissons ou les entrées chaudes peu épicées ; les rouges iront sur les volailles et les préparations locales de viandes.

### PIERRE ARCHAMBAULT 2004 ★★

■ 3 ha 20 000 8 à 11 €

Depuis le XVe s., la famille Archambault est attachée au Sancerrois, mais elle n'a pas toujours produit du vin. Dans ses caves creusées à flanc de coteaux, face au piton de Sancerre, elle cultivait des champignons ou gardait les bouteilles d'effervescents d'autres producteurs. Tout a véritablement commencé avec le grand-père de Pierre Archambault. Rubis profond, ce vin complexe et élégant est dominé par des senteurs de fruits rouges. Il fait preuve de personnalité grâce à l'équilibre de ses saveurs et à la persistance de ses arômes. Sa structure lui permettra de bien évoluer à la garde. Le **2004 blanc**, tout en notes d'agrumes, est cité.

SA Pierre Archambault,
Cave de la Perrière, 18300 Verdigny,
tél. 02.48.54.16.93, fax 02.48.54.11.54 r.-v.
Jean-Louis Saget

### DOM. AUCHERE 2004

6 ha 25 000 **5 à 8 €**

Bué est un charmant village cerné de vignes, paisible tout au long de l'année sauf au début du mois d'août, lorsque défile un étrange cortège dans ses rues, à l'occasion de la foire aux Sorciers. Vous êtes bien en Berry, au pays de George Sand. Les dégustateurs n'ont pas fait de mystères sur ce vin couleur dorée : il convient de le carafer une heure avant le service pour profiter des arômes fruités qui succèdent aux notes végétales. Un sancerre équilibré qui accompagnera des asperges de Sologne ou une cassolette de Saint-Jacques.

Jean-Jacques Auchère,
18, rue de l'Abbaye, 18300 Bué,
tél. 02.48.54.15.77, fax 02.48.78.03.46 r.-v.

### DOM. SYLVAIN BAILLY La Louée 2004 ★★

n.c. 9 000 8 à 11 €

Marie-Hélène et Jacques Bailly conduisent ce domaine qui compte plus de 14 ha en sancerre et 5 ha en quincy. La cuvée La Louée a la vedette cette année. En rosé, elle charme par la finesse de ses arômes d'agrumes et d'abricot comme par son équilibre et son ampleur. Elle formera un accord harmonieux avec une viande grillée aux sarments de vignes. **La Louée rouge 2003** brille d'une étoile. Typique de l'appellation, ce vin possède une matière riche qui lui garantit une bonne garde au cours des trois à quatre années à venir.

Dom. Sylvain Bailly, 71, rue de Venoize, 18300 Bué,
tél. 02.48.54.02.75, fax 02.48.54.28.41,
e-mail jacquesbailly3@wanadoo.fr
t.l.j. 8h30-12h 14h-18h; dim. sur r.-v.

### DOM. JEAN-PAUL BALLAND 2004 ★

■ 1,65 ha 12 500 5 à 8 €

Installé au cœur de Bué, le domaine Jean-Paul Balland possède des installations fonctionnelles autour d'une grande cave voûtée. Son rosé se distingue par son élégance. Tandis que le nez fin et encore discret dévoile des notes de fleurs puis de fruits rouges, la bouche ronde et fraîche à la fois y ajoute les fruits à chair blanche. Le **2003 rouge (8 à 11 €)**, qui a connu le bois, est cité.

Dom. Jean-Paul Balland, 10, chem. de Marloup,
18300 Bué, tél. 02.48.54.07.29, fax 02.48.54.20.94,
e-mail balland@balland.com
t.l.j. sf dim. 8h-12h 13h30-18h

### PASCAL BALLAND 2003 ★

■ 1,4 ha 8 000 5 à 8 €

Ce domaine fut créé en 1650 et transmis de génération en génération. Aujourd'hui, Pascal Balland exploite plus de 9 ha sur les sols de caillotte et de terre blanche de Bué. Ce sancerre rouge foncé se montre complexe et chaleureux dans ses senteurs de fruits noirs. Des tanins souples étayent la bouche fraîche en attaque, puis gourmande. Il suffira d'attendre deux ans pour savourer cette bouteille à son meilleur niveau.

EARL Pascal Balland, rue Saint-Vincent,
18300 Bué, tél. 02.48.54.22.19, fax 02.48.78.08.59,
e-mail pascalballand@wanadoo.fr
t.l.j. 8h-18h sf dim. 14h-18h

### JOSEPH BALLAND-CHAPUIS Le Chatillet 2004 ★

8 ha 70 000 **8 à 11 €**

Présent en Sancerrois depuis le XVIIe s., le domaine Balland-Chapuis est aujourd'hui propriétaire dans les aires d'appellation sancerre, pouilly-fumé et coteaux-du-giennois. Cette cuvée issue d'un sol essentiellement calcaire, propice au sauvignon, séduit par ses arômes minéraux, ses notes de fruits exotiques et d'abricot. Fraîche au palais, elle accompagnera des crustacés ou des fromages de chèvre. Citée, la cuvée **Le Vallon 2004 blanc** est un vin léger et subtilement aromatique.

SCEA Balland-Chapuis, La Croix-Saint-Laurent,
18300 Bué, tél. 02.48.54.06.67, fax 02.48.54.07.97,
e-mail balland-chapuis@wanadoo.fr r.-v.
Jean-Louis Saget

### DOM. HENRI BOURGEOIS Grande Réserve 2004 ★★

n.c. 97 330 8 à 11 €

La maison Henri Bourgeois, créée en 1950, possède 65 ha de vignes dans le Sancerrois. Et ce n'est pas tout. Elle s'est étendue sous d'autres horizons propices au sauvignon... en Nouvelle-Zélande, où elle cultive un vignoble de 22 ha, dénommé Clos Henri. Vous n'aurez pas besoin d'aller si loin pour goûter un remarquable vin. Cette Grande Réserve toute dorée décline un nez intense : des senteurs d'agrumes et de fleur de cassis d'abord, puis des notes florales. En bouche, la rondeur et les arômes s'allient avec élégance. A déguster avec des langoustines. La cuvée **La Bourgeoise 2003 blanc (11 à 15 €)**, fine et souple,

reçoit une étoile, tandis que **La Chapelle des Augustins blanc 2003 (11 à 15 €)**, marquée par la fraîcheur, est citée.
SARL Henri Bourgeois, Chavignol, 18300 Sancerre, tél. 02.48.78.53.20, fax 02.48.54.14.24, e-mail domaine@henribourgeois.com r.-v.

## HUBERT BROCHARD Classique 2004 ★★

■ 12 ha 60 000 11 à 15 €

Le domaine possède un vaste vignoble sur 50 ha, rassemblés au fil des générations. Cultivées sur les sols de calcaire à silex et d'argile des villages de Chavignol, Amigny, Saint-Satur, Sainte-Gemme, Ménétréol, Thauvenay et Sancerre, de vieilles vignes de pinot noir ont donné naissance à ce vin grenat profond qui exhale des notes de fruits noirs, de cannelle et de vanille. La même ligne aromatique se développe durablement en bouche, soulignant la rondeur de la matière. Un sancerre équilibré qui saura vieillir un an ou deux.
SAS Hubert Brochard, Chavignol, 18300 Sancerre, tél. 02.48.78.20.10, fax 02.48.78.20.19, e-mail domaine@hubert-brochard.fr
t.l.j. 10h-12h 14h-18h

## DOM. DU CARROU
La Jouline Vieilles Vignes 2003 ★★

■ 0,95 ha 3 900 11 à 15 €

Cette exploitation implantée dans le Sancerrois depuis le XVII^e s. s'est progressivement spécialisée dans les vins rouges : le pinot noir représente 35 % de l'encépagement. Ce 2003 a su garder toute la fraîcheur attendue d'un sancerre. Grenat à reflets violacés, il offre les senteurs d'un panier de fruits d'été, puis une bouche franche, tout en volume et en fruits persistants. Le **2003 blanc (5 à 8 €)**, fruité et rond, est cité, de même que le **2004 rosé (5 à 8 €)**, souple et parfumé de fruits exotiques.
Dominique Roger, 7, pl. du Carrou, 18300 Bué, tél. 02.48.54.10.65, fax 02.48.54.38.77, e-mail dominique.roger11@wanadoo.fr
t.l.j. 8h30-12h 13h30-19h; dim. sur r.-v.

## ROGER CHAMPAULT Côte de Champtin 2003 ★★

■ 0,5 ha 3 000 11 à 15 €

Le caveau de dégustation se trouve dans un colombier du XVI^e s. Un endroit charmant pour déguster ce 2003 rubis profond qui étonne par sa complexité aromatique et son intensité : fruits confits, cuir, vanille, café torréfié et tant d'autres nuances. D'attaque souple, le vin se développe en rondeur, sans jamais se départir de son fruité. Le sancerre **Les Pierris 2004 rouge (8 à 11 €)**, aux tanins fins et élégants, obtient une étoile. Si vous n'avez pas la patience de l'attendre un an, décantez-le en carafe pour une meilleure expression.
EARL Roger Champault et Fils, Champtin, 18300 Crézancy-en-Sancerre, tél. 02.48.79.00.03, fax 02.48.79.09.17 r.-v.

## DANIEL CHOTARD 2004

■ 1,5 ha 13 000 5 à 8 €

Daniel Chotard, ancien instituteur, est devenu vigneron en reprenant le flambeau de cette exploitation familiale vieille de deux siècles. Egalement passionné de jazz, il est l'initiateur de *Jazz en cave*, événement estival à Sancerre. Son rosé est aussi rythmé qu'une partition. Couleur saumon, presque pelure d'oignon, il offre un fruité acidulé qui rafraîchit. A découvrir avec un poisson de rivière. Le **2003 rouge (8 à 11 €)**, souple et parfumé d'un duo fraise-framboise, est cité également.
Daniel Chotard, Reigny, 18300 Crézancy-en-Sancerre, tél. 02.48.79.08.12, fax 02.48.79.09.21, e-mail daniel.chotard@wanadoo.fr
t.l.j. sf dim. 9h-12h 14h-19h

## DOM. DES CLAIRNEAUX 2004

■ 6,56 ha 50 000 5 à 8 €

Sur la route qui conduit à ce domaine, admirez au passage le château de Buranlure (XIV^e s.) cerné de douves. Ce 2004 se distingue par les notes minérales qu'il décline au nez comme en bouche. Il révèle tant de rondeur qu'il pourra accompagner un poisson nappé d'une sauce au beurre blanc.
Jean-Marie Berthier, Dom. des Clairneaux, 18240 Sainte-Gemme-en-Sancerrois, tél. 02.48.79.40.97, fax 02.48.79.39.55 r.-v.

## DOM. DU COLOMBIER
Elevé en fût de chêne 2004

■ 3,75 ha 25 000 8 à 11 €

Voici un vin à marier avec une autre spécialité locale : le jambon de Sancerre. Issu de raisins parfaitement mûrs, vendangés sur des vignes trentenaires, il dévoile sous une robe rubis une large palette de cerise, de cassis, de groseille et d'épices. La fraîcheur et l'équilibre perçus au palais ont fini de convaincre les dégustateurs.
Roger Neveu et Fils, 18300 Verdigny, tél. 02.48.79.40.34, fax 02.48.79.32.93, e-mail neveu@terre-net.fr t.l.j. sf dim. 8h-19h

## ERIC COTTAT La Vallée des vignes 2003

■ 1,1 ha 7 500 5 à 8 €

Cette petite exploitation familiale perchée sur les hauts coteaux de Sury-en-Vaux dispose depuis 2004 d'un nouveau chai climatisé, avec cuverie Inox thermorégulée. Conséquence de la canicule de l'année précédente ? En tout cas, le 2003 est un joli vin vermillon à reflets légèrement tuilés. Des effluves fruités participent à la sensation de fraîcheur qu'il procure. N'attendez pas : débouchez cette bouteille pour accompagner une salade ou des viandes froides.
Eric Cottat, Le Thou, 18300 Sury-en-Vaux, tél. et fax 02.48.79.02.78 t.l.j. 8h-12h 14h-19h

## DANIEL CROCHET Cuvée Prestige 2003 ★★

■ 0,2 ha 1 500 8 à 11 €

Depuis qu'il a repris l'exploitation familiale en 1996, Daniel Crochet a porté la superficie du vignoble à plus de 9 ha sur les communes de Bué et de Sancerre. Il privilégie l'enherbement des vignes et les vendanges manuelles. Un souci de bien faire qui se traduit par un 2003 expressif et

harmonieux. Les arômes de cerise, de framboise et de fumé sont le leitmotiv de la dégustation. Ils soulignent longuement la bouche ronde et ample, bien structurée. La cuvée **Plante des prés 2004 blanc** est citée.
Daniel Crochet, 61, rue de Venoize, 18300 Bué, tél. 02.48.54.07.83, fax 02.48.54.27.36
t.l.j. sf dim. 9h-12h 14h-18h

## DOM. DOMINIQUE ET JANINE CROCHET 2004 ★★★

2,5 ha 18 000 5 à 8 €

Dominique et Janine Crochet se sont installés en 1982 avec 2 ha. En reprenant des vignes en fermage, ils exploitent aujourd'hui 10 ha. Rubis intense, leur 2004 fleure bon les fruits rouges, telles la fraise et la framboise. Cette palette aromatique se prolonge en bouche, associée à une structure de qualité. L'élevage sous bois de six mois, bien mené, a apporté une dimension complexe. Dans deux ou trois ans, cette bouteille sera parvenue à son meilleur niveau et pourra accompagner une blanquette de veau. Le **2004 blanc** est cité pour sa fraîcheur et ses arômes d'agrumes relevés de notes de pierre à fusil.
Dom. Dominique et Janine Crochet, 64, rue de Venoize, 18300 Bué, tél. 02.48.54.19.56, fax 02.48.54.12.61 t.l.j. 8h-12h 14h-19h

## ROBERT ET FRANCOIS CROCHET
Réserve de Marcigoué 2003 ★★

0,5 ha 2 000 11 à 15 €

Cette exploitation se transmet de père en fils depuis le début du siècle dernier. En 2002, le nom du fils, François, est venu s'ajouter à celui de Robert Crochet sur les étiquettes. La canicule de 2003 aura permis d'élaborer un remarquable vin de garde qu'il faut avoir dans sa cave. Sous une couleur grenat profond se manifeste un nez puissant de prune et de cerise compotée aux épices. D'attaque souple, la bouche révèle une matière imposante. On perçoit beaucoup de tanins, certes, mais de bons tanins. A attendre cinq ans et plus avant un mariage avec un canard aux pruneaux.
Robert et François Crochet, Marcigoué, 18300 Bué, tél. 02.48.54.21.77, fax 02.48.54.25.10
t.l.j. sf dim. 9h-12h 13h30-19h30

## DOM. DAULNY 2003 ★

1,4 ha 7 000 5 à 8 €

Aucun doute, Etienne Daulny a de l'expérience : à la tête de ce domaine familial depuis 1972, il a démontré à maintes reprises la qualité de ses vins dans le Guide. Ce 2003 issu de pinot noir récolté sur argilo-calcaire ne fait pas exception. Puissant et complexe, il explose en arômes de violette, de cassis, de figue et de cacao. Découvrez-le au palais. L'attaque est souple, les tanins veloutés, la finale toute de fruits rouges. **Le Clos de Chaudenay 2003 blanc (8 à 11 €)**, empyreumatique et vif, ainsi que le **Domaine Daulny 2004 blanc**, fruité, sont cités.
Etienne Daulny, Chaudenay, 18300 Verdigny, tél. 02.48.79.33.96, fax 02.48.79.33.39 r.-v.

## DOM. VINCENT DELAPORTE 2004

17,9 ha 148 000 5 à 8 €

La maison est installée à Chavignol, charmant village au cœur du Sancerrois où vous pourrez également acheter le célèbre fromage de chèvre. Ce sancerre or pâle à reflets verts s'exprime pleinement en bouche : il est rond, doté d'un caractère floral. La **cuvée Maxime 2003 rouge (8 à 11 €)** mérite une citation elle aussi pour sa souplesse. Servez-la en carafe pour valoriser ses arômes ; elle accompagnera ainsi une côte de bœuf grillée.
SCEV Vincent Delaporte et Fils, Chavignol, 18300 Sancerre, tél. 02.48.78.03.32, fax 02.48.78.02.62, e-mail delaportevincent.sancerre@wanadoo.fr
r.-v.

## ANDRE DEZAT ET FILS 2004

15,2 ha 110 000 8 à 11 €

André Dezat, vigneron de soixante-dix-huit ans, a de quoi être fier : ses vins sont servis à la table de la reine d'Angleterre. Il a suivi pendant ses longues années de carrière l'ascension du sancerre. Le 2004, couleur jaune paille, conjugue harmonieusement les senteurs d'ananas et de citron. La bouche vive reprend les mêmes arômes en y ajoutant des notes minérales et végétales. *A crispy wine, indeed !*
SCEV André Dezat et Fils, rue des Tonneliers, Chaudoux, 18300 Verdigny, tél. 02.48.79.38.82, fax 02.48.79.38.24 r.-v.

## DOM. DOUDEAU-LEGER 2004

0,82 ha 6 600 5 à 8 €

Pascal Doudeau a repris la propriété familiale en 1988 et a entrepris la rénovation du chai en 2000. Habillé d'une robe rubis, ce vin exhale un nez puissant de fruits rouges. La bouche se montre souple, tout en fraîcheur aromatique. Le **2004 blanc** est cité également. Equilibré et fin, il offre des parfums de fruits exotiques, d'abricot et de bonbon anglais.
Dom. Doudeau-Léger, Les Giraults, 18300 Sury-en-Vaux, tél. 02.48.79.32.26, fax 02.48.79.29.80
t.l.j. sf dim. 10h-12h 14h-18h

## DUC DE TARENTE 2004 ★

n.c. 53 000 8 à 11 €

La cave coopérative des Vins de Sancerre, fondée en 1963, réussit en 2004 un joli doublé. Cette cuvée affiche une teinte or pâle rehaussée de vert, témoin de sa jeunesse. Timide, elle n'ose dévoiler que des arômes de fleurs et d'agrumes. C'est en bouche qu'elle révèle tout son potentiel, sa finesse, son équilibre et son caractère aromatique. **La Duchesse 2004 blanc** obtient la même note pour sa souplesse et sa juste vivacité.
Cave des Vins de Sancerre, av. de Verdun, 18300 Sancerre, tél. 02.48.54.19.24, fax 02.48.54.16.44, e-mail infos@vins-sancerre.com
t.l.j. 8h-12h 13h30-17h

### GERARD FIOU 2004 *

■ 0,6 ha 5 000 ■ 8 à 11 €

La maison de Gérard Fiou est nichée au cœur de Saint-Satur, village qui offre une belle vue sur le piton sancerrois. Le pinot noir planté sur sol argilo-calcaire a donné naissance à ce vin de bonne matière, bien dans le style de l'appellation. Au nez finement fruité (agrumes, fraise et raisin) répond une bouche ronde, relevée d'une pointe acidulée. De la structure, assurément, et de l'élégance. Cité, le **2004 blanc** est souple et parfumé de fruits blancs.

Gérard Fiou,
15, rue Hilaire-Amagat, 18300 Saint-Satur,
tél. 02.48.54.16.17, fax 02.48.54.36.89
t.l.j. 8h-12h 14h-19h; sam. dim. à partir de 10h

### BERNARD FLEURIET ET FILS
Côte de Marloup 2004

■ 8 ha 50 000 ■ 5 à 8 €

Exploitation agricole à l'origine, ce domaine est devenu viticole en quinze ans. La cave rénovée en 2004 a été équipée d'une cuverie Inox thermorégulée. Issu de vendanges manuelles, ce vin fait preuve de volume et décline tout au long de la dégustation d'agréables arômes de pêche blanche, relayés en finale par des notes fraîches de pamplemousse. Le **Côte de Marloup 2004 rouge** s'exprimera pleinement dans dix-huit mois. Dominé par la cerise noire, il trouve un juste équilibre dans ses saveurs. Une autre citation.

Bernard Fleuriet et Fils, La Vauvise,
18300 Menetou-Ratel, tél. et fax 02.48.79.34.09,
e-mail fleuriet.vauvise@terre-net.fr r.-v.

### FONTAINE 2004

■ 0,5 ha 3 800 ■ 8 à 11 €

Créé en 1905, ce vignoble occupe les coteaux du village de Chavignol. Des vignes de vingt-cinq ans ont produit ce vin jaune paille à reflets verts qui livre des arômes légèrement anisés. D'attaque franche, la bouche fait preuve de vivacité jusqu'à ses notes finales de végétal.

Fontaine, Le Caveau, Cidex M73, 18300 Chavignol,
tél. 02.48.54.13.47 t.l.j. 8h-20h

### DOM. FOUASSIER L'Etourneau 2003

■ 9 ha 50 000 ■ 8 à 11 €

Une longue histoire de famille dans ce domaine créé au milieu du XVIIIe s. Benoît et Jean-Michel Fouassier, les deux cousins, ont rejoint leurs pères en 2000 et 2001 pour conduire le vignoble de 50 ha. Tous sont à l'origine de ce vin rubis intense, dont le bouquet évoque le cuir, le café, la crème de cassis, la liqueur de mûre ou de griotte. L'empreinte du bois (douze mois de fût) est encore marquée en bouche, mais elle devrait se fondre d'ici un an.

Fouassier Père et Fils, 180, av. de Verdun,
18300 Sancerre, tél. 02.48.54.02.34, fax 02.48.54.35.61,
e-mail fouassier@terre-net.fr
t.l.j. 9h-12h 14h-18h

### FOURNIER 2004 **

■ 18 ha 145 000 ■ 5 à 8 €

Créé en 1850, ce domaine familial compte aujourd'hui 57 ha de vignes répartis dans trois aires d'appellation : sancerre, pouilly-fumé et menetou-salon. Son 2004 or pâle laisse s'épanouir des arômes de rhubarbe, de fleurs et d'agrumes. D'attaque souple, il développe une ligne vive qui perdure jusqu'à la finale citronnée. Le tout est équilibré et reflète bien le caractère de l'appellation comme celui du millésime.

SAS Fournier Père et Fils, Chaudoux,
BP 7, 18300 Verdigny, tél. 02.48.79.35.24,
fax 02.48.79.30.41, e-mail claude@fournier-pere-fils.fr
t.l.j. 8h-12h 13h30-18h30; sam. dim. sur r.-v.
GFA Chanvrières

### DOM. DE LA GARENNE 2004 *

■ 7 ha 60 000 ■ 8 à 11 €

Cette cuvée doit son caractère aux vignes plantées sur un terroir calcaire et argilo-calcaire. Intenses et fins à la fois, les arômes évoquent les fruits exotiques, le bonbon anglais, la pêche et la poire. La bouche est ample et fraîche, des plus harmonieuses.

Bernard-Noël Reverdy, Dom. de la Garenne,
rue Saint-Vincent, 18300 Verdigny,
tél. 02.48.79.35.79, fax 02.48.79.32.82,
e-mail domaine-de-la-garenne@wanadoo.fr r.-v.

### DOM. LA GEMIERE 2004 **

■ 5 ha 40 000 ■ 5 à 8 €

En 2002, Nicolas et Sébastien Millet ont rejoint leurs parents sur ce domaine de 18 ha qui se transmet de génération en génération. L'esprit de famille porte ses fruits, à en juger par ce vin élégant et complexe, tout en parfums d'agrumes. D'attaque tendre, la bouche se montre pleine et charnue, relevée de notes fraîches de pêche jaune en finale.

Daniel Millet et Fils, Dom. La Gemière, Champtin,
18300 Crézancy-en-Sancerre, tél. 02.48.79.07.96,
fax 02.48.79.02.10, e-mail daniel.millet@wanadoo.fr
t.l.j. 8h-12h 13h30-19h; groupes sur r.-v.

### DOM. MICHEL GIRARD ET FILS 2004 *

■ 0,8 ha 5 500 ■ 8 à 11 €

En 1975, Michel Girard a élu domicile à Chaudoux, charmant lieu-dit viticole de la commune de Verdigny. Il exploite aujourd'hui 15 ha de vignes. Son rosé de teinte pâle est une invitation à la gourmandise. Il suffit de humer ses arômes de pêche, de fleurs blanches et de bonbon anglais pour être séduit. Au palais, la rondeur de la matière, rehaussée d'un zeste de vivacité, finit de convaincre. Un vin rafraîchissant pour une fin de soirée dans le jardin.

Dom. Michel Girard et Fils, Chaudoux,
18300 Verdigny, tél. 02.48.79.33.36, fax 02.48.79.33.66,
e-mail michelgirard.fils@wanadoo.fr
t.l.j. 9h-12h 14h-18h; dim. sur r.-v.

### DOM. DES GRANDES PERRIERES 2004 *

■ 0,6 ha 5 000 ■ 5 à 8 €

Jeune et dynamique vigneron, Jérôme Gueneau s'est installé en 1993 à Sainte-Gemme (prononcez *Jame*, à l'anglaise). Depuis, il a suivi son chemin et fait de nombreuses apparitions dans le Guide. Nouveau succès grâce à ce rosé saumoné qui fera bel effet avec une salade de fraises. Aux arômes de pêche et de fleurs, soulignés d'une pointe beurrée, répond une bouche souple et fruitée, dotée d'une bonne vivacité. Quelques tanins bien enrobés donnent de la structure à ce vin. Le **2004 blanc** est cité.

Jérôme Gueneau, Panquelaine, 18300 Sury-en-Vaux,
tél. 02.48.79.39.31, fax 02.48.79.40.27,
e-mail gueneau.jerome@wanadoo.fr r.-v.

ALAIN GUENEAU La Guiberte 2004 ★

■ 2 ha 16 000 5 à 8 €

Autour de Sury-en-Vaux, de Chavignol et de Sancerre, Alain Gueneau cultive un vignoble de 15 ha conduit en lutte intégrée. Il a produit un sancerre rubis brillant, séducteur par ses arômes de fruits rouges intenses. Le vin se montre friand en bouche, rond grâce à des tanins bien fondus. **La Guiberte rosé 2004** mérite une citation pour sa fraîcheur soulignée d'un soupçon de menthol.

Alain Gueneau, Maison-Sallé, 18300 Sury-en-Vaux, tél. 02.48.79.30.51, fax 02.48.79.36.89, e-mail agueneau@terre-nef.fr r.-v.

DOM. SERGE LALOUE 2003 ★★★

■ 3 ha 18 000 8 à 11 €

Cette exploitation familiale a été créée par Serge Laloue en 1960 dans le village de Thauvenay, en bord de Loire. Fait rare, ce vin brille de trois étoiles, tant il a suscité d'éloges de la part des dégustateurs. La teinte grenat soutenu ainsi que les arômes intenses suffisent à aiguiser la curiosité. On sent de la griotte et des fruits noirs, nuancés de vanille et de café grillé, juste ce qu'il faut. L'élevage de dix mois en fût a été parfaitement maîtrisé. La bouche est à l'avenant, follement aromatique, délicatement boisée, toute de velours. Un plaisir déjà, mais les gourmets sauront en garder quelques bouteilles pour plus tard. Le **2004 blanc** obtient une étoile : agrumes, rose et touches minérales composent une palette charmeuse. Grâce à sa structure, il devrait bien évoluer à la garde.

Serge Laloue, rue de la Mairie, 18300 Thauvenay, tél. 02.48.79.94.10, fax 02.48.79.92.48, e-mail laloue@terre-net.fr r.-v.

DOM. RENE MALLERON 2004 ★

13 ha 96 000 8 à 11 €

Un vin qui représente bien le millésime 2004. Or pâle, il exhale des arômes floraux persistants, rejoints en bouche par des flaveurs d'agrumes. De la rondeur en attaque, de la vivacité dans son développement et de l'allonge en finale : toutes les conditions sont réunies pour en faire une bonne bouteille.

EARL Dom. René Malleron, Champtin, 18300 Crézancy-en-Sancerre, tél. 02.48.79.06.90, fax 02.48.79.42.18 r.-v.

DOM. MASSON-BLONDELET Thauvenay 2003

■ 1,18 ha 6 000 8 à 11 €

Si le pouilly-fumé, le pouilly-sur-loire et le sancerre constituent l'essentiel de la production de cette maison, en 1999 elle a étendu son activité aux antipodes de la Loire... en Corbières, dans le Languedoc. Retour aux sources avec ce 2003 rubis qui affiche un nez de fruits rouges finement vanillé en raison d'un séjour de dix mois en fût. Sa matière est ample et ronde, avec une légère pointe d'amertume due aux tanins. Elle pourra encore gagner en souplesse au cours de deux ou trois ans de garde.

Jean-Michel Masson, 1, rue de Paris, 58150 Pouilly-sur-Loire, tél. 03.86.39.00.34, fax 03.86.39.04.61, e-mail info@masson-blondelet.com t.l.j. 9h-12h 13h30-17h30

DOM. MERLIN-CHERRIER 2004 ★

n.c. 85 000 5 à 8 €

Un vin issu de vignes de vingt ans confortablement installées sur les sols argilo-calcaires du Sancerrois. Or pâle brillant de quelques reflets verts de jeunesse, il livre des arômes intenses et francs d'agrumes, de tilleul et de pâte d'amandes. Une invitation à le goûter : une fraîcheur plaisante, soulignée de notes de pamplemousse, se prolonge durablement au palais.

Thierry Merlin-Cherrier, 43, rue Saint-Vincent, 18300 Bué, tél. 02.48.54.06.31, fax 02.48.54.01.78 t.l.j. sf dim. 9h-12h 14h-18h

DOM. FRANCK MILLET 2004 ★

15 ha n.c. 8 à 11 €

Installlé sur la route de Bourges à Sancerre, le domaine se trouve à l'entrée du village de Bué. Vous serez accueilli dans une cave voûtée en pierre, flambant neuve, pour déguster ce vin or pâle à reflets argentés. Expressif, le nez décline les agrumes, le buis et les fleurs blanches. La bouche est équilibrée et fraîche. Un sancerre élégant qui exprime parfaitement son terroir d'origine.

Franck Millet, 68, rue Saint-Vincent, 18300 Bué, tél. 02.48.54.25.26, fax 02.48.54.39.85, e-mail franck.millet@wanadoo.fr r.-v.

DOM. GERARD MILLET 2004 ★

13,33 ha 118 000 8 à 11 €

Gérard Millet a créé son domaine en 1979 en reprenant quelques vignes à ses grands-parents. Il n'a cessé de s'agrandir depuis et cultive aujourd'hui près de 20 ha, avec une extension sur Menetou-Salon. Son vin offre une belle expression aromatique sur les agrumes et un soupçon de minéralité. Franc, frais et équilibré, il est dans le type du millésime 2004.

Gérard Millet, rte de Bourges, 18300 Bué, tél. 02.48.54.38.62, fax 02.48.54.13.50, e-mail gmillet@terre-net.fr r.-v.

ROGER ET CHRISTOPHE MOREUX
Les Monts damnés 2003 ★

1 ha 8 000 8 à 11 €

Installés à Chavignol, lieu-dit réputé du Sancerrois tant pour son vin que pour son fromage de chèvre, Roger et Christophe Moreux proposent dans leur cave voûtée un vin représentatif du millésime 2003. La couleur or invite à poursuivre la dégustation. La palette aromatique, complexe et intense, débute sur les fleurs et se poursuit sur les agrumes. La bouche est enveloppante, volumineuse et d'une étonnante persistance. Il ne vous reste plus qu'à préparer un poulet au citron.

SARL Roger et Christophe Moreux, Chavignol, 18300 Sancerre, tél. 02.48.54.05.79, fax 02.48.54.09.55, e-mail rcmoreux@wanadoo.fr t.l.j. sf dim. 9h-12h 14h-19h

MOULIN DES VRILLERES 2004

5 ha 40 000 5 à 8 €

Christian Lauverjat a élu domicile dans un ancien moulin à eau de Sury-en-Vaux. La moitié de sa production est vendue à l'export, mais vous devriez aisément trouver ce sancerre au domaine. Or pâle, celui-ci livre un nez discret de menthe, de noisette, de pistache et de citron. Des arômes qui se confirment en bouche, associés à une pointe de réglisse. L'ensemble est agréablement frais. Une autre citation est accordée à la cuvée **Perle Blanche 2004 blanc (8 à 11 €)**, franche et ronde.

Christian Lauverjat, Moulin des Vrillères, 18300 Sury-en-Vaux, tél. 02.48.79.38.28, fax 02.48.79.39.49, e-mail lauverjat.christian@wanadoo.fr r.-v.

### DOM. DU NOZAY 2004

13,3 ha 70 000 8 à 11 €

Ce domaine fort de 23 ha possède une véritable histoire. Propriété de la famille de Benoist avant la Révolution, il fut détruit à cette époque et il fallut attendre les années 1960 pour que le père de Philippe de Benoist le rachète. En 1970, les premiers pieds de vignes sont apparus. Sous une teinte or pâle se manifestent de fines notes d'acacia, de réglisse et de fumé. Franche dès l'attaque, la bouche se révèle souple, avec une légère pointe citronnée en finale.

SA Dom. du Nozay, Ch. du Nozay,
18240 Sainte-Gemme-en-Sancerrois, tél. 02.48.79.30.23,
fax 02.48.79.36.64, e-mail nozays@aol.com r.-v.

### DOM. HENRY PELLE La Croix au Garde 2004 *

6 ha 50 000 8 à 11 €

Le domaine Pellé est installé au cœur de l'aire d'appellation menetou-salon – voir son coup de cœur dans cette AOC –, mais il produit également du sancerre. Ce 2004 jaune pâle à reflets gris offre un bouquet élégant d'agrumes nuancé d'un soupçon de bourgeon de cassis. L'attaque vive laisse une impression de fraîcheur, puis le corps se développe avec rondeur et souplesse.

SARL Henry Pellé, rte d'Aubriges,
18220 Morogues, tél. 02.48.64.42.48,
fax 02.48.64.36.88, e-mail info@henry-pelle.com
t.l.j. sf dim. 8h30-12h 13h30-17h30; sam. 15h-18h

### DOM. DE LA PERRIERE 2004 **

20 ha 160 000 8 à 11 €

En 1996, Pierre Archambault a passé le relais à une jeune équipe pour diriger ce domaine, propriété de sa famille depuis 1910. Dans les belles caves souterraines, vous découvrirez un 2004 de couleur or qui charme par ses effluves d'agrumes, de fleurs blanches et de buis. La bouche harmonieuse persiste remarquablement sur une note d'écorce de pamplemousse. Le **Comte de La Perrière 2004 blanc** est cité, de même que le **Domaine de La Perrière 2004 rouge (11 à 15 €)**, un vin fruité qui devra attendre un peu pour s'exprimer pleinement.

SCEA Dom. de La Perrière,
Caves de La Perrière, 18300 Verdigny,
tél. 02.48.54.16.93, fax 02.48.54.11.54 r.-v.
Jean-Louis Saget

### JEAN-PAUL PICARD 2004

5,5 ha 45 000 5 à 8 €

La famille Picard exploite des vignes à Bué depuis le XVIII^e s. Un nouveau chai (2003) permet à Jean-Paul Picard de vinifier dans les meilleures conditions les raisins récoltés manuellement dans les vignobles de sancerre et de menetou-salon. Ce 2004 mêle des arômes de fleurs blanches, de pêche de vigne, d'ananas et de bourgeon de cassis avec suffisamment d'intensité. Equilibré, il joue la légèreté au palais.

Jean-Paul Picard, 11, chem. de Marloup,
18300 Bué, tél. 02.48.54.16.13, fax 02.48.54.34.10,
e-mail jean-paul.picard18@wanadoo.fr
t.l.j. sf dim. 8h-12h 13h30-18h30

### DOM. DES CAVES DU PRIEURE 2004

12 ha 80 000 8 à 11 €

Rénovée en 2003, la propriété est une vigneronnerie du XVIII^e s. Ce 2004 est un sancerre rond et élégant. Si la réglisse et la fraise pointent leurs effluves, relayées par une note d'orange sanguine en finale, l'expression est encore réservée. Il convient d'attendre un peu pour permettre à ce vin de s'ouvrir. Le **rosé 2004** est également cité pour sa vivacité et son fruité.

Dom. des Caves du Prieuré, Reigny,
18300 Crézancy-en-Sancerre, tél. 02.48.79.02.84,
fax 02.48.79.01.02, e-mail caves.prieure@wanadoo.fr
t.l.j. sf dim. 9h-12h 14h-19h
G. Guillerault et S. Fargette

### PAUL PRIEUR ET FILS 2004 *

11,86 ha 100 000 8 à 11 €

Même si vous n'êtes pas un grand marcheur, il vous sera aisé de parcourir le kilomètre et demi qui sépare Chavignol de ce domaine créé à Verdigny en 1964. Empruntez le petit chemin à travers les vignes : vous voilà chez les Prieur. Un 2004 or à reflets argent vous y attend. Au nez comme en bouche, la pâte d'amandes s'associe au genêt et aux agrumes. Le vin est souple, fruité et harmonieux. Vous cherchez des idées d'accords ? L'auberge du Vigneron, dans le village, vous permettra d'en découvrir.

Paul Prieur et Fils, rte des Monts-Damnés,
18300 Verdigny, tél. 02.48.79.35.86, fax 02.48.79.36.85,
e-mail paulprieurfils@wanadoo.fr
t.l.j. 9h-12h 14h-18h; dim. sur r.-v.

### PIERRE PRIEUR ET FILS Cuvée Maréchal 2003 *

n.c. 4 000 11 à 15 €

Pierre Prieur et ses fils, Thierry et Bruno, font partie des rares vignerons à vendanger la totalité de leurs vignes à la main. Les dégustateurs ont été séduits par l'explosion des senteurs de ce vin : fleurs blanches, miel d'acacia, pêche et agrumes. La bouche est tout aussi aromatique, fraîche et équilibrée. La **cuvée Maréchal Prieur 2003 rouge**, élevée un an en fût de chêne, est citée : elle mérite d'attendre trois ou quatre ans pour atteindre sa plénitude. Autre citation : le **Domaine de Saint-Pierre blanc 2004 (8 à 11 €)**, rond et persistant.

SA Pierre Prieur et Fils, Dom. de Saint-Pierre,
18300 Verdigny, tél. 02.48.79.31.70, fax 02.48.79.38.87,
e-mail prieur-pierre@netcourrier.com
t.l.j. sf dim. 8h30-12h 14h-18h

### PHILIPPE RAIMBAULT Les Godons 2004 *

3,1 ha 25 000 5 à 8 €

Ce jeune vigneron a repris l'exploitation de son père il y a sept ans. A voir dans la cave, une collection de fossiles marins issus du terroir. A goûter, ce vin typé d'agrumes. Vous le servirez à l'apéritif, à 10-12 °C, pour ouvrir l'appétit. Les arômes de pamplemousse très présents accompagnent son développement rond et frais à la fois. Citée, la cuvée **Apud Sariacum 2004 blanc** est vive et fruitée.

Philippe Raimbault,
rte de Maimbray, 18300 Sury-en-Vaux,
tél. 02.48.79.29.54, fax 02.48.79.29.51 r.-v.

### ROGER ET DIDIER RAIMBAULT 2004 *

10 ha 55 000 8 à 11 €

Ce vin est issu de vignes d'une vingtaine d'années, plantées sur un terroir calcaire et argilo-calcaire. Des arômes de kiwi, d'orange et d'autres fruits apparaissent d'emblée. La bouche s'avère suave et tendre, rehaussée d'une note acidulée en finale. La cuvée **Vieilles Vignes 2003 blanc** a su garder de la fraîcheur malgré sa puissance : elle est citée.

🔑 Roger et Didier Raimbault, Chaudenay,
18300 Verdigny, tél. 02.48.79.32.87, fax 02.48.79.39.08,
e-mail raimbault.didier@libertysurf.fr
t.l.j. 9h-12h 14h-18h; dim. sur r.-v.

## DOM. RAIMBAULT-PINEAU 2004 ★

| | 8,5 ha | 70 000 | | 8 à 11 € |
|---|---|---|---|---|

Vous avez réuni vos amis et leurs enfants pour un week-end découverte du vignoble. Le toit et le vin sont tout trouvés : rendez-vous chez les Raimbault qui ont ouvert l'an passé un sympathique gîte rural dans le village de Sury-en-Vaux. Or à reflets argentés, ce sancerre offre un nez intense de fruits mûrs (pêche notamment). De la tendreté en attaque, de la rondeur en milieu de bouche et des arômes persistants en finale, sans excès de vivacité. Un week-end, c'est bien court, somme toute.

🔑 Dom. Raimbault-Pineau,
rte de Sancerre, 18300 Sury-en-Vaux,
tél. 02.48.79.33.04, fax 02.48.79.36.25,
e-mail scev.raimbaultpineau@terre-net.fr
t.l.j. 9h-12h 14h-18h; sam. dim. sur r.-v.

## DOM. HIPPOLYTE REVERDY 2004 ★

| | 0,85 ha | 6 500 | | 8 à 11 € |
|---|---|---|---|---|

Une robe or rose, presque pelure d'oignon, habille ce vin au nez flatteur de pêche, de fleurs et de fruits rouges, agrémentés de quelques notes épicées. Après une attaque vive, la bouche évolue en souplesse et laisse en finale l'impression de croquer une pêche, avec un petit goût de bonbon anglais en plus.

🔑 Dom. Hippolyte Reverdy,
rue de la Croix-Michaud, Chaudoux, 18300 Verdigny,
tél. 02.48.79.36.16, fax 02.48.79.36.65,
e-mail domaine.hreverdy@wanadoo.fr r.-v.

## PASCAL ET NICOLAS REVERDY

Terre de Maimbray 2004 ★★

| | 8,5 ha | 70 000 | | 8 à 11 € |
|---|---|---|---|---|

Les frères Reverdy proposent une bouteille à l'étiquette simple et raffinée. Tout est dans le contenu : un vin or pâle dont la palette aromatique débute sur la violette, puis s'ouvre sur les fruits mûrs et les agrumes. La bouche pleine et souple, dominée par les notes de fleurs et de pamplemousse, laisse une impression d'élégance. La cuvée **Vieilles Vignes 2004 blanc (11 à 15 €)** obtient une étoile pour son nez intense et complexe, sa structure et sa rondeur vanillée. La même note revient à la cuvée **Evolution rouge 2003 (11 à 15 €)** qui décline une gamme fruitée et grillée, puis révèle une concentration digne d'une vendange de qualité.

🔑 GAEC Pascal et Nicolas Reverdy,
Maimbray, 18300 Sury-en-Vaux,
tél. 02.48.79.37.31, fax 02.48.79.41.48
t.l.j. sf mer. dim. 10h-12h 14h30-18h30

## ROGER REVERDY CADET ET FILS

Cuvée des Cadet 2003 ★

| | 0,2 ha | 1 000 | | 8 à 11 € |
|---|---|---|---|---|

Roger Reverdy-Cadet présente une petite cuvée issue de vignes de vingt ans. De teinte rubis, celle-ci sent bon les fruits rouges et la vanille, nuance aromatique due à un élevage en fût d'un an. La bouche se fait l'écho du nez, fruitée et toute de finesse.

🔑 Reverdy Cadet et Fils,
rte de la Perrière, Chaudoux, 18300 Verdigny,
tél. 02.48.79.38.54, fax 02.48.79.35.25 r.-v.

## BERNARD REVERDY ET FILS 2004

| | 8,6 ha | 65 000 | | 8 à 11 € |
|---|---|---|---|---|

Il y a un petit côté fumé et minéral (pierre à fusil) dans ce vin qui intrigue. Sous une teinte jaune à reflets verts se libèrent en outre des arômes d'agrumes de bonne intensité qui se prolongent en bouche. Celle-ci débute en souplesse avant de présenter une pointe de vivacité. Le tout est équilibré.

🔑 Bernard Reverdy et Fils,
rte des Petites-Perrières, Chaudoux, 18300 Verdigny,
tél. 02.48.79.33.08, fax 02.48.79.37.93 r.-v.

## DANIEL REVERDY ET FILS 2004

| | 0,17 ha | 1 300 | | 5 à 8 € |
|---|---|---|---|---|

En 2001, Cyrille Reverdy a rejoint son père sur la propriété de plus de 7 ha. Des vignes trentenaires ont donné naissance à ce vin rubis, riche d'arômes de fruits rouges et noirs. Les tanins sont souples, la matière de qualité. Un 2004 bien dans le type de l'appellation.

🔑 GAEC Daniel Reverdy et Fils, rue du Graveron,
Chaudenay, 18300 Verdigny, tél. et fax 02.48.79.33.29,
e-mail gaecdanielreverdy@oreka.com r.-v.

## JEAN REVERDY ET FILS

La Reine blanche 2004 ★★

| | 9 ha | 66 000 | | 8 à 11 € |
|---|---|---|---|---|

Cette propriété familiale qui exporte 60 % de sa production récolte les étoiles cette année encore. D'un jaune assez clair, son 2004 offre un nez complexe de fruits exotiques et de pêche blanche. Il se montre ample au palais, rond, avec une juste fraîcheur apportée par des notes d'agrumes persistantes. Le **rosé Les Villots 2004** obtient une étoile pour son caractère très aromatique, floral et acidulé.

🔑 Jean Reverdy et Fils, 18300 Verdigny,
tél. 02.48.79.31.48, fax 02.48.79.32.44 r.-v.

## CLAUDE RIFFAULT Antique 2003

| | 0,5 ha | 3 200 | | 8 à 11 € |
|---|---|---|---|---|

La jeune génération est arrivée au domaine en 2000. Elle sait y faire, à en juger par ces deux vins du millésime 2003. Ce sancerre blanc, fin et intense, possède un nez fruité et frais, rappelant les agrumes. La bouche est ronde et aromatique. **L'Antique rouge 2003** obtient également une citation pour ses arômes de fruits mûrs.

🔑 Claude Riffault, Maison-Sallé, 18300 Sury-en-Vaux,
tél. 02.48.79.38.22, fax 02.48.79.36.22,
e-mail claude.riffault@wanadoo.fr
t.l.j. 8h-12h 14h-19h; dim. sur r.-v.

## JEAN-MAX ROGER Vieilles Vignes 2003 ★★

| | 1 ha | 4 000 | | 15 à 23 € |
|---|---|---|---|---|

Jean-Max Roger propose un remarquable 2003 issu de vignes de trente-huit ans. Il arbore une robe intense à

reflets grenat. Le premier nez torréfié cède place aux arômes délicats de fruits rouges. Au palais, les tanins soyeux composent une structure souple. Certes, le bois est encore un peu dominateur, mais il promet de se fondre à la faveur d'une garde de trois ou quatre ans.
Jean-Max Roger, 11, pl. du Carrou, 18300 Bué, tél. 02.48.54.32.20, fax 02.48.54.10.29, e-mail jean-max.roger@wanadoo.fr
t.l.j. 8h-12h 14h-18h; sam. dim. sur r.-v.

## DOM. DE LA ROSSIGNOLE 2003 *

2 ha 9 000 8 à 11 €

François et Jean-Marie Cherrier exploitent leur vignoble de 15 ha en agriculture raisonnée. Leur vin est caractéristique du millésime et prometteur. Intense au nez comme en bouche, ce 2003 décline des arômes fruités et épicés, tout en se développant avec souplesse grâce à des tanins de qualité. Le **2004 blanc** s'exprime finement sur les agrumes et les fruits exotiques : il est cité.
Pierre Cherrier et Fils, rue de la Croix-Michaud, Chaudoux, 18300 Verdigny, tél. 02.48.79.34.93, fax 02.48.79.33.41, e-mail cherrier@easynet.fr r.-v.

## DOM. DE SAINT ROMBLE 2004

8 ha 59 000 5 à 8 €

Originaire de Verdigny, la famille Fournier a racheté cette propriété à Paul Vattan, en 1996. Dans le chai rénové en 2000 est né ce vin or pâle qui exprime de fins arômes de fleurs et de fruits printaniers. D'attaque ronde, la bouche se développe avec vivacité. Le **Domaine de Saint Romble Paul Vattan rouge 2003 (8 à 11 €)** reflète bien le pinot noir. Il est suffisamment concentré pour affronter une garde de trois ou quatre ans avant de rejoindre un gigot d'agneau.
SARL Paul Vattan, Dom. de Saint Romble, BP 45, Maimbray, 18300 Sury-en-Vaux, tél. 02.48.79.30.36, fax 02.48.79.30.41, e-mail claude@fournier-pere-fils.fr
r.-v. chez Fournier à Verdigny

## DOM. CHRISTIAN SALMON
Le Chêne marchand 2004 **

0,35 ha 1 800 11 à 15 €

L'an passé, Christian Salmon avait produit un remarquable sancerre rouge 2002. Il démontre aujourd'hui son talent dans la vinification du sauvignon. Le jury a été conquis dès le premier regard porté sur la robe doré intense. Le nez d'abord floral, puis riche d'agrumes et de fruits exotiques, n'a fait que conforter son impression favorable. Les dégustateurs ont apprécié l'ampleur et la rondeur de la bouche persistante, relevée d'une pointe de vivacité. Le **2003 rouge (8 à 11 €)** brille d'une étoile pour ses arômes de pruneau, ses tanins fins et son caractère tendre.
Dom. Christian Salmon, Le Carroir, 18300 Bué, tél. 02.48.54.20.54, fax 02.48.54.30.36, e-mail domainechristiansalmon@wanadoo.fr r.-v.

## DOM. DE SARRY 2004

1,11 ha 9 500 8 à 11 €

Personne ne voulait reprendre ces vignes d'un seul tenant plantées en fortes pentes quand, en 1968, Michel Brock les racheta. Celui-ci a pris sa retraite à la fin de l'année 2003, mais il apporte toujours son aide à son fils Nicolas qui gère le domaine depuis 1986. Dans la cave semi-enterrée, vous goûterez ce vin harmonieux, alliant les notes fruitées à une juste vivacité. Cités également, le **2004 blanc**, floral et minéral, ainsi que le **Domaine Brock classique 2004 blanc** qui se distingue par son nez d'agrumes et sa bouche ronde, aromatique.
Dom. Brock, Le Briou-de-Veaugues, 18300 Sancerre, tél. 02.48.79.07.92, fax 02.48.79.05.28, e-mail brock@brock.fr r.-v.

## DAVID SAUTEREAU 2004

3,1 ha 26 000 5 à 8 €

David Sautereau s'est installé en 1997 avec quelques vignes en location. Depuis, il a planté ses propres ceps pour parvenir à 5 ha. Son sancerre doré à reflets verts possède un caractère fruité et légèrement végétal. Il devrait s'ouvrir davantage au cours des prochains mois. Le **rouge 2003** est un vin léger qui accompagnera charcuteries et volailles. Il est cité également.
David Sautereau, Les Epsailles, 18300 Crézancy-en-Sancerre, tél. 02.48.79.42.52, fax 02.48.79.44.12, e-mail david.sautereau@wanadoo.fr
t.l.j. 8h-12h 13h30-19h

## DOM. TABORDET 2004 *

2 ha 10 000 8 à 11 €

Yvon et Pascal Tabordet sont installés à Sancerre depuis 1980. Particularité familiale : les deux frères sont mariés à deux sœurs. Ce vin friand, typique du millésime, s'habille d'une robe rubis. Au nez intense de griotte et de prune répond une bouche tendre et fraîche, étayée par des tanins bien fondus. La souplesse et les arômes d'agrumes (orange sanguine, pamplemousse) du **2004 blanc** ont retenu l'attention du jury. Ce vin est cité.
Yvon et Pascal Tabordet, rue du Carroir-Perrin, Chaudoux, 18300 Verdigny, tél. 02.48.79.34.01, fax 02.48.79.32.69, e-mail domaine.tabordet@wanadoo.fr
t.l.j. 9h-12h 14h-18h; dim. sur r.-v.

## DOM. MICHEL THOMAS ET FILS
Cuvée Alexis 2003 **

0,5 ha 1 500 11 à 15 €

Le millésime 2003, si difficile à vinifier, a bien réussi à Michel Thomas. Les deux vins présentés obtiennent deux étoiles. Rubis intense, ce sancerre évoque les fruits, nuancés de vanille et de chocolat hérités d'un an d'élevage sous bois. Un florilège d'arômes. Il se montre gourmand grâce à sa chair ronde, soutenue par des tanins souples, et à ses flaveurs persistantes. Le **Terre Blanche 2003 blanc** a séjourné huit mois en fût : l'empreinte boisée mérite de se fondre encore, mais on perçoit déjà de la richesse, de la fraîcheur et de longs arômes.
SCEV Michel Thomas et Fils, Les Egrots, 18300 Sury-en-Vaux, tél. 02.48.79.35.46, fax 02.48.79.37.60, e-mail thomas.mld@wanadoo.fr
t.l.j. 8h-12h 14h-19h

## CLAUDE ET FLORENCE THOMAS-LABAILLE
La Fleur de Galifard Elevé en fût de chêne 2004

0,25 ha 1 200 15 à 23 €

De très vieilles vignes de quatre-vingts ans plantées sur une parcelle dénommée Galifard ont donné naissance à ce vin jaune doré, finement parfumé de beurre et de vanille. L'élevage de neuf mois sous bois a laissé son sillage. Le fruité apparaît en bouche, sous des accents de coing. Gardez cette bouteille deux ou trois ans pour un meilleur fondu. **L'Authentique 2004 blanc (8 à 11 €)**, minéral et ample, est cité lui aussi.

EARL Thomas-Labaille, Chavignol, 18300 Sancerre, tél. 02.48.54.06.95, fax 02.48.54.07.80 r.-v.

### DOM. ROLAND TISSIER ET FILS
Cuvée Saint-Benoît 2003 *

0,4 ha 2 300 8 à 11 €

Roland Tissier s'est installé en 1971 en reprenant l'hectare de son père ; progressivement, le domaine s'est agrandi à 10 ha. Les deux fils, Rodolphe et Florent, exploitent désormais le domaine et ont procédé à la rénovation du chai en 2004. Ils ont produit un vin plaisant et original, à découvrir en accompagnement de noix de Saint-Jacques au safran. Les arômes de noisette, d'amande grillée, de raisins secs et de fruits blancs souligneront, en effet, ce mets délicat. Il en sera de même de la bouche ronde, souple et élégante. Citée, la **cuvée Etienne Ier 2003 rouge** offre un agréable fruité.

Dom. Roland Tissier et Fils, Le Petit Morice, 18300 Sancerre, tél. 02.48.54.12.31, fax 02.48.78.04.32, e-mail sancerretissier@aol.com r.-v.

### DOM. DE LA TONNELLERIE 2004

1,3 ha 10 000 5 à 8 €

Héritiers d'une famille de vignerons vieille de trois siècles, Gérard et Hubert Thirot cultivent aujourd'hui 14 ha. Ce rosé saumoné à reflets cerise est issu de raisins bien mûrs. Si le nez fruité reste discret, la bouche souple bénéficie d'une bonne structure grâce à une juste vivacité et à des tanins souples. Le **2004 blanc**, également cité, présente un caractère floral.

Gérard Thirot, allée du Chatiller, 18300 Bué, tél. 02.48.54.16.14, fax 02.48.54.00.42, e-mail gerard.thirot@wanadoo.fr t.l.j. sf dim. 9h-18h

### JEAN-PIERRE VACHER ET FILS 2004

0,77 ha 2 500 5 à 8 €

Jean-Pierre Vacher, installé en 1990, a peu à peu agrandi son vignoble qui compte actuellement près de 9 ha de vignes. Son fils Jérôme l'a rejoint en 2004. Le duo connaît de bons débuts, comme en témoignent les deux vins cités par le jury. Vêtu d'une robe saumonée, le rosé flatte le nez par ses senteurs de pêche, de bonbon anglais et de menthol. Ces arômes se retrouvent en bouche, avec un côté acidulé plein de fraîcheur. Le **2004 blanc** se montre très vif et minéral.

EARL Jean-Pierre Vacher et Fils, rte de Sancerre, 18300 Menetou-Ratel, tél. 02.48.79.38.89, fax 02.48.79.27.31 r.-v.

### DOM. VACHERON Belle Dame 2003 *

1,68 ha 8 000 23 à 30 €

C'est en famille que les Vacheron (deux frères et deux de leurs enfants) exploitent ce vignoble de 40 ha conduit en agriculture biologique et répartis sur les trois types de sols du Sancerrois : silex, calcaire et marnes kimméridgiennes. Une Belle Dame, en effet, que cette bouteille élégamment étiquetée. Le vin est intensément aromatique, puissamment fruité. Sa rondeur témoigne d'une matière première de qualité. Il faudra juste attendre que les tanins s'assouplissent à la faveur de trois ou quatre ans de garde. La cuvée **Les Romains 2003 blanc (15 à 23 €)** brille aussi d'une étoile : au nez de fruits blancs, de menthol, de vanille et de miel répond une bouche tendre.

Dom. Vacheron, 1, rue du Puits-Poulton, 18300 Sancerre, tél. 02.48.54.09.93, fax 02.48.54.01.74, e-mail vacheron.sa@wanadoo.fr r.-v.

### DOM. ANDRE VATAN Les Charmes 2004 *

7,6 ha 67 000 5 à 8 €

Pas de doute, ce vin est un 2004. Humez ces arômes puissants et complexes de fruits exotiques, d'agrumes, de menthe, soulignés de notes minérales. Cette ligne aromatique accompagne durablement la bouche fine. Citée, la cuvée **Saint-François blanc 2003 (11 à 15 €)** présente des flaveurs de fruits surmûris, de miel et beaucoup de rondeur.

André Vatan, rte des Petites-Perrières, 18300 Verdigny, tél. 02.48.79.33.07, fax 02.48.79.36.30 r.-v.

### DOM. DES VIEUX PRUNIERS 2004

2 ha 18 000 5 à 8 €

Parti de quelques vignes en 1984, Christian Thirot-Fournier possède maintenant une dizaine d'hectares. Son sancerre offre un nez séduisant d'agrumes légèrement mentholés. La bouche est franche et citronnée. Egalement cité, le **rosé 2004**, couleur saumon, exhale des arômes de bonbon et de pétale de rose avec une touche de framboise. Sa fraîcheur est appréciable.

Christian Thirot-Fournier, 1, chem. de Marcigoi, 18300 Bué, tél. 02.48.54.09.40, fax 02.48.78.02.72, e-mail thirot.fournier-christian@wanadoo.fr t.l.j. sf dim. 8h-12h 14h-19h; f. 15-31 août

### DOM. DE LA VILLAUDIERE 2004 *

2 ha 15 000 5 à 8 €

Créée en 1980, la propriété s'est agrandie en 1996 grâce à la construction d'un bâtiment à flanc de coteau, en dehors du village. Ce sancerre fait preuve de puissance dans ses arômes de fruits exotiques et de bourgeon de cassis, puis il se développe au palais sur une ligne fraîche que rehaussent des flaveurs d'agrumes.

Jean-Marie Reverdy, rte de Chaudenay, 18300 Verdigny, tél. 02.48.79.30.84, fax 02.48.79.38.16, e-mail jreverdy@terre-net.fr r.-v.

### DOM. LA VOLTONNERIE 2004 *

1,3 ha 13 000 8 à 11 €

Jack Pinson a débuté en 1970 en reprenant l'hectare de vignes de son grand-père et les trois vaches allaitantes. Aujourd'hui, il exploite un vignoble de 13 ha et a entrepris la construction d'une nouvelle cave. Son vin rubis livre des arômes de fruits rouges nuancés de réglisse. Friand, il tire profit de tanins bien fondus qui le soutiennent jusqu'à une finale fraîche. Le **rosé 2004** est cité pour sa puissance aromatique et son agréable note de framboise en finale.

Jack Pinson, Le Bourg, 18300 Crézancy-en-Sancerre, tél. 02.48.79.00.94, fax 02.48.79.00.11, e-mail j.pinson@terre-net.fr t.l.j. 9h-12h 14h-19h, dim. 9h-12h

# LA VALLÉE DU RHÔNE

# LA VALLÉE DU RHÔNE

Viril et fougueux, le Rhône file vers le Midi, vers le soleil. Sur ses rives, le long des pays qu'il unit plus qu'il ne les divise, s'étendent des vignobles parmi les plus anciens de France, ici prestigieux, plus loin méconnus. La vallée du Rhône est, en production de vins fins, la seconde région viticole de l'Hexagone après le Bordelais. En qualité aussi, elle peut rivaliser sans honte avec certains de ses crus, suscitant l'intérêt des connaisseurs autant que quelques-uns des bordeaux ou des bourgognes les plus réputés.

Longtemps, pourtant, le côtes-du-rhône fut mésestimé : gentil vin de comptoir un peu populaire, il n'apparaissait que trop rarement aux tables élégantes. « Vin d'une nuit » qu'une si brève cuvaison rendait léger, fruité et peu tannique, il voisinait avec le beaujolais dans les « bouchons » lyonnais ; mais les vrais amateurs appréciaient pourtant les grands crus et goûtaient un hermitage avec tout le respect dû aux plus grandes bouteilles. Aujourd'hui, grâce aux efforts de 12 000 vignerons et de leurs organismes professionnels, en vue d'une constante amélioration de la qualité, l'image des côtes-du-rhône s'est redressée. S'ils continuent à couler allègrement sur le zinc des bistrots, ils prennent une place de plus en plus grande sur les meilleures tables, et, tandis que leur diversité fait leur richesse, ils ont regagné désormais le succès que l'histoire, déjà, leur avait accordé.

Peu de vignobles sont en effet capables de se prévaloir d'un passé aussi glorieux que ceux-ci, et, de Vienne jusqu'à Avignon, il n'est pas un village qui ne puisse retracer quelques pages parmi les plus mémorables de l'histoire de France. On revendique en outre, aux abords de Vienne, l'un des plus anciens vignobles du pays, développé par les Romains, après avoir été créé par des Phocéens « montés » depuis Marseille. Vers le IV^e s. avant notre ère, des vignobles étaient attestés dans les secteurs des actuels hermitage et côte-rôtie, tandis que ceux de la région de Die apparaissaient dès le début de l'ère chrétienne. Les Templiers, au XII^e s., ont planté les premières vignes de Châteauneuf-du-Pape, œuvre poursuivie par le pape Jean XXII deux siècles plus tard. Quant aux vins de la côte du Rhône gardoise, ils connurent une grande vogue aux XVII^e et XVIII^e s.

Aujourd'hui, dans le secteur méridional, sur la rive gauche du fleuve, le château médiéval de Suze-la-Rousse s'est reconverti au service du vin : l'université du Vin y siège et y organise stages, formation professionnelle et manifestations diverses.

Tout le long de la vallée, les vins sont produits sur les deux rives, certains experts séparant cependant les vins de la rive gauche, plus lourds et capiteux, de ceux de la rive droite, plus légers. Mais on distingue plus généralement deux grands secteurs nettement différenciés : celui de la vallée du Rhône septentrionale, au nord de Valence, et celui de la vallée du Rhône méridionale, au sud de Montélimar, coupés l'un de l'autre par une zone d'environ cinquante kilomètres où la vigne est absente.

Il ne faut pas oublier non plus les appellations voisines de la vallée du Rhône, qui, si elles sont moins connues du grand public, produisent pourtant des vins originaux et de qualité. Ce sont le coteaux-du-tricastin au nord, le côtes-du-ventoux et le côtes-du-luberon à l'est, le côtes-du-vivarais au nord-ouest. Il existe trois autres appellations que leur situation géographique éloigne davantage de la vallée proprement dite : la clairette-de-die et le châtillon-en-diois, dans la vallée de la Drôme, en bordure du Vercors, et les coteaux-de-pierrevert, produits dans le département des Alpes-de-Haute-Provence. Il convient enfin de citer les deux appellations de vins doux naturels du Vaucluse : muscat-de-beaumes-de-venise et rasteau (voir en fin de chapitre Vallée du Rhône).

Selon les variations de sol et de climat, il est encore possible de repérer trois sous-ensembles dans cette vaste région de la vallée du Rhône. Au nord de Valence, le climat est tempéré à influence continentale, les sols sont le plus souvent granitiques ou schisteux, disposés en coteaux à très forte pente ; les vins sont issus du seul cépage syrah pour les rouges, des cépages marsanne et roussanne pour les blancs, et le cépage viognier est à l'origine du château-grillet et du condrieu. Dans le Diois, le climat est influencé par le relief montagneux, et les sols calcaires sont constitués par des éboulis de bas de pente ; les cépages clairette et muscat se sont bien adaptés à ces conditions naturelles. Au sud de Montélimar, le climat est méditerranéen, les sols très variés sont répartis sur un substrat calcaire (terrasses à galets roulés, sols rouges argilo-sableux, molasses et sables) ; le cépage principal est alors le grenache, mais les excès climatiques obligent les viticulteurs à utiliser plusieurs cépages pour obtenir des vins parfaitement équilibrés : la syrah, le mourvèdre, le cinsault, la clairette, le bourboulenc, la roussanne.

Après une nette diminution des superficies plantées au XIXes., le seul vignoble de la vallée du Rhône s'est à nouveau étendu, et il demeure aujourd'hui en expansion. Dans son ensemble, il couvre 60 725 ha, pour une production de 2,466 millions d'hectolitres en 2004 ; dans le secteur septentrional 50 % de la production est commercialisé par le négoce alors que, dans le secteur méridional, 70 % l'est par les coopératives.

# Côtes-du-rhône

L'appellation régionale côtes-du-rhône a été définie par décret en 1937. En 1996, un nouveau décret a fixé les conditions d'encépagement appliquées depuis 2004 : en rouge, le grenache devra représenter 40 % minimum, syrah et mourvèdre devant tenir leur place. Cette disposition n'est bien sûr valable que pour les vignobles méridionaux situés au sud de Montélimar. La possibilité d'incorporer des cépages blancs n'existera plus que pour les rosés. L'AOC s'étend sur six départements : Gard, Ardèche, Drôme, Vaucluse, Loire et Rhône. Produits sur quelque 40 327 ha situés en quasi-totalité dans la partie méridionale, ces vins ont représenté en 2004 une production de 1 726 493 hl, les vins rouges se taillant la part du lion avec 96 % de la production, rosés et blancs étant à égalité avec 2 %. 10 000 vignerons sont répartis entre 1 610 caves particulières (35 % des volumes) et 70 caves coopératives (65 % des volumes). Sur les trois cents millions de bouteilles commercialisées chaque année, 40 % sont consommées à domicile, 30 % dans la restauration et 30 % sont exportées.

Grâce aux variations des microclimats, à la diversité des sols et des cépages, ces vignobles produisent des vins qui pourront réjouir tous les palais : vins rouges de garde, riches, tanniques et généreux, à servir sur la viande rouge, produits dans les zones les plus chaudes et sur des sols de diluvium alpin (Domazan, Estézargues, Courthézon, Orange...) ; vins rouges plus légers, fruités et plus nerveux, nés sur des sols eux-mêmes plus légers (Puyméras, Nyons, Sabran, Bourg-Saint-Andéol...) ; vins primeurs enfin (environ 10 millions de cols), fruités et gouleyants, à boire très jeunes, à partir du troisième jeudi de novembre, et qui connaissent un succès sans cesse grandissant.

La chaleur estivale prédispose les vins blancs et les vins rosés à une structure caractérisée par l'équilibre et la rondeur. L'attention des producteurs et le soin des œnologues permettent d'extraire le maximum d'arômes et d'obtenir des vins frais et délicats, dont la demande augmente continuellement. On les servira respectivement sur les poissons de mer, sur les salades ou la charcuterie.

## DOM. DE L'AMANDINE 2003 *

■ 15,5 ha 90 000 5 à 8 €

Jean-Pierre Verdeau et son fils Christian exploitent un vignoble de 45 ha. Leur côtes-du-rhône, marqué par la chaleur d'un terroir argilo-calcaire, se montre puissant. Les fruits rouges cèdent rapidement la place aux notes d'épices et de café. Un vin agréable, bien représentatif de cette appellation méridionale.

GAEC de L'Amandine, rte de Roaix, 84110 Séguret, tél. 04.90.46.12.39, fax 04.90.46.16.64, e-mail domaine.amandine@wanadoo.fr r.-v.

Verdeau

## CH. LES AMOUREUSES La Barbare 2004 *

■ 5,5 ha 20 000 8 à 11 €

Ce domaine établi sur les bords du Rhône, est régulièrement « étoilé » dans le Guide et a déjà décroché plusieurs coups de cœur. Cette année, le jury a retenu deux

## La Vallée du Rhône (partie septentrionale)

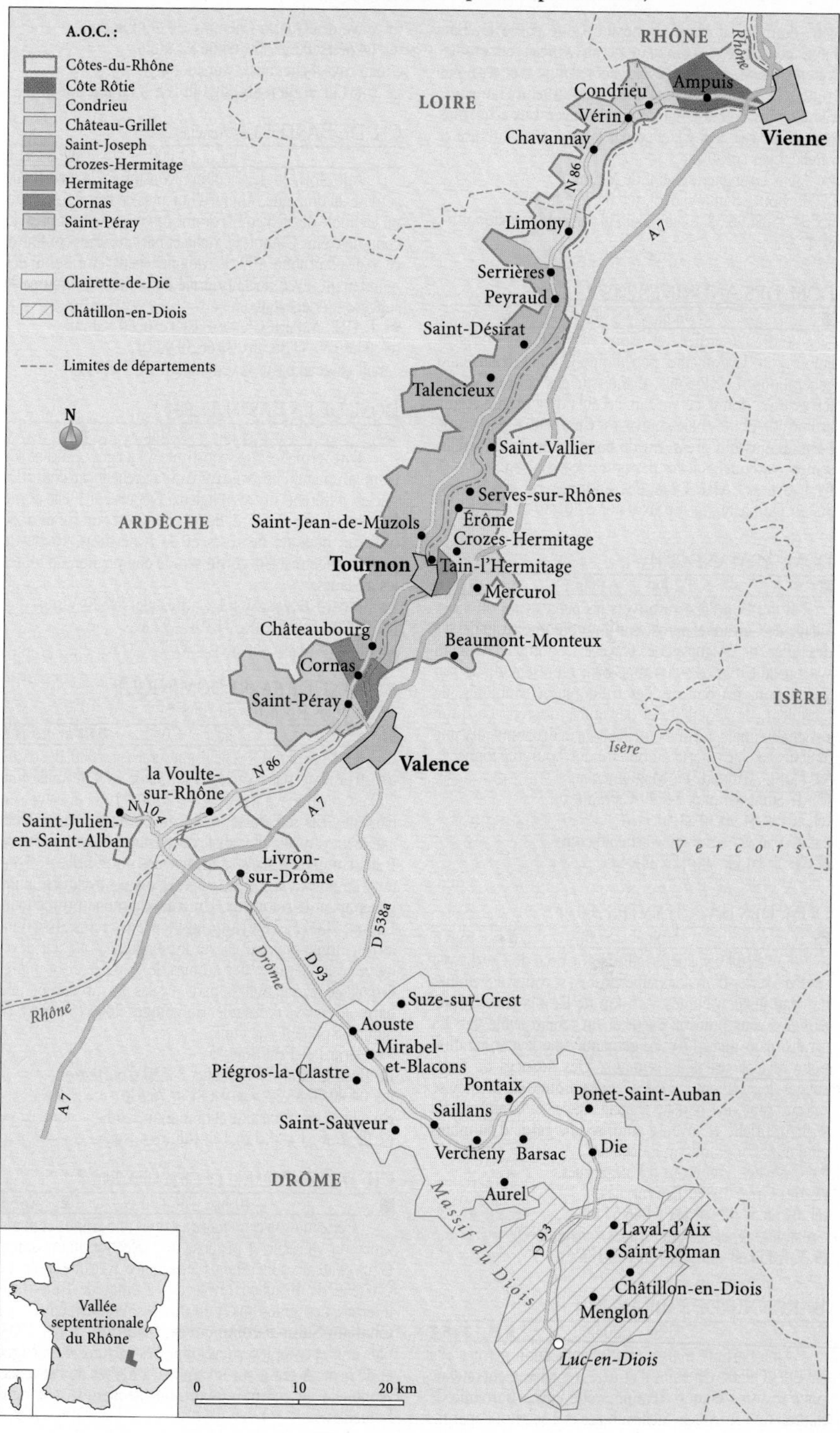

A.O.C. :
Côtes-du-Rhône
Côte Rôtie
Condrieu
Château-Grillet
Saint-Joseph
Crozes-Hermitage
Hermitage
Cornas
Saint-Péray
Clairette-de-Die
Châtillon-en-Diois
Limites de départements
N
RHÔNE
LOIRE
ARDÈCHE
ISÈRE
DRÔME
Rhône
Ampuis
Condrieu
Vérin
Chavannay
Vienne
N 86
Limony
A 7
Serrières
Peyraud
Saint-Désirat
Talencieux
Saint-Vallier
Serves-sur-Rhônes
Érôme
Saint-Jean-de-Muzols
Crozes-Hermitage
Tournon
Tain-l'Hermitage
Mercurol
Châteaubourg
Beaumont-Monteux
Cornas
Saint-Péray
Isère
Valence
la Voulte-sur-Rhône
N 104
Saint-Julien-en-Saint-Alban
Livron-sur-Drôme
D 538a
Vercors
Drôme
D 93
Suze-sur-Crest
Aouste
Mirabel-et-Blacons
Piégros-la-Clastre
Pontaix
Ponet-Saint-Auban
Saillans
Saint-Sauveur
Vercheny
Barsac
Die
Aurel
Massif du Diois
Laval-d'Aix
Saint-Roman
Châtillon-en-Diois
Menglon
Luc-en-Diois
Vallée septentrionale du Rhône
0
10
20 km

côtes-du-rhône d'Alain Grangaud. Cette cuvée La Barbare, complexe, accompagnera un agneau en croûte. Finement boisée, elle se révèle encore jeune avec ses notes fruitées de cassis. Ample, d'une bonne structure tannique, elle est plus apte à la garde que la cuvée **Les Charmes rouge 2004 (5 à 8 €)**, citée par le jury. Un vin boisé et vanillé, bien construit.
Alain Grangaud, chem. de Vinsas, 07700 Bourg-Saint-Andéol, tél. 04.75.54.51.85, fax 04.75.54.66.38, e-mail alain.grangaud@wanadoo.fr r.-v.

## DOM. DES ANDRINES 2003 *

2,96 ha 5 800 3 à 5 €

André Issartier et son fils Nicolas dirigent aujourd'hui le domaine, patrimoine familial depuis cinq générations. Le vignoble, planté sur des coteaux et des terrasses, a donné ce vin aux accents de garrigue et aux arômes de petites baies sauvages. Charpentée grâce à de beaux tanins qui présagent de bonnes années de vieillissement, la bouche libère des notes de venaison.
Issartier, EARL Dom. des Andrines, rue des Ecoles, 30390 Domazan, tél. et fax 04.66.57.01.89 r.-v.

## DOM. ARMAND 2004

1,2 ha 6 000 3 à 5 €

Il fait bon flâner à travers les petites rues du vieux village de Cairanne, perché sur un promontoire au-dessus des vallées de l'Aigues et de l'Ouvèze. Le domaine Armand y a produit un côtes-du-rhône bien représentatif de son appellation. En bouche, des fruits plutôt confiturés, de l'ampleur, de l'équilibre et des tanins discrets. Le fruité revient en finale. Cette bouteille pourra accompagner une assiette de charcuterie ou une fondue bourguignonne.
Dom. Armand, La Magnaneraie, rte de Saint-Roman, 84290 Cairanne, tél. et fax 04.90.30.81.50, e-mail contact@domaine-armand.com t.l.j. 10h-12h 14h-18h

## DOM. DES BACCHANTES 2003 **

5 ha 25 000 5 à 8 €

Construit il y a deux mille ans, le pont du Gard, avec ses trois séries d'arcades superposées, servait à acheminer de l'eau jusqu'à Nîmes. A 5 km de là, à la cave d'Estézargues, vous pourrez déguster un remarquable vin. La syrah, majoritaire (70 %), demande une légère aération pour révéler ses mille senteurs. Des nuances de fruits rouges, légèrement évoluées, et des arômes de pivoine se mêlent dans une bouche fraîche, épicée et complexe. Sa structure riche et soyeuse autorise une garde d'au moins cinq ans. Un grand vin à décanter.
Cave des Vignerons d'Estézargues, rte des Grès, 30390 Estézargues, tél. 04.66.57.03.64, fax 04.66.57.04.83, e-mail les.vignerons.estezargues@wanadoo.fr t.l.j. sf dim. 8h-12h 14h-18h

## BARONNIE DE SABRAN 2004

3 ha 20 000 3 à 5 €

Une parfaite maîtrise de la vinification permet à la cave des Quatre Chemins d'être très régulièrement retenue pour ses vins blancs. Témoin, cette cuvée Baronnie de Sabran fine et fruitée, facile à boire et à servir à l'apéritif.
Cave des Quatre Chemins, 30290 Laudun, tél. 04.66.82.00.22, fax 04.66.82.44.26, e-mail cave.4-chemins@wanadoo.fr t.l.j. sf dim. 8h-12h 14h-18h (t.l.j. juil.-août)

## CH. DE BASTET Les Acacias 2003 **

4 ha 12 000 8 à 11 €

Autrefois, la sériciculture constituait la principale activité du domaine. Aujourd'hui, plus de vers à soie, mais un vignoble de 55 ha qui a donné ce vin passé tout près du coup de cœur. Complexe, riche et parfaitement confituré, ce côtes-du-rhône 100 % viognier peut être servi dès maintenant, avec un loup grillé aux amandes comme le suggère un dégustateur.
EARL Aubert, Ch. de Bastet, 30200 Sabran, tél. 04.66.39.33.36, fax 04.66.39.92.01, e-mail chateau.bastet@wanadoo.fr r.-v.

## DOM. DE LA BASTIDE 2004 *

1 ha 2 500 3 à 5 €

Une ferme fortifiée construite il y a neuf cents ans sur l'emplacement d'une *villa* romaine a accueilli, au cours des siècles, différents ordres religieux. Depuis 1981, elle abrite le domaine de Bernard Boyer. Son côtes-du-rhône rosé offre un bouquet de roses et de fruits frais. Riche de parfums de groseille, ce vin sera le compagnon de toutes les grillades.
Bernard Boyer, SCEA La Bastide, 84820 Visan, tél. 04.90.41.98.61, fax 04.90.41.97.89, e-mail vinboyer@wanadoo.fr r.-v.

## LA BASTIDE SAINT DOMINIQUE
Cuvée Jules Rochebonne 2003 *

2 ha 6 000 8 à 11 €

La cuvée Jules Rochebonne, créée en 2000, décroche une troisième sélection dans le Guide avec le millésime 2003. Constituée à majorité de syrah (80 %) et élevée en barrique, elle se caractérise par une grande finesse. Délicatement vanillée, elle exhale des parfums de garrigue et de fruits confits auxquels se mêlent des notes grillées. Tout aussi complexe, la bouche ample et longue révèle des tanins généreux et harmonieux. Un côtes-du-rhône prometteur. Le **rosé 2004 (5 à 8 €)** a été jugé tout aussi réussi. Issu d'un terroir argilo-sableux, ce vin aromatique et aérien développe avec élégance des arômes de groseille et de mûre. Grenache et cinsault à parts égales lui procurent une harmonie suave et friande. En **villages 2003 (5 à 8 €)**, ce domaine obtient une étoile.
Gérard et Eric Bonnet, La Bastide Saint-Dominique, 84350 Courthézon, tél. 04.90.70.85.32, fax 04.90.70.76.64, e-mail contact@bastide-st-dominique.com t.l.j. 8h-12h 14h-18h; dim. sur r.-v.

## CH. DE BEAULIEU La Châtelaine 2003 *

10 ha 66 600 - de 3 €

Cette maison centenaire a acquis une grande connaissance du vignoble et propose une sélection intéressante. Deux châteaux sont retenus cette année avec une étoile. Le Château de Beaulieu révèle des arômes de fruits frais intenses, des tanins fins et une finale sobrement épicée. Le **Château Saint-Roman cuvée Tradition rouge 2003**, plus mûr et complexe, développe des parfums de garrigue et de fruit. A servir sur un lapin aux herbes de Provence. A noter : l'excellent rapport qualité-prix de ces deux bouteilles.

🗝 Caves Saint-Pierre, av. Pierre-de-Luxembourg, 84230 Châteauneuf-du-Pape, tél. 04.90.83.58.35, fax 04.90.83.77.23, e-mail info@cavessaintpierre.fr
☑ 🍷 🚶 t.l.j. 9h-12h 14h-19h; f. jan.

## DOM. DE BELLEVUE
Cuvée Meger 2004 ★★

■ 5 ha 1 500 🍾 3 à 5 €

Aujourd'hui, trois générations travaillent ensemble sur ce domaine familial de 50 ha. L'union fait la force comme en témoigne ce rosé de jolie composition. Les arômes très présents marient la fraise et la cerise blanche. Une belle harmonie générale marquée par la fraîcheur.

🗝 SCEA Dom. de Bellevue Meger, chem. de Sourillac, 30390 Domazan, tél. 04.66.57.06.18, fax 04.66.57.14.96, e-mail marcmeger@aol.com ☑ 🍷 🚶 r.-v.
🗝 Marc Meger

## DOM. JEAN-PAUL BENOIT Cuvée spéciale 2003 ★

■ 4 ha n.c. 🍾 5 à 8 €

Jean-Paul Benoit cultive des vignes qui appartenaient autrefois au comte d'Hust et au Saint Empire. Il en a extrait cette Cuvée spéciale, assemblage de grenache et de syrah, aux arômes de fruits légèrement évolués. Charpenté et chaleureux, ce vin n'en est pas moins très harmonieux.

🗝 Jean-Paul Benoit, 584, plateau de Campbeau, 84470 Châteauneuf-de-Gadagne, tél. et fax 04.90.22.29.76, e-mail jean-paul.benoit3@wanadoo.fr ☑ 🍷 🚶 r.-v.

## DOM. DE LA BERTHETE 2004 ★

■ 4,9 ha 23 000 🍾 3 à 5 €

Propriétaire de 48 ha de vignes, Pascal Maillet présente un rosé de saignée très réussi. Ce joli vin couleur pétale de rose et au nez floral offre une bouche à la puissance parfaitement maîtrisée.

🗝 Pascal Maillet, Dom. de la Berthète, rte de Jonquières, 84850 Camaret-sur-Aigues, tél. 04.90.37.22.41, fax 04.90.37.74.55, e-mail la.berthete@wanadoo.fr
☑ 🍷 🚶 t.l.j. sf dim. 9h-12h 14h-18h

## BLASON DU RHONE 2004 ★

■ n.c. 1 125 🛢 3 à 5 €

Reprise en 2001 par Michel Picard, cette maison de négoce s'est donné pour mission de valoriser les vins de la vallée du Rhône méridionale. Issue d'une sélection parcellaire et vinifiée avec soin, sa cuvée Blason du Rhône se montre féminine par sa bouche soyeuse, fruitée et croquante. Un vin plaisir par excellence.

🗝 Les Grandes Serres, rte de l'Islon-Saint-Luc, 84230 Châteauneuf-du-Pape, tél. 04.90.83.72.22, fax 04.90.83.78.77, e-mail les-grandes-serres@wanadoo.fr ☑ 🍷 🚶 r.-v.

## CH. BOIS DE LA GARDE 2004

■ 4,9 ha 29 300 🍾 5 à 8 €

Plus connue pour son châteauneuf-du-pape, cette propriété de 125 ha vinifie une gamme de vins de bon niveau. La garde napoléonienne ne s'était pas trompée en

La Vallée du Rhône (partie méridionale)

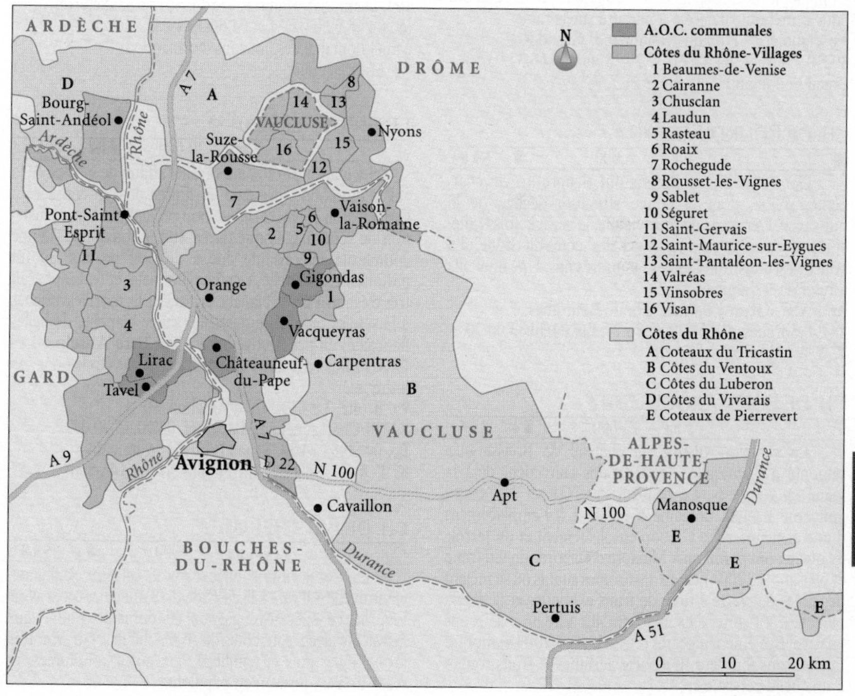

y séjournant et en y développant la culture de la vigne. Ce rosé 2004 est riche et complexe. C'est en bouche qu'on l'appréciera pleinement en croquant le fruit.
Robert Barrot, 1, av. du Baron-Leroy, 84230 Châteauneuf-du-Pape, tél. 04.90.83.51.73, fax 04.90.83.52.77, e-mail chateaux@vmb.fr
t.l.j. 10h-18h
Catherine Barrot

## DOM. DU BOIS DE SAINT-JEAN 2003 *

n.c. 6 000 3 à 5 €

Aux portes d'Avignon, dans le charmant village de Jonquerettes, la famille Anglès travaille la vigne avec respect. Elle décroche une étoile pour chacun de ses côtes-du-rhône. Ce millésime 2003, bien équilibré, puissant et aromatique, pourra attendre trois ans en cave. La **cuvée de Voulongue Réserve rouge 2003 (5 à 8 €)**, tout aussi aromatique, se révèle encore plus structurée, enrobée de fins tanins. Enfin, le **blanc 2004 (5 à 8 €)**, 100 % viognier, dans le même esprit de puissance, offre des notes miellées d'aubépine et d'acacia.
EARL Vincent et Xavier Anglès, 126, av. de la République, 84450 Jonquerettes, tél. et fax 04.90.22.53.22 t.l.j. 8h-12h 14h-20h

## DOM. BOUDINAUD 2003 *

8 ha 15 000 8 à 11 €

Au centre d'un triangle Avignon, Nîmes, Uzès se trouve Fournes avec le domaine de Véronique Boudinaud qui propose un assemblage de syrah, de grenache et de mourvèdre. Le nez demande un peu d'aération pour s'exprimer pleinement tandis que le palais, aromatique et tannique, se montre chaleureux. Du gras et un bel équilibre pour cette bouteille prête à paraître sur la table.
Vignobles Véronique Boudinaud, Grand-Rue, 30210 Fournes, tél. 04.66.37.27.23, fax 04.66.37.03.56, e-mail boudinaud@infonie.fr r.-v.

## CH. DE BOURDINES 2003 *

n.c. 6 000 5 à 8 €

Gérard et Olivier Baroux ont élaboré un vin charpenté, solide, dont la bonne structure dégage de la puissance. Derrière une robe violine, le nez à la fois fruité, épicé et cacaoté est bien typé des côtes-du-rhône. La bouche est construite sur des tanins très fins. Une bouteille à réserver à du gibier.
EARL Gérard Baroux, Ch. de Bourdines, 84700 Sorgues, tél. 04.90.83.36.77, fax 04.90.83.00.20
t.l.j. sf dim. 14h-19h

## CH. DE BOUSSARGUES 2004 *

2 ha 12 600 3 à 5 €

La vocation viticole du château de Boussargues remonte à l'Antiquité ; les Romains cultivaient déjà la vigne en ces lieux. Le château des XIIe et XV[e]s. qui gouverne l'actuel domaine a été bâti à l'emplacement d'une ancienne *villa*. Un bon ensoleillement et un terroir de qualité ont permis aux Malabre d'élaborer un vin franc et plaisant ; ce 2004 délivre des arômes subtils où se mêlent des notes de pierre à fusil, de fruits exotiques et de fleurs blanches. Vif et nerveux, il pourra attendre un à deux ans en cave. Egalement jugé très réussi, le **rosé 2004** se montre intense sans lourdeur. Il associe agrumes et fruits rouges à une belle persistance.
Chantal Malabre, Ch. de Boussargues, 30200 Sabran, tél. 04.66.89.32.20, fax 04.66.79.81.64, e-mail malabre@wanadoo.fr t.l.j. 8h-20h

## DOM. LA BOUVAUDE Elevé en fût de chêne 2003 *

n.c. 3 500 5 à 8 €

Le village de Rousset-les-Vignes, perché à 400 m d'altitude, domine la vallée du Rhône et offre une belle vue sur le mont Ventoux. Très justement dosé, l'élevage en fût de cette cuvée élaborée exclusivement à partir de syrah apporte une richesse tannique permettant au fruit de s'allier avec élégance aux épices. Le boisé est finement perceptible à travers quelques notes vanillées. Les tanins fondus confèrent de l'harmonie à l'ensemble. Du plaisir à savourer pendant deux à trois ans.
Stéphane Barnaud, Dom. La Bouvaude, 26770 Rousset-les-Vignes, tél. 04.75.27.90.32, fax 04.75.27.98.72, e-mail stephane.barnaud@wanadoo.fr
t.l.j. 9h-19h

## DOM. DES BOUZONS La Félicité 2004

4 ha 16 000 5 à 8 €

Typée syrah (90 % de l'assemblage), La Félicité, encore fermée au nez, laisse néanmoins s'échapper des parfums de fruits. En bouche, peu de boisé malgré un passage en barrique, de la rondeur et de la souplesse. Les arômes, sur les fruits mûrs notamment, sont bien là. Une générosité toute méridionale également. Un vin jeune et équilibré.
Dom. des Bouzons, 194, chem. des Manjo-Rassado, 30150 Sauveterre, tél. 04.66.90.04.41, fax 04.66.39.43.52, e-mail domaine.des.bouzons@wanadoo.fr r.-v.
Marc Serguier

## LES BROTTIERS 2004 **

3 ha 20 000 5 à 8 €

La maison Brotte, importante affaire de négoce de la vallée du Rhône, présente un musée du Vin consacré à l'appellation côtes-du-rhône, bon préambule à la dégustation de cette magnifique cuvée 100 % roussanne. D'une complexité intéressante due à un bref passage en fût parfaitement maîtrisé, ce vin volumineux et frais apparaît très élégant. Viande blanche en sauce aux morilles, seiches à la sétoise ou encore quenelles sauce blanche, de belles fiançailles en perspective... La cuvée **Père Anselme Les Charmilles rosé 2004 (3 à 5 €)** reçoit une étoile pour son harmonie.
Brotte, Le Clos, rte d'Avignon, BP 1, 84230 Châteauneuf-du-Pape, tél. 04.90.83.70.07, fax 04.90.83.74.34, e-mail brotte@brotte.com
t.l.j. 9h-12h 14h-18h; été 9h-13h 14h-19h

## CH. DE BRUTHEL 2003 *

4 ha 5 000 5 à 8 €

La Céze, emprisonnée dans le calcaire, jaillit aux environs de Sabran, à la cascade du Sautadet. Après avoir joui de ce spectacle, gagnez ce domaine pour vous rafraîchir avec son côtes-du-rhône blanc. Un vin très aromatique, gras et équilibré, aux notes confiturées. A réserver à un poisson en papillote.

Christian Reynold de Seresin, Ch. de Bruthel, 30200 Sabran, tél. 04.66.79.96.24, fax 04.66.39.80.88, e-mail seresin.bruthel@wanadoo.fr
t.l.j. sf dim. 9h-12h 14h-19h; groupes sur r.-v.

### DOM. CASTAN 2003 ★★

4 ha 10 000 3 à 5 €

Après un coup de cœur dans l'édition 2004 pour le millésime 2001, Damien Castan confirme son talent en décrochant cette fois deux étoiles. Paré d'une robe rubis, ce vin développe une farandole de senteurs qui vont de la garrigue aux fruits frais en passant par des notes animales relevées d'un soupçon d'épices. Un ensemble que l'on retrouve en bouche, sans aucune lourdeur. Sobriété et intensité caractérisent cette cuvée qui devrait très bien vieillir.

SCEA Chantecler, mas Chantecler, 30390 Domazan, tél. 04.66.57.00.56, fax 04.66.57.07.57
t.l.j. 8h-12h 14h-19h
Damien Castan

### LES VIGNERONS DU CASTELAS 2004 ★

2 ha 12 000 3 à 5 €

Sur les murs de la cave, créée en 1956, est inscrite la devise « Moins de vins et meilleurs ». Le jury en a retenu deux. D'une part, ce côtes-du-rhône blanc d'une richesse olfactive surprenante. Au départ très floral, il développe rapidement des parfums de fruits à chair blanche. Son volume en bouche atteste la présence du grenache (60 %) parfaitement vinifié. D'autre part, le **rosé 2004**, plus discret, est cité pour sa robe élégante et son bon équilibre.

Les Vignerons du Castelas, rte de Nîmes, 30650 Rochefort-du-Gard, tél. 04.90.26.62.66, fax 04.90.26.39.32, e-mail fmvcastelas@easyconnect.fr
t.l.j. sf dim. 8h30-12h 14h-18h

### LE CHAI DES COSTAINS Palme d'or 2001 ★

7 ha 8 000 3 à 5 €

Au pied des marches d'un château féodal du XII[e]s., le Chai des Costains propose sa cuvée Palme d'or. Elaboré par la cave des vignerons de Saint-Victor en constante amélioration, ce vin friand libère des notes framboisées. Rond et gras, il reste très fin. **Le Chai des Costains blanc 2004** offre de jolies notes d'agrumes et de fleurs blanches. Sa bouche vive le destine à des fruits de mer. Il est cité.

Cave des Vignerons de Saint-Victor-la-Coste, 30290 Saint-Victor-la-Coste, tél. 04.66.50.02.07, fax 04.66.50.43.93, e-mail cave.st.victor@wanadoo.fr
t.l.j. 9h-12h 14h-18h

### CHAPELLE SAINT-MARTIN Réserve 2004

17 ha 95 000 3 à 5 €

Les vignerons de la coopérative de Saint-Gervais proposent cette cuvée aux reflets cuivrés d'évolution, qui monte en puissance tout au long de la dégustation. Son caractère et sa structure tannique devront s'adoucir, mais la présence d'arômes de fruits à l'eau-de-vie la rend d'ores et déjà fort agréable.

Cave des Vignerons de Saint-Gervais, Le Village, 30200 Saint-Gervais, tél. 04.66.82.77.05, fax 04.66.82.78.85, e-mail contact@cavesaintgervais.com
t.l.j. sf dim. 8h30-12h 14h30-18h30

### DOM. LA CHARADE 2004 ★

2 ha n.c. 5 à 8 €

Après une journée rythmée par le chant des cigales dans les gorges de l'Ardèche, prenez l'apéritif avec ce côtes-du-rhône blanc. Frais et aromatique, il fait preuve d'une franchise qui finira de vous enchanter et vous incitera à finir la bouteille sur une sole meunière.

M. et L. Jullien, Dom. La Charade, 30760 Saint-Julien-de-Peyrolas, tél. 04.66.82.18.21, fax 04.66.82.33.03 t.l.j. sf dim. 9h-12h 14h-19h

### DOM. DIDIER CHARAVIN Lou Paris 2003 ★

3 ha 10 000 5 à 8 €

Une vendange 100 % manuelle pour cette cuvée résolument tournée vers la puissance et la chaleur, à l'image du terroir de Rasteau d'où elle est issue. En bouche, la cerise cuite est relevée par des notes de poivre. Une bouteille à la personnalité bien affirmée à servir dès maintenant et pendant trois à cinq ans.

Didier Charavin, rte de Vaison, 84110 Rasteau, tél. 04.90.46.15.63, fax 04.90.46.16.22
t.l.j. 9h-12h 14h-18h

### DOM. DE LA CHARITE Charité 2003 ★

20 ha 100 000 3 à 5 €

Christophe Coste a déjà prouvé avec les millésimes antérieurs son savoir-faire, tant aux vignes qu'au chai. Cette cuvée est un pur produit du terroir. A la fois ronde et structurée, elle possède un nez complexe, fruité et épicé, aux accents de Provence. Elle devrait gagner à attendre quelques années en cave. Le **côtes-du-rhône-villages cuvée Cayenne 2003 (5 à 8 €)** est cité par le jury. Il est marqué par ses six mois de fût.

Vignobles Coste, 5, chem. des Issarts, 30650 Saze, tél. 04.90.31.73.55, fax 04.90.26.92.50, e-mail earlvc@club-internet.fr
t.l.j. sf dim. lun. 17h-18h30; sam. 15h-19h

### CHARTREUSE DE VALBONNE 1203 2004 ★

n.c. 4 100 8 à 11 €

Une abbaye du XIII[e]s. à la toiture en tuile vernissée rappelant la Bourgogne abrite, depuis 1992, un Centre d'aide par le travail qui se consacre notamment à la viticulture. Cette cuvée 1203, composée exclusivement de syrah, s'exprime pleinement. Le nez intense de fruits rouges précède une bouche équilibrée qui allie longueur et gras.

ASVMT Chartreuse de Valbonne, 30130 Saint-Paulet-de-Caisson, tél. 04.66.90.41.24, fax 04.66.90.41.36, e-mail domaine@chartreusedevalbonne.com
t.l.j. 9h30-12h30 13h30-17h30

### CELLIER DES CHARTREUX
Chevalier d'Anthelme 2003

30 ha 130 500 3 à 5 €

Associer l'expression du terroir et les goûts d'aujourd'hui, tel est l'engagement pris par Pascal Frère, le directeur, et Antoine Gomez, maître de chai passionné. Les vignerons jouent le jeu et, cette année, ils inaugurent leur nouvel espace de vente où vous pourrez déguster ce côtes-du-rhône construit autour des fruits rouges. Une harmonie simple et agréable pour un pintadeau grillé au serpolet. Le **Chevalier d'Anthelme blanc 2004** est cité pour ses notes de fleurs blanches et de noisette, sa fraîcheur et sa finesse.

🔑 SCA Cellier des Chartreux, RN 580, 30131 Pujaut,
tél. 04.90.26.39.40, fax 04.90.26.46.83,
e-mail cellier.des.chartreux@wanadoo.fr r.-v.

## DOM. DE LA CHESNAY 2003 ★★

| | 0,5 ha | 2 500 | | 5 à 8 € |
|---|---|---|---|---|

Heureux les députés qui peuvent déguster ce vin au restaurant de l'Assemblée nationale ! Cet assemblage de grenache (80 %) et de viognier (20 %) a su évoluer subtilement. Jaune clair limpide à l'œil, il offre un nez assez aromatique qui rappelle la fleur d'acacia et la poire. Un côtes-du-rhône frais et long.

🔑 Michel Doux, Dom. de La Chesnay, rte de Bollène,
26790 Rochegude, tél. 04.75.98.23.08,
fax 04.75.04.48.09 t.l.j. sf dim. 10h-12h 15h-19h

## DOM. CLAVEL 2004 ★

| | 1,5 ha | 6 600 | | 5 à 8 € |
|---|---|---|---|---|

Issu d'une vinification totalement maîtrisée, ce 2004 à base de viognier est très prometteur... Le joli bouquet de fleurs (muguet, violette...) est plein de charme. Nerveux en attaque, ce vin développe des notes citronnées en finale. Le **rosé 2004** est cité pour sa rondeur et pour ses arômes de pêche et de cerise.

🔑 Françoise Clavel, rue du Pigeonnier,
30200 Saint-Gervais, tél. 04.66.82.78.90,
fax 04.66.82.74.30, e-mail clavel@domaineclavel.com
t.l.j. sf dim. 9h-12h 14h-19h;
f. sam.14h-19h de jan. à mars.

## CLOS DE LA MAGNANERAIE 2002 ★

| | 0,74 ha | 1 500 | | 5 à 8 € |
|---|---|---|---|---|

François Vallot est installé dans le pittoresque village de Vinsobres. Son vignoble, planté sur un terroir sablo-limoneux, a donné naissance à cette cuvée composée à 99 % de syrah. Le cépage et le millésime ont conféré à cette bouteille de la fraîcheur et une séduisante finesse. D'un rubis profond et éclatant, ce vin développe un bouquet puissant de fruits et de réglisse. Avec ses tanins fondus, il est agréable et prêt à boire.

🔑 François Vallot, Dom. du Coriançon, Hauterives,
26110 Vinsobres, tél. 04.75.26.03.24, fax 04.75.26.44.67,
e-mail francois.vallot@wanadoo.fr
t.l.j. sf dim. 9h-12h 14h-19h

## CLOS DE L'HERMITAGE 2003 ★★

| | 3,5 ha | 20 000 | | 11 à 15 € |
|---|---|---|---|---|

Tout proche de la chartreuse de Villeneuve-lès-Avignon, le vignoble du coureur automobile Jean Alesi est toujours aussi bien mis en valeur par Henri de Lanzac. Après un coup de cœur en 2004 pour un 2001, le Clos de l'Hermitage décroche, comme l'an passé, deux étoiles. Le raisin, d'une maturité et d'un état sanitaire remarquables, a été vinifié traditionnellement dans le respect du produit. Il en résulte un nez expressif, légèrement vanillé, avec des notes de sous-bois et de fruits qui se retrouvent en bouche. Un vin riche et complexe, drapé de satin.

🔑 SCEA Henri de Lanzac, Ch. de Ségriès,
chem. de la Grange, 30126 Lirac,
tél. 04.66.50.22.97, fax 04.66.50.17.02 r.-v.
🔑 Jean Alesi

## DOM. LE CLOS DU BAILLY 2003

| | 10 ha | 8 000 | | 3 à 5 € |
|---|---|---|---|---|

Cette propriété, établie au cœur du village de Remoulins, est installée dans un vieux mas datant de 1779. Malgré les inondations de 2002, la qualité de sa production n'a pas faibli. Dans le millésime 2003, Richard Soulier a élaboré un côtes-du-rhône très classique, assemblage de grenache et de syrah à parts égales. Intense et agréable, agrémenté de notes de fruits rouges et de fruits secs, ce vin sera le parfait compagnon d'un tartare de bœuf.

🔑 Richard Soulier,
17, rue d'Avignon, 30210 Remoulins,
tél. 04.66.37.12.23, fax 04.66.37.38.44,
e-mail clos.du.bailly@wanadoo.fr r.-v.

## LE CLOS DU CAILLOU

Bouquet des garrigues 2004 ★

| | 2,4 ha | 9 500 | | 8 à 11 € |
|---|---|---|---|---|

Clemenceau aimait venir chasser dans ce domaine qui demeura réserve de chasse jusqu'en 1956. Ce Bouquet des garrrigues, relevé de chèvrefeuille et de citronnelle, séduit par son élégance. Après une attaque nerveuse, la bouche se montre très aromatique. Le **Bouquet des garrigues rouge 2003** obtient également une étoile pour sa souplesse, son élégance et sa finale épicée. Les tanins sont bien présents mais déjà fondus.

🔑 Sylvie Vacheron,
Clos du Caillou, 84350 Courthézon,
tél. 04.90.70.73.05, fax 04.90.70.76.47
t.l.j. sf dim. 9h-12h30 13h30-17h30

## CH. DE CODOLET 2004

| | 7,58 ha | 45 466 | | 5 à 8 € |
|---|---|---|---|---|

Jean-Marie Saut a présenté un côtes-du-rhône encore jeune. Honnête reflet de l'appellation, dans sa robe nette, il montre au nez un bon fruité et quelques nuances florales. Des tanins présents sans excès et une finale plaisante en font un vin prêt à paraître à table.

🔑 Jean-Marie Saut,
chem. d'Avignon, Le Pont-de-Codolet, 30200 Codolet,
tél. 04.66.90.18.64, fax 04.66.90.11.57
t.l.j. sf sam. dim. 9h-12h 14h-19h

## DOM. CORNE-LOUP 2004 ★

| | 1 ha | 5 000 | | 3 à 5 € |
|---|---|---|---|---|

Le nom du domaine rappelle l'époque où les loups rôdaient encore autour de Tavel et où la sonnerie d'une corne prévenait les villageois du danger. Aujourd'hui, sonnons la corne pour annoncer ce beau côtes-du-rhône aux parfums de fleurs blanches. Après une attaque ronde et fraîche, la bouche développe une belle longueur fruitée caractéristique de l'assemblage grenache, viognier, roussanne.

🔑 Jacques Lafond, SCEA Corne-Loup, rue Mireille,
30126 Tavel, tél. 04.66.50.34.37, fax 04.66.50.31.36,
e-mail corne-loup@wanadoo.fr
t.l.j. 9h-12h 14h-18h

## LES VIGNERONS DES COTEAUX D'AVIGNON Réserve des armoiries 2003 ★★

| | 32 ha | 80 000 | | 3 à 5 € |
|---|---|---|---|---|

Un vin de grande qualité, où toutes les vertus des cépages traditionnels des côtes-du-rhône s'unissent avec bonheur. Un terroir argileux et caillouteux a donné naissance à un vin remarquable par sa robe intense et soutenue et par son nez très franc sur le fruit rouge. La bouche se montre tout aussi intéressante avec ses tanins fondus et son harmonie enveloppée.

SCA Les Vignerons des Coteaux d'Avignon, 457, av. Aristide-Briand, 84310 Morières-lès-Avignon, tél. 04.90.22.65.65, fax 04.90.33.43.31 r.-v.

## DOM. COULANGE 2004 *

| | 0,2 ha | 1 500 | | 5 à 8 € |
|---|---|---|---|---|

Les passionnés de reptiles pourront visiter la ferme des crocodiles et, 5 km plus loin, se retrouver avec les amateurs de vin au domaine de la famille Coulange. Original par sa structure, ce rosé doit encore évoluer quelques mois. A l'aération, le nez révèle une belle présence aromatique que l'on retrouve en bouche ; les fruits rouges s'associent à des notes florales de mimosa. A réserver à des terrines ou à une assiette de charcuterie de montagne. Etiquette élégante.

Dom. Christelle Coulange, quartier Saint-Ferréol, 07700 Bourg-Saint-Andéol, tél. et fax 04.75.54.56.26, e-mail domaine.coulange@free.fr r.-v.

## DOM. DE COURON

Cuvée Moure de Saint-Jean 2003 *

| | 3 ha | 11 000 | | 3 à 5 € |
|---|---|---|---|---|

Ferme expérimentale au début du XX[e]s., le domaine fut racheté en 1940 par une famille originaire du Bordelais. Jean-Luc Dorthe a élaboré un côtes-du-rhône intense, marqué par les fruits rouges et les fruits confiturés au palais. La finesse des tanins lui confère une agréable harmonie. Les grosses larmes qui s'écoulent sur les parois du verre signalent un vin prometteur.

Jean-Luc Dorthe, Dom. de Couron, 07700 Saint-Marcel-d'Ardèche, tél. 04.75.98.72.67, fax 04.75.98.67.86, e-mail jldorthe@fr.fr t.l.j. sf dim. 10h-12h30 15h-19h30; f. nov.

## DOM. LE COUROULU 2002

| | 1,5 ha | 6 000 | | 5 à 8 € |
|---|---|---|---|---|

Oiseau à long bec, le courlis, localement appelé couroulu, orne les étiquettes des vins produits par Guy Ricard. Grenache et syrah plantés sur des coteaux sablonneux ont servi à élaborer cette cuvée élégante et assez riche. Après une attaque franche, la bouche révèle des tanins bien présents dans un ensemble volumineux. Une belle réussite pour ce millésime délicat.

Guy Ricard, EARL Dom. Le Couroulu, La Pousterle, 84190 Vacqueyras, tél. 04.90.65.84.83, fax 04.90.65.81.25 t.l.j. sf dim. 9h30-12h 14h-18h30; f. 10-25 jan.

## DOM. CROS DE LA MURE 2003 *

| | n.c. | 20 000 | | 5 à 8 € |
|---|---|---|---|---|

La statue d'un soldat celte fut découverte dans le village ; il est devenu le Guerrier de Mondragon. Une couleur vive et intense habille ce vin aux senteurs de fruits mûrs assorties de nuances chocolatées et d'épices douces. Toujours sur les fruits mûrs, la bouche offre un équilibre bien fondu sur des tanins légers.

EARL Michel et Fils, 84430 Mondragon, tél. 04.90.30.12.40, fax 04.90.30.46.58 r.-v.

## CH. LA DECELLE 2003 *

| | 5 ha | 20 000 | | 5 à 8 € |
|---|---|---|---|---|

Ancienne résidence de la papauté, Valréas possède un intéressant patrimoine architectural ainsi que des vignobles dont la production était jadis appréciée par les pontifes. Le château La Décelle a élaboré un vin plaisir aux parfums de fruits frais, à déguster entre amis sur des grillades. Harmonieux, le **blanc 2004**, assemblage de viognier et de marsanne, accompagnera des viandes blanches ou du fromage de chèvre. Il est cité.

Ch. La Décelle, rte de Pierrelatte, D 59, 26130 Saint-Paul-Trois-Châteaux, tél. 04.75.04.71.33, fax 04.75.04.56.98, e-mail ladecelle@wanadoo.fr t.l.j. 9h-12h 14h-18h; groupes sur r.-v.
Seroin

## DOM. DEFORGE 2004 *

| | 1 ha | 4 800 | | 5 à 8 € |
|---|---|---|---|---|

Les chevaux qui ornent le blason figurant sur l'étiquette rappellent le passé de jockey de Jean Deforge qui acheta le domaine en 1966. Issu à 100 % de grenache blanc, ce 2004 de couleur pâle libère des arômes discrets et élégants, fort agréables. Sa fraîcheur et sa bonne longueur en bouche le destinent à des rougets grillés servis avec du beurre d'anchois.

Dom. Deforge, rte de Jonquerettes, 84470 Châteauneuf-de-Gadagne, tél. 04.90.22.42.75, fax 04.90.22.18.29, e-mail info@domainedeforge.com t.l.j. sf dim. 10h-12h30 14h30-18h30

## DOM. REMY ESTOURNEL 2004 *

| | 1 ha | 5 000 | | 5 à 8 € |
|---|---|---|---|---|

Rémy Estournel travaille la vigne plantée sur un terroir argilo-calcaire, dans le respect de la tradition et des petits secrets transmis de père en fils. C'est peut-être ce qui permet à deux vins du domaine d'être retenus par le jury. Le rosé, fruité et floral, révèle une attaque franche et un bel équilibre. On le servira à l'apéritif. Egalement fruité, le **rouge 2003** décroche lui aussi une étoile. Complexe et épicé, c'est un vin intéressant et bien construit, qui accompagnera une poêlée de champignons sauvages.

Rémy Estournel, 13, rue de Plaineautier, 30290 Saint-Victor-la-Coste, tél. 04.66.50.01.73, fax 04.66.50.21.85 r.-v.

## LES EVEQUES Les Grandes Cuvées 2003 *

| | 6 ha | 30 000 | | 5 à 8 € |
|---|---|---|---|---|

Deux côtes-du-rhône issus de la gamme des Grandes Cuvées de Gabriel Meffre, négociant réputé de la vallée du Rhône, ont été salués par le jury qui leur attribue une étoile à chacun. La **cuvée Syranne rouge 2004** est animée de reflets violacées ; elle se révèle bien ronde en bouche, tout comme cette cuvée Les Evêques, composée à 70 % de grenache. Harmonieux et équilibré, ce vin délivre des notes de café grillé et vanillé. Ses tanins permettent d'envisager une garde de deux à trois ans.

Maison Gabriel Meffre, Le Village, 84190 Gigondas, tél. 04.90.12.32.45, fax 04.90.12.32.49

## DOM. LA FAVETTE 2002

| | 20 ha | 12 000 | | 3 à 5 € |
|---|---|---|---|---|

Une robe pourpre cuivré de bonne intensité habille ce millésime délicat. Ses nuances torréfiées mêlées de fruits rouges et son gras en bouche rendent cette bouteille fort agréable malgré une finale un peu courte, conforme au millésime.

Philippe Faure, Dom. La Favette, rte des Gorges, 07700 Saint-Just-d'Ardèche, tél. 04.75.04.61.14, fax 04.75.98.74.56, e-mail domainelafavette@cario.fr r.-v.

DOM. DES FILLES DURMA La Galance 2003 ★★

■ 3 ha 6 700 8 à 11 €

2003
La Galance
CÔTES-DU-RHÔNE
APPELLATION CÔTES-DU-RHÔNE
Mis en Bouteille au Domaine des Filles Durma
14,5%vol.
PRODUIT DE FRANCE
75cl


Etabli dans la Drôme provençale, ce domaine est exposé plein sud, face au Géant de Provence. Françoise et Brigitte Durma, qui ont repris une partie de l'exploitation, décrochent cette année trois étoiles en tout. Leur cuvée La Galance, issue de grenache et de syrah, se révèle plutôt concentrée. Elle libère des arômes de fruits rouges et noirs, de coing. Un vin riche et plein d'avenir qui pourra patienter quelques années en cave. Une étoile distingue la cuvée **Brigand rouge 2003 (5 à 8 €)** parée d'une robe pourpre et dotée d'un nez très élégant. En bouche, le fruit est enrobé de jolis tanins. En **Vinsobres, la Civade des Capelans 2003 (15 à 23 €)** est citée pour ses arômes typés du millésime et sa bonne charpente.

EARL Durma Sœurs, quartier Hautes-Rives, 26110 Vinsobres, tél. 04.75.27.64.71, fax 04.75.27.64.50 r.-v.

DOM. FOND CROZE Cuvée Fond Croze 2003

■ 1,3 ha 4 000 8 à 11 €

Ce domaine, coup de cœur dans l'édition 2003 du Guide, a décroché à plusieurs reprises deux étoiles. Son millésime 2003, plus modeste, est un assemblage original de syrah (97 %) et de viognier (3 %). Plus que le terroir, c'est le cépage qui marque cette cuvée. Un joli vin, ample, fruité et épicé, avec des notes vanillées dues aux douze mois d'élevage en fût.

Bruno et Daniel Long, Dom. Fond Croze, le Village, 84290 Saint-Roman-de-Malegarde, tél. et fax 04.90.28.97.07, e-mail fondcroze@hotmail.com r.-v.

CAVE LA GAILLARDE
Cuvée des Estimeurs 2004 ★

■ 15 ha 11 340 3 à 5 €

Un côtes-du-rhône présenté par la cave coopérative de Valréas. C'est un vin frais, de couleur soutenue. Ses arômes de fruits, très présents, lui confèrent une jeunesse qu'il gardera encore deux à trois ans.

Cave coop. La Gaillarde, av. de l'Enclave-des-Papes, BP 95, 84600 Valréas, tél. 04.90.35.00.66, fax 04.90.35.11.38 t.l.j. 9h-12h 14h30-19h; groupes sur r.-v.; f. dim. jan.-mars

DOM. GRAND NICOLET 2003

■ 2 ha 9 000 3 à 5 €

Créé en 1926, le plus vieux chai rastellain élabore des vins à partir d'un vignoble planté en 1870. Issue de grenache et de carignan, cette cuvée présente une robe soutenue, un nez épicé et sauvage, une bouche ronde et charnue. Avec sa structure faite de tanins fins, cette bouteille devrait profiter d'un séjour en cave d'un à deux ans.

Jean-Pierre Bertrand, rte de Violès, 84110 Rasteau, tél. et fax 04.90.46.11.37, e-mail cave-nicolet-leyraud@wanadoo.fr r.-v.

DOM. DE LA GRAND'RIBE Les Garrigues 2003 ★

1 ha 5 000 5 à 8 €

Les vestiges des remparts entourent les jolies maisons du XVI^e s. du village de Sainte-Cécile-les-Vignes, bâti dans une plaine plantée de vignes. Assemblage très réussi de viognier, de marsanne et de roussanne, ce vin de couleur soutenue présente des arômes exotiques allant jusqu'à la banane. La fraîcheur et l'alcool rivalisent tout au long de la dégustation. Pourquoi ne pas déboucher cette bouteille pour accompagner du foie gras ?

SCEA Dom. de La Grand'Ribe, rte de Bollène, 84290 Sainte-Cécile-les-Vignes, tél. 04.90.30.83.75, fax 04.90.30.76.12 t.l.j. sf dim. 9h-12h 14h-18h
Andrée Sahuc

GRAND VENEUR Réserve 2003 ★

■ n.c. 100 000 3 à 5 €

Pas moins de 100 000 bouteilles disponibles pour ce joli vin présenté par le négociant Alain Jaume. Rouge cerise, cette cuvée Réserve exprime des arômes de framboise et de fraise confiturées, soutenus par une élégante fraîcheur. Malgré des tanins encore un peu serrés, la finale est agréable. Une étoile également pour le **blanc de viognier 2004 (8 à 11 €)** à la bouche pleine et charnue, aux parfums de fruits exotiques et de bergamote. Un vin juste qui devrait gagner en complexité. La cuvée **Réserve blanc 2004** est citée pour son caractère aromatique.

Vignobles Alain Jaume et Fils, rte de Châteauneuf-du-Pape, 84100 Orange, tél. 04.90.34.68.70, fax 04.90.34.43.71, e-mail jaume@domaine-grand-veneur.com t.l.j. sf dim. 8h-12h 13h30-18h

LE GRAVILLAS 2004

■ 30 ha 60 000 3 à 5 €

La Cave des vignerons de Sablet, village provençal aux rues concentriques, a fêté en 2005 ses soixante-dix ans. Sa devise ? Le respect du raisin et du terroir. Le côtes-du-rhône rouge et le **rosé 2004** de la coopérative sont tous les deux cités par le jury. Frais et gouleyants, ils pourront être consommés à l'apéritif et sur des repas légers.

Cave Le Gravillas, 84110 Sablet, tél. 04.90.46.90.20, fax 04.90.46.96.71, e-mail cave.gravillas@wanadoo.fr t.l.j. sf dim. 8h-12h 14h-18h

DOM. DE LA GUICHARDE
Cuvée Ninon Elevé en fût de chêne 2003 ★★

■ 3 ha n.c. 8 à 11 €

Pas moins de douze mois d'élevage sous bois auront été nécessaires pour amener cette syrah vers une plénitude totale. Ce grand vin est paré d'une robe somptueuse. Parfaitement dosés, les arômes sont à la fois floraux et fruités, agrémentés de jolies notes de café. Des tanins très fins et fondus confèrent à cette bouteille un côté velouté harmonieux.

🔑 Arnaud Guichard,
Dom. de La Guicharde, Derboux, 84430 Mondragon,
tél. 04.90.30.17.84, fax 04.90.40.05.69,
e-mail domaine-de.la.guicharde@wanadoo.fr
t.l.j. sf sam. dim. 10h-19h

## DOM. LA GUINTRANDY 2004 **

0,78 ha 4 600 3 à 5 €

Ce domaine remonte à 1950. La cave, plus récente, date de 2000. Le grenache constitue 90 % de l'assemblage de ce magnifique rosé, un vin charnu, équilibré et aromatique qui pourra accompagner tout un repas. 70 % de grenache dans le **rouge 2003** cité pour ses arômes de surmaturité et de fruits confits. Il est un peu austère, mais les dégustateurs ne sont pas restés insensibles à sa complexité. Le **côtes-du-rhône-villages Vinsobres 2004 (8 à 11 €)** du domaine est cité. L'attendre jusqu'en 2006.

🔑 Olivier Cuilleras, Dom. La Guintrandy, Le Devès, 84820 Visan, tél. 04.90.41.91.12, fax 04.90.41.97.53,
e-mail olivier.cuilleras@wanadoo.fr
t.l.j. sf dim. 9h-12h 14h-19h

## LES HAUTS DE GRANGENEUVE
Réserve 2003 *

10 ha 53 000 8 à 11 €

François et Pierre Martin exploitent ce vignoble constitué au XVIIe s. et acheté par leur arrière-grand-père, Ferdinand, dont le père était fermier sur la propriété. Aujourd'hui, celle-ci est complantée de grenache et de syrah, cépages qui entrent à parts égales dans l'assemblage de cette cuvée Réserve. Riche, puissant et justement boisé, ce vin, bien élevé, se gardera deux bonnes années.

🔑 François et Pierre Martin, Dom. Martin de Grangeneuve, 84150 Jonquières, tél. 04.90.70.62.62, fax 04.90.70.38.08, e-mail martin@grangeneuve.com
r.-v.

## DOM. DE LA JANASSE 2004 *

n.c. 60 000 5 à 8 €

Ce domaine bien connu des lecteurs du Guide porte le nom d'un lieu-dit où se dressait autrefois la ferme familiale. Le grenache est majoritaire dans cette cuvée à reflets violacés d'une grande intensité. Sa palette aromatique complexe est dominée par les fruits et quelques notes épicées apportent de la complexité. De la structure, du gras et de la rondeur grâce à des tanins bien fondus. La cuvée **Les Garrigues rouge 2003 (15 à 23 €)**, 100 % grenache, très marquée par le bois, reçoit une citation. En **côtes-du-rhône-villages, la cuvée Terre d'argile 2003 (11 à 15 €)** est citée : légèrement boisée, elle s'appuie sur une matière importante, bien faite.

🔑 EARL Aimé Sabon, Dom. de La Janasse,
27, chem. du Moulin, 84350 Courthézon,
tél. 04.90.70.86.29, fax 04.90.70.75.93,
e-mail lajanasse@free.fr
t.l.j. sf dim. 8h-12h 14h-18h30; sam. sur r.-v.

## LE JAS DES VIOLETTES 2003 *

0,6 ha 4 000 3 à 5 €

Issu d'un assemblage de 60 % de grenache et de 40 % de syrah, ce 2003 est marqué par des arômes confiturés dus à une bonne maturité de la vendange. De structure assez fine, il sera très apprécié sur les viandes grillées.

🔑 Guigue, chem. des Violettes, 84150 Violès,
tél. 04.90.70.94.62, e-mail jasdesviolettes@free.fr
r.-v.

## DOM. JAUME Génération 2003 *

23 ha 50 000 3 à 5 €

Un domaine présent avec régularité dans le Guide et qui possède une longue histoire. Rondeur et élégance caractérisent la cuvée Génération 2003 soutenue par des tanins bien extraits qui lui assureront une bonne évolution d'ici trois à quatre ans.

🔑 Dom. Jaume, 24, rue Reynarde, 26110 Vinsobres,
tél. 04.75.27.61.01, fax 04.75.27.68.40,
e-mail cave.jaume@libertysurf.fr r.-v.

## CH. JOANNY 2003 *

32 ha 150 000 3 à 5 €

C'est en 1880 que Joanny Dupond, alors négociant en Beaujolais, décide de fonder cette propriété en plein cœur du massif d'Uchaux. Aujourd'hui en cours d'accession à l'appellation côtes-du-rhône-villages avec nom de commune, cette exploitation produit déjà un bon côtes-du-rhône. Derrière sa robe étincelante, les fruits rouges prédominent. Peu à peu, des notes confiturées apparaissent. L'ensemble, d'une belle finesse, se montre souple et agréable.

🔑 Ch. Joanny, rte de Piolenc,
84830 Sérignan-du-Comtat, tél. 04.90.70.00.10,
fax 04.90.70.09.21, e-mail chateaujoanny@wanadoo.fr
t.l.j. 8h-12h 14h-19h
🔑 Famille Dupond

## DOM. DE LASCAMP Le Clos 2004 *

n.c. 5 000 5 à 8 €

Sur un terroir caillouteux argilo-siliceux, exposé au sud et abrité du vent, la famille Imbert cultive la vigne avec rigueur et justesse. Elle a élaboré cette cuvée Le Clos bien équilibrée, aux arômes intenses de fruits. Pour accompagner un gibier.

🔑 Dom. Clos de Lascamp, Cadignac, 30200 Sabran,
tél. 04.66.89.69.28, fax 04.66.89.62.44,
e-mail domaine.de.lascamp@wanadoo.fr r.-v.
🔑 Imbert

## DOM. DE LA LOYANE 2004

6 ha 20 000 3 à 5 €

Une cave de la jolie commune de Rochefort-du-Gard, à deux pas d'Avignon et de Tavel, qui fait son entrée dans le Guide sur la pointe des pieds. La famille Dubois a élaboré un vin rouge friand, tout en souplesse, à la structure fondue et au fruité soutenu.

🔑 Dominique, J.-Pierre et Romain Dubois, GAEC
Dom. de La Lôyane, quartier de La Lôyane,
30650 Rochefort-du-Gard, tél. et fax 04.90.26.68.04
r.-v.

## DOM. DE MAGALANNE
Les Garrigues de Signargues
Elevé en fût de chêne 2003 *

1 ha 5 000 5 à 8 €

A 1,5 km du domaine, un musée du Vélo et de la Moto retrace l'histoire des deux roues. Au domaine de Magalanne, vous pourrez goûter aux côtes-du-rhône élaborés par André Crouzet, des vins d'école. Avec une étoile chacun, ils sont typiques des vins de terroir et d'assemblage. Jeune et soutenu, le **rouge 2003 (3 à 5 €)**, marqué par la syrah, libère des arômes de fruits rouges. Avec sa structure dense, il emplit agréablement la bouche. Quant à cette cuvée Les Garrigues de Signargues, elle se révèle

RHÔNE

animale au premier nez et marquée par la présence du mourvèdre bien mûr. Légèrement boisé, c'est un vin de garde.
🗝 SCEA Dom. de Magalanne, rte de Signargues, 30390 Domazan, tél. 06.62.03.21.58, fax 04.66.57.21.58, e-mail domainedemagalanne@yahoo.fr
☑ Y 🚶 t.l.j. 8h-18h
🗝 Crouzet

DOM. LE MALAVEN 2004

| ■ | 0,36 ha | 2 100 | | 5 à 8 € |
|---|---|---|---|---|

Descendant d'une lignée de vignerons remontant à 1760, Dominique Roudil s'est installé avec sa femme Isabelle en 1999-2000 sur ce domaine de Tavel. Une robe intense, un nez intense et une bouche également intense pour ce rosé de repas marqué par les fruits, plutôt confits. Sa fraîcheur le destine à accompagner des grillades.
🗝 EARL Isabelle et Dominique Roudil, Dom. Le Malaven, rte de la Commanderie, BP 28, 30126 Tavel, tél. 04.66.50.20.02, fax 04.66.50.90.42, e-mail dominique.roudil@terre-net.fr ☑ Y 🚶 r.-v.

CH. MALIJAY Vendanges du 28 août 2003

| ■ | 5 ha | 19 000 | ▮ | 8 à 11 € |
|---|---|---|---|---|

Cette cuvée au nez fin et harmonieux rappelle la précocité de ce millésime 2003. On y trouve beaucoup de chaleur en bouche. L'apparition du fruit et de la réglisse en finale rend ce vin équilibré très séduisant. On ne peut que succomber à la tentation.
🗝 Ch. Malijay, 84150 Jonquières, tél. 04.90.70.33.44, fax 04.90.70.36.07, e-mail hchavernac@listel.fr
☑ Y 🚶 r.-v.

DOM. MARIE BLANCHE 2003 *

| ■ | 20 ha | 30 000 | ▮🌡 | 3 à 5 € |
|---|---|---|---|---|

Une cuvée traditionnelle à base de grenache, élaborée par Jean-Jacques Delorme, homme du terroir. Parmi sa gamme de vins toujours très surprenante se détache ce côtes-du-rhône gras et rond, enrobé de fruits rouges, à la structure puissante.
🗝 Jean-Jacques Delorme, Dom. Marie Blanche, 30650 Saze, tél. 04.90.31.77.26, fax 04.90.26.94.48
☑ Y 🚶 t.l.j. 10h-12h30 17h-19h30

CH. DE MARJOLET 2004

| □ | 2,5 ha | 13 000 | ▮ | 3 à 5 € |
|---|---|---|---|---|

Conseillé sur des brochettes de dinde et de légumes d'été, ce vin est bien agréable. Issu de 60 % de roussanne, il se montre aromatique avec des notes exotiques de litchi. Equilibré en bouche, frais et friand, il pourra être servi dans les six prochains mois.
🗝 Bernard Pontaud, Dom. de Marjolet, 30330 Gaujac, tél. 04.66.82.00.93, fax 04.66.82.92.58, e-mail chateau.marjolet@wanadoo.fr ☑ Y 🚶 r.-v.

MEGIER 2004 *

| ■ | 5 ha | 29 000 | ▮🌡 | 5 à 8 € |
|---|---|---|---|---|

Le premier millésime vinifié dans cette nouvelle cave entièrement bâtie avec des blocs de pierre du Gard. Un pari difficile car, à peine les travaux achevés, le raisin était mûr. Le résultat est prometteur pour ce côtes-du-rhône souple, de belle structure et aux arômes de fruits. Le **blanc 2004**, issu de grenache blanc et de clairette, mérite également une étoile pour sa finesse et son élégance.
🗝 Mégier, rue des Cinq-Cents, 30330 Cavillargues, tél. 04.66.82.03.38, fax 04.66.33.10.53
☑ Y 🚶 t.l.j. sf dim. 9h-18h

DOM. LA MIRANDOLE Le Clos Rèverony 2003

| ■ | 8 ha | 4 500 | ▮🌡 | 5 à 8 € |
|---|---|---|---|---|

Issue d'une propriété d'un seul tenant close de murets entourant une bastide du XVI[e]s., cette cuvée est typique de son terroir argilo-sableux. De la finesse et de la fraîcheur sur un nez de fruits encore discret qui s'intensifie à l'aération. Les tanins sont présents sans agressivité et la persistance est intéressante.
🗝 Mme Odile Petitprez-Ammeux, Dom. la Mirandole, BP 41109, 30134 Pont-Saint-Esprit, tél. 04.66.50.66.66, fax 04.66.50.66.67, e-mail lamirandole@wanadoo.fr
☑ Y 🚶 r.-v.

MOILLARD Les Violettes 2003 *

| ■ | n.c. | 200 000 | ▮ | 5 à 8 € |
|---|---|---|---|---|

Signé par un négociant-éleveur bourguignon, voici un bon ambassadeur des côtes-du-rhône. Un vin très accessible par sa simplicité et sa franchise. Le nez est marqué par les fruits rouges et la bouche harmonieuse.
🗝 SA Moillard, 2, rue François-Mignotte, 21700 Nuits-Saint-Georges, tél. 03.80.62.42.22, fax 03.80.61.28.13 ☑ Y 🚶 t.l.j. 10h-18h; f. jan.

LES MOIRETS Elevé en fût de chêne 2003

| ■ | n.c. | 250 000 | 🛢 | 3 à 5 € |
|---|---|---|---|---|

Marquée par son élevage de huit mois en barrique, cette cuvée se caractérise par son charme et sa finesse. Les arômes de vanille l'emportent sur le fruit, pourtant bien présent. En bouche, la réglisse apparaît sur une structure de tanins solides. Le **Château La Bousquette rouge 2003 (5 à 8 €)** est cité également pour son caractère flatteur et aromatique, ainsi que le **Château des Coccinelles rouge 2003 (5 à 8 €)** pour son potentiel de vieillissement.
🗝 Ogier-Caves des Papes, 10, av. Louis-Pasteur, BP 75, 84232 Châteauneuf-du-Pape Cedex, tél. 04.90.39.32.32, fax 04.90.83.72.51, e-mail ogiercavesdespapes@ogier.fr ☑ Y 🚶 r.-v.

CH. MONGIN 2003

| ■ | 2 ha | 3 000 | 🛢 | 5 à 8 € |
|---|---|---|---|---|

Le lycée viticole d'Orange élève une jolie gamme de vins issus d'un vignoble de 20 ha. Souvent des vins typiques de leurs appellations. C'est le cas de ce côtes-du-rhône qui mêle les fruits rouges acidulés aux fruits noirs. La bouche, malgré une relative souplesse, révèle des tanins encore austères qui imposent une garde de deux à trois ans.
🗝 Lycée viticole d'Orange, Ch. Mongin, 2260, rte du Grès, 84100 Orange, tél. 04.90.51.48.04, fax 04.90.51.11.92, e-mail jose.carballar@educagri.fr
☑ Y 🚶 r.-v.

CH. DE MONTFAUCON Comtesse Madeleine 2004

| □ | 1 ha | 6 000 | ▮🛢🌡 | 8 à 11 € |
|---|---|---|---|---|

Le baron ou la comtesse ? Après un coup de cœur dans le Guide 2004 pour la cuvée Baron Louis 2001, le jury a, cette fois, préféré la cuvée Comtesse Madeleine, élaborée avec rigueur et justesse par Rodolphe de Pins dans le site exceptionnel du château de Montfaucon. Pas moins de cinq cépages entrent dans la composition de ce vin aux reflets dorés. Le délicat bouquet de fleurs blanches se nuance de quelques notes de fruits à chair blanche. Le **rouge 2003 (5 à 8 €)** est cité pour ses agréables nuances de cerise.

Rodolphe de Pins,
Ch. de Montfaucon, 30150 Montfaucon,
tél. 04.66.50.37.19, fax 04.66.50.62.19,
e-mail chateau.montfaucon@wanadoo.fr
t.l.j. sf sam. dim. 14h-18h

## CH. MONT-REDON 2004 *

4,14 ha 20 000 5 à 8 €

Les arômes, discrets, se révèlent à l'aération et divulguent d'agréables notes de fleurs blanches. Frais et gouleyant, ce vin de crustacés devrait s'affiner au cours des deux prochaines années. Le **blanc 2004 (8 à 11 €)**, élaboré exclusivement à partir de viognier, obtient également une étoile pour ses arômes de miel et de pêche. La cuvée **Héritiers Plantin rouge 2002** est citée.

Ch. Mont-Redon, 84230 Châteauneuf-du-Pape,
tél. 04.90.83.72.75, fax 04.90.83.77.20,
e-mail chateau-montredon@wanadoo.fr r.-v.
Abeille-Fabre

## DOM. DU MOULIN 2004

2 ha 8 000 5 à 8 €

Le domaine mérite un détour pour sa production bien sûr, mais aussi pour sa cave souterraine et voûtée, unique dans la vallée du Rhône. Son côtes-du-rhône rosé, dont l'étiquette est parcheminée à bords roulés, est marqué par les agrumes et les fruits rouges. Ce vin d'apéritif, qui respecte le raisin, sera servi jeune.

Denis Vinson, Dom. du Moulin, 26110 Vinsobres,
tél. 04.75.27.65.59, fax 04.75.27.63.92 r.-v.

## DOM. GUY MOUSSET Enfants de vignerons 2004

n.c. 15 000 3 à 5 €

C'est sur la commune de Sérignan-du-Comtat, où l'entomologiste Jean-Henri Fabre séjourna de 1879 jusqu'à sa mort en 1915, que s'étend le vignoble Guy Mousset. La bien-nommée cuvée Enfants de vignerons, puisqu'il s'agit d'une exploitation familiale, se révèle agréable, gouleyante à souhait, avec un fruité dominant. Egalement cité, le **rosé 2004**, aux notes florales, sera apprécié à l'apéritif pour sa finesse.

Vignobles Guy Mousset et Fils,
Le Clos Saint-Michel, rte de Châteauneuf,
84700 Sorgues, tél. 04.90.83.56.05, fax 04.90.83.56.06,
e-mail mousset@clos-saint-michel.com
t.l.j. 8h-18h

## DOM. NOTRE DAME DES ANGES 2004 *

13 ha 60 000 3 à 5 €

Issu d'un assemblage (12 % de syrah et 88 % de grenache), ce vin marqué par une structure plutôt chaleureuse, à la palette aromatique complexe, à la fois fruitée et épicée, se montre long et de petite garde.

SARL R & D Vins, Ch. Saint-Maurice, RN 580,
L'Ardoise, 30290 Laudun, tél. 04.66.82.96.59,
fax 04.66.82.96.58, e-mail dauvergne@wanadoo.fr
Jean-Philippe Brechet

## DOM. DE L'OLIVIER Les Massacans 2004

0,5 ha 2 600 8 à 11 €

Eric Bastide présente sa cuvée Les Massacans dans une robe cousue d'or. Finement boisé, ce vin reste frais et harmonieux. Il est en devenir et devra patienter en cave une paire d'années. A ouvrir sur des rillettes d'oie ou des tripes à la provençale.

Eric Bastide, EARL Dom. de L'Olivier,
1, rue de la Clastre, 30210 Saint-Hilaire-d'Ozilhan,
tél. 04.66.37.08.04, fax 04.66.37.00.46
t.l.j. 8h-12h 14h-19h

## CH. DE PANERY Cuvée Henry 2003

2 ha 6 000 5 à 8 €

Quelques ruines et des bâtiments du XVIIIe pour ce domaine. Sur les coteaux ensoleillés, les céréales et les tournesols laissent place à la vigne (plus de 71 ha) et aux truffes. Beaucoup de chaleur dans cette cuvée savamment boisée, à l'attaque franche et nette, relevée en finale par une pointe de vanille.

SCEA Ch. de Panery, rte d'Uzès, 30210 Pouzilhac,
tél. 04.66.37.04.44, fax 04.66.37.62.38,
e-mail contact@panery.fr
t.l.j. sf dim. 9h-12h 14h-18h
R. Gryseels

## DOM. PELAQUIE 2004 *

5 ha 20 000 5 à 8 €

Il y a plus de quatre-vingt-dix ans, ce domaine de Saint-Victor-la-Coste signait sa première mise en bouteilles. Son blanc 2004 à base de grenache, de roussanne et de clairette se montre puissant. Equilibré et soyeux, il présente une agréable finale. Une étoile également pour la **Cuvée viognier 2004 (8 à 11 €)**, jaune pâle à reflets brillants. Les notes d'agrumes et de miel attestent la maturité de la récolte. Un vin expressif.

Dom. Pélaquié,
7, rue du Vernet, 30290 Saint-Victor-la-Coste,
tél. 04.66.50.06.04, fax 04.66.50.33.32,
e-mail contact@domaine-pelaquie.com
t.l.j. sf dim. 9h-12h 14h-18h
GFA du Grand Vernet

## DU PELOUX Sélection 2004

5 ha 20 000 5 à 8 €

Cette maison de négoce de Courthézon, bourgade plantée sur une colline au-dessus de la plaine du Rhône, signe une cuvée retenue pour sa franchise. Fruité au nez comme en bouche, équilibré et frais, un vin harmonieux.

Vignobles du Peloux,
quartier Barrade, 84350 Courthézon,
tél. 04.90.70.42.00, fax 04.90.70.42.15,
e-mail dupeloux@vignoblesdupeloux.com r.-v.

## PERRIN Réserve 2004 **

5 ha 30 000 5 à 8 €

Peut-être aurez-vous la chance de vous trouver à Orange lors des Chorégies, festival réputé d'art lyrique qui se déroule dans le théâtre antique ? En tout cas, n'oubliez pas d'aller jusqu'au domaine Perrin et Fils pour déguster ce vin blanc qui a séduit l'ensemble du jury. Puissants sans être agressifs, les arômes de cet assemblage où le grenache est majoritaire vont crescendo. Une attaque fraîche le rend très séduisant au palais où l'on retrouve des notes de pêche. A servir sur un fromage de chèvre.

Perrin et Fils, La Ferrière, rte de Jonquières,
84100 Orange, tél. 04.90.11.12.00, fax 04.90.11.12.19,
e-mail perrin@beaucastel.com r.-v.

## DOM. ROGER PERRIN

Cuvée Prestige Vieilles Vignes 2004 ★

■ 10 ha 30 000 5 à 8 €

Cette cuvée Prestige ne s'exprime pas encore totalement au nez. Un boisé très atténué marque l'attaque ample et suave et des tanins fins offrent une belle élégance à l'ensemble. A attendre un an ou deux.

EARL Dom. Roger Perrin, La Berthaude, rte de Châteauneuf-du-Pape, 84100 Orange, tél. 04.90.34.25.64, fax 04.90.34.88.37, e-mail dne.rogerperrin@wanadoo.fr

t.l.j. sf sam. dim. 8h-12h 14h-18h

Luc Perrin

## DOM. PHILIPPE PLANTEVIN 2003 ★

2,8 ha 11 000 5 à 8 €

En 1995, Philippe Plantevin restaure une cave désaffectée depuis trente ans et commence à élaborer des vins. En 2003, il construit une cave attenante à l'ancienne ; désormais la quasi-totalité de sa production est vinifiée au domaine. Son côtes-du-rhône, dans une robe claire à reflets gris, dévoile ses arômes avec délicatesse. A la fois floral et fruité, équilibré, il reste jeune. A servir sur un poisson en papillote ou de la friture.

EARL Philippe Plantevin, La Daurelle, rte de Sainte-Cécile-les-Vignes, 84290 Cairanne, tél. 04.90.30.71.05, fax 04.90.30.77.75, e-mail philippe-plantevin@wanadoo.fr r.-v.

## DOM. DE LA PRESIDENTE

1 Instant 2 Plaisir 2004 ★★

■ 4 ha 18 000 3 à 5 €

Doit-on encore présenter la présidente, Lucrèce, épouse du président du parlement de Provence qui décida de planter des vignes en ces lieux en 1701 ? La production du domaine est cette année encore à l'honneur. Cette cuvée au nom amusant et prometteur dévoile des rondeurs aguichantes. Elle révèle aussi une maîtrise parfaite de la technique. La syrah, qui a subi une préfermentation à froid pendant vingt-quatre heures, a ensuite été associée au grenache bien mûr pour donner un vin charmeur et fruité. La cuvée **Grands Classiques 2003 rouge (5 à 8 €)** brille d'une étoile. Le jury a salué son ampleur et son élégance. En **côtes-du-rhône-villages Cairanne, la Collection Partides 2003 (11 à 15 €)** obtient une étoile tout comme **Les Grands Classiques 2003 (8 à 11 €)**.

Famille Max Aubert, Dom. de La Présidente, rte de Cairanne, 84290 Sainte-Cécile-les-Vignes, tél. 04.90.30.80.34, fax 04.90.30.72.93, e-mail aubert@presidente.fr

t.l.j. sf dim. 8h30-12h 14h-18h30

## DOM. LE PUY DU MAUPAS 2004 ★

3 ha 1 980 3 à 5 €

Ce domaine, qui produit également de l'huile d'olive, confirme avec cette cuvée la qualité des vins blancs de la vallée du Rhône dans le millésime 2004. Elégant et souple, celui-ci présente une bonne vivacité qui persiste tout au long de la dégustation. Une bouteille à déboucher d'ici un à deux ans sur des asperges sauce mousseline.

Christian Sauvayre, Dom. Le Puy du Maupas, rte. de Nyons, 84110 Puyméras, tél. 04.90.46.47.43, fax 04.90.46.48.51, e-mail sauvayre@puy-du-maupas.com

t.l.j. 9h-12h30 14h-19h30

## DOM. RABASSE-CHARAVIN Laure 2002 ★

■ 3 ha 14 000 5 à 8 €

Née d'un terroir réputé constitué d'argile et de petits cailloux, une cuvée issue d'un assemblage de grenache et de cinsault. Compte tenu du millésime difficile, c'est un vin bien construit et d'une grande finesse ; les fleurs et les fruits rouges marquent la finale.

Corinne et Laure Couturier, Dom. Rabasse-Charavin, La Font d'Estévenas, 84290 Cairanne, tél. 04.90.30.70.05, fax 04.90.30.74.42, e-mail couturier.corinne@wanadoo.fr

t.l.j. 9h-11h30 14h-17h30; f. dim. d'oct. à mars

## CAVE DE RASTEAU Les Viguiers 2004 ★

10 ha 60 000 3 à 5 €

Fondée en 1925, la Cave des vignerons de Rasteau regroupe plus de 700 ha de vignes ensoleillées. Rouge, rosé et blanc, le jury a retenu les trois couleurs. Ce rosé possède un bel équilibre fruit, acidité et alcool. Certains le verraient bien accompagner des rougets, tandis que d'autres préfèrent le garder pour le dessert. **Les Viguiers blanc 2004** dévoile des arômes de fruits blancs miellés d'une exceptionnelle longueur. Il est cité. Enfin, la cuvée **Carte or rouge 2003 (5 à 8 €)**, bien structurée, libère des arômes confits de fruits rouges. Elle obtient une étoile.

Cave de Rasteau, rte des Princes-d'Orange, 84110 Rasteau, tél. 04.90.10.90.10, fax 04.90.46.16.65, e-mail rasteau@rasteau.com r.-v.

## DOM. RIGOT Prestige des Garrigues 2003 ★

■ 10 ha 40 000 5 à 8 €

Une plaine maraîchère s'étend autour du village de Jonquières également réputé pour son vignoble. Camille Rigot, coup de cœur dans l'édition 2003 du Guide, propose cette bien nommée cuvée Prestige des Garrigues qui en possède les senteurs : thym et romarin se mêlent au nez. Sa structure permettra à ce vin de patienter quelques années en cave avant d'être servi sur un lapin de garenne.

Camille Rigot, Les Hauts Débats, 84150 Jonquières, tél. 04.90.37.25.19, fax 04.90.37.29.19, e-mail contact@domaine-rigot.fr

t.l.j. sf dim. 9h-12h 14h-19h

## DOM. ROCHE-AUDRAN César 2003 ★

■ 4 ha 8 500 11 à 15 €

Des lauriers pour cette cuvée César. Après un séjour de quatorze mois en fût, ce côtes-du-rhône est dominé par la rondeur et le gras. Des parfums de vanille légèrement torréfiée explosent au nez. Une bouteille au prix élevé justifié par son élevage long et bien maîtrisé ; à réserver aux amateurs. Issu d'un assemblage de grenache et de viognier, le **blanc 2004 (8 à 11 €)** a également connu le bois, mais celui-ci est à peine perceptible. Les arômes sont marqués par les fruits exotiques légèrement miellés.

Vincent Rochette, Dom. Roche-Audran, rte de Saint-Roman, 84110 Buisson, tél. 04.90.28.96.49, fax 04.90.28.90.96, e-mail contact@roche-audran.com

r.-v.

## CH. ROCHECOLOMBE 2003 ★

■ 7,5 ha 40 000 3 à 5 €

Un vieux vignoble d'un seul tenant et un château bâti sur des fondations d'époque romaine. Sur ce terroir ardéchois argilo-calcaire, le grenache s'allie à la syrah pour donner ce vin agréable, de bonne structure, légèrement musqué. Déjà harmonieux, il devrait encore s'améliorer avec les années.

⊶ Roland Terrasse, Ch. Rochecolombe,
07700 Bourg-Saint-Andéol, tél. 04.75.54.50.47,
fax 04.75.54.80.03, e-mail rochecolombe@aol.com
V Y ⛹ t.l.j. 9h-12h 14h-19h

## CAVE DES VIGNERONS DE ROCHEGUDE
Cuvée Haute Expression 2004

| 3 ha | 8 000 | 5 à 8 € |
|---|---|---|

Régulièrement distinguée dans le Guide, la Cave de Rochegude a élaboré une cuvée justement baptisée Haute Expression. La farandole d'arômes miellés et abricotés du nez se retrouve en bouche. Malgré son gras, l'équilibre reste vif. A servir avec un gâteau au chocolat.

⊶ Cave des Vignerons de Rochegude,
26790 Rochegude,
tél. 04.75.04.81.84, fax 04.75.04.84.80 V Y ⛹ r.-v.

## DOM. DE ROCHEMOND 2004

| 1 ha | 5 000 | 5 à 8 € |
|---|---|---|

De sa vinification, ce 2004 composé exclusivement de viognier a gardé une certaine fraîcheur. Sa robe limpide à reflets d'or, sa finale onctueuse et ses notes de fleurs et d'abricot portent la marque du cépage. Un viognier méridional pour un apéritif entre amis. Le **Domaine de Rochemond Elevé en fût de chêne rouge 2003** est également cité.

⊶ EARL Philip-Ladet, Dom. de Rochemond,
1, chem. des Cyprès, Cadignac-Sud, 30200 Sabran,
tél. et fax 04.66.79.04.42,
e-mail domaine-de-rochemond@wanadoo.fr V Y ⛹ r.-v.

## DOM. DES ROCHES FORTES Prestige 2003 ★

| 1 ha | 4 000 | 5 à 8 € |
|---|---|---|

Établi à 500 m de la cité médiévale de Vaison-la-Romaine, le domaine des Roches Fortes ne compte plus les étoiles décrochées dans le Guide, sans parler du coup de cœur obtenu pour son millésime 97. Sa cuvée Prestige 2003, particulièrement puissante, se révèle ronde et chocolatée. Peu à peu, les arômes de vanille cèdent la place aux épices. Un vin boisé, bien travaillé, à servir sur un civet ou une viande en sauce.

⊶ EARL Brunel et Fils, quartier Le Château,
84110 Vaison-la-Romaine, tél. 04.90.36.03.03,
fax 04.90.28.77.14, e-mail roches.fortes@wanadoo.fr
V ⌂ Y t.l.j. sf dim. 10h30-12h 13h30-18h30

## DOM. DES ROMARINS 2003 ★

| 15 ha | 26 000 | 3 à 5 € |
|---|---|---|

Ce côtes-du-rhône à la robe pourpre, profonde et brillante offre un nez de fruits encore jeune. Grâce à sa structure franche et équilibrée, il atteindra sa plénitude d'ici un an ou deux. Il est à réserver aux amateurs de vins charpentés et complexes qui apprécieront la finale épicée. Une bouteille puissante et prometteuse.

⊶ Dom. des Romarins, rte d'Estézargues,
30390 Domazan, tél. 04.66.57.43.80, fax 04.66.57.14.87,
e-mail domromarin@aol.com
V Y ⛹ mer. ven. sam. 15h-19h
⊶ Fabre

## LES VIGNERONS DE ROQUEMAURE
Cuvée 1737 2003

| 2,95 ha | 20 000 | 3 à 5 € |
|---|---|---|

Le nom de cette cuvée rappelle qu'en 1737, un édit royal autorisa l'apposition des trois lettres C,D et R, pour côtes-du-rhône, sur les tonneaux de vins produits à Roquemaure et dans ses alentours. Ce 2003 révèle une certaine rusticité, des tanins très présents dans une chair finement boisée et épicée.

⊶ Les Vignerons de Roquemaure,
1, rue des Vignerons, 30150 Roquemaure,
tél. 04.66.82.82.01, fax 04.66.82.67.28,
e-mail contact@vignerons-d-roquemaure.com
V Y ⛹ r.-v.

## CH. DE ROUANNE 2004

| 0,5 ha | 1 500 | 3 à 5 € |
|---|---|---|

Olives, huile, miel, confiture ou vin ? Si vous passez par Nyons, vous n'aurez que l'embarras du choix. Pour le vin, allez donc faire un tour du côté du château de Rouanne pour découvrir ce rosé d'été, saumoné et fruité. Une bouteille équilibrée, à servir sur une salade niçoise.

⊶ Lambert-Ferrentino, Ch. de Rouanne,
26110 Vinsobres, tél. 06.83.57.26.61, fax 04.75.27.76.67
V Y ⛹ t.l.j. 10h-12h 14h-18h; groupes sur r.-v.

## DOM. ROUGE GARANCE
Blanc de Garance 2004 ★

| 1,25 ha | 5 000 | 5 à 8 € |
|---|---|---|

Une étiquette signée Bilal pour ce Blanc de... Garance, assemblage bien maîtrisé de quatre cépages nobles des côtes-du-rhône (grenache, marsanne, roussanne, viognier). Les intenses parfums floraux du nez se retrouvent dans une bouche équilibrée, à la fois puissante et fine.

⊶ SCEA Dom. Rouge Garance, chem. de Massacan,
30210 Saint-Hilaire-d'Ozilhan, tél. 06.14.41.52.88,
fax 04.66.37.06.92, e-mail contact@rougegarance.com
V Y ⛹ t.l.j. sf dim. 9h-12h 14h-17h et sam. 9h-12h
⊶ Cortellini

## SAINT-COSME 2004 ★★

| 1,14 ha | 5 700 | 5 à 8 € |
|---|---|---|

Ce négociant a choisi de travailler sur des petits volumes pour réaliser un travail comparable à celui de la haute couture. Ainsi il propose ce côtes-du-rhône que certains dégustateurs auraient bien vu coup de cœur. Un élevage réfléchi pour cet assemblage de raisins mûrs a permis au vin de développer d'intenses arômes floraux (aubépine) bientôt relayés par les fruits exotiques, (kiwi). Le palais se révèle gras et souple et la finale élégamment boisée. « Un vin agréable et curieux », conclut un dégustateur. La cuvée **Les Deux Albion rouge 2003 (8 à 11 €)** obtient une étoile grâce à sa bouche puissante, riche et complexe.

⊶ Louis Barruol, Ch. de Saint-Cosme,
84190 Gigondas, tél. 04.90.65.80.80, fax 04.90.65.81.05,
e-mail barruol@chateau-st-cosme.com
V Y ⛹ t.l.j. sf sam. dim. 8h30-12h30 13h-17h30

## DOM. SAINTE-ANNE
Cuvée La Viogneraie 2004 ★★★

| 2 ha | 5 000 | 8 à 11 € |
|---|---|---|

Les reflets gris cuivré de la robe annoncent la suite de la dégustation. D'abord, le remarquable nez, à la fois minéral et fruité, puis, en bouche, des arômes, « très certainement marqués par le terroir », selon un juré, exceptionnels de complexité et à apprécier religieusement. Un vin original, très structuré, rond et fin qui se mariera aussi bien à des fruits de mer qu'à un poisson en sauce.

⊶ EARL Dom. Sainte-Anne,
Les Cellettes, 30200 Saint-Gervais,
tél. 04.66.82.77.41, fax 04.66.82.74.57
☑ Y ⛹ t.l.j. sf sam. dim. 9h-11h 14h-18h
⊶ Steinmaier

### CAVE DES VIGNERONS REUNIS DE SAINTE-CECILE-LES-VIGNES Réserve 2004

n.c. 5 000 3 à 5 €

Deux fois par an, la cave de Sainte-Cécile-les-Vignes organise une journée portes ouvertes : l'occasion de découvrir cette cuvée Réserve. C'est un vin atypique, mais qui sait se montrer enjôleur avec son nez confit et miellé. Sa bouche, charnue et pleine, se développe sur des notes de miel et de fruits exotiques. Une bouteille à servir dès aujourd'hui.

⊶ Caveau Cécile-les-Vignes,
Cave des Vignerons réunis, 35, rte de Valréas, BP 21,
84290 Sainte-Cécile-les-Vignes,
tél. 04.90.30.79.36, fax 04.90.30.79.39,
e-mail cave@vignerons-saintececile.fr ☑ Y ⛹ r.-v.

### CH. SAINT ESTEVE D'UCHAUX Vionysos 2003 ★

3,5 ha 10 000 11 à 15 €

La famille Français, qui possède le domaine depuis 1809, fut la première à planter du viognier. Sa cuvée Vionysos, élaborée exclusivement à partir de ce cépage, se montre très chaleureuse. Ample et généreuse, elle comble le palais. Ses arômes bien présents persistent agréablement tout comme ceux du **rosé 2004 (5 à 8 €)**, jugé lui aussi très réussi. Ce vin rond, marqué par les fruits rouges, pourra être servi à l'apéritif ou accompagner tout un repas.

⊶ Ch. Saint Estève d'Uchaux, rte de Sérignan,
84100 Uchaux, tél. 04.90.40.62.38, fax 04.90.40.63.49,
e-mail chateau.st.esteve@wanadoo.fr
☑ Y ⛹ t.l.j. 9h-12h 14h-18h

### DOM. SAINT-ETIENNE Les Albizzias 2004

1,5 ha 8 000 3 à 5 €

Fortement touché par les inondations de 2002, Michel Coullomb a su patiemment reprendre le dessus et continuer à présenter des vins d'une qualité constante. N'a-t-il pas reçu un coup de cœur dans la précédente édition du Guide ? Son rosé Les Albizzias est aujourd'hui cité pour son élégance discrète dans sa robe pétale de rose. Un agréable compromis entre intensité et finesse, et une palette aromatique dominée par la fleur. Une bouteille prête à paraître sur la table.

⊶ Michel Coullomb, Dom. Saint-Etienne,
26, fg du Pont, 30490 Montfrin,
tél. 04.66.57.50.20, fax 04.66.57.22.78 ☑ Y ⛹ r.-v.

### LES VIGNERONS DE SAINT-HILAIRE-D'OZILHAN Prestige 2004

13,5 ha 80 000 5 à 8 €

Voisine du pont du Gard, la cave de Saint-Hilaire-d'Ozilhan propose deux intéressants côtes-du-rhône. Ronde et suave, la cuvée Prestige devrait atteindre un équilibre harmonieux au fil des mois. Elle accompagnera alors vos gibiers, viandes rouges et recettes typiquement provençales. Quant au **rosé Les Armoiries 2004 (3 à 5 €)**, cité pour son côté floral, il constitue un parfait vin d'apéritif.

⊶ Les Vignerons de Saint-Hilaire-d'Ozilhan,
av. Paul-Blisson, 30210 Saint-Hilaire-d'Ozilhan,
tél. 04.66.37.16.47, fax 04.66.37.35.12,
e-mail contact@cotes-du-rhone-wine.com
☑ Y ⛹ t.l.j. sf dim. 9h30-12h 14h-18h

### CH. SAINT-JEAN 2004

7 ha 30 000 3 à 5 €

Situé sur le plateau du Plan-de-Dieu au terroir typé et réputé, le château Saint-Jean a élaboré un vin blanc représentatif des côtes-du-rhône, qui allie chaleur, puissance et finesse. Issu de cépages traditionnels – grenache, clairette et bourboulenc –, il sera servi sur de la volaille et pourquoi pas sur des fromages à pâte dure.

⊶ SCA Ch. Saint-Jean, Le Plan-de-Dieu,
84850 Travaillan, tél. 04.90.12.32.42, fax 04.90.12.32.49

### CH. SAINT-MAURICE 2004 ★

3 ha 10 000 5 à 8 €

Une sélection rigoureuse des parcelles est à l'origine de cette cuvée de couleur claire et brillante. Grenache blanc et roussanne à parts égales s'expriment sur des notes de fleurs blanches légèrement citronnées. Avec sa bonne vivacité et sa finale, ce vin sera le compagnon des coquillages.

⊶ Christophe Valat,
Ch. Saint-Maurice, RN 580, L'Ardoise, 30290 Laudun,
tél. 04.66.50.29.31, fax 04.66.50.40.91,
e-mail chateau.saint.maurice@wanadoo.fr
☑ ⌂ Y ⛹ t.l.j. 9h-12h 14h-18h

### DOM. DE SERVANS Cuvée Jonas 2003 ★

0,85 ha 1 100 8 à 11 €

Marqués et soutenus, les reflets de la robe enveloppent un viognier très aromatique, dominé par le fruit. Vif et équilibré, ce vin libère des notes légèrement évoluées, issues d'un passage en barrique parfaitement maîtrisé. A servir avec des poissons grillés.

⊶ Pierre Granier, av. de Provence, 26790 Tulette,
tél. et fax 04.75.98.31.47,
e-mail domaine-de-servans@wanadoo.fr ☑ Y ⛹ r.-v.

### CH. SIMIAN 2004

0,8 ha 3 300 5 à 8 €

Au pied du massif d'Uchaux, les Serguier ont élaboré un côtes-du-rhône à base de grenache, pour la chaleur, et de clairette, pour la finesse. Le nez intense développe des arômes floraux. Ce vin franc emplit agréablement la bouche avant de s'achever sur une note miellée.

⊶ Jean-Pierre Serguier, Clos Simian, 84420 Piolenc,
tél. 04.90.29.50.67, fax 04.90.29.62.33
☑ Y ⛹ t.l.j. 9h-12h 14h-19h; dim. sur r.-v.

### CH. SUZEAU 2003

2,66 ha 16 000 5 à 8 €

Un tout jeune domaine qui a soufflé en 2005 sa quatrième bougie. Il est né de l'association d'Aubert Couturier, propriétaire, avec Xavier Tronc, jeune ingénieur en agriculture. Une union réussie comme en témoigne ce vin sombre à reflets pourpre intense. Le nez fumé s'ouvre sur des notes de tabac blond qui ne masquent pas les arômes de fruits rouges, de cassis et de réglisse. Un vin bien fait, à l'attaque souple et franche.

⊶ EARL Ch. Suzeau,
quartier Suzeau, 26770 Rousset-les-Vignes,
tél. 04.75.53.55.59, fax 04.75.53.68.18 ☑ Y r.-v.

LA SUZIENNE
Cuvée du Comte Vieilles Vignes 2003 *

■ n.c. 17 000 3 à 5 €

L'imposant château médiéval de Suze-la-Rousse abrite aujourd'hui l'Université du Vin. Quant à la cave coopérative, elle a élaboré deux côtes-du-rhône jugés très réussis. Cette cuvée du Comte est un vin plaisir, bien construit et marqué par le fruit. La **cuvée Médicis Grande Réserve rouge 2003 (5 à 8 €)** mêle aux arômes fruités des notes fortement boisées et des accents beurrés. Un ensemble chaleureux à réserver aux amateurs de ce style de vins.

SCV La Suzienne, 26790 Suze-la-Rousse,
tél. 04.75.04.80.04, fax 04.75.98.23.77 r.-v.

GUY LOUIS TARDIEU-LAURENT 2003 *

■ n.c. 9 000 15 à 23 €

En 1994, ce négociant a élu domicile à Lourmarin, agréable village provençal plein de charme qui garde le souvenir d'Albert Camus, qui repose au cimetière. Dans une robe très soutenue, rouge encre, ce vin livre des senteurs résolument boisées avec d'intenses notes vanillées que l'on retrouve en bouche. Du fruité également, et des tanins enrobés et fondus. Cette bouteille pourra patienter un peu en cave.

Tardieu-Laurent, Les Grandes Bastides,
rte de Cucuron, 84160 Lourmarin, tél. 04.90.68.80.25,
fax 04.90.68.22.65, e-mail tarlau@club-internet.fr
r.-v.
Michel Tardieu

CH. TERRE FORTE 2003 *

■ 14 ha 14 600 5 à 8 €

Fils et petit-fils de vignerons, Pierre Jauffret reprend les vignes familiales en 2001 et crée le château Terre Forte en hommage au terroir. Dans un cadre idyllique, il respecte la tradition et est attiré par la biodynamie. Il propose un vin de caractère. Une belle profondeur, des arômes de kirsch et une bouche ronde et grasse pour cet ensemble bien équilibré où les tanins se fondent avec douceur.

Jauffret, Ch. Terre Forte, chem. de la Rouvière,
30650 Rochefort-du-Gard, tél. 04.90.26.66.38,
fax 04.90.26.63.14, e-mail chateau@terreforte.fr
r.-v.

DOM. DU VAL DES ROIS
Enclave des Papes 2003 *

■ 1 ha 4 000 8 à 11 €

Le picodon frais au coulis de raisin, servi au domaine, vous permettra d'apprécier ce vin à sa juste valeur. Délibérément élevé et assemblé dans la recherche de la densité et de la concentration, il reste rond et gras malgré sa structure tannique. Les fruits rouges du nez se retrouvent en finale.

Emmanuel Bouchard, Dom. du Val des Rois,
rte de Vinsobres, 84600 Valréas, tél. 04.90.35.04.35,
fax 04.90.35.24.14, e-mail info@valdesrois.com
t.l.j. sf dim. 9h-12h30 15h-19h

DOM. DE LA VALERIANE 2004 **

■ 2 ha 3 000 3 à 5 €

Mesmin et Maryse Castan, fils et fille de vigneron, sont aujourd'hui épaulés par leur gendre, vigneron, et par leur fille Valérie, œnologue qui apporte son savoir-faire. Voyez ce rosé de couleur soutenue qui allie la puissance à la complexité dans un ensemble marqué par les fruits rouges frais. Une bonne terrine de lapin vous permettra de l'apprécier. La **Cuvée Vieilles Vignes rouge 2003** est citée pour sa chaleur et son gras.

Mesmin et Maryse Castan, rte d'Estézargues,
30390 Domazan, tél. et fax 04.66.57.04.84,
e-mail valeriane.mc@terre-net.fr
t.l.j. sf dim. 10h-12h 14h-18h

DOM. DU VIEUX CHENE
Cuvée des Capucines 2003 *

■ 10 ha 6 000 5 à 8 €

Au pied du massif d'Uchaux, sur les terrasses d'Aigues, la chaleur du soleil s'accumule pour restituer aux vignes puis au vin une puissance toute méridionale. Cette cuvée des Capucines se caractérise par sa concentration. Les tanins, très présents, contribuent avec le fruit à une harmonie de vin de garde.

Jean-Claude et Béatrice Bouche,
rte de Vaison-la-Romaine, rue Buisseron,
84850 Camaret-sur-Aigues,
tél. 04.90.37.25.07, fax 04.90.37.76.84
t.l.j. sf dim. 9h-12h 14h-18h

DOM. DU VIEUX COLOMBIER 2004

■ 1 ha 4 000 3 à 5 €

Ici le savoir-faire se transmet de génération en génération depuis le XVIe s. Cet assemblage de grenache et de cinsault est très typique des rosés gardois. Léger, bien équilibré, ce vin gourmand et rafraîchissant accompagnera les viandes blanches.

Jacques Barrière et Fils, Dom. du Vieux Colombier,
485, chem. du Pigeonnier, 30200 Sabran,
tél. et fax 04.66.89.98.94
t.l.j. 10h-12h 14h-19h

DOM. LE VIEUX LAVOIR S nº 1 2004

■ 1,86 ha 6 000 5 à 8 €

En 2002, le domaine a créé une nouvelle cave et ouvert un caveau de dégustation. Dans le millésime 2004, il propose également une toute nouvelle cuvée : S nº 1 ; S comme Sébastien ou Sélection et nº 1 pour ce premier essai, parfaitement transformé comme on dirait au rugby. Fruité et gouleyant dans une robe franche, ce vin a été élevé pour être consommé dès maintenant avec des entrées variées ou de la viande rouge.

EARL Roudil-Jouffret, rte de la Commanderie,
Le Palai-nord, BP 20, 30126 Tavel,
tél. 04.66.82.85.11, fax 04.66.82.84.18
t.l.j. sf sam. dim. 8h-12h 14h-18h
Didier Jouffret

XAVIER VIGNON Xavier 2003 ***

■ n.c. 30 000 5 à 8 €

Depuis 1999, Xavier Vignon déniche des cuvées qu'il assemble avec talent sous sa propre étiquette. Amoureux

RHÔNE

des terroirs, il a pour obsession de créer des vins qui expriment leur origine. Mission accomplie pour ce côtes-du-rhône d'une couleur pourpre profond envoûtante. Son nez généreux et gourmand de fraise, de coing et de miel s'ouvre sur la réglisse et les épices. Ces arômes se retrouvent dans une bouche tout en douceur, ronde et élégante, et d'une concentration remarquable.

Xavier Vignon, chem. de Caromb,
84330 Le Barroux, tél. 04.90.62.33.44,
fax 04.90.62.33.45, e-mail xavier@xaviervins.com
t.l.j. 10h-17h

LES VIGNERONS DE VILLEDIEU-BUISSON
Cuvée des Templiers 2004 ★★

| 30 ha | n.c. | 3 à 5 € |
|---|---|---|

Un rosé brillant et limpide, aux reflets saumonés. Bien que fermé au premier nez, il reste très séduisant par son gras et sa rondeur. Les arômes se développent lentement sur la fraise. La **Cuvée des Templiers blanc 2004** est également remarquable ; sa dominante fruitée s'associe à un caractère floral. Un vin harmonieux à servir sur une tarte aux abricots.

Cave La Vigneronne, 84110 Villedieu,
tél. 04.90.28.92.37, fax 04.90.28.93.00,
e-mail cavedevilledieu@tiscali.fr r.-v.

LA VINSOBRAISE La Delphinale 2004

| 5 ha | 24 000 | 3 à 5 € |
|---|---|---|

Cette cuvée a été élaborée dans le respect de la tradition. Ses reflets violacés laissent présager son intensité et sa complexité. C'est un vin dont les tanins manquent encore de rondeur mais qui est cependant très plaisant. Également cité, le **blanc 2004** s'exprime sur les fleurs blanches. Assez frais, il sera apprécié avec de la charcuterie.

Cave coop. La Vinsobraise, 26110 Vinsobres,
tél. 04.75.27.64.22, fax 04.75.27.66.59,
e-mail info@la-vinsobraise.com r.-v.

# Côtes-du-rhône-villages

A l'intérieur de l'aire des côtes-du-rhône, quelques communes ont acquis une notoriété certaine grâce à des terroirs qui produisent des vins dont la typicité et les qualités sont unanimement reconnues et appréciées. Les conditions de production de ces vins sont soumises à des critères plus restrictifs en matière notamment de délimitation, de rendement et de degré alcoolique par rapport à ceux des côtes-du-rhône. Une très faible production de blanc (5 235 hl en 2004) complète l'important volume des côtes-du-rhône-villages (361 902 hl en 2004).

Il y a d'une part les côtes-du-rhône-villages pouvant mentionner un nom de commune, dont seize noms historiquement reconnus et qui sont : Chusclan, Laudun et Saint-Gervais dans le Gard ; Beaumes-de-Venise, Cairanne, Sablet, Séguret, Rasteau, Roaix, Valréas et Visan dans le Vaucluse ; Rochegude, Rousset-les-Vignes, Saint-Maurice, Saint-Pantaléon-les-Vignes et Vinsobres dans la Drôme.

Il y a d'autre part les côtes-du-rhône-villages sans nom de commune, sur le reste de l'ensemble des communes du Gard, du Vaucluse et de la Drôme dans l'aire côtes-du-rhône. Soixante-dix communes ont été retenues. Cette délimitation avait pour premier objectif de permettre l'élaboration de vins de semi-garde.

DOM. D'AERIA Cairanne 2004 ★

| 0,5 ha | 1 200 | 11 à 15 € |
|---|---|---|

La dégustation s'accompagnera pour vous (le jury déguste à l'aveugle) d'une intéressante leçon d'architecture et d'archéologie. En effet, présent sur l'étiquette, le logo du domaine reproduit l'antéfixe découverte dans les vignes. Cet élément décoratif d'une toiture antique rappelle la cité gallo-romaine d'Aéria. Limpide dans sa robe délicate, fleurant bon l'acacia, un viognier (80 %) nuancé de clairette et tout en fruit. Un léger miel garnit le gras d'un moelleux confortable. « C'est très bien fait », note le jury.

SARL Dom. d'Aéria, rte de Rasteau,
84290 Cairanne, tél. 04.90.30.88.78, fax 04.90.30.78.38,
e-mail domaine.aeria@wanadoo.fr r.-v.
Rolland Gap

DOM. DANIEL ET DENIS ALARY
Cairanne La Font d'Estévenas 2003 ★★

| 1,5 ha | 8 000 | 11 à 15 € |
|---|---|---|

Ce domaine fut coup de cœur dans le millésime 2001 et le manque de peu cette année. A la lumière de la robe magenta sombre de ce 2003, jouez le rouge et le noir : des tomates farcies, par exemple. Ses arômes assez animaux montrent prudemment le bout de leur nez. Ce vin réglissé n'est pas seulement gourmand : on aperçoit un bel arrière-plan. De même caractère, la **Réserve du vigneron en Cairanne 2003 rouge (8 à 11 €)** est grenache-mourvèdre au lieu de syrah-grenache. Elle obtient une étoile.

Dom. Daniel et Denis Alary, La Font d'Estévenas,
84290 Cairanne, tél. 04.90.30.82.32, fax 04.90.30.74.71,
e-mail alary.denis@wanadoo.fr r.-v.

DOM. DE L'AMEILLAUD Cairanne 2003 ★

| 18,13 ha | 60 000 | 5 à 8 € |
|---|---|---|

Tajines par exemple : on peut aller jusqu'à la cuisine sud-méditerranéenne pour faire escorte à ce Cairanne signé Nick Thompson. Il ne nous en voudra pas de trouver une nuance bordeaux dans sa brillance. Ses senteurs restent dans une gamme classique : myrtille, réglisse, épices douces. Corsé et de garde, il n'est cependant pas trop tannique ; l'acidité est bien dosée et la finale joue sur le cassis et les épices. L'architecte a bien travaillé.

SCEA de l'Ameillaud, rte de Rasteau,
84290 Cairanne, tél. 04.90.30.82.02, fax 04.90.30.74.66,
e-mail nick.thompson@free.fr
t.l.j. sf sam. dim. 8h-12h 12h30-16h30
S. et N. Thompson

DOM. D'ANDEZON 2003 ★★

| 8 ha | 35 000 | 5 à 8 € |
|---|---|---|

Croisement de syrah (90 %) et de grenache, ce taureau rhodanien (en vedette sur l'étiquette) n'est pas vraiment fait pour la corrida. La finesse de ses tanins, sa rondeur soyeuse, son goût de pruneau vanillé, ses arômes mêlant le kirsch, la cerise et la prune évoquent davantage la douceur. Il remplacerait volontiers le bœuf dans la crèche provençale ! Autres belles cuvées de cette coopérative (404 ha en tout) : **Grès Saint-Vincent 2003 rouge** et **Les Genestas 2003 rouge**, au niveau de la première étoile.

Cave des Vignerons d'Estézargues, rte des Grès, 30390 Estézargues, tél. 04.66.57.03.64, fax 04.66.57.04.83, e-mail les.vignerons.estezargues@wanadoo.fr
t.l.j. sf dim. 8h-12h 14h-18h

## CH. AUBAGNAC 2003

7,7 ha 8 000 5 à 8 €

Baptisée ainsi en mémoire du consul Rostang d'Aubagnac, une cuvée grenache-syrah à parts égales. Son style rond et fruité lui donne un caractère tendre et friand. Sans ambitions démesurées tant en volume qu'en persistance, elle remplit l'essentiel du contrat : accompagner aimablement une grillade.

Les vignerons d'Orsan, 30200 Orsan, tél. 04.66.90.10.05, fax 04.66.90.00.93, e-mail orsan-vignerons@wanadoo.fr
t.l.j. sf dim. 8h-12h 14h-18h

## DOM. DES AVAUX Laudun 2003

19 ha 22 000 5 à 8 €

Xavier Dumas est un jeune vigneron. Il entre dans la carrière et il y fait sa place, à bonne école. Grenache (60 %), syrah (35 %) et mourvèdre, élevés en cuve, composent un vin balançant entre le fruit mûr et la garrigue. Ponctué par des notes de cacao puis de cerise confite, le corps est intéressant.

SCEA Dom. des Avaux, 30330 Saint-Paul-les-Fonts, tél. et fax 04.66.82.08.29 r.-v.
Jean Stenmaier et Xavier Dumas

## DOM. DE BEAUMALRIC Beaumes-de-Venise 2004 *

5,2 ha 28 000 5 à 8 €

Au pied des Dentelles de Montmirail, un vin aussi fin, élancé, élégant que le paysage. Rouge violacé, il épanouit ses arômes sur les herbes de Provence (laurier notamment) et les fruits rouges. L'attaque est souple, la consistance réelle. On se fait plaisir en compagnie de la syrah nuançant à 25 % le grenache. Etiquette très extravertie...

EARL Begouaussel, Dom. de Beaumalric, Saint-Roch, 84190 Beaumes-de-Venise, tél. 04.90.65.01.77, fax 04.90.62.97.28 r.-v.

## DOM. BEAU MISTRAL Rasteau Sélection du terroir 2004

3 ha 2 625 5 à 8 €

Beau Mistral... Sous une telle étiquette, que d'images ! Rosé élégant et vif, ce vin de saignée offre au nez un fruit tout en finesse et se réveille en bouche. Son fruit acquiert de la densité et l'acidité est bien au point. Cinsault presque pour moitié. Si ce cépage joue souvent les utilités, il a ici voix au chapitre, complété par la syrah, le grenache et le mourvèdre à parts égales.

Jean-Marc Brun, Le Village, rte d'Orange, 84110 Rasteau, tél. 04.90.46.16.90, fax 04.90.46.17.30
r.-v.

## DOM. DE BEAURENARD Rasteau Les Argiles Bleues 2003 *

1,5 ha 4 000 15 à 23 €

Les vieux outils de la famille (sept générations !) sont ici à l'honneur. On en a fait un petit musée du Vigneron. Bouteille hospitalière également, d'une teinte intense, fortement épicée et boisée (quinze mois de fût), puissante et tannique. On sent la grande maturité du fruit. Grenache (80 %) et syrah forment un ensemble riche en tempérament. Un à deux ans de garde.

Paul Coulon et Fils, Dom. de Beaurenard, 84231 Châteauneuf-du-Pape Cedex, tél. 04.90.83.71.79, fax 04.90.83.78.06, e-mail paul.coulon@beaurenard.fr
t.l.j. sf dim. 9h-12h 13h30-17h30

## DOM. DE LA BELAISE Valréas 2003 *

29 ha 12 600 5 à 8 €

Cette vaste coopérative (1 700 ha en tout) propose une cuvée de grenache (70 %) nuancée de syrah ainsi que d'un soupçon de mourvèdre. Elle provient de la propriété de Bernard et Bruno Macipe située à Valréas. Ses tanins manquent un peu de fondu à cette heure, mais on lui reconnaît déjà une certaine rondeur dans un joli fruité et sous une robe grenat de circonstance. A attendre au moins un an.

Cave coop. La Gaillarde, av. de l'Enclave-des-Papes, BP 95, 84600 Valréas, tél. 04.90.35.00.66, fax 04.90.35.11.38
t.l.j. 9h-12h 14h30-19h; groupes sur r.-v.; f. dim. jan.-mars
Bernard et Bruno Macipe

## DOM. DE LA BERTHETE 2003 *

7,8 ha 30 000 5 à 8 €

Syrah et grenache pratiquent l'égalité (50/50) et la fraternité avec un élevage apprécié par nos dégustateurs. Cerise rouge à l'éclat vif, un vin plaisant, rond et fruité, dans lequel on retrouve épices et Zan, dans le droit fil de son millésime (les tanins se manifestent sur la fin).

Pascal Maillet, Dom. de la Berthète, rte de Jonquières, 84850 Camaret-sur-Aigues, tél. 04.90.37.22.41, fax 04.90.37.74.55, e-mail la.berthete@wanadoo.fr
t.l.j. sf dim. 9h-12h 14h-18h

## DOM. DU BOIS DE SAINT-JEAN Cuvée du Comte d'Ust et du Saint-Empire 2003

6 000 5 à 8 €

*Smoking* de rigueur. Une cuvée du Saint-Empire ne s'aborde pas à la légère ! Comme il s'agit d'une syrah presque pur sang, les présentations ne sont pas trop guindées. Rubis profond très intense, beaucoup de glycérol : la robe séduit. Au kirsch s'ajoute un petit parfum sauvage qui annonce un caractère libéré. La bouche confirme par sa chaleur et ses notes de cuir. Prenez rendez-vous dans un an ou deux.

EARL Vincent et Xavier Anglès, 126, av. de la République, 84450 Jonquerettes, tél. et fax 04.90.22.53.22 t.l.j. 8h-12h 14h-20h

## DOM. DE BOISSAN Sablet Cuvée Clémence 2003 *

14 ha 13 000 5 à 8 €

Le raisin mûrit ici en regardant les alpinistes escalader les Dentelles de Montmirail. Grenache (50 %), mourvèdre (30 %) et syrah s'accordent pour mettre au monde ce *villages* grenat limpide. Elevé en cuve et sous bois, il

RHÔNE

garde un certain vanillé qui se mêle à des arômes de figue, de nèfle, de cassis. Frais et élégant dans un environnement assez rond, il affiche une jolie persistance aromatique sur le fruit compoté.

Christian Bonfils, Dom. de Boissan, 84110 Sablet, tél. 04.90.46.93.30, fax 04.90.46.99.46, e-mail c.bonfils@wanadoo.fr r.-v.

### MAISON BOUACHON Les Myriades 2003 *

■ 3 ha 13 000 8 à 11 €

Cette maison (groupe Skalli) sélectionne des parcelles et réalise l'assemblage baptisé non sans raison Myriades. Grenache à 70 %, syrah et mourvèdre à parts égales, elle ne cherche pas l'originalité à tout prix. Rubis à reflets mauves, le nez empyreumatique et animal, torréfié avec mesure (huit mois de fût, un peu moins de cuve), un vin équilibré (sucre-acidité) et offrant un bon retour d'arômes. Aucune aspérité tannique.

Maison Bouachon, av. Pierre-de-Luxembourg, 84230 Châteauneuf-du-Pape, tél. 04.90.83.58.35, fax 04.90.83.77.23, e-mail info@maisonbouachon.com t.l.j. 9h-12h 14h-19h

Skalli

### DOM. BOUVACHON-NOMINE
La Patrasse 2003 ***

■ 3 ha 6 667 8 à 11 €

Ce domaine acquis en 1988 est passé alors de la vente en vrac au négoce à la mise en bouteilles et à la commercialisation directe. On l'imagine bien sur la scène du théâtre antique d'Orange, cette bouteille drapée de velours vermeil ! Ses arômes conquérants chantent les fruits secs, l'amande grillée, la confiture d'abricots. Sa bouche triomphale repose sur un lit de roses : un gras onctueux, un équilibre proche de la perfection. Grenache, syrah et mourvèdre à parts égales. Coup de cœur sans état d'âme pour ce vin, digne d'un salmis de bécasse.

Dom. Bouvachon-Nominé, chem. de la Patrasse, 84100 Orange, tél. 04.90.51.05.59, fax 04.90.51.05.60, e-mail bouvachon@bouvachon.com r.-v.

### DOM. LA BOUVAUDE
Rousset-les-Vignes Elevé en fût de chêne 2003 **

■ 5 ha 12 000 5 à 8 €

Parlant d'un vin, Colette évoque sa « mâle douceur ». On pourrait résumer ainsi ce 2003, né à Rousset-les-Vignes, village septentrional au sein des côtes-du-rhône-villages méridionales (à la hauteur du château de Grignan). Grenache, syrah et mourvèdre s'associent par ordre décroissant pour donner ce vin de couleur grenat intense, au nez vanillé (un an d'élevage en barrique) et de garde. Ses tanins enrobés, sa bouche où se retrouvent réglisse et fruits des bois et sa longueur sont déjà très appréciés. Très belle illustration de l'appellation.

Stéphane Barnaud, Dom. La Bouvaude, 26770 Rousset-les-Vignes, tél. 04.75.27.90.32, fax 04.75.27.98.72, e-mail stephane.barnaud@wanadoo.fr t.l.j. 9h-19h

### DOM. BRUSSET
Cairanne Coteaux des Travers 2003 *

■ 15 ha 80 000 5 à 8 €

Sans prétendre à la vocation du marquis de Carabas, la famille Brusset (André a fondé le domaine en 1947 à Cairanne) a essaimé : gigondas, côtes-du-ventoux... A dominante de grenache, ce *villages* rouge à nuances bleutées présente un bouquet assez complexe : un nez de raisin mûr, dirait-on, mais encore d'animal et de cuir. Au palais, les fruits rouges et la touche vanillée de l'élevage (huit mois de barrique) se fondent de façon longue et concentrée, dans l'impression de maturité sauvage perçue d'emblée sur des tanins déjà soyeux.

SA Dom. Brusset, 84290 Cairanne, tél. 04.90.30.82.16, fax 04.90.30.73.31 r.-v.

### DOM. DE CASSAN Beaumes-de-Venise 2003 *

■ 13 ha 50 000 5 à 8 €

Ce domaine créé en 1929 par un industriel lyonnais fut acquis en 1974 par Paul Croset et demeure dans cette famille. « Le plus savoureux des muscats, écrit à propos du beaumes-de-venise le romancier Robert Sabatier (de l'Académie Goncourt), mais aussi un grand côtes-du-rhône ». En effet ! Une robe rouge incandescent, un corps jeune encore : sa structure tiendra bien d'aplomb d'ici une dizaine de mois. Cité, le **blanc 2003** mérite également qu'on s'y arrête.

Dom. de Cassan, Lafare, 84190 Beaumes-de-Venise, tél. 04.90.62.96.12, fax 04.90.65.05.47, e-mail domainedecassan@wanadoo.fr t.l.j. sf dim. 8h-12h 14h-19h

Famille Croset

### DOM. CASTAN 2003 **

■ 10 ha 10 000 5 à 8 €

Si vous allez visiter le pont du Gard, ce mas provençal n'en est guère éloigné. Une dizaine de kilomètres à peine. Ample et puissant, chaleureux et charpenté, ce *villages*, d'un rouge profond et d'un violacé chatoyant, suggère le cassis et s'abandonne à un élan de réglisse douce. Grenache à 50 %, syrah et mourvèdre dans l'autre camp.

SCEA Chantecler, mas Chantecler, 30390 Domazan, tél. 04.66.57.00.56, fax 04.66.57.07.57 t.l.j. 8h-12h 14h-19h

Damien Castan

### LES VIGNERONS DU CASTELAS
Vieilles Vignes 2003

■ 2,1 ha 12 000 5 à 8 €

Créée en 1956 par quelques vignerons et inaugurée par le père des AOC, le baron Le Roy, cette cave coopérative s'étend de nos jours sur 550 ha. La devise n'a pas changé : « Moins de vins et meilleurs ». Elle signe un assemblage agréable (syrah pour moitié) au nez de réglisse et d'épices douces. Sa constitution ? légère et franche. Donnez-lui encore douze mois de bouteille.

Les Vignerons du Castelas, rte de Nîmes, 30650 Rochefort-du-Gard, tél. 04.90.26.62.66, fax 04.90.26.39.32, e-mail fmvcastelas@easyconnect.fr
t.l.j. sf dim. 8h30-12h 14h-18h

## PIERRE CHANAU 2004

| ■ | 100 ha | 600 000 | 3 à 5 € |
|---|---|---|---|

En tant que négociant et changeant son cep d'épaule, la coopérative de Rasteau a élaboré le côtes-du-rhône-villages d'Auchan. Ce 2004 est évidemment très jeune et encore proche de son nid, mais il sera prêt dès septembre et distribué sous cette enseigne. Pourpre brillant, framboise-cassis, il tapisse gentiment le palais jusqu'à une délicieuse finale de fruits rouges et noirs frais. Une bonne bouteille pour tous les jours.
Les Vignerons de Rasteau et de Tain-l'Hermitage, rte des Princes-d'Orange, 84110 Rasteau, tél. 04.90.10.90.10, fax 04.90.10.90.36, e-mail vrt@rasteau.com

## DOM. DU CHAPITRE 2003

| ■ | 1,2 ha | 5 300 | 5 à 8 € |
|---|---|---|---|

Cette propriété familiale née au milieu du XIXe s. a tourné peu à peu le dos à la polyculture pour épouser la vigne. Grenache et syrah jouent en complicité à 60/40 %. D'une couleur prononcée, ce vin exhibe un nez envoûtant (fruits noirs et à l'eau-de-vie, pointe épicée). Son acidité moyenne incite à le consommer maintenant. Elevage en cuve et sous bois, d'où une saveur un peu vanillée.
Frédéric Dorthe, Le Plan-de-Lage, 07700 Saint-Martin-d'Ardèche, tél. 06.10.60.28.54, fax 04.75.04.67.36 r.-v.

## DOM. CHAPOTON Cuvée Géodaisia 2003 **

| ■ | 1 ha | 4 000 | 8 à 11 € |
|---|---|---|---|

Si vous allez compléter vos connaissances œnologiques à l'Université du Vin, pensez à cette cave – bastide du XVIIIe s. – toute proche pour les travaux pratiques. Grès siliceux et silex offrent ici leur sol à la syrah (95 %) qui, à l'évidence, s'y trouve comme chez elle. Sa robe est d'un grand classicisme. Agitez le verre et vous percevrez les arômes caractéristiques du cépage : cassis, mûre, pruneau et cette délicieuse note de violette ! D'un rare équilibre entre l'acidité et la sucrosité, la bouche se révèle aromatique (notes de poivre, de garrigue et de myrtille). Ample, mais avec une grâce de velours. Ce vin n'était pas loin du coup de cœur. Très belle étiquette moderne.
Serge Remusan, rte du Moulin, 26790 Rochegude, tél. et fax 04.75.98.22.46 r.-v.

## DOM. DIDIER CHARAVIN
Rasteau Les Parpaïouns 2003

| ■ | n.c. | 13 000 | 8 à 11 € |
|---|---|---|---|

Autant traduire, si vous ne lisez pas Mistral dans le texte. Didier Charavin nous prie de déguster sa cuvée Les Parpaïouns : les papillons. Plusieurs fois coup de cœur, le domaine portait ce nom et le perdit en vertu du droit des marques, autorisé seulement à signer ainsi un assemblage du pays. Teinte cerise noire, épices et sous-bois, ce 2003 simple et intéressant, aux tanins présents sans être agressifs, pratique la devise « ni trop ni trop peu ». Il accompagnera les viandes en sauce. Second vin cité, la **cuvée Prestige Rasteau 2003 (5 à 8 €)** est destinée aux viandes blanches.
Didier Charavin, rte de Vaison, 84110 Rasteau, tél. 04.90.46.15.63, fax 04.90.46.16.22
t.l.j. 9h-12h 14h-18h

## DOM. CLAVEL
Saint-Gervais Elevé en fût de chêne 2003 *

| ■ | 1 ha | 40 000 | 11 à 15 € |
|---|---|---|---|

Merveilleuse syrah trônant en majesté et assurant à elle seule le sang de ce vin grenat soutenu, aux notes confites et vanillées (quinze mois en barrique), enveloppant le palais d'une caresse douce et franche. Le retour d'arômes tire sur l'animal, sur fond boisé que le temps atténuera sans doute. Car ce 2003 possède du potentiel. Quant à **L'Etoile du Berger Saint-Gervais 2003 rouge (8 à 11 €)**, citée, elle se lève déjà et on l'examinera dans les temps qui viennent.
Denis Clavel, rue du Pigeonnier, 30200 Saint-Gervais, tél. 04.66.82.78.90, fax 04.66.82.74.30, e-mail clavel@domaineclavel.com
r.-v.

## CLOS PETITE BELLANE
Valréas Les Echalas 2003 **

| ■ | 2,7 ha | 13 000 | 11 à 15 € |
|---|---|---|---|

Une syrah sur grand écran, avec vue panoramique sur le Ventoux. Elle joue remarquablement son rôle, sans partage... Sa robe grenat soutenu habille un corps à la beauté du diable : élan, souffle, tout y est. Un vin complet. La cuvée les **Echalas en Valréas blanc 2003** obtient une étoile ; charnue, dense, miellée, elle est expansive et assez chaude. Vin de dessert (petite salade de prunes).
SARL foncière Clos Petite Bellane, chem. Sainte-Croix, 84600 Valréas, tél. 04.90.35.22.64, fax 04.90.35.19.27, e-mail clos-petite-bellane@wanadoo.fr
t.l.j. sf dim. 9h-12h 14h-18h; sam. sur r.-v.; f. 20 déc.-2 jan.
Olivier Peuchot

## DOM. DE COSTE CHAUDE
Visan La Rocaille 2003 *

| ■ | 3 ha | 13 000 | 5 à 8 € |
|---|---|---|---|

Ancienne place forte de l'Enclave des Papes, Visan est entré dans l'Histoire il y a fort longtemps. Les archives révèlent la présence de la vigne au quartier de Coste Chaude dès 1582. Cette cuvée de nuance burlat développe l'arôme du pruneau si caractéristique du grenache (70 % plus syrah) allié au kirsch. De la chaleur en finale – c'est le millésime de la canicule –, mais l'ensemble reste harmonieux et complet.
SARL Dom. de Coste Chaude, rte de Saint-Maurice par la montagne, 84820 Visan, tél. 04.90.41.91.04, fax 04.90.41.96.52, e-mail info@domaine-coste-chaude.com
t.l.j. sf dim. 8h-12h 13h-18h
Marianne Fues

## DOM. COULANGE 2003 *

| ■ | 1 ha | 5 838 | 8 à 11 € |
|---|---|---|---|

Cette famille a quitté la cave coopérative en 1996 pour gérer le domaine à son idée. Christelle Coulange présente un vin où la syrah complétée par le grenache influe sensiblement sur le nez et la bouche. Le rouge profond de la robe met en lumière un bouquet épicé (girofle) et fruité (griotte). Densité, volume, gras, rien ne manque à l'appel. Pour un gigot à la ficelle. Tourisme : les gorges de l'Ardèche sont toutes proches.

Dom. Christelle Coulange, quartier Saint-Ferréol, 07700 Bourg-Saint-Andéol, tél. et fax 04.75.54.56.26, e-mail domaine.coulange@free.fr r.-v.

### CH. COURAC Laudun 2004 ★★

■ 17 ha 90 000 5 à 8 €

Laudun serait une exception à la loi naturelle des côtes-du-rhône, en raison de la pondération de son climat. Si les blancs ont été de tout temps connus et estimés, les rouges ont fait une belle percée. On en tient ici l'exemple : robe cassis, nez réglisse et... cassis. L'ampleur, le volume et la finale puissante expriment l'ambition d'un vin de garde. Austère sans doute, mais il le sera beaucoup moins fin 2006 début 2007. Le **côtes-du-rhône Courac rouge 2004** obtient une étoile.

SCEA Frédéric Arnaud, Ch. Courac, 30330 Tresques, tél. 04.66.82.90.51, fax 04.66.82.94.27 r.-v.

### CH. LA DECELLE Valréas Cuvée Saint-Paul 2003 ★

■ 3 ha 10 500 8 à 11 €

A en juger par le nombre de cuvées dédiées aux saints du Paradis, les anciennes terres pontificales ont conservé une foi profonde. Il est vrai qu'ici les nourritures terrestres ont quelque chose de céleste. Tenez, la truffe du Tricastin accompagnera dignement cette cuvée élaborée par Henri Seroin à partir d'un vignoble (grenache et syrah) créé en 1996. Rouge jusqu'au bout des ongles (robe soutenue, fruits rouges et cuir), elle évolue sur le pruneau, puissante et tannique, sans perdre son aplomb.

Ch. La Décelle, rte de Pierrelatte, D 59, 26130 Saint-Paul-Trois-Châteaux, tél. 04.75.04.71.33, fax 04.75.04.56.98, e-mail ladecelle@wanadoo.fr t.l.j. 9h-12h 14h-18h; groupes sur r.-v.
Seroin

### DOM. DEFORGE 2003 ★

■ 2 ha 11 000 5 à 8 €

Jockey de renommée mondiale, Jean Deforge a abandonné les hippodromes pour s'installer ici avec son épouse (à propos, vous lui demanderez sa recette de rognons de veau au *villages* rouge). Toque rouge sombre à reflets violets, casaque faite de deux fruits qui vont bien ensemble (fraise et banane), ce vin attaque longtemps avant l'arrivée et il tient la distance. Nul besoin de cravache, le galop est harmonieux. La récompense sera gourmande.

Dom. Deforge, rte de Jonquerettes, 84470 Châteauneuf-de-Gadagne, tél. 04.90.22.42.75, fax 04.90.22.18.29, e-mail info@domainedeforge.com t.l.j. sf dim. 10h-12h30 14h30-18h30

### DOM. DELUBAC Cairanne Les Bruneau 2002

■ 5 ha 6 500 5 à 8 €

Les beaux coteaux de Cairanne sont réputés pour produire des vins bouquetés. C'est le cas de ce 2002 : un peu boisé (douze mois de fût) mais intense sur ses « fondamentaux » pour parler comme au rugby. Grenat presque noir, il se montre souple et rond, équilibré et fruité. Il devrait être prêt cet automne. Assemblage de grenache, de syrah et de carignan, le **côtes-du-rhône rosé 2004** obtient la même note. A servir à l'apéritif.

Dom. Bruno et Vincent Delubac, rte de Carpentras, Les Charoussans, 84290 Cairanne, tél. 04.90.30.82.40, fax 04.90.30.71.18, e-mail vincent.delubac@libertysurf.fr r.-v.

### DOM. DE L'ECHEVIN Saint-Maurice 2003 ★★

1,5 ha 3 500 11 à 15 €

Domaine de 14,5 ha acheté en 1997, situé à 300 m d'altitude et entouré de genêts et de bois. Une larme de marsanne, un peu de viognier et beaucoup de grenache, telle est la formule. Elle réussit. Très beau vin en effet, les arômes primaires de fruits blancs se mariant à ceux de l'élevage (douze mois de fût). Sa complexité miellée sera appréciée à l'apéritif. Coup de cœur l'an dernier.

Dom. L'Echevin, Dom. La Florane, Les Bourdeaux, 84820 Visan, tél. et fax 04.90.41.90.72, e-mail contact@domainelaflorane.com t.l.j. 9h-17h
Fabre

### DOM. DES ESCARAVAILLES Cairanne Le Ventabren 2003 ★

■ 3 ha 10 400 5 à 8 €

Propriété (65 ha) acquise par Jean-Louis Ferran, défrichée et plantée par ses enfants rejoints aujourd'hui par Gilles et Nicolas, la jeune génération. Dominée par le grenache, cette cuvée vendangée sur les terrasses de Rasteau offre un maximum de brillance de tonalité violette. Le fruit à noyau et le cassis précèdent une sensibilité réglissée, dans une bouche assez structurée.

Ferran et Fils, Dom. des Escaravailles, 84110 Rasteau, tél. 04.90.46.14.20, fax 04.90.46.11.45 r.-v.

### DOM. DE L'ESPIGOUETTE Plan de Dieu 2003 ★

■ 6 ha 15 000 5 à 8 €

L'Espigouette fait penser aux romans de Jean Giono ou d'Henri Bosco. On se sent aussitôt attiré par l'accent ensoleillé de cette bouteille et par ses parfums. La cerise (la montmorency, la cerise à confiture, plus que la griotte) rend en effet son nez odorant et sensible. Bonne longueur. Un 2003 à déboucher dès à présent. En **vacqueyras 2003**, le domaine est cité pour sa franchise, son boisé bien fondu.

Bernard Latour, EARL Dom. de L'Espigouette, 84150 Violès, tél. 04.90.70.95.48, fax 04.90.70.96.06, e-mail espigouette@aol.com r.-v.

### DOM. DE FENOUILLET Beaumes-de-Venise Cuvée Tradition 2003 ★

■ 1,6 ha 8 000 5 à 8 €

L'arrière-grand-père avait déjà décroché un diplôme d'honneur en 1902 pour son vin et son huile d'olive. Cette famille exploite en effet le vignoble depuis cent cinquante ans, mais elle n'a repris la vinification qu'en 1989. Le jury accorde la même distinction au **beaumes-de-venise rouge 2003** (étiquette crème) et à la cuvée Tradition

(étiquette gris-bleu) présentée ici. Comme son bouquet réglissé est encore en phase d'éveil, nous l'attendrons quelques mois. Fraîche et légère, elle comporte des tanins de qualité mais fermes qui vont s'arrondir. A ouvrir à partir de 2006 au repas du dimanche.
Patrick et Vincent Soard, Dom. de Fenouillet, allée Saint-Roch, 84190 Beaumes-de-Venise, tél. 04.90.62.95.61, fax 04.90.62.90.67, e-mail domaine@fenouillet.net
t.l.j. sf dim. 9h-12h 14h-19h (13h30-18h30 l'hiver)

### DOM. LA FOURMENTE
Visan Elevé en fût de chêne 2003 *

2 ha 6 000 8 à 11 €

Après soixante ans et trois générations de viticulteurs coopérateurs, Jean-Louis Pouizin et son fils Rémi ont décidé en 2000 de voler de leurs propres ailes, sur 40 ha. Les brebis, les céréales, les vers à soie ont disparu au fil des ans pour laisser place à la vigne et au lavandin (huile essentielle). Dans une robe coucher de soleil, ce grenache-syrah à parité est bien aromatique et convenablement vanillé. Bon travail à partir des raisins de la canicule : équilibré, ample et concentré, ce 2003 associe au palais fruits noirs mûrs, réglisse et notes torréfiées. Attendez deux ans avant de mettre un gibier en cocotte !
Jean-Louis Pouizin, Dom. La Fourcade, rte de Bouchet, 84820 Visan, tél. et fax 04.90.41.91.87, e-mail domaine-la-fourmente@wanadoo.fr
t.l.j. sf dim. 9h-12h 14h-18h30

### DOM. LA GARANCIERE Séguret 2003 **

13 ha n.c. 8 à 11 €

Deux tiers de grenache et un tiers de carignan. Cette bouteille n'a pas encore délivré tous ses secrets. Son nez est un peu fermé : un fruit léger qui papillonne. Au palais elle fait honneur à son appellation, de façon classique et sûre, souple et d'un volume intéressant. On note en particulier un caractère fruité-épicé et une rétro-olfaction avantageuse.
F. Chastan, Clos du Joncuas, 84190 Gigondas, tél. 04.90.65.86.86, fax 04.90.65.83.68 r.-v.

### CH. GIGOGNAN Bois des Moines 2003 *

8 ha 27 000 8 à 11 €

Né dans un ancien prieuré, ce vin issu de grenache mâtiné de syrah et de mourvèdre (très peu) n'a pas fait vœu de pauvreté. Riche en couleur, il décline avec volupté certains arômes typés de l'appellation : le fruit cuit, le cuir, l'épice, le « viandé noble ». Pas de vœu de chasteté non plus, à en juger par sa bouche généreuse, finement boisée sur des tanins soyeux. Il a pourtant effectué une longue retraite : douze mois en fût.
Ch. Gigognan, chem. du Castillon, 84700 Sorgues, tél. 04.90.39.57.46, fax 04.90.39.15.28, e-mail info@chateau-gigognan.fr r.-v.
M. Callet

### DOM. DU GRAND BOURJASSOT Sablet 2003

1 ha 5 500 5 à 8 €

Souple et rond, un vin tout en mesure, loin des ouvrages tanniques, gouleyant pour tout dire. Sa robe ne ment pas. Au nez on dépasse le fruit mûr pour atteindre le chaudron à confiture. Une minuscule pointe d'amertume conclut l'affaire. Cet ensemble grenache-syrah à 70-30 % est à servir dans l'année.
Pierre Varenne, Dom. du Grand-Bourjassot, quartier Les Parties, 84190 Gigondas, tél. 04.90.65.88.80, fax 04.90.65.89.38
t.l.j. 10h-12h 14h30-18h30

### DOM. LES GRANDS BOIS
Cairanne Cuvée Maximilien 2003

3,5 ha 16 000 5 à 8 €

Violine, violette, l'une pour l'œil et l'autre pour le nez. Une cuisine ensoleillée devrait plaire à ce vin. Sa maturité un peu chaude s'accompagne d'une sensation de fruits à l'eau-de-vie. Le gras est bien équilibré, la concentration suffisante et les tanins enrobés. Typé 2003.
SCEA Dom. Les Grands Bois, 55, av. Jean-Jaurès, 84290 Sainte-Cécile-les-Vignes, tél. 04.90.30.81.86, fax 04.90.30.87.94, e-mail mbesnardeau@grands-bois.com r.-v.
Besnardeau

### DOM. GRAND VENEUR
Les Champauvins 2003 **

20 ha 77 000 5 à 8 €

Grand Veneur, ce nom lui convient bien. Sous son habit rouge sombre violacé, il bénéficie d'un souffle réglissé teinté de fraise des bois. Le départ de bouche est souple, ample, bien proportionné. Les tanins sont enrobés. La chaleur est propre au millésime caniculaire. De garde, disons un à deux ans...
Vignobles Alain Jaume et Fils, rte de Châteauneuf-du-Pape, 84100 Orange, tél. 04.90.34.68.70, fax 04.90.34.43.71, e-mail jaume@domaine-grand-veneur.com
t.l.j. sf dim. 8h-12h 13h30-18h

### DOM. JAUME Vinsobres Référence 2003

0,4 ha 1 500 8 à 11 €

Si Vinsobres a tiré très tôt son épingle du jeu des AOC, c'est notamment grâce à l'arrière-grand-père qui reçut merveilleusement bien le baron Le Roy, pape des appellations. Le domaine Jaume a grandi (80 ha), gardant son attachement aux bons principes. Partagé entre quatre cépages, son blanc d'un jaune clair légèrement doré est assez marqué par ses six mois de barrique probablement neuve. Les fruits secs (abricot, raisin) se glissent toutefois en bouche. La persistance est intéressante. Pour poisson en sauce.
Dom. Jaume, 24, rue Reynarde, 26110 Vinsobres, tél. 04.75.27.61.01, fax 04.75.27.68.40, e-mail cave.jaume@libertysurf.fr r.-v.

### CH. JOANNY 2004 *

3,61 ha 16 000 5 à 8 €

Voisin et ami de l'entomologiste J.-H. Fabre, Joanny Dupond (en photo sur l'étiquette) s'établit dans le massif d'Uchaux en 1880. Infidèle au Beaujolais où il était négociant, mais comme on comprend ce coup de foudre ! Légèrement citronné, un assemblage diversifié respirant la pêche de vigne et l'écorce d'agrumes. Il est subtil, frais et vif, d'une bonne ampleur. La cuvée **2003 rouge** est citée. Elle est prête.
Ch. Joanny, rte de Piolenc, 84830 Sérignan-du-Comtat, tél. 04.90.70.00.10, fax 04.90.70.09.21, e-mail chateaujoanny@wanadoo.fr
t.l.j. 8h-12h 14h-19h
Famille Dupond

**DOM. CATHERINE LE GŒUIL**
Cairanne Les Beauchières 2003

■ 2 ha 8 000 15 à 23 €

Bon équilibre sur fond nettement boisé. La robe de velours pourpre foncé est dans le registre du bouquet confituré et épicé. Puis, après une attaque franche, le vin se montre un peu tannique en cours de route. Un quart syrah, trois quarts grenache, il ne prend pas de risque.
SCEA Dom. Catherine Le Gœuil, quartier les Sablières, 84290 Cairanne, tél. 04.90.30.82.38, fax 04.90.30.76.56, e-mail clegoeuil@wanadoo.fr r.-v.

**MAS DE LIBIAN** Khayyâm 2003 ★

■ 5 ha 18 000 5 à 8 €

Poète et érudit du XIe s., Omar Khayyâm tient une large place dans les anthologies vineuses. Cette cuvée lui est dédiée, citation à l'appui : « Le vin est un grain de beauté sur la joue de l'intelligence. » De couleur claire et brillante, celui-ci s'adresse en effet moins au corps qu'à l'esprit. Subtil, il est consistant, structuré mais rond. Sa longue finale joue sur des notes de garrigue légère puis sur des accents de réglisse et de fruits à l'eau-de-vie.
Thibon-Macagno, Mas de Libian, 07700 Saint-Marcel-d'Ardèche, tél. 04.75.04.66.22, fax 04.75.98.66.38, e-mail h.thibon@wanadoo.fr
r.-v.

**LOUIS BERNARD** Grande Réserve 2003

■ 2 ha 8 000 5 à 8 €

Maison acquise par le Bourguignon Jean-Claude Boisset. Rouge profond, ce 2003 est très typé. Il a du caractère. Ses arômes évoluent vers le kirsch et le cuir. Le vanillé de l'élevage est fondu. Puissant et concentré, les tanins bien fermes, il accroche encore un peu. En 2006 l'âge aura passé là-dessus un coup de rabot.
Louis Bernard, rte de Sérignan, 84100 Orange, tél. 04.90.11.86.86, fax 04.90.34.87.30, e-mail louisbernard@sldb.fr

**DOM. MARTIN** 2003 ★

■ 18 ha 80 000 5 à 8 €

Julien Martin : 1905. Son fils Jules : 1936. Ses petits-fils : 1973. Signalons, à 1 km du domaine, l'église romane et le portique du vieux Travaillan datant du XIIe s. Rubis clair transparent à reflets violines, ce 2003 plaît d'emblée. Son nez nous fait des gâteries : la fraise confite, cela n'arrive pas tous les jours... Surtout quand les épices ont droit à la fête ! En bouche, il accepte son millésime en éprouvant une pointe de chaleur, mais l'atmosphère est garantie : thym, herbes et buissons sauvages. Style analogue pour les **Sommets de Rasteau 2003 rouge (8 à 11 €)**, cité, en y ajoutant la marjolaine !
Dom. Martin, Plan de Dieu, 84850 Travaillan, tél. 04.90.37.23.20, fax 04.90.37.78.87, e-mail martin@domaine-martin.com
t.l.j. 9h-12h 14h-18h

**LES MOIRETS** Elevé en fût de chêne 2003 ★★

■ n.c. 70 000 5 à 8 €

Fondée en 1859, la maison Ogier possède les plus vastes chais de Châteauneuf-du-Pape. Elle a des participations dans deux propriétés rhodaniennes. Rouge franc, ce vin de marque élevé huit mois sous bois et à l'assemblage assez large (trois cépages autour du grenache, dont 5 % de carignan) offre un joli grain. De belle maturité, il reste élégant. La vanille est discrète et les tanins sont bien fondus. A servir en 2006.
Ogier-Caves des Papes, 10, av. Louis-Pasteur, BP 75, 84232 Châteauneuf-du-Pape Cedex, tél. 04.90.39.32.32, fax 04.90.83.72.51, e-mail ogiercavesdespapes@ogier.fr r.-v.

**CAVE DES VIGNERONS DE MONTFRIN**
Prestige 2003 ★

■ 50 ha 50 000 5 à 8 €

Directeur de la coopérative de Montfrin, M. Boulle présente une de ses compositions à base de grenache, de syrah et de mourvèdre en bonnes proportions. Noire à reflets rougeâtres, elle invite à la promenade dans le sous-bois, à la recherche des champignons. Dans un coin se niche un petit parfum de figue sèche. *Villages* de qualité reposant sur des tanins souples et lisses. Il pourra se conserver une paire d'années.
Cave des Vignerons de Montfrin, rte de la Gare, 30490 Montfrin, tél. 04.66.57.53.63, fax 04.66.57.55.50, e-mail cave.coop.montfrin@wanadoo.fr
t.l.j. sf dim. 9h-12h 14h-18h

**DOM. DU MOULIN**
Vinsobres Vieilles Vignes de Jean Vinson 2003 ★

■ 5 ha 20 000 5 à 8 €

Denis Vinson est dans les vignes ; sa femme est au chai, et leurs fils s'intéressent au sujet : heureux domaine où l'on sent que les ailes du moulin tournent dans le bon sens ! Grenache (65 %), syrah (30 %) et un zeste de mourvèdre pour un 2003 qui fait très bonne impression. Vif, soyeux, il a séjourné douze mois en barrique et s'en porte bien. Coup de cœur pour un blanc 2001.
Denis Vinson, Dom. du Moulin, 26110 Vinsobres, tél. 04.75.27.65.59, fax 04.75.27.63.92 r.-v.

**DOM. DE MOURCHON**
Séguret Grande Réserve 2003 ★★

■ 10 ha n.c. 11 à 15 €

La famille McKynlay est, depuis 1998, la propriétaire avisée de ce domaine de 17 ha sur des coteaux plantés à 350 m d'altitude. **Tradition en Séguret 2003 (8 à 11 €)** et cette Grande Réserve obtiennent pratiquement les mêmes applaudissements. La première ajoute un brin de carignan à l'assemblage grenache-syrah. A déguster dès à présent ou dans plusieurs années, cette Grande Réserve magnifiquement épanouie, dans une robe profonde et violacée, au nez animal et garrigue superbement construit. Une côte de taureau sauvage saura l'accompagner... si vous trouvez cela au coin de votre rue. Sinon un civet de lièvre fera l'affaire.
SCEA Dom. de Mourchon, rte de Vaison, 84110 Séguret, tél. 04.90.46.70.30, fax 04.90.46.70.31, e-mail info@domainedemourchon.com
t.l.j. 8h-12h 14h-18h; dim. sur r.-v.
McKynlay

### DOM. GUY MOUSSET Les Garrigues 2003 ★

■ 3 ha 15 000 8 à 11 €

Domaine créé à Sérignan-du-Comtat (au nord d'Orange) en 1996. Vinification au Clos Saint-Michel (Châteauneuf-du-Pape). Elle porte bien son nom, cette cuvée grenache-syrah issue d'une macération longue, élevée en foudre et en barrique (un an). Oui, ça sent la garrigue, le cuir, le sous-bois, puis la confiture de petits fruits rouges. Le fond est animal, presque sauvagine. Structure et texture tanniques.

Vignobles Guy Mousset et Fils,
Le Clos Saint-Michel, rte de Châteauneuf,
84700 Sorgues, tél. 04.90.83.56.05, fax 04.90.83.56.06,
e-mail mousset@clos-saint-michel.com
t.l.j. 8h-18h

### DOM. DE L'ORATOIRE SAINT-MARTIN Cairanne Cuvée Prestige 2003 ★★

■ 6,5 ha 15 000 11 à 15 €

Grenat foncé très intense, cet enfant de Cairanne marie grenache et mourvèdre à 60-40 %. Les petits fruits des bois et les épices composent un bouquet intense. Bouche soyeuse et longue, équilibrée, tapissée de fruits, réussie en un mot. Il en est de même de la **Réserve des Seigneurs en Cairanne 2003 rouge (8 à 11 €)** introduisant un peu de syrah dans le débat. Elle passe aussi la barre, mais avec un peu moins d'éclat que la cuvée précédente : elle obtient une citation. Domaine plusieurs fois coup de cœur (millésimes 2001, 1999...)

Frédéric et François Alary, rte de Saint-Roman,
84290 Cairanne, tél. 04.90.30.82.07, fax 04.90.30.74.27,
e-mail falary@wanadoo.fr
t.l.j. sf dim. 8h-12h 14h-19h

### DOM. DES PASQUIERS 2003 ★

■ 40 ha 25 000 5 à 8 €

Ce domaine a entrepris la vente directe avec le millésime 2001 et ne cesse de développer cette orientation. Les vignes sont situées sur les coteaux de Sablet et le plateau du Plan de Dieu. Son vin laisse les coudées franches au grenache (70 %) complété par la syrah (25 %) et un zeste de cinsault. Sombre, profonde, intense, ainsi juge-t-on la robe de ce 2003. Son bouquet : le fruit rouge très mûr s'exprime avec bonheur et longueur.

SCEA Vignobles des Pasquiers, rte d'Orange,
84110 Sablet, tél. et fax 04.90.46.83.97,
e-mail domainedespasquiers@terre-net.fr
t.l.j. 8h-12h 14h-18h; sam. dim. sur r.-v.
Lambert

### DOM. PELAQUIE Laudun 2003 ★★

■ 17 ha 65 000 5 à 8 €

La première mise en bouteilles date de 1924. C'est dire si on a servi des clients ici en quatre-vingts ans ! Quelque 80 ha, dont 17 ha pour ce Laudun 60 % grenache, le restant en syrah. Rouge cerise burlat, riche de mille feux, un vin à conserver en cave pendant un à deux ans. Sa concentration et son acidité lui assurent en effet une garde raisonnable même si les tanins puissants sont déjà doux. Vanille et gelée de cassis concourent à son bouquet.

Dom. Pélaquié,
7, rue du Vernet, 30290 Saint-Victor-la-Coste,
tél. 04.66.50.06.04, fax 04.66.50.33.32,
e-mail contact@domaine-pelaquie.com
t.l.j. sf dim. 9h-12h 14h-18h
GFA du Grand Vernet

### PERRIN ET FILS Rasteau L'Andéol 2003 ★

■ n.c. n.c. 8 à 11 €

Le grenache obtient les coudées franches (80 %) dans cette sélection de la maison Perrin, laissant toutefois une petite place à la syrah. Couleur burlat à reflets pourpre foncé, il esquisse un bouquet de cerise mûre et de réglisse. Le fruit cuit en compote se met au service d'une bouche ample, capiteuse et structurée. Surtout au dernier acte, les tanins ne se contentent pas d'une simple figuration. A attendre un peu car il va s'arrondir.

Perrin et Fils, La Ferrière, rte de Jonquières,
84100 Orange, tél. 04.90.11.12.00, fax 04.90.11.12.19,
e-mail perrin@beaucastel.com r.-v.

### DOM. DES PEYRONS Chusclan Excellence 2003 ★

■ 3 ha 13 500 5 à 8 €

Pendant longtemps le rosé a été le maître à Chusclan. Le rouge s'y est taillé un fief important, grâce notamment à cette cave coopérative née en 1939, dont l'empire s'exerce sur 1 150 ha. Dans cette cuvée Chusclan Excellence, la syrah domine l'assemblage. Elle se présente sous un visage rubis limpide. Le pruneau est en vedette sur des tanins ciselés. Finesse et longueur caractérisent ce vin de belle maturité, prêt pour viande rouge ou gibier. La cuvée **Les Genêts Chusclan 2003 rouge** est citée par le jury.

SCA Vignerons de Chusclan, rte d'Orsan,
30200 Chusclan, tél. 04.66.90.11.03, fax 04.66.90.16.52,
e-mail cave.chusclan@wanadoo.fr r.-v.
Frédéric Coustan

### DOM. DE PIAUGIER Sablet 2003

■ 20 ha 40 000 8 à 11 €

D'accès facile, un vin épicé et rustique. Il ne vous entraîne pas encore dans des labyrinthes de complexité, mais dans deux ans il sera apprécié sur un plat canaille comme le veau aux carottes... Rouge vif, il a le nez assez vineux. Après agitation, on y découvre le sous-bois, le cassis, les épices (girofle). Un peu austère en attaque, il tient le milieu de bouche sur des tanins pas trop durs. Persistance modérée. Grenache et syrah à 75-25 %.

Dom. de Piaugier, 3, rte de Gigondas, 84110 Sablet,
tél. 04.90.46.96.49, fax 04.90.46.99.48,
e-mail piaugier@wanadoo.fr r.-v.
J.-Marc Autran

### DOM. DE LA PREVOSSE Valréas 2003 ★

□ 2 ha 6 000 3 à 5 €

Les géologues se passionnent pour le site de Valréas. On y trouve souvent des fossiles : coquillages, oursins et même des dents de... requin ! Les fruits de la mer sont donc tout indiqués pour offrir du répondant à cet assemblage clairette-grenache-ugni. Jaune limpide et clair, discrètement fleuri (aubépine, acacia), il est élégant, frais et soyeux. La **cuvée Saint-Augustin Chusclan rouge 2003 (5 à 8 €)**, légère et gouleyante, un peu kirschée, obtient une citation.

EARL Davin Père et Fils, Dom. de la Prévosse,
84600 Valréas, tél. 04.90.35.67.13, fax 04.90.35.61.81,
e-mail davin.isabelle@wanadoo.fr r.-v.

### LE «R» DE RASTEAU 2003

■ 55 ha 300 000 5 à 8 €

Fondée en 1925, la cave de Rasteau est, sur 700 ha, le premier producteur de ce cru en côtes-du-rhône-villages. Le grenache l'emporte largement sur la syrah (25 %) et le mourvèdre (10 %). A la manière d'un parfum voici le « R »

de Rasteau. Rubis clair, il ne manque pas de nez et l'accommode au poivre blanc. Au palais ? Tendance cerise, noyau, dans une démarche très souple. Citée également, la cuvée **Prestige Rasteau 2003 rouge**, aimable et papillonnante. Quant à la **Dame Victoria Rasteau rouge 2004**, elle obtient aussi une citation.
Cave de Rasteau, rte des Princes-d'Orange, 84110 Rasteau, tél. 04.90.10.90.10, fax 04.90.46.16.65, e-mail rasteau@rasteau.com r.-v.

## CH. REDORTIER Beaumes-de-Venise 2003 *

■ 25 ha 80 000 5 à 8 €

Une excursion dans les Dentelles de Montmirail ne peut pas négliger Suzette. Ce nom appelle le rendez-vous charmant, ou en tout cas gourmand... On ne sera pas déçu par ce vin qui associe une coquetterie à l'assemblage classique : la counoise. Une forte couleur, un parfum où se mêlent notes fruitées et florales. Un palais tout en fruits dès l'attaque. Le souffle n'est pas olympique, mais quel joli plaisir à partager !
E. de Menthon, EARL Ch. Redortier, 84190 Suzette, tél. 04.90.62.96.43, fax 04.90.65.03.38 t.l.j. 9h-12h 14h-18h

## DOM. LA REMEJEANNE Les Eglantiers 2003 **

■ 2 ha 5 000 15 à 23 €

Venue du Maroc, la famille Klein s'est installée en 1961 sur le domaine (40 ha) qu'elle a fort bien mis en valeur. Témoin ce 2003 où la syrah occupe une place prépondérante (70 %) avec le grenache et le mourvèdre. Il sort vraiment du lot. Sa robe très concentrée enveloppe un produit durable (trois à quatre ans), boisé en ouverture, puis beaucoup plus subtil tant au nez qu'en bouche (pruneau cuit).
Rémy Klein, Dom. La Réméjeanne, Cadignac, 30200 Sabran, tél. 04.66.89.44.51, fax 04.66.89.64.22, e-mail remejeanne@wanadoo.fr
t.l.j. sf sam. dim. 9h-12h 14h-18h

## DOM. DE LA RENJARDE 2003 *

■ 50 ha 140 000 8 à 11 €

Alain Dugas conduit tout à la fois le château La Nerthe et ce domaine de 50 ha. Celui-ci consacre une large palette de cépages à ce vin d'une couleur rouge cerise, nette et brillante. Au nez framboisé succède une bouche vivante en attaque et d'une aménité fruitée. Ses tanins se rappellent en finale à notre bon souvenir mais devraient être fondus en fin d'année 2005.
Alain Dugas, Dom. de La Renjarde, 84830 Sérignan-du-Comtat, tél. 04.90.83.59.01, fax 04.90.70.12.66, e-mail renjarde@wanadoo.fr
r.-v.

## CAVE DES VIGNERONS DE ROCHEGUDE
Rochegude Cuvée du Président 2003

■ 15 ha 24 000 3 à 5 €

Dans un environnement grenat étincelant, le couple syrah-grenache (ce dernier minoritaire) vit un mariage d'amour autant que de raison. Le bouquet épicé et fruité demande un peu d'aération pour s'exprimer. D'une bonne ossature, dotée de tanins ronds, cette bouteille est prête.
Cave des Vignerons de Rochegude, 26790 Rochegude, tél. 04.75.04.81.84, fax 04.75.04.84.80 r.-v.

## DOM. DES ROMARINS 2003 *

■ 10 ha n.c. 5 à 8 €

Une épaule d'agneau marinée dans ce même vin enrichie d'une gousse d'ail : péché de gourmandise. Grenache et syrah s'équilibrent sur les galets roulés de Domazan. Une vinification respectueuse des traditions produit un rouge rubis à reflets bleutés, charpenté et bien complet, présent au palais. Vin plaisir rehaussé par ses parfums de fruits noirs (burlat) et de sous-bois.
Francis Fabre, rte d'Estézargues, 30390 Domazan, tél. 04.66.57.43.80, fax 04.66.57.14.87, e-mail domromarin@aol.com r.-v.

## LOUIS ROQUELAS
Vinsobres L'Ame du terroir 2003 **

■ n.c. 53 300 5 à 8 €

Comme les Trois Mousquetaires, ils sont quatre – grenache, cinsault, mourvèdre, syrah – portant la cape rouge violacé et prêts à tout pour défendre l'âme du terroir. Ils attaquent de bon cœur et s'ils y mettent de l'ardeur, ils ne manquent ni de fruit ni d'esprit. De fines lames que l'acidité ne conservera peut-être pas vingt ans après, mais à coup sûr quelques saisons. Vin très expressif.
Vignobles du Peloux, quartier Barrade, 84350 Courthézon, tél. 04.90.70.42.00, fax 04.90.70.42.15, e-mail dupeloux@vignoblesdupeloux.com r.-v.

## DOM. ROSE-DIEU 2003

■ 4,5 ha 13 000 3 à 5 €

Frais émoulu de l'enseignement supérieur (biologie végétale), Damien Rozier a acheté des vignes en 2002 à un viticulteur retraité et construit de ses mains sa cave particulière l'année suivante. Bienvenue à ce domaine de 10 ha qui entend se faire une place au soleil. Et quel astre rayonnant ! Il a chauffé Orange à 42,7 °C en 2003. Vinification complexe pour des débuts dans la vie... Le vigneron s'en est bien tiré, témoin ce nez friand de fruits frais et ce fondu enchaîné au palais. Classique dans le millésime : une finale un peu ferme. Le **côtes-du-rhône rosé 2004** du domaine est cité. A servir avec des petits farcis provençaux.
Damien Rozier, chem. de Champlain, La Faisanderie, 84100 Orange, tél. et fax 04.90.51.64.18, e-mail domaine.rose-dieu@wanadoo.fr r.-v.

## DOM. SAINT-AMANT
Beaumes-de-Venise Grangeneuve 2003 *

■ 2,5 ha 6 700 5 à 8 €

Prenant sa retraite, ce chef d'entreprise a voulu entreprendre une nouvelle fois. Il a constitué son territoire de 1992 à 1995. Lentilles et pois chiches ont cédé la place à cette cave moderne et enterrée. Ce *villages* est tout ce qu'il y a de plus convaincant. La bouche pleine et entière d'un 2003 forcément un peu chaud, mais sachant gérer sa puissance et son élevage en cuve de chêne (douze mois). On pourra le garder une bonne année.
Dom. Saint-Amant, 84190 Suzette, tél. 04.90.62.99.25, fax 04.90.65.03.56, e-mail contact@saint-amant.com r.-v.

## SAINTE AGNES 2002

■ 1 ha 3 500 3 à 5 €

Placée sous le patronage de sainte Agnès (sa chapelle est toute proche de cette cave coopérative fondée en 1929), un 2002 parvenu à ses fins. Grenat limpide, avec des tanins présents sans rupture d'équilibre. Agréable à goûter, facile et assez long en bouche. Saint-Paulet est un petit village du Gard qui a bataillé ferme pour entrer dans la cour des grands. Il y réussit honorablement.

⊶ Saint-Paulet Vignobles,
montée de la Calade, 30130 Saint-Paulet-de-Caisson,
tél. 04.66.39.17.01, fax 04.66.90.77.71 ☑ r.-v.

### DOM. SAINTE-ANNE Saint-Gervais 2003 ★★

■ 2 ha 10 000 🍾 11 à 15 €

Seize coups de cœur en vingt et un ans d'édition du Guide : ce domaine est parmi les plus honorés de France. Il propose ici une cuvée d'une grande richesse et d'une remarquable complexité. Le fruit se complaît longtemps sur la langue. Le cassis est l'arôme chef de file. Le mourvèdre conduit la barque (50 %), associé au grenache et à la syrah. Ample, racé, ce 2003 est prêt à accompagner une daube de taureau. Le secret d'une belle réussite ? Vendanges manuelles, tapis de tri, petit rendement, vinification respectueuse du raisin. Un savoir-faire, en somme !

⊶ EARL Dom. Sainte-Anne,
Les Cellettes, 30200 Saint-Gervais,
tél. 04.66.82.77.41, fax 04.66.82.74.57
☑ Y 🚶 t.l.j. sf sam. dim. 9h-11h 14h-18h
⊶ Steinmaier

### CAVE DES VIGNERONS DE SAINTE-CECILE-LES-VIGNES 2004

□ n.c. 5 000 🍾 3 à 5 €

Coopérative fondée en 1936. Son caveau est récent : il date du millésime de la bouteille. Quand on s'intéresse à la vigne, il faut regarder sous ses pieds. Ainsi ce village présente-t-il deux terrasses d'âges géologiques différents. Leur limite est soulignée par une bande de *saffre* (sable jaune à grésification). Or léger à reflets argentés, ce vin affiche des senteurs exotiques dépaysantes (litchi, mangue) complétant les notes florales de rose. Sa fraîcheur et son équilibre le rendent digne d'un apéritif.

⊶ Caveau Cécile-les-Vignes,
Cave des Vignerons réunis, 35, rte de Valréas, BP 21,
84290 Sainte-Cécile-les-Vignes,
tél. 04.90.30.79.36, fax 04.90.30.79.39,
e-mail cave@vignerons-saintececile.fr ☑ Y 🚶 r.-v.

### CAVE DE SAINT-PANTALEON-LES-VIGNES Cuvée classique 2003 ★

■ n.c. 24 000 🍾 3 à 5 €

Saint Pantaléon ? On vous parlera peut-être du sang de sa relique conservée à Ravello en Italie et qui se liquéfie le 27 juillet. On vous dira plus probablement : un vin rouge corsé. Il est ici poivré et fruité (fruits rouges), large d'épaules et solidement vertébré, à attendre un an ou deux. Le **Rousset-les-Vignes, cuvée La Chapelle de Beauver 2003 rouge (5 à 8 €)**, également grenache-syrah, se situe au même niveau qualitatif.

⊶ Sté coop. de Saint-Pantaléon-les-Vignes,
rte de Nyons, 26770 Saint-Pantaléon-les-Vignes,
tél. 04.75.27.90.44, fax 04.75.27.96.43,
e-mail SCA@cave-st-pantaleon.com ☑ Y 🚶 r.-v.

### SANCTUS VICTOR DE COSTA Laudun 2003

■ 4,4 ha 10 000 🛢 5 à 8 €

Cette coopérative date du milieu des années 1920. Sanctus rouge ! Si cette cuvée est confite, c'est en dévotion pour le fruit rouge, la cerise à l'eau-de-vie. Sa bonne intensité colorante (pourpre brillant) lui fait de belles joues. Pointe d'élevage au palais (douze mois sous bois, grenache et syrah pour le principal). Quelques notes de fruits cuits.

⊶ Cave des Vignerons de Saint-Victor-la-Coste,
30290 Saint-Victor-la-Coste, tél. 04.66.50.02.07,
fax 04.66.50.43.93, e-mail cave.st.victor@wanadoo.fr
☑ Y t.l.j. 9h-12h 14h-18h

### CH. SIGNAC Chusclan Cuvée Combe d'Enfer 2003 ★★

■ 38 ha n.c. 5 à 8 €

CHÂTEAU SIGNAC
CÔTES DU RHÔNE VILLAGES CHUSCLAN
CUVÉE COMBE D'ENFER 2003
MIS EN BOUTEILLE AU CHÂTEAU

En dégustant ce vin, on pardonnerait presque à Jules César les mauvais traitements qu'il infligea à Vercingétorix. Nous sommes en effet au pied du Camp de César. Le coup de main d'Alain Dugas est bien présent et se transforme en coup de cœur. Cette Combe d'Enfer où se glisse la counoise est paradisiaque. Pavée de bonnes intentions (le rouge sombre violacé, la mûre, les épices, la violette), elle appuie sa structure sur un gras soyeux et un fruit profond. Si bien faite que l'on conseille un à deux ans d'attente : elle n'en sera que meilleure.

⊶ SCA Ch. Signac, rte d'Orsan,
30200 Bagnols-sur-Cèze, tél. 04.66.89.58.47,
fax 04.66.50.28.32, e-mail chateausignac@wanadoo.fr
☑ Y 🚶 r.-v.

### CH. SUZEAU Rousset-les-Vignes 2003 ★

■ 2,5 ha 12 000 🍾 5 à 8 €

Ce vin de garde est né de l'association en 2001 sur 24 ha d'Aubert Couturier, propriétaire et d'un jeune ingénieur agricole, Xavier Tronc. Ici vous êtes tout près du Pègne, village où ont été mis au jour des vestiges gallo-romains. Un vin que l'on prend le temps de regarder car son nez d'épices et de cassis requiert un moment d'aération pour s'exprimer tout à fait. Quelques larmes sur le verre, les reflets mauves d'une robe rubis foncé. Après une attaque décidée, on rencontre une bouche aimable, puissante, tannique en dernière analyse.

⊶ EARL Ch. Suzeau,
quartier Suzeau, 26770 Rousset-les-Vignes,
tél. 04.75.53.55.59, fax 04.75.53.68.18 ☑ Y r.-v.

LES TERRASSES DU BELVEDERE
Cairanne Cuvée Prestige 2003 ★

■ 1 ha 3 432 ▮ 11 à 15 €

Pourquoi ces Terrasses du Belvédère ? Il suffit de lire le paysage pour le comprendre. On a d'ailleurs ici de la hauteur : un lâcher de ballons organisé au domaine pour saluer le troisième millénaire a vu l'un de ces messagers franchir les Alpes et atterrir sur le terrain de golf de Florence ! Richement coloré, de plus en plus complexe tandis qu'on y met le nez, ce Cairanne tout en beauté et largement syrah se montre tendre et suave ; il pourra se conserver au moins trois ans.

SCEA Gérard et Nicole Julien,
Les Terrasses du Belvédère, rte de Carpentras,
84290 Cairanne, tél. et fax 04.90.30.88.24 r.-v.

CH. DU TRIGNON Rasteau 2003

■ 5 ha 23 000 8 à 11 €

**Sablet 2003 rouge**, **Sablet 2004 blanc** et Rasteau reçoivent la même note et jouent dans la même fourchette de prix. Le dernier, d'un ton très franc, suffisamment aromatique et frais en bouche, repose sur des tanins un peu fermes tout en gardant une convivialité de bon aloi. Outre ces deux *villages*, les 60 ha du domaine s'étendent aussi sur Gigondas et Châteauneuf-du-Pape.

Ch. du Trignon, 84190 Gigondas,
tél. 04.90.46.90.27, fax 04.90.46.98.63,
e-mail trignon@chateau-du-trignon.com
t.l.j. sf dim. 10h-12h 14h-19h
Pascal Roux

DOM. DE LA VALERIANE 2003 ★

■ 5 ha 3 000 5 à 8 €

Une fille œnologue, un gendre vigneron, la continuité du domaine familial est assurée. Syrah et grenache à parité, ce 2003 est à ranger dans la catégorie des vins charpentés et corsés. Le civet de lièvre (ou de lapin, selon les ressources de la chasse ou du marché) devrait faire bon ménage avec lui. A l'œil, il ne fait pas les choses à moitié. Au nez, le cassis fait écho au poivre. En bouche, c'est un vin gras et costaud. Sans excès, précisons-le. Et d'une longueur fort appréciable.

Mesmin et Maryse Castan, rte d'Estézargues,
30390 Domazan, tél. et fax 04.66.57.04.84,
e-mail valeriane.mc@terre-net.fr
t.l.j. sf dim. 10h-12h 14h-18h

DOM. DU VIEUX CHENE Cuvée Béatrice 2003 ★

■ 5 ha 6 000 8 à 11 €

Au pied du massif d'Uchaux à Sérignan, sur les terrasses d'Aigues, la vigne fait valoir ses droits parmi les garrigues et les chênes verts, sur des sols rouges argilo-sableux. Moitié grenache et moité syrah cultivés en bio certifiée, ce vin est marqué par la belle maturité des raisins : robe à reflets bleutés, bouquet fruité, belle carrure, fine structure tannique vanillée. La **cuvée des Seigneurs 2003 rouge (5 à 8 €)** est de style classique, peut-être un peu plus simple (élevage en cuve). Elle obtient une citation.

Jean-Claude et Béatrice Bouche,
rte de Vaison-la-Romaine, rue Buisseron,
84850 Camaret-sur-Aigues,
tél. 04.90.37.25.07, fax 04.90.37.76.84
t.l.j. sf dim. 9h-12h 14h-18h

LA VINSOBRAISE Vinsobres Cuvée Rustica 2003 ★

■ 5 ha 20 000 5 à 8 €

La Vinsobraise gère 2 000 ha. Cette cuvée grenache-syrah est donc une goutte de vin dans l'Océan. Dite Rustica, elle n'est pas particulièrement rustique : la finesse de ses tanins, sa puissance et son gras, ses arômes accomplis sont plutôt d'un 2003 distingué et soucieux de sortir de l'anonymat. La cave fut coup de cœur l'an dernier pour une cuvée Terroir.

Cave coop. La Vinsobraise, 26110 Vinsobres,
tél. 04.75.27.64.22, fax 04.75.27.66.59,
e-mail info@la-vinsobraise.com r.-v.

# Côte-rôtie

Situé à Vienne, sur la rive droite du fleuve, c'est le plus ancien vignoble de la vallée du Rhône réparti entre les communes d'Ampuis, de Saint-Cyr-sur-Rhône et de Tupins-Sémons. Il représente 9 549 hl en 2004 sur 224 ha 60 a. La vigne est cultivée sur des coteaux très abrupts, presque vertigineux. Et si l'on peut distinguer la Côte Blonde et la Côte Brune, c'est en souvenir d'un certain seigneur de Maugiron, qui aurait, par testament, partagé ses terres entre ses deux filles, l'une blonde, l'autre brune. Notons que les vins de la Côte Brune sont les plus corsés, ceux de la Côte Blonde les plus fins.

Le sol est le plus schisteux de la région. Les vins sont uniquement des rouges, obtenus à partir du cépage syrah, mais aussi du viognier, dans une proportion maximale de 20 %. Le côte-rôtie est d'un rouge profond, et offre un bouquet délicat, fin, à dominante de framboise et d'épices, avec une touche de violette. D'une bonne structure, tannique et très long en bouche, il a indéniablement sa place au sommet de la gamme des vins du Rhône et s'allie parfaitement aux mets convenant aux grands vins rouges.

DE BOISSEYT-CHOL Côte blonde 2003 ★★

■ 0,56 ha 3 000 23 à 30 €

Didier Chol est à la tête d'une propriété familiale créée en 1797. Sa cuverie à charpente métallique date de 1928. Assemblant syrah et viognier (20 %), ce vin est vinifié en cuves Inox et élevé en fûts (dont 20 % de fûts neufs). On découvre une robe sombre derrière laquelle s'épanouissent des fruits noirs, des notes de poivre et de porto, donnant une impression de surmaturité. L'attaque est franche, la montée des tanins progressive se termine en splendeur. On perçoit une grande richesse contenue. Un grand vin qui pourra fêter ses vingt ans dignement.

DE BOISSEYT-CHOL
CÔTE RÔTIE
Appellation Côte Rôtie Contrôlée
Côte Blonde
12%vol
75cl
Mis en bouteille à Chavanay par
CHOL & FILS - PROPRIETAIRES RECOLTANTS A AMPUIS-FRANCE
Produit de France


De Boisseyt-Chol, 178 RN 86, 42410 Chavanay, tél. 04.74.87.23.45, fax 04.74.87.07.36, e-mail infos@deboisseyt-chol.com
t.l.j. sf dim. 9h-12h 14h-18h; f. 14 août-10 sept.
Didier Chol

## PATRICK ET CHRISTOPHE BONNEFOND 2003 **

| 4,5 ha | 10 000 | 23 à 30 € |
|---|---|---|

Une superbe robe noire aux reflets violines semble annoncer un vin hyper puissant, doté de beaucoup de matière, encore un peu fermé. Pourtant, ce vin joue sur des notes fines et rondes. Pas de muscles gonflés à effrayer les dégustateurs mais plutôt une recherche d'excellente harmonie. Il faut attendre quatre ans pour se laisser totalement envoûter. La cuvée **Les Rochains 2003 (38 à 46 €)** subit un long élevage en fût et est constituée de la seule syrah : un boisé plus intense ressort. Elle reçoit une étoile.

Patrick et Christophe Bonnefond, Mornas, 69420 Ampuis, tél. 04.74.56.12.30, fax 04.74.56.17.93, e-mail gaec.bonnefond@terre-net.fr r.-v.

## DOM. DE BONSERINE La Garde 2003 *

| 1 ha | 4 000 | 46 à 76 € |
|---|---|---|

Au cœur de la parcelle qui a donné naissance à ce vin, on peut voir une tour de garde romaine. Il manque peu de chose à ce 2003 pour faire une très grande bouteille. Un rien de gras, sans doute. Après une attaque, puissante, les tanins se révèlent de belle facture. Structurée et dotée d'une finale longue et persistante, cette cuvée a l'avenir devant elle. **La Sarrasine 2003 (23 à 30 €)** est citée. Elle joue dans un registre un peu moins complexe.

Dom. de Bonserine, 2, chem. de la Viallière, Verenay, 69420 Ampuis, tél. 04.74.56.14.27, fax 04.74.56.18.13, e-mail bonserine@aol.com
r.-v.
Colcombet

## M. CHAPOUTIER Les Bécasses 2003 **

| n.c. | 11 000 | 30 à 38 € |
|---|---|---|

Ce vin respire la concentration. La robe rouge sombre et profond indique une matière très riche. Le nez fin et complexe oscille entre boisé et fruits rouges et noirs. Ample et d'une remarquable longueur, ce 2003 a été fort bien élevé : le fût n'est pas omnipotent, la matière s'impose sans excès. Souples, les tanins restent fins et frais. Un grand côte-rôtie.

Maison M. Chapoutier, 18, av. du Dr-Paul-Durand, BP 38, 26601 Tain-l'Hermitage Cedex, tél. 04.75.08.28.65, fax 04.75.08.81.70, e-mail chapoutier@chapoutier.com
t.l.j. 9h-12h30 14h-19h; groupes sur r.-v.

## YVES CUILLERON Terres sombres 2002 *

| 2 ha | 10 000 | 38 à 46 € |
|---|---|---|

Au cœur du Parc naturel régional du Pilat, Chavanay a conservé les vestiges de son passé médiéval ainsi que des XVIe et XVIIes. Yves Cuilleron y a son domaine d'où il dirige 30 ha. Ces Terres sombres sont nées de schistes et plantées de pure syrah. Si le boisé est encore très présent en finale, on ressent de la richesse, une matière bien construite, et un joli nez, mélange de vanille et de fruits rouges. Dans ce millésime difficile, ce viticulteur a su tirer la quintessence de sa vendange. Le jury peut prédire à cette bouteille une durée de vie de cinq ans environ.

Yves Cuilleron, 58, RN 86, Verlieu, 42410 Chavanay, tél. 04.74.87.02.37, fax 04.74.87.05.62, e-mail ycuiller@terre-net.fr
t.l.j. sf dim. 9h-12h 14h-17h30

## CUILLERON-GAILLARD-VILLARD Les Essartailles 2003

| n.c. | 5 000 | 30 à 38 € |
|---|---|---|

Sur les hauteurs de Seyssuel, les ruines d'un château médiéval. C'est dans le Bas-Seyssuel que se sont installés trois excellents vignerons associés dans une structure de négoce. Nous sommes en présence d'un vin très chaud dont le caractère 2003 est bien affirmé. Un dégustateur le définit comme un vin du Sud. Le nez est assez surprenant : litchi et cerise à l'eau-de-vie accompagnent des notes boisées. L'attaque est franche et les tanins sont denses et longilignes. Attendre un heureux mariage dans deux ou trois ans.

Les Vins de Vienne, Le Bas-Seyssuel, 38200 Seyssuel, tél. 04.74.85.04.52, fax 04.74.31.97.55, e-mail vdv@lesvinsdevienne.fr r.-v.
Cuilleron, Gaillard, Villard

## BENJAMIN ET DAVID DUCLAUX 2003 *

| 5,5 ha | 12 000 | 23 à 30 € |
|---|---|---|

Vinifié trois semaines en cuve ouverte, ce vin a subi un élevage en barriques (dont 15 % de fûts neufs) et en demi-muids. Les deux frères Duclos ont cherché à exprimer toute l'élégance du côte-rotie dans ce millésime de la canicule. Avec succès. Une même expression (épices, laurier, fruits noirs) anime aussi bien le nez que la bouche dont la structure est d'une grande fraîcheur. Un vin pouvant déjà être dégusté mais qui demandera au moins quatre ans pour dévoiler tous ses secrets.

Benjamin et David Duclaux, RN 86, 69420 Tupin-et-Semons, tél. 04.74.59.56.30, fax 04.74.56.64.09 r.-v.

## PHILIPPE FAURY 2003 *

| 0,7 ha | 4 000 | 23 à 30 € |
|---|---|---|

Philippe Faury a repris l'exploitation familiale en 1979. Ce n'est qu'en 1996 qu'il devint producteur de côte-rôtie, développant son vignoble en terrasses. 15 % de viognier complètent la syrah dans ce vin à la robe pourpre profond. Le nez est intense, sur l'épice et le fruit rouge, avec des notes de mimosa. L'attaque est franche, fine et élégante puis la bouche révèle beaucoup de matière. Pas pleinement ouvert lors de la dégustation, ce millésime est à laisser vieillir cinq ans ; il tiendra dix ans sans problème.

Philippe Faury, La Ribaudy, 42410 Chavanay, tél. 04.74.87.26.00, fax 04.74.87.05.01, e-mail p.faury@42.sideral.fr r.-v.

### DOM. ANDRE FRANCOIS 2003

■ 3 ha 6 800 (I) 30 à 38 €

Petite propriété de 4 ha. Ce vin assemble 8 % de viognier à la syrah. L'expression qui domine, c'est la confiture de fraises que l'on aurait laissé longtemps à cuire, donnant des odeurs de caramel. C'est surprenant et cela peut gêner. Il faudra attendre que jeunesse se passe, que les tanins s'affinent pour découvrir davantage de complexité. Un côte-rôtie n'est jamais un vin d'immédiateté et celui-ci fut vendangé le 28 août 2003, juste avant les pluies, en pleine canicule.

André François, Mornas, 69420 Ampuis,
tél. 04.74.56.13.80, fax 04.74.56.19.69 r.-v.

### JEAN-MICHEL GERIN
Champin le Seigneur 2003 ★★

■ 6 ha 15 000 (I) 23 à 30 €

Lorsque l'on consulte la première édition du *Nouveau Larousse illustré* publié en 1898, on apprend qu'avant la crise phylloxérique le viognier était le cépage dominant et qu'il avait mieux résisté ici que la serine noire (syrah). Aujourd'hui la syrah l'emporte largement (90 % dans cette cuvée). Dès l'approche de ce 2003, on se régale : sa robe noire, profonde, laisse découvrir une grande intensité aromatique (café et fruits noirs). On sent un vin très mûr, avec de jolis tanins et il faut saluer le remarquable élevage, le bois n'écrasant pas le fruit mais se mettant au service du vin. Celui-ci fait l'unanimité du jury car il conserve beaucoup de finesse.

Jean-Michel Gerin, 19, rue de Montmain,
69420 Ampuis, tél. 04.74.56.16.56, fax 04.74.56.11.37,
e-mail gerin.jm@wanadoo.fr r.-v.

### DOM. JAMET 2002 ★

■ 7 ha 27 000 (I) 23 à 30 €

C'est peut-être le passage en bois pendant vingt mois qui lui confère une certaine austérité mais ce n'est que péché de jeunesse. Sa robe intense, ses notes de torréfaction mêlées aux arômes de fruits rouges, sa structure assez soutenue et d'un bon volume sont prometteurs. A ouvrir dans trois ans.

Jean-Paul et Jean-Luc Jamet, Le Vallin,
69420 Ampuis, tél. 04.74.56.12.57, fax 04.74.56.02.15
r.-v.

### LA LANDONNE 2001 ★★

■ n.c. n.c. + de 76 €

Depuis 1923 et l'arrivée d'Etienne Guigal dans la région, la famille Guigal perpétue le renom de la côte-rôtie. Elle détient plusieurs fleurons dans les appellations de la vallée du Rhône septentrionale et en tire le meilleur. Marcel Guigal et son fils Philippe, œnologue, président aujourd'hui aux destinées du domaine. La Landonne est

un lieu-dit cadastré aux sols argilo-calcaires très riches en oxyde de fer. Après une fermentation de quatre semaines minimum et un élevage de quarante-deux mois en pièces neuves, le jury a goûté un vin empreint d'austérité et à la structure impressionnante. Il laisse percevoir ce que le terme « expression de terroir » signifie et reflète une intimité entre le produit et son origine. Un beau travail de réflexion.

E. Guigal, Ch. d'Ampuis, 69420 Ampuis,
tél. 04.74.56.10.22, fax 04.74.56.18.76,
e-mail contact@guigal.com r.-v.

### B. LEVET 2003 ★

■ 3,57 ha n.c. (I) 15 à 23 €

Bernard Levet exporte aux Etats-Unis, et son agent américain est devenu célèbre par son intervention dans le film de Jonathan Nossiter, *Mondovino*. Vendangé le 23 août 2003, ce vin arbore une robe brillante et limpide à reflets violacés. Il semble miser sur la structure avant tout. Du roman plutôt que du gothique. Le nez y est toutefois fin et complexe avec de la réglisse et de la mûre.

Bernard Levet, 26, bd des Allées, 69420 Ampuis,
tél. 04.74.56.15.39, fax 04.74.56.19.75 r.-v.

### VIGNOBLES DU MONTEILLET Fortis 2003 ★

■ 0,3 ha 1 200 (I) 38 à 46 €

Stéphane Montez a travaillé pendant deux ans dans différents vignobles du monde. Une bonne façon de découvrir les nouveaux concurrents. Mais existe-t-il ailleurs un terroir identique à celui de la côte-rôtie où s'expriment à la fois la puissance et la finesse ? Ici, on a utilisé 100 % de fûts neufs : il n'est pas étonnant que le jury distingue sa forte présence. Mais il découvre aussi de l'épice, du romarin, de la garrigue et, plus surprenant, de la groseille. Un vin dont la matière est riche et très complexe. Il a tout pour faire une fort bonne bouteille dans quelques années.

Antoine et Stéphane Montez, Dom. du Monteillet,
42410 Chavanay, tél. 04.74.87.24.57, fax 04.74.87.06.89,
e-mail stephane.montez@worldonline.fr r.-v.

### LA MOULINE Côte blonde 2001 ★★

■ n.c. n.c. + de 76 €

L'un des plus célèbres lieux-dits de la côte-rôtie, situé dans la Côte Blonde. Aménagé en terrasses, le vignoble épouse la forme d'un amphithéâtre. Le millésime précédent fut coup de cœur et décrocha la Grappe d'or des vingt ans du Guide Hachette. Assemblage de 89 % de syrah et de 11 % de viognier nés sur sols de gneiss mêlés de loess calcaire, ce 2001 résulte d'une macération de quatre semaines et d'un élevage de quarante-deux mois en pièces neuves. Un long séjour dans le chêne qui lui a légué une touche vanillée et un côté torréfié (café, caramel), mais ces nuances ne masquent pas le fruit, et s'expriment dans un environnement de confiture de mûres. Une certaine fraîcheur donne un côté fin et élégant à ce vin pourtant marqué par une grande concentration.

E. Guigal, Ch. d'Ampuis, 69420 Ampuis, tél. 04.74.56.10.22, fax 04.74.56.18.76, e-mail contact@guigal.com r.-v.

## DOM. PICHAT Le Champon 2002

0,5 ha 1 650 15 à 23 €

Créé en 1960, ce domaine a commencé à vinifier en 2000. Ce 2002 assemble 2 % de viognier à une syrah de trente-cinq ans déjà. Il a subi vingt-trois mois de fûts dont 80 % de fûts neufs. Cela lui donne un nez encore fermé où le boisé domine. La couleur intense, sombre, laisse deviner un beau volume que l'on a du mal à percevoir en bouche : à attendre.

Dom. Stéphane Pichat, 6, chem. de la Viallière, 69420 Ampuis, tél. 06.03.67.78.63, fax 04.74.48.37.23, e-mail stephane@domainepichat.com r.-v.

## CHRISTOPHE PICHON 2003

0,55 ha 1 600 15 à 23 €

Les vignes à l'origine de ce 2003 ont été acquises en 2000 sur le lieu-dit le Rosier. Il faut du temps pour obtenir la confiance de la vigne. Dans une robe sombre à reflets noirs, ce millésime montre beaucoup de retenue au nez. Ses tanins sont serrés dans une matière où le gras est très présent et marquent fortement la finale mais le boisé est discret. Après en avoir débattu, le jury pense que le potentiel de ce vin se révélera.

Christophe Pichon, 36, Le Grand Val, Verlieu, 42410 Chavanay, tél. 04.74.87.06.78, fax 04.74.87.07.27, e-mail christophe.pichon@terre-net.fr r.-v.

## DOM. DE ROSIERS 2003

7 ha 15 000 23 à 30 €

Autant le boisé est agréable au nez, autant il se montre encore très présent en bouche. Dans sa prime jeunesse, ce vin joue cependant sur la souplesse et le gras. De bonne longueur, il est prometteur : il suivra son petit bonhomme de chemin.

Louis Drevon, 3, rue des Moutonnes, 69420 Ampuis, tél. 04.74.56.11.38, fax 04.74.56.13.00, e-mail ldrevon@terre-net.fr r.-v.

## TARDIEU-LAURENT 2003 **

n.c. 1 800 23 à 30 €

Un négociant de Lourmarin propose une petite sélection – petite en volume, pas en qualité. Expression de la syrah dans son terroir de prédilection, cette bouteille « tient bien en bouche » : violette et fruits rouges accompagnent un joli boisé. Il y a de la concentration et, même si les dix-huit mois de fût ne sont pas encore totalement digérés, il ressort une belle harmonie. Un vin en attente et que l'on peut faire vieillir cinq à sept ans.

Tardieu-Laurent, Les Grandes Bastides, rte de Cucuron, 84160 Lourmarin, tél. 04.90.68.80.25, fax 04.90.68.22.65, e-mail tarlau@club-internet.fr r.-v.

Michel Tardieu

## LA TURQUE 2001 **

n.c. n.c. + de 76 €

Un vin né sur l'un des plus illustres vignobles de la Côte Brune, aménagé en terrasses. Les vignes de syrah et un rien de viognier (7 %) ont puisé dans un sol de schistes riche en oxyde de fer une rare puissance, enclose dans un flacon reconnaissable entre mille. Vous ne vous lasserez pas d'admirer cette étiquette vibrante de couleur, qui est déjà une invitation au voyage intérieur. Goûtant à l'aveugle, les dégustateurs ne l'avaient pas sous les yeux mais ce vin, élevé quarante-deux mois en pièces neuves, leur a donné l'impression de survoler le monde mystérieux de la syrah dans son terroir d'origine. Le cépage est là et bien là, avec une acidité source de fraîcheur, dans un 2001 d'une remarquable concentration et qui a besoin de laisser le temps au temps.

E. Guigal, Ch. d'Ampuis, 69420 Ampuis, tél. 04.74.56.10.22, fax 04.74.56.18.76, e-mail contact@guigal.com r.-v.

## VERNAY 2003 **

5,26 ha 10 000 15 à 23 €

Sans conteste, le meilleur rapport qualité-prix présenté dans cette appellation. Le passage de dix-huit mois en demi-muid fait que le bois n'est pas marqué, mais il procure une oxygénation ménagée qui rend les tanins bien intégrés, donnant l'impression de beaucoup de rondeur jusqu'en fin de bouche. Le fruit rouge mûr est très présent. Après avoir acquis quelques bouteilles au domaine, n'oubliez pas de parcourir les 5 km qui le séparent du site archéologique de Saint-Roman-en-Gal, du plus haut intérêt.

GAEC Daniel, Roland et Gisèle Vernay, Le Plany, 69560 Saint-Cyr-sur-Rhône, tél. 04.74.53.18.26, fax 04.74.53.63.95 r.-v.

## DOM. GEORGES VERNAY Maison rouge 2002 *

1,5 ha 4 000 38 à 46 €

Célèbre pour ses condrieu, Georges Vernay s'est fait connaître des Etats-Unis au Japon. Avec sa fille Christine, il élabore également un très bon côte-rôtie, dont ce millésime déjà bien ouvert. Rubis limpide, ce 2002 laisse poindre des parfums de vanille et de fruits rouges à l'eau-de-vie. Après une attaque puissante, le côté vanille-cacao se développe en bouche. Celle-ci, bien constituée, repose sur des tanins solides. Une bouteille qui peut durer quatre ans encore.

Dom. Georges Vernay, 1, rte Nationale, 69420 Condrieu, tél. 04.74.56.81.81, fax 04.74.56.60.98, e-mail pa@georges-vernay.fr r.-v.

## BRUNE ET BLONDE DE VIDAL-FLEURY 2001

9,3 ha 42 000 30 à 38 €

Il est juste de rappeler ici, pour nos nouveaux lecteurs, que cette maison fut honorée lors d'un banquet offert en 1787 par un invité de marque, Thomas Jefferson qui fut l'un des meilleurs connaisseurs des vignobles européens avant de devenir président des Etats-Unis en 1801. Bien que ce vin élaboré aujourd'hui par Marcel et Philippe Guigal montre déjà des signes d'évolution, il séduit le dégustateur. Les fruits à l'eau-de-vie participent du charme de ses arômes. L'attaque est impeccable, la matière bien présente et la longueur y est. Une pointe d'acidité finale donne une impression de fraîcheur.

J. Vidal-Fleury, 19, rte de la Roche, 69420 Ampuis, tél. 04.74.56.10.18, fax 04.74.56.19.19, e-mail vidal-fleury@wanadoo.fr r.-v.

# Condrieu

Le vignoble est situé à 11 km au sud de Vienne, sur la rive droite du Rhône et sur des sols granitiques. Seuls les vins provenant uniquement du cépage viognier peuvent bénéficier de l'appellation. L'aire d'appellation, répartie sur sept communes et trois départements, n'a qu'une superficie de 116,63 ha. Ces caractéristiques contribuent à donner au condrieu une image de vin très rare puisqu'il n'a produit que 4 700 hl en 2004. Blanc, il est riche en alcool, gras, souple, mais avec de la fraîcheur. Très parfumé, il exhale des arômes floraux – où domine la violette – et des notes d'abricot. Un vin unique, exceptionnel et inoubliable, à servir jeune (sur toutes les préparations à base de poisson), mais qui peut se développer en vieillissant. Il apparaît depuis peu une production de vendanges tardives avec des tries successives des raisins (allant parfois jusqu'à huit passages par récolte).

### LAURENT BETTON 2003

1,7 ha 2 200 15 à 23 €

Installé en 1993, Laurent Betton dispose de 3,4 ha. Il élève son condrieu un tiers en fûts neufs, un tiers en fûts d'un an, un tiers en cuves Inox. L'or pâle de la robe est traversé de reflets d'or. Le nez révèle un beau mariage entre les notes minérales, florales et fruitées, le boisé restant discret. La bouche aromatiquement moins riche, finit sur le grillé.

Laurent Betton, La Côte, 42410 Chavanay,
tél. et fax 04.74.87.08.23
t.l.j. 8h-12h 14h-19h; dim. sur r.-v.

### DOM. DU CHENE 2003 *

3,5 ha 8 000 15 à 23 €

Cela fait vingt ans que les Rouvière ont acheté cette propriété. Partis avec 5,5 ha, ils possèdent aujourd'hui 15 ha. Beaucoup de gras, de la concentration, de la persistance, et un nez fin et distingué, fait de notes d'écorce d'orange confite et de nuances beurrées composent ce vin très réussi – qui aurait peut-être mérité un boisé moins intense pour envoûter sa seule matière première. Dans deux ou trois ans l'ensemble sera fondu, digne d'une sole meunière, note un dégustateur sommelier.

Marc et Dominique Rouvière, Le Pêcher,
42410 Chavanay, tél. 04.74.87.27.34, fax 04.74.87.02.70,
e-mail m.rouviere@terre-net.fr r.-v.

### CUILLERON Vertige 2002 *

0,6 ha 3 000 38 à 46 €

Ce vin est magnifique dans sa présentation : or intense, il fait penser aux chaumes d'après les moissons. L'intensité se poursuit au nez avec des arômes floraux (acacia, aubépine) qui confèrent élégance et fraîcheur à cette cuvée. La bouche est complexe et riche, boisée en rétro-olfaction. Un vin très intéressant pour le millésime. **Les Chaillets 2003 (30 à 38 €)** brillent par un joli nez de grillé, d'amande, de noisette et de vanille ; ils obtiennent une citation.

Yves Cuilleron, 58, RN 86, Verlieu,
42410 Chavanay, tél. 04.74.87.02.37, fax 04.74.87.05.62,
e-mail ycuiller@terre-net.fr
t.l.j. sf dim. 9h-12h 14h-17h30

### CUILLERON-GAILLARD-VILLARD
La Chambée 2003 *

n.c. 5 000 23 à 30 €

Ce vin ne cache pas ses onze mois de fût ; or pâle aux reflets verts, il offre une bonne concentration et un grand potentiel. Il faudra l'attendre deux ans minimum pour que le bois s'estompe et se fonde.

Les Vins de Vienne, Le Bas-Seyssuel,
38200 Seyssuel, tél. 04.74.85.04.52, fax 04.74.31.97.55,
e-mail vdv@lesvinsdevienne.fr r.-v.

### DELAS Clos Boucher 2003 *

n.c. n.c. 23 à 30 €

Le Clos Boucher provient d'une parcelle bénéficiant d'une exposition sud. Est-ce que cette situation explique la très grande concentration de ce 2003 ? Des notes de miel et de pêche au sirop éclatent au nez alors que le boisé bien maîtrisé donne une sensation de fumée en bouche. Ce vin encore jeune a de l'avenir. **La Galopine 2003** est plus ciselée, dans des notes très classiques (abricot, violette...). Elle reçoit la même distinction. Deux approches différentes mais toutes deux couronnées de succès.

Delas, ZA de l'Olivet, 07300 Saint-Jean-de-Muzols,
tél. 04.75.08.60.30, fax 04.75.08.53.67,
e-mail vclerc@delas.com r.-v.

### LA DORIANE 2003 ***

n.c. n.c. 38 à 46 €

Vinifié à Ampuis comme les autres grandes appellations rhodaniennes du domaine Guigal, ce condrieu provient de vignobles en terrasses aménagées sur des pentes escarpées et de deux types de sols : les sols schisteux et silico-calcaires de la Côte Châtillon, sur la commune de Condrieu, et les arènes granitiques du Colombier, lieu-dit situé à Saint-Michel-sur-Rhône. Au premier nez, ce 2003 révèle un côté grillé, apporté par un élevage de neuf mois dans le bois neuf. A l'aération, il offre une explosion d'arômes : violette, abricot, miel, fleurs blanches et melon bien mûr. Puissant, plein et gras, il réalisera un accord parfait avec un banon.

E. Guigal, Ch. d'Ampuis, 69420 Ampuis,
tél. 04.74.56.10.22, fax 04.74.56.18.76,
e-mail contact@guigal.com r.-v.

### DOM. FARJON 2003 *

0,6 ha 1 500 15 à 23 €

Malleval, très beau village méridional, est proche du domaine. Si vous faites le circuit du Pélussinois (Parc

naturel régional du Pilat), ne manquez pas de vous arrêter ici. Ce vigneron a tiré toute la quintessence de son vignoble encore jeune (treize ans en moyenne) en élaborant un vin élégant. Mélange d'effluves de violette, d'abricot et de miel, ce condrieu se présente dans une belle rondeur.
Thierry Farjon, Morzelas, 42520 Malleval,
tél. 04.74.87.16.84, fax 04.74.87.95.30 r.-v.

PHILIPPE FAURY 2003 *

2,25 ha 5 000 15 à 23 €

Philippe Faury a repris l'exploitation de sa famille en 1979. Depuis il a planté en terrasses et son vignoble atteint 14 ha. Voici un condrieu comme le jury les aime. De l'abricot confit, du gras sans lourdeur, de la matière et une certaine fraîcheur qui assure un bel équilibre à l'ensemble. La vinification a été bien maîtrisée. La cuvée **La Berne 2003 (23 à 30 €)** a besoin d'intégrer le bois. Elle a toutefois une matière première de grande qualité et reçoit une étoile.
Philippe Faury, La Ribaudy, 42410 Chavanay,
tél. 04.74.87.26.00, fax 04.74.87.05.01,
e-mail p.faury@42.sideral.fr r.-v.

GILLES FLACHER 2003

0,8 ha 2 500 15 à 23 €

Ce domaine créé sous le Premier Empire dispose de 7 ha de vignes plantées en coteau. Ce sont des vignes très jeunes (douze ans en moyenne) qui composent ce vin assez léger, dont le nez fin est très agréable, riche de notes de pain d'épice, de fleurs blanches, de violette et de grillé.
Gilles Flacher, 07340 Charnas, tél. 04.75.34.09.97,
fax 04.75.34.09.96 r.-v.

VIGNOBLES DU MONTEILLET
Les Grandes Chaillées 2003 **

1 ha 2 500 23 à 30 €

2003 est-il un grand millésime de garde ? Le jury le pense en examinant ces Grandes Chaillées auxquelles il décerne un coup de cœur sans hésiter. Il note une vinification menée de main de maître, une matière première exceptionnelle et un boisé équilibré. Du grand art ! Au nez subtil, distingué et aérien mêlant abricot confit, notes florales et grillées, répond une sensation de velours au palais, dont la fraîcheur confirme les premières impressions. Confidence, Stéphane Montez s'est marié le jour du ban des vendanges, le 14 août 2003. Ce millésime l'a bien inspiré même si ce n'est pas son premier coup de cœur. Revenons à ce vin qui peut être dégusté maintenant, ou gardé, c'est selon votre impatience. Le **saint-joseph La Cabride blanc 2003 (11 à 15 €)** est cité : puissant, capiteux, fleuri et miellé, il est à servir à tous ceux qui fêteront l'anniversaire de leur mariage célébré en 2003 !
Antoine et Stéphane Montez, Dom. du Monteillet,
42410 Chavanay, tél. 04.74.87.24.57, fax 04.74.87.06.89,
e-mail stephane.montez@worldonline.fr r.-v.

MOUTON PERE ET FILS Côte Châtillon 2004 *

0,65 ha 2 500 15 à 23 €

Avant que son père ne prenne sa retraite, Jean-Claude Mouton vinifiait. C'est lui qui dirige aujourd'hui le domaine. Son vin est un peu jeune pour que l'on puisse porter un jugement définitif, mais il possède un grand potentiel. L'équilibre est déjà assuré et le bouquet, associant des notes minérales, florales et beurrées, commence à poindre. La bouche ronde et grasse ne dévoile pas tous ses secrets. Attendez deux ans et mariez alors ce 2004 à une volaille à la crème et à une rigotte de chèvre.
Dom. Mouton Père et Fils, Le Rozay,
69420 Condrieu, tél. 04.74.87.82.36, fax 04.74.87.84.55
r.-v.

ROBERT NIERO Cuvée de Chery 2003 *

0,72 ha 3 000 23 à 30 €

Ce vigneron s'est installé en 1986 après avoir exercé une activité bancaire : une reconversion professionnelle réussie. Son condrieu ne manque pas d'intérêt. Entièrement sur le fruit, il n'est pas dominé par le bois. L'élevage est un savant dosage : 40 % du vin passe en fût et 60 % reste en cuve. Cela procure une belle sensation de pêche blanche et de fleurs blanches avec une pointe d'abricot confit. Franc, équilibré, gras et persistant, un vin fin, frais et droit.
Robert Niero, 20, rue Cuvillière, 69420 Condrieu,
tél. 04.74.59.84.38, fax 04.74.56.62.70 r.-v.

ANDRE PERRET Coteau de Chery 2003

3 ha 5 000 23 à 30 €

On le sait, André Perret a commencé par faire des études de biologie. En 1985, il s'installe à Chavanay, dans le Parc naturel régional du Pilat. Il possède aujourd'hui 11 ha. Après douze mois de fût, ce condrieu paraît dans une robe d'or brillant. Minéral et floral, le nez reste discret. Très jeune, la bouche semble concentrée et ne s'exprime pas encore. Mais elle dispose d'un fort potentiel. Attendre ce vin deux à trois ans pour le servir en carafe (écrevisses ou asperges, selon l'occasion).
André Perret, 17, RN 86, Verlieu, 42410 Chavanay,
tél. 04.74.87.24.74, fax 04.74.87.05.26,
e-mail andre.perret@terre-net.fr r.-v.

CAVE DES VIGNERONS RHODANIENS
Le Val des Anges 2003

0,25 ha 1 300 15 à 23 €

Savez-vous que c'est en Roussillon que fut signé en 1564 l'édit fixant le début de l'année au 1er janvier ? Le château comporte bien sûr une salle de l'Edit. Cette coopérative propose un vin dont l'originalité marque les arômes. Il se montre très exubérant, voire envahissant avec une note de litchi qui s'empare de toute la dégustation ; la bouche est peu concentrée : à servir dès maintenant.
Cave des Vignerons Rhodaniens,
35, rue du Port-Vieux, 38550 Le Péage-de-Roussillon,
tél. 04.74.86.57.87, fax 04.74.86.57.95,
e-mail vignerons.rhodaniens@wanadoo.fr r.-v.

DOM. RICHARD Le Noble 2002 *

0,3 ha 670 15 à 23 €

Domaine créé en 1950, aujourd'hui conduit en monoculture par Henri Richard depuis 1989. Les raisins qui ont participé à l'élaboration de ce vin ont été récoltés après la Toussaint et ont fermenté tout l'hiver. Les dégustateurs se sont interrogés : « Un vin très original, peut-être issu d'un passerillage ». Un autre pense plutôt à

un vin de paille. La couleur or intense n'est pas étrangère à cette impression – ni les sucres résiduels. L'ensemble est riche, ample et complexe avec des senteurs de tilleul et des notes oxydatives (noix notamment). Une bouteille fort intéressante à goûter pour elle-même.
Hervé et Marie-Thérèse Richard, 3, RN 86, Verlieu, 42410 Chavanay, tél. 04.74.87.07.75, fax 04.74.87.05.09, e-mail earlcaverichard@42.sideral.fr r.-v.

### DOM. GEORGES VERNAY
Chaillées de l'Enfer 2003 **

1,5 ha 6 000 38 à 46 €

Georges Vernay et sa fille Christine ont élevé douze mois en barrique ce vin né de la canicule. Habillé d'un beau jaune paille limpide et brillant, ce vin très expressif s'ouvre sur des arômes de pêche et d'abricot avec une touche de fin boisé. Vif à l'attaque, il montre beaucoup d'harmonie, d'ampleur, d'équilibre et le côté beurré vient enrober des arômes de fruits exotiques. La cuvée **Le coteau de Vernon 2003 (46 à 76 €)** apparaît plus chaude en fin de bouche mais elle reste dans le même registre aromatique : elle reçoit une étoile. Il faudra attendre quelques années pour que ce vin se libère totalement.
Dom. Georges Vernay, 1, rte Nationale, 69420 Condrieu, tél. 04.74.56.81.81, fax 04.74.56.60.98, e-mail pa@georges-vernay.fr r.-v.

# Saint-joseph

Sur la rive droite du Rhône, dans le département de l'Ardèche, l'appellation saint-joseph s'étend sur vingt-six communes de l'Ardèche et de la Loire et totalise 988 ha déclarés en 2004. Les coteaux sont constitués de pentes granitiques rudes, qui offrent de belles vues sur les Alpes, le mont Pilat et les gorges du Doux. Issus de syrah, les saint-joseph rouges (33 994 hl en 2004) sont élégants, fins, relativement légers et tendres, avec des arômes subtils de framboise, de poivre et de cassis, qui se révéleront sur les volailles grillées ou sur certains fromages. Les vins blancs (3 355 hl), issus des cépages roussanne et marsanne, rappellent ceux de l'hermitage. Ils sont gras, avec un parfum délicat de fleurs, de fruits et de miel. Il est conseillé de les servir assez jeunes.

### DE BOISSEYT-CHOL
Cuvée Les Garipelées 2003 **

1,5 ha 8 000 11 à 15 €

Les garipelées : c'est ainsi que l'on nomme entre Rhône et Pilat ces parcelles pentues à l'accès difficile et aux sols peu profonds. Le vin, lui, est constitué d'une belle matière. Au nez intense de fruits rouges très mûrs, le boisé apporte sa touche. La bouche offre déjà une certaine rondeur, ce qui n'empêchera pas de conserver cette bouteille trois à quatre ans si vous le souhaitez. A servir avec des viandes rouges.
De Boisseyt-Chol, 178 RN 86, 42410 Chavanay, tél. 04.74.87.23.45, fax 04.74.87.07.36, e-mail infos@deboisseyt-chol.com
t.l.j. sf dim. 9h-12h 14h-18h; f. 14 août-10 sept.
Didier Chol

### BONSERINE 2003

1,5 ha 8 000 11 à 15 €

Ce vin apparaît drapé dans une cape rouge profond tirant sur le noir. Un mélange de fruits rouges cuits, de cassis et de fleurs éclate au nez. Si la structure n'est pas considérable, la bouche se montre équilibrée.
Dom. de Bonserine, 2, chem. de la Viallière, Verenay, 69420 Ampuis, tél. 04.74.56.14.27, fax 04.74.56.18.13, e-mail bonserine@aol.com
r.-v.
Colcombet

### CAVE DE CHANTE-PERDRIX La Madone 2003

2 ha 6 100 11 à 15 €

La Madone, du haut de ses dix-sept mètres, veille sur ce domaine dans la même famille depuis 1828 et en monoculture viticole depuis 1988. Vinification en cuve ciment puis élevage en fûts (dont 10 % en fûts neufs) pendant douze mois où le vin effectue sa fermentation malolactique. On obtient une robe aux reflets violacés. Très aromatique (cassis et épices) avec des notes de torréfaction (café vert grillé), ce saint-joseph possède une belle vivacité : à attendre un à deux ans.
Philippe Verzier, 7, Izeras, 42410 Chavanay, tél. 04.74.87.06.36, fax 04.74.87.07.77, e-mail chanteperdrixverzier@wanadoo.fr r.-v.

### M. CHAPOUTIER Les Granits 2003 **

n.c. 4 000 38 à 46 €

L'une des cuvées vedette de la maison Chapoutier. Et on comprend ici pourquoi. Le regard est captivé par la couleur jaune pâle brillant ; le nez attiré par une explosion de miel, de fleurs blanches, de pêche blanche ; la bouche, subjuguée par l'équilibre entre la matière et l'acidité. On ressent une bonne maîtrise dans la vinification et dans l'élevage en fût. C'est un vin en devenir. La même cuvée **Les Granits 2003 rouge** reçoit une citation, le bois dominant pour l'instant. La cuvée **Deschants 2003 rouge (11 à 15 €)** obtient une étoile. Encore sur sa réserve, elle laisse poindre des notes de cerise noire très mûre, expression d'une belle matière.
Maison M. Chapoutier, 18, av. du Dr-Paul-Durand, BP 38, 26601 Tain-l'Hermitage Cedex, tél. 04.75.08.28.65, fax 04.75.08.81.70, e-mail chapoutier@chapoutier.com
t.l.j. 9h-12h30 14h-19h; groupes sur r.-v.

### AURELIEN CHATAGNIER 2003 *

0,2 ha 850 11 à 15 €

Une vieille ferme dans un hameau : ce jeune couple de vignerons vient de s'installer sur une toute petite surface. Il sera intéressant de suivre son parcours car voilà un très beau vin de garde. Encore marqué par l'élevage en barrique, ce 2003 rubis foncé aux reflets violacés possède un nez puissant de fruits rouges mûrs, de réglisse et d'épices. La structure est prometteuse et le boisé de qualité. Attendre cinq ans pour le marier à un gibier à plume.
Aurélien Chatagnier, Les Barges, 42520 Saint-Pierre-de-Bœuf, tél. et fax 04.74.31.75.53
r.-v.

DOM. DU CHATEAU VIEUX
Les Hauts Vieilles Vignes 2003

■ 0,65 ha 1 200 15 à 23 €

Un millésime très chaud ! Les vendanges ont débuté le 24 août dans ce domaine. Ce vin, caractéristique du millésime, présente des tanins encore austères en fin de bouche. Il est très aromatique : on y trouve des fruits (cassis) et du minéral (graphite). Une bouteille qui atteindra sa plénitude dans deux à trois ans.

Fabrice Rousset, Dom. du Château Vieux, 26750 Triors, tél. 04.75.45.31.65, fax 04.75.71.45.35, e-mail domainechateauvieux@chez.com
t.l.j. sf dim. 10h-12h15 14h-19h

DOM. COURBIS 2003

■ 12 ha 38 000 11 à 15 €

Des vendanges le 20 août, et huit mois de fût : on retient de ce vin son équilibre et son fruit. Il permettra de se faire plaisir sans se soucier d'une analyse profonde. Tout en fraîcheur, il se laisse aborder sans difficulté.

Dom. Courbis, rte de Saint-Romain, 07130 Châteaubourg, tél. 04.75.81.81.60, fax 04.75.40.25.39, e-mail domaine-courbis@wanadoo.fr
t.l.j. sf dim. 9h-12h 14h-18h

PIERRE COURSODON L'Olivaie 2003 ★★

■ n.c. 7 000 23 à 30 €

Ce domaine n'en est pas à son premier coup de cœur. Vingt-quatre hl/ha pour ce saint-joseph issu de vieilles vignes où aucune mécanisation n'est possible, même pour les traitements. Sur ce rude coteau exposé au sud, aux sols granitiques peu profonds, le raisin atteint la surmaturation. Le vin est en équilibre parfait, puissant et long à la fois. Le fruit domine la bouche comme le nez. Une très grande bouteille. La **Sensonne 2003**, dans le même style, obtient une étoile. Quant à la cuvée **Domaine Coursodon 2003 (15 à 23 €)**, elle est bien représentative de l'appellation par ses tanins qui doivent encore s'affiner ; elle est citée.

EARL Pierre Coursodon, pl. du Marché, 07300 Mauves, tél. 04.75.08.29.27, fax 04.75.08.18.29
r.-v.

DELAS Les Challeys 2003 ★

■ n.c. n.c. 11 à 15 €

30 % de ce vin est élevé en pièce pour apporter une note boisée. Cela lui donne en effet un côté fumé. L'équilibre est assuré par une belle matière bien représentative de l'appellation. Une certaine vivacité accompagne la dégustation. Cette même cuvée en **blanc 2003** est citée pour ses arômes de pierre à fusil et pour son palais gras et chaleureux.

Delas, ZA de l'Olivet, 07300 Saint-Jean-de-Muzols, tél. 04.75.08.60.30, fax 04.75.08.53.67, e-mail vclerc@delas.com r.-v.

ERIC ET JOEL DURAND Les Coteaux 2003 ★★

■ 4 ha 15 000 11 à 15 €

Un domaine de 12 ha dont la moitié de la production est exportée vers les pays européens et les Etats-Unis. Une cuvaison de trois semaines et un élevage en pièce et demi-muid ont produit un vin d'une grande concentration aux tanins fins et soyeux et d'une grande complexité. Le tout drapé dans une robe sombre et chatoyante. A attendre et à servir dans deux ans sur du gibier. En confidence, sachez que cette bouteille n'est pas passée loin du coup de cœur.

Eric et Joël Durand, 2, imp. de la Fontaine, 07130 Châteaubourg, tél. 04.75.40.46.78, fax 04.75.40.29.77, e-mail ej.durand@wanadoo.fr
r.-v.

ESPRIT DE GRANIT 2002

■ n.c. 10 000 11 à 15 €

Dans un millésime difficile, ce vin tire son épingle du jeu. Sa robe est rubis profond à reflets violacés. Son nez, pas très intense mais net, joue sur le cassis mûr avec une petite note végétale. L'attaque est franche, la bouche ronde et fruitée ; sa finale est tannique mais pas agressive. A déguster à la sortie du Guide.

Cave de Tain-l'Hermitage, 22, rte de Larnage, BP 3, 26600 Tain-l'Hermitage, tél. 04.75.08.20.87, fax 04.75.07.15.16, e-mail contact@cavedetain.com
r.-v.

DOM. FARJON 2003

□ 0,6 ha 3 000 8 à 11 €

Malleval, village médiéval du Parc naturel régional du Pilat, se consacre à la viticulture. Thierry Farjon a créé son domaine en 1992. Son saint-joseph jaune paille, au nez très fleur blanche, légèrement mentholé, offre beaucoup de rondeur en bouche. Le boisé apparaît avec des nuances vanillées. D'une bonne longueur, cette bouteille devra être servie dans un à deux ans.

Thierry Farjon, Morzelas, 42520 Malleval, tél. 04.74.87.16.84, fax 04.74.87.95.30 r.-v.

FERRATON PERE ET FILS Les Oliviers 2003 ★★

□ 0,22 ha 900 15 à 23 €

Une cuvée confidentielle. Un dégustateur l'a trouvée trop « Nouveau Monde », mais les autres se sont enthousiasmés pour son nez très floral et très expressif. Le vin a un côté flatteur et la concentration est bien mesurée. La bouche, grasse à souhait, longue et souple, enchante en finale.

Ferraton Père et Fils, 13, rue de la Sizeranne, 26600 Tain-l'Hermitage, tél. 04.75.08.59.51, fax 04.75.08.81.59, e-mail s.ferraton@ferraton.fr
r.-v.



PIERRE FINON Les Jouvencelles 2003

■ 3 ha 7 000 8 à 11 €

Les Jouvencelles correspondent aux jeunes vignes du domaine ! Cela se ressent dans la structure tannique agréable et souple qui accompagne le vin pendant toute la dégustation. Un mélange d'arômes de fruits rouges et une note animale donne une touche originale au nez.

🔑 Pierre Finon, Picardel, 07340 Charnas,
tél. 04.75.34.08.75, fax 04.75.34.06.78,
e-mail domaine.finon@wanadoo.fr ☑ Y ⚘ r.-v.

GILLES FLACHER 2003 *

| | 0,5 ha | 1 500 | | 8 à 11 € |
|---|---|---|---|---|

Vignerons depuis 1806, les Flacher possèdent un domaine qui s'étend sur 7 ha de coteaux. 50 ares sont consacrés à ce vin jaune paille aux arômes de fruits et de fleurs blanches encore dominé en bouche par un beau boisé. Une agréable acidité apporte équilibre et fraîcheur.

🔑 Gilles Flacher, 07340 Charnas, tél. 04.75.34.09.97,
fax 04.75.34.09.96 ☑ Y ⚘ r.-v.

PIERRE GAILLARD 2004

| | 1 ha | 10 500 | | 15 à 23 € |
|---|---|---|---|---|

Un or pâle limpide habille ce saint-joseph qui présente une bonne longueur et beaucoup de gras. L'intense note aromatique de fruits blancs associée à des nuances d'anis et de menthol flatte le palais. C'est un vin gourmand, atypique mais réussi.

🔑 EARL Pierre Gaillard, Chez Favier,
42520 Malleval, tél. 04.74.87.13.10, fax 04.74.87.17.66,
e-mail vinsp.gaillard@wanadoo.fr ☑ Y ⚘ r.-v.

PIERRE GONON 2003

| | 5,5 ha | 15 000 | | 11 à 15 € |
|---|---|---|---|---|

Est-ce les quinze mois de fût qui donnent cette impression de rusticité ? Ce vin semble si jeune qu'il est difficile de le juger. Sa puissante structure tannique ne laisse pas le fruit s'exprimer. Il pointe toutefois une matière intéressante qui devrait s'anoblir dans le temps.

🔑 Pierre Gonon, 34, av. Ozier, 07300 Mauves,
tél. 04.75.08.45.27, fax 04.75.08.65.21 ☑ Y ⚘ r.-v.

ROLAND GRANGIER Elevé en fût de chêne 2003

| | 2 ha | 5 000 | | 5 à 8 € |
|---|---|---|---|---|

L'élevage de ce vin s'effectue en demi-muid. Ce saint-joseph joue sur la finesse, pas sur le volume. Il paraît même très léger en bouche, pianotant sur toute la gamme des fruits rouges.

🔑 Dom. Roland Grangier, Chantelouve,
42410 Chavanay, tél. et fax 04.74.56.20.14,
e-mail domaine.grangier@cario.fr ☑ Y ⚘ r.-v.

DOM. BERNARD GRIPA 2003 **

| | 2,5 ha | 8 000 | | 15 à 23 € |
|---|---|---|---|---|

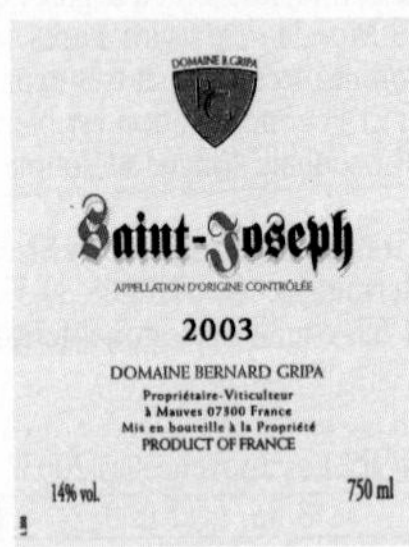


Bernard Gripa, installé depuis le début des années 1970, dispose de 12 ha. Connu de nos lecteurs depuis longtemps, il n'en est pas à son premier coup de cœur. Son saint-joseph est très typique du millésime 2003 par sa puissance. Au nez, discret et fin, le côté floral, printanier prend toute sa place. On trouve rondeur et harmonie en bouche ; il faut cependant être patient pour que ce vin développe tout son potentiel. Les cuvées **Berceau 2003 en blanc et en rouge** recueillent chacune une étoile. Le jury salue la parfaite maîtrise du bois. Pour les accords gourmands, vous choisirez un poulet au gingembre pour le coup de cœur, des pâtes aux truffes pour le Berceau blanc et une côte de bœuf pour le troisième.

🔑 Dom. Bernard Gripa, 5, av. Ozier, 07300 Mauves,
tél. 04.75.08.14.96, fax 04.75.07.06.81 ☑ Y r.-v.

PASCAL MARTHOURET 2003

| | 1,4 ha | 2 500 | | 8 à 11 € |
|---|---|---|---|---|

Un nouveau venu dans le Guide. Installé depuis 2000, Pascal Marthouret est à la tête d'une propriété de 4 ha. Une couleur rubis éclatante drape ce vin aux parfums de fruits très mûrs (cassis) rappelant même les fruits à l'eau-de-vie. La bouche est franche, simple et agréable. A servir à la sortie du Guide.

🔑 Pascal Marthouret, Les Coins, 07340 Charnais,
tél. et fax 04.75.34.15.82 ☑ Y ⚘ r.-v.

ALAIN PARET Les Larmes du Père 2003

| | 10 ha | 20 500 | | 11 à 15 € |
|---|---|---|---|---|

La pratique du délestage sur une vendange qui a souffert d'un été caniculaire est peut-être à l'origine de l'amertume et de la touche végétale perçues en fin de bouche. Toutefois le fruit noir mûr est bien présent, la matière est de qualité et l'attaque très agréable. Il faut donc attendre un peu.

🔑 Alain Paret,
pl. de l'Eglise, 42520 Saint-Pierre-de-Bœuf,
tél. 04.74.87.12.09, fax 04.74.87.17.34 ☑ Y ⚘ r.-v.

ANDRE PERRET Les Grisières 2003 *

| | 1 ha | 4 000 | | 11 à 15 € |
|---|---|---|---|---|

Un grand-oncle qui part faire du vin en Bourgogne en achetant le château de la Maletroie à Chassagne-Montrachet ; un grand-père qui rachète le domaine à son frère et enfin le petit-fils qui, après des études de biologie, développe depuis vingt ans la propriété. Il présente un saint-joseph à la forte structure et qui offre une bouche ronde malgré dix-huit mois de barrique. Les arômes (fruits noirs, cacao, cassis, caramel) se révèlent davantage en bouche qu'au nez. Les Grisières s'épanouiront encore pendant trois à quatre ans. Le **blanc 2003 (8 à 11 €)**, concentré et puissant, reçoit une étoile. C'est lui aussi un vin en devenir.

🔑 André Perret, 17, RN 86, Verlieu, 42410 Chavanay,
tél. 04.74.87.24.74, fax 04.74.87.05.26,
e-mail andre.perret@terre-net.fr ☑ Y ⚘ r.-v.

DOM. RICHARD 2003 *

| | 0,7 ha | 2 000 | | 8 à 11 € |
|---|---|---|---|---|

Marsanne (70 %) et roussanne, vendangées en caisse puis pressées au pressoir pneumatique, fermentées à 18 °, élevées dix mois – en fait pour 30 % du raisin – donnent un vin or pâle très flatteur, brillant à l'œil. Il est bien équilibré et sa finale ronde et longue révèle des senteurs de fleurs blanches et des notes vanillées. Le **rouge 2003**, cité, tout en fruits mûrs, est prêt.

🔑 Hervé et Marie-Thérèse Richard, 3, RN 86, Verlieu,
42410 Chavanay, tél. 04.74.87.07.75, fax 04.74.87.05.09,
e-mail earlcaverichard@42.sideral.fr ☑ Y ⚘ r.-v.

CAVE DE SAINT-DESIRAT 2003 ★

30 ha 100 000 5 à 8 €

Cette coopérative propose aux amateurs un parcours au cours duquel on peut découvrir les arômes des vins de la région : dix familles d'arômes à sentir, à comprendre. Commencez donc par goûter ce vin, composé majoritairement de marsanne (80 %), complétée par la roussanne. Il a subi une macération pelliculaire. D'un jaune pâle brillant, il est fin et très frais. Floral au nez, minéral en bouche, il suit un fil conducteur tout au long de la dégustation et laisse des arômes de miel en fin de bouche. La cuvée **Ex Septentrio rouge 2003 (8 à 11 €)**, franche en bouche, reçoit une citation.

Cave de Saint-Désirat, 07340 Saint-Désirat, tél. 04.75.34.22.05, fax 04.75.34.30.10, e-mail cave.saint.desirat@wanadoo.fr r.-v.

FRANCOIS VILLARD Reflet 2002

2,5 ha 11 500 23 à 30 €

Producteur de côte-rôtie et de condrieu, François Villard, fort de plus de 13 ha, propose également un saint-joseph. Un élevage de vingt-deux mois en fût neuf était-il nécessaire pour un millésime difficile ? Ce vin, offert sans filtration, collé uniquement au blanc d'œuf, est cependant assez réussi, marqué par une finale tannique dense et riche. Le nez est dominé par les épices et le boisé, mais on discerne le fruit noir. A servir à la sortie du Guide.

Dom. François Villard, Montjoux, 42410 Saint-Michel-sur-Rhône, tél. 04.74.56.83.60, fax 04.74.56.87.78, e-mail vinsvillard@aol.com r.-v.

# Crozes-hermitage

Cette appellation, couvrant des terrains moins difficiles à cultiver que ceux de l'hermitage, s'étend sur onze communes environnant Tain-l'Hermitage. C'est le plus grand vignoble des appellations septentrionales : la superficie de production est de 1 358 ha et le volume a représenté 56 492 hl en rouge et 4 530 hl en blanc en 2004. Les sols, plus riches que ceux de l'hermitage, donnent des vins moins puissants, fruités et à servir jeunes. Rouges, ils sont assez souples et aromatiques ; blancs, ils sont secs et frais, légers en couleur, à l'arôme floral, et, comme les hermitage blancs, ils iront parfaitement sur les poissons d'eau douce.

DOM. BERNARD ANGE 2003 ★★

4 ha 15 000 8 à 11 €

En été, c'est sur les bords de l'Herbasse, dans un kiosque de style rétro qui servait de guinguette dans les années 1930, que vous pourrez goûter la production de Bernard Ange. Le jury a attribué un coup de cœur à ce crozes-hermitage 2003. Il a salué ses qualités multiples et complémentaires : son attaque, sa longueur, sa grande

fraîcheur, sans oublier son volume, sa structure, sa complexité, ainsi qu'une palette d'arômes évoquant un panier de fruits rouges (cerise noire) avec des notes empyreumatiques.

Bernard Ange, Pont-de-l'Herbasse, 26260 Clérieux, tél. et fax 04.75.71.62.42
t.l.j. sf dim. 9h-12h30 13h30-19h

ROLAND BETTON 2003

2 ha 8 000 8 à 11 €

Première vinification et première mention dans le Guide pour ce viticulteur qui auparavant vendait ses raisins au négoce local. A l'olfaction, le vin délivre des parfums très prononcés de grenadine et de mûre. En bouche, on trouve beaucoup de fraîcheur et un caractère fruité accompagné de notes de garrigue. A consommer dès la sortie du Guide.

Roland Betton, Les Chassis, 26000 La-Roche-de-Glun, tél. 06.10.44.02.98, fax 04.90.65.89.23 r.-v.

DOM. LES BRUYERES Les Croix 2003 ★

4,5 ha 9 000 8 à 11 €

Cette exploitation familiale a été reprise en 2000 par la quatrième génération. Jusqu'en 2003, elle apportait sa vendange à la coopérative. Avec cette cuvée Les Croix, David Reynaud signe donc sa première vinification. Un choix qu'il ne doit pas regretter puisque ce vin décroche d'emblée une étoile dans le Guide. La dégustation révèle une légère évolution, des notes de fruits rouges cuits et confits auxquelles se mêlent des nuances d'épices et de réglisse. Un caractère fortement aromatique accompagne toute la dégustation.

David Reynaud, Dom. Les Bruyères, chem. du Stade, 26600 Beaumont-Monteux, tél. 04.75.84.74.14, fax 04.75.84.14.06, e-mail david.reynaud2@free.fr
t.l.j. 10h-12h 14h-18h

M. CHAPOUTIER Les Varonniers 2003 ★★

n.c. 4 000 30 à 38 €

Ce célèbre domaine de Tain-l'Hermitage, adepte de la biodynamie, possède des vignobles dans de nombreuses appellations ; il a proposé cette année un crozes-hermitage très apprécié par le jury. Ses arômes intenses soulignent la grande maturité des raisins. Au nez, se mêlent des effluves de fruits rouges compotés, d'épices, de poivre et de cacao. En bouche, l'attaque reste dans le même registre, d'abord sur le fruit puis sur les épices avec des notes de kirsch. Les tanins se montrent bien fondus. Un vin fort agréable dans lequel tout s'harmonise merveilleusement.

Maison M. Chapoutier, 18, av. du Dr-Paul-Durand, BP 38, 26601 Tain-l'Hermitage Cedex,
tél. 04.75.08.28.65, fax 04.75.08.81.70,
e-mail chapoutier@chapoutier.com
t.l.j. 9h-12h30 14h-19h; groupes sur r.-v.

### YANN CHAVE Tête de cuvée 2003 ★★

5 ha 20 000 15 à 23 €

Le nez encore un peu fermé laisse toutefois poindre un côté animal (gibier) assorti de fougère et d'épices. La bouche explose dans de superbes arômes de fruits. Ses tanins serrés apparaissent encore un peu austères en finale mais promettent cette bouteille à un bel avenir. Un mariage fruits-tanins bien représentatif du millésime. Un vin frais.

Yann Chave, La Burge, 26600 Mercurol,
tél. 04.75.07.42.11, fax 04.75.07.47.34

### DOM. LES CHENETS 2003 ★

7,8 ha 20 000 5 à 8 €

Une robe rouge foncé (cerise noire) aux reflets violacés, brillants et limpides. Le bouquet est fortement marqué par les fruits rouges (mûre et cassis) auxquels se mêlent des notes empyreumatiques. Ce fruité se retrouve en bouche avec une pointe de groseille et un caractère réglissé. Indéniablement un vin de garde.

Dom. Les Chenêts, Cave Fonfrede-Berthoin,
26600 Mercurol, tél. 04.75.07.48.28, fax 04.75.07.45.60
t.l.j. 8h-12h 14h-19h; dim. sur r.-v.
Berthoin

### CAVE DES CLAIRMONTS 2003 ★

14 ha 70 448 5 à 8 €

Une cave qui ne cesse de s'agrandir – les derniers aménagements datent de 2003 – et de confirmer son savoir-faire. Dans ce vin, rien ne vient heurter la dégustation qui montre un savant équilibre entre la structure et le fruit. Un velours tapisse une bouche aromatique, déclinant le cassis, le poivre et les épices. Un dégustateur suggère de servir cette bouteille sur une côte ou un filet de porc au four. La **cuvée des Pionniers rouge 2001 (8 à 11 €)**, aux arômes de fruits à noyau à l'alcool et aux tanins fondus, reçoit également une étoile.

SCA Cave des Clairmonts,
Vignes-Vieilles, 26600 Beaumont-Monteux,
tél. 04.75.84.61.91, fax 04.75.84.56.98,
e-mail contact@cavedesclairmonts.com
t.l.j. sf dim. 9h-12h 14h-18h

### DOM. DU COLOMBIER 2003 ★

1,4 ha 4 500 11 à 15 €

Après un coup de cœur dans la précédente édition du Guide, le domaine du Colombier a présenté cette année deux cuvées plus modestes mais qui ont retenu l'attention du jury. Le vin blanc 2003, d'une belle couleur jaune d'or, flatte l'œil. Les dégustateurs ont apprécié sa longueur, son gras et sa faible acidité qu'accompagne un côté noisette très agréable. La cuvée **Gaby rouge 2003 (15 à 23 €)**, citée, est encore marquée par le bois.

Dom. du Colombier, SCEA Viale,
2, rte de Chantemerle-les-Blés, 26600 Tain-l'Hermitage,
tél. 04.75.07.44.07, fax 04.75.07.41.43 r.-v.

### DOM. COMBIER Clos des Grives 2003

5 ha 8 000 15 à 23 €

Un vin très boisé – trop même pour certains. Cependant le nez se montre franc ; des arômes de pruneau et de sous-bois (fougère, humus) accompagnent des notes de grillé et de vanille. La finale n'est pas des plus longues, mais l'ensemble reste honorable. Coup de cœur pour cette même cuvée dans le millésime 2001, Guide 2004.

Dom. Combier, RN 7, 26600 Pont-de-l'Isère,
tél. 04.75.84.61.56, fax 04.75.84.53.43,
e-mail domaine-combier@wanadoo.fr r.-v.

### CH. CURSON 2004 ★

2 ha 8 000 11 à 15 €

En 2004, des travaux ont été entrepris pour réhabiliter une partie du bâtiment du XVI[e]s. qui abrite le domaine. La même année Etienne Pochon a élaboré en fûts neufs cet assemblage de marsanne (70 %) et de roussanne (30 %). Long en bouche, le vin offre une bonne intensité aromatique ; l'abricot et les fleurs blanches accompagnent toute la dégustation. Une pointe d'acidité apporte une grande fraîcheur.

Dom. Pochon, Ch. de Curson,
26600 Chanos-Curson, tél. 04.75.07.34.60,
fax 04.75.07.30.27, e-mail chateaucurson@freesurf.fr
r.-v.

### EMMANUEL DARNAUD Les trois Chênes 2003 ★

2 ha 8 000 11 à 15 €

Beaucoup de richesse aromatique dans ce vin. Jugez-en : épices, réglisse, poivre, griotte, pruneau et même une pointe de menthol. Les tanins sont bien intégrés, fondus, soyeux et enrobés. Une bouteille qui s'offre à vous tout de suite et qui peut aussi attendre deux à trois ans.

Emmanuel Darnaud, 21, rue du Stade,
26600 La Roche-de-Glun, tél. et fax 04.75.84.81.64
r.-v.

### DELAS Les Launes 2003 ★★

n.c. n.c. 8 à 11 €

Fondée en 1835, la maison Delas est restée une affaire familiale jusqu'en 1977, date à laquelle elle a été vendue aux Champagnes Deutz. Cette cuvée est une véritable explosion de cassis. En bouche, un agréable velouté accompagne un boisé bien arrondi aux notes de moka. Ce vin vous procurera un grand plaisir dès maintenant et pendant deux ans. La cuvée **Les Launes blanc 2003** est citée pour ses arômes de menthol, d'acacia et de poivre, ainsi que pour sa fraîcheur.

Delas, ZA de l'Olivet, 07300 Saint-Jean-de-Muzols,
tél. 04.75.08.60.30, fax 04.75.08.53.67,
e-mail vclerc@delas.com r.-v.

### DOM. DES ENTREFAUX 2003 ★

n.c. 37 000 8 à 11 €

Un domaine bien connu des amateurs de vins de la vallée du Rhône : il fut coup de cœur dans les éditions 2003 et 2005 du Guide. La bouteille de ce 2003 porte une élégante étiquette. Le nez encore fermé laisse poindre çà et là des notes de fruits noirs compotés et de fruits à coque (noisette). Le jury a apprécié la structure et la belle longueur du palais. Un vin intéressant qui possède du coffre dans lequel se cachent des trésors. A attendre quatre à cinq ans.

Dom. des Entrefaux,
quartier de La Beaume, 26600 Chanos-Curson,
tél. 04.75.07.33.38, fax 04.75.07.35.27
t.l.j. sf dim. 9h-12h 14h-18h, f. sam. à 17h
Tardy

FAYOLLE FILS ET FILLE Les Pontaix 2003 *

■ 4 ha 8 000 🛢 8 à 11 €

Une ancienne propriété de l'appellation crozes-hermitage dont la première vinification remonte à 1959. Eraflage, vinification de trois semaines puis élevage en demi-muid et barrique pendant un an ont donné naissance à cette cuvée. Le vin se caractérise par un boisé élégant et une structure de velours. Une légère évolution montrant des sensations de fruits rouges cuits est perceptible. Le **Clos Les Cornirets Vieilles Vignes rouge 2003 (11 à 15 €)** est cité. Il est encore marqué par le bois et il faudra attendre un peu pour que cette bouteille dévoile tout son potentiel.

Cave Fayolle Fils et Fille, 9, rue du Ruisseau, 26600 Gervans, tél. 04.75.03.33.74, fax 04.75.03.32.52, e-mail laurent@cave-fayolle.com ☑ Y ✻ r.-v.

DOM. DES HAUTS CHASSIS Les Galets 2003 *

■ 12 ha 15 000 🛢 8 à 11 €

Une vieille ferme en pisé du début du XVIIIes. abrite ce domaine, sorti en 2003 de la coopérative, et qui fait une belle entrée dans le Guide : deux de ses vins sont retenus. Ce premier millésime vinifié en cave particulière a été élaboré avec la complicité de l'œnologue M. Guibert. La matière première est de qualité et le vin se révèle aromatique : fruits rouges (cassis, myrtille) associés à des senteurs de garrigue. Après une attaque nerveuse, la bouche se fait plus ronde. Du gras apparaît dans une structure bien enrobée. A noter, la maîtrise de l'élevage sous bois. La cuvée **Les Châssis rouge 2003 (11 à 15 €)**, concentrée, reçoit également une étoile.

Franck Faugier, Dom. des Hauts Châssis, 26600 La Roche-de-Glun, tél. et fax 04.75.84.50.26, e-mail domaine.des.hauts.chassis@wanadoo.fr
☑ Y ✻ r.-v.

PAUL JABOULET AINE Mule blanche 2003 *

□ 7 ha 27 600 🛢 11 à 15 €

50 % de roussanne et 50 % de marsanne, une fermentation sur lies fines en fûts de chêne neufs pendant six mois ont donné un vin jaune pâle, limpide et brillant. Le bois domine encore et masque un peu la matière, mais du gras et d'agréables arômes de vanille, de miel et de fruits confits en font un ensemble très plaisant qui pourrait presque être débouché dès maintenant. Mieux vaut pourtant attendre deux à trois ans. La cuvée **Les Jalets rouge 2003 (8 à 11 €)**, avec ses notes de fruits très mûrs, reçoit la même distinction.

Paul Jaboulet Aîné, Les Jalets, BP 46, 26600 La Roche-de-Glun, tél. 04.75.84.68.93, fax 04.75.84.56.14, e-mail info@jaboulet.com
☑ Y ✻ t.l.j. sf dim. 8h-11h30 13h30-17h
Famille Jaboulet

DOM. MICHELAS-SAINT-JEMMS
Terres d'Arce 2003

■ 2 ha 3 300 🛢 11 à 15 €

Le nom de cette cuvée rappelle qu'au XIIes. ces terres étaient la propriété de la noble famille d'Arce. Le vin, nettement dominé par le boisé, se présente dans une robe grenat soutenu à reflets violacés de bon augure. La myrtille, le cassis, l'humus et la fougère se mêlent au nez. En bouche, la finale révèle une note de groseille acidulée. Une bouteille qui devrait évoluer avec le temps.

Dom. Michelas-Saint-Jemms, Bellevue, Les Chassis, 26600 Mercurol, tél. 04.75.07.86.70, fax 04.75.08.69.80, e-mail michelas.st.jemms@wanadoo.fr
☑ Y ✻ t.l.j. sf dim. 9h-12h 14h-18h

MOILLARD 2003 **

■ n.c. 30 000 8 à 11 €

Ce vin révèle une grande maturité de la vendange. Ses notes de fruits rouges très mûrs et de kirsch s'associent à des nuances épicées et fumées. Charnu, gras et puissant, ce crozes-hermitage tapisse totalement le palais et une pointe d'acidité lui confère une belle harmonie. Cette bouteille peut déjà être ouverte, mais elle peut également attendre un à deux ans.

SA Moillard, 2, rue François-Mignotte, 21700 Nuits-Saint-Georges, tél. 03.80.62.42.22, fax 03.80.61.28.13 ☑ Y ✻ t.l.j. 10h-18h; f. jan.

DOM. PRADELLE 2004 **

□ 4,5 ha 20 000 8 à 11 €

Un vin de grande séduction. Sa robe claire et limpide invite à humer le verre. On y respire un fruité fin qui s'affirme dans un palais très gras, tout en rondeur et en douceur, et qui persiste longuement. « Il met du fruit plein la bouche », écrit un dégustateur sous le charme. Déjà prêt, ce 2004 pourra se garder trois à cinq ans.

GAEC J. et J.-L. Pradelle, 26600 Chanos-Curson, tél. 04.75.07.31.00, fax 04.75.07.35.34
☑ Y ✻ t.l.j. sf dim. 8h-12h 13h30-18h

DOM. DES REMIZIERES L'Essentiel 2003 ***

■ 1 ha 3 800 🛢 15 à 23 €

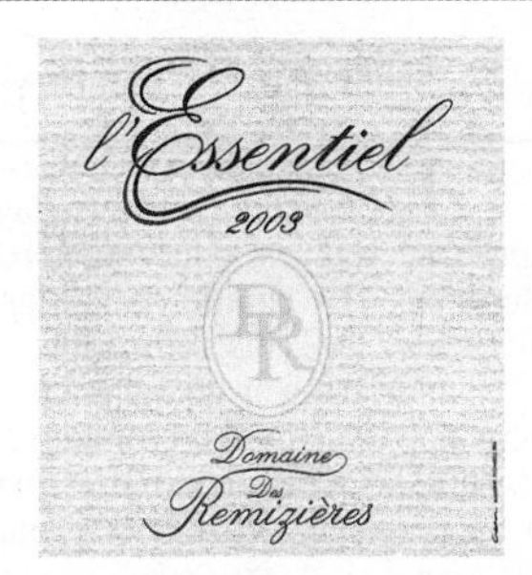


Du millésime 2003, le domaine des Remizières a tiré le meilleur. Jugez un peu : un coup de cœur en rouge et deux étoiles en blanc ! Cette cuvée L'Essentiel porte bien son nom. Sa grande richesse et sa rare complexité, aussi bien au nez qu'en bouche, font l'unanimité. La **Cuvée particulière blanc 2003 (8 à 11 €)** offre de la fraîcheur, de la pêche blanche et une remarquable longueur... Deux bouteilles qui pourront agrémenter un repas de gala.

Cave Desmeure, Dom. des Rémizières, rte de Romans, 26600 Mercurol, tél. 04.75.07.44.28, fax 04.75.07.45.87, e-mail desmeure.philippe@wanadoo.fr ☑ Y ✻ r.-v.



GILLES ROBIN Cuvée Albéric Bouvet 2003 *

■ 8 ha 25 000 🛢 11 à 15 €

En 1996, Gilles Robin reprend le domaine créé par son grand-père auquel il rend hommage avec cette cuvée Albéric Bouvet qui porte son nom. Finesse et élégance caractérisent ce vin au léger boisé et à la palette d'arômes délicate et riche. Nuances animales, épices, cuir, cannelle

emplissent agréablement la bouche. La cuvée **Les Marelles blanc 2003 (8 à 11 €)** reçoit la même note ; la présence du bois est plus sensible.
Gilles Robin, Les Châssis Sud, 26600 Mercurol, tél. 04.75.08.43.28, fax 04.75.08.43.64, e-mail gillesrobin@wanadoo.fr r.-v.

### CAVE DE TAIN L'HERMITAGE 2003 **

713 ha 500 000 5 à 8 €

Cette importante structure viticole voit quatre de ses crozes-hermitage retenus par le jury du Guide. Ce 2003 rouge sort du lot. Sa robe pourpre intense, presque noire, témoigne d'un bon élevage. Après une attaque sur le boisé, la dégustation révèle des arômes subtils de fruits noirs et d'épices. L'équilibre entre le gras, les tanins et la douceur est parfait. Une bouteille d'excellente facture à la matière riche, pleine de promesses. « A servir sur une côte de bison grillée », suggère un dégustateur. La **cuvée Blason rouge 2003** se distingue par son caractère fruité (groseille, fraise des bois), sa fraîcheur et son élégance. Elle reçoit une étoile, comme **Les Perdrigolles rouge 2003**, un vin tout en finesse. Enfin, le **blanc 2004** est cité pour sa fraîcheur et son gras.
Cave de Tain-l'Hermitage, 22, rte de Larnage, BP 3, 26600 Tain-l'Hermitage, tél. 04.75.08.20.87, fax 04.75.07.15.16, e-mail contact@cavedetain.com r.-v.

# Hermitage

Le coteau de l'Hermitage, très bien exposé au sud, est situé au nord-est de Tain-l'Hermitage. La culture de la vigne y remonte au IVe s. av. J.-C., mais on attribue l'origine du nom de l'appellation au chevalier Gaspard de Sterimberg qui, revenant de la croisade contre les Albigeois en 1224, décida de se retirer du monde. Il édifia un ermitage, défricha et planta de la vigne.

L'appellation couvre environ 135 ha. Le massif de Tain est constitué à l'ouest d'arènes granitiques, terrain idéal pour la production de vins rouges (les Bessards). Dans les parties est et sud-est, formées de cailloutis et de lœss, se trouvent les zones ayant vocation à produire des vins blancs (les Rocoules, les Murets).

L'hermitage rouge (3 403 hl en 2004) est un vin tannique, extrêmement aromatique, qui demande un vieillissement de cinq à dix ans, voire vingt ans, avant de développer un bouquet d'une richesse et d'une qualité rares. C'est donc un très grand vin de garde, que l'on servira entre 16 °C et 18 °C, sur le gibier ou les viandes rouges goûteuses. L'hermitage blanc (1 380 hl) – roussanne, et surtout marsanne – est un vin très fin, peu acide, souple, gras et parfumé. Il peut être apprécié dès la première année, mais atteindra son plein épanouissement après un vieillissement de cinq à dix ans. Cependant les grandes années, en blanc comme en rouge, peuvent supporter un vieillissement de trente ou quarante ans.

### M. CHAPOUTIER Chante-Alouette 2003 **

n.c. 11 000 30 à 38 €

Partisan de la biodynamie, marquant ses étiquettes en braille, Michel Chapoutier a prouvé son implication dans le monde du vin. L'amateur ne peut être déçu par cette cuvée. L'Alouette chante encore en 2003. D'une superbe couleur paille, elle s'envole dans le ciel, emportant la concentration et l'exubérance au-dessus de nos papilles. Elle a du gras, un bon équilibre, une très belle structure et s'entoure de notes d'acacia, de miel, d'amande et de pain grillé. A ne servir que dans les grandes occasions. **De l'Orée blanc 2003 (+ de 76 €)** apparaît plus lourd à côté et reçoit une étoile. La cuvée **Les Greffieux rouge 2003 (+ de 76 €)**, très ouvert sur le cassis, cultive l'élégance en développant des tanins très présents mais fins ; elle est citée.
Maison M. Chapoutier, 18, av. du Dr-Paul-Durand, BP 38, 26601 Tain-l'Hermitage Cedex, tél. 04.75.08.28.65, fax 04.75.08.81.70, e-mail chapoutier@chapoutier.com t.l.j. 9h-12h30 14h-19h; groupes sur r.-v.

### DOM. JEAN-LOUIS CHAVE 2002 **

n.c. n.c. + de 76 €

Deux mots reviennent dans le vocabulaire employé par les dégustateurs : distinction et expression. D'une robe jaune brillant s'échappent de délicates notes de verveine. Une grande finesse dans l'approche et surtout un gras remarquable confèrent à cet hermitage une douce rondeur. Un vin de classe.
Dom. Jean-Louis Chave, 37, av. du Saint-Joseph, 07300 Mauves, tél. 04.75.08.24.63, fax 04.75.07.14.21

### DOM. JEAN-LOUIS CHAVE 2002 **

n.c. n.c. + de 76 €

Ce domaine est l'un des plus renommés de l'appellation, et les huit coups de cœur obtenus dans le Guide durant la dernière décennie ne démentiront pas sa réputation. Typé et racé, le 2002 possède tout du style maison : un habit noir profond plein de classe, un nez d'humus et de champignon des bois et une longue finale tout en souplesse qui tapisse le palais.
Dom. Jean-Louis Chave, 37, av. du Saint-Joseph, 07300 Mauves, tél. 04.75.08.24.63, fax 04.75.07.14.21

### DELAS Marquise de La Tourette 2002 *

n.c. n.c. 30 à 38 €

Fondée en 1835 à Tournon, cette maison dispose en propre de 10 ha dans l'AOC hermitage. Cette cuvée, dans un millésime difficile, fait honneur à l'appellation. Un côté très floral au nez et en bouche (violette) est bien caractéristique. Si elle n'affiche pas un grand volume, c'est l'effet du millésime. Le côté boisé (vanille) apparaît en finale. La même cuvée en **rouge 2001** est citée pour ses arômes délicats de mûre confite et de violette.

🔑 Delas, ZA de l'Olivet, 07300 Saint-Jean-de-Muzols, tél. 04.75.08.60.30, fax 04.75.08.53.67, e-mail vclerc@delas.com ☑ Y ⛹ r.-v.

FAYOLLE FILS ET FILLE Les Dionnières 2003

| | 0,46 ha | 1 000 | 🛢 15 à 23 € |
|---|---|---|---|

Domaine de 7,5 ha, dont la cave en terre battue remonte à deux cents ans. Ce 2003 vendangé le 23 août, possède une grande fraîcheur qui surprend pour un hermitage. Le nez est très marqué par le bois avec des notes beurrées et grillées. Le vin joue cependant dans la finesse, l'équilibre et la franchise. A attendre deux ans.

🔑 Cave Fayolle Fils et Fille, 9, rue du Ruisseau, 26600 Gervans, tél. 04.75.03.33.74, fax 04.75.03.32.52, e-mail laurent@cave-fayolle.com ☑ Y ⛹ r.-v.

FERRATON PERE ET FILS Le Reverdy 2003 ★★

| | 0,64 ha | 2 500 | 🛢 30 à 38 € |
|---|---|---|---|

La série des hermitage blancs a beaucoup plu au jury. Celui-ci ne fait pas exception, tant il est représentatif de l'appellation. Rond, ample, bien équilibré, il doit faire avec le temps une superbe bouteille. La complexité pointe son nez, nez au demeurant très aromatique (fleurs blanches et miel entourés d'un léger boisé).

🔑 Ferraton Père et Fils, 13, rue de la Sizeranne, 26600 Tain-l'Hermitage, tél. 04.75.08.59.51, fax 04.75.08.81.59, e-mail s.ferraton@ferraton.fr ☑ Y ⛹ r.-v.

PAUL JABOULET AINE
Le Chevalier de Sterimberg 2003 ★

| | 5 ha | 16 200 | 🛢 38 à 46 € |
|---|---|---|---|

L'une des plus belles maisons qui a porté la renommée des vins de France sur tous les continents. Avec 100 ha, elle dispose d'un magnifique vignoble. Cette cuvée est non seulement emblématique de ses producteurs, mais aussi de toute l'AOC puisque l'on sait que ce Chevalier est l'un des mythes de l'hermitage. Pour ce millésime, la fermentation s'est effectuée en fût neuf ainsi que l'élevage de neuf mois sur lies fines. La robe est vive ; le nez, expressif, est délicatement parfumé d'amande et d'une élégante touche boisée. Une belle complexité se développe en bouche autour d'un gras très intéressant. Longue persistance. **La Chapelle 2003 rouge (46 à 76 €)**, qui n'a plus besoin d'être présentée, a beaucoup d'élégance, de finesse et de fraîcheur. Elle est bien typée hermitage et n'est pas marquée par le millésime caniculaire. Elle obtient une étoile.

🔑 Paul Jaboulet Aîné, Les Jalets, BP 46, 26600 La Roche-de-Glun, tél. 04.75.84.68.93, fax 04.75.84.56.14, e-mail info@jaboulet.com ☑ Y ⛹ t.l.j. sf dim. 8h-11h30 13h30-17h

DOM. DES MARTINELLES 2003

| ■ | 1 ha | 1 600 | 🛢 23 à 30 € |
|---|---|---|---|

Une robe très sombre, presque noire, annonce un vin puissant et concentré qui s'ouvre sur du fruit noir et du café grillé. Très structuré, ce 2003 semble bien monolithique avec une finale qui ne joue pas les prolongations. Il faudra attendre que le boisé se fonde.

🔑 SCEA Dom. des Martinelles, 2, rte des Vignes, 26600 Gervans, tél. et fax 04.75.07.70.60 ☑ Y ⛹ r.-v.
🔑 Aimé Fayolle

DOM. DES REMIZIERES Cuvée Emilie 2003 ★★★

| ■ | 1 ha | 3 700 | 🛢 30 à 38 € |
|---|---|---|---|

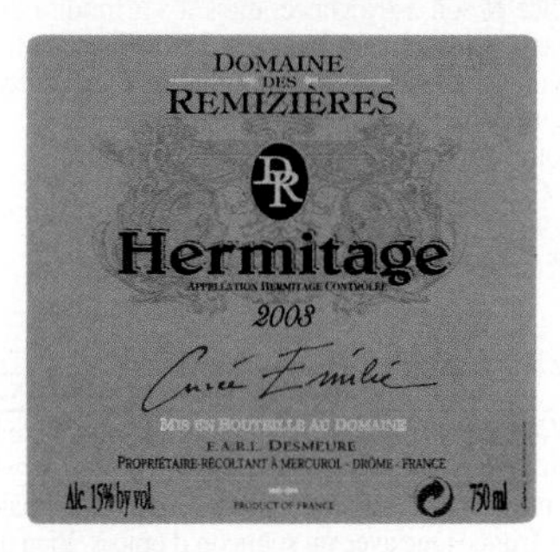


Déjà plusieurs fois coup de cœur, les Desmeure appartiennent désormais à l'excellence des vins de France. 2003 est l'année du domaine. Trois coups de cœur proposés dont deux en hermitage, l'un pour cette cuvée, l'autre pour la cuvée L'Essentiel, le troisième en saint-joseph. La cuvée Emilie, pleine de fruits mûrs (cassis, framboise, cerise) et d'épices, affiche une concentration énorme avec néanmoins des tanins fins et très enrobés. D'un bel équilibre et d'une grande longueur, elle possède un potentiel qui lui permet d'envisager dix ans de vieillissement. La cuvée **L'Essentiel 2003 rouge (46 à 76 €)** est plus marquée par le bois (normal, l'élevage en barrique est de quinze mois contre douze pour la précédente). Elle n'en est pas moins très typée hermitage. Elle recueille également trois étoiles. A vous de choisir entre ces deux cuvées trop confidentielles mais exceptionnelles.

🔑 Cave Desmeure, Dom. des Rémizières, rte de Romans, 26600 Mercurol, tél. 04.75.07.44.28, fax 04.75.07.45.87, e-mail desmeure.philippe@wanadoo.fr ☑ Y ⛹ r.-v.

# Cornas

En face de Valence, l'appellation (103 ha 87 a déclarés en 2004) s'étend sur la seule commune de Cornas. Les sols, en pente assez forte, sont composés d'arènes granitiques, maintenues en place par des murets. Avec des rendements faibles (37 hl/ha), le cornas (3 822 hl) est un vin rouge viril, charpenté, qu'il faut faire vieillir au moins trois années (mais il peut attendre parfois beaucoup plus) afin qu'il puisse exprimer ses arômes fruités et épicés sur viandes rouges et gibiers.



LES ARLETTES 2003 ★

| ■ | 1 ha | 2 660 | 🛢 23 à 30 € |
|---|---|---|---|

Le nom de cette cuvée provient du lieu-dit d'où sont issus les raisins. Ce 2003 a été élaboré en coopération entre la maison de négoce Brotte et M. Barret, le propriétaire de cette parcelle située à 350 m d'altitude sur des coteaux abrupts exposés plein sud. « Un beau vin très terroir », dit un dégustateur. Il présente une certaine austérité par sa puissance et son astringence, mais il s'arrondira avec le temps et peut envisager huit ans de vieillissement. Rappelons que cette même cuvée dans le millésime précédent a reçu un coup de cœur l'an dernier.

Brotte, Le Clos, rte d'Avignon, BP 1,
84230 Châteauneuf-du-Pape, tél. 04.90.83.70.07,
fax 04.90.83.74.34, e-mail brotte@brotte.com
t.l.j. 9h-12h 14h-18h; été 9h-13h 14h-19h

BIGUET 2003 *

1 ha 2 800 15 à 23 €

Voilà un vin élevé douze mois en fût et dont le boisé n'apparaît pas dominant. Ce sont les fruits rouges qui s'expriment au nez avec une très légère note animale. La bouche fruitée joue avec un soupçon d'épices. Bien que ce cornas soit parfaitement constitué, bien carré, il n'a pas une grande densité. A déguster dans trois à cinq ans.

Cave Jean-Louis et Françoise Thiers,
Dom. du Biguet, 07130 Toulaud, tél. 04.75.40.49.44,
fax 04.75.40.33.03 r.-v.

STEPHAN CHABOUD 2003 *

n.c. n.c. 15 à 23 €

Depuis 1997, Stephan Chaboud dirige le domaine constitué par ses ancêtres en 1798. Il propose un vin déjà abordable (peut-être trop) aujourd'hui, qui joue sur la finesse et l'élégance avec un boisé bien fondu. Souples à l'attaque, les tanins sont fins dans un environnement relativement riche et chaleureux. Le jury prédit un vieillissement de cinq ans à cette bouteille.

Dom. Chaboud,
21, rue Ferdinand-Malet, 07130 Saint-Péray,
tél. 04.75.40.31.63, fax 04.75.40.59.43 r.-v.

DOM. CLAPE 2003 ***

n.c. n.c. 30 à 38 €

76 78 85 88 |89| |90| 91 |95| |96| 97 **98 99 01 02** 03

D'année en année, le domaine Clape confirme son talent en multipliant étoiles et distinctions. Avec ce 2003, voici un huitième coup de cœur pour la propriété. Il est d'usage de dire qu'un cornas doit se déguster après dix ans de vieillissement. Une affirmation démentie par ce vin. Plein de minéralité, il libère des arômes exubérants de confiture de fraises accompagnés d'une fraîcheur mentholée. Des tanins très présents mais fins et enrobés donnent une grande distinction à cette bouteille. Un cornas déjà fort expressif, ce qui ne l'empêche pas d'avoir l'avenir devant lui.

SCEA Dom. Clape, 146, rte Nationale,
07130 Cornas, tél. 04.75.40.33.64, fax 04.75.81.01.98
r.-v.

Auguste et Pierre Clape

DOM. COURBIS Champelrose 2003 *

2 ha 9 000 15 à 23 €

De jolis noms définissent les cuvées de cet excellent domaine dont l'étiquette classique est fort élégante. Ce Champelrose vendangé le 30 août a été longuement élevé en fût. Même si le boisé est déjà bien fondu, il imprègne le vin. Celui-ci, souple et charnu, arrive à manifester quelques notes épicées et fruitées dans un peu de fraîcheur. A ouvrir dans trois ans ou bien dans dix. La cuvée **La Sabarotte 2003 (30 à 38 €)** est citée, car, pour l'instant, elle est dominée par le bois. Tout devrait se fondre avec cinq ans de bonne garde, car sa structure est de qualité et la maîtrise technique de ces vignerons n'est plus à prouver.

Dom. Courbis, rte de Saint-Romain,
07130 Châteaubourg, tél. 04.75.81.81.60,
fax 04.75.40.25.39, e-mail domaine-courbis@wanadoo.fr
t.l.j. sf dim. 9h-12h 14h-18h

CUILLERON-GAILLARD-VILLARD
Les Barcillants 2003 *

n.c. 4 000 15 à 23 €

Nous sommes en présence d'un vin très technique, c'est-à-dire que l'élevage est omniprésent. La robe est dense, sombre, traversée de reflets violines. Au nez, les touches boisées grillées dominent les arômes de fruits rouges et noirs. Après une attaque franche et fraîche, les tanins s'affirment et laissent présager un vieillissement de sept ans minimum, qui permettra d'obtenir un peu plus de complexité.

Les Vins de Vienne, Le Bas-Seyssuel,
38200 Seyssuel, tél. 04.74.85.04.52, fax 04.74.31.97.55,
e-mail vdv@lesvinsdevienne.fr r.-v.

DUMIEN-SERRETTE
Patou Cuvée Vieilles Vignes 2003

1,8 ha 4 000 15 à 23 €

Un vin très expressif, tourné vers le cassis qui domine toute la dégustation. Les tanins sont présents et soyeux dans une bouche gourmande bien que monolithique. A admettre dans sa simplicité avec de l'agneau grillé.

Dumien-Serrette, 18, rue du Ruisseau,
07130 Cornas, tél. et fax 04.75.40.41.91,
e-mail contact@serrette.com r.-v.

ERIC ET JOEL DURAND 2003 *

5 ha 12 000 23 à 30 €

Une brillante robe grenat, presque noire, flatte l'œil. Le nez, élégant et fin, mêle fruits noirs mûrs et cannelle. Ce vin de belle densité, rond à l'attaque puis davantage structuré, est déjà un peu évolué. Le boisé est bien assimilé ; une légère sucrosité s'en dégage. Un 2003 charnu, ample et long. On peut déjà le servir ou l'attendre jusqu'à huit ans.

Eric et Joël Durand, 2, imp. de la Fontaine,
07130 Châteaubourg, tél. 04.75.40.46.78,
fax 04.75.40.29.77, e-mail ej.durand@wanadoo.fr
r.-v.

DOM. JOHANN MICHEL 2003

1,19 ha 3 350 15 à 23 €

Un petit vignoble en cours de création avec des vignes de quatorze ans d'âge. Vendangé le 20 août, voici un vin

flatteur. Il joue sur la finesse et l'élégance au nez, révélant de la fraîcheur et des notes boisées et fruitées (fruits noirs). Pleine de rondeur, la bouche, bien structurée, affiche des arômes d'évolution. Déjà prêt, ce qui est surprenant pour un cornas, ce millésime pourrait tenir cinq ans.
Dom. Johann Michel, 52, Grande-Rue, 07130 Cornas, tél. et fax 04.75.40.56.43, e-mail johann-michel@wanadoo.fr r.-v.

DOM. MICHELAS-SAINT-JEMMS
Terres d'Arce 2003

■ 1 ha 1 200 15 à 23 €

Propriété de 45 ha créée en 1988. Les quatre enfants du fondateur sont depuis 2000 à la barre. Elevé un an en barrique, ce 2003 ne peut aujourd'hui le cacher. Cela lui confère un côté austère, mais la matière repose sur une chair de qualité et les arômes jouent sur de sympathiques notes grillées et chocolatées. A attendre cinq à dix ans.
Dom. Michelas-Saint-Jemms, Bellevue, Les Chassis, 26600 Mercurol, tél. 04.75.07.86.70, fax 04.75.08.69.80, e-mail michelas.st.jemms@wanadoo.fr
t.l.j. sf dim. 9h-12h 14h-18h

DOM. VINCENT PARIS
Granit 60 Vieilles Vignes 2003

■ 1 ha 2 000 23 à 30 €

Vincent Paris a créé son domaine en 1997 en reprenant 1 ha de vieilles vignes à son grand-père. Il élabore cette cuvée Granit 60 dont le nom évoque à la fois l'âge moyen des vignes (soixante ans) et le terroir sur lequel elles sont plantées. On est surpris par l'étonnante fraîcheur de ce vin dans un millésime si chaud. L'expression est actuellement davantage celle du cépage que celle du terroir tant la syrah était mûre : mélange de fraise et de cassis confituré avec une impression d'alcool. La structure est bien charnue, équilibrée.
Vincent Paris, chem. des Peyrouses, 07130 Cornas, tél. 04.75.40.13.04, fax 04.75.80.03.24, e-mail vinparis@wanadoo.fr r.-v.

DOM. DE SAINT-PIERRE 2003 *

■ 3,8 ha n.c. 38 à 46 €

Né sur des coteaux pentus dont le sol, sur un socle granitique, est composé d'argiles et de dépôts limoneux, voici un vin sympathique d'emblée. Il peut déjà être dégusté mais aussi attendre cinq ans. Bien équilibré, délicatement boisé, il enchante par ses notes de mûre confiturée et de fraise qui tapissent le palais avec générosité.
Paul Jaboulet Aîné, Les Jalets, BP 46, 26600 La Roche-de-Glun, tél. 04.75.84.68.93, fax 04.75.84.56.14, e-mail info@jaboulet.com
t.l.j. sf dim. 8h-11h30 13h30-17h

DOM. DU TUNNEL 2003 **

■ 2,5 ha 4 600 15 à 23 €

Stéphane Robert a planté son vignoble en 1994 autour d'un ancien tunnel ferroviaire en pierre de taille. Son cornas a enthousiasmé le grand jury : une belle partition classique, bien servie par les instrumentistes. Tout s'exprime au diapason, sans excès ; le vin reste même parfois sur la réserve, ne se livrant pas encore totalement. Les fruits noirs et les épices sont au service d'une attaque fraîche, d'une structure tannique équilibrée et d'une finale très longue. Un 2003 qui devrait vraiment se dévoiler dans quatre ans et qui pourra vivre une dizaine d'années.

Stéphane Robert, Dom. du Tunnel, 20, rue République, 07130 Saint-Péray, tél. 04.75.80.04.66, fax 04.75.80.06.50, e-mail caveau@domainedutunnel r.-v.

# Saint-péray

Situé face à Valence, le vignoble de Saint-Péray (61,20 ha, 2 501 hl en 2004) est dominé par les ruines du château de Crussol. Un microclimat relativement plus froid et des sols plus riches que dans le reste de la région sont favorables à la production de vins plus acides, secs et moins riches en alcool, remarquablement bien adaptés à l'élaboration de blanc de blancs par la méthode traditionnelle. C'est d'ailleurs la principale production de l'appellation, et l'un des meilleurs vins effervescents de France. On y trouve aussi des vins blancs secs tranquilles.

LES BIALERES 2003 *

n.c. 3 000 11 à 15 €

Seyssuel est situé sur les collines de Vienne, ancienne cité gallo-romaine qui a conservé de nombreux vestiges de cette époque. Le temple d'Auguste et de Livie, bâti vers 25 av J.-C., se dresse encore au milieu de la vieille ville. Une attaque franche et souple, beaucoup de fraîcheur sur des notes mentholées caractérisent ce vin où de longues notes miellées apportent de la douceur. Le boisé bien intégré participe à l'équilibre de l'ensemble. Un bel exercice de style.
Les Vins de Vienne, Le Bas-Seyssuel, 38200 Seyssuel, tél. 04.74.85.04.52, fax 04.74.31.97.55, e-mail vdv@lesvinsdevienne.fr r.-v.

BIGUET Brut *

4 ha 20 000 5 à 8 €

Non loin de Saint-Péray, sur un nid d'aigle à 200 m au-dessus du Rhône, se dressent les ruines du château de Crussol édifié au XIe s. Une mousse légère avec un fin cordon éclate dans la robe jaune pâle à reflets verts de ce vin très fleurs blanches (acacia) au nez et frais en bouche qui procure beaucoup de plaisir. Le **saint-péray tranquille 2003** obtient une citation.

🔑 Cave Jean-Louis et Françoise Thiers, Dom. du Biguet, 07130 Toulaud, tél. 04.75.40.49.44, fax 04.75.40.33.03 ☑ 🍷 ⚘ r.-v.

DOM. CHABOUD 2003

| | 13 ha | 3 000 | | 5 à 8 € |
|---|---|---|---|---|

De la fraîcheur pour ce vin floral avec des notes de cacao, tout en rondeur et en souplesse, qui ne recherche pas la puissance. A déguster tout de suite.

🔑 Dom. Chaboud, 21, rue Ferdinand-Malet, 07130 Saint-Péray, tél. 04.75.40.31.63, fax 04.75.40.59.43 ☑ 🍷 ⚘ r.-v.

DOM. BERNARD GRIPA Les Figuiers 2003 ★

| | 1 ha | 3 000 | | 15 à 23 € |
|---|---|---|---|---|

L'église de Mauves abrite une belle Vierge du XVIe s. Ce vin tout en équilibre et en fraîcheur, qui a passé un an en fût, est un assemblage de roussanne (60 %) et de marsannne (40 %). Le nez complexe délivre des senteurs de fleurs blanches, de pêche blanche et de menthol. On retrouve ces arômes en bouche accompagnés de notes de vanille. Une bonne longueur pour ce saint-péray qui peut se déguster dès maintenant ou être conservé quelques années. La **cuvée principale 2003 (11 à 15 €)** du domaine, dominée par la marsanne, obtient une citation pour ses arômes d'acacia et d'abricot.

🔑 Dom. Bernard Gripa, 5, av. Ozier, 07300 Mauves, tél. 04.75.08.14.96, fax 04.75.07.06.81 ☑ 🍷 r.-v.

# Gigondas

Au pied des étonnantes Dentelles de Montmirail, le célèbre vignoble de Gigondas ne couvre que la commune de Gigondas et est constitué d'une série de coteaux et de vallonnements. La vocation viticole de l'endroit est très ancienne, mais son réel développement date du XIXe s. (vignobles du Colombier et des Bosquets), sous l'impulsion d'Eugène Raspail. D'abord côtes-du-rhône, puis, en 1966, côtes-du-rhône-villages, gigondas obtient ses lettres de noblesse en tant qu'appellation spécifique en 1971. L'AOC couvre 1 229 ha déclarés en 2004 pour un volume de 40 052 hl.

Les caractéristiques du sol et son climat font que les vins de gigondas sont, dans une très grande proportion, des vins rouges à forte teneur en alcool, puissants, charpentés et bien équilibrés, tout en présentant une finesse aromatique où se mêlent épices et fruits à noyau. Bien adaptés au gibier, ils mûrissent lentement et peuvent garder leurs qualités pendant de nombreuses années. Il existe également quelques vins rosés, puissants et capiteux.

ANDEOL SALAVERT Oak aged 2003

| | 10 ha | 50 000 | | 8 à 11 € |
|---|---|---|---|---|

Ancienne maison de négoce de la vallée du Rhône, fondée en 1840, Andéol Salavert vient d'établir son siège social à la chartreuse de Bompas, couvent fortifié du XIIe s., au bord de la Durance. Ce 2003 se montre encore très jeune dans sa robe à reflets rubis. Le nez semble timide, mais la bouche se développe avec rondeur et puissance. Les quelques aspérités ne sont que passagères et indiquent que le vin saura tenir dans le temps.

🔑 Andéol Salavert, rte de Sérignan, 84100 Orange, tél. 04.90.11.86.86, fax 04.90.34.87.30, e-mail louisbernard@sldb.fr

LA BASTIDE SAINT-VINCENT 2003 ★★

| | 5,5 ha | 19 000 | | 8 à 11 € |
|---|---|---|---|---|

Au bord de l'Ouvèze, le village de Violès fait face aux Dentelles de Montmirail et étend ses vignes à perte de vue. C'est une bastide du XVIIe s., propriété de la même famille depuis plus de trois siècles, qu'il faudra rechercher pour découvrir ce remarquable gigondas d'un rouge profond. Les notes de garrigue et de pinède donnent la couleur locale, rejointes par des touches animales et épicées. Arômes de fruits mûrs ? Ils se manifestent sans ambages comme pour témoigner de la maturité de la vendange de grenache (75 %), de syrah et de mourvèdre. Au palais, le vin monte en puissance sans jamais se départir de son caractère élégant. Il se fait ample et rond, toujours complexe, jusqu'à l'ultime touche de fruit. Un équilibre parfait pour un millésime qui saura attendre deux ans au moins.

🔑 Laurent Daniel, La Bastide Saint-Vincent, rte de Vaison-la-Romaine, 84150 Violès, tél. 04.90.70.94.13, fax 04.90.70.96.13, e-mail bastide.vincent@free.fr
☑ 🍷 t.l.j. sf dim. 9h-18h30

DOM. DU BOIS DES MEGES 2003

| | 0,5 ha | 2 400 | | 8 à 11 € |
|---|---|---|---|---|

Trois exploitations ont été réunies pour créer ce domaine de 18 ha. Ghislain Guigue a produit un vin de teinte foncée, dont le nez semble encore timide. Le temps devrait être l'allié de ce 2003 qui arrondira sa structure tannique et perdra son caractère austère. Dans deux ans une viande rouge pourra lui être associée.

🔑 Ghislain Guigue, Les Tappys, rte d'Orange, 84150 Violès, tél. 04.90.70.92.95, fax 04.90.70.97.39, e-mail meges@netcourrier.com ☑ 🍷 ⚘ r.-v.

MAISON BOUACHON Duc de Montfort 2003 ★

| | 9,8 ha | 30 000 | | 11 à 15 € |
|---|---|---|---|---|

Créée en 1898 à Châteauneuf-du-Pape, cette maison de négoce propose des vins de nombreuses appellations de la vallée du Rhône. Son gigondas se montre avenant dans sa robe grenat profond aux reflets brillants. Le nez n'est pas moins séduisant, riche de fruits rouges que souligne une ligne minérale très fraîche. Après une attaque fruitée tout aussi rafraîchissante, la bouche gagne en puissance en s'appuyant sur des tanins bien présents. Un vin typé qui s'accordera à un ragoût d'agneau après quelques années de garde.

Maison Bouachon, av. Pierre-de-Luxembourg, 84230 Châteauneuf-du-Pape, tél. 04.90.83.58.35, fax 04.90.83.77.23, e-mail info@maisonbouachon.com
t.l.j. 9h-12h 14h-19h
Skalli

## DOM. LA BOUISSIERE 2003 *

■ 7,5 ha 30 000 11 à 15 €

De teinte soutenue, ce vin mêle avec complexité des notes fumées et boisées aux arômes de fruits noirs mûrs. L'empreinte du fût est sensible à l'attaque, mais elle s'intègre bientôt dans une chair pleine et grasse. Un vin complet et puissant qui trouvera son entière expression dans deux ou trois ans. La cuvée **La Font de Tonin 2003 (15 à 23 €)** est citée. Aujourd'hui sur la réserve, elle possède suffisamment de matière pour bien évoluer dans le temps.

EARL Faravel, rue du Portail, 84190 Gigondas, tél. 04.90.65.87.91, fax 04.90.65.82.16, e-mail labouissiere@aol.com t.l.j. 9h-19h

## DOM. LA BOUSCATIERE 2003

■ 8 ha 30 000 8 à 11 €

Un cocktail de fruits épicés compose un nez opulent sous une teinte soutenue. Quelques effluves animaux apparaissent également. Bien équilibrée, la bouche se développe avec rondeur grâce à des tanins déjà fondus. Un vin élégant et fruité, à servir dès maintenant.

Saurel-Chauvet, La Beaumette, 84190 Gigondas, tél. et fax 04.90.70.96.80, e-mail saurel-chauvet@wanadoo.fr r.-v.

## DOM. BRUSSET
Tradition Le Grand Montmirail 2003 *

■ 13 ha 40 000 11 à 15 €

Créé en 1947 sur la commune de Cairanne, ce domaine possède des vignes dans plusieurs appellations ; dans celle-ci, il a produit un 2003 harmonieux d'un bout à l'autre de la dégustation. De la robe intense se libèrent progressivement des arômes complexes sans qu'aucune note ne s'impose au détriment d'une autre. La bouche chocolatée laisse une impression d'ampleur et de gras, sans aucune aspérité. Du velours. Citée, la cuvée **Les Hauts de Montmirail Elevé en fût de chêne 2003 (15 à 23 €)** est un gigondas léger et fruité, marqué par la syrah.

SA Dom. Brusset, 84290 Cairanne, tél. 04.90.30.82.16, fax 04.90.30.73.31 r.-v.

## DOM. DE CABASSE 2003 *

■ 3 ha 7 500 11 à 15 €

Casa Bassa, c'est ainsi que cette propriété était appelée au temps des papes d'Avignon. Implantée dans le joli village de Séguret, elle couvre 20 ha. Son gigondas pourpre à reflets violacés offre un nez intense de myrtille, de réglisse, de vanille et de torréfaction. Une puissante architecture le soutient et lui assure une bonne aptitude à la garde.

Dom. de Cabasse, 84110 Séguret, tél. 04.90.46.91.12, fax 04.90.46.94.01, e-mail info@domaine-de-cabasse.fr r.-v.
Alfred Haeni

## DOM. DE CASSAN 2003

■ 7,46 ha 28 000 11 à 15 €

En 1929, un industriel lyonnais créa ce domaine dans le cadre magnifique des Dentelles de Montmirail. Marie-Odile Croset et son mari en conduisent la destinée depuis bientôt dix ans. Ils ont élaboré un vin chaleureux tant par sa palette marquée par des notes grillées et animales que par sa bouche dense et puissante, aux flaveurs de fruits à l'eau-de-vie.

Dom. de Cassan, Lafare, 84190 Beaumes-de-Venise, tél. 04.90.62.96.12, fax 04.90.65.05.47, e-mail domainedecassan@wanadoo.fr
t.l.j. sf dim. 8h-12h 14h-19h
Famille Croset

## DOM. DU CAYRON 2003 *

■ 16 ha 74 000 11 à 15 €

Voilà trente-deux ans que Michel Faraud conduit cette propriété de 16 ha. L'expérience est payante comme en témoigne ce 2003 qui livre certes les arômes attendus de cerise mûre et de petits fruits noirs, mais aussi des touches originales de menthol. La bouche équilibrée fait preuve d'une souplesse inhabituelle en gigondas, car les tanins sont particulièrement fins et enrobés. La finale dense se prolonge agréablement. Pour une entrecôte au beurre maître d'hôtel.

Michel Faraud, Dom. du Cayron, 84190 Gigondas, tél. 04.90.65.87.46, fax 04.90.65.88.81 r.-v.

## DOM. DE LA CHAPELLE 2003

■ 20,45 ha 90 000 8 à 11 €

Etonnante histoire que celle du château Raspail construit en 1866 grâce au revenu de la vente d'une statue grecque qu'Eugène Raspail avait découverte dans ses vignes. L'acquéreur fut le British Museum de Londres. Les curieux iront à la recherche de la statuette, les gourmands se rendront à Gigondas. Un duo de fruits intenses et d'épices douces se joue dans ce vin qui se développe avec élégance. La chair onctueuse, déjà ronde en attaque, possède des tanins légers qui laissent toute leur place aux flaveurs de griotte épicée. Un gigondas peu puissant, mais fort agréable.

Christian Meffre, Ch. Raspail, 84190 Gigondas, tél. 04.90.65.88.93, fax 04.90.65.88.96, e-mail chateau.raspail@wanadoo.fr
t.l.j. sf sam. dim. 8h30-12h 13h30-17h

## CLOS DU JONCUAS 2003 *

■ 11 ha n.c. 11 à 15 €

Des vignes de grenache (80 %), de cinsault, de mourvèdre et de syrah âgées de quarante-cinq ans et cultivées en agriculture biologique sont à l'origine de ce 2003 au nez puissant et chaleureux de torréfaction. La bouche s'oriente vers la réglisse, un boisé subtil et des nuances animales, en accord avec sa puissance et sa structure de tanins fermes. Un vin solide dont le caractère s'affirmera encore au cours d'un vieillissement d'au moins cinq ans.

F. Chastan, Clos du Joncuas, 84190 Gigondas, tél. 04.90.65.86.86, fax 04.90.65.83.68 r.-v.

## DOM. DE LA DAYSSE 2003 **

■ 20 ha 80 000 11 à 15 €

Les Dentelles de Montmirail offrent une protection efficace contre le mistral aux vignes plantées à leur pied. Le fruit de telles parcelles a donné naissance à ce vin grenat intense. De la séduction dans les premiers arômes de fruits rouges comme dans les notes épicées qui suivent. Du charme dans l'attaque fraîche et fruitée. De la puissance dans la chair ronde et ample. Un équilibre remarquable qui invite presque à servir cette bouteille en apéritif avant un plat de viande rouge. La cuvée **Les Théores 2003 (8 à 11 €)** brille de deux étoiles également ; elle offre une expression traditionnelle du grenache, remarquable de puissance et d'intensité aromatique (épices, fruits cuits et réglisse).

Maison Gabriel Meffre, Le Village,
84190 Gigondas, tél. 04.90.12.32.45, fax 04.90.12.32.49
Jack Meffre et Fils

## DOM. DES ESPIERS Cuvée des Blaches 2003

■ 3 ha 4 000 15 à 23 €

Philippe Cartoux aime la vigne depuis qu'il est enfant. S'il ne se revendique pas bio, il a cependant banni les produits chimiques et privilégié le travail des sols. Son 2003 possède beaucoup de charme grâce à ses arômes de fruits rouges mûrs, de cerise à l'eau-de-vie, de garrigue et de pinède. Seule l'empreinte du bois encore très marquée en bouche demande à se fondre. Dans trois ans, l'ensemble devrait avoir gagné en rondeur.

Philippe Cartoux, Dom. des Espiers,
84190 Vacqueyras, tél. 04.90.65.81.16,
t.l.j. sf dim. 9h-18h

## REMY FERBRAS 2003 ★

■ 6,2 ha 28 000 11 à 15 €

Michel Picard a repris en 2001 cette maison de négoce créée il y a une trentaine d'années. Grenache et syrah composent ce 2003 de teinte franchement grenat, dont le bouquet commence à s'ouvrir sur des notes de garrigue, d'aromates et de fruits rouges. Dès l'attaque, on perçoit une solide structure et une chair chaleureuse, empreinte de fruité. L'harmonie devrait se parfaire d'ici deux ans. Citée, la cuvée **La Combe des Marchands 2003** permettra de patienter : parfumée de fruits rouges et de violette, elle se montre plus ronde et plus légère.

Les Grandes Serres,
rte de l'Islon-Saint-Luc, 84230 Châteauneuf-du-Pape,
tél. 04.90.83.72.22, fax 04.90.83.78.77,
e-mail les-grandes-serres@wanadoo.fr r.-v.

## DOM. DE FONT SANE
Cuvée fûtée Elevé en fût de chêne neuf 2003 ★

■ n.c. 4 000 15 à 23 €

Ce domaine familial se trouve à 1 km de Gigondas ; le détour est aisé après une visite du village. Vous y découvrirez ce 2003 très harmonieux, au boisé fin et fondu. Le nez de fruits rouges confits associés à des notes animales promet d'évoluer favorablement dans le temps. Le vin a en effet suffisamment de mâche et de structure pour supporter deux à cinq ans de garde. La cuvée principale **Domaine de Font Sane 2003 (8 à 11 €)**, d'un moindre potentiel, mérite d'être citée pour sa souplesse, son caractère chocolaté, ses arômes de fruits rouges et de garrigue.

Cunty-Peysson, EARL Dom. de Font Sane,
84190 Gigondas, tél. 04.90.65.86.36, fax 04.90.65.81.71,
e-mail domaine@font-sane.com r.-v.

## LA FONT SEREINE 2002

■ 3 ha 15 000 8 à 11 €

Un soupçon de fruits rouges au nez, une touche de réglisse en bouche... La légèreté est le *credo* de ce vin souple dès l'attaque, dont la structure est assurée par des tanins fins. Ne l'oubliez pas trop longtemps en cave. La première occasion sera la bonne pour le déguster.

Les Vignerons de Rasteau et de Tain-l'Hermitage,
rte des Princes-d'Orange, 84110 Rasteau,
tél. 04.90.10.90.10, fax 04.90.10.90.36,
e-mail vrt@rasteau.com
Famille Bréchet

## LA CAVE DES VIGNERONS DE GIGONDAS
Les Armoiries 2003 ★

■ 34 ha 40 000 8 à 11 €

Il brille dans le verre d'éclats grenat et livre un bouquet fin de fruits mûrs. Tout est tendresse dans l'approche de ce vin. N'allez pas croire pourtant qu'il soit léger. Il emplit le palais de sa chair élégamment bâtie par des tanins soyeux et laisse en finale le souvenir chaleureux du fruit. Déjà agréable, il saura aussi tenir dans le temps. A l'opposé, **Le Primitif 2003 (15 à 23 €)** est un gigondas solide, tout en arômes de fruits et de torréfaction, qu'il faudra apprivoiser. Il est cité.

La Cave des Vignerons de Gigondas, rte de Sablet,
Les Blaches, 84190 Gigondas, tél. 04.90.65.86.27,
fax 04.90.65.80.13, e-mail gigondas.lacave@wanadoo.fr
r.-v.

## DOM. DU GRAND MONTMIRAIL
Le Coteau de mon rêve 2003 ★

■ 10 ha 45 000 8 à 11 €

Le coteau de leurs rêves... Les Chéron l'ont trouvé en 1988 sur le versant sud des Dentelles de Montmirail, à une altitude de 300 m environ. Le rêve devient réalité en dégustant ce 2003 qui semble tout céder aux fruits rouges. La syrah (20 %) manifeste distinctement son caractère : l'attaque est fraîche, la bouche pleine et les tanins serrés. La structure n'aura besoin que de deux ans pour s'arrondir. Dès lors, on pourra rêver d'un accord avec une viande rouge. La **cuvée Vieilles Vignes 2003** est citée pour sa rondeur et ses senteurs de garrigue et d'épices.

Dom. du Grand Montmirail, 84190 Gigondas,
tél. 04.90.65.94.28, fax 04.90.65.89.23 r.-v.

## DOM. GRAND ROMANE 2003 ★

■ 30 ha 95 000 8 à 11 €

Ce vignoble de 60 ha est implanté à flanc de coteau, à une altitude de 400 m. Grenache, mourvèdre et syrah composent un gigondas bien typé, aux arômes de fruits cuits, presque confiturés. Une vendange mûre, longuement macérée, puis un élevage de douze mois mené équitablement en fût neuf, en fût d'un vin et en foudre ont donné au vin une chair ample, équilibrée et persistante. L'empreinte du bois reste discrète, respectueuse du fruit. Nul besoin d'attendre de longues années pour apprécier cette bouteille avec du gibier.

Claude Amadieu, SCEA de Gigondas,
Dom. Grand Romane, 84190 Gigondas,
tél. 04.90.65.85.90, fax 04.90.65.82.14,
e-mail grand.romane@pierre-amadieu.com r.-v.

## DOM. DU GRAPILLON D'OR
Elevé en vieux foudre 2003 ★★

■ 14,5 ha 60 000 11 à 15 €

Un vieux mas en pierre commande les 20 ha de vignes de cette propriété créée à la fin du XIX^e^s. Grenache et syrah se conjuguent harmonieusement dans ce vin d'un rouge profond qui s'ouvre sur de délicates senteurs de fruits mûrs, bientôt rejointes par les épices (poivre). D'attaque franche, le palais ne tarde pas à dévoiler tout son volume, soutenu par une structure de qualité. L'ensemble est si agréable que l'on aimerait que la finale se prolonge encore davantage. Il serait dommage de ne pas attendre au moins un an avant de déboucher cette bouteille. Du même domaine, le **vacqueyras 2003 (8 à 11 €)** obtient une citation.

Bernard Chauvet, Le Péage, 84190 Gigondas, tél. 04.90.65.86.37, fax 04.90.65.82.99, e-mail c.chauvet@domainedugrapillondor.com
t.l.j. sf dim. 9h-12h 14h-18h

## MOULIN DE LA GARDETTE
La Cuvée Ventabren 2003 ★

2 ha 7 800 15 à 23 €

Ce domaine de 9 ha s'étend sur les collines de la Gardette et de Saint-Jean, au pied des Dentelles de Montmirail. La vendange 2003 a été vinifiée dans une cave flambant neuf. Le résultat est à la hauteur de l'investissement. Sous une couleur rubis brillant apparaît un nez marqué par l'empreinte d'un boisé vanillé. Le café s'y associe, ainsi que la cerise et le cassis. Le temps saura harmoniser cette palette complexe. La bouche équilibrée s'appuie sur des tanins soyeux tout en déroulant des flaveurs persistantes d'épices et de cassis. Gageons que ce gigondas surpendra encore agréablement dans les prochaines années. **La cuvée Tradition 2003 (11 à 15 €)** mérite une citation : le grenache s'y exprime généreusement sous des accents de cerise confite. A attendre deux ans.

Moulin de la Gardette, pl. de la Mairie, 84190 Gigondas, tél. 04.90.65.81.51, fax 04.90.65.86.80, e-mail m.la-gardette@voila.fr
t.l.j. sf dim. 10h-13h 14h30-18h30; f. lun. hors saison
Meunier

## DOM. DE NOTRE-DAME-DES-PALLIERES 2003

1,5 ha 20 000 8 à 11 €

Au Moyen Age, on se rendait en pèlerinage à l'oratoire de Notre-Dame-des-Pallières pour demander protection contre la peste. Ce nom est aujourd'hui celui d'un domaine viticole sur lequel Jean-Pierre et Claude Roux ont produit un 2003 rouge franc aux légers reflets violacés, signe de jeunesse. L'élevage d'un an en fût a laissé sa marque vanillée au nez comme en bouche. Les tanins se manifestent haut et fort, appelant à une garde d'au moins un an.

Jean-Pierre et Claude Roux, chem. des Tuileries-de-Lencieu, 84190 Gigondas, tél. et fax 04.90.65.83.03, e-mail n.d-pallieres@wanadoo.fr t.l.j. 9h-20h

## DOM. DU PESQUIER 2003

16 ha 60 000 8 à 11 €

Le caractère de vieilles vignes de quarante ans et la maturité des raisins transparaissent dans ce vin grenat. Il suffit de se pencher au-dessus du verre pour s'en convaincre : notes animales au premier nez, fruits cuits et fruits à noyau ensuite, soutenus par une ligne boisée sensible. La matière chaleureuse révèle beaucoup de gras dès l'attaque, ce qui permet aux tanins de s'enrober et aux notes animales de se fondre au profit du fruit. Une garde de deux ou trois ans s'impose, ainsi qu'une bonne aération avant le service.

Boutière et Fils, Dom. du Pesquier, 84190 Gigondas, tél. 04.90.65.86.16, fax 04.90.65.88.48, e-mail domainedupesquier@free.fr
t.l.j. 8h30-12h 14h-18h

## DOM. DU PRADAS 2003 ★

4,5 ha 20 000 8 à 11 €

Loin d'être morne et gris, l'automne fête les saveurs. Préparez une tourte aux champignons avec une farce au sanglier, un plat de saison en somme. Servez ce gigondas et attendez que l'un de vos convives en redemande. C'est le moment de parler du vin. Sous une robe rouge intense, mais plus tendre que les autres cuvées du millésime, se manifeste un agréable fruité souligné d'épices. La bouche ronde et puissante doit son élégance à des tanins fins et à une bonne persistance. Certes, ce 2003 est déjà fort agréable, mais gardez-en quelques bouteilles pour 2007.

Dom. du Pradas, Le Grand-Montmirail, 84190 Gigondas, tél. 04.90.62.94.28 r.-v.
Sylvie Cottet

## DOM. LA ROUBINE 2003 ★

2,5 ha 8 200 8 à 11 €

De l'harmonie et de la finesse, telles sont les qualités à rechercher dans ce gigondas couleur sanguine qui exprime volontiers ses arômes de garrigue, de truffe et de fumé. Une promenade en forêt n'offrirait pas plus de parfums. Par son gras et son volume, le vin emplit le palais dès l'attaque. Des tanins souples et fins soutiennent son développement, en laissant aux flaveurs de pruneau, de figue et de garrigue la place qui leur revient. Un excellent compromis entre puissance et élégance.

Eric Ughetto, Dom. La Roubine, 84190 Gigondas, tél. 04.90.65.81.55, fax 04.90.12.36.28 r.-v.

## CH. DE SAINT-COSME Hominis Fides 2003 ★★

1 ha 2 700 23 à 30 €

La chapelle romane Saint-Cosme-et-Saint-Damien figure sur l'étiquette des vins de ce domaine, où tous les styles se conjuguent, depuis le XVes. jusqu'au XXes. L'histoire remonte ici à l'époque gallo-romaine comme l'attestent les cuves mises au jour sur la propriété de plus de 15 ha. Louis Barruol a su mettre en valeur une vendange de qualité issue de vignes de quatre-vingt-dix ans : grenache allié à une pointe de syrah. Les arômes de fruits noirs explosent dès le premier nez et se prolongent jusqu'en bouche. Ils accompagnent la matière chaleureuse et puissante, soutenue par des tanins serrés. Nul doute que cette cuvée très représentative de l'appellation saura affronter le temps. Le **Château de Saint-Cosme 2003 (11 à 15 €)** est

cité : encore austère par la force de ses tanins, il mérite de vieillir, mais livre déjà d'agréables notes de fruits, de fumé, de moka et de torréfaction.
Louis Barruol, Ch. de Saint-Cosme, 84190 Gigondas, tél. 04.90.65.80.80, fax 04.90.65.81.05, e-mail barruol@chateau-st-cosme.com
t.l.j. sf sam. dim. 8h30-12h30 13h-17h30

DOM. SAINT-DAMIEN Les Souteyrades 2003 ★

3,5 ha 7 000 11 à 15 €

Les fidèles du Guide et du gigondas connaissent bien ce domaine qui porte le nom du saint patron des médecins. Des étoiles et des coups de cœur, il en a eu autant qu'un bon élève des bons points. Nouveau millésime, nouvelle étoile. Ce vin a du nez... Fruits noirs, garrigue et notes empyreumatiques se déclinent avec complexité et suscitent la curiosité. Quelle sensation procurera la dégustation au palais ? Celle d'une structure de qualité, d'une chair volumineuse, de tanins présents, mais fins. Une harmonie que deux ou trois ans de garde n'altéreront pas.
Joël Saurel, Dom. Saint-Damien, 84190 Gigondas, tél. et fax 04.90.70.96.42
t.l.j. sf dim. 9h-12h 14h-19h

DOM. SAINT-GAYAN 2003 ★★

15 ha 65 000 8 à 11 €

Une *villa* gallo-romaine se trouvait à l'emplacement de ce domaine acquis en 1790 par les ancêtres de l'actuel propriétaire. Une bastide du XVII<sup>e</sup>s. commande les 38 ha de vignoble, dont un quart des ceps ont atteint l'âge vénérable de cent ans. Issu de vignes cinquantenaires, ce vin rubis chatoyant de reflets violets évoque d'emblée la syrah par sa palette de cerise, de fraise écrasée et de violette. La complexité s'annonce. La bouche pleine et structurée révèle quelques tanins encore impétueux, mais ce n'est que jeunesse et le temps saura y remédier. A partir de 2008, vous pourrez servir cette bouteille avec une souris d'agneau accompagnée de pommes au four. La cuvée **Fontmaria 2003 (15 à 23 €)** obtient une étoile : puissante et ronde, elle associe un boisé notable mais de qualité à des arômes de cassis, de myrtille et de réglisse.
SCEA Jean-Pierre et Martine Meffre, Dom. Saint-Gayan, 84190 Gigondas, tél. 04.90.65.86.33, fax 04.90.65.85.10, e-mail martine@saintgayan.com
t.l.j. sf dim. 8h-12h 14h-18h; sam. sur r.-v.

CAVES SAINT-PIERRE Préférence 2003 ★

9 ha 33 000 8 à 11 €

Une maison plus que centenaire. Son gigondas retient l'attention par ses arômes complexes d'épices, de garrigue et de fruits cuits (pruneau). D'attaque souple et franche, il garde un fruité semblable en bouche, même si les tanins se manifestent encore avec puissance et apportent une pointe d'austérité en finale. Ce vin a de bonnes bases ; après deux à cinq ans de vieillissement, il sera tout disposé à s'accorder avec viande rouge et gibier. De la même maison, le **Clos La Grande Boissière Cuvée Majeure 2003 (5 à 8 €)** mérite une étoile pour son fruité et sa rondeur.
Caves Saint-Pierre, av. Pierre-de-Luxembourg, 84230 Châteauneuf-du-Pape, tél. 04.90.83.58.35, fax 04.90.83.77.23, e-mail info@cavessaintpierre.fr
t.l.j. 9h-12h 14h-19h; f. jan.

DOM. DE LA SOUCHIERE 2003 ★

5 ha 22 000 8 à 11 €

Sous une teinte franche et soutenue, ce vin résulte de l'assemblage du grenache avec la syrah et le mourvèdre à parts égales, nuancés d'une pointe de cinsault. Les arômes intenses de fruits rouges mêlés de notes de garrigue annoncent une bouche fortement structurée, mais sans austérité. Les flaveurs de fruits à l'eau-de-vie contribuent à une sensation chaleureuse typique du gigondas. « On sait dans quelle région on se trouve », conclut un dégustateur.
Louis Bernard, rte de Sérignan, 84100 Orange, tél. 04.90.11.86.86, fax 04.90.34.87.30, e-mail louisbernard@sldb.fr

DOM. DU TERME 2004 ★

12 ha 2 000 8 à 11 €

Le domaine doit son nom à sa situation géographique, à la limite entre la principauté d'Orange et le Comtat Venaissin. 25 ha de vignes entourent la cave où vous pourrez déguster ce 2004 intensément coloré, aux nuances cerise et violette. Le nez délicat décline les fruits, soulignés d'une touche florale. A l'attaque ronde succède une bouche charnue, bien structurée qui laisse en finale une impression chaleureuse. Un grand rosé de repas.
Rolland Gaudin, Dom. du Terme, 84190 Gigondas, tél. 04.90.65.86.75, fax 04.90.65.80.29, e-mail domaine.terme@free.fr
t.l.j. 10h-12h 14h-18h

DOM. DE LA TOURADE Font des Aïeux 2003 ★★★

2,7 ha 12 600 11 à 15 €

Cette cuvée rend hommage aux nombreuses générations qui ont précédé André Richard sur ce domaine de 6 ha. Elle se compose du fruit des plus vieilles vignes du domaine, âgées de soixante-dix ans. Elevé dix-huit mois en foudre et non filtré, ce vin s'habille d'un rouge sombre presque noir qui laisse imaginer l'intensité des arômes : sous-bois, ventre de lièvre, note de thym, relayés au palais par de longues flaveurs de fruits, de réglisse et de vanille. La matière volumineuse s'évase et laisse une impression de gras et de richesse. Ce gigondas est bâti pour durer.
EARL André Richard, Dom. de La Tourade, 84190 Gigondas, tél. 04.90.70.91.09, fax 04.90.70.96.31, e-mail tourade@aol.com
t.l.j. 9h-18h (été 19h)

DOM. VARENNE 2003 ★

6,8 ha 25 000 8 à 11 €

Grenache et syrah semblent à l'unisson dans ce vin grenat à reflets violacés qui évoque les fruits confiturés, la fraise écrasée et la mûre. Soyeuse en attaque, la bouche se structure autour de tanins serrés et fins qui dévoilent en finale une pointe d'amertume de bon aloi sans nuire à l'harmonie générale. La cuvée **Vieux Fût 2003 (11 à 15 €)** obtient une étoile : le boisé se manifeste, mais il se fond dans la matière soyeuse et laisse le fruit s'exprimer.

Dom. Varenne, Le Petit Chemin, 84190 Gigondas, tél. 04.90.65.86.55, fax 04.90.12.39.28
t.l.j. 9h30-12h30 14h-19h

### XAVIER VIGNON Xavier 2003 ★★

■ 4 ha 15 000 **11 à 15 €**

Xavier Vignon a créé sa marque de négoce en 1999. Il exporte aujourd'hui 50 % de sa production vers le Royaume-Uni, les Pays-Bas, le Danemark et l'Australie. Son 2003 profondément coloré déborde de notes aromatiques complexes : fruits noirs, notes animales de gibier, cuir. Tout contribue à magnifier le bouquet. La qualité de la matière s'exprime par le gras et le volume de la bouche qui fait la part belle aux flaveurs de cerise à l'eau-de-vie et de chocolat. Un vin de caractère dont la réussite ne s'explique pas seulement par la maîtrise technique.

Xavier Vignon, chem. de Caromb, 84330 Le Barroux, tél. 04.90.62.33.44, fax 04.90.62.33.45, e-mail xavier@xaviervins.com
t.l.j. 10h-17h

# Vacqueyras

L'appellation d'origine contrôlée vacqueyras, dont les conditions de production ont été définies par décret du 9 août 1990, est la treizième et dernière-née des AOC locales des côtes-du-rhône.

Elle rejoint gigondas et châteauneuf-du-pape à ce niveau hiérarchique dans le département du Vaucluse. Situé entre Gigondas au nord et Beaumes-de-Venise au sud-est, son territoire s'étend sur les deux communes de Vacqueyras et de Sarrians. Les 1 285 ha de vignes ont produit en 2004 un peu plus de 41 596 hl de vin rouge et rosé et 786 hl de vin blanc.

Les vins rouges, élaborés à base de grenache, de syrah, de mourvèdre et de cinsault, sont aptes au vieillissement (trois à dix ans). Les rosés (4 %) sont issus d'un encépagement similaire. Les blancs restent confidentiels (cépages : clairette, grenache blanc, bourboulenc, roussanne).

### DOM. DES AMOURIERS Signature 2003

■ 4 ha 20 000 **8 à 11 €**

Amouriers signifie muriers en provençal. Ils ont donné leur nom à ce domaine dont les premières vignes ont été plantées en 1928. Aujourd'hui, le vignoble couvre 22 ha sur des sols argilo-calcaires. Grenache et syrah composent ce vin de teinte profonde. Un peu effacé de prime abord, le nez révèle à l'aération des arômes de fruits cuits, presque confiturés. La maturité s'exprime dans la chair bien équilibrée entre structure tannique et fraîcheur. À servir dès aujourd'hui.

Indivision Chudzikiewicz, Dom. des Amouriers, Les Garrigues, 84260 Sarrians, tél. 04.90.65.83.22, fax 04.90.65.84.13 r.-v.

### MAS D'AUBERTY L'Espélido 2002

■ 1,5 ha 4 000 **8 à 11 €**

Isabelle Marcellin tient de son oncle, Berty, ce mas situé dans les garrigues, au hameau de Sarrians, tout près de Beaumes-de-Venise. Son 2002 est habillé d'une robe à la coupe classique : rouge sombre brillant. Plus originaux sont les effluves de sous-bois, de torréfaction et de cacao qui se manifestent en contrepoint de la framboise. La bouche attaque doucement et se prolonge avec rondeur. Un vin qu'il faut goûter sans attendre avec un gigot d'agneau grillé.

GAEC L'Espélido, 183, rte de Saint-Mirat, 84380 Mazan, tél. et fax 04.90.69.76.71 r.-v.
Isabelle Marcellin

### LA BASTIDE SAINT-VINCENT Cabridon 2003 ★

■ 1,5 ha 6 500 **8 à 11 €**

Ce Cabridon demande un peu d'attention si l'on veut déceler ses arômes de fruits rouges et noirs associés aux notes de garrigue. En bouche, il révèle tout son potentiel grâce à une chair ronde et équilibrée, structurée par des tanins fondus. Un bon exemple de vacqueyras. La cuvée **Pavane 2003 rouge** est citée : un vin croquant et très souple, aux nuances de fruits à noyau.

Laurent Daniel, La Bastide Saint-Vincent, rte de Vaison-la-Romaine, 84150 Violès, tél. 04.90.70.94.13, fax 04.90.70.96.13, e-mail bastide.vincent@free.fr
t.l.j. sf dim. 9h-18h30

### DOM. LA BOUISSIERE 2003 ★★

■ 1,5 ha 5 000 8 à 11 €

Faut-il être casse-cou, fou de varappe ou de VTT pour apprécier les crêtes calcaires découpées en dents de scie des Dentelles de Montmirail ? Pas forcément, car l'on peut aussi rester à leur pied pour explorer le vignoble. Gilles et Thierry Faravel sont de ceux qui, depuis vingt ans, puisent des saveurs dans les couleurs de ce paysage. Si la robe de ce 2003 est sombre, elle n'en est pas moins brillante. Une invitation à la découverte d'un bouquet complexe où les fruits noirs mûrs et le sous-bois s'entrelacent à des notes animales nobles comme la fourrure ou la venaison. Le mourvèdre (30 %) marque incontestablement le caractère du vin : une structure solide, des tanins réglissés. Le boisé, bien maîtrisé, est en outre fondu.

EARL Faravel, rue du Portail, 84190 Gigondas, tél. 04.90.65.87.91, fax 04.90.65.82.16, e-mail labouissiere@aol.com t.l.j. 9h-19h

## DOM. DE LA BRUNELY 2003

■ 1 ha 3 000 5 à 8 €

Au début du XV^es., Pelegrin de Brunellis, qui défendit le pape Martin V contre les partisans de l'antipape, fut nommé prieur commendataire de Sarrians. Ses descendants demeurèrent trois siècles durant sur ce terroir. Aujourd'hui, leur nom est attaché à ce domaine partagé entre vignes, oliviers et lavande, qui a produit un vacqueyras tout en parfums de fruits rouges mûrs et macérés dans l'eau-de-vie, soulignés d'épices. Un fort potentiel se distingue dans les tanins très présents et la finale de qualité. Encore sur la réserve, ce vin mérite de vieillir deux ou trois ans pour s'arrondir.

Charles Carichon, Dom. de La Brunély, 84260 Sarrians, tél. 04.90.65.41.24, fax 04.90.65.30.60, e-mail domaine-de-la-brunely@wanadoo.fr t.l.j. 9h-12h 14h-18h

## DOM. CABASSOLE 2003

■ 1,65 ha 1 500 5 à 8 €

Une certaine maturité est déjà perceptible dans l'expression de ce 2003. Les arômes de sous-bois se mêlent au cacao, à la vanille et à d'originales notes d'eucalyptus. La bouche est encore marquée par les tanins et le bois, mais les flaveurs grillées et vanillées sont agréables. Attendez fin 2007 pour déboucher cette bouteille et la servir avec un confit de canard.

Bernadette Faraud, Dom. Cabassole, 84190 Vacqueyras, tél. 04.90.65.81.21, e-mail faraud.marc@free.fr t.l.j. 9h-12h 14h-18h

## DOM. DE LA CHARBONNIERE 2003 *

■ 3 ha 14 000 11 à 15 €

L'histoire familiale du domaine commence en 1912, lorsque Eugène Maret acheta ce vignoble. Depuis 1972, Michel Maret est aux commandes de quelque 18 ha de vignes sises essentiellement dans l'aire de châteauneuf-du-pape. De sa parcelle en vacqueyras il a produit un assemblage classique de grenache et de syrah. Discret de prime abord, ce vin ne tarde pas à exhaler des arômes complexes de fruits rouges et noirs mûrs. Il est en passe de trouver ses marques. Si la bouche révèle une puissante structure, elle n'en est pas moins souple et déjà agréable par ses flaveurs fruitées nuancées de cuir. La **cuvée spéciale 2003 rouge** obtient la même note. Elle offre un profil chaleureux et solidement structuré qui invite à une garde de trois ans.

Michel Maret, Dom. de La Charbonnière, rte de Courthézon, 84230 Châteauneuf-du-Pape, tél. 04.90.83.74.59, fax 04.90.83.53.46, e-mail maret-charbonniere@club-internet.fr r.-v.

## DOM. LE CLOS DE CAVEAU 2003

■ 11,87 ha 22 000 8 à 11 €

Grenache, syrah et une touche de cinsault composent ce vin grenat intense, dont les arômes d'épices concurrencent ceux de fruits mûrs. La bouche révèle des notes grillées agréables. Si les tanins procurent un légère impression d'austérité actuellement, ils ne tarderont pas à se fondre dans la chair ronde et chaleureuse.

EARL Le Clos de Caveau, rte de Montmirail, chem. de Caveau, 84190 Vacqueyras, tél. 04.90.65.85.33, fax 04.90.65.83.17, e-mail clos-de-caveau@wanadoo.fr r.-v.

## DOM. LE CLOS DES CAZAUX

Cuvée des Templiers 2002 **

■ 5 ha 20 000 8 à 11 €

Les vignes en coteau qui entourent le mas provençal ont été plantées dans les années 1960 et forment un clos. Mais l'histoire du domaine remonte aux Templiers comme en témoigne le caveau en pierre du XII^es. dans lequel vous découvrirez ce 2002. L'aspect sombre et mystérieux de la robe contraste avec l'expression joviale du nez : fruits, sous-bois, champignon (truffe). Une structure puissante, mais sans agressivité, étaye la chair persistante, empreinte de fruits mûrs. Ce vin pourra accompagner du gibier ou une côte de taureau. La cuvée **Vieilles Vignes 2003 blanc (11 à 15 €)** brille de deux étoiles également car elle allie remarquablement le floral et le grillé, le bois restant au service du vin. La cuvée **Les Clefs d'or 2003 blanc (5 à 8 €)**, qui n'a pas connu le bois, et la cuvée **Prestige 2002 rouge (11 à 15 €)** obtiennent une étoile. La première est ronde, florale, parfaite pour des entrées relevées. La seconde, généreuse, libère des arômes de boisé fumé qui vous chatouillent les narines comme une odeur de cacao vous sort du lit.

EARL Archimbaud-Vache, Dom. Le Clos des Cazaux, 84190 Vacqueyras, tél. 04.90.65.85.83, fax 04.90.41.75.32, e-mail closdescazaux@wanadoo.fr t.l.j. sf sam. dim. 9h-11h30 14h-18h

## CLOS MONTIRIUS 2002

■ 8,5 ha 37 000 11 à 15 €

Christine et Éric Saurel ont repris il y a vingt ans le domaine familial créé en 1925. Égalité absolue entre grenache et syrah dans leur vacqueyras. Égalité encore dans les parfums : on perçoit autant d'épices (poivre) et de sous-bois que de fruits rouges. D'attaque souple, la bouche privilégie les flaveurs de fruits mûrs et confits, soutenue par des tanins sans agressivité. Une réussite dans un millésime difficile. Une autre citation est attribuée au **Montirius blanc 2003 (15 à 23 €)**. Lui aussi assemble les cépages à parts égales : grenache, roussanne et bourboulenc. Un vin fruité et vif qui accompagnera un poisson à chair fine. En **gigondas, Montirius 2002 (15 à 23 €)** est cité.

Christine et Eric Saurel, Le Devès, 84260 Sarrians, tél. 04.90.65.38.28, fax 04.90.65.48.72, e-mail montirius@wanadoo.fr r.-v.

## DOM. LE COLOMBIER 2004 **

□ 0,99 ha 4 500 11 à 15 €

Œnologue, Jean-Louis Mourre conduit depuis 1995 ce domaine familial. Il saura vous indiquer quel mets préparer pour accompagner ses vins. Celui-ci, par exemple, se mariera bien avec une salade de truffes blanches de Carpentras, soulignée d'un trait d'huile d'olive de Caromb. Dans le verre, le vin attire l'œil par sa teinte jaune à reflets or brillants. Le nez intense est dominé par le fruit, de même que la bouche équilibrée, souple et de bonne longueur. La marsanne, le viognier et le grenache blanc entretiennent une relation fusionnelle dans ce 2004 de caractère.

EARL Les Vignobles Mourre, Dom. Le Colombier, 84190 Vacqueyras, tél. 04.90.12.39.71, fax 04.90.65.85.71 r.-v.

Jean-Louis Mourre

### DOM. DU COL SAINT-PIERRE 2002 *

■ 15 ha 10 000 5 à 8 €

Des vignes cinquantenaires de grenache, de syrah et de mourvèdre sont à l'origine de ce vacqueyras brillant qui laisse entrevoir un début d'évolution. Jouant sur les épices et le sous-bois au nez, le vin se montre flatteur en attaque, mais il n'en a pas moins un caractère bien trempé. Un délicat équilibre se réalise entre une matière mûre, de la fraîcheur et une solide structure tannique. Les flaveurs fruitées s'épanouissent en outre durablement au palais.

SCEA Col Saint-Pierre,
rte de Vaison, 84190 Vacqueyras,
tél. 04.90.65.86.53, fax 04.90.65.80.73 r.-v.
Bertrand Raymond

### DOM. LE COUROULU Cuvée classique 2003 **

■ 11 ha 50 000 8 à 11 €

Il a pris ses couleurs d'automne ce 2003, mais ce n'est que pour mieux renaître dans les années à venir. Intensité et élégance se conjuguent dans la palette de fruits rouges et de garrigue. La bouche ronde et pleine séduit par son équilibre comme par sa persistance sur les fruits rouges mûrs. La **cuvée Laura 2003 blanc** est citée pour son nez fruité-floral et pour son gras en harmonie avec la fraîcheur.

EARL Le Couroulu,
La Pousterle, 84190 Vacqueyras,
tél. 04.90.65.84.83, fax 04.90.65.81.25 r.-v.
Guy Ricard

### REMY FERBRAS 2003 *

■ 9,45 ha 44 000 **8 à 11 €**

Un faux timide que ce vin. À peine quelques secondes d'aération suffisent à l'expression de ses arômes de fruits noirs et d'épices. La bouche s'appuie sur une structure de tanins fins qui contribue à l'impression générale de rondeur. Ajoutez à ce portrait une bonne persistance sur les fruits cuits et vous comprendrez aisément qu'une étoile scintille dans le Guide.

Les Grandes Serres,
rte de l'Islon-Saint-Luc, 84230 Châteauneuf-du-Pape,
tél. 04.90.83.72.22, fax 04.90.83.78.77,
e-mail les-grandes-serres@wanadoo.fr r.-v.

### LE MAS DES FLAUZIERES 2003 *

■ 0,5 ha 2 400 **8 à 11 €**

Jérôme Benoît n'est pas un débutant. Son diplôme d'œnologie en poche, il est parti vinifier en Californie et en Afrique du Nord avant de revenir à la propriété familiale en 1996. Dans son chai aménagé en 2002, il a su tirer le meilleur parti de ses vignes jouvencelles (dix ans d'âge). Des reflets rubis de la robe sombre aux arômes de fruits à noyau, de myrtille et de grillé, nuancés de notes animales, tout vous attire. Une complexité naissante qui se devine aussi en bouche : la chair puissante, soulignée d'un boisé en passe de se fondre, fait preuve d'harmonie. Le **côtes-du-ventoux blanc 2004 (5 à 8 €)** obtient une citation. Parfait pour une sole meunière.

Le Mas des Flauzières, rte de Vaison-la-Romaine,
84340 Entrechaux, tél. et fax 04.90.46.00.08,
e-mail masdesflauzieres@aol.com
t.l.j. 9h-19h; hiver sur r.-v.
Jérôme Benoît

### LA FONT DE PAPIER 2003 *

■ 5 ha n.c. **11 à 15 €**

*Font de papier* signifie « fontaine des papes » : une allusion à l'histoire de la région. Fernand Chastan propose sous ce nom un vin grenat attrayant, à frange cerise. Les fruits rouges et noirs, presque cuits, s'accompagnent d'épices. La structure solide est digne d'un vacqueyras, mais le gras et le charnu ont aussi toute leur place. En 2007, cette bouteille sera la bienvenue à table.

F. Chastan, Clos du Joncuas, 84190 Gigondas,
tél. 04.90.65.86.86, fax 04.90.65.83.68 r.-v.

### DOM. FONT SARADE 2003 **

■ 2 ha 3 000 5 à 8 €

Vous trouverez aisément cette imposante maison sur la D 8. Son vignoble, fort de 33 ha aujourd'hui, est né de l'association de deux familles de vignerons au début du XIX^es., l'une de Vacqueyras, l'autre de Gigondas. Bernard Burle a élaboré un vacqueyras déjà charmeur, mais dont l'aptitude à la garde est certaine. Ce vin cache bien son jeu, en effet, sous sa robe à reflets violacés. La complexité de ses arômes annonce un fort potentiel. Certes, les fruits rouges cuits et les épices se manifestent, mais l'on décèle aussi des senteurs de garrigue et de sous-bois, suivies de nuances boisées et animales. Le bouquet n'est pas près de se faner. Une vendange certainement irréprochable est à l'origine de cette chair ample et ronde, étayée par des tanins fermes mais de qualité.

EARL Bernard Burle,
Font Sarade, La Ponche, 84190 Vacqueyras,
tél. 06.30.08.81.93, fax 04.90.65.82.97 r.-v.

### DOM. LA FOURMONE Ceps d'or 2003 *

■ 4,3 ha 20 400 **8 à 11 €**

Le fruits de ces Ceps d'or – grenache, syrah et mourvèdre – devaient être bien rouges lors de cette année précoce. Toute la senteur de la garrigue se concentre dans le vin. La chaleur de l'été se fait un peu sentir par la légère impression d'austérité en finale mais, après quelques mois de garde, voire quelques années, vous ne retiendrez plus que la matière ronde et équilibrée, de bonne longueur. La cuvée **Sélection Maître de chai 2003 rouge** est citée pour son nez fin et sa structure. Il en va de même de la cuvée **Fleurantine 2004 blanc**, assemblage de grenache et de clairette.

Roger Combe et Filles, Dom. La Fourmone,
rte de Bollène, 84190 Vacqueyras, tél. 04.90.65.86.05,
fax 04.90.65.87.84, e-mail contact@fourmone.com
t.l.j. sf dim. 9h30-12h 14h-18h;
ouv. dim. de Pâques à septembre

### DOM. DU GRAND MONTMIRAIL 2003 *

■ 2,4 ha 12 000 **8 à 11 €**

De teinte soutenue, ce vacqueyras possède un nez charmeur, plein de jeunesse. Les fruits rouges dominent la palette, nuancés d'une pointe de réglisse. Plus mûre est la bouche. D'attaque souple, elle dévoile une chair ronde et fruitée de bonne longueur. Les tanins réglissés montrent encore le bout de leur grain, mais ils auront le mérite d'assurer une bonne garde.

Dom. du Grand Montmirail, 84190 Gigondas,
tél. 04.90.65.94.28, fax 04.90.65.89.23 r.-v.
Denis Chéron

### ALAIN JAUME 2003 *

■ n.c. 10 000 **8 à 11 €**

Représentatif de l'appellation, ce vin revêt aussi l'élégance des grands. La dégustation s'ouvre sur de subtils arômes de fruits confits à noyau (cerise) et de kirsch. La structure de tanins fins se fond dans la chair ronde qui laisse en finale une sensation suave. Il serait dommage de ne pas conserver cette bouteille, car elle devrait améliorer encore son expression au cours des deux prochaines années.

Vignobles Alain Jaume et Fils,
rte de Châteauneuf-du-Pape, 84100 Orange,
tél. 04.90.34.68.70, fax 04.90.34.43.71,
e-mail jaume@domaine-grand-veneur.com
t.l.j. sf dim. 8h-12h 13h30-18h

### DOM. LA MONARDIERE Les Calades 2003 *

8 ha 20 000 8 à 11 €

Depuis 1987, infatigablement, Christian et Martine Vache rénovent leur équipement, améliorent leur vignoble autour du vieux mas provençal, s'attachent aux principes de l'agriculture biologique. Des efforts récompensés par ce 2003 qui doit au grenache une solide ossature et une robe d'un rouge profond. La syrah (20 %) apporte pour sa part des arômes complexes.

Dom. La Monardière, Les Grès, 84190 Vacqueyras,
tél. 04.90.65.87.20, fax 04.90.65.82.01,
e-mail monardiere@wanadoo.fr r.-v.
Christian Vache

### CH. DE MONTMIRAIL Cuvée de l'ermite 2003 *

3 ha 12 000 8 à 11 €

Les caves de ce domaine se trouvent à l'emplacement d'une ancienne station thermale. La concentration est de rigueur dans cette cuvée composée de grenache et de syrah à parts égales. Voyez la robe sombre brillant d'une frange violette. Attardez-vous sur les arômes puissants de fruits mûrs accompagnés de réglisse et d'une note épicée. Le vin ne manque pas de structure, mais sait faire patte de velours au palais. Vous le savourerez au mieux de sa forme dans un an ou deux. Le **Château de Montmirail 2004 blanc** obtient la même note. Jaune paille, il offre un fruité fin ; son équilibre traduit la bonne alliance de la clairette, de la roussanne et du bourboulenc.

SCEV Archimbaud-Bouteiller, Ch. de Montmirail,
cours Stassart, BP 12, 84190 Vacqueyras,
tél. 04.90.65.86.72, fax 04.90.65.81.31,
e-mail archimbaud@chateau-de-montmirail.com
t.l.j. sf dim. 9h-12h 14h-18h30

### DOM. DE MONTVAC 2003 *

0,7 ha 5 000 8 à 11 €

Des femmes ont toujours été aux commandes de ce domaine de 25 ha. Cécile Dusserre a élaboré un vin d'un jaune soutenu, proche du doré. Sous des accents vanillés, l'empreinte de l'élevage de neuf mois en fût est sensible. Elle est le fil conducteur de toute la dégustation jusqu'en finale. La bouche est bien structurée. Pour amateurs de vins boisés.

SCEA Dusserre,
Dom. de Montvac, 84190 Vacqueyras,
tél. 04.90.65.85.51, fax 04.90.65.82.38,
e-mail duserre@domaine-de-montvac.com
t.l.j. sf dim. 9h-12h 14h-18h

### DOM. DU PESQUIER 2003 *

1 ha 4 000 8 à 11 €

Une légère aération permettra de révéler les arômes de ce vin discret de prime abord. Les épices et les fruits mûrs se développeront alors avec élégance. Franche en attaque, la bouche laisse immédiatement apparaître la rondeur d'une chair puissante, relevée de flaveurs d'épices. Deux années de garde, voire plus gommeront les quelques tanins encore impétueux.

Boutière et Fils, Dom. du Pesquier,
84190 Gigondas, tél. 04.90.65.86.16, fax 04.90.65.88.48,
e-mail domainedupesquier@free.fr
t.l.j. 8h30-12h 14h-18h

### DOM. LE PONT DU RIEU 2003

3 ha 12 000 5 à 8 €

Un domaine de 15 ha, dont les origines remontent au XVIII^es. Des vignes de quarante ans ont donné naissance à ce vin sombre à reflets violacés, issu d'une longue cuvaison. Les arômes de fruits rouges intenses, typés cerise, se nuancent de sous-bois. Au palais, les tanins se manifestent avec puissance, mais l'équilibre est respecté et la finale s'avère suffisamment persistante. Un vacqueyras déjà plaisant, mais qui pourra aussi attendre un an ou deux.

Jean-Pierre Faraud, Le Pont du Rieu,
84190 Vacqueyras, tél. 04.90.65.86.03,
fax 04.90.65.89.09, e-mail faraud@le-pont-du-rieu.com
r.-v.

### CH. DES ROQUES 2004 *

2 ha 10 000 8 à 11 €

Au XVIII^es., à l'emplacement de ce domaine de 35 ha, se trouvait un hameau avec sa chapelle, ses maisons en pierre sèche et des bergeries. Depuis 1976, Pierre Séroul s'emploie à mettre en valeur son terroir. Son 2004 issu de grenache blanc, de marsanne et de bourboulenc est d'une parfaite limpidité à l'œil et d'une grande netteté au nez. Ses arômes intenses accompagnent toute la dégustation, contribuant au caractère friand de ce vin.

SCEA Ch. des Roques, BP 9, 84190 Vacqueyras,
tél. 04.90.65.85.16, fax 04.90.65.88.18
t.l.j. sf sam. dim. 8h-12h 13h30-18h
Séroul

### SEIGNEUR DE LAURIS Vieilles Vignes 2003 *

0,5 ha 650 11 à 15 €

En 1717, la famille Arnoux reçut du seigneur François de Lauris une vigne en bail perpétuel : le début d'une longue lignée de vignerons. La teinte jaune paille brillant de ce vacqueyras annonce une fraîcheur qui se confirme lorsque s'élèvent les premières notes de pêche blanche. Equilibré, rond et fruité au palais, ce vin est déjà gourmand, mais il dispose aussi d'une structure suffisante pour bien tenir dans le temps. Il doit son caractère à un assemblage soigné de grenache, de clairette, de bourboulenc et de viognier. De la même cave, le **Vieux Clocher blanc 2004 (8 à 11 €)** obtient aussi une étoile. Issu de cinq cépages (grenache, roussanne, marsanne, viognier et clairette), il mêle au fruité une touche d'amande.

Arnoux et Fils, Cave du Vieux Clocher,
84190 Vacqueyras, tél. 04.90.65.84.18,
fax 04.90.65.80.07, e-mail info@arnoux-vins.com
t.l.j. sf dim. 9h-12h30 14h-18h30

### DOM. DE LA SOLEIADE 2003

n.c. 80 000 8 à 11 €

Soleïade, un nom prédestiné pour le millésime 2003, marqué par un soleil omniprésent. Un disque violacé orne le bord de la robe grenat. On pose volontiers son nez au-dessus du verre pour humer les arômes complexes de sous-bois, de fruits noirs mûrs, de cuir et d'aromates. Une

pointe de réglisse clôt le défilé. D'attaque souple, la bouche se développe avec légèreté. A proposer sans tarder aux côtés d'une volaille ou d'une viande grillée aux herbes.
Vignerons de Caractère,
rte de Vaison-la-Romaine, BP 1, 84190 Vacqueyras,
tél. 04.90.65.84.54, fax 04.90.65.81.32,
e-mail vacqueyras@vigneronsdecaractere.com
r.-v.

TARDIEU-LAURENT 2003 *

n.c. 2 400 11 à 15 €

Entre le rubis et le pourpre, ce vin mêle les arômes de fruits noirs (mûre et cassis), de cuir et de boisé. Le jury a apprécié la finesse de son bouquet souligné d'une discrète ligne vanillée. En bouche, la structure soutient la chair chaleureuse et fruitée sans jamais la dominer, de sorte que l'élégance est préservée.
Tardieu-Laurent, Les Grandes Bastides,
rte de Cucuron, 84160 Lourmarin, tél. 04.90.68.80.25,
fax 04.90.68.22.65, e-mail tarlau@club-internet.fr
r.-v.
Michel Tardieu

LES TRUFFIERS 2003 *

n.c. 80 000 8 à 11 €

Cette maison de négoce-éleveur, créée en 1859, possède aujourd'hui les plus grands chais de Châteauneuf-du-Pape. Un séjour de huit mois en fût a été réservé à cette cuvée habillée de grenat à reflets violacés. Le boisé se montre respectueux des autres tonalités du bouquet complexe : si le grillé l'emporte un moment, le fruit ne tarde pas à apparaître, rejoint par les notes de fumée et de garrigue. Ample, à la fois structuré et souple, ce vin a suffisamment de corps pour affronter le temps.
Ogier-Caves des Papes, 10, av. Louis-Pasteur,
BP 75, 84232 Châteauneuf-du-Pape Cedex,
tél. 04.90.39.32.32, fax 04.90.83.72.51,
e-mail ogiercavesdespapes@ogier.fr r.-v.

# Châteauneuf-du-pape

Le territoire de production de l'appellation, la première à avoir défini légalement ses conditions de production en 1931, s'étend sur la quasi-totalité de la commune qui lui a donné son nom et sur certains terrains de même nature des communes limitrophes d'Orange, de Courthézon, de Bédarrides et de Sorgues (3 167 ha déclarés en 2004). Ce vignoble est situé sur la rive gauche du Rhône, à une quinzaine de kilomètres au nord d'Avignon. Son originalité provient de son sol, formé notamment de vastes terrasses de hauteurs différentes, recouvertes d'argile rouge mêlée à de nombreux cailloux roulés. Les cépages sont très divers, avec prédominance du grenache, de la syrah, du mourvèdre et du cinsault. Le rendement ne dépasse pas 31 hl/ha en 2004.

Les châteauneuf-du-pape ont toujours une couleur très intense. Ils seront mieux appréciés après un vieillissement qui varie en fonction des millésimes. Amples, corsés et charpentés, ce sont des vins au bouquet puissant et complexe, qui accompagnent avec succès les viandes rouges, le gibier et les fromages à pâte fermentée. Les blancs, produits en petite quantité (6 299 hl), savent cacher leur puissance par leur saveur et la finesse de leurs arômes. La production globale atteint les 97 406 hl en 2004.

DOM. PAUL AUTARD
Cuvée La Côte ronde 2003 **

12 ha 18 000 30 à 38 €

Cette propriété morcelée au nord de Châteauneuf, du côté de Courthézon, sur 12 ha dans l'appellation : galets roulés, sable et roches sédimentaires, porte le nom de son fondateur ; peu à peu la vigne a remplacé la polyculture. Grenache et syrah à 50/50 pour un rouge qui commence bien et finit encore mieux. Un bois discret, une puissance qui monte, du fruit mûr vraiment mûr, de la charpente qui n'étouffe pas le vin, c'est assurément très bon.
Dom. Paul Autard, rte de Châteauneuf-du-Pape,
84350 Courthézon, tél. 04.90.70.73.15,
fax 04.90.70.29.59, e-mail jeanpaul.autard@wanadoo.fr
t.l.j. sf dim. 9h-12h30 15h-18h30,
sam. dim. sur r.-v.

LA BASTIDE SAINT DOMINIQUE 2003

8 ha 30 000 15 à 23 €

On a renoué chez les Bonnet avec la tradition familiale qui les portait à la vigne. Ces 8 ha sont morcelés en plaine et en coteaux, sur galets roulés et argile rouge. D'autres hectares s'y ajoutent pour compléter la gamme. Une bastide bien charpentée, dont la structure tannique nécessite une paire d'années de garde. Le fruit confit et l'animal contribuent au bouquet. Les tanins sont enrobés. Petite chaleur en finale.
Gérard et Eric Bonnet,
La Bastide Saint-Dominique, 84350 Courthézon,
tél. 04.90.70.85.32, fax 04.90.70.76.64,
e-mail contact@bastide-st-dominique.com
t.l.j. 8h-12h 14h-18h; dim. sur r.-v.

CH. DE BEAUCASTEL 2003 *

60 ha 180 000 38 à 46 €

Concentré comme une encyclique, ce vin est né de nombreux cépages de l'appellation et il est vrai que Beaucastel s'honore de les posséder tous. Il doit notamment sa force de caractère à un rendement modeste : il ne dépasse pas les 25 hl à l'hectare. D'où, en effet, cette intensité très sensible à la dégustation. Sans doute faudra-t-il prendre le temps en patience, mais ce châteauneuf est vineux à souhait, tirant sur le fruit noir et le confit, assez minéral et fidèle à la molasse marine de ses origines.
Sté Fermière des Vignobles P. Perrin, Ch. de Beaucastel, 84350 Courthézon, tél. 04.90.11.12.00,
fax 04.90.11.12.19, e-mail perrin@beaucastel.com
r.-v.

CH. BEAUCHENE Grande Réserve 2003

3,5 ha 11 600 15 à 23 €

Très ancien domaine créé par le sire de Billioti qui avait fui Florence à la fin du XVe s. car il soutenait le pape

RHÔNE

contre les Médicis. Il a été repris en 1971 par Michel Bernard et développé depuis (70 ha). Grenache à 75 %, syrah et une larme de mourvèdre donnent ce vin rouge assez chocolaté en raison de son pensionnat sous bois, gras et chaleureux dans la typicité attendue. Egalement cité, le **Château Beauchêne Vignobles de la Serrière blanc 2004** n'est pas mal non plus.
Ch. Beauchêne, rte de Beauchêne, 84420 Piolenc, tél. 04.90.51.75.87, fax 04.90.51.73.36, e-mail chateaubeauchene@worldonline.fr
t.l.j. sf dim. 8h-12h 13h30-17h30; sam. sur r.-v.
Michel Bernard

## DOM. DE BEAURENARD 2003 ★★

27 ha 80 000 15 à 23 €

Domaine familial depuis longtemps, Beaurenard est à la fois entreprenant et soucieux des bonnes pratiques. Il n'a pas attendu la table de tri pour sélectionner ses raisins aux vendanges (la méthode des deux seaux) et, en matière d'élevage, il est plutôt pour l'homéopathie en barrique. Nous avons aimé le **blanc 2004** au nez minéral très fin agrémenté de fleur d'acacia, chaleureux en finale. Picpoul et picardan font partie de la distribution. Si la **cuvée Boisrenard 2003 (38 à 46 €)** obtient également deux étoiles, le rouge 2003 est plébiscité dans le Guide. La couleur violine, le confit, l'harmonie intérieure en font un vin de longue garde.
Paul Coulon et Fils, Dom. de Beaurenard, 84231 Châteauneuf-du-Pape Cedex, tél. 04.90.83.71.79, fax 04.90.83.78.06, e-mail paul.coulon@beaurenard.fr
t.l.j. sf dim. 9h-12h 13h30-17h30

## BOSQUET DES PAPES
A la gloire de mon grand-père 2003 ★

2,1 ha 8 000 15 à 23 €

Bosquet ? Un quartier de Châteauneuf. Et une cuvée sympathique « A la gloire de mon grand-père ». Pruneau mûr et confiture de fraises, le nez est bien typé 2003. Le vin, à attendre un an ou deux, gagnera en souplesse : ses tanins ont les dents longues et ils persistent très longtemps en bouche sur des notes réglissées. Enfant de grenache (cinsault et bourboulenc pour la figuration), il est encore marqué par ses dix-huit mois de fût, mais il va dépasser ce stade.
Maurice et Nicolas Boiron, Dom. Bosquet des Papes, 18, rte d'Orange, 84230 Châteauneuf-du-Pape, tél. 04.90.83.72.33, fax 04.90.83.50.52, e-mail bosquet.des.papes@club-internet.fr
t.l.j. sf sam. dim. 9h-12h 14h-18h30

## MAISON BOUACHON La Tiare du Pape 2004 ★

n.c. 5 000 15 à 23 €

Ils fabriquaient des barriques à Châteauneuf. Ils eurent un jour envie de les remplir... On peut résumer ainsi l'origine de cette maison plus que centenaire, aujourd'hui propriété Skalli. Une Tiare du pape œcuménique : elle se goûte aussi bien en **rouge 2003** qu'en blanc 2004. Petite préférence pour ce dernier. Entre paille et jaune pâle, il offre des senteurs où la rose, la pêche rejoignent la pierre à fusil. Grenache à 80 %, bourboulenc et clairette composent une cuvée complexe et intense. Volume respectable et pas mal de gras.
Maison Bouachon, av. Pierre-de-Luxembourg, 84230 Châteauneuf-du-Pape, tél. 04.90.83.58.35, fax 04.90.83.77.23, e-mail info@maisonbouachon.com
t.l.j. 9h-12h 14h-19h
Skalli

## DOM. BOUVACHON NOMINE 2003 ★

3,2 ha 6 667 11 à 15 €

Domaine acquis en 1988 par cette famille après avoir changé plusieurs fois de mains. Grenache, mourvèdre, cinsault, le tiercé dans l'ordre. Un vin à laisser mûrir. On est en 2003 et il faut accepter le millésime. D'autant que sa finesse est riche en promesses et que le léger boisé n'insiste pas. L'agneau aux herbes de Provence voudra bien l'attendre.
Dom. Bouvachon Nominé, chem. de la Patrasse, 84100 Orange, tél. 04.90.51.05.59, fax 04.90.51.05.60, e-mail bouvachon@bouvachon.com r.-v.

## BROTTE 2004 ★★★

3,5 ha 16 000 15 à 23 €

Lancée il y a plus de vingt ans, cette cuvée provient du domaine de cette maison de négoce ainsi que de deux partenaires. Elle est composée de clairette, de grenache, de roussanne et de bourboulenc en quatre quarts. Sa teinte très pâle enveloppe de printemps un nez d'agrumes et de fruits. On rencontre à nouveau le citron en bouche, associé à la menthe. Son gras lui assure une consistance significative. Dans le haut de gamme.
Brotte, Le Clos, rte d'Avignon, BP 1, 84230 Châteauneuf-du-Pape, tél. 04.90.83.70.07, fax 04.90.83.74.34, e-mail brotte@brotte.com
t.l.j. 9h-12h 14h-18h; été 9h-13h 14h-19h

## DOM. DU CAILLOU Les Quartz 2003 ★★

4,28 ha 17 000 30 à 38 €

Remarquable par sa qualité, un vin glorieux rubis profond : vanille et pain grillé venus de la barrique, cassis pour sa nature intime, il joue admirablement l'impulsion et la modération. Les deux tableaux. Notez aussi le **Domaine du Caillou 2003 rouge (15 à 23 €)**. Fin et structuré, sans atteindre toutefois le même degré de qualité, il obtient une étoile.
Sylvie Vacheron, Clos du Caillou, 84350 Courthézon, tél. 04.90.70.73.05, fax 04.90.70.76.47
t.l.j. sf dim. 9h-12h30 13h30-17h30

## DOM. DES CHANSSAUD 2003 ★

18 ha 45 000 11 à 15 €

A mi-distance entre Orange et Châteauneuf-du-Pape, ce domaine est dans la famille depuis près de deux cents ans. Pour cette appellation, 18 ha et une quinzaine de parcelles diversement orientées. La cuvée présentée ici a séjourné moins longuement en barrique (douze mois contre dix-huit) que la **cuvée Chanssaud d'Antan rouge 2003 (15 à 23 €)**, citée, et en fin de compte, elle est apparue plus ronde et plus harmonieuse. Style animal réglissé sur un support tannique efficace. A ne pas déboucher tout de suite.

Patrick Jaume, Dom. des Chanssaud, quartier Cabrières, 84100 Orange, tél. 04.90.34.23.51, fax 04.90.34.50.20, e-mail chanssaud@wanadoo.fr
t.l.j. sf sam. dim. 8h30-12h 13h30-18h

### CHANTE CIGALE Vieilles Vignes 2003 ★

■ 5 ha 20 000 23 à 30 €

Les cigales chantent-elles plus fort dans les vieilles vignes ? On voudra bien le croire ! Terret noir et counoise complètent un encépagement très classique sur ce domaine qui n'a cessé de s'étendre pour atteindre 50 ha sur de multiples parcelles. D'où peut-être, cette harmonie, cette force tranquille. Le rubis brille autant qu'il le faut. Le cassis est présent dans un bouquet complexe. Attaque en vigueur, tanins fondus mais encore présents : le contraire serait surprenant. A attendre deux ou trois ans.

Dom. Chante Cigale, av. Louis-Pasteur, 84230 Châteauneuf-du-Pape, tél. 04.90.83.70.57, fax 04.90.83.58.70 t.l.j. sf dim. 9h-18h
Favier

### DOM. CHANTE-PERDRIX 2004

1 ha 3 300 11 à 15 €

Exploitation fondée en 1890, dotée d'un vignoble d'un seul tenant sur 20 ha. Grenache en chef de file pour un blanc jaune doré, d'abord minéral puis ouvert sur la fleur légèrement miellée. L'attaque est décidée. L'équilibre se réalise sur le gras. Un rien d'abricot sec pour le plaisir. Pas très long, mais estimable.

Guy et Frédéric Nicolet, Dom. Chante-Perdrix, BP 6, 84231 Châteauneuf-du-Pape Cedex, tél. 04.90.83.71.86, fax 04.90.83.53.14, e-mail chante-perdrix@wanadoo.fr r.-v.

### DOM. DE LA CHARBONNIERE Cuvée Hautes Brusquières 2003 ★★★

■ 3,8 ha 15 000 30 à 38 €

Les Hautes Brusquières
2003 2003
Cuvée Spéciale
Domaine de la Charbonnière
Chateauneuf du Pape
APPELLATION CHÂTEAUNEUF-DU-PAPE CONTRÔLÉE
750 ML Mis en bouteille au Domaine par MICHEL MARET ALC. 15% BY VOL.
PROPRIÉTAIRE-RÉCOLTANT À CHÂTEAUNEUF-DU-PAPE 84230 FRANCE
NON FILTRÉ PRODUCE OF FRANCE

La Charbonnière est un lieu-dit. Ce domaine déjà ancestral couvre plusieurs secteurs : coteaux et terrasses, galets roulés et sable. Aimeriez-vous entendre un pape en confession ? Choisissez la cuvée Hautes Brusquières en rouge 2003. Ouvrez bien l'œil, le nez et la bouche ! Ce pape de l'appellation de couleur épiscopale (dans l'attente du chapeau), vous fera des confidences d'épices. Si longues et si complètes qu'on en oublie l'absolution. Mais le corps est si riche et la chair si tentante... De toute confiance encore : la **cuvée Mourre des Perdrix rouge 2003 (23 à 30 €)**, deux étoiles, la **cuvée principale** et **Domaine de la Charbonnière rouge 2003 (15 à 23 €)**, également deux étoiles alors qu'en **blanc 2004 (15 à 23 €)**, elle obtient une étoile.

Michel Maret, Dom. de La Charbonnière, rte de Courthézon, 84230 Châteauneuf-du-Pape, tél. 04.90.83.74.59, fax 04.90.83.53.46, e-mail maret-charbonniere@club-internet.fr r.-v.

### DOM. DU CHEMIN VIEUX 2003 ★

■ 8,2 ha 12 000 15 à 23 €

Ancien œnologue-conseil du domaine, ce viticulteur en a repris la maintenance en fermage sur 10 ha (2002). Il signe un 2003 associant la syrah (70 %) et le mourvèdre. Un châteauneuf intense du début à la fin. Entre le kirsch et le pruneau, le nez invite à la découverte. Très structurée, la constitution est fortement typée. Les amoureux de vin de tradition ne seront pas déçus et l'on imagine volontiers pour l'accompagner un lapin avec ail en chemise et ratatouille.

EARL Raymond, Dom. du Chemin-Vieux, 81, rte de Beauregard BP 39, 84350 Courthézon, tél. et fax 04.90.33.02.23 r.-v.
Pierre Garcia

### CLOS SAINT-MICHEL 2003 ★

■ 13 ha 50 000 15 à 23 €

Créé en 1946, ce vignoble se situe à la périphérie de l'aire d'appellation, sur la commune de Sorgues (plaine de galets roulés sur sous-sol de graves). Il donne un ensemble grenache-syrah-mourvèdre légèrement épicé et animal. Son attaque est bien servie par l'acidité, facteur de fraîcheur. Ses tanins sont aimables, sa rondeur agréable, son volume appréciable. A choisir pour un coq au vin dans deux ou trois ans.

Vignobles Guy Mousset et Fils, Le Clos Saint-Michel, rte de Châteauneuf, 84700 Sorgues, tél. 04.90.83.56.05, fax 04.90.83.56.06, e-mail mousset@clos-saint-michel.com
t.l.j. 8h-18h

### LA CRAU DE MA MERE 2003 ★

■ 8 ha 22 000 23 à 30 €

Eugène-Gratien Mayard était surnommé « le Pape » puis sur ses vieux jours « le père Pape ». Il acquit un petit vignoble vers 1890 qui couvre aujourd'hui 43 ha. Comme il y a la Gloire de mon Père, voici la Crau de ma Mère. Un titre joliment trouvé. Rouge vif à nuances grenat, un vin grenache à 80 %, bien travaillé, très classique : ses arômes costauds et fruités passent en revue les papilles. Quelques notes épicées concluent la dégustation de ce 2003 équilibré, à servir avec un plat d'aubergines frites et de tomates concassées.

Vignobles Mayard, 24, av. Baron-Le-Roy, BP 16, 84230 Châteauneuf-du-Pape, tél. 04.90.83.70.16, fax 04.90.83.50.47, e-mail francoise.roumieux@chateauneuf-du-pape.com.fr
r.-v.

### DOM. DE CRISTIA Renaissance 2003 ★★★

■ 2 ha 7 300 38 à 46 €

Une reconnaissance pour cette Renaissance née d'une vocation familiale à Courthézon. Vieilles vignes de grenache, un peu de syrah et de mourvèdre pour un excellent ménage à trois. Vermillon foncé, pénétré d'épices, un châteauneuf ample et généreux. De la charpente et

RHÔNE

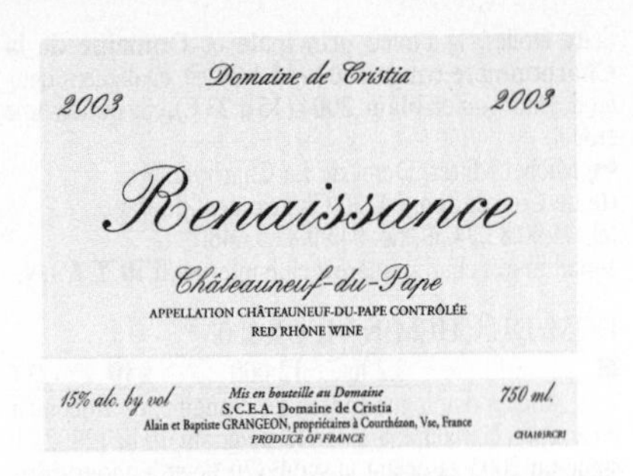


des tanins qui serrent le poing. Si la chasse a été bonne, choisissez du gibier faisandé. Comme le disait saint Bernard, « il faut laisser du temps au temps »... Pas moins de deux à trois ans, voire davantage.

Alain et Baptiste Grangeon,
33, fg Saint-Georges, 84350 Courthézon,
tél. 04.90.70.24.09, fax 04.90.70.25.38,
e-mail domainedecristia@hotmail.com
t.l.j. 8h-12h 14h-18h;
vend. ap-m. sam. dim. sur r.-v.

## CUILLERON-GAILLARD-VILLARD
Les Otéliées 2003 ★

■ n.c. 1 200 23 à 30 €

Ce châteauneuf (grenache et syrah pour un tiers) s'en tient à la prudence sous une pointe boisée. Réglisse et petits fruits noirs vont et viennent du nez à la bouche comme en pays de connaissance. Raisins de surmaturité vendangés le 20 août de ce millésime atypique.

SARL Les Vins de Vienne, le Bas-Seyssuel,
38200 Seyssuel, tél. 04.74.85.04.52, fax 04.74.31.97.55,
e-mail vdv@lesvinsdevienne.fr r.-v.

## DOM. DURIEU 2003 ★

■ 21 ha 10 000 11 à 15 €

Né des familles Durieu et Avril, ce domaine de 21 ha se répartit entre les abords de Maucail, ceux de Beaucastel tandis que 14 ha s'étendent entre Cabrières et Mont-Redon. Les prestigieux galets roulés du miocène sont mis à contribution ! La robe de ce châteauneuf est bordeaux et le bouquet laisse poindre un soupçon de fruits noirs très mûrs sur fond boisé. Au fond, le nez paraît austère au regard d'une bouche assez illuminée, ample et reposant sur des tanins serrés. Choisissez un comté d'alpage dans deux ou trois ans pour l'accompagner.

Paul Durieu,
10, av. Baron-Le-Roy, 84230 Châteauneuf-du-Pape,
tél. 04.90.37.28.14, fax 04.90.37.76.05 r.-v.

## ALEXIS ESTABLET 2003 ★

■ 7 ha 25 000 15 à 23 €

Les Establet sont hors d'âge à Châteauneuf. Alexis, honoré par cette cuvée, c'était vers 1810 l'homme du Grand Tinel. Grenache et syrah n'ont pas besoin des tirs au but pour se départager : leur rencontre est équilibrée. Rouge violacé, un vin bouqueté sur le fruit mûr, les entrailles d'animal, le sous-bois. Complexe, chaud, épicé, solide, il est concentré, structuré. Le **Domaine du Grand Tinel rouge 2003 (11 à 15 €)** passe lui aussi la barre (très coulant, belle attaque) : il est cité.

SAS Les Vignobles Elie Jeune, rte de Bédarrides,
84232 Châteauneuf-du-Pape, tél. 04.90.83.70.28,
fax 04.90.83.78.07, e-mail eliejeun@terre-net.fr
t.l.j. sf sam. dim. 9h-12h 14h-18h; f. août

## DOM. DE FERRAND 2003 ★

■ 5 ha 9 000 11 à 15 €

Cinq générations de vignerons sur le domaine (15 ha). Le grenache fait quasiment cavalier seul dans ce vin, complété par 2 % de syrah et 3 % de mourvèdre. Si la chair est faible parfois, ce n'est pas le cas ici. Ce 2003 très charnu en effet offre une intéressante persistance aromatique. Comment le dire en un mot ? Il est « authentique », se rappelant la définition savoureuse du vocable par Marcel Pagnol et Jean de Florette... En **côtes-du-rhône, la cuvée Antique Vieilles Vignes rouge 2003 (5 à 8 €)**, simple et plaisante, obtient une citation.

EARL Philippe Bravay, 256, chem. de Saint-Jean,
84100 Orange, tél. et fax 04.90.34.26.06,
e-mail domaine.ferrand@club-internet.fr
t.l.j. sf dim. 9h-12h 14h-19h

## DOM. FONT DE MICHELLE
Cuvée Etienne Gonnet 2004

1,37 ha n.c. 30 à 38 €

Etienne Gonnet entreprit en 1950 de regrouper 170 parcelles et de créer l'un des rares vignobles importants et d'un seul tenant au sein de l'appellation. En 1970, il fit construire des chais. La cuvée qui lui est dédiée est d'un or paille distingué. Le premier nez évoque le miel d'acacia, de façon très prenante et durable. La première bouche repose sur le pain d'épice puis un boisé fin monte en puissance.

SCEA Etienne Gonnet, Dom. Font de Michelle et Font du Vent, 14, imp. des Vignerons,
84370 Bédarrides, tél. 04.90.33.00.22,
fax 04.90.33.20.27, e-mail egonnet@terre-net.fr
t.l.j. sf sam. dim. 9h-12h 14h-17h30

## CH. FORTIA Cuvée du Baron 2003 ★

■ 12 ha 40 000 15 à 23 €

Cuvée du Baron, sans aucun doute le Baron Le Roy de Boiseaumarié, fondateur des AOC. Et sur ses terres. Grenat appuyé, un 2003 de marinade et de garrigue, réglissé et animal. Souple et rond, équilibré et long, il garde au palais cette présence giboyeuse. A dominante grenache, la **cuvée Tradition 2003 rouge** fleure bon le pruneau dans une configuration enrobée et charnue. Elevage sous bois pendant dix-huit mois (l'une et l'autre cuvées). Une même étoile les distingue.

SARL Ch. Fortia, rte de Bédarrides, BP 13,
84231 Châteauneuf-du-Pape Cedex, tél. 04.90.83.72.25,
fax 04.90.83.51.03, e-mail fortia@terre-net.fr
t.l.j. 9h-12h 14h-18h

## DOM. DU GALET DES PAPES
Vieilles Vignes 2003

■ 3 ha 10 000 15 à 23 €

Serres, Sorgues, Condorcet, on fait ici ses vendanges aux trois quartiers, avec Cabrières et Valauris (Courthézon) : pour 13 ha, 18 parcelles. Du cousu-main. La couleur est jolie, de nuance pourpre assez foncé. Peu de nez : les clés de saint Pierre n'ont pas encore ouvert pleinement ses portes. Une structure moyenne et une touche boisée (six mois de fût) ; une finale sur des tanins qui doivent encore se fondre. Grenache, mourvèdre, syrah dans l'ordre décroissant. A servir sur une volaille ou des cailles rôties.

🔑 Jean-Luc Mayard, Dom. du Galet des Papes, 15, rte de Bédarrides, 84230 Châteauneuf-du-Pape, tél. 04.90.83.73.67, fax 04.90.83.50.22, e-mail galet.des.papes@terre-net.fr ☑ 🍷 ⛹ r.-v.

## CH. DE LA GARDINE

Cuvée des Générations Gaston Philippe 2003 ★★★

■ 3 ha 8 000 46 à 76 €

La Gardine, ce nom évoque-t-il une ancienne tour de garde ? Une famille Gardini ? Son histoire est connue depuis la mise en valeur de la propriété par Antoine Quiot durant la seconde moitié du XX^e s. Les Brunel l'ont acquise et développée à partir de Gaston Philippe qui reçoit l'hommage de cette cuvée à la robe éclatante. Son bouquet chante la cerise à l'eau-de-vie sous un vanillé bien dosé. Gras, encore tannique, tout feu tout flamme, c'est un 2003 qu'on reconnaîtrait les yeux fermés tant il a de coffre. De garde, faut-il le dire ? La **Cuvée Tradition 2003 rouge (23 à 30 €)** n'a pas le corps et le fruit de la première, mais elle est fraîche et obtient une citation.

🔑 Brunel, SCA Ch. de La Gardine, rte de Roquemaure, BP 35, 84230 Châteauneuf-du-Pape, tél. 04.90.83.73.20, fax 04.90.83.77.24, e-mail direction@gardine.com ☑ 🍷 ⛹ r.-v.

## DOM. GRAND VENEUR 2003 ★★

■ 8 ha 30 000 15 à 23 €

Propriété créée en tant que telle en 1979, mais les Jaume travaillent ici la vigne et le vin depuis 1826 et sans doute avant. Pourpre sombre, ce millésime a le premier nez fermé mais il ne tarde pas à s'ouvrir sur le fruit. La bouche offre des sensations de réglisse et de violette, beaucoup de gras, d'onctuosité et d'entregent. Ce vin est d'un suivi agréable et sa durée de vie est assurée.

🔑 Vignobles Alain Jaume et Fils, rte de Châteauneuf-du-Pape, 84100 Orange, tél. 04.90.34.68.70, fax 04.90.34.43.71, e-mail jaume@domaine-grand-veneur.com ☑ 🍷 t.l.j. sf dim. 8h-12h 13h30-18h

## DOM. DE LA JANASSE Vieilles Vignes 2003 ★

■ n.c. 13 000 46 à 76 €

Domaine très morcelé sur 55 ha, où le grenache domine. Aimé Sabon a créé cette exploitation en 1973 sur une ferme familiale au lieu-dit La Janasse à Courthézon. Christophe et Isabelle, œnologue, ont rejoint leur père. Ce vin ? Rouge foncé à reflets violacés, un coucher de soleil dans le verre ! Petit bout de nez sur le végétal à la limite du floral. L'élevage (un an sous bois) laisse une trace vanillée qui ne perturbe pas l'équilibre général. Ce 2003 va se faire avec une bonne garde de deux à trois ans.

🔑 EARL Aimé Sabon, Dom. de La Janasse, 27, chem. du Moulin, 84350 Courthézon, tél. 04.90.70.86.29, fax 04.90.70.75.93, e-mail lajanasse@free.fr ☑ 🍷 ⛹ t.l.j. sf dim. 8h-12h 14h-18h30; sam. sur r.-v.

## CH. MAUCOIL L'Esprit de Maucoil 2003 ★★

■ 1 ha 3 500 46 à 76 €

Les amateurs d'héraldique en auront leur content sur l'étiquette. Les princes d'Orange figurent dans la généalogie du domaine. La **cuvée Privilège 2003 rouge (15 à 23 €)** obtient une étoile. Mais la Nuit du 4 août étant passée par là, choisissons l'Esprit. Finesse plus accomplie, rondeur savoureuse, boisé léger sans outrecuidance, c'est en effet l'Esprit qui triomphe de cette dispute conviviale. Tanins à adoucir un peu ; ce sera chose faite à l'horizon 2008/2009.

🔑 Ch. Maucoil, BP 7, 84231 Châteauneuf-du-Pape Cedex, tél. 04.90.34.14.86, fax 04.90.34.71.88, e-mail contact@chateau-maucoil.com ☑ 🍷 ⛹ t.l.j. sf sam. dim. 9h-12h 14h-18h

🔑 Arnaud

## CH. MONT-REDON 2003

■ 78 ha 250 000 15 à 23 €

Planté par les Romains, ce plateau parmi les plus élevés de la région ? Ce n'est pas impossible, tant l'archéologie y a eu la main heureuse. Quant au domaine, il date de très longtemps et compte parmi ses aïeux un ami de Mistral, cofondateur du Félibrige. Rouge violacé, ce 2003 souple et rond, fruité et vanillé, repose sur des tanins discrets. D'une certaine élégance, il est à ouvrir dans un à deux ans.

🔑 Ch. Mont-Redon, 84230 Châteauneuf-du-Pape, tél. 04.90.83.72.75, fax 04.90.83.77.20, e-mail chateau-montredon@wanadoo.fr ☑ 🍷 ⛹ r.-v.

🔑 Abeille-Fabre

## CH. MONT-THABOR 2003 ★

■ n.c. 4 500 15 à 23 €

Domaine acquis en 1881 par la famille d'origine helvétique qui le possède aujourd'hui encore. S'il sent le soufre, c'est au sens figuré : Dom Pernety y recherchа jadis la... pierre philosophale ! Un vin à laisser venir, tranquillement, dans les quatre à cinq ans, de façon à lui permettre de s'exprimer sans excès de fût ; il aura alors davantage de rondeur et de profondeur et sera à la hauteur d'un petit gibier.

🔑 EARL Daniel Stehelin, Ch. Mont-Thabor, 84370 Bédarrides, tél. et fax 04.90.33.16.21, e-mail stehelin.daniel@club-internet.fr ☑ 🍷 ⛹ r.-v.

## DOM. MOULIN TACUSSEL 2004 ★★

□ 0,5 ha 1 690 15 à 23 €

Arrière-grand-père des exploitants actuels, Henry Tacussel imaginait-il pareil destin posthume ? Car le grenache, la roussanne, la clairette, le bourboulenc et le piquepoul se mettent en quatre pour donner naissance à un presque coup de cœur. On y a pensé, lors des derniers débats. Jaune aux reflets argent clair et à la larme fine et abondante, parfumé, un vin à l'attaque légère et progressive, à l'acidité suffisante, rond et onctueux, de finition parfaite. L'harmonie.

🔑 Dom. Moulin-Tacussel, 10, av. des Bosquets, 84230 Châteauneuf-du-Pape, tél. 04.90.83.70.09, fax 04.90.83.50.92, e-mail moulin.tacussel@free.fr ☑ 🍷 ⛹ t.l.j. 9h-12h 14h-19h

🔑 M. Moulin

## DOM. FABRICE MOUSSET 2004 ★

□ n.c. 4 200 11 à 15 €

*Cesar Imperator* trône sur l'étiquette. Cela nous change des papes... Les cépages dominants en blanc forment un quatuor paille clair ; le nez évolue entre la fleur d'acacia et une pointe d'agrumes. Vif et frais en bouche, vigoureux, ce 2004 s'affirme sur de notes de pierre à fusil.

🔑 Fabrice Mousset, Ch. des Fines Roches, BP 15, 84230 Châteauneuf-du-Pape, tél. 04.90.83.50.05, fax 04.90.83.50.78, e-mail contact@mousset.com ☑ 🍷 ⛹ t.l.j. 10h-19h; f. janv.

### CH. LA NERTHE Clos de Beauvenir 2003 ★★★

■ 2 ha 3 900 ■ 46 à 76 €

Beauvenir est devenu La Nerthe, avec ou sans « h ». Grande histoire, pleine de péripéties. Alexandre Dumas aurait pu s'en inspirer. 90 ha d'une seule pièce sur le plateau très caillouteux de terres rouges et sur une pente orientée sud-sud-est. Beau vin, le **Château La Nerthe rouge 2003 (23 à 30 €)** obtient une étoile. Mais ce sont les blancs qui ont enthousiasmé les jurys : le **Château La Nerthe blanc 2004 (23 à 30 €)**, aussi exceptionnel que cette cuvée Clos de Beauvenir choisie par le grand jury : l'or l'habille. Fruits, fleurs, épices la parfument. La chair explose en bouche où s'affirment des notes minérales, des nuances d'agrumes et un boisé parfait.

SCA Ch. La Nerthe,
rte de Sorgues, 84230 Châteauneuf-du-Pape,
tél. 04.90.83.70.11, fax 04.90.83.79.69,
e-mail alaindugas@chateaulanerthe.fr
t.l.j. 9h-12h 14h-18h
Pierre Richard

### DOM. DU PEGAU Cuvée réservée 2002

■ 17 ha 55 000 ■ 15 à 23 €

« Paul Féraud a la vigne chevillée au corps », a écrit Michel Dovaz. Cette famille a connu les ceps, puis les cerisiers, puis à nouveau les ceps. Quant au *Pégau*, c'était un pichet à boire, en terre cuite. Pas facile cette année 2002 ? On trouve quand même du vin réussi, la preuve ! Evidemment, il est prêt à passer à table sur des arômes de fraise confiturés et une astringence assez perceptible. Mais c'est le meilleur du millésime.

Laurence Féraud, Dom. du Pégau,
15, av. Impériale, 84230 Châteauneuf-du-Pape,
tél. 04.90.83.72.70, fax 04.90.83.53.02,
e-mail pegau@pegau.com r.-v.

### ANCIEN DOMAINE DES PONTIFES
Cuvée du Château 2003 ★

■ 0,5 ha 1 400 ■ 23 à 30 €

Domaine des Pontifes depuis Benoît XII 1334, indique l'étiquette. Propriété familiale depuis le XIX[e]s., sur 25 ha. Grenache (80 %) et mourvèdre composent ce vin doté d'une grande intensité colorante. Il a le nez assez serré, juste un peu de fruits rouges, mais la bouche est apostolique même si une note tannique la marque aujourd'hui d'une touche d'austérité.

Françoise Granier, 13, rue de l'Escatillon,
30150 Roquemaure, tél. 04.66.82.56.73,
fax 04.66.90.23.90, e-mail croze-granier@wanadoo.fr
r.-v.

### DOM. DE LA PRESIDENTE
Nonciature Collection 2003 ★★

■ 2,5 ha 6 000 ■ 30 à 38 €

Nonciature Collection ! On n'en finit pas d'épuiser le vocabulaire pontifical ! La bouteille en revanche réussit son ambassade et on vous la conseille même si vous êtes anticlérical. Rubis profond, s'exprimant au nez avec franchise et netteté, reposant sur des tanins très fins, sachant manier le fruit cuit et le kirsch, ce vin donnera toute sa mesure d'ici trois à cinq ans. Justement remarqué, et conseillé sur un gibier ou tout plat à la truffe : les dégustateurs en rêvent.

Famille Max Aubert, Dom. de La Présidente,
rte de Cairanne, 84290 Sainte-Cécile-les-Vignes,
tél. 04.90.30.80.34, fax 04.90.30.72.93,
e-mail aubert@presidente.fr
t.l.j. sf dim. 8h30-12h 14h-18h30

### REINE JEANNE 2003 ★★

■ n.c. 80 000 ■ 11 à 15 €

De Villeneuve, près de Saint-Etienne, cette maison est arrivée en 1934 près de ses sources en Avignon. Grand développement et aujourd'hui les plus vastes chais d'élevage de Châteauneuf. Deux cuvées au pinacle : **Les Closiers 2003 rouge**, deux étoiles, et celle-ci. Complexité et charme de l'approche, associant une robe somptueuse à des arômes intenses de fruits mûrs et de boisé. Si la persistance n'est pas considérable, le volume s'impose. Ce qu'on appelle un vin complet. Quant au **Clos de l'Oratoire des Papes rouge 2003 (15 à 23 €)**, il obtient une étoile.

Ogier-Caves des Papes, 10, av. Louis-Pasteur,
BP 75, 84232 Châteauneuf-du-Pape Cedex,
tél. 04.90.39.32.32, fax 04.90.83.72.51,
e-mail ogiercavesdespapes@ogier.fr r.-v.

### DOM. DES RELAGNES 2003 ★

■ 9,56 ha 20 000 ■ 11 à 15 €

Le lieu-dit des Relagnes fut une roseraie au temps des papes. Ce vignoble est dans la famille depuis 1716 : les Boiron ont été commerçants lyonnais, mais ils sont revenus à Châteauneuf après le phylloxéra. De ce vin on dit qu'il « bourguignonne ». Très coloré (rouge cardinal intense et appuyé), il suggère la framboise et le cuir. Froment, herbes de garrigue, il ne manque ni de gras ni de mâche sur une belle longueur en bouche. A attendre un peu.

Dom. des Relagnes,
rte de Bédarrides, 84230 Châteauneuf-du-Pape,
tél. 04.90.83.73.37, fax 04.90.83.52.16,
e-mail domaine-des-relagnes@wanadoo.fr r.-v.
Hillaire

### ROGER SABON Réserve 2003 ★

■ 4 ha 16 000 ■ 11 à 15 €

Le vin simplifie beaucoup la généalogie... Séraphin Sabon puis Roger, puis Jean-Jacques, Denis et Gilbert. Si vous voulez savoir ce qu'est un vin charnu, la réponse est dans cette bouteille née d'un bel assemblage de cépages. La robe n'est pas très intense, mais suffisante ; le nez apparaît vineux et complexe. Le corps ne recherche pas les effets tanniques et se montre rond. Assez long séjour en fût (quatorze mois) pour une sensation discrète et mesurée. A déboucher sur une viande rouge dans les cinq prochaines années.

EARL Dom. Roger Sabon, av. Impériale, BP 57,
84230 Châteauneuf-du-Pape, tél. 04.90.83.71.72,
fax 04.90.83.50.51, e-mail roger.sabon@wanadoo.fr
t.l.j. sf dim. 8h-12h 14h-18h, sam. 9h

DOM. DE SAINT-SIFFREIN 2004 *

1 ha 2 000 11 à 15 €

Le domaine, créé en 1880 par M. Siffrein, arrière-grand-père de Claude Chastan, en perpétue le nom. Une légère acidité soutient le bouquet de ce vin d'une teinte claire et brillante. Mi-fleur mi-fruit exotique, il porte en avant l'assemblage ample et gras du grenache, de la clairette et du bourboulenc répartis par tiers. Petite pointe de chaleur et des capacités de garde.

Claude Chastan, Dom. de Saint-Siffrein,
rte de Châteauneuf, 84100 Orange,
tél. 04.90.34.49.85, fax 04.90.51.05.20,
e-mail domainesaintsiffrein@wanadoo.fr
t.l.j. sf dim. 8h-12h 14h-19h

CH. SIMIAN 2004 *

1 ha 4 000 11 à 15 €

Vers 1900, Hippolyte Serguier parvint à acquérir quelques bouts de vigne à Châteauneuf. Il était journalier et cette petite propriété resta longtemps modeste. Jusqu'à l'achat de Simian en 1955, à une vingtaine de kilomètres au nord de Châteauneuf. Château Simian : l'enfant paraît en 1981. Une note acidulée, des arômes exotiques (citron, pamplemousse), un assemblage équilibré entre grenache et clairette, roussanne et bourboulenc. Soyeux, frais et rond, de bonne longueur, ce 2004 accompagnera les desserts au chocolat.

Jean-Pierre Serguier, Clos Simian, 84420 Piolenc,
tél. 04.90.29.50.67, fax 04.90.29.62.33
t.l.j. 9h-12h 14h-19h; dim. sur r.-v.

DOM. DE LA SOLITUDE Réserve secrète 2001 **

1,5 ha 5 600 + de 76 €

A Châteauneuf, la papauté fait feu de tout sarment, mais on est vraiment ici chez les Barberini, ces Toscans qui donnèrent à l'Eglise Urbain VIII. Domaine historique, le premier ici à avoir mis son vin en bouteilles et à l'avoir exporté. Une Solitude bien partagée ! Le président de la Mongolie-Intérieure a visité les lieux en 2004... Deviendra-t-il un importateur actif ? On espère que ce châteauneuf visitera ces terres à défricher par le vin français. Avec ses dix-huit mois de fût, son fruit très mûr, ce 2001 grenache et syrah à 60/40 %, enveloppe de sérénité un caractère affirmé.

SCEA Dom. Pierre Lançon, Dom. de La Solitude,
BP 21, 84231 Châteauneuf-du-Pape, tél. 04.90.83.71.45,
fax 04.90.83.51.34, e-mail solitude@mnet.fr
t.l.j. sf dim. 9h-12h 14h-18h

DOM. PIERRE USSEGLIO ET FILS 2004 *

1 ha 3 200 11 à 15 €

Cette propriété en coteaux a demandé beaucoup d'efforts pour défricher, planter, avant d'accéder au bonheur de récolter. Largement grenache (80 %), clairette et bourboulenc pour le reste, un 2004 dans la fleur de l'âge, fruité, aromatique, soutenu par un boisé harmonieux, et à laisser grandir un peu.

Dom. Pierre Usseglio et Fils,
10, rte d'Orange, 84230 Châteauneuf-du-Pape,
tél. 04.90.83.72.98, fax 04.90.83.56.70 r.-v.
Thierry et Jean-Pierre Usseglio

DOM. RAYMOND USSEGLIO ET FILS 2004 *

1 ha 4 000 11 à 15 €

La vigne et le vin sont, avec du travail, un puissant facteur de promotion sociale. Francis, le grand-père, est venu d'Italie comme ouvrier agricole. Quel chemin depuis ! On a ici une image intéressante du quartier de Terres-Blanches, le grenache (40 %) sachant partager avec la roussanne, la clairette et le bourboulenc. L'œil est brillant, la jambe dense. Au nez s'expriment la verveine et les fruits blancs. L'attaque est moyenne, la suite beaucoup plus convaincante d'autant qu'elle persiste et signe. Une poularde de Bresse convolera en justes noces avec ce 2004.

Dom. Raymond Usseglio et Fils,
16, rte de Courthézon, BP 29,
84230 Châteauneuf-du-Pape, tél. 04.90.83.71.85,
fax 04.90.83.50.42, e-mail stef.usseglio@wanadoo.fr
t.l.j. sf dim. 10h-12h 14h-18h

DOM. DE VAL FRAIS Cuvée Prestige 2004 **

0,26 ha 1 200 15 à 23 €

Le domaine s'est étendu, passant de 22 ha au début des années 1990 à 51 ha de nos jours. Cuvée conçue et réalisée depuis 2000 (huit mois en barrique) par les filles et le gendre d'André Vaque, fondateur de Val Frais en 1970. Grenache à 100 %, ce vin ne cherche pas la complication et, disons-le, met les petits verres dans les grands. Sa robe est d'or légèrement cuivré. Le bouquet démonstratif joue sur la fleur et l'alcool. La bouche très épanouie réussit le tour de force d'allier la douceur et la puissance. A servir à l'apéritif.

SCEA André Vaque, Dom. de Val Frais,
84350 Courthézon, tél. 04.90.70.84.33,
fax 04.90.70.73.61, e-mail domaine.valfrais@cario.fr
t.l.j. sf dim. 8h30-12h 13h30-18h

CUVEE DU VATICAN Réserve sixtine 2003 ***

6 ha 26 000 30 à 38 €

Toute une histoire ! Un aïeul trouva ce nom. Un autre n'en voulut pas, le jugeant trop clérical. Aux générations suivantes, on écrivit au Saint-Père qui accorda sa bénédiction à la Cuvée du Vatican, marque aussitôt déposée. Merci Jean XXIII ! Cette bouteille ne suscitera pas l'adoration perpétuelle, mais elle tiendra de dix à quinze ans. L'une des meilleures de la dégustation. Son violet foncé à liseré pourpre, son fût subtil au service des fruits noirs et de la figue, sa richesse concentrée et mûre, tout est un vrai bonheur. Tanins présents mais appartenant à la noblesse pontificale, bien sûr.

SCEA Félicien Diffonty et Fils,
10, rte de Courthézon, BP 33,
84231 Châteauneuf-du-Pape Cedex, tél. 04.90.83.70.51,
fax 04.90.83.50.36, e-mail cuvee_du_vatican@mnet.fr
t.l.j. sf dim. 9h-12h 14h-18h,
sam. 10h; f. 18 déc.-1 jan.

CH. DE VAUDIEU 2003 **

60 ha 44 000 15 à 23 €

L'un des rares grands domaines d'un seul tenant (70 ha). On a du mal à départager la **cuvée Val de Dieu rouge 2003 (38 à 45 €)** présentant tout à la fois une bonne fraîcheur et un potentiel de garde, et celle-ci : notes de pain grillé et de fruits rouges écrasés, tendances animales, tanins de velours, un vin à la fois fin et très dense. Bel avenir, car il atteindra son optimum vers 2010. Quant au **Château de Vaudieu blanc 2004**, il obtient une étoile et réjouira des noix de Saint-Jacques.

🔑 Famille Bréchet, Ch. de Vaudieu,
rte de Courthézon, 84230 Châteauneuf-du-Pape,
tél. 04.90.83.70.31, fax 04.90.83.51.97,
e-mail laurent.brechet@famillebrechet.fr ☑ Y ✯ r.-v.

### DOM. DU VIEUX TELEGRAPHE La Crau 2003

■ 65 ha 200 000 30 à 38 €

Baptisé en l'honneur d'une vieille tour de télégraphe optique Chappe, ce domaine créé en 1898 à Bédarrides est resté familial. Grenache, mourvèdre, syrah, cinsault composent ce vin rouge clair. Il a le nez puissant, aux accents de sous-bois et marqué par l'alcool. Ce caractère subsiste en bouche. Vendange au 1er septembre 2003 et surmaturité nécessitant une certaine patience (quatre à cinq ans).
🔑 Frédéric et Daniel Brunier, Dom. du Vieux Télégraphe, 3, rte de Châteauneuf-du-Pape,
84370 Bédarrides, tél. 04.90.33.00.31,
fax 04.90.33.18.47, e-mail vignobles@brunier.fr
☑ Y r.-v.

## Lirac

Dès le XVIe s., Lirac produisait des vins de qualité que les magistrats de Roquemaure authentifiaient en apposant sur les fûts, au fer rouge, les lettres « C d R ». Nous y trouvons à peu près le même climat et le même terroir qu'à Tavel, au nord, sur une aire répartie entre Lirac, Saint-Laurent-des-Arbres, Saint-Geniès-de-Comolas et Roquemaure. Depuis l'accession de vacqueyras à l'AOC, ce n'est plus le seul cru méridional qui offre les trois couleurs : les rosés et les blancs, tout de grâce et de parfums, se marient agréablement avec les fruits de la Méditerranée toute proche et se boivent jeunes et frais ; les rouges, puissants, au goût de terroir prononcé, généreux, accompagnent parfaitement les viandes rouges. En 2004, l'appellation a produit 19 862 hl, dont 1 386 hl en blanc, sur 628 ha.

### CH. D'AQUERIA 2003 ★★

■ 10 ha 30 000 8 à 11 €

Aquéria n'en est pas à son premier coup de cœur. Grenache pour la finesse, mourvèdre pour le corps, syrah pour la couleur, le schéma est classique (respectivement 50%, 15%, 30 %) plus une pincée de cinsault et on s'en écarte rarement. Doté d'une puissance animale peu commune, ce vin équilibré mérite de demeurer deux à trois ans en cave. La groseille et le cassis éclairent l'entrée en bouche d'une façon souriante. Le **lirac blanc 2004 (5 à 8 €)**, dépourvu de second souffle, mais d'un bel équilibre aromatique sur des bases citronnées obtient une citation. Le premier sera délicieux avec un pot-au-feu. Le second préférera une salade de coquilles Saint-Jacques.

CHATEAU D'AQUERIA
MIS EN BOUTEILLE AU CHATEAU
LIRAC
APPELLATION LIRAC CONTROLÉE
JEAN OLIVIER SOCIÉTÉ CIVILE AGRICOLE PRODUCTEUR À TAVEL 30126 FRANCE
13,5% Vol.
PRODUIT DE FRANCE
750 ml


🔑 SCA Jean Olivier, Ch. d'Aquéria, 30126 Tavel,
tél. 04.66.50.04.56, fax 04.66.50.18.46,
e-mail contact@aqueria.com ☑ Y ✯ r.-v.

### BALAZU DES VAUSSIERES 2003

□ 1 ha 2 500 5 à 8 €

Moins de 1 ha du temps du grand-père en 1985, 5 ha de nos jours, on conserve ici la « taille humaine ». Pas moins de cinq cépages entrent dans la composition de ce blanc à 60 % grenache. Or vif, évoquant le pamplemousse et la fleur blanche, il reste aromatique en bouche dans la continuité du nez. Net, équilibré et franc, il aiguisera l'appétit en apéritif.
🔑 Christian et Nadia Charmasson,
chem. de la Vaussière, 30126 Tavel,
tél. et fax 04.66.50.44.22 ☑ Y ✯ t.l.j. 9h-12h 14h-18h

### CH. DE BOUCHASSY 2004 ★

□ 1 ha 4 000 5 à 8 €

On croit entendre les stridulations des cigales en dégustant ce blanc au charme vif et prenant. S'il n'a pas l'odeur du romarin, l'aubépine et l'acacia sont de la partie. Par le gras, sa bouche est très friande et son fruit très délicat. Une bouteille complexe et haut de gamme.
🔑 Gérard Degoul, Ch. de Bouchassy, rte de Nîmes,
30150 Roquemaure, tél. 04.66.82.82.49,
fax 04.66.82.87.80, e-mail gerard.degoul@wanadoo.fr
☑ Y ✯ t.l.j. sf dim. 8h-12h 14h-19h

### CLOS DE SIXTE 2003 ★★

■ 15 ha 40 000 8 à 11 €

Producteur de Châteauneuf-du-Pape, la maison Alain Jaume et Fils donne bien sûr à son lirac le nom d'un successeur de saint Pierre. Sa robe a gardé un rubis de cardinal. Un an de fût, le conclave a duré longtemps ! Il en reste un nez partagé entre le grillé et le fruit rouge. Celui-ci devient un peu confit en bouche, tandis que les tanins se montrent doctrinaires et rigides dans la garde de la foi. Pas loin du coup de cœur et à laisser impérativement vieillir une bonne année.
🔑 Vignobles Alain Jaume et Fils,
rte de Châteauneuf-du-Pape, 84100 Orange,
tél. 04.90.34.68.70, fax 04.90.34.43.71,
e-mail jaume@domaine-grand-veneur.com
☑ Y t.l.j. sf dim. 8h-12h 13h30-18h

### CH. CORRENSON 2003

■ 5 ha 20 000 3 à 5 €

Si le Rhône dessine ici un méandre, c'est qu'il avait une idée en tête. La vigne s'y plaît à merveille. Un 2003 tout indiqué pour un bœuf... bourguignon. Quelques signes d'évolution dans les reflets de sa teinte brique. Le bouquet

est démonstratif (fruits rouges). Le palais démarre bien, par une attaque souple. L'alcool prend ensuite le dessus. Un an de garde n'est pas déconseillé.
Peyre, Ch. Correnson, rte de Roquemaure, 30150 Saint-Geniès-de-Comolas, tél. 04.66.50.05.28, fax 04.66.33.08.54, e-mail peyre-vincent@wanadoo.fr
t.l.j. sf dim. 10h-12h 15h30-18h30

## PIERRE DELMAS 2003 *

n.c. 16 660 5 à 8 €

Cosigné par Pierre Delmas (Castillon-du-Gard) et par Daniel Wilmotte (Vosne-Romanée), ce lirac rubis profond à reflets légèrement évolués tourne autour du café et du tabac. Fraîche et fruitée, sa bouche est bien fondue. La légère pointe tannique s'estompera après une petite garde.
Chardonnier, 44, rte Nationale, 21700 Vosne-Romanée, tél. 03.80.61.26.76, fax 03.80.62.11.52, e-mail chardonnier@wanadoo.fr
Daniel Wilmotte

## CH. LE DEVOY MARTINE 2003 *

10 ha 33 000 3 à 5 €

Les Caves Saint-Pierre sont nées à Châteauneuf-du-Pape en 1898 et elles gardent bon pied bon œil. Grenache à 75 % (syrah et cinsault en complément), un vin d'une couleur soutenue. Les tanins ont du répondant, tout en étant enrobés et fins ; ils laissent le fruit rouge s'exprimer.
Caves Saint-Pierre, av. Pierre-de-Luxembourg, 84230 Châteauneuf-du-Pape, tél. 04.90.83.58.35, fax 04.90.83.77.23, e-mail info@cavessaintpierre.fr
t.l.j. 9h-12h 14h-19h; f. jan.

## DOM. DE LA GRIVELIERE Mont-Pégueirol 2003

2,3 ha 6 600 5 à 8 €

Partenaire de la maison Brotte depuis quinze ans, ce domaine situé à Saint-Géniès présente un vin rouge grenat sur lequel le temps semble ne pas avoir de prise. Il garde des arômes assez jeunes et fruités, pas encore engagés sur le cuir ou le sous-bois. L'acidité est présente en première bouche, puis on va vers des tanins bien fondus et une certaine présence de l'alcool.
Brotte, Le Clos, rte d'Avignon, BP 1, 84230 Châteauneuf-du-Pape, tél. 04.90.83.70.07, fax 04.90.83.74.34, e-mail brotte@brotte.com
t.l.j. 9h-12h 14h-18h; été 9h-13h 14h-19h

## DOM. DU JONCIER Cuvée spéciale 2003

2 ha 7 000 11 à 15 €

Une terrasse ancienne de galets roulés, couleur ocre... Un domaine en conversion bio, où un soir de printemps chaque année, une exposition et un concert accompagnent la présentation du nouveau millésime... Pourpre intense, celui-ci est riche et puissant. Structuré, il a du caractère. Nettement grenache, la cuvée principale **Domaine du Joncier rouge 2003 (8 à 11 €)** obtient également une citation.
Marine Roussel, rue de la Combe, 30126 Tavel, tél. 04.66.50.27.70, fax 04.66.50.34.07, e-mail domainedujoncier@free.fr r.-v.

## DOM. LAFOND ROC-EPINE La Ferme romaine 2003 *

2,8 ha 12 000 11 à 15 €

Grenache, syrah, mourvèdre dans l'ordre, ce tiercé rapporte beaucoup. Son intensité colorante à la limite du noir emplit le verre. Les dix mois d'élevage en barrique ont laissé des souvenirs torréfiés. Ce lirac attaque en beauté. Croquant, il suscite une heureuse appétence. Citons également le **lirac 2003 rouge (8 à 11 €)**, élevé en cuve, où la syrah (30 %) accompagne le grenache. Un vin simple et appuyé sur une structure correcte.
Dom. Lafond Roc-Epine, rte des Vignobles, 30126 Tavel, tél. 04.66.50.24.59, fax 04.66.50.12.42, e-mail lafond@roc-epine.com r.-v.

## LES LAUZERAIES Elevé en fût de chêne 2003

42 ha 70 000 5 à 8 €

Grenache, mourvèdre et syrah ont ici partie liée, à égalité pour ne pas faire de jaloux. Une cuvée qui fleure bon la garrigue, un brin animale, complexe et encore peu ouverte. Le palais est doux et tendre comme un calisson. Les dix mois d'élevage en barrique sont bien ressentis par le vin qui peut prendre encore un an d'âge.
Les Vignerons de Tavel, rte de la Commanderie, 30126 Tavel, tél. 04.66.50.03.57, fax 04.66.50.46.57, e-mail tavel.cave@wanadoo.fr r.-v.

## CAVE DES VINS DU CRU DE LIRAC Tradition 2004 *

6,25 ha 33 000 3 à 5 €

A dominante grenache (70 %), ce vin adopte une nuance quelque peu foncée. Le nez est assez direct, la bouche plutôt dense et équilibrée reprend les notes aromatiques fruitées de l'approche. La même cuvée **Tradition blanc 2004 (5 à 8 €)** obtient une citation.
Cave des vins du cru de Lirac, rue Baron-Le-Roy, 30126 Saint-Laurent-des-Arbres, tél. 04.66.50.01.02, fax 04.66.50.37.23, e-mail cave-lirac@wanadoo.fr
t.l.j. 9h-12h 14h-18h

## DOM. MABY La Fermade 2004 *

4,69 ha 19 500 5 à 8 €

Lirac, tavel, le domaine Maby fait partie des incontournables. Quelque 60 ha. Tiens, le picpoul s'associe ici à la clairette et au grenache blanc. Le résultat est bien méridional, clair, radieux, entre l'amande grillée et le pamplemousse, avec une pointe florale. Equilibré, rond et long, ce 2004 aimera les poissons grillés. Sur votre carnet, n'oubliez pas la **cuvée Prestige La Fermade en lirac 2002 rouge (8 à 11 €)** parvenue à son sommet, intéressante par ses arômes réglissés. On y ramasse le champignon. Elle obtient une citation alors que le millésime 2000 avait décroché un coup de cœur.
Dom. Roger Maby, rue Saint-Vincent, 30126 Tavel, tél. 04.66.50.03.40, fax 04.66.50.43.12, e-mail domaine-maby@wanadoo.fr r.-v.

## CH. MONT-REDON 2003

2,07 ha 6 600 8 à 11 €

Vignes achetées en 1997 à la famille Verda par l'équipe Abeille-Fabre qui consacre 2 ha à ce lirac où la clairette représente 60 %, le grenache blanc 40 %. L'amande grillée y joue un rôle aromatique important. La pêche blanche et l'abricot tempèrent en bouche un caractère plus vif. D'une certaine souplesse au demeurant ce 2003 est prêt pour un poisson en sauce.
Ch. Mont-Redon, 84230 Châteauneuf-du-Pape, tél. 04.90.83.72.75, fax 04.90.83.77.20, e-mail chateau-montredon@wanadoo.fr r.-v.
Abeille et Fabre

DOM. DE LA MORDOREE
La Dame rousse 2003 ★★

■ 22 ha 30 000 8 à 11 €

La Mordorée est tellement habituée aux coups de cœur que ses deux étoiles n'étonneront personne. Haute en couleur, d'une réelle plénitude tannique, affichant la cerise burlat tout au long de la dégustation, cette Dame rousse est à garder deux ou trois ans en cave. **La Reine des Bois blanc 2004 (11 à 15 €)** obtient une étoile. Gras et miellé, or jaune, ce vin a néanmoins de l'entrain.

Dom. de La Mordorée, chem. des Oliviers, 30126 Tavel, tél. 04.66.50.00.75, fax 04.66.50.47.39, e-mail info@domaine-mordoree.com
t.l.j. sf sam. dim. 8h-12h 13h30-18h
C. Delorme

LES VIGNERONS DE ROQUEMAURE
Cuvée Saint-Valentin 2003

■ 4,76 ha 26 000 5 à 8 €

Les amoureux sont les bienvenus à Roquemaure. Ils peuvent en effet se recueillir auprès des reliques de saint Valentin. On est allé les chercher en Italie à la fin du XIXe s. pour combattre... le phylloxéra qui a fait ici son apparition en France. Une centaine de producteurs, 350 ha et cette cuvée bien élevée (huit mois de cuve, autant de fût), pour célébrer un anniversaire de mariage évidemment. Café, cacao, notes animales, son nez est bien senti. La bouche est légère (grenache, syrah, mourvèdre).

Les Vignerons de Roquemaure, 1, rue des Vignerons, 30150 Roquemaure, tél. 04.66.82.82.01, fax 04.66.82.67.28, e-mail contact@vignerons-d-roquemaure.com
r.-v.

CH. SAINT-ROCH 2004

■ 3 ha 10 000 8 à 11 €

Frère du Château de la Gardine à Châteauneuf-du-Pape, ce lirac pétale de rose décline grenache, cinsault et syrah par ordre décroissant. Il a le nez fin et floral. Au palais, sa constitution est stable, le fruité assurant sa rondeur.

Brunel Frères, Ch. Saint-Roch, chem. de Lirac, 30150 Roquemaure, tél. 04.66.82.82.59, fax 04.66.82.83.00, e-mail brunel@chateau-saint-roch.com
t.l.j. sf sam. dim. 8h-12h 14h-17h

CH. DE SEGRIES 2003 ★

■ 20 ha 100 000 5 à 8 €

Henri de Lanzac exploite en côtes-du-rhône le Clos de l'Hermitage (propriété du pilote auto Jean Alési) ainsi que ce château de Ségriès acheté en 1995 à la famille de Régis de Gastimel : 30 ha d'un seul tenant au cœur de l'appellation lirac et deux cent cinquante oliviers en production pour faire aussi tourner le moulin à huile... Rouge violacé, la couleur relève ici du fauvisme. Le nez, de l'impressionnisme (fruits macérés, sous-bois, épices, tabac). La bouche, de l'art brut (tannique encore), mais son fruit explosera avant deux ans.

SCEA Henri de Lanzac, Ch. de Ségriès, chem. de la Grange, 30126 Lirac, tél. 04.66.50.22.97, fax 04.66.50.17.02 r.-v.

DOM. TOUR DES CHENES 2004 ★

■ 6 ha 30 000 5 à 8 €

Domaine fondé en 1963, couvrant aujourd'hui 30 ha. Cinsault et grenache quasiment moitié-moitié pour ce rosé à reflets lilas très lumineux. Le nez est moins bavard que M. Brun dans les films de Pagnol, mais tout aussi rigoureux et précis dans l'expression du fruit. Sa douceur en bouche ferait plutôt penser à Fanny : la pâte d'amandes...

Dom. Tour des Chênes, 30126 Saint-Laurent-des-Arbres, tél. 04.66.50.01.19, fax 04.66.50.34.69, e-mail tour-des-chenes@wanadoo.fr
t.l.j. 9h-12h30 15h-19h
J.-C. Sallin

DOM. TRAS LE PUY 2003 ★

■ 1 ha 5 000 5 à 8 €

A l'aveugle, on n'a guère de peine à reconnaître le vin gardois. Riche et complexe, puissant et non dénué de finesse. Un fruit confituré très pur donne à celui-ci un cachet particulier, une rondeur charmante. Signée par un jeune vigneron au talent prometteur (9 ha, dont un pour ce vin), cette bouteille 75 % grenache (cinsault et syrah pour le restant) est à déboucher en 2006.

Frédéric Zobel, Dom. Tras le Puy, 30150 Roquemaure, tél. 04.66.89.35.09 r.-v.

# Tavel

Considéré par beaucoup comme le meilleur rosé de France, ce grand vin de la vallée du Rhône provient d'un vignoble situé dans le département du Gard, sur la rive droite du fleuve. Sur des sols de sable, d'alluvions argileuses ou de cailloux roulés, c'est la seule appellation rhodanienne à ne produire que du rosé, sur le territoire de Tavel et sur quelques parcelles de la commune de Roquemaure, soit 933 ha ; la production a été de 39 169 hl en 2004. Le tavel est un vin généreux, au bouquet floral puis fruité, qui accompagnera le poisson en sauce, la charcuterie et les viandes blanches.

DOM. AMIDO Les Amandines 2004 ★

■ 14,29 ha 65 000 5 à 8 €

Galets roulés et pierres plates, nous sommes bien sur les terres de Tavel. Rose bonbon, un vin aux arômes de fruits rouges assez prononcés. Frais et sec, relativement concentré, il devrait bien évoluer et accompagner viande blanche ou cuisine asiatique.

SCEA Dom. Amido, Le Palai-Nord, BP 27, 30126 Tavel, tél. et fax 04.66.50.04.41, e-mail domaineamido@free.fr
t.l.j. sf dim. 8h30-12h 14h-18h; sam. sur r.-v.

CH. D'AQUERIA 2004 ★

■ 45,38 ha 100 000 8 à 11 €

Acheté en 1920 par Jean Olivier, ce domaine a été entièrement reconstruit, sur 66 ha d'un seul tenant autour du château, par son gendre Paul de Bez. Les petits-enfants, Vincent et Bruno, poursuivent aujourd'hui cette belle aventure. Sous la palette de six cépages, ce tavel appelle la

bourride. Il s'offre quelques reflets violacés et des arômes déjà mûrs de confiture de vieux garçon qui, comme chacun sait, dorlote le fruit dans l'eau-de-vie. Concentré et gras, un peu tannique, il conserve ce caractère durant son séjour en bouche.
SCA Jean Olivier, Ch. d'Aquéria, 30126 Tavel, tél. 04.66.50.04.56, fax 04.66.50.18.46, e-mail contact@aqueria.com r.-v.

## DOM. BEAUMONT 2004 ★

1,5 ha 4 000 5 à 8 €

Quand on réside chemin de la Filature, on sait manier l'aiguille. Voici en effet un travail fin et minutieux, signé par notre coup de cœur de l'édition 2005. Le grenache noir assure ici la moitié de l'assemblage. D'une couleur tendre et légère, ce tavel a le nez assez réservé en raison de la jeunesse de son fruit. Elégant, il concilie avec bonheur la fraîcheur et le gras.
Dom. Beaumont, chem. de la Filature, 30126 Lirac, tél. 04.66.50.02.37, fax 04.66.50.07.17, e-mail domainebeaumont@wanadoo.fr r.-v.

## DOM. LA GENESTIERE 2004 ★

26,06 ha 80 000 5 à 8 €

Indépendamment des attraits de son vin, une cave à visiter car elle utilise les locaux d'une ancienne magnanerie. La vigne a remplacé le ver à soie, mais celui-ci n'est pas tombé dans l'oubli. Une vaste propriété acquise en 1994 et qui s'étend sur 87 ha, dont 26 ha pour ce rosé à la robe discrète. Le bouquet en revanche vante les fruits cuits de façon intense. L'attaque est agréable, le milieu de bouche assez concentré, la finale rapide. En **lirac blanc la cuvée Eliott 2003** est citée. Elle est boisée et exotique, bien faite.
J.-C. Garcin, Dom. Genestière, chem. de Cravailleux, 30126 Tavel, tél. 04.66.50.07.03, fax 04.66.50.27.03, e-mail garcin-layouni@domaine-genestiere.com r.-v.

## DOM. LAFOND ROC-EPINE
Cuvée Jean-Baptiste 2004

2 ha 12 000 **8 à 11 €**

Même si marsannay en Bourgogne s'est permis naguère de lui lancer un défi (l'appellation étant devenue tricolore, cette ambition s'est estompée), tavel n'entend pas perdre son rang de « premier rosé de France ». D'une teinte lumineuse et pure, celui-ci s'adonne à un fruité sympathique. Il est bon pour le service.
Dom. Lafond Roc-Epine, rte des Vignobles, 30126 Tavel, tél. 04.66.50.24.59, fax 04.66.50.12.42, e-mail lafond@roc-epine.com r.-v.

## DOM. DE LANZAC Cuvée Plaisance 2004 ★

2 ha 10 000 **15 à 23 €**

Grenache et syrah au coude-à-coude, le reste en cinsault : un vin gardant sa couleur de jeunesse par ses reflets violets bien dans l'esprit de l'AOC. Le nez offre un fruité généreux (fruits rouges et zeste d'orange), fruité que l'on retrouve en bouche où rondeur et concentration dominent.
EARL Dom. de Lanzac, rte de Pujaut, 30126 Tavel, tél. 04.66.50.22.37, fax 04.66.50.47.44
t.l.j. sf dim. 9h-12h 14h-19h
Norbert de Lanzac

## LOUIS BERNARD 2004

18,8 ha 100 000 **5 à 8 €**

Beau décor : celui de la chartreuse de Bompas sur les bords de la Durance. C'est là que la maison Louis Bernard (acquise par le Bourguignon Jean-Claude Boisset) a installé son siège social. Son tavel d'encépagement classique, penche du côté rubis bien soutenu. Son bouquet de fruits rouges est expressif. Vif et rond à la fois, ce vin glisse en bouche. Friand, il est à déboucher d'ici la fin 2006.
Louis Bernard, rte de Sérignan, 84100 Orange, tél. 04.90.11.86.86, fax 04.90.34.87.30, e-mail louisbernard@sldb.fr

## DOM. MABY La Forcadière 2004

18,12 ha 100 000 **5 à 8 €**

Roger Maby signe sa dernière vinification. Son fils quitte en effet Paris pour prendre le manche de la charrue sur les 60 ha de ce domaine agrandi depuis 1963 et restructuré en 1995. Saluons l'œuvre de Roger comme elle le mérite, d'autant que cette famille a joué un rôle très important dans l'histoire de l'appellation. Groseille clair, légèrement bouqueté, ce vin marie de façon plaisante les fruits frais et les épices. Il est rond et lisse comme un galet roulé.
Dom. Roger Maby, rue Saint-Vincent, 30126 Tavel, tél. 04.66.50.03.40, fax 04.66.50.43.12, e-mail domaine-maby@wanadoo.fr r.-v.

## DOM. DE LA MORDOREE
La Dame rousse 2004 ★★★

8 ha 50 000 8 à 11 €

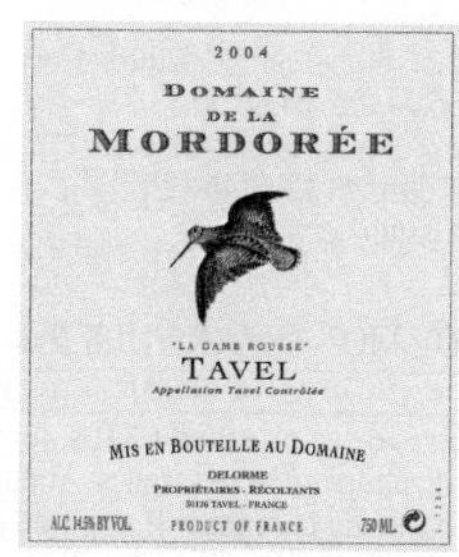

2004
DOMAINE
DE LA
MORDORÉE
"LA DAME ROUSSE"
TAVEL
Appellation Tavel Contrôlée
MIS EN BOUTEILLE AU DOMAINE
PRODUCT OF FRANCE


Fort heureusement la vallée du Rhône a changé de climat, mais il subsiste de la gélifraction des calcaires ces cailloutis si bienfaisants pour la vigne. La Mordorée (50 ha) s'inscrit cette fois encore en haut de l'affiche. Sa Dame rousse est si mignonne qu'elle attire le coup de cœur. Robe framboise clair, alliance de la fleur et du fruit (celui-ci évoluant vers la groseille), équilibre, fraîcheur, volume, persistance remarquable, tout en elle chante l'harmonie et l'élégance.
Dom. de La Mordorée, chem. des Oliviers, 30126 Tavel, tél. 04.66.50.00.75, fax 04.66.50.47.39, e-mail info@domaine-mordoree.com
t.l.j. sf sam. dim. 8h-12h 13h30-18h
C. Delorme

## DOM. MOULIN-LA-VIGUERIE
Combe des Rieu 2004 ★★

3,24 ha 19 866 5 à 8 €

Domaine réorganisé à la fin des années 1990 par la fille aînée de Gabriel Roudil, Mireille. Grenache (60 %), cinsault et clairette par ordre décroissant, ce tavel se

présente sous des traits brillants. Il n'est pas avare de son fruit rouge et son palais très frais est aussi élégant qu'équilibré. On est ici à cent lieues de ces rosés qui descendent « tout debout » sans témoigner aucun sentiment. La **Cuvée réservée 2004** est d'une bonne valeur (un peu plus chaud peut-être) et obtient une étoile.
🔑 Mireille Petit-Roudil, rue de la Combe, BP 16, 30126 Tavel, tél. 04.66.50.06.55, fax 04.66.79.37.07
☑ 🍷 🚶 r.-v.

## DOM. PELAQUIE 2004 ★★

■ 1,8 ha 10 000 5 à 8 €

« Le tavel, c'est une tornade rose », écrit Gérard Jules Astier dans l'ouvrage qu'il consacre aux vins de la vallée du Rhône. Tornade est peut-être beaucoup dire, mais il est vrai que cette bouteille rose orangé (grenache et cinsault à 60-40 %) est un peu impulsive, fraîche et d'une constitution assez fine.
🔑 Dom. Pélaquié,
7, rue du Vernet, 30290 Saint-Victor-la-Coste,
tél. 04.66.50.06.04, fax 04.66.50.33.32,
e-mail contact@domaine-pelaquie.com
☑ 🍷 🚶 t.l.j. sf dim. 9h-12h 14h-18h
🔑 GFA du Grand Vervet

## PRIEURE DE MONTEZARGUES 2004 ★

■ 30 ha 130 000 5 à 8 €

Les archives de ce prieuré du XIIᵉs. font revivre six cents ans de viticulture à Montézargues. Autant dire qu'ici les ceps font partie de la famille. Il s'agit de la deuxième vinification de Guillaume Dugas sur les 30 ha qu'il exploite à l'aide de six cépages. A l'œil la framboise. Au nez la groseille. En bouche les deux. Subtil, équilibré et long, le corps a de l'ampleur.
🔑 Guillaume Dugas, Prieuré de Montézargues, rte de Rochefort, 30126 Tavel, tél. 04.66.50.04.48, fax 04.66.50.30.41, e-mail montezargues@wanadoo.fr
☑ 🍷 🚶 r.-v.

## DOM. ROC DE L'OLIVET 2004 ★

■ 2,5 ha 5 500 5 à 8 €

Thierry Valente a mis sur pied son domaine de 4,30 ha (on dirait en Californie une *boutique-winery*) il y a une dizaine d'années. Le grenache tient ici les choses bien en main, laissant toutefois voix au chapitre à plusieurs compagnons de route : cinsault, clairette et carignan. Beaucoup de vivacité et de typicité dans le coup d'œil et un bouquet joliment floral où apparaît la rose. La bouche est animée, très présente. Ce n'est pas seulement par goût de la rime que l'écorce d'agrumes s'accompagne d'une petite pointe d'amertume.
🔑 Thierry Valente, chem. de la Vaussière, 30126 Tavel, tél. et fax 04.66.50.37.87 ☑ 🍷 🚶 r.-v.

## LES VIGNERONS DE TAVEL Cuvée royale 2004 ★

■ 18 ha 100 000 5 à 8 €

Née en 1937, cette cave coopérative gère plus de 600 ha. Sa Cuvée royale est apparue aussi réussie que la cuvée **Tableau 2004** (reproduction d'une peinture sur l'étiquette). Grenache, mourvèdre et syrah s'associent pour donner ce vin rose bonbon soutenu. Les petits fruits rouges participent activement au parcours aromatique laissant un peu de place au pamplemousse. Le corps est étoffé et long.
🔑 Les Vignerons de Tavel, rte de la Commanderie, 30126 Tavel, tél. 04.66.50.03.57, fax 04.66.50.46.57, e-mail tavel.cave@wanadoo.fr ☑ 🍷 🚶 r.-v.

## DOM. DE TOURTOUIL 2004

■ 15 ha 90 000 5 à 8 €

La Compagnie rhodanienne a fait le bon choix avec ce Tourtouil agréablement dessiné à partir d'un trio grenache, cinsault et syrah. Le fruit éclate en bouche sur des arômes d'agrumes sensiblement différents de ceux du bouquet.
🔑 La Compagnie Rhodanienne, Chemin-Neuf, 30210 Castillon-du-Gard, tél. 04.66.37.49.50, fax 04.66.37.49.51, e-mail cie.rhodanienne@wanadoo.fr
☑ t.l.j. 8h-12h 14h-18h

## CH. DE TRINQUEVEDEL 2004 ★★

■ 30 ha 120 000 8 à 11 €

Certains se mettent en quatre pour vous plaire. Lui se met en six ; par ordre décroissant : grenache (45 %), cinsault, clairette, syrah, mourvèdre et bourboulenc (2 %). Le résultat est à la mesure de cette prévenance. Sa robe fait appel à une framboise vive. Son nez suggère la compote de petits fruits rouges. En bouche sa rondeur initiale (bonbon anglais) s'enrichit d'arômes secondaires intéressants et qui le complètent bien (fruits confits).
🔑 Ch. de Trinquevedel, 30126 Tavel, tél. 04.66.50.04.04, fax 04.66.50.31.66, e-mail trinquevedel@aol.com ☑ 🍷 🚶 r.-v.
🔑 Demoulin

# Clairette-de-die

La clairette-de-die est l'un des vins les plus anciennement connus au monde. Le vignoble occupe les versants de la moyenne vallée de la Drôme, entre Luc-en-Diois et Aouste-sur-Sye. On produit ce vin mousseux essentiellement à partir du cépage muscat (75 % minimum). La fermentation se termine naturellement en bouteille. Il n'y a pas adjonction de liqueur de tirage. C'est la méthode dioise ancestrale. La production a atteint 61 049 hl en 2004.

CAROD Tradition ★

| | 30 ha | n.c. | | 5 à 8 € |
|---|---|---|---|---|

Un liseré très fin apparaît dans le verre. Le nez, tout en finesse également, miel et muscat bien mûr, emplit les narines. Cette impression de surmaturité ressort en bouche où l'amande fait son apparition. Un effervescent puissant.
SARL Carod, 26340 Vercheny, tél. 04.75.21.73.77, fax 04.75.21.75.22, e-mail info@caves-carod.com
r.-v.

JACQUES FAURE

| | 4 ha | 21 000 | | 5 à 8 € |
|---|---|---|---|---|

Un arôme de muscat qui donne envie de croquer dans les bulles. Ce vin a en effet été élaboré avec 95 % de muscat à petits grains. Il est simple mais bien construit avec une mousse très légère en bouche.
EARL Jacques Faure, RD 93, 26340 Vercheny, tél. 04.75.21.72.22, fax 04.75.21.71.14
t.l.j. 9h-12h 14h-19h
Luc Faure

JEAN-CLAUDE RASPAIL Tradition 2003 ★★

| | 8,5 ha | 37 330 | | 5 à 8 € |
|---|---|---|---|---|

Frédéric Raspail a rejoint son père Jean-Claude sur le domaine créé en 1942 par son grand-père Flavien. Les dégustateurs ont salué la finesse du muscat de cette clairette légère au bouquet tirant sur la rose. Plus complexe en bouche, elle développe des saveurs de mangue et d'abricot. Un vin long et harmonieux, reflet de l'originalité de cette appellation. A servir sur une bûche de Noël ou sur un bavarois.
Jean-Claude Raspail et Fils, Dom. de la Mûre, 26340 Saillans, tél. 04.75.21.55.99, fax 04.75.21.57.57, e-mail jc.raspail@wanadoo.fr
t.l.j. 9h-12h 14h-18h30; f. 5-31 jan.

# Crémant-de-die

Le décret du 26 mars 1993 a reconnu l'AOC crémant-de-die, produite uniquement à partir du cépage clairette selon la méthode dite traditionnelle de seconde fermentation en bouteille. En 2003, l'appellation a produit 2 403 hl.

CAROD 2001 ★★

| | 5 ha | 15 000 | | 5 à 8 € |
|---|---|---|---|---|

Sur la propriété, un musée, ouvert en 1993, présente à travers des scènes sonorisées le travail de la vigne et du vin ainsi que les traditions dioises. Après sa visite, allez donc goûter ce remarquable crémant brillant, jaune pâle à reflets verts, qui laisse apparaître une mousse fine. Le nez très aromatique, brioché, est marqué par les fruits secs (amande). L'attaque souple offre un bel équilibre acidité-sucre. Un vin long en bouche, aux arômes bien fondus et à la finale plaisante qui pourra accompagner une truite aux amandes.
SARL Carod, 26340 Vercheny, tél. 04.75.21.73.77, fax 04.75.21.75.22, e-mail info@caves-carod.com
r.-v.

CHAMBERAN 2000

| | 2,7 ha | 20 000 | 5 à 8 € |
|---|---|---|---|

En passant par Vercheny, vous ne pourrez pas manquer le caveau de l'Union des jeunes viticulteurs qui, avec son architecture résolument moderne, ne passe pas inaperçu, tout comme ce crémant qui a retenu l'attention du jury. Un peu timide au nez, il offre au palais des saveurs de fleurs blanches et surtout un style aérien tout en équilibre. Un vin typique de l'appellation.
Union des jeunes viticulteurs Vercheny, rte de Die, 26340 Vercheny, tél. 04.75.21.70.88, fax 04.75.21.73.73, e-mail contact@ujvr.fr
t.l.j. 9h-12h 14h-18h30

DIDIER CORNILLON Brut absolu 2001 ★

| | 1 ha | 5 000 | | 5 à 8 € |
|---|---|---|---|---|

Une mousse d'intensité moyenne perle à la surface du vin. Le nez puissant, agréable et fondu, offre des arômes de vanille ; ce crémant gagnera en harmonie d'ici un an.
Didier Cornillon, 26410 Saint-Roman, tél. 04.75.21.81.79, fax 04.75.21.84.44
t.l.j. 10h-12h30 14h30-19h

JACQUES FAURE

| | 1 ha | 5 000 | | 5 à 8 € |
|---|---|---|---|---|

C'est dans une cave datant de 1830 que vous pourrez goûter ce crémant jaune pâle à reflets verts et à la mousse fine et persistante. Son nez est discret et une légère nervosité marque la bouche qui finit sur l'amande.
EARL Jacques Faure, RD 93, 26340 Vercheny, tél. 04.75.21.72.22, fax 04.75.21.71.14
t.l.j. 9h-12h 14h-19h
Luc Faure

# Châtillon-en-diois

Le vignoble du châtillon-en-diois occupe 50 ha, sur les versants de la haute vallée de la Drôme, entre Luc-en-Diois (550 m d'altitude) et Pont-de-Quart (465 m). L'appellation produit des rouges (cépage gamay), légers et fruités, à consommer jeunes, ou des blancs (cépages aligoté et chardonnay), agréables et nerveux. Production totale : 2 634 hl en 2004.

DIDIER CORNILLON Clos de Beylière 2003 ★★

■ 0,5 ha 2 500 5 à 8 €

Un producteur de châtillon-en-diois avec lequel il faut compter. Jugez-en : quatre vins retenus dont celui-ci avec un coup de cœur ! Sous une robe grenat foncé presque noire, le nez exhale des effluves de sous-bois épicés, de vanille et de fruits rouges. Sa richesse aromatique et sa structure le destinent à un agneau ou un sanglier. Le **Clos de Beylière blanc 2003** reçoit également deux étoiles pour son boisé bien maîtrisé. Le **rouge 2003 (3 à 5 €)** fait preuve de personnalité. Il obtient une étoile comme le **rosé 2004 (3 à 5 €)** bien frais.

Didier Cornillon, 26410 Saint-Roman,
tél. 04.75.21.81.79, fax 04.75.21.84.44
t.l.j. 10h-12h30 14h30-19h

LA CAVE DE DIE JAILLANCE 2003

■ 27 ha 30 000 5 à 8 €

Un assemblage de gamay (75 %) et de pinot noir a donné une cuvée très fraîche. Un vin plaisir de longueur moyenne, aux arômes de bonbon anglais et de vanille.

La Cave de Die Jaillance, av. de la Clairette, BP 79,
26150 Die, tél. 04.75.22.30.00, fax 04.75.22.21.06
r.-v.

# Coteaux-du-tricastin

Cette appellation couvre 2 000 ha répartis sur vingt-deux communes de la rive gauche du Rhône, depuis La Baume-de-Transit au sud, en passant par Saint-Paul-Trois-Châteaux, jusqu'aux Granges-Gontardes, au nord. Les terrains d'alluvions anciennes très caillouteuses et les coteaux sableux, situés à la limite du climat méditerranéen, ont produit 11 242 hl de vins en 2004. Cette appellation vient d'être redélimitée.

DOM. DES AGATES Grands Luas 2003 ★

■ 4 ha 10 000 5 à 8 €

Depuis la création de la cave de vinification il y a quatre ans, les coteaux-du-tricastin du domaine ont, chaque année, été retenus par le jury. Cette fois, la cuvée Grands Luas est à l'honneur. Une maturité optimale des raisins est vraisemblablement à l'origine de l'intensité aromatique du nez, marqué par les fruits rouges et les fruits cuits. La bouche déploie toute sa richesse sur des notes épicées. Des tanins soyeux et de qualité soutiennent la dégustation. Un vin équilibré qui peut être attendu quelques années.

SCEA Vignerons Chabanis Riffard,
Dom. des Agates, chem. de l'Etang,
26780 Châteauneuf-du-Rhône, tél. 06.03.09.50.63,
fax 04.75.90.75.59, e-mail info@domainedesagates.com
lun-ven.17h-20h; sam. dim. 10h-12h 14h-19h
Olivier Chabanis

DOM. ALMORIC 2003 ★

■ 6,5 ha 25 000 3 à 5 €

Du vieux village perché d'Allan, il reste quelques vestiges des XII et XIIIe s. Le fruit du premier nez cède bientôt la place à toute la chaleur de la garrigue voisine avec notamment des effluves de thym et de chaudes épices. L'attaque est souple et les tanins sont présents sans agressivité. La bouche développe une belle palette d'arômes avec des senteurs de sous-bois qui rappellent le bouquet. De la jeunesse et une plaisante fraîcheur pour ce coteaux-du-tricastin traditionnel.

Jean-Pierre Almoric, 3, rte de Montélimar,
26780 Allan, tél. et fax 04.75.46.65.23
t.l.j. sf dim. 9h-12h 14h-18h30

DOM. BONETTO-FABROL
Sélection Elevé en fût de chêne 2003 ★★

■ 2 ha 8 500 5 à 8 €

Au domaine, le pain est fait à l'ancienne et cuit au feu de bois dans un four en pierre. Philippe Fabrol apporte tout autant de soin à l'élaboration de ses vins, comme en témoigne ce coteaux-du-tricastin qui a frôlé le coup de cœur. Cette sélection de vieilles vignes élevées en fût de chêne a été vinifiée avec talent. Le résultat ? Un bouquet complexe d'où s'échappent des fragrances de fruits confits. Une attaque vive, une matière légèrement vanillée, une réelle harmonie. En résumé, de l'élégance.

Philippe Fabrol, 26700 La Garde-Adhémar,
tél. 04.75.04.42.01, e-mail philippe.fabrol@tiscali.fr
r.-v.

SYLVIE ET FLORIAN CHABAUD
Cuvée du Gât 2003

■ n.c. 3 700 5 à 8 €

En 1990, Sylvie et Florian Chabaud se lancent dans l'aventure. Ils ne possèdent alors que 3 ha de terre. A force de travail, leur domaine s'étend aujourd'hui sur 60 ha dont un peu plus de 23 sont plantés de vignes. Sombre mais brillante, la robe annonce la couleur. Le nez fermé dans un premier temps s'ouvre progressivement sur des notes animales rehaussées par des nuances épicées. Même impression au palais. Après une attaque timide, la bouche se révèle peu à peu et s'achève sur une explosion d'arômes épicés. Une certaine austérité devrait s'estomper avec le temps.

EARL du Gât, La ferme du Gât,
chem. de la Grenache, 26780 Allan, tél. 04.75.46.68.41
t.l.j. 9h-12h 14h-18h (mai à août)
sept. à avril sur r.-v.

### COSTEBELLE 2003 ★

■ 1,2 ha 7 818 3 à 5 €

Cette ancienne cave privée fut rachetée en 1939 par quelques vignerons. Ce groupement de viticulteurs propose aujourd'hui un vin clair, limpide et frais, tout à fait conforme au type de l'appellation. A l'olfaction, d'agréables fragrances de petits fruits rouges. En bouche, l'attaque sur fond de réglisse est en totale harmonie avec la suite de la dégustation. Une bouteille qui mettra en valeur des charcuteries ou une grillade.

SCA Cave Costebelle, 2, av. des Alpes, 26790 Tulette, tél. 04.75.97.23.18, fax 04.75.98.38.61
r.-v.

### CH. LA DECELLE 2003 ★

■ 10 ha 20 000 5 à 8 €

Une couleur violacée à reflets limpides ; des notes fruitées au nez ; une fraîcheur qui persiste tout au long de la dégustation. Au palais, les fruits rouges acidulés sont dominés par la groseille. Un vin primesautier tout en légèreté et en finesse qui accompagnera une assiette de charcuterie ou une viande blanche. Pour la cuisine exotique, choisissez plutôt la **Cuvée Harmonie rosé 2004** qui obtient aussi une étoile. A l'olfaction, le thym et le romarin disputent la vedette aux fruits rouges. La bouche, délicate et fine, se montre également ronde et fondante.

Ch. La Décelle, rte de Pierrelatte, D 59, 26130 Saint-Paul-Trois-Châteaux, tél. 04.75.04.71.33, fax 04.75.04.56.98, e-mail ladecelle@wanadoo.fr
t.l.j. 9h-12h 14h-18h; groupes sur r.-v.
Seroin

### LES DOUELLES D'ELYSSAS 2003 ★★

■ 4 ha 8 000 5 à 8 €

Une tour de vinification comportant différents étages utilise la gravité pour travailler le raisin, tout en respectant la vendange. Et la qualité est au rendez-vous. Grenat foncé avec de beaux reflets, ce vin développe au nez des parfums de fruits rouges et de fruits cuits légèrement vanillés puis des notes de réglisse. Après une attaque souple, la bouche se révèle aromatiquement riche et longue. Le boisé, hérité du fût, est réussi. Un beau mariage entre épices, vanille, fruits rouges et poivre.

Le Dôme d'Elyssas, La Combe d'Elyssas, 26290 Les Granges-Gontardes, tél. 04.75.98.61.55, fax 04.75.98.63.12, e-mail info@domeglyssas.com
t.l.j. 9h-12h 14h-18h; dim. sur r.-v.

### LES VIGNERONS DE L'ENCLAVE DES PAPES 2004

■ 300 ha 100 000 - de 3 €

Jadis enclave des papes d'Avignon, Valréas possède aujourd'hui encore un statut administratif singulier : c'est un canton du Vaucluse entouré par le département de la Drôme. Ce 2004 montre une avenante robe pourpre ; son nez tout en finesse est marqué par les fruits rouges. Une certaine rondeur en bouche associée à des notes fruitées apportera une fraîcheur appréciable en été. Un vin de plaisir simple et agréable.

Vignerons de l'Enclave des Papes, BP 51, 84602 Valréas Cedex, tél. 04.90.41.91.42, fax 04.90.41.90.21, e-mail france@enclavedespapes.com

### CH. DES ESTUBIERS 2003 ★

■ n.c. 30 000 8 à 11 €

La maison Chapoutier de Tain-l'Hermitage n'est plus à présenter aux fidèles lecteurs du Guide, pas plus que ce Château des Estubiers régulièrement retenu par le jury. Dans le millésime 2003, le vin s'habille de rouge intense et offre un nez généreux aux arômes de cassis avec des notes épicées. On retrouve ces mêmes arômes dans une bouche riche et structurée. L'équilibre et les tanins fondus, garants d'une belle évolution, permettent à cette bouteille d'obtenir une étoile. Une étoile également pour la **Ciboise rouge 2003 (3 à 5 €)**, issue du même terroir que le Château des Estubiers, et qui possède un profil aromatique analogue. L'importante proportion de grenache (80 %) confère tout son caractère à ce vin aux tanins enrobés.

Maison M. Chapoutier, 18, av. du Dr-Paul-Durand, BP 38, 26601 Tain-l'Hermitage Cedex, tél. 04.75.08.28.65, fax 04.75.08.81.70, e-mail chapoutier@chapoutier.com
t.l.j. 9h-12h30 14h-19h; groupes sur r.-v.

### DOM. DE GRANGENEUVE La Truffière 2003 ★★

■ 6 ha 24 000 8 à 11 €

Les ruines du donjon et du château rappellent le rôle défensif autrefois attribué à Roussas en raison de sa situation dominante. Les pentes ont été déboisées et la vigne s'étage désormais en terrasses au-dessus du Rhône. A l'olfaction des fragrances de cassis confit, des notes animales, de cuir et d'épices laissent deviner la nette prédominance de la syrah dans ce vin de couleur sombre. En bouche, des saveurs de fruits et d'épices s'épanouissent sur un léger boisé vanillé bien travaillé jusqu'à une jolie finale. Gardez cette bouteille quelques années en cave pour lui laisser le temps d'atteindre son apogée. La **Grande cuvée élevée en fût de chêne rouge 2003**, très prometteuse, obtient également deux étoiles. Déjà intense, elle devrait révéler sa puissance dans quelques années.

Domaines Bour, Grangeneuve, 26230 Roussas, tél. 04.75.98.50.22, fax 04.75.98.51.09, e-mail domaines.bour@wanadoo.fr r.-v.

### GABRIEL LIOGIER Laferette 2004 ★

1,5 ha 10 000 8 à 11 €

Gabriel Liogier achète, en 1980, un domaine près de Rochegude. Aujourd'hui, celui-ci s'étend sur 40 ha. Le bouquet exotique de ce 2004 mêle des arômes plus classiques de fleurs blanches et d'acacia. La bouche révèle une agréable saveur de pêche aux côtés de notes d'épices douces et de vanille. Une bouteille que l'on pourra aussi bien servir à l'apéritif qu'avec des fruits de mer et qui plaira au plus grand nombre.

Gabriel Liogier, 21420 Aloxe-Corton, tél. 03.80.26.44.25, fax 03.80.26.43.57

### DOM. DE MONTINE Sélection Terroir 2003 ★★

■ 10 ha 30 000 5 à 8 €

Comme dans la précédente édition du Guide, le domaine de Montine décroche un coup de cœur. Cette fois, c'est sa Sélection Terroir qui a emporté tous les suffrages. Sa belle intensité sur les épices laisse deviner un vin en devenir. La bouche est enchanteresse avec une explosion d'arômes fruités et épicés, une belle rondeur et des tanins de qualité. Une montée en puissance qui ne semble jamais pouvoir redescendre ! La cuvée **Séduction rouge 2003** reste sur les fruits rouges réglissés et vanillés. Agréable et d'une grande finesse, elle reçoit une étoile.

Monteillet, Dom. de Montine,
GAEC de La Grande Tuilière, 26230 Grignan,
tél. 04.75.46.54.21, fax 04.75.46.93.26,
e-mail domainedemontine@wanadoo.fr r.-v.

### DOM. DE MONTINE Viognier 2004 **

5 ha 20 000 5 à 8 €

Une pluie d'étoiles pour ce domaine, également producteur de truffes. Sa cuvée Viognier s'est distinguée par sa persistance aromatique et son gras en bouche. Avec sa rondeur et sa délicatesse, elle sera parfaite pour l'apéritif ou pour accompagner un plat en sauce. Le **blanc 2004** du domaine, assemblage plus traditionnel de viognier, de roussanne, de marsanne et de clairette, développe de jolies notes de fleurs blanches, de pêche, d'agrumes et de violette. Ce vin de belle facture reçoit une étoile. Enfin, le **rosé 2004 (3 à 5 €)**, jugé très réussi, vient clore ce palmarès. C'est une agréable bouteille aux arômes de fruits rouges et de cassis à boire sur une salade.

Monteillet, Dom. de Montine,
GAEC de La Grande Tuilière, 26230 Grignan,
tél. 04.75.46.54.21, fax 04.75.46.93.26,
e-mail domainedemontine@wanadoo.fr r.-v.

### DOM. ROZEL 2003

2 ha 12 000 3 à 5 €

Depuis trois générations, ce vignoble se transmet de père en fils. Mais la tradition viticole est ancienne dans la famille, car, selon des documents des archives départementales, le village d'Allan comptait déjà, en 1464, des Rozel vignerons. Une robe légère, limpide et brillante, habille cette bouteille. Les épices viennent rehausser le premier nez de fruits et lui confèrent une certaine complexité. Une attaque discrète, des tanins présents pour ce vin tout en harmonie et en finesse.

Bruno Rozel, Les Planes, 26230 Valaurie,
tél. 04.75.98.57.23, fax 04.75.98.64.38,
e-mail dom-b.rozel@wanadoo.fr t.l.j. 8h-19h

### DOM. DU VIEUX MICOCOULIER 2003 *

10 ha 40 000 5 à 8 €

Le micocoulier est un arbre de la famille de l'orme qui pousse dans les régions chaudes. Dès les premiers effluves, ce vin s'exprime intensément sur des arômes fruités et complexes. Après une attaque franche, la bouche se montre structurée, avec de la matière et une intéressante longueur marquée par les épices. Sachez patienter encore un peu pour apprécier pleinement cette bouteille sur un agneau ou un pintadeau de la Drôme.

SCGEA Cave Vergobbi,
Le Logis de Berre, 26290 Les Granges-Gontardes,
tél. 04.75.04.02.72, fax 04.75.04.41.81
t.l.j. 9h30-12h 14h30-18h30; dim. sur r.-v.

# Côtes-du-ventoux

A la base du massif calcaire du Ventoux, le Géant du Vaucluse (1 912 m), des sédiments tertiaires portent ce vignoble qui s'étend sur cinquante et une communes (7 450 ha), entre Vaison-la-Romaine au nord et Apt au sud. Les vins produits sont essentiellement des rouges et des rosés. Le climat, plus froid que celui des côtes-du-rhône, entraîne une maturité plus tardive. Les vins rouges sont de moindre degré alcoolique, mais frais et élégants dans leur jeunesse ; ils sont cependant davantage charpentés dans les communes situées le plus à l'ouest (Caromb, Bédoin, Mormoiron). Les vins rosés sont agréables et demandent à être bus jeunes. La production totale a atteint 313 696 hl en 2004.

### DOM. DES ANGES L'Archange 2003 **

6 ha 24 000 5 à 8 €

Irlandais, Ciaran Rooney dirige le domaine de son compatriote Gabriel Mac Guiness. Une étiquette avec un ange rouge orne la bouteille de ce côtes-du-ventoux particulièrement apprécié par le jury. Les dégustateurs se sont laissé séduire par sa robe rouge violacé profond et par son bouquet à la fois floral (violette) et fruité (cassis). Des tanins enrobés tapissent la bouche qui s'achève sur une remarquable finale fruitée. À déguster dans deux à trois ans. Le **Domaine des Anges blanc 2004**, au nez floral encore discret mais prometteur, obtient une citation.

SCA Dom. des Anges, 84570 Mormoiron,
tél. 04.90.61.88.78, fax 04.90.61.98.05,
e-mail ciaranr@club-internet.fr r.-v.

### DOM. AYMARD Prestige 2003

2 ha 8 000 5 à 8 €

60 % de grenache et 30 % de syrah complétés par 10 % de mourvèdre sont à l'origine de cette cuvée Prestige au bouquet de fruits rouges et d'épices mêlés de senteurs de noix. Elle pourra accompagner dès la sortie du Guide une viande en sauce ou un civet de lièvre. Même note pour le **rosé 2004 (3 à 5 €)** aux nuances odorantes de fleurs blanches et aux arômes plutôt fruités. À servir à l'apéritif ou avec une grillade.

Dom. Aymard, Les Galères, Serres,
84200 Carpentras, tél. 04.90.63.35.32,
fax 04.90.67.02.79, e-mail jeanmarie.aymard@free.fr
r.-v.

### DOM. BALAQUERE 2003 **

22,2 ha 133 000 3 à 5 €

Avec son accueil chaleureux, ses expositions de peintures mais aussi ses vins de qualité, le caveau des Vignerons du mont Ventoux attire les touristes français et étrangers. Une visite qui ne décevra pas les amateurs puisque le jury a retenu trois cuvées. D'abord ce côtes-du-ventoux rouge au bouquet fruité (cassis) nuancé de quelques notes animales. Un vin très représentatif de l'appellation, à boire avec une viande rouge ou un civet de sanglier dès la sortie du Guide ou dans trois ans. Également jugé remarquable, le **Gigantis rouge 2003 (11 à**

**15 €)**, élevé en fût, a encore du temps devant lui. Enfin, le **Château Crillon rosé 2004** obtient une citation pour son bouquet floral et fruité.

SCA Les Vignerons du Mont-Ventoux,
quartier La Salle, 84410 Bedoin, tél. 04.90.12.88.00,
fax 04.90.65.64.43 r.-v.

## DOM. DE LA BASTIDONNE 2004 ★

2,5 ha 3 500 3 à 5 €

Sur la route touristique des grottes et des fontaines du Vaucluse, le domaine de la Bastidonne mérite un détour. Gérard Marreau y a élaboré un côtes-du-ventoux jaune pâle à reflets ambrés dont le nez mêle des nuances florales et minérales. Des arômes de fruits exotiques et une belle harmonie pour ce vin sympathique que l'on aura plaisir à déguster dès la sortie du Guide. Le **rosé 2004** du domaine reçoit une citation pour son bouquet exotique, tout comme **Les Coutilles rouge 2003 (8 à 11 €)**, une bouteille plaisante au boisé réussi.

Gérard Marreau, SCEA Dom. de La Bastidonne,
84220 Cabrières-d'Avignon,
tél. 04.90.76.70.00, fax 04.90.76.74.34,
e-mail domaine.bastidonne1@tiscali.fr
t.l.j. sf dim. 9h-12h 14h-18h

## DOM. DE BEAUMALRIC 2004 ★★

8 ha 36 000 3 à 5 €

3 km seulement séparent la propriété des Dentelles de Montmirail, étonnantes crêtes calcaires sculptées par l'érosion. Le domaine produit de nombreuses appellations dont les côtes-du-ventoux, remarquablement représentées par ce 2004 à la robe grenat très soutenue et au bouquet complexe de fruits des bois (mûres) et d'épices mêlés de notes minérales. Un vin encore jeune mais prometteur qui demande deux à trois ans pour s'exprimer pleinement. On pourra alors l'apprécier sur une viande blanche.

EARL Begouaussel, Dom. de Beaumalric,
Saint-Roch, 84190 Beaumes-de-Venise,
tél. 04.90.65.01.77, fax 04.90.62.97.28 r.-v.

## VIGNERONS DE BEAUMES-DE-VENISE
La Cuvée des Toques 2004 ★

100 ha 60 000 3 à 5 €

Créée en 1956 par M. Blachon, le pharmacien du village, la Cave de Beaumes-de-Venise se signale régulièrement par une production de qualité. En témoigne cette Cuvée des Toques à la robe rouge grenat scintillante et au nez intense de fruits rouges (cerise). Un vin bien fait, tout en finesse, avec une intéressante structure tannique fondue, à réserver à une volaille ou à une viande rouge. **La Pierre du Diable rosé 2004**, représentative de l'appellation, a également été jugée très réussie.

Vignerons de Beaumes-de-Venise,
quartier Ravel, 84190 Beaumes-de-Venise,
tél. 04.90.12.41.00, fax 04.90.65.02.05,
e-mail vignerons@beaumes-de-venise.com r.-v.

## CAVE BEAUMONT DU VENTOUX
Prestige de nos vignes Elevé en fût de chêne 2003 ★

4 ha 25 000 5 à 8 €

Sur les pentes du mont Ventoux, à proximité de Beaumont-du-Ventoux, se trouvent les carrières de molasses utilisées dès l'époque romaine pour la construction de Vaison-la-Romaine. L'œnologue de la cave, J.-Y. Carivenc, a assemblé 15 % de grenache et 85 % de syrah pour élaborer ce vin rouge foncé. Le nez intense de fruits confits et de réglisse annonce une bouche souple, au joli fruité. Les tanins sont bien présents, un rien sévères. A ouvrir sur une côte de bœuf.

Cave coop. Beaumont-du-Ventoux,
84340 Beaumont-du-Ventoux, tél. 04.90.65.21.01,
fax 04.90.65.13.59 r.-v.

## DOM. DE BERANE Les Blaques 2003 ★

2,3 ha 9 000 8 à 11 €

Un domaine encore jeune puisqu'il fut créé en 2000 par le rachat de vignes âgées de quinze à soixante ans. Le caveau date de 2002 et la cave de vinification devrait être opérationnelle pour les vendanges de 2005. À suivre... Dans une robe sombre à reflets bleutés, cette cuvée dominée par la syrah offre un bouquet intense de fruits rouges. « Un vin jeune, chaud et généreux qui nécessite une période de garde », note un dégustateur. La cuvée **Les Agapes rouge 2003 (5 à 8 €)**, dominée par le grenache (80 %), reçoit elle aussi une étoile.

A. C. Rabatel et B. Ferary, rte de Flassan,
84570 Mormoiron, tél. 04.90.61.77.32,
e-mail domainedeberane@wanadoo.fr
t.l.j. sf dim. lun. 10h-12h30 16h-19h30; f. jan.

## CH. BLANC 2003

14,14 ha 40 000 3 à 5 €

Le jury a retenu ce 2003 rouge sombre profond et au nez complexe de fruits noirs accompagné de notes vanillées. Après une attaque soyeuse assez fruitée, la bouche révèle des tanins bien enrobés. Un vin qui peut attendre deux à trois ans et se marier avec les saveurs d'une cuisine provençale.

SCEA Ch. Blanc, quartier Grimaud,
84220 Roussillon, tél. 04.90.05.64.56, fax 04.90.05.72.79
t.l.j. 8h-12h 14h-18h30

## LES VIGNERONS DE CANTEPERDRIX
Marquis de Sade 2004

3 ha 20 000 5 à 8 €

Le nom de cette cuvée proposée par la cave de Mazan peut surprendre. Mais c'est oublier que le célèbre marquis fut en partie élevé à quelques kilomètres de Fontaine-de-Vaucluse par un oncle abbé. Et, dans les moments difficiles, il trouva refuge au château de Lacoste où il vécut de nombreuses années. Issu d'une vinification à basse température, d'un pressurage direct et d'un débourbage à froid, ce vin jaune pâle possède un nez expressif de fleurs blanches, de noisette et d'agrumes. La bouche est ronde et de bonne persistance ; on y retrouve des notes fruitées. Un vin à servir dès aujourd'hui.

Les Vignerons de Canteperdrix, 84380 Mazan,
tél. 04.90.69.70.31, fax 04.90.69.87.41
t.l.j. 9h-12h30 14h30-18h

## DOM. DE CASCAVEL Le Cascavel 2003 ★

3 ha 7 000 5 à 8 €

Avec cette cuvée Le Cascavel, Olivier Baguet et Raphaël Trouiller, qui dirigent conjointement le domaine, signent seulement leur troisième millésime. Un terroir argilo-calcaire mené en agriculture biologique et trente jours de cuvaison ont donné naissance à un vin grenat foncé aux arômes de cassis. Il faudra attendre cette bouteille bien équilibrée et structurée deux à trois ans pour laisser aux tanins le temps de se fondre.

🔑 Dom. de Cascavel, SCEA Baguet-Trouiller, quartier Bel-Air, 84570 Méthamis, tél. 04.90.61.72.18, fax 04.90.61.94.09, e-mail cascavel@voila.fr
▣ ꓕ ⛹ t.l.j. sf dim. lun. 10h30-12h30 16h-19h

### DOM. DE LA COQUILLADE 2004 *

■ 2 ha 12 000 ▮ 🌡 3 à 5 €

Gargas fut longtemps réputé pour ses carrières d'ocre et le village a d'ailleurs donné son nom à une couche géologique : l'étage gargasien. Déjà très réussie dans la précédente édition du Guide, cette cuvée possède, dans le millésime 2004, un nez intense de fleurs et de fruits rouges. En bouche, le fruité domine, accompagné de notes d'épices et de coing confit. Pour un des membres du jury : « Un vin de plaisir pour les grands jours ». A servir dès maintenant avec de la cuisine exotique.

🔑 Martin Plück, Dom. de La Coquillade, Hameau de La Coquillade, 84400 Gargas, tél. 04.90.74.54.67, fax 04.90.74.71.86, e-mail coquillade@aol.com ▣ 🏠 ꓕ ⛹ r.-v.

### DOM. DU COULET ROUGE 2003 *

■ 2 ha 6 000 **5 à 8 €**

Le coulet désigne en provençal une petite montagne. La couleur rouge se réfère aux diverses nuances d'ocre de certains des terroirs du domaine. Voilà pour le nom. Quant à ce côtes-du-ventoux à la robe rouge aux nuances violettes, il est issu d'une vinification traditionnelle. Avec son nez de fruits rouges et ses saveurs de cacao, il est bien équilibré.

🔑 Bonnelly & Fils, Dom. du Coulet Rouge, Les Bâtiments Neufs, 84220 Roussillon, tél. et fax 04.90.05.61.40, e-mail le.coulet.rouge@wanadoo.fr ꓕ ⛹ r.-v.

### LA COURTOISE Rives et Terrasses 2004

■ n.c. 280 000 - de 3 €

Un agréable caveau décoré de peintures avec vue sur le Géant de Provence accueille touristes et amateurs de vins. Celui-ci se montre typique de l'appellation par ses arômes de fruits frais. Agréable, il peut être apprécié dès maintenant avec de la charcuterie ou une grillade. Egalement produit par la coopérative de Saint-Didier, le **Domaine Les Planes du Roy René rosé 2004 (3 à 5 €)** est cité. Encore fermé, il laisse cependant échapper des nuances fruitées prometteuses.

🔑 SCA la Courtoise, 84210 Saint-Didier, tél. 04.90.66.01.15, fax 04.90.66.13.19, e-mail cave.la.courtoise@wanadoo.fr

### DOM. DE CRESSENTON 2004 *

■ 15 ha 75 000 ▮ 🌡 - de 3 €

Un prix imbattable pour ce vin ! Une couleur pourpre soutenu, des parfums de fruits mûrs et d'épices et en bouche des arômes persistants contribuent à l'harmonie générale de cette bouteille. A servir aussi bien avec un jambon braisé qu'avec un navarin d'agneau ou un pot-au-feu.

🔑 Vignerons de l'Enclave des Papes, BP 51, 84602 Valréas Cedex, tél. 04.90.41.91.42, fax 04.90.41.90.21, e-mail france@enclavedespapes.com

### DOM. DE LA FERME SAINT-MARTIN
Clos des Estaillades 2003

■ 2 ha 4 500 ▮ 🌡 **5 à 8 €**

Le Clos des Estaillades, terroir bien exposé et très chaud en été, a été acheté par le domaine en 1998. Ses vignes ont servi à élaborer cette cuvée à la robe intense aux reflets violacés et aux parfums dominés par les fruits rouges et les épices. Un vin harmonieux et gouleyant que l'on pourra apprécier dès la sortie du Guide.

🔑 Guy Jullien, Dom. de la Ferme Saint-Martin, 84190 Suzette, tél. 04.90.62.96.40, fax 04.90.62.90.84, e-mail guy-jullien@tiscali.fr ▣ ꓕ ⛹ r.-v.

### DOM. DE FONDRECHE Nadal 2003 *

■ 10 ha 30 000 ▮ ⏺ 🌡 **11 à 15 €**

Grenache et syrah à parts égales composent cette cuvée Nadal qui avait déjà obtenu une étoile dans la précédente édition du Guide. Le jury s'est laissé séduire par sa teinte profonde et par son nez très fruité avec des notes vanillées. Ces arômes se prolongent dans une bouche ronde et souple au boisé harmonieux. Les dégustateurs ont également attribué une étoile à la **cuvée Persia rouge 2003** pour son bouquet intense de fruits rouges (griotte) et de fruits noirs (cassis, myrtille). La **cuvée Persia blanc 2004**, qui associe harmonieusement le fruit et le bois, est citée.

🔑 Dom. de Fondrèche, 84380 Mazan, tél. 04.90.69.61.42, fax 04.90.69.61.18 ▣ ꓕ ⛹ r.-v.
🔑 Vincenti

### DOM. GIROD
Prestige Elevé en fût de chêne 2003 **

■ 9 ha 11 200 ⏺ **8 à 11 €**

Le mas et les terres agricoles furent achetés en 1974, mais le domaine viticole est récent. C'est donc son premier millésime que les dégustateurs ont découvert avec bonheur. D'une couleur pourpre très soutenue, ce vin se montre encore un peu fermé, mais il dévoile déjà des notes fruitées, poivrées et vanillées pleines de promesses. Bien concentré, avec des arômes dominés par les fruits noirs, il s'épanouira après quelques années de garde. Il mettra alors en valeur un gibier en sauce. **La Menuisière rouge 2003**, qui libère en bouche des saveurs de cassis et d'épices, reçoit une étoile. Un domaine à suivre...

🔑 Dom. Girod, Les Esqueyrades, rte de Saint-Michel, 84220 Roussillon, tél. 04.90.05.84.03, fax 04.90.05.84.70, e-mail domaine-girod@terre-net.fr
▣ ꓕ ⛹ t.l.j. 9h-12h 14h-18h; f. dim. en hiver

### DOM. LE GRAND VALLAT Gaïa 2003 **

■ 1,5 ha 4 600 ▮ 🌡 **11 à 15 €**

Deuxième millésime pour ce domaine et à nouveau deux étoiles pour sa cuvée Gaïa. Tous les membres du jury se sont laissé charmer par sa belle robe rouge sombre et par son bouquet aux nuances de fruits rouges. En bouche, l'expression aromatique confirme le niveau qualitatif de ce remarquable représentant de l'appellation. On l'appré-

ciera avec un bœuf braisé. Une citation pour **Le Domaine rouge 2003 (8 à 11 €)**, un vin gouleyant au nez de fruits rouges frais.
SCEA Valentini, Le Grand Vallat, Saint-Estève, 84570 Blauvac, tél. 06.87.60.33.05, fax 04.90.61.73.65, e-mail infos@grandvallat.com r.-v.

### DOM. LES HAUTES-BRIGUIERES
Plénitude 2003 *

■ 2 ha 8 200 8 à 11 €

Jeune vigneron installé en 1998 sur 15 ha de vignes, François-Xavier Rimbert propose un 2003 rouge intense à reflets violacés. Le bouquet complexe délivre des parfums épicés et fruités. Les arômes de fruits (fruits rouges) se retrouvent en bouche. Pour une viande rouge ou un gigot d'agneau. Une citation va à la plaisante **Cuvée Prestige rouge 2003 (5 à 8 €)**, élevée en fût.
François-Xavier Rimbert,
Dom. Les Hautes-Briguières, 84570 Mormoiron,
tél. 04.90.61.71.97, fax 04.90.61.85.80,
e-mail fxrimbert@aol.com
t.l.j. 14h-18h; sam. dim. 10h-19h

### JANSIAC 2003

■ 1,5 ha 3 200 11 à 15 €

Pour les gourmands, signalons qu'Apt est considérée comme la capitale du fruit confit. La production des maîtres confiseurs des lieux était déjà très appréciée au XIVe s. par les papes d'Avignon. La coopérative propose un vin fort bien vinifié mais un peu atypique. Ce 2003 développe un nez complexe d'herbes de Provence, de pruneau et d'épices. De fines saveurs emplissent une bouche ronde et équilibrée. A servir dans trois ou quatre ans avec un magret de canard au miel et aux airelles. Egalement citée, la **cuvée Obage rouge 2003 (5 à 8 €)** est, elle, bien représentative de l'appellation. Elle accompagnera un filet de bœuf aux cèpes.
SCA Vins de Sylla, BP 141, 84400 Apt,
tél. 04.90.74.05.39, fax 04.90.04.72.06 r.-v.

### LUMIERES Elevé en barrique 2003 **

■ 2 ha 5 000 5 à 8 €

Robert Vincent a fait du beau travail à en juger par les notes que le jury a attribuées à la production de la Cave de Lumières, coup de cœur dans la précédente édition du Guide. La cuvée élevée en barrique cache derrière sa robe très foncée d'intenses senteurs de mûre puis, à la dégustation, elle se révèle riche en arômes et séductrice. Elle peut attendre deux à trois ans avant d'accompagner un carré d'agneau avec un tian de courgettes ou d'aubergines. Tout aussi remarquable, le **Domaine Fontaube rouge 2003 (3 à 5 €)** présente un excellent équilibre général. « Une bonne expression du terroir », note un dégustateur. C'est un vin prometteur, de même que la cuvée **Lumières rouge 2003** qui obtient elle aussi deux étoiles pour son harmonie, sa finesse et son équilibre. Un beau tiercé.
SCA Cave de Lumières, 84220 Goult,
tél. 04.90.72.20.04, fax 04.90.72.42.52 r.-v.

### DOM. DE MAROTTE Cuvée Niels 2002 *

■ 6 ha 20 500 3 à 5 €

L'œnologue du domaine a su tirer toute la quintessence de la vendange dans un millésime difficile. Le vin, bien structuré mais encore un peu sévère, développe un intéressant côté fumé. Ce n'est pas un hasard si 90 % de la production de ce domaine est exportée.
EARL la Reynarde, Dom. de Marotte,
petit chemin de Serres, 84200 Carpentras,
tél. 04.90.63.43.27, fax 04.90.67.15.28,
e-mail marotte@wanadoo.fr
t.l.j. 9h30-12h30 14h30-18h30; f. jan., fév.

### DOM. LE MURMURIUM 2004 *

2 ha 4 800 5 à 8 €

Créé en 1995 sur 8 ha, converti à l'agriculture biologique en 1997, ce domaine qui compte aujourd'hui une vingtaine d'hectares a agrandi sa cave et construit un chai à barriques souterrain en 2001. Une jolie robe jaune pâle habille ce 2004 au nez fruité (pêche, poire, litchi) accompagné de notes minérales. Puissance et élégance sont au rendez-vous aux côtés d'arômes de fruits exotiques. Le bois, bien présent en bouche, mérite de se fondre à la faveur d'une garde de deux ans. La **cuvée Opéra rouge 2003 (15 à 23 €)** obtient la même note. C'est un vin harmonieux. La **cuvée Carpe Diem rouge 2003 (11 à 15 €)** est citée pour son bouquet de fruits noirs et d'épices.
SCEA Marot-Metzler, Dom. Le Murmurium,
rte de Flassan, 84570 Mormoiron,
tél. 04.90.61.73.74, fax 04.90.61.74.51,
e-mail murmurium@murmurium.com
t.l.j. 9h-12h 15h-19h; sam. dim. sur r.-v.

### DOM. LE MAS DES OISEAUX
Cuvée des Litornes 2002

■ 4 ha 10 000 5 à 8 €

Robert et Claudie Jacques qui ont créé le domaine en 1970 ont été rejoints, en 1997, par leur fille et leur gendre, puis par leur fils en 2001. Une affaire de famille. Leur cuvée des Litornes est plus qu'honorable dans un millésime difficile. C'est un vin empyreumatique, tout en finesse, où la présence du grenache (65 %) est sensible.
Dom. le Mas des Oiseaux, 689, chem de Bacchus,
Hameau de Serres, 84200 Carpentras,
tél. 04.90.63.27.68, fax 04.90.60.33.20,
e-mail domaine.le.mas.des.oiseaux@club-internet.fr
t.l.j. 9h-12h 14h-19h

### DOM. PELISSON 2004

■ n.c. n.c. 5 à 8 €

Ce producteur, adepte des petits rendements, offre toujours des rouges d'une belle intensité. Son côtes-du-ventoux est de nouveau cité dans le millésime 2004. Son fruité s'accompagne de notes de garrigue et sa structure intéressante laisse présager un bon vieillissement.
Patrick Pélisson, 84220 Gordes,
tél. et fax 04.90.72.28.49 r.-v.

### CH. PESQUIE
Quintessence Elevé en barrique de chêne 2003 *

■ 12 ha 40 000 11 à 15 €

Pour mettre en valeur le domaine et pour protéger la biodiversité, Paul Chaudière s'est tourné vers l'agriculture raisonnée. Cette bouteille grenat sombre au bouquet de fruits rouges cuits offre une très belle expression de la syrah. Tout en rondeur, la bouche se montre également aromatique avec des saveurs de cassis et de fruits rouges. Pour une daube de canard aux cèpes. Une étoile également pour la cuvée **Les Terrasses rosé 2004 (5 à 8 €)** aux agréables arômes exotiques.

SCEA Ch. Pesquié, rte de Flassan, BP 6, 84570 Mormoiron, tél. 04.90.61.94.08, fax 04.90.61.94.13, e-mail chateaupesquie@yahoo.fr
t.l.j. 9h-12h 14h-18h; f. dim. oct.-Pâques

## DOM. DU PUY MARQUIS 2004 ★

1,15 ha 6 000 5 à 8 €

Claude Leclercq possède 10 ha de vignes plantées à 450 m d'altitude, face au Luberon, à seulement 5 km du Colorado provençal. Son rosé, assemblage de grenache et de cinsaut à parts égales, s'habille d'une robe couleur grenadine. Avec son nez fruité (fraise et framboise) et sa belle fraîcheur, il sera l'accompagnement idéal de plats relevés ou d'une pizza. La cuvée **élevée en fût de chêne rouge 2003** reçoit la même note pour son bouquet complexe, boisé, vanillé et épicé.

Claude Leclercq, Dom. du Puy Marquis, 84400 Apt, tél. 04.90.74.51.87, fax 04.90.04.69.80 r.-v.

## CH. REDORTIER 2003

1 ha 4 500 3 à 5 €

Rubis limpide dans le verre, fruits rouges et épices au nez, ce vin léger et fin offre une bonne acidité et une belle harmonie générale. Un côtes-du-ventoux à boire entre amis avec de la charcuterie.

E. de Menthou, EARL Ch. Redortier, 84190 Suzette, tél. 04.90.62.96.43, fax 04.90.65.03.38
t.l.j. 9h-12h 14h-18h

## DOM. DE LA ROYERE La Garance 2003 ★★

3,5 ha 6 600 8 à 11 €

La Garance est une plante grimpante autrefois cultivée dans le Midi de la France pour sa racine qui fournit l'alizarine, substance colorante rouge. Un joli nom pour cette cuvée à la robe rouge sombre et au nez de fruits rouges frais (fraise, cerise). Très expressive, volumineuse, elle est fine et équilibrée. Il faudra attendre deux ans pour la déguster sur du gibier ou du fromage de chèvre.

Anne Hugues, Dom. de La Royère, 84580 Oppède, tél. 04.90.76.87.76, fax 04.90.76.79.50, e-mail info@royere.com
t.l.j. sf dim. 9h-12h 14h-18h; f. sam. en hiver

## CAVE SAINT-MARC Cuvée Sénéchal 2003 ★

3 ha 18 000 3 à 5 €

Une cave coopérative dynamique qui s'efforce de produire des vins de qualité comme en témoigne cette nouvelle sélection dans le Guide. La cuvée Sénéchal, avec sa bonne expression aromatique fruitée, est un vin plaisant, complet et structuré qui pourra attendre trois à quatre ans. La **cuvée rouge 2003** obtient la même note pour la complexité de son bouquet. Une étoile encore pour le **Soleil rosé 2004 (moins de 3 €)** au nez fruité mêlé de bonbon anglais. Un côtes-du-ventoux gouleyant.

Cave Saint-Marc, 667, av. de l'Europe, 84330 Caromb, tél. 04.90.62.40.24, fax 04.90.62.48.83, e-mail saint-marc@mageos.com r.-v.

## CH. TALAUD Cuvée Antoine 2003

12,5 ha 15 000 5 à 8 €

Déjà en 1730, la vigne entourait ce château de style provençal. Le domaine actuel, créé en 1985, a déjà dans le passé été remarqué par le jury du Guide qui lui a décerné un coup de cœur dans l'édition 2004 pour un 2001. La vinification d'une vendange entière de grenache (25 %) et de syrah (75 %) a donné un vin typique de l'appellation. Avec son nez intense de fruits rouges (cassis) et d'épices, ce 2003 se montre plaisant, assez rond et d'une bonne longueur. A servir dès la sortie du Guide avec une viande rouge.

SCEA Ch. Talaud, 84870 Loriol-du-Comtat, tél. 04.90.65.71.00, fax 04.90.65.77.93, e-mail chateautalaud@infonic.fr r.-v.
Heim Deiters

## DOM. LES TERRASSES D'EOLE 2004

0,94 ha 5 600 3 à 5 €

Cette bouteille se présente dans une jolie robe rose pâle. Le nez, encore fermé, exprime cependant des nuances odorantes de fruits et de fleurs blanches. La bouche apporte beaucoup de fraîcheur, soulignée par d'agréables saveurs de bonbon anglais et de fruits exotiques. Pour l'apéritif. Le **blanc 2004**, également cité, offre de beaux reflets verts et des arômes de fruits exotiques.

Claude et Stéphane Saurel, Les Terrasses d'Eole, chem. des Rossignols, 84380 Mazan, tél. 04.90.69.84.82, fax 04.90.69.84.90, e-mail contact@terrasses-eole.fr
t.l.j. sf dim. 9h-12h 14h-18h

## TERRAVENTOUX 2003 ★

20 ha 50 000 5 à 8 €

En décembre 2002, la cave de la Montagne Rouge de Villes-sur-Auzon et celle des Roches Blanches de Mormoiron ont fusionné pour donner naissance à la cave Terra-Ventoux. MM. Oms et Rambaud travaillent ensemble à l'élaboration de jolis vins comme ce côtes-du-ventoux à l'intense bouquet de fruits noirs. Équilibré, ce 2003 emplit bien la bouche et pourra attendre deux ans. La **Dame Capouillères rosé 2004 (3 à 5 €)** obtient également une étoile pour son agréable couleur saumonée, sa rondeur et sa fraîcheur. Enfin, le **blanc Roches Blanches 2004 (3 à 5 €)** reçoit une citation.

Cave TerraVentoux, 84570 Auzon-Mormoiron, tél. 04.90.61.80.07, fax 04.90.61.97.23, e-mail infos@cave-terraventoux.com
t.l.j. sf dim. 8h-12h 14h-18h

## TERRE DU LEVANT 2004 ★

7,95 ha 42 000 3 à 5 €

Une robe pourpre soutenu habille cette cuvée au bouquet floral (violette) et fruité (cassis). L'empreinte de la syrah est sensible selon les dégustateurs qui lui trouvent par ailleurs une bonne longueur et apprécient son harmonie. La cuvée **Orca II rouge 2003 élevé en fût de chêne (8 à 11 €)** mérite également une étoile pour ses arômes sauvages et son caractère viril. A servir dès à présent avec un civet de sanglier.

Cellier de Marrenon, rue Amédée-Giniès, BP 13, La Tour d'Aigues, 84125 Pertuis Cedex, tél. 04.90.07.40.65, fax 04.90.07.30.77, e-mail marrenon@marrenon.com t.l.j. 8h-12h 14h-18h (été 8h-12h 15h-19h); dim. 8h-12h

## DOM. TERRES DE SOLENCE
Les trois Pères Vieilles Vignes 2003 ★

6 ha 15 000 5 à 8 €

Pour mener ce domaine créé en 1993, Anne-Marie et Jean-Luc Isnard se sont tournés vers l'agriculture biologique. Leur cuvée Les Trois Pères arbore une couleur profonde, grenat intense. Le nez libère des senteurs très prononcées de fruits noirs (cassis). La bouche, structurée,

possède des tanins fondus. Dans deux ans, cette bouteille pourra accompagner une charlotte d'aubergines à l'agneau.
Anne-Marie et Jean-Luc Isnard,
Terres de Solence, Chem. de la Lègue, 84380 Mazan,
tél. et fax 04.90.60.55.31,
e-mail domaine@terres-de-solence.com
t.l.j. sf dim. 10h-19h

DOM. DU TIX Cuvée de Bramefan 2003 *

1,5 ha 3 000 8 à 11 €

En 2001, lorsque Marie Pirsch et Philippe Danel reprennent le domaine, ils décident d'en faire une exploitation à taille humaine (6 ha) pour élaborer des vins de qualité. Leur cuvée de Bramefan offre un nez boisé de chocolat et de vanille avec des nuances grillées. Le chêne masque un peu le caractère côtes-du-ventoux. À servir avec un gibier ou une viande en sauce.
SCEA Dom. du Tix, quartier
Notre-Dame-des-Anges, 84570 Mormoiron,
tél. et fax 04.90.61.84.43, e-mail marie1351@aol.com
r.-v.
Marie Pirsch

DOM. DE LA TUILIERE Réserve 2003

3,5 ha 15 000 3 à 5 €

Vinifié traditionnellement, ce côte-du-ventoux rouge grenat intense semble légèrement fermé actuellement mais ses arômes de fruits rouges sont prometteurs. La bouche, structurée, présente des tanins bien fondus. Laissez deux à trois ans à ce vin pour lui permettre de s'épanouir. Il conviendra alors parfaitement à une viande rouge.
Les Domaniales, rte de Sérignan, 84100 Orange,
tél. 04.90.11.86.86, fax 04.90.34.87.30

DOM. LE VAN Alizarine 2003 *

3,8 ha 11 580 8 à 11 €

La ferme qui gouverne ce domaine, créé en 1993 et situé au pied du mont Ventoux, était sous l'Ancien Régime une chapelle, Notre-Dame-des-Vents. Une robe presque noire tant sa couleur est intense, un nez complexe, vanillé et fruité avec des notes empyreumatiques caractérisent aujourd'hui cette cuvée Alizarine qui n'a pas encore atteint sa plénitude. Très concentrée et bien équilibrée, elle accompagnera dans trois ans une daube provençale aux écorces d'orange.
Dom. Le Van, rte de Carpentras, 84410 Bedoin,
tél. 04.90.12.82.56, fax 04.90.12.82.57,
e-mail froissard@domaine-le-van.com
t.l.j. 8h-12h 14h-20h
Froissard

DOM. DE LA VERRIERE
Le Haut de la Jacotte 2003 **

4,4 ha 17 800 5 à 8 €

Les verriers transalpins qui s'établirent ici au XVe s., à la demande du seigneur d'alors, le roi René de Provence, donnèrent son nom à l'actuel domaine. En 1969, Bernard Maubert, séduit par les lieux, décida de s'y installer. Aujourd'hui son fils Jacques mène les 28 ha de vignes et obtient pour la troisième fois en quatre ans deux étoiles. Il a élaboré un vin remarquable par son bouquet complexe où se mêlent fruits rouges et réglisse avec des nuances boisées. Le caractère fruité se retrouve dans une bouche bien structurée. Un côtes-du-ventoux prometteur qui devrait s'exprimer pleinement dans deux à trois ans. Une étoile va à la **cuvée principale rouge 2003** du domaine.
Jacques Maubert, Dom. de La Verrière,
84220 Goult, tél. 04.90.72.20.88, fax 04.90.72.40.33,
e-mail laverriere2@wanadoo.fr
t.l.j. sf dim. 9h-12h 14h-18h

# Côtes-du-luberon

L'appellation côtes-du-luberon a été promue AOC par décret du 26 février 1988. Le vignoble des trente-six communes que compte cette appellation, s'étendant sur les versants nord et sud du massif calcaire du Luberon, représente environ 4 000 ha et a produit, en 2004, 135 659 hl. L'appellation donne de bons vins rouges et rosés marqués par un encépagement de qualité (grenache, syrah) et un terroir original. Le climat, plus frais qu'en vallée du Rhône, et les vendanges plus tardives expliquent la part importante des vins blancs (25 % en moyenne) ainsi que leur qualité, reconnue et recherchée.

DOM. DE LA BASTIDE DE RHODARES
2003 **

2 ha 6 600 11 à 15 €

Le château de Lourmarin, dont la partie la plus ancienne date de la fin du XVe s., fut légué en 1925 à l'Académie des Arts, Agriculture et Belles Lettres d'Aix. Aujourd'hui, il se visite et accueille des concerts et de nombreuses autres manifestations culturelles. A la cave de Lourmarin, une superbe cuvée attend les amateurs. Son nez de sous-bois et d'humus précède une bouche aromatique, légèrement boisée, très élégante. Un vin de garde puissant et bien équilibré qui n'a pas encore révélé tout son potentiel. A boire sur du gibier dans deux à trois ans.
SCA Cave de Lourmarin-Cadenet,
montée du Galinier, 84160 Lourmarin,
tél. 04.90.68.06.21, fax 04.90.68.25.84 r.-v.

BASTIDE DU CLAUX 2004

1,5 ha 6 000 5 à 8 €

Grenache blanc, ugni blanc, vermentino sont à l'origine de cette cuvée jaune pâle. Le bouquet complexe manifeste un caractère à la fois floral et fruité (banane). Un vin original, frais, souple, bien équilibré, qui peut être bu dès maintenant.
Bastide du Claux, Campagne Le Claux,
84240 La Motte-d'Aigues,
tél. 04.90.77.70.26, fax 04.90.77.73.27,
e-mail scea-slb@freesurf.fr r.-v.
L. et S. Morey

BAUME D'ESTELAN 2003 *

5 ha 20 000 5 à 8 €

De l'expérience ? La cave de Bonnieux n'en manque pas. Créée en 1920, elle est la plus ancienne coopérative du Vaucluse. Sa cuvée Baume d'Estelan, née avec le millésime 2000, est aujourd'hui sélectionnée dans le Guide pour la troisième fois. Elle porte une livrée pourpre à reflets violets et son nez exhale des odeurs de garrigue. Ample et bien équilibrée, la bouche est marquée par les fruits mûrs. Une bouteille à réserver pour une daube de sanglier dans deux ou trois ans. Le **Domaine Les Hauts de Serres rouge 2003 (3 à 5 €)**, malgré des tanins un peu austères, est typique de l'appellation. Il reçoit une citation.

⊶ Cave de Bonnieux, quartier de la Gare,
84480 Bonnieux, tél. 04.90.75.80.03, fax 04.90.75.98.30,
e-mail webmaster@cave-bonnieux.com
☑ Y ✦ t.l.j. sf dim. 9h-12h 14h30-18h30

## CH. LA CANORGUE 2004 *

■ 6 ha 36 000 ▮🌡 5 à 8 €

Exploités en agriculture biologique, les 40 ha du domaine sont gouvernés par un château du XVII$^{e}$s. Grenache (60 %), syrah (30 %) et cinsault ont donné un rosé à la couleur pétale de rose et au joli nez floral, frais et élégant. Un vin gouleyant à boire sur une grillade ou des beignets de fleurs de courgette.

⊶ EARL Jean-Pierre et Martine Margan,
Ch. La Canorgue, 84480 Bonnieux,
tél. 04.90.75.81.01, fax 04.90.75.82.98,
e-mail chateaucanorgue.margan@wanadoo.fr

## DOM. DE LA CAVALE Le Blason de Cavale 2003 *

■ 3 ha 12 970 ⓓ 11 à 15 €

C'est à Cucuron, le Cucugnan des *Lettres de mon Moulin* d'Alphonse Daudet, qu'est installé le Domaine de la Cavale, propriété du PDG du groupe Accor. Ses meilleures parcelles ont servi à élaborer ce vin qui révèle un beau travail du bois, dû au savoir-faire de l'œnologue M. Mouriesse. Le charme de cette bouteille vient aussi des arômes du grenache vendangé à maturité.

⊶ Paul Dubrule, rte de Lourmarin, 84160 Cucuron,
tél. 04.90.77.22.96, fax 04.90.77.25.64 ☑ Y ✦ r.-v.

## DOM. CHASSON 2003 **

■ 8,9 ha 45 000 ⓓ 5 à 8 €

Roussillon est situé dans une région que l'on appelle parfois le « Colorado provençal » en raison de ses carrières d'ocre et de ses falaises aux splendides couleurs rouge et jaune. Un cadre propice à la dégustation de ce remarquable côtes-du-luberon à la robe d'un grenat intense à reflets vifs. L'ensemble des dégustateurs a été séduit par son bouquet complexe, boisé, vanillé et épicé auquel se mêlent des notes de pain grillé. Une grande douceur, du soyeux, de l'élégance pour ce vin qui comblera les amateurs de boisé-vanillé. Il accompagnera aussi bien un gigot à la ficelle qu'un canard à la broche. Deux étoiles également pour la très belle **cuvée Guillaume de Cabestan rouge 2004 (8 à 11 €)** dont les dégustateurs ont apprécié le caractère boisé et épicé ainsi que l'harmonie générale.

⊶ Dom. Chasson, quartier Grimaud,
84220 Roussillon, tél. 04.90.05.64.56, fax 04.90.05.72.79
☑ Y ✦ t.l.j. 8h-12h 14h-18h30
⊶ Lelièvre

## DOM. DE LA CITADELLE
Gouverneur Saint-Auban 2003 *

■ 5 ha 15 000 ▮ⓓ🌡 11 à 15 €

Au cœur du parc régional du Luberon, Ménerbes, labellisé « plus beaux villages de France », a ouvert une maison de la Truffe et du Vin. De quoi attirer les gourmets qui pousseront jusqu'au domaine de la Citadelle pour faire connaissance avec le Gouverneur Saint-Auban. Les amateurs de boisé, en particulier, apprécieront ce vin au bouquet puissant, à la jolie rondeur en bouche et aux tanins bien présents. Une étoile également pour **Les Artèmes blanc 2004 (8 à 11 €)** d'une belle fraîcheur aromatique et pour **Le Châtaignier blanc 2004 (5 à 8 €)**, au subtil nez fruité, à déguster avec des coquillages.

⊶ Rousset-Rouard, Dom. de la Citadelle,
rte de Cavaillon, 84560 Ménerbes,
tél. 04.90.72.41.58, fax 04.90.72.41.59,
e-mail domainedelacitadelle@wanadoo.fr
☑ Y ✦ t.l.j. 10h-12h 14h-19h; f. sam. dim. en hiver

## CH. DE CLAPIER 2004

□ 2 ha 9 736 ▮🌡 5 à 8 €

Jadis propriété du marquis de Mirabeau, le domaine, qui compte parmi les plus anciennes caves du Luberon, fut racheté par la famille de Thomas Montagne en 1830. Ce jeune viticulteur dynamique a réalisé un assemblage de roussanne, de grenache blanc et de clairette pour son millésime 2004 : une jolie robe jaune d'or limpide et d'élégants arômes exotiques. Pour du poisson ou des crustacés.

⊶ Thomas Montagne, Ch. de Clapier,
rte de Manosque, RN 96, 84120 Mirabeau,
tél. 04.90.77.01.03, fax 04.90.77.03.26,
e-mail chateau-de-clapier@wanadoo.fr
☑ Y ✦ t.l.j. sf dim. 9h30-12h30 14h-18h

## CLOS LA TUILIERE 2004 *

■ 4 ha 19 000 ▮🌡 3 à 5 €

Ce domaine, qui vinifie à Rognes, a été racheté en 2004 à son ancien propriétaire par Rémy Ravaute. Pour son premier millésime, celui-ci a élaboré un côtes-du-luberon à forte dominante de syrah (70 %). Franc avec des arômes de fruits rouges (fraise), ce vin laisse une impression très agréable tout au long de la dégustation. Le **rosé 2004**, avec son fruité acidulé, reçoit une citation.

⊶ Rémy Ravaute, Dom. L'Oppidum des Cauvins,
13840 Rognes, tél. 04.42.50.13.85, fax 04.42.50.29.40
☑ Y ✦ t.l.j. 9h-12h 14h-19h

## COLLET D'AYGUES 2004 *

■ 10 ha 3 000 ▮🌡 5 à 8 €

En 2004, la cave coopérative a ouvert un caveau de vente où vous pourrez trouver ce joli rosé qui décroche une étoile, comme dans le millésime précédent. « Tout un mélange de fruits rouges, de fruits des bois, de banane... », affirme un dégustateur conquis. Une étoile également pour le **Collet d'Aygues rouge 2004**. C'est un vin bien équilibré aux arômes concentrés de fruits et de réglisse. A servir sur du gibier ou des plats relevés.

SCA La Vinicole des Coteaux,
288, bd de la Libération, 84240 La Tour-d'Aigues,
tél. 04.90.07.42.12, fax 04.90.07.49.08
t.l.j. sf lun. 9h-12h30 15h-19h; dim. 9h-12h30

### CH. LA DORGONNE
L'Expression du Terroir 2003 ★

2,4 ha 6 000 8 à 11 €

Reprise en 2000, cette propriété, dont le vignoble est situé à 340 m d'altitude, possède de vieux ceps de plus de quarante-cinq ans. Des vignes plus jeunes, âgées seulement de vingt-cinq ans, ont servi à élaborer ce « joli vin plein de qualités, très ensoleillé, plaisant », selon un dégustateur qui souligne également la finesse du bouquet boisé auquel se mêlent des notes de sous-bois. Une bouche harmonieuse et des tanins fondus confirment la grande qualité de ce 2003 qui s'accordera avec des pieds-paquets ou une daube.

SCEA Ch. la Dorgonne,
rte de Mirabeau, 84240 La Tour-d'Aigues,
tél. 04.90.07.50.18, fax 04.90.07.56.55,
e-mail bauduin.parmentier.tma@attglobal.net
t.l.j. 8h-20h

### CH. EDEM Seigneurie du Luberon 2003

3,5 ha 22 267 8 à 11 €

Non loin du château Edem, le petit village de Notre-Dame-des-Lumières abrite une chapelle devenue lieu de pèlerinage après l'apparition, au XVII^e s., de mystérieuses lumières autour de l'édifice et de la guérison miraculeuse d'un paysan. Pas de mystère autour du vin d'Eduard et Emmanuelle Van Wely, mais du travail et du savoir-faire. Leur cuvée Seigneurie du Luberon 2003, pourpre à reflets violets, est bien représentative de l'appellation. Ses tanins un peu austères demandent quelques années de vieillissement. A boire sur une viande ou un fromage. Une citation également pour la **Seigneurie du Luberon rosé 2004 (5 à 8 €)** aux arômes floraux tout en finesse.

Eduard et Emmanuelle Van Wely,
Ch. Edem, rte de Lacoste, 84220 Goult,
tél. 04.90.72.36.02, fax 04.90.72.34.71,
e-mail chateau.edem@wanadoo.fr
t.l.j. sf dim. lun. 10h-12h30 14h-17h30

### DOM. DE FONTENILLE 2004 ★

15 ha 30 000 5 à 8 €

Au cœur de la Provence, sur un promontoire abrupt au-dessus de la Durance, se dresse le village de Lauris dont le château fut reconstruit au XVIII^e s. Une belle robe rouge à reflets violacés habille ce côtes-du-luberon au bouquet de garrigue et de poivre. Souplesse, rondeur, arômes de qualité caractérisent ce vin un peu sévère en finale. A servir sur une viande rôtie.

EARL Lévêque et Fils, Dom. de Fontenille,
84360 Lauris, tél. 04.90.08.23.36, fax 04.90.08.45.05,
e-mail domaine.fontenille@wanadoo.fr
t.l.j. sf dim. 9h-12h30 14h-19h

### CH. FONTVERT 2004

1,5 ha 8 000 3 à 5 €

Un mas du XVII^e s. au milieu d'un parc planté d'arbres centenaires au pied des montagnes du Luberon. Un décor splendide pour déguster ce rosé vinifié dans la nouvelle cave du domaine. Tout en finesse et en élégance, ses arômes se montrent frais et fruités.

SCEA Dom. de Fontvert, chem. de Pierrouret,
84160 Lourmarin, tél. et fax 04.90.68.35.83,
e-mail info@fontvert.com r.-v.
Monod

### DOM. DE LA GARELLE Cuvée spéciale 2004 ★

0,3 ha 3 000 5 à 8 €

Le domaine de la Garelle a été créé en 1997, après achats successifs ou locations de parcelles de vignes sur un terroir ayant un passé viticole vieux de deux siècles. Ce 2004, jaune pâle à reflets verts, livre un bouquet de fruits exotiques très expressif. En bouche, la vanille se manifeste intensément aux côtés du fruit dans une belle harmonie. A servir dès maintenant avec des coquilles Saint-Jacques, des fruits de mer ou une blanquette de veau. Le **côtes-du-luberon rouge 2003 (3 à 5 €)** reçoit une citation pour son bouquet complexe, fruité et épicé.

Dom. de la Garelle, Les Vallats-Ménerbes,
84580 Oppède, tél. 04.90.72.31.20, fax 04.90.72.47.81,
e-mail vlasman@lagarelle.fr r.-v.
Vlasman

### CAVE DES VIGNERONS DE GRAMBOIS
80 ans Cuvée spéciale 2003 ★

6 ha 4 000 5 à 8 €

Comme l'indique le nom de cette cuvée, la cave coopérative de Grambois a célébré ses quatre-vingts ans en 2004. Ce 2003 n'était pas encore prêt pour les festivités : le jury conseille d'attendre deux à trois ans pour déguster ce côtes-du-luberon même s'il peut être ouvert dès maintenant. Il se trouvera toujours un anniversaire à fêter. Une dominante de syrah, un nez très fin de fruits (cassis) et de réglisse accompagnés d'épices ainsi qu'une grande fraîcheur caractérisent ce vin concentré, puissant et bien structuré.

Cave coop. Grambois, Moulin du Pas,
84240 Grambois, tél. 04.90.77.92.04, fax 04.90.77.94.51,
e-mail cave@cavegrambois.com r.-v.

### GRAND LUBERON 2003 ★

32 ha 150 000 5 à 8 €

Les œnologues MM. Harreux et Oui ont bien réussi leur Grand Luberon 2003 au nez floral intense et aux arômes de fruits mûrs. Une belle fraîcheur pour ce vin que l'on pourra garder entre trois et cinq ans. La **Grande Toque rouge 2004 (3 à 5 €)**, avec sa profonde robe cerise, possède une bonne persistance aromatique. Elle est citée, tout comme **L'Excellence d'Amédée rosé 2004 (3 à 5 €)**, une nouvelle Cuvée du Cellier de Marrenon. C'est un côtes-du-luberon à dominante amylique, à servir à l'apéritif.

Cellier de Marrenon, rue Amédée-Giniès,
BP 13, La Tour-d'Aigues, 84125 Pertuis Cedex,
tél. 04.90.07.40.65, fax 04.90.07.30.77,
e-mail marrenon@marrenon.com
t.l.j. 8h-12h 14h-18h (été 8h-12h 15h-19h);
dim. 8h-12h

### CH. DE L'ISOLETTE Sélection 2004 ★

8 ha 40 000 5 à 8 €

Un vaste domaine de 105 ha né d'un partage familial, en 1968. Au fil des ans, le château de l'Isolette a confirmé sa notoriété en poursuivant sur la voie de la qualité, dans le respect de la tradition. Cette Sélection à la robe limpide et aux arômes floraux très frais s'accordera avec des brochettes de volaille. Elle pourra aussi être servie à

l'apéritif. Le **Château de l'Isolette blanc 2004 (8 à 11 €)** reçoit une citation pour son bouquet aux nuances odorantes de miel et d'acacia.
Ch. de l'Isolette, rte de Bonnieux, 84400 Apt, tél. 04.90.74.16.70, fax 04.90.04.70.73
t.l.j. sf dim. 8h30-11h30 14h-17h30

## DOM. LOUISE & CLEMENT 2004 *

30 ha 40 000 3 à 5 €

Syrah et grenache pratiquement à parts égales pour ce 2004 au nez de fruits rouges (cerise) et noirs. Puissant, dense et moyennement charpenté, il possède une bonne persistance aromatique. Il pourra être servi dès la sortie du Guide ou attendu deux à trois ans.
SARL R & D Vins, Ch. Saint-Maurice, RN 580, L'Ardoise, 30290 Laudun, tél. 04.66.82.96.59, fax 04.66.82.96.58, e-mail dauvergne@wanadoo.fr

## DOM. DE MAYOL Cuvée Tradition 2003 *

2 ha 8 000 11 à 15 €

Domaine régulièrement mentionné dans le Guide et coup de cœur dans l'édition 2003 pour cette même cuvée dans le millésime 2000. Syrah et grenache à parts égales composent ce 2003 à la robe rouge intense à reflets violets, au nez de fruits rouges et d'épices, aux arômes finement boisés et aux tanins bien présents. Une bouteille au beau potentiel de garde qui pourra attendre trois ans avant d'être servie avec un baron d'agneau accompagné de petits farcis de légumes aux herbes du Luberon.
Bernard Viguier, Dom. de Mayol, rte de Bonnieux, 84400 Apt, tél. 04.90.74.12.80, fax 04.90.04.85.64, e-mail domaine.mayol@free.fr
t.l.j. sf dim. 9h-12h 14h-18h30

## DOM. MEILLAN-PAGES 2003 *

2 ha 7 900 5 à 8 €

Une belle robe rouge intense habille cette bouteille au subtil nez floral, encore un peu fermé. Des tanins bien présents lui permettront de s'épanouir au cours des deux ou trois prochaines années. Pour accompagner une viande en sauce ou du gibier.
Jean-Pierre Pagès, Dom. Meillan-Pagès, La Garrigue, 84580 Oppède, tél. 04.32.52.17.50, fax 04.90.76.94.78, e-mail meillan@terre-net.fr
t.l.j. 10h-20h

## CH. DE MILLE 2004 *

4,6 ha 15 000 8 à 11 €

Le domaine est gouverné par une demeure du XIII^e s., ancienne propriété des évêques d'Apt puis de différents seigneurs locaux. Depuis six générations, elle appartient à la famille Pinatel qui propose aujourd'hui un agréable côtes-du-luberon jaune clair limpide à reflets or. Original, élégant, frais, avec des arômes exotiques (pamplemousse) et vanillés, ce 2004 bien équilibré sera prêt à la sortie du Guide. On le servira à l'apéritif.
Conrad et Pierre Pinatel, Ch. de Mille, 84400 Apt, tél. 04.90.74.11.94, fax 04.90.74.56.82, e-mail pinatel@chateau-de-mille.fr
t.l.j. 8h-12h 14h-19h

## QUERCUS 2003 **

5,3 ha 4 224 5 à 8 €

Créée en 1920, la cave du Luberon est installée à 5 km d'Oppède, dans un petit village qui a gardé quelques vestiges de l'église romane subsistant autour de l'église du XVIII^e s. M. Massa, le maître de chai, a mis tout son talent au service de cette cuvée Quercus 2003 d'un rouge burlat intense et au bouquet complexe, d'abord animal puis épicé avec des notes de fruits macérés. Une agréable structure tannique, des arômes très frais et une belle longueur en bouche permettront d'attendre cette bouteille trois à cinq ans. « Un vin de grande qualité », conclut un dégustateur.
SCA Cave du Luberon, Hameau de Coustellet, 84660 Maubec, tél. 04.90.76.90.01, fax 04.90.76.72.92, e-mail contact@caveduluberon.com
t.l.j. sf dim. 8h-12h 14h-18h

## DOM. DE REGUSSE 2004 *

6 ha 35 000 3 à 5 €

C'est à Pierrevert, petit village de viticulteurs situé au-dessus de Manosque, qu'a été élaboré ce vin rose framboise au nez intense de fruits rouges (framboise et cassis). Rond et bien équilibré, il pourra être servi en début de repas sur une assiette de charcuterie.
SAS Régusse, Dom. de Régusse, rte de la Bastide-des-Jourdans, 04860 Pierrevert, tél. 04.92.72.30.44, fax 04.92.72.69.08, e-mail domaine-de-regusse@wanadoo.fr r.-v.

## DOM. DE LA ROYERE Vieilles Vignes Elevé en barrique 2003 *

5 ha 16 600 8 à 11 €

Le domaine de la Royère, avec ses 30 ha de vignes, est situé à 2 km d'Oppède, pittoresque village du Luberon bâti sur un à-pic rocheux. Ses beaux hôtels particuliers des XV^e et XVI^e s., les ruines du château et de l'église méritent le détour. Une vinification traditionnelle suivie d'une longue macération (quinze à vingt et un jours selon les cépages) puis un assemblage avec des vins finis et enfin un vieillissement de douze mois en fût de chêne ont été nécessaires à l'élaboration de cette cuvée. Le bouquet de fruits mûrs s'accompagne de nuances odorantes de sous-bois. En bouche, structure, présence et longueur permettront d'attendre ce joli vin entre deux et quatre ans. La **Cuvée spéciale L'Oppidum rouge 2003 (5 à 8 €)** est citée pour sa belle harmonie et son côté « viril, plein de sève ».
Anne Hugues, Dom. de La Royère, 84580 Oppède, tél. 04.90.76.87.76, fax 04.90.76.79.50, e-mail info@royere.com
t.l.j. sf dim. 9h-12h 14h-18h; f. sam. en hiver

## DOM. RUFFINATTO 2003

2 ha 6 500 5 à 8 €

En 2001, M. Ruffinatto a créé sa propre cave : il loue 3 ha de vieilles vignes plantées sur trois terroirs différents et vinifie lui-même sa récolte. Il décroche une mention dans le Guide pour ce 2003 pourpre à reflets violacés et au nez fin et expressif. Un vin qui pourrait aujourd'hui être qualifié de rustique, mais qui possède un intéressant potentiel de vieillissement et une bonne persistance aromatique. Soyez patient ! A ouvrir sur du gibier.
Dom. Ruffinatto, quartier Le Tubet, 84560 Ménerbes, tél. 06.30.80.95.20, fax 04.90.72.39.76
r.-v.

## CH. THOURAMME 2004 *

12,92 ha 13 000 5 à 8 €

Connu pour ses verreries au XIV^e s. et pour ses faïenceries au XVIII^e s., le village de Goult abrite aujourd'hui la Cave de Lumières. Celle-ci a élaboré un rosé

qui, dans un premier temps, laisse éclater un côté amylique. Ensuite, du gras apparaît pour accompagner le mélange fruité-caramel dû à un assemblage de grenache et de syrah à parts égales.
SCA Cave de Lumières, 84220 Goult, tél. 04.90.72.20.04, fax 04.90.72.42.52 r.-v.

CH. TURCAN 2004

0,6 ha 6 500 5 à 8 €

Sur le domaine, une ancienne léproserie et un musée de la Vigne et du Vin qui regroupe plus de trois mille pièces. La visite s'impose avant la dégustation de cet agréable rosé. Une teinte légère, un bouquet floral d'intensité moyenne mais non dénué de finesse caractérisent ce vin à ouvrir dès la sortie du Guide sur une grillade ou des pieds-paquets.
Dominique Laugier, Ch. Turcan, rte de Pertuis, 84240 Ansouis, tél. et fax 04.90.09.83.33, e-mail pierrehenry@laugier.com r.-v.

DOM. LES VADONS Tradition 2002 ★

0,8 ha 4 500 5 à 8 €

Depuis trois ans, le domaine ne se consacre plus uniquement à la culture de la vigne. Il diversifie son activité avec l'oléiculture. De plus, il a commencé sa conversion à l'agriculture biologique. Le tri de la vendange a été primordial pour assurer la qualité de ce millésime difficile. C'est un vin fruité qui montre de la souplesse et un côté cuir. Il sera agréable dès la sortie du Guide.
EARL Dom. les Vadons, La Resparine, 84160 Cucuron, tél. 06.03.00.10.29, fax 04.90.77.13.40, e-mail vadonbreba@terre-net.fr r.-v.
Bremond

CH. VAL JOANIS Réserve Les Griottes 2003 ★★

n.c. 55 000 11 à 15 €

Jean-Louis Chancel ne ménage pas ses efforts pour maintenir la qualité de sa production. Après un coup de cœur dans l'édition 2004 pour son 2000, il décroche pour la deuxième année consécutive deux étoiles. Un terroir argilo-calcaire et une forte dominante de la syrah (90 %) ont donné ces Griottes à la robe très foncée. Un nez de truffe, de champignon et de sous-bois, assorti de notes de garrigue, des arômes intenses de fruits mûrs et des tanins bien présents caractérisent ce vin remarquable.
SC du Ch. Val Joanis, 84120 Pertuis, tél. 04.90.79.20.77, fax 04.90.09.69.52
t.l.j. 10h-19h
Chancel

LA VIGNERONNE Cuvée Confiance 2003

10 ha 4 655 5 à 8 €

Bâti au XVI^e s., le château de La Tour-d'Aigues a connu les vicissitudes de l'Histoire. Il a été incendié sous la Révolution, et ses imposantes ruines sont aujourd'hui classées Monument historique. La cuvée Confiance, tout de grenat vêtue, offre un agréable bouquet de fruits mûrs. Puissante et équilibrée, elle possède des tanins encore bien présents qui rendent la finale un peu sévère. Elle pourra accompagner une daube provençale.
SCA La Vigneronne Touraine, 160, bd Saint-Roch, 84240 La Tour-d'Aigues, tél. 04.90.07.40.34, fax 04.90.07.33.19, e-mail vigneronne.touraine@free.fr
r.-v.

XAVIER 2003 ★

6 ha 30 000 5 à 8 €

Passionné par les terroirs de sa région d'adoption, Xavier Vignon tente de créer des vins qui expriment leur origine. Il a parfaitement réussi avec ce côtes-du-luberon qui se montre « plus sur le fruit que sur la structure », selon un des membres du jury qui le déclare « idéal pour des grillades ».
Xavier Vignon, chem. de Caromb, 84330 Le Barroux, tél. 04.90.62.33.44, fax 04.90.62.33.45, e-mail xavier@xaviervins.com
t.l.j. 10h-17h

# Coteaux-de-pierrevert

Dans le département des Alpes-de-Haute-Provence, la majeure partie des vignes se trouve sur les versants de la rive droite de la Durance (Corbières, Sainte-Tulle, Pierrevert, Manosque...) et couvre environ 296 ha. Les conditions climatiques, déjà rigoureuses, cantonnent la culture de la vigne dans une dizaine de communes sur les quarante-deux que compte légalement l'aire d'appellation. Les vins rouges, rosés et blancs (16 431 hl en 2004), d'assez faible degré alcoolique et d'une bonne nervosité, sont appréciés par ceux qui traversent cette région touristique. Les coteaux-de-pierrevert ont été reconnus en appellation d'origine contrôlée en 1998.

DOM. LA BLAQUE 2004

3 ha 16 000 5 à 8 €

Le village de Pierrevert, perché au-dessus de la Durance, cache derrière ses remparts une église du XVI^e s., qui intègre dans sa façade un portail du XIV^e s. Il est également réputé pour ses propriétés viticoles comme le domaine La Blaque, qui a vinifié à basse température durant un mois ce vin jaune pâle à reflets verts. Le bouquet particulièrement fruité libère des senteurs de fruits à chair blanche (pêche, poire) avec des notes de banane et de mangue. La bouche offre beaucoup de gras, mais « un peu de vivacité serait la bienvenue », ajoute un dégustateur. Egalement cité, le **rosé 2004** du domaine, au nez floral, léger et subtil.
SCI Châteauneuf de Pierrevert, Dom. Châteauneuf-La Blaque, 04860 Pierrevert, tél. 04.92.72.39.71, fax 04.92.72.81.26, e-mail domaine.lablaque@wanadoo.fr
t.l.j. sf dim. 8h-12h 14h-18h

CAVE DES VIGNERONS DE PIERREVERT 2004 ★

4,92 ha 33 000 3 à 5 €

Sur certaines étiquettes, des citations de Jean Giono. La Cave de Pierrevert jouit d'un droit de citation de

RHÔNE

l'écrivain provençal, natif de Manosque, où il passa la plus grande partie de sa vie et mourut en 1970. Une jolie couleur grenadine à reflets bleutés habille cette cuvée au nez intense de fruits rouges (myrtille) et aux arômes de fraise. Même note pour la **Cuvée du Village d'Or rouge 2004 (5 à 8 €)** qui gagnera à être attendu un peu.

Cave des Vignerons de Pierrevert,
av. Auguste-Bastide, 04860 Pierrevert,
tél. 04.92.72.19.06, fax 04.92.72.85.36
t.l.j. sf dim. 9h-12h 14h-18h

### CH. REGUSSE 2004 *

4 ha 25 000 3 à 5 €

Le vaste domaine de Régusse (240 ha) est implanté à Pierrevert, souvent considéré comme la capitale viticole des Alpes de Provence. Trois de ses vins ont été remarqués par le jury. La préférence va à cette cuvée grenadine soutenu. Frais avec des arômes fruités (groseille, cassis et notes d'agrumes), ce rosé fait preuve d'une belle longueur. A servir dès maintenant sur une salade exotique ou une grillade. La **Bastide des Oliviers rouge 2003 (5 à 8 €)** est citée pour sa jolie robe cerise noire et pour la complexité de son bouquet. La **Grande Tradition rouge 2003 (8 à 11 €)** reçoit également une citation pour son boisé dominant mais agréable. A marier avec une viande grillée ou un gigot d'agneau.

SAS Régusse, Dom. de Régusse,
rte de la Bastide-des-Jourdans, 04860 Pierrevert,
tél. 04.92.72.30.44, fax 04.92.72.69.08,
e-mail domaine-de-regusse@wanadoo.fr r.-v.

### CH. DE ROUSSET 2004 *

3 ha 20 000 3 à 5 €

25 ha de vignes et 10 ha d'oliviers pour ce domaine gouverné par un beau château du XVII^e s. et qui appartient à la même famille depuis 1820. Le savoir-faire acquis au cours des décennies s'est transmis de génération en génération et la production d'Hubert et Roseline Emery est régulièrement retenue par le jury. Vermentino (75 %) et grenache blanc (25 %) sont à l'origine de ce coteaux-de-pierrevert à la robe très claire et limpide, aux nuances odorantes de fruits blancs (pêche) et de fruits exotiques (citron). La bouche séduit par sa fraîcheur et sa longue finale. Un vin d'apéritif. Le **Château de Rousset rosé 2004**, gouleyant et fruité, s'accordera avec une viande blanche ou de l'agneau des Alpes. Il est cité.

Hubert et Roseline Emery, SCEV Ch. de Rousset,
04800 Gréoux-les-Bains, tél. 04.92.72.62.49,
fax 04.92.72.66.50, e-mail chateaurousset@wanadoo.fr
r.-v.

### DOM. DE SAINT-JEAN 2004 *

4,2 ha 10 000 3 à 5 €

Le caveau de ce domaine postérieur à la crise du phylloxéra est installé dans un bâtiment du XVI^e s. et la maison date du XIX^e s. Le caractère exotique (litchi et épices) et la bonne persistance aromatique de ce coteaux-de-pierrevert ont séduit le jury. Un vin franc qui pourra être attendu deux à trois ans.

Emmanuel d'Herbes, Dom. de Saint-Jean,
04100 Manosque, tél. 04.92.72.50.20, fax 04.92.87.84.01
t.l.j. 14h-18h

# Côtes-du-vivarais

A la limite nord-ouest des Côtes du Rhône méridionales, les côtes-du-vivarais chevauchent les départements de l'Ardèche et du Gard, sur 647 ha. Les vins, produits sur des terrains calcaires, sont essentiellement des rouges à base de grenache (30 % minimum), de syrah (30 % minimum), et des rosés, caractérisés par leur fraîcheur et à boire jeunes. Notez que ce VDQS a été reconnu en AOC en mai 1999 et qu'il a produit 30 788 hl en 2004.

### DOM. DU BELVEZET Vieilles Vignes 2003 *

3 ha 10 000 5 à 8 €

En 2005, ce domaine familial a fêté ses soixante ans. Son côtes-du-vivarais 2003, de couleur soutenue, présente un nez intense, complexe et prometteur de fruits rouges mêlés de quelques touches animales et poivrées et d'effluves de sous-bois. La bouche délivre de puissantes saveurs de réglisse et de fruits rouges. L'attaque souple est relayée par de la rondeur et l'ensemble donne une impression de maturité – probablement due à la chaleur du plateau ardéchois en été. Un vin harmonieux et concentré, bien dans son appellation.

René Brunel, rte de Vallon-Pont-d'Arc, Patroux,
07700 Saint-Remèze, tél. et fax 04.75.04.05.87
t.l.j. sf dim. 11h-18h; jan. fév. mars sur r.-v.

### DOM. DE LA BOISSERELLE 2003 *

3 ha 8 000 3 à 5 €

Richard Vigne, qui est à la tête du domaine depuis 1979, est issu d'une ancienne famille de Saint-Remèze dont on trouve déjà la trace dans la bourgade en 1620. La couleur soutenue de son 2003 évoque la pénombre des sous-bois. Le nez évolué révèle une belle richesse aromatique due à la présence de la syrah (70 %) dans l'assemblage. Violette, fruits mûrs écrasés, notes animales s'accompagnent de nuances grillées et fumées, et composent un agréable bouquet. Une belle attaque et de la rondeur en bouche pour ce côtes-du-vivarais qui peut encore se bonifier.

Richard Vigne, Dom. de La Boisserelle,
rte des Gorges, 07700 Saint-Remèze,
tél. et fax 04.75.04.24.37,
e-mail domainedelaboisserelle@wanadoo.fr r.-v.

### CLOS DE L'ABBE DUBOIS 2004

1,5 ha 8 000 3 à 5 €

Le nom de l'Abbé Dubois qui passa trente ans en Inde est gravé sur le seuil de la grande maison de pierre bâtie en 1829 qui abrite le domaine. Une belle brillance pour un rosé soutenu. Le nez concentré de fruits rouges, bien que classique, donne la sensation d'ouvrir un pot de gelée de framboise et cassis. L'attaque est souple. Encore les fruits rouges avec en finale une touche acidulée. Agréable dans un style vif, ce 2004 donne envie de passer à table.

Claude Dumarcher, Clos de l'Abbé Dubois,
07700 Saint-Remèze, tél. et fax 04.75.98.98.44,
e-mail clos-abbe-dubois@worldonline.fr r.-v.

LE CLOS DES SENTEURS
Terroirs extrêmes 2003 ★

■ 1 ha 3 000 ▮ 5 à 8 €

Ces Terroirs extrêmes libèrent une palette de senteurs des quatre saisons. Des parfums de cuir cèdent la place au foin coupé puis à des notes de venaison ; les fruits à l'eau-de-vie ferment la marche. Après une attaque agréable, la bouche se montre aromatique et présente des saveurs fruitées en finale. Un côtes-du-vivarais équilibré et harmonieux.

Serge Coste, 07150 Orgnac-l'Aven,
tél. 06.70.93.91.33, e-mail coste@ivt-nimes.fr V Y r.-v.

NOTRE-DAME DE-COUSIGNAC 2003 ★

■ 3 ha 19 000 ▮ 5 à 8 €

La septième génération de vignerons est à l'œuvre sur ce domaine de plus de 38 ha. Les premières cuves en ciment sont antérieures à 1914, à une époque où l'exploitation ne comptait que 7 ha de vignes. Malgré la sécheresse et la canicule de l'été 2003, ce vin offre un nez agréable, en pleine évolution, marqué par les fruits rouges écrasés, des notes animales, les fruits à noyau et des notes de cuir et de pain grillé. Fruité en attaque, le palais révèle ensuite une structure soutenue et un caractère puissant. Un côtes-du-vivarais de type sauvage.

Pommier, Dom. Notre-Dame-de-Cousignac,
quartier de Cousignac, 07700 Bourg-Saint-Andéol,
tél. 04.75.54.61.41, fax 04.75.54.68.53,
e-mail raphael.pommier@libertysurf.fr
V Y t.l.j. sf sam. dim. 15h-19h

DOM. DE VIGIER Cuvée Romain 2003 ★

■ n.c. 10 000 5 à 8 €

Une grande bastide au milieu des vignes gouverne ce vaste domaine entouré de milliers d'hectares de chêne vert. Une couleur profonde, presque noire, habille ce vin qui mise tout sur le fruit au premier nez (fruits rouges et fruits noirs écrasés) avant d'évoluer vers des notes animales. La dégustation se poursuit tout en finesse et en douceur. Une bouteille qui gagnera à être attendue un an. Elle exprimera alors tout son potentiel.

Dupré et Fils, Dom. de Vigier, 07150 Lagorce,
tél. 04.75.88.01.18, fax 04.75.37.18.79,
e-mail g.dupre@terre-net.fr
V Y t.l.j. 9h-12h 14h30-18h; groupes sur r.-v.

BERNARD VIGNE 2004

■ 2,5 ha 15 000 3 à 5 €

A partir de Lagorce, un sentier botanique, avec panneaux explicatifs, permet de découvrir la vallée de Salastre et sa végétation. On pourra poursuivre la promenade par une visite au domaine de la famille Vigne. Son côtes-du-vivarais, d'une couleur printanière, se montre plutôt discret de prime abord, puis le fruit s'impose. Souplesse et légèreté règnent en bouche tandis que la finale acidulée s'exprime plus vivement. A servir sur les premières grillades de l'année.

Bernard Vigne, Dom. Vigne, vallée de l'Ibie,
07150 Lagorce, tél. 04.75.37.19.00
V Y t.l.j. sf dim. 9h-19h

# Les vins doux naturels de la vallée du Rhône

## Muscat-de beaumes-de-venise

Au nord de Carpentras, sous les impressionnantes Dentelles de Montmirail, le paysage doit son aspect à des calcaires grisâtres et à des marnes rouges. Une partie des sols est formée de sables, de marnes et de grès, une autre de terrains tourmentés datant du trias et du jurassique. Ici encore, sur 489 ha sont produits des vins doux naturels dont le principe d'élaboration est identique à celui des vins doux naturels du Languedoc-Roussillon (voir ce chapitre). Le seul cépage est le muscat à petits grains ; mais dans certaines parcelles, une mutation donne des raisins roses. Les vins (13 557 hl en 2004) doivent avoir au moins 110 g de sucre par litre de moût ; ils sont aromatiques, fruités et fins, et conviennent parfaitement à l'apéritif ou sur certains fromages.

LES VIGNERONS DE BEAUMES-DE-VENISE
Carte or 2003 ★

57 ha 200 000 ▮ 8 à 11 €

C'est le pharmacien du village, M. Blachon, qui créa cette cave en 1956. Elle regroupe aujourd'hui 330 ha de vignes. Cette Carte or vous dévoilera tout son jeu dès que vous poserez vos lèvres sur le bord du verre. Ses arômes sont fins sur des notes florales. Beaucoup de fraîcheur et un caractère aérien pour ce vin. Prenez votre carte d'embarquement et laissez-vous transporter.

Vignerons de Beaumes-de-Venise,
quartier Ravel, 84190 Beaumes-de-Venise,
tél. 04.90.12.41.00, fax 04.90.65.02.05,
e-mail vignerons@beaumes-de-venise.com V Y r.-v.

MAISON BOUACHON Prestige ★

5 ha 2 600 ▮ 15 à 23 €

Maison appartenant aujourd'hui au groupe Skalli. Cette cuvée Prestige résulte d'un subtil savoir-faire. Ce vin est floral au nez, soutenu, miellé en bouche. Son bel équilibre et sa longueur le feront apprécier avec un foie gras poêlé ou à l'apéritif.

Maison Bouachon, av. Pierre-de-Luxembourg, 84230 Châteauneuf-du-Pape, tél. 04.90.83.58.35, fax 04.90.83.77.23, e-mail info@maisonbouachon.com
t.l.j. 9h-12h 14h-19h
Skalli

### DOM. DE FONTAVIN 2004

3,5 ha 15 000 8 à 11 €

Le père de l'actuelle propriétaire a constitué ce beau domaine de 47 ha. Diplômée d'œnologie, Hélène Chouvet continue son œuvre et propose un muscat de grande maturité, avec des notes d'évolution. Ses arômes de miel et de caramel se marieront avec une mousse aux abricots ou une tarte meringuée aux figues.

EARL Hélène et Michel Chouvet, Dom. de Fontavin, 1468, rte de la Plaine, 84350 Courthézon, tél. 04.90.70.72.14, fax 04.90.70.79.39, e-mail helene-chouvet@fontavin.com
t.l.j. sf dim. 9h-12h 14h-18h15; été 9h-19h

### LAURUS 2003 ★★

3 ha 3 000 15 à 23 €

Ce Laurus 2003 est remarquable par sa finesse : il sait s'affirmer sans s'imposer. C'est un vin à réserver pour les grandes occasions, et à servir de préférence avec un fromage à pâte persillée. Même s'il est délicieux dès aujourd'hui, il pourra se conserver trois à quatre ans encore.

Gabriel Meffre, Le Village, 84190 Gigondas, tél. 04.90.12.30.20, fax 04.90.12.30.29, e-mail gabriel-meffre@meffre.com
oct. à avr. 10h-18h; mai à sept. 10h-19h

### CH. SAINT-SAUVEUR 2002 ★

6,5 ha 13 300 8 à 11 €

C'est une chapelle du XIIe s. – bien sûr réaménagée – qui sert de cave de vinification à ce château. Un 2002 égal à lui-même et caractéristique de son appellation. Il est aujourd'hui à son optimum : ne l'oubliez pas au fond de la cave et servez-le sur un grand roquefort.

Les Héritiers de Marcel Rey, Ch. Saint-Sauveur, rte de Caromb, BP 2, 84810 Aubignan, tél. 04.90.62.60.39, fax 04.90.62.60.46
t.l.j. sf dim. 9h-12h15 14h15-19h
Guy Rey

### DOM. DE LA TOURADE Cuvée Mathys 2004

1,52 ha 4 660 11 à 15 €

Un joli vin aux notes primaires très muscatées. Un style aérien. A servir frais dès que l'occasion s'en présente et pendant les deux prochaines années.

EARL André Richard, Dom. de La Tourade, 84190 Gigondas, tél. 04.90.70.91.09, fax 04.90.70.96.31, e-mail tourade@aol.com
t.l.j. 9h-18h (été 19h)

### RESERVE J. VIDAL-FLEURY 2004 ★

3,6 ha 15 000 11 à 15 €

La Réserve de cette maison appartenant à Marcel Guigal n'est pas sur sa réserve ! Elle affiche un style exubérant, très riche en arômes d'orange amère, de fruit sec, de vanille. Ce vin se suffit à lui-même, mais si on veut l'accompagner d'un foie gras poêlé, le plaisir en sera décuplé. De grande maturité, il se bonifiera encore dans une bonne cave.

J. Vidal-Fleury, 19, rte de la Roche, 69420 Ampuis, tél. 04.74.56.10.18, fax 04.74.56.19.19, e-mail vidal-fleury@wanadoo.fr r.-v.

### DOM. DU VIEUX PIGEONNIER 2004 ★

n.c. 22 000 8 à 11 €

Un domaine de 9 ha sorti de la cave coopérative en 1998. Une macération pelliculaire à basse température a donné ce muscat élégant dans sa robe douce et limpide. Ses arômes fins et frais s'accorderont avec une soupe de fraise ou un melon de Cavaillon. Très agréable aujourd'hui, il pourra se garder quelques années (trois à quatre ans) dans une bonne cave.

Claude Vaute, rte de Caromb, 84190 Beaumes-de-Venise, tél. 04.90.62.95.66, fax 04.90.62.90.90

## Rasteau

Tout au nord du département du Vaucluse, ce vignoble s'étale sur deux formations distinctes : sols de sables, marnes et galets au nord ; terrasses d'alluvions anciennes du Rhône (quaternaire), avec des galets roulés, au sud. Partout, le cépage utilisé est le grenache. La production moyenne est confidentielle : 1 403 hl en 2004 pour 47 ha 77 ares.

### DOM. BRESSY-MASSON 2003 ★

n.c. 2 000 11 à 15 €

Ce domaine de 33 ha a produit ce vin doux naturel récolté le 8 septembre 2003. Les conditions climatiques exceptionnelles de ce millésime sont sensibles dans son bouquet riche de notes de chocolat et de vanille. Sa belle structure lui permettra d'être apprécié pendant cinq à huit ans encore.

Marie-France Masson, Dom. Bressy-Masson, 84110 Rasteau, tél. 04.90.46.10.45, fax 04.90.46.17.78
t.l.j. 9h-12h 14h-19h

### CAVE DE RASTEAU Signature 2000 ★★

7 ha 30 000 8 à 11 €

Village provençal doté d'une église du XIIe s., Rasteau a donné son nom au vignoble en côtes-du-rhône-villages rouge et demande une AOC communale. La cité produit aussi le vin doux naturel sous ce nom. Fondée en 1925, la cave de Rasteau a produit à partir du grenache noir cette belle bouteille de l'an 2000. Cette cuvée n'est élaborée que dans les grands millésimes. Ce vin couleur acajou offre des notes d'amande, de noisette, de moka torréfié. La finale parfaitement veloutée exprime une grande harmonie.

Cave de Rasteau, rte des Princes-d'Orange, 84110 Rasteau, tél. 04.90.10.90.10, fax 04.90.46.16.65, e-mail rasteau@rasteau.com r.-v.

LES VINS DE PAYS

## Les vins de pays

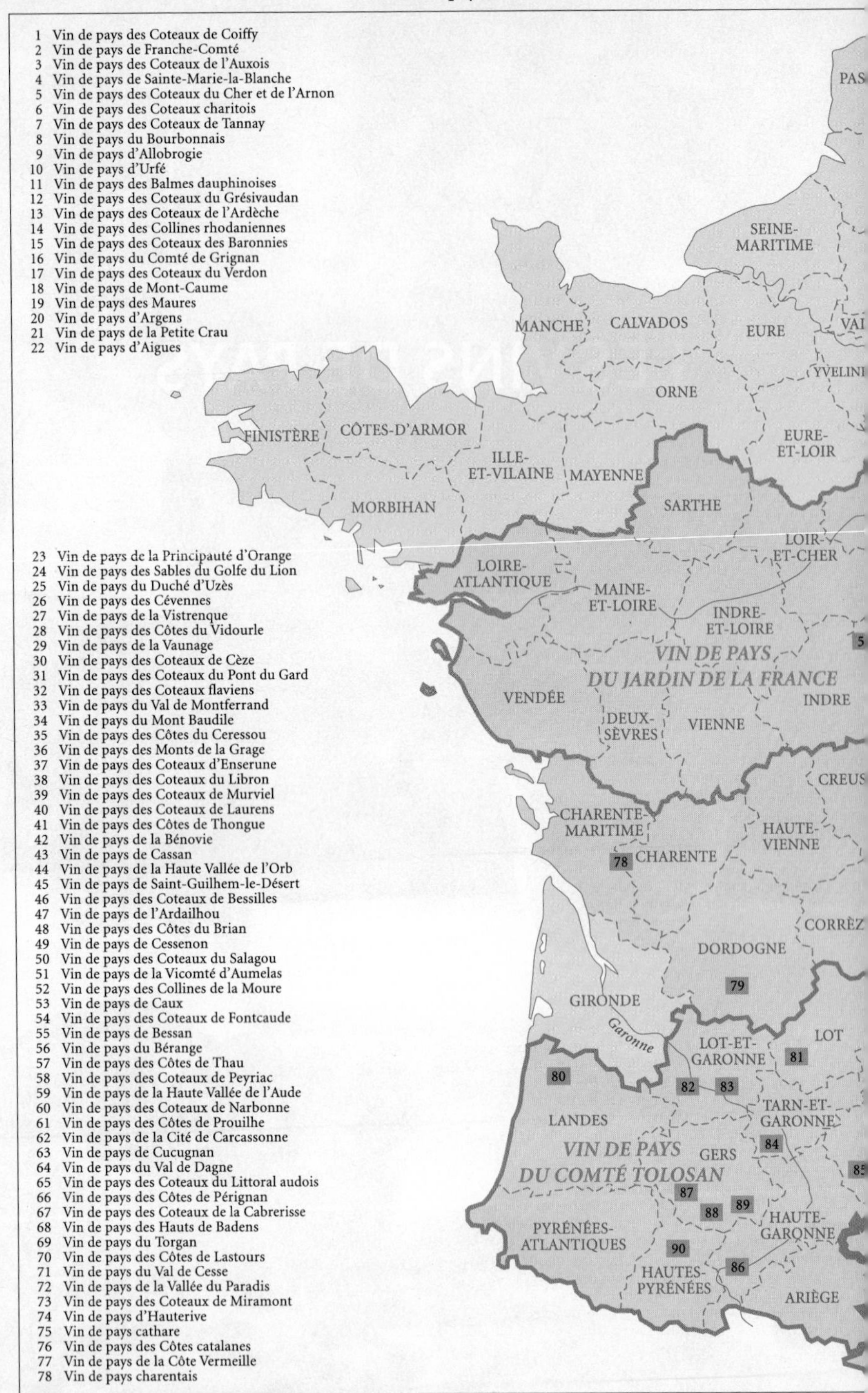

1 Vin de pays des Coteaux de Coiffy
2 Vin de pays de Franche-Comté
3 Vin de pays des Coteaux de l'Auxois
4 Vin de pays de Sainte-Marie-la-Blanche
5 Vin de pays des Coteaux du Cher et de l'Arnon
6 Vin de pays des Coteaux charitois
7 Vin de pays des Coteaux de Tannay
8 Vin de pays du Bourbonnais
9 Vin de pays d'Allobrogie
10 Vin de pays d'Urfé
11 Vin de pays des Balmes dauphinoises
12 Vin de pays des Coteaux du Grésivaudan
13 Vin de pays des Coteaux de l'Ardèche
14 Vin de pays des Collines rhodaniennes
15 Vin de pays des Coteaux des Baronnies
16 Vin de pays du Comté de Grignan
17 Vin de pays des Coteaux du Verdon
18 Vin de pays de Mont-Caume
19 Vin de pays des Maures
20 Vin de pays d'Argens
21 Vin de pays de la Petite Crau
22 Vin de pays d'Aigues
23 Vin de pays de la Principauté d'Orange
24 Vin de pays des Sables du Golfe du Lion
25 Vin de pays du Duché d'Uzès
26 Vin de pays des Cévennes
27 Vin de pays de la Vistrenque
28 Vin de pays des Côtes du Vidourle
29 Vin de pays de la Vaunage
30 Vin de pays des Coteaux de Cèze
31 Vin de pays des Coteaux du Pont du Gard
32 Vin de pays des Coteaux flaviens
33 Vin de pays du Val de Montferrand
34 Vin de pays du Mont Baudile
35 Vin de pays des Côtes du Ceressou
36 Vin de pays des Monts de la Grage
37 Vin de pays des Coteaux d'Enserune
38 Vin de pays des Coteaux du Libron
39 Vin de pays des Coteaux de Murviel
40 Vin de pays des Coteaux de Laurens
41 Vin de pays des Côtes de Thongue
42 Vin de pays de la Bénovie
43 Vin de pays de Cassan
44 Vin de pays de la Haute Vallée de l'Orb
45 Vin de pays de Saint-Guilhem-le-Désert
46 Vin de pays des Coteaux de Bessilles
47 Vin de pays de l'Ardailhou
48 Vin de pays des Côtes du Brian
49 Vin de pays de Cessenon
50 Vin de pays des Coteaux du Salagou
51 Vin de pays de la Vicomté d'Aumelas
52 Vin de pays des Collines de la Moure
53 Vin de pays de Caux
54 Vin de pays des Coteaux de Fontcaude
55 Vin de pays de Bessan
56 Vin de pays du Bérange
57 Vin de pays des Côtes de Thau
58 Vin de pays des Coteaux de Peyriac
59 Vin de pays de la Haute Vallée de l'Aude
60 Vin de pays des Coteaux de Narbonne
61 Vin de pays des Côtes de Prouilhe
62 Vin de pays de la Cité de Carcassonne
63 Vin de pays de Cucugnan
64 Vin de pays du Val de Dagne
65 Vin de pays des Coteaux du Littoral audois
66 Vin de pays des Côtes de Pérignan
67 Vin de pays des Coteaux de la Cabrerisse
68 Vin de pays des Hauts de Badens
69 Vin de pays du Torgan
70 Vin de pays des Côtes de Lastours
71 Vin de pays du Val de Cesse
72 Vin de pays de la Vallée du Paradis
73 Vin de pays des Coteaux de Miramont
74 Vin de pays d'Hauterive
75 Vin de pays cathare
76 Vin de pays des Côtes catalanes
77 Vin de pays de la Côte Vermeille
78 Vin de pays charentais
SEINE-MARITIME
MANCHE
CALVADOS
EURE
ORNE
EURE-ET-LOIR
FINISTÈRE
CÔTES-D'ARMOR
ILLE-ET-VILAINE
MAYENNE
SARTHE
MORBIHAN
LOIR-ET-CHER
LOIRE-ATLANTIQUE
MAINE-ET-LOIRE
INDRE-ET-LOIRE
VIN DE PAYS DU JARDIN DE LA FRANCE
VENDÉE
DEUX-SÈVRES
VIENNE
INDRE
CHARENTE-MARITIME
HAUTE-VIENNE
78
CHARENTE
DORDOGNE
79
GIRONDE
Garonne
LOT-ET-GARONNE
LOT
81
80
82
83
LANDES
TARN-ET-GARONNE
84
VIN DE PAYS DU COMTÉ TOLOSAN
GERS
87
88
89
PYRÉNÉES-ATLANTIQUES
HAUTE-GARONNE
90
86
HAUTES-PYRÉNÉES
ARIÈGE

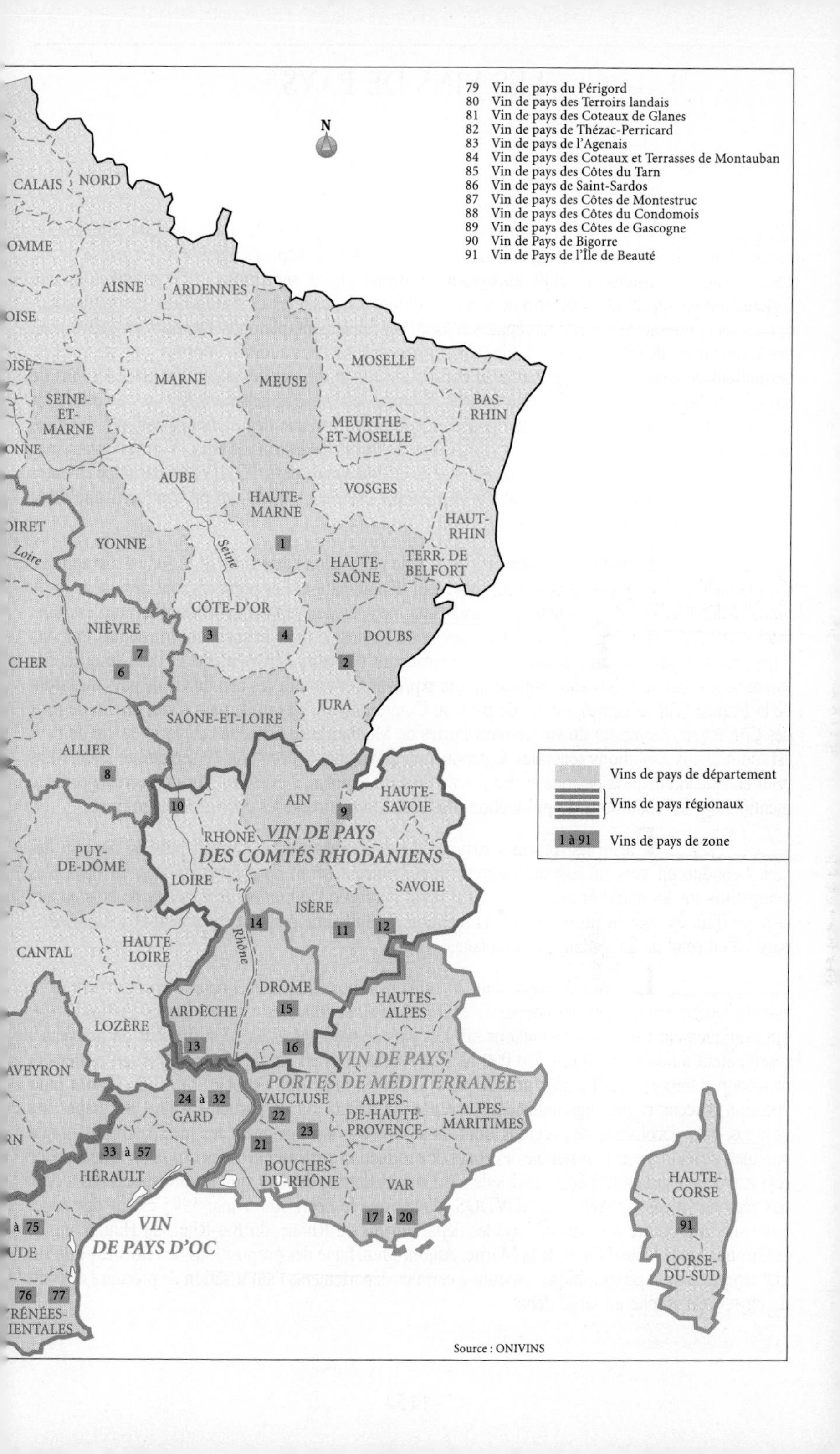
79 Vin de pays du Périgord
80 Vin de pays des Terroirs landais
81 Vin de pays des Coteaux de Glanes
82 Vin de pays de Thézac-Perricard
83 Vin de pays de l'Agenais
84 Vin de pays des Coteaux et Terrasses de Montauban
85 Vin de pays des Côtes du Tarn
86 Vin de pays de Saint-Sardos
87 Vin de pays des Côtes de Montestruc
88 Vin de pays des Côtes du Condomois
89 Vin de pays des Côtes de Gascogne
90 Vin de Pays de Bigorre
91 Vin de Pays de l'Île de Beauté
N
CALAIS
NORD
OMME
AISNE
ARDENNES
OISE
MOSELLE
MARNE
MEUSE
SEINE-ET-MARNE
BAS-RHIN
MEURTHE-ET-MOSELLE
AUBE
VOSGES
HAUTE-MARNE
HAUT-RHIN
YONNE
Loire
Seine
HAUTE-SAÔNE
TERR. DE BELFORT
CÔTE-D'OR
NIÈVRE
DOUBS
CHER
JURA
SAÔNE-ET-LOIRE
ALLIER
AIN
HAUTE-SAVOIE
RHÔNE
VIN DE PAYS DES COMTÉS RHODANIENS
PUY-DE-DÔME
LOIRE
SAVOIE
ISÈRE
Rhône
CANTAL
HAUTE-LOIRE
DRÔME
HAUTES-ALPES
ARDÈCHE
LOZÈRE
VIN DE PAYS PORTES DE MÉDITERRANÉE
AVEYRON
24 à 32
GARD
VAUCLUSE
ALPES-DE-HAUTE-PROVENCE
ALPES-MARITIMES
33 à 57
HÉRAULT
BOUCHES-DU-RHÔNE
VAR
17 à 20
HAUTE-CORSE
VIN DE PAYS D'OC
CORSE-DU-SUD
RÉNÉES-IENTALES
Vins de pays de département
Vins de pays régionaux
1 à 91 Vins de pays de zone
Source : ONIVINS

# LES VINS DE PAYS

On appelle « vins de pays » certains « vins de table portant l'indication géographique du secteur, de la région ou du département d'où ils proviennent ». C'est par le décret général du 1er septembre 2000 abrogeant le décret du 4 septembre 1979 modifié, qu'une réglementation spécifique a déterminé leurs conditions particulières de production, recommandant notamment l'utilisation de certains cépages et fixant des rendements plafonds. Des normes analytiques, tels la teneur en alcool, l'acidité volatile ou les dosages de certains additifs autorisés, ont été établies, permettant de contrôler et de garantir au consommateur un niveau de qualité qui place les vins de pays parmi les meilleurs vins de table français. Comme les vins d'appellations, les vins de pays sont soumis à une procédure d'agrément rigoureuse complétée par une dégustation spécifique. L'Office national interprofessionnel des vins (ONIVINS) assure la tutelle des vins de pays. Avec les organismes professionnels agréés et les syndicats de défense de chaque vin de pays, l'ONIVINS participe en outre à leur promotion, tant en France que sur les marchés extérieurs, où ils ont pu conquérir une place relativement importante.

Il existe trois catégories de vins de pays, selon l'extension de la zone géographique dans laquelle ils sont produits et qui compose leur dénomination. Les premiers sont désignés sous le nom du département de production, à l'exclusion bien sûr des départements dont le nom est aussi celui d'une AOC (Jura, Savoie ou Corse) ; les seconds, vins de pays de zone ; les troisièmes sont dits « régionaux », issus de cinq grandes zones regroupant plusieurs départements et pour lesquels des assemblages sont autorisés afin de garantir une expression constante. Il s'agit du vin de pays du Jardin de la France (Val de Loire), du vin de pays du Comté tolosan, du vin de pays d'Oc, du vin de pays des Comtés rhodaniens et du vin de pays Portes de Méditerranée. Chaque catégorie de vin de pays est soumise aux conditions générales de production dictées par le décret du 1er septembre 2000. Mais pour chaque vin de pays de zone et chaque vin de pays régional, il existe en plus un décret spécifique mentionnant les conditions de production plus restrictives auxquelles ces vins sont soumis.

Parmi les réformes structurelles proposées par les pouvoir publics, figurent des règles conduisant vers un assouplissement dont l'objectif serait de rendre les vins de pays plus compétitifs sur les marchés extérieurs : ainsi serait autorisée l'utilisation de copeaux de bois en lieu et place d'un élevage en fût de chêne ; la mention du millésime pourrait également être autorisée à partir d'un seuil de 85 % dans l'assemblage.

Les vins de pays, dont 11 millions d'hectolitres font l'objet d'un agrément, sont essentiellement vinifiés par des coopératives. Entre 1980 et 2000, les volumes agréés en vin de pays ont pratiquement triplé (4 à 11 millions hl). Les vins de pays agréés en « vin primeur ou nouveau » représentent aujourd'hui 200 à 250 000 hl. Les vinifications en vin de cépage prennent également beaucoup d'importance. La plus grande part (85 %) est issue des vignobles du Midi. Ils ont pour vocation d'accompagner agréablement les repas quotidiens, ou de participer, dans les étapes des voyages, à la découverte des régions dont ils sont issus, accompagnant les mets selon les usages habituels de leurs types. L'ensemble des zones de production est présenté ci-dessous selon le découpage régional de la législation spécifique des dénominations de vins de pays, qui ne correspond pas à celui des régions viticoles d'AOC ou AOVDQS. Notez que le décret du 4 mai 1995 exclut des zones autorisées à produire des vins de pays les départements du Rhône, du Bas-Rhin, du Haut-Rhin, de la Gironde, de la Côte-d'Or et de la Marne. Aujourd'hui, l'une des propositions de réforme porte sur une réorganisation géographique, ouvrant à certains départements l'autorisation de produire des vins de pays. Cela suscite un large débat.

# Calvados

ARPENTS DU SOLEIL 2004 ★

0,1 ha 1 700 8 à 11 €

En 1995, Gérard Samson a implanté sa vigne à l'emplacement du seul vignoble normand figurant sur la carte dressée par Cassini au XVIIIe s. Aujourd'hui, il propose son septième millésime, un vin blanc typique du melon de bourgogne, cépage emblématique de la région nantaise. Une bouteille agréable, intense, fine et fruitée. L'**auxerrois 2004** a été cité par le jury. (Deux bouteilles de 50 cl.)

Gérard Samson,
3, rue d'Harmonville, 14170 Saint-Pierre-sur-Dives,
tél. 02.31.20.80.41, fax 02.31.20.29.70

## Vallée de la Loire

Les vins de pays du Jardin de la France, dénomination régionale, représentent, à l'heure actuelle, 95 % de l'ensemble des vins de pays produits en vallée de la Loire ; une vaste région qui regroupe treize départements : Maine-et-Loire, Indre-et-Loire, Loiret, Loire-Atlantique, Loir-et-Cher, Indre, Allier, Deux-Sèvres, Sarthe, Vendée, Vienne, Cher, Nièvre. A ces vins s'ajoutent les vins de pays de départements et les vins de pays à dénominations locales qui sont ici : les vins de pays de Retz (au sud de l'estuaire de la Loire), des Marches de Bretagne (au sud-est de Nantes) et des Coteaux charitois (aux alentours de la Charité-sur-Loire).

La production globale repose sur les cépages traditionnels de la région. Les vins blancs qui représentent 45 % de la production sont secs, frais et fruités, et principalement issus des cépages chardonnay, sauvignon et grolleau gris. Les vins rouges et rosés proviennent, quant à eux, des cépages gamay, cabernets et grolleau noir.

Ces vins de pays sont, en général, à servir jeunes. Cependant, dans certains millésimes, le cabernet peut se bonifier en vieillissant.

# Coteaux charitois

DOM. DE LA RELIGIEUSE Pinot 2003

1,3 ha 6 500 3 à 5 €

Le vignoble d'Hubert Vavon est situé sur le versant de Saint-Lay, à 320 m d'altitude, à proximité de la cité médiévale de La Charité-sur-Loire. Son pinot noir, d'une belle couleur, est bien équilibré et tout en rondeur. Produit dans le berceau des élevages de bœufs de race charolaise, il sera un parfait compagnon des viandes rouges ou d'un plateau de fromages.

Hubert Vavon,
Champ Carré, 58400 Varennes-les-Narcy,
tél. 03.86.38.14.02, fax 03.86.70.27.84,
e-mail hubert.vavon@wanadoo.fr r.-v.

# Jardin de la France

ACKERMAN Chenin Tastemets 2004 ★

90 ha 1 000 000 - de 3 €

Fondée en 1811, la maison Ackerman, un des maîtres de la fine bulle saumuroise, présente un vin blanc sec tranquille issu du chenin, cépage emblématique et mythique du vignoble ligérien. Le nez franc révèle une belle intensité aromatique avec des arômes de fleurs blanches et d'agrumes. Souple, volumineuse et équilibrée, la bouche s'achève sur une finale légèrement acidulée avec des nuances citronnées. Longueur et harmonie caractérisent cette bouteille à réserver à un poisson ou à des crustacés.

Ackerman-Rémy Pannier, 13, rue Léopold-Palustre,
Saint-Hilaire-Saint-Florent, 49412 Saumur,
tél. 02.41.53.03.10, fax 02.41.53.03.19,
e-mail contact@remy-pannier.com
t.l.j. sf dim. 9h-12h 14h-17h; été 9h30-18h30

DOM. DES AUDINIERES Cabernet 2004 ★

2,2 ha 4 000 - de 3 €

Jean-Luc Guittet est installé depuis 1989 sur le domaine. En 2003, il s'est associé en GAEC avec Sylvain Guittet et ils exploitent désormais près de 26 ha. Le jury s'est laissé charmer par leur cabernet bien équilibré à la robe limpide à reflets rubis.

GAEC Clos du Pressoir,
Les Audinières, 49230 Saint-Crespin-sur-Moine,
tél. et fax 02.41.70.46.95
t.l.j. sf dim. 8h-12h30 14h-18h

DOM. DES BEGAUDIERES Gamay 2004 ★

1 ha 6 000 - de 3 €

En 1680, la vigne était déjà cultivée à l'emplacement de ce domaine familial. Son gamay joliment teinté révèle, au nez comme en bouche, des arômes fruités qui évoquent avec élégance la cerise. La sensation tannique est perçue avec beaucoup de finesse. Ce vin accompagnera des viandes grillées.

GAEC Jauffrineau-Boulanger, 25, Bonnefontaine,
44330 Vallet, tél. 02.40.36.22.79, fax 02.40.36.34.90,
e-mail begaudieres@wanadoo.fr
t.l.j. 8h-13h 14h-20h

DOM. DE BELLE VUE Le Champ des Cailloux Cabernet Elevé en fût de chêne 2004 ★

0,35 ha 4 000 3 à 5 €

Le cabernet, planté sur une parcelle au sol de granit rouge, a donné un vin qui reflète bien le terroir dont il est issu. D'une couleur intense, il se montre riche et aromatique, long et équilibré.

Jérôme Bretaudeau, 15, rue du Pont-Jean-Vay,
44190 Gétigné, tél. 06.12.85.19.62,
e-mail jbretaudeau@free.fr r.-v.

DOM. DES BONNES GAGNES Sauvignon 2004 ★★

1,6 ha 10 000 3 à 5 €

Le vignoble des Bonnes Gagnes est exploité depuis 1610 par la famille Héry. Après une visite du château de

VDP

Domaine des Bonnes Gagnes
Sauvignon
VIN DE PAYS DU JARDIN DE LA FRANCE
SERVIR FRAIS
12,5% VOL.
750 ML
HÉRY Vignerons, "ORGIGNÉ" 49320 ST-SATURNIN-SUR-LOIRE FRANCE
TÉL : 02.41.91.22.76


Brissac, distant de seulement 2 km, un détour par le domaine s'impose. Ce sauvignon a séduit les dégustateurs. Souple et rond, il dévoile des arômes floraux et de pamplemousse. Il accompagnera agréablement un plateau d'huîtres.

Vignerons Héry, Orgigné, 49320 Saint-Saturnin-sur-Loire, tél. 02.41.91.22.76, fax 02.41.91.21.58, e-mail hery.vignerons@wanadoo.fr
t.l.j. 9h-12h 14h-19h; dim. sur r.-v.

### DOM. DU CHAMP CHAPRON Gamay 2004 ★

5 ha 30 000 - de 3 €

L'accueil des visiteurs se fait dans le vieux bâtiment en pierre tandis que la partie moderne est réservée à la vinification. Ce gamay rosé se caractérise par sa fraîcheur au nez comme en bouche. Cette sensation est accentuée par des notes de réglisse qui cèdent ensuite la place aux fruits rouges. Une légère douceur accompagne la finale.

EARL Suteau-Ollivier, Dom. du Champ Chapron, 44450 Barbechat, tél. 02.40.03.65.27, fax 02.40.33.34.43, e-mail suteau.ollivier@wanadoo.fr
t.l.j. sf dim. 9h-12h 14h-19h

### GERARD CHEVALIER Chardonnay 2004 ★★

2,7 ha 7 000 3 à 5 €

Distant du domaine de 5 km, le lac de Grand-Lieu véhicule une légende de citée engloutie... En revanche, aucun mystère n'entoure ce remarquable chardonnay vêtu d'une robe claire à reflets verts. Après un nez vif et fruité (pomme verte), cette cuvée dévoile toute sa séduction en bouche : vivacité, ampleur, matière... Un vin facile, élégant, qui devrait vous procurer beaucoup de plaisir.

SCEA Gérard Chevalier, L'Aujardière, 44310 Saint-Philbert-de-Grand-Lieu, tél. et fax 02.40.78.71.92, e-mail hcchevalier@free.fr
r.-v.

### DOM. DE LA COCHE Pays de Retz Grolleau gris 2004 ★★

1,1 ha 2 800 3 à 5 €

Un domaine qui figure avec une grande régularité dans le Guide, souvent aux meilleures places. Une fois de plus, il décroche deux étoiles pour son grolleau gris aux beaux reflets rosés, véritable invitation au plaisir. Au palais, des saveurs fruitées enrobées d'une douceur délicieusement acidulée rappellent les bonbons. Puis des notes poivrées viennent affirmer le caractère de ce vin. Une bouteille à marier avec une cuisine typique. Pourquoi pas des sardines grillées de Saint-Gilles-Croix-de-Vie ?

Emmanuel et Laurent Guitteny, La Coche, 44680 Sainte-Pazanne, tél. 02.40.02.44.43, fax 02.40.02.43.55, e-mail lacochevins@aol.com
t.l.j. sf dim. lun. 9h-12h 15h-19h

### DOM. LES COINS Pays de Retz Chardonnay 2004 ★

4 ha 40 000 - de 3 €

Le domaine se transmet de père en fils depuis 1850. Fidèle à la tradition, le 1er septembre 2003, Didier Malidain a rejoint son père, Jean-Claude. Ensemble, ils ont élaboré ce chardonnay à la robe brillante. L'olfaction dévoile des parfums de fruits exotiques (mangue), puis les fruits blancs prennent le relais avec délicatesse. La bouche est à l'image du nez, exotique, fraîche à dominante d'agrumes. Un ensemble équilibré et flatteur.

Jean-Claude et Didier Malidain, EARL Grossève, 44650 Corcoué-sur-Logne, tél. 02.40.05.95.95, fax 02.40.05.80.99, e-mail jeanclaude.malidain@free.fr
r.-v.

### DOM. DE LA COUPERIE Cabernet 2004 ★

2 ha 15 000 - de 3 €

Après une première étape franchie en 1990 – l'enherbement total du vignoble –, Claude Cogné s'est résolument tourné en 2002 vers une culture respectueuse de l'environnement. Le cabernet 2004 porte une robe pourpre d'une limpidité et d'une brillance éclatante. Les arômes tout en finesse de raisins bien mûrs augurent la souplesse, la rondeur et le velouté de la bouche. Un vin plaisir. La **cuvée Clyan Cabernet Élevé en fût de chêne 2003 (3 à 5 €)** obtient également une étoile ; elle fut coup de cœur dans le millésime 2001 (Guide 2004).

EARL Claude Cogné, La Couperie, 49270 Saint-Christophe-la-Couperie, tél. 02.40.83.73.16, fax 02.40.83.76.71 r.-v.

### LE DEMI-BŒUF Sauvignon 2004 ★

2 ha 10 000 3 à 5 €

Parmi la vaste gamme de vins proposée par Le Demi-Bœuf, le jury a retenu ce délicat sauvignon. Tout en discrétion et en finesse, le nez libère des senteurs de fleurs printanières (pêcher, cerisier). Après une attaque pleine, dense, onctueuse, la bouche de bonne longueur révèle des notes florales très présentes. À servir sur des coquilles Saint-Jacques ou des cuisses de grenouilles.

EARL Michel Malidain, Le Demi-Bœuf, 44310 La Limouzinière, tél. 02.40.05.82.29, fax 02.40.05.95.97, e-mail m.malidain@free.fr r.-v.

### LA DIVA Chardonnay 2004

n.c. n.c. 3 à 5 €

Après avoir reçu un coup de cœur l'an dernier, Donatien Bahuaud, négociant, présente cette fois un vin plus modeste mais qui a cependant retenu toute l'attention du jury. Une robe jaune pâle à reflets verts habille cette Diva au nez intense de fragrances boisées et de fruits jaunes (abricot). Les nuances aromatiques du nez se retrouvent en bouche. Souple et bien structuré, ce vin classique peut être servi dès maintenant ou attendre un à deux ans.

SA Donatien Bahuaud, 4, rue de la Loge, 44330 La Chapelle-Heulin, tél. 02.40.06.70.05, fax 02.40.06.77.11, e-mail dbahuaud@donatien-bahuaud.fr r.-v.

### L'EXCELLENCE DU GRAND LOGIS Cabernet franc 2003 ★

2 ha 1 800 3 à 5 €

Un ancien domaine seigneurial datant de 1650 abrite l'exploitation créée en 1850. Une couleur grenat profond habille ce vin au nez franc de fruits mûrs relevés par des notes épicées. Également franche, la bouche se révèle riche, ronde et intense. Déjà prête, cette bouteille accompagnera un rôti de bœuf.

EARL Lebrin, L'Aujardière, 44430 La Remaudière,
tél. 02.40.33.72.72, fax 02.40.33.74.18,
e-mail earl.lebrin@wanadoo.fr
t.l.j. sf sam. dim. 9h-12h30 14h-19h

### DOM. DE FLINES Chardonnay 2004 ★★

n.c. 50 000 3 à 5 €

Très régulièrement retenu dans le Guide, le domaine de Flines propose un chardonnay qui témoigne d'une parfaite maîtrise de la vinification. Derrière une couleur dorée, le nez dévoile des parfums très mûrs, presque beurrés, issus d'une fermentation malolactique réussie. On retrouve ces arômes en bouche, accompagnés de saveurs de fruits mûrs, vanillés, enveloppés dans une agréable rondeur. Un vin riche et complexe, sans lourdeur, à servir à l'apéritif.

C. Motheron, Dom. de Flines,
102, rue d'Anjou, 49540 Martigné-Briand,
tél. 02.41.59.42.78, fax 02.41.59.45.60 r.-v.

### DOM. DE LA GACHERE Chardonnay 2004 ★

0,9 ha 6 100 **3 à 5 €**

Un chardonnay qui allie puissance et souplesse : les arômes de fleurs blanches du nez se retrouvent en bouche, accompagnés de notes d'agrumes dont les flaveurs s'étirent longuement. Ce vin fera un mariage parfait avec une poêlée de Saint-Jacques.

GAEC Lemoine,
Dom. de La Gachère, 79290 Saint-Pierre-à-Champ,
tél. 05.49.96.81.03, fax 05.49.96.32.38,
e-mail f.lemoine@wanadoo.fr r.-v.

### GARDEN-PARTY 2004 ★

6,19 ha 60 000 - de 3 €

Une visite à Liré, ville natale de Joachim du Bellay, sera l'occasion de se remémorer quelques-uns des plus beaux vers de ce poète du XVIᵉs. Ancenis n'est qu'à 3 km. La cave coopérative propose ce vin aromatique souple, rond et équilibré. Cette bien-nommée Garden-Party est prête.

Vignerons de la Noëlle, Terrena, bd des Alliés,
44150 Ancenis, tél. 02.40.98.92.72, fax 02.40.98.96.70,
e-mail vignerons-noelle@terrena.fr r.-v.

### DOM. DES GILLIERES
Grolleau gris Cuvée Prestige 2004 ★

0,85 ha 6 000 - de 3 €

Un vin qui plaira aux amateurs de grolleau gris. Ils retrouveront dans cette cuvée tout ce qui fait le charme de ce cépage : un nez typé, légèrement poivré, une attaque vive, une bouche ample et longue. Avec sa finale bien marquée, cette bouteille accompagnera poissons en sauce et grillades.

SAS des Gillières,
Les Gillières, 44690 La Haye-Fouassière,
tél. 02.40.54.80.05, fax 02.40.54.89.56
t.l.j. sf sam. dim. 8h-12h 14h-17h; f. août
Regnier

### DOM. LE GRAND FE Grolleau gris 2004 ★★

1 ha 2 500 - de 3 €

Un ancien relais de poste du XVIIIᵉs. abrite les chais de ce domaine créé en 1991 sur 9 ha et qui en compte

aujourd'hui plus de 19. Derrière une robe gris perle, ce grolleau gris au nez discret offre une bouche étonnante par sa structure, sa souplesse, son gras, sa longueur. Le **grolleau rosé 2004** se révèle tout aussi flatteur avec des arômes fruités et une bouche harmonieuse. Il obtient une étoile.

Jean Boutin, Le Poirier, 44310 La Limouzinière,
tél. et fax 02.40.05.83.66,
e-mail jean-boutin@wanadoo.fr r.-v.

### DOM. LES HAUTES NOELLES Gamay 2004 ★★

3,5 ha 20 000 3 à 5 €

Après un coup de cœur pour son gamay 2003, Serge Batard réussit remarquablement ce 2004. Une vendange manuelle triée et ramassée en cagette. Ce vin à la robe légère et aux arômes de fruits rouges est caractéristique du cépage. En bouche, le côté amylique l'emporte. Bien équilibrée, cette bouteille peut être débouchée dès maintenant.

Serge Batard,
La Haute Galerie, 44710 Saint-Léger-les-Vignes,
tél. 02.40.31.53.49, fax 02.40.04.87.80,
e-mail sb.lhn@wanadoo.fr r.-v.

### DOM. DES HERBAUGES
Chardonnay Classic 2004 ★★

5,5 ha 44 000 3 à 5 €

Un beau palmarès pour Luc et Jérôme Choblet puisque cette année deux de leurs vins décrochent deux étoiles ! Le jury a retenu les cuvées Classic et **Élégance chardonnay 2004** pour leur finesse et leur charme. Les vinificateurs ont a su tirer la quintessence des raisins.

Luc et Jérôme Choblet, Les Herbauges,
44830 Bouaye, tél. 02.40.65.44.92, fax 02.40.65.58.02,
e-mail choblet@domaine-des-herbauges.com
r.-v.

### DOM. DE LA HOUSSAIS Gamay 2004 ★★★

1,5 ha 9 000 3 à 5 €

Un bâtiment typique de la région avec un habillage de briquette et une partie en pierre apparente : ce domaine familial de 15 ha propose un gamay exceptionnel. Une robe brillante, des parfums de fruits rouges aux notes légèrement amyliques, une bouche délicieuse, caractérisent cette somptueuse cuvée parfaitement réussie.

Bernard Gratas,
Dom. de La Houssais, 44430 Le Landreau,
tél. 02.40.06.46.27, fax 02.40.06.47.25 r.-v.

DOM. DES IRIS Chardonnay 2004 ★★

1,6 ha 16 500 3 à 5 €

Les vignes dont est issu ce chardonnay ont profité pleinement de l'arrière-saison ensoleillée, si agréable en Anjou. La couleur jaune d'or témoigne de la richesse apportée par une vendange surmûrie. Le nez un peu épicé et la bouche complexe confirment cette impression. Un vin voluptueux, ample, à la finale longue et légèrement acidulée que l'on pourra garder quelques années en cave. Il se prêtera à des mariages osés : roquefort ou foie gras.

SA Joseph Verdier, Dom. des Iris,
La Roche Coutant, 49540 Tigné, tél. 02.41.40.22.50,
fax 02.41.40.29.69, e-mail j.verdier@wanadoo.fr

MARKS & SPENCER Sauvignon 2004 ★

n.c. 100 000 - de 3 €

Vinival, maison de négoce, a élaboré pour la marque britannique un sauvignon tout en finesse, au nez de fruits exotiques. Après une attaque souple, la bouche exprime progressivement des saveurs fraîches. A servir dès maintenant avec des crustacés ou du poisson. Autre marque présentée par Vinival, **Poulet, cabernet franc rosé 2004** obtient la même note. C'est un rosé de gastronomie (viandes blanches).

SARL Vinival, La Sablette, 44330 Mouzillon,
tél. 02.40.36.66.00, fax 02.40.36.26.83,

DOM. LA MORINIERE Chardonnay 2004 ★★

10 ha 100 000 3 à 5 €

L'élégance des vins du Val de Loire est parfaitement illustrée par ce chardonnay. Des arômes intenses de fleurs puis de fruits exotiques s'expriment au nez. La bouche fine, ample, presque ronde, dévoile des notes citronnées qui viennent relever l'ensemble avec harmonie. Cette bouteille accompagnera agréablement un poisson en sauce.

GAEC Ragotière, Ch. Ragotière,
44330 La Regrippière, tél. 02.40.33.60.56,
fax 02.40.33.61.89, e-mail freres.couillaud@wanadoo.fr
t.l.j. sf sam. dim. 8h-12h 14h-18h
Frères Couillaud

DOM. DU MOULIN CAMUS Cabernet 2004 ★★

2,3 ha 26 000 3 à 5 €

Le savoir-faire et la passion, transmis ici de père en fille, ont permis à Catherine Boulanger et à son époux François d'élaborer un cabernet à la robe pourpre sombre qui séduit par un nez intense de fruits noirs et d'épices, ainsi que par une bouche charnue et équilibrée avec des saveurs de fruits mûrs et de fleurs.

EARL Huteau-Hallereau,
41, rue Saint-Vincent, 44330 Vallet,
tél. 02.40.33.93.05, fax 02.40.36.29.26,
e-mail domainedumoulincamus@wanadoo.fr
r.-v.
Catherine et François Boulanger

LE MOULIN DE LA TOUCHE
Pays de Retz Sauvignon 2004 ★

1 ha 6 000 3 à 5 €

Pour la quatrième année consécutive, le domaine de Joël Hérissé obtient une étoile. Le nez de ce sauvignon se montre plutôt végétal avec des notes très mûres, presque épicées. Ample et structurée, la bouche révèle une grande vivacité en finale. Un vin frais et nerveux qui allie finesse et typicité. Il accompagnera des coquillages pêchés dans la baie voisine de Bourgneuf.

Joël Hérissé, Le Moulin de la Touche,
44580 Bourgneuf-en-Retz, tél. et fax 02.40.21.47.89,
e-mail herisse.joel@cegetel.net r.-v.

ALAIN OLIVIER
Cabernet Le Tradition Elevé en fût de chêne 2002 ★

2 ha 3 000 5 à 8 €

Une belle couleur grenat à l'œil invite à la dégustation. Le nez libère des notes de fruits rouges et d'épices. Un vin bien équilibré, d'une bonne longueur, avec des tanins présents et prometteurs. Il pourra attendre en cave un à deux ans. Le **melon blanc 2004 (3 à 5 €)**, tout aussi apprécié par les dégustateurs, obtient également une étoile.

EARL Alain Olivier, La Moucletière,
44330 Vallet, tél. et fax 02.40.36.24.69
t.l.j. sf dim. 10h-12h30 14h-18h30; f. 7-21 août

DOM. DU PARC Chardonnay 2004 ★

5 ha 30 000 - de 3 €

Ce vin révèlera tout son potentiel aromatique sur du poisson grillé ou en sauce, comme sur des volailles. Après une attaque un peu vive, la bouche se révèle expressive, fruitée et vanillée. N'attendez pas pour le servir.

EARL Pierre Dahéron,
Dom. du Parc, 44650 Corcoué-sur-Logne,
tél. 02.40.05.86.11, fax 02.40.05.94.98,
e-mail pierredaheron@aol.com r.-v.

LA PERRIERE Cabernet-sauvignon 2004 ★

1,5 ha 20 000 3 à 5 €

Des chais de 200 m de long, à moitié enterrés et recouverts de lierre. On y élabore des vins de caractère. Témoin ce cabernet-sauvignon rosé à la fois original et typé. Les arômes de poivron, bien connus des amateurs de ce cépage, se mêlent harmonieusement aux fruits rouges.

Vincent Loiret, Ch. La Perrière, 44330 Le Pallet,
tél. 02.40.80.43.24, fax 02.40.80.46.99,
e-mail vins.loiret@free.fr
t.l.j. sf dim. 8h-12h 14h-19h; f. 8-15 août

DOM. DU PETIT CLOCHER Sauvignon 2004 ★★

1 ha 2 800 3 à 5 €

En 2003, les Denis ont acheté 12 ha de vigne, portant ainsi la superficie de leur domaine à 68 ha. Seulement 1 ha a servi à l'élaboration de ce vin jaune paille intense. Le nez de fruits blancs (agrumes et poire) très mûrs, voire surmûris, est typique. Bien structurée, la bouche se montre ample, ronde, longue et fraîche. Grâce à sa complexité, ce sauvignon pourra être servi tout au long du repas.

GAEC du Petit Clocher, 3, rue du Layon,
49560 Cléré-sur-Layon, tél. 02.41.59.54.51,
fax 02.41.59.59.70, e-mail petit.clocher@wanadoo.fr
t.l.j. sf dim. 8h30-12h30 14h-19h
Denis

DOM. POIRON Chardonnay Majuscule 2004 ★

| 1 ha | 12 000 | | 3 à 5 € |
|---|---|---|---|

En 2004, le domaine Poiron est devenu domaine Poiron-Dabin. Si le nom et la raison sociale ont changé, la qualité est toujours au rendez-vous. Le nez, bien mûr, libère des arômes de noisette caractéristiques d'une vinification réussie. À l'image du nez, la bouche se montre complexe, expressive et de belle longueur.

Poiron-Dabin, Chantegrolle,
44690 Château-Thébaud,
tél. 02.40.06.56.42, fax 02.40.06.58.02,
e-mail dom.poiron@wanadoo.fr r.-v.
Laurent et Jean-Michel Poiron

DOM. DE LA POTARDIERE
Marches de Bretagne Gamay 2004 ★

| n.c. | n.c. | | - de 3 € |
|---|---|---|---|

Le vignoble de 27 ha s'étale sur un petit coteau situé près du marais de Goulaine. Il a donné une bouteille à la robe éclatante, couleur rubis. Bien typé gamay, à la fois léger et épicé, ce vin s'accordera avec des salades estivales ou des grillades.

EARL Couillaud-Jannin,
Dom. de la Potardière, 44430 Le Loroux-Bottereau,
tél. 02.40.33.82.50, fax 02.51.71.92.42,
e-mail earl.couillaud.jannin@wanadoo.fr
t.l.j. sf dim. 8h30-12h30 14h-19h30

PRIVILEGE DE DROUET Sauvignon 2004 ★

| 17 ha | 200 000 | | - de 3 € |
|---|---|---|---|

Vinifié par l'un des centres de vinification d'une des plus anciennes maisons de négoce du vignoble nantais, ce vin, typé et élégant, plaira aux amateurs de sauvignon. L'olfaction révèle des arômes de bourgeon de cassis caractéristiques, puis évolue vers des notes florales. Ample et fraîche, la bouche laisse une belle impression en finale. Un jolie bouteille à servir seule à l'apéritif.

SA Les vins Drouet Frères, 8, bd du Luxembourg,
44330 Vallet, tél. 02.40.36.65.20, fax 02.40.33.99.78
t.l.j. sf dim. 9h30-12h30 14h30-18h30

RETHORE DAVY Gamay 2004 ★★

| 12 ha | 35 000 | | 3 à 5 € |
|---|---|---|---|

Issu à 100 % de gamay noir (dit gamay beaujolais), ce vin se présente dans une livrée rubis profond. Délicat et suave à l'olfaction, il dévoile en bouche un fruité intense de cerise bigarreau très mûre, presque compotée, et des tanins fondus. Une jolie bouteille à réserver à des viandes rouges : mouton grillé, rôti ou côte de bœuf. Le **sauvignon 2004** et le **cabernet 2004** ont été cités par le jury.

SCEA Vignobles Réthoré Davy,
Les Vignes, 49110 Saint-Rémy-en-Mauges,
tél. 02.41.30.12.58, fax 02.41.46.35.44,
e-mail rethore.c@wanadoo.fr r.-v.

DOM. DE LA ROCHE BLANCHE
Chardonnay 2004 ★★

| 10 ha | 15 000 | | 5 à 8 € |
|---|---|---|---|

Situé à Vallet, sur la route des vacances vers les plages de l'Atlantique, ce domaine est exploité par la même famille depuis quatre générations. Les arômes puissants de fruits et d'agrumes de son chardonnay ont séduit les dégustateurs. Harmonieux, ce vin saura se faire apprécier avec des fruits de mer mais aussi avec les poissons qui font la renommée des Pays-de-la-Loire : sandre et brochet.

EARL Lechat et Fils,
12, av. des Roses, 44330 Vallet,
tél. 02.40.33.94.77, fax 02.40.36.44.31 r.-v.

DOM. DE LA ROCHERIE Gamay 2004 ★

| 1 ha | 8 000 | | 3 à 5 € |
|---|---|---|---|

Situé à une vingtaine de kilomètres de la cité médiévale de Clisson, le domaine de La Rocherie a élaboré un gamay aux parfums complexes et à la bouche souple. Un vin harmonieux qui pourra accompagner bien des repas.

Daniel Gratas, La Rocherie, 44430 Le Landreau,
tél. 02.40.06.41.55, fax 02.40.06.48.92 r.-v.

YVONNICK ET THIERRY SAUVETRE
Marches de Bretagne Gamay 2004 ★★

| 1,5 ha | 10 000 | | - de 3 € |
|---|---|---|---|

Au sein d'un domaine chargé d'histoire, les Sauvêtre utilisent des techniques modernes de vinification. Ce remarquable gamay témoigne de leur savoir-faire, notamment de la maîtrise des températures qui permet de développer des arômes typiques du cépage tout en conservant le fruité et la fraîcheur indispensables. Un vin plaisant, de belle longueur. Le **cabernet des Marches de Bretagne 2004** a obtenu une étoile pour ses arômes de fruits rouges très mûrs.

EARL Y. Sauvêtre et Fils,
Le château de la Malonnière,
44430 Le Loroux-Bottereau,
tél. 02.40.33.81.48, fax 02.40.33.87.67 r.-v.

# Puy-de-Dôme

YVAN BERNARD Arkose 2004 ★★

| 0,3 ha | 1 000 | | 3 à 5 € |
|---|---|---|---|

Le plus jeune vigneron indépendant du Puy-de-Dôme, installé en 2001 hors cadre familial et diplômé de la Viti à Beaune. Arkose pour le granit, gamay pour le cépage auvergnant, et on y va de bon cœur car la réussite est émouvante. Complexité du bouquet très fruité et divinement nuancé, rondeur exquise au palais, tanins de soie... Retenez bien ce nom ! Le **rosé 2004** a été cité pour sa fraîcheur.

Yvan Bernard, pl. de la Reine,
63114 Montpeyroux, tél. 04.73.55.31.97,
e-mail bernard_corent@hotmail.com r.-v.

VINS DES CARRIERS Pinot 2004

| 0,31 ha | 3 500 | | 5 à 8 € |
|---|---|---|---|

Un blanc sec de Volvic, on pourrait croire à l'eau de table. Eh bien ! non. C'est un pinot. D'ailleurs et à y bien repenser, si l'on extrayait naguère la pierre de Volvic, le vin plus que l'eau contribuait ici à l'énergie nécessaire... Pour tout dire ? Brillant, limpide, à légers reflets gris rosé, il tient bon sur ses deux jambes. Rectiligne, il va droit son chemin. Pointe réglissée, il démontre que l'eau des volcans et le vin des volcans peuvent faire bon ménage.

Alain Gaudet, Dom. Sous-Tournoël, 63530 Volvic,
tél. 04.73.33.52.12, fax 04.73.33.62.71 r.-v.

# Vienne

AMPELIDÆ Cabernet Le K 2003 ★

■ 2 ha 12 000 15 à 23 €

Ce domaine de 16 ha possède une cave monolithe datant du XIe s. Sa cuvée Le K, issue des deux cabernets à parts égales, révèle au nez comme en bouche de plaisantes notes vanillées conférées par l'élevage en fût. La matière est bien présente et les tanins s'arrondissent agréablement. Un vin équilibré.

Ampelidæ,
Manoir de Lavauguyot, 86380 Marigny-Brizay,
tél. 05.49.88.18.18, fax 05.49.88.18.85 Y r.-v.
Brochet

## Aquitaine et Charentes

Entourant largement le Bordelais, c'est la région formée par les départements de Charente et Charente-Maritime, Gironde, Landes, Dordogne et Lot-et-Garonne. Une majorité de vins rouges souples et parfumés sont produits dans le secteur aquitain, issus des cépages bordelais que complètent quelques cépages locaux plus rustiques (tannat, abouriou, bouchalès, fer). Charentes et Dordogne donnent surtout des vins de pays blancs, légers et fins (ugni blanc, colombard), ronds (sémillon, en assemblage avec d'autres cépages) ou corsés (baroque). Charentais, Agenais, Terroirs landais et Thézac-Perricard sont les dénominations sous-régionales ; Dordogne, Gironde et Landes constituent les dénominations départementales.

# Agenais

DOM. LOU GAILLOT Excellence 2003 ★

■ 1 ha 7 000 5 à 8 €

Six générations sur cette terre, mais l'activité viticole a pris le dessus depuis 1987. Gilles Pons est œnologue et connaît son métier. Cette cuvée essentiellement merlot présente à l'œil de petits signes d'évolution sur fond grenat. Ses quinze mois de fût ne sont évidemment pas sans conséquence sur son bouquet, développé et complexe, à pleine maturité. Une bouche bien affirmée (gras et rondeur) sur des tanins fondus et toujours dans un contexte un peu boisé. Citons aussi la **Réserve rouge 2003** de bonne composition, qui obtient également une étoile.

Gilles Pons, Les Gaillots, 47440 Casseneuil,
tél. 05.53.41.04.66, fax 05.53.01.13.89
Y t.l.j. sf dim. 9h-12h30 14h-19h30

DOM. DE MONCASSIN 2004 ★

■ 3 ha n.c. 3 à 5 €

Ce château pourrait cousiner avec le célèbre Domaine de Beaulieu en vallée de Napa puisque la famille de Pins qui le posséda hérita au XXe s. de ce patrimoine californien fondé par Georges de Latour, gentilhomme gascon expatrié... Voilà un cabernet-sauvignon rosé gras et charnu, un peu aigu mais sans agressivité. Léger perlant et arômes agréables de fruits rouges. Sa robe tire sur le clairet. On lui sait gré de prendre son temps avant de glisser en bouche. Le **rouge 2003 Elevé en fût de chêne (5 à 8 €)** reçoit une étoile.

Vincent Delmotte,
Le Chai, 47700 Leyritz-Moncassin,
tél. 05.53.93.57.21, fax 05.53.93.11.93,
e-mail delmottevincent@wanadoo.fr Y r.-v.

PRINCE DE MONSEGUR
Elevé en fût de chêne 2003 ★

■ n.c. n.c. 3 à 5 €

Le prince ne se rend pas à un bal à la Cour. Il rentre de la chasse avec un nez animal et épicé qui sent bon la gibecière. Grenat très profond, un assemblage cabernet-merlot à 70/30 %. Dans un tel décor, les tanins ont forcément quelque chose d'impulsif (un rien de sécheresse). Aux portes du Périgord, la pensée l'unit au confit.

Cave des Sept Monts,
ZAC de Mondésir, 47150 Monflanquin,
tél. 05.53.36.33.40, fax 05.53.36.44.11,
e-mail cave7monts@terres-du-sud.fr Y r.-v.

DOM. DE QUISSAT
Merlot Elevé en barrique 2003 ★

■ 1,4 ha 8 000 5 à 8 €

Comme on dirait une maison forte, c'est une cave fortifiée. La vigne est revenue ici comme si elle rentrait des Croisades. Petit domaine de reconquête (4,3 ha) n'ayant que le merlot comme religion. La robe est ferme, le nez fin et vanillé. La bouche itou, sous le fouet aimable d'une certaine vigueur tannique. Un an de barrique. Etiquette un peu compliquée pour un vin simple et de bon goût. Bio certifié.

Rémy Delouvrié, 47130 Bazens,
tél. et fax 05.53.87.47.84,
e-mail domainedeguissat@wanadoo.fr Y r.-v.

DOM. DU SERBAT
Grival Excellence Merlot Cabernet-sauvignon 2003 ★

■ 0,47 ha 2 439 3 à 5 €

Acquise par un Centre d'aide par le travail et exploitée par des personnes handicapées, cette propriété de 10 ha signe ici un assemblage merlot et cabernet-sauvignon à 70/30 %. On ne s'étonnera pas de rencontrer en Agenais l'arôme du pruneau, sa robe poupre-grenat l'habille avantageusement. Un peu tannique certes, mais d'un bel élan encore présent en arrière-bouche.

CAT Lamothe-Poulin,
Dom. du Serbat, 47340 Laroque-Timbaut,
tél. 05.53.95.71.07, fax 05.53.95.79.61,
e-mail domaineduserbat@cat-lamothe-poulin.com
Y t.l.j. sf sam. dim. 9h-12h 13h30-17h

# Charentais

L'ANGOUMANS Chardonnay 2004 ★

■ 7,26 ha 2 000 3 à 5 €

Coopérative assez récente, sur 45 ha dont un peu plus de 7 ha pour ce chardonnay. Excellente façon de découvrir l'Angoumans sous des traits pâles et limpides. Bouqueté (fruits blancs) et gras, tendre mais montrant aussi une vivacité de tempérament, il est suffisamment acide et d'une stabilité honorable.

SCA Les Coteaux de l'Angoumois, 7, rue des Résistants, 16290 Hiersac, tél. et fax 05.45.93.18.46, e-mail cotangoumois@ifrance.com r.-v.

DOM. CAZULET 2003 ★

1,1 ha 4 000 5 à 8 €

Propriété acquise il y a une douzaine d'années auprès de la fille d'un consul anglais en poste à Paris... il y a fort longtemps. Comment dire les choses avec diplomatie ? Jaune soutenu à la limite du doré, ce chardonnay assez vanillé offre quelques accents floraux. Il a de la rondeur, un boisé persistant et il tient la distance.

Stéphane Cazulet, Chez Calot, 17150 Semoussac, tél. 05.46.49.26.17 t.l.j. 8h-12h30 14h-19h

DOM. DE LA CHAMBRE 2004 ★

0,5 ha 5 000 3 à 5 €

*Va savoir...* C'est le titre du film tourné naguère ici par Gérard Klein. C'est aussi la question posée par cette bouteille (chardonnay et sauvignon à cinquante-cinquante). Les reflets verts ne manquent pas à l'appel sous une robe doré clair. Ananas, citron, banane, le nez semble revenir de vacances. Les arômes secondaires et primaires sont en continuité, dans un contexte souple et confortable (gras).

SARL Henri Geffard, La Chambre, 16130 Verrières, tél. 05.45.83.02.74, fax 05.45.83.01.82, e-mail cognac.geffard@tiscali.fr t.l.j. 8h-12h 14h-18h

CROIX FADET

Cuvée Mathilde Vieilli en fût de chêne 2003 ★

3,5 ha 2 600 8 à 11 €

Créé par André Thorin en 1950 et orienté alors vers le cognac, puis le pineau ; le domaine a changé en partie son fusil d'épaule en 1998 : Claude Thorin s'engage alors aussi sur le chemin du rouge. Ici merlot et cabernet-sauvignon à égalité. De teinte sombre, un 2003 au parfum de cassis légèrement mentholé. Une année de fût n'a donné aucun excès de vanille. La structure souple et charmeuse prend de l'ampleur au palais.

SCEA Dom. Thorin, Chez Boujut, 16200 Mainxe, tél. 05.45.83.33.46, fax 05.45.83.38.93, e-mail claudethorin@cognac-thorin.com t.l.j. sf dim. 9h-19h

DOM. LES FOLIES Merlot Fût de chêne 2003

1,28 ha 5 700 5 à 8 €

Entre Cognac et Jarnac, ce domaine de 47,5 ha de vignes élabore et élève l'alcool du pays, à l'exception d'une superficie assez modeste offerte au merlot et au cabernet-sauvignon en rouge et en rosé. Il s'agit ici d'un pur merlot à la parure vive et profonde. Son bouquet séduit par une complexité faite de fruits rouges bien mûrs évoluant peu à peu vers l'épice. Ample et soyeux, il est aimable et consistant.

Christophe Veral, Les Buges, 16200 Sainte-Sévère, tél. et fax 05.45.80.90.95 r.-v.

GENDREAU L'ESTEY Sauvignon 2004 ★

0,8 ha 4 600 5 à 8 €

Un sauvignon jaune paille à reflets verts. Son nez est sans histoire, souple et floral. L'attaque est douce, tandis que le fruit se manifeste. Bon équilibre général et une certaine persistance en finale. Moins de 1 ha de vigne pour ce vin assez confidentiel produit par un domaine de 31 ha.

Vincent Morandière, Le Breuil, 17150 Saint-Georges-des-Agouts, tél. 05.46.86.02.76, fax 05.46.70.63.11, e-mail vignoblesmorandiere@wanadoo.fr t.l.j. sf dim. 8h-12h 13h30-19h

DOM. DU GROLLET 2003 ★

5 ha 30 000 5 à 8 €

Vignoble familial Rémy Martin dédié au merlot alors que le cognac se nourrit d'ugni blanc. Le cognac peut néanmoins servir à flamber les cailles que l'on dégustera avec ce vin rubis étincelant, démonstratif et entreprenant. Ses arômes de fruits rouges confits s'accompagnent d'un boisé bien fondu. La bouche se montre à la hauteur des avances olfactives : soyeuse et ample, durable. En sauvignon, voir également le **Saint-Esprit blanc**, une étoile.

La Maison des Maines, Au Malestier, BP 46, 16130 Segonzac, tél. 05.45.36.48.38, fax 05.45.36.48.36, e-mail cave.acv@wanadoo.fr t.l.j. sf sam. dim. 9h-18h

Rémy Martin

THIERRY JULLION Merlot Cabernet 2004 ★

1 ha 6 000 3 à 5 €

Cette propriété familiale depuis cinq générations signe un merlot noir cabernet-sauvignon à 60-40 %, rose foncé, vigoureux, tirant vers le clairet. Le nez est bien vineux, le corps fruité et un peu tannique. Fruits rouges ou fruits blancs ? Plutôt blancs. Pour varier les plaisirs, le thermalisme à Jonzac se situe tout près.

Thierry Jullion, Montizeau, 17520 Saint-Maigrin, tél. 05.46.70.00.73, fax 05.46.70.02.60, e-mail jullion@wanadoo.fr t.l.j. sf sam. dim. 15h-19h

MOINE FRERES 2004 ★

5 ha 8 000 - de 3 €

C'est en 1980 que ces deux frères ont repris la petite exploitation familiale (5 ha de vigne). Une idée originale : prendre le visiteur par la main et lui faire découvrir tout ce que le vin et le cognac doivent au chêne, roi des forêts et des caves. Merlot à 100 %, ce charentais a de belles couleurs orangées, des nuances aromatiques fines et puissantes, fruitées. Il se plaît au palais où il se révèle équilibré et long.

Jean-Yves et François Moine, Villeneuve, 16200 Chassors, tél. 05.45.80.98.91, fax 05.45.80.96.01, e-mail lesfreres.moine@wanadoo.fr t.l.j. 9h-12h 14h-18h; sam. dim. sur r.-v.

LE ROYAL 2004 ★

30 ha 217 000 - de 3 €

Ré, ses ports, ses plages, ses fruits de mer et... son vin ! Cette coopérative consacre une trentaine d'hectares à un assemblage de colombard, de sauvignon et de chardonnay (20 %). Une robe discrète mais brillante entoure un bouquet discret qui s'ouvre sur des notes de fleurs et de fruits blancs. Bien rond, souple et agréable en bouche, ce 2004 évoque les régates plus que la navigation au long cours.

Coop. des Vignerons de l'Ile de Ré, 17580 Le Bois-Plage-en-Ré, tél. 05.46.09.23.09, fax 05.46.09.09.26, e-mail unire@wanadoo.fr r.-v.

SORNIN Pointe de silex 2004 ★

■ 15 ha 40 000 3 à 5 €

Haut lieu préhistorique, Saint-Sornin présente un **Sornin Erectus 2003 rouge**, cité, un Sornin Sapiens et dans le droit fil de l'évolution cette Pointe de silex en rosé (gamay, cabernet-sauvignon et merlot). D'une couleur appuyée et proche du clairet, à reflets violets, un vin faiblement aromatique, présent et vif dès l'attaque et marqué par un léger perlant.

SCA Cave de Saint-Sornin, Les Combes, 16220 Saint-Sornin, tél. 05.45.23.92.22, fax 05.45.23.11.61, e-mail contact@cavesaintsornin.com

t.l.j. sf dim. 8h-12h 14h-18h; groupes sur r.-v.

TERRA SANA 2004 ★★

■ n.c. 100 000 5 à 8 €

Jaune paille soutenu et limpide, très aromatique, ce Terra Sana dispense de jolis parfums fleuris et exotiques sur des notes de citron et de pamplemousse ; un vin où le sauvignon semble trôner en majesté. L'acidité et l'alcool trouvent ici un bon terrain d'entente, et la rondeur n'exclut pas la force (sinon la vivacité) de caractère.

SA Jacques et François Lurton, Dom. de Poumeyrade, 33870 Vayres, tél. 05.57.55.12.12, fax 05.57.55.12.13, e-mail jflurton@jflurton.com

VIGNOT DES PERTUIS 2004 ★

■ 2,25 ha 24 000 - de 3 €

Le lieu s'appelle la Fromagerie. On est sur l'île d'Oléron et l'on pense aux parcs à huîtres. Eh bien ! le merlot et le cabernet franc réussissent à s'y faufiler pour donner ce rosé qui a vraiment pris ses marques en 1966, dans cette famille. D'une couleur légèrement orangée, il offre un nez fruité autour des agrumes. Franc, équilibré et long, il est moins modeste que son prix.

Favre et Fils, Village La Fromagerie, 17310 Saint-Pierre-d'Oléron, tél. 05.46.47.05.43, fax 05.46.75.03.18, e-mail pas-favr@clubinternet.fr

t.l.j. sf dim. 9h-12h 15h-19h

# Landes

DOM. D'ESPERANCE Vin de soleil rosé 2004 ★★

■ 2 ha 5 000 3 à 5 €

Notre-Dame-des-Cyclistes est à deux enfournées de jambes, si vous passez par là... Tannat et sables fauves pour ce rosé. La robe est claire mais soutenue, à légers reflets tuilés. Le nez complexe, entre floral et miel, assez élégant. Féminité du corps ? Sans doute, si l'on décrit ainsi le plaisir dans le verre. L'ampleur et la rondeur n'en sont pas absents. Le **rouge 2004** est cité.

Claire de Montesquiou, Dom. d'Espérance, 40240 Mauvezin-d'Armagnac, tél. et fax 05.58.44.85.93, e-mail info@esperance.com.fr

t.l.j. sf dim. 8h-12h 14h-17h

# Périgord

VIN DE DOMME

Périgord noir Elevé en fût de chêne 2003 ★

■ 4 ha 13 000 5 à 8 €

Confits, pommes de terre sarladaises, il ne manque assurément pas d'accord gastronomiques en plein Périgord Noir ! La résurrection du vin de Domme (merlot à 70 %, cabernet franc pour le reste) donne une bouteille à la robe grenat profond. Son séjour de douze mois en fût de chêne ne passe pas inaperçu ; on perçoit des fruits mûrs et une touche mentholée dans une longue suite empyreumatique. Egalement retenu, le **rosé de Domme 2004** est cité.

SCA des Vignerons des Coteaux du Céou, Moncalou, 24200 Florimont-Gaumier, tél. 05.53.28.14.47, fax 05.53.28.32.48, e-mail vignerons-du-ceou@wanadoo.fr

t.l.j. sf sam. dim. 9h-12h 14h-18h, groupes sur r.-v.

# Terroirs landais

ROUGE DE BACHEN 2003 ★★

■ 10 ha 29 800 11 à 15 €

Troisgros, Lorain, Meneau... Blanc, bien sûr. Et lui aussi passe volontiers du fourneau au pressoir. Nous sommes chez Michel Guérard. Merlot, tannat à 80/20 %. D'une belle couleur profonde, le vin est remarquable en bouche, profond au regard et chaleureux au nez (girofle et vanille). D'une bonne structure, il est équilibré.

Michel Guérard, Cie hôtelière et fermière d'Eugénie-les-Bains, 40320 Eugénie-les-Bains, tél. 05.58.71.76.76, fax 05.58.71.77.77, e-mail direction@michelguerard.com

t.l.j. sf sam. dim. 9h-12h 14h-17h

DOM. DE CAMENTRON Sables de l'Océan 2003

■ 1 ha 5 000 3 à 5 €

Les deux cabernets en association, franc surtout. Ce viticulteur est l'un des artisans récents de la sauvegarde du vin de sable de l'océan. Un domaine en forme de mouchoir de poche, pas plus de 2 ha. Son 2003 commence à virer tout doucement de nuance. Au fruit du bouquet s'ajoute l'herbacé. De la chair, copieuse et aux abords de fruits confits, il n'hésite pas au moment de passer en bouche.

SCEA Les Vignes de Camentron, chem. de Camentron, 40660 Messanges, tél. 05.58.48.93.26, fax 05.58.48.92.30 r.-v.

LES DUNES DE LA POINTE Cuvée des Marins 2003 *

| | 1,85 ha | 4 000 | 8 à 11 € |
|---|---|---|---|

De l'air océanique dans cette bouteille à la mer. Sa robe vive et violacée porte pavillon haut. Des parfums de vendange mûre : fruits cuits, pruneau. A peine une brise astringente en finale, mais l'alcool, l'acidité et les tanins se comportent bien et en harmonie.

SCEA Les Vignes de Capbreton, Dom. de la Pointe, 40130 Capbreton, tél. 06.07.47.41.26, fax 05.59.55.29.69, e-mail les-vignes-de-capbreton@wanadoo.fr r.-v.

DOM. DE LABALLE Sables fauves 2004 *

| | 14 ha | 80 000 | 3 à 5 € |
|---|---|---|---|

Ancien régisseur de Beychevelle, Noël Laudet est un Cadet de Gascogne. Il a repris ce domaine familial d'un aïeul parti faire un petit tour aux Amériques. Colombard pour moitié, ugni blanc et gros manseng pour l'autre, ce blanc à la robe pâle joue l'empyreumatique puis se montre divers au palais : du vif à une certaine chaleur sur la fin assez longue. Un peu de bonbon anglais. A retenir aussi : le **Laballe blanc 2004** (5 à 8 €), qui a été cité.

SCEA Noël et Christian Laudet, Moulin de Laballe, 40310 Parleboscq, tél. 05.58.44.33.39, fax 05.58.44.92.61, e-mail n.laudet@wanadoo.fr r.-v.

DOM. DU TASTET Coteaux de Chalosse 2004 **

| | n.c. | 9 000 | - de 3 € |
|---|---|---|---|

Un rosé qui exprime sa sucrosité. Revêtu d'une robe pâle et brillante, il s'efforce au nez de jouer la fleur et le fruit. Intéressant. Très flatteur en bouche, il s'y impose avec gras, d'une nature accommodante et désirable. C'est à servir maintenant. Une note en dessous mais estimable, le **rouge 2004** (3 à 5 €). Les prix sont très raisonnables.

EARL J.-C. Romain et Fils, Dom. du Tastet, 2350, chem. d'Aymont, 40350 Pouillon, tél. 05.58.98.28.27, fax 05.58.98.27.63, e-mail domaine-tastet@hotmail.fr r.-v.

# Thézac-Perricard

DOM. DE LIONS Elevé en fût de chêne 2002 *

| | 3 ha | 8 000 | 3 à 5 € |
|---|---|---|---|

Cot et merlot à 50/50 pour un vin qui ne lésine pas sur la couleur. Rubis foncé, il a du tempéramment. Elevage en cuve (7 mois) et en fût (1 an), ce qui enveloppe de vanille et d'épices douces son fruit rouge spontané. Si le millésime lui donne un caractère évolué, normal à cet âge, l'équilibre et la structure se situent à un niveau très convenable.

Yannick Montel, Dom. de Lions, 47370 Thézac, tél. 05.53.40.70.58, fax 05.53.40.78.65 t.l.j. sf dim. 8h-12h 14h-19h

## Pays de la Garonne

Avec Toulouse en son cœur, cette région regroupe dans la dénomination « vin de pays du Comté tolosan » les départements suivants : l'Ariège, l'Aveyron, la Haute-Garonne, le Gers, le Lot, le Lot-et-Garonne, les Pyrénées-Atlantiques, les Hautes-Pyrénées, le Tarn et le Tarn-et-Garonne. Les dénominations sous-régionales ou locales sont : les côtes du Tarn ; les coteaux de Glanes (Haut-Quercy, au nord du Lot : rouges pouvant vieillir) ; les coteaux du Quercy (sud de Cahors : rouges charpentés) ; Saint-Sardos (rive gauche de la Garonne) ; les coteaux et terrasses de Montauban (rouges légers) ; les côtes de Gascogne, les côtes du Condomois et les côtes de Montestruc, (zone de production de l'armagnac dans le Gers ; majorité de blancs) ; et la Bigorre. Haute-Garonne, Tarn-et-Garonne, Pyrénées-Atlantiques, Lot, Aveyron et Gers sont les dénominations départementales.

L'ensemble de la région, d'une extrême variété, produit environ 200 000 hl de vins rouges et rosés et 400 000 hl de blancs dans le Gers et le Tarn. La diversité des sols et des climats, des rivages atlantiques au sud du Massif central, alliée à une gamme particulièrement étendue de cépages, incite à l'élaboration d'un vin d'assemblage de caractère constant, ce que s'efforce d'être, depuis 1982, le vin de pays du Comté tolosan ; mais sa production est encore réduite : 40 000 hl dans un ensemble produisant environ quinze fois plus.

# Ariège

PHILIPPE BABIN Coteaux d'Engravies 2003 *

| | 2,5 ha | 9 000 | 5 à 8 € |
|---|---|---|---|

L'Ariège recèle un vignoble récent mais prometteur. Les Coteaux d'Engravies en donnent un bel exemple. Le nez est vif, fruité, légèrement boisé. En bouche, les tanins sont bien fondus, fins, accompagnés d'un boisé discret. Doté de beaucoup de caractère, de complexité et de richesse, ce vin gagnera à vieillir.

Babin, EARL d'Embayourt, 09120 Vira, tél. 05.61.68.68.68, fax 05.61.68.73.97 r.-v.

# Comté tolosan

DOM. DE CANDIE Le Tradition 2004 **

| | 10 ha | 55 000 | 3 à 5 € |
|---|---|---|---|

La ville de Toulouse mène avec succès un vignoble établi à ses portes. Belle robe soutenue, nez de cassis pour ce Tradition. Bouche nette, bien équilibrée aux accents de fruits rouges. Après une attaque souple, la dégustation continue sur des tanins fins, fondus et qui ne manquent pas de caractère.

VDP

Dom. de Candie,
17, chem. de la Saudrune, 31100 Toulouse,
tél. 05.61.07.51.65, fax 05.61.07.38.88

**VIN LE FLEUR** Sélection 2004 ★

15 ha 80 000 - de 3 €

Au milieu du vignoble du Madiranais, les producteurs de Crouseilles ont su élaborer une Sélection au caractère primeur. Nez intense de bonbon anglais, bouche très expressive de fruits rouges (groseille, framboise). Un vrai plaisir pour qui apprécie fraîcheur, souplesse, rondeur, fruité.

Cave de Crouseilles, 64350 Crouseilles,
tél. 05.59.68.57.15, fax 05.62.69.66.71,
e-mail m.darricau@crouseilles.com
t.l.j. sf sam. dim. 9h-12h 14h30-18h

**DOM. DE RIBONNET** Clément Ader 2001 ★

10 ha 55 000 5 à 8 €

Il y a toujours quelque chose à découvrir au domaine de Ribonnet tant la passion pour ses vignes incite Christian Gerber à se renouveler et à s'essayer à de nouveaux cépages, de nouvelles vinifications. Il en résulte une gamme exceptionnelle de Comté tolosan dont la variété et la perfection étonnent. Cette cuvée Clément Ader n'en est qu'un exemple. Domaine remarquable de richesse que l'on se doit de visiter.

SARL Vallées et Terroirs,
Dom. de Ribonnet, 31870 Beaumont-sur-Lèze,
tél. 05.61.08.71.02, fax 05.61.08.08.06,
e-mail vinribonnet31@aol.com r.-v.
Gerber

**DOM. SAINT-LOUIS** 2004

4,8 ha 55 000 5 à 8 €

Parfaite vinification d'un chardonnay réalisée ici par le Château Saint-Louis. Nez intense, puissant, de fleurs blanches avec une note minérale. Le volume, le gras, les arômes affirmés de sa bouche lui donnent une très belle longueur.

SCEA Ch. Saint-Louis, BP 8, 82370 Campsas,
tél. 05.63.30.20.20, fax 05.63.30.58.76,
e-mail proprietaire@chateausaintlouis.fr
t.l.j. 9h-12h 14h-18h; sam. dim. sur r.-v.

# Corrèze

**MILLE ET UNE PIERRES**
Elevé en fût de chêne 2003 ★

18 ha 100 000 5 à 8 €

Cabernet franc (80 %) et merlot, ce vin est l'œuvre de jeunes agriculteurs qui ont restructuré en Corrèze 30 ha de vigne sur d'anciennes truffières. Grenat intense, il aborde son sujet de façon plaisante sur les fruits à l'eau-de-vie, la confiture de vieux garçon. Le fût (un an) lui a laissé quelques arômes grillés. Le bouche est équilibrée.

Cave viticole de Branceilles,
Le Bourg, 19500 Branceilles,
tél. 05.55.84.09.01, fax 05.55.25.33.01,
e-mail cave-viticole-de-branceilles@wanadoo.fr
t.l.j. sf dim. 10h-12h 15h-18h

# Côtes du Condomois

**COROLLE** 2004

200 ha 200 000 3 à 5 €

Au sein de la Gascogne, le terroir du Condomois offre des vins de pays rouges et rosés gouleyants, faciles tout en affichant un caractère affirmé. Corolle en est un très bel exemple avec ses 60 % de tannat et ses merlot et cabernets à parts égales. Le nez est vanillé, épicé, légèrement animal avec quelques notes de fruits confits et de noisette. La bouche est ronde avec pourtant du volume. C'est très agréable.

Producteurs Plaimont,
rte d'Orthez, 32400 Saint-Mont,
tél. 05.62.69.62.87, fax 05.62.69.61.68,
e-mail f.lhau@plaimont.fr r.-v.

# Côtes de Gascogne

**ARAMIS** Colombard et ugni blanc 2004

n.c. n.c. 3 à 5 €

Ugni blanc et colombard sont, avec le gros manseng, les cépages de la Gascogne. L'ugni blanc apporte sa fraîcheur, sa vivacité, son nerf alors que le colombard laisse s'exprimer avec force tous ses arômes. Un mariage heureux qui donne à l'ensemble un équilibre où l'on découvre toute la richesse des notes d'agrumes (mandarine, pamplemousse), de fruits exotiques (ananas, papaye), ainsi qu'une pointe poivrée.

SARL Pierre Laplace, Ch. d'Aydie, 64330 Aydie,
tél. 05.59.04.08.00, fax 05.59.04.08.08,
e-mail pierre.laplace@wanadoo.fr
t.l.j. 9h-12h30 14h-19h; dim. sur r.-v.

**DOM. DE LA CHESNAIE** 2004

20 ha 120 000 - de 3 €

Le domaine de La Chesnaie est produit par la cave coopérative des vignobles de Gascogne. Par sa production, elle offre toute une lignée de blancs parmi lesquels celui-ci paré d'une robe jaune pâle aux discrets reflets verts, au nez intense et complexe (buis, agrumes, fruits exotiques) si caractéristique des côtes de gascogne. La bouche volumineuse exprime toute cette complexité d'arômes qui nous ravissent.

Cave d'Aignan, 32290 Aignan, tél. 05.62.09.24.06,
fax 05.62.09.20.53, e-mail f.lhau@plaimont.fr
t.l.j. sf dim. 9h-12h30 14h30-19h

DOM. CHIROULET 2003 ★

■ 10 ha 60 000 5 à 8 €

Le domaine Chiroulet sait depuis longtemps mettre en valeur les cépages rouges au sein d'une Gascogne où dominent les blancs. Ce 2003 a eu le temps de prendre de la rondeur, de la finesse, tout en gardant gras, volume et puissance. Aux arômes de fruits rouges, de fruits mûrs se mêlent ceux de la vanille, du pain grillé. Les tanins fins sont omniprésents et lui confèrent une bonne longueur. Un bel exemple de Gascogne rouge.

EARL Famille Fezas, Dom. de Chiroulet, 32100 Larroque-sur-l'Osse, tél. 05.62.28.02.21, fax 05.62.28.41.56, e-mail contact@chiroulet.com
t.l.j. 9h-12h 15h-19h; f. 20 août-10 sep.

LES VIGNES DE CHLOE 2004 ★

■ 1 ha 11 000 3 à 5 €

Elaboré à partir d'une vinification de merlot, ce vin demande une longue aération avant qu'on ne le découvre. Et quelle richesse alors ! C'est gras, c'est fin ; les tanins ronds et fondus amènent une longueur et un volume qui n'en finissent pas. Dousseau montre ainsi que la Gascogne peut offrir aussi de merveilleux vins rouges.

Famille Dousseau, Dom. Sergent, 32400 Maumusson, tél. 05.62.69.74.93, fax 05.62.69.75.85, e-mail b.dousseau@32.sideral.fr
t.l.j. sf dim. 8h30-12h30 14h-18h30

DOM. DE FORTUNET Fleur de Fortunet 2004 ★★

16 ha 50 000 3 à 5 €

Le domaine de Fortunet a parfaitement réussi cette vinification où le colombard exprime toute sa personnalité, toute sa richesse. Au nez comme en bouche s'épanouissent les arômes de fruits exotiques, d'agrumes (pamplemousse) avec cette note aillée si caractéristique du colombard. Que dire de plus : on ne peut trouver mieux pour qui veut découvrir ce cépage. Inoubliable.

Dom. de Fortunet, 32110 Lanne-Soubiran, tél. 06.80.32.74.50, fax 05.62.09.16.01, e-mail domainedefortunet@wanadoo.fr r.-v.
Debets

HAUT-MARIN Colombard Sauvignon 2004 ★★

40 ha 50 000 3 à 5 €

Si les arômes du colombard dominent dans ce bi-cépage, le sauvignon apporte en fin de bouche sa personnalité et sa fraîcheur. Au nez, ce sont les arômes de fruits à chair blanche, puis de fruits exotiques, avec une légère note de buis qui n'en finissent plus de se développer. Cette bouche ronde a du volume, presque du gras et une belle longueur. Tout aussi remarquable, le **Domaine de Ménard colombard, ugni blanc 2004**.

EARL Charpenties, Dom. Haut-Marin, 32330 Gondrin, tél. 05.62.29.13.33, fax 05.62.29.10.71, e-mail contact@domainedemenard.com r.-v.
Prataviera-Jegeriehner

DOM. DE LA HIGUERE Cabernet-sauvignon, Merlot Cuvée boisée Vieilli en fût de chêne 2003 ★

■ 19 ha 20 000 3 à 5 €

Les frères Esquiro sont de ceux qui comptent pour qui veut découvrir et apprécier les côtes de Gascogne rouges. Fruits rouges, fruits mûrs, note de griotte complétée par un passage en fût très bien mené, celui-ci ne peut laisser indifférent.

Paul et David Esquiro, Dom. de la Higuère, 32390 Mirepoix, tél. 05.62.65.18.05, fax 05.62.65.13.80, e-mail esquiro@free.fr
t.l.j. sf sam. dim. 8h-19h30

DOM. DE JOY Sauvignon Gros manseng 2004 ★

6 ha 40 000 3 à 5 €

Si le sauvignon domine par ses arômes, sa fraîcheur, le gros manseng n'en est pas moins expressif. L'équilibre judicieux entre les deux cépages donne une bouche ronde, généreuse où les fruits exotiques (agrumes) dominent, accompagnés d'une note fermentaire, amylique. Voici une vinification menée de main de maître.

Olivier et Roland Gessler, Dom. de Joÿ, 32110 Panjas, tél. 05.62.09.03.20, fax 05.62.69.04.46, e-mail contact@domaine-joy.com
t.l.j. sf dim. 9h-12h 14h-19h

DOM. DU MAGE 2004 ★

15 ha 190 000 3 à 5 €

Tariquet offre depuis longtemps une gamme remarquable de vins de pays blancs. Une gamme variée (blancs, moelleux, mono ou bicépage) où chaque vinification répond à la forte personnalité recherchée. La robe de ce Mage est d'un joli saumon vif, brillant. Le nez complexe recèle des notes beurrées, de levure, de fruits, de vanille, de rose : vous avez dit complexité ? Même perfection en bouche avec du gras, de l'équilibre et cette pointe de verdeur que demande tout rosé. Le jury a particulièrement apprécié également le **Domaine du Tariquet Les Premières Grives blanc Doux 2004 (5 à 8 €)**. Incontournable.

SCV Ch. du Tariquet, Saint-Amand, 32800 Eauze, tél. 05.62.09.87.82, fax 05.62.09.89.49, e-mail l.bilhere@tariquet.com r.-v.

DOM. DE MAGNAUT Colombard 2004 ★★★

10 ha 20 000 3 à 5 €

Pamplemousse, buis, litchi : le colombard s'impose déjà avec vigueur au nez. La bouche vive ajoute quelques touches florales ainsi que des notes de pierre à fusil. Ce colombard est riche, expressif, complexe : difficile de trouver mieux. Le **rosé 2004** a également retenu l'attention du jury.

Jean-Marie Terraube, Dom. de Magnaut, 32250 Fources, tél. 05.62.29.45.40, fax 05.62.29.58.42, e-mail domainedemagnaut@wanadoo.fr r.-v.

DOM. DE MAUBET Petit manseng 2004

4 ha 30 000 5 à 8 €

Jean-Claude Fontan ne déçoit jamais tant ses vinifications en blancs, en moelleux ou en rouges sont bien

VDP

menées. Robe jaune paille, nez intense où dominent les arômes de poire, puis d'ananas, pour finir sur une note de café. En bouche, l'attaque est vive : s'y mêlent les arômes de fruits confits et les notes grillées. La puissance des arômes et son gras lui confèrent une bonne longueur. Le **rosé 2004 (3 à 5 €)** du même producteur a également eu toutes les faveurs du jury.
SC Vignobles Fontan, Dom. de Maubet, allée du Colombard, 32800 Noulens, tél. 05.62.08.55.28, fax 05.62.08.58.94, e-mail contact@vignobles-fontan.com r.-v.

### DOM. DE MIRAIL Les Mirlandes 2002 *

3 ha 5 000 15 à 23 €

Le domaine de Mirail propose une cuvée dont la vinification a été bien menée et où s'expriment les caractères du merlot et du cabernet associés à un passage en fût discret (arômes toastés). Les fruits mûrs se mêlent ainsi harmonieusement aux notes grillées. Nez puissant, bouche ronde et équilibrée : c'est un « sans faute ».
EARL du Dom. de Mirail, 32700 Lectoure, tél. 05.62.68.82.52, fax 05.62.68.53.96 r.-v.
Hochman

### DOM. DE MONLUC 2004 **

30 ha 200 000 3 à 5 €

Le domaine de Monluc est apprécié pour sa gamme très complète. Il propose ici un vin rouge qui étonne par sa puissance : puissance au nez, puissance en bouche. Le premier est particulièrement expressif, complexe. La seconde, d'abord végétale et vanillée, puis fruits rouges complète cette impression, en y ajoutant des tanins ronds, fondus qui savent donner ce que l'on attend comme gras.
SAS Dom. de Monluc, Ch. Monluc, 32310 Saint-Puy, tél. 05.62.28.94.00, fax 05.62.28.55.70, e-mail monluc-sa-office@wanadoo.fr
t.l.j. sf lun. 10h-12h 15h-19h; f. jan.
Lassus

### DOM. DE MONTELS Louise 2003 *

3 ha 18 000 5 à 8 €

Nous avions apprécié Louise 2001, Alice 2002, voici Louise 2003. Il s'agit bien de la même lignée ! Toujours autant de caractère, de noblesse. Une robe rubis soutenu. Un nez puissant où le bois sait se faire discret. La bouche, aux arômes de cerise, de fruits rouges avec quelques note de cuir, est ronde, bien équilibrée avec des tanins fins mais bien présents. Le domaine de Montel propose également un **blanc doux 2004** très apprécié des jurés.
Philippe et Thierry Romain, Dom. de Montels, 82350 Albias, tél. 05.63.31.02.82, fax 05.63.31.07.94, e-mail philippe.romain@free.fr
t.l.j. sf dim. 8h-12h 14h-19h

### DOM. DE PELLEHAUT
Harmonie de Gascogne 2004 ***

20 ha 200 000 3 à 5 €

Voici un côtes de Gascogne typé, racé même. Son nez est particulièrement intense, il vous envahit : agrumes (dominante pamplemousse) et fruits exotiques (fruit de la Passion, mangue), ainsi que quelques notes florales. La bouche complète et confirme ces premières impressions, avec un volume et un gras qui lui donnent une longueur remarquable. Vous n'en finirez pas de voir défiler toute cette complexité d'arômes. Les cuvées **Harmonie de Gascogne rouge 2004** et **Harmonie de Gascogne rosé 2004** ont également été très appréciées du jury : un large choix haut de gamme.
Famille Béraut, Ch. de Pellehaut, 32250 Montréal-du-Gers, tél. 05.62.29.48.79, fax 05.62.29.49.90, e-mail chateau@pellehaut.com r.-v.

### DOM. DE SANCET Gros manseng 2003 *

1,3 ha 6 000 3 à 5 €

Fruits secs, abricot, miel : au nez comme en bouche s'affirme d'emblée la personnalité du gros manseng. Il est vif sans excès. La bouche est équilibrée, longue. Alain Faget a su vinifier ce 2003 pour qu'il s'exprime pleinement. Le passage dans ce chai doit être l'occasion de déguster également le côtes de Gascogne **rouge**.
Alain Faget, Dom. de Sancet, 32110 Saint-Martin-d'Armagnac, tél. 05.62.09.08.73, fax 05.62.69.04.13, e-mail domainedesancet@wanadoo.fr
t.l.j. 8h30-12h 14h30-18h30

### DOM. SAN DE GUILHEM Nuit d'automne 2004

55 ha n.c. 3 à 5 €

L'amateur retrouvera dans cette Nuit d'automne toute la Gascogne. Nez vif, fin, complexe. Bouche ronde et équilibrée, avec beaucoup de volume, presque du gras. Colombard et gros manseng apportent l'un ses arômes de fruits, l'autre sa rondeur, son gras, son volume.
Alain Lalanne, Dom. San de Guilhem, 32800 Ramouzens, tél. 05.62.06.57.02, fax 05.62.06.44.99, e-mail domaine@sandeguilhem.com
t.l.j. sf sam. dim. 8h-12h 13h30-17h30

### LES TERRASSES DE RUBENS
Petit manseng Cuvée Prestige 2003 **

3,7 ha 8 000 8 à 11 €

Olivier Martin présente plusieurs cuvées de petit manseng moelleux, toutes très appréciées des jurés. La cuvée Prestige passée en fût a attiré toute leur attention. Pour sa robe jaune et brillante, son nez particulièrement puissant et typé, sa bouche où le bois accompagne harmonieusement le cépage. Très, très bien.
Olivier Martin, Dom. de Rubens, 32110 Nogaro, tél. et fax 05.62.69.02.38 t.l.j. 10h-21h

### LES TROIS DOMAINES Cupidon 2003

0,7 ha 3 400 3 à 5 €

Intensité et complexité sont les caractéristiques de cette cuvée. Miel, ananas, café dominent au nez tandis que la bouche y ajoute une note grillée. Le cépage s'exprime ; l'ensemble a du corps, du gras et une bonne longueur. C'est une belle vinification.
GAEC des Trois Domaines, Lassalle, 32390 Rejaumont, tél. 05.62.65.28.83, fax 05.62.65.27.52
t.l.j. sf dim. 9h-12h30 14h-18h30

### DOM. DE LA TUILERIE 2004

1,5 ha 12 000 3 à 5 €

Joël Pellefigue a élaboré une cuvée dont la forte personnalité s'affirme dès le nez. Celui-ci est puissant : les arômes de fruits mûrs y dominent. La bouche, dont l'attaque est tout en nuance, révèle vite des tanins fins mais toujours présents. Quelques années de vieillissement l'aideront à gagner en souplesse.

🗝 Joël Pellefigue, La Tuilerie, 32810 Roquelaure, tél. 05.62.65.50.30, fax 05.62.65.58.35, e-mail pellefigue.joel@wanadoo.fr ☑ Y ⚲ r.-v.

DOM. UBY Colombard Ugni blanc N° 3 2004 ★★★

■ 50 ha 100 000 3 à 5 €

Quelle richesse, que d'expression ! Le nez est fin et d'une complexité étonnante. On y découvre tous les arômes du colombard : ceux d'agrumes (pamplemousse, mandarine), de fruits exotiques (ananas, mangue, litchi) et enfin une note vanillée avec une légère touche de citron vert que lui apporte l'ugni blanc. La bouche puissante, imposante même, ajoute à ces arômes gras et longueur. Tout simplement sublime. Il faut aussi découvrir le **gros manseng 2004 blanc** que le domaine d'Uby sait si bien vinifier.

🗝 EARL Jean-Charles Morel, Uby, 32150 Cazaubon, tél. 05.62.09.51.93, fax 05.62.09.58.94, e-mail domaineuby@wanadoo.fr ☑ Y ⚲ r.-v.

# Côtes du Tarn

DOM. D'EN SEGUR Sauvignon 2004 ★★

■ 1 ha 8 000 🍷 3 à 5 €

Le Domaine d'En Ségur présente toujours des vins à la forte personnalité. Son sauvignon n'en manque pas ! Sa robe claire est limpide et brillante. Son nez puissant, floral, laisse s'exprimer tous les arômes du sauvignon. La bouche, très aromatique, typée, possède du volume. Ce côtes du Tarn met bien en valeur le sauvignon.

🗝 Schaller, En Gourau, 81500 Lavaur, tél. 05.63.58.09.45, fax 05.63.58.65.03, e-mail ensegur@wanadoo.fr ☑ Y ⚲ r.-v.

🗝 Pierre Fabre

LES VIGNES DES GARBASSES
Garbasses Tradition 2004 ★

■ 2 ha 16 000 🍷 3 à 5 €

Dès le premier abord, il séduit par sa robe : brillante, limpide, d'un rouge intense. Et quel nez ! Arômes puissants, fruités (mûre, groseille) et une touche légèrement végétale. La bouche, ensuite, complète ces premières impressions : souple, ronde, équilibrée, ses tanins sont bien enrobés. Pour finir, une très belle longueur.

🗝 Guy Fontaine, Le Bousquet, 81500 Cabanes, tél. 05.63.42.02.05 ☑ 🏠 Y ⚲ t.l.j. sf dim. 8h-12h 14h-19h

LES GRANITIERS 2004 ★

■ 3 ha 20 000 🍷 - de 3 €

C'est la finesse, l'élégance qui caractérisent ce côtes du Tarn rosé. Belle robe claire, nez discret mais élégant. Sa bouche, bien équilibrée pour un rosé, est souple, tout en finesse, mais ne manque pas pourtant d'expression ni de complexité.

🗝 Vignerons de Rabastens, 33, rte d'Albi, 81800 Rabastens, tél. 05.63.33.73.80, fax 05.63.33.85.82, e-mail cave@vigneronsderabastens.com ☑ Y ⚲ r.-v.

# Lot

ATRIUM Malbec 2004

■ 5,5 ha 29 000 🍷 3 à 5 €

Le Lot s'essaye depuis quelques années aux vinifications en rosé. Georges Vigouroux s'y est essayé avec succès en vinifiant un cot en rosé. Robe limpide, brillante. Nez aromatique, vif, fruité. La bouche, après l'attaque vive qui sied à tout rosé, continue sur le gras qui convient pour lui assurer une bonne longueur.

🗝 SAS Georges Vigouroux, rte de Toulouse, BP 159, 46003 Cahors Cedex, tél. 05.65.20.80.80, fax 05.65.20.80.81, e-mail vigouroux@g.vigouroux.fr ☑ Y ⚲ t.l.j. sf dim. 8h-12h30 14h-19h30

# Pyrénées-Atlantiques

DOM. DE MONCADE 2003 ★★★

■ 1,05 ha 2 400 🛢 5 à 8 €

Quelques vignerons des Pyrénées-Atlantiques élaborent un vin de pays qui mérite d'être découvert. Vivien de Nazelle propose ce 2003 élaboré à partir de tannat. Belle robe rubis, brillante, vive. Les fruits rouges, bien présents en bouche, se laissent accompagner par un léger boisé, fondu et discret qui lui apporte du gras.

🗝 Vivien de Nazelle, Ch. de Cabidos, 64410 Cabidos, tél. 05.59.04.43.41, fax 05.59.04.41.83, e-mail vin.de.cabidos@wanadoo.fr ☑ Y ⚲ t.l.j. sf sam. dim. 8h-12h 14h-17h30

# Saint-Sardos

DOM. DE GRAND SELVE 2002 ★★

■ 7 ha 32 000 🍷 5 à 8 €

Le petit vignoble de Saint-Sardos produit un vin de pays typé, racé. Dès le nez, ce Grand Selve s'affirme avec des arômes d'épices (poivre, cannelle) puis de griotte et de

fruits mûrs pour finir sur une tonalité animale. La personnalité de sa bouche, équilibrée, fondue, est longue à découvrir tant elle est riche et complexe. Les tanins, qui sont pourtant fermes, ne lui enlèvent pas pour autant son équilibre, sa finesse. Persistance aromatique, bonne longueur. Parfait !
Vignerons de Saint-Sardos, 82600 Saint-Sardos, tél. 05.63.02.52.44, fax 05.63.02.62.19, e-mail cave.saintsardos@free.fr
t.l.j. sf sam. a.-m. dim. lun. mat. 9h-12h 14h-18h

## Languedoc et Roussillon

Vaste amphithéâtre ouvert sur la Méditerranée, la région Languedoc-Roussillon décline ses vignobles du Rhône aux Pyrénées catalanes. Premier ensemble viticole français, elle produit près de 80 % des vins de pays de France. Les vins de pays de départements (Aude, Gard, Hérault et Pyrénées-Orientales) représentent 3,1 millions d'hectolitres. Dans chacun de ces départements les vins de pays produits sur une zone plus restreinte sont nombreux (57 zones) pour 1 million d'hectolitres. Enfin, le vin de pays régional « Vin de Pays d'Oc », constitué à 80 % des vins de cépage avec six grands cépages essentiellement (cabernet-sauvignon, merlot, syrah en rouge et chardonnay, sauvignon, viognier en blanc) représente 3,5 millions d'hectolitres.

Obtenus par la vinification séparée de cuvées, les vins de pays de la région Languedoc-Roussillon sont issus non seulement de cépages traditionnels (carignan, cinsault et grenache, syrah pour les vins rouges et rosés, clairette, grenache blanc, macabeu, muscat, terret pour les blancs) mais aussi de cépages non méridionaux : merlot, cabernet-sauvignon, cabernet franc, cot, petit verdot et pinot noir pour les vins rouges ; chardonnay, sauvignon et viognier pour les vins blancs.

# Cévennes

DOM. DE GOURNIER 2004 ★

■ 18 ha 150 000 3 à 5 €

Les Templiers auraient fondé ce domaine au XIII[e]s. Si le grenache l'emporte aujourd'hui dans leur religion, la syrah, le cabernet-sauvignon et le mourvèdre ont aussi droit au chapitre. Jolie robe d'un rosé ferme ; nez entreprenant et pourvu d'arômes floraux ; bouche ouverte au fruité dominant. Dans la même fourchette de prix, le **Sauvignon 2004** tout à fait conseillé, d'autant qu'il a eu un coup de cœur en 2001 et cela n'est pas innocent.
Maurice Barnouin,
Dom. de Gournier, 30190 Boucoiran,
tél. 04.66.83.30.91, fax 04.66.83.31.08,
e-mail domaine.gournier@wanadoo.fr
t.l.j. sf sam. dim. 8h-12h 14h-18h

# Cité de Carcassonne

L'ESPRIT DU DOM. DE SERRES 2004 ★

■ 2 ha 10 600 5 à 8 €

Un château du XVI[e]s., un parc dessiné par Bühler (la Tête d'Or à Lyon), le domaine, 140 ha en tout, dont 30 de vignoble, vaut le détour comme on dit par tradition dans les Guides Bleus. A dominante cabernet franc (associé au merlot), ce 2004 de constitution classique possède une belle couleur grenat. Bouqueté, il s'appuie sur les épices et le fruit. Décor intérieur tapissé de velours. La force tannique est bien maîtrisée.
Sabine Le Marié,
Dom. de Serres, 11000 Carcassonne,
tél. 04.68.25.29.82, fax 04.68.25.03.94,
e-mail domaine-de-serres@wanadoo.fr r.-v.

# Coteaux d'Enserune

DOM. DE CIBADIES Merlot 2004 ★

■ 15 ha 121 000 3 à 5 €

Si sombre, si profond... qu'il est quasiment noir. Les cuvées de merlot pur étaient naguère assez rares en Languedoc et Roussillon. Elles sont devenues plus fréquentes. Celle-ci marie cerise et réglisse au-delà d'un premier nez fermé. La charpente est sérieuse, les tanins restant à leur place selon l'habitude du cépage. Une bouteille élégante.
SCEA Vignobles Jean-Michel Bonfils,
Dom. de Cibadiès, 34310 Capestang,
tél. 04.67.93.10.10, fax 04.67.93.10.05

LES VIGNERONS DU PAYS D'ENSERUNE
Malbec Grenache 2004 ★★

■ 12 ha 10 000 3 à 5 €

Malbec et grenache presque à parts égales, sur 12 ha au sein de la coopérative. Alors que la plupart des rosés nous quittent sans laisser d'adresse, celui-ci a de la personnalité. Saumoné clair, tirant sur la groseille quand on y met le nez, il est franc, équilibré et très aromatique.
Les Vignerons du pays d'Enserune,
235, av. Jean-Jaurès, 34370 Maraussan,
tél. 04.67.90.09.80, fax 04.67.90.09.55,
e-mail vignerons.enserune@wanadoo.fr r.-v.

# Coteaux du Libron

DOM. DE PIERRE-BELLE
Réserve Elevé en fût de chêne 2003 ★

■ 1,2 ha 8 000 8 à 11 €

Mauve intense, une syrah à l'approche fruitée. Assez concentrée, elle ne manque ni de corps ni d'esprit. Elle n'en est pas moins rafraîchissante sur des arômes agréables. Coup de cœur pour son 2001 sur notre édition 2004. Cela ne s'oublie pas.

Laguna et Fernandez, Dom. de Pierre-Belle,
34290 Lieuran-lès-Béziers, tél. et fax 04.67.49.17.96,
e-mail pierrebelle@chez.com
t.l.j. sf dim. 10h-12h 15h30-19h

# Coteaux de Miramont

DOM. DE FONTENELLES
Cuvée du Poête renaissance Vieilles Vignes 2004 *

■ 30 ha 40 000 8 à 11 €

L'un des mérites des vins de pays, c'est qu'il nous font réviser notre géographie. Ces coteaux de Miramont, vous les situez où ? Du côté de Carcassonne et du canal du Midi. L'agréable leçon ! Un vin à laisser tranquillement venir : rubis à reflets mauves, nez de cuir comme un personnage de roman, il joint à cet arôme vanille et cannelle. Ronde et structurée, la bouche est dense, distinguée.

Thierry Tastu, Dom. de Fontenelles,
78, av. des Corbières, 11700 Douzens,
tél. et fax 04.67.58.15.27, e-mail t.tastu@neuf.fr
t.l.j. sf lun. 17h-19h

# Coteaux de Murviel

DOM. DE CIFFRE Val Taurou 2003 *

■ 2 ha 9 000 8 à 11 €

Propriété acquise il y a un peu moins de dix ans, dédiée pour cette bouteille au cabernet-sauvignon et à la syrah moitié-moitié. Passage de douze mois en barrique. Pourpre clair, le nez est expressif (fruits rouges, fumé évoluant vers les épices) et la bouche soyeuse. Ses tanins sont bien fondus. Rien de serré, mais au contraire une jolie longueur.

Lesineau, SARL Ch. Moulin de Ciffre,
34480 Autignac, tél. 04.67.90.11.45, fax 04.67.90.12.05,
e-mail info@moulindeciffre.com
t.l.j. sf dim. 10h-12h 16h-19h; sam. sur r.-v.

DOM. DE LIMBARDIE 2004 **

■ 8 ha 65 000 3 à 5 €

Il était une fois un vendangeur breton tombé en 1975 sous le charme de cette région... Quelque douze ans plus tard, il y jetait l'ancre. A ce résumé, il faudrait ajouter le courage, la passion, la compétence. Merlot à 80 % et cabernet-sauvignon, ce vin ne prend pas trop de risques. Sa robe est superbe. Poivre gris, poivron rouge et cerise laissée sur l'arbre forment un bouquet complexe et délicieux, plein de personnalité. Des tanins très civilisés et bien fondus accompagnent une finale sur le zan et l'arabica.

Henri Boukandoura et Magdeleine Hutin,
Grange Neuve, 34460 Cessenon,
tél. 04.67.89.61.42, fax 04.67.89.69.63,
e-mail limbardie@wanadoo.fr r.-v.

# Côtes catalanes

MAS AMIEL Grenache noir Le Plaisir 2004 **

■ 20 ha 43 000 8 à 11 €

Le Mas Amiel ne produit pas seulement les maury qui ont fait sa forte notoriété. Témoin ce grenache noir. S'il est un peu cher, c'est néanmoins un bon standard : rubis brillant, généreux en notes poivrées et fruitées, assez souple et friand, d'un tempérament très accommodant, c'est un vin plaisir.

Mas Amiel, 66460 Maury, tél. 04.68.29.01.02,
fax 04.68.29.17.82, e-mail lvod@wanadoo.fr
t.l.j. sf sam. dim. 9h-12h 14h-17h
Olivier Decelle

DOM. D'ARFEUILLE
Grenache Vieilles Vignes 2003 *

■ 1,5 ha 3 200 15 à 23 €

Après trente ans de vinification dans le Bordelais, Stéphane d'Arfeuille a voulu goûter aux plaisirs du Roussillon. Bien lui en a pris en 2003, car ce grenache noir sur vignes vénérables a du corps et du panache. Il se présente seul sur scène avec des accents vanillés (douze mois en barrique), épicés et discrètement caramélisés. Son boisé doit se fondre encore : sa structure de garde le lui permettra. Prix quelque peu acrobatique, même s'il s'agit – comme on dit en Californie – d'une *boutique winery* (7,5 ha en tout).

SC Stéphane d'Arfeuille,
rte de Lesquerde, 66220 Saint-Paul-de-Fenouillet,
tél. 06.07.48.80.04, fax 05.57.51.42.33,
e-mail domaine.darfeuille@laposte.net r.-v.

MAS BAUX Baux blond 2004 **

□ 1,85 ha 5 000 5 à 8 €

Les premières vendanges datent de 2000, les premières bouteilles mises sur le marché de 2002. Ce vieux mas catalan retrouve sa vie et l'exprime ici en muscat à petits grains. Sous une étiquette singulière (ornée d'un thermomètre), le vin possède beaucoup d'éclat. Bouquet de fleurs blanches, puis des nuances fruitées (abricot, mangue peut-être). Le suivi aromatique est satisfaisant. Agréable au palais et d'une certaine vigueur. Le **Velours rouge 2003 (8 à 11 €)** obtient la même note.

EARL Mas Serge Baux, chem. Mas Durand,
66140 Canet-en-Roussillon, tél. et fax 04.68.80.25.04,
e-mail contact@mas-baux.com
t.l.j. 10h-20h, sur r.-v. en basse-saison

# Côtes du Ceressou

DOM. DES CRES RICARDS
Cousin-Cousine 2004 **

■ 0,8 ha 5 088 5 à 8 €

Sans doute les premières syrah plantées en Languedoc l'ont-elles été ici. On nous propose cependant un alicante, un cépage que nous n'avons pas beaucoup l'occasion de goûter cette année. Destiné par exemple à un tagine de mouton, il vibre d'un rouge foncé violacé. Son

VDP

bouquet marque une certaine complexité sur fond d'épices et de fruits rouges. La matière est belle, les tanins soyeux, le retour d'arômes intéressant.
Colette et Gérard Foltran, Dom. des Crès Ricards, 34800 Ceyras, tél. et fax 04.67.44.67.63, e-mail foltran@cresricards.com r.-v.

# Côtes de Thongue

## DOM. DE L'ARJOLLE Equinoxe 2002 ★★

12 ha 66 000 8 à 11 €

Ces vins de pays ont un point commun avec la Californie et la Suisse : la recherche de l'étiquette. C'est une démarche que beaucoup devraient suivre. Or-jaune, voici un bel ensemble viognier, sauvignon, muscat porté par huit mois en barrique. Vanillé et grillé, il est rond et gras, prêt pour les petits pâtés de Pézenas.
GAEC de L'Arjolle, 7 bis, rue Fournier, 34480 Pouzolles, tél. 04.67.24.81.18, fax 04.67.24.81.90, e-mail domaine@arjolle.com
t.l.j. sf dim. 9h-12h 14h-17h30
Teisserenc

## BARONNIE DE BOURGADE
Cabernet franc Les 3 Poules 2004 ★

2 ha 4 500 5 à 8 €

L'étiquette suscite un temps d'arrêt : « Mis en bouteille à la propriété pour G. de Latude et R. Parker »... Un homonyme ? Un client privilégié ? Un partenaire ? Un hommage ? Inédit à notre connaissance, en tout cas ! Cela dit et la surprise passée, on reste devant un cabernet franc d'un rouge un peu réservé, épicé et léger lors des coups de nez, friand en bouche et que ses neufs mois de cuve ont rendu fidèle au cépage beaucoup plus qu'à son élevage. L'étiquette à tout le moins intéressera les collectionneurs.
Gilles de Latude, Baronnie de Bourgade, 34500 Béziers, tél. et fax 04.67.39.24.19, e-mail info@les3poules.com
t.l.j. sf dim. 10h-12h 13h-19h

## DOM. DE BELLEVUE
Syrah Vieilli en fût de chêne 2002 ★

2,85 ha 17 950 3 à 5 €

Bellevue s'est fait un nom depuis 1985, mais le domaine plonge ses racines connues jusqu'au XVIIIe s. Si vous passez par là, on vous fera admirer de belles installations viti-vinicoles et aussi des fours à pain construits à l'évidence par Gargantua. Cette syrah 2002 vire un peu de couleur et on ne s'en étonnera pas. Le nez signe un élevage en fût de seize mois. Au palais, tout commence bien et finit bien, dans un décor fruité et une aménité indiscutée.
Hélène Pera, Dom. de Bellevue, 34290 Montblanc, tél. 04.67.98.50.01, fax 04.67.98.58.66, e-mail domainedebellevue@yahoo.fr
t.l.j. sf dim. 9h-12h 14h-19h

## DOM. BOURDIC 2004 ★

6 ha 8 800 5 à 8 €

Christa : institutrice. Hans : compositeur de musique contemporaine. Il y a dix ans, ils quittent la Suisse pour devenir vignerons près de Pézenas. Né de cette alchimie, et aussi de l'entente cordiale d'un assemblage varié (merlot, cinsault, cabernet-sauvignon et syrah), ce rosé de saignée séduit l'œil par sa vivacité un tantinet violette. Au nez, les fleurs et les fruits rouges du printemps. En bouche, de la fraîcheur mais aussi du grain. La **syrah 2001 (8 à 11 €)** obtient une étoile. Elle a agréablement vieilli.
Christa Vogel et Hans Hürlimann, Dom. Bourdic, 34290 Alignan-du-Vent, tél. 04.67.24.98.08, fax 04.67.24.98.96, e-mail info@domainebourdic.com r.-v.

## DOM. DE CANTAUSSELS Merlot 2004 ★★

10 ha 107 000 3 à 5 €

Un fruit généreux, des tanins discrets, une apparente douceur, le charme de la souplesse, tel est le portrait-robot du merlot. Il est ici très représentatif sous une robe sombre aux bords violacés. Note réglissée apportant au bouquet classique une certaine complexité. Sans doute, ses tanins sont-ils encore puissants, mais il y a suffisamment de chair autour.
GFA Dom. de Cantaussels, 34290 Servian, tél. 04.67.93.10.10, fax 04.67.93.10.05

## DOM. DES CAPRIERS Les Larmes d'Ema 2004 ★

1 ha 3 000 5 à 8 €

Domaine familial repris au début du XXIe s. Quant à ces larmes, elles sont plutôt de joie. Sous sa robe de printemps, le vin assemble avec succès chardonnay, sauvignon et un zeste de muscat à petits grains. Le bouquet chante l'acacia, l'aubépine. La bouche fine et élégante est plus soucieuse du détail que de grandes démonstrations. Autre réussite : les **Larmes d'Ema rouge 2003 (11 à 15 €)** cette fois. Bouteille un peu plus chère.
GAEC Marion et Mathieu Vergnes, 605, av. de la Gare, 34480 Puissalicon, tél. 06.67.36.21.08, fax 04.67.36.21.08, e-mail contact@domainedescapriers.com
t.l.j. sf sam. 17h30-20h30

## DOM. LA CROIX BELLE No 7 2003 ★

10 ha 15 000 11 à 15 €

Numéro 7 comme la Nationale du même nom qui va de Paris à Sète, à la façon de Charles Trénet. Une demi-douzaine de cépages (chardonnay en chef de file) associés ici. Le coup d'œil est chaleureux, charmeur. Nez beurré, tirant vers le cacao (passage en barrique sur neuf mois). La bouche très expansive, ample, généreuse, mérite un beau poisson. La cave réserve d'autres jolies rencontres, comme la **Croix Belle N° 7 rouge 2003** et la **Croix Belle Cascaillou 2003**, tous les deux sélectionnées.
Jacques et Françoise Boyer, Dom. La Croix-Belle, av. de la Gare, 34480 Puissalicon, tél. 04.67.36.27.23, fax 04.67.36.60.45, e-mail information@croix-belle.com
t.l.j. 8h-12h 14h-18h; sam. dim. sur r.-v.

## DOM. MAGELLAN Alta 2001 ★

2 ha 7 500 11 à 15 €

Bruno Lafon a tout d'abord travaillé avec son frère au sein du prestigieux domaine familial (Comtes Lafon à Meursault, vigne en Montrachet). Puis il a choisi un chemin plus personnel et s'est installé en Languedoc (1999). Pinot et chardonnay sont devenus tempranillo, cabernet-sauvignon, merlot... Cet assemblage de six cépages date du millésime 2001. Si sa robe évolue un peu, son nez évoque

seulement la maturité : la réglisse sur fond balsamique. D'une structure austère et très typée garrigue, un vin riche d'originalité. Son prix est presque... bourguignon.
Dom. Magellan, 467, av. de la Gare,
34480 Magalas, tél. 04.67.36.20.83,
fax 04.67.36.61.98, e-mail domagellan@wanadoo.fr
t.l.j. sf sam. dim. 9h-12h 13h30-17h30
Bruno Lafon

### DOM. MONPLEZY Cuvée Georges Sutra 2004 ★★★

1 ha 6 000 3 à 5 €

Anne et Christian, des jeunes, ont repris ce domaine marqué naguère par la forte personnalité de Georges Sutra, syndicaliste viti-vinicole et député européen. D'où cette cuvée offerte à sa mémoire à partir de grenache et de cinsault (avec un soupçon de syrah). Beau témoignage de fidélité car, sur des graviers quartzeux, on parvient à une petite merveille honorée du coup de cœur. En rosé, pas si facile ! Pétale de rose, fin et floral, légèrement ouvert sur le fruit exotique, il est vif et charnu. Et ces contradictions, il les assume ! Voir aussi le **Délice 2003 (15 à 23 €)** qui obtient deux étoiles.
Anne Sutra de Germa et Christian Gil,
Dom. Monplézy, chem. Mère-des-Fontaines,
34120 Pézenas, tél. 04.67.98.27.81, fax 04.67.01.47.44,
e-mail domainemonplezy@free.fr r.-v.

### ROSE DE LA PIE 2004 ★

5 ha 6 690 - de 3 €

Cave coopérative fondée en 1949, ayant ouvert un caveau dans le centre de Pézenas. Son rosé de syrah offre à la lumière quelques reflets mauves. Fraise, framboise, son parfum est intense. Au palais, un vin bien construit et frais. Abordable à tous les sens du terme.
Cave des coteaux d'Abeilhan,
8, bd Pasteur, 34290 Abeilhan,
tél. et fax 04.67.98.21.33, e-mail lapepie@tiscali.fr
r.-v. au caveau de Pézenas

### TARRAL Chardonnay 2004 ★

86 ha 5 628 3 à 5 €

Créée en 1939, cette cave coopérative n'a cessé de croître (900 ha de nos jours) en sachant négocier le tournant entre les « années quantité » et les « années qualité ». Les deux tiers du vignoble sont maintenant réencépagés. C'est le cas de ce chardonnay partiellement élevé en fût. Sous sa robe aimable et légère, le bouquet se montre tenté par le fruit exotique. Du volume, mais également de la vivacité.
Les Vignerons de Pouzolles-Margon, av. de Roujan,
34480 Pouzolles, tél. 04.67.24.58.60, fax 04.67.24.82.57,
e-mail d.quer@tarral.com r.-v.

## Duché d'Uzès

### DOM. NATURA 2004 ★★

2,06 ha 9 600 3 à 5 €

Une installation récente (2000), d'abord en coopérative puis à son propre compte, ce domaine distribue ainsi les cartes : grenache pour plus de la moitié, syrah et un peu de cinsault. Auréolé de violet, le 2004 se signale par un arôme prononcé de violette. Savoureux, doté d'une jolie texture et d'un bon développement en bouche, il affiche quelques nuances exotiques en finale.
Dom. Natura, imp. des Charrettes,
30330 Saint-Laurent-la-Vernède, tél. 06.09.76.84.59,
fax 04.66.72.89.01, e-mail gaecnatura@tiscali.fr
t.l.j. sf dim. 10h-12h 14h-19h

### DOM. REYNAUD Cuvée Arpège 2004 ★★

2,2 ha 5 000 3 à 5 €

La cave est située au pied d'un charmant village gardois et le moment convivial, vous le passerez avec Luc Reynaud, le maître de maison. Sans doute vous fera-t-il partager les joies de cette union grenache viognier. D'une teinte discrète et de bon goût, assez lumineuse, ce 2004 confie à la fleur blanche un message légèrement muscaté. Gras et long, son corps penche vers le fruit et ne fait pas les choses à moitié.
EARL Luc Reynaud, Dom. Reynaud,
30700 Saint-Siffret, tél. 04.66.03.18.20,
fax 04.66.03.12.95, e-mail luc.reynaud@wanadoo.fr
t.l.j. sf dim. 9h-12h 15h-18h30

### DOM. SAINT-FIRMIN 2004 ★

6 ha 12 000 3 à 5 €

Pierre Blanc, puis Emile, puis Robert et Didier, il s'agit de la dernière propriété viti-vinicole dans Uzès même. Grenache et syrah de concert pour un rosé qui n'aura pas besoin de bâton de vieillesse. On le servira jeune, à l'apéritif par exemple sur une assiette de charcuteries de pays. Sa teinte est correctement marquée, son bouquet porté vers les agrumes. Fermeté de l'attaque et une ardeur qui ne se dérobe pas aux devoirs de sa charge.
GAEC Dom. Saint-Firmin, 30700 Uzès,
tél. 04.66.22.11.43, fax 04.66.03.00.68,
e-mail domstfirmin@aol.com r.-v.

## Gard

### DOM. DE CRESSANCE Myriades 2004 ★★★

0,8 ha 2 000 3 à 5 €

Trois passionnés du vin sont tombés d'accord en 2003 pour s'occuper de 16 ha près d'Uzès. Ils ont assurément la main verte car leur rosé appartient au haut de gamme. Rose tendre comme un petit ange, nuance pétale de rose (lorsque la rose est rose !), il a le nez fin et un peu muscaté. Frais et fruité, on le trouve original et particulièrement réussi. Cinsault à 90 % plus grenache. Petite production.

🔑 Dom. de Cressance, rte de Foissac,
30190 Collorgues, tél. et fax 04.66.78.80.86
☑ Y ☆ r.-v.

DOM. DE MOLINES Les Cigales 2004 ★★

■ 8 ha 50 000 🍾 3 à 5 €

Sauvignon (85 %) et viognier font équipe pour vous offrir ce 2004 bouton d'or clair, s'épanouissant sur des arômes d'agrumes exotiques. Elégant et bien fait, il témoigne de la rondeur de ses raisins avec un rien de vivacité. Le **viognier 2004 (5 à 8 €)** a fait, lui aussi, excellente impression (une étoile).

🔑 Roger Gassier, Dom. de Molines,
chem. des Canaux, 30132 Caissargues,
tél. 04.66.38.44.20, fax 04.66.38.44.21,
e-mail info@michelgassier.com ☑ Y ☆ r.-v.

DOM. MOURGUES DU GRES
Terre d'Argence 2004 ★★

■ 2 ha 14 000 🍾 8 à 11 €

Les religieuses ursulines de Beaucaire ont longtemps mis ce vin dans les burettes de leur chapelle. Révolution française, la société civile prend la suite. Dans cette famille, depuis 1963, et dans ce haut lieu de la culture d'Oc, les concerts-dégustations et les expositions se succèdent. Il y a même un « Jardin des arômes » depuis quelques mois. Viognier, grenache et roussanne s'assemblent pour une ouverture or-jaune soutenu, un premier mouvement très puissant et floral, un deuxième mouvement *poco presto* puis *andante*. *Patetico* en finale, ce qui signifie simplement expressif.

🔑 François Collard, Ch. Mourgues du Grès,
rte de Bellegarde, 30300 Beaucaire,
tél. 04.66.59.46.10, fax 04.66.59.34.21,
e-mail mourguesdugres@wanadoo.fr ☑ Y ☆ r.-v.

DOM. DE SAINT-ANTOINE 2004 ★

■ 2,5 ha 23 000 🍾 3 à 5 €

Nous sommes ici à Saint-Gilles, porte de la Camargue. Et comme il vaut mieux s'adresser à deux saints plutôt qu'à un seul, saint Antoine veille également sur ce domaine rattaché jadis au duché d'Uzès. Syrah et grenache font ici la paire. Rose foncé, un vin aux reflets rubis. Il fleure bon le cassis, la myrtille. Son corps est assez charnu, riche en arômes secondaires.

🔑 Jean-Louis Emmanuel,
EARL Dom. de Saint-Antoine, 30800 Saint-Gilles,
tél. et fax 04.66.01.87.29
☑ Y ☆ t.l.j. sf dim. 8h-12h 14h-18h

# Hautes Vallées de l'Aude

DOM. LES HAUTES TERRES Ernest 2003 ★

■ 0,5 ha 2 800 🛢 8 à 11 €

Après dix ans de direction commerciale, Gilles Azam a choisi le retour aux sources en s'installant vigneron. Petit domaine de 5 ha, présentant un chenin doré à souhait au nez éclectique : fleurs blanches, pêche, fruits exotiques. L'attaque est assez caressante (30 g/l de sucres résiduels), mais elle reçoit un utile renfort acide. Cela se sent, il a envie de passer à table.

🔑 Gilles Azam, rue du Frène, 11300 Roquetaillade,
tél. 04.68.31.63.72, fax 04.68.94.16.56,
e-mail gilles.azam@libertysurf.fr ☑ Y ☆ r.-v.

# Hauterive

DOM. LA BASTIDE Syrah 2003 ★★

■ 20 ha 50 000 🍾 5 à 8 €

Cette bouteille de syrah se pare d'une robe pourpre très intense. Le fruit mûr s'allie à des notes de garrigue et de chocolat noir pour composer un bouquet assez complexe. Onctueux en bouche, elle ne manque ni de densité ni de charme. Le viognier du domaine 2003 a reçu le coup de cœur l'an dernier.

🔑 Guilhem Durand,
SCEA Ch. La Bastide, 11200 Escales,
tél. 04.68.27.08.47, fax 04.68.27.26.81 ☑ Y ☆ r.-v.

# Hérault

LE BLANC DE L'ABBAYE
DU FENOUILLET 2003 ★★

■ 4,5 ha 18 000 🍾 11 à 15 €

Un viticulteur ayant le goût de la précision. Sauvignon à 54 %, marsanne à 28 %, grenache à 11 % et chardonnay à 7 %. Le compte est bon ! Cette « potion magique » donne un vin or brillant au nez fin. La bouche longue et harmonieuse est de belle tenue.

🔑 Michel Wack,
SARL Abbaye du Fenouillet, 34270 Vacquières,
tél. 06.20.77.67.76, fax 04.67.59.03.15,
e-mail abbayedefenouillet@wanadoo.fr ☑ 🏠 Y ☆ r.-v.

DOM. COMPS Syrah 2004 ★

■ 1 ha 2 500 🍾 3 à 5 €

De père en fils depuis 1870 sur 14 ha, dont 1 ha pour cette syrah qui a quelque chose d'Esméralda. Une robe de feu, de braise violacée. Un nez explosif, véritable corbeille de fruits frais. Un corps sensuel, plus nerveux que langoureux. Un parfum du diable. Pour tête-à-tête amoureux.

🔑 SCEA Martin-Comps,
23, rue Paul-Riquet, 34620 Puisserguier,
tél. 04.67.93.73.15, fax 04.67.35.16.55 ☑ Y ☆ r.-v.

DOM. DES CONQUETES 2003 ★★

■ 2,15 ha 10 000 🛢 8 à 11 €

Vermentino, grenache, chardonnay et chenin s'associent pour mettre en valeur les qualités de ce terroir. Pour Sylvie et Philippe Ellner, il y eut la révélation en 1974 et le travail aboutissant à une première vinification en 1996. Dans cet Aniane devenu si célèbre... La teinte est ici délicate : reflets verts dans une robe paille. La tonalité boisée (douze mois en barrique) reste dans l'ordre des choses. Finesse et vivacité sont en équilibre.

Sylvie et Philippe Ellner, chem. des Conquêtes, 34150 Aniane, tél. et fax 04.67.57.35.99, e-mail ellner.philippe@neuf.fr r.-v.

MAS LAVAL 2002 ★★★

3 ha 6 600 15 à 23 €

Nous sommes à Aniane. Syrah et grenache pour l'essentiel, ces vignes sont issues d'un terroir calcaire couvert de galets roulés sur les reliefs proches du massif de l'Arboussas. Un paysage de garrigue et de chênes verts. En tout, 9 ha, une tapisserie au petit point. Nettement en tête du peloton, ce 2002 rouge vif nimbé de mauve et élevé dix-huit mois en barrique peut jouer dans la cour des grands. Poivré, fruité, il est en pleine maturité, dans toute la force de l'âge et prêt à être servi sur un gigot d'agneau.

Christine et Joël Laval, 26, rue Jean-Casteran, 34150 Aniane, tél. 04.67.57.79.23, fax 04.67.57.84.38, e-mail mas.laval@cario.fr r.-v.

DOM. DE MOULINES Cabernet-sauvignon 2004 ★

6 ha 55 000 3 à 5 €

Trois générations à la barre depuis l'achat du domaine en 1914 et une commercialisation directe entreprise en 1984 et développée avec succès. Le magret de canard (sans oublier les girolles) semble l'accompagnement tout indiqué de ce cabernet-sauvignon qui fait cavalier seul sur un sol argilo-calcaire limoneux. Sous sa robe grenat profond, un vin parfumé de façon classique par son cépage, ample et onctueux au palais. Citons encore la **cuvée Prestige rouge 2002 (5 à 8 €)**, une étoile.

Michel Saumade, Dom. de Moulines, 34130 Mudaison, tél. 04.67.70.20.48, fax 04.67.87.50.05 t.l.j. sf dim. 9h-12h 14h-19h

DOM. DE SALIES Toquade 2004 ★

12,5 ha 10 000 3 à 5 €

Vous pouvez vous autoriser cette Toquade... Merlot, cinsault et carignan en trois parts presque égales. Un vin souple et frais, d'un joli rubis pourpre. Pas mal de nez et une petite chair aimable que l'on garde volontiers au palais pour un plaisir sincère. Comme son nom l'indique...

Xavier Gombert, Ch. de Saliès, 34310 Quarante, tél. 04.67.89.32.93, fax 04.67.89.41.72, e-mail gombert.salies@wanadoo.fr r.-v.

DOM. DE VERCHANT Cuvée Marcelle 2002 ★

3 ha 6 600 11 à 15 €

Des grès roulés aux portes de Montpellier. Ils portent la vigne depuis Jules César, mais le domaine (10 ha, à taille humaine) connaît le renouveau depuis 2002 et on goûte ici ce millésime. Si sa teinte devient normalement tuilée, le nez respire le grillé (douze mois en barrique), de façon assez fine. La bonne architecture intérieure est au service d'un bon fruité.

SCEA Dom. de Verchant, BP 70128, 34178 Castelnau-le-Lez, tél. 06.72.22.90.80, fax 04.67.65.16.62 r.-v.

# Mont Baudile

MAS DE LA MEILLADE Les Terrasses 2003 ★★

2,5 ha 4 000 5 à 8 €

Ces terrasses se situent sur les contreforts des Cévennes. Syrah, mourvèdre et carignan par ordre décroissant composent une bouteille qui bénéficie d'une très belle présentation, lumineuse et limpide. Au nez, le fruit rouge surmûri et les épices s'accordent bien. Du volume, de la souplesse, de l'expression aromatique, que pourrions-nous demander de plus ?

Bruno Salze, 51, rue La Meillade, 34150 Montpeyroux, tél. et fax 04.67.96.61.72 r.-v.

# Oc

DOM. DE BACHELLERY Tenue de soirée 2001 ★★

4 ha 7 500 5 à 8 €

Frédéric Mistral a dédié un long poème aux vins de ce domaine dont il était un hôte assidu. *E danson dins lou vèire*, et danse dans le verre... écrivait-il. Merlot, cabernet-sauvignon et syrah font ici partie du trio et cela donne un rouge aux abords de l'obscur, confituré et épicé, ample et d'un boisé bien fondu. Millésime 2001, deux ans de barrique. Voir aussi le **coteaux du Libron Fleur de sel 2004 (3 à 5 €)** (une étoile).

Bernard Julien, Dom. de Bachellery, rte de Bessan, 34500 Béziers, tél. 04.67.62.36.15, fax 04.67.35.19.38, e-mail contact@bachellery.com r.-v.

LES BATEAUX Rosé de syrah 2004 ★★

5,5 ha 33 061 5 à 8 €

Dédiée au rivage de la mer, cette syrah ne nous mène cependant pas en bateau. Traitée en rosé, elle agrémente une robe soutenue par quelques reflets orangés. Son nez suggère l'exotique : ce type de cuisine lui conviendra très bien. Au palais un petit ange frais et primesautier. Le jury a attribué une étoile au superbe **rouge 2004 Les Salices**.

SA Jacques et François Lurton, Dom. de Poumeyrade, 33870 Vayres, tél. 05.57.55.12.12, fax 05.57.55.12.13, e-mail jflurton@jflurton.com

DOM. DE BAUBIAC Merlot 2003 ★★

2,06 ha 8 400 5 à 8 €

Réencépagement à partir de 1980, rénovation de la cave en 1990, premier millésime embouteillé à la propriété dès l'année suivante, un mas typique des hauts cantons languedociens et une *villa* gallo-romaine par là-dessous. C'est l'image même du vignoble prenant son destin en main. En solo, le merlot. Sombre à reflets cuivrés, il préfère la trompette à la flûte. Mûre et cacao (élevage en cuve). Bouche très déployée, suggérant le vin plaisir.

SCEA Dom. de Baubiac, 29, av. du 11-Novembre, 30260 Quissac, tél. et fax 04.66.77.33.45, e-mail philip@dstu.univ-montp2.fr r.-v.

Philipp

DOM. DE LA BAUME Viognier 2003 ★

3,1 ha 9 900 11 à 15 €

Le souffle de l'aventure. Créatrice du Vermouth Noilly-Prat, la famille Prat fonde ce domaine acquis en 1990 par une équipe australienne. Cette « folie » languedocienne garde néanmoins les pieds sur terre. Son

viognier d'or limpide a quelque chose de grillé (quatorze mois en barrique, cela laisse des souvenirs) et une jolie stabilité en bouche restant sur ce schéma.
Dom. de la Baume, rte de Pezenas, 34290 Servian, tél. 04.67.39.29.49, fax 04.67.39.29.40, e-mail domaine@labaume.com
t.l.j. sf dim. 10h-18h
J. Helfrich

BEAUVIGNAC Viognier 2004 *

80 ha 110 000 3 à 5 €

Le viognier (ici intégralement) est un cépage ascendant qui a ses lettres de noblesse dans la vallée du Rhône (condrieu et château-grillet). Il n'a pas en pays d'Oc les mêmes caractères, mais est souvent fort réussi : la robe de celui-ci est jolie, couleur or vert ; le jury a aimé le nez fruité sur la pêche et la bouche suffisamment nerveuse pour épauler la conversation. Fusion avec la cave coopérative de Castelnau et importants investissements pour aborder de plain-pied le troisième millénaire.
Cave coop. de Pomerols, Les Costières, av. de Florensac, 34810 Pomerols, tél. 04.67.77.01.59, fax 04.67.77.77.21, e-mail info@cave-pomerols.com
t.l.j. sf dim. 8h30-12h 14h-18h

DOM. BELLES PIERRES Cuvée Mosaïque 2004 *

2 ha 8 000 3 à 5 €

Coquillages et crustacés, comme les chantait Brigitte Bardot... Mosaïque formée par le sauvignon, le viognier et le grenache : robe paille à l'éclat de silex, bouquet de fleurs du printemps et d'agrumes, bouche fraîche et gentille comme tout. A déguster pour ses vertus naturelles et sa simplicité biblique.
Damien Coste, 24, rue des Clauzes, 34570 Murviel-lès-Montpellier, tél. et fax 04.67.47.30.43, e-mail bellespierres@wanadoo.fr r.-v.

JEAN BERTEAU Chardonnay 2004 **

32 ha 300 000 - de 3 €

Un avant-goût des gambas de l'été... Sous sa robe jaune paille, le chardonnay montre une fois de plus la bonne volonté de ce cépage. Quelques notes beurrées nous rappellent qu'il a des cousins du côté de Meursault. Souple et gourmand, il n'est pas à court d'arômes – même en fin de bouche. Sur votre petit carnet, notez également le **cabernet-sauvignon 2004**, tout aussi bien noté.
La Compagnie rhodanienne, chem. Neuf, 30210 Castillon-du-Gard, tél. 04.66.37.49.50, fax 04.66.37.49.51, e-mail cie.rhodanienne@wanadoo.fr r.-v.

LE ROSE DE BESSAN
Sauvignon Cuvée spéciale 2004 **

16,16 ha 10 000 3 à 5 €

Cette coopérative fondée en 1938 gère 675 ha, dont 16 ha pour ce sauvignon issu de sol graveleux maigre. De nuance pâle, brillante et limpide, il est assez parfumé (buis notamment). La bouche se développe en hauteur et en profondeur, non sans vivacité et sur une touche mentholée.
SCA Le rosé de Bessan, Chem. de la Coopérative, 34550 Bessan, tél. 04.67.77.42.03, fax 04.67.77.50.42
r.-v.

BESSIERE Merlot syrah Innovation 2004 **

29 ha 300 000 - de 3 €

Cette maison centenaire présente un attelage merlot-syrah qui tient bien la route. D'un grenat très appuyé, il joue sur les fruits rouges et noirs, laissant les épices faire le reste. Sa vigueur ne manque pas d'élégance, surtout durant la seconde moitié de bouche.
Bessière, 40, rue du Port, 34140 Mèze, tél. 04.67.18.40.40, fax 04.67.43.77.03, e-mail bessiere@bessiere.fr

DOM. BOIS BORIES Sortie du Temps 2003 *

1,13 ha 2 000 11 à 15 €

L'arrivée de Vincent en 1996 a réorienté un vignoble jusqu'alors destiné à la production en vrac pour le négoce. Naissance d'un domaine digne de ce nom, recherche d'identité et commercialisation directe. Né de mourvèdre (80 %) et de grenache, ce vin cerise burlat a fait un long séjour en barrique (dix-huit mois, ce qui est rare). D'où ce côté boisé. Le sol volcanique n'influence guère son tempérament : les fondations sont sûres, l'épice insistante et la charpente résistante.
Vincent Raymond, Dom. Bois Bories, 34800 Clermont-L'Hérault, tél. et fax 04.67.96.98.03 t.l.j. 10h-19h30

DOM. CAZES
Muscat viognier Le Canon du maréchal 2004 *

8 ha 50 000 3 à 5 €

Le Canon du maréchal, soit. Mais lequel ? Pas Mac Mahon qui s'écriait : « Que d'eau ! Que d'eau ! » Alors, qui ? Eh bien ! Joffre, l'homme de la victoire de la Marne. Une partie des vignes du domaine fut autrefois sa propriété, et hommage lui est ainsi rendu. Muscat d'Alexandrie, muscat à petits grains et viognier sont savemment mis en ordre de marche : robe légère et vive, nez puissant (muscat), corps généreux et flatteur. Qu'il reçoive le bâton !
Dom. Cazes, 4, rue Francisco-Ferrer, BP 61, 66602 Rivesaltes, tél. 04.68.64.08.26, fax 04.68.64.69.79, e-mail info@cazes-rivesaltes.com
t.l.j. sf sam. dim. 8h-12h 14h-18h

DOM. DE CHRISTIN Grenache 2004 **

1,5 ha 18 000 3 à 5 €

Les baies de grenache ont la peau fine et peu colorée. « Idéales pour la vinification en rosé », écrit Jancis Robinson dans sa fameuse bible des cépages. Elle estime toutefois que son fruité prononcé et sa faible teneur en tanins expliquent au moins autant la qualité des rosés. Celui-ci ? Du soleil dans le verre, légèrement orangé. Beaucoup de fraîcheur, un grain délicat, on tient ici le bon exemple.
André Mahuzies, rte d'Aubais, 30250 Junas, tél. et fax 04.66.80.95.90, e-mail domainedechristin@cegetel.net
t.l.j. 9h-12h30 15h-19h; dim. sur r.-v.

DOM. DE LA CLAPIERE Gate Fer 2003 ***

2 ha 8 000 11 à 15 €

La Clapière doit son nom à François Clapier, bâtisseur de la maison et victime exilée de la révocation de l'édit de Nantes. Et la coquille sur l'étiquette rappelle le chemin de Compostelle. Chargé d'histoire, ce merlot joue les bras de fer tant il dépasse les normes habituelles. Robe coucher de soleil d'un rouge noir violacé. A décanter car l'aération l'aide à s'exprimer (poivre, cacao, fruits rouges confits). Cette concentration se retrouve en bouche, de façon large et nuancée (eucalyptus). Ambitieux et à la hauteur de cette ambition.

Dom. de la Clapière,
34530 Montagnac, tél. et fax 04.67.24.06.16,
e-mail laclapiere@yahoo.fr ☑ Y 🚶 r.-v.

## CLOS DE BASCEILHAC

Merlot cabernet Elevé en fût de chêne 2003 ★

■ n.c. 6 000 ⓘ 5 à 8 €

On commence à avoir de la peine à compter le nombre des générations qui se sont succédé sur ces vignes. Domaine de 8 ha, une première mise en bouteilles en 2002. Le merlot (60 %) et le cabernet échangent leurs alliances pour offrir un vin rouge sombre aux parfums très balsamiques. En cherchant bien, on y trouve le cyprès et la pierre à fusil. L'austérité intérieure ne dissimule pas une charpente de qualité. Ses lendemains vont chanter. Il est conseillé de l'attendre un peu.

Jean-Michel Guerre,
317, chem. du Camp d'Aussel, 34230 Tressan,
tél. et fax 04.67.96.75.27 ☑ Y 🚶 mer. sam. 16h-20h

## COULEURS DU SUD Cabernet-sauvignon 2004 ★★

■ n.c. 900 000 - de 3 €

C'est la maison Bouachon qui propose, parmi les cépages qu'elle sélectionne, ce cabernet-sauvignon. L'œil n'hésite pas devant ce rouge grenat à reflets pourpres : heureuse leçon pour apprendre la gamme des couleurs ! Une fraîcheur balsamique envahit le bouquet sur fond de fruits parvenus à pleine maturité. On ressent au palais un sentiment de plénitude car l'accord se fait bien entre structure et texture. Une affaire. Et il y en aura pour tous.

CSP - Les caves des Couleurs du Sud, Av. Pierre-de-Luxembourg, 84230 Châteauneuf-du-Pape,
tél. 04.90.83.58.35, fax 04.90.83.77.23,
e-mail info@couleursdusud.fr
☑ Y 🚶 t.l.j. 9h-12h 14h-19h; f. jan.

## DOM. DE LA DEVEZE Syrah 2004 ★★

■ 30 ha 6 000 3 à 5 €

Et si l'on jouait aux cartes ? Cette syrah carminée possède une couleur d'atout. Tout en finesse et en fraîcheur, le nez a du jeu. La carte d'entame est souple. Un maximum de levées aromatiques : acacia, chèvrefeuille. La partie laisse des espérances.

SCEA du Dom. de la Devèze, 34190 Montoulieu,
tél. 04.67.73.70.21, fax 04.67.73.32.40,
e-mail domaine@deveze.com ☑ 🏠 Y 🚶 r.-v.
Damais

## LA DOMEQUE

Syrah Vieilles Vignes Tête de cuvée 2004 ★

■ n.c. 400 000 3 à 5 €

Si la syrah a conquis le Monde, elle a également grandement étendu sa sphère d'influence en France : guère plus de 1 600 ha en 1958, 27 000 ha en 1988 et 44 800 ha en 1998. Le monocépage réussit bien à ce vin à la robe vive et violine, au nez complexe et à la bouche sans excès tannique. Une bouteille ronde ponctuée par une sensation fruitée.

SDVA Frédéric Roger,
19, av. Edouard-Babou, 11205 Lézignan-Corbières,
tél. 04.68.27.84.50, fax 04.68.27.84.51,
e-mail frederic@jroger-vignobles.com

## DOM. DUPONT-FAHN

Chardonnay Elevé en fût de chêne 2003 ★★

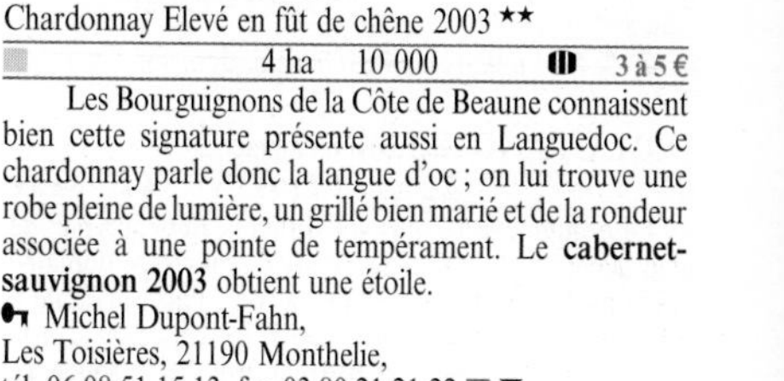

□ 4 ha 10 000 ⓘ 3 à 5 €

Les Bourguignons de la Côte de Beaune connaissent bien cette signature présente aussi en Languedoc. Ce chardonnay parle donc la langue d'oc ; on lui trouve une robe pleine de lumière, un grillé bien marié et de la rondeur associée à une pointe de tempérament. Le **cabernet-sauvignon 2003** obtient une étoile.

Michel Dupont-Fahn,
Les Toisières, 21190 Monthelie,
tél. 06.08.51.15.13, fax 03.80.21.21.22 ☑ Y r.-v.

## DOM. DE L'ENGARRAN Cuvée Adélys 2003 ★★★

□ 3 ha 6 000 ⓘ 15 à 23 €

Vendangé le 22 août 2003, ce sauvignon bien né semble avoir été élevé par les bons pères : douze mois en barrique. Il a remarquablement surmonté la canicule. Adélys évoque l'arrière-grand-père et l'étiquette reproduit les belles cariatides du château. Bref, tout pour plaire en société. Couronnée par le coup de cœur, cette distinction apparaît déjà dans l'or vif et soutenu de la robe. Notes choisies de fleurs blanches et de miel, un peu vanillées mais sans excès. Sa bouche est charmante, sur des bases solides. Il fera un beau mariage : osez le foie gras.

SCEA du Ch. de L'Engarran, 34880 Laverune,
tél. 04.67.47.00.02, fax 04.67.27.87.89,
e-mail lengarran@wanadoo.fr ☑ Y 🚶 t.l.j. 10h-19h
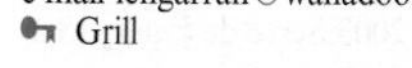
Grill

## DOM. D'ESCARY Chamade 2003 ★★

□ 1,33 ha 7 500 8 à 11 €

L'or de la robe ? Il ne lui manque aucun carat. Onctueux, miellé, le bouquet annonce un 2003 gras et robuste. Sa complexité lui vient surtout d'arômes opulents et épicés, tant au nez qu'en bouche. Grenache (60 %) et chardonnay (40 %).

Fournier, Dom. d'Escary,
145, av. de Saint-Paul, 34570 Montarnaud,
tél. 06.09.87.86.69, fax 04.67.55.62.01,
e-mail a.fournier@domaine-escary.fr ☑ Y 🚶 r.-v.

**LOUIS FABRE** Chardonnay 2004 ★★

■ 15 ha 10 000 3 à 5 €

Nous sommes dans ce que les temps anciens appelaient la « bonne société » : vicomtes et archevêques se sont épanouis ici. Depuis 1982, Louis Fabre est aux commandes. Un chardonnay clair à reflets jaunes, fin et floral sur les fleurs blanches et les agrumes, frais et dispos dès l'entrée en bouche. Se rappeler encore le **sauvignon blanc 2004**, une étoile.

Louis Fabre, Ch. de Luc, 11200 Luc-sur-Orbieu,
tél. 04.68.27.10.80, fax 04.68.27.38.19,
e-mail chateauluc@aol.com
t.l.j. 9h-12h 14h-18h; sam. dim. sur r.-v.

**DOM. GRAND CHEMIN** Viognier 2004 ★

■ 2,2 ha 7 800 5 à 8 €

Le viognier est son violon d'Ingres. Et depuis plus de cinq générations la famille Floutier exploite ce domaine qui couvre de nos jours 32 ha en tout. Paille brillante à reflets verts, ce vin est dans la note de son cépage et le reste sur son nez fin, minéral et pierre à fusil. Vif et solide, ce n'est pas un bandit de... Grand Chemin. Tout le contraire, plutôt ! Rappelez-vous le coup de cœur, un cabernet-sauvignon 2000 éblouissant.

EARL Jean-Marc Floutier,
Dom. du Grand Chemin, 30350 Savignargues,
tél. 04.66.83.42.83, fax 04.66.83.44.46,
e-mail domainedugrandchemin@wanadoo.fr
t.l.j. 8h-12h30 14h-18h30

**DOM. DU GRAND CRES** 2004 ★

■ 1,15 ha 6 000 3 à 5 €

Un vin qu'on prend le temps de contempler, de humer et de goûter pour s'en souvenir. Déclinant le viognier, la roussanne et le muscat, il conduit bien sa barque sous pavillon jaune clair éclatant. Le minéral et l'exotique (citron) se partagent le bouquet. La bouche exprime un sentiment de jeunesse tout en laissant les arômes secondaires s'occuper de la complexité. Domaine familial sur 15 ha en tout.

Pascaline et Hervé Leferrer,
40, av. de la Mer, 11200 Ferrals-les-Corbières,
tél. 04.68.43.69.08, fax 04.68.43.58.99,
e-mail grand.cres@wanadoo.fr r.-v.

**DOM. DE GUERLOU** Chardonnay 2004 ★

■ 0,38 ha 4 000 5 à 8 €

René-Henry Guéry succède à une multitude de générations de vignerons. Il propose un chardonnay à la présentation soignée, riche d'arômes de fruits et d'agrumes, très présent en bouche et vivifiant aux papilles. A ajouter au palmarès, la **syrah 2003 Serre de Guéry (8 à 11 €)** tout aussi aimable.

René-Henry Guéry, 4, av. du Minervois,
11700 Azille, tél. et fax 04.68.91.44.34,
e-mail rh-guery@cegetel.net r.-v.

**VIGNOBLE CHARLES GUITARD**
Cabernet merlot Cuvée Recoude 2004 ★

■ 7 ha 17 000 3 à 5 €

Portés jusqu'en 2002 à la coopérative, les raisins du domaine restent maintenant à la maison où ils sont vinifiés et élevés. Premier millésime en 2003. Voici le deuxième (cabernet-sauvignon et merlot dans la proportion classique de 60-40 %). Rubis à reflets grenat, aromatique sur la gamme habituelle de la framboise et du poivre, il attaque avec franchise. Il tient bien la route (matière, tanins, persistance).

Vignoble Charles Guitard,
La Recoude, RN 113, 30670 Aigues-Vives,
tél. 04.66.51.78.15, fax 04.66.71.52.18,
e-mail contact@vignoble-charlesguitard.fr r.-v.

**LES JAMELLES** Viognier marsanne
Sélection spéciale Elevé en fût de chêne 2003 ★★

■ 1,5 ha 12 000 5 à 8 €

Tandis qu'à l'Etang-Vergy (Hautes-Côtes de Nuits) la Maison E. Delaunay et ses Fils était acquise par Jean-Claude Boisset, la famille Delaunay créait une nouvelle affaire de négoce-éleveur : celle-ci. L'un des nombreux ponts jetés entre la Bourgogne et le Languedoc-Roussillon. Viognier surtout et pour un quart marsanne : un vin à la robe légère et brillante, au nez floral, au boisé (neuf mois de fût) raisonnable et à la bouche communicative. La cuvée **Les Jamelles 2003 rouge grenache syrah** mérite, elle aussi, un compliment et une étoile.

Badet Clément et Cie,
39, rte de Beaune, 21220 L'Etang-Vergy,
tél. 03.80.61.46.31, fax 03.80.61.42.19,
e-mail contact@badetclement.com

**DOM. DE LARZAC** Roussanne chardonnay 2004 ★

■ 4 ha 7 500 5 à 8 €

*Sine sole nihil*, la devise du domaine. En effet. Rien sans soleil, faut-il traduire. Acquise en 1999 et rénovée depuis, cette propriété historique consacre ici 60 % de chardonnay et 40 % de roussanne à ce vin doré étincelant à légers reflets verts, aromatique et dont le volume ne masque pas la vivacité.

Dom. de Larzac, rte de Roujan, 34120 Pézenas,
tél. 04.67.90.76.29, fax 04.67.98.10.59,
e-mail chateau.larzac@wanadoo.fr
Bonafé

**DOM. DES LAURIERS** Syrah grenache 2003 ★

■ 2 ha 5 000 3 à 5 €

Comme dans la chanson des Beatles, syrah et grenache sont deux noms qui vont très bien ensemble. Pourpre soutenu, ce 2003 développe assez vite des effluves de fruits confiturés. Aucune aspérité tannique et une fraîcheur revigorante. Très bon équilibre.

Marc et Jean-Louis Cabrol, Dom. des Lauriers,
15, rte de Pézenas, 34120 Castelnau-de-Guers,
tél. 04.67.98.18.20, fax 04.67.98.96.49,
e-mail cabrol.marc@wanadoo.fr r.-v.

**LOUIS BERNARD** Syrah grenache 2004 ★

■ 14 ha 85 000 - de 3 €

Cette maison a été reprise en 1998 par le Nuiton Jean-Claude Boisset. Son siège social vient d'être transféré à la chartreuse de Bonpas. Sous sa robe rappelant le couchant quand le rouge devient noir, une intéressante association syrah-grenache. Elle évoque les petits fruits dans un environnement de réglisse et d'épices. La bouche prévenante et délicate repose sur une texture lisse et soyeuse.

Louis Bernard, rte de Sérignan, 84100 Orange,
tél. 04.90.11.86.86, fax 04.90.34.87.30,
e-mail louisbernard@sldb.fr

**MAGIC COUNTRY** Muscat sec 2004 ★

n.c. 27 200 3 à 5 €

La première vigne connue de l'homme fut-elle le muscat ? On le pense et l'on pense même que tous les *vitis vinifera* en seraient issus ! Quant au muscat à petits grains, le Languedoc-Roussillon a toujours été son fief et il est de loin le cépage le plus séduisant de la famille. Celui-ci a de l'éclat. Son expression aromatique est fidèle. Sa bouche agréable et savoureuse sait équilibrer ses élans.

SCA Les Vignerons du Muscat de Lunel, rte de Lunel-Viel, 34400 Vérargues, tél. 04.67.86.00.09, fax 04.67.86.07.52, e-mail info@muscat-lunel.com r.-v.

**DOM. DE MAIRAN** Cabernet franc 2003 ★

n.c. 30 000 5 à 8 €

Berceau de Jean-Jacques Dortous de Mairan (1678-1771), qui – comme le professeur Tournesol, mais de façon plus sérieuse – consacra une grande partie de sa vie à l'étude du pendule et fut élu ainsi à l'Institut. Ce vin en revanche ne balance pas. Pourpre brillant, fruité à souhait, il adopte un point fixe et n'en varie pas du nez à l'arrière-bouche. Mention très honorable pour le **cabernet-sauvignon 2002**.

Jean-Baptiste Peitavy, Dom. de Mairan, 34620 Puisserguier, tél. 04.67.11.98.01, fax 04.67.11.92.67 r.-v.

**DOM. DE MALAVIEILLE** La Boutine 2003 ★

1,5 ha 3 500 5 à 8 €

Argiles rouges, basalte, orientation bio pour cette bouteille composée de chenin (60 %), de chardonnay et de viognier. D'un or clair et pur, elle délivre des notes de beurre et de croissant chaud. Après quatre mois en cuve et huit mois en barrique, offrant un bon équilibre sur fond boisé mesuré, l'ensemble est généreux, de bonne sève.

Mireille Bertrand, Dom. de Malavieille, 34800 Mérifons, tél. 04.67.96.34.67, fax 04.67.96.32.21 r.-v.

**LES VIGNERONS DE MAREJUOLS LES GARDON** Chardonnay 2004 ★

5 ha 4 000 3 à 5 €

Cave coopérative gérant 300 ha, dont 5 ha à l'intention de ce chardonnay. Présentation impeccable, bouquet de fleurs blanches et de poire fraîche, attaque entraînante, les impressions sont positives d'étape en étape. Le gras prend le dessus en milieu de bouche. Le servir sur des fruits de mer ou même sur une fondue savoyarde.

Les vignerons de Maruéjols-lès-Gardon, 30350 Maruéjols-lès-Gardon, tél. 04.66.83.40.52, fax 04.66.83.44.73, e-mail cave.cooperative.maruejols.les.gardon@wanadoo.fr t.l.j. sf lun. 8h-12h 15h-18h; dim. 10h-12h

**LES DOMAINE PAUL MAS**
Cabernet-sauvignon merlot Vignes de Nicole 2004 ★★

18,2 ha 120 000 5 à 8 €

Selon la légende, Vinus le Héron préférait les syrah, merlot et viognier aux goujons de l'Hérault. Tout cela figure sur l'étiquette, mais en ces temps anciens, et pour tout dire, il y avait ici d'autres cépages... Peu importe, goûtons cette bouteille où le cabernet-sauvignon et le merlot font bon ménage. Couleur crépusculaire (carmin violacé), nez intéressant sur des notes de cassis et de réglisse. Léger grillé (huit mois en barrique) et beau déroulement en bouche. Même appréciation pour le **cabernet-sauvignon syrah 2004**.

Domaines Paul Mas, Ch. de Conas, 34120 Pézenas, tél. 04.67.90.16.10, fax 04.67.98.00.60, e-mail info@paulmas.com r.-v.

**MAS DU MAZELET** 2003 ★

3,5 ha 2 500 8 à 11 €

Domaine bio passé de la coopérative à l'indépendance en 1999. Premier millésime en 2001. Pas de vendanges l'année suivante (pluies diluviennes). L'ancien moulin à huile est devenu une cave particulière. Ici, syrah majoritaire et grenache, plus un soupçon de carignan. C'est intéressant, sous une étiquette photographique devenue rare. Rouge profond à reflets crépusculaires, ce vin a le nez vineux et fruité, l'attaque franche, le corps débonnaire et rond.

Marie et Guy Taboulay, Mas du Mazelet, 30140 Saint-Félix-de-Pallières, tél. 04.66.77.53.50, fax 04.66.77.53.51, e-mail masdumazelet@wanadoo.fr r.-v.

**LAURENT MIQUEL** Viognier Vérité 2004 ★

1 ha 1 200 8 à 11 €

Cet ancien domaine de l'abbaye de Fontcaude a été acquis par la famille Miquel sous la Révolution. Laurent s'attache essentiellement à la syrah et au viognier, bien adaptés au terroir de saint-chinian qui va bientôt produire des vins blancs en AOC. Ici le viognier ne partage rien. Quelques reflets ambrés se détachent d'une robe claire. On reconnaît sans peine le parfum de fleur d'acacia qui convient parfaitement au blanc. Bouche bien dessinée, ponctuée par une note miellée qui le rend langoureux sur la fin.

Laurent Miquel, Hameau Cazal-Viel, 34460 Cessenon, tél. 04.67.89.74.93, fax 04.67.89.65.17, e-mail laurent@laurent-miquel.com t.l.j. 8h-12h 13h-18h; sam. dim. sur r.-v.

**MAS MONTEL** Cuvée Jéricho 2004 ★★

3 ha 20 000 5 à 8 €

Inutile de tourner autour de cette bouteille en sonnant de la trompette ! Elle se rend volontiers. Grenache et surtout syrah illuminent l'œil d'un rubis plus brillant que profond. Faits d'épices et de fraise, de finesse et de fraîcheur, ses arômes évoluent un peu sur les agrumes en finale.

EARL Granier, Mas Montel, Cidex 1110, 30250 Aspères, tél. 04.66.80.01.21, fax 04.66.80.01.87 t.l.j. sf dim. 9h-12h 14h-19h

**DOM. DE MONTESQUIEU** 2004 ★

0,5 ha 2 400 3 à 5 €

Avec un nom pareil, les portes des caves de l'Assemblée nationale et du Sénat devraient s'ouvrir toutes seules... Quatre cépages ont servi à l'élaboration de ce rosé moyennement intense et aux reflets carminés. Ses parfums floraux, sa finesse et sa nervosité donnent envie de le regoûter. Pour lui faire escorte, choisissez l'agneau plutôt que la pizza.

Taillefer, GAEC Dom. de Montesquieu, Paders, 34320 Montesquieu, tél. et fax 04.67.24.61.60 r.-v.

## MOULIN DE BREUIL
Grande Réserve du club élevage 2002 ★

■ 5 ha 10 000 8 à 11 €

On convole ici avec l'Espagne sur l'autre bord du Saint-Christophe qui domine le village. Cabernet et merlot ont l'accent du pays et si Montesquieu ne doit rien ici à l'*Esprit des lois*, on est dans une viticulture raisonnée. D'un rubis légèrement tuilé ce vin offre un nez d'abord discret, puis plus intense sur l'épice douce (douze mois en barrique), le fruit rouge et le caramel. Structure convenable et un mélange vanille-réglisse assez plaisant en finale.

Joseph de Massia,
Moulin de Breuil, 66740 Montesquieu,
tél. 06.72.33.20.71, fax 04.68.89.75.81,
e-mail josephdemassia@moulindebreuil.com
r.-v.

## MOULIN GIMIE Chardonnay 2003 ★★

3 ha 17 000 5 à 8 €

Poulet de Bresse aux morilles, voilà qui changera ce chardonnay de la sempiternelle truite aux amandes. L'or de sa robe indique que la bouteille attend en effet à table son prince charmant. Quelques accents grillés se glissent dans les plis d'un nez foral. L'aménité de sa nature ne l'empêche pas de montrer du caractère. L'horizon est large et profond, bien dégagé. Vente par les Vignerons de la Méditerranée.

François Gimié,
49, rue Gambetta, 34310 Capestang,
tél. 04.68.42.75.32, fax 04.68.42.75.40,
e-mail jallain@vignerons-mediterranee.fr r.-v.

## CELLIER DES NEUF FIEFS Sauvignon 2004 ★★★

6,89 ha 20 000 3 à 5 €

Moins de 7 ha pour cette cuvée sur les 424 ha confiés à cette coopérative qui s'offre ainsi un coup de cœur amplement mérité. Dans une robe mordorée, le sauvignon parle ici par le nez et la bouche. Les arômes floraux ont une forte typicité et la constitution est superbe. Oui, alliant réellement la puissance et la vivacité, le corps et l'esprit. Compliments à Yves-Michel Adell et à Agnès Rasse, respectivement maître de chai et œnologue !

Les Coteaux de Neffiès, 28, av. de la Gare,
34320 Neffiès, tél. 04.67.24.61.98, fax 04.67.24.62.12,
e-mail cavecoop.neffies@wanadoo.fr r.-v.

## DOM. DE NIZAS Sauvignon blanc 2004 ★

3 ha 20 000 5 à 8 €

Taltarni en Australie, le très réputé Clos du Val en Californie, c'est lui. John Goelet a acquis Nizas en 1998. Il est en train de le faire renaître. La cuvée **Mosaïque rouge 2004**, une étoile, mérite qu'on s'y arrête. Celui-ci (sauvignon blanc) mérite qu'on s'y attarde. Très peu de robe, beaucoup de nez (fleurs blanches dominantes), bouche vive et parfumée : le cépage est respecté. Inauguration au printemps dernier d'un caveau de vente au détail.

John Goelet, SCEA Dom. Nizas,
hameau de Sallèles, 34720 Caux,
tél. 04.67.90.17.92, fax 04.67.90.21.78,
e-mail domnizas@wanadoo.fr r.-v.

## OC TERRA Cabernet-sauvignon syrah Gde Réserve Elevé barrique de chêne 2003 ★★

■ 10 ha 66 000 5 à 8 €

Pas mal de cabernet-sauvignon, un peu de syrah. Préparez le lapin au romarin... Un beau vin en effet. D'un grenat intense, profond dans sa couleur, il quitte ses quinze mois en barrique pour distiller des parfums épicés et flatteurs où l'on sent le laurier. L'entrée en bouche est efficace, la suite bien structurée, harmonieuse et élégante.

Calvet, 75, cours du Médoc, BP 11,
33028 Bordeaux Cedex, tél. 05.56.43.59.00,
fax 05.56.43.17.78, e-mail calvet@calvet.com

## DOM. DE L'ORVIEL Cuvée de la Peyrière 2002 ★

■ n.c. 4 000 5 à 8 €

Lorsque l'enfant paraît... Une première vinification suscite l'émotion et la curiosité. Tel est ici le cas. Jean-Pierre et André Cabane ont quitté la cave coopérative pour créer leur propre domaine en cave particulière. Quelques reflets tuilés signalent l'âge de ce vin. Son bouquet est en pleine forme : l'assemblage des fruits noirs (cassis) et des épices (poivre, muscade) est classique et réussi. En bouche, les épices n'ont pas dit leur dernier mot et l'impression est dynamique. On ne s'endort pas au cours de la dégustation.

SCEA Cabane frères, Mas Flavard,
30350 Saint-Jean-de-Serres, tél. et fax 04.66.83.45.96,
e-mail jean-pierre.cabane@orviel.com r.-v.

## O'TERRA Merlot et syrah 2004 ★★

■ 15 ha 150 000 3 à 5 €

Un pied au Québec (vignoble de l'Orpailleur) et l'autre en Languedoc-Roussillon, ce domaine a reconstitué une cave gallo-romaine dans laquelle les vinifications reproduisent les usages romains. Il a également une expérience intéressante en bicépage. Ici merlot (70 %) et syrah (30 %) s'épousent et s'épaulent bien. Pourpre environné de lueurs violacées, un vin aux senteurs de sous-bois. Sa bouche est un long fleuve tranquille.

Hervé et Guilhem Durand, Mas des Tourelles,
4294, rte de Bellegarde, 30300 Beaucaire,
tél. 04.66.59.19.72, fax 04.66.59.50.80,
e-mail tourelles@tourelles.com r.-v.

## DOM. DE LA PALUNETTE Why Not 2003 ★★

■ n.c. 5 200 5 à 8 €

Vignoble entièrement reconstitué en 1998 et les années suivantes. La cuvée Why Not est issue de merlot (60 %) et de cabernet-sauvignon (40 %). Un style épicé et des tanins significatifs. Fort heureusement, ils ne perturbent pas l'équilibre du vin qui allie rondeur, vivacité, longueur. Signalons encore le **cabernet-sauvignon 2003** sans mention de cuvée, également deux étoiles.

SAS Primange - Famille Pobéda,
Dom. de La Palunette, 30470 Aimargues,
tél. 04.66.88.55.95, fax 04.66.88.51.41,
e-mail domaine.palunette@wanadoo.fr r.-v.

DOM. DU PETIT CAUSSE
Merlot Cuvée du Vieux Puits 2004 ★★

■ 0,8 ha 2 000 5 à 8 €

Merlot planté en 1964, authentique vieille vigne de 0,8 ha. Le domaine compte 18 ha. C'est une propriété familiale qui s'est peu à peu agrandie et a vraiment pris son envol en 2003 avec une vinification inaugurale. Ce 2004 se présente sous des traits riches en couleur. Ce qu'on appelle un nez de garrigue : à pleins poumons. Développement généreux et ample en bouche jusqu'à une conclusion épicée et persistante.
Philippe et Maguy Chabbert, rue de la Sallèle, 34210 Félines-Minervois, tél. et fax 04.68.91.66.12 r.-v.

DOM. DES POURTHIE
Cabernet-sauvignon 2004 ★★

■ 12 ha 85 000 3 à 5 €

Utiles moraines glacières qui, dans les environs d'Agde, apportent leur concours à la vigne ! Ce cabernet-sauvignon haut en couleur associe le fruit mûr en compote et l'eucalyptus. La garrigue accompagne votre promenade en bouche.
Pourthié, GAF Grange-Rouge, 34300 Agde, tél. 04.67.94.21.76, fax 04.67.21.30.55 t.l.j. sf dim. 8h-12h 14h-17h

PRIEURE DE RAMEJAN Sauvignon 2004 ★★

2 ha 2 000 3 à 5 €

Longue histoire ! Un légionnaire romain conquis par la douceur du pays, la bonté de la vigne et le sourire d'une fille aurait fondé ce domaine. Un certain Remigius. Puis ce fut un prieuré, un bien national et la propriété de la famille Planes depuis 1920. Le jury a apprécié la **cuvée Anne-Marie 2003 rouge (8 à 11 €)**, une étoile, et bien aimé ce sauvignon cousu d'or à reflets émeraude. Le nez sauvignonne à merveille. La bouche ne reste pas les bras croisés. Elégance, fraîcheur et persistance.
SCEA Hérail-Planes, Dom. du Prieuré de Ramejan, 34370 Maureilhan, tél. et fax 04.67.90.50.58, e-mail perez-sebastien@wanadoo.fr r.-v.

PRIMO PALATUM
Chardonnay Série Classica 2003 ★★

5 ha 11 800 5 à 8 €

Vaste gamme de vins de l'Atlantique à la Méditerranée, fruit du partenariat de l'œnologue Xavier Copel et de vignerons dont il acquiert la production : cette affaire de négoce signe ici un chardonnay jaune citron ajoutant quelques notes boisées à un bouquet assez complexe. Bouche réussie sur tous les plans et de bonne persistance.
Xavier Copel, Primo Palatum, 1, Cirette, 33190 Morizès, tél. 05.56.71.39.39, fax 05.56.71.39.40, e-mail xavier-copel@primo-palatum.com r.-v.

DOM. LA PROVENQUIERE 2004 ★

■ 3 ha 10 000 3 à 5 €

Rouge cerise clair, il ne cherche pas midi à 14 heures. Un bouquet très direct aux arômes simples et fruités ; il est de bonne compagnie, souple et spontané, friand même. Vin de soif ? Sans doute et avec finesse. Cabernet franc à 80 % ainsi que merlot. Domaine dans cette famille depuis 1954. La Provenquière : un tel nom remplit le verre à lui tout seul !
Brigitte et Claude Robert, SCEA Dom. de La Provenquière, 34310 Capestang, tél. 04.67.90.54.73, fax 04.67.90.69.02, e-mail la.provenquiere@wanadoo.fr r.-v.

RESSAC Rosé de syrah 2004 ★★

n.c. 18 000 3 à 5 €

Quel rapport entre Florensac et la Côte chalonnaise en Bourgogne ? La civilisation chasséenne, l'une des plus riches de la préhistoire. Et le vin, bien sûr, illustré par ce rosé de syrah joliment teinté : saumon brillant à reflets violines. Si son bouquet se partage entre le fruit mûr et des notes exotiques, sa bouche vive et friande est parfaitement équilibrée.
Les Vignerons de Florensac, 5, av. des Vendanges, 34510 Florensac, tél. 04.67.77.00.20, fax 04.67.77.79.66, e-mail cave.florensac@wanadoo.fr r.-v.

DOM. DE ROSE Réserve particulière 2002 ★★

■ n.c. 10 000 - de 3 €

Mis en bouteilles par les Celliers Jean d'Alibert de Rieux-Minervois, ce vin rouge violacé porte une belle tenue pour partir en croisade. Ses douze mois de barrique ornent le vin d'un discret vanillé, sur fond de poivre et de groseille. Ses tanins ne sont plus une armure, mais une robe soyeuse. On ne nous dit pas le cépage et c'est un peu dommage. Notez qu'il s'agit d'un 2002, bon pour le service.
Cellier des Chevaliers de Malte, Les Vignerons de Homps Jouarrès, rue des Chevaliers, 11200 Homps, tél. 04.68.91.22.14, fax 04.68.91.19.16 r.-v.

MAS SAINT-ANTOINE
Grenache Carignan Saint-Nicolas 2003 ★

■ 1,5 ha 8 000 5 à 8 €

Trois anciens administrateurs de la coopérative de l'endroit (elle a fusionné avec une cave voisine) ont décidé de voler de leurs propres ailes en réunissant leurs efforts. Des conglomérats calcaires portent ici le carignan (75 %) épaulé par un quart de grenache. La couleur est au rendez-vous du millésime 2003. Excellent complexe aromatique : sous-bois, eucalyptus, réglisse et vanille (six mois sous chêne). Le boisé reste un peu présent dans une ambiance de fraîcheur et d'harmonie.
Mas Saint-Antoine, descente de la Bergerie, 34120 Castelnau-de-Guers, tél. 06.62.82.08.31, fax 04.67.98.31.62, e-mail robertjaeger@club-internet.fr t.l.j. sf dim. 10h-12h30 16h-19h30
Jaeger, Portes, Woimant

DOM. SAINT-HILAIRE
Advocate Chardonnay 2004 ★

1,55 ha n.c. 8 à 11 €

On peut choisir dans cette cave le **Vermentino 2004 (5 à 8 €)**. Ou encore cette cuvée, dite Advocate. Le chardonnay n'a pas besoin ici des tirs au but pour gagner la partie. On est sensible à son éclat dans le verre ainsi qu'à ses notes de noisette et de miel. Souple ? Sans doute, mais avec un soupçon de complexité qui le sort du lot. Coup de cœur l'an dernier.
SARL Saint-Hilaire, 34530 Montagnac, tél. 04.67.24.00.08, fax 04.67.24.04.01, e-mail info@domainesaint-hilaire.com t.l.j. 9h-12h 13h-18h, sam. dim. sur r.-v.
A. et J. James

DOM. SAINT-JEAN DE L'ARBOUSIER
Syrah 2004 ★

■ 10 ha 24 000 5 à 8 €

Jadis propriété des Templiers, ce domaine est maintenant dans la même famille depuis trois générations. 45 ha en tout, dont 10 pour une syrah d'un rouge profond, nuancé de reflets bleutés. Son nez fait rimer épices et réglisse. Puis le fruit domine une structure élégante et fringante.

Jean-Luc et Catherine Viguier,
Dom. Saint-Jean-de-l'Arbousier, 34160 Castries,
tél. 04.67.87.04.13, fax 04.67.70.15.18 r.-v.

DOM. SAINT-JEAN DU NOVICIAT
Chardonnay 2004 ★

6 ha 26 000 5 à 8 €

Ancienne grange d'abbaye, ce domaine démontre à quel point le chardonnay peut s'épanouir en tout temps et en tout lieu. Il pointe ici sur le silex sous un or clair à reflets nets. La rondeur d'un novice plein de désir de bien faire et le goût de la persistance. Une vocation parfaitement définie.

SAS Saint-Jean du Noviciat,
Mas du Novi, rte de Villeveyrac, 34530 Montagnac,
tél. et fax 04.67.24.07.32,
e-mail masdunovi@wanadoo.fr t.l.j. 9h-19h

LA SALUT Cabernet-sauvignon 2002 ★★

■ n.c. 15 480 3 à 5 €

Le millésime explique la teinte légèrement tuilée de ce vin. A déguster dans les temps qui viennent, il laisse les fruits secs et les épices monter en première ligne dans le caractère du cépage. Tendre et moyennement corpulent, ayant dépassé son âge tannique, cette cuvée se goûte avec plaisir. Une année en barrique l'a empli de sérénité.

SCV Les Maîtres Vignerons de Pia,
35, av. de Rivesaltes, 66380 Pia, tél. 04.68.63.28.13,
fax 04.68.63.37.59, e-mail scv.pia@wanadoo.fr
t.l.j. sf dim. 8h-12h 14h-18h

F. DE SKALLI Cabernet-sauvignon 2000 ★★

■ n.c. n.c. 11 à 15 €

F. de Skalli, comme s'il s'agissait d'un parfum haut de gamme. Hommage rendu à Francis Skalli, pionnier des vins du Sud. Robert Skalli fut fort bien accueilli en Californie (Saint-Supéry dans la Pope Valley, 1982). Revenons à ce Cabernet-sauvignon, magenta pourpre (couleur que connaissent bien les amateurs de roses) et astucieusement vanillé dans un décor épicé. Millésime 2000 à prendre comme tel, à son apogée durant les six mois qui viennent, très cher et à la mesure de son nom.

Les vins Skalli,
278, av. du Mal.-Juin, BP 76, 34204 Sète Cedex,
tél. 04.67.46.70.00, fax 04.67.46.71.99

TERRE DES CHARDONS 2003 ★★

■ 3,6 ha 12 000 5 à 8 €

Bio (1999), biodynamie (2002), ce domaine ne se contente pas de laisser pousser les chardons ! Maraîchage, horticulture, oliveraie et vigne bien sûr. Syrah (70 %) et grenache nous adressent ici un billet doux, charnu et flatteur. Dites-le avec des fleurs et des fruits exotiques ! Le verre s'empourpre en sa présence.

Jérôme Chardon, EARL Terre des Chardons,
Mas Sainte-Marie des Costières, 30127 Bellegarde,
tél. 04.66.70.02.51, fax 04.66.70.07.28,
e-mail tdchardons@yahoo.fr
t.l.j. 8h-12h 13h-19h

TERRE D'OLIVIERS Les Flacons 2002 ★★

■ 10 ha 15 000 5 à 8 €

L'olivier et la vigne forment un très vieux couple fidèle, symbole des civilisations méditerranéennes. Ici, la palette est large : syrah, cabernets et merlot. Un 2002 un peu évolutif en couleur, mais qui sort tout vanillé de ses seize mois dans son enveloppe de chêne. Epices, cacao, peut-on dire aussi. En revanche, on croque le fruit en bouche. Plaisir garanti. N.B. : comme au sein du Gotha, les étiquettes sont numérotées (ici n° 139 sur 15 000).

SAS Maurel-Vedeau, ZI La Baume, 34290 Servian,
tél. 04.67.39.21.20, fax 04.67.39.22.13,
e-mail contact@maurelvedeau.com

DOM. DE TERRE MEGERE
Cabernet-sauvignon 2004 ★★

■ 3 ha 16 000 3 à 5 €

Un âne qui joue de la lyre : l'étiquette évoque une scène rencontrée dans l'art roman. Quant à Terre Mégère, c'est à ne pas prendre au pied de la lettre. Ou il s'agit d'une mégère particulièrement bien apprivoisée par le cabernet-sauvignon ! Grenat à reflets rubis, ce 2004 accorde au cépage tout le respect aromatique voulu. Il entre en bouche pour y demeurer à son aise : tanins déjà rabotés et solide charpente. Belle longueur.

Michel Moreau, Dom. de Terre Mégère,
10, rue Jeu-de-Tambourin, 34660 Cournonsec,
tél. 04.67.85.42.85, fax 04.67.85.25.12,
e-mail terremegere@wanadoo.fr
t.l.j. sf dim. 15h-19h, sam. 9h-12h30

TERRES BLANCHES Muscat sec 2004 ★★

27,5 ha 175 000 3 à 5 €

Quand on parle muscat sec à la cave coopérative de Frontignan, il faut s'asseoir car on est parti pour causer longtemps. Produit sur 27,5 ha (sur les 600 de l'entreprise), celui-ci est paille clair. Son nez explose et l'on sent bien que ce cépage n'envisage pas de changer de religion. La noisette, l'abricot, l'aubépine occupent le terrain jusqu'en fin de bouche. Il n'est pas excessif de parler de raffinement.

SCA Coop. de Frontignan,
14, av. du Muscat, BP 136, 34112 Frontignan Cedex,
tél. 04.67.48.12.26, fax 04.67.43.07.17,
e-mail frontignancoop@wanadoo.fr r.-v.

DOM. DE TREILLE
Cuvée du Renouveau Elevé en fût de chêne 2003 ★

■ 8 ha 6 000 5 à 8 €

Domaine de reconquête. Délaissé naguère, restauré et replanté depuis une dizaine d'années, il revient avec une première vinification en 2003. Merlot, syrah et cabernet franc composent cette cuvée bien colorée et brillante. Nez de cassis, de mûre. L'attaque est enlevée, relayée par le support tannique et le développement aromatique. Notez encore le **merlot 2003** : il passe lui aussi la barre et obtient une étoile.

Pascal Eyt-Dessus, Dom. de Treille,
11250 Gardie, tél. et fax 04.68.69.46.98,
e-mail pascal.eyt-dessus@wanadoo.fr
t.l.j. sf dim. 10h-12h 14h-18h, f.oct. avril

WILD PIG Merlot 2004 ★★

■ 90 ha 720 000 3 à 5 €

Mis en bouteilles par Wild Pig & Co à Gigondas ! Etonnante entrée en matière pour ce vin de la maison Gabriel Meffre, placé sous le patronnage d'un sanglier...

De cet animal, ce merlot n'a pas la robe mais à coup sûr le nez puissant et complexe. Ses tanins ont un côté élégant. L'entame est plaisante, bientôt soutenue par un gras consistant.

Maison Gabriel Meffre, Le Village, 84190 Gigondas, tél. 04.90.12.32.45, fax 04.90.12.32.49 r.-v.

DOM. LES YEUSES Cuvée la Gazelle 2004 **

2 ha 15 000 3 à 5 €

Une belle allée d'oliviers permet d'accéder aux bâtiments du XVIII[e]s, sur un site gallo-romain puis amplement rempli d'histoire. Festif, ce rosé grenache syrah l'est bien volontiers. Rose foncé à reflets ambrés, il développe un bouquet de violette et de fruits rouges d'un ton délicat. Bouche nerveuse et fraîche, le **chardonnay 2004** obtient une étoile.

Jean-Paul et Michel Dardé, Dom. Les Yeuses, rte de Marseillan, 34140 Mèze, tél. 04.67.43.80.20, fax 04.67.43.59.32, e-mail domaine.yeuses@tiscali.fr t.l.j. sf dim. 9h-12h 15h-19h

# Saint-Guilhem-le-Désert

REGANIAN Merlot 2004 *

1,6 ha 8 000 3 à 5 €

Saint-Guilhem-le-Désert, son village, son abbatiale, ses paysages... et maintenant son vin de pays. Tout vous engage vers un voyage aux sources de l'histoire de l'Europe. La cave coopérative date de 1924 et elle contemple 410 ha de vignes au parler pur occitan. Merlot pourpre à reflets bleutés, assez réglissé et porteur de gras, ce vin reste dans de bonnes proportions tanniques puisqu'il se révèle équilibré.

Caveau Terroirs d'Aniane, 18, av. de la Gare, BP 12, 34150 Aniane, tél. 04.67.57.70.06, fax 04.67.57.41.33, e-mail anianeterroirs@free.fr t.l.j. sf dim. 9h30-12h 14h-18h30, f. jours fériés

## Provence, basse vallée du Rhône, Corse

Majorité de vins rouges dans cette vaste zone, constituant 60 % des 900 000 hl produits dans les départements de la région administrative Provence-Alpes-Côte d'Azur. Les rosés (30 %) sont surtout issus du Var, et les blancs, du Vaucluse et du nord des Bouches-du-Rhône. On retrouve dans ces régions la diversité des cépages méridionaux, mais ceux-ci sont rarement utilisés seuls ; selon des proportions variables et en fonction des conditions climatiques et pédologiques, ils sont employés avec des cépages plus originaux, d'origine extérieure : chardonnay, sauvignon, cabernet-sauvignon ou merlot, cépages bordelais, auxquels s'ajoute la syrah venue de la vallée du Rhône. Les dénominations départementales s'appliquent au Vaucluse, aux Bouches-du-Rhône, au Var, aux Alpes-de-Haute-Provence, aux Alpes-Maritimes et aux Hautes-Alpes ; les dénominations de petites zones sont les suivantes : principauté d'Orange, Petite Crau (au sud-est d'Avignon), Mont Caumes (à l'ouest de Toulon), Argens (entre Brignoles et Draguignan, dans le Var), Maures, Coteaux du Verdon (Var), Aigues (Vaucluse), reconnues récemment, et île de Beauté (Corse). Depuis la récolte 1999, le vin de pays Portes de Méditerranée à vocation régionale vient compléter ce panorama. Son bassin de production couvre la région PACA (à l'exception du département des Bouches-du-Rhône) ainsi que la Drôme et l'Ardèche dans la région Rhône-Alpes.

# Alpes-de-Haute-Provence

CAVE DES VIGNERONS DE PIERREVERT 2004 *

3,5 ha 25 000 3 à 5 €

Belle présentation pour ce merlot à la jolie robe couleur framboise. Les arômes de fruits noirs (cassis, myrtille) marquent finement le nez. En bouche, c'est fringant, léger avec des notes végétales (poivron). Bref, très agréable pour un repas entre amis, autour d'une charcuterie de pays.

Cave des Vignerons de Pierrevert, av. Auguste-Bastide, 04860 Pierrevert, tél. 04.92.72.19.06, fax 04.92.72.85.36 t.l.j. sf dim. 9h-12h 14h-18h

DOM. DE REGUSSE Sauvignon Elevé en fût de chêne 2004 **

2,5 ha 15 000 5 à 8 €

Plénitude, belle fraîcheur et équilibre caractérisent ce vin de cépage sauvignon dont la typicité est remarquable (odeurs de buis). Très aromatique à l'olfaction, il tient ses promesses en bouche. Il ne vous manquera que le fromage de chèvre... Toujours en blanc 2004, le **muscat** et le **viognier** sont également retenus. Deux étoiles pour le premier, une pour le second. Beau score.

SAS Régusse, Dom. de Régusse, rte de la Bastide-des-Jourdans, 04860 Pierrevert, tél. 04.92.72.30.44, fax 04.92.72.69.08, e-mail domaine-de-regusse@wanadoo.fr r.-v.

# Alpes-Maritimes

LOU VIN D'AQUI 2004 **

0,2 ha 2 000 5 à 8 €

Remarquable en tous points ! A l'image du nez puissant aux notes d'agrumes et de fruits mûrs, la bouche

VDP

se montre équilibrée, fine et élégante. Superbe finale, très longue. Ce 2004 sera parfait sur un bar grillé ou une pissaladière. Cité, le **Lou vin d'aqui rosé 2004** séduit par sa rondeur.

Dom. de Toasc, 213, chem. de Cremat, 06200 Nice, tél. 04.92.15.14.14, fax 04.92.15.14.00 r.-v.

Nicoletti

### GEORGES ET DENIS RASSE
Cuvée Longo Maï 2001 ★★

2 ha 3 000 **15 à 23 €**

Magnifique cuvée Longo Maï offerte dans sa plénitude. L'alchimie est parfaite entre les six cépages qui la composent (dont les merlot, mourvèdre et cabernet-sauvignon). Belle structure très fondue aux tanins serrés et élégants. Le boisé est présent mais avec de la classe ! La **cuvée Pressoir romain rosé 2004** est citée.

Georges et Denis Rasse,
Les Hautes-Collines de la Côte d'Azur,
800, chem. des Sausses, 06640 Saint-Jeannet,
tél. et fax 04.93.24.96.01 r.-v.

# Bouches-du-Rhône

### DOM. L'ATTILON 2004 ★

10 ha 15 000 **3 à 5 €**

Impeccable rosé (issu à 100 % du cépage merlot) dont la facture est à l'évidence le fruit d'une belle maîtrise de la technologie (thermorégulation) ce qui n'est nullement interdit en agriculture biologique. Robe pâle très franche. Nez très amylique (bonbons acidulés). Fraîcheur et rondeur de la bouche pour une consommation plaisir. Découvrez aussi le **rouge 2004** (100 % marselan) au nez de figue et de fruits secs, à la belle structure soyeuse.

de Roux, Dom. de L'Attilon, 13200 Arles,
tél. 04.90.98.70.04, fax 04.90.98.72.30 r.-v.

### DOM. DE LA BRILLANE Cuvée de Pintemps 2004

1,5 ha 9 000 **5 à 8 €**

Bon équilibre des sensations à la dégustation de ce vin friand et gouleyant. La robe est peu soutenue mais le nez, marqué par les petits fruits rouges, séduit. Ce vin de soif, sans prétention, ravira vos convives autour d'une grillade ou sur un plat de charcuterie.

Birch-Rupert, Dom. de la Brillane,
195, rte de Couteron, 13100 Aix-en-Provence,
tél. 06.80.93.55.63, fax 04.42.54.31.25,
e-mail rupert.birch@labrillane.com r.-v.

### VIOGNIER DE LA GALINIERE Viognier 2004 ★

3,3 ha 12 000 **11 à 15 €**

Des deux cuvées présentées en cépage viognier (2003 et 2004), c'est la déclinaison non passée en fût, du millésime 2004, qui présente l'harmonie la plus flatteuse. Les arômes de fruits à chair blanche, avec des notes abricotées, taquinent les narines alors qu'en bouche s'exprime nettement la typicité onctueuse et tout en fruits du cépage. Le **Viognier 2003 élevé en fût (15 à 23 €)** est à réserver aux inconditionnels du boisé. Il est d'ailleurs très réussi. A servir en apéritif ou avec des plats salés-sucrés.

Amédée-Laurent Musso,
Ch. de la Galinière, 13790 Châteauneuf-le-Rouge,
tél. 04.42.29.09.84, fax 04.42.29.09.82,
e-mail chateaudelagaliniere@wanadoo.fr
t.l.j. 10h-13h 15h-19h

### LES VIGNERONS DU GARLABAN
Caladoc 2004 ★

10 ha 15 000 **- de 3 €**

Le caladoc des Vignerons du Garlaban offre une robe au rosé éclatant. Le nez présente une complexité intéressante avec des notes de guimauve, de groseille et de framboise. Le caractère fruité persiste en bouche. C'est rond, élégant et pour tout dire charmeur. Le **rosé 2004, Domaine La Michelle (3 à 5 €)** est également très réussi. Elaboré à base de grenache, il séduit par son équilibre, sa rondeur et sa bonne longueur. Ces vins s'accorderont avec la cuisine méditerranéenne, vous n'en doutiez pas...

Les Vignerons du Garlaban, 8, chem. Saint-Pierre, 13390 Auriol, tél. 04.42.04.70.70, fax 04.42.72.89.49,
e-mail vignerons-garlaban@wanadoo.fr
t.l.j. sf dim. lun. 9h-12h 15h-19h

### LA GRANDE BAUQUIERE 2003

20 ha 10 000 **- de 3 €**

Ce rosé 2003 a conservé une étonnante fraîcheur comme en témoigne, à l'œil, la jolie robe rose. Flatteur au nez, avec des notes d'amande douce, de mangue et de fraise, il continue de séduire en bouche car il est friand et d'un agrément certain. Il sera le compagnon idéal de vos repas de fin d'été.

Sté de Fait G. et A. Francart,
Ch. La Grande Bauquière, 13114 Puyloubier,
tél. 04.42.65.39.27, fax 04.42.66.39.27,
e-mail lagrandebauquiere@cegetel.net
t.l.j. 10h-12h 14h-17h

### DOM. DE L'ISLE SAINT-PIERRE Muscat 2004 ★

3 ha 6 000 **3 à 5 €**

Ce muscat à petits grains très typique offre des notes muscatées sans aucune lourdeur. Bien équilibrée, cette élégante cuvée procurera du plaisir à l'apéritif ou avec un plat asiatique. Du même domaine, a été retenu le **blanc 2004 (moins de 3 €)**, issu de l'assemblage de trois cépages dont le chardonnay. La fraîcheur de ce vin le conduira naturellement à accompagner poissons et fruits de mer.

Marie-Cécile et Patrick Henry,
Dom. de l'Isle-Saint-Pierre, 13104 Mas-Thibert,
tél. 04.90.98.70.30, fax 04.90.98.74.93,
e-mail islesaintpierre@wanadoo.fr
t.l.j. sf dim. 9h-12h 14h-18h, sam. 9h-12h

### DOM. DE LANSAC Chardonnay 2004 ★

2 ha 7 400 **3 à 5 €**

Il reste sur cette propriété une tour d'un *castrum* romain. C'est ce chardonnay qui vous invite à découvrir ce domaine qui respecte le cahier des charges Nutrition méditerranéenne. Le nez était encore un peu fermé lors de la dégustation (mi-mars 2005) mais le très bel équilibre de ce vin a parfaitement convaincu les dégustateurs, de même que sa bonne longueur en bouche.

Eléonore de Sabran-Pontevès, Dom. de Lansac,
13150 Tarascon, tél. et fax 04.90.91.38.38,
e-mail contact@domaine.lansac.com
t.l.j. sf dim. 9h-12h 14h-19h

### CELLIER DE LAURE
Cuvée In Greso Elevé en fût de chêne 2003

■ n.c. 8 000 5 à 8 €

Au XIVᵉs., Pétrarque s'éprit de Laure de Noves qu'il immortalisa dans ses sonnets... Eh bien, vous êtes à Noves et la coopérative ne peut que rendre hommage à l'égérie. Ce vin ? Belle robe rubis pour cette cuvée où la syrah est majoritaire (60 %). Le nez se révèle élégant, fin, aux accents de cuir et de pruneau. L'attaque en bouche se montre flatteuse (arômes de pignon de pin) sur des tanins fondus. Le tout est assez chaleureux. A réserver à une viande rouge ou à un gibier.

SCA Cellier de Laure, 1, av. Agricol-Viala, 13550 Noves, tél. 04.90.94.01.30, fax 04.90.92.94.85, e-mail contact@cellierdelaure.com
t.l.j. sf dim. 8h-12h 14h-18h30

### DOM. DE LUNARD Sélection 2004

3 ha 14 000 3 à 5 €

Belle robe saumonée pour ce rosé au nez très marqué par les arômes de fruits rouges. Le bouquet fruité persiste agréablement en bouche. D'une bonne vivacité, celle-ci se montre plaisante. On destinera cette bouteille à l'apéritif.

EARL Dom. de Lunard, 13140 Miramas, tél. 04.90.50.93.44, fax 04.90.50.73.27, e-mail dlunard@cario.fr
t.l.j. sf dim. lun. 9h-12h 15h-19h

### DOM. DES MASQUES 2004

3 ha 22 500 5 à 8 €

Situé à 1 km de la Montagne-Sainte-Victoire, ce mas date du XVIIᵉs. Ce rosé affiche une jolie robe rose soutenu. La vinification à basse température préserve les arômes primaires : ainsi, au nez s'expriment des notes de fraise écrasée. Acidulé et friand, ce vin offre une belle longueur. Citée également par le jury, la **cuvée Philippe Cézanne 2002 (11 à 15 €)**, 100 % chardonnay, est finement boisée.

Carl Mestdagh, SCEA Dom. des Masques, chem. Maurély, 13100 Saint-Antonin-sur-Bayon, tél. 06.70.19.54.67, fax 04.42.12.38.50 r.-v.

### MINNA VINEYARD 2002 *

■ 2 ha 6 200 15 à 23 €

Etiquette intéressante pour ce vin né d'un assemblage de quatre cépages où le cabernet-sauvignon est majoritaire (55 %). Son élevage de vingt-quatre mois en fût marque le nez, par des notes grillées, fumées. Les tanins bien présents sont parfaitement fondus, tout en longueur. Une belle réussite dans un millésime rebelle.

Villa Minna Vineyard, Roque Pessade, CD 17, 13760 Saint-Cannat, tél. 04.42.57.23.19, fax 04.42.57.27.69, e-mail villa.minna@wanadoo.fr r.-v.
Minna et J.-P. Luc

### JAMES DE ROANY 2004 *

■ n.c. n.c. - de 3 €

L'entreprise de négoce Rayon Vins élabore des vins friands, d'approche aisée, conçus pour faire plaisir, tout simplement. C'est notamment le cas avec ce 2004 au nez fruité (groseille et autres fruits rouges) et à la structure légère, harmonieuse. Ce vin de soif sera idéalement servi, pourquoi pas légèrement rafraîchi, sur la cuisine méditerranéenne. Retenu également, le **rosé 2004** au nez brioché et à la notable rondeur.

Rayons Vins, 165, chem. de Maliverny, 13540 Puyricard, tél. 04.42.92.06.83, fax 04.42.92.24.12, e-mail roany@fr.inter.net

### CAVE DE ROUSSET Rolle 2004

9,6 ha 4 000 3 à 5 €

Découvrez ce cépage purement provençal. Cette cuvée, à la robe pâle et limpide, offre un nez très marqué par des arômes de fruits à chair blanche et de citron. Cette palette aromatique se retrouve en bouche. Bonne harmonie générale pour ce rolle tout à fait recommandable. En apéritif ou avec un poisson grillé.

Cave de Rousset, quartier Saint-Joseph, 13790 Rousset, tél. 04.42.29.00.09, fax 04.42.29.08.63, e-mail cave-de-rousset@wanadoo.fr r.-v.

### LES VIGNERONS DU ROY RENE Syrah 2004

■ n.c. 20 000 - de 3 €

Le Roi René, c'est bien sûr la référence des vignerons de Provence. La cave lui rend hommage. Elle vinifie le fruit de 750 ha de vignes. Cette syrah se présente dans une robe rubis à la corolle violine. Le nez joue sur des notes de groseille fraîche. La bouche est équilibrée, avec des tanins présents mais souples, et l'on perçoit à nouveau des petits fruits rouges. Vin agréable dans un registre classique.

Les Vignerons du Roy René, RN 7, 13410 Lambesc, tél. 04.42.57.00.20, fax 04.42.92.91.52, e-mail lesvigneronsduroyrene@wanadoo.fr
t.l.j. sf dim. 9h-11h 14h-16h; f. jan.

### DOM. DE VALDITION 2004 *

6,5 ha 40 000 5 à 8 €

Remarquable constance dans la qualité des vins issus du domaine Valdition qu'un nouveau propriétaire dirige depuis la récolte 2003. Saluons aussi la qualité de ses étiquettes. Pas moins de trois vins sont sortis du lot lors des sélections, dont ce rosé 2004, gras et offrant un joli volume en bouche, amylique (bonbon anglais) et long sur le fruit. La **cuvée du Bâtonnier rosé 2004** et la **cuvée des Filles blanc 2004 (8 à 11 €)**, 100 % chasan pour cette dernière, sont citées.

SCEA Dom. de Valdition, rte d'Eygalières, 13660 Orgon, tél. 04.90.73.08.12, fax 04.90.73.05.95, e-mail contact@valdition.com t.l.j. 9h-18h
F. Faure

## Hautes-Alpes

### DOM. ALLEMAND 2004 **

2 ha 8 000 5 à 8 €

A l'origine de ce remarquable blanc, un seul cépage, le muscat à petits grains, qui apporte toute sa finesse et sa puissance aromatique (florale), légèrement citronnée. Ample et longue, la bouche offre beaucoup de gras et a d'agréables notes aromatiques de poire et de pêche. Pour l'apéritif ou pour accompagner des gambas grillées. Le **rosé 2004**, également deux étoiles, est remarquable par ses arômes floraux (fleurs blanches).

⊶ EARL L. Allemand et Fils, La Plaine de Théus, 05190 Théus, tél. 04.92.54.40.20, fax 04.92.54.41.50, e-mail marc.allemand@wanadoo.fr
☑ Y t.l.j. sf dim. 9h-12h 14h-18h

CAVE DES HAUTES VIGNES Chardonnay 2004 *

■ 2,3 ha 16 000 3 à 5 €

Le chardonnay aurait-il trouvé son terroir du côté de Valserres ? On peut le penser au vu du résultat de ce 2004. Le nez est bien typé avec des notes florales (aubépine) et des nuances d'agrumes. En bouche, vous serez ravi par l'attaque, très aromatique (fleurs blanches, citron), le bel équilibre qui s'installe sur la longueur. Pour les poissons, les coquillages ou à l'apéritif. Le **rosé 2004**, amylique, reçoit une étoile, et le **rouge 2004**, est cité.
⊶ Cave des Hautes Vignes - La Valserroise, 05130 Valserres, tél. 04.92.54.33.02, fax 04.92.54.31.34
☑ Y ✝ t.l.j. sf dim. 8h-12h 14h-18h

DOM. DE TRESBAUDON Cuvée Manon 2003 **

■ 1 ha 5 300 5 à 8 €

Cette cuvée est issue d'un seul cépage, le merlot, récolté en 2003. La belle maturité de raisins ne fait pas de doute tant ce vin a de la chair. Le nez est marqué par des notes d'humus et des odeurs de venaison. Ce caractère « animal » est très présent en bouche. L'attaque est belle et la matière fondue et enrobée. On réservera ce vin pour du gibier ou un canard rôti. Cités également, dans le millésime 2004, le **viognier blanc** et le **rosé (3 à 5 €)**.
⊶ Olivier Ricard, rte de Tresbaudon, 05130 Tallard, tél. 04.92.54.19.28, fax 04.92.54.17.67 ☑ Y r.-v.

# Ile de Beauté

VIGNERONS D'AGHIONE
Collection privée 2004 *

■ 100 ha 300 000 3 à 5 €

Créée en 1975, la coopérative d'Aghione réunit un groupe de viticulteurs de la plaine orientale et vinifie près de 850 ha de vigne. Ce vin de pays rouge est particulièrement agréable. La couleur intense présente des notes violacées. Très aromatique, le nez est fruité et légèrement poivré. En bouche, ce 2004 est léger, gouleyant, soutenu par des tanins encore serrés. Il s'associera bien avec de la viande blanche – pensez aux plats de porc corse. Le **domaine Don Paolu rosé 2004**, tout aussi discret, est cité.
⊶ Cave coop. d'Aghione, Samuletto, 20270 Aléria, tél. 04.95.56.60.20, fax 04.95.56.61.27, e-mail coop.aghione.samuletto@wanadoo.fr ☑ Y ✝ r.-v.

DOM. AGHJE VECCHIE
Chardonnay Vecchio 2003 *

■ 0,83 ha n.c. 8 à 11 €

Si le domaine a déjà un demi-siècle, la cave, elle, n'a été constituée qu'en 2000. Ce vignoble d'un seul tenant, situé entre mer et montagne, propose un chardonnay jaune à reflets dorés. Au nez comme en bouche, il exprime pleinement les arômes de son cépage malgré un boisé relativement marqué, dû à son passage de douze mois en fût. Il demande à être attendu.
⊶ Antoine-Jacques Giudicelli, Dom. Aghje Vecchie, 20230 Canale-di-Verde, tél. 06.03.78.09.96, fax 04.95.38.03.37, e-mail jerome.girard@attglobal.net
☑ Y ✝ t.l.j. sf dim. 10h-12h 16h-19h; hiver sur r.-v.

ALBA ROSA 2004

■ 40 ha 230 000 3 à 5 €

Lorsque le jour se lève, la côte orientale est souvent baignée d'une admirable lumière rose. C'est ce lever de soleil qu'honore cette cuvée. Ce rosé présente un robe pâle cristalline nuancée d'une pointe brique (est-ce le sciaccarellu ?). Très aromatique, il exprime la richesse des fruits à chair blanche. Un vin agréable, à servir dès à présent.
⊶ Cave coop. de la Marana, Rasignani, 20290 Borgo, tél. 04.95.58.44.00, fax 04.95.38.38.10, e-mail uval.sica@corsicanwines.com
☑ t.l.j. 9h-12h 15h-19h

DOM. CASABIANCA Mezzo Muscat sec 2004 **

■ 5 ha 50 000 3 à 5 €

Ce vaste domaine familial de 245 ha repose sur des sols argilo-schisteux de Bravone constitués au quaternaire. Issu de muscat à petits grains, ce vin est cependant sec comme le montre sa couleur pâle dans le verre. Particulièrement fin, le nez associe fleurs et agrumes, arômes que l'on retrouve en bouche. Celle-ci, après une attaque vive, évolue vers une note plus douce, élégante et fine, équilibrée et délicate. Une bouteille délicieuse à l'apéritif, à tout moment. Deux cuvées de muscat, cette fois en vin doux, obtiennent une étoile : **Moderato Nectar d'automne 2004 (8 à 11 €)** et **Cantabile Nectar d'automne 2004 (8 à 11 €)** toutes deux riches, complexes, généreuses.
⊶ SCEA du Dom. Casabianca, Coteaux de Santa Maria, 20230 Bravone, tél. 04.95.38.96.08, fax 04.95.38.81.91, e-mail domainecasabianca@wanadoo.fr

## GASPA MORA 2004 ★★★

■ 30 ha 240 000 -de 3 €

Vinifiant 350 ha, cette coopérative de la plaine orientale a présenté deux vins de pays dont cet incontestable coup de cœur. Une belle robe rubis étincelant l'habille. Complexe et riche, le nez associe toutes ces senteurs du maquis (myrte, violette...). La bouche n'est pas en reste, intense, dotée d'excellents tanins et longue, prête pour un civet de sanglier – corse, bien sûr. Le **Gaspa rosé 2004** obtient une citation. Sa bouche épicée et fraîche la destine à accompagner quelque poisson grillé.

Coop. de Saint-Antoine,
Saint-Antoine, 20240 Ghisonaccia,
tél. 04.95.56.61.00, fax 04.95.56.61.60 r.-v.

## LES VIGNERONS DE L'ILE DE BEAUTE

Gris de grenache Réserve du Président 2004 ★★

■ n.c. 160 000 -de 3 €

Ce groupement de coopératives vinifie plus de 1 700 ha de vignes. Le grand jury n'a pas hésité à couronner ce remarquable rosé de grenache présentant une robe cristalline très pâle. Le nez, élégant et d'une grande richesse, se montre essentiellement floral tout comme la bouche, remarquable, équilibrée, très longue. La coopérative d'Aléria a proposé plusieurs vins sous le nom de Réserve du Président. Un remarquable **muscat doux 2004 (5 à 8 €)** (sucres résiduels : 40 g/l.) jouant sur les agrumes, un **chardonnay 2004** élaboré par la Casinca, cité, destiné aux fruits de mer, et un **Marestagno rosé 2004**, cité, amylique.

Cave coop. d'Aléria, Padulone, 20270 Aléria,
tél. 04.95.57.02.48, fax 04.95.56.15.86,
e-mail cavecoopaleria@aol.com r.-v.

## DOM. DU MONT SAINT-JEAN Pinot noir 2004

■ 4,75 ha 55 000 3 à 5 €

Aléria, fondée par les Phocéens en 565 av. J.-C., possède de beaux témoignages archéologiques. Ce domaine, crée en 1961, propose un pinot noir de couleur rubis. Bien que légèrement fermé, il exprime des arômes de fruits rouges et de fruits confits. Agréable, la bouche est assez ronde. Du même domaine, l'**Aleatico 2004** est cité : très aromatique (floral, muscaté), il est original.

Dom. du Mont Saint-Jean,
Campo Quercio Antisanti, BP 19, 20270 Aléria,
tél. 04.95.57.13.21, fax 04.95.38.50.29,
e-mail montstjean@wanadoo.fr r.-v.
Roger Pouyau

## DOM. PASQUA

Chardonnay Vendange passerillée 2004 ★★

■ 8 ha 25 000 **8 à 11 €**

Ce vin de pays doux est né d'une sélection parcellaire de vieilles vignes de chardonnay passerillé. Il arbore une jolie robe cristalline jaune or. Son nez intense développe des arômes fruités (abricot sec, figue, compote, confiture...). En bouche, ce 2004 est bien équilibré, avec une attaque moelleuse, une bonne longueur et les mêmes arômes fruités. A associer au foie gras, au fromage ou même à déguster à l'apéritif. (Sucres résiduels : 105 g/l.)

Cave coop. de la Marana, Rasignani, 20290 Borgo,
tél. 04.95.58.44.00, fax 04.95.38.38.10,
e-mail uval.sica@corsicanwines.com
t.l.j. 9h-12h 15h-19h

## DOM. DE PETRAPIANA Nielluciu 2004 ★★

■ 5 ha n.c. 3 à 5 €

Deux étoiles pour ce 2004, 100 % nielluccio, né sur un domaine de 17 ha. D'une belle couleur rubis, il se montre franc, bien caractéristique de son cépage (fruits rouges, épices, tabac). L'attaque est ronde, les tanins de qualité et la longueur appréciable. Il est apte au vieillissement et, dans deux ans, s'associera à un gibier, à une côte de bœuf ou à une viande en sauce. Une étoile pour la **syrah 2004** à déguster maintenant.

Eric et Antoine Poli, Linguizzetta,
20230 San-Nicolao, tél. 04.95.38.86.38,
fax 04.95.38.94.71 r.-v.

## CH. DE RASIGNANI Muscat doux 2004 ★

■ 10 ha 50 000 **8 à 11 €**

Une robe jaune à reflets vert pâle habille ce vin au nez plaisant qui exprime des arômes muscatés caractéristiques. En bouche, il est rond, puissant et équilibré. On peut l'apprécier dès à présent. (Sucres résiduels : 112 g/l.)

Cave coop. de la Marana, Rasignani, 20290 Borgo,
tél. 04.95.58.44.00, fax 04.95.38.38.10,
e-mail uval.sica@corsicanwines.com
t.l.j. 9h-12h 15h-19h

## TERRA DI LEA 2003

■ 40 ha n.c. **-de 3 €**

Un assemblage de nielluccio et de grenache pour ce 2003 parfaitement présenté. Il est souple, rond, original, avec des tanins raisonnables et des notes de fruits confits. Déjà prêt, il accompagnera les fromages.

SCEA Le Clos Léa, François Orsucci, 20270 Aléria,
tél. 04.95.57.13.60, fax 04.95.57.09.64,
e-mail le-clos-lea@wanadoo.fr
t.l.j. sf dim. 9h-12h 14h-18h

## TERRA VECCHIA 2004 ★

■ n.c. 78 000 -de 3 €

Le nielluccio (80 %) et la syrah composent ce vin rosé à la couleur vive et brillante, légèrement brique. Très aromatique, le nez est amylique (bonbon anglais, banane). On retrouve ces arômes en bouche, fondus dans une belle harmonie. Cette bouteille de caractère accompagnera les desserts. Le **Terra Vecchia blanc 2004** associe 80 % de vermentino au chardonnay. Particulièrement fruité, à la fois onctueux et frais, il obtient une citation.

⊶ Les Vignobles de Terra Vecchia, 20270 Tallone, tél. 04.95.57.20.30, fax 04.95.57.08.98 Y r.-v.

### TERRAZZA D'ISULA Niellucciu Merlot 2004 ★

■ 40 ha 230 000 **3 à 5 €**

Rassemblant près de 1 300 ha de vignes, UVAL est une structure économique d'importance liée à la cave de la Marana. Niellucciu (60 %) et merlot (40 %) ont donné ce 2004 rouge sombre aux reflets rubis. Intense, son nez fin dégage des arômes floraux marqués. En bouche, l'attaque est ronde, les tanins soyeux avec une dominante de fruits des bois. A servir sur des viandes blanches (blanquette, rôti de veau). Le **Mulinu di Rasignani 2004 doux (8 à 11 €)**, issu du muscat à petits grains, obtient une citation. (Sucres résiduels : 97 g/l.)

⊶ Uval, Les Vignerons Corsicans, Rasignani, 20290 Borgo, tél. 04.95.58.44.00, fax 04.95.38.38.10, e-mail uval.sica@corsicanwines.com

☑ t.l.j. 9h-12h 15h-19h

## Maures

### DOM. D'ASTROS 2004 ★★

■ 3,62 ha 38 000 3 à 5 €

Ce rosé 2004, ainsi que le **rouge 2004**, une étoile, ont charmé les papilles des dégustateurs autant que leurs narines. Le rosé, dans une robe claire, embaume de nuances fruitées (fruits rouges) et florales. Finesse, souplesse et rondeur qualifient les sensations perçues en bouche. A servir avec des fruits de mer. Quant au rouge, il est équilibré.

⊶ SCEA du Ch. d'Astros, rte de Lorgues, 83550 Vidauban, tél. 04.94.99.73.00, fax 04.94.73.00.18, e-mail chateau-astros@wanadoo.fr ☑ Y r.-v.

⊶ Bernard Maurel

### DOM. LE BASTIDON 2004 ★

■ 2 ha 6 600 **3 à 5 €**

Ce Bastidon a toutes les qualités pour séduire vos amis à l'apéritif ou pour accompagner un pavé de saumon grillé au sucre (léger saupoudrage et vous enfournez la darne ou le dos de saumon au four : ce sera succulent !). Sa finesse, son fruité et ses arômes d'agrumes – au nez – auront vite fait de vous séduire.

⊶ Jean-Pierre Rose, Ch. Le Bastidon, rte du Pansard, 83250 La Londe-les-Maures, tél. 04.94.66.80.15, fax 04.94.66.68.23, e-mail vigneronrose@aol.com

☑ Y t.l.j. sf dim. 9h-12h 15h-18h30

### DOM. BEAUMET Cabernet-sauvignon 2004 ★

■ 0,5 ha 3 325 **5 à 8 €**

Les vins de cépage ont le vent en poupe ! Celui-ci est bien typé. Sa robe est d'un grenat intense avec de jolis reflets pourpres. Le vin dévoile des notes de fruits mûrs, d'épices et de réglisse. La bouche est bien campée, grâce aux tanins présents mais élégants. Belle finale sur le fruit mûr. Déjà prêt, ce 2004 peut aussi attendre un ou deux ans.

⊶ SCEA Ch. Beaumet, quartier Beaumet, 83590 Gonfaron, tél. 04.98.05.21.00, fax 04.94.78.27.40, e-mail chateaubeaumet@wanadoo.fr

☑ Y t.l.j. sf dim. 9h-13h 13h30-19h

⊶ M. C. Gierling

### DOM. BORRELY-MARTIN Cabernet-sauvignon Syrah 2002 ★

■ 2 ha 4 000 **5 à 8 €**

Très intéressant bicépage proposé par les frères Martin qui ont su tirer la quintessence de vendanges menées à maturité dans ce millésime délicat. L'olfaction révèle des notes de fruits rouges surmûris et d'eau-de-vie. Les tanins sont déjà enrobés et équilibrés. Ce 2002 peut raisonnablement se conserver encore deux ans ou être servi dès maintenant.

⊶ Dom. Borrely-Martin, Grande rue, 83340 Les Mayons, tél. 04.94.60.09.39, fax 04.94.60.04.08, e-mail jacques.martin132@wanadoo.fr

☑ Y t.l.j. sf dim. 10h-19h

⊶ Martin Frères

### DOM. DE LA FERME Merlot Cuvée des Vieux Salins 2004 ★

■ 4 ha 20 000 **3 à 5 €**

Encore un très joli merlot 2004 que celui proposé par le président de la coopérative. Le nez est à la fois fleuri et complexe (notes de pruneau). La bouche est de belle tenue (raisins cueillis à bonne maturité), équilibrée et suffisamment longue. Un vin qui s'adaptera aisément à la cuisine provençale (carré d'agneau, petits légumes farcis, aubergines grillées).

⊶ Cave des vignerons Londais, quartier Pansard, 83250 La Londe-les-Maures, tél. 04.94.66.80.23, fax 04.94.05.20.10

☑ Y t.l.j. sf dim. 8h30-12h 15h-18h

⊶ Armand Mathieu Resuge

### LONGUE TUBI 2004 ★

■ 0,8 ha 2 800 **3 à 5 €**

L'extrême pâleur de ce rosé surprend, de même que son nez très muscaté (arômes primaires de muscat à petits grains), et que sa bouche toute pleine des arômes de ce cépage. Pour les amateurs de muscat, à l'apéritif ou au dessert.

⊶ Catarina et François Buisine, Dom. de Longue Tubi, 25, bd du Mas, 83700 Saint-Raphaël, tél. 04.94.82.37.09, fax 04.94.19.27.03, e-mail cfb.viti@wanadoo.fr

### DOM. DE MONT REDON L'Orangerie 2004 ★

■ 1 ha 5 300 **3 à 5 €**

Chardonnay (60 %) et rolle (40 %) sont à l'origine de cette cuvée au nez typé par des notes d'agrumes et de pêche. Elle s'épanouit en bouche dans un registre plein et soyeux où la pêche est à nouveau présente. Idéale sur un plateau de fruits de mer.

⊶ Michel Torné, Dom. de Mont Redon, 2496, rte de Pierrefeu, 83260 La Crau, tél. et fax 04.94.57.82.12, e-mail mont.redon@libertysurf.fr ☑ Y r.-v.

CELLIER SAINT-BERNARD Chardonnay 2004 ★★

n.c. 1 200 3 à 5 €

Nez très floral pour ce 2004 et bouche séduisante par sa souplesse et son gras. Du même producteur, la cuvée **Pastourette cabernet-sauvignon rosé 2004 (moins de 3 €)**, une étoile, se révèle fruitée, avec une belle présence au palais.

Cellier Saint-Bernard, av. du Général-de-Gaulle, 83340 Flassans-sur-Issole, tél. 04.94.69.71.01, fax 04.94.69.71.80 Y r.-v.

DOM. DU VIEIL ASTROS 2004 ★

3,9 ha 28 000 3 à 5 €

100 % de cabernet-sauvignon pour ce 2004. Les nuances odorantes sont très typiques, marquées par la réglisse, le cacao et une pointe de poivron. La structure est bien assurée (tanins encore présents) et les arômes ressentis en finale déjà assez complexes. Belle longueur pour ce vin qu'il sera préférable de laisser s'assagir encore un à deux ans. Le **rosé 2004**, au nez amylique et à la bouche friande, est cité.

Christian Maurel, Vieux Château d'Astros, rte de Lorgues, 83550 Vidauban, tél. 04.94.99.73.00, fax 04.94.73.00.18, e-mail chateau-astros@wanadoo.fr Y r.-v.

## Mont-Caume

DOM. DU PEY-NEUF 2004 ★★★

7 ha 20 000 3 à 5 €

Superbe robe sombre et profonde. Belle complexité du nez et très grande ampleur en bouche sur des notes de fruits rouges bien mûrs, de cacao et de chocolat. Le talent du producteur se manifeste également dans le remarquable **rosé 2004**, qui obtient deux étoiles, et le **blanc 2004**, une étoile.

Guy Arnaud, Dom. du Pey-Neuf, 367, rte de Sainte-Anne, 83740 La Cadière-d'Azur, tél. 04.94.90.14.55, fax 04.94.26.13.89, e-mail arnaudguyvigneron@free.fr Y r.-v.

## Portes de Méditerranée

DOM. BARON DE BRUNY Viognier 2004 ★

3,93 ha 30 000 5 à 8 €

Un viognier de très belle facture et idéalement typé. Abricot et pêche s'expriment au nez avec intensité. La bouche est équilibrée ; à la fraîcheur de l'attaque succèdent des sensations de rondeur, de gras. Très harmonieux, ce vin se mariera parfaitement avec la cuisine sucrée-salée.

SCA La Vigneronne Touraine, 160, bd Saint-Roch, 84240 La Tour-d'Aigues, tél. 04.90.07.40.34, fax 04.90.07.33.19, e-mail vigneronne.touraine@free.fr Y r.-v.

LA BASTIDE SAINT-DOMINIQUE 2004 ★

1 ha n.c. 3 à 5 €

Très beau vin blanc, tiré de la roussanne (80 %) et du viognier (20 %). La robe jaune paille a de jolis reflets dorés. Expressif et intense, le nez est fruité (pêche de vigne). D'une agréable fraîcheur à l'attaque, la bouche offre des arômes de fruits blancs (pêche), du gras et de la longueur. Une belle réussite pour ce premier millésime en vin de pays blanc. A servir sur des viandes blanches.

Gérard et Eric Bonnet, La Bastide Saint-Dominique, 84350 Courthézon, tél. 04.90.70.85.32, fax 04.90.70.76.64, e-mail contact@bastide-st-dominique.com Y t.l.j. 8h-12h 14h-18h; dim. sur r.-v.

DOM. LA BLAQUE Pinot noir 2003 ★★

0,95 ha 3 500 5 à 8 €

« Quel beau pinot ! » On pourrait se limiter à cette exclamation, mais on n'aurait alors pas souligné la magnifique robe grenat, à la nuance vive. On n'aurait pas non plus évoqué les notes de fruits macérés, de griotte qui embaument le nez. Et l'on aurait oublié de signaler le bel équilibre, la rondeur et la délicate sucrosité en bouche ! Ajoutons, sur la table, un bœuf en gardianne.

Dom. La Blaque, 04860 Pierrevert, tél. 04.92.72.39.71, fax 04.92.72.81.26, e-mail domaine.lablaque@wanadoo.fr Y t.l.j. 8h-12h 14h-18h

BY VMV Chardonnay Viognier 2004 ★★

11 ha 50 000 - de 3 €

Parfaite réussite que cet assemblage de chardonnay (80 %) et de viognier (20 %) à la robe lumineuse et brillante. Le nez est intense, frais, avec une note dominante d'abricot. En bouche, ce ne sont qu'agréables impressions et sensations : souplesse, rondeur, équilibre, longueur. Proposez-le à l'apéritif ou servez-le sur un filet mignon miellé.

SCA Les Vignerons du Mont-Ventoux, quartier La Salle, 84410 Bedoin, tél. 04.90.12.88.00, fax 04.90.65.64.43 Y r.-v.

CH. EDEM Merlot 2004 ★★

1,35 ha 14 200 3 à 5 €

Il nous faut saluer le beau parcours des vins de pays présentés par Eduard et Emmanuelle Van Wely, puisque trois de leurs vins ont été retenus. Dont ce superbe 2004 à la robe très profonde, au nez intense et à la bouche parfaitement enrobée qui se mariera justement avec un carré d'agneau grillé aux herbes. La **cuvée Saint-Castor rosé 2004**, fruits rouges au nez et belle finesse en bouche, et le **viognier 2004 (5 à 8 €)** gras et rond, marqué par le boisé, tous les deux fort réussis, méritent toute votre attention.

Eduard et Emmanuelle Van Wely, Ch. Edem, rte de Lacoste, 84220 Goult, tél. 04.90.72.36.02, fax 04.90.72.34.71, e-mail chateau.edem@wanadoo.fr Y t.l.j. sf dim. lun. 10h-12h30 14h-17h30

# Principauté d'Orange

## DOM. DANIEL ET DENIS ALARY

La Grange Daniel 2004 ★★

0,5 ha 2 000 5 à 8 €

Remarquable vin de cépage roussanne qui ne revendique pas son nom sur l'étiquette. La couleur éclatante offre de jolis reflets verts. La dominante agrumes est manifeste à l'olfaction et flatte les narines par sa finesse. Ces arômes, accompagnés de notes de miel, se perçoivent nettement en bouche. Un 2004 vif et gras à la fois, de très belle longueur. Le même vin, décliné en **rouge 2004**, a parfaitement réussi son examen de passage : il reçoit une étoile pour son nez intense et son ampleur.

Dom. Daniel et Denis Alary, La Font d'Estévenas, 84290 Cairanne, tél. 04.90.30.82.32, fax 04.90.30.74.71, e-mail alary.denis@wanadoo.fr r.-v.

## DOM. DE LA JANASSE Terre de Bussière 2003 ★★★

n.c. 40 000 8 à 11 €

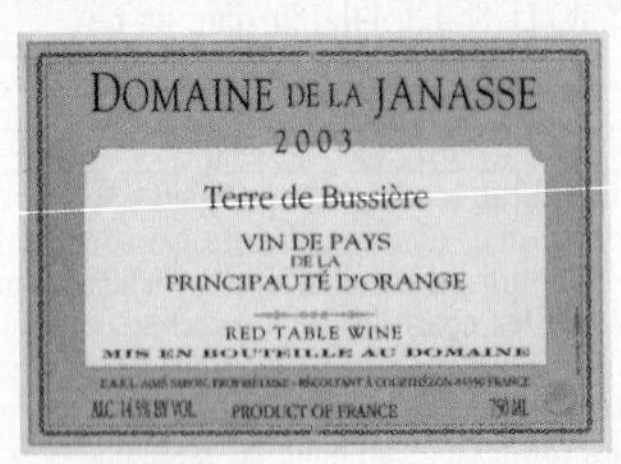


Superbe 2003 qui a fait l'unanimité au moment de décerner le coup de cœur. Il est puissant mais rond et magnifiquement équilibré. Les cépages merlot (55 %) et syrah (25 %), complétés par le grenache, apportent une matière de grande noblesse à ce vin que vous pourrez garder encore deux à trois ans en cave.

EARL Aimé Sabon, Dom. de La Janasse, 27, chem. du Moulin, 84350 Courthézon, tél. 04.90.70.86.29, fax 04.90.70.75.93, e-mail lajanasse@free.fr
t.l.j. sf dim. 8h-12h 14h-18h30; sam. sur r.-v.

## FRANCOIS MORICELLI 2004 ★★★

21 ha 10 000 5 à 8 €

La robe est superbe, profonde, particulièrement agréable à l'œil. Le nez offre une complexité de sensations très intenses qui éveillent l'intérêt. En bouche, ce vin continue de séduire tant par sa rondeur, s'appuyant sur une belle structure, que par son ampleur. Les dégustateurs ont été conquis par l'harmonie de cette bouteille qui sera parfaite sur une côte à l'os ou une tranche de jambon de parme.

François Moricelly, rte de Violes, 84850 Camaret-sur-Aigues, tél. 04.90.37.24.74, fax 04.90.37.75.20 r.-v.

## SIMIAN Cuvée du Musée Mémoire de la N7 2004 ★

2 ha 19 000 3 à 5 €

Ce joli vin blanc d'assemblage (quatre cépages) mérite d'être marié avec un plateau de fruits de mer. La robe est jaune pâle, limpide et brillante. Le nez est fin et floral, avec quelques notes de fruits à chair blanche (pêche). La bouche est ronde : ce vin sait garder une agréable fraîcheur aromatique. Tout autant appréciée lors des sélections, mais dans un registre plus convenu, la même cuvée dans sa version **rouge** est également digne de votre intérêt.

Jean-Pierre Serguier, Clos Simian, 84420 Piolenc, tél. 04.90.29.50.67, fax 04.90.29.62.33
t.l.j. 9h-12h 14h-19h; dim. sur r.-v.

## LA VIGNERONNE 2004 ★

30 ha 50 000 3 à 5 €

Très joli rosé, à la robe vive, issu de grenache et de syrah à parts égales, deux cépages à la base de l'encépagement en vallée du Rhône. Les arômes de fruits rouges (framboise) rendent le nez très expressif. La bouche est particulièrement friande avec un bel équilibre entre acidité et rondeur. Un vrai vin plaisir. Pour l'apéritif ou les barbecues d'automne entre amis.

Cave La Vigneronne, 84110 Villedieu, tél. 04.90.28.92.37, fax 04.90.28.93.00, e-mail cavedevilledieu@tiscali.fr r.-v.
J.-P. Andrillat

# Var

## DOM. DES ANNIBALS Cuvée des Annibals 2004 ★

7 ha 10 000 3 à 5 €

Personne ne pourra vous assurer qu'Hannibal est passé sur le domaine, avec ses éléphants... Et si la finesse n'est pas la caractéristique première de ces pachidermes, en revanche cette cuvée possède incontestablement cette qualité. Pâle, claire et brillante, voilà pour la robe ! Quant au nez, on dira de lui qu'il est délicat, fin et floral. L'ampleur de la bouche va de pair avec sa souplesse et son élégance. A essayer en accompagnement de tout un repas : crudités et grillades.

SCEA Dom. des Annibals, hameau des Gaetans, rte de Bras, 83170 Brignoles, tél. 04.94.69.30.36, fax 04.94.69.50.70, e-mail dom.annibals@wanadoo.fr
t.l.j. 9h-12h30 15h-19h; f. dim. lun. de nov à mars

## LA CARCOISE 2004

n.c. 50 000 - de 3 €

Ce sympathique rosé a été élaboré par cette coopérative créée en 1910, vinifiant aujourd'hui 700 ha. La robe est d'un rose un peu soutenu – mais faudrait-il n'aimer que la pâleur des rosés « à la mode » ? Ce vin est friand et vif à la fois. Grillades et charcuterie seront ses complices, lors d'un repas entre amis.

🔑 Cave coop. La Carçoise, 66, av. Ferrandin,
83570 Carcès, tél. 04.94.04.38.08, fax 04.94.04.34.25,
e-mail cave.carcoise@free.fr
☑ 🍷 🚶 t.l.j. sf dim. 9h-12h 13h30-18h

## LES CAVES DU COMMANDEUR Rolle 2004 ★★

| 5 ha | 12 000 | 3 à 5 € |
|---|---|---|

Quel charmeur ce vin blanc issu d'un seul cépage qui se pare de toutes les qualités ! Robe pâle, limpide. Joli nez franc et net, fruité (agrumes). La bouche offre les mêmes sensations fruitées ; son corps est rond, gras et sa finale douce (légère sucrosité) est longue. Servez ce vin avec du saumon ou, pourquoi pas, des sardines.

🔑 Les Caves du Commandeur,
44, rue de la Rouguière, 83570 Montfort-sur-Argens,
tél. 04.94.59.59.02, fax 04.94.59.53.71,
e-mail cave.commandeur@free.fr ☑ 🍷 🚶 r.-v.

## LES VIGNERONS DE COTIGNAC Cuvée Merlot 2004 ★

| 1,5 ha | 10 000 | - de 3 € |
|---|---|---|

Si vous traversez la Provence verte, arrêtez-vous à la coopérative des Vignerons de Cotignac pour déguster cette belle cuvée au nez fleuri, à la bouche fruitée, grasse et longue tout à la fois. Un merlot bien équilibré et très agréable.

🔑 Les Vignerons de Cotignac, quartier Basse-Combe,
83570 Cotignac, tél. 04.94.04.60.04, fax 04.94.04.79.54
☑ 🍷 t.l.j. sf dim. 8h15-12h 14h-18h

## CELLIER DE LA CRAU Merlot 2004 ★★

| 11 ha | 8 000 | - de 3 € |
|---|---|---|

Ce merlot a enthousiasmé le jury par sa présence et sa complexité. Au nez : des notes florales et épicées auxquelles se mêle la réglisse. En bouche : plénitude, gras, longueur et équilibre, avec une finale sur le fruit. Les qualificatifs ne manquent pas, mais votre palais vous dira le reste...

🔑 Cellier de la Crau, 85, av. de Toulon,
83260 La Crau, tél. 04.94.66.73.03, fax 04.94.66.17.63,
e-mail cellier-lacrau@wanadoo.fr ☑ 🍷 r.-v.

## CH. DE L'ESCARELLE Ma Campagne 2004

| n.c. | 7 000 | 3 à 5 € |
|---|---|---|

Le chardonnay est très majoritaire dans ce vin blanc d'assemblage, ce qui lui confère un nez intense d'agrumes (citron, pamplemousse). Après une bonne attaque, la bouche révèle une agréable fraîcheur et une longue finale sur des notes fruitées. Pour l'apéritif, des fruits de mer ou un poisson grillé.

🔑 Ch. de L'Escarelle, 83170 La Celle,
tél. 04.94.69.09.98, fax 04.94.69.55.06,
e-mail l.escarelle@free.fr ☑ 🍷 🚶 r.-v.

## DOM. GRANDE BASTIDE Cuvée Othello 2004

| 1,9 ha | 10 600 | 3 à 5 € |
|---|---|---|

Très belle destination pour une promenade en passant par le lac de Saint-Cassien. Une nouvelle équipe, jeune et dynamique, a repris ce domaine en 2001 et présente cette cuvée Othello à la robe chair, au nez joliment fruité et au bel équilibre. Nul doute que les bonnes méthodes ont déjà été trouvées !

🔑 SCEA La Grande Bastide Production,
chem. de la Grande Bastide, 83440 Tourrettes,
tél. 04.94.76.00.74, fax 04.94.85.74.77,
e-mail fabienlgb@aol.com
☑ 🍷 🚶 t.l.j. sf dim. lun. 9h-12h 15h-18h

## DOM. LUDOVIC DE BEAUSEJOUR 2004 ★

| 2,5 ha | 13 000 | 3 à 5 € |
|---|---|---|

Belle robe sombre pour ce vin issu de l'assemblage de plusieurs cépages parmi lesquels le carignan est majoritaire. Le nez est plaisant, sur des notes de griotte. En bouche, la belle harmonie des sensations achève de convaincre. Le **rosé 2004**, une étoile également, offre un fruité agréable et une finesse exquise.

🔑 Dom. Ludovic de Beauséjour,
hameau de la Basse-Maure,
rte de Salernes, 83510 Lorgues,
tél. 04.94.50.91.90, fax 04.94.68.46.53 🍷 r.-v.
🔑 Maunier

## DOM. REVA 2004 ★

| 3 ha | 10 000 | 5 à 8 € |
|---|---|---|

Ce pur cabernet-sauvignon impose sa puissance tout autant au nez (fruits noirs) qu'en bouche. Cette belle présence sait se faire harmonieuse à l'image de la finale longue et très fruitée. Accompagnera une pièce de viande rouge.

🔑 Ch. Rêva, rte de Bagnols, 83920 La Motte,
tél. 04.94.70.24.57, fax 04.94.84.31.43 ☑ 🍷 t.l.j. 9h-19h
🔑 Maillard

## LE SAINT ANDRE 2004 ★

| 42 ha | 70 000 | 3 à 5 € |
|---|---|---|

Dans une robe très pâle aux jolis reflets grisés, ce vin offre un nez expressif, floral (fleurs blanches) et une belle tenue en bouche : le grain des tanins est en effet soyeux, assurant à la fois équilibre et harmonie. Tout destine cette bouteille à l'apéritif, mais elle pourra également accompagner des poissons grillés et de la cuisine provençale.

🔑 Saint-André de Figuière,
quartier Saint-Honoré, 83250 La Londe-les-Maures,
tél. 04.94.00.44.70, fax 04.94.35.04.46,
e-mail figuiere@figuiere-provence.com
☑ 🍷 🚶 t.l.j. sf dim. 9h-12h 14h-18h
🔑 Alain Combard

## LE CELLIER DE LA SAINTE-BAUME Gris 2004 ★★

| 60 ha | 70 000 | 3 à 5 € |
|---|---|---|

Ce gris a toutes les vertus pour faire voir la vie en rose ! La jolie couleur chair pâle apparaît très sensuelle, son nez fruité est de belle intensité (notes d'agrumes) et amylique. En bouche, se manifestent des arômes de

VDP

pamplemousse. Remarquable, la **cuvée cabernet rosé 2004** offre un fruité intense tandis que le **grenache rosé 2004** obtient une étoile.

Le Cellier de la Sainte-Baume, RN 7, 83470 Saint-Maximin-la-Sainte-Baume, tél. 04.94.78.03.97, fax 04.94.78.07.40 t.l.j. 8h-12h 14h-17h45, dim. 8h-12h

LES VIGNERONS DE LA SAINTE-BAUME Syrah 2004 ★

16,2 ha 2 000 3 à 5 €

100 % syrah, c'est tout le fruit du raisin qui vient en bouche et au nez marqué par les arômes de petits fruits rouges. Rond et charnu, ce vin est très agréable. Le **merlot 2004** laisse une impression de puissance ; il bénéficiera d'un an ou deux de garde.

Les Vignerons de la Sainte-Baume, rte de Brignoles, 83170 Rougiers, tél. 04.94.80.42.47, fax 04.94.80.40.85, e-mail cave-saintebaume@wanadoo.fr t.l.j. sf dim. 9h-12h 14h-18h

LES VIGNERONS DE TARADEAU Les Grains 2004

n.c. 18 000 - de 3 €

L'étiquette est belle et renvoie à la couleur rouge de la terre Taradéenne. Ces Grains de Rougian (surnom des viticulteurs taradéens) offrent un nez fruité, marqué par les agrumes. L'attaque en bouche a une vivacité de bon aloi, tempérée par une agréable rondeur.

Les Vignerons de Taradeau, quartier de l'Ormeau, BP 21, 83460 Taradeau, tél. 04.94.73.02.03, fax 04.94.73.56.69, e-mail vigneron-de-taradeau@wanadoo.fr r.-v.

THUERRY Cabernet-sauvignon Merlot L'Exception 2003 ★★

3,4 ha 16 000 8 à 11 €

Une propriété de 340 ha qui si elle remonte à la nuit des temps n'en a pas moins construit un chai ultra-moderne. Cette cuvée Exception, dont le nez intense offre toute la puissance des odeurs de sous-bois, se montre très agréable. Doté d'une matière soyeuse et enrobée, ce vin est prêt, mais peut aussi attendre un ou deux ans.

Ch. Thuerry, 83690 Villecroze, tél. 04.94.70.63.02, fax 04.94.70.67.03 r.-v.

Croquet

TRIENNES Viognier Sainte fleur 2004 ★★★

12,1 ha 54 000 8 à 11 €

Magnifique cuvée 2004 où le viognier exprime toute son intensité au nez (notes florales, abricot) et en bouche... Et quelle longueur ! Preuve qu'à Triennes, il y a un terroir et du talent. Deux autres cuvées obtiennent une étoile : le **rosé gris 2004 (5 à 8 €)** et le **Saint Auguste rouge 2001**.

SA Dom. de Triennes, RN 560, 83860 Nans-les-Pins, tél. 04.94.78.91.46, fax 04.94.78.65.04, e-mail triennes@wanadoo.fr r.-v.

Seysses

DOM. DE VALCOLOMBE Cuvée Baroque 2004

1,5 ha 9 600 8 à 11 €

Dominée par le cabernet-sauvignon (60 %), cette cuvée a de la carrure. Toutefois la sensation de puissance, au nez notamment, assez marqué par le boisé, ne fait pas obstacle à la belle harmonie générale. A réserver pour accompagner les viandes en sauce, dont le gibier.

Marie-Pascale Léonetti, Dom. de Valcolombe, chem. des Espèces, 83690 Villecroze, tél. et fax 04.94.67.57.16, e-mail valcolombe@wanadoo.fr r.-v.

VAL D'IRIS Cuvée Eva 2003 ★

1,5 ha 6 200 8 à 11 €

Près de Seillans, l'un des plus beaux villages de France, Anne Dor a élaboré cette cuvée, issue majoritairement de syrah (70 %), qui dévoile des arômes complexes (fruits secs, eau-de-vie). Une bouteille au bon potentiel à découvrir dès cet automne ou à attendre encore un ou deux ans. Le **Val d'Iris cabernet-sauvignon 2004 (5 à 8 €)** avec ses tanins présents mais bien éduqués, et sa finale sur le fruit obtient une citation.

Anne Dor, Val d'Iris, 83440 Seillans, tél. 04.94.76.97.66, fax 04.94.76.89.83, e-mail valdiris@wanadoo.fr r.-v.

# Vaucluse

DOM. DE LA BASTIDONNE Chardonnay 2004 ★

1,17 ha 3 500 5 à 8 €

Amateurs de chardonnay, vous ne pourrez que vous réjouir avec cette bouteille. Le cépage se présente dans une belle couleur jaune vif aux reflets verts et vous taquine les narines par ses arômes d'agrumes. Bonne ampleur en bouche avec quelques notes de fruits exotiques. Bel équilibre général des sensations.

Gérard Marreau, SCEA Dom. de La Bastidonne, 84220 Cabrières-d'Avignon, tél. 04.90.76.70.00, fax 04.90.76.74.34, e-mail domaine.bastidonne1@tiscali.fr t.l.j. sf dim. 9h-12h 14h-18h

LA CANORGUE 2004 ★

4 ha n.c. 11 à 15 €

Une robe sombre, très seyante, pour ce 2004. Au nez, parviennent des arômes de torréfaction et de cacao. Quant à la bouche, vive et expressive, elle invite au partage. Dans un registre différent, imprimé par un passage d'un an en fût, le **rouge 2003**, ample, avec des tanins fondus et des notes vanillées, a tout autant su se faire apprécier et obtient également une étoile. Deux vins à servir au cours de l'année 2006.

EARL Jean-Pierre et Martine Margan, Ch. La Canorgue, 84480 Bonnieux, tél. 04.90.75.81.01, fax 04.90.75.82.98, e-mail chateaucanorgue.margan@wanadoo.fr
t.l.j. sf dim. 9h-12h 14h-18h

### MAS CASCAL Here comes the sun 2003 ★

0,23 ha 350 38 à 46 €

Belle robe jaune paille pour ce 2003 issu de cinq cépages dont la roussanne (65 %) et le grenache blanc (20 %) constituent le socle. Le boisé, dû à l'élevage de huit mois en fût, marque encore nettement le nez, mais les arômes fruités (fruits à chair blanche) ne sont pas masqués. En bouche, c'est rond et gras avec des nuances aromatiques assez intenses. Bonne finale, sur la longueur. Un vin très bien fait, mais à quel prix !

Jean Natoli, Mas Cascal, 2, chem. des Centurions, 34170 Castelnau-le-Lez, tél. 04.67.84.84.90, fax 04.67.84.85.02, e-mail les_natoli@yahoo.com

### CHANTE COUCOU Cabernet-sauvignon 2004 ★★

n.c. 5 000 3 à 5 €

Remarquable rosé issu du cépage bordelais cabernet-sauvignon. Le nez est sur le fruit (fruits rouges) avec d'étonnantes nuances d'agrumes. Belle persistance aromatique en bouche et remarquable longueur. Agréable rondeur qui rend la dégustation très friande. Cité, le **Chante Coucou merlot 2004** est bien typé et fruité en bouche.

SCA La Vinicole des Coteaux, 288, bd de la Libération, 84240 La Tour-d'Aigues, tél. 04.90.07.42.12, fax 04.90.07.49.08
t.l.j. sf lun. 9h-12h30 15h-19h; dim. 9h-12h30

### DOM. DE LA CITADELLE Viognier 2004 ★

1,4 ha 9 000 8 à 11 €

La Citadelle propose de manière constante de beaux vins de cépage. C'est encore le cas avec ce viognier au nez puissant et fruité (abricot), bien typé. Ces mêmes nuances aromatiques se retrouvent en bouche ajoutant au plaisir d'une dégustation harmonieuse (de la souplesse, du gras et du fruit). Cité, le **cabernet-sauvignon 2004 (3 à 5 €)** a été retenu pour son fruit et sa typicité.

Dom. de la Citadelle, 84560 Ménerbes, tél. 04.90.72.41.58, fax 04.90.72.41.59 r.-v.

### DOM. DE CLAPIER 2003 ★

5 ha 6 383 5 à 8 €

Vous pourrez découvrir le site du tournage de *Manon des Sources* et de *Jean de Florette* en vous rendant à Mirabeau où est installé Thomas Montagne. Une fois sur place, ne manquez pas de faire un crochet chez ce producteur pour y goûter ce 2003, équilibré et d'une belle complexité aromatique, fruit d'un assemblage de merlot et de cabernet-sauvignon à parts égales.

Thomas Montagne, Ch. de Clapier, rte de Manosque; RN 96, 84120 Mirabeau, tél. 04.90.77.01.03, fax 04.90.77.03.26, e-mail chateau-de-clapier@wanadoo.fr
t.l.j. sf dim. 9h30-12h30 14h-18h

### DOM. DE COMBEBELLE 2004 ★

4 ha 5 300 3 à 5 €

Le domaine exploite des parcelles dans le Vaucluse, ce qui explique cette production en vin de pays. Le talent de vinification explique, quant à lui, la qualité impeccable de ce rosé, très aromatique au nez et en bouche (fruits rouges). Un vin de plaisir.

Eric Sauvan, EARL Dom. de Combebelle, 26110 Piégon, tél. 04.75.27.18.96, fax 04.75.27.15.62, e-mail becqj@aol.com r.-v.

### DOM. DU COULET ROUGE Cabernet 2004 ★

2 ha 15 000 5 à 8 €

A Roussillon, la promenade des Ocres constitue un objectif incontournable tant le site est enchanteur. Le village l'est tout autant. Au Coulet Rouge, vous demanderez ce très beau cabernet, ample et harmonieux, de bonne longueur.

Bonnelly & Fils, Dom. du Coulet Rouge, Les Bâtiments Neufs, 84220 Roussillon, tél. et fax 04.90.05.61.40, e-mail le.coulet.rouge@wanadoo.fr r.-v.

### DOM. FONTAINE DU CLOS
Cuvée Découverte 2004

6 ha 4 400 3 à 5 €

Cette cuvée est issue de trois cépages bordelais (merlot, cabernet-sauvignon et cabernet franc). Ce qui explique la belle structure que le temps pourra amadouer en permettant aux tanins de se fondre. Au nez, les arômes de fruits noirs (cassis) dominent mais le poivron vert est également perceptible. A réserver de préférence à un bœuf bourguignon, des rognons sauce madère ou à un gibier.

EARL Jean Barnier, Dom. Fontaine du Clos, 84260 Sarrians, tél. 04.90.65.59.39, fax 04.90.65.30.69, e-mail cave@fontaineduclos.com
t.l.j. sf dim. 9h30-12h30 15h-19h

### DOM. GRAND JACQUET
Le Diamant noir 2002 ★

1 ha 4 000 11 à 15 €

Une cuvée bien réussie dans un millésime pourtant délicat. 70 % de syrah, complétés par du cabernet-sauvignon, composent ce Diamant noir qui a passé un an en barrique. Sa couleur est sombre, intense et le nez offre une réelle complexité avec des notes boisées, vanillées et réglissées. La matière est bien présente mais les tanins sont fondus. Cette bouteille tiendra son rang, servie sur un lièvre rôti ou un gigot en croûte de sel. Le jury recommande également la cuvée **L'Amelier rosé 2004 (3 à 5 €)**, une étoile et la cuvée **L'Amelier rouge 2003 (5 à 8 €)**, citée.

SCEA GrandJacquet, 2869, rte de Carpentras, 84380 Mazan, tél. et fax 04.90.63.24.87, e-mail grandjacquet@club-internet.fr r.-v.
Joël Jacquet

### MAS GRANGE BLANCHE 2004

2 ha 15 000 3 à 5 €

Ce Mas Grande Blanche pourrait être l'archétype du vin de pays. La couleur est jolie, le nez très fruité. La bouche friande procure la sensation d'une bonne harmonie. Un vin facile pour une satisfaction immédiate.

EARL Cyril et Jacques Mousset, Ch. des Fines Roches, 84230 Châteauneuf-du-Pape, tél. 04.90.83.73.10, fax 04.90.83.50.78
t.l.j. 10h-19h; f. jan.
Cyril Mousset

LE PIGEOULET DES BRUNIER 2004 *

■ 10 ha 56 000 5 à 8 €

Ce 2004 est essentiellement issu du grenache (80 %) complété par du cabernet-sauvignon, de la syrah et du cinsault. Sa robe est d'un rouge franc soutenu. Belle complexité aromatique au nez avec des notes épicées. En bouche, la dégustation est d'une grande franchise, offrant une matière parfaitement fondue (tanins fins et sucrés). Accord en vue sur des brochettes de bœuf marinées et grillées.

Frédéric et Daniel Brunier, Dom. La Roquette, 2, av. Louis-Pasteur, 84230 Châteauneuf-du-Pape, tél. 04.90.33.00.31, fax 04.90.33.18.47, e-mail vignobles@brunier.fr
r.-v. au Dom. du Vieux Télégraphe

## Alpes et pays rhodaniens

De l'Auvergne aux Alpes, la région regroupe les huit départements de Rhône-Alpes et le Puy-de-Dôme. La diversité des terroirs y est donc exceptionnelle et se retrouve dans l'éventail des vins régionaux. Les cépages bourguignons (pinot, gamay, chardonnay) et les variétés méridionales (grenache, cinsault, clairette) se rencontrent. Ils côtoient les enfants du pays que sont la syrah, la roussanne, la marsanne dans la vallée du Rhône, mais aussi la mondeuse, la jacquère ou le chasselas en Savoie, ou encore l'étraire de la dui et la verdesse, curiosités de la vallée de l'Isère. L'usage des cépages bordelais (merlot, cabernet, sauvignon) se développe également.

Dans une production de 500 000 hl, l'Ardèche et la Drôme contribuent largement à la primauté des rouges. Ain, Ardèche, Drôme, Isère et Puy-de-Dôme sont les cinq dénominations départementales (30 000 hl). Neuf dénominations régionales couvrent la région : Allobrogie (Savoie et Ain, 7 500 hl de blancs, en forte majorité), coteaux du Grésivaudan (moyenne vallée de l'Isère, 1 500 hl), Balmes dauphinoises (Isère, 1 500 hl), Urfé (vallée de la Loire entre Forez et Roannais, 1 700 hl), Collines rhodaniennes (16 000 hl, majorité de rouges), comté de Grignan (sud-ouest de la Drôme, 13 000 hl de rouges surtout), coteaux des Baronnies (sud-est de la Drôme, 30 000 hl de rouges), coteaux de l'Ardèche (400 000 hl en rouges, rosés et blancs) ; la dernière étant celle des coteaux de Montélimar.

Il existe également deux vins de pays régionaux : le vin de pays des Comtés rhodaniens (environ 1 500 hl), qui peut être produit sur les huit départements de la région (Ain, Ardèche, Drôme, Isère, Loire, Rhône, Savoie, Haute-Savoie) ; le vin de pays Portes de Méditerranée, qui peut être revendiqué dans les régions Provence-Alpes-Côte d'Azur, en Corse, ainsi que dans la Drôme et en Ardèche.

# Allobrogie

DOM. DEMEURE-PINET Jacquère 2004 *

■ 3,8 ha 38 000 - de 3 €

Le domaine Demeure-Pinet est passé maître dans la vinification de ce cépage savoyard qu'est la jacquère. Une fois de plus, elle séduit le jury. Cela donne un vin blanc racé et minéral, aux notes de pamplemousse et d'aubépine d'une grande fraîcheur. Cette jacquère s'accommodera volontiers d'une salade d'écrevisses ou d'une délicieuse petite friture.

Dom. Demeure-Pinet, Joudin, 73240 Saint-Genix-sur-Guiers, tél. et fax 04.76.31.61.74 t.l.j. sf dim. a.-m.

# Collines rhodaniennes

GRAND BELIGA 2003 **

■ 1,5 ha 4 500 5 à 8 €

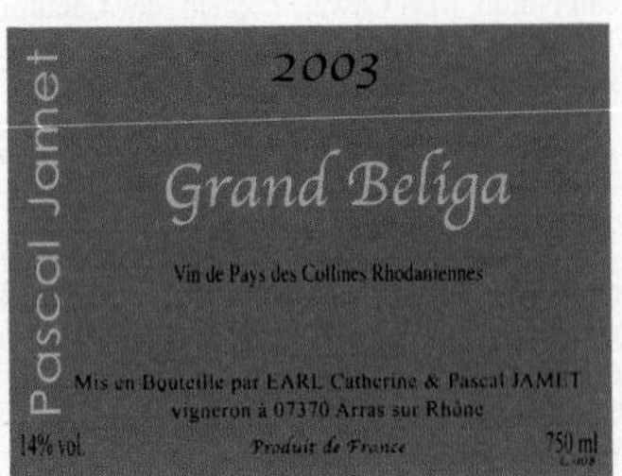


Ce couple de viticulteurs, installé dans le nord de l'Ardèche depuis quatre ans, a présenté un remarquable assemblage de syrah et de merlot élevé treize mois en fût de chêne. Coup de cœur pour ce vin à la robe noire intense, au nez puissant de violette et de réglisse. La bouche est un enchantement : les arômes présents au nez se retrouvent en bouche, soutenus par des notes de pruneau cuit ; les tanins sont soyeux et le boisé magnifiquement équilibré. Un vin de pays, riche et concentré, qui joue dans la cour des grands. Il faudrait être « grand béliga » pour passer à côté de ce nectar. Ah, au fait en patois ardéchois cela veut dire « grand nigaud » ! A savourer sur une côte de bœuf grillée aux sarments.

EARL Catherine et Pascal Jamet, RN 86, 07370 Arras-sur-Rhône, tél. et fax 04.75.07.09.61, e-mail jametpascal@aol.com r.-v.

# Coteaux de l'Ardèche

CAVE COOPERATIVE D'ALBA
Syrah Terroir de basaltes 2003 *

■ 3,5 ha 6 000 3 à 5 €

Sur une terre chargée d'histoire, la coopérative d'Alba-La-Romaine élabore des vins dont les raisins sont récoltés sur 650 ha. Produite sur un terroir basaltique, la syrah 2003, structurée et racée, présente une très belle robe rouge sombre intense, aux reflets violets. Puissant et complexe, ce millésime est un cocktail de senteurs (petits

fruits noirs). En bouche, on retrouve ces arômes de fruits compotés ; les tanins élégants et fondus structurent un palais bien équilibré et harmonieux, riche d'une finale veloutée. Une bouteille à ouvrir pour une pissaladière.
Cave coop. d'Alba, La Planchette, 07400 Alba-la-Romaine, tél. 04.75.52.40.23, fax 04.75.52.48.76, e-mail cave.alba@free.fr
t.l.j. sf dim. 9h-12h 13h30-18h

LES VIGNERONS ARDECHOIS
Chardonnay Prestige 2003 ★★

n.c. 45 000 5 à 8 €

La réputation de cette cave n'est plus à faire comme le montre cette cuvée. D'une magnifique couleur jaune d'or, elle présente un nez fin aux notes subtiles de vanille, de miel, d'épices et de beurre. La bouche puissante et grasse offre des nuances de pêche, de caramel et de miel. A déguster sur des noisettes de bars farcis. Egalement retenue par le jury : l'**Orélie blanc 2004 (3 à 5 €)**. Subtil assemblage de sauvignon et de chardonnay, cette cuvée fraîche et fruitée accompagnera un poisson grillé.
Les Vignerons ardéchois UVICA, quartier Chaussy, 07120 Ruoms, tél. 04.75.39.98.00, fax 04.75.39.69.48, e-mail uvica@uvica.fr t.l.j. sf dim. 8h-12h 14h-19h

LES VIGNERONS ARDECHOIS
Merlot Prestige 2004 ★

n.c. 50 000 3 à 5 €

D'une belle robe rouge sombre aux reflets violacés, ce vin affiche une grande exubérance aromatique de fruits surmûris, de pruneau et de nuances minérales (silex). La bouche est flatteuse par ses subtiles notes épicées de poivre et de réglisse. Complexe et structuré, ce merlot accompagnera bien volontiers une rouelle de caneton. Egalement retenus avec une étoile : le **Gris de grenache 2004**, rosé, ample et bien équilibré ; l'attaque est fraîche sur les fruits, dévoilant des arômes de fleurs et de fruits blancs. Et le **Gris de cabernet 2004**, rosé frais, franc, fruité, agréable, jouant sur des parfums « grenadine ».
Les Vignerons ardéchois UVICA, quartier Chaussy, 07120 Ruoms, tél. 04.75.39.98.00, fax 04.75.39.69.48, e-mail uvica@uvica.fr t.l.j. sf dim. 8h-12h 14h-19h

CAVE COOPERATIVE LA CEVENOLE
Cuvée Monnaie d'or 2003

20 ha 30 000 5 à 8 €

La cave coopérative de Rosières présente un produit très original, vinifié à partir d'un vieux cépage autochtone des Cévennes : le chatus. Cette cuvée « Monnaie d'or » porte bien son nom. Elevé douze mois en fût de chêne, cet élixir de jouvence ne laisse pas indifférent. Sombre, la robe profonde aux reflets violacés laisse échapper des senteurs vanillées et de fruits noirs confits. Puissant et expressif sur des tanins bien présents, ce vin réveillera vos papilles par ses arômes de réglisse. Encore jeune, il méritera d'être dégusté au bout de deux à trois ans sur un rôti de marcassin.
Cave coop. la Cévenole, Le Grillou, 07260 Rosières, tél. 04.75.39.90.88, fax 04.75.39.92.30 r.-v.

PROPRIETE CASIMIR GASCON Merlot 2004 ★

6,5 ha 8 000 3 à 5 €

D'un rouge sombre intense aux reflets violets, ce vin offre des senteurs épicées et de fruits rouges compotés. En bouche, les tanins sont élégants et bien fondus. Beaucoup d'ampleur et d'harmonie. A savourer sur une daube provençale. Egalement retenu, le **rosé 2004**, une étoile, élaboré à partir du cépage syrah, d'une teinte soutenue, est franc, net et puissant. Ce millésime offre des arômes de fleurs et de fruits (framboise). Typique du cépage, ce rosé se dégustera sur une charcuterie ardéchoise.
Claude Gascon, Sauveplantade, 07200 Rochecolombe, tél. et fax 04.75.37.71.22 r.-v.

CAVE COOPERATIVE LA GRAPPE
Merlot 2004 ★★

6 ha 17 280 3 à 5 €

Constituée en 1926, sur les contreforts des Cévennes, la coopérative de Saint-Sauveur de Cruzières propose un merlot issu de production raisonnée. Puissant et complexe à la fois, il dégage des arômes de fruits rouges compotés. En bouche, il séduit par ses notes de réglisse et de petites baies bien mûres. Il saura attendre deux ans avant d'être dégusté sur une viande sauvage. Egalement très apprécié, le **cabernet-sauvignon 2004**, aux tanins bien fondus, sera associé à une volaille rôtie. La **syrah 2003**, une étoile, charnue et structurée, offre un concentré de senteurs vanillées et de pain grillé sur des tanins élégants et fondus. A savourer sur une pièce de bœuf grillé.
Coop. Saint-Sauveur-de-Cruzières-Rochegude, 07460 Saint-Sauveur-de-Cruzières, tél. 04.75.39.30.51, fax 04.75.39.06.84, e-mail la.grappe1@wanadoo.fr

MAS D'INTRAS Cabernet-sauvignon 2003 ★★

1 ha 6 000 5 à 8 €

Situé à proximité du village médiéval de Valvignères, le domaine familial du Mas d'Intras met tout son savoir-faire au service de ce cabernet-sauvignon 2003. Rouge sombre aux nuances violines, ce vin présente un nez complexe de réglisse et de cassis. A la fois puissant et charnu, ce millésime est un concentré de senteurs épicées et animales. Il pourra encore se bonifier une à deux années avant d'être savouré sur un canard farci aux pruneaux. Egalement retenue, la **Cuvée des Helviens 2004 rouge**, une étoile, issue d'un assemblage de grenache (60 %) et syrah (40 %), d'une grande exubérance aromatique (fruits rouges compotés), sera appréciée sur une charcuterie ardéchoise.
Denis et Emmanuel Robert et Sébastien Pradal, Mas d'Intras, 07400 Valvignères, tél. 04.75.52.75.36, fax 04.75.52.51.62, e-mail contact@masdintras.fr
t.l.j. 9h30-12h 13h30-18h30; dim. 13h30-18h30

LOUIS LATOUR Chardonnay Ardèche 2004 ★★★

300 ha 1 500 000 3 à 5 €

La célèbre maison bourguignonne Louis Latour obtient la récompense suprême pour son chardonnay

VDP

d'Ardèche. D'un jaune d'or aux légers reflets verts, ce millésime éblouit par ses arômes complexes de miel et de fruits exotiques. Puissant et gras, il se dégustera sur un feuilleté de blanc de turbot. Retenu avec deux étoiles, le **Grand Ardèche blanc 2003 (8 à 11 €)** se montre fin et élégant. Ce vin aux notes subtiles d'épices (vanille) sera parfait sur une volaille rôtie.
Maison Louis Latour,
La Téoule, 07400 Alba-la-Romaine,
tél. 04.75.52.45.66, fax 04.75.52.87.99 r.-v.

DOM. DE VIGIER Viognier 2004 ★★

10 ha 27 000 3 à 5 €

Au détour de la vallée de l'Ibie, le domaine de Vigier, plus que centenaire, dispose de 100 ha. Son viognier séduit par sa robe jaune pâle brillante et ses arômes de violette et de fruits à chair blanche. Harmonieux, frais et rond, il se laissera déguster sur un corail de Saint-Jacques. Egalement retenue avec une étoile, la **syrah 2003**, aux nuances boisées. A la fois charnue et structurée, elle offre un concentré de senteurs de vanille et de pain grillé sur des tanins élégants et fondus. A savourer sur une pièce de bœuf grillé.
Dupré et Fils, Dom. de Vigier, 07150 Lagorce,
tél. 04.75.88.01.18, fax 04.75.37.18.79,
e-mail g.dupre@terre-net.fr
t.l.j. 9h-12h 14h30-18h; groupes sur r.-v.

DOM. DES VIGNEAUX Vieilles Vignes 2004 ★★

1 ha 6 000 3 à 5 €

Le domaine des Vigneaux se reconvertit progressivement à l'agriculture biologique. On y est vigneron de père en fils depuis quatre générations. Il présente un remarquable grenache rouge sombre aux reflets bleutés. Fin et élégant, ce vin enchante par ses parfums de cerise et d'épices. La bouche équilibrée et ronde laisse apparaître des arômes de petits fruits mûrs sur des tanins bien fondus. Ce millésime peut se déguster dès aujourd'hui sur une volaille ou une terrine forestière.
Christophe Comte, Serre de Gouy,
07400 Valvignères, tél. et fax 04.75.52.51.91,
e-mail christophe.comte.vigneaux@wanadoo.fr
r.-v.

# Coteaux de Montélimar

CAVE DE LA VALDAINE Syrah 2004 ★

36,86 ha 53 333 - de 3 €

Au pays du nougat se trouve une excellente coopérative, celle de la Valdaine, première cave à vinifier cette récente dénomination des coteaux de Montélimar. Cette cuvée 100 % syrah est plaisante. Rien d'extravagant, pas de sur-extraction, simplement de la syrah, bien mûre et bien vinifiée. Une robe velours aux reflets bleutés ; des arômes de mûre, de cerise et de sureau ; une bouche gourmande aux tanins fondus. A savourer sur des rouleaux de chèvre au bressaola ou une jambonnette de marcassin et en écoutant, bien-sûr, *Donne-moi du nougat* chanté par Brigitte Fontaine !
Cave de la Valdaine,
av. Max-Dormoy, 26160 Saint-Gervais-sur-Roubion,
tél. 04.75.53.80.08, fax 04.75.53.93.90,
e-mail cave.valdaine@wanadoo.fr r.-v.

# Coteaux des Baronnies

DOM. DU RIEU FRAIS
Merlot Cuvée Benjamin 2002 ★

4 ha 12 000 5 à 8 €

C'est sur les coteaux des « montagnes sèches » de la Drôme provençale que mûrit le merlot de la cuvée Benjamin, avant d'être vinifié et élevé un an en foudre de chêne. Jean-Yves Liotaud, viticulteur de tradition, offre, comme à son habitude, un vin très réussi à la robe intense grenat profond. De subtils arômes de framboise et de cerise dominent sur un fond de sous-bois. L'attaque en bouche est puissante et épicée et la finale tannique. A attendre quelque temps avant de le savourer sur un agneau des Préalpes rôti aux griottes. Le domaine sait aussi vinifier de jolis blancs. Pour preuve, ce **viognier 2003** qui décroche une étoile grâce à sa robe dorée et à son nez puissant d'abricot et de vanille. Délicieux sur une poularde à la vanille ou des artichauts barigoule.
Jean-Yves Liotaud, Dom. du Rieu Frais,
26110 Sainte-Jalle, tél. 04.75.27.31.54,
fax 04.75.27.34.47, e-mail jean-yves.liotaud@wanadoo.fr
t.l.j. 9h-12h 14h-18h; f. dim. nov.-fév.

DOM. LA ROSIERE Héritage 2003 ★★

2 ha 5 000 15 à 23 €

2003 est le premier millésime de cette cuvée Héritage. C'est aussi le dernier millésime que Valéry Liotaud vinifia avec ses parents disparus depuis. La maîtrise des rendements (inférieurs à 25 hl/ha) est ici alliée à un savoir-faire incontestable. Cet assemblage judicieux de syrah, de merlot et de cabernet-sauvignon a donné un vin à la robe noire, profonde, au nez et à la bouche de petits fruits rouges confiturés, de réglisse et de cuir. Très belle concentration pour ce 2004 aux tanins racés et élégants qui soutiendra une daube de mouton ou une gardianne de taureau. Agréable également, le **blanc 2003**, une étoile, 100 % viognier, vieilli six mois en fût. Des arômes de fleur d'acacia et de fenouil accompagnent une bouche ample et puissante. Un vin ensoleillé à savourer sur des rougets grillés ou un bar de ligne au fenouil sauvage.
EARL Serge Liotaud et Fils,
Dom. La Rosière, 26110 Sainte-Jalle,
tél. 04.75.27.30.36, fax 04.75.27.33.69,
e-mail vliotaud@yahoo.fr t.l.j. sf dim. 9h-19h

# Coteaux du Grésivaudan

DOM. MAGNE Etraire de la dhuy 2004 ★

0,62 ha 4 666 5 à 8 €

L'étraire de la dhuy est un cépage originaire de l'Isère dont il ne reste que quelques dizaines d'hectares dans le

Dauphiné. Les raisins de ce rosé, vendangés sur les contreforts du massif de la Chartreuse, ont été vinifiés à basse température. Cela donne un vin frais, gouleyant à la robe grenadine et au nez fruité de groseille et de framboise. Il sera délicieux en apéritif sur des rillettes de saumon au fenouil ou accompagnera harmonieusement un déjeuner sur l'herbe.
⊶ Michel Magne, Saint-André, 38530 Chapareillan, tél. 04.79.28.07.91, fax 04.79.28.17.96 ☑ Y ⚲ r.-v.

# Drôme

DOM. LE PLAN Elevé en fût de chêne 2003 **

| ■ | 2 ha | 4 500 | ⏺ | 8 à 11 € |
|---|---|---|---|---|

L'école flamande nous avait déjà donné de grands peintres, voici qu'elle nous donne un grand vigneron ! Dirk Vermeersch, ancien pilote automobile reconverti et pratiquant l'agrobiologie au pied du mont Ventoux, propose des bouteilles aux étiquettes de rallye. La cuvée de fûts de chêne remporte la palme. Ce vin, élaboré par sa fille Ann, présente une robe grenat très intense et des arômes de petits fruits rouges, d'épices et de vanille. La bouche chocolatée est gourmande, élégante et portée par des tanins soyeux. A déguster avec des côtelettes d'agneau de la Drôme en marinade de thym, ou un picodon. Réussie également, la **cuvée GT-S 2003**, une étoile, est puissante et généreuse avec des notes boisées, de confiture de fraises et de réglisse. A laisser vieillir encore un à deux ans avant de la savourer sur un tournedos de canard au genièvre.
⊶ Le Plan-Vermeersch, Dom. Le Plan, 26790 Tulette, tél. et fax 04.75.98.36.84, e-mail leplan@vermeersch.fr
☑ 🏠 🏠 Y ⚲ t.l.j. sf sam. dim. 9h-12h 14h-18h

DOM. DU CH. VIEUX 2004 **

| ■ | 2,77 ha | 6 800 | ▮ | 3 à 5 € |
|---|---|---|---|---|

Voici une dizaine d'années que Fabrice Rousset vinifie sur ce vignoble des collines de la Drôme, créé en 1875. Cela lui réussit plutôt bien à en juger par ce vin dominé par le viognier. Des parfums subtils de pêche de vigne et de fleur d'oranger conduisent à une bouche ample et équilibrée, complexe, où l'on découvre également des notes d'abricot, de pain d'épice et de fruits confits. Il vous comblera sur une salade de langoustines au pamplemousse rose ou, plus exotique, sur de l'agneau au curry.
⊶ Fabrice Rousset, Dom. du Château Vieux, 26750 Triors, tél. 04.75.45.31.65, fax 04.75.71.45.35, e-mail domainechateauvieux@chez.com
☑ Y ⚲ t.l.j. sf dim. 10h-12h15 14h-19h

## Régions de l'Est

On trouvera ici des vins originaux, fort modestes, vestiges de vignobles décimés par le phylloxéra mais qui eurent leur heure de gloire, bénéficiant du voisinage prestigieux de la Bourgogne ou de la Champagne. Ce sont d'ailleurs les cépages de ces régions que l'on retrouve ici, avec ceux de l'Alsace ou du Jura, vinifiés le plus souvent individuellement ; les vins ont donc alors le caractère de leur cépage : auxerrois, chardonnay, pinot noir, gamay ou pinot gris.

Vins de pays de Franche-Comté, de la Meuse, de Saône-et-Loire, de la Haute-Marne ou de l'Yonne, ils sont tous le plus souvent fins, légers, agréables, frais et bouquetés ; en augmentation, surtout pour les vins blancs, la production n'est encore que de 9 000 hl dont 5 000 hl en blanc et 3 000 hl en rouge.

# Coteaux de l'Auxois

VIGNOBLE DE FLAVIGNY-ALESIA
L'Harmonie Pinot Noir 2003 *

| ■ | 2,5 ha | 10 000 | ⏺ | 5 à 8 € |
|---|---|---|---|---|

A l'instar du Dr Loquin, le vignoble de Flavigny est né tout près d'Alésia de l'œuvre d'un médecin, le Dr Vermeere. Lui a succédé Ida Nel, de... Mayotte. Le destin est complexe ! Rubis violacé, ce 2003 a le nez bien ouvert, tirant sur la groseille et le cuir. Les tanins ont la douceur des nombreux moines bénédictins de la colline. Bon équilibre général, où le fruit est en vedette. Par curiosité, tentez l'**auxerrois 2004 La Convivialité**, dont la fraîcheur s'accommode d'un peu de chair sous un or minéral et floral, ou encore le **chardonnay 2003 La Séduction** à l'attaque franche et à la bonne intensité. Ils sont cités.
⊶ Ida Nel, Vignoble de Flavigny-Alésia, Ferme du Pont Laizan, 21150 Flavigny-sur-Ozerain, tél. 03.80.96.25.63, fax 03.80.96.25.83, e-mail vignoble-de-flavigny@wanadoo.fr
☑ Y ⚲ t.l.j. 10h-19h l'hiver, 10h-20h l'été

DOM. DE VILLAINES-LES-PREVOTES-VISERNY
Auxerrois 2004 **

| ■ | 1,6 ha | 5 000 | | 3 à 5 € |
|---|---|---|---|---|

L'auxerrois ! Cépage au demeurant complexe qui n'est pas tout à fait le même en Alsace, en Lorraine et en Bourgogne... Il donne ici un vin fin et généreux, d'une grande persistance aromatique et qui va loin son chemin. Jaune léger à reflets gris, il porte un fruit anisé très flatteur. Cuvée de grande qualité, suivie de près par la **Cuvée Tradition blanc 2004** et la **Cuvée Prestige La Cabote chardonnay 2004 (5 à 8 €)**, citées. Ce vignoble a été relancé par quelques copains qui ont cru en la qualité de ce terroir. Ils n'en sont pas mal récompensés aujourd'hui.
⊶ SA des Coteaux de Villaines-les-Prévôtes-Viserny, 21500 Villaines-les-Prévôtes, tél. et fax 03.80.96.71.95, e-mail vins.villainesviserny@wanadoo.fr
☑ Y ⚲ t.l.j. sf sam. dim. 14h-18h; sam. 10h-12h; groupes sur r.-v.

# Coteaux de Coiffy

### FLORENCE PELLETIER
Pinot noir Elevé en fût 2003

■ 2,26 ha 10 600 5 à 8 €

Terroir haut-marnais, dédié au fromage du pays : le langres. Quelque 900 hl de production totale, dont 40 % de rouge ; on goûte ici le pinot noir. Un beau rouge sans nuance de déclin. Au nez, le fruit reste frais, sur la cerise. L'attaque est aimable, assez ronde sur un fruit qui devient discret. Montée tannique en fin de course.

Florence Pelletier, 52400 Coiffy-le-Haut,
tél. 03.25.90.21.12, fax 03.25.84.48.65 r.-v.

# Franche-Comté

### DOM. D'ESPRITS 2003

■ 0,74 ha 2 000 8 à 11 €

Le bastardo portugais s'appelle ici le trousseau. Cépage jurassien jusqu'au bout des ongles et qui n'est pas dépaysé dans le Doubs. Exactement ce qu'on s'attend à trouver : un vin carmin violacé, réglissé et teinté de fruits noirs, ferme et droit dans ses bottes. La robustesse de ses tanins le rend un peu rustique et il demande à s'assouplir en faisant la sieste en cave. Cela dit, c'est du sérieux et du concentré. Etiquette peu banale.

Dom. d'Esprits, 41, Grande-Rue,
25440 Buffard, tél. et fax 03.81.57.54.08,
e-mail domaine.desprits@free.fr r.-v.
Marcellin Puget

### VIGNOBLE GUILLAUME
Pinot noir Vieilles Vignes 2003 ★★

■ 3 ha 11 200 8 à 11 €

Les ceps s'enfoncent ici très loin dans le passé... Une pépinière créée en 1895 exporta d'ailleurs ses plants dans le monde entier. Autant dire que ce vignoble n'est pas né de la dernière pluie ! Le *best* de la cave : ce pinot noir de vieilles vignes à la robe flamboyante. Son nez ? D'une adorable complexité entre la mémoire du fût (onze mois) et la cerise, l'animal encore... Bouche fine et soyeuse, composée avec soin. Finale sur l'acidité. Xavier Guillaume tire avec bonheur ses produits vers le haut. On aime aussi sa **Collection réservée 2003 chardonnay** et son **pinot noir (15 à 23 €)**, une étoile. Bref, on prend tout...

Vignoble Guillaume, rte de Gy, 70700 Charcenne,
tél. 03.84.32.77.22, fax 03.84.32.84.06,
e-mail vignoble-guillaume@wanadoo.fr
t.l.j. sf dim. 9h-12h 14h-18h; groupes sur r.-v.

### DOM. DE MOTEY-BESUCHE Chardonnay 2003 ★

3 ha 4 000 5 à 8 €

Le palissage en lyre intéresse beaucoup l'INAO en Côte de Beaune. Il réussit ici fort bien, sur un chardonnay or paille assez marqué. Fruits confits, arômes résiduels, on respire quelque chose qui ressemble à des vendanges tardives. La bouche surprend par son côté minéral, plus sec, où l'on penche vers la fleur blanche. Pas très vif en attaque, mais généreux, ample en milieu de bouche, original et intéressant.

Antoine Lahaye, 70140 Motey-Besuche,
tél. et fax 03.84.32.26.94 r.-v.

# Haute-Marne

### LE MUID MONTSAUGEONNAIS
Pinot noir Elevé en fût de chêne 2003 ★★

■ 2 ha 16 000 5 à 8 €

Célèbre pour sa maroquinerie, le Pays de Montsaugeon (au sud de Langres en direction de Dijon) fait un retour à la vigne. Rigoureux, sachant faire preuve d'ouverture, D. Bernard est ici à l'honneur. Rubis foncé, ce vin développe des arômes de fruits cuits et macérés, puis sa bouche est plaisante, voire douce, fondante et friande, croquante d'aménité. Rien qu'un zeste de vanille sur des tanins en dentelle. Le **chardonnay 2004 (3 à 5 €)** et le **pinot noir 2004 (3 à 5 €)** ont tous deux été cités.

SA Le Muid Montsaugeonnais, BP 4,
52190 Vaux-sous-Aubigny, tél. et fax 03.25.90.04.65,
e-mail muidmontsaugeonnais@wanadoo.fr r.-v.

# Meuse

### E. ET PH. ANTOINE Pinot noir 2003 ★★

■ 1,5 ha 10 000 3 à 5 €

Si le **blanc 2004**, cité, mérite le coup de chapeau, ce pinot noir un peu plus âgé suscite le compliment. D'un rouge soutenu, il opte pour le fruit rouge. Plus précisément la montmorency, la cerise à confiture très parfumée. Quelques nuances poivrées complètent son bouquet. Au palais, l'élégance domine et lui fait emporter les voix des jurés.

⊶ Philippe et Evelyne Antoine,
EARL Dom. de la Goulotte,
6, rue de l'Eglise, 55210 Saint-Maurice,
tél. 03.29.89.38.31, fax 03.29.90.01.80 ☑ Y ☨ r.-v.

L'AUMONIERE
Chardonnay Pinot noir Vin gris 2004

| ▪ | n.c. | 10 000 | ▮ | - de 3 € |
|---|---|---|---|---|

Des goûts et des couleurs... Le vin ajoute à la langue française mille fantaisies. Dans le Jura, le jaune est un goût. Ici, le gris est rose saumon. Un nez très présent, une sensation de fraîcheur et de fruit, on y prend tout simplement plaisir. L'**auxerrois 2004 (blanc)**, cité, possède ce qu'il faut de rondeur sous un bouquet discret.
⊶ L'Aumonière, Viéville-sous-les-Côtes,
55210 Vigneulles, tél. 03.29.89.31.64, fax 03.29.90.00.92
☑ Y ☨ r.-v.

DOM. DE COUSTILLE Gris 2004 *

| ▪ | 1,4 ha | 7 500 | ▮ | 3 à 5 € |
|---|---|---|---|---|

Illustrée par Jean Morette, l'étiquette montre le paysage de ce coin de Meuse : on le visite grâce à ce vin à la robe brillante, couleur saumon. Le nez fin révèle des notes fruitées et une belle fraîcheur envahit le palais sur des arômes de fruits rouges. Le **pinot blanc**, cité, a un nez bien parfumé et fruité ; quant au **pinot noir**, également cité, on trouve des notes de griotte qui en font un vin plaisant.
⊶ Philippe, SCEA de Coustille,
23, Grand-Rue, 55300 Buxerulles,
tél. 03.29.89.33.81, fax 03.29.90.01.88 ☑ Y ☨ r.-v.

DOM. DE MONTGRIGNON Pinot noir 2004

| ■ | 1,5 ha | 6 400 | ▮ | 3 à 5 € |
|---|---|---|---|---|

Ce vignoble, il fallait le reconstruire ! Daniel et François Pierson y ont pris une large part dès le milieu des années 1970, faisant ainsi renaître la vigne « sous les côtes ». Leur pinot noir a de l'éclat dans le verre et un parfum classique de fruits rouges. Le palais est franc, en pleine fraîcheur, avec un peu de sécheresse en finale. Le **blanc 2004** (pinot gris et auxerrois), également cité, mise sur le citron et le pamplemousse : un exotique raisonnable. Acidité correcte.
⊶ Pierson Frères, GAEC de Montgrignon,
9, rue des Vignes, 55210 Billy-sous-les-Côtes,
tél. 03.29.89.58.02, fax 03.29.90.01.04 ☑ Y ☨ r.-v.

DOM. DE MUZY Gris 2004 **

| ▪ | 3 ha | 18 000 | ▮♁ | 3 à 5 € |
|---|---|---|---|---|

Jean-Marc s'est réapproprié le métier de son grand-père, vigneron-distillateur, voici un quart de siècle ; aujourd'hui il cultive 8 ha. Son pinot gris-rose, citronné, offre un bel équilibre au palais sur des notes de fruits rouges. Il se prolonge agréablement en bouche. Une étoile pour le **pinot noir 2004** qui a passé cinq mois en fût et en garde le souvenir, mais dont la matière est belle. L'**auxerrois 2004, Vieilles Vignes**, au nez fruité et fin, est cité.
⊶ Véronique et Jean-Marc Liénard, Dom. de Muzy,
3, rue de Muzy, 55160 Combres-sous-les-Côtes,
tél. 03.29.87.37.81, fax 03.29.87.35.00,
e-mail muzylienard@wanadoo.fr ☑ Y ☨ r.-v.

# Sainte-Marie-la-Blanche

BLANCHE Chardonnay boisé 2004 *

| ▪ | 1,6 ha | 13 000 | 3 à 5 € |
|---|---|---|---|

Au levant de Beaune et tout près, Sainte-Marie-la-Blanche attend son AOC bourgogne. Courageuse, la coopérative inscrit sur son étiquette « chardonnay boisé ». Il faut l'écrire ! Robe très attrayante et pourvue des reflets d'usage. Nez ouvert et net, l'agrume laissant place à une constitution honorable. Elle attaque droit sur le charnu et il y a de l'acidité. L'**auxerrois 2004**, correct et pour amateurs de curiosités, est cité.
⊶ Cave de Sainte-Marie-la-Blanche,
rte de Verdun, 21200 Sainte-Marie-la-Blanche,
tél. 03.80.26.60.60, fax 03.80.26.54.47 ☑ Y ☨ r.-v.

# Yonne

JEAN-MARC BROCARD Sauvignon 2004

| ▪ | 1,5 ha | 10 000 | ▮♁ | 3 à 5 € |
|---|---|---|---|---|

Marquis de Carabas en Chablisien (140 ha), Jean-Marc Brocard s'offre le bonheur intime d'une cuvée de sauvignon produite sur le plateau surplombant Chablis. Vieux cépage icaunais. D'un jaune-vert uniforme, il est typé sauvignon (bourgeon de cassis) avec davantage de conviction aromatique en bouche. La pointe de perlant ne choque pas. Une coquetterie.
⊶ SARL Jean-Marc Brocard,
3, rte de Chablis, 89800 Préhy, tél. 03.86.41.49.00,
fax 03.86.41.49.09, e-mail c.brocard@brocard.fr
☑ Y ☨ t.l.j. 9h-13h 14h-18h30

DOM. LA FONTAINE AUX MUSES
Moque Grange Chardonnay 2004

| ▪ | 0,5 ha | 3 000 | ▮♁ | 5 à 8 € |
|---|---|---|---|---|

La Fontaine aux Muses créée dans les années 1960 cultive 3 ha. Ce chardonnay, né tout près de Chablis, est simple et joue sur son fruit. Honorable.
⊶ Vincent Pointeau-Langevin,
La Fontaine aux Muses, 89116 La Celle-Saint-Cyr,
tél. 03.86.73.44.30, fax 03.86.73.48.66,
e-mail lafontaineauxmuses@aol.com ☑ Y r.-v.
⊶ Pointeau

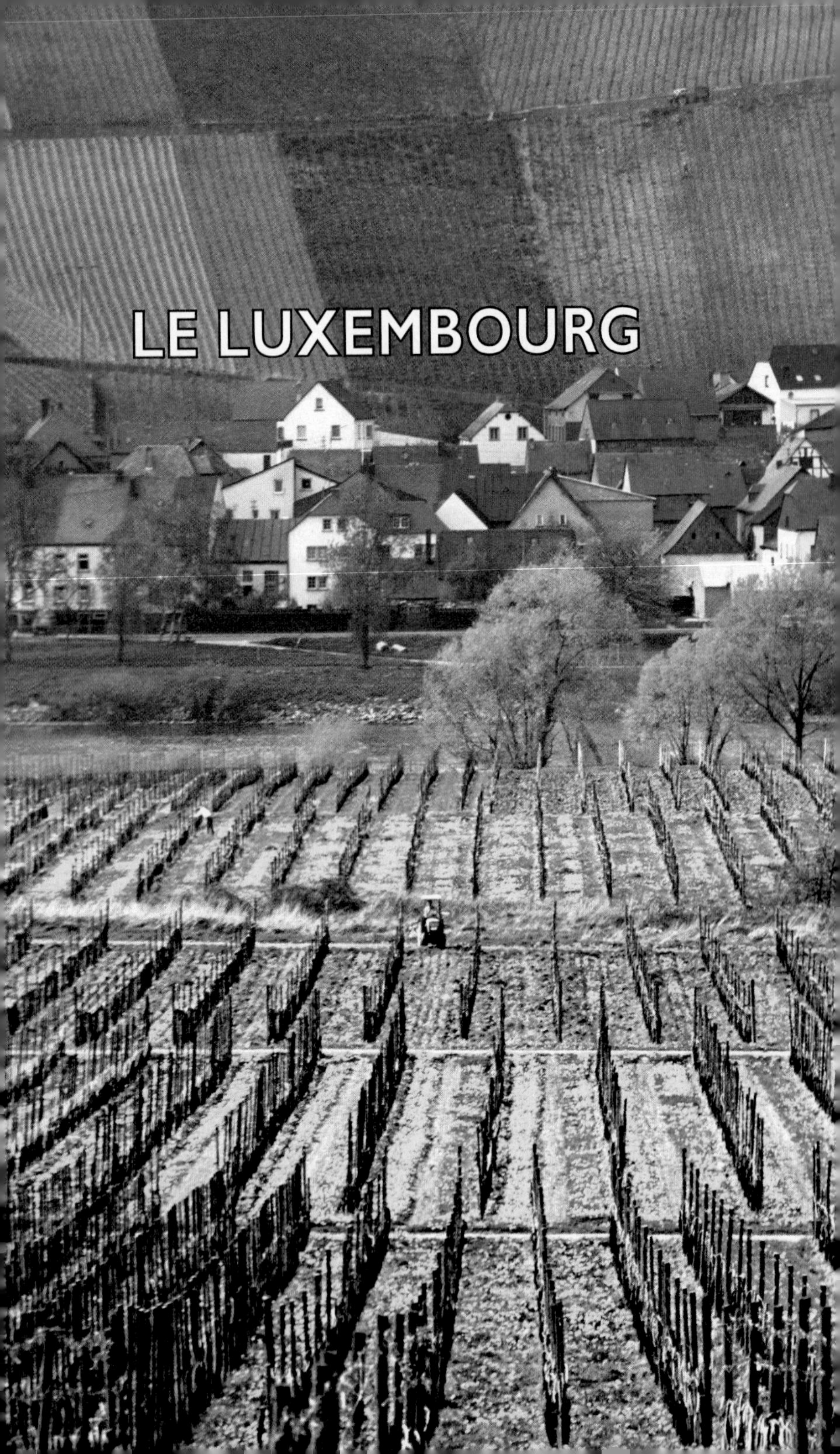
LE LUXEMBOURG

# LES VINS DU LUXEMBOURG

Petit Etat prospère au cœur de l'Union européenne, situé à la charnière des mondes germanique et latin, le grand-duché de Luxembourg est un pays viticole à part entière. La consommation de vin y est proche de celle que l'on observe en France et en Italie. Le vignoble s'inscrit le long du cours sinueux de la Moselle, dont les coteaux portent des ceps depuis l'Antiquité. Il donne des vins blancs secs, vifs et aromatiques.

La production vinicole du grand-duché est confidentielle (140 000 hl), à la mesure de sa modeste superficie (1 300 ha). Les vins sont produits par des viticulteurs membres d'une coopérative vinicole (62 % de la production), par des vignerons indépendants (21 %) et par des négociants (17 %). Remich est le siège d'un centre de recherche et de l'organisation officielle de la viticulture.

On sait l'importance que prit le vignoble mosellan au IVes., lorsque Trèves – très proche de la frontière actuelle du grand-duché – devint résidence impériale et l'une des quatre capitales de l'Empire romain. Aujourd'hui, de Schengen à Wasserbillig, les coteaux de la rive gauche de la Moselle forment un cordon continu de vignobles, autour des cantons de Remich et de Grevenmacher. Orientés au sud et au sud-est, ceux-ci bénéficient de l'effet bienfaisant des eaux du fleuve, qui estompent les courants d'air froid venant du nord et de l'est, et modèrent l'ardeur du soleil de l'été. En raison de leur latitude septentrionale (49 degrés de latitude N.), ils produisent presque exclusivement des vins blancs. Près de 30 % d'entre eux proviennent du cépage rivaner (ou muller-thurgau). L'elbling, cépage typique du Luxembourg (10 % de la surface viticole), donne un vin léger et rafraîchissant. Les vins les plus recherchés proviennent des cépages auxerrois, riesling, pinot blanc, chardonnay, pinot gris, pinot noir et gewurztraminer.

Créée en 1935, la marque nationale des vins de la Moselle luxembourgeoise a pour objet d'encourager la qualité et de permettre au consommateur de réaliser ses choix sous la garantie officielle de l'Etat. En 1985 est apparue l'appellation contrôlée moselle luxembourgeoise. Il existe aussi une hiérarchie des vins (marque nationale – appellation contrôlée, vin classé, premier cru, grand premier cru). L'originalité du classement des vins, en fonction de leur notation lors de chaque agrément, mérite d'être soulignée : les vins qui ont obtenu entre 18 et 20 points sont qualifiés de grand premier cru, entre 16 et 17,9 de premier cru, entre 14 et 15,9 de vin classé, entre 12 et 13,9 de vin de qualité sans mention particulière et en dessous de 12 points de simple vin de table. En 1991 est née l'appellation crémant-de-luxembourg. Depuis 2001, les viticulteurs peuvent produire des vins de vendanges tardives, des vins de glace et des vins de paille.

## Moselle luxembourgeoise

**DOM. MATHIS BASTIAN Pinot gris 2004 ★★★**

■ 1,33 ha 8 270 ■ 8 à 11 €

Un domaine familial de plus de 13 ha, créé au début des années 1970. Jaune pâle limpide, ce vin évoque les fruits frais comme les agrumes. Après une attaque ronde, il se montre généreux et longuement persistant. Un pinot gris franc et harmonieux.

Mathis Bastian, 29, rte de Luxembourg, 5551 Remich, tél. 23.69.82.95, fax 23.66.91.18, e-mail cavesbastian@email.lu ▣ Y ✝ r.-v.

## BERNARD-MASSARD

Wormeldange Weinbour Pinot gris 2004 ★★

| Gd 1er cru | n.c. | 17 200 | | 5 à 8 € |
|---|---|---|---|---|

Ce pinot gris, or pâle brillant, décline une palette intense de fruits et d'épices, puis se montre rond, équilibré au palais, avec suffisamment de structure pour affronter un an de garde.

SA Caves Bernard-Massard, 8, rue du Pont, 6773 Grevenmacher, tél. 75.05.451, fax 75.06.06, e-mail info@bernard-massard.lu
t.l.j. 9h30-18h; f. 1er nov.-31 mars

## CEP D'OR

Stadtbredimus Primerberg Pinot gris 2003

| Gd 1er cru | 0,8 ha | 4 000 | 8 à 11 € |
|---|---|---|---|

Des arômes discrets, mais typiques de poire, de noisette et de pain grillé se libèrent du verre. Le vin révèle du moelleux, équilibré par une légère vivacité. Il est caractéristique du millésime caniculaire.

SA Cep d'Or, 15, rte du Vin, 5429 Hëttermillen, tél. 76.83.83, fax 76.91.91, e-mail info@cepdor.lu
r.-v.
Famille Vesque

## CLOS DES ROCHERS

Riesling Domaine et Tradition 2003 ★★★

| | 1,2 ha | 4 000 | | 8 à 11 € |
|---|---|---|---|---|

Ce vin jaune à reflets verts a tout pour séduire. Le nez discret, mais complexe se décline sur des arômes de menthe et d'eucalyptus, tandis qu'au palais la personnalité minérale du riesling se révèle. Une impression de fraîcheur parfaitement équilibrée en ressort jusqu'aux notes citronnées finales. Vous proposerez cette bouteille dans deux ans avec un saumon à l'aneth. Une étoile revient au **Clos des Rochers Grevenmacher Fels Pinot blanc Grand 1er cru 2004 (5 à 8 €)**, ainsi qu'au **pinot gris Domaine et Tradition 2004**.

SARL Dom. Clos des Rochers, 8, rue du Pont, 6773 Grevenmacher, tél. 75.05.451, fax 75.06.06, e-mail info@bernard-massard.lu
t.l.j. 9h30-18h; f. 1er nov.-31 mars

## CHARLES DECKER

Remerschen Kreitzberg Gewürztraminer 2003

| | 0,15 ha | 1 000 | | 8 à 11 € |
|---|---|---|---|---|

S'il est pâle dans le verre, il fait preuve de puissance à l'olfaction : la rose et le litchi se révèlent sans ambages. Au palais, le moelleux s'impose dès l'attaque, rehaussé de notes exotiques qui persistent bien.

Charles Decker, 7, rte de Mondorf, 5441 Remerschen, tél. 23.60.95.10, fax 23.60.95.20 r.-v.

## DESOM Côtes de Remich Pinot noir 2003 ★★

| | 1 ha | 10 000 | | 5 à 8 € |
|---|---|---|---|---|

Ce pinot noir rubis clair libère un nez discret, marqué par l'empreinte de la barrique. Des arômes de framboise s'ajoutent au boisé dans la matière structurée par des tanins harmonieux. La finale persistante laisse le souvenir de la vanille.

Caves Saint-Remy-Desom, 9, rue Dicks, BP 19, 5501 Remich, tél. 23.60.401, fax 23.69.93.47 r.-v.

## DOM. MME ALY DUHR ET FILS

Ahn Palmberg Riesling Domaine et Tradition 2003 ★★

| | 0,53 ha | 4 631 | | 8 à 11 € |
|---|---|---|---|---|

Le domaine est bien connu pour ses rieslings typiquement minéraux. On retrouve en effet une ligne minérale franche dans ce 2003, nuancée de citron et de pamplemousse intenses. La structure au palais est en parfaite harmonie avec les arômes et laisse une impression de finesse. Le **pinot gris Ahn Hohfels Domaine et Tradition 2003** obtient une étoile pour son nez de fruits exotiques et son moelleux caractéristiques du millésime.

Mme Aly Duhr et Fils, 9, rue Aly-Duhr, 5401 Ahn, tél. 76.00.43, fax 76.05.70, e-mail aduhrvin@pt.lu
r.-v.

## A. GLODEN & FILS

Schengen Markusberg Riesling 2003 ★★

| Gd 1er cru | 1,6 ha | 12 000 | | 5 à 8 € |
|---|---|---|---|---|

Un riesling brillant de reflets jaune-vert qui livre des senteurs intenses de fruits blancs. D'attaque fine, la bouche se développe avec suffisamment de fraîcheur pour le millésime. Des arômes de fruits exotiques persistants concluent la dégustation. Vous accorderez ce joli vin avec un brochet. Le **riesling 2003 Grand 1er cru** est cité.

A. Gloden et Fils, 2, Albaach, 5471 Wellenstein, tél. 23.69.83.24, fax 23.69.81.32, e-mail a.gloden-fils@village.uunet.lu r.-v.

## HAREMILLEN

Wormeldange Weinbour Pinot blanc 2003 ★

| Gd 1er cru | n.c. | n.c. | | 5 à 8 € |
|---|---|---|---|---|

C'est dans l'ancien moulin restauré d'Ehnen que vous dégusterez ce pinot blanc de couleur jaune à reflets verts brillants. Une certaine évolution est perceptible dans la palette de fruits mûrs à noyau, nuancée de miel et de notes légères de beurre. Puis le vin se révèle souple et rond, longuement aromatique : flaveurs de fruits sucrés et touches florales l'accompagnent généreusement. N'attendez plus : il est prêt à être servi.

Dom. Häremillen, 3, op der Borreg, 5419 Ehnen, tél. 76.84.36, fax 76.91.93 r.-v.

## DOM. ALICE HARTMANN

Riesling Les Terrasses de la Koeppchen 2003 ★

| | 0,45 ha | n.c. | | 8 à 11 € |
|---|---|---|---|---|

Né sur des terrasses calcaires, ce riesling brillant de reflets verts présente un nez floral et minéral, classique. Des touches épicées et fruitées apparaissent au palais, soulignant la fraîcheur du vin, puis reviennent des notes complexes de pierre à fusil et de pétrole.

Dom. Alice Hartmann, 72-74, rue Principale, 5480 Wormeldange, tél. 76.00.02, fax 76.04.60, e-mail domaine@alice-hartmann.lu r.-v.

## DOM. R. KOHLL-LEUCK

Wousselt Riesling 2004 ★★

| Gd 1er cru | n.c. | 5 460 | | 5 à 8 € |
|---|---|---|---|---|

Il est jeune, certes, mais il exprime déjà toute la typicité du cépage. Des reflets verts animent sa robe, puis une légère pointe minérale se distingue dans la palette encore discrète d'agrumes et de fruits exotiques. Après une attaque avenante, toute fruitée, s'installe une harmonieuse fraîcheur capable de soutenir le vin à la garde. Le **pinot blanc Rousemen Grand 1er cru 2004** brille d'une étoile pour son nez de fruits blancs, sa minéralité et son équilibre entre gras et vivacité.

Dom. viticole Raymond Kohll-Leuck, 4, an der Borreg, 5419 Ehnen, tél. 76.02.42, fax 76.90.40, e-mail dukohll@pt.lu r.-v.

## KOHLL-REULAND

Ehnen Wousselt Riesling Vieilles Vignes 2004

Gd 1er cru 0,2 ha 2 700 5 à 8 €

En septembre, le domaine organise des portes ouvertes pour découvrir ses rieslings. Profitez-en : vous trouverez ce 2004 brillant de reflets verts qui exprime des notes fruitées. C'est un vin juvénile qui atteindra une parfaite harmonie dans un an.

Kohll-Reuland, 5, am Stach, 5418 Ehnen, tél. 76.00.18, fax 76.06.40, e-mail mkohll@pt.lu r.-v.

## L. ET B. KOX

Bech-Macher Enschberg Pinot blanc 2004 *

Gd 1er cru 0,3 ha 4 000 5 à 8 €

Laurent et Benoît Kox conduisent depuis bientôt trente ans ce domaine familial d'une dizaine d'hectares. Leur pinot blanc offre sous une teinte jaune à reflets verts de discrètes notes de fruits secs et de fleurs blanches, typiques du cépage. Flatteur en bouche, il dévoile fraîcheur et minéralité, avec une certaine complexité et une bonne longueur. Le **riesling Remich Primerberg Grand 1er cru 2004 (8 à 11 €)** obtient une étoile : il sera à son meilleur niveau après un an de garde. Cité, le **pinot noir Elevé en barrique 2003 (8 à 11 €)** est un vin rond, marqué par le bois.

Laurent et Benoît Kox, 6A, rue des Prés, 5561 Remich, tél. 23.69.84.94, fax 00.23.69.81.01, e-mail kox@pt.lu t.l.j. sf sam. dim. 8h-18h

## CAVES PAUL LEGILL

Schengen Markusberg Pinot blanc 2004 ***

Gd 1er cru 0,28 ha 2 700 5 à 8 €

Implanté sur les sols argilo-calcaires de Markusberg, ce domaine familial s'est forgé une réputation grâce à ses pinots blancs et gris. Cette cuvée est donc en toute logique d'une magnifique tenue. Jaune pâle à reflets verts, elle libère un nez de fruits exotiques (litchi) et de pomme verte. Des arômes qui s'épanouissent durablement au palais, soulignant l'agréable fraîcheur et la complexité de l'ensemble.

Caves Paul Legill, 27, rte du Vin, 5445 Schengen, tél. 23.66.40.38, fax 23.60.90.97 r.-v.

## DOM. JEAN LINDEN-HEINISCH

Ehnen Wousselt Riesling 2004

Gd 1er cru 0,4 ha 4 000 5 à 8 €

Jaune pâle à reflets dorés, ce vin affiche un nez intensément exotique, nuancé de miel. La bouche ronde en attaque se montre souple. Les dégustateurs auraient juste aimé plus de longueur.

Le Luxembourg

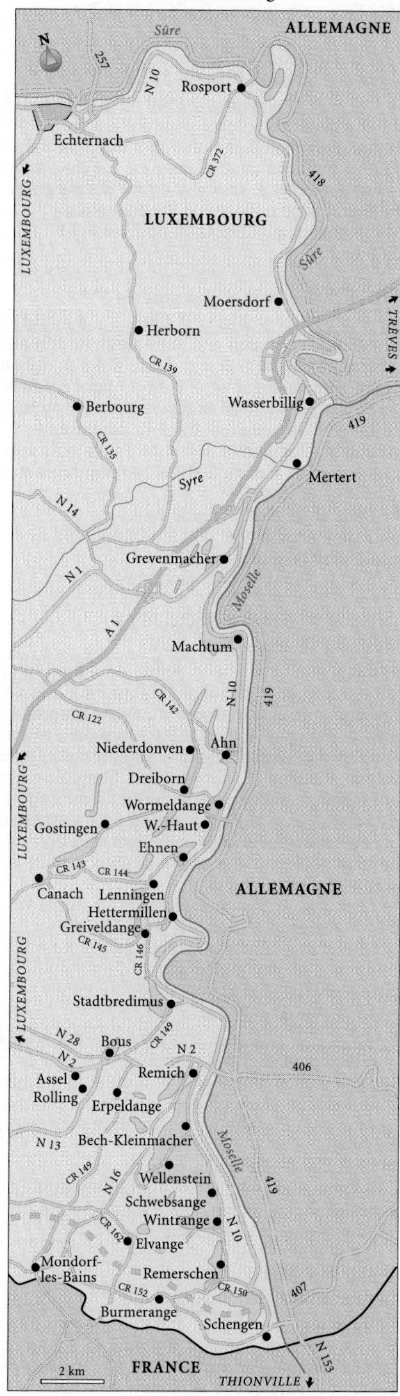

Jean Linden-Heinisch, 8, rue Isidore-Comes, 5417 Ehnen, tél. 76.06.61, fax 76.91.29 r.-v.

CAVES HENRI RUPPERT
Coteaux de Schengen Pinot gris Sélection 12 2004 *

0,4 ha 2 600 8 à 11 €

Un pinot gris de teinte jaune clair qui décline avec élégance des arômes de miel et de fruits. Après une attaque franche, il offre un caractère complexe et s'étire harmonieusement en finale. Vous le savourerez dès maintenant.

Henri Ruppert, 100, rte du Vin, Remerschen, 5445 Schengen, tél. 23.66.42.30, fax 23.66.44.83 r.-v.

CH. DE SCHENGEN Pinot gris 2004 ***

2 ha 18 600 8 à 11 €

L'étiquette est déjà une bonne raison de présenter cette bouteille à table : elle reproduit un dessin du château de Schengen réalisé par Victor Hugo. Ce pinot gris est un vin plaisant par son fruité fin et sa structure en bouche. Il fait preuve d'harmonie et de fraîcheur jusqu'en finale. S'il présente un charme immédiat, il saura aussi vieillir quelques années. Le **riesling 2003** est cité pour ses arômes mûrs et sa rondeur.

Dom. Thill Frères, 8, rue du Pont, 6773 Grevenmacher, tél. 75.05.45.400, fax 75.92.36, e-mail info@bernard-massard.lu t.l.j. 9h30-18h; f. 1er nov.-31 mars

DOM. SCHUMACHER-KNEPPER
Wintringer Felsberger Riesling 2003 ***

Gd 1er cru 0,55 ha 4 400 8 à 11 €

Le domaine a été créé en 1714 ; en 1965, la famille Schumacher l'a acheté au notaire Constant Knepper. La nouvelle génération installée en 2003 maintient la production à un haut niveau comme en témoigne ce riesling jaune limpide, scintillant de reflets vert clair. Somptueusement aromatique, le vin dispense ses arômes d'eucalyptus et d'agrumes, puis se développe, ample et rond, souligné par une ligne minérale typée. En finale apparaît un léger goût de grains nobles et d'épices. Une brochette de lotte aux coings ferait un bel accord.

Dom. viticole Schumacher-Knepper, 28, rte du Vin, 5495 Wintrange, tél. 23.60.451, fax 23.66.48.03, e-mail contact@schumacher-knepper.lu r.-v.

SUNNEN-HOFFMANN
Auxerrois Vin de paille 2003

0,16 ha 500 30 à 38 €

Les dégustateurs ont apprécié la couleur or de ce vin, ainsi que son nez complexe de coing, de fruits confits et de miel. Le palais équilibré procure une sensation agréable jusqu'à la finale miellée. Un vin de paille destiné au dessert.

Dom. Sunnen-Hoffmann, 6, rue des Prés, 5441 Remerschen, tél. 23.66.40.07, fax 23.66.43.56, e-mail info@caves-sunnen.lu r.-v.

Yves Sunnen et Corinne Kox

DOM. VINSMOSELLE
Grevenmacher Pietert Pinot blanc 2003 ***

Gd 1er cru 1,6 ha 5 600 5 à 8 €

Ce vin réussit l'exploit d'associer la richesse du millésime exceptionnel que fut 2003 à la fraîcheur des arômes de fruits qu'une vinification bien menée a su préserver. Jaune foncé brillant, il livre d'intenses senteurs d'agrumes et se développe de manière aérienne au palais, malgré une puissance sous-jacente. Une grande complexité.

Les Domaines de Vinsmoselle, Caves de Grevenmacher, 12, rue des Caves, 6718 Grevenmacher, tél. 75.01.75, fax 75.95.13, e-mail m.vanbensehem@vinsmoselle.lu t.l.j. 10h-12h 13h-17h

DOM. VINSMOSELLE
Stadtbredimus Dieffert Pinot blanc 2004

Gd 1er cru n.c. 14 000 5 à 8 €

Sous une teinte animée de vert pâle s'expriment des arômes typiques : notes minérales et touches de pamplemousse. La grande fraîcheur du palais, lui aussi empreint de minéralité, est signe de jeunesse.

Les Domaines de Vinsmoselle, Caves de Stadtbredimus, Kellereiswee, 5450 Stadtbredimus, tél. 76.82.11, fax 76.82.15 r.-v.

DOM. VINSMOSELLE
Stadtbredimus Dieffert Riesling 2004

Gd 1er cru 3 ha 20 000 5 à 8 €

Il faudra attendre une petite année pour découvrir ce riesling dans toute son expression, mais il offre déjà une jolie teinte jaune pâle à reflets verts, des arômes de miel et de fruits très fins, puis une bouche élégante, bien équilibrée entre douceur et vivacité.

Les Domaines de Vinsmoselle, Caves de Stadtbredimus, Kellereiswee, 5450 Stadtbredimus, tél. 76.82.11, fax 76.82.15

DOM. VINSMOSELLE
Wormeldange Pietert Auxerrois 2004 **

Gd 1er cru 4 ha 26 500 5 à 8 €

S'il se montre discret de prime abord, ce vin jaune clair ne tarde pas à s'ouvrir à l'aération : il révèle alors des senteurs fines, typiques de l'auxerrois. Le palais rond et souple fait preuve d'équilibre, relevé par la fraîcheur des arômes de fruits exotiques.

Les Domaines de Vinsmoselle, Caves de Wormeldange, 115, rte du Vin, 5481 Wormeldange, tél. 76.82.11, fax 76.82.15 r.-v.

DOM. VINSMOSELLE
Wintrange Felsberg Riesling 2004 ***

Gd 1er cru n.c. 7 100 5 à 8 €

Un autre riesling des domaines Vinsmoselle, mais produit à Remerschen. Ce 2004 présente un excellent potentiel. Jaune pâle nuancé de quelques reflets verts, il mêle avec complexité le miel et les fleurs au nez, puis dévoile sa chair ronde et généreuse, d'une parfaite harmonie. Les flaveurs minérales caractéristiques du cépage lui apportent de la fraîcheur.

Les Domaines de Vinsmoselle, Caves de Remerschen, 32, rte du Vin, 5440 Remerschen, tél. 23.66.41.65, fax 23.66.41.66, e-mail f.hemmen@vinsmoselle.lu r.-v.

# Crémant-de-luxembourg

## CEP D'OR 2003 ★★

n.c. 10 000 8 à 11 €

Auxerrois, pinot blanc et riesling composent ce crémant intense qui évoque les fruits blancs. D'attaque suave, celui-ci évolue vers une fraîcheur harmonieuse qui lui confère de l'élégance.

SA Cep d'Or, 15, rte du Vin, 5429 Hëttermillen, tél. 76.83.83, fax 76.91.91, e-mail info@cepdor.lu r.-v.

Famille Vesque

## DOM. CLOS DES ROCHERS 2003 ★★★

n.c. 17 400 11 à 15 €

Un indéniable charme émane de ce vin parfumé de citron, de fruits blancs et d'ananas, avec une touche minérale élégante. D'attaque vive, la bouche se montre tout aussi aromatique grâce à ses flaveurs de fruits blancs qui s'étirent longuement. L'équilibre est parfaitement réalisé.

SARL Dom. Clos des Rochers, 8, rue du Pont, 6773 Grevenmacher, tél. 75.05.451, fax 75.06.06, e-mail info@bernard-massard.lu

t.l.j. 9h30-18h; f. 1er nov.-31 mars

## DESOM ★★

5 ha 16 000 5 à 8 €

La robe pâle, légèrement dorée, s'anime de bulles vives qui forment un cordon persistant. Au nez fruité et floral, nuancé de notes de torréfaction, répond une bouche riche des mêmes flaveurs, égayée par une fine effervescence.

Caves Saint-Remy-Desom, 9, rue Dicks, BP 19, 5501 Remich, tél. 23.60.401, fax 23.69.93.47

r.-v.

## POLL-FABAIRE ★★

n.c. n.c. 5 à 8 €

Sous une teinte délicatement dorée apparaissent des arômes fruités de pêche blanche, de citron et de banane verte. C'est l'annonce d'un palais souple et frais, aux flaveurs d'agrumes. En finale, des notes plus mûres de pêche et d'abricot se déclinent longuement.

Les Domaines de Vinsmoselle, Caves de Wellenstein, 13, rue des Caves, 5471 Wellenstein, tél. 26.66.141, fax 23.69.76.54, e-mail info@vinsmoselle.lu r.-v.

## POLL-FABAIRE Riesling ★★★

n.c. n.c. 5 à 8 €

Un riesling de haute expression, dont on ne peut qu'admirer le cordon persistant et les bulles aériennes. Sa palette complexe mêle le minéral et les fleurs blanches avant d'évoluer vers des notes plus mûres et des touches de torréfaction. Au palais, puissance et onctuosité s'équilibrent parfaitement avec une délicate fraîcheur.

Les Domaines de Vinsmoselle, Caves de Stadtbredimus, Kellereiswee, 5450 Stadtbredimus, tél. 76.82.11, fax 76.82.15 r.-v.

## POLL-FABAIRE Pinot blanc ★★

n.c. n.c. 5 à 8 €

Une élégante couronne de bulles fines surmonte le vin jaune pâle et limpide. Une invitation à découvrir l'expression intense des arômes du pinot blanc qui constitue à 100 % ce crémant. La bouche structurée et intense surprend par sa faible vivacité et sa longue finale.

Les Domaines de Vinsmoselle, Cave de Greiveldange, 1, Hamesgaass, 5427 Greiveldange, tél. 23.69.661, fax 23.69.91.89 r.-v.

## SUNNEN-HOFFMANN Cuvée L et F

0,5 ha 4 000 **8 à 11 €**

Un vin tout en légèreté et en fraîcheur qui accompagnera l'apéritif et les buffets dînatoires. De belle présentation dans une robe légèrement dorée, agrémentée de fines bulles persistantes, il libère des notes citronnées subtiles, suivies de senteurs d'aubépine. La bouche élégante et fraîche s'inscrit dans la droite ligne du nez, avec quelques touches torréfiées en finale.

Dom. Sunnen-Hoffmann, 6, rue des Prés, 5441 Remerschen, tél. 23.66.40.07, fax 23.66.43.56, e-mail info@caves-sunnen.lu r.-v.

Yves Sunnen et Corinne Kox

## DOM. THILL FRERES Cuvée Victor Hugo 2002

1 ha 4 300 **8 à 11 €**

Une cuvée de riesling jeune et fraîche à toutes les étapes de la dégustation. Les bulles vives égayent le fond jaune pâle à reflets verts et semblent porter à nos sens les arômes légers de fleurs et de fruits. En bouche, les flaveurs de pêche blanche et de groseille rehaussent encore l'impression de fraîcheur. Dans deux ou trois ans, ce vin aura atteint sa maturité et pourra accompagner des soirées-cocktails.

Dom. Thill Frères, 8, rue du Pont, 6773 Grevenmacher, tél. 75.05.45.400, fax 75.92.36, e-mail info@bernard-massard.lu

t.l.j. 9h30-18h; f. 1er nov.-31 mars

LA SUISSE

# LES VINS SUISSES

Comparé à ses voisins européens, le vignoble suisse est modeste avec ses 14 900 ha de superficie. Il s'étend à la naissance des trois grands bassins fluviaux drainés par le Rhône à l'ouest des Alpes, par le Rhin au nord et par le Pô au sud de cette chaîne. Il compte ainsi une grande diversité de sols et de climats qui forment autant de terroirs différents malgré leur relative proximité. Traditionnellement cultivée sur les coteaux ensoleillés, très pentus ou en terrasses, la vigne compose le paysage. On distingue trois régions viticoles principales en fonction du découpage linguistique du pays. Cependant celles-ci sont loin d'être uniformes, tant les contrastes qu'elles présentent sont saisissants. A l'ouest, le vignoble de la Suisse romande couvre plus des trois quarts de la surface viticole du pays. De Genève, il s'étire jusqu'au cœur des Alpes dans le canton du Valais, en longeant les rives du lac Léman, dans le canton de Vaud. Plus au nord, il s'approprie encore les rives des lacs de Neuchâtel, de Morat et de Bienne (Canton de Berne) sur les contreforts du Jura. Beaucoup plus éparpillé, le vignoble de la Suisse alémanique totalise 17 % de la surface viticole. Il s'égrène tout au long de la vallée du Rhin où, à partir de Bâle, il remonte le cours du fleuve jusqu'à l'est du pays. Il pénètre également loin à l'intérieur du territoire sur les meilleurs sites des coteaux dominant de nombreux lacs et vallées. En Suisse italophone, la vigne se concentre dans les vallées méridionales du Tessin où les conditions naturelles du versant sud des Alpes se distinguent nettement de celles des autres régions viticoles. Outre toute une gamme de spécialités, les vignerons de Suisse romande privilégient par tradition le cépage blanc chasselas. Le pinot noir est ici le cépage rouge le plus cultivé, suivi du gamay. Le pinot noir domine en Suisse alémanique où il côtoie le cépage blanc müller-thurgau et diverses variétés locales très recherchées par les amateurs. En Suisse italienne, c'est le merlot qui fait la renommée des vins de cette partie du pays où les cépages blancs sont peu représentés. Signalons enfin un événement majeur de la vie viticole suisse : la fête des Vignerons de Vevey. Remontant au Moyen Age, cette manifestation somptueuse associe l'ensemble des vignerons et des habitants et célèbre leur travail dans la vigne. La dernière s'est déroulée en août 1999 ; la prochaine se tiendra entre 2021 et 2023.

## Canton de Vaud

Au Moyen Age, les moines cisterciens ont défriché une grande partie de cette région de la Suisse et constitué le vignoble vaudois. Si, au milieu du siècle passé, celui-ci était le premier canton viticole devant le vignoble zurichois, les ravages du phylloxéra imposèrent une reconstitution complète. Aujourd'hui, avec 3 850 ha, il vient en deuxième position derrière le Valais.

Depuis plus de quatre cent cinquante ans, le vignoble vaudois s'est donné une véritable tradition viticole reposant aussi bien sur ses châteaux – on en compte près d'une cinquantaine – que sur l'expérience des grandes familles de vignerons et de négociants.

Les conditions climatiques déterminent quatre grandes zones viticoles : les rives vaudoises du lac de Neuchâtel et celles de l'Orbe produisent des vins friands aux arômes délicats. Les rives du Léman, entre Genève et Lausanne, protégées au nord par le Jura et bénéficiant de l'effet régulateur thermique du lac, donnent naissance à des vins tout en finesse. Les vignobles de Lavaux, entre Lausanne et Château-de-Chillon, avec en leur cœur les vignobles en terrasses du Dézaley, bénéficient à la fois de la chaleur accumulée dans les murets et de la lumière reflétée par le lac ; ils produisent des vins structurés et complexes qui se distinguent souvent par des notes de miel et des saveurs grillées. Enfin, les vignobles du Chablais sont situés au nord-est du Léman et remontent la rive droite du Rhône. Les terroirs se caractérisent par des sols pierreux et un climat très marqué par le fœhn ; les vins sont puissants avec des arômes de pierre à fusil.

La spécificité du vignoble vaudois tient à son encépagement. C'est la terre d'élection du chasselas (70 % de l'encépagement) qui atteint ici sa pleine expression.

Les cépages rouges représentent quant à eux 27 % : 15 % de pinot noir et 12 % de gamay. Ces deux cépages souvent assemblés sont connus sous l'appellation d'origine contrôlée salvagnin.

Quelques spécialités (variétés) représentent 3 % de la production : pinot blanc, pinot gris, gewurztraminer, muscat blanc, sylvaner, auxerrois, charmont, mondeuse, plant-robert, syrah, merlot, gamaret, garanoir, etc.

CAVE D'AUCRET Epesses Symphonie dorée 2003 ★

n.c. 540 15 à 23 €

Créé au Moyen Age par les moines cisterciens, ce domaine appartient à la même famille depuis le milieu du XVes. Chasselas (85 %) et chardonnay composent ce liquoreux doré, aux nuances de vanille et de citron. D'attaque riche, le vin livre une matière empreinte d'agrumes et d'ananas confits qui trouve en finale des accents toastés hérités de l'élevage de treize mois en fût.
Michel Blanche, Dom. d'Aucrêt, 1091 Bahyse-sur-Cully, tél. 02.17.99.36.75, fax 02.17.99.38.14, e-mail aucret@aucret.ch t.l.j. sf dim. 8h-12h 13h30-18h; sam. sur r.-v.

CHARLY BLANC ET FILS
Yvorne A la George 2004 ★★★

1,2 ha 12 000 8 à 11 €

A moins de 5 km du château d'Aigle qui abrite le musée du Vin et de l'Etiquette, ce domaine de 8 ha a produit un magnifique exemple de chasselas. Jaune soutenu à reflets verts, celui-ci libère un nez d'agrumes et de pêche, ainsi qu'une minéralité notable, propre au terroir d'Yvorne. Un vin complexe.
Charly Blanc et Fils, 1852 Versvey-sur-Yvorne, tél. 02.44.66.51.45, fax 02.44.66.51.07, e-mail blancfred@bluewin.ch r.-v.

DOM. LA CAPITAINE
Coteau de Vincy Gamaret 2004 ★

Gd cru 2 ha 7 000 11 à 15 €

Reynald Parmelin, ancien professeur de viticulture, a créé son domaine en 1994. Partisan de l'agriculture biologique, il propose ce gamaret pourpre brillant à reflets violacés qui présente une bonne vivacité au palais. Au nez sauvage et animal répond une attaque fruitée, puis une finale sur le tabac blond et la boîte à cigares.
Reynald Parmelin, Dom. La Capitaine, En Marcins, 1268 Begnins, tél. et fax 02.23.66.08.46, e-mail rparmelin@bluewin.ch r.-v.

DOM. DE LA CAPITE Luins 2004 ★★

3,1 ha 4 700 5 à 8 €

Un chasselas jaune pâle qui séduit d'emblée par son nez minéral, puis par sa bouche charnue, bien équilibrée. Cette bouteille mérite d'accompagner un omble chevalier du lac Léman.
Claude Berthet, Dom. de la Capite, 1268 Begnins, tél. et fax 02.23.66.11.16, e-mail famille.berthet@bluewin.ch r.-v.

CHAMP-NOE Villette 2004 ★

0,32 ha 4 000 5 à 8 €

Champ-Noé est l'une des deux parcelles qui constituent ce domaine de 7 ha. Sur un sol léger, le chasselas a donné naissance à un vin jaune pâle à reflets verts. Le nez minéral et beurré annonce le caractère de la bouche, grasse et fraîche à la fois, d'un beau volume. Une bouteille à servir avec des filets de perche.

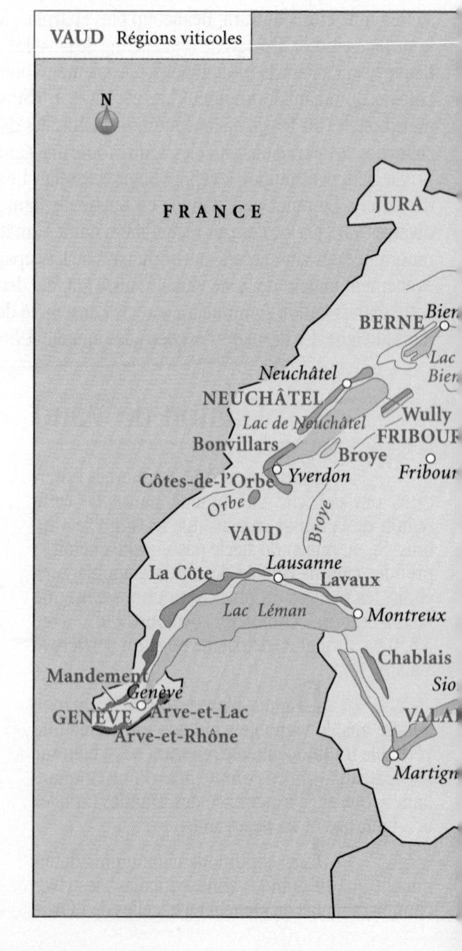

🔑 Jean-Luc Blondel, chem. du Vigny 12, 1096 Cully, tél. 02.17.99.31.92, fax 02.17.99.21.92, e-mail info@domaine-blondel.ch ☑ Y ⛹ r.-v.

### OLIVIER CHAUTEMS ET JEAN-JACQUES MONNIER Côtes de l'Orbe Soleil de Minuit 2003 ★★

■ 0,6 ha 1 800 5 à 8 €

Issu de petit salvagnin, variété de pinot noir peu productive, ce vin rouge intense a tout de son cépage : un nez de noyau de cerise, une attaque sur la cerise mûre, une matière ronde et charmeuse, relevée par la fraîcheur de ses arômes. Pour des filets de bœuf braisés aux sarments de vigne.

🔑 Olivier Chautems, Ch. des Dumières, 1443 Champvent, tél. et fax 02.44.59.22.28, e-mail jj.monnier@bluewin.ch ☑ Y r.-v.

### DOM. DU CHENE Bex Malvoisie-pinot gris Vendanges tardives Le Scinque 2003 ★

■ 0,4 ha 1 680 15 à 23 €

Connaissez-vous un autre domaine implanté sur des mines de sel ? Les vignes (13 ha) grimpent jusqu'à 800 m d'altitude sous un soleil généreux. La malvoisie a ainsi offert ses raisins surmûris pour élaborer ce vin de teinte or, tout de fruits confits et de pâte de coings parfumé. De la douceur en attaque, des flaveurs d'agrumes en complément des arômes perçus au nez : un liquoreux de belle tenue, en somme, qui appréciera la compagnie d'un gâteau au chocolat.

🔑 Dom. du Chêne, 1880 Le-Chêne-sur-Bex, tél. 02.44.63.12.75, fax 02.44.63.15.87, e-mail admin@chene.ch ☑ Y ⛹ r.-v.

🔑 SA Assura

### HENRI CHOLLET Villette Merlot Merle noir 2003 ★★

■ 0,14 ha 1 400 11 à 15 €

Depuis la maison vigneronnne du XVI[e]s. vous jouirez d'une belle vue sur le vignoble de Villette, le lac et, à l'horizon, la Savoie. S'il n'est pas blanc, ce Merle n'en est pas moins remarquable et rare... Sombre à nuances violacées, il offre généreusement ses arômes de cassis et de confiture de sureaux. Tout en douceur à l'attaque, il

La Suisse

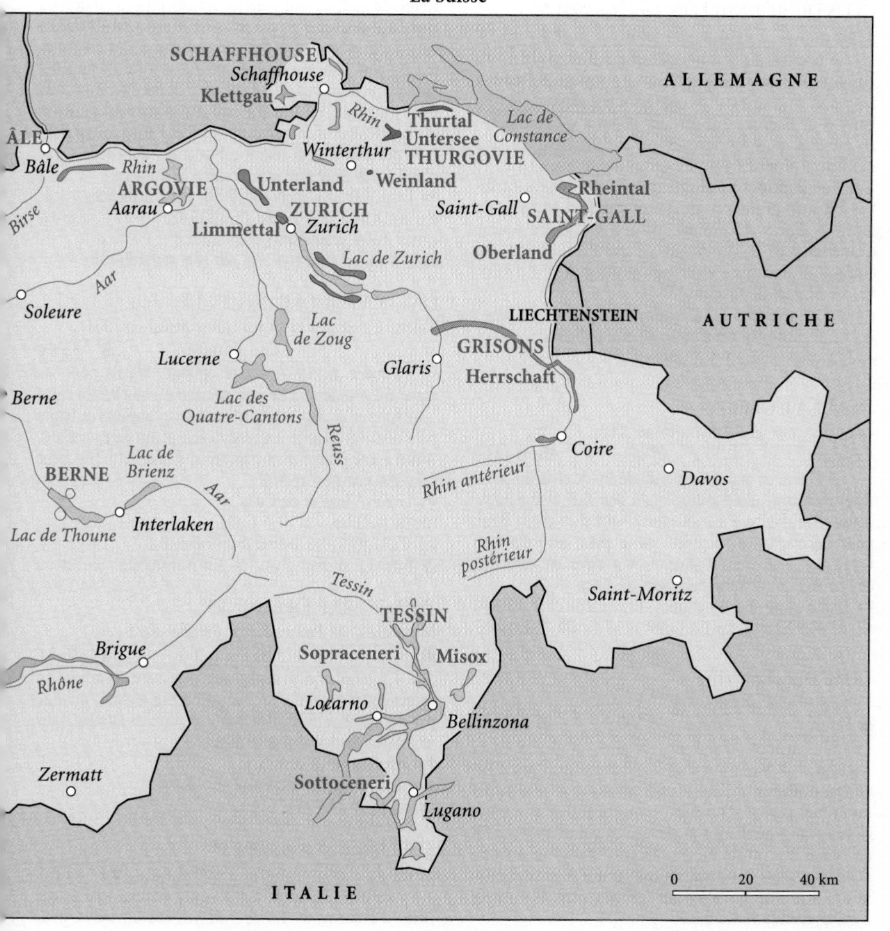

s'appuie sur des tanins encore jeunes, mais prometteurs, qui respectent l'expression du fruit.
🔑 Henri et Vincent Chollet,
Dom. Dugrabe, 1091 Villette,
tél. 02.17.99.24.85, fax 02.17.99.14.82,
e-mail vincentchollet@bluewin.ch ☑ 🍷 🚶 r.-v.

CLOS DE CHATONNEYRE Chardonne 2004 ★★

| | 3 ha | 25 000 | 8 à 11 € |
|---|---|---|---|

Cette coopérative, dont la fondation remonte à 1916, a produit un chasselas de bonne structure qui exprime remarquablement son terroir. Couleur jaune pâle, celui-ci dispense d'intenses arômes de beurre et de minéral, puis offre en finale la fraîcheur des notes citronnées. Proposez-lui des fromages de la région. La **Triade Réserve 2003 rouge (11 à 15 €)**, assemblage de garanoir, de gamaret et de diolinoir élevé douze mois en fût, remporte deux étoiles pour son côté puissant et charnu.
🔑 Association vinicole de Corseaux, rue du Village 20, 1802 Corseaux, tél. 02.19.21.31.85, fax 02.19.21.31.10, e-mail info@avc-vins.ch ☑ 🍷 🚶 r.-v.

CLOS DU ROUSSILLON Tartegnin 2004 ★★

| Gd cru | 0,61 ha | 5 670 | 5 à 8 € |
|---|---|---|---|

A une dizaine de kilomètres du château de Prangins qui abrite le musée national d'Histoire suisse, cette maison a produit un chasselas bien doré, au nez explosif de rose fanée et de mélisse. Une certaine douceur est perceptible en attaque, puis les arômes reviennent en force. Un moelleux à proposer avec une tarte aux pommes. La cuvée **Les Feuillantines gewürztraminer vendanges tardives 2003 du grand cru de Tartegnin (8 à 11 €)** est un moelleux floral et citronné, doté d'une légère touche d'amertume en finale. Parfait à l'apéritif. Il obtient une étoile.
🔑 SA Marcel Berthaudin,
rte des Jeunes, 43, 1227 Carouge, tél. 02.27.32.06.26, fax 02.27.32.84.60, e-mail info@berthaudin.ch
☑ 🍷 🚶 r.-v.

DOM. LA COMBAZ
Ollon Viognier Elevé en barrique 2004

| Gd cru | 0,2 ha | 2 000 | 11 à 15 € |
|---|---|---|---|

A Ollon, ne manquez pas d'admirer le château de La Roche à la splendide toiture qui a bénéficié d'une minutieuse restauration. Puis vous ferez halte chez Emile Blum pour découvrir ce viognier jaune pâle qui sent bon l'abricot. Tendre en attaque, le vin offre un caractère chaleureux qui ne nuit pas à son élégance.
🔑 Emile Blum, Les Fontaines, 1867 Ollon,
tél. 02.44.99.21.47, fax 02.44.99.21.87 ☑ 🏠 🍷 🚶 r.-v.

DOM. DE CROCHET
Mont-sur-Rolle Merlot 2003 ★★★

| Gd cru | n.c. | 5 500 | 23 à 30 € |
|---|---|---|---|

Un vignoble d'ancienne origine, propriété de la seigneurie de Mont Legrand au Moyen Age. Des sélections parcellaires, de faibles rendements et un tri sévère des raisins ont permis d'obtenir ce vin rouge foncé à reflets violacés qui a hérité de son élevage de quinze mois en fût des notes de vanille et des accents empyreumatiques. D'attaque suave, la bouche repose sur une trame de tanins serrés, puis livre en finale des arômes torréfiés nuancés d'épices méditerranéennes.
🔑 Dom. de Crochet, 1185 Mont-sur-Rolle,
tél. 02.18.22.07.07, fax 02.18.22.07.00,
e-mail hammel@bluewin.ch ☑ 🍷 🚶 r.-v.

HENRI CRUCHON Morges Servagnin 2003 ★★★

| | 2,35 ha | 9 600 | 11 à 15 € |
|---|---|---|---|

Le servagnin est un clone de pinot noir cultivé depuis le XVe s. en pays de Vaud, mais qui a bien failli disparaître. Remis au goût du jour dans les années 1960, il est devenu l'apanage des seuls producteurs de Morges en 1997. Les vins, exclusivement rouges, sont soumis à des contrôles stricts, puis habillés selon le même modèle d'étiquette. Henri Cruchon vous offre l'occasion de découvrir un 2003 rubis soutenu et brillant qui livre des arômes de confiserie et de torréfaction. Le gras apparaît dès l'attaque, enveloppant des tanins déjà souples. La finale rappelle le tabac blond et les épices douces, comme la cannelle.
🔑 Dom. Henri Cruchon, CP 60, 1112 Echichens,
tél. 02.18.01.17.92, fax 02.18.03.33.18,
e-mail henri_cruchon@suissonline.ch
☑ 🍷 🚶 t.l.j. sf dim.10h-12h 14h-18h; sam. 8h-12h

UNION VINICOLE DE CULLY
Villette Cuvée des Helvètes Haute Sélection 2004

| | n.c. | 10 000 | 5 à 8 € |
|---|---|---|---|

Fondée en 1937, à une époque difficile pour les vignerons vaudois, cette cave se trouve à mi-chemin entre Lausanne et Vevey. Vous y trouverez ce chasselas de teinte pâle dont la vivacité est renforcée par un léger perlant. Alliée à une pointe d'amertume en finale, cette fraîcheur sera appréciée à l'apéritif.
🔑 Union Vinicole de Cully,
rue de la Gare, 10, 1096 Cully,
tél. 02.17.99.12.96, e-mail info@uvc.ch
☑ 🍷 🚶 t.l.j. sf dim. 7h30-12h 13h30-17h; sam. 9h-12h

JEAN-PIERRE DECURNEX
Mont-sur-Rolle Pinot noir Le Paradis 2003

| | 0,23 ha | 1 700 | 5 à 8 € |
|---|---|---|---|

Un pinot noir né sur sol argilo-calcaire qui affiche un caractère rustique de bon aloi. Pourpre intense, marqué par des notes fumées, il se montre riche en attaque, puis structuré par des tanins fermes.
🔑 Jean-Pierre Decurnex,
Bugnaux, 1180 Essertines-sur-Rolle,
tél. 02.18.25.21.70 ☑ 🍷 🚶 r.-v.

LES DELICES Aigle 2004 ★★

| Gd cru | 6 ha | 30 000 | 8 à 11 € |
|---|---|---|---|

Au bord du lac Léman, Vevey est une ville active, riche d'événements festifs : on y vient en juillet pour

écouter des concerts de jazz, en hiver pour sortir de la tristesse saisonnière grâce au festival du rire, en toutes saisons pour découvrir les vignes sous différentes couleurs et goûter des vins comme cette cuvée jaune intense à reflets verts, délicieuse en effet par ses arômes de mangue. Après une attaque puissante, se développent les mêmes flaveurs de fruits exotiques au palais, jusqu'à une finale acidulée. Un plaisir à l'apéritif.
SA Obrist, av. Reller 26, CP 816, 1800 Vevey,
tél. 02.19.25.99.25, fax 02.19.25.99.15,
e-mail obrist@obrist.ch r.-v.

DOM. DILLET
Yvorne Pinot noir La Condemine 2003 *

3,3 ha 2 000 **11 à 15 €**

Dans l'œnothèque de ce domaine, vous vous attarderez sur ce pinot noir bien enrobé qui décline des arômes de fruits mûrs et confits. Un même fruité se manifeste au palais, évocateur de cerise. A l'œil déjà, le vin charme par sa teinte rubis soutenu.
Eric Minod, Les Rennauds, 1853 Yvorne,
tél. 02.44.66.53.89, fax 02.44.66.53.91,
e-mail info@yvornedillet.ch r.-v.

OLIVIER DUCRET Chardonne Passerillé 2002 **

0,4 ha 400 15 à 23 €

Au Mont-Pèlerin, la tour de radiodiffusion offre, depuis son point culminant, un large panorama des Préalpes aux Alpes et jusqu'au Jura. Revenu plus près du terroir argilo-calcaire, vous regarderez les vignes à vos pieds. Pinot gris et sylvaner à parts presque égales ont produit ce vin doré, aux notes de pâte de coings et de miel. Du safran à l'attaque, un boisé encore un peu dominant, mais une structure remarquablement équilibrée en font une bouteille déjà savoureuse aux côtés d'une tarte Tatin.
Olivier Ducret, rue du Village 61, 1803 Chardonne,
tél. 02.19.21.55.68, fax 02.19.21.57.77,
e-mail ducret.olivier@bluewin.ch r.-v.

CHRISTIAN DUGON
Côtes de l'Orbe Gamaret 2004 ***

1 ha 5 000 8 à 11 €

Un gamaret vêtu d'une robe dense et parfumé de réglisse. D'attaque puissante, il se développe avec rondeur grâce à des tanins soyeux qui laisse toute leur place aux arômes de fruits confits. Un toucher de velours.
Christian Dugon, 1353 Bofflens,
tél. 02.44.41.35.01, fax 02.44.41.35.36 r.-v.

DENIS FAUQUEX Epesses Riex 2004 *

1,83 ha 15 000 **8 à 11 €**

Si vous demandez à Denis Fauquex de vous recommander quelques lieux d'intérêt touristique, il vous conseillera de partir à la découverte du vignoble en terrasse, là où il possède 4 ha. L'idée vous enchantera après avoir dégusté ce chasselas jaune pâle, nuancé de minéral. Franc et gras en attaque, il se prolonge chaleureusement au palais. Une bouteille toute indiquée pour des poissons du lac ou des fromages corsés.
Denis Fauquex, rte de la Corniche 17,
1097 Riex, tél. et fax 02.17.99.11.49,
e-mail denis.fauquex@bluewin.ch r.-v.

LES FOSSES Saint-Saphorin 2004

1,5 ha 21 000 **8 à 11 €**

Saint-Saphorin est un village d'origine romaine qui ne manque pas de caractère, dominé par les terrasses de vignes. Bernard Chevalley y a produit ce chasselas jaune pâle, discrètement parfumé de fruits mûrs. Aux arômes de banane et d'ananas qui se manifestent en attaque succède une sensation de vivacité, mais le côté chaleureux reprend le dessus en finale.
Bernard Chevalley,
pl. du Peuplier, 1071 Saint-Saphorin,
tél. 02.19.21.73.20, fax 02.19.21.73.80,
e-mail bernard.chevalley@swissonline.ch
r.-v.

CAVE DU CHATEAU DE GLEROLLES
Saint-Saphorin Chasselas Planète 2004 ***

2 ha 10 000 **11 à 15 €**

Le vignoble de Sandrine Trueb se trouve au lieu-dit Es Planète, d'où le nom donné à ce vin. Du fruit de la Passion, de l'onctuosité, de la structure et de la persistance aromatique : toutes ces qualités se révèlent derrière une teinte jaune à reflets dorés. Un chasselas qui ne craindra pas d'accompagner un poisson en sauce.
SA Ch. de Glérolles, 1071 saint-saphorin,
tél. 02.19.46.25.30, e-mail info@glerolles.ch r.-v.
Sandrine Trueb

NOE GRAFF Begnins Gamay Le Satyre 2004 ***

2 ha 10 000 8 à 11 €

Un stage à Nuits-Saint-Georges, en 1939, créa le déclic chez René Graff qui, de retour à Begnins, planta des cépages rouges alors que le vignoble vaudois se consacrait aux variétés à vin blanc. La nouvelle génération aux commandes du domaine de 7,5 ha ne peut que s'en féliciter aujourd'hui. Ce gamay rubis violacé affiche un nez intense de cassis nuancé de fumé. L'attaque sur le fruit introduit une bouche élégante et fraîche, bien typée du cépage.
Noé Graff, 1 ch. Fleuri, 1268 Begnins,
tél. et fax 02.23.66.12.96 r.-v.

CAVE LA GRAPPE D'OR
Commugny en Terre-sainte Gamay 2003

2 ha 8 300 **8 à 11 €**

Depuis sa reprise en 2002 par une jeune équipe, ce domaine connaît un nouvel élan. Son gamay pourpre brillant se montre expressif, souligné de notes animales. La structure légère et les arômes de prune mûre en font un vin agréable dès maintenant.
Cave La Grappe d'Or,
Grande rue 6, CP 51, 1297 Founex,
tél. 02.27.76.97.37, fax 02.27.76.97.36,
e-mail info@cavegrappedor.ch r.-v.

GROGNUZ FRERES ET FILS
Saint-Saphorin Syrah 2003 ★★★

■ 0,2 ha 1 500 15 à 23 €

Les Grognuz ont été maintes fois référencés dans le Guide grâce à leur syrah. Le millésime 2003 ne fait pas exception. Vêtu d'une robe pourpre à reflets violacés, il dispense des arômes de vanille, de sauge et de poivre noir. L'attaque suave introduit une bouche d'un beau volume, aux tanins parfaitement enrobés. Un gigot d'agneau au thym fera bel effet avec cette bouteille.

Grognuz Frères et Fils,
chem. des Bulesses 91, 1814 La Tour-de-Peilz,
tél. et fax 02.19.44.41.28 r.-v.

HAMMEL Elixir Vendanges tardives 2003 ★★★

■ 1 ha 3 500 11 à 15 €

Un élixir composé de chardonnay, de pinot gris, de gewurztraminer, de muscat, de chasselas et d'une pointe de pinot noir récoltés sur les terroirs de moraine rhodanienne alpine et de moraine calcaire sur gypse du trias. Une complexité que l'on retrouve dans ce vin liquoreux bien tenu par la vivacité. Sous une robe vieil or brillant se manifeste un nez de coing, de figue et de citronnelle. La bouche s'inscrit dans la même ligne, déclinant le citron confit, les agrumes (écorce d'orange) et le gingembre. Cette bouteille saura affronter le temps. Le **Clos de la George syrah d'Yvorne 2003 Grand cru (15 à 23 €)** brille également de trois étoiles pour sa structure dense et son ampleur.

Caves Hammel, Les Cruz, 1180 Rolle,
tél. 02.18.22.07.07, fax 02.18.22.07.00,
e-mail hammel@bluewin.ch
t.l.j. sf sam. dim. 8h-12h 14h-17h

JEAN-MARC LAGGER
Ollon Saint-Triphon Mondeuse 2004 ★★

■ 0,15 ha 1 100 15 à 23 €

Une mondeuse fruitée, originale et juvénile dans sa robe grenat à reflets violacés. Des arômes printaniers et des senteurs de violette accompagnent son développement souple, tout en légèreté.

Jean-Marc Lagger, En la Porte, 1867 Ollon,
tél. 02.44.99.21.62 r.-v.

DOM. DE MARCY
Morges Saint-Prex Merlot Elevé en barrique 2003 ★★

■ Gd cru 0,35 ha 1 400 11 à 15 €

Un Romain dénommé Marcius vivait en ce lieu déjà planté de vignes, d'où le nom donné au domaine actuel. Récolté sur un sol graveleux, le merlot a fait naître un vin grenat, brillant de reflets violets. Le fût a laissé son empreinte dans sa palette aromatique, mais les fruits mûrs apparaissent aussi, marquant le palais souple et rond. A déguster avec une entrecôte grillée.

Roland Locher, Dom. de Marcy,
1162 Saint-Prex, tél. 02.18.06.27.81,
e-mail domainemarcy@bluewin.ch r.-v.

CELLIER DU MAS Tartegnin Réserve 2003 ★★★

■ 1 ha 3 000 11 à 15 €

Un assemblage de cinq cépages : gamaret, merlot, cabernet-sauvignon, diolinoir et garanoir. Il n'en fallait pas moins pour obtenir ce vin rouge intense à reflets violacés qui livre des notes de tabac et de fumé. D'attaque charnue, la bouche repose sur une structure de tanins denses, mais fondus. Cette bouteille sera idéale avec un filet d'agneau, voire un gibier.

Blanchard Frères,
Le Cellier-du-Mas, 1185 Mont-sur-Rolle,
tél. 02.18.25.19.22, fax 02.18.25.49.03,
e-mail dgblanchard@bluewin.ch r.-v.
Fernand

MERVEILLE DES ROCHES
Aigle Cuvée sélectionnée 2004 ★★

■ 3 ha 20 000 8 à 11 €

Tout doré, ce chasselas mêle des arômes de pêche mûre et de pain grillé, puis offre une bouche grasse, rehaussée d'une agréable vivacité. La finale minérale appose la signature du terroir.

Association vinicole d'Aigle,
av. Margencel 9, 1860 Aigle,
tél. 02.44.66.24.51, fax 02.44.66.62.15,
e-mail info@vinicole-aigle.ch r.-v.

P.A. MEYLAN Ollon Gamaret 2003 ★★

■ 0,85 ha 5 000 15 à 23 €

Récoltés sur les terrasses qui dominent le village d'Ollon, gamaret et garanoir sont à l'origine de ce vin pourpre profond qui ne craindra pas la rencontre avec un gibier. Au nez discret de fruits macérés, de rhumptopf, répond une attaque tout en fruits noirs à l'eau-de-vie. C'est l'annonce de la puissance du palais. Une étoile revient au **cabernet franc d'Ollon Elevé en barrique 2003** : un vin souple et fruité, prêt à passer à table.

Pierre-Alain Meylan,
rue de la Chapelle, 1867 Ollon,
tél. 07.92.10.98.14, fax 02.44.99.26.29,
e-mail pameylan@planet.ch r.-v.

PIERRE MONACHON
Dézaley Les Côtes-dessus 2004 ★★★

■ Gd cru 0,3 ha 3 000 11 à 15 €

C'est en 1777 que l'ancêtre de Pierre Monachon, meunier à Rivaz, acheta les premières vignes de ce

domaine qui compte 3 ha aujourd'hui. Ce chasselas jaune intense affiche un nez beurré, complété des notes de brûlon typiques des vins de Dézaley. L'attaque minérale est puissante, la bouche structurée, volumineuse et longue. Un vin qui fait honneur à ce grand cru vaudois. Le **Saint-Saphorin merlot 2003 (15 à 23 €)** obtient également trois étoiles tant il offre d'élégance et de soyeux.
Pierre Monachon,
rue du Collège, 1071 Rivaz,
tél. 02.19.46.15.97, fax 02.19.46.37.91 r.-v.

DOM. DU MONTET Bex Quatuor 2003 ★★

Gd cru n.c. 5 400 15 à 23 €

Un quatuor bien dans le rythme, riche et structuré. De l'intensité dans sa couleur, de la complexité dans ses arômes d'anis, de réglisse et de torréfaction, une trame de tanins serrés et une finale pleine de fruits confits. Un canard farci devrait être un bon compagnon de table.
Dom. du Montet, 1880 Bex,
tél. 02.18.22.07.07, fax 02.18.22.07.00,
e-mail hammel@bluewin.ch r.-v.

DOM. DE LA VILLE DE MORGES
Les Guérites Barriques 2003 ★

0,4 ha 1 500 11 à 15 €

Le doral est un croisement de chasselas et de chardonnay obtenu en 1965 à Pully. L'objectif était d'obtenir un cépage dont le vin serait moins vif que celui du chasselas. Ce 2003 est en effet tendre et riche. Jaune éclatant, il évoque le massepain au nez, puis offre une chair empreinte de flaveurs de poire mûre. Tentez un accord avec un fromage assez fort.
Vignoble de la Ville de Morges,
Ch. de la Morgette, 1110 Morges Suisse,
tél. 02.18.01.60.19, fax 02.18.02.17.48,
e-mail vignoble@morges.ch r.-v.

DOM. MOULIN-LA-VIGNETTE
Lutry Lavaux 2004

5 ha 25 000 5 à 8 €

Il est pâle à l'œil, introverti au nez... mais si friand en bouche. Des flaveurs de vétiver et de citron vert apparaissent dès l'attaque, puis un agréable perlant souligne les saveurs. Cette bouteille trouvera à table un faire-valoir dans des filets de perche meunière. Le **Saint-Saphorin Nobles cépages rouges 2003 (8 à 11 €)**, issu de pinot noir (95 %) et de gamay, est cité également.
Jean et Michel Dizerens,
chem. Moulin 31, 1095 Lutry,
tél. 02.17.91.34.97, fax 02.17.91.24.96,
e-mail info@dizerensvins.ch r.-v.

NOBLE TERRE
Chardonne Coteaux du Haut-Léman 2004 ★

n.c. 19 000 5 à 8 €

Au menu : apéritif avec petits cubes de fromages suisses, suivi de poissons du lac. A la carte : ce chasselas jaune pâle qui évoque la banane verte. Elégant et fin en bouche, il laisse une sensation tendre en finale.
La cave Vevey-Montreux,
av. de Belmont 28, 1820 Montreux,
tél. 02.19.63.13.48, fax 02.19.63.34.34,
e-mail crm@lacave-vevey-montreux.ch r.-v.

J. PELICHET Féchy « P » 2004 ★

1 ha 3 000 5 à 8 €

Il a du caractère ce chasselas au nez intense d'agrumes, nuancé de pain grillé. Un côté minéral se distingue en attaque, puis le palais gagne en rondeur et persiste longuement.
Jacques Pelichet,
Féchy-dessus 25, 1173 Féchy,
tél. 02.18.08.51.41, fax 02.18.08.51.01 r.-v.

ANDRE POGET ET FILS Agiez Côtes de l'Orbe
Le Clos Elevé en fût de chêne 2003 ★★★

0,3 ha 1 570 8 à 11 €

Après une visite de l'abbaye clunisienne de Romainmôtier, la plus ancienne de Suisse, partez dans les vignes pour apprécier la quiétude du paysage. Ce vin de gamay, brillant de reflets violacés, vous impressionnera par son tempérament méridional. Au nez empyreumatique et épicé répond une bouche souple et ronde, empreinte de flaveurs de café et de bois brûlé. La structure tannique domine encore les caractères du cépage, mais le temps devrait y remédier.
André et Pierre-Yves Poget,
1352 Agiez, tél. et fax 02.44.41.37.56,
e-mail apoget@bluewin.ch r.-v.

J.D. PORTA Villette Les Echelettes 2004 ★★

1 ha 10 000 8 à 11 €

Le domaine couvre 4 ha sur les terrasses de Lavaux, au sol argilo-calcaire favorable à l'expression du chasselas. Ce 2004 pâle à reflets verts possède un nez précis de graphite. Un profil aromatique aérien. Du gras, de la structure, du fruit, des flaveurs épicées en milieu de bouche et une finale persistante : tout invite à un accord avec un gruyère.
Jean-Daniel Porta,
Les Daillettes, 1091 Aran-sur-Villette,
tél. 02.17.99.23.63, fax 02.17.99.40.31,
e-mail info@vins-porta.ch r.-v.

CH. LE ROSEY
Vinzel Garanoir Elevé en barrique 2003 ★

0,3 ha 2 700 15 à 23 €

Il s'en est passé des événements depuis que cette propriété a été rachetée en 2001 : le vignoble a été partiellement réencépagé, les caves rénovées et la maison fortifiée possède à présent des chambres d'hôtes. Une visite permettra de savourer ce garanoir rouge brillant qui évoque les épices douces, telle la noix muscade. La bouche fruitée et souple bénéficie de tanins fondus qui la rendent soyeuse. Un vin à servir dans sa jeunesse.

Pierre et Silvia Bouvier, SA Ch. Le Rosey,
Chem. du Rosey 8-10, 1183 Bursins,
tél. 02.18.24.14.49, fax 02.18.24.14.59,
e-mail lerosey@bluewin.ch r.-v.

DANIEL ROSSIER
Morges Sauvignon Sous l'Eglise 2004 ★

| | 0,15 ha | 1 200 | 8 à 11 € |
|---|---|---|---|

Un homard : voilà un plat que ce chasselas doré, parfumé de pomelo rose saura accompagner. Il offre une matière mûre et fruitée, rehaussée d'une juste fraîcheur. Un vin riche, déjà fort agréable. **Le Milliaire de Morges 2004 rouge (5 à 8 €)**, assemblage de gamay, de gamaret, de garanoir et de syrah, est cité pour son élégante légèreté.

Daniel Rossier, Ch. Moulin-Martinet,
1175 Lavigny, tél. 02.18.08.61.21,
e-mail rossier_daniel@bluewin.ch
t.l.j. sf dim. 8h-19h

CAVE DES ROSSILLONNES
La Côte Gewürztraminer 2004 ★

| | 0,1 ha | 1 500 | 8 à 11 € |
|---|---|---|---|

Un gewurztraminer tout en dentelles que vous apprécierez tant à l'apéritif qu'au dessert. Pétale de rose ? Un tel parfum se libère en effet de ce vin jaune pâle. Du fruit également et un palais plein de finesse.

Jean-Paul et Martial Besson, Cave des Rossillonnes,
rte du Vignoble, 1184 Vinzel, tél. 02.18.24.12.46,
fax 02.18.24.12.58, e-mail jean-paul.besson@bluewin.ch
sam. 9h-13h

DOM. SERREAUX-DESSUS Luins 2004 ★

| Gd cru | 6,2 ha | 20 000 | 5 à 8 € |
|---|---|---|---|

Cette ancienne seigneurie bernoise accueille tous les deux ans, en juin, un théâtre d'été. En 2005, on y a joué *Alice au pays des merveilles*. Réservez vos places pour 2007. En attendant, vous dégusterez ce chasselas brillant de reflets verts qui libère de discrets parfums, puis manifeste toute sa structure et son gras.

SA Matringe, Antoine Nicolas,
Serreaux-Dessus, 1268 Begnins,
tél. 02.23.66.29.47, fax 02.23.66.28.57,
e-mail serreauxdessus@bluemail.ch r.-v.

JEAN ET PIERRE TESTUZ Dézaley Syrah
Les Œnocrates Elevé en barrique 2003 ★★

| | 0,3 ha | 2 000 | 15 à 23 € |
|---|---|---|---|

De lointaines origines françaises, la famille Testuz est arrivée dans la région de Dézaley au XVIᵉs. Elle cultive aujourd'hui 60 ha de vignes au cœur de Lavaux, sur les terrasses spectaculaires. Il y a trente ans, la syrah y a été plantée avec succès. Ce 2003 pourpre associe les arômes de fruits confits aux notes de vanille dues à l'élevage de douze mois en fût. Chaleureux en attaque, il développe une matière riche, toute fruitée. Les tanins fondus sont caractéristiques du millésime. Un vin déjà savoureux, mais qui saura aussi attendre. La cuvée **Garanoir Terrade 2004 rouge (8 à 11 €)**, juvénile et fruitée, est notée une étoile.

SA Jean et Pierre Testuz, 1096 Treytorrens-Cully,
tél. 02.17.99.99.11, fax 02.17.99.99.22,
e-mail info@testuz.ch r.-v.
Philippe Trueb

TOUR DE LA PALEYRE Saint-Saphorin 2004 ★★

| | 0,38 ha | 2 500 | 8 à 11 € |
|---|---|---|---|

L'histoire de La Paleyre est liée à l'abbaye de Saint-Maurice qui fit de ce lieu une commanderie. On s'y arrête aujourd'hui pour ses vins, tel cet assemblage de chasselas (95 %) et de pinot gris. Des notes de beurre frais se libèrent de la robe jaune à reflets verts. N'allez pas croire que la bouche soit grasse, car elle est tout le contraire, vive et enjouée, remarquablement structurée. Vous servirez cette bouteille à l'apéritif, puis en accompagnement de poissons du lac.

Les Fils Rogivue, rue du Cotterd 6,
1071 Chexbres, tél. 02.19.46.17.39, fax 02.19.46.32.83,
e-mail info@rogivue.ch r.-v.
Jean Prahin

# Canton du Valais

Pays de contrastes, la vallée du haut Rhône a été façonnée au cours des millénaires par le retrait du glacier. Un vignoble a été implanté sur des coteaux souvent aménagés en terrasses.

Le Valais, un air de Provence au cœur des Alpes : à proximité des neiges éternelles, la vigne côtoie l'abricotier et l'asperge. Sur le sentier des bisses (nom local des canaux d'irrigation), le promeneur rencontre l'amandier et l'adonis, le châtaignier et le cactus, la mante religieuse et le scorpion ; il peut palper le long des murs, l'absinthe et l'armoise, l'hysope et le thym.

Plus de quarante cépages sont cultivés dans le Valais, certains introuvables ailleurs tels l'arvine et l'humagne, l'amigne et le cornalin. Le chasselas se nomme ici fendant et, dans un heureux mariage, le pinot noir et le gamay donnent la dôle, tous deux crus AOC qui se distinguent selon les divers terroirs par leur fruité ou leur noblesse.

CAVE ARDEVAZ Gamay 2004 ★★★

| | 1 ha | 5 000 | 8 à 11 € |
|---|---|---|---|

Des fruits à l'envi que l'on a plaisir à croquer les uns après les autres. C'est ainsi que s'exprime ce gamay de teinte soutenue, dominé par les senteurs de framboise. Souple et rond, il ne se dépare jamais de son sillage fruité et se prolonge sur une touche poivrée. N'attendez pas : c'est maintenant qu'il faut le cueillir.

Michel Boven, Cave Ardévaz,
rue de Latigny 4, 1955 Chamoson,
tél. 02.73.06.28.36, fax 02.73.06.74.00 r.-v.

LA BACHOLLE
Chamoson Humagne blanche 2004 ★★

| | 0,15 ha | 1 500 | 11 à 15 € |
|---|---|---|---|

L'humagne blanche est l'un des nouveaux cépages que Stéphane Remondeulaz a planté dans son vignoble de 3,5 ha, sur les terroirs graveleux du cône d'alluvions de Chamoson. Elle semble bien s'y plaire à en juger par ce vin jaune pâle brillant, dont le bouquet délicat mêle les fruits exotiques, les fleurs blanches et une fine touche de miel. Si un très léger sucre résiduel rend l'attaque souple, le vin ne tarde pas à gagner en puissance pour s'étirer en une longue finale minérale. En Valais, l'humagne blanche est réputée redonner des forces aux accouchées. Pareille bouteille sera à partager en famille après l'arrivée de bébé.

Jacques Remondeulaz et Fils,
Cave La Bacholle, chem. neuf 11, 1955 Chamoson,
tél. 02.73.06.40.62, fax 02.73.06.51.44,
e-mail info@cave.la.bacholle.ch r.-v.

## LE BANNERET
Chamoson Gamay Vieilles Vignes 2004 **

■ 1 ha 8 000 8 à 11 €

Jean-Charles Maye, œnologue, aime les vins monocépages. De ses vieilles vignes de gamay conduites à petits rendements, il a élaboré un 2004 remarquablement concentré. Sous une teinte violacée apparaissent des fragrances de petits fruits rouges et d'épices, nuancées de notes viandées. En bouche le vin se montre charnu, bien structuré, enveloppé de fines touches fruitées et épicées.

Carlo et Joël Maye et Fils, Cave Le Banneret,
rte de La Crettaz 15, 1955 Chamoson,
tél. 02.73.06.40.51, fax 02.73.06.85.55 r.-v.

## GERALD BESSE Martigny Les Bans 2004 **

1 ha 7 000 8 à 11 €

Après une visite – incontournable – de la fondation Gianadda, à Martigny, passez donc chez Gérald et Patricia Besse : leur caveau n'est qu'à 2 km. Ces producteurs vous proposeront l'une de leurs spécialités : un fendant (chasselas) bien dans la tradition par ses arômes floraux, ses délicats parfums fruités et sa subtile touche minérale. Au palais, ce vin convainc tant son corps est riche, gras, d'une remarquable harmonie vineuse. Sa teinte jaune-vert brillant est un autre atout de séduction. La **dôle Champortay de Martigny 2004** obtient une étoile pour sa fraîcheur. A servir dans les trois ans.

Gérald et Patricia Besse, Les Rappes,
1921 Martigny-Croix, tél. 02.77.22.78.81,
fax 02.77.23.21.94, e-mail gerald@besse.ch r.-v.

## ANTOINE ET CHRISTOPHE BETRISEY
Humagne rouge 2004 **

■ 0,35 ha 3 500 **11 à 15 €**

Pépiniéristes et vignerons, les frères Bétrisey produisent une large gamme à partir de leurs dix-sept cépages cultivés sur les coteaux de Saint-Léonard et d'Uvrier (8 ha). Leur humagne rouge libère sous sa robe pourpre un bouquet typique de lierre et de groseille. Souple en attaque, presque moelleuse, elle décline les mêmes arômes au palais, enveloppés de gras. De tanins, on ne parle point tant ils sont discrets derrière les flaveurs fruitées. La rusticité caractéristique du cépage est ici remplacée par une surprenante finesse. Un vin prêt à savourer.

Antoine et Christophe Bétrisey,
rue du Château 12, 1958 Saint-Léonard,
tél. 02.72.03.11.26, fax 02.72.03.40.26,
e-mail info@betrisey-vins.ch r.-v.

## ALBERT BIOLLAZ
Petite Arvine Belle Provinciale 2004 ***

0,35 ha 2 200 **30 à 38 €**

Fondée en 1917 par le charismatique Albert Biollaz, cette maison de négoce occupe une place importante en Valais central. Elle connaît parfaitement ses classiques, puisqu'elle cultive quatorze cépages parmi les spécialités valaisannes. Cette petite arvine réunit toutes les conditions pour plaire dès à présent : une teinte jaune-vert clair, un bouquet discret mais de qualité jouant sur la rhubarbe et des notes de beurre frais, une agréable fraîcheur qui lui donne toute son élégance jusqu'à la petite touche saline finale.

Albert Biollaz, Les Hoirs, rue du Prieuré 5-7,
1955 Saint-Pierre-de-Clages, tél. 02.73.06.28.86,
fax 02.73.06.62.50, e-mail info@biollaz-vins.ch
t.l.j. 8h-12h 14h-17h

## LE BOSSET Chamoson Johannisberg 2004 ***

0,3 ha 2 500 8 à 11 €

Johannisberg est le nom donné au sylvaner dans le canton du Valais. Ce cépage qui affectionne les sols gravelo-schisteux de Chamoson trouve une parfaite illustration de ses caractères dans ce 2004 tout en élégance. Jaune clair brillant, le vin décline une palette de senteurs typiques : amande amère, noisette, poire bien mûre et fine touche minérale. Le premier contact au palais est tendre grâce à une légère pointe de douceur, puis la fraîcheur s'impose avec en finale la délicate amertume qui sert de signature au cépage.

Cave Le Bosset, rue des Ecoles 2, CP 90,
1912 Leytron, tél. 02.73.06.18.80, fax 02.73.06.56.23,
e-mail cave@lebosset.ch r.-v.

## JEAN CARRUPT-MICHELLOD
Chamoson Syrah 2004 ***

■ 0,4 ha 2 000 11 à 15 €

Sur ses 4,5 ha, Jean-Carrupt n'hésite pas à innover. Certes, il est fidèle aux spécialités valaisannes, mais il a également planté du tannat, le cépage des Pyrénées. Etonnante aussi, cette syrah. Vous attendez-vous à un vin solidement charpenté, comme cette variété sait en produire ? Au contraire, ce 2004 aux reflets pourpres propose une bouche fraîche, toute de légèreté, aux arômes de petits fruits acidulés. Inattendu, mais c'est charmant.

Jean et Florence Carrupt, La Petite-Cave,
rue de Fosseau 1F, 1955 Chamoson,
tél. 02.73.06.76.15, fax 02.73.06.76.47 r.-v.

## UNION VINICOLE DE CHAMOSON
Chamoson Fendant 2004 **

n.c. 5 100 5 à 8 €

Depuis l'an 2000, cette coopérative, fondée en 1958, a fait peau neuve : les installations ont été modernisées, un nouveau caveau a été créé et de nouvelles gammes de vins lancées. Le classique a aussi du bon comme en témoigne ce fendant qui joue remarquablement son rôle de vin de soif. Le voici, jaune lumineux, brillant de reflets vert clair, qui livre un bouquet fruité, à dominante de citron bien mûr. Il se montre élégant en attaque, toujours fruité et surtout idéalement frais et persistant.

Union vinicole de Chamoson,
rue de l'Eglise 23, 1955 Saint-Pierre-de-Clages,
tél. 02.73.06.31.32, fax 02.73.06.32.06 r.-v.

## VINS DES CHEVALIERS Pinot noir 2004 **

■ 40 ha 200 000 **11 à 15 €**

A Salquenen, sur un terroir calcaire, le pinot noir règne en maître. Il donne ici toute la mesure de ses qualités. Pourpre dense, ce 2004 offre des arômes de fruits cuits et de marc. S'il se montre un peu sévère en attaque, il s'épanouit bientôt autour d'une structure de tanins soyeux. Vous le garderez entre un et trois ans pour mieux l'apprécier encore.

Vins des Chevaliers, Varenstr. 40, 3970 Salgesch, tél. 02.74.55.28.28, fax 02.74.55.34.28, e-mail info@chevaliers.ch r.-v.

## LES CIGALINES Chamoson Cornalin 2004 ★★★

0,3 ha 2 100 11 à 15 €

Maurice Giroud et son fils Xavier sont curieux de tout et notamment de cépages d'autres horizons. Ils ont ainsi planté du tannat, du merlot et... du chenin. Le plant préféré de la Loire a donné naissance dans ce vignoble rhodanien à un vin souple, gras et fruité : c'est la cuvée **Les Cigalines chenin blanc de Chamoson 2004**, notée deux étoiles par le jury. Toutefois, la préférence des dégustateurs est allée à un cépage de longue tradition. Ce cornalin rouge-violet offre généreusement ses arômes de cerise noire typiques. Des tanins présents, mais fondus lui assureront une bonne tenue dans le temps.

Maurice et Xavier Giroud, Cave la Siseranche, rue de Pommey 21, 1955 Chamoson, tél. 02.73.06.44.52, fax 02.73.06.90.19 r.-v.

## CAVES FERNAND CINA
Cornalin Réserve du Caveau 2004 ★

0,45 ha 4 000 11 à 15 €

Les frères Cina ont une préférence pour les vins élégants, pas trop musclés. Si le pinot noir se prête bien à cette volonté de finesse, le cornalin sait lui aussi être séducteur. Ce 2004 pourpre soutenu libère des senteurs de fruits acidulés comme la groseille, puis offre de la fraîcheur. Les tanins se manifestent encore un peu, mais le vin n'en est pas moins très agréable dès aujourd'hui. Vous pourrez le conservez trois ans.

Manfred et Damien Cina, SA Caves Fernand Cina, Bahnhofstr. 27, 3970 Salgesch, tél. 02.74.55.09.08, fax 02.74.56.43.81, e-mail caves@fernand-cina.ch t.l.j. sf dim. 9h30-12h 14h-18h

## DOM. DES CLAIVES Fully Syrah 2004 ★★★

0,36 ha 2 000 15 à 23 €

Partie en 1988 du remarquable terroir de granite et de gneiss des Claives, Marie-Thérèse Chappaz a acquis de nouvelles vignes à Martigny, Saillon, Leytron et Chamoson, portant la superficie de son vignoble à 8 ha. Elle y pratique la biodynamie. Sa syrah s'exprime avec panache dans une robe rouge foncé à reflets violacés. Au bouquet épicé, nuancé d'une touche de poivron, répond une matière étonnamment fraîche, dont les tanins sont déjà ronds et enveloppés. La longue finale poivrée appose la signature du cépage à ce 2004. Une bouteille à ouvrir après deux à quatre ans de garde.

Marie-Thérèse Chappaz, Cave La Liaudisaz, chem. de Liaudise 39, 1926 Fully, tél. 02.77.46.35.37, fax 02.77.46.35.29 r.-v.

## GERALD CLAVIEN Dôle blanche 2004 ★

1 ha 10 000 8 à 11 €

Depuis 1978, Gérald Clavien a étendu le vignoble hérité de son père sur les trois communes de Sierre, Veyras et Miège. Il propose un vin rosé de pinot noir de bonne ampleur. De teinte saumon très clair, cette cuvée semble encore sur la retenue, mais libère quelques senteurs exotiques, nuancées d'épices et de marc de raisin. Souplesse, rondeur et structure se conjuguent au palais.

Gérald Clavien, Cave Les Deux Crêtes, 3972 Miège, tél. 02.74.55.57.13, fax 02.74.55.57.02 r.-v.

## GEORGES CLAVIEN ET FILS
Sierre Pinot noir Elevé en fût de chêne 2003 ★★

15 ha 100 000 11 à 15 €

Seuls le chardonnay, la syrah et le pinot noir ont droit à un élevage en barrique dans ce domaine. Ce dernier cépage trouve dans cette alliance un faire-valoir. Le 2003, rouge foncé à reflets violacés, libère ainsi un bouquet typé, aux accents de cuir et de chocolat. Gracieux, il s'appuie sur une structure harmonieuse qui s'affinera encore dans les deux à quatre ans à venir.

SA Georges Clavien et Fils, Cave Saint-Georges, rte du Simplon 12, 3960 Sierre, tél. 02.74.55.11.50, fax 02.74.56.58.10, e-mail info@saintgeorges.ch t.l.j. sf sam. dim. 7h30-11h30 13h30-17h30; f. jan. et 15-31 août

## HUGUES CLAVIEN ET FILS
Humagne Caprice du temps 2004 ★★

0,4 ha 3 000 11 à 15 €

Plantée sur les sols calcaires des coteaux de Sierre, l'humagne blanc est l'un des cépages vedettes d'Hugues Clavien et de son fils Léonard. Ils la vinifient en cuve de façon à préserver son caractère. Jaune-gris lumineux, ce 2004 n'impressionne pas par l'intensité de son bouquet, mais par la fraîcheur et la finesse de ses nuances aromatiques. Après une attaque délicate, la vivacité et un côté gentiment rustique se manifestent, avec en finale une touche amère typique. Un vin finement ciselé.

Hugues Clavien et Fils, Cave Caprice du Temps, rte de la Coin-du-Cârro 33, 3972 Miège, tél. et fax 02.74.55.76.40 r.-v.

## THIERRY CONSTANTIN
Cornalin Aguares 2004 ★★★

0,6 ha 2 900 15 à 23 €

Le cornalin n'est pas un cépage aisé à cultiver, mais Thierry Constantin en apprécie le caractère et lui voue une passion. On ne s'étonnera donc pas du haut niveau de ce 2004 : un vin de grande classe, à l'avenir prometteur. De la robe rouge foncé à reflets violacés naît un bouquet de fruits rouges, de cuir et d'épices. Après une attaque ronde et élégante, le palais est envahi par les flaveurs fruitées de la framboise, de la mûre et de la cerise. Seuls quelques tanins encore fermes appellent à une garde de deux ans au moins.

Thierry Constantin, rte de Savoie 99, 1962 Pont-de-la-Morge, tél. 02.73.46.61.21, fax 02.73.46.60.20, e-mail info@thierryconstantin.ch r.-v.

## LE COURTISAN Fully Petite arvine 2004 ★★

1 ha 10 000 11 à 15 €

Dans le carnotzet (le caveau) de Véronique Bender et de Nicolas Thétaz, vous découvrirez cette petite arvine jaune clair brillant, aux arômes de pamplemousse jaune. Finesse et élégance, fraîcheur jusqu'en finale : le vin est typique, en effet. Tout juste lui manque-t-il la petite pointe saline si originale de ce cépage.

Thétaz Vins, Cave des Vignerons SARL, rue des Sports 15, 1926 Fully, tél. 02.77.46.13.27, fax 02.77.46.13.43, e-mail office@thetaz-vin.ch t.l.j. 8h-12h 13h-18h

## PIERRE-ANTOINE CRETTENAND

Pinot noir Syrah Un vin de vigneron 2004 ★★

| 0,2 ha | 2 000 | 8 à 11 € |
|---|---|---|

Du nouveau chez Pierre-Antoine Crettenand : le vigneron souhaite se lancer dans l'élaboration de vins d'assemblage. Avec ses dix-sept cépages plantés sur 7 ha : il a de quoi expérimenter. Son rosé, issu du pinot noir et de la syrah, est un premier pas remarquable. Il respire la gaieté dans sa robe rose tendre à nuance bleutée. Le nez très expressif livre des notes rafraîchissantes de bonbon anglais, puis la bouche laisse une impression de légèreté grâce à sa juste vivacité que soulignent les arômes fruités.

Pierre-Antoine Crettenand, rte de Tobtrouk, 1913 Saillon, tél. et fax 02.77.44.29.60 r.-v.

## DESFAYES ET CRETTENAND

Humagne rouge Vieux plant du pays 2004 ★★★

| 2 ha | 13 900 | 11 à 15 € |
|---|---|---|

Un patchwork que le vignoble de 5,3 ha de Stéphane Desfayes : des cépages exclusivement traditionnels plantés sur les communes de Leytron, Chamoson, Fully et Saxon. Cette humagne de teinte sombre à reflets violets charme par ses senteurs de petits fruits rouges et d'écorce de liège – note typique du cépage. Pleine et bien charpentée en attaque, elle livre ensuite une subtile vivacité qui lui donne de l'élégance. Les tanins discrets sont d'une souplesse avenante et laissent en finale le souvenir des épices fines. Une variante très distinguée de ce cépage au caractère souvent un peu rustique.

Stéphane Desfayes, Desfayes-Crettenand, rte de Dorman 23, 1912 Leytron, tél. 02.73.06.28.07, fax 02.73.06.28.84, e-mail vins@defayes.com r.-v.

## GILBERT DEVAYES Vétroz Amigne 2004 ★★

| 0,25 ha | 1 500 | 8 à 11 € |
|---|---|---|

La cave porte le nom de Dôle blanche car son fondateur, Ulrich Devayes, s'est battu dix ans durant pour que le Valais conserve cette appellation. Aujourd'hui, c'est son fils Gilbert qui conduit le domaine de près de 8 ha. Cette amigne jaune soutenu se développe crescendo à la dégustation. Un bouquet de senteurs exotiques, mêlant citron et mandarine, annonce une bouche toute de finesse, ronde et vineuse. La finale fait écho aux arômes d'agrumes.

Gilbert Devayes, Cave La Dôle Blanche, ruelle de la Cotze 5, 1912 Leytron, tél. 02.73.06.25.96, fax 02.73.06.63.46 r.-v.

## MICHEL DUC Présage Surmaturé 2003 ★★★

| n.c. | 3 000 | 11 à 15 € |
|---|---|---|

Sylvaner, marsanne et pinot blanc récoltés à surmaturité sur un terroir calcaro-schisteux composent ce Présage. Un vin habillé de jaune à reflets dorés, qui offre des arômes délicats et frais, tout en nuances : citron, touche d'eucalyptus et pointe de miel. L'impression de fraîcheur laissée par ce bouquet se confirme au palais. Le moelleux s'en trouve égayé et un caractère de jeunesse en résulte. La finale se prolonge bien, avec allant.

Michel Duc, rte de Sion, 3960 Sierre, tél. et fax 02.74.55.46.79, e-mail michel@caveduc.ch r.-v.

## HANNY ET JEAN-PIERRE FAVRE

Sion Fendant Collection F 2003 ★★★

| 1 ha | 1 500 | 8 à 11 € |
|---|---|---|

Collection F est la gamme de prestige de la maison Favre. Si vous pensez que le fendant est toujours à consommer dans sa jeunesse, ce vin devrait vous faire changer d'opinion, car il est apte à affronter cinq ans de garde sans peine. Jaune-gris ponctué de discrets reflets verts, il allie finesse et complexité : un caractère minéral apparaît d'emblée, puis des notes de fleurs blanches et de foin, enfin une subtile touche de pêche. La bouche ample et puissante est surprenante pour ce cépage. Elle s'accompagne des mêmes arômes que ceux perçus au nez, avec en finale une amertume délicate qui lui confère de la longueur. La **petite arvine de Sion Hurlevent 2004 (11 à 15 €)**, fruitée et douce, obtient une étoile.

Jean-Pierre Favre, Les Fils Charles Favre, av. de Tourbillon 29, 1951 Sion, tél. 02.73.27.50.50, fax 02.73.27.50.51, e-mail info@favre-vins.ch r.-v.

## RENE FAVRE ET FILS

Chamoson Petite arvine 2004 ★★

| 1,2 ha | 7 000 | 23 à 30 € |
|---|---|---|

Un cas d'école : une petite arvine qui réunit toutes les caractéristiques du cépage. Vous appréciez le parfum de la glycine en fleur ? Retrouvez-le dans le bouquet expressif de ce vin, nuancé d'une touche épicée. L'attaque est vive, le palais riche de flaveurs de pamplemousse avec la pointe d'amertume attendue et la nuance salée si typique de l'arvine.

René Favre et Fils, rte de Collombey 15, 1955 Saint-Pierre-de-Clages, tél. 02.73.06.39.21, fax 02.73.06.78.49, e-mail renefavrevin@chamoson.ch t.l.j. sf sam. dim. 8h-12h 13h-18h

## MAURICE GAY M.A.S.C. 2004 ★★★

| 0,3 ha | 3 000 | 15 à 23 € |
|---|---|---|

M.A.S.C. pour merlot, ancellotta, syrah et cabernet-sauvignon. Voici un vin dans l'air du temps, issu d'une vinification en barrique bien maîtrisée. De teinte sombre et intense, il charme par ses arômes complexes mêlant le fruité à de délicates notes fumées. Après une attaque puissante, cette cuvée offre un caractère charnu, mis en valeur par la complexité aromatique. L'empreinte du bois est perceptible, mais elle se fond aux flaveurs apportées par les différents cépages de l'assemblage. La finale longue souligne encore l'équilibre de l'ensemble. Une bouteille à conserver entre deux et six ans.

SA Maurice Gay, rue de Ravanay, CP 54, 1955 Chamoson, tél. 02.73.06.53.53, fax 02.73.06.53.88, e-mail mauricegay@mauricegay.ch t.l.j. sf sam. dim. 8h-17h; f. 25 juil.-12 août

JACQUES GERMANIER
Brut Grande Réserve Conthey 2000 ★
n.c. 150 000 11 à 15 €

Cette maison créée en 1968 fait figure de pionnière dans l'élaboration de vins effervescents en Valais, puisqu'elle a produit en 1991 le premier vin brut. Aujourd'hui, c'est un vin millésimé, issu du chardonnay, qu'elle présente. Jaune clair animé de fines bulles, celui-ci évoque le pain frais et le toast au nez, puis offre au palais une structure surprenante et de l'équilibre. Un caractère classique.
SA Jacques Germanier, rte de Vens 1, 1964 Conthey, tél. 02.73.46.12.14, fax 02.73.46.51.81, e-mail info@germanier.ch r.-v.

JEAN-RENE GERMANIER
Amigne de Vétroz 2004 ★★★
3 ha 30 000 8 à 11 €

Sur les terrasses des coteaux de Vétroz, au sol de schistes noirs, est née cette amigne jaune pâle brillant qui révèle de frais arômes de fruits exotiques. On reconnaît aisément la note d'écorce de mandarine si typique de ce cépage. Un léger taux de sucres résiduels rend l'attaque suave et onctueuse, puis les parfums exotiques envahissent le palais et accompagnent le développement tout en rondeur de ce vin très persistant. Une amigne qui se livre déjà entièrement, mais qui a suffisamment de potentiel pour vous charmer encore dans dix ans. La **petite arvine 2004** reçoit deux étoiles : expressive, fraîche et dotée de la note saline typique, elle n'a de petit que son nom.
SA Jean-René Germanier, Balavaud, 1963 Vétroz, tél. 02.73.46.12.16, fax 02.73.46.51.32, e-mail info@jrgermanier.ch
jeu. et ven. 16h-23h, sam. 10h30-21h

ROBERT GILLIARD Dôle des Monts 2004 ★★
40 ha 400 000 11 à 15 €

Cette propriété familiale créée à la fin du XIXᵉs. possède à La Cotzette les plus hauts murs de vignes au monde. Vous viendrez les admirer, sans oublier de goûter parmi la production cette dôle, assemblage de pinot noir (80 %), de gamay et de diolinoir. Le bouquet discret charme par ses nuances épicées et ses senteurs de fruits rouges. De la souplesse et de la rondeur, du caractère, des tanins soyeux : tout contribue à faire de ce vin un classique du genre.
SA Robert Gilliard, rue de Loèche 70, 1950 Sion 2, tél. 02.73.29.89.29, fax 02.73.29.89.28, e-mail vins@gilliard.ch t.l.j. 8h-18h

GRAND BRÛLÉ Leytron Petite arvine 2004 ★★★
0,48 ha 2 800 11 à 15 €

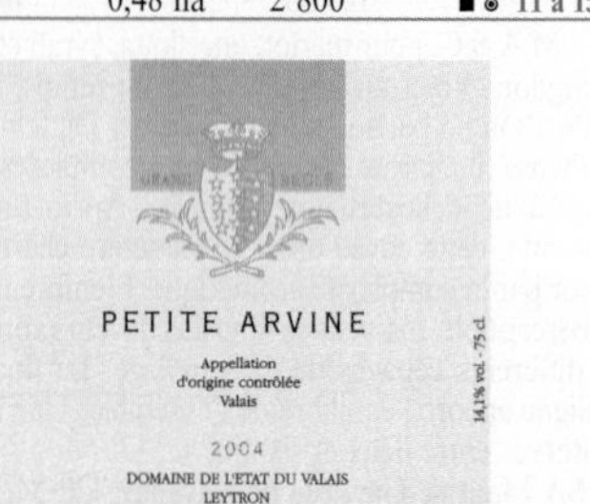


Pouvait-on imaginer en 1918 que d'un terrain inculte de 2,4 ha, destiné à la plantation expérimentale de porte-greffes, l'État allait créer un beau domaine de plus de 12 ha, producteur de vins réputés ? Ce 2004 peut sans conteste servir d'étalon pour l'élaboration de petites arvines bien typées. Rouge foncé à reflets violacés, il fait preuve de fraîcheur au nez, souligné de notes de rhubarbe. A l'attaque vive et nette succède une grande structure. Les arômes acidulés de compote de rhubarbe envahissent le palais, puis l'on perçoit la petite pointe saline caractéristique du cépage. La finale impressionnante laisse une sensation complexe de plénitude.
Dom. du Grand Brûlé, Etat du Valais, Service de Viticulture, 1912 Leytron, tél. 02.73.06.21.05, fax 02.73.06.36.05, e-mail pierre-andre.roduit@admin.vs.ch r.-v.

LEUKERSONNE Chardonnay 2004 ★★
0,45 ha 4 000 11 à 15 €

Un chardonnay original, jaune clair brillant, qui allie des senteurs de petit pain frais à des arômes de beurre et de cassis. A la fraîcheur de l'attaque répond une structure fine et élégante, équilibrée. Ce vin n'attend qu'un bon repas pour faire son apparition à table.
R. Seewer & Söhne, Leukersonne, Sportplatzstr. 5, 3952 Susten, tél. 02.74.73.20.35, fax 02.74.73.40.15, e-mail info@leukersonne.ch r.-v.

CAVE LA MADELEINE
Vétroz Malvoisie Flétrie sur souche 2004 ★★★
0,3 ha 2 000 15 à 23 €

Vétroz est le cœur du domaine d'André Fontannaz (11 ha) qui possède la plus vieille vigne d'amigne, âgée de soixante-sept ans. Ce cépage blanc lui a donné un vin moelleux de haute expression, aux senteurs de mandarine : l'**amigne de Vétroz 2004**. Cependant, le cœur du jury a battu plus encore pour cette malvoisie (pinot gris) jaune doré, dont le bouquet ample ne laisse planer aucun doute : c'est un grand vin de surmaturation, aux parfums de coing confit. Toute en puissance mais sans agressivité, douce mais sans lourdeur, elle est équilibrée par une juste vivacité qui préserve sa fraîcheur et favorise le développement de la finale.
André Fontannaz, Cave La Madeleine, rte cantonale 118, 1963 Vétroz, tél. 02.73.46.45.54, e-mail info@fontannaz.ch r.-v.

DANIEL MAGLIOCCO
Chamoson Fendant 2004 ★★★
0,3 ha 3 000 5 à 8 €

Après une promenade dans le « village du Livre » et un parcours didactique dans les vignes, rendez-vous chez

Daniel Magliocco qui a réussi à démontrer que le chasselas pouvait être un merveilleux interprète du terroir. Jugez-en par ce vin jaune-gris brillant qui laisse poindre la note de pierre à fusil si caractéristique. Si le fendant ne se distingue que rarement par sa puissance, il sait, comme ici, charmer par sa finesse. Les arômes minéraux sont soutenus par un léger perlant et la finale se prolonge harmonieusement. Une bouteille à apprécier au cours des cinq prochaines années.

Daniel Magliocco, av. de la Gare 10, 1955 Saint-Pierre-de-Clages, tél. 02.73.06.35.22, fax 02.73.06.48.60 r.-v.

## ERHARD MATHIER Cornalin 2004 ★★

0,3 ha 2 000 15 à 23 €

Ce cornalin enchante non par une énorme structure, mais par son charme fruité (cerise noire mûre). La robe pourpre n'est pas trop dense, annonciatrice d'une chair souple et élégante qui privilégie le fruité ; les tanins discrets sont particulièrement soyeux.

Erhard Mathier Vins, Cave Vieux Villa, ruelle du Manoir 8, 3960 Sierre, tél. 02.74.55.15.51, fax 02.74.56.44.42, e-mail m-vins@bluewin.ch r.-v.

## LES FILS MAYE Fendant Grandgousier 2004 ★★

3 ha 30 000 5 à 8 €

Jean-Martin Philippoz poursuit depuis 1989 l'aventure familiale commencée un siècle plus tôt. Le fendant demeure la vedette dans sa palette de vins pourtant très diversifiée. Ce 2004 est à classer dans la catégorie des « poids lourds ». Jaune-gris nuancé de vert pâle, il exprime des senteurs minérales, puis offre sa rondeur avec en finale une noble amertume. Plus il prend d'ampleur au palais, plus les flaveurs de pierre à fusil se manifestent et plus la structure semble impressionnante.

Les Fils Maye, rue des Caves, 1908 Riddes, tél. 02.73.05.15.00, fax 02.73.05.15.01, e-mail info@maye.ch r.-v.

## SIMON MAYE ET FILS
Chamoson Johannisberg 2004 ★★

0,7 ha 5 000 11 à 15 €

Jaune paille doré, ce johannisberg traduit la maturité de la vendange dont il est issu par des arômes intenses de fruits (ananas et compote de poires). Dès l'attaque, il impressionne par sa puissance et son onctuosité. Les notes fruitées se développent au palais, relayées en finale par une agréable amertume qui souligne la persistance du vin. Un 2004 puissant et typé qui a les caractères nécessaires pour une garde prolongée (dix ans).

Simon Maye et Fils, rue de Collombey 3, 1955 Saint-Pierre-de-Clages, tél. 02.73.06.41.81, fax 02.73.06.80.02, e-mail simon.maye@teltron.ch r.-v.

## DENIS MERCIER Dôle 2004 ★★

0,9 ha 7 500 8 à 11 €

Les Mercier, à la tête de près de 6 ha de vignes, misent beaucoup sur le pinot noir qui représente 40 % de l'encépagement. La dôle est leur seul vin d'assemblage. Le 2004, pourpre lumineux, se distingue par son bouquet tendre et complexe aux parfums de confiture de myrtilles et de griottes. Souplesse et élégance sont les maîtres mots de la dégustation au palais, bien que le vin dévoile encore quelques tanins sévères qui demandent à s'assouplir dans le temps. Entre deux et quatre ans de patience contribueront à parfaire le profil de cette dôle.

Denis et Anne-Catherine Mercier, Crêt-Goubing 44, 3960 Sierre, tél. 02.74.55.47.10, fax 02.74.55.47.77, e-mail denis.mercier@netplus.ch r.-v.

## DOM. DU MONT D'OR
Johannisberg Flétri sur souche Saint-Martin 2003 ★★

7 ha 21 000 23 à 30 €

En 1880, Georges Masson introduisit le johannisberg et le riesling en Valais. Ce sont encore les cépages vedettes de ce prestigieux domaine dont les 20 ha se répartissent en deux cent vingt terrasses soutenues par des murets. Ici, le microclimat favorise la production de vins liquoreux, issus de raisins passerillés sur souche. Ce 2003 de couleur or est d'une grande complexité. Si les arômes d'abricot et de fruits confits se révèlent, il garde une fraîcheur remarquable. Onctueux et puissant en attaque, il est bientôt relevé d'une juste vivacité qui préserve son équilibre et le porte loin en finale. Une bouteille à ne déboucher que dans deux ans et à garder jusqu'en 2020. Le **johannisberg flétri sur souche Saint-Martin 2004 (11 à 15 €)**, vin moelleux (33 g/l de sucres résiduels), obtient une étoile.

SA Dom. du Mont d'Or, CP 240, 1964 Conthey 1, tél. 02.73.46.20.32, fax 02.73.46.51.78, e-mail montdor@montdor-wine.ch t.l.j. 9h30-19h30, groupes sur r.-v.

## DOM. MONTZUETTES
Humagne blanche Coteaux de Sierre 2004 ★★

0,25 ha 2 400 11 à 15 €

Un domaine né avec le nouveau millénaire, mais déjà convaincant : 3,5 ha dans la région de Sierre, au sol légèrement calcaire. L'un des plus vieux cépages autochtones du Valais se révèle de manière authentique, avec une sobriété de grande classe dans ce 2004. Sous une teinte jaune pâle se dévoile un bouquet discret de fruits exotiques comme la mangue, souligné d'une touche de résine. D'attaque fine, le vin présente peu de vivacité, mais il a suffisamment d'allonge pour surprendre agréablement.

Charles-André Lamon, Dom. Montzuettes, Saint-Clément 8, 3978 Flanthey, tél. 02.74.58.44.79, fax 02.74.58.25.35, e-mail ch.-andre@montzuettes.ch r.-v.

## CAVE DU PARADOU Pinot noir 2004 ★★

0,8 ha 6 000 5 à 8 €

La cave du Paradou possède à l'entrée du val d'Hérens un ancien vignoble d'une altitude de près de 1 000 m, où le cépage heida prospère. Sous sa jolie étiquette illustrée d'un iris, c'est un pinot noir frais et fruité que vous découvrirez. Celui-ci chatoie de reflets grenat dans le verre et décline sans ambages ses senteurs de groseille. Souple, il ne manque ni d'ampleur ni de rondeur grâce à ses tanins élégants et persiste remarquablement. Vous pourrez le servir jusqu'en 2010.

Cave du Paradou, La Villetaz, 1973 Nax, tél. 02.72.03.23.59, fax 02.72.03.61.13, e-mail paradou.vins@bluewin.ch r.-v.

## DOMINIQUE PASSAQUAY
Gewürztraminer passerillé 2003 ★★

0,15 ha 1 500 15 à 23 €

Le gewürztraminer n'est pas si courant en Valais. Dominique Passaquay, œnologue, l'apprécie pour l'élabo-

ration de vins moelleux à l'image de ce 2003 ample et vineux. Au nez, vous percevrez sans difficulté les parfums de pétale de rose et de litchi, bien que ce bouquet typique du cépage s'exprime ici avec subtilité. La matière vineuse et onctueuse, bien structurée, est de même empreinte d'arômes de confiture de roses.
⊶ Dominique Passaquay,
rte de Montet 5, 1871 Choëx-sur-Monthey,
tél. 02.44.71.18.01, fax 02.44.72.36.22,
e-mail passdom@bluewin.ch ☒ Y ☦ r.-v.

## REGINE PENON-GUEX
Amigne de Vétroz Réserve des amis 2004 ★★

0,28 ha 2 800 8 à 11 €

Régine Penon possède un tout petit vignoble de 1,5 ha dans la commune de Vétroz, mais les sols sont variés : brisés d'ardoise, moraines glaciaires, graviers d'alluvions. Parmi les huit cépages cultivés, elle privilégie l'amigne qui affectionne les terroirs de schistes noirs. Ce 2004 lui donne raison. Jaune tendre et lumineux, il exhale des senteurs délicates de cire d'abeille, de mandarine et de feuille de cassis, puis se développe avec ampleur et rondeur, une touche sucrée soulignant son harmonieuse vinosité. La finale est soutenue par de délicats tanins aux accents de café. Un vin sensuel à boire aujourd'hui ou à garder jusqu'en 2012.
⊶ Régine Penon-Guex,
Cave Réserve des amis, Sous-Maison 15, 1963 Vétroz,
tél. 02.73.46.36.31, fax 02.73.46.47.68,
e-mail jm.penon@netplus.ch ☒ Y ☦ r.-v.

## PETITE VERTU Dôle 2004 ★★

1 ha 2 000 8 à 11 €

Le jury a été charmé par la rondeur et la souplesse de ce vin qui décline sous une robe rouge foncé des arômes de cerise noire et d'épices. Les tanins bien présents s'enveloppent dans la chair toute fruitée. Une dôle qui accompagnera vos plats de viandes et vos terrines d'ici à 2008.
⊶ Schmaltzried et Fils, Cave Petite Vertu,
rue chez Pottier 2, 1955 Chamoson,
tél. 02.73.06.17.01, fax 02.73.06.17.88,
e-mail info@petite-vertu.ch ☒ Y ☦ r.-v.

## LES FRERES PHILIPPOZ
Leytron Fendant Les Chênes 2004 ★★★

0,5 ha 4 000 8 à 11 €

Le chasselas a la part belle sur les parcelles de Leytron cultivées par André, Freddy et Roger Philippoz. Les vins de ce cépage comptent parmi les vedettes du domaine. Celui-ci dépasse largement sa vocation de vin de soif. Voyez sa teinte jaune-gris à reflets vert clair, ensuite humez son bouquet complexe, dominé par des notes de fruits bien mûrs. En attaque, il est tendre et rond, puis il se développe bientôt avec ampleur et équilibre. Les arômes de fruits mûrs se confirment au palais, accompagnés d'une petite amertume qui confère une remarquable longueur à l'ensemble. Un cru qui se savoure avec respect.
⊶ Philippoz Frères, rte de Riddes 13, 1912 Leytron,
tél. 02.73.06.30.16, fax 02.73.06.71.33,
e-mail t.philippoz@bluewin.ch ☒ Y ☦ r.-v.

## CAVE DES PLACES Gamay 2004 ★★

0,5 ha 3 000 8 à 11 €

Laurent Hug, ingénieur œnologue, cultive 5,5 ha sur les coteaux calcaires de Sion. Si la syrah a ses faveurs, il ne réussit pas moins ses cuvées issues d'autres cépages comme le gamay. Celui-ci sort rapidement de sa réserve pour montrer sa belle personnalité. Le caractère quelque peu austère du bouquet aux notes de cuir et de fruits cuits cède place en bouche à une expression plus avenante, typique du cépage. Sa solide structure garantira à ce vin une bonne évolution au cours des deux à quatre années à venir.
⊶ Laurent Hug, Cave des Places, 1971 Champlan,
tél. 02.73.98.31.43, fax 02.73.98.31.01,
e-mail info@hugvins.ch ☒ Y ☦ r.-v.

## PROVINS VALAIS Marsanne Maître de chais
Elevé en fût de chêne 2003 ★★★

5 ha 8 000 15 à 23 €

Pas moins de 1 250 ha de vignes et 5 200 adhérents pour cette union de coopératives fondée en 1930. Dans la gamme Maître de chais, cette marsanne attire le regard par sa couleur de blé mûr. Si vous souhaitez connaître la définition d'un bouquet élégant, elle vous la donne à travers ses notes de citron confit, de vanille et de sous-bois. La grâce est au rendez-vous dès l'attaque au palais. Les fines nuances de la barrique se fondent délicatement au fruit du cépage. Un vin ample, d'une rondeur harmonieuse, avec une longue finale évocatrice de noix de coco. Dans la même collection, le **Rouge d'Enfer 2003 Elevé en fût de chêne** brille de trois étoiles également. Un assemblage dans lequel les caractéristiques des différents cépages se fondent avec les apports discrets d'une vinification en barrique parfaitement maîtrisée.
⊶ Provins Valais, rue de l'Industrie 22, 1951 Sion,
tél. 02.73.28.66.66, fax 02.73.28.66.60,
e-mail marketing@provins.ch
☒ Y ☦ t.l.j. sf dim. 9h30-12h 13h30-18h30

## DOM. DE REGALESSE Saillon Fendant 2004 ★

n.c. 6 500 5 à 8 €

Le domaine de Régalesse est l'une des propriétés de cette cave créée en 1988. Il se situe à Saillon, sur des sols argilo-calcaires favorables à la petite arvine, à l'humagne blanc, au pinot noir et au chasselas. Ce dernier cépage a donné naissance à un vin subtil et frais par ses notes florales et sa fine touche minérale. Agréablement acidulé et perlant, il offre un caractère juvénil encore souligné par sa teinte jaune-vert clair. Un fendant persistant et classique, prêt à être savouré. La **marsanne blanche Taillefer 2004 (8 à 11 €)** brille d'une étoile pour sa typicité.

Jacques-Alphonse et Philippe Orsat,
Cave Taillefer SA, 1906 Charrat,
tél. 02.77.47.15.25, fax 02.77.47.15.29 r.-v.

## REGENCE BALAVAUD

Cornalin Grande Réserve 2004 ★★★

■ n.c. 2 100 **15 à 23 €**

Vous aurez tout le loisir d'apprécier le paysage viticole en séjournant dans le château du XIX[e]s. qui abritait à cette époque un relais de diligences. Vous goûterez aussi ce cornalin rouge profond à reflets violacés qui affiche une forte personnalité. Aux arômes complexes (massepain, marasquin, griotte notamment) répond une bouche souple et ronde, d'une grande persistance. Les tanins fermes, mais bien intégrés, donnent à ce vin une solide charpente pour affronter une garde de quatre ans, tout en autorisant un service immédiat.

SA Cave Régence-Balavaud, rte cantonale 267,
1963 Vétroz, tél. 02.73.46.69.69, fax 02.73.46.68.68,
e-mail cave-regence@netplus.ch r.-v.

## CAVES DU RHODAN Dôle 2004 ★★★

■ 1,5 ha 80 000 8 à 11 €

Depuis 2003, Fadri Kuonen dirige cette propriété créée en 1962 par les quatre frères Mounir : 31 ha de vignes implantées à Salquenen et sur les coteaux de Sierre. Heureux présage pour l'avenir que cette dôle pourpre sombre et brillante qui libère un bouquet subtil, dominé par le fruit (cerise noire). Dès l'attaque, le jury a été conquis par sa structure comme par sa matière parfaitement équilibrée grâce à une agréable vivacité qui accentue son caractère frais. Les tanins présents mais souples forment une trame serrée et soutiennent la longue finale. Malgré son corps solide, cette dôle est déjà fort plaisante ; elle saura aussi affronter deux à quatre ans de garde.

Caves du Rhodan, Gebr. Mounir Weine AG,
Flantheystr. 1, 3970 Salgesch,
tél. 02.74.55.04.07, fax 02.74.55.82.07,
e-mail mounir@rhodan.ch r.-v.

## CAVE RODELINE Fully Syrah La Serine 2004 ★★

■ 0,4 ha 2 500 **15 à 23 €**

En 2003, Yvon et Claudine Roduit-Desfayes ont pris leur indépendance et vinifient eux-mêmes le fruit de leurs 5 ha de vignes sur les terrasses de Fully. Cette cuvée témoigne du mariage réussi entre la syrah et l'empreinte d'un élevage de douze mois en fût. Pourpre sombre, elle nous transporte dans l'univers d'un bar à café italien par ses senteurs de torréfaction et de *ristretto* qui trouvent écho au palais sans écraser le caractère du cépage. La solide structure tannique, enveloppée d'une chair ronde, est le gage d'une évolution favorable à la garde (de deux à six ans).

Yvon et Claudine Roduit, Cave Rodeline,
rue de la Fontaine 114, 1926 Fully,
tél. et fax 02.77.46.17.54, e-mail rodeline@mycable.ch
r.-v.

## CAVE LA ROMAINE

Coteaux de Sierre Diolinoir 2004 ★★

■ 0,3 ha 3 000 5 à 8 €

Il a l'accent du Sud ce diolinoir (cépage issu du croisement du diolly et du pinot noir). Couleur rouge foncé, presque encre noire, il s'exprime en notes fruitées et animales tout en gardant une agréable fraîcheur. Dès la mise en bouche, il surprend par sa structure puissante.

Joël Briguet, Cave La Romaine,
rte de Granges 124, 3978 Flanthey, tél. 02.74.58.46.22,
e-mail joel.briguet@bluemail.ch r.-v.

## CAVE SAINTE-ANNE

Ermitage Moelleux de Lentine 2004 ★★

■ 0,3 ha 2 266 **11 à 15 €**

Pierre-Alain Burgener a pris en automne 2004 la direction de cette cave qui possède en propre 5,5 ha de vignes entre Chamoson et Sion, tout en vinifiant le fruit d'autres vignerons. Son ermitage (marsanne) révèle toute la noblesse attendue de ce cépage. Vêtue d'or brillant, elle décline des senteurs de framboise et de confiture de fraises avec intensité, puis offre sa chair ronde et moelleuse, toute fruitée et vanillée. La finale est soutenue par une subtile amertume.

SA Cave Sainte-Anne, Héritier et Favre,
av. Saint-François 2, CP 2176, 1950 Sion 2,
tél. 02.73.22.24.35, fax 02.73.22.92.21,
e-mail info@sainte-anne.ch r.-v.

## CAVE SAINT-MATHIEU Sierre Syrah 2004 ★★

■ 1 ha 7 000 **15 à 23 €**

Jean-Louis Mathieu a le doigté d'un horloger : il assemble avec mesure ses vins vinifiés en cuve et en barrique afin d'obtenir la meilleure harmonie possible. Objectif atteint dans cette cuvée rouge foncé à reflets violacés, qui mêle des notes de fumée et de torréfaction à des senteurs épicées et réglissées. Après une attaque souple et élégante, elle emplit le palais de ses arômes avant de se prolonger sur une note de cacao.

Jean-Louis Mathieu, cave Saint-Mathieu,
rte du Téléphérique 26, CP 1, 3966 Chalais,
tél. 02.74.58.27.63, fax 02.74.58.42.44,
e-mail jean-louis@mathieu-vins.ch r.-v.

## CAVEAU DE SALQUENEN

Pinot noir Grandmaître
Elevé en fût de chêne 2004 ★★★

■ 0,5 ha 4 000 **15 à 23 €**

François Kuonen privilégie l'élevage en barrique pour une majorité de ses vins et ne cesse de tester l'influence du chêne selon ses origines – française, américaine et hongroise. Dans la collection Grandmaître s'inscrivent les meilleurs pinots noirs de la cave. Ce 2004 en apporte une illustration convaincante. Le séjour de sept mois sous bois lui a légué des notes toastées et chocolatées bien fondues. L'attaque puissante annonce la solide structure du vin : des tanins solides mais bien intégrés à la matière concentrée soutiennent la longue finale chaleureuse. L'**ermitage flétrie vinifiée en barrique 2003 (23 à 30 €)** obtient deux étoiles : un moelleux ample et riche, aux notes de truffe blanche typiques du cépage.

Gregor Kuonen, Caveau de Salquenen, Unterdorfstr. 11, 3970 Salgesch, tél. 02.74.55.82.31, fax 02.74.55.82.42, e-mail gregor.kuonen@rhone.ch t.l.j. sf dim. 8h-12h 13h30-17h30, sam. 8h-12h

## CAVE DES TILLEULS
Vétroz Amigne Fût de chêne 2003 ★★★

0,3 ha 1 500 15 à 23 €

Si vous vous rendez à la cave, c'est Fabienne Cottagnoud que vous trouverez devant les cuves et les fûts, pendant que son mari s'occupe du vignoble de 4 ha. Elle a élaboré une amigne irrésistible, qui accroche le regard dans sa robe légèrement dorée, à reflets vert clair. Le bouquet complexe allie les arômes de miel et de pêche aux senteurs vanillées apportées par l'élevage de douze mois en barrique. Le vin envahit le palais de sa chair vineuse et structurée, puis laisse rêveur en finale : bien qu'il ne soit pas liquoreux, il se prolonge encore et encore. Prenez soin de garder quelques bouteilles pour plus tard ; vous les retrouverez dans dix ans avec plaisir.

Fabienne Cottagnoud, Cave des Tilleuls, rte cantonale 174, 1963 Vétroz, tél. 02.73.46.74.58, fax 02.73.46.17.53 r.-v.

## LA TORNALE Chamoson Dôle 2004 ★★★

5 ha 15 000 8 à 11 €

Jean-Daniel Favre conduit 8 ha de vignes plantées en majorité à Chamoson. Le voici à l'honneur grâce à une dôle très tendance, assemblage de pinot noir, de gamay, de diolinoir et de gamaret. D'un rouge soutenu, le vin offre une corbeille de fruits et de délicates touches animales. La bouche confirme ces impressions. Après une attaque ferme marquée par les petits fruits comme la myrtille, se développe une structure impressionnante de fondu. La persistance est en outre notable. Une dôle à boire ou à attendre de un à quatre ans. L'**humagne rouge de Chamoson 2004 (11 à 15 €)** brille de deux étoiles : un vin au tempérament noblement rustique pour l'amateur qui recherche un antidote à la standardisation du goût.

Vincent et Jean-Daniel Favre, Cave La Tornale, rue de Plantys 22, 1955 Chamoson, tél. 02.73.06.22.65, fax 02.73.06.64.43 r.-v.

## VARONE Humagne blanche Héritage 2004 ★★

0,6 ha 5 000 11 à 15 €

Plus que centenaire, cette maison familiale réputée de la région de Sion propose une humagne blanche typée, née sur les sols de schistes ardoisiers. Les senteurs de tilleul et de pomme bien mûre invitent à poursuivre la dégustation et à découvrir le caractère qui se cache sous cette teinte jaune clair lumineux. A l'attaque, le vin montre une certaine sobriété, synonyme d'élégance, puis il gagne en ampleur et se prolonge durablement.

SA Vins Frédéric Varone, av. Grand Champsec 30, CP 4326, 1950 Sion 4, tél. 02.72.03.56.83, fax 02.72.03.47.07, e-mail info@varone.ch r.-v.

## CAVE DU VIEUX MOULIN
Vétroz Cornalin 2004 ★★

0,4 ha 3 000 15 à 23 €

Autodidacte, Romain Papilloud a repris voilà vingt ans le domaine de son grand-père : 4 ha aujourd'hui, essentiellement concentrés sur Vétroz. Son cornalin de teinte rouge violacée affiche une certaine rigueur : un bouquet sur la retenue, aux notes de poivre et de girofle, puis une structure solide, faite de tanins fermes et une finale épicée. Il suffira de le suivre sur une période de un à quatre ans pour assister à son ouverture. (Bouteilles de 50 cl.)

Romain Papilloud, Cave du Vieux Moulin, rue des Vignerons 43, 1963 Vétroz, tél. 02.73.46.43.22, fax 02.73.46.05.22, e-mail papilloud@bluewin.ch r.-v.

## LA VOUETTAZ Chamoson Johannisberg 2004 ★★

0,4 ha 4 000 8 à 11 €

Typique ? Peut-être pas, mais charmeur sans aucun doute. Ce johannisberg (sylvaner) jaune pâle brillant offre un joyeux bouquet fruité qui contraste avec l'austérité souvent rencontrée dans les autres vins de ce cépage : des fragrances de pêche et de poire très avenantes. Un peu sur la réserve en attaque, il se révèle bientôt ample et gras, marqué par le fruit, puis par une légère pointe d'amertume en finale.

Bertrand et Monique Caloz-Evéquoz, Colline de Daval, 3960 Sierre, tél. 02.74.58.45.15, fax 02.74.58.45.14, e-mail info@collinededaval.com r.-v.

## MAURICE ZUFFEREY
Buiron Johannisberg 2004 ★★★

0,3 ha 2 000 11 à 15 €

Sur les hauteurs de Sierre, Maurice Zufferey possède 8,5 ha de vignes, complantées de dix cépages. Le johannisberg reflète dans son bouquet d'amande et de noisette grillée le généreux soleil dont il a profité sur les coteaux argilo-calcaires. Il dévoile en attaque de la souplesse, puis du gras et une ampleur étonnante. La finale marquée par une fine touche d'amertume ne fait que renforcer sa typicité.

Maurice Zufferey, rue des Moulins 52, 3960 Sierre, tél. 02.74.55.47.16, fax 02.74.56.35.27, e-mail maurice-zufferey@netplus.ch r.-v.

# Canton de Genève

Déjà présente en terre genevoise avant l'ère chrétienne, la vigne a survécu aux vicissitudes de l'histoire pour s'épanouir pleinement dès la fin des années 1960.

Avec un climat tempéré dû à la proximité du lac, à un très bon ensoleillement et à un sol favorable, le vignoble genevois se partage entre trente-deux appellations. Les efforts entrepris pour améliorer le potentiel des vins genevois, par des méthodes culturales respectueuses de l'environnement, le choix de cépages moins productifs et appropriés à un sol généralement caractérisé par une forte teneur en calcaire, permettent de garantir au consommateur un vin de haute qualité. Les exigences contenues dans les textes de loi traduisent autant la volonté des autorités que celle de la profession de mettre sur le marché des vins qui satisfont aux normes des AOC.

Outre les principaux crus provenant du chasselas pour les blancs, du gamay et du pinot noir pour les rouges, les spécialités comme le chardonnay, le pinot blanc, l'aligoté, le gamaret et le cabernet rencontrent un franc succès auprès de l'amateur avisé.

### DOM. DES ALOUETTES Satigny Gamay 2003 **

■ 6 ha 9 000 ▮ 5 à 8 €

Situé dans la région du Mandement, au patrimoine architectural riche, ce domaine familial propose un gamay tout en fruits rouges. Gouleyant en bouche, le vin s'appuie sur des tanins encore jeunes, mais qui ne tarderont pas à se fondre dans la matière fruitée.

Jean-Daniel Ramu, 36, chem. de la Vieille-Servette, 1242 Satigny, tél. et fax 02.27.53.13.70 ☑ Y r.-v.

### DOM. DE CHAFALET Dardagny Le Méphisto Gamaret Elevé en barrique 2002 *

■ 1,2 ha 7 000 ▮ 11 à 15 €

Les origines de ce domaine familial remontent à près de quatre siècles. Parmi les douze cépages cultivés ici, le gamaret se distingue grâce à ce vin rouge sombre, finement fruité. Des tanins serrés structurent sa matière équilibrée et harmonieuse. Attendez-le une petite année.

Guy Ramu, Dom. de Chafalet, 16, chem. de Chafalet, Essertines, 1282 Dardagny, tél. 02.27.54.11.79, fax 02.27.54.11.84 ☑ Y ★ r.-v.

### DOM. DU CHAMBET Pinot gris 2003 *

□ 0,35 ha 2 500 ▮ 5 à 8 €

Un filet de perche sera le bienvenu aux côtés de ce pinot gris au nez de pêche et de citronnelle. Agréablement structuré, le vin possède un caractère friand, plein de jeunesse. Il est prêt à être servi.

Gérald Fonjallaz, 7, chem. de Garmaise, 1251 Gy, tél. et fax 02.27.59.10.61 ☑ Y ★ r.-v.

### DOM. DES CHARMES Peissy Gamaret Elevé en barrique 2002 **

■ 0,3 ha 2 500 11 à 15 €

Au sommet du coteau de Peissy, le vignoble couvre une dizaine d'hectares. Bernard Conne a su tirer la quintessence du gamaret dans ce vin rouge sombre qui joue sur les fruits noirs et une note toastée. La bouche harmonieuse s'appuie sur des tanins denses, mais soyeux, au boisé subtil.

Bernard Conne, 11, rte de Crédery, Peissy, 1242 Satigny, tél. 02.27.53.22.16, fax 02.27.53.18.45, e-mail info@domainedescharmes.ch ☑ Y ★ r.-v.

### LA CLEMENCE Gamaret 2003

■ 5 ha 40 000 ▮ 15 à 23 €

Le gamaret a été créé en Suisse par croisement du gamay et du reichensteiner. Il se traduit ici par un vin noir profond, au caractère un peu sauvage. Une légère aération permet au bouquet de s'exprimer. Les arômes de fruits se manifestent au palais, accompagnés de tanins bien présents qui doivent encore se fondre. Laissez un peu de temps à cette bouteille pour parfaire son harmonie.

La cave de Genève, rte du Mandement 140, 1242 Satigny, tél. 02.27.53.11.33, fax 02.27.53.21.10, e-mail info@cavedegeneve.ch ☑ Y ★ r.-v.

### CLOS DES PINS Dardagny Syrah 2002 **

■ 0,25 ha 2 000 11 à 15 €

Rouge sombre, parfumé de senteurs de fruits noirs et d'épices, ce vin se développe harmonieusement, étayé par des tanins denses mais fins. L'élégance est son point fort.

Marc Ramu, Clos des Pins, 458, rte du Mandement, 1283 Dardagny, tél. 02.27.54.14.57, fax 02.27.54.17.23 ☑ Y ★ r.-v.

### LES CRETETS Peissy Gamaret Elevé en fût de chêne 2002

■ n.c. 2 100 8 à 11 €

Rouge profond, ce vin exprime au travers de notes de cassis et d'une pointe de cuir la belle maturité du raisin dont il est issu. Il en va de même en bouche, les tanins francs s'enveloppant dans une chair toute fruitée. Un gamaret prêt à servir, mais qui saura aussi attendre.

Albert François, 15, chem. des Crêtets, Peissy, 1242 Satigny, tél. 02.27.53.10.97, fax 02.27.53.13.30 ☑ Y r.-v.

### DUPRAZ ET FILS Coteau de Lully Les filles de gamaret Les Curiades 2003 **

■ 1er cru 2 ha 1 800 11 à 15 €

Implanté à flanc de coteau, ce domaine familial a produit un gamaret intensément coloré qui livre volontiers ses arômes fruités tant au nez qu'en bouche. Les tanins sont certes jeunes, mais déjà ils se fondent dans la matière charnue. Ils garantissent à ce vin une excellente structure pour affronter le temps.

Pierre Dupraz et Fils, 49, chem. des Curiades, 1233 Lully, tél. 02.27.57.28.15, fax 02.27.57.47.85, e-mail info@curiades.ch
☑ Y ★ t.l.j. sf mer. dim. 9h-11h 16h30-18h30

### DOM. DES GRAVES Gamaret Noir Combe 2002 *

■ 0,9 ha 4 000 8 à 11 €

Un gamaret joliment vêtu. Les caractères un peu sauvages perceptibles au nez s'estompent à l'aération,

laissant la faveur à d'agréables senteurs de fruits. La structure tannique de qualité soutient bien les saveurs jusqu'à une longue finale. Dans quelque temps, l'ensemble sera parfaitement fondu et soyeux.
Nicolas Cadoux, Dom. des Graves,
56, rte de Forestal, 1285 Athenaz,
tél. 02.27.56.28.81, fax 02.27.56.26.38 r.-v.

## LES HUTINS
Coteaux de Dardagny Bertholier 2003 ★★★

1er cru n.c. n.c. 5 à 8 €

Un chasselas au fruité intense, nuancé d'une ligne minérale fine. Bien structuré, il se développe harmonieusement jusqu'à une longue finale. Le terroir et le cépage ont fait alliance pour le meilleur.
Pierre et Jean Hutin, 8, chem. de Brive,
1283 Dardagny, tél. 02.27.54.12.05, fax 02.27.54.12.27,
e-mail domaine.les.hutins@bluewin.ch
ven. 17h-18h30 sam. 9h-12h

## CH. DE LACONNEX Les Domaines 2003 ★★★

0,7 ha 2 000 8 à 11 €

Commandé par un château du XVᵉs., ce domaine possède une dizaine d'hectares de vignes. Son gamaret a remporté un franc succès auprès du jury grâce à son nez complexe et expressif de fruits noirs et de baies de sureau. Les tanins au grain fin laissent une sensation soyeuse au palais, tout en structurant parfaitement le vin. Un bon fruit se prolonge durablement en finale.
Hubert et Claude Dethurens,
16, La Maison-Forte, 1287 Laconnex,
tél. 02.27.56.25.43, fax 02.27.56.43.60 r.-v.

## DOM. DE MIOLAN Les Couleurs du Temps 2003 ★

0,6 ha 1 200 5 à 8 €

Depuis 1998, Bertrand Favre s'attache à restaurer cette ancienne propriété. Il a commencé à vinifier le fruit de ses vignes en 2002. Typée pinot noir, cette cuvée présente de fins arômes de framboise et de cassis, puis développe une chair structurée mais soyeuse qui lui donne un caractère déjà charmant. À servir ou à attendre.
Bertrand Favre, Dom. de Miolan,
83, chem. des Princes, 1253 Vandœuvres,
tél. et fax 02.27.50.04.40 r.-v.

## DOM. DES MOLARDS Russin Chasselas 2003 ★

7 ha 3 600 5 à 8 €

Pas moins de vingt-six cépages sont cultivés dans ce domaine de 20 ha, commandé par une ferme typiquement genevoise du milieu du XIXᵉs. Le chasselas a donné naissance à ce vin très fruité et structuré, qui présente un léger caractère d'évolution. N'attendez plus : servez cette bouteille avec une raclette.
M. & C.-L. Desbaillet, Dom. des Molards,
21, rte des Molards, 1281 Russin, tél. 02.27.54.15.40,
fax 02.27.54.15.62, e-mail info@molards.ch r.-v.

## DOM. DU PARADIS Satigny Aligoté 2003

3 ha 6 000 5 à 8 €

Roger Burgdorfer a su tirer son épingle du jeu dans le chaleureux millésime 2003. Son aligoté offre un subtil caractère miellé, de la structure et une grande richesse liée à un ensoleillement exceptionnel. Une mousse de saumon aux chanterelles ferait un délicieux accord.
Roger Burgdorfer, 275, rte du Mandement,
1242 Satigny, tél. et fax 02.27.53.18.55,
e-mail info@domaine-du-paradis.ch r.-v.

## DOM. DE LA PLANTA
Dardagny La Révolution Elevé en fût de chêne 2002 ★

0,6 ha 2 500 5 à 8 €

Qu'est-ce qu'un élevage en fût de qualité ? Celui qui apporte un boisé fin, légèrement vanillé, des caractères toastés subtils, des tanins bien présents, mais soyeux... Il suffit de déguster ce gamay pour en trouver l'illustration. Un vin prêt à passer à table, mais également apte à une petite garde.
Bernard Bosseau, 11, chem. de la Côte,
1283 Dardagny, tél. 02.27.54.12.59, fax 02.27.54.15.59,
e-mail info@domainedelaplanta.ch r.-v.

## DOM. DE LA PRINTANIERE
Avully Gamaret 2003 ★★

0,8 ha 2 800 8 à 11 €

Des fruits rouges à l'envi dans ce gamaret finement aromatique, aux tanins soyeux. La structure harmonieuse autorise un service immédiat comme une petite garde. Toutes les viandes rouges seront les bienvenues aux côtés de cette bouteille.
Laurent Dugerdil, rte d'Avully 104, 1237 Avully,
tél. 02.27.56.25.22, fax 02.27.56.28.54,
e-mail laurent.dugerdil@bluewin.ch
t.l.j. sf dim. 17h-19h; sam. 9h-12h

## DOM. DE LA ROSELLE
Gamaret Elevé en fût de chêne 2002 ★

0,4 ha 1 700 11 à 15 €

A robe sombre, nez de réglisse et de fruits rouges. Les tanins sont certes serrés, mais n'écrasent pas le fruité élégant qui donne au vin un caractère de jeunesse.
Jacques et Kathy Meinen, 112, rte du Mandement,
1242 Satigny, tél. 02.27.53.11.61, fax 02.27.53.22.81,
e-mail domainedelaroselle@yahoo.com
t.l.j. sf lun. dim. 10h-12h 15h-19h

# Canton de Neuchâtel

Proche du lac qui reflète le soleil, adossé aux premiers contreforts du Jura qui lui offrent une exposition privilégiée, le vignoble neuchâtelois s'étire sur une étroite bande de 40 km entre Le Landeron et Vaumarcus. Le climat sec et ensoleillé de cette région, de même que les sols calcaires jurassiques qui y prédominent conviennent bien à la culture de la vigne, ce que confirment encore les historiens qui nous apprennent que la première vigne y fut officiellement plantée en 998 ; à Neuchâtel, la vigne est donc millénaire.

Dans ce petit vignoble de 610 ha, le chasselas et le pinot noir règnent en maître ; il y a bien quelques spécialités (pinot gris, chardonnay, gewurztraminer et riesling x sylvaner), mais leur culture occupe à peine 6 % des surfaces. Cet encépagement apparemment limité cache en réalité une très large palette de vins et de saveurs différentes, grâce au savoir-faire des vignerons et à la diversité des terroirs.

Les vins rouges issus du pinot noir, élégants et fruités, souvent racés sont aptes au vieillissement. Le très typique œil-de-perdrix est un rosé inimitable originaire du vignoble neuchâtelois, ainsi que la Perdrix blanche obtenue par pressurage sans macération. Quelques caves élaborent même un vin mousseux.

La variété des sols du canton, d'est en ouest, ainsi que les styles personnels des vinificateurs, sont à l'origine d'une grande diversité de goûts et d'arômes des vins blancs de chasselas et promettent à l'amateur curieux plus d'une découverte intéressante. On relèvera encore deux spécialités locales issues du même cépage : le « Non filtré », vin primeur qui ne peut pas être mis en vente avant le troisième mercredi du mois de janvier et les vins sur lies.

Chacune des dix-huit communes viticoles produit sa propre appellation, alors que l'appellation Neuchâtel est applicable à l'ensemble des productions du canton de première catégorie.

### CAVES CHATENAY-BOUVIER
Pinot noir Cuvée réservée 2003 ★★

■ 2,5 ha 14 000 8 à 11 €

Cave incontournable du canton, la maison Châtenay-Bouvier signe cette année encore de beaux vins. Vêtu d'une robe sombre, ce pinot noir aux notes de violette et de petits fruits est promis à un bel avenir. Le jury a particulièrement apprécié l'harmonie et la rondeur de la bouche. Il vous recommande également l'**œil-de-perdrix Château de Vaumarcus 2004**, vinifié par le maître de chai de la maison, Francis Banderet.

SA Caves Châtenay-Bouvier, rte du Vignoble 27, 2017 Boudry, tél. 03.28.42.23.33, fax 03.28.42.54.71, e-mail chatenay@worldcom.ch
t.l.j. 8h-12h 14h-17h

### CAVE DES COTEAUX-CORTAILLOD
Œil-de-perdrix Vin des Coteaux 2004 ★★★

■ 10 ha 100 000 8 à 11 €

La cave des Coteaux, fondée en 1949, vinifie le fruit d'une soixantaine d'exploitants neuchâtelois. En 2002, l'encavage a quitté ses anciens locaux de Cortaillod pour s'établir à Areuse, avec un équipement résolument moderne. Fer de lance de sa production, l'œil-de-perdrix est obtenu par macération courte de pinot noir. Il se distingue par une teinte saumonée et une grande finesse aromatique : petits fruits et fleur de glycine. Un vin de gastronomie. L'emblématique cuvée **Vin du Diable 2003 (11 à 15 €)**, issue de pinot noir, est également séduisante.

Cave des Coteaux, rte du Vignoble 27, 2017 Boudry,
tél. 03.28.43.02.60, fax 03.28.43.02.69,
e-mail cave.coteaux@worldcom.ch r.-v.

### ALAIN GERBER Hauterive Pinot noir 2003 ★★

■ 0,5 ha 3 000 8 à 11 €

Située au cœur du vignoble neuchâtelois, dans une maison vigneronne du XVIIIe s., la cave de la famille Gerber propose des vins de qualité régulière, comme en témoigne ce pinot noir d'une grande finesse, aux notes de mûre et de griotte qui ne laissent aucun doute sur la maturité de la vendange. Le caractère vineux et riche de la bouche a été très apprécié.

Alain Gerber, imp. Alphonse-Albert 8,
2068 Hauterive, tél. 03.27.53.27.53, fax 03.27.53.02.41,
e-mail info@gerber-vins.ch r.-v.

### GRILLETTE Graf Zeppelin Réserve 2003 ★★★

■ 2 ha 3 500 15 à 23 €

Lors d'un parcours sur le sentier viticole de l'Entre-deux-Lacs, ne manquez pas de vous arrêter à la cave. En

1702, la famille Grillet fit l'acquisition de terrains à l'ouest du château et de la maison Vallier. Ces terres furent appelées Les Grillettes. Il fallut attendre 1884 pour que soit créé le domaine viticole éponyme par Adrien Ruedin-Zuest. Ici, on maîtrise sans conteste l'art d'extraire du pinot noir fruit et suavité. Voyez ce 2003 riche de matière et d'arômes complexes, évocateurs de griotte et d'épices.
Grillette, Dom. de Cressier, Molondin 2, 2088 Cressier, tél. 03.27.58.85.29, fax 03.27.58.85.21, e-mail info@grillette.ch r.-v.

### VINS KELLER
Vaumarcus Cru des Terrasses 2004 ★★

5 ha 7 000 5 à 8 €

Le domaine familial est tenu par les deux frères Boris et Stéphane Keller sous l'œil attentif du patriarche, Eric. Entre Yverdon et Neuchâtel, il domine le lac et le château de Vaumarcus. Rondeur et minéralité caractérisent ce chasselas bien typé, auquel une juste vivacité donne de l'allant. A retenir également, la **Perdrix blanche 2004 (8 à 11 €)**, vinification en blanc de raisins de pinot noir.
Boris Keller, rte du Camp, 2028 Vaumarcus, tél. 03.28.35.19.92, fax 03.28.35.29.24, e-mail boris.keller@swissonline.ch r.-v.

### J.-C. KUNTZER ET FILS
Œil-de-perdrix Saint-Sébaste 2004 ★★

3 ha 20 000 8 à 11 €

Perfectionniste et avant-gardiste, Jean-Pierre Kuntzer est à l'écoute de son terroir. Son œil-de-perdrix rose pâle, bien typé, explose de fraîcheur au nez comme en bouche. Minéral et très pur, il ravira vos hôtes à l'apéritif. Ceux-ci aimeront aussi la petite douceur baptisée **Câlins d'automne 2003 (15 à 23 €)**, produite avec du pinot gris passerillé.
Jean-Pierre Kuntzer, Daniel-Dardel 11, 2072 Saint-Blaise, tél. 03.27.53.14.23, fax 03.27.53.14.57, e-mail info@kuntzer.ch r.-v.

### CAVE DES LAURIERS Le Charmeur 2004 ★★

1,25 ha 8 000 5 à 8 €

En 1879, Clément Ruedin, descendant d'une famille bourgeoise de Cressier, acquit au pied du château une grande demeure vigneronne datant de 1505, ainsi que des dépendances et des vignes. Depuis lors, cinq générations de la même famille se sont succédé à la tête du domaine. Ce chasselas d'une grande finesse aromatique et d'une remarquable fraîcheur séduira les inconditionnels des vins de Neuchâtel.
Jungo & Fellmann, Cave des Lauriers, rue du Château 6, 2088 Cressier, tél. 03.27.57.11.62, fax 03.27.57.40.62, e-mail info@jungo-fellmann.ch r.-v.

### DOM. E. DE MONTMOLLIN FILS
Chardonnay Elevé en barrique de chêne 2003 ★★★

2 ha 7 000 11 à 15 €

Depuis le XVIe s., la famille de Montmollin cultive la vigne dans le canton de Neuchâtel. En 1935, Ernest de Montmollin et son fils Etienne créèrent ce domaine autour d'une remarquable demeure du XVIIe s. d'Auvernier. Les 47 ha sont implantés au bord du lac de Neuchâtel, bénéficiant de la douceur de son climat. Ce chardonnay or pâle séduit par ses arômes subtils d'aubépine et d'acacia. Le boisé d'une grande qualité ne masque en rien la sève originelle du raisin. Le **sauvignon 2004 (8 à 11 €)**, d'un parfait équilibre, est également retenu.

Dom. E. de Montmollin Fils, Grand-Rue 3, 2012 Auvernier, tél. 03.27.37.10.00, fax 03.27.37.10.01, e-mail info@montmollinwine.ch r.-v.
Pierre et Jean-Michel de Montmolin

# Canton de Berne

Le vignoble forme un ruban qui s'étend le long de la rive gauche du lac de Bienne, au pied du Jura. Les vignes s'accrochent à la pente et entourent les villages dont l'architecture rappelle un art de vivre et une tradition qui ont su traverser les siècles. Cinquante-cinq pour cent de la surface est occupée par du chasselas, 35 % par du pinot noir, 10 % par des spécialités comme le pinot gris, le riesling x sylvaner, le chardonnay, le gewurztraminer et le sauvignon blanc. Le climat tempéré du lac et le calcaire du sol, en général peu profond, confèrent aux vins finesse et caractère. Le chasselas produit un vin blanc léger, pétillant, idéal pour l'apéritif ou pour accompagner un filet de féra du lac. Le pinot noir produit un vin ample, élégant, fruité. Les domaines viticoles sont des entreprises familiales d'une surface comprise entre 2 et 7 ha, où tradition et modernité sont en parfaite harmonie.

Dans les autres cantons viticoles de Suisse alémanique, la vigne pousse très au nord. Malgré la rigueur du climat, ces régions produisent majoritairement des vins rouges. Souvent à base de pinot noir, ils représentent 70 % de la production. Quant aux vins blancs, ils sont principalement à base de riesling x sylvaner.

### DOM. DE LA VILLE DE BERNE
Schafiser Chasselas 2004 ★

12 ha 60 000 5 à 8 €

Propriété de la ville de Berne, ce domaine est conduit depuis des générations par la famille Louis. C'est dans la vieille cave de l'imposante maison de Bellelay que vous dégusterez ce chasselas au nez floral et minéral, parfaitement représentatif de son terroir. Un vin structuré et harmonieux, rehaussé par un léger perlant.

Dom. de la ville de Berne,
2520 La Neuveville,
tél. 03.27.51.21.75, fax 03.27.51.58.03,
e-mail rebgut.neuveville@freesurf.ch r.-v.

JOHANNES LOUIS
Schafiser Sauvignon Blanc 2004 *

0,4 ha 3 500 **8 à 11 €**

Dans le joli hameau de Schafis, au bord du lac, vous découvrirez ce domaine dirigé par la même famille depuis le XVe s. En 1997, Johannes Louis, jeune vigneron, a repris le flambeau et a été l'un des premiers à planter du sauvignon sur les coteaux du lac de Bienne. Ce 2004 prouve que son choix était judicieux. Nez vif de pamplemousse, discrète douceur au palais, équilibrée par une agréable vivacité minérale. L'apéritif est un moment idéal pour l'apprécier.

Johannes Louis, Schafisweg 371,
2514 Schafis, tél. 03.23.15.14.41,
e-mail johannes.louis@bluewin.ch r.-v.

HANS PERROT Twanner Chasselas Sélection 2004

1 ha 2 000 **8 à 11 €**

Situé au cœur du village, ce domaine familial propose un chasselas d'une grande fraîcheur. Une ligne florale et une touche de miel contribuent à son charme, avec en finale une légère douceur.

Hans Perrot, Dorfgasse 36, 2513 Twann,
tél. 03.23.15.19.62, fax 03.23.15.71.27,
e-mail perrotwein@bluewin.ch r.-v.

PETER SCHOTT-TRANCHANT
Lac de Bienne Twanner Sélection 2004 *

0,5 ha 3 300 **8 à 11 €**

Ce domaine familial applique strictement les principes de la lutte intégrée et pratique une vendange en vert rigoureuse. Résultat : un chasselas d'une fraîcheur appétissante, d'un fruité savoureux et d'un équilibre parfait. Également noté une étoile, le **pinot noir Réserve 2003 (15 à 23 €)**.

Peter Schott-Tranchant, Dorfgasse 43,
2513 Twann, tél. et fax 03.23.15.24.86,
e-mail peterschott@bluewin.ch r.-v.

# Canton de Fribourg

DOM. CHERVET Vully 2004 **

1er cru 5 ha 40 000 5 à 8 €

Ancienne propriété familiale, ce domaine est implanté sur le terroir molassique de Vully. Le chasselas reste majoritaire dans cette aire d'appellation, mais dès les années 1950 d'autres cépages blancs comme le chardonnay, le pinot gris et le gewurztraminer sont apparus. Une grande finesse caractérise ce 2004, dont les arômes évoquent les fleurs blanches, le tilleul et les agrumes. D'attaque fraîche, la bouche harmonieuse se prolonge dans la même ligne aromatique, avec une petite touche de banane en complément.

RÉCOLTE 2004
Domaine Chervet
VULLY
VIN FIN DES RIVES DU
LAC DE MORAT
JEAN-DANIEL CHERVET
VIGNERON-ENCAVEUR · PRAZ


Jean-Daniel Chervet,
ruelle des Gerles 6, 1788 Praz-Vully,
tél. 02.66.73.17.41, fax 02.66.73.31.73,
e-mail domainechervetjd@bluewin.ch
mer. jeu. ven. 14h-18h, sam. 9h-14h

A. SCHMUTZ ET FILS
Vully Sang des Bourguignons Pinot noir 2004 **

2,5 ha 18 000 8 à 11 €

Le domaine possède 4,5 ha en propre, mais encave aussi le fruit de 12 ha acheté à d'autres vignerons de la région. Le nom de cette cuvée en dit long déjà. Le Sang des Bourguignons ne pouvait être que celui du pinot noir longuement macéré. Celui-ci est finement aromatique, joliment structuré et séveux. Les tanins serrés, mais au grain soyeux, lui assurent une bonne évolution dans le temps.

SA A. Schmutz et Fils, rte Principale 136,
chem. des Stocks 6, 1788 Praz-Vully,
tél. 02.66.73.16.30, fax 02.66.73.20.60
mer. 15h-18h, sam. 9h30-11h30; f. août

# Canton d'Argovie

DOTTINGER Blauburgunder Spätlese 2004 **

1,06 ha 9 000 8 à 11 €

Un pinot noir vendangé tardivement (*Spätlese* en allemand), cela donne un vin rouge intense, aux parfums de fraise et de framboise. Cela donne surtout un caractère charnu et gras, ample, avec une jolie finale sur le poivre blanc. Tout contribue à un charme immédiat, mais une petite année de garde n'est pas interdite. Le **Sännelöchler Rubin 2004**, autre vin de pinot noir, obtient deux étoiles : plus réglissé sur fond de fruits des bois, il est ample et persistant.

Weinbaugenossenschaft Döttingen,
Rebbergstr. 1, 5312 Döttingen,
tél. 05.62.45.27.40, fax 05.62.45.76.68,
e-mail wbdoettingen@doettingerweine.ch r.-v.

ERIKA ET DANIEL FURST
Hornussen Carina Eiswein Blauburgunder 2004 ***

0,5 ha 700 **30 à 38 €**

Une pépite d'or qui a le goût de la gelée de coings et des citrus. Un fantastique jeu d'équilibriste au palais, entre la vivacité et la douceur. La bouche est dense, empreinte de flaveurs de fruits confiturés. Ce vin est à lui seul un dessert. Retenu avec deux étoiles, le **Hornusser Fürstlicher Federweiss rosé 2004 (11 à 15 €)**, à reflets violets et aux arômes de framboise et de groseille, laisse une impression de légèreté et de fraîcheur d'un bout à l'autre de la dégustation. De tanins, on en parle point tant ils sont mûrs et discrets derrière le fruit persistant.

Daniel et Erika Fürst, Fürstliche Weinkultur, Rebgut Stifshalde, 5075 Hornussen, tél. 06.28.71.55.61, e-mail info@fuerst-weine.ch t.l.j. sf dim. 9h-12h 13h15-18h (16h sam.)

### WEINBAUGENOSSENSCHAFT SCHINZNACH
Riesling x sylvaner Barrique 2003 ★★

0,3 ha | 1 200 | 11 à 15 €

Récolté sur sol calcaire, le müller-thurgau (alias riesling x sylvaner) a donné naissance à un vin de teinte jaune très fraîche, auquel un séjour en fût de six mois a apporté des nuances de vanille. La bouche débute avec douceur, puis se développe, ample et chaleureuse, jusqu'à une longue finale boisée.

Weinbaugenossenschaft Schinznach, Trottenstr. 1B, 5107 Schinznach-Dorf, tél. 05.64.63.60.20, fax 05.64.63.60.28 r.-v.

## Canton de Lucerne

### SCHLOSS HEIDEGGER
Riesling x sylvaner 2003 ★★

1,3 ha | 12 000 | 8 à 11 €

Des nuances vertes animent ce vin jaune franc qui livre des arômes muscatés bien typiques du cépage, ainsi que des notes de citrus et de mandarine. De la rondeur en bouche, des flaveurs de muscat qui s'effacent progressivement : il convient de le savourer dès maintenant.

Peter Schuler, Heidegg, 6284 Gelfingen, tél. 04.19.17.37.14, e-mail weingut.heidegg@bluewin.ch r.-v.

## Canton des Grisons

### GEORG & RUTH FROMM
Malanser Merlot Barrique 2003 ★★★

1re cat. | 0,4 ha | 1 500 | 23 à 30 €

Un merlot presque noir à nuances violettes. Des arômes de baies de genévrier, de réglisse, de vanille et de goudron se déclinent subtilement au nez. Ils annoncent une bouche ample et pleine, qui marie harmonieusement les tanins issus du raisin et de la barrique. Des notes de café et de moka ponctuent la longue finale qui laisse au fruité (baies noires) la place qui lui revient.

Georg Fromm, 7208 Malans, tél. 08.13.22.53.51, fax 08.13.22.81.31 r.-v.

### HANSPETER KUNZ Fläsch Rubris 2003 ★★★

1re cat. | 0,3 ha | 1 500 | 11 à 15 €

Une robe dense, noire brillant de reflets violets, puis un nez de compote de cerises, de cannelle et de clou de girofle. De délicieux parfums de gourmandise... La chair ample et ronde bénéficie de tanins mûrs qui la soutiennent remarquablement en finale. Dans un an, ce vin de diolinoir et de pinot noir sera un parfait compagnon des grillades.

Hanspeter Kunz-Egert, Weinbau Egg, 7306 Fläsch, tél. 08.13.02.61.69, fax 08.13.02.81.69 r.-v.

### A. LAUBER
Malanser Blauburgunder Auslese 2003 ★★★

1re cat. | 0,5 ha | 1 800 | 11 à 15 €

Il sent bon les baies noires cueillies dans les bois, les fruits cuits, le tabac et la noix de coco, avec une touche complexe de goudron. C'est un pinot noir densément coloré, ample et velouté. Les tanins de la barrique respectent parfaitement l'expression du fruit qui se prolonge durablement en finale, nuancée de notes boisées.

Andrea Lauber, Gut Plandaditsch, 7208 Malans, tél. 08.13.22.14.65, fax 08.13.22.45.63, e-mail aa.lauber@bluewin.ch r.-v.

### LIESCH Malanser Pinot noir Barrique 2003 ★★★

1re cat. | 0,6 ha | 3 000 | 15 à 23 €

Des fruits à volonté dans ce vin rouge intense à reflets bleu-violet. Framboise, fraise et autres baies rouges se déclinent au nez comme en bouche. Cette ligne aromatique souligne élégamment la chair ample et ronde, structurée par des tanins mûrs qui gagneront encore en velouté au cours d'un an de garde. La longue finale fruitée, nuancée de subtiles notes boisées, laisse une impression de fraîcheur.

Ueli et Jürg Liesch, Weingut Treib, 7208 Malans, tél. 08.13.22.12.25, fax 08.13.30.05.85, e-mail info@liesch-weine.ch sam. 8h-12h

### WEINGUT ZUR SONNE
Jenins Riesling x sylvaner Flétri 2003 ★★★

1re cat. | 0,5 ha | 500 | 23 à 30 €

Un moelleux tout d'or vêtu qui livre généreusement des arômes de citrus, de pomelo, de pêche et de miel. D'une ampleur étonnante, il se développe tout en rondeur, avec un parfait équilibre entre vivacité et douceur. Un vin à apprécier pour lui-même.

Christian Obrecht, Weingut zur Sonne, Malanserstr. 4, 7307 Jenins, tél. 08.13.02.21.45, fax 08.13.02.59.33 ven. sam. 9h-12h 13h-16h

### VOLG WEINKELLEREIEN
Malans Pinot noir 2003 ★★★

1re cat. | 0,75 ha | 3 300 | 15 à 23 €

Il faudra l'attendre trois ou quatre ans, mais quelle récompense... Ce vin rouge dense à reflets bleu-violet offre

un nez de compote de fruits (cerise, prune, myrtille), nuancé de vanille et de cuir. Les tanins sont certes jeunes, mais de qualité : ils structurent la matière dense qui persiste longuement en finale sur des notes boisées.
🔑 Volg Weinkellereien, Schaffhauserstr. 6, CP 344, 8401 Winterthur, tél. 05.22.64.26.68, fax 05.22.64.26.27 ☑ 🍷 🚶 r.-v.

WEGELIN Malanser Riesling x silvaner 2004 ★★★

| 1re cat. | 0,3 ha | 3 100 | 8 à 11 € |
|---|---|---|---|

Un müller-thurgau (autre nom du riesling x sylvaner) jaune à reflets verts qui décline des arômes de muscat, d'abricot, de pomelo. Ce même fruité se retrouve en bouche, dans une chair ample et ronde, soutenue par une juste vivacité qui lui apporte de la fraîcheur. Un vin croquant que vous savourerez dès à présent.
🔑 Peter Wegelin, Bothmarweg 1, 7208 Malans, tél. 08.13.22.11.64, fax 08.13.22.81.69, e-mail wein@pwegelin.ch ☑ 🍷 🚶 r.-v.

# Canton de Saint-Gall

GONZEN Sargans Pinot noir Barrique 2003 ★★

| ■ | 0,5 ha | 2 000 | 11 à 15 € |
|---|---|---|---|

Héritage de dix mois passés en barrique, des notes de fumée et de vanille nuancent la palette de fruits compotés (prune et baies rouges). Les tanins bien présents soutiennent la matière équilibrée, puis en finale les flaveurs boisées se prolongent durablement, accompagnées de quelques touches fruitées. Si une dégustation immédiate est possible, une garde d'un an ou deux ne pourra qu'assouplir ce vin et favoriser son expression.
🔑 Weingut Gonzen, St. Gallerstr. 75, 7320 Sargans, tél. 08.17.23.16.15, fax 08.17.23.30.59 ☑ 🍷 🚶 mar. ven. 17h-18h30

# Canton de Schaffhouse

AAGNE VOM SCHOPF
Pinot blanc chardonnay 2004 ★★

| | 0,5 ha | 4 000 | 11 à 15 € |
|---|---|---|---|

De l'or pour brillance, des fleurs, des fruits citronnés, un doux boisé épicé pour parfums : voici un vin remarquablement équilibré entre vivacité et sucrosité. L'empreinte d'un court élevage de trois mois en fût est très fine ; elle vient en contrepoint d'un long développement.
🔑 Erich et Irma Gysel, Aagne vom Schopf, Atlingerstr. 27, 8215 Hallau, tél. 05.26.81.38.10, fax 05.26.82.26.42 ☑ 🍷 🚶 r.-v.

GRAF VON SPIEGELBERG
Hallauer Blauburgunder 2004 ★★

| | 6 ha | 10 000 | 5 à 8 € |
|---|---|---|---|

A couleur sirop de framboise, nez de framboise... et de banane aussi. Ce rosé fruité laisse une agréable impression de fraîcheur, encore soulignée par un léger perlant.
🔑 Robert Rahm, Rimuss und Weinkellerei AG, Dickistr. 1, 8215 Hallau, tél. 05.26.81.31.44, fax 05.26.81.40.14 ☑ 🍷 🚶 t.l.j. 7h30-22h

MARKUS GYSEL
Wilchinger Pinot noir Spätlese 2003 ★★

| ■ | 0,35 ha | 1 500 | 8 à 11 € |
|---|---|---|---|

La robe rouge dense à reflets violacés annonce bien l'impression de maturité perceptible au nez, dans des notes de compote de prunes, de tabac et de cannelle. Les tanins présents, mais veloutés portent la matière ample et complexe. Un remarquable pinot dans toute son authenticité, qui n'a pas connu le bois de la barrique.
🔑 Markus Gysel, Haumesser 76, 8217 Wilchingen, tél. 05.26.81.28.75, fax 05.26.81.51.45 ☑ 🍷 🚶 r.-v.

ROTIBERG-KELLEREI
Wilchingen Réserve noir 2003 ★★

| ■ | 1 ha | 1 500 | 15 à 23 € |
|---|---|---|---|

Moka, compote de prunes, framboise... Une palette gourmande se décline sous une teinte rouge foncé. On s'attend à goûter un vin rond et ample, aux tanins parfaitement mûrs. Il en est ainsi en effet, avec en complément une finale aux nuances toastées. L'élevage de douze mois en fût a été parfaitement maîtrisé. Un 2003 prêt à passer à table.
🔑 Rötiberg-Kellerei AG, Dorfstr. 141, 8217 Wilchingen, tél. 05.26.81.19.21, fax 05.26.81.19.25 ☑ 🚶 t.l.j. sf sam. dim. 8h-12h 13h30-17h30

SCHACHENMANN Cuvée Octavia 2003 ★★★

| ■ | 1 ha | 3 400 | 15 à 23 € |
|---|---|---|---|

Un assemblage de pinot noir, de cabernet dorsa, de dornfelder et de regent. Il a l'œil noir, légèrement violacé. Se voudrait-il mystérieux ? Nullement. Humez plutôt ses arômes de violette, de goudron, de prune et de lavande. Au palais, ses tanins mûrs soulignent sa rondeur et son gras, mais une juste fraîcheur le maintient dans un parfait équilibre. La longue finale décline les flaveurs d'un boisé remarquablement intégré. Un vin déjà agréable, mais qui gagnera encore à attendre.

🔑 Gus Schachenmann AG, Weinkellerei Schaffhausen, Gennersbrunnerstr. 61, 8207 Schaffhausen, tél. 05.26.31.18.00, fax 05.26.31.18.01 ☑ Y ⛹ t.l.j. 8h30-12h 13h30-18h30

STAMM Cuvée Flüe 2003 ★★★

■ 1 ha 4 000 ⏺ 15 à 23 €

L'occasion idéale de découvrir le goût de cépages originaux : regent, dornfelder et maréchal-foch. Vous intriguerez sûrment vos amis et les régalerez... Rouge foncé, ce vin affiche des arômes de fruits des bois cuits, nuancés de boisé. Le corps est ample, gras, bien souligné par des flaveurs fruitées qui se prolongent aux côtés des accents hérités de la barrique. (Bouteilles de 37,5 cl.) Le **Chardonnay 2003 (11 à 15 €)** obtient deux étoiles pour ses parfums de melon, de figue et de miel mille fleurs, pour son harmonie entre vivacité et rondeur. Il en va de même du **pinot noir Spätlese 2003 (11 à 15 €)**, ample et velouté.

🔑 Thomas et Mariann Stamm, Weinstamm, Aeckerlistr. 20, 8240 Thayngen, tél. 05.26.20.18.85, fax 05.26.20.18.86 ☑ Y ⛹ t.l.j. sf sam. dim. lun. 10h-12h 15h-18h30

# Canton de Thurgovie

WEINGUT BURKHART
Reserva Pinot noir 2003 ★★

■ 1re cat. 0,7 ha 1 550 ▮⏺🌡 15 à 23 €

Du rouge léger, un peu de bleu, une touche de violet brillant : c'est la jeunesse qui est dépeinte dans ce vin. Les épices subtiles et le cacao témoignent d'un élevage de douze mois en fût, sans écraser l'expression fruitée (baies rouges). Au palais, les tanins se manifestent encore, mais tendent à se fondre dans la chair ronde et aromatique. Dans deux ans, cette bouteille accompagnera les plats de viande les plus savoureux.

🔑 Weingut Burkhart, Hagholzstr. 5, 8570 Weintelden, tél. 07.16.22.47.79, fax 07.16.22.47.89 ☑ Y ⛹ r.-v.

SAXER Assemblage N° 13
Thurgau Regent Pinot noir 2004 ★★

■ 1re cat. n.c. 2 500 ▮🌡 11 à 15 €

Un 2004 déjà amène, mais également digne de rester dans votre cave. Il est né d'un assemblage de regent (60 %) et de pinot noir. A l'œil, le noir l'emporte, avec quelques reflets violets. Au nez, la framboise est omniprésente, rafraîchie par quelques soupçons d'écorce d'orange. Puis la complexité s'installe en bouche : des flaveurs de violette, de baies noires (myrtille), de chocolat accompagnent les tanins mûrs jusqu'à une longue finale.

🔑 Weingut Saxer, Stammheimerstr. 9, 8537 Nussbaumen, tél. 05.27.45.23.51, fax 05.27.45.27.34 ☑ Y ⛹ t.l.j. sf sam. dim. 8h-12h 13h30-18h

THOMAS MAX SCHMID
Sélection Schlattingen Pinot noir Barrique 2003 ★★

■ 1re cat. 1 ha 4 000 ⏺ 15 à 23 €

Le vin de votre prochain déjeuner en famille est tout trouvé. Ce sera ce pinot noir aux légers reflets bleus qui livre des arômes de cuir, de goudron, de curry et, bien sûr, de griotte. Il est ample, gras, structuré par des tanins mûrs, avec en finale les flaveurs héritées de la barrique. Le **chardonnay Barrique 2004 (8 à 11 €)** brille de deux étoiles pour son caractère minéral bien mêlé aux arômes fruités, floraux et épicés, comme pour son ampleur.

🔑 Thomas Max Schmid, Weinkellerei Im Closter, 8255 Schlattingen, tél. 05.26.57.24.95, fax 05.26.57.34.90 ☑ Y ⛹ r.-v.

FAMILIE ZAHND
Amliker Blauburgunder Barrique 2003 ★★

■ 1re cat. 0,6 ha 900 ⏺ 11 à 15 €

Cinq mois d'élevage en fût ont suffi à donner un profil harmonieux à ce pinot noir de teinte légère à reflets bleutés. Une touche fumée se mêle à la palette de mûre et d'autres petits fruits, tandis que le palais au caractère gouleyant intègre parfaitement l'empreinte du bois. Vous apprécierez dès maintenant cette bouteille.

🔑 Max Zahnd, Hauptstr. 39, 8514 Amlikon, tél. 07.16.51.12.14 ☑ Y ⛹ t.l.j. sf dim. 8h-12h 13h-22h

# Canton de Zurich

WEINGUT GEHRING
Pinot noir Barrique 2003 ★★★

■ 1re cat. 0,5 ha 1 800 ⏺ 11 à 15 €

Des reflets bleus et violets sur fond rouge traduisent la jeunesse de ce vin. Au nez apparaissent des senteurs variées de thé vert, de foin fraîchement coupé, de prune, de framboise et de cassis, nuancées d'un boisé de qualité. Les tanins veloutés soutiennent la matière ronde et aromatique (framboise) qui se prolonge sur des notes finement boisées.

🔑 Weingut Gehring, Im Geissstig, 8427 Freienstein, tél. 04.48.65.27.15, fax 04.48.65.27.65 Y ⛹ t.l.j. sf dim. 8h-12h 13h30-18h30

HANS-HEINRICH ET DORA HAUG-FREI
Weininger Riesling x sylvaner Auslese 2003 ★★★

□ 1re cat. 0,6 ha 4 500 ▮ 8 à 11 €

De l'or emplit le verre au versement de ce vin parfumé de citrus, de pomelo. L'opulence est notable en attaque, puis la matière ample et dense est relevée par une agréable fraîcheur qui souligne ses arômes persistants. Le **riesling x sylvaner 2003 (5 à 8 €)** brille de deux étoiles pour sa rondeur, ses parfums d'abricot et ses notes muscatées.

Hans-Heinrich und Dora Haug-Frei,
Klosterweg 1, 8104 Weiningen,
tél. 04.47.50.52.42, fax 04.47.50.52.23
mer. ven. 17h-19h; sam. 10h-16h

FAMILIE LUTHI Sternenhalder Scheurebe 2003 **

| ■ 1re cat. | 0,2 ha | 1 500 | 15 à 23 € |
|---|---|---|---|

De légers reflets verts animent la teinte jaune de ce vin. Invitation à découvrir le nez fruité intense, évocateur de mandarine et de litchi. De l'attaque à la finale, la bouche est ample, pleine de flaveurs de fruits qui laissent une impression de fraîcheur. (Bouteilles de 37,5 cl.)

Weinbäu fam. E. et S. Lüthi, Alte Landstr. 330,
8708 Männedorf, tél. et fax 00.19.20.49.23,
e-mail info@luethiweinbau.ch r.-v.

KASPAR VON MEYENBURG
Schipf Chardonnay 2003 ***

| 1re cat. | 0,4 ha | 2 000 | 11 à 15 € |
|---|---|---|---|

Quels arômes se cachent sous cette teinte jaune léger ? Du pain frais et des fruits : délicieuses senteurs qui invitent à se mettre à table. L'attaque fraîche aux flaveurs de melon aiguise les papilles, puis c'est une juste vivacité qui se manifeste et structure le vin, accompagnée d'une ligne boisée subtile. Un grand chardonnay de la Suisse orientale.

Kaspar von Meyenburg, Seestr. 1, Schipfgut,
8704 Herrliberg Suisse, tél. 00.19.15.34.61,
fax 00.19.15.17.40 sam. 10h-16h

HERMANN SCHWARZENBACH
Meilener Lemberger Barrique 2003 ***

| ■ 1re cat. | 0,42 ha | 1 800 | 15 à 23 € |
|---|---|---|---|

Une charmante aquarelle signée Rebekka Gueissaz-Zwingli illustre l'étiquette de ce vin. Une tonalité violette égaye la robe presque noire et témoigne d'une jeunesse préservée. Cassis, notes fumées, légère pointe de vanille : le bouquet est séduisant. Il en va de même de la bouche ample, au boisé parfaitement intégré. Le fruit frais revient en force, nuancé de touches goudronnées et les tanins apparaissent croquants. Un Lemberger équilibré qui saura attendre deux ans en cave.

Hermann Schwarzenbach, Seestr. 867, 8706 Meilen,
tél. 00.15.23.01.25, fax 00.15.23.00.87,
e-mail reblaube@bluewin.ch r.-v.

VOLG WEINKELLEREIEN
Chilcheweg Hallau Orginis Pinot noir 2003 **

| ■ | 3,1 ha | 8 200 | 8 à 11 € |
|---|---|---|---|

Toujours jeune, ce vin rouge dense à reflets bleus évoque la compote de prunes, la cannelle, le tabac et le café. Ample en attaque, il se développe sur une trame de tanins serrés, mais au grain mûr et livre une longue finale. L'harmonie est déjà au rendez-vous et elle le sera encore dans deux ans.

Volg Weinkellereien, Schaffhauserstr. 6,
CP 344, 8401 Winterthur,
tél. 05.22.64.26.68, fax 05.22.64.26.27 r.-v.

# Canton du Tessin

Le vignoble tessinois s'étend de Giornico au nord à Chiasso au sud, sur une surface de 900 ha. Une grande partie des trois mille huit cents viticulteurs du canton possèdent des petites parcelles auxquelles ils consacrent leurs loisirs ; depuis quelques années, une trentaine se consacrent à la viticulture, vinifient et commercialisent. Environ cent viticulteurs travaillent leurs vignes à plein temps et vendent leur raisin aux coopératives. Le cépage prince du canton est le merlot d'origine bordelaise, qui a été introduit dans le Tessin au début du XXᵉs. Actuellement, le merlot recouvre 85 % de la surface viticole du canton. Ce cépage permet la production de plusieurs types de vins : le blanc, le rosé et le rouge. Le vin rouge de merlot, sans doute le plus répandu, peut être léger ou bien corsé, apte au vieillissement en fonction du temps de cuvage. Certains sont élevés en barrique. La production moyenne décennale de merlot du Tessin se monte à 55 000 quintaux.

CARATO RISERVA Merlot del Ticino 2002 **

| ■ | 2,5 ha | 6 500 | 23 à 30 € |
|---|---|---|---|

Angelo Delea a récolté le fruit de vieilles vignes cultivées sur la colline de Montedato pour élaborer ce vin sombre, au nez puissant de fruits à noyau. Celui-ci dévoile tout son caractère au palais, avec ampleur et persistance sur des notes empyreumatiques.

SA Vini e Distillati Angelo Delea,
via Zandone 11, 6616 Losone, tél. 09.17.91.08.17,
fax 09.17.91.59.08, e-mail vini@delea.ch
t.l.j. sf dim. 8h-12h 14h-18h, sam. 8h-12h

**COSTA DE RANCH** Gamaret 2003 ★★

■ n.c. 2 000 **11 à 15 €**

Il est très rare de trouver des vins monocépages de gamaret en Tessin. Edoardo Latini a bien interprété cette variété dans cette cuvée aux notes épicées, finement boisées. La bouche est ample et suffisamment longue.

SA Cantine Latini,
Nambodra, 6865 Tremona, tél. 09.16.46.33.17,
e-mail info@cantine-latini.ch r.-v.

**DONNAY** Bianco del Ticino 2003 ★★

3 ha 7 000 **11 à 15 €**

De teinte jaune pâle, ce bianco del Ticino présente des arômes empyreumatiques et un boisé discret. Au palais, le gras est bien présent jusqu'à la finale ronde et puissante.

SA I Vini di Guido Brivio, via Vignöo 8,
6850 Mendrisio, tél. 09.16.46.07.57, fax 09.16.46.08.05,
e-mail brivio@brivio.ch r.-v.

**MALCANTONE**
Rosso del Ticino Rossi dei Ronchi 2003 ★★★

■ 1,5 ha 4 000 **15 à 23 €**

Le vignoble est cultivé en terrasses, à 600 m d'altitude, sous une exposition plein sud. Un assemblage de plusieurs cépages, dominé par le merlot, a donné naissance à ce vin élégant, dont le nez finement boisé évoque aussi les fruits à noyau, les baies noires et les épices. En bouche, on perçoit un bon volume et de la longueur. Le **rovere 2003** obtient une étoile.

Cantina Monti, 6905 Cademario, tél. 09.16.05.34.75, fax 09.19.22.98.23, e-mail info@montifid.ch

**AZIENDA MEZZANA**
Merlot del Ticino Ronco Viti 2003 ★★

■ 1,5 ha 4 500 **8 à 11 €**

Le domaine, propriété de l'Etat du Tessin depuis 1913, fut un pionnier dans la culture du merlot dans le canton. Ce 2003 affiche un nez intense de cerise, de pruneau confit et d'épices. D'attaque souple, il fait preuve de rondeur, grâce à des tanins fins, et de persistance. Une personnalité.

Azienda agraria Mezzana, via San Gottardo 1,
6877 Coldrerio, tél. 09.16.83.21.21, fax 09.16.82.26.21,
e-mail dfe-iacm.azienda@ti.ch

**AZIENDA MONDO** Ronco dei Ciliegi 2002 ★★

■ 2 ha 4 500 **15 à 23 €**

Vêtu d'une robe rubis profond, ce 2002 présente des notes de griotte et de kirsch, puis une matière chaleureuse qui s'étire durablement en finale. Une pointe de cabernet franc (5 %) nuance le merlot dans l'assemblage.

Azienda Mondò, 6514 Sementina,
tél. et fax 09.18.57.45.58,
e-mail azienda.mondo@bluewin.ch

**MONTALBANO** Chardonnay 2003 ★★

1,5 ha 1 500 **11 à 15 €**

Ce vin provient de la seule parcelle de chardonnay de ce domaine, propriété de la coopérative de Mendrisio. Fermenté et élevé en barrique, il décline une ligne boisée discrète (notes empyreumatiques) en complément des arômes d'agrumes et de cire d'abeille. Sa chair ronde et ample persiste longtemps au palais.

Cantina Sociale Mendrisio, via Bernasconi 22,
6850 Mendrisio, tél. 09.16.46.46.21, fax 09.16.46.46.22,
e-mail info@csmvino.ch r.-v.

**MUSCINO** 2003 ★★

■ 1 ha 1 700 **11 à 15 €**

Domingo Rubio vinifie depuis les années 1990 une petite parcelle située sur la commune de Castel-San-Pietro. Son merlot s'ouvre sur de subtiles senteurs de fruits à noyau, puis déploie sa belle structure et sa matière volumineuse. La finale égrène d'agréables nuances balsamiques.

Domingo Rubio, 6874 Castel-san-Pietro,
tél. et fax 09.16.46.83.52

**TENUTA SAN ROCCO** Merlot del Ticino 2003 ★★

■ 1,5 ha 4 000 **11 à 15 €**

Ce domaine se situe juste au-dessus du golfe de Lugano, dans la commune de Porza. Il a élaboré un vin profondément coloré qui fleure bon la cerise, les épices et un léger boisé. Le palais fin et structuré trouve une agréable fraîcheur dans la longue finale. Le **Comano Vigneto ai Brughi 2003 (15 à 23 €)** obtient une étoile.

SA vini Tamborini, strada Cantonale, 6814 Lamone,
tél. 09.19.35.75.45, fax 09.19.35.75.49,
e-mail info@tamborini-vini.ch

**SASSI GROSSI** Merlot del Ticino 2002 ★★★

■ 25 000 **15 à 23 €**

Une vedette de l'appellation qui tient bien son rang grâce à ce merlot 2002. Le vin libère des arômes puissants de fruits à noyau et d'épices, puis déroule sa matière ronde et voluptueuse, toute de longueur. Une étoile pour le **Biasca Premium 2003 (5 à 8 €)**.

SA Casa Vinicola Gialdi, via Vignöo 3,
6850 Mendrisio, tél. 09.16.46.40.21, fax 09.16.46.67.06,
e-mail info@gialdi.ch r.-v.

**VINDALA** Merlot 2002 ★★

■ 1 ha 2 500 **15 à 23 €**

Les vins des frères Marcionetti figurent régulièrement dans le Guide. Avec leur Vindala 2002, ils confirment la qualité régulière de leur production. Robe rubis profond, nez de fruits des bois très mûrs, bouche ronde et ample qui s'étire longuement : une remarquable bouteille, en effet.

Settemaggio Nicola et Raffaele Marcionetti,
6513 Montecarasso, tél. et fax 09.18.25.69.01,
e-mail settemaggio@freesurf.fr r.-v.

# LES CÉPAGES FRANÇAIS

Le vin, c'est du raisin. Certes, mais la vigne domestiquée, *Vitis vinifera*, admet plusieurs variétés, plus proprement dénommées cultivars ou cépages, dont les caractères sont fort différents dans la nature comme dans le vin produit à partir de leurs fruits. L'ampélographe Pierre Galet a recensé quelque 9 600 cépages dans le monde : un patrimoine incommensurable dont les vignerons n'exploitent aujourd'hui qu'une infime partie.

Certains cépages, casaniers, ont trouvé une niche dans des régions précises, dans des aires viticoles limitées ; d'autres, grands voyageurs, ont fait carrière dans les deux hémisphères. Ainsi de la syrah qui a essaimé depuis la vallée du Rhône pour gagner non seulement la Suisse toute proche, mais aussi le Languedoc ; elle a traversé les océans jusqu'en Californie et surtout en Australie, dont elle a forgé la réputation vinicole. Casaniers ou voyageurs, les cépages participent de l'identité d'une région.

Toutefois, seul, le cépage serait bien incapable de donner aux vins leur caractère : quelle différence y aurait-il entre des chenins de Loire et d'Afrique du Sud, entre des sauvignons du Bordelais et de Nouvelle-Zélande ? Le vin n'est pas un produit industriel, reproductible partout à l'identique. Il entretient un lien privilégié avec un sol, un climat, un relief, un cours d'eau... avec un terroir. La Bourgogne est à ce titre exemplaire, car elle se consacre presque entièrement à la culture de deux cépages : le pinot noir pour ses vins rouges, le chardonnay pour ses vins blancs. Or, ses vins sont loin de se ressembler. Les amateurs débutants sauront distinguer un chablis de tout autre cru bourguignon ; les plus expérimentés percevront le raffinement du bâtard-montrachet et la rigueur du chevalier-montrachet, deux grands crus du sud de la Côte de Beaune : le premier est récolté sur une faible pente aux sols bruns calcaires et argileux, le second plus haut sur le coteau, exposé à l'est et au sud, sur des sols pierreux très légers. C'est bien là que réside toute la différence, le terroir apportant au vin sa structure. Aujourd'hui, partout dans le monde, les vignerons ont saisi l'intérêt de sélectionner les terroirs, et les producteurs de vins de pays ne sont pas en reste.

Un cépage, un terroir... Un terroir et des cépages alliés aussi. Car le vin peut être issu d'un seul cépage (il est alors monocépage) ou de l'assemblage de plusieurs variétés de raisin qui se complètent : le merlot apporte de la rondeur au cabernet-sauvignon ; le carignan de la puissance au grenache. S'il doit respecter les règles en vigueur dans son aire d'appellation d'origine, chaque producteur possède une marge de liberté qui lui permet de moduler les proportions de tel ou tel cépage dans son vin. Autre individualité. Les vins sont différents d'un pays à l'autre, d'une région à l'autre, d'une aire à l'autre, d'un vigneron à l'autre.

Cette table des cépages est une nouvelle porte d'entrée dans le *Guide Hachette des vins*. Classés par ordre alphabétique, les cépages renvoient aux vins d'appellation d'origine auxquels ils participent. Le lecteur se reportera à l'index des appellations pour retrouver la présentation des vins et la sélection de l'année. Chaque nom de cépage est suivi d'un symbole indiquant sa couleur. Les vins dont il constitue la seule composante sont identifiés par une étoile.

■ ABOURIOU

Sud-Ouest :
côtes-du-marmandais.

■ ALIGOTÉ

Beaujolais :
coteaux-du-lyonnais.

Bourgogne :
bourgogne-aligoté* ; bouzeron* ;
crémant-de-bourgogne.

Bugey.

Rhône :
châtillon-en-diois.

■ ALTESSE

Bugey.

Savoie :
roussette-de-savoie* ; seyssel ; vin-de-savoie.

■ ARAGNAN

Provence :
palette.

■ ARRUFIAC

Sud-Ouest :
béarn ; béarn-bellocq ; côtes-de-saint-mont ;
pacherenc-du-vic-bilh.

■ AUXERROIS

Alsace :
alsace-pinot blanc ; crémant-d'alsace.

Est :
moselle.

■ BARBAROSSA

Corse :
ajaccio ; vin-de-corse.

■ BARBAROUX

Provence :
cassis.

■ BAROQUE

Sud-Ouest :
tursan.

■ BOURBOULENC (DOUCILLON)

Languedoc :
corbières ; coteaux-du-languedoc ; minervois.

Provence :
bandol ; cassis ; coteaux-d'aix-en-provence.

Rhône :
châteauneuf-du-pape ; côtes-du-rhône ;
côtes-du-rhône-villages ; côtes-du-ventoux ;
lirac ; tavel ; vacqueyras.

■ BRAQUET (BRACHET)

Provence :
bellet.

■ CABERNET FRANC (BRETON ; BOUCHY)

Bordelais :
bordeaux, bordeaux supérieur ; bordeaux
clairet, bordeaux rosé,
bordeaux-côtes-de-francs ; côtes-de-blaye ;
canon-fronsac ; côtes-de-bourg ;
côtes-de-castillon ; fronsac ; graves-de-vayres ;
haut-médoc ; graves ; lalande-de-pomerol ;
lussac-saint-émilion ; margaux ; médoc ;
montagne-saint-émilion ; moulis-en-médoc ;
pauillac ; pessac-léognan ; pomerol ;
premières-côtes-de-bordeaux ;
puissseguin-saint-émilion ; sainte-foy-bordeaux ;
saint-émilion ; saint-émilion grand cru ;
saint-estèphe ; saint-georges-saint-émilion ;
saint-julien.

Loire :
anjou, anjou-villages ; anjou-villages-brissac ;
bourgueil ; cabernet-d'anjou ;
cabernet-de-saumur ; cheverny ; chinon ;
coteaux-d'ancenis ; coteaux-du-loir ;
coteaux-du-vendômois ; crémant-de-loire ;
fiefs-vendéens ; haut-poitou ; orléanais ;
rosé-d'anjou ; rosé-de-loire ;
saint-nicolas-de-bourgueil ; saumur ;
saumur-champigny ; touraine ;
touraine-amboise ; touraine-mesland ; valençay.

Poitou-Charentes :
pineau-des-charentes.

Provence :
coteaux-varois.

Sud-Ouest :
béarn ; béarn-bellocq ; bergerac ; buzet ;
coteaux-du-quercy ; côtes-de-bergerac ;
côtes-de-duras ; côtes-de-saint-mont ;
côtes-du-brulhois ; côtes-du-frontonnais ;
côtes-du-marmandais ; floc-de-gascogne ;
gaillac ; irouléguy ; madiran ;
marcillac ; pécharmant ; tursan ;
vin-d'entraygues-et-du-fel.

■ CABERNET-SAUVIGNON

Bordelais :
côtes-de-blaye ; bordeaux ; bordeaux supérieur,
bordeaux clairet ; bordeaux rosé ;
bordeaux-côtes-de-francs ; canon-fronsac ;
côtes-de-bourg ; côtes-de-castillon ; fronsac ;
graves ; graves-de-vayres ; haut-médoc ;
lalande-de-pomerol ; listrac-médoc ;
lussac-saint-émilion ; margaux ; médoc ;
montagne-saint-émilion ; moulis-en-médoc ;
pauillac ; pessac-léognan ; pomerol ;
premières-côtes-de-bordeaux ;

puissseguin-saint-émilion ; sainte-foy-bordeaux ; saint-émilion,
saint-émilion grand cru ; saint-estèphe ; saint-georges-saint-émilion ; saint-julien.

Languedoc :
cabardès ; côtes-de-la malepère ; limoux.

Loire :
anjou ; anjou-villages ; anjou-villages-brissac ; bourgueil ;
cabernet-d'anjou ; cabernet-de-saumur ; chinon ; crémant-de-la-loire ; orléanais ; rosé-d'anjou ; rosé-de-loire ; saint-nicolas-de-bourgueil ; saumur ; saumur-champigny ; touraine ; valençay.

Poitou-Charentes :
pineau-des-charentes.

Provence :
baux-de-provence ; coteaux-d'aix-en-provence ; côtes-de-provence.

Sud-Ouest :
béarn ; béarn-bellocq ; bergerac ; buzet ; côtes-de-bergerac ; côtes-de-duras ; côtes-de-millau ; côtes-de-saint-mont ; côtes-du-brulhois ; côtes-du-frontonnais ; côtes-du-marmandais ; floc-de-gascogne ; gaillac ; irouléguy ; madiran ; marcillac ; pécharmant ; tursan ; vin-d'entraygues-et-du-fel.

## ■ CALITOR

Provence :
tavel.

## ■ CAMARALET

Sud-Ouest :
béarn, béarn-bellocq.

## ■ CARIGNAN

Languedoc :
corbières ; costières-de-nîmes ; coteaux-du-languedoc ; faugères ; fitou ; limoux ; minervois ; saint-chinian.

Roussillon :
banyuls, banyuls grand cru ; collioure ; côtes-du-roussillon, côtes-du-roussillon-villages.

Provence :
bandol ; baux-de-provence ; cassis ; coteaux-d'aix-en-provence ; coteaux-varois ; côtes-de-provence.

Rhône :
coteaux-de-pierrevert ; coteaux-du-tricastin ; côtes-du-rhône, côtes-du-rhône-villages ; lirac ; tavel.

## ■ CARMENÈRE

Bordelais :
bordeaux, bordeaux supérieur.

## ■ CÉSAR

Bourgogne :
irancy.

## ■ CHARDONNAY

Alsace :
crémant-d'alsace.

Beaujolais :
beaujolais* ; coteaux-du-lyonnais.

Bourgogne :
aloxe-corton* ; auxey-duresses* ; bâtard-montrachet* ; beaune* ; bienvenues-bâtard-montrachet* ; bourgogne*, bourgogne-côtes-chalonnaise*, bourgogne-hautes côtes-de-beaune*, bourgogne-hautes-côtes-de-nuits* ; chablis*, chablis grand cru*, chablis premier cru* ; chassagne-montrachet* ; chevalier-montrachet* ; chorey-lès-beaune* ; corton* ; corton-charlemagne* ; côte-de-beaune* ; côte-de-nuits-villages* ; crémant-de-bourgogne ; criots-bâtard-montrachet* ; fixin* ; givry* ; ladoix* ; mâcon*, mâcon-villages* ; maranges* ; marsannay ; mercurey* ; meursault* ; montagny* ; monthélie* ; montrachet* ; morey-saint-denis ; musigny* ; nuits-saint-georges* ; pernand-vergelesses* ; petit-chablis* ; pouilly- fuissé* ; pouilly-loché* ; pouilly-vinzelles* ; puligny-montrachet* ; rully* ; saint-aubin* ; saint-romain* ; saint-véran* ; santenay* ; savigny-lès-beaune* ; viré-clessé* ; vougeot*.

Bugey

Champagne :
champagne ; coteaux- champenois.

Jura :
arbois ; côtes-du-jura ; crémant-du-jura ; l'étoile ; macvin-du-jura.

Languedoc :
blanquette-de-limoux ; crémant-de-limoux ; limoux.

Loire :
anjou ; cheverny ; côtes-d'auvergne ; crémant-de-loire ; fiefs-vendéens ; orléanais ; saint-pourçain ; saumur ; touraine-mesland ; valençay.

Poitou-Charentes :
haut-poitou.

Provence :
bellet.

Rhône :
châtillon-en-diois.

■ CHASSELAS

Loire :
pouilly-sur-loire*.

Savoie :
crépy* ; vin-de-savoie.

■ CHENIN BLANC
(PINEAU DE LA LOIRE)

Loire :
anjou ; anjou-coteaux-de-la-loire* ; bonnezeaux* ; chinon ; coteaux-d'ancenis ; coteaux-de-l'aubance* ; coteaux-du-layon* ; coteaux-du-loir ; coteaux-du-vendômois ; crémant-de-loire ; fiefs-vendéens ; jasnières* ; montlouis-sur-loire* ; quarts-de-chaume* ; saumur ; savennières* ; savennières-coulée-de-serrant* ; savennières-roche-aux-moines* ; touraine ; touraine-amboise* ; touraine-mesland ; vouvray.

Languedoc :
blanquette-de-limoux ; crémant-de-limoux ; limoux.

Sud-Ouest :
côtes-de-duras ; côtes-de-millau ; vin-d'entraygues-et-du-fel.

■ CINSAULT

Corse :
ajaccio.

Languedoc :
corbières ; costières-de-nîmes ; coteaux-du-languedoc ; côtes-de-la-malepère ; faugères ; minervois ; saint-chinian.

Provence :
bandol ; baux-de-provence ; bellet ; cassis ; coteaux-d'aix-en-provence ; coteaux-varois ; côtes-de-provence ; palette.

Rhône :
châteauneuf-du-pape ; coteaux-de-pierrevert ; coteaux-du-tricastin ; côtes-du-luberon ; côtes-du-rhône ; côtes-du-rhône-villages ; côtes-du-ventoux ; gigondas ; lirac ; tavel ; vacqueyras.

Roussillon :
collioure.

■ CLAIRETTE

Languedoc :
clairette-de-bellegarde* ; clairette-du-languedoc* ; costières-de-nîmes ; coteaux-du-languedoc.

Provence :
bandol ; cassis ; coteaux-d'aix-en-provence ; coteaux-varois ; côtes-de-provence ; palette.

Rhône :
châteauneuf-du-pape ; clairette-de-die ; coteaux-de-pierrevert ; coteaux-du-tricastin ; côtes-du-luberon ; côtes-du-rhône ; côtes-du-rhône-villages ; côtes-du-ventoux ; côtes-du-vivarais ; crémant-de-die ; lirac ; tavel ; vacqueyras.

Sud-Ouest :
côtes-de-saint-mont.

■ COLOMBARD

Bordelais :
côtes-de-blaye ; premières-côtes-de-blaye ; côtes-de-bourg ; crémant-de-bordeaux.

Poitou-Charentes :
pineau-des-charentes.

Sud-Ouest :
floc-de-gascogne.

■ COUNOISE

Provence :
baux-de-provence ; coteaux-d'aix-en-provence.

Rhône :
côtes-du-rhône, côtes-du-rhône-villages.

■ COURBU

Sud-Ouest :
béarn, béarn-bellocq ; côtes-de-saint-mont ; irouléguy ; jurançon, jurançon sec ; pacherenc-du-vic-bilh.

■ DURAS

Sud-Ouest :
gaillac.

■ DURIF

Provence :
palette.

■ FER-SERVADOU
(BRAUCOL, PINENC)

Sud-Ouest :
béarn, béarn-bellocq ; côtes-de-millau ; floc-de-gascogne ; gaillac ; madiran ; marcillac ; vin-d'entraygues-et-du-fel.

■ FOLLE BLANCHE
(GROS PLANT)

Loire :
gros-plant du pays nantais*.

Sud-Ouest :
floc-de-gascogne.

■ FUELLA NERA

Provence :
bellet.

## ■ GAMAY NOIR

Beaujolais :
beaujolais* ; beaujolais-villages* ; brouilly* ; côtes-de-brouilly* ; chénas* ; chiroubles* ; coteaux-du-lyonnais* ; côte-roannaise* ; fleurie* ; juliénas* ; morgon* ; moulin-à-vent* ; régnié* ; saint-amour*.

Bourgogne :
bourgogne-passetoutgrain ; crémant-de-bourgogne ; mâcon.

Bugey

Est :
côtes-de-toul ; moselle.

Loire :
aujou-gamay* ; châteaumeillant ; cheverny ; coteaux-d'ancenis ; coteaux-du-giennois ; coteaux-du-loir ; coteaux-du-vendômois ; côte-roannaise ; côtes-d'auvergne ; côtes-du-forez* ; fiefs-vendéens ; rosé-d'anjou ; saint-pourçain ; saumur ; touraine ; touraine-amboise ; touraine-mesland ; valençay.

Poitou-Charentes :
haut-poitou.

Rhône :
châtillon-en-diois.

Savoie :
vin-de-savoie.

Sud-Ouest :
coteaux-du-quercy ; côtes-de-millau ; côtes-du-marmandais ; gaillac ; vin-d'entraygues-et-du-fel.

## ■ GEWURZTRAMINER

Alsace :
alsace-gewurztraminer* ; alsace grand cru gewurztraminer*.

## ■ GRENACHE BLANC

Languedoc :
corbières ; costières-de-nîmes ; coteaux-du-languedoc ; faugères ; minervois ; saint-chinian.

Provence :
coteaux-d'aix-en-provence ; coteaux-varois ; palette.

Roussillon :
banyuls ; banyuls grand cru ; côtes-du-roussillon ; maury ; rivesaltes.

Rhône :
châteauneuf-du-pape ; coteaux-de-pierrevert ; coteaux-du-tricastin ; côtes-du-luberon ; côtes-du-rhône, côtes-du-rhône-villages ; côtes-du-ventoux ; côtes-du-vivarais ; lirac ; rasteau ; vacqueyras.

## ■ GRENACHE GRIS

Provence :
coteaux-varois.

Rhône :
rasteau.

Roussillon :
banyuls, banyuls grand cru ; collioure ; maury ; rivesaltes.

## ■ GRENACHE NOIR

Corse :
ajaccio ; patrimonio ; vin-de-corse.

Languedoc :
cabardès ; corbières ; costières-de-nîmes ; coteaux-du-languedoc ; fitou ; minervois ; saint-chinian.

Provence :
bandol ; baux-de-provence ; bellet ; cassis ; coteaux-d'aix-en-provence ; coteaux-varois ; côtes-de-provence ; palette.

Rhône :
châteauneuf-du-pape ; coteaux-de-pierrevert ; coteaux-du-tricastin ; côtes-de-la-malepère ; côtes-du-luberon ; côtes-du-rhône-villages ; côtes-du-ventoux ; côtes-du-vivarais ; gigondas ; lirac ; rasteau ; tavel ; vacqueyras.

Roussillon :
banyuls, banyuls grand cru ;. collioure ; côtes-du-roussillon ; rivesaltes.

## ■ GROLLEAU (GROSLOT)

Loire :
coteaux-du-loir ; fiefs-vendéens ; crémant-de-loire ; rosé-d'anjou ; rosé-de-loire ; saumur.

## ■ LLEDONER PELUT

Languedoc :
coteaux-du-languedoc ; minervois.

Rousillon :
côtes-du-roussillon ; côtes-du-roussillon-villages.

## ■ JACQUÈRE

Bugey.

Savoie :
vin-de-savoie.

## ■ JURANÇON NOIR

Sud-Ouest :
cahors.

## ■ LEN DE L'EL

Sud-Ouest :
gaillac.

■ MACABEU (MACCABÉO)

Languedoc :
corbières ; minervois.

Roussillon :
banyuls, banyuls-grand cru ;
côtes-du-roussillon ; maury ; rivesaltes.

■ MALBEC (CÔT ; AUXERROIS)

Bordelais :
bordeaux ; bordeaux supérieur ;
bordeaux-côtes-de-francs ; canon-fronsac ;
côtes-de-bourg ; fronsac ; haut-médoc ;
lalande-de-pomerol ; médoc ; moulis-en-médoc ;
pessac-léognan ; pomerol ;
premières-côtes-de-bordeaux ; saint-julien.

Est :
côtes-de-toul.

Languedoc :
côtes-de-la malepère ; limoux.

Loire :
cheverny ; coteaux-du-loir ; rosé-d'anjou ;
saumur ; touraine ; touraine-amboise ;
touraine-azay-le-rideau ; touraine-mesland ;
valençay.

Sud-Ouest :
bergerac ; cahors ; coteaux-du-quercy ;
côtes-de-bergerac ; côtes-de-duras ;
côtes-du-brulhois ; côtes-du-frontonnais ;
côtes-du-marmandais ; floc-de-gascogne ;
pécharmant.

■ MALVOISIE (VERMENTINO)

Corse :
ajaccio ; patrimonio ; vin-de-corse.

Languedoc :
corbières ; minervois.

Rhône :
coteaux-de-pierrevert ; côtes-du-luberon.

Roussillon :
banyuls ; banyuls grand cru ;
côtes-du-roussillon ; maury ; rivesaltes.

■ MANOSQUIN

Provence :
palette.

■ MANSENG (PETIT)

Sud-Ouest :
béarn ; béarn-bellocq ; côtes-de-saint-mont ;
floc-de-gascogne ; irouléguy ; jurançon ;
jurançon sec ; pacherenc-du-vic-bilh.

■ MANSENG (GROS)

Sud-Ouest :
béarn ; béarn-bellocq ; irouléguy ; jurançon ;
jurançon sec ; pacherenc-du-vic-bilh.

■ MARSANNE

Languedoc :
corbières ; costières-de-nîmes ;
coteaux-du-languedoc ; faugères ; minervois ;
saint-chinian.

Provence :
cassis.

Rhône :
coteaux-du-tricastin ; côtes-du-rhône ;
côtes-du-rhône-villages ; côtes-du-vivarais ;
crozes-hermitage ; hermitage ; lirac ;
saint-joseph ; saint-péray.

Roussillon :
côtes-du-roussillon.

■ MAUZAC

Languedoc :
blanquette-de-limoux ; crémant-de-limoux ;
limoux.

Sud-Ouest :
côtes-de-duras ; côtes-de-millau ;
floc-de-gascogne ; gaillac ;
vin-d'entraygues-et-du-fel.

■ MELON DE BOURGOGNE

Loire :
fiefs-vendéens ; muscadet*,
muscadet-sèvre-et-maine*,
muscadet-coteaux-de-la-loire*,
muscadet-côtes-de-grandlieu*.

■ MÉRILLE

Sud-Ouest :
bergerac, bergerac sec ; côtes-de-bergerac ;
côtes-du-frontonnais.

■ MERLOT

Sud-Ouest :
bergerac ; buzet ; cabardès ; cahors ;
côtes-de-bergerac ; côtes-de-duras ;
côtes-de-saint-mont ; côtes-du-brulhois ;
côtes-du-marmandais ; floc-de-gascogne ;
gaillac ; marcillac ; pécharmant.

Bordelais :
blaye ; bordeaux ; bordeaux supérieur ;
bordeaux clairet ; bordeaux rosé ;
bordeaux-côtes-de-francs ; canon-fronsac ;
côtes-de-bourg ; côtes-de-castillon ; fronsac ;
graves ; graves-de-vayres ; haut-médoc ;
lalande-de-pomerol ; listrac-médoc ;
lussac-saint-émilion ; margaux ; médoc ;
montagne-saint-émilion ; moulis-en-médoc ;
pauillac ; pessac-léognan ; pomerol ;
premières-côtes-de-bordeaux ;
puisseguin-saint-émilion ; sainte-foy-bordeaux ;

saint-émilion ; saint-émilion grand cru ; saint-estèphe ; saint-georges-saint-émilion ; saint-julien.

**Languedoc :**
côtes-de-la-malepère ; limoux.

**Poitou-Charentes :**
pineau-des-charentes.

## MOLETTE

**Bugey**

**Savoie :**
seyssel.

## MONDEUSE

**Bugey.**

**Savoie :**
vin-de-savoie.

## MONTILS

**Poitou-Charentes :**
pineau-des-charentes.

## MOURVÈDRE

**Corse :**
vin-de-corse.

**Languedoc :**
costières-de-nîmes ; coteaux-du-languedoc ; faugères ; fitou ; minervois ; saint-chinian.

**Provence :**
bandol ; baux-de-provence ; cassis ; coteaux-d'aix-en-provence ; coteaux-varois ; côtes-de-provence ; palette.

**Rhône :**
châteauneuf-du-pape ; côtes-du-luberon ; côtes-du-rhône ; côtes-du-rhône-villages ; côtes-du-ventoux ; gigondas ; lirac ; tavel ; vacqueyras.

**Roussillon :**
côtes-du-roussillon ; côtes-du-roussillon-villages.

## MUSCADELLE

**Bordelais :**
barsac ; côtes-de-blaye ; premières-côtes-de-blaye ; bordeaux-côtes-de-francs ; bordeaux sec ; cadillac ; cérons ; côtes-de-bourg ; crémant-de-bordeaux ; entre-deux-mers ; graves supérieures ; graves-de-vayres ; loupiac ; pessac-léognan ; premières-côtes-de-bordeaux ; sainte-croix-du-mont ; sainte-foy-bordeaux ; sauternes.

**Languedoc :**
corbières.

**Roussillon :**
collioure.

**Sud-Ouest :**
bergerac ; bergerac sec ; côtes-de-bergerac ; côtes-de-duras ; côtes-du-marmandais ; gaillac ; monbazillac ; montravel ; saussignac.

## MUSCARDIN

**Rhône :**
châteauneuf-du-pape.

## MUSCAT BLANC À PETITS GRAINS

**Alsace :**
alsace-muscat ; alsace grand cru muscat.

**Corse :**
muscat-du-cap-corse*.

**Languedoc :**
muscat-de-frontignan* ; muscat-de-lunel* ; muscat-de-mireval* ; muscat-de-saint-jean-de-minervois*.

**Provence :**
palette.

**Rhône :**
clairette-de-die* ; muscat-de-beaumes-de-venise*.

**Roussillon :**
muscat-de-rivesaltes.

## MUSCAT D'ALEXANDRIE

**Roussillon :**
muscat-de-rivesaltes.

## MUSCAT OTTONEL

**Alsace :**
alsace-muscat ; alsace grand cru muscat.

## MUSCAT ROSE À PETITS GRAINS

**Alsace :**
alsace-muscat ; alsace grand cru muscat.

## NÉGRETTE

**Loire :**
fiefs-vendéens.

**Sud-Ouest :**
côtes-du-frontonnais.

## NIELLUCCIU

**Corse :**
patrimonio ; vin-de-corse.

## ONDENC

**Sud-Ouest :**
côtes-de-duras ; gaillac.

## PETIT VERDOT

**Bordelais :**
bordeaux ; bordeaux supérieur ; haut-médoc ; listrac-médoc ; médoc ; moulis-en-médoc ; pessac-léognan ; saint-estèphe ; saint-julien.

## PICARDAN

**Rhône :**
châteauneuf-du-pape.

## PIQUEPOUL

**Languedoc :**
coteaux-du-languedoc (Picpoul-de-Pinet*) ; minervois.

**Provence :**
palette.

**Rhône :**
châteauneuf-du-pape ; lirac ; tavel.

## PINEAU D'AUNIS

**Loire :**
cheverny ; coteaux-du-loir ; coteaux-du-vendômois ; crémant-de-loire ; rosé-d'anjou ; rosé-de-loire ; saumur ; touraine.

## PINOT BLANC

**Alsace :**
alsace-pinot blanc ; crémant-d'alsace.

**Bourgogne :**
marsannay ; morey-saint-denis.

**Est :**
moselle.

## PINOT GRIS

**Alsace :**
alsace-tokay-pinot gris*, alsace grand cru tokay-pinot gris* ; crémant-d'alsace.

**Est :**
moselle.

**Jura :**
crémant-du-jura.

**Loire :**
châteaumeillant ; reuilly (rouge) ; coteaux-d'ancenis ; touraine-noble-joué (rosé).

## PINOT MEUNIER

**Champagne :**
champagne ; coteaux-champenois.

**Loire :**
orléanais ; touraine-noble-joué (rosé).

## PINOT NOIR

**Alsace :**
alsace-pinot noir* ; crémant-d'alsace.

**Bourgogne :**
aloxe-corton* ; auxey-duresses* ; beaune* ; blagny* ; bonnes-mares* ; bourgogne* ; bourgogne-côte-chalonnaise* ; bourgogne-hautes côtes-de-baune* ; bourgogne-hautes-côtes-de-nuits* ; bourgogne-passetougrain* ; chambertin* ; chambertin-clos-de-bèze* ; chambolle-musigny* ; chapelle-chambertin* ; charmes-chambertin* ; chassagne-montrachet* ; chorey-lès-beaune* ; clos-de-la-roche* ; clos-des-lambrays* ; clos-de-tart* ; clos-de-vougeot* ; clos-saint-denis* ; corton* ; côte-de-beaune* ; côte-de-nuits-villages* ; crémant-de-bourgogne ; échézeaux* ; fixin* ; gevrey-chambertin* ; givry* ; la grande-rue* ; grands-échézeaux* ; griotte-chambertin* ; irancy* ; ladoix* ; latricières-chambertin* ; mâcon ; maranges* ; marsannay* ; mazis-chambertin* ; mazoyères-chambertin* ; mercurey* ; meursault* ; monthélie* ; morey-saint-denis* ; musigny* ; nuits-saint-georges* ; pernand-vergelesses* ; pommard* ; puligny-montrachet* ; richebourg* ; la romanée* ; romanée-conti* ; romanée-saint-vivant* ; ruchottes-chambertin* ; rully* ; saint-aubin* ; saint-romain* ; santenay* ; savigny-lès-beaune* ; la tâche* ; volnay* ; vosne-romanée* ; vougeot*.

**Bugey**

**Champagne :**
champagne ; coteaux-champenois ; rosé-des-riceys.

**Est :**
côtes-de-toul ; moselle.

**Jura :**
arbois ; côtes-du-jura ; crémant-du-jura ; macvin-du-jura.

**Loire :**
châteaumeillant ; cheverny ; coteaux-du-giennois ; coteaux-du-vendômois ; côtes-d'auvergne ; crémant-de-loire ; fiefs-vendéens ; menetou-salon ; reuilly ; saint-pourçain ; sancerre* ; touraine-noble-joué ; valençay.

**Rhône :**
châtillon-en-diois.

**Savoie :**
vin-de-savoie.

## POULSARD

**Jura :**
arbois ; côtes-du-jura ; crémant-du-jura ; l'étoile ; macvin-du-jura.

**Bugey**

## RIESLING

**Alsace :**
alsace-riesling* ; alsace grand cru riesling* ; crémant-d'alsace.

## ROLLE

**Languedoc :**
costières-de-nîmes.

**Provence :**
bellet ; coteaux-d'aix-en-provence ; coteaux-varois ; côtes-de-provence.

### ROMORANTIN

**Loire :**
cour-cheverny*.

### ROUSSANNE

**Languedoc :**
corbières ; costières-de-nîmes ; coteaux-du-languedoc ; faugères ; minervois ; saint-chinian.

**Rhône :**
châteauneuf-du-pape ; coteaux-de-pierrevert ; coteaux-du-tricastin ; côtes-du-luberon ; côtes-du-rhône ; côtes-du-rhône-villages ; côtes-du-ventoux ; crozes-hermitage ; hermitage ; lirac ; saint-joseph ; saint-péray ; vacqueyras.

**Roussillon :**
côtes-du-roussillon.

**Savoie :**
vin-de-savoie.

### SAUVIGNON (BLANC FUMÉ)

**Bourgogne :**
saint-bris*.

**Bordelais :**
barsac ; côtes-de-blaye ; premières-côtes-de-blaye ; bordeaux-côtes-de-francs ; bordeaux sec ; cadillac ; cérons ; côtes-de-bourg ; crémant-de-bordeaux ; entre-deux-mers ; graves ; graves supérieures ; graves-de-vayres ; loupiac ; pessac-léognan ; premières-côtes-de-bordeaux ; sainte-croix-du-mont ; sainte-foy-bordeaux ; sauternes.

**Loire :**
anjou ; cheverny ; coteaux-du-giennois ; fiefs-vendéens ; menetou-salon* ; quincy* ; reuilly* ; saint-pourçain ; sancerre* ; saumur ; touraine ; touraine-mesland ; valençay.

**Poitou-Charentes :**
haut-poitou.

**Provence :**
bandol ; cassis ; coteaux-d'aix-en-provence.

**Sud-Ouest :**
béarn ; béarn-bellocq ; bergerac ; bergerac sec ; buzet ; côtes-de-bergerac ; côtes-de-duras ; côtes-du-marmandais ; floc-de-gascogne ; gaillac ; monbazillac ; montravel ; pacherenc-du-vic-bilh ; saussignac.

### SAVAGNIN

**Jura :**
arbois ; château-chalon* ; côtes-du-jura ; crémant-du-jura ; l'étoile ; macvin-du-jura.

### SCIACARELLU

**Corse :**
ajaccio ; patrimonio ; vin-de-corse.

### SÉMILLON

**Bordelais :**
barsac ; côtes-de-blaye ; premières-côtes-de-blaye ; bordeaux-côtes-de-francs ; bordeaux sec ; cadillac ; cérons ; côtes-de-bourg ; crémant-de-bordeaux ; entre-deux-mers ; graves ; graves supérieures ; graves-de-vayres ; loupiac ; pessac-léognan ; premières-côtes-de-bordeaux ; sainte-croix-du-mont ; sainte-foy-bordeaux ; sauternes.

**Poitou-Charentes :**
pineau-des-charentes.

**Provence :**
coteaux-d'aix-en-provence ; coteaux-varois ; côtes-de-provence.

**Sud-Ouest :**
bergerac ; bergerac sec ; buzet ; côtes-de-bergerac ; côtes-de-duras ; côtes-du-marmandais ; floc-de-gascogne ; gaillac ; monbazillac ; montravel ; pacherenc-du-vic-bilh ; saussignac.

### SYLVANER

**Alsace :**
alsace-sylvaner*.

### SYRAH

**Languedoc :**
cabardès ; corbières ; costières-de-nîmes ; coteaux-du-languedoc ; faugères ; fitou ; limoux ; minervois ; saint-chinian.

**Provence :**
bandol ; baux-de-provence ; coteaux-d'aix-en-provence ; coteaux-varois ; côtes-de-provence.

**Rhône :**
châteauneuf-du-pape ; châtillon-en-diois ; cornas* ; coteaux-de-pierrevert ; coteaux-du-tricastin ; côtes-du-rhône ; côtes-du-rhône-villages ; côtes-du-luberon ; côtes-du-ventoux ; côtes-du-vivarais ; côte-rôtie ; crozes-hermitage* ; gigondas ; hermitage* ; lirac ; saint-joseph* ; tavel ; vacqueyras.

**Roussillon :**
collioure ; côtes-du-roussillon ; côtes-du-roussillon-villages.

Sud-Ouest :
côtes-de-millau ; côtes-du-frontonnais ;
côtes-du-marmandais ; gaillac.

■ TANNAT

Sud-Ouest :
béarn ; béarn-bellocq ;
cahors ;
coteaux-du-quercy ; côtes-de-saint-mont ;
côtes-du-brulhois ; floc-de-gascogne ; irouléguy ;
madiran ; tursan.

■ TERRET

Provence :
palette.

Rhône :
châteauneuf-du-pape.

■ TIBOUREN

Provence :
coteaux-varois ; côtes-de-provence ; palette.

■ TRESSALIER

Loire :
saint-pourçain.

■ TROUSSEAU

Jura :
arbois ; côtes-du-jura ; crémant-du-jura ;
macvin-du-jura.

■ UGNI BLANC

Bordelais :
crémant-de-bordeaux.

Corse :
ajaccio; patrimonio.

Poitou-Charentes :
pineau-des-charentes.

Provence :
bandol ; bellet ; cassis ;
coteaux-d'aix-en-provence ; coteaux-varois ;
côtes-de-provence ; palette.

Rhône :
coteaux-de-pierrevert ; lirac.

Sud-Ouest :
bergerac ; bergerac sec ; côtes-de-duras ;
côtes-du-marmandais ; floc-de-gascogne.

■ VACCARÈSE

Rhône :
châteauneuf-du-pape.

■ VIOGNIER

Languedoc :
coteaux-du-languedoc.

Rhône :
château-grillet* ;
condrieu* ;
coteaux-du-tricastin ;
côte-rôtie ;
côtes-du-rhône ; côtes-du-rhône-villages ;
lirac.

# GLOSSAIRE

**Acerbe.** Se dit d'un vin rendu âpre et vert par un fort excès de tanin et d'acidité. Défaut très grave.

**Acescence.** Maladie provoquée par des micro-organismes et donnant un vin piqué.

**Acidité.** Présente sans excès, l'acidité contribue à l'équilibre du vin, en lui apportant fraîcheur et nervosité. Mais lorsqu'elle est très forte, elle devient un défaut, en lui donnant un caractère mordant et vert. En revanche, si elle est insuffisante, le vin est mou.

**Agressif.** Se dit d'un vin montrant trop de force et attaquant désagréablement les muqueuses.

**Aigreur.** Caractère acide élevé, assorti d'une odeur particulière rappelant celle du vinaigre.

**Aimable.** Vin dont tous les aspects sont agréables et pas trop marqués.

**Alcool.** Composant le plus important du vin après l'eau, l'alcool éthylique apporte au vin son caractère chaleureux. Mais s'il domine trop, le vin devient brûlant.

**Ambre.** En vieillissant longuement, ou en s'oxydant prématurément, les vins blancs prennent parfois une teinte proche de celle de l'ambre.

**Amertume.** Normale pour certains vins rouges jeunes et riches en tanin, l'amertume est dans les autres cas un défaut dû à une maladie bactérienne.

**Ampélographie.** Science étudiant les cépages.

**Ample.** Se dit d'un vin harmonieux donnant l'impression d'occuper pleinement et longuement la bouche.

**Analyse sensorielle.** Nom technique de la dégustation.

**Animal.** Qualifie l'ensemble des odeurs du règne animal : musc, venaison, cuir..., surtout fréquentes dans les vins rouges vieux.

**AOC.** Appellation d'origine contrôlée. Système réglementaire garantissant l'authenticité d'un vin issu d'un terroir donné. Les grands vins proviennent de régions d'AOC.

**Âpreté.** Sensation rude, un peu râpeuse, provoquée par un fort excès de tanin.

**Arôme.** Dans le langage technique de la dégustation, ce terme devrait être réservé aux sensations olfactives perçues en bouche. Mais le mot désigne aussi fréquemment les odeurs en général.

**Assemblage.** Mélange de plusieurs vins pour obtenir un lot unique. Faisant appel à des vins de même origine, l'assemblage est très différent du coupage – mélange de vins de provenances diverses –, qui a une connotation péjorative.

**Astringence.** Caractère un peu âpre et rude en bouche, souvent présent dans de jeunes vins rouges riches en tanin et ayant besoin de s'arrondir.

## B

**Balsamique.** Qualificatif d'odeurs venues de la parfumerie et comprenant, entre autres, la vanille, l'encens, la résine et le benjoin.

**Ban des vendanges.** Date autorisant le début des vendanges ; souvent occasion de fêtes.

**Barrique.** Fût bordelais de 225 litres, ayant servi à déterminer le « tonneau » (unité de mesure correspondant à quatre barriques).

**Botrytis cinerea.** Nom d'un champignon entraînant la pourriture des raisins. Généralement très néfaste, il peut sous certaines conditions climatiques produire une concentration des raisins qui est à la base de l'élaboration des vins blancs liquoreux.

**Bouche.** Terme désignant l'ensemble des caractères perçus dans la bouche.

**Bouquet.** Caractères odorants se percevant au nez lorsque l'on flaire le vin dans le verre, puis dans la bouche sous le nom d'arôme.

**Bourbe.** Eléments solides en suspension dans le moût. Voir débourbage.

**Brillant.** Se dit d'une couleur très limpide dont les reflets brillent fortement à la lumière.

**Brûlé.** Qualificatif, parfois équivoque, d'odeurs diverses, allant du caramel au bois brûlé.

**Brut.** On appelle bruts des vins effervescents comportant très peu de sucre (juste assez pour tempérer l'acidité du vin) ; « brut zéro » correspond à l'absence totale de sucre.

## C

**Capiteux.** Caractère d'un vin très riche en alcool, jusqu'à en être fatigant.

**Carafe.** On appelle « vins de carafe » les vins qui se boivent jeunes et qu'autrefois on tirait directement au tonneau. Par exemple, le muscadet ou le beaujolais.

**Casse.** Accident (oxydation ou réduction) provoquant une perte de limpidité du vin.

**Caudalie.** Unité de mesure de la durée de persistance en bouche des arômes après la dégustation.

**Cépage.** Nom de la variété, en matière de vignes.

**Chai.** Bâtiment situé au-dessus du sol et destiné aux vins (synonyme de cellier) dans les régions où l'on ne creuse pas de caves.

**Chair.** Caractéristique d'un vin donnant dans la bouche une impression de plénitude et de densité, sans aspérité.

**Chaleureux.** Se dit d'un vin procurant, notamment par sa richesse alcoolique, une impression de chaleur.

**Chaptalisation.** Addition de sucre dans la vendange, contrôlée par la loi, afin d'obtenir un bon équilibre du vin par augmentation de la richesse en alcool lorsque celle-ci est trop faible.

**Charnu.** Se dit d'un vin ayant de la chair.

**Charpente.** Bonne constitution d'un vin avec une prédominance tannique ouvrant de bonnes possibilités de vieillissement.

**Chartreuse.** Dans le Bordelais, petit château du XVIIIe siècle ou du début du XIXe.

**Château.** Terme souvent utilisé pour désigner des exploitations vinicoles, même si parfois elles ne comportent pas de véritable château.

**Clairet.** Vin rouge léger et fruité, ou vin rosé produit en Bordelais et en Bourgogne.

**Claret.** Nom donné par les Anglais au vin rouge de Bordeaux.

**Clavelin.** Bouteille de forme particulière et d'une contenance de 60 cl, réservée aux vins jaunes du Jura.

**Climat.** Nom de lieu-dit cadastral dans le vignoble bourguignon.

**Clone.** Ensemble des pieds de vigne issus d'un pied unique par multiplication (bouturage ou greffage).

**Clos.** Très usité dans certaines régions pour désigner les vignes entourées de murs (Clos de Vougeot), ce terme a pris souvent un usage beaucoup plus large, désignant parfois les exploitations elles-mêmes.

**Collage.** Opération de clarification réalisée avec un produit (blanc d'œuf, colle de poisson) se coagulant dans le vin en entraînant dans sa chute les particules restées en suspension.

**Cordon.** Mode de conduite des vignes palissées.

**Corps.** Caractère d'un vin alliant une bonne constitution (charpente et chair) à de la chaleur.

**Corsé.** Se dit d'un vin ayant du corps.

**Coulant.** Un vin coulant (ou gouleyant) est un vin souple et agréable, glissant bien dans la bouche.

**Coulure.** Non transformation de la fleur en fruit due à une mauvaise fécondation, pouvant s'expliquer par des raisons diverses (climatiques, physiologiques, etc.).

**Courgée.** Nom de la branche à fruits laissée à la taille et qui est ensuite arquée le long du palissage dans le Jura (en Mâconnais, elle porte le nom de queue).

**Court.** Se dit d'un vin laissant peu de traces en bouche après la dégustation (on dit aussi « court en bouche »).

**Crémant.** Vin mousseux d'AOC élaboré par méthode traditionnelle avec des contraintes spécifiques dans les régions d'Alsace, du Bordelais, de Bourgogne, de Die, du Jura, de Limoux et dans le Val de Loire.

**Cru.** Terme dont le sens varie selon les régions (terroir ou domaine), mais contenant partout l'idée d'identification d'un vin à un lieu défini de production.

**Cruover** (marque commerciale). Appareil permettant de conserver le vin en bouteille entamée sous gaz inerte (azote) pour le servir au verre.

**Cuvaison.** Période pendant laquelle, après la vendange en rouge, les matières solides restent en contact avec le jus en fermentation dans la cuve. Sa longueur détermine la coloration et la force tannique du vin.

## D

**Débourbage.** Clarification du jus de raisin non fermenté, séparé de la bourbe.

**Débourrement.** Ouverture des bourgeons et apparition des premières feuilles de la vigne.

**Décanter.** Transvaser un vin de sa bouteille dans une carafe, pour lui permettre de se rééquilibrer ou d'abandonner son dépôt.

**Déclassement.** Suppression du droit à l'appellation d'origine d'un vin ; celui-ci est alors commercialisé comme vin de table.

**Décuvage.** Séparation du vin de goutte et du marc après fermentation (on dit aussi écoulage).

**Dégorgement.** Dans la méthode traditionnelle, élimination du dépôt de levures formé lors de la seconde fermentation en bouteille.

**Degré alcoolique.** Richesse du vin en alcool exprimée en général en degrés (correspondant au pourcentage de volume d'alcool contenu dans le vin).

**Dépôt.** Particules solides contenues dans le vin, notamment dans les vins vieux (où il est enlevé avant dégustation par la décantation).

**Dosage.** Apport de sucre sous forme de « liqueur de tirage » à un vin effervescent, après le dégorgement.

**Doux.** Terme s'appliquant à des vins sucrés.

**Dur.** Le vin dur est caractérisé par un excès d'astringence et d'acidité, pouvant parfois s'atténuer avec le temps.

## E

**Échelle des crus.** Système complexe de classement des communes de Champagne en fonction de la valeur des raisins qui y sont produits. Dans d'autres régions, situation hiérarchique des productions classées par des autorités diverses.

**Écoulage.** Voir décuvage.

**Effervescent.** Se dit d'un vin dégageant des bulles de gaz.

**Égrappage.** Séparation des grains de raisin de la rafle.

**Élevage.** Ensemble des opérations destinées à préparer les vins au vieillissement jusqu'à la mise en bouteilles.

**Empyreumatique.** Qualificatif d'une série d'odeurs rappelant le brûlé, le cuit ou la fumée.

**Enveloppé.** Se dit d'un vin riche en alcool, mais dans lequel le moelleux domine.

**Épais.** Se dit d'un vin très coloré, donnant en bouche une impression de lourdeur et d'épaisseur.

**Épanoui.** Qualificatif d'un vin équilibré qui a acquis toutes ses qualités de bouquet.

**Équilibré.** Désigne un vin dans lequel l'acidité et le moelleux (ainsi que le tanin pour les rouges) s'équilibrent bien mutuellement.

**Étampage.** Marquage des bouchons, des barriques ou des caisses à l'aide d'un fer.

**Éventé.** Se dit d'un vin ayant perdu tout ou partie de son bouquet à la suite d'une oxydation.

## F

**Fatigué.** Terme s'appliquant à un vin ayant perdu provisoirement ses qualités (par exemple après un transport) et nécessitant un repos pour les recouvrer.

**Féminin.** Caractérise les vins offrant une certaine tendreté et de la légèreté.

**Fermé.** S'applique à un vin de qualité encore jeune, n'ayant pas acquis un bouquet très prononcé et qui nécessite donc d'être attendu pour être dégusté.

**Fermentation.** Processus permettant au jus de raisin de devenir du vin, grâce à l'action de levures transformant le sucre en alcool.

**Fermentation malolactique.** Transformation, sous l'effet de bactéries lactiques, de l'acide malique en acide lactique et en gaz carbonique ; elle a pour effet de rendre le vin moins acide.

**Fillette.** Petite bouteille de 35 cl, utilisée dans le Val de Loire.

**Filtration.** Clarification du vin à l'aide de filtres.

**Finesse.** Qualité d'un vin délicat et élégant.

**Fleur.** Maladie du vin se traduisant par un voile blanchâtre et un goût d'évent.

**Fondu.** Désigne un vin, notamment un vin vieux, dans lequel les différents caractères se mêlent harmonieusement entre eux pour former un ensemble bien homogène.

**Foudre.** Tonneau de grande capacité (200 à 300 hl).

**Foulage.** Opération consistant à faire éclater la peau des grains de raisin.

**Foxé.** Désigne l'odeur, entre celle du renard et celle de la punaise, que dégage le vin produit à partir de certains cépages hybrides.

**Frais.** Se dit d'un vin légèrement acide, mais sans excès, qui procure une sensation de fraîcheur.

**Franc.** Désigne l'ensemble d'un vin, ou l'un de ses aspects (couleur, bouquet, goût...) sans défaut ni ambiguïté.

**Friand.** Qualificatif d'un vin à la fois frais et fruité.

**Fumé.** Qualificatif d'odeurs proches de celle des aliments fumés, caractéristiques, entre autres, du cépage sauvignon ; d'où le nom de blanc fumé donné à cette variété.

**Fumet.** Synonyme ancien de bouquet.

## G

**Garde (vin de).** Désigne un vin montrant une bonne aptitude au vieillissement.

**Généreux.** Caractère d'un vin riche en alcool, mais sans être fatigant, à la différence d'un vin capiteux.

**Générique.** Terme pouvant avoir plusieurs acceptions, mais désignant souvent un vin de marque par opposition à un vin de cru ou de château, employé parfois abusivement pour désigner les appellations régionales (par exemple bordeaux, bourgogne...).

**Glissant.** Synonyme de coulant.

**Glycérol.** Tri-alcool légèrement sucré, issu de la fermentation du jus de raisin, qui donne au vin son onctuosité.

**Gouleyant.** Voir coulant.

**Goutte (vin de).** Dans la vinification en rouge, vin issu directement de la cuve au décuvage (voir presse).

**Gras.** Synonyme d'onctueux.

**Gravelle.** Terme désignant le dépôt de cristaux de tartre dans les vins blancs en bouteille.

**Graves.** Sol composé de cailloux roulés et de graviers, très favorable à la production de vins de qualité, que l'on trouve notamment en Médoc et dans les Graves.

**Greffage.** Méthode employée depuis la crise phylloxérique, consistant à fixer sur un porte-greffe résistant au phylloxéra un greffon d'origine locale.

**Gris (vin).** Vin obtenu en vinifiant en blanc des raisins rouges.

## H

**Harmonieux.** Se dit d'un vin présentant des rapports heureux entre ses différents caractères, allant au-delà du simple équilibre.

**Hautain (en).** Taille de la vigne en hauteur.

**Herbacé.** Désigne des senteurs ou arômes rappelant l'herbe (ce terme a souvent une connotation péjorative).

**Hybride.** Terme désignant les cépages obtenus à partir de deux espèces de vignes différentes.

## I

**INAO.** Institut national des appellations d'origine. Établissement public chargé de déterminer et de contrôler les conditions de production des vins d'AOC et d'AOVDQS.

**ITV.** Institut technique de la vigne et du vin. Organisme technique professionnel de recherche et d'expérimentation sur la vigne et le vin.

## J

**Jambes.** Synonyme de larmes.

**Jéroboam.** Grande bouteille contenant l'équivalent de quatre bouteilles.

**Jeune.** Qualificatif très relatif pouvant désigner un vin de l'année déjà à son optimum, aussi bien qu'un vin ayant passé sa première année mais n'ayant pas encore développé toutes ses qualités.

## L

**Lactique (acide).** Acide obtenu par la fermentation malolactique.

**Larmes.** Traces laissées par le vin sur les parois du verre lorsqu'on l'agite ou l'incline.

**Léger.** Se dit d'un vin peu coloré et peu corsé, mais équilibré et agréable. En général, à boire assez rapidement.

**Levures.** Champignons microscopiques unicellulaires provoquant la fermentation alcoolique.

**Limpide.** Se dit d'un vin de couleur claire et brillante ne contenant pas de matières en suspension.

**Liquoreux.** Vins blancs riches en sucre, obtenus à partir de raisins sur lesquels s'est développée la pourriture noble, et se distinguant entre autres par un bouquet spécifique.

**Long.** Se dit d'un vin dont les arômes laissent en bouche une impression plaisante et persistante après la dégustation. On dit aussi : « d'une bonne longueur ».

**Lourd.** Se dit d'un vin excessivement épais.

## M

**Macération.** Contact du moût avec les parties solides du raisin pendant la cuvaison.

**Macération carbonique.** Mode de vinification en rouge par macération de grains entiers dans des cuves saturées de gaz carbonique ; il est utilisé surtout pour la production de certains vins de primeur.

**Mâche.** Terme s'appliquant à un vin possédant à la fois épaisseur et volume et qui, par image, donne l'impression qu'il pourrait être mâché.

**Madérisé.** Se dit d'un vin blanc qui, en vieillissant, prend une couleur ambrée et un goût rappelant d'une certaine façon celui du madère.

**Magnum.** Bouteille correspondant à deux bouteilles ordinaires.

**Malique (acide).** Acide présent à l'état naturel dans beaucoup de vins et qui se transforme en acide lactique par la fermentation malolactique.

**Marc.** Matières solides restant après le pressurage.

**Mathusalem.** Autre nom pour la bouteille impériale, équivalant à huit bouteilles ordinaires.

**Maturation.** Transformation subie par le raisin quand il s'enrichit en sucre et perd une partie de son acidité pour arriver à maturité.

**Méthode traditionnelle.** Technique d'élaboration des vins effervescents comprenant une prise de mousse en bouteille, conforme à la méthode d'élaboration du champagne.
**Mildiou.** Maladie provoquée par un champignon parasite qui attaque les organes verts de la vigne.
**Millésime.** Année de récolte d'un vin.
**Mistelle.** Moût de raisin frais, riche en sucre, dont la fermentation a été arrêtée par l'adjonction d'alcool.
**Moelleux.** Qualificatif s'appliquant généralement à des vins blancs doux se situant entre les secs et les liquoreux proprement dits. Se dit aussi, à la dégustation, d'un vin à la fois gras et peu acide.
**Mousseux.** Vins effervescents rentrant dans les catégories des vins de table et des VQPRD.
**Moût.** Désigne le liquide sucré extrait du raisin.
**Musquée.** Se dit d'une odeur rappelant celle du musc.
**Mutage.** Opération consistant à arrêter la fermentation alcoolique du moût en y ajoutant de l'alcool vinique.

N

**Nabuchodonosor.** Bouteille géante équivalant à vingt bouteilles ordinaires.
**Négoce.** Terme employé pour désigner le commerce des vins et les professions s'y rapportant. Est employé parfois par opposition à viticulture.
**Négociant-éleveur.** Dans les grandes régions d'appellations, négociant ne se contentant pas d'acheter et de revendre les vins mais, à partir de vins très jeunes, réalisant toutes les opérations d'élevage jusqu'à la mise en bouteilles.
**Négociant-manipulant.** Terme champenois désignant le négociant qui achète des vendanges pour élaborer lui-même un vin de Champagne.
**Nerveux.** Se dit d'un vin marquant le palais par des caractères bien accusés et une pointe d'acidité, mais sans excès.
**Net.** Se dit d'un vin franc, aux caractères bien définis.
**Nouveau.** Se dit d'un vin des dernières vendanges.

O

**Odeur.** Perçues directement par le nez, à la différence des arômes de bouche, les odeurs du vin peuvent être d'une grande variété, rappelant aussi bien les fruits ou les fleurs que la venaison.
**Œil.** Synonyme de bourgeon.
**Œnologie.** Science étudiant le vin.
**Oïdium.** Maladie de la vigne provoquée par un petit champignon et qui se traduit par une teinte grise et un dessèchement des raisins ; se traite par le soufre.
**OIV.** Organisation internationale de la vigne et du vin. Organisme intergouvernemental étudiant les questions techniques, scientifiques ou économiques soulevées par la culture de la vigne et la production du vin.
**Onctueux.** Qualificatif d'un vin se montrant en bouche agréablement moelleux, gras.
**Onivins.** Office national interprofessionnel des vins. Organisme ayant pris la suite de l'Onivit dans sa mission d'orientation et de régularisation du marché du vin.
**Organoleptique.** Désigne les qualités ou propriétés perçues par les sens lors de la dégustation, comme la couleur, l'odeur ou le goût.
**Ouillage.** Opération consistant à rajouter régulièrement du vin dans chaque barrique pour la maintenir pleine et éviter le contact du vin avec l'air.
**Oxydation.** Résultat de l'action de l'oxygène de l'air sur le vin. Excessive, elle se traduit par une modification de la couleur (tuilée pour les rouges) et du bouquet.

P

**Parfum.** Synonyme d'odeur avec, en plus, une connotation laudative.
**Passerillage.** Dessèchement du raisin à l'air s'accompagnant d'un enrichissement en sucre.
**Pasteurisation.** Technique de stérilisation par la chaleur mise au point par Pasteur.
**Perlant.** Se dit d'un vin dégageant de petites bulles de gaz carbonique.
**Persistance.** Phénomène se traduisant par la perception de certains caractères du vin (saveur, arômes) après que celui-ci a été avalé. Une bonne persistance est un signe positif.
**Pétillant.** Désigne un vin dont la mousse est moins forte que celle des vins mousseux.
**Phylloxéra.** Puceron qui, entre 1860 et 1880, ravagea le vignoble français en provoquant la mort des racines par sa piqûre.
**Pièce.** Nom du tonneau de Bourgogne (capacité de 228 ou de 216 litres).
**Pierre à fusil.** Se dit d'un arôme qui évoque l'odeur du silex venant de produire des étincelles.
**Piqué.** Qualificatif d'un vin atteint d'acescence, maladie se traduisant par une odeur aigre prononcée.
**Piqûre (acétique).** Synonyme d'acescence.
**Plein.** Se dit d'un vin ayant les qualités demandées à un bon vin, et qui donne en bouche une sensation de plénitude.
**Pourriture noble.** Nom donné à l'action du *Botrytis cinerea* dans les régions où elle permet de réaliser des vins blancs liquoreux.
**Presse (vin de).** Dans la vinification en rouge, vin tiré des marcs par pressurage après le décuvage.
**Pressurage.** Opération consistant à presser le marc de raisin pour en extraire le jus ou le vin.
**Primeur (vin de).** Vin élaboré pour être bu très jeune.
**Primeur (achat en).** Achat fait peu après la récolte et avant que le vin soit consommable.
**Prise de mousse.** Nom donné à la deuxième fermentation alcoolique que subissent les vins mousseux.
**Puissance.** Caractère d'un vin qui est à la fois plein, corsé, généreux et d'un riche bouquet.

R

**Rafle.** Terme désignant dans la grappe le petit branchage supportant les grains de raisin et qui, lors d'une vendange non éraflée, apporte une certaine astringence au vin.
**Rancio.** Caractère particulier pris par certains vins doux naturels (arômes de noix), au cours de leur vieillissement.
**Râpeux.** Se dit d'un vin très astringent, donnant l'impression de racler le palais.
**Ratafia.** Vin de liqueur élaboré par mélange de marc et de jus de raisin en Champagne et en Bourgogne.

**Rebêche (vin de).** Vin issu des dernières presses, qui ne participera pas à l'élaboration de cuvées destinées à la champagnisation.

**Récoltant-manipulant.** En Champagne, viticulteur élaborant lui-même son champagne.

**Remuage.** Dans la méthode traditionnelle, opération visant à amener les dépôts contre le bouchon par le mouvement imprimé aux bouteilles placées sur des pupitres. Le remuage peut être manuel ou mécanique (à l'aide de gyropalettes).

**Riche.** Qualificatif d'un vin coloré, généreux, puissant et en même temps équilibré.

**Robe.** Terme employé souvent pour désigner la couleur d'un vin et son aspect extérieur.

**Rognage.** Action de couper le bout des rameaux de vigne en fin de végétation.

**Rond.** Se dit d'un vin dont la souplesse, le moelleux et la chair donnent en bouche une agréable impression de rondeur.

**Rôti.** Caractère spécifique donné par la pourriture noble aux vins liquoreux, qui se traduit par un goût et des arômes de confit.

## S

**Saignée (rosé de).** Vin rosé tiré d'une cuve de raisin noir au bout d'un court temps de macération.

**Salmanazar.** Bouteille géante contenant l'équivalent de douze bouteilles ordinaires.

**Sarment.** Rameau de vigne de l'année.

**Saveur.** Sensation (sucrée, salée, acide ou amère) produite sur la langue par un aliment.

**Sec.** Pour les vins tranquilles, caractère dépourvu de saveur sucrée (moins de 4 g/l) ; dans l'échelle de douceur des vins effervescents, il s'agit d'un caractère peu sucré (entre 17 et 35 g/l).

**Solide.** Se dit d'un vin bien constitué, possédant notamment une bonne charpente.

**Souple.** Se dit d'un vin coulant, dans lequel le moelleux l'emporte sur l'astringence.

**Soutirage.** Opération consistant à transvaser un vin d'un fût dans un autre pour en séparer la lie.

**Soyeux.** Qualificatif d'un vin souple, moelleux et velouté, avec une nuance d'harmonie et d'élégance.

**Stabilisation.** Ensemble des traitements destinés à la bonne conservation des vins.

**Structure.** Désigne à la fois la charpente et la constitution d'ensemble d'un vin.

**Sulfatage.** Traitement, jadis pratiqué à l'aide de sulfate de cuivre, appliqué à la vigne pour prévenir les maladies cryptogamiques.

**Sulfitage.** Introduction de solution sulfureuse dans un moût ou dans un vin pour le protéger d'accidents ou maladies, ou pour sélectionner les ferments.

## T

**Taille.** Coupe des sarments pour régulariser et équilibrer la croissance de la vigne afin de contrôler la productivité.

**Tanin.** Substance se trouvant dans le raisin, et qui apporte au vin sa capacité de longue conservation et certaines de ses propriétés gustatives.

**Tannique.** Caractère d'un vin laissant apparaître une note d'astringence due à sa richesse en tanin.

**Tastevinage.** Label accordé par la confrérie des Chevaliers du Tastevin à certains vins bourguignons.

**Terroir.** Territoire s'individualisant par certaines caractéristiques physiques (sol, sous-sol, exposition...) déterminantes pour son vin.

**Thermorégulation.** Technique permettant de contrôler et de maîtriser la température des cuves pendant la fermentation.

**Tirage.** Synonyme de soutirage.

**Tranquille (vin).** Désigne un vin non effervescent.

**Tuilé.** Caractère des vins rouges qui, en vieillissant, prennent une teinte rouge jaune.

## V

**VDL.** Vin de liqueur. Vin doux ne répondant pas aux normes réglementaires des VDN, ou vin obtenu par mélange de moût et d'alcool (pineau des charentes).

**VDN.** Vin doux naturel. Vin obtenu par mutage à l'alcool vinique du moût en cours de fermentation, issu des cépages muscat, grenache, macabeu et malvoisie, et correspondant à des conditions strictes de production, de richesse et d'élaboration.

**VDP.** Vin de pays. Vin appartenant au groupe des vins de table, mais dont on mentionne sur l'étiquette la région géographique d'origine.

**VDQS.** Devenu AOVDQS. Appellation d'origine vin délimité de qualité supérieure, produit dans une région selon une réglementation précise.

**Végétal.** Se dit du bouquet ou des arômes d'un vin (principalement jeune) rappelant l'herbe ou la végétation.

**Venaison.** S'applique au bouquet d'un vin rappelant l'odeur de grand gibier.

**Vert.** Se dit d'un vin trop acide.

**Vieux.** Terme pouvant avoir plusieurs acceptions, mais désignant en général un vin ayant plusieurs années d'âge et ayant vieilli en bouteille après avoir séjourné en tonneau.

**Vif.** Se dit d'un vin frais et léger, avec une petite dominante acide mais sans excès, et agréable.

**Village.** Terme employé dans certaines régions pour individualiser un secteur particulier au sein d'une appellation plus large (beaujolais, côtes-du-rhône).

**Vineux.** Se dit d'un vin possédant une certaine richesse alcoolique et présentant de façon nette les caractéristiques distinguant le vin des autres boissons alcoolisées.

**Vinification.** Méthode et ensemble des techniques d'élaboration du vin.

**Viril.** Se dit d'un vin à la fois charpenté, corsé et puissant.

**Volume.** Caractéristique d'un vin donnant l'impression de bien remplir la bouche.

**VQPRD.** Vin de qualité produit dans une région déterminée. Se distingue des vins de table, dans le langage réglementaire de l'Union européenne, et regroupe, en France, les AOC et AOVDQS.

# INDEX DES APPELLATIONS

# INDEX DES COMMUNES

COMMUNES

D



E



F

COMMUNES

COMMUNES

# INDEX DES PRODUCTEURS

L'indexation ne tient pas compte de l'article défini

PRODUCTEURS

PRODUCTEURS

E

H

PRODUCTEURS

K

M



PRODUCTEURS

PRODUCTEURS

Q



R

S



PRODUCTEURS

T

U



V

W

# INDEX DES VINS

L'indexation ne tient pas compte de l'article défini

B

VINS

VINS

VINS

VINS

E

F

## H



VINS

I



J



VINS

M

VINS

VINS

Q



R

U



V

VINS

vins

’absorption

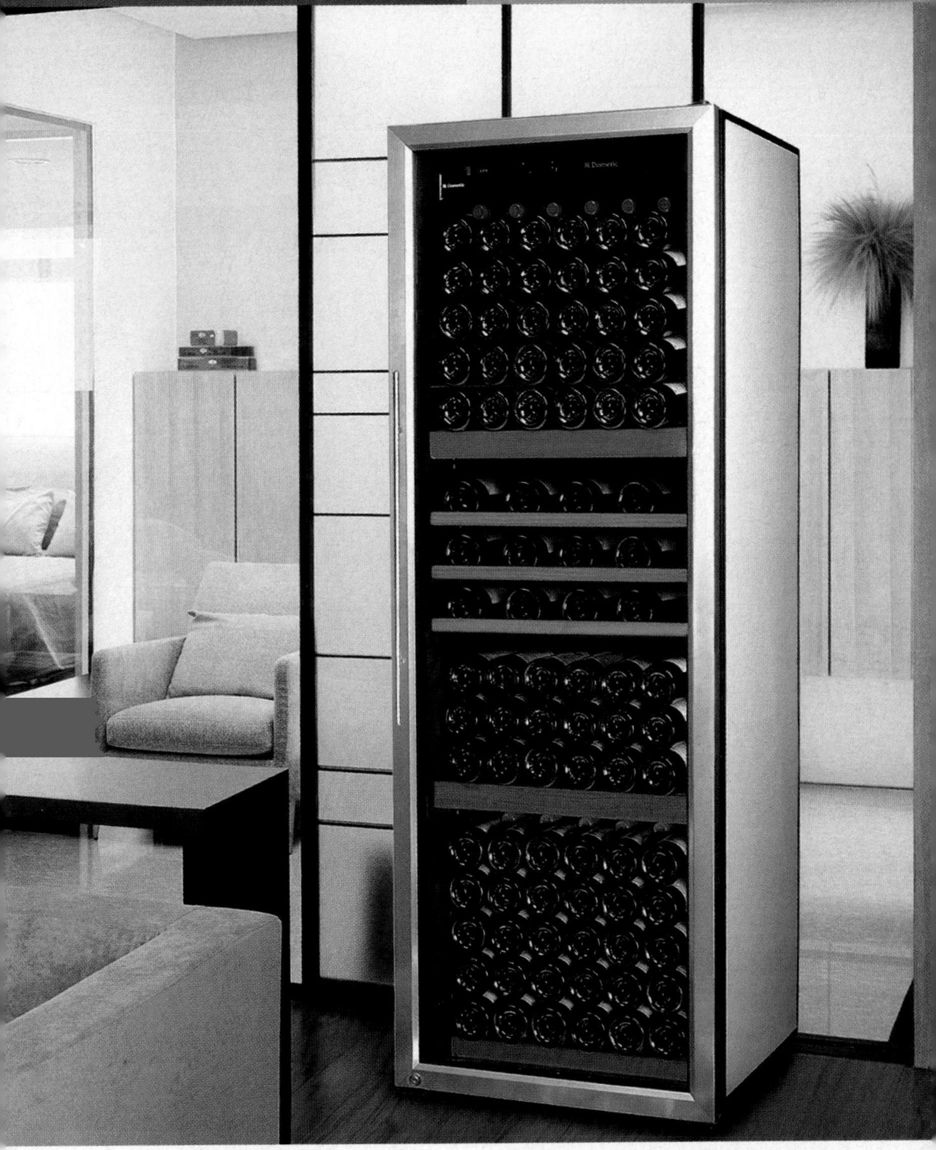

Dometic

The Sign of Comfort

Une vraie cave à vins
chez vous.
LIEBHERR Grand Cru
LIEBHERR
La maîtrise du froi

# Bibliothèque **HACHETTE** du **VIN**

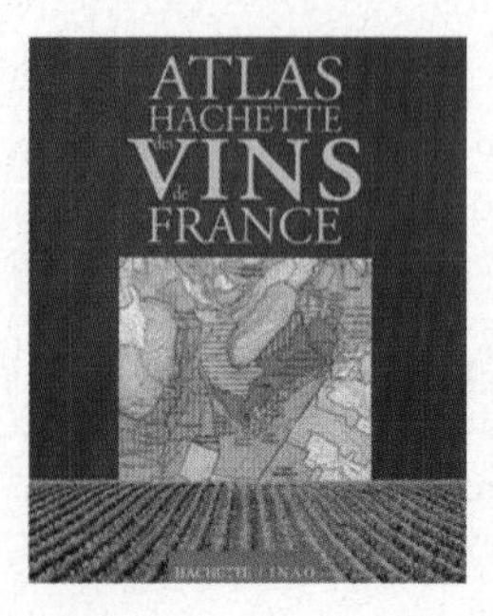


**Atlas Hachette des vins de France**
Un panorama complet de la civilisation du vin
en France et la présentation des appellations d'origine.
300 p., 250 x 300 mm,
500 photos, 74 cartes en couleurs
**54,70 €**

**Une histoire mondiale du vin**
Hugh Johnson
À une échelle universelle,
l'histoire du vin, de ses origines
à nos jours, racontée
par un grand spécialiste mondial.
Le livre de référence sur l'histoire du vin.
480 p., 175 x 250 mm, **49,90 €**

**Bar moderne, 150 cocktails d'aujourd'hui**
Dominique Brotot
Un guide d'atmosphère chic et raffinée : tous les
cocktails, des plus classiques aux plus inventifs,
accompagnés des anecdotes et des petites « chroniques »
qui font leur histoire.
188 p., 115 x 215 mm, papier ivoire
**14,50 €**

**Manuel pratique de l'amateur de cigares**
Jean-Alphonse Richard
Jean-Michel Haedrich
Le cigare est un art, fumer un plaisir,
la dégustation une curiosité et une passion.
Cet ouvrage permet de comprendre la fabrication
des cigares et de découvrir leurs saveurs.
248 p., 190 x 220 mm, **23 €**

# Bibliothèque **HACHETTE** du **VIN**

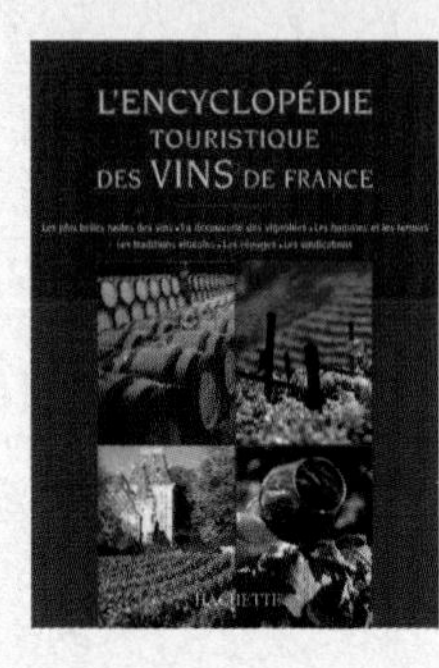


**Encyclopédie touristique des vins de France**
Véritable promenade au cœur des paysages viticoles de France, cet ouvrage propose une double approche du vin : il est à la fois guide touristique et guide de consommation.
448 p., 650 photos et schémas en couleurs, 38 cartes-itinéraires
205 x 285 mm, **21,80 €**

**L'étiquette du vin**
Anthony Rowley,
illustré par la collection de Philippe Parès
Les étiquettes, leur histoire, leur graphisme, leurs thématiques. Un livre illustré par plus de 500 étiquettes rares.
192 p., 250 x 280 mm, **49 €**

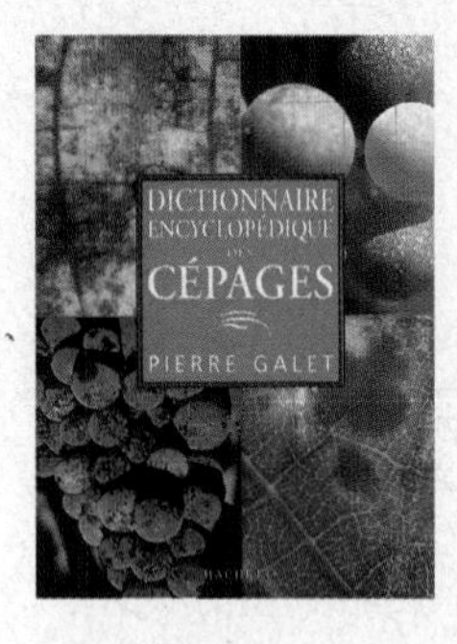


**Dictionnaire encyclopédique des cépages**
Pierre Galet
Tout savoir sur les cépages. Plus de 9 600 cépages du monde décrits par un ampélographe de renommée internationale.
1 024 p., 36 planches ampélographiques en couleurs, 415 dessins.
190 x 250 mm, **54,70 €**

**Le vin bio : mythe ou réalité ?**
Jean-François Bazin
198 p., 130 x 215 mm, **15 €**

**La cote des grands vins de France 2006**
Alain Bradfer,
Alex de Clouet, Claude Maratier
448 p., 150 ventes répertoriées et plus de 13 000 références
115 x 210 mm, **29 €**

**Le vin face à la mondialisation**
Jean-Pierre Deroudille
198 p., 130 x 215 mm, **15 €**

**1000 Vins du monde**
Union des œnologues de France
384 p., 115 x 210 mm, **19,80 €**

**L'école de la dégustation** ÉDITION MISE À JOUR
**Le vin en 100 leçons**
Pierre Casamayor
À la découverte du goût du vin. Comprendre l'influence des cépages et des terroirs sur les arômes et les saveurs.
272 p., 230 x 285 mm, 350 illustrations en couleurs, **25 €**

**L'école des alliances**
**Les vins et les mets**
Pierre Casamayor
Le vin à table : comment réussir ses accords gourmands.
304 p., 230 x 285 mm, **32,50 €**

**Les Terroirs du Vin**
Jacques Fanet
Les grands terroirs viticoles de France et du monde expliqués à l'amateur de vin.
240 p., 230 x 285 mm, 78 coupes et cartes géologiques en couleurs **37,85 €**

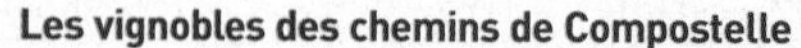

**Les vignobles des chemins de Compostelle**
Pierre Casamayor et Éric Limousin
Introduit par une histoire du pèlerinage, un voyage sur les chemins de Compostelle décrit par un homme du vin qui découvre avec enthousiasme les vignobles qui les bordent depuis l'Europe du Nord jusqu'en Italie et en Espagne, en passant par les hauts lieux du pèlerinage en France.
346 p., 150 x 240 mm, **20 €**

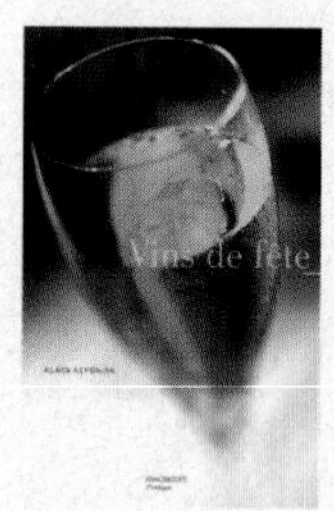


**Vins de fête**
Alain Leygnier
Un livre piquant sur toutes les bulles de fête : le champagne, bien sûr, mais aussi les nombreux crémants produits par les vignobles français.
128 p., 175 x 285 mm, **18 €**

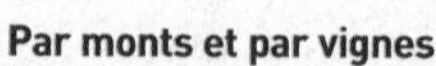

**Par monts et par vignes**
Didier Gentilhomme
L'album du monde viticole : des multiples paysages, les gestes et le regard des travailleurs de la vigne. Les photos permettent de découvrir la diversité des cultures où la vigne s'enracine.
192p., 255 x 214 mm, plus de 100 photos, **27 €**

# Bibliothèque **HACHETTE** du **VIN**

## « Le vin se livre »

Une nouvelle collection haute en couleur, pour découvrir le vin avec simplicité et convivialité.

**Osez le rosé**
William Luret
160 p., 185 x 285 mm, **18 €**

Convivial et facile d'accès, cet ouvrage est un véritable plongeon dans l'univers des rosés, leurs atouts, leurs couleurs, leurs arômes et leurs goûts. Un livre moderne qui permet de reconnaître les bons rosés, découvrir les différents styles, savoir les acheter, les servir.

**J'apporte le vin**
Jean-Pierre Deroudille
160 p., 185 x 285 mm, **18 €**

Buffet, repas familial, « pot » au bureau, tête à tête inoubliable, pique-nique, soirée pizza, couscous, asiatique... Cet ouvrage part des besoins du lecteur, consommateur récent, occasionnel, peu averti, et a pour objectif de le guider dans son choix. C'est une véritable boussole pour ne plus se perdre dans les linéaires, sinon par plaisir.

**Venez prendre un verre**
Alain Leygnier, Josette Barbieri
160 p., 185 x 285 mm, **18 €**

Apéritifs improvisés, ouvertures de repas ou buffets, autant d'occasions de prendre un verre entre amis. Une sélection de vins présentée à travers des moments festifs de la vie quotidienne et accompagnée de recettes d'amuse-gueule faciles à réaliser en toute occasion.

**A chacun son vin**
Alain Symon
160 p., 185 x 285 mm, **18 €**

Une approche conviviale du vin, par le jeu, tout en simplicité et sans complexe. A la découverte de ce qui fait la saveur du vin : les cépages et les terroirs, bien sûr, mais aussi tous les styles qui ont du chic et du goût. Vin plutôt léger et fruité, doux ou bien corsé...

## « Routes du vin en... »

**Bordelais**
Alain Leygnier
120 x 220 mm **14,80 €**

**Languedoc-Roussillon**
Dominique Couvreur
120 x 220 mm **14,80 €**